COLL

ENGELSK–NORSK ORDBOK

ENGLISH–NORWEGIAN DICTIONARY

Lorna Sinclair Knight
Hilde Hasselgård

HarperCollins*Publishers*

First published in this edition 1998

HarperCollins Publishers
P.O. Box, Glasgow G4 0NB, Great Britain

ISBN 0 00 470705 2

Medarbeidere/Contributors
Magne Dypedahl   Kristin Årskaug
Jarle Ebeling   Bente Vines
Berit H. Løken

Nicola Cooke   Bob Grossmith   Sorcha Lenagh
Elspeth Anderson   Maggie Seaton

Datastøtte/Computing Support
John Podbielski   Paul Hassett

Layout ved/Typeset by
Ray Carrick

Printed in Great Britain by Caledonian International Book Manufacturing Ltd, Glasgow, G64

Under arbeidet med denne ordboken er det gjort bruk av Bank of English, som er en database med engelske tekster, til sammen mer enn 300 millioner ord. Dette har gjort det mulig for leksikografene å studere engelsk som det faktisk blir brukt i dag.

Bank of English ble startet som et samarbeidsprosjekt mellom HarperCollins Publishers og Birmingham University til bruk i språkforskning og leksikografi. Databasen inneholder materiale fra bøker, aviser, radio, TV, tidsskrifter, brev og taler, og gjenspeiler hele spektret av engelsk språk i bruk. Den er enestående med hensyn til størrelse og spennvidde, og Collins Dictionaries har eneretten til den spesiallagede programvaren som brukes.

This dictionary has been compiled by referring to the Bank of English, a unique database of the English language with examples of over 300 million words enabling Collins lexicographers to analyse how English is actually used today.

The Bank of English was set up as a joint initiative by HarperCollins Publishers and Birmingham University to be a resource for language research and lexicography. It contains a very wide range of material: books, news-papers, radio, TV, magazines, letters and talks, reflecting the whole spectrum of English today. Its size and range make it an unequalled resource and the purpose-built software for its analysis is unique to Collins Dictionaries.

INNHOLD

CONTENTS

INNLEDNING

Enten du nettopp har begynt å lære engelsk eller vil utvide kunnskapene dine, enten du vil lese engelske bøker og tidsskrifter eller føre samtaler med engelsktalende, enten du bruker engelsk som student, turist, eller i arbeidet ditt, er dette den ideelle ordboken når du trenger hjelp til å forstå og gjøre deg forstått. I denne moderne, brukervennlige ordboken finner du først og fremst dagligdagse ord, og ord som brukes i politikk og samfunnsdebatt, økonomi, data og reiseliv. Som i alle Collins-ordbøker legges det stor vekt på moderne ord og uttrykk.

HVORDAN BRUKE ORDBOKEN

Nedenfor finner du en oversikt over hvordan informasjonen er ordnet i ordboken. Vårt mål er å gi deg så mye informasjon som mulig så klart og oversiktlig som mulig.

Oppslagene

Et typisk oppslag i ordboken består av følgende deler:

Fonetisk transkripsjon

Uttalen står i klamme rett etter oppslagsordet, og er gjengitt i det internasjonale fonetiske alfabetet (IPA). En fullstendig liste over tegnene som brukes i dette systemet finnes på side x.

Grammatisk informasjon

Alle ord tilhører en av disse ordklassene: substantiv, verb, adjektiv, adverb, pronomen, artikkel, konjunksjon, preposisjon, forkortelse. Substantivene kan være entall eller flertall og, på norsk, hankjønn, hunkjønn, eller intetkjønn. Verbene kan være transitive, intransitive eller upersonlige. Ordklassen står rett etter den fonetiske transkripsjonen av oppslagsordet. Kjønnet på oversettelsen står også i kursiv umiddelbart etter hovedordet i oversettelsen.

Noen ganger kan oppslagsordet tilhøre mer enn en ordklasse. Akkurat som det norske ordet **rose** kan være sustantiv eller verb, kan det engelske ordet **chemical** være substantiv ("**kjemikalie**") eller adjektiv ("**kjemisk**"). På samme måte er verbet **to walk** noen ganger transitivt, dvs det tar objekt (som i "to walk the dog"), og noen ganger intransitivt, dvs. at det ikke tar objekt (som i "to walk to school"). For å hjelpe deg å finne raskt fram til den betydningen du leter etter og for å gjøre presentasjonen så oversiktlig som mulig, er de forskjellige ordklassekategoriene adskilt med nummer.

Adskilte betydninger

De fleste ord har mer enn en betydning. Ta for eksempel **punch** som, blant annet, kan være et slag med knyttneven eller en gjenstand til å lage hull med. Andre ord blir oversatt forskjellig etter hvilken sammenheng de blir brukt i. Det transitive verbet **to roll up**, for eksempel, kan oversettes med "brette opp" og "nøste opp" avhengig av hva det er som blir **rolled up**. For å hjelpe deg å velge den best egnede oversettelsen i alle forbindelser, har vi delt inn oppslagene etter betydning. De forskjellige betydninger angis med en innledende "indikator" i kursiv og parentes. Eksemplene ovenfor blir dermed gjengitt slik:

punch S (*blow*) slag *nt*; (*tool*) hulltang *c*

roll up VT (*string*) nøste (*v1*) opp; (*sleeves*) brette (*v1*) opp

Dessuten har noen ord forskjellig betydning når de brukes om et bestemt fagområde eller felt. **Bishop**, som vanligvis brukes som betegnelse på en geistlig, er også navnet på en sjakkbrikke. For å vise hvilken oversettelse du skal bruke, har vi angitt faglig bruksområde i kapitéler og parentes, i dette tilfellet (*SJAKK*):

bishop S biskop *m*; (*SJAKK*) løper *m*

Betegnelser på faglig bruksområde er ofte forkortet for å spare plass. En fullstendig liste over forkortelsene som er brukt i ordboken finner du på side viii.

Oversettelser

De fleste engelske ordene har direkte oversettelser på norsk og vise versa, som vist i eksemplene ovenfor. Det hender imidlertid at det ikke finnes noen ekvivalent på målspråket. I slike tilfeller har vi gitt en tilnærmet ekvivalent, angitt ved symbolet ≈. Et eksempel på dette er **National Insurance**, som tilsvarer "folketrygd" på norsk. Det finnes ikke noen fullstendig ekvivalent, ettersom de to landene har helt forskjellige systemer:

National Insurance (BRIT) S ≈ folketrygd *m*

Noen ganger er det umulig å finne selv en tilnærmet ekvivalent. Dette kan for eksempel være tilfelle med en del matretter:

mince pie S *liten pai fylt med "mincemeat"*

Her er oversettelsen (som ikke finnes) erstattet av en forklaring. For å forhindre misforståelser, har vi satt forklaringen i kursiv.

Stilnivåer – formelt, uformelt

På norsk vet du instinktivt når du kan si **Jeg har ikke penger**, og når du kan si **Jeg er blakk**, eller **Jeg har dårlig med kontanter**. Når du prøver å forstå noen som snakker engelsk, eller når du selv prøver å snakke engelsk, er det viktig å vite hva som er høflig og hva som er mindre høflig, og hva du kan si i uhøytidelige sammenhenger, men ikke i mer formelle situasjoner. For å hjelpe deg med dette har vi satt inn etiketten (*sl*) for å vise at et engelsk uttrykk eller betydning tilhører uformelt talespråk, mens betydninger eller uttrykk som er vulgære er merket med et utropstegn (*sl!*), som en advarsel om at de kan virke sterkt støtende.

Nøkkelord

Ord som i teksten er merket "KEYWORD" (NØKKELORD), som for eksempel **be og do**, blir behandlet spesielt grundig fordi de utgjør de grunnleggende elementene i språkene. Denne ekstra hjelpen vil gjøre deg trygg på bruken av disse komplekse uttrykkene.

Kulturell informasjon

Oppslag som er adskilt fra teksten ved hjelp av horisontale linjer over og under, forklarer særtrekk ved kulturen i engelsktalende land. Det er tatt med emneområder som politikk, skolesystem, media og nasjonale helligdager, for eksempel **Congress, secondary school, BBC** og **Hallowe'en**.

INTRODUCTION

You may be starting Norwegian, or you may wish to extend your knowledge of the language. Perhaps you want to read and study Norwegian books, newspapers and magazines, or perhaps simply have a conversation with Norwegian speakers. Whatever the reason, whether you're a student, a tourist or want to use Norwegian for business, this is the ideal book to help you understand and communicate. This modern, user-friendly dictionary gives priority to everyday vocabulary and the language of current affairs, business, computing and tourism, and, as in all Collins dictionaries, the emphasis is firmly placed on contemporary language and expressions.

HOW TO USE THE DICTIONARY

Below you will find an outline of how information is presented in your dictionary. Our aim is to give you the maximum amount of detail in the clearest and most helpful way.

Entries

A typical entry in your dictionary will be made up of the following elements:

Phonetic transcription

Phonetics appear in square brackets immediately after the headword. They are shown using the International Phonetic Alphabet (IPA), and a complete list of the symbols used in this system can be found on page x.

Grammatical information

All words belong to one of the following parts of speech: noun, verb, adjective, adverb, pronoun, article, conjunction, preposition, abbreviation. Nouns can be singular or plural. Verbs can be transitive, intransitive, reflexive or impersonal. Parts of speech appear immediately after the phonetic spelling of the headword. The gender of the translation also appears in *italics* immediately following the key element of the translation. The verb pattern number appears in brackets after the translation (see verb patterns, page 778).

Often a word can have more than one part of speech. Just as the English word **chemical** can be an adjective or a noun, the Norwegian word **rose** can be a noun or a verb. In the same way the verb **to walk** is sometimes transitive, ie it takes an object ("to walk the dog") and sometimes intransitive, ie it doesn't take an object ("to walk to school"). To help you find the meaning you are looking for quickly and for clarity of presentation, the different part of speech categories are separated by numbers.

Meaning divisions

Most words have more than one meaning. Take, for example, **punch** which can be, amongst other things, a blow with the fist or an object used for making holes. Other words are translated differently depending on the context in which they are used. The transitive verb **to roll up**, for example, can be translated by "brette opp" or "nøste opp" depending on *what* it is you are rolling up. To help you select the most appropriate translation in every context, entries are divided according to meaning. Different meanings are introduced by an "indicator" in *italics* and in brackets. Thus, the examples given above will be shown as follows:

punch S (*blow*) slat *nt;* (*tool*) hulltang *c*

roll up VT (*string*) nøste (*v1*) opp; (*sleeves*) brette (*v1*) opp

Likewise, some words can have a different meaning when used to talk about a specific subject area or field. For example, **bishop**, which we generally use to mean a high-ranking clergyman, is also the name of a chess piece. To show users which translation to use, we have added "subject field labels" in capitals and in brackets, in this case (*SJAKK*):

bishop S biskop *m*; (*SJAKK*) løper *m*

Field labels are often shortened to save space. You will find a complete list of abbreviations used in the dictionary on pages viii.

Translations

Most English words have a direct translation in Norwegian and vice versa, as shown in the examples given above. Sometimes, however, no exact equivalent exists in the target language. In such cases we have given an approximate equivalent, indicated by the sign ≈. An example is **National Insurance**, the Norwegian equivalent of which is "folketrygd". There is no exact equivalent since the systems of the two countries are quite different:

National Insurance (*BRIT*) S ≈ folketrygd *m*

On occasion it is impossible to find even an approximate equivalent. This may be the case, for example, with the names of types of food:

mince pie S *liten pai fylt med "mincemeat"*

Here the translation (which doesn't exist) is replaced by an explanation. For increased clarity the explanation, or "gloss", is shown in *italics*.

Levels of formality and familiarity

In English you instinctively know when to say **I don't have any money** and when to say **I'm broke** or **I'm a bit short of cash.** When you are trying to understand someone who is speaking Norwegian, however, or when you yourself try to speak Norwegian, it is important to know what is polite and what is less so, and what you can say in a relaxed situation but not in a formal context. To help you with this we have added the label (*sl*) to show that a meaning or expression is colloquial, while those meanings or expressions which are vulgar are given an exclamation mark (*sl!*), warning you they can cause serious offence.

Key words

Words labelled in the text as *KEYWORDS*, such as **be** and **do**, have been given special treatment because they form the basic elements of the language. This extra help will ensure that you know how to use these complex words with confidence.

Cultural information

Entries which appear separated from the main text by a line above and below them explain aspects of culture in English-speaking countries and which do not have a direct equivalent in Norwegian. Subject areas covered include politics, education, media and national festivals, for example **Congress, secondary school, BBC** and **Hallowe'en**.

ABBREVIATIONS FORKORTELSENE

adjective	**ADJ**	adjektiv
administration	**ADMIN**	administrasjon
adverb	**ADV**	adverb
agriculture	**AGR**	landbruk
also	**also**	også
anatomy	**ANAT**	anatomi
architecture	**ARKIT**	arkitektur
article	**ART**	artikkel
astrology	**ASTROL**	astrologi
aviation	**AVIAT**	flyging
definite	**BEST**	bestemt
biology	**BIO**	biologi
botany	**BOT**	botanikk
British	**BRIT**	britisk
Canadian	**CAN**	kanadisk
computing	**DATA**	databehandling
diminutive	**DIMIN**	diminutiv
electronics, electricity	**ELEK**	elektronikk, elektrisitet
emphatic	**emph**	emfatisk
especially	**esp**	især
euphemistic	**euph**	eufemistisk
figurative	**fig**	figurlig, overført
finance	**FIN**	finansiering
abbreviation	**FK**	forkortelse
formal	**fml**	formelt
football	**FOTB**	fotball
physics	**FYS**	fysikk
grography	**GEOG**	geografi
geometry	**GEOM**	geometri
old fashioned	**gam**	gammeldags
history	**HIST**	historie
humorous	**hum**	humoristisk
auxilliary verb	**H-VERB**	hjelpeverb
industry	**INDUST**	industri
exclamation	**INTERJ**	interjeksjon, utrop
ironical	**iro**	ironisk
especially	**især**	især
insurance	**FORS**	forsikring
railways	**JERNB**	jernbane
law, legal	**JUR**	jus, juridisk
chemistry	**KJEM**	kjemi
comparative	**KOMPAR**	komparativ
complement	**KOMPL**	komplement
conjunction	**KONJ**	konjunksjon
culinary	**KULIN**	kulinarisk
linguistics	**LING**	lingvistikk
literature	**LITT**	litteratur
literary	**liter**	litterært
literary	**litter**	litterært
mathematics	**MAT**	matematikk
medicine	**MED**	medisin
with verb	**MED VB**	med verb

ABBREVIATIONS		FORKORTELSENE
business	MERK	forretningsvirksomhet
military	MIL	militær
modal	MOD	modal
music	MUS	musikk
mythology	MYT	mytologi
drugs	NARKO	narkotika
pejorative	neds	nedsettende
nautical	NAUT	nautisk
pejorative	pej	nedsettende
plural	PL	flertall
politics	POL	politikk
past participle	PP	perfektum partisipp
prefix	PREF	forstavelse, prefiks
preposition	PREP	preposisjon
journalism	PRESS	journalistikk
preterite	PRET	preteritum
pronoun	PRON	pronomen
psychology	PSYK	psykologi
religion	REL	religion
noun	S	substantiv
forming compounds	SAMMENS	sammensetning
Scottish	SCOT	skotsk
singular	SING	entall
education	SKOL	utdanning
informal, slang	sl	uformelt, slang
highly informal	sl!	svært uformelt
plural noun	SPL	substantiv flertall
singular noun	SSING	substantiv entall
suffix	SUFF	suffiks
superlative	SUP	superlativ
numeral	TALLORD	tallord
theatre	TEAT	teater
technology	TEKN	teknologi
telecommunications	TEL	telekommunikasjoner
typography, printing	TYP	typografi, trykking
indefinite	UBEST	ubestemt
invariable	UBØY	ubøyelig
university	UNIV	universitet
impersonal	UPERS	upersonlig
American	US	amerikansk
usually	usu	vanligvis
usually	vanl	vanligvis
verb	VB	verb
intransitive verb	VI	intransitivt verb
transitive verb	VT	transitivt verb
inseparable verb	VT FUS	transitiv verbalgruppe
separable verb	VT SEP	uekte sammensatt verb
zoology	ZOOL	zoologi
economics	ØKON	økonomi
registered trademark	®	registrert varemerke
denotes cultural equivalence	≈	angir kulturell ekvivalent
irregular verb (see p. 776)	*	uregelmessig verb (se s. 776)

FONETISK TRANSKRIPSJON

PHONETIC TRANSCRIPTION

Konsonanter / Consonants

Konsonanter		Consonants
pappa	p	puppy
bombe	b	baby
telt	t	tent
dundre	d	daddy
krukke	k	cork, kiss, chord
glo	g	gag, guess
sa, rosa	s	so, rice, kiss
	z	cousin, buzz
skjære, sjø, skyld	ʃ	sheep, sugar
	ʒ	pleasure, beige
ketsjup	tʃ	church
	ʤ	judge, general
fruktfat	f	farm, raffle
vill, øve	v	very, rev
	θ	thin, maths
	ð	that, other
liten ball	l	little, ball
rar, hurra	r	rat, rare
mamma, lam	m	mummy, comb
nonne, tun	n	no, ran
synge, bank	ŋ	singing, bank
hatt, opphetet	h	hat, reheat
ja, gikk, gjort	j	yet
	w	wall, bewail
	x	loch

Diverse

På britisk engelsk uttales r på slutten av et ord når det neste ordet begynner med vokal.	*
står foran en trykksterk stavelse	ˈ

Som regel er uttalen angitt i skarpe klammer etter hvert oppslagsord. Ved uttrykk som består av to eller flere ord som ikke er bundet sammen med bindestrek, og som står som egne oppslagsord, kan man finne uttalen under hvert av ordene uttrykket består av.

FONETISK TRANSKRIPSJON		PHONETIC TRANSCRIPTION
Vokaler		**Vowels**
skrive, papir	iː	heel, bead
stille, linje	ɪ	hit, pity
menn, vekke	ɛ	set, tent
være	a æ	bat, apple
ta, stanse	ɑ ɑː	after, car, calm
	ʌ	fun, cousin
snakke, bestemt	ə	over, above
øve	ø əː	urn, fern, work
opp	ɔ	wash, pot
så	ɔː	born, cork
bok	ʊ	full, soot
hus, sulte	uː	boon, lewd
		Diphthongs
	ɪə	beer, tier
	ɛə	tear, fair, there
	eɪ	date, plaice, day
	aɪ	life, buy, cry
	au	owl, foul, now
	əu	low, no
	ɔi	boil, boy, oily
	ʊə	poor, tour

In general, we give the pronounciation of each entry in square brackets after the word in question. However, where the entry is composed of two or more unhyphenated words, each of which is given elsewhere in this dictionary, you will find the pronounciation of each word in its alphabetical position.

A

A, a [eɪ] s (**a**) (*letter*) A, a *m*
(**b**) (SKOL: *mark*) *beste karakter*
▸ **A for Andrew,** *(US)* **A for Able** A for Anna
▸ **A road** (BRIT: BIL) riksvei *m*
▸ **A shares** (BRIT: FIN) A-aksjer

KEYWORD

a [ə] (*before vowel or silent h:* **an**) 1 UBEST ART (**a**) (*article*) en *c, m*, ei *f*, et *nt*
▸ **a man** en mann
▸ **a girl** ei *or* en jente
▸ **a mirror** et speil
▸ **she's a doctor** hun er lege
(**b**) (*instead of the number 'one'*) en/ei/et
▸ **a year ago** for et år siden
▸ **a hundred/thousand** *etc* **pounds** hundre/tusen *etc* pund
(**c**) (*in expressing ratios, prices etc*) ▸ **5 a day/week** 5 om dagen/3 i uken
▸ **100 km an hour** 100 km i timen
▸ **5 pounds a person** 5 pund pr person, 5 pund for hver person
▸ **30p a kilo** 30p for kiloen

A [eɪ] (MUS) s A *m*
a. FK = **acre**
AA S FK (BRIT) (= **Automobile Association**) ≈ NAF *nt* (= *Norges Automobil-Forbund*) (US) (= **Associate in/of Arts**) *laveste universitetsgrad i humaniora*; (= **Alcoholics Anonymous**) AA *pl* (= *Anonyme Alkoholikere*)
AAA S FK (= **American Automobile Association**) ≈ NAF *nt* (= *Norges Automobil-Forbund*) (BRIT) (= **Amateur Athletics Association**) ≈ NFF *nt* (= *Norges Fri-idrettsforbund*)
A & R (MUS) S FK (= **artists and repertoire**) *avdeling i plateselskap som oppdager og markedsfører nye talenter*
AAUP S FK (= **American Association of University Professors**) *amerikansk professorforening*
AB FK (BRIT) (= **able-bodied seaman**); (CAN) **Alberta**
abaci ['æbəsaɪ] SPL *of* **abacus**
aback [ə'bæk] ADV ▸ **to be taken aback** bli* overrumplet
abacus ['æbəkəs] (*pl* **abaci**) s kuleramme *c*
abandon [ə'bændən] 1 VT (**a**) (*+person*) forlate*, gå* fra
(**b**) (*+car*) etterlate*, gå* fra
(**c**) (= *give up: search, idea, research*) gi* opp
2 S ▸ **with abandon** løssluppent ❑ *The food was consumed with joyous abandon.* Maten ble fortært med munter løssluppenhet.
▸ **to abandon ship** forlate* det synkende skipet
abandoned [ə'bændənd] ADJ (*child*) (som har blitt) forlatt; (*house*) fraflyttet; (= *unrestrained: laugh, gesture*) løssluppen, hemningsløs
abase [ə'beɪs] VT ▸ **to abase o.s.** ydmyke (*v1*) seg
abashed [ə'bæʃt] ADJ skamfull
abate [ə'beɪt] VI (*storm, terror, anger+*) stilne (*v1*)
abatement [ə'beɪtmənt] S ▸ **noise abatement society** *forening for bekjempelse av støyplagen*
abattoir ['æbətwɑːʳ] s slakteri *nt*
abbey ['æbɪ] s klosterkirke *m*
abbot ['æbət] s abbed *m*
abbreviate [ə'briːvɪeɪt] VT (*+word, essay*) forkorte (*v1*)
abbreviation [əbriːvɪ'eɪʃən] s forkortelse *m* ❑ *UV is an abbreviation for ultra violet.* UV er en forkortelse for "ultra violet".
ABC S FK (= **American Broadcasting Company**) *amerikansk, nasjonalt fjernsynsselskap*
abdicate ['æbdɪkeɪt] 1 VT (*+responsibility, right*) si* fra seg, fraskrive* seg
2 VI (*monarch+*) abdisere (*v2*)
abdication [æbdɪ'keɪʃən] s (*of monarch*) abdikasjon *m*
▸ **an abdication of political responsibility** det å si fra seg *or* fraskrive seg politisk ansvar
abdomen ['æbdəmɛn] s mage *m* (*og underliv*)
abdominal [æb'dɔmɪnl] ADJ (*pains etc*) mage-
abduct [æb'dʌkt] VT bortføre (*v2*)
abduction [æb'dʌkʃən] s bortførelse *m*
Aberdonian [æbə'dəunɪən] 1 ADJ fra Aberdeen
2 s person *m* fra Aberdeen
aberration [æbə'reɪʃən] s avvik *nt* ❑ *The low sales figures for July are an aberration.* De lave salgstallene for juli representerer et avvik (fra normalen).
▸ **in a moment of (mental) aberration** i et anfall av lettere sinnsforvirring
abet [ə'bɛt] VT *see* **aid**
abeyance [ə'beɪəns] S ▸ **in abeyance** (*law*) som ikke blir håndhevet; (*matter*) i bero
abhor [əb'hɔːʳ] VT avsky (*v4*)
abhorrent [əb'hɔrənt] ADJ avskyelig ❑ *...methods which were abhorrent to them.* ...metoder som var avskyelige i deres øyne.
abide [ə'baɪd] VT ▸ **I can't abide it/him** jeg kan ikke utstå det/ham, jeg kan ikke fordra det/ham
▸ **abide by** VT FUS (*+law, decision*) føye (*v3*) seg etter, rette (*v1*) seg etter
abiding [ə'baɪdɪŋ] ADJ (*memory, impression*) varig, blivende
ability [ə'bɪlɪtɪ] s evne *m* ❑ *...the ability to see.* ...evnen til å se. *...children of different abilities.* ...barn med varierende evner.
▸ **to the best of my ability** etter beste evne
abject ['æbdʒɛkt] ADJ (*poverty, apology, letter, coward etc*) ynkelig
ablaze [ə'bleɪz] ADJ ▸ **to be ablaze** (*building etc*) stå* i brann *or* i flammer
▸ **the house was ablaze with light** huset lå badet i lys
able ['eɪbl] ADJ dyktig ❑ *He was an unusually able detective.* Han var en uvanlig dyktig detektiv.
▸ **to be able to do sth** være* i stand til å gjøre* noe, kunne* gjøre* noe ❑ *The frog is able to jump*

three metres. Frosken er i stand til å *or* kan hoppe tre meter.

able-bodied [ˈeɪblˈbɔdɪd] ADJ sunn og sterk ▸ **able-bodied seaman** (*BRIT*) fullbefaren sjømann *m irreg*

ably [ˈeɪblɪ] ADV dyktig

ABM S FK (= **anti-ballistic missile**) antirakett-rakett *m*

abnormal [æbˈnɔːməl] ADJ (*behaviour, child, situation*) unormal

abnormality [æbnɔːˈmælɪtɪ] S (*condition*) ▸ **I cannot express a view as to his normality or abnormality** jeg kan ikke uttale meg om han er normal eller unormal; (*instance*) ▸ **it is caused by an abnormality in the blood** det er forårsaket av noe unormalt i blodet

aboard [əˈbɔːd] 1 PREP om bord på
2 ADV om bord ❑ *The plane crashed, killing all 271 aboard.* Flyet styrtet, og alle de 271 om bord ble drept.

abode [əˈbəud] (*JUR*) S ▸ **of no fixed abode** uten fast bopæl

abolish [əˈbɔlɪʃ] VT avskaffe (*v1*)

abolition [æbəˈlɪʃən] S avskaffelse *m*

abominable [əˈbɔmɪnəbl] ADJ (*conditions, behaviour*) avskyelig, motbydelig

abominably [əˈbɔmɪnəblɪ] ADV avskyelig, motbydelig

aborigine [æbəˈrɪdʒɪnɪ] S innfødt *m*, urinnvåner *m* ▸ **Aborigine** australneger *m*

abort [əˈbɔːt] VT (*+plan, operation, COMPUT*) avbryte*; (*MED*) abortere (*v2*)

abortion [əˈbɔːʃən] S abort *m* ▸ **to have an abortion** ta* abort

abortionist [əˈbɔːʃənɪst] S *en som fortar aborter*

abortive [əˈbɔːtɪv] ADJ (*attempt, action*) mislykket, dødfødt

abound [əˈbaund] VI ▸ **rumours abounded** det vrimlet av rykter
▸ **to abound in** *or* **with** bugne (*v1*) av ❑ *Its hills abound with streams and waterfalls.* Åsene er fulle av bekker og fosser.

KEYWORD

about [əˈbaut] 1 ADV (**a**) (= *approximately*) omtrent, omkring, cirka
▸ **about a hundred/thousand** omtrent *or* omkring *or* cirka hundre/tusen
▸ **at about 2 o'clock** omtrent *or* omkring *or* cirka klokken 2
▸ **I've just about finished** jeg er så å si ferdig
(**b**) (*referring to place*) (rundt) omkring
▸ **to leave things lying about** legge* igjen ting rundt omkring
▸ **to run/walk** *etc* **about** løpe*/gå *etc* omkring
(**c**) ▸ **to be about to do sth** holde* på å (begynne å) gjøre* noe; (*intentionally*) skulle* til å gjøre* noe ❑ *He was about to cry.* Han holdt på å begynne å gråte. *He was about to leave...* Han skulle* til å gå...
2 PREP (**a**) (= *relating to*) om ❑ *What is it about?* Hva handler det om? *We talked about it.* Vi snakket om det.
▸ **a book about London** en bok om London
▸ **what** *or* **how about doing this?** hva syns du om å gjøre* dette?
(**b**) (*referring to place*) rundt i, omkring i
▸ **to walk about the town** gå* rundt *or* omkring i byen
▸ **scattered about the room** spredt rundt *or* omkring i rommet

about-face [əˈbautˈfeɪs] S (*MIL, fig*) helomvending *c*

about-turn [əˈbautˈtəːn] 1 S = **about-face**
2 INTERJ helt om!

above [əˈbʌv] 1 ADV (**a**) (= *higher up, overhead*) over ❑ *...by the light of the gas lamp above.* ...i lyset fra gasslampen over ham.
(**b**) (= *greater, more*) oppover ❑ *...aged 15 and above.* ...15 år og oppover.
2 PREP over ❑ *...fifty kilometres above the surface of the earth.* ...femti kilometer over jordoverflata. *...tickets at 22% above box-office prices.* ...teaterbilletter til 22 % over billettkontorpriser.
▸ **mentioned above** nevnt ovenfor
▸ **he's not above a bit of blackmail** han holder seg ikke for god til litt utpressing
▸ **above all** framfor alt

above board ADJ åpen og ærlig

abrasion [əˈbreɪʒən] S (*on skin*) skrubbsår *nt*

abrasive [əˈbreɪzɪv] ADJ (*substance*) slipende; (*fig: person, manner*) upolert

abreast [əˈbrɛst] ADV side om side, ved siden av hverandre
▸ **3 abreast** 3 i bredden
▸ **to keep abreast of** (*fig: news etc*) holde* seg ajour med

abridge [əˈbrɪdʒ] VT (*+novel, play*) forkorte (*v1*)

abroad [əˈbrɔːd] ADV (**a**) (*be*) i utlandet, utenlands ❑ *He's abroad at the moment.* Han er i utlandet *or* utenlands for tiden.
(**b**) (*go*) til utlandet, utenlands ❑ *My friend has gone abroad.* Vennen min har reist til utlandet *or* utenlands.
▸ **there is a rumour abroad that...** (*fig*) det er et rykte i omløp om at...

abrupt [əˈbrʌpt] ADJ (**a**) (*action, ending etc*) brå ❑ *It came to an abrupt end.* Det fikk en brå slutt.
(**b**) (*person, behaviour*) brå, brysk ❑ *...David's abrupt manner.* ...Davids brå *or* bryske måte å være* på.

abruptly [əˈbrʌptlɪ] ADV (*leave, end, brake*) brått; (*speak*) bryskt

ABS S FK (= **advanced breaking system**) ABS, ABS-bremser *pl*

abscess [ˈæbsɪs] S abscess *m*, verkebyll *m*

abscond [əbˈskɔnd] VI ▸ **to abscond with** stikke* av med ▸ **to abscond (from)** stikke* av (fra)

abseil [ˈæbseɪl] VI rappellere (*v2*) (*i fjellklatring*)

absence [ˈæbsəns] S (**a**) (*of person*) fravær *nt*
(**b**) (*of thing*) mangel *m* NB *The absence of electricity made matters worse.* Mangelen på elektrisitet gjorde tingene verre.
▸ **in the absence of sb** i noens fravær
▸ **in the absence of sth** siden man ikke har noe ❑ *...in the absence of identification.* ...siden han ikke hadde legitimasjon.

absent [*ADJ* ˈæbsənt, *VB* æbˈsɛnt] 1 ADJ (*friend, parent*) fraværende

[2] VT ▸ **to absent o.s. from** holde* seg borte fra
▸ **to be absent** være* borte
▸ **absent without leave** (MIL) på tjuvperm

absentee [æbsən'ti:] s *fraværende person*

absenteeism [æbsən'ti:ɪzəm] s hyppig fravær *nt*

absent-minded ['æbsənt'maɪndɪd] ADJ åndsfraværende, distré

absent-mindedness ['æbsənt'maɪndɪdnɪs] s åndsfraværenhet *m*

absolute ['æbsəlu:t] ADJ (**a**) (= *complete*) fullstendig ❑ *The script is an absolute mess.* Manuskriptet er fullstendig kaotisk.
(**b**) (*monarch*) eneveldig
(**c**) (*power*) uinnskrenket
(**d**) (*principle*) absolutt

absolutely [æbsə'lu:tlɪ] ADV (**a**) (= *totally*) fullstendig, totalt ❑ *We were absolutely opposed to the plan.* Vi var fullstendig *or* totalt imot planen.
(**b**) (= *certainly*) absolutt ❑ *Absolutely, I couldn't agree more.* Absolutt, jeg er fullstendig enig.

absolution [æbsə'lu:ʃən] s syndsforlatelse *m*, absolusjon *m*

absolve [əb'zɔlv] VT ▸ **to absolve sb (from)** (*+blame, responsibility*) frikjenne (*v2x*) noen (for); (*+sin*) gi* noen (synds)forlatelse (for)

absorb [əb'zɔ:b] VT (**a**) (*+liquid, light*) absorbere (*v2*)
(**b**) (= *assimilate: group*) ta* opp
(**c**) (*+business*) ta* over
(**d**) (*+changes, effects*) ta* innover seg ❑ *The communities were able to absorb these changes.* Samfunnene klarte å ta* innover seg disse forandringene.
(**e**) (*+information, facts*) fordøye (*v3*)
▸ **to be absorbed in a book** være* oppslukt av *or* fordypet i en bok

absorbent [əb'zɔ:bənt] ADJ absorberende

absorbent cotton (*US*) s hygroskopisk bomull *m*

absorbing [əb'zɔ:bɪŋ] ADJ (*book, film etc*) oppslukende, fengslende

absorption [əb'sɔ:pʃən] s (**a**) (*of liquid, light*) absorbering *m*, absorpsjon *m*
(**b**) (= *assimilation*) opptak *nt* (*og tilpasning*) ❑ *...the absorption of foreign minorities.* ...opptaket (og tilpasningen) av utenlandske minoriteter.
(**c**) (= *interest*) fordypelse *m* ❑ *...her growing absorption in the study of natural history.* ...hennes stadig mer intense fordypelse i studiet av jordens historie.

abstain [əb'steɪn] VI (*in vote*) unnlate* å stemme, avstå* fra å stemme
▸ **to abstain from** (*+eating, drinking*) avstå* fra

abstemious [əb'sti:mɪəs] ADJ avholdende, svært måteholden

abstention [əb'stenʃən] s ▸ **there were 4 abstentions** det var 4 som avsto fra *or* unnlot å stemme

abstinence ['æbstɪnəns] s avholdenhet *m*

abstract [ADJ, N 'æbstrækt, VB æb'strækt] [1] ADJ abstrakt ❑ *I don't understand abstract art.* Jeg forstår ikke abstrakt kunst. *...an abstract noun.* ...et abstrakt substantiv.
[2] s (= *summary*) sammendrag *nt*
[3] VT ▸ **to abstract sth (from)** (= *summarize*) trekke* ut noe (fra) ❑ *Try to abstract the key arguments from the article.* Prøv å trekke ut de viktigste argumentene fra artikkelen.

abstruse [æb'stru:s] ADJ dunkel og uforståelig, abstrus

absurd [əb'sə:d] ADJ absurd

absurdity [əb'sə:dɪtɪ] s absurditet *m*

ABTA ['æbtə] s FK (= **Association of British Travel Agents**) *bransjeorganisasjon*

Abu Dhabi ['æbu:'dɑ:bɪ] s Abu Dhabi

abundance [ə'bʌndəns] s tallrikhet *m*
▸ **an abundance of** rikelig med
▸ **in abundance** i overflod

abundant [ə'bʌndənt] ADJ rikelig

abundantly [ə'bʌndəntlɪ] ADV (**a**) (*grow*) rikelig
(**b**) (*clear, obvious*) til overmål ❑ *It has become abundantly clear that...* Det har blitt til overmål klart at...

abuse [N ə'bju:s, VB ə'bju:z] [1] s (**a**) (= *insults*) skjellsord *pl*, ukvemsord *pl* ❑ *...a hail of abuse.* ...en storm av skjellsord *or* ukvemsord.
(**b**) (= *ill-treatment*) mishandling *c* ❑ *Her parents were found guilty of abuse.* Foreldrene hennes ble kjent skyldig i mishandling.
(**c**) (= *misuse: of power, drugs etc*) misbruk *nt* ❑ *...the uses and abuses of power.* ...bruk og misbruk av makt.
[2] VT (**a**) (= *insult*) skjelle (*v2x*) ut ❑ *They abused the workmen in the foulest language.* De skjelte ut arbeiderne med de groveste ukvemsord.
(**b**) (= *ill-treat*) mishandle (*v1*)
(**c**) (= *misuse*) misbruke (*v2*) ❑ *It is important not to abuse your position.* Det er viktig at du ikke misbruker din stilling.
▸ **to be open to abuse** være* åpen for misbruk

abusive [ə'bju:sɪv] ADJ ▸ **to be abusive** komme* med skjellsord
▸ **abusive language** skjellsord *pl*

abysmal [ə'bɪzməl] ADJ (*failure*) forferdelig; (*conditions, wages, performance*) elendig

abysmally [ə'bɪzməlɪ] ADV forferdelig

abyss [ə'bɪs] s (= *deep hole*) avgrunn *m*; (*fig*) uoverstigelig kløft *m*

AC FK (*US*) (= **alternating current**),**athletic club** sportsklubb *m*

a/c (*BANK etc*) FK = **account**

academic [æka'dɛmɪk] [1] ADJ (**a**) (*person*) teoretisk anlagt
(**b**) (*year, system, books, standards, freedom etc*) akademisk
(**c**) (*neds: issue*) rent teoretisk ❑ *It was all academic, because there were never any profits to share out.* Det hele var rent teoretisk, siden det aldri fantes noen fortjeneste å dele på.
[2] s akademiker *m*

academic year s skoleår *nt*

academy [ə'kædəmɪ] s (**a**) (= *learned body*) akademi *nt* ❑ *...the Soviet Academy of Sciences.* ...det sovjetiske vitenskapsakademiet.
(**b**) (= *school*) akademi *nt*, høgskole *m*
▸ **academy of music** musikkonservatorium *nt*
▸ **military/naval academy** militær-/marineakademi *nt*

ACAS ['eɪkæs] (*BRIT*) s FK (= **Advisory, Conciliation and Arbitration Service**) *organ som mekler i, og avgjør arbeidstvister*

accede [æk'si:d] VI ▸ **to accede to** gå* med på

accelerate [æk'sɛləreɪt] 1 VT sette* fart i ❑ *...efforts to accelerate the process even further.* ...forsøk på å sette enda mer fart i prosessen.
2 VI (*BIL*) akselerere (*v2*) ❑ *This means you can accelerate more rapidly.* Dette betyr at du kan akselerere fortere.

acceleration [æksɛlə'reɪʃən] s akselerasjon *m*

accelerator [æk'sɛləreɪtə^r] s gasspedal *m*

accent ['æksɛnt] s (**a**) (*pronunciation*) aksent *m* ❑ *He had never lost his accent.* Han hadde aldri mistet aksenten sin.
(**b**) (*written mark*) aksenttegn *nt* ❑ *He put in an accent he had missed.* Han føyde til et aksenttegn han hadde oversett.
(**c**) (*fig: emphasis, stress*) (hoved)vekt *c* ❑ *The accent is on presentation.* (Hoved)vekten ligger på presentasjonen.
▸ **to speak with an Irish accent** snakke (*v1*) med irsk aksent
▸ **to have a strong accent** ha* en utpreget aksent

accentuate [æk'sɛntjueɪt] VT framheve (*v1*), understreke (*v1*)

accept [ək'sɛpt] VT (**a**) (*+gift, invitation, offer, advice*) ta* imot
(**b**) (*+proposal*) godta*, gå* med på
(**c**) (*+fact, situation, risk*) godta*, akseptere (*v2*) ❑ *I know he's dead but I just can't accept it.* Jeg vet han er død, men jeg klarer ikke å godta *or* akseptere det
(**d**) (*+responsibility, blame*) ta* på seg ❑ *I accepted the blame for what had happened.* Jeg tok på meg skylden for det som hadde hendt.

acceptable [ək'sɛptəbl] ADJ (*offer, gift, risk etc*) akseptabel, godtagbar

acceptance [ək'sɛptəns] s ▸ **his acceptance of the gift/invitation** det at han tok imot gaven/ invitasjonen ▸ **to meet with general acceptance** få* allmenn aksept, bli* allment akseptert

access ['æksɛs] 1 s (**a**) (*to information, papers*) adgang *m* ❑ *I gained access to some files.* Jeg fikk adgang til noen saksmapper.
(**b**) (*to building, room*) ▸ **the door gives access to a living room** gjennom døra kommer man inn i en stue
2 VT (*DATA*) få* tilgang til, hente (*v1*) fram
▸ **to have access to** (**a**) (*+child etc*) ha* rett til å treffe
(**b**) (*+information, library etc*) ha* adgang til
▸ **the burglars gained access through a window** innbruddstyvene tok seg inn gjennom et vindu

accessible [æk'sɛsəbl] ADJ (**a**) (*knowledge, art, person*) ▸ **accessible (to)** tilgjengelig (for) ❑ *...computers cheap enough to be accessible to everyone.* ...datamaskiner som er billige nok til å være* tilgjengelige for alle.
(**b**) (*place*) ▸ **the room was accessible through a back entrance** man kunne* komme inn i rommet gjennom en bakdør

accession [æk'sɛʃən] s (*of monarch*) tronbestigelse *m*

accessory [æk'sɛsərı] s (**a**) (*BIL, MERK*) ekstrautstyr *nt sg* ❑ *...accessories include a stereo radio.* ...stereoradio kan fås som ekstrautstyr.
(**b**) (*to clothes*) tilbehør *nt sg* ❑ *Use new accessories to brighten up an old outfit.* Bruk nytt tilbehør for å live opp et gammelt antrekk.
(**c**) (*JUR*) ▸ **an accessory to the crime** en medskyldig i forbrytelsen
▸ **toilet accessories** (*BRIT*) toalettartikler

access road s atkomstvei *m*

access time (*DATA*) s tilgangstid *c*

accident ['æksɪdənt] s (**a**) (= *mishap, disaster*) ulykke *c*
(**b**) (= *chance event*) tilfeldighet *m* ❑ *They met through a series of accidents.* De møttes på grunn av en rekke tilfeldigheter.
▸ **to meet with** *or* **to have an accident** bli* utsatt for en ulykke, komme* ut for en ulykke
▸ **accidents at work** arbeidsulykker
▸ **by accident** (**a**) (= *unintentionally*) ved et uhell ❑ *He knocked over the jug by accident.* Han veltet muggen ved et uhell.
(**b**) (= *by chance*) ved en tilfeldighet ❑ *I only came to Liverpool by accident.* Det var bare ved en tilfeldighet at jeg kom til Liverpool.

accidental [æksɪ'dɛntl] ADJ (*death, damage*) ved et ulykkestilfelle

accidentally [æksɪ'dɛntəlɪ] ADV (**a**) (= *unintentionally*) ved et uhell
(**b**) (= *by chance*) tilfeldig(vis) ❑ *They met accidentally.* De møttes tilfeldig.

accident insurance s ulykkesforsikring *c*

accident-prone ['æksɪdənt'prəun] ADJ ▸ **to be accident-prone** være* ofte utsatt for ulykker

acclaim [ə'kleɪm] 1 s hyllest *m* ❑ *...critical acclaim.* ...hyllest fra kritikerne.
2 VT ▸ **to be acclaimed for one's achievements** bli* hyllet for sin innsats

acclamation [æklə'meɪʃən] s bifall *nt* ❑ *All her remarks were greeted with acclamation.* Alle bemerkningene hennes ble hilst med bifall.

acclimate [ə'klaɪmət] (*US*) VT = **acclimatize**

acclimatize [ə'klaɪmətaɪz], **acclimate** (*US*) VT ▸ **to become acclimatized (to)** akklimatisere (*v2*) seg (til), tilpasse (*v1*) seg

accolade ['ækəleɪd] s hyllest *m*

accommodate [ə'kɔmədeɪt] VT (**a**) (= *have room for, take in*) ha* plass til ❑ *She can't accommodate guests at the moment.* Hun har ikke plass til gjester for tiden. *The cottage could accommodate up to five people.* Hytta hadde plass til opp til fem personer.
(**b**) (= *oblige, help*) være* behjelpelig overfor
▸ **to accommodate o.s. to sth** tilpasse (*v1*) seg (til) noe

accommodating [ə'kɔmədeɪtɪŋ] ADJ imøtekommende, forekommende

accommodation [əkɔmə'deɪʃən] s (**a**) (*place to stay+*) sted *nt* å bo ❑ *He's found accommodation.* Han har funnet (seg) et sted å bo.
(**b**) (= *space*) plass *m* ❑ *They have accommodation for 50.* De har plass til 50.
(**c**) (= *facilities, décor etc*) ▸ **what's the accommodation like?** hvordan er rommet/ leiligheten *etc*?

▸ **accommodations** (*US*) SPL = **accommodation**
▸ **"accommodation to let"** "rom *or* værelse til leie"
▸ **seating accommodation for 600** sitteplasser *pl* til 600
▸ **there's a shortage of accommodation** (**a**) (*hotel*) det er vanskelig å finne et sted å bo (**b**) (*housing*) det er boligmangel

accompaniment [ə'kʌmpənımənt] s (**a**) ledsagelse *m* ❑ *He entered to the accompaniment of loud cheers.* Han gikk inn under ledsagelse av høye jubelrop.
(**b**) (*MUS*) akkompagnement *m* ❑ *...a guitar accompaniment.* ...gitarakkompagnement.

accompanist [ə'kʌmpənıst] (*MUS*) s akkompagnatør *m*

accompany [ə'kʌmpənı] VT (= *escort, go along with*) bli* med, ledsage (*v1*); (*MUS*) akkompagnere (*v2*)

accomplice [ə'kʌmplıs] s medsammensvoren *m decl as adj*, medskyldig *m decl as adj*

accomplish [ə'kʌmplıʃ] VT (= *achieve : goal*) utrette (*v1*); (= *finish : task*) gjennomføre (*v2*), fullføre (*v2*)

accomplished [ə'kʌmplıʃt] ADJ (*person, cook etc*) dyktig; (*performance*) fullendt

accomplishment [ə'kʌmplıʃmənt] s (**a**) (= *completion, bringing about*) gjennomføring *m* ❑ *The accomplishment of this task...* Det å ha* gjennomført denne oppgaven...
(**b**) (= *achievement*) *det man har utrettet eller oppnådd*, resultat *nt* ❑ *This is no small accomplishment.* Det er slett ikke dårlig å ha* utrettet *or* oppnådd dette.. Dette er ikke noe dårlig resultat.
(**c**) (= *skill*) ferdighet *m* ❑ *Actors of similar accomplishment...* Skuespillere med lignende ferdigheter...

accord [ə'kɔ:d] 1 s (= *treaty*) overenskomst *m*
2 VT (+*one's time, attention*) bevilge (*v1*)
▸ **of his own accord** av seg selv
▸ **with one accord** som etter felles avtale
▸ **to be in accord** være* overensstemte

accordance [ə'kɔ:dəns] s ▸ **in accordance with** (+*sb's wishes, the law etc*) i overensstemmelse med, i samsvar med

according [ə'kɔ:dıŋ] ▸ **according to** PREP (+*person, account, map, report*) ifølge
▸ **according to plan** etter planen

accordingly [ə'kɔ:dıŋlı] ADV (**a**) (= *appropriately*) deretter ❑ *Sometimes the press went too far, and suffered accordingly.* Noen ganger gikk pressen for langt, og fikk svi deretter.
(**b**) (= *as a result*) følgelig

accordion [ə'kɔ:dıən] s trekkspill *nt*

accost [ə'kɔst] VT henvende (*v2*) seg til (*uønsket*)

account [ə'kaunt] s (**a**) (= *bill*) regning *c* ❑ *I'd like to settle my account.* Jeg vil gjerne få* betale regningen.
(**b**) (*in bank, at store etc*) konto *m* ❑ *I would like to open an account with you.* Jeg vil gjerne åpne en konto hos dere. NB *We have an account at the shop.* Vi har konto i butikken.
(**c**) (= *report*) beretning *c* ❑ *There were accounts of the incident in the paper.* Det var beretninger om hendelsen i avisen.
▸ **accounts** SPL (*MERK*) regnskap *nt sg* ❑ *He had to submit accounts of his expenditure.* Han måtte* legge fram regnskap over utgiftene. *She's doing the accounts.* Hun holder på med regnskapet.
▸ **to keep an account of** holde* regnskap med
▸ **to bring** *or* **call sb to account for sth** be* noen om å gjøre* rede for noe, kreve (*v3*) noen til regnskap for noe
▸ **by all accounts** etter alt å dømme
▸ **of no account (to sb)** uten betydning (for noen)
▸ **on account** a konto
▸ **to pay 10 pounds on account** betale (*v2*) 100 kroner a konto
▸ **to buy sth on account** kjøpe (*v2*) noe og føre (*v2*) det på konto
▸ **on no account** ikke under noen omstendigheter
▸ **on account of** på grunn av
▸ **to take into account, take account of** ta* hensyn til, ta* med i betraktningen

▸ **account for** VT FUS (**a**) (= *explain*) forklare (*v2*) ❑ *How do you account for the dent in the car?* Hvordan vil du forklare bulken på bilen?
(**b**) (= *represent*) utgjøre* ❑ *Software accounts for some 70 per cent of our range of products.* Software utgjør ca. sytti prosent av produktene våre.
▸ **all the children were accounted for** (**a**) (*gen*) alle barna var der
(**b**) (*after accident*) alle barna ble funnet
▸ **4 people are still not accounted for** 4 personer er fortsatt ikke funnet *or* er fremdeles savnet

accountability [ə'kauntə'bılıtı] s ansvarlighet *c* ❑ *...the need for greater accountability of the police.* ...behovet for større ansvarlighet hos politiet. *Politicians must be reminded of their accountability to the public.* Politikere må minnes om at de må stå til regnskap overfor offentligheten.

accountable [ə'kauntəbl] ADJ ▸ **to be accountable (to)** måtte* stå til regnskap (overfor)

accountancy [ə'kauntənsı] s regnskapsføring *c*, bokholderi *nt*

accountant [ə'kauntənt] s regnskapsfører *m*, bokholder *m*

accounting [ə'kauntıŋ] s regnskapsføring *c*

accounting period s regnskapsperiode *m*

account number s kontonummer *nt*

accredited [ə'kredıtıd] ADJ (*agent etc*) akkreditert

accretion [ə'kri:ʃən] s gradvis tilvekst *m* ❑ *Coral is formed by a process of accretion.* Korall dannes ved gradvis tilvekst.

accrue [ə'kru:] VI (*interest*+) påløpe*
▸ **to accrue to** tilfalle* ❑ *Certain advantages accrue to a person when they reach adulthood.* Visse fordeler tilfaller folk når de når voksen alder.

accrued interest s påløpne renter *pl*

accumulate [ə'kju:mjuleıt] 1 VT samle (*v1*) (opp) ❑ *...the things I had accumulated over the last four years.* ...de tingene jeg hadde samlet (opp) i løpet av de siste fire årene.

2 VI (**a**) (*debts, work, unpleasant things+*) hope (*v1*) seg opp ❑ *Debts can rapidly accumulate if you're not careful.* Gjeld kan fort hope seg opp hvis du ikke passer på.
(**b**) (*money, wealth, emotions+*) samle (*v1*) seg opp

accumulation [əkju:mju'leɪʃən] s (opp)samling *c*, ansamling *c* ❑ *...an accumulation of facts.* ...en (opp)samling av fakta.

accuracy ['ækjurəsɪ] s (**a**) (*of description, figures, report*) korrekthet *c* ❑ *This paper has a reputation for accuracy.* Denne avisen er kjent for sin korrekthet.
(**b**) (*of person, device*) nøyaktighet *c* ❑ *I admired the speed and accuracy with which she typed.* Jeg beundret hennes hurtighet og nøyaktighet når det gjaldt maskinskriving.

accurate ['ækjurɪt] ADJ (**a**) (*description, figures, account*) korrekt ❑ *...an accurate picture of social history.* ...en korrekt framstilling av sosialhistorien.
(**b**) (*person, device*) nøyaktig ❑ *The kitchen scales were accurate to half a gram.* Kjøkkenvekta målte nøyaktig helt ned til halve gram.
(**c**) (*weapon, aim*) nøyaktig, presis

accurately ['ækjurɪtlɪ] ADV nøyaktig, presist

accusation [ækju'zeɪʃən] s (**a**) (*act : gen*) anklage *m* ❑ *Her eyes were full of accusation.* Øynene hennes var fulle av anklage.
(**b**) (*instance of this*) anklage *m*, beskyldning *m* ❑ *The accusation against us was that...* Anklagen *or* beskyldningen mot oss var at...

accusative [ə'kju:zətɪv] s akkusativ *m*
▸ **it's in the accusative** det står i akkusativ

accuse [ə'kju:z] VT ▸ **to accuse sb (of sth)** (*+crime, incompetence*) beskylde (*v2*) noen (for noe), anklage (*v1 or v3*) noen (for noe)

accused [ə'kju:zd] s tiltalte *decl as adj*

accuser [ə'kju:zə^r] s anklager *m*

accustom [ə'kʌstəm] VT ▸ **accustom sb to sth** venne (*v2x*) noen til noe
▸ **to accustom o.s. to sth** venne (*v2x*) seg til noe, bli* vant til noe

accustomed [ə'kʌstəmd] ADJ ▸ **accustomed (to)** vant (til) ❑ *He drove with his accustomed, casual ease.* Han kjørte på sin vante nonchalante måte. *I am not accustomed to being interrupted.* Jeg er ikke vant til å bli* avbrutt.

AC/DC FK (= **alternating current/direct current**) vekselstrøm/likestrøm; (*sl : bisexual*) bifil, biseksuell

ACE [eɪs] s FK (= **American Council on Education**) *sammenslutning av universiteter og høyskoler i USA*

ace [eɪs] s (**a**) (*KORT*) ess *nt* ❑ *...the ace of spades.* ...sparesset.
(**b**) (*TENNIS*) serveess *nt*

acerbic [ə'sə:bɪk] ADJ bitter, skarp

acetate ['æsɪteɪt] s acetat *nt*

ache [eɪk] 1 s smerte *m* ❑ *...my usual aches and pains.* ...mine vanlige smerter og plager.
2 VI (**a**) (= *be painful*) verke (*v1*) ❑ *His leg ached.* Beinet hans verket.
(**b**) (= *yearn*) ▸ **to ache for sth/to do sth** verke (*v1*) etter noe/etter å gjøre* noe ❑ *She was aching for a cigarette.* Hun verket etter en sigarett.
▸ **I've got stomach ache** *or* **a stomach ache** jeg har vondt i magen
▸ **I'm aching all over** jeg verker over det hele, jeg har vondt overalt
▸ **my head aches** hodet mitt verker

achieve [ə'tʃi:v] VT (*+aim*) nå (*v4*); (*+victory, success, result*) oppnå (*v4*)

achievement [ə'tʃi:vmənt] s (**a**) (= *fulfilment*) oppnåelse *m* ❑ *They were celebrating the achievement of their political goals.* De feiret at de hadde nådd sine politiske mål.
(**b**) (= *success, feat : of athlete, student*) prestasjon *m* NB *...the achievements of the Labour Government.* ...det Arbeiderpartiregjeringen har utrettet.

Achilles heel [ə'kɪli:z-] s akilleshæl *m*

acid ['æsɪd] 1 ADJ (*substance, soil etc*) sur; (*taste*) sur, syrlig
2 s (*KJEM, also drug*) syre *c*

Acid House s acid house

acidity [ə'sɪdɪtɪ] s surhet *c*, surhetsgrad *m*, syreinnhold *nt*

acid rain s sur nedbør *m*

acid test s ▸ **an acid test of sth** en prøvestein *m* for noe

acknowledge [ək'nɔlɪdʒ] VT (**a**) (*+letter, parcel*) bekrefte (*v1*) mottakelsen av
(**b**) (*+receipt*) bekrefte (*v1*) ❑ *You have to acknowledge receipt of the package.* Du må bekrefte mottakelsen av pakken.
(**c**) (= *admit : fact, situation*) erkjenne (*v2x*), innrømme (*v1 or v2x*)
(**d**) (*+person*) hilse (*v2*) på ❑ *He never even bothered to acknowledge her presence.* Han gadd ikke en gang å hilse på henne.

acknowledgement [ək'nɔlɪdʒmənt] s (*of letter, parcel*) bekreftelse *m* på mottak
▸ **acknowledgements** SPL (*in book*) forord *nt sg* (*der man takker bidragsytere osv*)

ACLU s FK (= **American Civil Liberties Union**) *forening til beskyttelse av borgerrettigheter i USA*

acme ['ækmɪ] s høydepunkt *nt*

acne ['æknɪ] s akne *m*

acorn ['eɪkɔ:n] s eikenøtt *c*

acoustic [ə'ku:stɪk] ADJ akustisk

acoustics [ə'ku:stɪks] 1 s (*science*) akustikk *m*
2 SPL (*of hall, room*) akustikk *m*, romklang *m*

acoustic screen s lyddempende skjerm *m*

acquaint [ə'kweɪnt] VT ▸ **to acquaint sb with sth** (= *inform*) gjøre* noen kjent med noe ❑ *I will acquaint you with the facts.* Jeg skal gjøre* deg kjent med forholdene.
▸ **to be acquainted with** (**a**) (*+person*) kjenne (*v2x*) ❑ *Mrs Oliver is acquainted with my mother.* Fru Oliver kjenner moren min.
(**b**) (*+fact*) være* kjent med, kjenne (*v2x*) til ❑ *They were well acquainted with modern methods.* De var godt kjent med *or* kjente godt til moderne metoder.

acquaintance [ə'kweɪntəns] s (**a**) (*person*) bekjent *m decl as adj* ❑ *...an acquaintance of Lord Northcliffe.* ...en bekjent av Lord Northcliffe.
(**b**) (*with person*) bekjentskap *nt* ❑ *...through his acquaintance with the President.* ...fordi han

kjente presidenten.
(**c**) (*with subject*) kjennskap *nt*
▸ **to make sb's acquaintance** stifte (*v1*) bekjentskap med, bli* kjent med
acquiesce [ækwɪ'ɛs] VI ▸ **to acquiesce to** (*+demand, arrangement, request*) gå* med på, finne* seg i
acquire [ə'kwaɪə^r] VT (= *obtain, buy*) skaffe (*v1*) seg, erverve (*v1*) seg; (= *learn, develop: skill*) lære (*v2*) seg
acquired [ə'kwaɪəd] ADJ ▸ **acquired wealth** rikdom som man selv har lagt seg opp
▸ **an acquired taste** noe man må lærer seg å sette pris på
acquisition [ækwɪ'zɪʃən] S (**a**) (*of property, goods*) tilegnelse *m*, ervervelse *m*
(**b**) (*of skill, language*) tilegnelse *m*, innlæring *c*
(**c**) (= *purchase*) ervervelse *m* ❑ *He invited me to inspect his latest acquisition.* Han inviterte meg til å ta* nyervervelsen hans i øyesyn.
acquisitive [ə'kwɪzɪtɪv] ADJ materialistisk
acquit [ə'kwɪt] VT ▸ **to acquit sb (of sth)** frikjenne (*v2x*) noen (for noe)
▸ **to acquit o.s. well** skikke (*v1*) seg vel
acquittal [ə'kwɪtl] S frifinnelse *m*, frikjennelse *m*
acre ['eɪkə^r] S acre *m*, *4047 kvadratmeter*, 4 mål *nt* ❑ *...an acre of orchard.* ...fire mål med frukthage.
acreage ['eɪkərɪdʒ] S areal *nt* (*målt i acres*)
acrid ['ækrɪd] ADJ (*smell, taste, smoke*) stram, skarp, besk; (*fig: remark*) skarp, bitende; (*attack*) skarp, bitter
acrimonious [ækrɪ'məunɪəs] ADJ (*remark, argument*) bitter, besk
acrimony ['ækrɪmənɪ] S bitterhet *c*
acrobat ['ækrəbæt] S akrobat *m*
acrobatic [ækrə'bætɪk] ADJ (*person, movement, display*) akrobatisk
acrobatics [ækrə'bætɪks] SPL akrobatikk *m* ❑ *He can do the most amazing acrobatics.* Han kan gjøre* den mest utrolige akrobatikk.
acronym ['ækrənɪm] S akronym *nt*, bokstavord *nt*, forkortelse *m* (*dannet av forbokstaver*)
Acropolis [ə'krɔpəlɪs] S ▸ **the Acropolis** Akropolis
across [ə'krɔs] 1 PREP (**a**) (= *from one side to the other of*) gjennom ❑ *He walked across Hyde Park.* Han gikk gjennom Hyde Park.
(**b**) (= *on the other side of*) på den andre siden av ❑ *...the houses across the street.* ...husene på den andre siden av gata.
(**c**) (= *crosswise over*) tvers over ❑ *...a plank across a door.* ...en planke tvers over døra.
2 ADV (**a**) (*to a particular place/person*) over ❑ *They've been coming across in aeroplanes.* De har kommet over med fly.
(**b**) (= *in width*) bred ❑ *...a hole 200 km across.* ...et hull som var 200 km bredt.
▸ **to run/swim across** løpe*/svømme (*v2x*) over
▸ **to walk across (the road)** gå* over (veien)
▸ **to take sb across the road** følge* noen over veien
▸ **12 km across** 12 km bred
▸ **across from** tvers overfor ❑ *...the park across from the church.* ...parken tvers overfor kirken.
▸ **to get sth across to sb** få* noen til å forstå noe
acrylic [ə'krɪlɪk] 1 ADJ (*material, paint*) akryl-
2 S akryl *m or nt*
▸ **acrylics** SPL (*paint*) akrylfarger *pl*
ACT S FK (= **American College Test**) *standardisert adgangseksamen som kreves av en rekke college i USA*
act [ækt] 1 S (**a**) (= *action*) handling *c* ❑ *He was accused of 30 terrorist acts.* Han ble anklaget for 30 terroristhandlinger.
(**b**) (*TEAT: of play*) akt *m* ❑ *...the first act.* ...første akt.
(**c**) (*of performer*) nummer *nt*
(**d**) (*short/funny*) sketsj *m* ❑ *...comedy acts and acrobatic numbers.* ...sketsjer og akrobatnummere.
(**e**) (*JUR*) lov *m* ❑ *...the 1944 Education Act.* ...loven om utdanning fra 1944.
2 VI (**a**) (= *do sth, take action*) handle (*v1*) ❑ *We have to act quickly.* Vi må handle raskt.
(**b**) (= *behave*) oppføre (*v2*) seg ❑ *You're acting like a lunatic.* Du oppfører deg som en tulling.
(**c**) (= *have effect: drug, chemical*) virke (*v1*)
(**d**) (*TEAT*) spille (*v2x*) ❑ *I was acting in a play...* Jeg spilte i et skuespill...
(**e**) (= *pretend*) spille (*v2x*), gjøre* seg til ❑ *Ignore her, she's just acting.* Ikke bry deg om henne, hun bare spiller *or* gjør seg til.
3 VT (**a**) (*TEAT: part*) spille (*v2x*) ❑ *I acted Malvolio once...* Jeg spilte Malvolio en gang...
(**b**) (*fig*) spille (*v2x*) (rollen som) ❑ *Smith acted the dutiful host.* Smith spilte (rollen som) pliktoppfyllende vert.
▸ **it's only an act** det er bare spill
▸ **act of God** naturkatastrofe *m*
▸ **in the act of** i ferd med å
▸ **to catch sb in the act** gripe noen på fersk gjerning
▸ **to act the fool** (*BRIT*) gjøre* klovnestreker
▸ **to act as** fungere (*v2*) som ❑ *Sometimes Chang acted as interpreter.* Av og til fungerte Chang som tolk.
▸ **it acts as a deterrent** det virker avskrekkende
▸ **act on** VT FUS (**a**) (*+instructions*) handle (*v1*) etter
(**b**) (*+information*) handle (*v1*) på bakgrunn av
▸ **act out** VT (**a**) (*+fantasies*) leve (*v3*) ut
(**b**) (*+event*) spille (*v2x*) ❑ *The students act out some historic event.* Studentene spiller en historisk hendelse.
acting ['æktɪŋ] 1 ADJ (*manager, director etc*) fungerende
2 S (**a**) (*profession*) skuespilleryrket ❑ *...that led Olivier into acting.* ...som førte Olivier til skuespilleryrket.
(**b**) (*art*) skuespillerkunst *m* ❑ *...very impressed by his acting.* ...meget imponert over hans skuespillerkunst.
(**c**) (*activity, hobby etc*) teater *nt* ❑ *Acting is fun!* Det er morsomt å spille teater!
▸ **acting in my capacity as chairman...** i egenskap av formann...
action ['ækʃən] S (**a**) (= *deed*) handling *c* ❑ *He could not be held responsible for his actions.* Han kunne* ikke holdes ansvarlig for sine handlinger.
(**b**) (= *movement*) bevegelse *m* ❑ *Their every action*

was recorded. Hver eneste bevegelse ble tatt opp.
(**c**) (*MIL*) aksjon *m* ❑ *...a rearguard action.* ...en baktroppaksjon.
(**d**) (*JUR*) sak *c*, søksmål *nt* ❑ *...a libel action.* ...en injuriesak *or* et injuriesøksmål.
▸ **to bring an action against sb** (*JUR*) anlegge* sak mot noen
▸ **killed in action** drept i slag *or* kamp
▸ **out of action** (*person, machine*) satt ut av spill ❑ *I was out of action with a sprained ankle.* Jeg var satt ut av spill med en forstuet ankel. *All three tanks were put out of action.* Alle de tre stridsvognene ble satt ut av spill.
▸ **to take action** ta* affære, gripe* inn
▸ **to put a plan into action** sette en plan ut i livet

action replay (*TV*) s reprise *m* (*på enkelthandling, ofte i sakte film*)
activate ['æktɪveɪt] VT aktivisere (*v2*)
active ['æktɪv] ADJ (*person, life, volcano*) aktiv
▸ **to play an active part in** ta* aktiv del i
active duty (*US: MIL*) s krigstjeneste *m*
actively ['æktɪvlɪ] ADV (*involved, discourage*) aktivt; (*dislike*) åpent
active partner s aktiv deltager *m*
active service (*BRIT*) s krigstjeneste *m*
▸ **on active service** i krigstjeneste
activist ['æktɪvɪst] s aktivist *m*
activity [æk'tɪvɪtɪ] s (**a**) (= *being active, pastime*) aktivitet *m* ❑ *...periods of high economic activity.* ...perioder med høy økonomisk aktivitet. *...cultural activities.* ...kulturelle aktiviteter.
(**b**) (= *action*) handling *c* ❑ *...opportunities for activity rather than discussion.* ...muligheter til handling i stedet for diskusjon.
actor ['æktəʳ] s skuespiller *m* (*mannlig*)
actress ['æktrɪs] s skuespillerinne *c*, skuespiller *m* (*kvinnelig*)
actual ['æktjuəl] ADJ (**a**) (= *real*) faktisk ❑ *...the actual words spoken.* ...de faktiske ordene som ble uttalt.
(**b**) (*emphatic use*) egentlig, selve ❑ *The actual wedding ceremony starts at 10.55 a.m.* Selve *or* den egentlige vielsesseremonien begynner kl 10.55.
actually ['æktjuəlɪ] ADV (**a**) (= *really*) faktisk, egentlig ❑ *No one actually saw this shark.* Det var ingen som faktisk *or* egentlig så denne haien.
(**b**) (= *in fact*) faktisk ❑ *She's a friend of mine actually...* Hun er en venn av meg faktisk...
actuary ['æktjuərɪ] s aktuar *m*, forsikringsberegner *m*
actuate ['æktjueɪt] VT sette* i gang
acuity [ə'kju:ɪtɪ] (*fml*) s skarphet *m*, skarpsindighet *m* ❑ *I prided myself on my mental acuity.* Jeg var stolt av min skarpsindighet.
acumen ['ækjumən] s kløkt *m*
▸ **business acumen** nese *c* for forretninger
acupuncture ['ækjupʌŋktʃəʳ] s akupunktur *m*
acute [ə'kju:t] ADJ (**a**) (*anxiety, illness*) akutt
(**b**) (*pain*) skarp, intens
(**c**) (*mind, person, observer*) skarp
(**d**) (*MAT: angle*) spiss
(**e**) (*LING: accent*) akutt
▸ **e acute** akutt e
AD [1] ADV FK (= **Anno Domini**) i det herrens år, e.Kr. (= *etter Kristi fødsel*)
[2] S FK (*US: MIL*) = **active duty**
ad [æd] (*sl*) S FK = **advertisement**
adage ['ædɪdʒ] s ordtak *nt*
adamant ['ædəmənt] ADJ ubøyelig [NB] *The government remains adamant that it will not yield to pressure.* Regjeringen er fortsatt ubøyelig og vil ikke gi* etter for press.
Adam's apple ['ædəmz-] s adamseple *nt*
adapt [ə'dæpt] [1] VT (**a**) bearbeide (*v1*)
(**b**) (*+novel, play*) tilrettelegge*
[2] VI ▸ **to adapt (to)** tilpasse (*v1*) seg (til) ❑ *This book is about change and how we adapt to it.* Denne boka handler om forandringer og hvordan vi tilpasser oss (til) dem.
▸ **to adapt sth to sth** tilpasse (*v1*) noe (til) noe
adaptability [ədæptə'bɪlɪtɪ] s tilpasningsevne *m*
adaptable [ə'dæptəbl] ADJ (*person*) tilpasningsdyktig
adaptation [ædæp'teɪʃən] s (**a**) (*of story, novel etc: process*) tilrettelegging *c*
(**b**) (*product*) tilrettelagt versjon *m* ❑ *...a new television adaptation of "A Tale of Two Cities".* ...en ny tv-versjon av "To byer".
(**c**) (*of machine, equipment etc*) bearbeidet versjon *m* ❑ *...Sloan's adaptation of Duploye's method.* ...Sloans bearbeidede versjon av Dubloyes metode.
adapter [ə'dæptəʳ] (*ELEK*) s adapter *m*, overgangskontakt *m*
adaptor [ə'dæptəʳ] s = **adapter**
ADC S FK (*MIL*) (= **aide-de-camp**) ≈ adjutant *m*; (*US*) (= **Aid to Dependent Children**) *støtte til ressurssvake aleneforeldre*
add [æd] [1] VT (**a**) (*+object(s): to a collection*) legge* til
(**b**) (*to a heap*) legge* på ❑ *Each boy added more wood...* Hver av guttene la på mer ved...
(**c**) (*+comment etc*) tilføye (*v3*), legge* til ❑ *It is unnecessary for me to add any comment.* Det er unødvendig for meg å tilføye *or* legge til noe.
(**d**) (*+figures*) legge* sammen ❑ *Add three and fourteen.* Legg sammen tre og fjorten.
[2] VI ▸ **to add to** (= *increase*) gjøre* større ❑ *...answers that only add to his confusion.* ...svar som bare gjør forvirringen hans større.
▸ **add on** VT legge* til ❑ *They add on about 9 per cent for service.* De legger til ca. 9 prosent for service.
▸ **add up** [1] VT (*+figures*) legge* sammen
[2] VI ▸ **it doesn't add up** (*fig*) det rimer ikke, det kan ikke stemme
▸ **it doesn't add up to much** det er lite å få* ut av det, det er ikke rare greiene
addenda [ə'dɛndə] SPL *of* **addendum**
addendum [ə'dɛndəm] (*pl* **addenda**) s tillegg *nt*
adder ['ædəʳ] s huggorm *m*
addict ['ædɪkt] s (**a**) (*also* ***drug addict***) narkoman *m* ❑ *...an 8-year-old heroin addict.* ...en heroinavhengig 8-åring.
(**b**) (= *enthusiast*) ▸ **he was a radio addict** han var fullstendig avhengig av radioen *or* hadde fullstendig radiodilla

▸ **a television addict** en tv-slave
addicted [ə'dɪktɪd] ADJ ▸ **to be addicted to** (*+drugs, drink etc*) være* avhengig av
▸ **to be addicted to chocolate** være* en ordentlig sjokolademons, ha* en (sykelig) hang til sjokolade
addiction [ə'dɪkʃən] s (*to drugs etc*) avhengighet *m* ❑ *...drug addiction.* ...avhengighet av narkotika.
addictive [ə'dɪktɪv] ADJ (*drug, activity*) vanedannende
adding machine ['ædɪŋ-] s addisjonsmaskin *m*
Addis Ababa ['ædɪs'æbəbə] s Addis Abeba
addition [ə'dɪʃən] s (**a**) (*MAT*) addisjon *m*
(**b**) (*= thing added*) tilføyelse *m*, tillegg *nt* ❑ *...an admirable addition to London's architecture.* ...en beundringsverdig tilføyelse *or* et beundringsverdig tillegg til Londons arkitektur.
▸ **in addition** i tillegg; (*process*) ▸ **improved by the addition of a bathroom** forbedret ved tilbygg av et bad
▸ **in addition to** foruten
additional [ə'dɪʃənl] ADJ ytterligere
additive ['ædɪtɪv] s tilsetningsstoff *nt*
addled ['ædld] 1 ADJ (*BRIT*)
2 ADJ (*egg*) råtten; (*fig: brain*) forvirret, omtåket
address [ə'drɛs] 1 s (**a**) (*postal*) adresse *m*
(**b**) (*= speech*) (høytidelig) tale *m* ❑ *I gave an address to the Association.* Jeg holdt en (høytidelig) tale for forbundet.
2 VT (**a**) (*+letter, parcel*) adressere (*v2*) ❑ *...a letter addressed to Dr Willoughby.* ...et brev adressert til dr. Willoughby.
(**b**) (*= speak to: person*) henvende (*v2*) seg til
(**c**) (*+audience*) tale (*v2*) til ❑ *He addressed a mass meeting in Bristol.* Han talte til en masseforsamling i Bristol.
▸ **to address (o.s. to) a problem** ta* fatt på et problem
▸ **form of address** tiltaleform *m* ❑ *...the correct form of address for an ambassador.* ...den korrekte tiltaleformen for en ambassadør.
▸ **absolute/relative address** (*DATA*) absolutt/relativ adresse *m*
address book s adressebok *c*
addressee [ædrɛ'siː] s adressat *m*
Aden ['eɪdən] s ▸ **the Gulf of Aden** Adenbukta
adenoids ['ædɪnɔɪdz] SPL polypper *pl*
adept ['ædɛpt] ADJ ▸ **adept at** dyktig til
adequacy ['ædɪkwəsɪ] s (*of resources, performance, proposals*) tilstrekkelighet *m*
adequate ['ædɪkwɪt] ADJ (**a**) (*= enough: amount*) tilstrekkelig ❑ *The pay was adequate.* Betalingen var tilstrekkelig.
(**b**) (*= satisfactory: tool, dictionary*) adekvat
(**c**) (*performance, response*) adekvat, tilfredsstillende
adequately ['ædɪkwɪtlɪ] ADV tilstrekkelig ❑ *The children are not being adequately fed.* Barna får ikke tilstrekkelig med mat.
adhere [əd'hɪəʳ] VI ▸ **to adhere to** (**a**) (*= stick to*) henge* fast på, klebe (*v1*) seg (fast) til ❑ *This helps the new plaster to adhere to the old.* Dette får den nye gipsen til å henge fast på *or* klebe seg (fast) til den gamle.
(**b**) (*+rule, decision, treaty*) følge* ❑ *The fire regulations have been adhered to.* Disse branninstruksene er blitt fulgt.
(**c**) (*+opinion, belief*) stå* fast på *or* ved ❑ *The government has firmly adhered to the view that...* Regjeringen har stått strengt fast på *or* ved det syn at...
adhesion [əd'hiːʒən] s (*one thing to another*) fastklebing *c*, fastklistring *c*; (*to each other*) sammenklebing *c*, sammenklistring *c*
adhesive [əd'hiːzɪv] 1 s lim *nt*, klebemasse *m*
2 ADJ klebe-, klistre-
adhesive tape s (*BRIT*) tape *m*, limbånd *nt*; (*US: MED*) heftplaster *nt*
ad hoc [æd'hɔk] 1 ADJ (*decision, committee*) ad hoc
2 ADV (*decide, appoint*) ad hoc
ad infinitum ['ædɪnfɪ'naɪtəm] ADV i det uendelige
adjacent [ə'dʒeɪsənt] ADJ ▸ **adjacent to** ved siden av
adjective ['ædʒɛktɪv] s adjektiv *nt*
adjoining [ə'dʒɔɪnɪŋ] 1 ADJ tilstøtende
2 PREP ved siden av ❑ *They had rooms adjoining mine.* De hadde værelser ved siden av mitt.
adjourn [ə'dʒəːn] 1 VT (**a**) (*+meeting*) heve (*v1*)
(**b**) (*+trial*) utsette* (resten av)
(**c**) (*+discussion*) (midlertidig) avslutte (*v1*)
2 VI (*meeting+*) bli* hevet, bli* utsatt
▸ **they adjourned to the pub** (*BRIT*) de bega seg til puben
adjournment [ə'dʒəːnmənt] s *den tid et møte eller en rettsak er midlertidig stoppet*
Adjt. (*MIL*) FK = **adjutant**
adjudicate [ə'dʒuːdɪkeɪt] 1 VT (**a**) (*+contest*) dømme (*v2x*)
(**b**) (*+claim, dispute*) felle (*v2x*) dom i
2 VI felle (*v2x*) dom ❑ *They have the right to adjudicate on the punishment of prisoners.* De har rette til å felle dom når det gjelder avstraffelse av innsatte.
adjudication [ədʒuːdɪ'keɪʃən] (*JUR*) s avgjørelse *m*
▸ **under adjudication.** opp til avgjørelse.
adjudicator [ə'djuːdɪkeɪtəʳ] s dommer *m*
adjust [ə'dʒʌst] 1 VT (**a**) (*= change: approach etc*) justere (*v2*)
(**b**) (*= rearrange: clothing*) rette (*v1*) på
(**c**) (*+machine, device*) stille (*v2x*) inn, justere (*v2*)
2 VI tilpasse (*v1*) seg
▸ **to adjust to** innrette (*v1*) seg etter
adjustable [ə'dʒʌstəbl] ADJ regulerbar
adjuster [ə'dʒʌstəʳ] s *see* **loss**
adjustment [ə'dʒʌstmənt] s (*to machine*) innstilling *c*; (*of prices, wages*) regulering *c*; (*of person*) ▸ **problems of adjustment to** problemer med å innrette seg etter
adjutant ['ædʒətənt] s adjutant *m*
ad-lib [æd'lɪb] 1 VTI improvisere (*v2*)
2 ADV ▸ **to speak ad lib** snakke (*v1*) ut fra sitt eget hode
adman ['ædmæn] (*sl*) s reklamemann *m*
admin ['ædmɪn] (*sl*) s FK = **administration**
administer [əd'mɪnɪstəʳ] VT (**a**) (*+country, department*) administrere (*v2*), styre (*v2*)
(**b**) (*+test*) lede (*v1*)
(**c**) (*MED: drug*) gi
▸ **to administer justice** holde* rett
administration [ədmɪnɪs'treɪʃən] s administrasjon *m*

▸ **the Administration** (*US*) (stats)administrasjonen, (stats)forvaltningen ❑ *The Reagan Administration...* Reagan-administrasjonen...
administrative [əd'mɪnɪstrətɪv] ADJ administrativ
administrator [əd'mɪnɪstreɪtəʳ] S administrator *m*
admirable ['ædmərəbl] ADJ beundringsverdig
admiral ['ædmərəl] S admiral *m*
Admiralty ['ædmərəltɪ] (*BRIT*) S ▸ **the Admiralty** Admiraliteten
admiration [ædmə'reɪʃən] S beundring *m*
▸ **to stand in admiration (at)** stå* i beundring (for)
▸ **to shake one's head in admiration** riste (*v1*) på hodet av beundring
▸ **to have great admiration for sth/sb** ha* stor beundring for noe/noen
admire [əd'maɪəʳ] VT beundre (*v1*) ❑ *I admire cleverness and courage too.* Jeg beundrer dyktighet og mot også.
admirer [əd'maɪərəʳ] S beundrer *m* ❑ *I'm a great admirer of his work.* Jeg er en stor beundrer av verkene hans.
admiring [əd'maɪərɪŋ] ADJ beundrende
admissible [əd'mɪsəbl] ADJ (*evidence, as evidence*) tillatelig
admission [əd'mɪʃən] S (**a**) (= *admittance*) adgang *m* ❑ *...the admission of aliens.* ...adgang for utlendinger. *No admissions are permitted after 8 pm.* Ingen får slippe inn etter kl 8.
(**b**) (= *entry fee*) inngangspenger *pl* ❑ *They charged fifty cents admission.* De tok 5 kroner i inngangspenger.
(**c**) (= *confession*) innrømmelse *m* ❑ *...an admission of his guilt.* ...hans innrømmelse av skyld.
▸ **"admission free", "free admission"** "gratis adgang"
▸ **he is, by his own admission...** han innrømmer selv at han er...
admit [əd'mɪt] VT (**a**) (= *confess*) innrømme (*v1 or v2x*), vedgå* ❑ *The Vice President admitted taking bribes.* Visepresidenten innrømmet *or* vedgikk å ha* tatt imot bestikkelser.
(**b**) (*to club, organization*) oppta* som medlem av
(**c**) (*to hospital*) legge* inn
(**d**) (*+defeat, responsibility etc*) godta* ❑ *...she had to admit defeat.* ...hun måtte* godta nederlaget.
(**e**) (= *permit to enter*) ▸ **to admit sb** la noen få* adgang ❑ *The Sovereign has never been admitted to the House of Commons.* Monarken har aldri fått adgang til Underhuset.
▸ **"children not admitted"** "barn ingen adgang"
▸ **this ticket admits two** denne billetten gir adgang for to personer
▸ **I must admit that...** jeg må innrømme *or* vedgå at...
▸ **admit of** VT FUS (*+interpretation etc*) gi* rom *or* mulighet for ❑ *The relevant law admitted of one interpretation only.* Den aktuelle loven gav kun rom *or* mulighet for én tolkning.
▸ **admit to** VT FUS (*+murder etc*) tilstå*
▸ **to admit (to) doing sth** *or* **having done sth** innrømme (*v1 or v2x*) *or* vedgå* å ha* gjort noe
admittance [əd'mɪtəns] S adgang *m*
▸ **to gain admittance** få* adgang
▸ **"no admittance"** "ingen adgang"
admittedly [əd'mɪtɪdlɪ] ADV riktignok, ganske riktig
admonish [əd'mɔnɪʃ] VT refse (*v1*), irettesette* ❑ *They are frequently admonished for their failure to act quickly.* De blir ofte refset *or* irettesatt fordi de er for sene til å handle.
ad nauseam [æd'nɔːsɪæm] ADV (*repeat, talk*) til kjedsommelighet
ado [ə'duː] S ▸ **without (any) more ado** uten noe mer om og men
adolescence [ædəu'lɛsns] S tenåringsalder *m*, pubertet *m*
adolescent [ædəu'lɛsnt] **1** ADJ tenårings-
2 S tenåring *m*, ungdom *m*
adopt [ə'dɔpt] VT (*+child*) adoptere (*v2*); (*POL: candidate*) utvelge*; (*+policy*) innføre (*v2*); (*+attitude*) innta*; (*+accent*) legge* seg til; (*+method*) ta* i bruk
adopted [ə'dɔptɪd] ADJ (*child*) adoptert
adoption [ə'dɔpʃən] S (*of child*) adopsjon *m*; (*POL: of candidate*) utvelgelse *m*; (*of policy*) ▸ **Labour's adoption of a certain policy** det at Arbeiderpartiet innførte en viss politikk
adoptive [ə'dɔptɪv] ADJ (*parent*) adoptiv-
▸ **her adoptive country** landet hun har valgt å bo i
adorable [ə'dɔːrəbl] ADJ henrivende
adoration [ædə'reɪʃən] S (*of person*) forgudelse *m*, tilbedelse *m*
adore [ə'dɔːʳ] VT (*+person*) forgude (*v1*), tilbe*; (*+film, activity etc*) elske (*v1*)
adoring [ə'dɔːrɪŋ] ADJ tilbedende
adoringly [ə'dɔːrɪŋlɪ] ADV tilbedende
adorn [ə'dɔːn] VT pryde (*v1*), utsmykke (*v1*)
adornment [ə'dɔːnmənt] S utsmykning *m*
ADP S FK (= **automatic data processing**) adb *c* (= *automatisk databehandling*)
adrenalin [ə'drɛnəlɪn] S adrenalin *nt*
▸ **to get the adrenalin going** sette* i gang adrenalinet
Adriatic [eɪdrɪ'ætɪk] S ▸ **the Adriatic (Sea)** Adriaterhavet
adrift [ə'drɪft] ADV (**a**) (*NAUT*) drivende, i drift
(**b**) (*fig*) uten faste holdepunkter i livet
▸ **to come adrift** (*wire, rope, fastening etc+*) løsne (*v1*)
▸ **to set adrift** (*+boat*) løse (*v2*) fortøyningen på
▸ **to cut a boat adrift** kappe (*v1*) båtfestet (så båten driver løs)
adroit [ə'drɔɪt] ADJ (**a**) (= *skilful, dexterous: person*) behendig
(**b**) (*+remark*) velplassert, skarpsindig
▸ **adroit at** flink til
adroitly [ə'drɔɪtlɪ] ADV (**a**) (= *dexterously*) behendig ❑ *The young men picked the papers up adroitly.* De unge mennene plukket behendig opp papirene.
(**b**) (= *cleverly*) skarpsindig
adult ['ædʌlt] **1** S (*person*) voksen *m decl as adj*; (*animal, insect*) voksent dyr *nt*
2 ADJ (*life, person, animal*) voksen; (= *for adults: literature, education*) voksen-, for voksne
adult education S voksenopplæring *c*
adulterate [ə'dʌltəreɪt] VT (*+food*) blande (*v1*) opp;

(*+drink*) fortynne (*v1*), blande (*v1*) opp (*med billigere vare*)
adulterer [ə'dʌltərəʳ] s ekteskapsbryter *m*
adulteress [ə'dʌltərɪs] s ekteskapsbryter *m* (*kvinnelig*)
adultery [ə'dʌltərɪ] s ekteskapsbrudd *nt*
adulthood ['ædʌlthud] s voksen alder *m* ❑ *...to survive into adulthood.* ...å leve opp til å nå voksen alder.
advance [əd'vɑːns] 1 s (**a**) (= *progress: development*) framskritt *nt*
(**b**) (*movement*) framdrift *m* ❑ *The convoy's speed of advance was twenty knots.* Flåtens framdriftsfart var på 20 knop.
(**c**) (*MIL*) framstøt *nt*
(**d**) (= *money*) forskudd *nt* ❑ *Authors are often given an advance on royalties.* Forfattere får ofte forskudd på royalties.
2 ADJ (*booking, notice, warning*) forhånds- ❑ *We weren't given any advance warning.* Vi fikk ikke noe forhåndsvarsel .
3 VT (**a**) (*+money: pay before due*) forskuddsbetale (*v2*)
(**b**) (= *lend*) låne (*v2*), forstrekke* med
(**c**) (*+theory, idea*) framsette*, komme* med
4 VI (**a**) (= *move forward*) bevege (*v1*) seg forover
(**b**) (= *make progress*) gjøre* framskritt
▸ **to make advances (to sb)** (*amorously*) gjøre* tilnærmelser (til noen)
▸ **in advance** (*book, prepare etc*) i forveien
▸ **to give sb advance notice** gi* noen beskjed på forhånd, si* fra til noen på forhånd
advanced [əd'vɑːnst] ADJ (**a**) (*course, studies*) avansert
(**b**) (*country*) høyt utviklet, framskreden
(**c**) (*child*) fremmelig
▸ **advanced in years** tilårskommen
advancement [əd'vɑːnsmənt] s (*in job, rank*) forfremmelse *m*; (= *furtherance*) ▸ **for the advancement of international peace** for å fremmme internasjonal fred
advantage [əd'vɑːntɪdʒ] s (**a**) (= *benefit*)
▸ **advantage (over)** fordel *m* (framfor) ❑ *She explained the advantages of the new system over the old one.* Hun forklarte fordelene ved det nye systemet framfor det gamle.
(**b**) (= *supremacy*) overlegenhet *m* ❑ *...a position of advantage.* ...en overlegen stilling.
(**c**) (*TENNIS*) fordel *m* ❑ *"Advantage McEnroe".* "Fordel McEnroe".
▸ **to take advantage of** (**a**) (*+person, sb's goodness*) utnytte (*v1*)
(**b**) (*+opportunity, weather*) benytte (*v1*) seg av, utnytte (*v1*)
▸ **it's to our advantage** det er til vår fordel *or* vårt eget beste
▸ **it's to our advantage to...** det er fordelaktig for oss å...
advantageous [ædvən'teɪdʒəs] ADJ fordelaktig
▸ **advantageous to sb** fordelaktig for noen
advent ['ædvənt] s ▸ **before the advent of computers** før datamaskinene kom *or* ble oppfunnet; (*REL*) ▸ **Advent** advent
Advent calendar s adventskalender *m*
adventure [əd'vɛntʃəʳ] s (**a**) (= *exciting event*) (spennende) opplevelse *m*, eventyr *nt* ❑ *...my Arctic adventures.* ...mine (spennende) arktiske opplevelser *or* eventyr.
(**b**) (= *excitement*) spenning *c* ❑ *They were looking for adventure.* De søkte spenning.
adventure playground s *lekeplass med avanserte lekeapparater*
adventurous [əd'vɛntʃərəs] ADJ eventyrlysten
adverb ['ædvəːb] s adverb *nt*
adversary ['ædvəsərɪ] s motstander *m*
adverse ['ædvəːs] ADJ (**a**) (*effect*) uheldig, negativ
(**b**) (*reaction, publicity*) negativ
▸ **adverse to** i direkte motsetning til
▸ **in adverse circumstances** under ugunstige forhold
adversity [əd'vəːsɪtɪ] s motgang *m*
▸ **in the face of adversity** til tross for motgangen
advert ['ædvəːt] (*BRIT*) s FK = **advertisement**
advertise ['ædvətaɪz] 1 VI reklamere (*v2*), annonsere (*v2*)
2 VT (**a**) (*+product, event*) annonsere (*v2*)
(**b**) (*+job*) avertere (*v2*), utlyse (*v2*)
▸ **to advertise for** avertere (*v2*) etter
advertisement [əd'vəːtɪsmənt] s (**a**) (*in newspaper*) reklame *m*, annonse *m*
(**b**) (*on television*) reklame *m* ❑ *...an advertisement for whisky.* ...en whiskyreklame.
(**c**) (*in classified ads*) annonse *m*, avertissement *nt*
advertiser ['ædvətaɪzəʳ] s annonsør *m*
advertising ['ædvətaɪzɪŋ] s (**a**) (= *advertisements*) reklame *m*
(**b**) (= *industry*) reklamebransjen *def* ❑ *...a job in advertising.* ...en jobb i reklamebransjen.
advertising agency s reklamebyrå *nt*
advertising campaign s reklamekampanje *m*
advice [əd'vaɪs] s (**a**) (= *counsel*) råd *nt* ❑ *They want advice on how to do it.* De vil ha* (et *or* noen) råd om hvordan det skal gjøres.
(**b**) (= *notification*) melding *c*
▸ **a piece of advice** et råd
▸ **to ask sb for advice** be* noen om råd
▸ **to take legal advice** rådføre (*v2*) seg med en advokat
▸ **advice of delivery** mottakingsbevis *nt*
advice note (*BRIT*) s advisbrev *nt*
advisable [əd'vaɪzəbl] ADJ tilrådelig
advise [əd'vaɪz] VT (**a**) (= *give advice to*) råde (*v1*)
(**b**) (*regularly*) være* rådgiver for ❑ *They advise the BBC on Further Education problems.* De er rådgivere for BBC når det gjelder problemer innen høyere utdanning.
(**c**) (= *inform*) ▸ **to advise sb of sth** informere (*v2*) noen om noe
▸ **to advise sb against sth/doing sth** fraråde (*v1*) noen noe *or* råde (*v1*) noen fra å gjøre* noe
▸ **you would be well-/ill-advised to go** det ville* være* klokt/uklokt av deg å gå
advisedly [əd'vaɪzɪdlɪ] ADV med overlegg, med vilje ❑ *I use the phrase advisedly...* Jeg bruker dette uttrykket med overlegg *or* med vilje...
adviser [əd'vaɪzəʳ] s rådgiver *m*
advisor [əd'vaɪzəʳ] s = **adviser**
advisory [əd'vaɪzərɪ] ADJ (*role, capacity, body*) rådgivende

▸ **in an advisory capacity** i egenskap av rådgiver

advocate [VB 'ædvəkeɪt, N 'ædvəkɪt] 1 VT (= *support, recommend*) gå* inn for, tilrå (*v4*) ❑ *He advocated the creation of a permanent United Nations.* Han gikk inn for *or* tilrådde at det ble dannet et permanent FN.
2 S (*JUR: barrister*) advokat *m*
▸ **to be an advocate of** (= *supporter, upholder*) være* talsmann for, være* forsvarer av ❑ *...a leading advocate of free enterprise.* ...en ledende talsmann for *or* forsvarer av det frie initiativ.

advt. FK = **advertisement**

AEA (*BRIT*) S FK (= **Atomic Energy Authority**) ≈ Statens atomtilsyn *nt*

AEC (*US*) S FK (= **Atomic Energy Commission**) ≈ Statens atomtilsyn *nt*

AEEU (*BRIT*) S FK (= **Amalgamated Engineering and Electrical Union**) *fagforening*

Aegean [iː'dʒiːən] S ▸ **the Aegean (Sea)** Egeerhavet

aegis ['iːdʒɪs] S ▸ **under the aegis of sb** under noens auspisier, under beskyttelse av noen

aeon ['iːən] S evighet *m* (av tid)

aerial ['ɛərɪəl] 1 S antenne *c*
2 ADJ (*attack, photograph*) luft-

aero... ['ɛərə(u)] PREF luft-, aero-

aerobatics ['ɛərəu'bætɪks] SPL luftakrobatikk *m*, kunstflyvning *m*

aerobics [ɛə'rəubɪks] S aerobics *m*

aerodrome ['ɛərədrəum] (*BRIT*) S flyplass *m*

aerodynamic ['ɛərəudaɪ'næmɪk] ADJ aerodynamisk

aeronautics [ɛərə'nɔːtɪks] S (*study of flight*) flyging *c*; (*construction of planes*) flykonstruksjon *m*

aeroplane ['ɛərəpleɪn] (*BRIT*) S fly *nt*

aerosol ['ɛərəsɔl] S aerosolflaske *c*

aerospace industry ['ɛərəuspeɪs-] S romfartsindustri *m*

aesthetic [iːs'θɛtɪk] ADJ estetisk

aesthetically [iːs'θɛtɪklɪ] ADV estetisk

afar [ə'fɑːʳ] ADV ▸ **from afar** langt borte fra

AFB (*US*) S FK (= **Air Force Base**) flybase *m*

AFDC (*US*) S FK (= **Aid to Families with Dependent Children**) *støtte til familier med små barn*, barnebidrag *nt*

affable ['æfəbl] ADJ (*person, behaviour*) vennlig og forekommende

affair [ə'fɛəʳ] S (**a**) (= *matter, business, question*) sak *m*, affære *m*
(**b**) (= *romance*) forhold *nt*, affære *m* ❑ *I had an affair with her before the war.* Jeg hadde et forhold til *or* en affære med henne før krigen.
▸ **affairs** SPL (= *matters*) forhold *nt*, anliggende *nt* ❑ *...a specialist in Eastern European affairs.* ...en spesialist på østeuropeiske forhold *or* anliggender.

affect [ə'fɛkt] VT (**a**) (*+person, object*) virke (*v1*) (inn) på, berøre (*v2*) ❑ *...the ways in which computers can affect our lives.* ...måten datamaskiner kan virke (inn) på *or* berøre våre liv på.
(**b**) (*disease+*) angripe*, ramme (*v1*)
(**c**) (= *emotionally*) bevege (*v1*), gå* innpå ❑ *His letters affected her profoundly.* Brevene hans beveget henne dypt *or* gikk sterkt innpå henne.
(**d**) (= *concern*) berøre (*v2*), gjelde* ❑ *These rules don't affect me.* Disse reglene berører *or* gjelder ikke meg.
(**e**) (= *feign*) ▸ **to affect interest** *etc* late* som om man er interessert *etc* ❑ *He affected to despise every Briton he met.* Han lot som om han foraktet alle briter han møtte.

affectation [æfɛk'teɪʃən] S affekterthet *m*, tilgjorthet *m*

affected [ə'fɛktɪd] ADJ (*behaviour, person*) affektert, tilgjort

affection [ə'fɛkʃən] S (= *fondness*) kjærlighet *m* (*morkjærlighet, vennskaplig ømhet etc*) ❑ *She had no affection for him.* Hun følte ingen kjærlighet til ham.

affectionate [ə'fɛkʃənɪt] ADJ (*person, kiss, animal*) kjærlig

affectionately [ə'fɛkʃənɪtlɪ] ADV kjærlig, ømt

affidavit [æfɪ'deɪvɪt] (*JUR*) S beediget skriftlig erklæring *c*

affiliated [ə'fɪlɪeɪtɪd] ADJ tilsluttet, tilknyttet

affinity [ə'fɪnɪtɪ] S ▸ **to have an affinity with** (**a**) (= *bond: with person/group*) føle (*v2*) samhørighet med, føle (*v2*) seg beslektet med
(**b**) (*with place*) føle (*v2*) tilknytning til
(**c**) (= *resemblance*) være* beslektet med ❑ *In anatomical structure, Prehistoric Man has affinities with...* I anatomisk struktur er det forhistoriske mennesket beslektet med...

affirm [ə'fəːm] VT erklære (*v2*), bekrefte (*v1*)

affirmation [æfə'meɪʃən] S bekreftelse *m*

affirmative [ə'fəːmətɪv] 1 ADJ (*answer, nod etc*) bekreftende
2 S ▸ **to answer in the affirmative** svare (*v2*) bekreftende

affix [ə'fɪks] VT feste (*v1*), sette* på

afflict [ə'flɪkt] VT (*pain, sorrow, misfortune+*) plage (*v1*)

affliction [ə'flɪkʃən] S lidelse *m*

affluence ['æfluəns] S velstand *m*, rikdom *m*

affluent ['æfluənt] ADJ (*person, family, surroundings*) velstående
▸ **the affluent society** velstandssamfunnet

afford [ə'fɔːd] VT (**a**) (= *have enough money for*) ha* råd til ❑ *I can't afford to rent this flat.* Jeg har ikke råd til å leie denne leiligheten.
(**b**) (= *permit o.s.: risk*) kunne* tillate seg ❑ *We can't afford another scandal in the firm.* Vi kan ikke tillate oss enda en skandale i firmaet.
(**c**) (= *provide*) gi ❑ *...the protection afforded to the workers by the unions.* ...beskyttelsen som arbeiderne fikk fra fagforeningene.
▸ **I can't afford it** jeg har ikke råd
▸ **can we afford a car?** har vi råd til bil?
▸ **I can't afford the time** jeg har ikke tid

affordable [ə'fɔːdəbl] ADJ til en overkommelig pris

affray [ə'freɪ] (*BRIT*) S slagsmål *nt* (*på offentlig grunn*)

affront [ə'frʌnt] S ▸ **affront (to)** fornærmelse *m* (mot)

affronted [ə'frʌntɪd] ADJ fornærmet, krenket

Afghan ['æfgæn] 1 ADJ afghansk
2 S (*person*) afghaner *m*

Afghanistan [æf'gænɪstæn] S Afghanistan *nt*

afield [ə'fiːld] ADV ▸ **(from) far afield** langt borte (fra)

AFL-CIO S FK (= **American Federation of Labor and Congress of Industrial Organizations**) ≈ LO (= *Landsorganisasjonen*)

afloat [ə'fləut] 1 ADV flytende ❑ *...he could remain afloat...* han kunne* holde seg flytende... 2 ADJ som flyter ❑ *...a piece of wood afloat in the water.* ...et trestykke som fløt på vannet.
▸ **to stay afloat** holde* seg flytende; (*fig*) holde* hodet over vannet
▸ **to keep a business afloat** holde* et forretningsforetak gående

afoot [ə'fut] ADV ▸ **there is something afoot** noe er på ferde, noe er i gjerde

aforementioned [ə'fɔ:mɛnʃənd] ADJ ovennevnt, førnevnt

aforesaid [ə'fɔ:sɛd] ADJ ovennevnt, førnevnt

afraid [ə'freɪd] ADJ redd ❑ *She suddenly looked afraid.* Hun så plutselig redd ut.
▸ **to be afraid of** være* redd (for)
▸ **to be afraid of doing sth** *or* **to do sth** være* redd for å gjøre* noe ❑ *Don't be afraid to ask questions.* Ikke vær redd for å stille spørsmål.
▸ **I'm afraid (that) I'll be late** jeg er redd jeg blir sen, jeg blir nok desverre sen
▸ **I am afraid so/not** ja/nei, desverre

afresh [ə'frɛʃ] ADV på nytt, forfra

Africa ['æfrɪkə] S Afrika

African ['æfrɪkən] 1 ADJ afrikansk 2 S (*person*) afrikaner *m*

Afrikaans [æfrɪ'kɑ:ns] S afrikaans

Afrikaner [æfrɪ'kɑ:nə^r] S afrikander *m*

Afro-American ['æfrəuə'mɛrɪkən] ADJ afro-amerikansk

AFT (*US*) S FK (= **American Federation of Teachers**) *lærerorganisasjon*

aft [ɑ:ft] ADV (*go*) akterover
▸ **to be aft (of)** være* akterut (for)

after ['ɑ:ftə^r] 1 PREP etter ❑ *...just after breakfast.* ...rett etter frokost. *I wrote my signature after Penny's...* Jeg skrev navnet mitt etter Pennys... *a painting after Leonardo da Vinci.* ...et maleri etter Leonardo da Vinci.
2 ADV etter(på) ❑ *Soon after, he began his researches into electricity.* Rett etter(på) begynte han sin utforskning av elektrisiteten.
3 KONJ etter at ❑ *...immediately after they had eaten.* ...umiddelbart etter at de hadde spist.
▸ **after dinner** etter middag
▸ **the day after tomorrow** i overmorgen
▸ **what/who are you after?** hva/hvem er du ute etter?
▸ **the police are after him** politiet er etter ham
▸ **to name sb after sb** kalle (*v2x*) opp noen etter noen
▸ **it's ten after eight** (*US*) klokka er ti over åtte
▸ **to ask after sb** spørre* etter noen
▸ **after all** når alt kommer til alt, tross alt
▸ **after you!** (**a**) (*fml*) etter Dem! (**b**) (*informal*) du først!

afterbirth ['ɑ:ftəbə:θ] S etterbyrd *m*

aftercare ['ɑ:ftəkeə^r] (*BRIT: MED*) S etterbehandling *c*

after-effects ['ɑ:ftərɪfɛkts] SPL (*of illness, radiation, drink etc*) ettervirkninger

afterlife ['ɑ:ftəlaɪf] S liv *nt* etter døden ❑ *...belief in an afterlife.* ...troen på et liv etter døden.

aftermath ['ɑ:ftəmɑ:θ] S ettervirkninger *pl* ❑ *...the aftermath of war.* ...ettervirkningene av krigen.
▸ **in the aftermath of** i tiden etter

afternoon ['ɑ:ftə'nu:n] S ettermiddag *m*
▸ **this afternoon** i ettermiddag
▸ **good afternoon!** (**a**) (= *goodbye*) adjø! (**b**) (= *hello*) goddag!, god ettermiddag!

afters ['ɑ:ftəz] (*sl*) S (= *dessert*) dessert *m*

after-sales service [ɑ:ftə'seɪlz-] (*BRIT*) S kundeservice *m*

after-shave (lotion) ['ɑ:ftəʃeɪv-] S etterbarberingsvann *nt*, aftershave *m*

aftershock ['ɑ:ftəʃɔk] S (*after earthquake*) etterdønning *m*; (*fig*) etterdønninger *pl*

aftertaste ['ɑ:ftəteɪst] S ettersmak *m*

afterthought ['ɑ:ftəθɔ:t] S ▸ **as an afterthought** (*do sth*) etter å ha* tenkt seg om; (*say sth*) som en tilføyelse

afterwards ['ɑ:ftəwədz], **afterward** (*US*) ADV etterpå

again [ə'gɛn] ADV (**a**) (= *once more*) igjen ❑ *At last the assembly was silent again.* Endelig var forsamlingen stille igjen.
(**b**) (= *one more time, on another occasion*) igjen, en gang til ❑ *You've done it again!* Du har gjort det igjen! *or* en gang til!
▸ **not ...again** ikke ...mer ❑ *I promise I won't be late again.* Jeg lover at jeg ikke skal være* sen mer.
▸ **to do sth again** gjøre* noe om igjen, gjøre* noe en gang til
▸ **to begin again** begynne (*v2x*) på nytt
▸ **he's opened it again** ha* har åpnet den nok en gang
▸ **again and again** om (igjen) og om igjen
▸ **now and again** nå og da, av og til

against [ə'gɛnst] PREP (**a**) (= *leaning on, touching, compared to*) mot ❑ *She was pressing her nose against the window.* Hun presset nesen mot vinduet. *The franc fell to its lowest rate against the dollar...* Francen falt til sin laveste kurs mot dollaren...
(**b**) (= *in opposition to, at odds with*) (i)mot ❑ *He was against American intervention in the war.* Han var (i)mot amerikansk innblanding i krigen.
▸ **against a blue background** mot (en) blå bakgrunn
▸ **(as) against** mot ❑ *The party gained 57 seats, as against 42 for the opposition.* Partiet fikk 57 representanter, mot 42 for opposisjonen.
▸ **to be very much against sth** være* sterkt imot noe

age [eɪdʒ] 1 S (**a**) (*of person, object*) alder *m* (**b**) (= *period in history*) tidsalder *m*, tid *c* ❑ *...throughout the ages.* ...gjennom alle tidsaldere *or* tider.
2 VI (*person+*) bli* eldre, eldes (*v5, no past tense*) ❑ *...how much he had aged.* ...hvor gammel han hadde blitt.
3 VT gjøre* eldre ❑ *The strain had considerably aged him.* Belastningen hadde gjort ham betydelig eldre.
▸ **what age is he?** hvor gammel er han?
▸ **20 years of age** 20 år gammel
▸ **under age** mindreårig

▸ **to come of age** bli* myndig
▸ **it's been ages since** det er en evighet siden
aged[1] [eɪdʒd] ADJ ▸ **aged 10** 10 år gammel
aged[2] ['eɪdʒɪd] SPL ▸ **the aged** de eldre
age group s aldersgruppe *c*
▸ **the 40 to 50 age group** aldersgruppen 40 til 50
ageing ['eɪdʒɪŋ] ADJ (*person, population*) aldrende; (*system, technology*) som er i ferd med å bli* foreldet
ageless ['eɪdʒlɪs] ADJ (*building, ritual*) tidløs; (*person*) upåvirket av alderen
age limit s aldersgrense *c*
agency ['eɪdʒənsɪ] s (**a**) (*MERK*) byrå *nt* ❑ *...an advertising agency.* ...et reklamebyrå.
(**b**) (= *government body*) offentlig organ *nt*
▸ **through** *or* **by the agency of sb** gjennom noen *or* noens formidling ❑ *He had found the job through the agency of another member of the firm.* Han hadde funnet jobben gjennom en annen ansatt i firmaet.
agenda [ə'dʒɛndə] s dagsorden *m*
▸ **on the agenda** på dagsordenen
▸ **to set the agenda** sette* dagsorden
agent ['eɪdʒənt] s (**a**) (*MERK: holding concession*) forhandler *m*
(**b**) (= *representative*) agent *m*
(**c**) (= *spy*) agent *m* ❑ *...a enemy agent...* en agent fra fienden...
(**d**) (*KJEM*) middel *nt* ❑ *Chemical agents were used...* Kjemiske midler ble brukt...
(**e**) (*fig*) ▸ **the agent of change** forandringens forkjemper
aggravate ['ægrəveɪt] VT (+*situation, tension*) forverre (*v1*); (+*person*) irritere (*v2*), ergre (*v1*)
aggravating ['ægrəveɪtɪŋ] ADJ irriterende, ergerlig
aggravation [ægrə'veɪʃən] s irritasjon *m*, ergrelse *m*
aggregate ['ægrɪgɪt] 1 s samlet sum *m* ❑ *He had spent an aggregate of fifteen years in various jails.* Han hadde tilbragt tilsammen femten år i forskjellige fengsler.
2 VT legge* sammen
aggression [ə'grɛʃən] s aggresjon *m*
▸ **an act of aggression** et angrep
aggressive [ə'grɛsɪv] ADJ (= *belligerent*) aggressiv; (= *assertive: salesman etc*) pågående
aggressiveness [ə'grɛsɪvnɪs] s aggressivitet *m*
aggressor [ə'grɛsə^r] s angriper *m*
aggrieved [ə'gri:vd] ADJ ▸ **aggrieved (at)** forurettet (over), krenket (over)
aggro ['ægrəu] (*BRIT: sl*) s bråk *nt*
aghast [ə'gɑ:st] ADJ ▸ **aghast (at)** (+*behaviour, situation*) forferdet (over) NB *She was aghast at the idea.* Hun ble forferdet ved tanken.
agile ['ædʒaɪl] ADJ (*physically*) (rask og) smidig; (*mentally*) kvikk og oppvakt
agility [ə'dʒɪlɪtɪ] s smidighet *m*
agitate ['ædʒɪteɪt] 1 VT (= *upset: person*) sette* i opprør, gjøre* (svært) urolig; (+*liquid: shake*) riste (*v1*); (= *stir*) røre (*v2*) i
2 VI ▸ **to agitate for/against** agitere (*v2*) for/mot
agitated ['ædʒɪteɪtɪd] ADJ (*person*) opprørt, (svært) urolig
agitator ['ædʒɪteɪtə^r] (*POL*) s agitator *m*, urostifter *m*
AGM s FK (= **annual general meeting**) årsmøte *nt*, generalforsamling *c*
agnostic [æg'nɔstɪk] s agnostiker *m*
ago [ə'gəu] ADV ▸ **2 days ago** for 2 dager siden
▸ **it happened not long ago** det skjedde for ikke lenge siden
▸ **it wasn't long ago** det er ikke lenge siden
▸ **as long ago as 1960** så lenge siden som i 1960
▸ **how long ago was that?** hvor lenge siden er det?
agog [ə'gɔg] ADJ spent og forventningsfull
▸ **agog to do** ivrig oppsatt på å gjøre, spent på å gjøre
▸ **to be all agog** være* spent og forventningsfull
agonize ['ægənaɪz] VI ▸ **to agonize over a problem** lide* voldsomme kvaler på grunn av et problem
agonizing ['ægənaɪzɪŋ] ADJ (*pain, cry*) pinefull; (*decision, wait*) opprivende
agony ['ægənɪ] s (**a**) (= *pain*) smerte *m* (*voldsom*) ❑ *The blow made him scream in agony.* Slaget fikk ham til å skrike av smerte.
(**b**) (= *torment*) kvaler *mpl*
▸ **an agony of suspense** uutholdelig spenning *c*
▸ **an agony of fear** dødsangst *m*
▸ **to be in agony** pines (*v25*)
agony aunt s ≈ Klara Klok
agony column s ≈ Klara Klok-spalte *m*
agree [ə'gri:] 1 VT (+*price, date*) bli* enige om ❑ *They agreed a 20% price rise.* De ble enige om en prisøkning på 20 %.
2 VI (= *have same opinion*) være* enige ❑ *They may find it hard to agree.* Det kan hende de vil ha* vanskelig for å være* enige.
▸ **to agree with** (**a**) (*person+*) være* enig med
(**b**) (*statements etc+*) stemme (*v2x*) (overens) med
(**c**) (*LING*) være* i samsvar med ❑ *The subject must agree with the verb.* Det må være* samsvar mellom subjekt og verbal.
▸ **milk doesn't agree with me** jeg tåler ikke melk
▸ **to agree to sth/to do sth** gå* med på noe/på å gjøre* noe
▸ **to agree on sth** være/bli enige om noe
▸ **to agree that** være* enig i at; (*with each other*) være* enige om at ❑ *People agree that the law is behind the times.* Folk er enige i/om at loven er gammeldags.
▸ **it was agreed that** det var enighet om at
▸ **they agreed on this** de var enige i dette; (*with each other*) de var enige om dette
agreeable [ə'gri:əbl] ADJ (**a**) (*sensation, person: pleasant*) behagelig
(**b**) (= *willing*) ▸ **agreeable (to sth/to do sth)** velvillig innstilt (til noe/til å gjøre* noe)
▸ **are you agreeable to this?** går du med på det?
agreed [ə'gri:d] ADJ (*time, place, price*) avtalt
▸ **to be agreed (on)** være* enig (på)
agreement [ə'gri:mənt] s (**a**) (= *concurrence, consent*) enighet *m* ❑ *We reached agreement.* Vi kom til enighet.
(**b**) (= *contract*) avtale *m*

(**c**) (= *arrangement*) avtale *m*, overenskomst *m* ❑ *Agreements on nuclear weapons...* Avtaler *or* overenskomster om atomvåpen...
▸ **in agreement (with)** enig (med)
▸ **by mutual agreement** ved felles avtale, ved gjensidig overenskomst
▸ **to reach an agreement** komme* fram til en avtale

agricultural [ægrɪ'kʌltʃərəl] ADJ (*land, implement, show*) landbruks-, jordbruks-

agriculture ['ægrɪkʌltʃəʳ] S landbruk *nt*, jordbruk *nt*

aground [ə'graund] ADV ▸ **to run aground** gå* på grunn

ahead [ə'hɛd] ADV (**a**) (= *in front*) foran seg/ham *etc* ❑ *He could see it about half a mile ahead.* Han kunne* se det noen hundre meter foran seg.
(**b**) (*in the future*) framover ❑ *...a forecast for a few days ahead.* ...et værvarsel som gjelder for noen dager framover.
▸ **ahead of** foran ❑ *In the polls Labour is 2% ahead of the Conservatives.* I meningsmålingene ligger Arbeiderpartiet 2 % foran de Konservative. *He is a good ten years ahead of the others.* Han er godt og vel ti år foran de andre.
▸ **ahead of schedule** foran planen *or* skjemaet
▸ **a year ahead** et år i forveien
▸ **go right** *or* **straight ahead** gå* rett fram
▸ **go ahead!** (*fig: permission*) sett igang!

AI S FK (= **Amnesty International**) AI; (*DATA*) (= **artificial intelligence**) kunstig intelligens *m*

AIB (*BRIT*) S FK (= **Accident Investigation Bureau**) *ulykkeskommisjon*

AID S FK (= **artificial insemination by donor**) kunstig befruktning *c* ved giver; (*US*) (= **Agency for International Development**) *avdeling som koordinerer utviklingshjelp og utenrikspolitikk i USA*

aid [eɪd] 1 S (**a**) (= *assistance: to person*) støtte *m*, bistand *m*
(**b**) (*to country*) bistand *m*, hjelp *m* ❑ *...government aid to privately owned firms.* ...offentlig støtte *or* bistand til privateide bedrifter.
(**c**) (= *device*) hjelpemiddel *nt* ❑ *For disabled people, aids within the home make life much easier.* Hjelpemidler i hjemmet gjør livet lettere for funksjonshemmede.
2 VT bistå*, hjelpe*
▸ **first aid** førstehjelp *m*
▸ **with the aid of** (**a**) (*+thing*) ved hjelp av
(**b**) (*+person*) ved hjelp fra
▸ **in aid of** (*charity etc*) til inntekt for ❑ *...a concert in aid of cancer relief.* ...en konsert til inntekt for kreftsaken.
▸ **to aid and abet** (*JUR*) hjelpe* og bistå* (*i lovbrudd*)
see also **hearing, first**

aide [eɪd] S (*POL*) assistent *m*; (*MIL*) adjutant *m*

aide-de-camp ['eɪddə'kɔŋ] S adjutant *m*

AIDS [eɪdz] S FK (= *acquired immune deficiency syndrome*) aids (*var.* AIDS) ervervet immunsviktsyndrom *m*

AIH S FK (= **artificial insemination by husband**) kunstig befruktning *c* ved ektemann

ailing ['eɪlɪŋ] ADJ (*person*) sykelig; (*economy, industry etc*) skrantende

ailment ['eɪlmənt] S (mindre alvorlig) sykdom *m*, (mindre alvorlig) lidelse *m*

aim [eɪm] 1 VT ▸ **to aim sth (at)** (**a**) (*+gun, camera, missile, blow*) rette (*v1*) noe (mot)
(**b**) (*+remark*) rette (*v1*) noe (mot), mynte (*v1*) noe (på), beregne (*v1*) noe (på)
2 VI (*also* ***take aim***) sikte (*v1*)
3 S (**a**) (= *objective*) mål *nt*
(**b**) (*in shooting: skill*) sikte *nt* ❑ *He leaned against a tree to steady his aim.* Han lente seg mot treet for å få* bedre sikte.
▸ **to aim at** (**a**) (*with weapon*) sikte (*v1*) på
(**b**) (*+objective*) ta* sikte på ❑ *We are aiming at a higher production level.* Vi tar sikte på et høyere produksjonsnivå.
▸ **to aim to do** ta* sikte på å gjøre, ha* til hensikt å gjøre

aimless ['eɪmlɪs] ADJ (*person*) som ikke har noe mål (i livet); (*activity*) hensiktsløs, formålsløs

aimlessly ['eɪmlɪslɪ] ADV hensiktsløst, uten mål og mening

ain't [eɪnt] (*sl*) = **am not, aren't, isn't**

air [ɛəʳ] 1 S (**a**) (= *atmosphere*) luft *c*
(**b**) (= *tune*) melodi *m*
(**c**) (= *appearance*) preg *nt* ❑ *Their house has a nostalgic air.* Huset deres hadde et nostalgisk preg.
2 VT (**a**) (*+room, bed*) lufte (*v1*) i
(**b**) (*+clothes, grievances, views, ideas*) lufte (*v1*)
3 SAMMENS (*currents, attack etc*) luft-
▸ **to throw sth into the air** kaste (*v1*) noe opp i lufta
▸ **by air** (*travel*) med fly
▸ **on the air** (*RADIO, TV*) på lufta

airbag ['ɛəbæg] S kollisjonspute *c*

air base S flybase *m*, flystasjon *m*

airbed ['ɛəbɛd] (*BRIT*) S luftmadrass *m*

airborne ['ɛəbɔːn] ADJ (**a**) (*plane, particles*) i lufta
(**b**) (*troops*) flybåren
▸ **airborne attack** luftlandeangrep *nt*

air cargo S (= *goods*) flylast *m*; (= *transport*) flytransport *m*, flyfrakt *m*

air-conditioned ['ɛəkən'dɪʃənd] ADJ klimatisert, med air-condition(ing)

air conditioning S klimaanlegg *nt*, air-condition(ing) *m*

air-cooled ['ɛəkuːld] ADJ (*engine*) luftkjølt

aircraft ['ɛəkrɑːft] S UBØY luftfartøy *nt*, fly *nt*

aircraft carrier S hangarskip *nt*

air cushion S luftpute *c*

airfield ['ɛəfiːld] S flyplass *m* (*liten eller militær*)

Air Force S flyvåpen *nt*, luftvåpen *nt*

air freight S flytransport *m* (*av gods*), flysending *c*

air freshener S luftfrisker *m*

airgun ['ɛəgʌn] S luftgevær *nt*, luftpistol *m*

air hostess (*BRIT*) S flyvertinne *c*

airily ['ɛərɪlɪ] ADV nonchalant

airing ['ɛərɪŋ] S ▸ **to give an airing to a room** la et rom få* en utluftning, lufte (*v1*) (ut) i et rom
▸ **to give an airing to sth** (*fig: ideas, views etc*) lufte (*v1*) noe

air letter (*BRIT*) S luftpostbrev *nt*, aerogram *nt*

airlift ['ɛəlɪft] 1 S luftbro *m*, transport *m* via lufta

2 VT transportere (*v2*) med fly
airline ['ɛəlaɪn] s flyselskap *nt*
airliner ['ɛəlaɪnəʳ] s rutefly *nt*, passasjerfly *nt*
airlock ['ɛəlɔk] s (*in pipe*) luftblære *c*; (*in spacecraft*) luftsluse *c*
airmail ['ɛəmeɪl] s ▸ **by airmail** med flypost
air mattress s luftmadrass *m*
air mile s *bonuspoeng nt (for flyreiser)*
airplane ['ɛəpleɪn] (*US*) s fly *nt*
air pocket s luftlomme *c*
airport ['ɛəpɔːt] s flyplass *m*, lufthavn *c* (*esp in names*)
air raid s luftangrep *nt*
air rifle s luftgevær *nt*
airsick ['ɛəsɪk] s ▸ **to be airsick** være/bli luftsyk
airspace ['ɛəspeɪs] s luftrom *nt* (*over territorium*)
airspeed ['ɛəspiːd] s flyhastighet *m*
airstrip ['ɛəstrɪp] s flystripe *c*
air terminal s flyterminal *m*
airtight ['ɛətaɪt] ADJ lufttett ❏ *Keep food in airtight tins.* Oppbevar mat i lufttette bokser.
airtime ['ɛətaɪm] s (*RADIO, TV*) sendetid *m*
air-traffic control ['ɛətræfɪk-] s flyledelse *m*, flykontrolltjeneste *m*
air-traffic controller s fly(ge)leder *m*
airway ['ɛəweɪ] s flyrute *c*
▸ **the airways** (= *space*) luftrommet *nt def* ❏ *...the giant jets that dominate the world's airways.* ...de enorme jetflyene som dominerer verdens luftrom.
air waybill s flyfraktbrev *nt*
airy ['ɛərɪ] ADJ (*room, building*) luftig; (= *casual : manner*) nonchalant
aisle [aɪl] s (**a**) (*in church, theatre, cinema, plane*) midtgang *m*
(**b**) (*in supermarket*) gang *m* (mellom hyllene)
▸ **to walk down the aisle** (*get married*) gå* opp(over) kirkegulvet
ajar [ə'dʒɑːʳ] ADJ på klem, på gløtt
AK (*US : POST*) FK = **Alaska**
aka FK (= **also known as**) også kjent som
akin [ə'kɪn] ADJ ▸ **akin to** beslektet med
AL (*US : POST*) FK = **Alabama**
ALA S FK (= **American Library Association**) *forening som arbeider for bedre offentlig tilgang til, og mer effektive bibliotek*
alabaster ['æləbɑːstəʳ] s alabast *m*
à la carte [ɑːlɑː'kɑːt] ADV à la carte
alacrity [ə'lækrɪtɪ] s iver *m* (*og raskhet*)
▸ **with alacrity** raskt og ivrig
alarm [ə'lɑːm] 1 s (= *anxiety*) uro *m* (og engstelse); (*in shop, bank*) alarm *m* NB *The alarm went off.* Alarmen gikk.
2 VT (*+person*) gjøre* urolig *or* engstelig
alarm call s (telefon)vekking *c*
alarm clock s vekkeklokke *c*
alarmed [ə'lɑːmd] ADJ skremt, engstelig
alarming [ə'lɑːmɪŋ] ADJ foruroligende, urovekkende
alarmingly [ə'lɑːmɪŋlɪ] ADV foruroligende
alarmist [ə'lɑːmɪst] s ulykkesprofet *m*
alas [ə'læs] INTERJ akk (o ve)
Alaska [ə'læskə] s Alaska
Albania [æl'beɪnɪə] s Albania
Albanian [æl'beɪnɪən] 1 ADJ albansk
2 s (*LING*) albansk; (*person*) albaner *m*
albatross ['ælbətrɔs] s albatross *m*
albeit [ɔːl'biːɪt] KONJ om enn
album ['ælbəm] s (*all senses*) album *nt*
albumen ['ælbjumɪn] s eggehvite *m*
alchemy ['ælkɪmɪ] s alkymi *m*
alcohol ['ælkəhɔl] s alkohol *m*
alcohol-free ['ælkəhɔl'friː] ADJ alkoholfri
alcoholic [ælkə'hɔlɪk] 1 ADJ (*drink*) alkoholholdig
2 s alkoholiker *m*
alcoholism ['ælkəhɔlɪzəm] s alkoholisme *m*
alco-pop ['ælkəupɔp] s rusbrus *m*
alcove ['ælkəuv] s (*for desk*) nisje *m*; (*for bed*) alkove *m*; (*for dining*) spisekrok *m*
Ald. FK = **alderman**
alderman ['ɔːldəmən] *irreg* s (*BRIT*) *eldre medlem av kommunestyre, valgt av de andre medlemmene*, medlem av formannskapet (*i kommunestyre*); (*US, CAN*) ≈ bystyremedlem *nt*
ale [eɪl] s øl *nt*
alert [ə'ləːt] 1 ADJ (**a**) (= *wide awake*) (år)våken
(**b**) (*to danger, opportunity*) ▸ **alert to** oppmerksom på, klar over
2 s (= *alarm*) alarm *m*
3 VT (*+guard, police, person*) varsle (*v1*)
▸ **to alert sb to sth** gjøre* noen oppmerksom på noe *or* klar over noe, få* noen til å innse noe
▸ **to be on the alert** (**a**) (= *looking out*) være* på vakt
(**b**) (= *ready for action*) i beredskap
Aleutian Islands [ə'luːʃən-] SPL Aleutene
A level (*BRIT*) s *eksamen fra videregående skole*
Alexandria [ælɪg'zɑːndrɪə] s Alexandria
alfresco [æl'frɛskəu] 1 ADJ utendørs
2 ADV utendørs, i friluft
algebra ['ældʒɪbrə] s algebra *m*
Algeria [æl'dʒɪərɪə] s Algerie
Algerian [æl'dʒɪərɪən] 1 ADJ algerisk
2 s (*person*) algerer *m*
Algiers [æl'dʒɪəz] s Alger *m*
algorithm ['ælgərɪðəm] s algoritme *m*
alias ['eɪlɪəs] 1 PREP alias, også kalt
2 s dekknavn *nt*
alibi ['ælɪbaɪ] s alibi *nt*
alien ['eɪlɪən] 1 s (= *foreigner*) fremmed *m decl as adj*; (= *extraterrestrial*) romvesen *nt*
2 ADJ ▸ **alien (to)** fremmed (for)
alienate ['eɪlɪəneɪt] VT (*+person*) støte (*v2*) fra seg
▸ **to alienate public opinion** støte (*v2*) publikum fra seg
alienation [eɪlɪə'neɪʃən] s (*psychological*) fremmedgjøring *c*
alight [ə'laɪt] 1 ADJ, ADV (**a**) (*eyes, expression*) lysende ❏ *She was looking at him, her eyes alight.* Hun så på ham med lysende øyne.
(**b**) (*candle, fire*) ▸ **to set/be alight** sette* fyr på/ brenne (*v2x*) ❏ *On the tables there were candles alight.* På bordene brant levende lys. *...paraffin that has been poured on the ground and set alight.* ...parafin som var blitt helt på bakken og satt fyr på.
2 VI (**a**) (*bird+*) lande (*v1*)
(**b**) (*passenger+*) stige* ut
align [ə'laɪn] VT stille (*v2x*) opp (*på linje*)
alignment [ə'laɪnmənt] s justering *c* (*i forhold til*

noe annet eller til normalen)
▸ **to be out of alignment (with)** ikke være* på linje (med)
alike [ə'laɪk] 1 ADJ like ❑ *The sisters were remarkably alike in appearance.* Søstrene var bemerkelsesverdig like av utseende.
2 ADV likt ❑ *The children are all treated alike.* Barna blir alle behandlet likt.
▸ **to look alike** se* like ut
▸ **winter and summer alike** sommer som vinter
alimony ['ælɪmənɪ] s underholdningsbidrag *nt*
alive [ə'laɪv] ADJ (**a**) (= *living: to be*) i live
(**b**) (*to burn, bury*) levende
(**c**) (= *lively: place, person*) levende
(**d**) (= *in existence*) ▸ **theatre outside London is very much alive** det er i høyeste grad liv i teateret utenfor London
▸ **to keep sb alive** holde* noen i live, holde* liv i noen
▸ **alive with** vrimlende full av
▸ **alive to** klar over, på det rene med
alkali ['ælkəlaɪ] s alkali *nt*
alkaline ['ælkəlaɪn] ADJ alkalisk

KEYWORD

all [ɔ:l] 1 ADJ ▸ **all day/night** hele dagen/natten
▸ **all people** alle mennesker
▸ **all five** alle fem
▸ **all the books** alle bøkene
▸ **all the food** all maten
▸ **all the time/his life** hele tiden/livet hans
❑ *...all my life I've tried to...* (i) hele mitt liv har jeg forsøkt å...
2 PRON (**a**) ▸ **I ate it all, I ate all of it** jeg spiste alt (sammen)
▸ **all of us** all vi/oss
▸ **all the boys** alle guttene
▸ **we all sat down** vi satte oss alle sammen
▸ **is that all?** (*gen*) er *or* var det alt?; (*in shop*) var det alt?
(**b**) (*in phrases*) ▸ **above all** framfor alt ❑ *Relax, and above all don't panic.* Slapp av, og framfor alt, ikke få* panikk.
▸ **after all** tross alt
▸ **all in all** når alt kommer/kom til alt ❑ *All in all, I'm not in favour.* Når alt kommer til alt, er jeg ikke for.
3 ADV *various translations:* ▸ **all alone** helt alene
▸ **it's not as hard as all that** det er ikke SÅ vanskelig heller
▸ **all the more/the better** desto mer/bedre
▸ **all but** (= *all except for*) alle unntatt ❑ *All but the strongest die before the age of two.* Alle unntatt de sterkeste dør før toårsalderen.; (= *almost*) så å si *I had all but finished when he arrived.* Jeg var så å si ferdig da han kom.
▸ **the score is 2 all** stillingen er to to

allay [ə'leɪ] VT dempe (*v1*), døyve (*v1 or v3*)
all clear s (**a**) (*after attack etc*) faren-over-signal *nt*
❑ *The all clear sounded.* Faren-over-signalet kunne* høres.
(**b**) (*fig: go-ahead*) klarsignal *nt* ❑ *As soon as we've got the all clear, I'll order the trucks.* Så snart vi har fått klarsignal, skal jeg bestille lastebilene.
allegation [ælɪ'geɪʃən] s påstand *m*, beskyldning *m*
allege [ə'lɛdʒ] VT påstå*, hevde (*v1*)
▸ **he is alleged to have said** han skal ha* sagt, det påstås at han har sagt
alleged [ə'lɛdʒd] ADJ påstått
allegedly [ə'lɛdʒɪdlɪ] ADV angivelig
allegiance [ə'li:dʒəns] s (lydighet og) troskap *m*
allegory ['ælɪgərɪ] s allegori *m*
all-embracing [ɔ:lɪm'breɪsɪŋ] ADJ altomfattende
allergic [ə'lə:dʒɪk] ADJ allergisk
▸ **allergic to** (*+foods, work*) allergisk mot
allergy ['ælədʒɪ] s allergi *m*
▸ **to have an allergy to** være* allergisk mot
alleviate [ə'li:vɪeɪt] VT (*+pain*) lindre (*v1*); (*+difficulty*) avhjelpe*, mildne (*v1*)
alley ['ælɪ] s smug *nt*, smal gate *c*
alleyway ['ælɪweɪ] s smug *nt*, bakgate *c*
alliance [ə'laɪəns] s allianse *m*
allied ['ælaɪd] ADJ (*forces*) alliert; (= *related: products, industries*) beslektet
alligator ['ælɪgeɪtə^r] s alligator *m*
all-important ['ɔ:lɪm'pɔ:tənt] ADJ altoverskyggende, av største viktighet
all-in ['ɔ:lɪn] (*BRIT*) ADJ, ADV (*price, cost, charge*) alt iberegnet
all-in wrestling s fribryting *c*
alliteration [əlɪtə'reɪʃən] s alliterasjon *m*
all-night ['ɔ:l'naɪt] ADJ (*café, cinema*) nattåpen; (*party*) som varer hele natta
allocate ['æləkeɪt] VTI (**a**) (*distribute*) fordele (*v2*)
❑ *...the way resources are allocated.* ...hvordan ressursene blir fordelt.
(**b**) (= *assign*) tildele (*v2*) ❑ *...allocate one room to each student.* ...tildel ett rom til hver student.
allocation [æləu'keɪʃən] s (**a**) (*see allocate*) fordeling *c*, tildeling *c*
(**b**) (= *means, resources*) tildelte midler *pl* ❑ *They would have to do all this within the allocations made to them.* De ville* måtte* gjøre* alt dette innenfor rammen av de midlene de hadde fått tildelt.
allot [ə'lɔt] VT ▸ **to allot (to)** (**a**) (*+time*) tilmåle (*v2*), sette* av (til)
(**b**) (*+money, seats*) tildele (*v2*)
▸ **in the alloted time** i den tiden som er avsatt
allotment [ə'lɔtmənt] s (**a**) (*garden*) kolonihage *m*, parsell *m*
(**b**) (= *share*) tildelt kvote *c*
(**c**) (*given number*) tildelt antall *nt* ❑ *We have a limited allotment of free holidays.* Vi har fått tildelt et begrenset antall gratisreiser.
all-out ['ɔ:laut] 1 ADJ (**a**) (*effort, attack, protest*) innbitt
(**b**) (*support*) ubetinget, total
2 ADV ▸ **to go all out for sth** satse (*v1*) alt på noe, satse (*v1*) helt og fullt på noe
▸ **all-out strike** totalstreik *m*
allow [ə'lau] VT (**a**) (= *permit: practice, behaviour*) tillate*
(**b**) (*+sum, time estimated*) sette* av, beregne (*v1*)
(**c**) (*+a claim, goal*) godkjenne (*v2x*)
▸ **to allow sb to do sth** la noen gjøre* noe
❑ *...he allowed me to take the course.* ...han lot meg ta* kurset.
▸ **he is allowed to...** han har lov til å...

▸ **to allow that...** (= *concede*) innrømme (*v1 or v2x*) at...
▸ **allow for** VT FUS (*+delay, inflation etc*) (måtte) regne (*v1*) med
allowance [ə'lauəns] s (**a**) godtgjørelse *m*
(**b**) (= *welfare payment*) støtte *m*, stønad *m*
(**c**) (*for expenses*) godtgjørelse *m* ❑ *They were receiving a fuel allowance.* De fikk bensingodtgjørelse.
(**d**) (= *pocket money*) ukepenger *pl*, lommepenger *pl*
(**e**) (*FIN*) skattefritt beløp *nt* (*av inntekt*)
▸ **to make allowances for** ta* hensyn til ❑ *They make no allowances for a child's age.* De tar ingen hensyn til barnets alder.
alloy ['ælɔɪ] s legering *c*
all right 1 ADV (**a**) (= *well: feel, get on*) bra ❑ *He's getting on all right.* Han klarer seg bra. *Are you all right?* Har du det bra *or* Er alt i orden med deg?
(**b**) (= *correctly: function, do*) greit, bra ❑ *It seems to be working all right now.* Nå ser det ut som den fungerer greit *or* bra.
(**c**) (*as answer*) javel, OK ❑ *"Can you help?" "All right."* "Kan du hjelpe til?" "Javel *or* OK."
2 ADJ (= *acceptable*) OK, grei (nok) ❑ *Do you like the champagne? – It's all right.* Liker du champagnen? – Den er grei nok *or* Den er OK.
▸ **that's all right by me** det er i orden for meg, det er greit for meg
all-rounder [ɔ:l'raundəʳ] s (*athlete*) allsidig sportsutøver *m*
▸ **to be an all-rounder** *or* **a good all-rounder** (*gen*) være* flink til alt
allspice ['ɔ:lspaɪs] s allehånde *m*
all-time ['ɔ:l'taɪm] ADJ ▸ **all-time record** alle tiders rekord
▸ **prices are at an all-time high** prisene er høyere enn noen gang (før)
allude [ə'lu:d] VI ▸ **to allude to** hentyde (*v1*) til
alluring [ə'ljuərɪŋ] ADJ (*person, prospect*) besnærende, forlokkende
allusion [ə'lu:ʒən] s (**a**) (= *reference*) hentydning *m* ❑ *When there is any allusion to his size...* Når det blir hentydet til størrelsen hans...
(**b**) (*literary*) allusjon *m*
alluvium [ə'lu:vɪəm] s alluvium *nt*
ally [*N* 'ælaɪ, *VB* ə'laɪ] 1 s (**a**) (= *friend*) en å alliere seg med ❑ *She felt she wanted an ally so badly.* Hun følte at hun så sterkt ønsket seg en å alliere seg med.
(**b**) (*POL, MIL*) alliert *m decl as adj*
2 VT ▸ **to ally o.s. with** alliere (*v2*) seg med
almighty [ɔ:l'maɪtɪ] ADJ (**a**) (= *omnipotent*) allmektig
(**b**) (= *tremendous: row etc*) forferdelig, fryktelig
▸ **Almighty God** Den allmektige Gud
almond ['ɑ:mənd] s (*fruit*) mandel *m*; (*tree*) mandeltre *nt*
almost ['ɔ:lməust] ADV nesten
▸ **he almost fell** det var nesten så han falt
▸ **almost certainly** nesten helt sikkert
alms [ɑ:mz] SPL almisser
aloft [ə'lɔft] ADV (*hold*) i været; (*carry*) til værs
alone [ə'ləun] ADJ, ADV alene (*var:* aleine)
▸ **to leave sb alone** (**a**) (= *undisturbed*) la noen være* i fred
(**b**) (= *without company*) overlate* noen til seg selv
▸ **to leave sth alone** la noe være, la noe ligge
▸ **let alone...** (og) langt mindre..., (og) i hvert fall ikke...
along [ə'lɔŋ] 1 PREP (*+way, route, street, wall etc*) langs
2 ADV ▸ **is he coming along with us?** blir han med oss?
▸ **he was hopping/limping along** han hoppet/haltet bortover/av gårde
▸ **along with** sammen med
▸ **all along** (= *all the time*) hele tiden
alongside [ə'lɔŋ'saɪd] 1 PREP (**a**) (*be*) ved siden av
(**b**) (*come*) på siden av ❑ *A highway patrol car drew up alongside the truck.* En patruljebil kjørte opp på siden av lastebilen.
2 ADV (**a**) (*be*) ved siden
(**b**) (*come*) på siden ❑ *The bus pulled up alongside.* Bussen kjørte opp på siden.
▸ **we brought our boat alongside** (**a**) (*+a pier*) vi la båten til kai
(**b**) (*+shore*) vi la båten inn til land
aloof [ə'lu:f] 1 ADJ fjern (og reservert)
2 ADV ▸ **to stay** *or* **keep aloof from** holde* seg utenfor
aloofness [ə'lu:fnɪs] s fjernhet *m*
aloud [ə'laud] ADV (*read, speak*) høyt
alphabet ['ælfəbɛt] s alfabet *nt*
alphabetical [ælfə'bɛtɪkl] ADJ alfabetisk
▸ **in alphabetical order** i alfabetisk rekkefølge
alphanumeric ['ælfənju:'mɛrɪk] ADJ alfanumerisk
alpine ['ælpaɪn] ADJ (*sports, meadow, plant*) alpin
Alps [ælps] SPL ▸ **the Alps** Alpene
already [ɔ:l'rɛdɪ] ADV allerede
alright ['ɔ:l'raɪt] ADV = **all right**
Alsace ['ælsæs] s Alsace
Alsatian [æl'seɪʃən] (*BRIT*) s (*dog*) schæfer(hund) *m*
also ['ɔ:lsəu] ADV også
altar ['ɔltəʳ] s alter *nt*
alter ['ɔltəʳ] 1 VT (**a**) (*gen*) endre (*v1*), forandre (*v1*) ❑ *This doesn't alter the fact that...* Dette endrer *or* forandrer ikke det faktum at...
(**b**) (*+plans, policy*) legge* om
2 VI endre (*v1*) seg, forandre (*v1*) seg
alteration [ɔltə'reɪʃən] s (**a**) (*to plans, clothes, building*) endring *c*, forandring *c*
(**b**) (*to plans, policies*) omlegging *c*
▸ **alterations** SPL (**a**) (*to clothes*) omsying *c sg*
(**b**) (*ARKIT*) ombygging *c sg* NB *The alterations to the house...* Ombyggingen av huset...
altercation [ɔltə'keɪʃən] s sammenstøt *nt*
alternate [*ADJ* ɔl'tə:nɪt, *VB* 'ɔltə:neɪt] 1 ADJ (**a**) (*actions, events, processes*) vekslende, skiftende ❑ *...alternate contraction and relaxation of muscles.* ...vekslende *or* skiftende muskelsammentrekning og avslapning.
(**b**) (*US: alternative: plans*) alternativ ❑ *For rainy days make sure you have alternate plans.* I tilfelle regn, pass på at du har alternative planer.
2 VI ▸ **to alternate (with)** alternere (*v2*) (med), veksle (*v1*) (med)
▸ **on alternate days** annenhver dag
alternately [ɔl'tə:nɪtlɪ] ADV vekselsvis
alternating current s vekselstrøm *m*
alternative [ɔl'tə:nətɪv] 1 ADJ (*plan, policy,*

solution, technology, energy, theatre, medicine) alternativ ❑ *But still people try to find alternative explanations.* Men folk prøver likevel å finne alternative forklaringer.
2 S (**a**) (= *choice*) alternativ *nt*, valg *nt* ❑ *The government will have no alternative but to raise our taxes.* Regjeringen kommer ikke til å ha* noe annet alternativ *or* valg enn å øke skattene.
(**b**) (= *other possibility*) ▸ **alternative (to)** alternativ *nt* (til) ❑ *Are there alternatives to prison?* Finnes det noe alternativ til fengsel?

alternative energy S alternativ energi *m*

alternatively [ɔl'tə:nətɪvlɪ] ADV alternativt

alternative medicine S alternativ medisin *m*

alternative society S ▸ **the alternative society** det alternative samfunn

alternator ['ɔltə:neɪtə^r] S vekselstrømgenerator *m*

although [ɔ:l'ðəu] KONJ selv om, enda ❑ *Although he was late he stopped to buy a sandwich.* Selv om *or* Enda det var sent, stoppet han for å kjøpe et smørbrød.

altitude ['æltɪtju:d] S (*of place, plane*) høyde *m* (over havet) ❑ *...an airliner flying at high altitude.* ...et rutefly som fløy med stor høyde.

alto ['æltəu] S (*female*) alt *m*; (*male*) kontratenor *m*

altogether [ɔ:ltə'gɛðə^r] ADV (**a**) (= *completely*) fullstendig ❑ *The noise had stopped altogether.* Bråket hadde stoppet fullstendig.
(**b**) (= *on the whole, in all*) i det hele tatt ❑ *Altogether, they got on very well.* I det hele tatt kom de meget godt ut av det med hverandre.
▸ **how much is that altogether?** hvor mye blir det alt i alt?, hvor mye blir det tilsammen?
▸ **not altogether true** ikke helt sant

altruism ['æltruɪzəm] S altruisme *m*

altruistic [æltru'ɪstɪk] ADJ altruistisk, uegennyttig

aluminium [ælju'mɪnɪəm], **aluminum** (*US*) S aluminium *m or nt*

aluminum [ə'lu:mɪnəm] (*US*) S = **aluminium**

always ['ɔ:lweɪz] ADV (**a**) (= *at all times, forever*) alltid ❑ *She always arrives half an hour early.* Hun kommer alltid en time for tidlig. *I shall always love you.* Jeg kommer alltid til å elske deg.
(**b**) (= *if all else fails*) ▸ **oh well, I can always come back later** jaja, jeg kan alltids komme tilbake senere

Alzheimer's disease ['æltshaɪməz-] S Alzheimers sykdom *m*

AM FK (= **amplitude modulation**) amplitudemodulasjon *m*

am [æm] VB *see* **be**

a.m. ADV FK (= **ante meridiem**) om morgenen, om formiddagen

AMA S FK (= **American Medical Association**) *den amerikanske legeforeningen*

amalgam [ə'mælgəm] S sammensmelting *c*, blanding *c*

amalgamate [ə'mælgəmeɪt] VI (**a**) (*organizations+*) slutte (*v1*) seg sammen, slå* seg sammen
(**b**) (*companies+*) slå* seg sammen
▸ **to amalgamate with** slutte (*v1*) *or* slå* seg sammen med

amalgamation [əmælgə'meɪʃən] (*MERK*) S sammenslåing *c*

amass [ə'mæs] VT (*+fortune, information, objects*) samle (*v1*) opp; (*+money*) spare (*v2*) opp; (*+evidence*) samle (*v1*) (opp)

amateur ['æmətə^r] 1 S amatør *m*
2 ADJ amatør
▸ **amateur dramatics** amatørteater *nt*

amateurish ['æmətərɪʃ] (*neds*) ADJ (*work, performance*) amatørmessig

amaze [ə'meɪz] VT forbløffe (*v1*), forundre (*v1*)
▸ **to be amazed (at)** være* forbløffet *or* forundret (over)

amazement [ə'meɪzmənt] S (for)undring *c* ❑ *Her eyes were wide with amazement.* Øynene hennes var vidåpne av (for)undring.

amazing [ə'meɪzɪŋ] ADJ (**a**) (= *surprising*) utrolig, forbausende ❑ *It's amazing how useful they are.* Det er utrolig *or* forbausende hvor nyttige de er.
(**b**) (= *fantastic*) utrolig, fantastisk ❑ *New York is an amazing city.* New York er en utrolig *or* fantastisk by.
(**c**) (*bargain, offer*) utrolig, fantastisk, fabelaktig

amazingly [ə'meɪzɪŋlɪ] ADV forbausende, utrolig ❑ *Our holiday was amazingly cheap.* Ferien vår var forbausende *or* utrolig billig.

Amazon ['æməzən] S (**a**) (*river*) Amazonas
(**b**) (*MYT*) amasone *c*
▸ **the Amazon jungle** Amazonasjungelen

Amazonian [æmə'zəunɪən] ADJ (*MYT*) amasone-, amasoneaktig; (*GEOG*) Amazonas-, i Amazonas(området)

ambassador [æm'bæsədə^r] S ambassadør *m*

amber ['æmbə^r] S rav *nt*
▸ **the lights are at amber** (*BRIT: BIL*) det er gult lys

ambidextrous [æmbɪ'dɛkstrəs] ADJ som kan bruke begge hender like godt

ambience ['æmbɪəns] S stemning *m*

ambiguity [æmbɪ'gjuɪtɪ] S (*two meanings*) tvetydighet *m*; (*more than two*) flertydighet *m*

ambiguous [æm'bɪgjuəs] ADJ (*two meanings*) tvetydig; (*more than two*) flertydig

ambition [æm'bɪʃən] S (= *desire, thing desired*) ambisjon *m* ❑ *Her lifelong ambition was to be a teacher.* Hun hadde alltid hatt ambisjoner om å bli* lærer.
▸ **to achieve one's ambition** oppnå (*v4*) sine ambisjoner

ambitious [æm'bɪʃəs] ADJ (*person, plan*) ambisiøs

ambivalent [æm'bɪvələnt] ADJ (*opinion, attitude, person*) ambivalent, vaklende

amble ['æmbl] VI lunte (*v1*)

ambulance ['æmbjuləns] S ambulanse *m*

ambulanceman ['æmbjulənsmən] *irreg* S ambulansemann *m irreg*

ambush ['æmbuʃ] 1 S (= *trap*) bakholdsangrep *nt* ❑ *...caught in an ambush.* ...overfalt ved et bakholdsangrep.
2 VT (*MIL etc*) overfalle* fra bakhold

ameba [ə'mi:bə] (*US*) S = **amoeba**

ameliorate [ə'mi:lɪəreɪt] VT forbedre (*v1*)

amen ['ɑ:'mɛn] INTERJ amen

amenable [ə'mi:nəbl] ADJ føyelig, medgjørlig
▸ **amenable to** (*+advice, reason, flattery etc*) mottakelig for

amend [ə'mɛnd] 1 VT endre (*v1*) (*til det bedre*)
2 S ▸ **to make amends (for sth)** gjøre* opp (for noe) ❑ *...to make amends for his former unkindness.* ...å gjøre* opp for sin tidligere uvennlighet.
amendment [ə'mɛndmənt] S (**a**) (*to letter, essay etc*) rettelse *m* ❑ *She made a few amendments to the letter...* Hun foretok et par rettelser på brevet...
(**b**) (*to law*) lovendring *m*
(**c**) (*additional paragraph(s)*) (lov)tillegg *nt* ❑ *...the First Amendment to the Constitution.* ...det første tillegget til grunnloven.
amenities [ə'mi:nɪtɪz] SPL fasiliteter
▸ **"close to all amenities"** "sentralt", *nær skole, butikker, offentlig kommunikasjon*
amenity [ə'mi:nɪtɪ] S fasilitet *m*
America [ə'mɛrɪkə] S Amerika
American [ə'mɛrɪkən] 1 ADJ amerikansk
2 S (*person*) amerikaner *m*
American football S amerikansk fotball *m*
americanize [ə'mɛrɪkənaɪz] VT amerikanisere (*v2*)
amethyst ['æmɪθɪst] S ametyst *m*
Amex ['æmɛks] S FK (= **American Stock Exchange**) *børsen i USA*
amiable ['eɪmɪəbl] ADJ (*person*) vennlig, elskverdig, elskelig; (*smile*) vennlig, elskverdig
amicable ['æmɪkəbl] ADJ (**a**) (*relationship*) vennskapelig
(**b**) (*parting, divorce, settlement*) vennskapelig og fredelig ❑ *Her marriage has come to an amicable end.* Ekteskapet hennes hadde brutt opp under vennskapelige og fredelige forhold.
amicably ['æmɪkəblɪ] ADV (*part, discuss*) vennskapelig; (*settle*) i minnelighet
amid(st) [ə'mɪd(st)] PREP (**a**) (= *among*) midt i
(**b**) (*at the same time as*) midt i, under ❑ *...amid all the crying and shouting.* ...midt i *or* under all ropingen og skrikingen.
amiss [ə'mɪs] 1 ADJ ▸ **there's something amiss** det er noe galt
2 ADV
▸ **to take sth amiss** ta* noe ille opp
ammeter ['æmɪtəʳ] S amperemeter *nt*
ammo ['æməu] (*sl*) S FK = **ammunition**
ammonia [ə'məunɪə] S ammoniakk *m*
ammunition [æmju'nɪʃən] S (*also fig*) ammunisjon *m* ❑ *...the letters might be used as ammunition by reactionary groups.* ...brevene ville* kunne* bli* brukt som ammunnisjon av reaksjonære grupper.
ammunition dump S ammunisjonslager *nt*
amnesia [æm'ni:zɪə] S hukommelsestap *nt*, amnesi *m*
amnesty ['æmnɪstɪ] S amnesti *nt* ❑ *They wanted a total amnesty.* De ønsket total amnesti. *He decided to hand in his gun at the amnesty.* Han bestemte seg for a levere inn pistolen sin til politiet under amnestiet.
▸ **to grant an amnesty to sb** gi* noen amnesti
Amnesty International S Amnesty International
amoeba [ə'mi:bə], **ameba** (*US*) S amøbe *m*
amok [ə'mɔk] ADV ▸ **to run amok** gå* amok
among(st) [ə'mʌŋ(st)] PREP blant
amoral [æ'mɔrəl] ADJ (*behaviour, person*) amoralsk
amorous ['æmərəs] ADJ (*intentions, feelings*) amorøs
amorphous [ə'mɔ:fəs] ADJ (*cloud, organization*) amorf, formløs
amortization [əmɔ:taɪ'zeɪʃən] S amortisering *c*, amortisasjon *m*
amount [ə'maunt] 1 S (**a**) (*of food, work*) mengde *m* NB *...the amount of potatoes and bread that people buy.* ...mengden med poteter og brød som folk kjøper. ❑ *I was horrified by the amount of work I had to do.* Jeg var forferdet over den arbeidsmengden jeg måtte* ta* meg av.
(**b**) (*of money*) beløp *nt* NB *We estimate the amounts of cash that will be needed.* Vi beregner hvor mye kontanter vi vil trenge.
2 VI ▸ **to amount to** (**a**) (= *total*) komme* opp i
(**b**) (*money+*) beløpe* seg til ❑ *Dutch shipping in Indonesia amounted to 24,000 tons.* Nederlandsk shipping i Indonesia kom opp i 24 000 tonn.
(**c**) (= *be same as*) være* nærmest ❑ *His attitude towards her amounted to loathing.* Hans holdning til henne var nærmest ren forakt.
▸ **this amounts to a refusal** dette er nærmest et rent avslag
▸ **the total amount** (*of money*) totalbeløpet
amp(ere) ['æmp(ɛəʳ)] S ampere *m*
▸ **a 13 amp plug** et 13-amperes støpsel
ampersand ['æmpəsænd] S kommersielt og-tegn *nt*
amphetamine [æm'fɛtəmi:n] S amfetamin *m*
amphibian [æm'fɪbɪən] S amfibium *nt*
amphibious [æm'fɪbɪəs] ADJ (*animal*) amfibisk, amfibie-; (*vehicle*) amfibie-
amphitheatre ['æmfɪθɪətəʳ], **amphitheater** (*US*) S amfiteater *nt*
ample ['æmpl] ADJ (**a**) ((*part of*) *body*) fyldig
(**b**) (*house, garment*) rommelig
(**c**) (*supplies*) rikelig, rikholdig ❑ *...ample supplies of...* rikelige *or* rikholdige forsyninger med...
▸ **this is ample** dette er rikelig *or* mer enn nok
▸ **to have ample time/room** ha* mer enn nok av tid/plass
amplifier ['æmplɪfaɪəʳ] S forsterker *m*
amplify ['æmplɪfaɪ] VT (*sound, signal*) forsterke (*v1*); (*idea*) utdype (*v1*)
amply ['æmplɪ] ADV (*demonstrated, justified, illustrated*) grundig; (*rewarded, endowed*) i rikt monn
ampoule ['æmpu:l], **ampule** (*US*) S ampulle *m*
amputate ['æmpjuteɪt] VT amputere (*v2*)
amputation [æmpju'teɪʃən] S amputasjon *m*
amputee [æmpju'ti:] S amputert *m decl as adj*
Amsterdam ['æmstədæm] S Amsterdam
amt FK = **amount**
amuck [ə'mʌk] ADV = **amok**
amuse [ə'mju:z] VT (**a**) (= *make laugh*) more (*v1*) ❑ *...the idea amused him.* ...tanken moret ham.
(**b**) (= *distract, entertain*) underholde* ❑ *We had to keep thinking of things to amuse her.* Vi måtte* hele tiden finne på noe for å underholde henne.
▸ **to amuse o.s. with sth/by doing sth** more (*v1*) seg med noe/med å gjøre* noe
▸ **to be amused at** more (*v1*) seg over
▸ **he was not amused** han fant ikke noe morsomt i det

amusement [ə'mju:zmənt] s (**a**) (= *mirth*) lattermildhet *m* ❑ *Slowly, with an air of amusement, he nodded.* Langsomt, og med et lattermildt uttrykk, nikket han.
(**b**) (= *entertainment*) underholdning *m* ❑ *This can provide hours of amusement.* Dette kan gi* deg underholdning i timevis.
(**c**) (= *pastime*) fornøyelse *m* ❑ *What amusements have you found to keep a young boy out of mischief?* Hva slags fornøyelser har du funnet som kan holde en ung gutt unna rampestreker?
▸ **much to my amusement** til stor moro for meg

amusement arcade s spillehall *m* (*med spilleautomater*)

amusement park s fornøyelsespark *m*

amusing [ə'mju:zɪŋ] ADJ (*story, person*) morsom, underholdende

an [æn, ən] BEST ART *see* **a**

ANA S FK = **American Newspaper Association, American Nurses Association**

anachronism [ə'nækrənɪzəm] s anakronisme *m*

anaemia [ə'ni:mɪə], **anemia** (*US*) s anemi *m*, blodmangel *m*

anaemic [ə'ni:mɪk], **anemic** (*US*) ADJ (**a**) (*MED*) anemisk, blodfattig
(**b**) (*fig*) blek og matt ❑ *...the pale, anaemic flowers of the south.* ...de bleke, matte blomstene i sør.

anaesthetic [ænɪs'θɛtɪk], **anesthetic** (*US*) s bedøvelsesmiddel *nt*
▸ **local anaesthetic** lokalbedøvelse *m*
▸ **general anaesthetic** narkose *m*
▸ **under anaesthetic** i narkose

anaesthetist [æ'ni:sθətɪst] s anestesilege *m*, narkoselege *m*

anagram ['ænəgræm] s anagram *nt*, bokstavgåte *c*

anal ['eɪnl] ADJ anal

analgesic [ænæl'dʒi:sɪk] 1 ADJ smertestillende
2 s analgetikum *nt*, smertestillende middel *nt*

analogous [ə'næləgəs] ADJ ▸ **analogous (to** *or* **with)** analog med

analog(ue) ['ænəlɔg] ADJ analog(-)

analogy [ə'nælədʒɪ] s analogi *m*
▸ **to draw an analogy between** trekke* en parallell mellom
▸ **by analogy** ved analogi

analyse ['ænəlaɪz], **analyze** (*US*) VT analysere (*v2*); (*PSYK*) psykoanalysere (*v2*)

analyses [ə'næləsi:z] SPL *of* **analysis**

analysis [ə'næləsɪs] (*pl* **analyses**) s (**a**) analyse *m*
(**b**) (*PSYK*) psykoanalyse *m* ❑ *Many adults resolved their emotional problems in analysis.* Mange voksne løste sine følelsesmessige problemer gjennom psykoanalyse.
▸ **in the last** *or* **final analysis** i siste instans, når alt kommer til alt

analyst ['ænəlɪst] s analytiker *m*; (*PSYK*) psykoanalytiker *m*

analytic(al) [ænə'lɪtɪk(l)] ADJ (*mind, approach*) analytisk

analyze ['ænəlaɪz] (*US*) VT = **analyse**

anarchic [æ'nɑ:kɪk] ADJ anarkistisk

anarchist ['ænəkɪst] 1 s anarkist *m*
2 ADJ anarkistisk

anarchy ['ænəkɪ] s anarki *nt*

anathema [ə'næθɪmə] s ▸ **that is anathema to him** det er bannlyst i hans øyne

anatomical [ænə'tɔmɪkl] ADJ anatomisk

anatomy [ə'nætəmɪ] s (**a**) (*science*) anatomi *m*
(**b**) (= *body*) kropp *m* ❑ *...pains in various parts of his anatomy.* ...smerter i forskjellige deler av kroppen.

ANC S FK (= **African National Congress**) ANC (*frigjøringsorganisasjonen*)

ancestor ['ænsɪstəʳ] s stamfar *m*
▸ **ancestors** forfedre, aner

ancestral [æn'sɛstrəl] ADJ
▸ **his ancestral home** hjemmet hans, som hadde vært i familiens eie gjennom generasjoner

ancestry ['ænsɪstrɪ] s slekt *c*, ætt *m* ❑ *...of Japanese ancestry.* ...av japansk slekt *or* ætt.

anchor ['æŋkəʳ] 1 s (*NAUT*) anker *nt*
2 VI kaste (*v1*) anker ❑ *A frigate arrived and anchored in the bay.* En fregatt ankom og kastet anker i bukta.
3 VT (*fig : fix*) ▸ **to anchor sth (to sth)** forankre (*v1*) noe (til noe) ❑ *We should anchor his wheelchair to a huge stone.* Vi burde tjore (fast) rullestolen hans til en diger stein. *They are anchored to a stable tradition.* De er forankret i en stabil tradisjon.
▸ **to weigh anchor** lette (*v1*) anker
▸ **to drop anchor** kaste (*v1*) anker

anchorage ['æŋkərɪdʒ] s ankerplass *m*

anchorman ['æŋkəmæn]**man** s (*TV, RADIO*) ≈ nyhetsoppleser *m*

anchorwoman ['æŋkəwumən] (*irreg* **woman**) s (*TV, RADIO*) ≈ nyhetsoppleser *m*

anchovy ['æntʃəvɪ] s ansjos *m*

ancient ['eɪnʃənt] ADJ (*civilisation, monument, person, car*) eldgammel; (*plus proper name*) ▸ **in ancient Rome** i det gamle Rom

ancient monument s fortidsminne *nt*

ancillary [æn'sɪlərɪ] ADJ (*worker, staff*) hjelpe-

KEYWORD

and [ænd] 1 KONJ og
▸ **and so on** og så videre
▸ **try and come** prøv å komme
▸ **he talked and talked** han snakket og snakket
▸ **better and better** bedre og bedre, stadig bedre

Andes ['ændi:z] SPL ▸ **the Andes** Andesfjellene

Andorra [æn'dɔ:rə] s Andorra

anecdote ['ænɪkdəut] s anekdote *m*

anemia *etc* [ə'ni:mɪə] (*US*) = **anaemia** *etc*

anemic [ə'ni:mɪk] ADJ = **anaemic**

anemone [ə'nɛmənɪ] s anemone *m*

anesthetic *etc* [ænɪs'θɛtɪk] (*US*) = **anaesthetic** *etc*

anew [ə'nju:] ADV på ny(tt) ❑ *The process would begin anew.* Prosessen ville* begynne på ny(tt).

angel ['eɪndʒəl] s engel *m*

angel dust (*sl*) s englestøv *nt*

angelic [æn'dʒɛlɪk] ADJ (*person, child*) god som en engel; (*expression*) engleaktig

anger ['æŋgəʳ] 1 s sinne *nt* ❑ *There was anger at the sufferings inflicted by the bombing.* Folk reagerte med sinne på lidelsen som bombingen førte med seg.
2 VT gjøre* sint

angina [æn'dʒaɪnə] s angina *m*
angle ['æŋgl] 1 s (**a**) (*MAT*) vinkel *m* ❑ *...an angle of ninety degrees.* ...en nitti graders vinkel.
(**b**) (= *corner*) hjørne *nt* ❑ *He lay in the boat with his head against the angle of its bow.* Han lå i båten med hodet mot hjørnet av baugen.
(**c**) (= *viewpoint*) kant *m*
(**d**) (*fig*) synsvinkel *m* ❑ *...peering at it from all angles.* ...og stirret på den fra alle kanter. *It all depends on your angle.* Det avhenger av hvilken vinkel du ser det fra.
2 VI ▸ **to angle for** (+*compliments, invitation*) fiske (*v1*) etter
3 VT ▸ **to angle sth towards/to** vinkle (*v1*) noe mot ❑ *The whole thing was angled towards amusement.* Det hele var vinklet mot fornøyelser.
angler ['æŋgləʳ] s sportsfisker *m*
Anglican ['æŋglɪkən] 1 ADJ anglikansk
2 s anglikaner *m*
anglicize ['æŋglɪsaɪz] VT anglifisere (*v2*), anglisere (*v2*)
angling ['æŋglɪŋ] s sportsfiske *nt*
Anglo- ['æŋgləu] PREF engelsk-
Anglo-French ['æŋgləu'frɛntʃ] ADJ engelsk-fransk, fransk-engelsk
Anglo-Italian ['æŋgləuɪ'tæljən] ADJ engelsk-italiensk, italiensk-engelsk
Anglo-Saxon ['æŋgləu'sæksən] 1 ADJ anglosaksisk
2 s angelsakser *m*
Angola [æŋ'gəulə] s Angola
Angolan [æŋ'gəulən] 1 ADJ angolansk
2 s (*person*) angolaner *m*
angrily ['æŋgrɪlɪ] ADV (*react, deny*) sint
angry ['æŋgrɪ] ADJ (**a**) (*person, response*) sint
(**b**) (*fig: wound, rash*) øm og rød
▸ **to be angry with sb/at sth** være* sint på noen/på grunn av noe
▸ **to get angry** bli* sint
▸ **to make sb angry** gjøre* noen sint
anguish ['æŋgwɪʃ] s (**a**) (*mental*) (sjele)kvaler *pl* ❑ *...intense anguish.* ...store (sjele)kvaler.
(**b**) (*physical*) pine *m* ❑ *...her whole face distorted in anguish.* ...med ansiktet forvridd av pine.
anguished ['æŋgwɪʃt] ADJ forpint
angular ['æŋgjuləʳ] ADJ (*shape, features*) kantete
animal ['ænɪməl] 1 s (**a**) dyr *nt* ❑ *No birds or animals came near them.* Ingen fugler eller dyr kom nær dem.
(**b**) (= *human being*) skapning *m* ❑ *Man is a very weak animal.* Mennesket er en veldig svak skapning.
(**c**) (*neds: person*) dyr *nt* ❑ *Her husband was an animal.* Mannen hennes var (som) et dyr.
2 ADJ (*instinct, courage, attraction*) dyrisk ❑ *We all possess an animal instinct for survival.* Vi har alle et dyrisk overlevelsesinstinkt.
animal rights SPL dyrenes rettigheter
▸ **the animal rights movement** dyrebeskyttelsen
animate [*ADJ* 'ænɪmɪt, *VB* 'ænɪmeɪt] 1 ADJ levende ❑ *...the natural world, both animate and inanimate.* ...naturen, både levende og døde ting.
2 VT (**a**) (= *enliven: conversation*) live (*v1*) opp
(**b**) (+*face*) gi* liv til
animated ['ænɪmeɪtɪd] ADJ (**a**) (*conversation, person*) livlig
(**b**) (*expression*) levende
▸ **animated film** tegnefilm *m*
animation [ænɪ'meɪʃən] s (*liveliness*) livlighet *m*; (*film*) animasjon *m*
animosity [ænɪ'mɔsɪtɪ] s fiendtlighet *m*, fiendskap *nt*
aniseed ['ænɪsiːd] s anis *m*
Ankara ['æŋkərə] s Ankara
ankle ['æŋkl] s ankel *m*
ankle sock s ankelsokk *m*
annex ['ænɛks], **annexe** (*also BRIT*) 1 s (**a**) (*joined to main building*) tilbygg *nt*
(**b**) (*separate building*) anneks *nt* ❑ *...the annexe to the Town Hall.* ...tilbygget/annekset til Rådhuset.
2 VT (+*property, territory*) annektere (*v2*)
annexation [ænɛk'seɪʃən] s innlemmelse *m*, anneksjon *m*
annihilate [ə'naɪəleɪt] VT (**a**) (+*population*) utslette (*v1*), tilintetgjøre* ❑ *...if the human race should be annihilated.* ...dersom menneskeheten skulle* bli* utslettet *or* tilintetgjort.
(**b**) (+*enemy, opponent, opposition*) knuse (*v2*)
annihilation [ənaɪə'leɪʃən] s tilintetgjørelse *m*
anniversary [ænɪ'vəːsərɪ] s (*of event*) årsdag *m*; (*round figures – 50th etc*) jubileum *nt*; (*of wedding*) bryllupsdag *m*
Anno Domini ['ænəu'dɔmɪnaɪ] ADV etter Kristi fødsel
annotate ['ænəuteɪt] VT kommentere (*v2*), forsyne (*v2*) med merknader
announce [ə'nauns] VT kunngjøre*, bekjentgjøre* ❑ *It was announced that the Prime Minister...* Det ble kunngjort *or* bekjentgjort at statsministeren... *Their engagement was officially announced on 5th August.* Forlovelsen deres ble offisielt kunngjort *or* bekjentgjort den 5. august.
▸ **he announced that...** han forkynte *or* gjorde det klart at...
announcement [ə'naunsmənt] s (**a**) (*gen*) melding *c* ❑ *...following the announcement of your resignation.* ...etter meldingen om at du hadde sagt opp.
(**b**) (*official: in newspaper etc*) kunngjøring *c* ❑ *I learned of his death through an announcement in the newspaper.* Jeg fikk vite om hans død gjennom en kunngjøring i avisen.
(**c**) (*at airport etc*) meddelelse *m*, melding *c* ❑ *There will be further announcements when details of the delays are known.* Vi kommer tilbake med nye meddelelser *or* meldinger når detaljene om forsinkelsene er kjent.
▸ **to make an announcement** gi* en beskjed; (*to formal gathering*) komme* med en kunngjøring
announcer [ə'naunsəʳ] (*RADIO, TV*) s (*male*) hallomann *m*; (*female*) hallodame *c*
annoy [ə'nɔɪ] VT (= *irritate*) irritere (*v2*), ergre (*v1*) ❑ *You're just saying that to annoy me.* Det sier du bare for å irritere *or* ergre meg.
▸ **to be annoyed (at sth/with sb)** være* irritert *or* ergerlig (på noe/noen)

▸ **don't get annoyed!** ikke bli* sur!
annoyance [ə'nɔɪəns] s ergrelse *m*, irritasjon *m*
annoying [ə'nɔɪɪŋ] ADJ (*noise, habit, person*) irriterende, ergerlig
▸ **how annoying!** så irriterende *or* ergerlig!
annual ['ænjuəl] 1 ADJ årlig, års-
2 s (**a**) (*plant*) ettårig plante *c*
(**b**) (*book*) *bok eller hefte som kommer ut en gang i året*
▸ **Christmas annual** julehefte *nt*
annual general meeting (*BRIT*) s (årlig) generalforsamling *c*
annually ['ænjuəlɪ] ADV (**a**) (= *once a year*) årlig, hvert år, en gang i året ❑ *Independence day is celebrated annually.* Frigjøringsdagen blir feiret årlig *or* hvert år *or* en gang i året.
(**b**) (= *during a year*) i året, hvert år ❑ *They imported 500 million tonnes of crude oil annually.* De importerte 500 millioner tonn råolje i året *or* hvert år.
annual report s årsberetning *c*
annuity [ə'nju:ɪtɪ] s ▸ **(life) annuity** livrente *c*
annul [ə'nʌl] VT (*+contract, marriage*) annullere (*v2*); (*+law*) oppheve (*v1*)
annulment [ə'nʌlmənt] s (*of contract, marriage*) annullering *c*;
(*of law*) opphevelse *m*
annum ['ænəm] s *see* **per**
Annunciation [ənʌnsɪ'eɪʃən] s Maria budskapsdag *m*
anode ['ænəud] s anode *m*
anoint [ə'nɔɪnt] VT salve (*v1*)
anomalous [ə'nɔmələs] ADJ avvikende
anomaly [ə'nɔməlɪ] s avvik *nt*
anon. [ə'nɔn] FK = **anonymous**
anonymity [ænə'nɪmɪtɪ] s (*of person, place*) anonymitet *m* ❑ *...a benefactor who insisted on anonymity.* ...en velgjører som insisterte på å få* være* anonym.
anonymous [ə'nɔnɪməs] ADJ (*letter, gift, place*) anonym
▸ **to remain anonymous** forbli* *or* være* anonym
anorak ['ænəræk] s parkas *m* (*av vanntett materiale*)
anorexia [ænə'rɛksɪə] s anoreksi *m*
anorexic [ænə'rɛksɪk] ADJ anorektisk
another [ə'nʌðə[r]] 1 ADJ ▸ **another book** (**a**) (= *one more*) en bok til ❑ *I need to buy another book, I've finished this one.* Jeg må kjøpe en bok til, jeg er ferdig med denne.
(**b**) (= *a different one*) en annen bok ❑ *Can I have another book, this one's torn.* Kan jeg få* en annen bok, denne er revet i stykker.
2 PRON (**a**) (= *one more*) en til ❑ *He made a drink for Meadows, then poured another for himself.* Han laget en drink til Meadows, så helte han opp en til til seg selv
(**b**) (= *a different one*) en annen ❑ *...a minor civil war one tribe against another.* ...en mindre borgerkrig med en stamme mot en annen.
▸ **another drink?** et glass til?
▸ **in another 5 years** om fem år til
ANSI ['ænsɪ] s FK (= **American National Standards Institute**) *standardiseringsorganisasjon*

answer ['ɑ:nsə[r]] 1 s (**a**) (*to question, letter etc*) svar *nt* ❑ *I got their answer to my letter...* Jeg fikk svar på brevet mitt...
(**b**) (*to problem*) løsning *m* ❑ *There is no easy answer to the problem of pollution.* Det finnes ikke noen enkel løsning på forurensningsproblemet.
2 VI (**a**) (= *reply*) svare (*v2*) ❑ *"What's up?" said Sue. He didn't answer.* "Hva er det?" sa Sue. Han svarte ikke.
(**b**) (*TEL*) svare (*v2*), ta* telefonen ❑ *When they answered, he asked to talk to Lord Halifax.* Da de svarte *or* tok telefonen bad han om å få* snakke med Lord Halifax.
3 VT (**a**) (*+person*) svare (*v2*) ❑ *She didn't answer me.* Hun svarte meg ikke.
(**b**) (*+letter, question*) svare (*v2*) på ❑ *She asked many questions and I tried my best to answer them.* Hun stilte mange spørsmål og jeg gjorde mitt beste for å svare på dem.
(**c**) (*+prayer*) besvare (*v2*)
(**d**) (*+problem*) løse (*v2*)
▸ **in answer to your letter** som svar på brevet ditt
▸ **to get/need an answer** få/kreve (*v3*) svar
▸ **to answer the phone** ta* telefonen
▸ **to answer the bell** *or* **the door** lukke (*v1*) opp
► **answer back** VI svare (*v2*) frekt ❑ *I could never resist the temptation to answer back at school.* Jeg klarte aldri å motstå fristelsen til å svare frekt på skolen.
► **answer for** VT FUS (**a**) (*+person etc*) gå* god for ❑ *I can answer for his loyalty.* Jeg går god for hans lojalitet.
(**b**) (*+crime, one's actions*) stå* til ansvar for ❑ *One of these days you will have to answer for your crimes.* En vakker dag blir du nødt ti å stå til ansvar for forbrytelsene dine.
► **answer to** VT FUS (*+description*) svare (*v2*) til ❑ *A man answering to his description has been seen in the Bedford area.* En mann som svarer til beskrivelsen hans har blitt sett i Bedford-området.
answerable ['ɑ:nsərəbl] ADJ ▸ **answerable to sb for sth** ansvarlig overfor noen for noe
▸ **I am answerable to no-one** jeg behøver ikke forklare meg for noen
answering machine s (automatisk) telefonsvarer *m*
answerphone ['ɑ:nsəfəun] s telefonsvarer *m*
ant [ænt] s maur *m*
ANTA s FK (= **American National Theater and Academy**) *sammenslutning av amerikanske teater*
antagonism [æn'tægənɪzəm] s motvilje *m*
antagonist [æn'tægənɪst] s motstander *m*
antagonistic [æntægə'nɪstɪk] ADJ ▸ **antagonistic (towards)** fiendtlig innstilt (til)
antagonize [æn'tægənaɪz] VT gjøre* fiendtlig innstilt
Antarctic [ænt'ɑ:ktɪk] s ▸ **the Antarctic** Antarktis
Antarctica [ænt'ɑ:ktɪkə] s Antarktis
Antarctic Circle s ▸ **the Antarctic Circle** den sørlige polarsirkel(en)
Antarctic Ocean s ▸ **the Antarctic Ocean**

Sørishavet
ante ['æntı] s ▸ **to up the ante** (*fig*) høyne (*v1*) kravene
anteater ['ænti:tə^r] s maursluker *m*
antecedent [æntı'si:dənt] s *det som kommer foran en begivenhet, situasjon e.l.*; (= *previous stage of sth*) forløper *m*
antechamber ['æntıtʃeımbə^r] s forværelse *nt*
antelope ['æntıləup] s antilope *m*
antenatal ['æntı'neıtl] ADJ (*care, treatment*) før fødselen, under svangerskapet
antenatal clinic s svangerskapsklinikk *m*
antenna [æn'tɛnə] (*pl* **antennae**) s (*of insect*) følehorn *nt*; (*RADIO, TV*) antenne *c*
anteroom ['æntırum] s forværelse *nt*
anthem ['ænθəm] s ▸ **national anthem** nasjonalsang *m*
ant-hill ['ænthıl] s maurtue *c*
anthology [æn'θɔlədʒı] s antologi *m*
anthropologist [ænθrə'pɔlədʒıst] s antropolog *m*
anthropology [ænθrə'pɔlədʒı] s antropologi *m*
anti... ['æntı] PREF anti-
anti-aircraft ['æntı'ɛəkrɑ:ft] ADJ luftvern-
anti-aircraft defence s luftvern *nt*
antiballistic ['æntıbə'lıstık] ADJ antirakett-
antibiotics ['æntıbaı'ɔtıks] SPL antibiotika *pl*
antibody ['æntıbɔdı] s antistoff *nt*
anticipate [æn'tısıpeıt] VT (**a**) (= *expect, foresee: trouble, question, request*) forutse* ❑ *It's impossible to anticipate when it will happen.* Det er umulig å forutse når det vil skje.
(**b**) (= *look forward to*) se* fram til ❑ *She had anticipated the moment when she would be handing in her notice.* Hun hadde sett fram til det øyeblikket da hun skulle* levere inn oppsigelsen sin.
(**c**) (= *do first*) foregripe* ❑ *They were anticipating the decision by several hours.* De foregrep avgjørelsen med flere timer.
▸ **worse than I anticipated** verre enn jeg hadde ventet
▸ **as anticipated** som (for)ventet
anticipation [æntısı'peıʃən] s (= *eagerness*) (spent) forventning *c*
❑ *"Please!" the children would chorus, jumping up and down in anticipation.* "Vær så snill!" ropte barna i kor, mens de hoppet opp og ned i spent forventning.
▸ **thanking you in anticipation** på forhånd takk
▸ **in anticipation of rain...** fordi vi ventet regn... ❑ *He took his umbrella in anticipation of the inevitable downpour.* Han tok med seg paraplyen i det han forutså det uunngåelige regnet.
anticlimax ['æntı'klaımæks] s antiklimaks *nt*
anticlockwise ['æntı'klɔkwaız] (*BRIT*) ADV mot klokka
antics ['æntıks] SPL (*of animal, child, clown*) krumspring *pl*; (*of politicians etc*) klovnerier
anticyclone ['æntı'saıkləun] s antisyklon *m*
antidote ['æntıdəut] s (**a**) (*MED*) motgift *m*
(**b**) (*fig*) botemiddel *nt*
❑ *Work is a wonderful antidote to misery.* Arbeid er et fabelaktig botemiddel mot ulykkelighet.
antifreeze ['æntıfri:z] s frostvæske *c*
antihistamine ['æntı'hıstəmın] s antihistamin *nt*
Antilles [æn'tıli:z] SPL ▸ **the Antilles** Antillene *pl*
antipathy [æn'tıpəθı] s antipati *m*, motvilje *m*
antiperspirant ['æntı'pə:spırənt] s antiperspirant *m*
Antipodean [æntıpə'di:ən] ADJ (som befinner seg) på den andre siden av kloden
Antipodes [æn'tıpədi:z] SPL ▸ **the Antipodes** Australia og New Zealand
antiquarian [æntı'kwɛərıən] 1 ADJ
▸ **antiquarian bookshop** antikvarbokhandel *m*, antikvariat *nt*
2 s (= *dealer*) antikvar *m*, antikvitetshandler *m*; (= *researcher*) antikvar *m*, oldtidsgransker *m*
antiquated ['æntıkweıtıd] ADJ antikvert
antique [æn'ti:k] 1 s antikvitet *m*
2 ADJ antikk
antique dealer s antikvitetshandler *m*
antique shop s antikvitetshandel *m*
antiquity [æn'tıkwıtı] s (**a**) (*period*) antikken *m def*, oldtiden *m def* ❑ *...the great lost paintings of antiquity.* ...de store tapte maleriene fra antikken *or* oldtiden.
(**b**) (*gen pl: old objects*) ▸ **antiquities** oldtidslevninger, oldsaker ❑ *...the Cairo Museum of Antiquities.* ...oldtidsmuseet i Kairo.. ...oldsaksamlingen i Kairo.
anti-Semitic ['æntısı'mıtık] ADJ antisemittisk
anti-Semitism ['æntı'sɛmıtızəm] s antisemittisme
antiseptic [æntı'sɛptık] 1 s antiseptisk middel *nt*
NB *I washed out the wound with antiseptic.* Jeg vasket såret med et antiseptisk middel.
2 ADJ antiseptisk
antisocial ['æntı'səuʃəl] ADJ (*unsociable*) asosial, usosial; (*destructive*) samfunnsfiendtlig
anti-tank ['æntı'tæŋk] ADJ panservern-, anti-tank-
antitetanus ['æntı'tɛtənəs] ADJ stivkrampe-
anti-theft ['æntı'θɛft] ADJ tyveri-
antitheses [æn'tıθısi:z] SPL *of* **antithesis**
antithesis [æn'tıθısıs] (*pl* **antitheses**) s ▸ **the anthithesis of** det rakt motsatte av
antitrust ['æntı'trʌst] (*US*) ADJ antitrust-
antlers ['æntləz] SPL gevir *nt sg*
Antwerp ['æntwə:p] s Antwerpen
anus ['eınəs] s anus *m*, endetarmsåpning *m*
anvil ['ænvıl] s ambolt *m*
anxiety [æŋ'zaıətı] s (**a**) (= *concern*) ▸ **anxiety (over)** engstelse *m* (for), bekymring *m* (for)
(**b**) (*MED*) angst *m*
▸ **anxiety to do** (= *eagerness*) iver *m or* utålmodighet *m* etter å gjøre
▸ **he discovered their anxiety not to do it** han oppdaget hvor nødig de ville* gjøre* det
anxious ['æŋkʃəs] ADJ (**a**) (= *worried: expression, person*) engstelig, urolig ❑ *...your mother will be anxious.* ...moren din er sikkert engstelig.
(**b**) (= *worrying: situation*) bekymringsfull ❑ *You must have had an anxious day.* Du må ha* hatt en bekymringsfull dag.
▸ **to be anxious to do/that** være* ivrig *or* utålmodig etter å gjøre/at
▸ **I'm very anxious about you** jeg er veldig engstelig *or* urolig for deg
anxiously ['æŋkʃəslı] ADV bekymret, engstelig

KEYWORD

any ['ɛnɪ] 1 ADJ (**a**) (*in questions, negatives*) noen *c, pl*, noe *nt*
▸ **have you any butter/children?** har du noe smør/har du noen barn?
▸ **if there are any tickets left** hvis det er noen billetter igjen
▸ **I haven't any money/books** jeg har ikke noen *or* jeg har ingen penger/bøker
(**b**) (= *no matter which*) ▸ **any excuse will do** en hvilken som helst unnskyldning vil gjøre* nytten
▸ **any teacher you ask will tell you** enhver lærer du spør vil si deg det
(**c**) (*in phrases*) ▸ **in any case** i hvert fall
▸ **any day now** hvilken som helst dag nå
▸ **at any moment** hvert øyeblikk
▸ **at any rate** i hvert fall
▸ **any time** (= *at any moment*) hvert øyeblikk, når som helst ❑ *He should be arriving any time now.* Han skulle* komme hvert øyeblikk; (= *whenever*) når som helst *Any time you feel like a chat, just call me.* Bare kom når som helst hvis du har lyst på en prat.
2 PRON (**a**) (*in questions, negatives*) noe(n)
▸ **have you got any?** har du noe(n)?
▸ **can any of you sing?** kan noen av dere synge?
▸ **I haven't any (of them)** jeg har ikke noen (av dem)
(**b**) (= *no matter which one(s)*) uansett hvilke, hvilke(n)/hvilket som helst ❑ *Take any of those books you like.* Ta hvilke du vil av disse bøkene.. Ta hvilke som helst av disse bøkene.
3 ADV (**a**) (*in questions etc*) ▸ **do you want any more soup/sandwiches?** vil du ha* noe mer suppe/vil du ha* noen flerre smørbrød?
▸ **are you feeling any better?** føler du deg noe bedre?
(**b**) (*with negative*) ▸ **I can't hear him any more** jeg kan ikke høre ham lenger
▸ **don't wait any longer** ikke vent noe lenger

anybody ['ɛnɪbɔdɪ] = **anyone**

KEYWORD

anyhow ['ɛnɪhau] 1 ADV (**a**) (= *at any rate*) uansett ❑ *I shall go anyhow.* Jeg skal gå* uansett.
(**b**) (= *haphazard*) ▸ **do it anyhow you like** gjør det hvordan du vil
▸ **she leaves things just anyhow** hun lar ting ligge og flyte omkring

KEYWORD

anyone ['ɛnɪwʌn] 1 PRON (**a**) (*in questions, negatives*) noen ❑ *Can you see anyone?* Kan du se noen? *If anyone should phone...* Hvis noen skulle* ringe... *I can't see anyone.* Jeg kan ikke se noen.
(**b**) (= *no matter who*) hvem som helst ❑ *Anyone could do it.* Hvem som helst kunne* gjøre* det.

anyplace ['ɛnɪpleɪs] (*US*) ADV = **anywhere**

KEYWORD

anything ['ɛnɪθɪŋ] 1 PRON (**a**) (*in questions, negatives*) noe ❑ *Can you see anything?* Kan du se noe? *I can't see anything.* Jeg kan ikke se noe.
(**b**) (= *no matter what*) hva som helst ❑ *He'll eat anything.* Han spiser hva som helst. *Anything will do.* Jeg/vi *etc* kan bruke hva som helst.
▸ **you can say anything you like** du kan si hva du vil

anyway ['ɛnɪweɪ] ADV (**a**) (= *all the same*) likevel, uansett ❑ *I shall go anyway.* Jeg går likevel *or* uansett.
(**b**) (= *besides*) forresten ❑ *Why are you phoning, anyway?* Hvorfor ringer du, forresten?

KEYWORD

anywhere ['ɛnɪwɛəʳ] 1 ADV (**a**) (*in questions, negatives*) noe sted, noen steder ❑ *Can you see him anywhere?* Kan du se ham noe sted *or* noen steder? *I can't see him anywhere.* Jeg kan ikke se ham noe sted *or* noen steder.
(**b**) (= *no matter where*) hvor som helst ❑ *Put them down anywhere.* Legg dem hvor som helst.
▸ **anywhere in the world** hvor som helst i verden

Anzac ['ænzæk] S FK (= **Australia-New Zealand Army Corps**) *australsk eller newzealandsk soldat*

Anzac Day
Anzac Day *er 25. april, offentlig høytidsdag i Australia og New Zealand til minne om landgangen til soldatene fra ANZAC-korpset i Gallipoli i 1915, under første verdenskrig. Dette var den mest berømte kamphandlingen som ANZAC-korpset stod for.*

AOB, **AOCB** S FK (*on agenda*) = **any other (competent) business**
apace [ə'peɪs] ADV ▸ **negotiations were continuing apace** forhandlingene fortsatte i raskt tempo
apart [ə'pɑːt] ADV (**a**) (*situate*) et stykke unna ❑ *...a small shed set well apart from the main building.* ...et lite skjul som lå et godt stykke unna hovedbygningen. *I was sitting somewhat apart from the rest.* Jeg satt et stykke unna de andre.
(**b**) (*move*) fra hverandre ❑ *I tried to pull the dogs apart.* Jeg forsøkte å rive hundene fra hverandre.
▸ **10 miles apart** 10 mil fra hverandre
▸ **a long way apart** langt fra hverandre, langt unna hverandre
▸ **they are living apart** de bor hver for seg
▸ **with one's legs apart** med bena atskilt, med bena fra hverandre
▸ **to take sth apart** ta* noe fra hverandre
▸ **apart from** (**a**) (= *excepting*) bortsett fra ❑ *Apart from Patrick, the car was empty.* Bortsett fra Patrick var det ingen i bilen.
(**b**) (= *in addition to*) ved siden av ❑ *Apart from sport, my other interest is music.* Ved siden av sport er min andre interesse musikk.
apartheid [ə'pɑːteɪt] s apartheid *m*
apartment [ə'pɑːtmənt] s (*US*) leilighet *m*; (= *room*) værelse *nt*
apartment building (*US*) s leiegård *m*
apathetic [æpə'θɛtɪk] ADJ apatisk
apathy ['æpəθɪ] s apati *m*
APB (*US*) S FK (= **all points bulletin**) *amerikansk politisjargong for oppsporing og arrestasjon av en*

mistenkt person
ape [eɪp] 1 s menneskeape *m*
2 VT (= *imitate*) ape (*v1*)
Apennines ['æpənaɪnz] SPL ▸ **the Apennines** Apenninene
aperitif [ə'pɛrɪti:f] s aperitiff *m*
aperture ['æpətʃjuəʳ] s (= *hole, gap*) åpning *m*; (*FOTO*) blenderåpning *m*
APEX ['eɪpɛks] (*AVIAT, JERNB*) s FK (= **advance purchase excursion**) APEX *m*
apex ['eɪpɛks] s (*of triangle etc*) toppunkt *nt*; (*fig: of organization*) topp *m*; (*of career*) høydepunkt *nt*
aphid ['æfɪd] s bladlus *c*
aphorism ['æfərɪzəm] s aforisme *m*
aphrodisiac [æfrəu'dɪzɪæk] 1 ADJ afrodisiakisk
2 s afrodisiakum *nt*; (*drink*) elskovsdrikk *m*
API s FK (= **American Press Institute**) *nyhetsbyrå*
apiece [ə'pi:s] ADV (**a**) (= *for each person*) hver
❏ *They arrived with two bottles of wine apiece.* De kom med to flasker vin hver.
(**b**) (= *for each thing*) per stykk, stykket ❏ *35 cents apiece.* 35 cents per stykk *or* stykket.
aplomb [ə'plɔm] s aplomb *m*, selvsikkerhet *m*
❏ *She handled the embarrassment with wonderful aplomb.* Hun taklet den pinlige situasjonen med fantastisk aplomb *or* selvsikkerhet.
APO (*US*) s FK (= **Army Post Office**) feltposttjeneste *m*
apocalypse [ə'pɔkəlɪps] s apokalypse *m*
▸ **the Apocalypse** Johannes åpenbaring
apolitical [eɪpə'lɪtɪkl] ADJ apolitisk
apologetic [əpɔlə'dʒɛtɪk] ADJ (*tone, letter, person*) unnskyldende
▸ **to be apologetic about...** unnskylde seg for...
apologize [ə'pɔlədʒaɪz] VI ▸ **to apologize (for sth to sb)** be* (noen) om unnskyldning (for noe), unnskylde (*v2*) seg (for noe overfor noen)
apology [ə'pɔlədʒɪ] s unnskyldning *m* NB *I have an apology to make to you.* Jeg har noe å be deg om unnskyldning for.
▸ **to send one's apologies** (**a**) (*for one's absence*) melde (*v2*) fravær
(**b**) (*for lateness*) melde (*v2*) forsinkelse NB *Mrs B sends her apologies, but is afraid that she is unable to accept your invitation.* Fru B takker for invitasjonen, men er redd hun ikke kan komme.
▸ **please accept my apologies** jeg ber så meget om unnskyldning
apoplectic [æpə'plɛktɪk] ADJ apoplektisk; (*fig*)
▸ **apoplectic with rage** gal av raseri
apoplexy ['æpəplɛksɪ] s hjerneblødning *m*, apopleksi *m*
▸ **to have apoplexy** (*hum*) få* slag
apostle [ə'pɔsl] s apostel *m*
apostrophe [ə'pɔstrəfɪ] s apostrof *m*
appal [ə'pɔ:l] VT forferde (*v1*) ❏ *People were appalled by the news.* Folk ble forferdet over nyheten.
Appalachian Mountains [æpə'leɪʃən-] SPL ▸ **the Appalachian Mountains** Appalachene
appalling [ə'pɔ:lɪŋ] ADJ (**a**) (*destruction etc*) forferdelig
(**b**) (*weaker meaning: ignorance etc*) sjokkerende
▸ **she's an appalling cook** hun er forferdelig dårlig til å lage mat
apparatus [æpə'reɪtəs] s (**a**) (= *equipment*) apparater *pl* ❏ *Pupils shouldn't climb on the apparatus without being supervised.* Elevene bør ikke klatre i apparatene uten tilsyn.
(**b**) (*fig: of organisation*) apparat *nt* ❏ *...the whole apparatus of the welfare state.* ...hele velferdsapparatet.
▸ **a piece of apparatus** et apparat
apparel [ə'pærəl] s klær *pl*, drakt *c*
❏ *...photographs of local brides in full wedding apparel.* ...fotografier av lokale bruder i fulle bryllupsklær *or* full bryllupsdrakt.
apparent [ə'pærənt] ADJ (**a**) (= *seeming*) tilsynelatende ❏ *...because of the apparent success of these arranged marriages.* ...på grunn av at disse arrangerte ekteskapene er tilsynelatende vellykket.
(**b**) (= *obvious*) åpenbar ❏ *Everyone present ran out for no apparent reason.* Alle som var tilstede, løp ut uten noen åpenbar grunn. *This attitude is apparent in some of the things they say...* Denne holdningen kommer til syne i noe av det de sier...
▸ **it is apparent that...** det er åpenbart *or* tydelig at...
apparently [ə'pærəntlɪ] ADV tilsynelatende, tydeligvis ❏ *Apparently she's been living quite a while with them.* Hun har tilsynelatende *or* tydeligvis bodd hos dem en god stund.
apparition [æpə'rɪʃən] s (= *ghost*) gjenferd *nt*
appeal [ə'pi:l] 1 VI (*JUR*) ▸ **appeal (against)** anke (*v1*)
2 s (**a**) (*JUR*) anke(sak) *m* ❏ *The Supreme Court had just turned down our appeal.* Høyesterett har nettopp avvist vår anke(sak).
(**b**) (= *request, plea*) appell *m*, bønn *m* ❏ *She made a radio appeal to ask for money for cancer research.* Hun kom med en appell *or* bønn på radioen om at folk skulle* gi* penger til kreftforskning.
(**c**) (= *attraction, charm*) tiltrekningskraft *c*, appell *m* ❏ *Theoretical subjects have lost their appeal for most students.* Teoretiske fag appellerer ikke lenger til de fleste studenter.. Teoretiske fag har ikke lenger noen tiltrekningskraft *or* appell for de fleste studenter.
▸ **to appeal (to sb) for** (*+help, calm, funds*) anmode (*v1*) (noen) om, be* (noen) inntrengende om
▸ **to appeal to** (= *be attractive to*) appellere (*v2*) til
▸ **it doesn't appeal to me** jeg synes ikke noe særlig om det, det appellerer ikke til meg
▸ **right of appeal** (*JUR*) retten til å anke
appealing [ə'pi:lɪŋ] ADJ (= *attractive: idea, person*) tiltalende, tiltrekkende; (= *pleading: look*) bedende, bønnfallende
appear [ə'pɪəʳ] VI (**a**) (= *come into view, develop*) dukke (*v1*) opp ❏ *Two men suddenly appeared from nowhere.* To menn dukket plutselig opp fra intet.
(**b**) (*JUR: in court*) møte (*v2*) fram ❏ *He had to appear before the magistrate.* Han måtte* møte i retten.
(**c**) (= *be published*) komme* ut ❏ *His second*

novel appeared in the autumn. Den andre romanen hans kom ut om høsten.
(**d**) (= *seem*) virke (*v1*), se* ut til å være ❑ *The stranger appears confident.* Den fremmede virket *or* så ut til å være* selvsikker.
▸ **to appear on TV/in "Hamlet"** opptre* på TV/ i "Hamlet"
▸ **it would appear that...** det kan se ut som om..., det kan virke som om...

appearance [əˈpɪərəns] s (**a**) (= *arrival*) ankomst *m* ❑ *...the prompt appearance of the police.* ...politiets raske ankomst.
(**b**) (= *look, aspect*) utseende *nt* ❑ *I had ceased to worry about my appearance.* Jeg hadde sluttet å bekymre meg over utseendet mitt.
(**c**) (*in public, on TV*) opptreden *m*
▸ **to make an appearance** (**a**) (*on TV etc*) opptre*
(**b**) (= *turn up*) stikke* innom ❑ *She has made several television appearances recently.* Hun har hatt flere opptredener på tv i det siste.
▸ **to put in an appearance** stikke* innom ❑ *I ought at least to put in an appearance at the party.* Jeg burde i det minste stikke innom selskapet.
▸ **in order of appearance** (*TEAT*) i den rekkefølge de opptrer
▸ **to keep up appearances** holde* fasaden
▸ **to all appearances** etter alt å dømme

appease [əˈpiːz] VT (*+person*) berolige (*v1*); (*+hunger, curiosity*) tilfredsstille (*v2x*)

appeasement [əˈpiːzmənt] (*POL*) s ▸ **policy of appeasement** ettergivelsespolitikk *m*

append [əˈpɛnd] VT legge* til

appendage [əˈpɛndɪdʒ] s tillegg *nt*

appendices [əˈpɛndɪsiːz] SPL *of* **appendix**

appendicitis [əpɛndɪˈsaɪtɪs] s blindtarmsbetennelse *m*

appendix [əˈpɛndɪks] (*pl* **appendices**) s (**a**) (*ANAT*) blindtarm *m*
(**b**) (*to publication*) tilføyelse *m*, appendiks *nt*
▸ **to have one's appendix out** ta* blindtarmen

appetite [ˈæpɪtaɪt] s (**a**) (= *desire to eat*) appetitt *m*, matlyst *m* ❑ *Sudden decrease in appetite...* Plutselig nedsatt appetitt *or* matlyst...
(**b**) (*fig: desire*) appetitt *m* ❑ *He clearly has an appetite for adventure.* Han har tydeligvis litt av en appetitt på eventyr.
▸ **the walk has given me an appetite** spaserturen gjorde meg sulten

appetizer [ˈæpɪtaɪzəʳ] s appetittvekker *m*

appetizing [ˈæpɪtaɪzɪŋ] ADJ appetittvekkende

applaud [əˈplɔːd] 1 VI klappe (*v1*), applaudere (*v2*) 2 VT (*+actor etc*) klappe (*v1*) for; (= *praise: action, attitude*) bifalle (*v2x*)

applause [əˈplɔːz] s (= *clapping*) applaus *m*, bifall *nt* ❑ *The delegates burst into loud applause.* Delegatene brøt ut i kraftig applaus *or* bifall.

apple [ˈæpl] s eple *nt*
▸ **he's the apple of her eye** han er hennes øyensten

apple tree s epletre *nt*

apple turnover s ≈ epleterte *m*

appliance [əˈplaɪəns] s (**a**) (*electrical, domestic*) innretning *m*, apparat *nt*
(**b**) (*surgical*) apparat *nt*
▸ **kitchen appliances** (**a**) (*tabletop*) kjøkkenmaskiner
(**b**) (*fridge, washing machine etc*) hvitevarer

applicable [əˈplɪkəbl] ADJ ▸ **applicable (to)** som gjelder (for) ❑ *...a rule applicable to any case.* ...en regel som gjelder for alle forhold.
▸ **if applicable** eventuelt ❑ *Include fuel costs, if applicable.* Legg eventuelt til bensinkostnader.

applicant [ˈæplɪkənt] s søker *m*

application [æplɪˈkeɪʃən] s (**a**) (*for job, grant etc*) søknad *m*
(**b**) (= *hard work*) flid *m* ❑ *For such a job you need both talent and application.* Til en slik jobb behøves både talent og flid.
(**c**) (= *use*) anvendelse *m* ❑ *Do the results have any practical application?* Har resultatene noen praktisk anvendelse?
(**d**) (= *applying: of cream, paint*) påføring *m*
(**e**) (*of cloth*) ▸ **the application of a wet cloth will prevent...** en kald våt klut vil forhindr
▸ **on application** ved søknad ❑ *Full details are obtainable on application.* Fullstendige opplysninger kan fås ved søknad.

application form s søknadsskjema *nt*

application program (*DATA*) s brukerprogram *nt*, applikasjonsprogram *nt*

applications package (*DATA*) s applikasjonsprogrampakke *c*, brukerprogrampakke *c*

applied [əˈplaɪd] ADJ (*science, linguistics, maths*) anvendt

apply [əˈplaɪ] 1 VT (**a**) (*+paint, polish etc*) påføre (*v2*)
(**b**) (= *put into practice: law, theory, technique etc*) anvende (*v2*) ❑ *...countries which have been the first to apply the death penalty.* ...land som har vært de første til å anvende dødsstraff.
2 VI (**a**) (= *be applicable*) gjelde* ❑ *This chart no longer applies.* Dette diagrammet gjelder ikke lenger.
(**b**) (= *ask*) søke (*v2*) ❑ *You can apply again next year.* Du kan søke på nytt neste år.
▸ **to apply to** (**a**) (= *be applicable to*) gjelde* ❑ *The leaflet explains how the system will apply to you.* Brosjyren forklarer på hvilken måte systemet vil gjelde deg.
(**b**) (*+to council, person, governing body*) henvende (*v2*) seg til
▸ **to apply for** (*+permit, grant, job*) søke (*v2*) (om/ på)
▸ **to apply the brakes** sette* på *or* bruke bremsen
▸ **to apply o.s. (to)** konsentrere (*v2*) seg (om)

appoint [əˈpɔɪnt] VT (**a**) (*to post*) ansette*
(**b**) (*political position, post of honour*) utnevne (*v2*) ❑ *Ramsay MacDonald appointed him Secretary of State for India.* Ramsay MacDonald utnevnte ham til statsråd for India.
(**c**) (*+date, place*) fastsette*

appointed [əˈpɔɪntɪd] ADJ ▸ **at the appointed time** til avtalt tid

appointee [əpɔɪnˈtiː] s *noen som er ansatt i en stilling/utnevnt til et verv*

appointment [əˈpɔɪntmənt] s (**a**) (*of person*) ansettelse *m* ❑ *Their duties include the*

appointment of all the staff. Arbeidsoppgavene deres omfatter ansettelse av alt personale.
(**b**) (*= post*) stilling *m* ❑ *She applied for and got the appointment.* Hun søkte og fikk stillingen.
(**c**) (*= meeting : business, politics*) avtale *m*
(**d**) (*with hairdresser, dentist, doctor*) time *m*, timeavtale *m* ❑ *I had an appointment with the editor...* Jeg hadde en avtale med redaktøren...
▸ **to make an appointment (with sb)** (**a**) (*business, politics*) avtale (*v2*) et møte (med noen) (**b**) (*hairdresser, dentist, doctor*) bestille (*v2x*) time (hos noen)
▸ **by appointment** etter avtale

apportion [ə'pɔːʃən] VT ▸ **to apportion sth (to sb)** fordele (*v2*) noe (på noen); (*+blame*) tildele (*v2*) (noen) noe

appraisal [ə'preɪzl] S vurdering *m*

appraise [ə'preɪz] VT vurdere (*v2*)

appreciable [ə'priːʃəbl] ADJ (*difference, effect*) merkbar, betydelig

appreciably [ə'priːʃəblɪ] ADV merkbart

appreciate [ə'priːʃɪeɪt] 1 VT (**a**) (*= like*) sette* pris på, verdsette* ❑ *He appreciated beautiful things.* Han satte pris på *or* verdsatte pene ting.
(**b**) (*= be grateful for*) sette* pris på ❑ *We would much appreciate guidance from an expert.* Vi ville* sette stor pris på å få* veiledning fra en ekspert.
(**c**) (*= understand, be aware of*) være* klar over ❑ *I appreciate the reasons for your anxiety.* Jeg er klar over grunnene til din engstelse.
2 VI (*currency, shares, valuables+*) stige* (i verdi)
▸ **I appreciate your help** tusen takk for hjelpen

appreciation [əpriːʃɪ'eɪʃən] S (**a**) (*= enjoyment*) anerkjennelse *m* ❑ *"This trout is delicious," he added, with appreciation.* "Denne ørreten er nydelig,"la han til, med anerkjennelse.
(**b**) (*in value*) verdistigning *m* ❑ *There has been an appreciation of 31.2 per cent in these shares.* Disse aksjene har steget med 31,2 prosent.
(**c**) (*= gratitude*) takknemlighet *m* ❑ *It's just a little something to show my appreciation.* Det er bare en liten ting for å vise min takknemlighet.
(**d**) (*= understanding*) ▸ **appreciation (of)** forståelse *m* (for) ❑ *...a full appreciation of the implications.* ...full forståelse for hva det innebærer.

appreciative [ə'priːʃɪətɪv] ADJ (**a**) (*praising*) anerkjennende
(**b**) (*grateful*) takknemlig ❑ *There was a rumble of appreciative laughter.* Det buldret av anerkjennende latter.

apprehend [æprɪ'hɛnd] VT (*= arrest*) anholde*, pågripe*; (*= understand*) begripe*

apprehension [æprɪ'hɛnʃən] S (**a**) (*= fear*) engstelse *m* ❑ *They trembled with apprehension about his future.* De skalv av engstelse for framtiden hans.
(**b**) (*= arrest*) pågripelse *m* ❑ *They will co-operate in the apprehension of these gangsters.* De vil samarbeide om pågripelsen av disse forbryterne.

apprehensive [æprɪ'hɛnsɪv] ADJ engstelig
▸ **to be apprehensive about** *or* **of sth** være* engstelig for noe

apprentice [ə'prɛntɪs] 1 S lærling *m*
2 VT ▸ **to be apprenticed to sb** bli* satt i lære hos noen, komme* i lære hos noen

apprenticeship [ə'prɛntɪsʃɪp] S (*also fig*) læretid *c* ❑ *Working on the local paper proved to be a useful apprenticeship for him.* Det å arbeide for lokalavisen viste seg å være* en nyttig læretid for ham.
▸ **to serve one's apprenticeship** stå* *or* gå* i lære

appro. ['æprəu] (*BRIT : sl*) FK (= **approval**) ▸ **on appro.** på prøve

approach [ə'prəutʃ] 1 VI nærme (*v1*) seg ❑ *He opened the car door for her as she approached.* Han åpnet bildøren for henne så snart hun nærmet seg.
2 VT (**a**) (*= come to : place, person*) nærme (*v1*) seg ❑ *Someone was approaching the village.* Det var noen som nærmet seg landsbyen.
(**b**) (*= ask, apply to : person*) henvende (*v2*) seg til ❑ *He was approached by the Security Service...* Vaktselskapet henvendte seg til ham...
(**c**) (*+situation, problem*) gripe* an ❑ *Governments must approach the subject of disarmament.* Regjeringene må gripe an emnet nedrustning.
3 S (**a**) (*= advance : of person*) *det å nærme seg* ❑ *...as if aware of our approach.* ...som om de visste at vi nærmet oss.
(**b**) (*= proposal*) henvendelse *m* ❑ *I had an approach to join the staff of the Daily Mail.* Jeg hadde fått en henvendelse om å slutte meg til staben i Daily Mail.
(**c**) (*= access, path*) atkomst(vei) *m*, innfartsvei *m* ❑ *The troops secured the approaches to Belgrade.* Troppene sikret atkomstveiene *or* innfartsveiene til Beograd.
(**d**) (*to a problem/situation*) ▸ **he was highly commercial in his approach** han hadde en høyst kommersiell innstilling *or* måte å gripe an saken på
▸ **to approach sb about sth** henvende (*v2*) seg til noen om noe

approachable [ə'prəutʃəbl] ADJ (*person, place*) omgjengelig

approach road S innfallsvei *m*

approbation [æprə'beɪʃən] S (**a**) (*= liking*) godkjenning *c* ❑ *He surveyed the document with approbation.* Han undersøkte dokumentet godkjennende.
(**b**) (*= agreement*) samtykke *nt*
(**c**) (*formal, by king or other authority*) approbasjon *m*

appropriate [*ADJ* ə'prəuprɪɪt, *VB* ə'prəuprɪeɪt] 1 ADJ (**a**) (*= acceptable : remarks, behaviour, clothing*) passende ❑ *It seemed appropriate to end with a joke.* Det virket passende å avslutte med en vits.
(**b**) (*= right*) riktig ❑ *...the appropriate leaflet.* ...den riktige brosjyren.
(**c**) (*= suiting purpose : tool etc*) hensiktsmessig
2 VT (*+property, materials, funds*) tilvende (*v2*) seg
▸ **at an appropriate time** på et (dertil) egnet *or* passende tidspunkt
▸ **the appropriate authority** vedkommende myndigheter
▸ **appropriate to** *or* **for** som egner seg for ❑ *...an English test appropriate for that level.* ...en engelskprøve som egner seg for det nivået.

▸ **it would not be appropriate for me to comment** det ville* ikke passe seg for meg å komme med noen kommentar
appropriately [ə'prəuprııtlı] ADV (*dressed*) passende, på en passende måte; (*thank*) på skikkelig vis
appropriation [əprəuprı'eıʃən] s (*of funds*) bevilgning *m*
approval [ə'pru:vəl] s (**a**) (= *liking*) godkjenning *c* ❑ *...mutterings of approval.* ...samtykkende *or* bifallende mumling.
(**b**) (= *permission*) samtykke *nt* ❑ *...his father's approval.* ...farens samtykke.
▸ **to meet with sb's approval** få* noens bifall
▸ **on approval** (**a**) (*clothes, furniture*) på prøve (**b**) (*book*) til fritt gjennomsyn ❑ *I got it on seven days approval...* Jeg har fått den på prøve/til fritt gjennomsyn i sju dager...
approve [ə'pru:v] 1 VT (**a**) (= *authorise: deal, publication, product, action*) godkjenne (*v2x*)
(**b**) (= *pass: motion, decision*) vedta*
2 VI ▸ **do you approve?** kan du godkjenne det?
▸ **approve of** VT FUS godta*, synes (*v25*) om ❑ *My grandfather did not approve of my father's marriage.* Bestefaren godtok ikke *or* syntes ikke om min fars ekteskap.
approved school (*BRIT: HIST*) s *skoleanstalt for unge lovbrytere*
approvingly [ə'pru:vıŋlı] ADV velvillig, bifallende
approx. FK = **approximately**
approximate [*ADJ* ə'prɔksımıt, *VB* ə'prɔksımeıt] 1 ADJ tilnærmet, omtrentlig, cirka- ❑ *...the approximate value of the property.* ...eiendommens tilnærmede *or* omtrentlige *or* cirka-verdi.
2 VI ▸ **to approximate to** komme* nær opp til
approximately [ə'prɔksımıtlı] ADV ca. (*var.* circa) ❑ *We have approximately 40 pupils.* Vi har ca. 40 elever.
approximation [ə'prɔksı'meıʃən] s tilnærmelse *m* ❑ *...an approximation to the truth.* ...en tilnærmet sannhet.
APR s FK (= **annual percentage rate**) *årlig rente på kredittkort eller kredittkjøp*
Apr. FK = **April**
apricot ['eıprıkɔt] s aprikos *m*
April ['eıprəl] s april *m*
▸ **April fool!** aprilsnarr!
see also **July**
April Fool's Day s 1. april

> **April Fool's Day** *er første april. Ofrene for aprilspøkene (aprilsnarr) kalles* April fools. *De britiske mediene deltar i aprilspøken, ved å offentliggjøre falske 'nyheter'.*

apron ['eıprən] s (*clothing*) forkle *nt irreg*
apse [æps] s apsis *m*
APT (*BRIT*) s FK = **advanced passenger train**
apt [æpt] ADJ (**a**) (= *suitable*) passende ❑ *...an apt quotation from "Hamlet".* ...et passende sitat fra "Hamlet".
(**b**) (= *likely*) ▸ **be apt to do** ha* en tendens til å gjøre, ha* lett for å gjøre
Apt. FK = **apartment**
aptitude ['æptıtju:d] s anlegg *nt*, talent *nt* ❑ *He had an aptitude for journalism.* Han hadde anlegg *or* talent for journalistikk.
aptitude test s psykoteknisk prøve *c*
aptly ['æptlı] ADV (**a**) passende
(**b**) (*remark*) treffende ❑ *...as Dr Hochstadt so aptly remarked to his wife.* ...som dr Hochstadt så treffende bemerket til sin kone.
aqualung ['ækwəlʌŋ] s vannlunge *c*
aquarium [ə'kwεərıəm] s akvarium *nt*
Aquarius [ə'kwεərıəs] s Vannmannen
▸ **to be Aquarius** være* Vannmann *or* være* født i Vannmannens tegn
aquatic [ə'kwætık] ADJ (*plant, sport*) vann-; (*animal*) som lever i vann
aqueduct ['ækwıdʌkt] s akvadukt *m*
AR (*US: POST*) FK = **Arkansas**
ARA (*BRIT*) s FK (= **Associate of the Royal Academy**) *grad/tittel*
Arab ['ærəb] 1 ADJ arabisk
2 s araber *m*
Arabia [ə'reıbıə] s Arabia
Arabian [ə'reıbıən] ADJ arabisk
Arabian Desert s ▸ **the Arabian Desert** Den arabiske ørken
Arabian Sea s ▸ **the Arabian Sea** Det arabiske hav
Arabic ['ærəbık] 1 ADJ (*language, numerals, manuscripts*) arabisk
2 s arabisk
arable ['ærəbl] ADJ (*land, farm*) dyrkbar
ARAM (*BRIT*) s FK (= **Associate of the Royal Academy of Music**) *grad/tittel*
arbiter ['ɑ:bıtə[r]] s voldgiftsmann *m*, dommer *m* ❑ *The Court was an arbiter between the States and the federal government.* Retten fungerte som voldgiftsmann *or* dommer i saker mellom Statene og forbundsregjeringen.
arbitrary ['ɑ:bıtrərı] ADJ vilkårlig
arbitrate ['ɑ:bıtreıt] VI dømme (*v2x*)
arbitration [ɑ:bı'treıʃən] s voldgift *m* ❑ *The government was prepared to submit the dispute to arbitration.* Regjeringen var innstilt på å la uoverensstemmelsen avgjøres ved voldgift.
▸ **the dispute went to arbitration** uoverensstemmelsen ble avgjort ved voldgift
arbitrator ['ɑ:bıtreıtə[r]] s voldgiftsmann *m*
ARC s FK (= **American Red Cross**) amerikas Røde Kors
arc [ɑ:k] s bue *m*
arcade [ɑ:'keıd] s (= *covered passageway*) arkade *m*; (= *shopping mall*) kjøpesenter *nt*
arch [ɑ:tʃ] 1 s (**a**) (*ARKIT*) buegang *m* ❑ *...beneath the railway arches.* ...under jernbanens bueganger.
(**b**) (*of foot*) fotbue *m* ❑ *...deformed arches.* ...deformerte fotbuer.
2 VT (*+one's back*) krumme (*v1*)
3 ADJ (*expression, look*) underfundig
archaeological [ɑ:kıə'lɔdʒıkl] ADJ arkeologisk
archaeologist [ɑ:kı'ɔlədʒıst] s arkeolog *m*
archaeology [ɑ:kı'ɔlədʒı] s arkeologi *m*
archaic [ɑ:'keıık] ADJ arkaisk
archangel ['ɑ:keındʒəl] s erkeengel *m*
archbishop [ɑ:tʃ'bıʃəp] s erkebiskop *m*

arch-enemy ['ɑːtʃ'ɛnəmɪ] s erkefiende *m*
archeology *etc* [ɑːkɪ'ɔlədʒɪ] (*US*) = **archaeology** *etc*
archery ['ɑːtʃərɪ] s bueskyting *c*
archetypal ['ɑːkɪtaɪpəl] ADJ urtypisk
archetype ['ɑːkɪtaɪp] s prototyp *m*
archipelago [ɑːkɪ'pɛlɪgəu] s arkipelag *nt*, øyrike *nt*
architect ['ɑːkɪtɛkt] s arkitekt *m*
architectural [ɑːkɪ'tɛktʃərəl] ADJ arkitektonisk
architecture ['ɑːkɪtɛktʃəʳ] s arkitektur *m* ❑ *It's a very fine example of traditional architecture.* Det er et flott eksempel på tradisjonell arkitektur.
archive file (*DATA*) s arkivfil *c*
archives ['ɑːkaɪvz] SPL (= *collection: of papers, records, films etc*) arkiv *nt sg* ❑ *She spent several hours in the film archives.* Hun brukte flere timer i filmarkivet.
archivist ['ɑːkɪvɪst] s arkivar *m*
archway ['ɑːtʃweɪ] s buegang *m*
ARCM (*BRIT*) S FK (= **Associate of the Royal College of Music**) *grad/tittel*
Arctic ['ɑːktɪk] 1 ADJ (= *explorer etc*) polar-
2 s ▸ **the Arctic** de arktiske strøk, området rundt nordpolen
Arctic Circle s ▸ **the Arctic Circle** den nordlige polarsirkel
Arctic Ocean s ▸ **the Arctic Ocean** Nordishavet
ARD (*US: MED*) S FK (= **acute respiratory disease**) akutt luftveissykdom *m*
ardent ['ɑːdənt] ADJ (= *passionate: admirer*) lidenskapelig; (*discussion*) glødende
ardour ['ɑːdəʳ], **ardor** (*US*) s glød *m* ❑ *...revolutionary ardour.* ...revolusjonær glød.
arduous ['ɑːdjuəs] ADJ (*task*) strevsom; (= *journey*) strevsom, besværlig
are [ɑːʳ] VB *see* **be**
area ['ɛərɪə] s (**a**) (= *region, zone, of knowledge, experience*) område *nt* ❑ *...a dry area...* et tørt område... *His special interest lies in the area of literature.* Hans spesielle interesse ligger på det litterære området.
(**b**) (*GEOM, MAT*) areal *nt* ❑ *The farm was about 50 square kilometres in area.* Gården hadde et areal på ca 50 kvadratkilometer.
(**c**) (= *part: of place, object*) flekk *m*, område *nt* ❑ *...a small area on the top of the table.* ...en liten flekk *or* et lite område oppå bordet.
▸ **in the London area** i London-området
area code (*TEL*) s retningsnummer *nt*
arena [ə'riːnə] s (*also fig*) arena *m* ❑ *...in the economic arena.* ...på den økonomiske arenaen.
aren't [ɑːnt] = **are not**
Argentina [ɑːdʒən'tiːnə] s Argentina *nt*
Argentinian [ɑːdʒən'tɪnɪən] 1 ADJ argentinsk
2 s argentiner *m*
arguable ['ɑːgjuəbl] ADJ (**a**) (= *uncertain*) som kan diskuteres
(**b**) (= *possible*) som kan hevdes
▸ **it is arguable whether...** det kan diskuteres om...
▸ **it is arguable that...** det kan hevdes at...
arguably ['ɑːgjuəblɪ] ADV muligens ❑ *Deforestation is arguably the most serious environmental issue of our time.* Avskoging er muligens den alvorligste miljøsaken i vår tid.

argue ['ɑːgjuː] 1 VI (**a**) (= *quarrel*) krangle (*v1*) (**b**) (= *claim*) hevde (*v1*) ❑ *Bureaucracy, he argues, is killing the spirit of spontaneity.* Byråkratiet, hevder han, dreper spontanitetens ånd.
2 VT (= *debate*) diskutere (*v2*) ❑ *...argued these points.* ...diskuterte disse punktene.
▸ **to argue that...** hevde (*v1*) at..., argumentere (*v2*) for at...
▸ **to argue about sth** (*with sb*) krangle (*v1*) om noe
▸ **to argue for/against sth** argumentere (*v2*) for/imot noe
argument ['ɑːgjumənt] s (**a**) (= *reasons*) argument *nt* ❑ *Do you accept this argument?* Godtar du dette argumentet?
(**b**) (= *quarrel*) krangel *m* ❑ *I said no and we got into a big argument.* Jeg sa nei, og så kom vi opp i en skikkelig krangel.
▸ **to be open to argument** være* åpen for debatt
▸ **argument for/against** argument *nt* for/imot
argumentative [ɑːgju'mɛntətɪv] ADJ (*person, voice*) trettekjær, kranglete
aria ['ɑːrɪə] s arie *m*
ARIBA (*BRIT*) S FK (= **Associate of the Royal Institue of British Architects**) *grad/tittel*
arid ['ærɪd] ADJ (*land, subject, essay*) tørr
aridity [ə'rɪdɪtɪ] s tørke *m*
Aries ['ɛərɪz] s Væren
▸ **to be Aries** være* Vær *or* være* født i Værens tegn
arise [ə'raɪz] (*pt* **arose**, *pp* **arise**) VI (**a**) (*person+*) stå* opp
(**b**) (= *emerge: question, difficulty etc*) ▸ **to arise (from)** oppstå* (på grunn av)
▸ **should the need arise** dersom behovet skulle* oppstå
arisen [ə'rɪzn] PP *of* **arise**
aristocracy [ærɪs'tɔkrəsɪ] s aristokrati *nt*
aristocrat ['ærɪstəkræt] s aristokrat *m*
aristocratic [ærɪstə'krætɪk] ADJ aristokratisk
arithmetic [ə'rɪθmətɪk] s regning *c* ❑ *...to learn arithmetic.* ...å lære regning. *The waiter got his arithmetic wrong.* Kelneren regnet feil.
arithmetical [ærɪθ'mɛtɪkl] ADJ regne-
ark [ɑːk] s ▸ **Noah's Ark** Noas ark *m*
arm [ɑːm] 1 s (**a**) (*of person*) arm *m*
(**b**) (*of jacket etc*) erme *nt*
(**c**) (*of chair*) armlene *nt*
(**d**) (*of organization etc*) gren *m* ❑ *...the political arm of a trade union movement.* ...den politiske grenen av en fagforeningsbevegelse.
2 VT (+*person, nation*) bevæpne (*v1*) ❑ *He armed his men with guns.* Han bevæpnet mennene sine med gevær.
▸ **arms** SPL (= *weapons*) våpen *nt sg or pl* ❑ *...to use arms.* ...bruke våpen.
▸ **arm in arm** arm i arm
armaments ['ɑːməmənts] SPL våpenutrustning *m*
armband ['ɑːmbænd] s armbind *nt*
armchair ['ɑːmtʃɛəʳ] s lenestol *m*
armed [ɑːmd] ADJ (*soldier, conflict, forces etc*) bevæpnet
▸ **the armed forces** de væpnede styrkene

armed robbery s væpnet ran *nt*
Armenia [ɑːˈmiːnɪə] s Armenia
Armenian [ɑːˈmiːnɪən] [1] ADJ armensk
[2] s (*person*) armenier *m*; (*LING*) armensk
armful [ˈɑːmful] s ▸ **with an armful of** med armene fulle av
armistice [ˈɑːmɪstɪs] s våpenstillstand *m*
armour [ˈɑːməʳ], **armor** (*US*) s (**a**) (*of knight*) rustning *m* ❑ *...knights in armour.* ...riddere i rustning.
(**b**) (*also* ***armour-plating***) panser *nt*
(**c**) (*MIL: tanks*) panservogner *pl*
armoured car s panserbil *m*
armoury [ˈɑːmərɪ] s våpenlager *nt* ❑ *...their nuclear armoury.* ...deres atomvåpenlager.
armpit [ˈɑːmpɪt] s armhule *m*
armrest [ˈɑːmrɛst] s armlene *nt*
arms control s rustningskontroll *m*
arms race s ▸ **the arms race** våpenkappløpet, kapprustingen
army [ˈɑːmɪ] s (**a**) (*MIL*) hær *m*, armé *m*
(**b**) (*fig: host*) hær *m* ❑ *...an army of statisticians.* ...en hær av statistikere.
aroma [əˈrəumə] s aroma *m*
aromatherapy [ərəuməˈθɛrəpɪ] s aromaterapi *m*
aromatic [ærəˈmætɪk] ADJ aromatisk
arose [əˈrəuz] PRET *of* **arise**
around [əˈraund] [1] ADV (**a**) (= *about*) rundt, omkring ❑ *They wandered around...* De vandret rundt *or* omkring...
(**b**) (= *in the area: here*) her omkring
(**c**) (*there*) der omkring ❑ *We were the first farmers around to use...* Vi var de første bøndene her omkring som brukte...
[2] PREP (**a**) (= *encircling, near*) rundt ❑ *We were sitting around a table.* Vi satt rundt et bord. *It measures fifteen feet around the trunk.* Den måler femten fot rundt stammen. *There was a flurry of people around a meat shop.* Det var en forfjamset folkemengde rundt en slakterbutikk.
(**b**) (= *about, roughly: numbers*) ▸ **around 200** omkring *or* rundt *or* cirka 200
(**c**) (*time*) ▸ **around 5 o'clock** rundt *or* omkring kl 5
▸ **is he around?** er han her?
arousal [əˈrauzəl] s (*sexual*) opphisselse *m*, tenning *m*; (*of feelings, interest*) vekking *m*
arouse [əˈrauz] VT (**a**) (*sexually*) hisse (*v1*) opp ❑ *He is very easily aroused by the sight of a pretty girl.* Han blir svært lett opphisset ved synet av ei pen jente.
(**b**) (*from sleep*) vekke (*v1 or v2x*) ❑ *Diana had aroused them just before dawn.* Diana hadde vekket dem like før daggry.
(**c**) (*+interest, passion, anger*) vekke (*v1 or v2x*)
arpeggio [ɑːˈpɛdʒɪəu] s arpeggio *m*
arrange [əˈreɪndʒ] [1] VT (**a**) (= *organise: meeting, tour etc*) arrangere (*v2*)
(**b**) (= *put in order: books, objects*) ordne (*v1*)
(**c**) (*+flowers*) sette* opp
(**d**) (*MUS*) arrangere (*v2*)
[2] VI ▸ **we have arranged for a car to pick you up** vi har ordnet med en bil som kommer og henter deg
▸ **it was arranged that...** det ble ordnet slik at...
▸ **to arrange to do sth** (= *agree*) avtale (*v2*) å gjøre* noe ❑ *Why don't you arrange to meet him later?* Hvorfor avtaler du ikke å møte ham etterpå?
arrangement [əˈreɪndʒmənt] s (**a**) (= *plan, procedure*) ordning *c* ❑ *It's the normal arrangement with all my customers.* Det er den vanlige ordningen for alle kundene mine.
(**b**) (= *agreement*) avtale *m* ❑ *He made an arrangement to rent the property.* Han fikk i stand en avtale om å leie eiendommen.
(**c**) (= *order, layout: of books etc*) oppstilling *c*
(**d**) (*of flowers*) blomsteroppsats *m*
(**e**) (*in room*) rommøblering *c* ❑ *A room arrangement that suits one teacher may not suit another.* En rommøblering som passer en lærer, passer ikke nødvendigvis den neste.
(**f**) (*MUS*) arrangement *nt*
▸ **arrangements** SPL (= *plans, preparations*) forberedelser, foranstaltninger ❑ *...you've made all the arrangements for the conference.* ...du har gjort alle forberedelsene *or* foranstaltningene til konferansen.
▸ **to come to an arrangement with sb** gjøre* en avtale med noen
▸ **"home deliveries by arrangement"** "kan leveres ved avtale"
▸ **I'll make arrangements for you to be met** jeg skal ordne det slik at noen møter deg
arrant [ˈærənt] ADJ (*coward, fool etc*) komplett; (*nonsense*) fullstendig
array [əˈreɪ] s (*MAT, DATA*) tabell *m*; (= *range*) ▸ **an array of different people** en rekke forskjellige mennesker; (= *display*) ▸ **an array of cakes and cookies** en oppstilling av kremkaker og småkaker
arrears [əˈrɪəz] SPL (= *money owed*) restanse *m sg* ❑ *...massive arrears.* ...en enorm restanse.
▸ **to be in arrears with one's rent** være* på etterskudd med husleien
arrest [əˈrɛst] [1] VT arrestere (*v2*)
[2] s arrestasjon *m*
▸ **to arrest sb's attention** få* noen til å stanse opp
▸ **under arrest** arrestert
arresting [əˈrɛstɪŋ] ADJ (*beauty, charm, candour*) fengslende
arrival [əˈraɪvl] s (**a**) (*of person, vehicle, letter etc*) ankomst *m* [NB] *I apologize for my late arrival.* Jeg må få* be om unnskyldning for at jeg kommer så sent.
(**b**) (*of invention etc*) ▸ **revolutionized by the arrival of the computer** revolusjonert på grunn av datamaskinen
▸ **new arrival** nykommer *m* ❑ *One of the new arrivals at the college...* En av nykommerne på skolen... *Congratulations on the new arrival.* Gratulerer med nykommeren.
arrive [əˈraɪv] VI (*traveller, news, letter, baby+*) (an)komme*
▸ **arrive at** VT FUS (*fig: conclusion, situation*) komme* til
arrogance [ˈærəgəns] s arroganse *m*
arrogant [ˈærəgənt] ADJ arrogant, hovmodig
arrow [ˈærəu] s (*weapon, symbol*) pil *c*

arse [ɑːs] (*BRIT: sl!*) s rauv *f* (*sl!*) (*var.* ræv)
arsenal ['ɑːsɪnl] s arsenal *nt*
arsenic ['ɑːsnɪk] s arsenikk *m*
arson ['ɑːsn] s brannstiftelse *m*
art [ɑːt] s kunst *m* ❑ *I've never been any good at art.* Jeg har aldri vært særlig kunstnerisk. *...an exhibition of children's art.* ...en utstilling av barnekunst. *...the art of survival.* ...kunsten å overleve.
▸ **the arts** SPL humanistiske fag *pl*
▸ **work of art** kunstverk *nt*
artefact ['ɑːtɪfækt] s kulturgjenstand *m*
arterial [ɑː'tɪərɪəl] ADJ (*ANAT*) arterie-, arteriell
▸ **arterial road** hovedtrafikkåre *m*
artery ['ɑːtərɪ] s (*ANAT*) arterie *m*; (*fig: road*) hovedtrafikkåre *m*
artful ['ɑːtful] ADJ utspekulert
art gallery s kunstgalleri *nt*
arthritic [ɑː'θrɪtɪk] ADJ ▸ **to be arthritic** (*person+*) være* plaget av leddbetennelse *or* leddgikt *or* artritt; (*joint+*) være* giktbrudden, være* giktisk
arthritis [ɑː'θraɪtɪs] s leddbetennelse *m*, leddgikt *c*, artritt *m*
artichoke ['ɑːtɪtʃəuk] s (= *globe artichoke*) artisjokk *m*; (= *Jerusalem artichoke*) jordskokk *m*
article ['ɑːtɪkl] s (**a**) (= *object, item*) ting *m* ❑ *...the articles he had stolen.* ...tingene han hadde stjålet.
(**b**) (*in newspaper*) artikkel *m*
(**c**) (*in document*) paragraf *m* ❑ *...article 51 of the UN charter.* ...paragraf 51 i FN-pakten.
(**d**) (*LING*) artikkel *m*
▸ **articles** (*BRIT: JUR*) SPL (*training*) praktikanttjeneste *m* [NB] *He's doing his articles.* Han har praktikanttjeneste.
▸ **article of clothing** klesplagg *nt*
articles of association (*MERK*) SPL (selskaps)vedtekter
articulate [*ADJ* ɑː'tɪkjulɪt, *VB* ɑː'tɪkjuleɪt] [1] ADJ (**a**) (*speech, writing*) velformulert
(**b**) (*person*) i stand til å uttrykke seg godt
[2] VT (*+fears, ideas*) uttrykke (*v2x*)
[3] VI uttale (*v2*) ordene ❑ *...he doesn't articulate properly.* ...han uttaler ikke ordene skikkelig.
articulated lorry (*BRIT*) s vogntog *nt* (*trekkvogn og tilhenger*)
artifice ['ɑːtɪfɪs] s knep *nt*
artificial [ɑːtɪ'fɪʃəl] ADJ (**a**) (*flowers, leg, lake, conditions, situation*) kunstig ❑ *These results appear only in very artificial conditions.* Disse resultatene viser seg bare under svært kunstige forhold.
(**b**) (*manner, person*) unaturlig
artificial insemination [-ɪnsɛmɪ'neɪʃən] s kunstig befruktning *c*
artificial intelligence s kunstig intelligens *m*
artificial respiration s kunstig åndedrett *nt*
artillery [ɑː'tɪlərɪ] s artilleri *nt*
artisan ['ɑːtɪzæn] s håndverker *m*
artist ['ɑːtɪst] s kunstner *m*; (*light entertainment*) artist *m*
artistic [ɑː'tɪstɪk] ADJ kunstnerisk
artistry ['ɑːtɪstrɪ] s (**a**) (= *skill*) kunstnerisk evne *m*
(**b**) (= *value*) kunstnerisk verdi *m* ❑ *People overlooked the artistry in Ray's story.* Folk overså den kunstneriske verdien i Rays fortelling.
artless ['ɑːtlɪs] ADJ naturlig
art school s kunstakademi *nt*
artwork ['ɑːtwəːk] s (*for advert etc, material for printing*) illustrasjonsoriginal *m*; (*in book*) illustrasjoner *pl*
ARV S FK (= **American Revised Version**) *amerikanske reviderte oversettelsen av bibelen*
AS (*US*) [1] S FK (= **Associate in/of Science**) *grad/ tittel innen realfag*
[2] FK (*POST*) = **American Samoa**

KEYWORD

as [æz, əz] [1] KONJ (**a**) (*referring to time*) som; (*one time in the past*) da
▸ **as the years went by** som årene gikk
▸ **he came in as I was leaving** han kom inn da jeg skulle* til å gå
▸ **as from tomorrow** fra i morgen (av)
(**b**) (*in comparisons*) ▸ **as big as** så *or* like stor som
▸ **twice as big as** dobbelt så stor som
▸ **as much/many as** så *or* like mye/mange som
▸ **as much money/many books as** like mye penger/mange bøker som
▸ **as soon as you...** så snart du...
(**c**) (= *since, because*) da ❑ *As you can't come I'll go without you.* Da du ikke kan komme, vil jeg gå* uten deg.
(**d**) (*referring to manner, way*) som ❑ *Do as you wish.* Gjør som du vil .
▸ **as she said** som hun sa
▸ **he gave it to me as a present** han gav den til meg som gave
(**e**) (= *in the capacity of*) som
▸ **he works as a driver** han arbeider som sjåfør
(**f**) (= *concerning*) ▸ **as for** *or* **as to that** når det gjelder det ❑ *That's the answer. As for the cause, how do I know?* Det er svaret. Når det gjelder årsaken, hvordan kan jeg vite det?
(**g**) ▸ **as if, as though** som om
▸ **he looked as if he was ill** han så ut som om han var syk
see also **long**, **such**, **well**

ASA S FK (= **American Standards Association**) ≈ NSF *nt* (= *Norges Standardiseringsforbund*)
a.s.a.p. ADV FK (= **as soon as possible**) så snart som mulig
asbestos [æz'bɛstəs] s asbest *m*
ascend [ə'sɛnd] [1] VT (*+hill, stairs*) gå* opp(over); (*+throne*) bestige*
[2] VI (*on foot*) gå* opp(over); (*by lift or vehicle*) kjøre (*v2*) opp(over)
ascendancy [ə'sɛndənsɪ] s ▸ **ascendancy (over sb)** herredømme *nt* (over noen)
ascendant [ə'sɛndənt] s ▸ **to be in the ascendant** (*increasing in power, influence etc*) være* på vei oppover; (*having most power, influence etc*) være* på toppen
ascension [ə'sɛnʃən] (*REL*) s ▸ **the Ascension, Ascension Day** Kristi Himmelfart, Kristi himmelfarts dag
Ascension Island s Ascension
ascent [ə'sɛnt] s (**a**) (= *slope*) stigning *m* ❑ *John toiled up the dusty ascent.* John strevde seg

oppover den støvete stigningen.
(**b**) (= *climb*) oppstigning *m*
(**c**) (*of a mountain etc*) bestigning *m* ❑ *The final ascent took only half an hour.* Den siste oppstigningen/bestigningen tok bare en halv time.

ascertain [æsə'teɪn] VT (*+details, facts*) slå* fast ❑ *We're unable to ascertain who the owners are.* Vi er ikke i stand til å slå fast hvem som er eierne.

ascetic [ə'sɛtɪk] ADJ asketisk

asceticism [ə'sɛtɪsɪzəm] S askese *m*

ASCII ['æski:] (*DATA*) S FK (= *American Standard Code for Information Interchange*) ASCII

ascribe [ə'skraɪb] VT ▸ **to ascribe sth to sth/sb**
(**a**) (= *blame*) begrunne (*v1*) noe utfra noe/noen, gi* noe/noen skylden for noe ❑ *It is wrong to ascribe all that has happened simply to the war.* Det er galt å begrunne alt som hendte utfra krigen.. Det er galt å gi* krigen skylden for alt som hendte.
(**b**) (*+quality*) tillegge* noen noe ❑ *...the virtues husbands ascribe to their wives.* ...de gode egenskaper ektemenn tillegger konene sine.
(**c**) (*+work of art*) tilskrive* noen noe ❑ *...a magnificent painted ceiling, ascribed to Holbein.* ...et praktfullt malt tak, som blir tilskrevet Holbein.

ASCU (*US*) S FK (= **Association of State Colleges and Universities**) *sammenslutning av amerikanske universiteter og høyskoler*

ASEAN ['æsɪæn] S FK (= **Association of South-East Asian Nations**) *sørasiatisk ikke-militær samarbeidsorganisasjon*

ASH [æʃ] (*BRIT*) S FK (= **Action on Smoking and Health**) *britisk antirøykeorganisasjon*

ash [æʃ] S (*of fire, cigarette; tree, wood*) aske *m*

ashamed [ə'ʃeɪmd] ADJ skamfull
▸ **to be ashamed of** skamme (*v1*) seg over
▸ **to be ashamed of o.s. (for having done sth)** skamme (*v1*) seg (over å ha* gjort noe)
▸ **to be ashamed to do sth** skamme (*v1*) seg for å gjøre* noe

ashen ['æʃən] ADJ (*face*) askegrå

ashore [ə'ʃɔ:ʳ] ADV (*be*) på land; (*swim*) til land; (*go*) i land

ashtray ['æʃtreɪ] S askebeger *nt*

Ash Wednesday S askeonsdag *m*

Asia ['eɪʃə] S Asia

Asia Minor S Lilleasia

Asian ['eɪʃən] [1] ADJ asiatisk
[2] S (*person*) asiat *m*

Asiatic [eɪsɪ'ætɪk] ADJ asiatisk

aside [ə'saɪd] [1] ADV til side
[2] S sidebemerkning *m* (*til publikum*) ❑ *She said, in a loud aside...* Hun sa høyt, i en sidebemerkning...
▸ **to brush objections aside** feie (*v3*) innvendinger til side

aside from PREP (= *except*) bortsett fra; (= *in addition to*) ved siden av

ask [ɑ:sk] [1] VT (**a**) (*+question*) stille (*v2x*)
(**b**) (= *invite*) be* ❑ *I asked her to the party.* Jeg bad henne i selskapet.
[2] VI spørre* ❑ *I didn't ask* Jeg spurte ikke.
▸ **to ask whether/why** spørre* om/hvorfor
▸ **to ask sb sth/to do sth** be* noen om noe/om å gjøre* noe
▸ **he asked her to marry him** han spurte om hun ville* gifte seg med ham, han ba henne gifte seg med ham
▸ **to ask sb the time** spørre* noen hva klokka er
▸ **to ask sb about sth** spørre* noen om noe
▸ **to ask (about) the price** spørre* om prisen
▸ **to ask sb out to dinner** be* noen ut på middag

▸ **ask after** VT FUS spørre* etter ❑ *She asked after my father.* Hun spurte etter faren min.

▸ **ask for** VT FUS (*+something, trouble*) be* om ❑ *She asked for a drink of water.* Hun bad om et glass vann. *You're really asking for trouble speaking to me like that.* Du ber virkelig om trøbbel når du snakker til meg på den måten.
▸ **you asked for it!** du ba om det!

askance [ə'skɑ:ns] ADV ▸ **to look askance at sb/sth** se* skjevt til noen/noe

askew [ə'skju:] ADV skjevt ❑ *...his tie was askew.* ...slipset satt skjevt.

asking price S ▸ **the asking price** prisforlangendet *def*, (den) prisen som blir forlangt

asleep [ə'sli:p] ADJ sovende
▸ **to be asleep** sove*
▸ **to fall asleep** sovne (*v1*)

ASLEF ['æzlɛf] (*BRIT*) S FK (= **Associated Society of Locomotive Engineers and Firemen**) *fagforening*

asparagus [əs'pærəgəs] S asparges *m*

asparagus tips SPL aspargesskudd *pl*

ASPCA S FK (= **American Society for the Prevention of Cruelty to Animals**) *dyrebeskyttelsesorganisasjon*, Dyrebeskyttelsen Norge *m def*

aspect ['æspɛkt] S (**a**) (= *element : of subject*) side *m* ❑ *...one aspect of a larger plan.* ...en side av en større plan.
(**b**) (= *quality, appearance*) form *m* ❑ *The whole scheme began to take on a more practical aspect.* Hele planen begynte å ta* en mer praktisk form.
(**c**) (= *direction*) ▸ **with a south-west aspect** som vender mot sør-vest

aspersions [əs'pə:ʃənz] SPL ▸ **to cast aspersions on** (*+person*) snakke (*v1*) nedsettende om; (*+quality*) reise (*v2*) tvil om

asphalt ['æsfælt] S asfalt *m*

asphyxiate [æs'fɪksɪeɪt] VT (*smoke*) røykforgifte (*v1*); (*gas*) gassforgifte (*v1*)

asphyxiation [æsfɪksɪ'eɪʃən] S (*by smoke*) røykforgiftning *m*; (*by gas*) gassforgiftning *m*

aspirate [*VB* 'æspəreɪt, *ADJ* 'æspərɪt] (*LING*) [1] VT aspirere (*v2*)
[2] S aspirat *m*

aspirations [æspə'reɪʃənz] SPL aspirasjoner

aspire [əs'paɪəʳ] VI ▸ **to aspire to** aspirere (*v2*) til, strebe (*v1*) etter ❑ *He has always aspired to leadership.* Han har alltid aspirert til *or* strebet etter en lederposisjon.

aspirin ['æsprɪn] S aspirin *m* ❑ *...a bottle of aspirin.* ...et glass aspirin. *...I took two aspirins.* ...jeg tok to aspirin.

aspiring [əs'paɪərɪŋ] ADJ strebende

ass [æs] s (*animal*) esel *nt*; (*sl : idiot*) fe *nt*, fjols *nt*; (*US : sl! : bottom*) rauv *c* (*sl!*) (*var.* ræv)

assail [ə'seɪl] VT (*+person*) angripe* voldsomt; (*= criticize*) overfalle* med kritikk; (*fig*) ▸ **to be assailed by doubts** bli* grepet av tvil

assailant [ə'seɪlənt] s angriper *m*, overfallsmann *m*

assassin [ə'sæsɪn] s snikmorder *m*

assassinate [ə'sæsɪneɪt] VT (snik)myrde (*v1*)

assassination [əsæsɪ'neɪʃən] s attentat *nt*

assault [ə'sɔːlt] 1 s (**a**) (*on individual*) overfall *nt* ❑ *A series of racist assaults...* En rekke rasistiske overfall...
(**b**) (*MIL, fig*) angrep *nt* ❑ *...assaults against the enemy's bases.* ...angrep mot fiendens baser. *Liberals called for an all-out assault on racism.* Liberalerne manet til et totalangrep på rasismen.
2 VT (**a**) (*= attack*) angripe*, overfalle*
(**b**) (*sexually*) forbryte* seg seksuelt på ❑ *A man has sexually assaulted a child.* En mann har forbrutt seg seksuelt på et barn.. En mann har begått et seksuelt overgrep mot et barn.
▸ **assault and battery** (*JUR*) grov legemsbeskadigelse *m*

assemble [ə'sɛmbl] 1 VT (**a**) (*= gather together : objects, people*) samle (*v1*)
(**b**) (*TEKN : furniture, machine*) montere (*v2*), sette* sammen
2 VI (*people, crowd etc+*) samles (*v5, no past tense*), samle (*v1*) seg ❑ *The four leaders assembled in Paris for a summit meeting.* De fire lederne samlet seg til toppmøte i Paris.

assembly [ə'sɛmblɪ] s (**a**) (*= meeting, institution*) forsamling *m* ❑ *...an assembly of senators and congressmen.* ...en forsamling senatorer og kongressmenn.
(**b**) (*= construction : of vehicles etc*) montering *c*, sammensetting *c* ❑ *These kits are designed for home assembly.* Disse settene er beregnet på montering *or* sammensetting hjemme.

assembly language s assemblerspråk *nt*

assembly line s samlebånd *nt*

assent [ə'sɛnt] 1 s samtykke *nt* ❑ *There was a murmur of assent...* Det lød en samtykkende mumling...
2 VI (*= agree*) ▸ **to assent (to)** samtykke (*v1*) (i)
▸ **to give one's assent** gi* sitt samtykke

assert [ə'səːt] VT (*+opinion, innocence, authority*) hevde (*v1*)
▸ **to assert o.s.** hevde (*v1*) seg

assertion [ə'səːʃən] s påstand *m* ❑ *...the assertion that...* påstanden om at...

assertive [ə'səːtɪv] ADJ (*person, behaviour*) selvsikker

assess [ə'sɛs] VT (**a**) (*= gauge : problem, situation, abilities, feelings*) vurdere (*v2*) ❑ *Ellen tried to assess how she felt.* Ellen prøvde å vurdere hvordan hun følte seg.
(**b**) (*= calculate : tax, damages, value*) beregne (*v1*) ❑ *Get your tax assessed separately from your husband's.* Få skatten beregnet uavhengig av mannen din.
(**c**) (*+student, work*) evaluere (*v2*), vurdere (*v2*)

assessment [ə'sɛsmənt] s (**a**) (*of problem, situation, abilities*) vurdering *c* ❑ *...a clear assessment of the country's social needs.* ...en klar vurdering av landets sosiale behov.
(**b**) (*of tax, damages, value*) beregning *c*
(**c**) (*SKOL*) vurdering *c* ❑ *...continuous assessment.* ...løpende vurdering.

assessor [ə'sɛsəʳ] (*JUR*) s ekspert *m* (*som rådgiver i retten*)

asset ['æsɛt] s aktivum *nt*, gode *nt* ❑ *...he was a major asset to the company.* ...han utgjorde et betydelig aktivum *or* gode for bedriften.
▸ **assets** SPL eiendeler, aktiva

asset-stripping ['æsɛt'strɪpɪŋ] s *det å selge unna unyttbare aktiva*

assiduous [ə'sɪdjuəs] ADJ (*person, care, work*) flittig, iherdig

assign [ə'saɪn] VT ▸ **to assign sth to sb** (**a**) (*+task*) gi* noen noe
(**b**) (*+resources etc*) tildele (*v2*) noen noe ❑ *I was assigned a pleasant room.* Jeg ble tildelt et pent rom.
(**c**) (*+cause, meaning, value etc*) tillegge* noe noe ❑ *We should be able to assign values to each of these components.* Vi burde være* i stand til å tillegge hver av disse komponentene en verdi.
▸ **to assign sb to (do) sth** (*+person*) sette* noen til (å gjøre) noe ❑ *They had assigned someone to watch me twenty-four hours a day.* De hadde satt noen til å overvåke meg tjuefire timer i døgnet.

assignment [ə'saɪnmənt] s (*= task, piece of work*) oppgave *c* ❑ *My first assignment as a reporter...* Min første oppgave som reporter....

assimilate [ə'sɪmɪleɪt] VT (**a**) (*= learn : ideas etc*) tilegne (*v1*) seg ❑ *He was quick to assimilate new ideas.* Han var rask til å tilegne seg nye ideer.
(**b**) (*= absorb : immigrants*) assimilere (*v2*)

assimilation [əsɪmɪ'leɪʃən] s (**a**) (*of ideas*) opptak *nt* ❑ *...the rapid assimilation of new techniques in industry.* ...det raske opptaket av nye teknikker i industrien.
(**b**) (*of immigrants*) assimilasjon *m*

assist [ə'sɪst] VT hjelpe*

assistance [ə'sɪstəns] s assistanse *m*, hjelp *m* ❑ *They could not walk without assistance.* De kunne* ikke gå* uten hjelp *or* assistanse.

assistant [ə'sɪstənt] s (**a**) (*= helper*) assistent *m* ❑ *...a plumber's assistant.* ...en rørleggerassistent.
(**b**) (*BRIT : in shop*) butikkselger *m*, ekspeditør *m* (*male*), ekspeditrise *c* (*female*)

assistant manager s assisterende direktør *m*

assizes [ə'saɪzɪz] (*BRIT*) SPL *tidligere regelmessige rettsmøter i England og Wales*

associate [*ADJ, N* ə'səuʃɪɪt, *VB* ə'səuʃɪeɪt] 1 ADJ
▸ **associate member** assosiert medlem *nt* (*med begrensede rettigheter*)
2 s kollega *m*, arbeidskamerat *m*
3 VT assosiere (*v2*), forbinde* ❑ *Dignity is the quality which I associate mostly with her.* Verdighet er den egenskapen jeg mest av alt assosierer *or* forbinder med henne.
4 VI ▸ **to associate with sb** omgås *no past tense* noen, vanke (*v1*) sammen med noen ❑ *She spent her adolescence associating with criminals.* I tenårene vanket hun sammen med kriminelle.
▸ **associate professor** ≈ dosent *m*
▸ **associate director** meddirektør *m*

association [əsəusɪ'eɪʃən] s (**a**) (= *group*) forening *c* ❑ *...a housing association...* en husbyggerforening...
(**b**) (*mental*) assosiasjon *m* ❑ *A number of tunes have a really strong association for some people.* En rekke melodier har en veldig sterk assosiasjon for noen mennesker.
(**c**) (= *involvement, link*) ▸ **association (with)** tilknytning *m* (til), forbindelse *m* (med) ❑ *...his long association with Trotskyism.* ...hans langvarige tilknytning til *or* forbindelse med trotskismen.
▸ **in association with** (= *in collaboration with*) i samarbeid med
association football s (vanlig) fotball *m*
assorted [ə'sɔːtɪd] ADJ assortert, forskjellig ❑ *...a small bunch of assorted wild flowers.* ...en liten bukett med assorterte *or* forskjellige markblomster.
▸ **in assorted sizes** i assorterte størrelser
assortment [ə'sɔːtmənt] s (**a**) (*of shapes, colours, books, people*) utvalg *nt* ❑ *...an assortment of plastic bags.* ...et utvalg av plastposer.
(**b**) (*for sale*) sortiment *nt*, utvalg *nt* ❑ *They are available in an assortment of colours and sizes.* De finnes i et utvalg *or* sortiment av farger og størrelser.
Asst. FK = **assistant**
assuage [ə'sweɪdʒ] (*fml*) VT (*+grief, pain*) lindre (*v1*); (*+thirst, appetite*) stille (*v2x*)
assume [ə'sjuːm] VT (**a**) (= *suppose*) anta*, gå* ut fra ❑ *But let's assume that everything goes according to plan.* Men la oss anta at alt går etter planen.
(**b**) (*+responsibilities etc*) påta* seg ❑ *I made a mistake and I will assume responsibility for it.* Jeg gjorde en feil, og jeg vil påta meg ansvaret for det.
(**c**) (*+appearance, attitude, name*) anta* ❑ *Her eyes assumed a strange look.* Øynene hennes antok et merkelig uttrykk.
assumed name s påtatt navn *nt*
assumption [ə'sʌmpʃən] s (**a**) (= *supposition*) antagelse *m* ❑ *The general assumption was that I was guilty.* Det ble antatt at jeg var skyldig.
(**b**) (*of power*) overtakelse *m*
(**c**) (*of responsibilities*) ▸ **the assumption of responsibility** det å påta seg ansvaret
▸ **on the assumption that** under forutsetning av at
assurance [ə'ʃuərəns] s (**a**) (= *assertion, promise*) forsikring *c* ❑ *...assurances that progress is being made.* ...forsikringer om at det går framover.
(**b**) (= *confidence*) overbevisning *m*
(**c**) (= *insurance*) forsikring *c* ❑ *...an assurance company.* ...et forsikringsselskap.
assure [ə'ʃuəʳ] VT (**a**) (= *reassure*) forsikre (*v1*) ❑ *Please assure Matthew that...* Vær så snill å forsikre Matthew om at...
(**b**) (*+happiness, success etc*) sikre (*v1*) ❑ *This film had assured him a place in movie history.* Denne filmen hadde sikret ham en plass i filmhistorien.
assured [ə'ʃuəd] [1] s (*BRIT*) forsikrede *m decl as adj*
[2] ADJ garantert, sikker
AST (*US*) FK (= **Atlantic Standard Time**) *normaltid i tidssonen som dekker en del av Atlanterhavet*
asterisk ['æstərɪsk] s asterisk *m*, stjerne *c*
astern [ə'stəːn] ADV akterut
asteroid ['æstərɔɪd] s asteroide *m*
asthma ['æsmə] s astma *m*
asthmatic [æs'mætɪk] [1] ADJ astmatisk
[2] s astmatiker *m*
astigmatism [ə'stɪgmətɪzəm] s astigmatisme *m*
astir [ə'stəːʳ] ADV i bevegelse
astonish [ə'stɔnɪʃ] VT forbause (*v1*), forbløffe (*v1*)
astonishing [ə'stɔnɪʃɪŋ] ADJ forbløffende, forbausende
astonishingly [ə'stɔnɪʃɪŋlɪ] ADV forbløffende, forbausende
astonishment [ə'stɔnɪʃmənt] s forbløffelse *m*, (stor) forbauselse *m*
▸ **in astonishment** forbløffet, forbauset
▸ **to my astonishment** til min forbløffelse *or* store forbauselse
astound [ə'staund] VT forbløffe (*v1*)
astounded [ə'staundɪd] ADJ ▸ **astounded (at)** forbløffet (over)
astounding [ə'staundɪŋ] ADJ forbløffende
astray [ə'streɪ] ADV (*to go astray+ : letter*) komme* på avveier
▸ **to lead astray** (*morally*) føre (*v2*) ut på ville* veier
astride [ə'straɪd] PREP overskrevs på ❑ *Karen sat astride a large white horse.* Karen satt overskrevs på en stor, hvit hest.
astringent [əs'trɪndʒənt] [1] ADJ astringerende; (*fig : remark, humour*) bitende
[2] s astringerende middel *nt*
astrologer [əs'trɔlədʒəʳ] s astrolog *m*
astrology [əs'trɔlədʒɪ] s astrologi *m*
astronaut ['æstrənɔːt] s astronaut *m*
astronomer [əs'trɔnəməʳ] s astronom *m*
astronomical [æstrə'nɔmɪkl] ADJ (*also fig*) astronomisk
astronomy [əs'trɔnəmɪ] s astronomi *nt*
astrophysics ['æstrəu'fɪzɪks] s astrofysikk *m*
astute [əs'tjuːt] ADJ (*operator, decision*) snedig
asunder [ə'sʌndəʳ] ADV ▸ **to tear asunder** rive* i stykker
ASV (*BIBEL*) s FK (= **American Standard Version**) *amerikanske oversettelsen av bibelen*
asylum [ə'saɪləm] s (= *refuge, institution*) asyl *nt* ❑ *The government gave asylum to...* Regjeringen gav asyl til...
▸ **to seek (political) asylum** søke (*v2*) (politisk) asyl
asymmetrical [eɪsɪ'mɛtrɪkl] ADJ asymmetrisk

KEYWORD

at [æt] [1] PREP (**a**) (*referring to position, direction*) *often* på
▸ **at the top** på toppen
▸ **at home** hjemme
▸ **at school** på skolen
▸ **at the baker's** hos bakeren
▸ **to look at sth** se* på noe
▸ **to throw sth at sb** kaste (*v1*) noe på noen
(**b**) (*referring to time*) ▸ **at 4 o'clock** klokken 4
▸ **at night** om natten

▸ **at Christmas** om jul
▸ **at times** til tider
(**c**) (*referring to rates, speed etc*) ▸ **at 2 pounds a kilo** til 2 pund for kiloen
▸ **two at a time** to om gangen
▸ **at 50 km/h** i 50 km i timen
(**d**) (*referring to activity*) ▸ **to be at work** være* på arbeid
▸ **to play at cowboys** leke (*v2*) cowboy
▸ **to be good at sth** være* flink til noe
(**e**) (*referring to cause*) ▸ **shocked/surprised/annoyed at sth** sjokkert/overrasket/irritert over noe
▸ **I went at his suggestion** jeg gikk etter forslag fra ham
(**f**) ▸ **not at all** (*in answer to question*) slett ikke; (*in answer to thanks*) ingen årsak
▸ **not at all tired** ikke trøtt i det hele tatt, slett ikke (noe) trøtt
▸ **anything at all** absolutt hva som helst

---

ate [eɪt] PRET *of* **eat**
atheism ['eɪθɪɪzəm] s ateisme *m*
atheist ['eɪθɪɪst] s ateist *m*
Athenian [ə'θiːnɪən] 1 ADJ Atensk
2 s (*person*) atener *m*
Athens ['æθɪnz] s Aten
athlete ['æθliːt] s idrettsutøver *m*
athletic [æθ'lɛtɪk] ADJ (*tradition, excellence, person etc*) sportslig; (= *muscular: build*) atletisk
athletics [æθ'lɛtɪks] s (fri)idrett *m* ❑ *...an athletics meeting.* ...et (fri)idrettsstevne.
Atlantic [ət'læntɪk] 1 ADJ atlantisk
2 s ▸ **the Atlantic (Ocean)** Atlanterhavet
atlas ['ætləs] s atlas *nt*
Atlas Mountains SPL ▸ **the Atlas Mountains** Atlasfjellene
ATM FK (= **Automated Telling Machine**) minibank *m*
atmosphere ['ætməsfɪəʳ] s (*of planet*) atmosfære *m*; (*of place*) atmosfære *m*, stemning *m*; (= *air*) atmosfære *m*, luft *c*
atmospheric [ætməs'fɛrɪk] ADJ (*pollution etc*) atmosfærisk
atmospherics [ætməs'fɛrɪks] (*RADIO*) SPL atmosfæriske forstyrrelser, atmosfærisk støy *m sg*
atoll ['ætɔl] s atoll *m*, korallrev *nt*
atom ['ætəm] s atom *nt*
atom bomb s atombombe *c*
atomic [ə'tɔmɪk] ADJ atom- ❑ *...atomic scientists.* ...atomfysikere.
atomic bomb s atombombe *c*
atomizer ['ætəmaɪzəʳ] s forstøver *m*
atone [ə'təun] VI ▸ **to atone for** (*+sin*) gjøre* bot for, sone (*v1 or v2*); (*+mistake*) gjøre* godt igjen
atonement [ə'təunmənt] s bot *m*, soning *c* ❑ *They're still trying to make atonement.* De prøver fortsatt å gjøre* bot *or* å sone.
ATP s FK (= **Association of Tennis Professionals**) *interesseorganisasjon*
atrocious [ə'trəuʃəs] ADJ grusom, redselsfull ❑ *...speaking French with an atrocious accent.* ...som snakket fransk med en grusom *or* redselsfull aksent.
atrocity [ə'trɔsɪtɪ] s grusomhet *m*
atrophy ['ætrəfɪ] 1 s (*MED*) atrofi *m*, (organ)svinn *nt*
2 VI svinne*
attach [ə'tætʃ] VT (**a**) (= *fasten, join*) feste (*v1*)
(**b**) (*with clips etc*) hefte (*v1*)
(**c**) (*+enclosure in letter*) legge* ved ❑ *...the attached letter* ...det vedlagte brevet
(**d**) (*+employee, troops*) tilknytte (*v1*) ❑ *I was attached to the expedition.* Jeg var tilknyttet ekspedisjonen.
(**e**) (*+importance etc*) tillegge* ❑ *It would be unwise to attach too much importance to what he said.* Det ville* være* lite lurt å tillegge det han sa for stor betydning.
▸ **to be attached to sb/sth** (*emotionally*) være* knyttet til noen/noe
attaché [ə'tæʃeɪ] s attaché *m*
attaché case s dokumentmappe *c*
attachment [ə'tætʃmənt] s (= *affection*)
▸ **attachment (to sb)** hengivenhet *m* (for noen); (*of tool*) (tilbehørs)del *m*; (*DATA*) attachment *nt*
attack [ə'tæk] 1 VT (**a**) (*gen*) angripe* ❑ *We are attacking an enemy submarine.* Vi angriper en fiendtlig ubåt. *...when he attacked the woman.* ...da han angrep kvinnen.
(**b**) (= *tackle: task, problem etc*) angripe*, gå* løs på
2 s (**a**) (*gen*) angrep *nt* ❑ *The planes began their attack on Beirut.* Flyene begynte angrepet på Beirut. *...attacks on old people.* ...angrep på eldre. *Burt's work came under violent attack.* Burts arbeid ble kraftig angrepet.
(**b**) (*of illness*) anfall *nt* ❑ *...an attack of smallpox.* ...et anfall av kopper.
▸ **heart attack** hjerteattakk *nt*, hjerteanfall *nt*
attacker [ə'tækəʳ] s angriper *m*
attain [ə'teɪn] VT (*+happiness*) finne*; (*+ambition, age*) nå (*v4*); (*+rank*) oppnå (*v4*)
attainments [ə'teɪnmənts] SPL prestasjoner *mpl*
attempt [ə'tɛmpt] 1 s forsøk *nt* ❑ *...at their first attempt.* ...ved første forsøk.
2 VT forsøke (*v2*)
▸ **to make an attempt on sb's life** forsøke (*v2*) å ta* livet av noen
▸ **he made no attempt to help** han gjorde ingen forsøk på å hjelpe til
attempted [ə'tɛmptɪd] ADJ ▸ **attempted murder/theft/suicide** forsøk *nt* på mord/tyveri/selvmord, mordforsøk/ransforsøk/selvmordsforsøk ❑ *He had been charged with attempted murder.* Han hadde blitt tiltalt for forsøk på mord *or* mordforsøk.
attend [ə'tɛnd] VT (**a**) (*+school*) gå* på
(**b**) (*+church*) gå* i ❑ *The school was attended almost entirely by local children.* Skolen hadde nesten bare elever fra lokalmiljøet.
(**c**) (*+lectures*) følge*
(**d**) (*+course*) gå* på
(**e**) (*+meeting, conference, seminar*) delta* i
(**f**) (*MED: patient*) se* til
▸ **attend to** VT FUS (**a**) (*+needs, affairs, business*) ta* seg av
(**b**) (*+patient, customer*) ta* seg av NB *Are you being attended to?* Får du (hjelp)?
attendance [ə'tɛndəns] s (**a**) (= *presence: at meeting etc*) deltagelse *m*

(**b**) (= *people present*) frammøte *nt*, oppmøte *nt* ❑ *At Easter, attendances at churches rose.* I påsken steg frammøtet *or* oppmøtet i kirkene.

attendant [ə'tɛndənt] 1 s (**a**) (= *helper*) tjener *m* (**b**) (*in garage, museum etc*) betjent *m* ❑ *...a museum attendant.* ...en museumsbetjent. 2 ADJ (*dangers, risks*) medfølgende

attention [ə'tɛnʃən] 1 s (**a**) (= *concentration*) oppmerksomhet *m* ❑ *...to hold his students' attention.* ...å holde på oppmerksomheten til studentene. (**b**) (= *care*) tilsyn *nt* ❑ *...urgent medical attention.* ...øyeblikkelig medisinsk tilsyn. 2 INTERJ (*MIL*) giv akt! ▸ **for the attention of...** til... ▸ **it has come to my attention that...** jeg har blitt oppmerksom på at..., det har kommet meg for øre at... ▸ **to draw sb's attention to sth** henlede (*v1*) noens oppmerksomhet på noe ▸ **to stand to/at attention** stå* i givakt(stilling)

attentive [ə'tɛntɪv] ADJ oppmerksom

attentively [ə'tɛntɪvlɪ] ADV oppmerksomt

attenuate [ə'tɛnjueɪt] VT svekke (*v1*), dempe (*v1*)

attest [ə'tɛst] VI ▸ **to attest to** (**a**) (= *demonstrate*) vitne (*v1*) om ❑ *Historic documents attest to this fact.* Historiske dokumenter vitner om dette faktum. (**b**) (*LAW: confirm*) bevitne (*v1*)

attic ['ætɪk] s loft *nt*

attire [ə'taɪəʳ] s antrekk *nt*

attitude ['ætɪtjuːd] s (**a**) (= *mental view, behaviour*) holdning *m* ❑ *Attitudes are beginning to change.* Holdninger begynner å forandre seg. *McPherson's attitude suggested that...* McPhersons holdning tydet på at... (**b**) (= *posture*) stilling *m* ❑ *...her arms flung out in an attitude of surrender.* ...hun slo ut med armene og inntok en overgivelsesstilling. (**c**) (= *view*) ▸ **attitude to** holdning *m* til, innstilling *c* til ❑ *They are adopting our attitude to life.* De inntar vår holdning til *or* innstilling til livet. ▸ **to do sth with attitude** (*sl: self-confidence*) gjøre* noe med overbevisning

attorney [ə'tɜːnɪ] s (*US*) advokat *m* ▸ **power of attorney** fullmakt *c*

Attorney General s (*BRIT*) *regjeringsmedlem som er landets høyeste juridiske rådgiver;* (*US*) ≈ justisminister *m*

attract [ə'trækt] VT (**a**) (*to a place*) trekke* ❑ *Industries attract people to towns.* Industrien trekker folk til byene. (**b**) (*to oneself*) tiltrekke* seg ❑ *What really attracted me to Valeria...* Det som egentlig gjorde meg tiltrukket av Valeria... *The men she attracted were always of the same type.* De mennene hun tiltrakk seg var alltid av samme type. *The women's movement has attracted a lot of publicity.* Kvinnebevegelsen har tiltrukket seg en masse offentlig oppmerksomhet. *I tried to attract his attention.* Jeg prøvde å tiltrekke meg hans oppmerksomhet.

attraction [ə'trækʃən] s (**a**) (*gen pl: amusements*) attraksjon *m* ❑ *There is time to visit the tourist attractions.* Vi har tid til å besøke turistattraksjonene. (**b**) (*FYS*) tiltrekningskraft *c irreg* (**c**) (= *charm, appeal: of person*) tiltrekningskraft *c irreg* (**d**) (*of house etc*) ▸ **the attraction of** det attraktive ved (**e**) (*fig: towards sb, sth*) ▸ **his attraction to her** det at han ble tiltrukket av henne

attractive [ə'træktɪv] ADJ (*man, woman*) tiltrekkende; (= *interesting: price, idea, offer*) tiltalende

attribute [*N* 'ætrɪbjuːt, *VB* ə'trɪbjuːt] 1 s egenskap *m* 2 VT ▸ **to attribute sth to sb** (**a**) (*+situation, poem, painting, remark*) tilskrive* noen noe (**b**) (*+quality, motive*) tillegge* noen noe ❑ *I shrink from attributing mean motives to anyone.* Jeg vegrer meg mot å tillegge noen dårlige motiver. ▸ **to attribute sth to sth** (*+situation, cause*) forklare (*v2*) noe med noe ❑ *The President attributed the worsening situation to guerrilla activity.* Presidenten forklarte forverringen av situasjonen med geriljavirksomheten.

attrition [ə'trɪʃən] s ▸ **war of attrition** utmattelseskrig *m*

Atty. Gen. FK = **Attorney General**

ATV s FK (= **all terrain vehicle**) terrengbil *m*

atypical [eɪ'tɪpɪkl] ADJ atypisk

aubergine ['əubəʒiːn] s (*vegetable*) aubergine *m*, eggfrukt *m*; (*colour*) aubergine

auburn ['ɔːbən] ADJ (*hair*) kastanjebrun

auction ['ɔːkʃən] 1 s auksjon *m* 2 VT auksjonere (*v2*)

auctioneer [ɔːkʃə'nɪəʳ] s auksjonarius *m*

auction room s auksjonslokale *nt*

audacious [ɔː'deɪʃəs] ADJ dristig

audacity [ɔː'dæsɪtɪ] s (**a**) (= *boldness, daring*) dristighet *m* (**b**) (*neds: impudence*) freidighet *m*, frekkhet *m* ❑ *She had the audacity to blame...* Hun hadde freidighet *or* frekkhet nok til å klandre...

audible ['ɔːdɪbl] ADJ som kan høres, hørbar

audience ['ɔːdɪəns] s (**a**) (*in theatre etc*) publikum *nt* (**b**) (*RADIO*) lyttere *pl* (**c**) (*TV*) seere *pl* (**d**) (= *public*) publikum *nt* ❑ *...the need for thinkers to communicate their ideas to a wider audience.* ...behovet for at tenkerne skal kommunisere ideene sine til et bredere publikum. (**e**) (= *interview: with queen etc*) audiens *m* ❑ *His mother begged for an audience with the governor.* Moren hans tigget om audiens hos guvernøren.

audiotypist ['ɔːdɪəu'taɪpɪst] s maskinskriver *m* (*som skriver etter diktafon*)

audiovisual ['ɔːdɪəu'vɪzjuəl] ADJ audio-visuell

audiovisual aid s audiovisuelt hjelpemiddel *nt*

audit ['ɔːdɪt] 1 VT revidere (*v2*) 2 s revisjon *m* ❑ *The company hasn't had a proper audit.* Firmaet har ikke foretatt noen skikkelig revisjon.

audition [ɔː'dɪʃən] 1 s prøve *c* 2 VI ▸ **to audition (for)** (*sing*) prøvesynge* (for);

(*play an instrument*) prøvespille (*v2x*) (for); (*act*) avlegge* prøve (for)

auditor ['ɔːdɪtəʳ] s revisor *m*

auditorium [ɔːdɪ'tɔːrɪəm] s teatersal *m*; (*for concerts*) konsertsal *m*; (*for lectures*) auditorium *nt*

Aug. FK = **August**

augment [ɔːg'mɛnt] VT (*+income etc*) (for)øke (*v2*)

augur ['ɔːgəʳ] VI ▸ **it augurs well (for)** det lover godt (for)

August ['ɔːgəst] s august *see also* **July**

august [ɔː'gʌst] ADJ (*figure, building*) ærverdig

aunt [ɑːnt] s tante *c*

auntie ['ɑːntɪ] s DIMIN *of* **aunt**

aunty ['ɑːntɪ] s DIMIN *of* **aunt**

au pair ['əu'pɛəʳ] s (*also* ***au pair girl***) au pair *m*

aura ['ɔːrə] s aura *n* ❑ *...an aura of glamour and prestige.* ...en aura av glans og prestisje.

auspices ['ɔːspɪsɪz] SPL ▸ **under the auspices of sb** under noens auspisier

auspicious [ɔːs'pɪʃəs] ADJ (*opening, start*) lovende; (*occasion*) stor

austere [ɔs'tɪəʳ] ADJ (*room, decoration*) spartansk; (*person*) puritansk; (*lifestyle, manner*) spartansk, puritansk

austerity [ɔs'tɛrɪtɪ] s (**a**) (= *simplicity*) spartansk enkelhet *m* ❑ *...the elegant austerity of these surroundings.* ...disse omgivelsenes elegante, spartanske enkelhet.
(**b**) (*ØKON: hardship*) ▸ **times of austerity** nedgangstider ❑ *As always at times of austerity, cuts were made.* Som alltid i nedgangstider ble det foretatt nedskjæringer.

Australasia [ɔːstrə'leɪzɪə] s Australasia

Australasian [ɔːstrə'leɪzɪən] ADJ australasiatisk

Australia [ɔs'treɪlɪə] s Australia

Australian [ɔs'treɪlɪən] 1 ADJ australsk
2 s (*person*) australier *m*

Austria ['ɔstrɪə] s Østerrike

Austrian ['ɔstrɪən] 1 ADJ østerriksk
2 s (*person*) østerriker *m*

AUT (*BRIT*) s FK (= **Association of University Teachers**) *fagforening*

authentic [ɔː'θɛntɪk] ADJ (*painting*) ekte; (*document*) autentisk, ekte; (*account*) autentisk

authenticate [ɔː'θɛntɪkeɪt] VT (*+painting, document*) bestemme (*v2x*) ektheten av

authenticity [ɔːθɛn'tɪsɪtɪ] s (*of painting, document, account*) ekthet *m* ❑ *He challenged the authenticity of the letter.* Han reiste tvil om brevet var ekte.

author ['ɔːθəʳ] s (**a**) (*profession*) forfatter *m* (*male, female*), forfatterinne *c* (*female*) ❑ *...Simone de Beauvoir, the French author.* ...Simone de Beauvoir, den franske forfatterinnen *or* forfatteren.
(**b**) (*of text*) forfatter *m* ❑ *...Bill Davies, author of a report on...* Bill Davies, forfatter av en rapport om...
(**c**) (= *originator: of plan, scheme*) opphavsmann *m*

authoritarian [ɔːθɔrɪ'tɛərɪən] ADJ autoritær

authoritative [ɔː'θɔrɪtətɪv] ADJ (*person, manner*) autoritativ, myndig; (*source, account, treatise*) autoritativ

authority [ɔː'θɔrɪtɪ] s (**a**) (= *power*) autoritet *m* ❑ *He had made efforts to reassert his authority over them.* Han hadde anstrengt seg for på nytt å hevde sin autoritet over dem.
(**b**) (= *expert*) autoritet *m* ❑ *She is the greatest authority on African fish.* Hun er den største autoriteten når det gjelder afrikansk fisk.
(**c**) (= *government body*) myndighetsinstans *m* ❑ *...the local authority.* ...den lokale myndighetsinstansen.
(**d**) (= *official permission*) fullmakt *c*, myndighet *c*, bemyndigelse *m* ❑ *They gave authority for Allied aircraft to cross the border.* De gav allierte fly fullmakt *or* myndighet *or* bemyndigelse til å krysse grensen.
▸ **the authorities** SPL (= *ruling body*) myndighetene
▸ **to have the authority to do sth** ha* myndighet til å gjøre* noe

authorization [ɔːθəraɪ'zeɪʃən] s autorisasjon *m*

authorize ['ɔːθəraɪz] VT autorisere (*v2*), gi* tillatelse til
▸ **to authorize sb to do sth** gi* noen fullmakt til å gjøre* noe ❑ *I am not authorized to approve payments.* Jeg har ikke fullmakt til å godkjenne utbetalinger.

authorship ['ɔːθəʃɪp] s ▸ **the letter's authorship could not be kept secret** det kunne* ikke holdes hemmelig hvem som var opphavsmann til brevet

autistic [ɔː'tɪstɪk] ADJ autistisk

auto ['ɔːtəu] (*US*) s bil *m*

autobiographical ['ɔːtəbaɪə'græfɪkl] ADJ (*novel, account*) selvbiografisk

autobiography [ɔːtəbaɪ'ɔgrəfɪ] s selvbiografi *m*

autocratic [ɔːtə'krætɪk] ADJ (*government, ruler*) eneveldig, autokratisk

autograph ['ɔːtəgrɑːf] 1 s autograf *m*
2 VT signere (*v2*)

autoimmune [ɔːtəuɪ'mjuːn] ADJ autoimmun

automat ['ɔːtəmæt] (*US*) s (= *vending machine*) automat *m*; (*US: restaurant*) automatkafé *m*

automata [ɔː'tɔmətə] SPL *of* **automaton**

automate ['ɔːtəmeɪt] VT automatisere (*v2*)

automated ['ɔːtəmeɪtɪd] ADJ (*factory, process*) automatisert

automatic [ɔːtə'mætɪk] 1 ADJ (*process, machine, reaction*) automatisk
2 s (*gun*) automatpistol *m*, automatgevær *nt*; (*washing machine*) helautomatisk vaskemaskin *m*; (*car*) bil *m* med automatgir

automatically [ɔːtə'mætɪklɪ] ADV automatisk

automatic data processing s automatisk databehandling *c*

automation [ɔːtə'meɪʃən] s automatisering *c*

automaton [ɔː'tɔmətən] (*pl* **automata**) s robot *m*

automobile ['ɔːtəməbiːl] (*US*) s bil *m*

autonomous [ɔː'tɔnəməs] ADJ (*region, area*) selvstyrt; (*organization*) selvstendig, selvstyrt; (*person*) selvstendig, autonom

autonomy [ɔː'tɔnəmɪ] s (*of organization,*) selvstendighet *m*, selvstyre *nt*; (*of person*) selvstendighet *m*, autonomi *m*; (*country*) selvstyre *nt*

autopsy ['ɔːtɔpsɪ] s obduksjon *m*, autopsi *m*

autumn ['ɔːtəm] s høst *m*
▸ **in autumn** om høsten

auxiliary [ɔːg'zɪlɪərɪ] 1 ADJ (*service, force*) hjelpe-

2 s medhjelper *m* ❑ *Nursing auxiliaries...* Pleiemedhjelpere...

AV 1 S FK (*BIBEL*) (= **Authorized Version**) *engelsk oversettelse av bibelen fra 1611, "autorisert" av kong Jakob I.*
2 FK = **audiovisual**

Av. FK = **avenue**

avail [ə'veɪl] 1 VT ▸ **to avail o.s. of** (+*offer, opportunity, service*) benytte (*v1*) seg av
2 S ▸ **to no avail** til ingen nytte

availability [əveɪlə'bɪlɪtɪ] S tilgjengelighet *c*

available [ə'veɪləbl] ADJ (**a**) (*article, service*) som finnes ❑ *Television isn't yet available here.* Det finnes ikke fjernsyn her ennå.
(**b**) (= *unoccupied*) tilgjengelig ❑ *The MP was not available for comment yesterday.* Stortingsrepresentanten var ikke tilgjengelig for kommentar i går.
(**c**) (= *unattached*) ledig ❑ *So many girls were available and willing.* Så mange jenter var ledige og villige.
(**d**) (*time*) til rådighet ❑ *I have very few days available at the moment.* Jeg har svært få* dager til rådighet for tiden.
▸ **every available means** all midler som står til rådighet
▸ **is the manager available?** er sjefen inne?
▸ **to make sth available to sb** gjøre* noe tilgjengelig for noen

avalanche ['ævəlɑːnʃ] S (*of snow*) snøskred *nt*; (*fig: of people, mail, events*) skred *nt*

avant-garde ['ævɑ̃ŋ'gɑːd] ADJ avantgardistisk

avarice ['ævərɪs] S griskhet *c*

avaricious [ævə'rɪʃəs] ADJ grisk

avdp. FK (= **avoirdupois**) *(handels)vektsystem, ett pund = 16 ouncer*

Ave. FK = **avenue**

avenge [ə'vendʒ] VT (+*person, death etc*) hevne (*v1*)

avenue ['ævənjuː] S (**a**) (*street*) aveny *m*, gate *c*
(**b**) (*tree-lined*) allé *m*, aveny *m*
(**c**) (*fig: means, solution*) mulighet *c* ❑ *We must explore every avenue before admitting defeat.* Vi må undersøke enhver mulighet før vi innrømmer at vi er slått.

average ['ævərɪdʒ] 1 S gjennomsnitt *nt*
2 ADJ gjennomsnittlig ❑ *...the average national wage.* ...gjennomsnittslønna i landet. *...the average American car...* en gjennomsnittlig amerikansk bil...
3 VT (**a**) (*in speed*) holde* en gjennomsnittsfart på
(**b**) (*in output*) ha* en gjennomsnittsproduksjon på
(**c**) (*in score*) ha* et gjennomsnittsresultat på
▸ **on average** i gjennomsnitt
▸ **above/below (the) average** over/under gjennomsnitt(et)

▸ **average out** VI ▸ **to average out at** ligge* på i gjennomsnitt ❑ *I suppose my working week averages out at about 40 hours.* Jeg antar at arbeidsuken min ligger på ca 40 timer i gjennomsnitt.

averse [ə'vɜːs] ADJ ▸ **to be averse to sth/doing sth** være* motvillig til noe/å gjøre* noe
▸ **not to be averse to sth/doing sth** ikke ha* noe imot noe/å gjøre* noe
▸ **I wouldn't be averse to a drink** jeg ville* ikke ha* noe imot en drink

aversion [ə'vɜːʃən] S motvilje *m*
▸ **to have an aversion to sb/sth** ha* motvilje mot noen/noe ❑ *...your aversion to meeting all these people.* ...din motvilje mot å møte alle disse menneskene.

avert [ə'vɜːt] VT (= *prevent: accident, war*) avverge (*v1*); (= *turn away*) ▸ **to avert one's eyes from sth** vende (*v2*) ansiktet vekk for å unngå å se på noe, se* bort fra noe

aviary ['eɪvɪərɪ] S aviarium *nt*, (stort) fuglebur *nt*

aviation [eɪvɪ'eɪʃən] S flyging *c*

avid ['ævɪd] ADJ ivrig

avidly ['ævɪdlɪ] ADV ivrig

avocado [ævə'kɑːdəu] S (*BRIT:* ***avocado pear***) avokado *m*

avoid [ə'vɔɪd] VT (+*person, obstacle, trouble, danger etc*) unngå*
▸ **to avoid doing sth** unngå* å gjøre* noe

avoidable [ə'vɔɪdəbl] ADJ unngåelig

avoidance [ə'vɔɪdəns] S (*of tax, issue*) unndragelse *m*

avowed [ə'vaud] ADJ (*believer, feminist, aim*) erklært

AVP (*US*) S FK (= **assistant vice-president**) assisterende visepresident *m*

avuncular [ə'vʌŋkjulə^r] ADJ (*expression, tone, person*) (beste)faderlig

AWACS ['eɪwæks] S FK (= **airborne warning and control system**) *militært overvåkingssystem som opereres fra fly*

await [ə'weɪt] VT (**a**) vente (*v1*) på ❑ *I retired to my study to await a call from Daley.* Jeg trakk meg tilbake til kontoret mitt for å vente på en telefon fra Daley.
(**b**) (= *be in store for*) vente (*v1*) ❑ *...the life that awaited her...* livet som ventet henne...
▸ **long awaited** (*event, opportunity*) lenge etterlengtet, som man har ventet på lenge

awake [ə'weɪk] (*pt* **awoke**, *pp* **awoken** *or* **awakened**) 1 ADJ våken ❑ *He lay awake all night...* Han lå våken hele natta...
2 VT vekke (*v1 or v2x*) ❑ *She was awakened by a loud bang.* Hun ble vekket av et kraftig smell.
3 VI våkne (*v1*) ❑ *I awoke from a deep sleep.* Jeg våknet fra en dyp søvn.
▸ **awake to** (+*dangers, possibilities*) våken for

awakening [ə'weɪknɪŋ] S (**a**) (*of emotion*) *det å gry eller våkne* ❑ *...the awakening of love for another person.* ...gryende *or* våknende kjærlighet til en annen person.
(**b**) (*of interest, opinion etc*) oppvåkning *c*

award [ə'wɔːd] 1 S (**a**) (= *prize*) pris *m* ❑ *The new library has won an architectural award.* Det nye biblioteket har vunnet en arkitekturpris.
(**b**) (*for bravery*) påskjønnelse *m*
(**c**) (*JUR: damages*) godtgjørelse *m* ❑ *He received an award of 10,000 pounds...* Han mottok en godtgjørelse på 10 000 pund...
2 VT (**a**) (+*prize*) tildele (*v2*)
(**b**) (*JUR: damages*) tilkjenne (*v2x*)

aware [ə'wɛə^r] ADJ (= *informed*) bevisst, våken ❑ *Children should be creative and aware.* Barn bør være* kreative og bevisste *or* våkne.
▸ **to be aware of** være* klar over ❑ *I was quite aware of this before we married.* Jeg var

fullstendig klar over dette før vi giftet oss.
▸ **to become aware of/that** bli* oppmerksom på/på at
▸ **politically/socially aware** politisk/sosialt bevisst
▸ **I am fully aware that** jeg er fullstendig klar over at, jeg er fullt på det rene med at

awareness [ə'weənɪs] S bevissthet *m* ❑ *...political awareness.* ...politisk bevissthet.
▸ **to develop people's awareness of** utvikle (*v1*) folks bevissthet når det gjelder

awash [ə'wɔʃ] ADJ ▸ **awash (with)** oversvømt (av) ❑ *In the monsoon the whole place is awash.* Under monsunen er hele området oversvømt (av vann). *During the mid-1960s the world was awash with dollars.* Midt på 1960-tallet var verden oversvømt av dollar.

away [ə'weɪ] ADV (**a**) (*move*) bort, vekk ❑ *He rose and walked slowly away.* Han reiste seg og gikk langsomt bort *or* vekk.
(**b**) (= *not present, not here*) borte ❑ *The consul was away at the time.* Konsulen var borte på den tiden.
▸ **it's a week/month away** det er en uke/måned til det
▸ **two kilometres away** to kilometer unna
▸ **it's two hours away by car** det tar to timer dit med bil
▸ **away from** et stykke unna ❑ *...a pleasant green picnic spot away from the city.* ...et fint grønt piknikområde et stykke unna byen.
▸ **he's away in Milan** han er i Milano
▸ **to take away (from)** (**a**) (= *remove*) ta* bort *or* vekk (fra) ❑ *Please take the tray away.* Vær så snill å ta* bort *or* vekk brettet.
(**b**) (= *subtract*) ta* bort (fra), trekke fra (fra) NB *If you take three away from six, you're left with three.* Hvis du tar bort *or* trekker tre fra seks, får du tre.
▸ **to work/pedal** *etc* **away** jobbe/tråkke *etc* i vei
▸ **to fade away** (**a**) (*colour+*) blekne (*v1*) bort
(**b**) (*sound, enthusiasm+*) dø* hen, ebbe (*v1*) ut
(**c**) (*light+*) bli* svakere og til slutt borte

away game (*SPORT*) S bortekamp *m*

awe [ɔː] S ærefrykt *m*
▸ **to be in awe of** nære (*v2*) dyp respekt for ❑ *She is in awe of his learning.* Hun nærer dyp respekt for hans lærdom.

awe-inspiring ['ɔːɪnspaɪərɪŋ] ADJ (*person, sight*) respektinngytende, ærefryktinngytende

awesome ['ɔːsəm] ADJ = **awe-inspiring**

awestruck ['ɔːstrʌk] ADJ slått av ærefrykt

awful ['ɔːfəl] ADJ (*weather, smell, shock, situation*) forferdelig, grusom, fryktelig ❑ *Isn't the weather awful?* For et forferdelig *or* grusomt *or* fryktelig vær! *...an account of that awful war.* ...en beretning om den forferdelige *or* grusomme *or* fryktelige krigen.
▸ **an awful lot (of)** (**a**) (*amount*) fryktelig mye
(**b**) (*number*) fryktelig mange

awfully ['ɔːfəlɪ] ADV fryktelig, forferdelig

awhile [ə'waɪl] ADV en stund, litt

awkward ['ɔːkwəd] ADJ (**a**) (= *clumsy: person, movement*) klossete
(**b**) (= *inconvenient*) ubeleilig ❑ *The press conference came at an awkward time for me.* Pressekonferansen kom på et ubeleilig tidspunkt for meg.
(**c**) (= *difficult: job, machine*) vrien
(**d**) (= *embarrassing: problem, situation, question*) pinlig

awkwardness ['ɔːkwədnɪs] S (= *embarrassment*) forlegenhet *m*

awl [ɔːl] S syl *m*

awning ['ɔːnɪŋ] S (*of tent, caravan*) seildukstak *nt*; (*of shop*) markise *c*; (*of hotel*) markise *c*

awoke [ə'wəuk] PRET *of* **awake**

awoken [ə'wəukən] PP *of* **awake**

AWOL ['eɪwɔl] (*MIL*) ADJ FK (= **absent without leave**) på tjuvperm

awry [ə'raɪ] ADV ▸ **to be awry** (*clothes+*) sitte* skjevt
▸ **to go awry** (*outcome, plan+*) komme* skjevt ut

axe [æks], **ax** (*US*) 1 S øks *c*
2 VT (**a**) (*+project etc*) kutte (*v1*) ut
(**b**) (*+jobs*) skjære* vekk
▸ **to have an axe to grind** (*fig*) være* ute for å mele sin egen kake ❑ *The group claimed that it had no axe to grind.* Gruppen hevdet at de ikke var ute etter å mele sin egen kake.

axes[1] ['æksɪz] SPL *of* **ax(e)**

axes[2] ['æksiːz] SPL *of* **axis**

axiom ['æksɪəm] S aksiom *nt*

axiomatic [æksɪəu'mætɪk] ADJ aksiomatisk

axis ['æksɪs] (*pl* **axes**) S akse *m* ❑ *The earth's axis...* Jordens akse... *on the Y axis.* ...på Y-aksen.

axle ['æksl] S (*also* ***axle-tree***) hjulaksel *m*

aye [aɪ] 1 INTERJ ja
2 S ▸ **the ayes** de som stemmer ja

AYH S FK (= **American Youth Hostels**) *vandrerhjem/ungdomsherberge*

AZ (*US: POST*) FK = **Arizona**

azalea [ə'zeɪlɪə] S asalea *m*

Azerbajan [æzəbaɪ'dʒɑːn] S Aserbajdsjan

Azores [ə'zɔːz] SPL ▸ **the Azores** Azorene

AZT S FK (= **azidothymidine**) *medisin som forlenger livet til aidssyke*

Aztec ['æztɛk] 1 ADJ aztekisk
2 S azteker *m*

azure ['eɪʒə[r]] ADJ asur(blå)

B

B, b [biː] s (**a**) (*letter*) B, b *m*
(**b**) (*SKOL: mark*) ≈ 5 *m*, M(eget) *m*
(**c**) (*MUS*) ▸ **B** H *m*
▸ **b flat** (*MUS*) B *m*
▸ **B for Benjamin,** (*US*) **B for Baker** B for Bernhard
▸ **B road** (*BRIT*) ≈ fylkesvei *m*
b. FK = **born**
BA S FK (= **Bachelor of Arts**) *lavere universitetsgrad i humaniora el. samfunnsfag,* cand.mag.;
(= **British Academy**) *forening som fremmer studier innen humaniora,* Videnskaps-Akademiet
babble ['bæbl] 1 VI (**a**) (*person, voices+*) bable (*v1*) ❑ *He babbled on and on about old enemies.* Han bablet i vei om gamle fiender.
(**b**) (*brook+*) klukke (*v1*)
2 S ▸ **babble of voices** babling *c*
baboon [bə'buːn] s bavian *m*
baby ['beɪbɪ] s (**a**) (= *infant*) baby *m*, (sped)barn *nt*
(**b**) (*US: sl: darling*) kjæreste *m*, skatt *m*
▸ **to have a baby** få* barn
baby carriage (*US*) s barnevogn *c*
baby grand s (*also* ***baby grand piano***) kabinettflygel *nt*
babyhood ['beɪbɪhud] s spedbarnsperiode *m*, tidligste barndom *m*
babyish ['beɪbɪɪʃ] ADJ babyaktig
baby-minder ['beɪbɪ'maɪndəʳ] (*BRIT*) s dagmamma *m*
baby-sit ['beɪbɪsɪt] VI sitte* barnevakt
baby-sitter ['beɪbɪsɪtəʳ] s barnevakt *m*
bachelor ['bætʃələʳ] s ungkar *m*
▸ **Bachelor of Arts/Science** (*person*) ≈ Cand. mag. *m*
▸ **Bachelor of Arts/Science degree** ≈ Cand. mag.-grad *m*
bachelorhood ['bætʃələhud] s ungkarsstand *m* ❑ *He seems to have resigned himself to bachelorhood.* Han ser ut til å ha* slått seg til ro i sin ungkarsstand.
bachelor party (*US*) s utdrikningslag *nt*

Bachelor's degree
En **Bachelor's degree** *er en grad man oppnår etter tre eller fire års universitetsstudier. De vanligste* Bachelor's degrees *er* **BA** *(Bachelor of Arts),* **BSc** *(Bachelor of Science),* **BEd** *(Bachelor of Education) og* **LLB** *(Bachelor of Laws); se* **doctorate, Master's degree**

---

back [bæk] 1 s (**a**) (*of person, animal*) rygg *m*
(**b**) (*of hand*) håndbak *m*
(**c**) (*of house*) bakside *c* ❑ *...a field at the back of the house.* ...et jorde på baksiden av huset.
(**d**) (*of car*) baksete *nt* ❑ *The kids sat in the back.* Ungene satt i baksetet *or* satt baki.
(**e**) (*of train*) bakerste del *m* ❑ *...coach G, towards the back of the train.* ...vogn G, bakover i toget *or* i den bakerste delen av toget.
(**f**) (*of chair*) rygg *m* ❑ *He hung his jacket on the back of the chair.* Han hengte jakken sin på stolryggen.
(**g**) (*of door*) innside *c* ❑ *Pin your food list on the back of the door.* Heng opp diettlisten din på innsiden av døren.
(**h**) (*of book*) bakerste del *m*
NB *Turn to the index at the back of the book.* Slå opp i innholdsfortegnelsen bakerst i boka.
(**i**) (*FOTB: player*) back *m*
2 VT (**a**) (*+person, group*) støtte (*v1*) ❑ *A spokesman said last night that the union would be backing Mr H.* En talsmann sa i går kveld at fagforeningen ville* støtte H.
The group is backed by big multinationals. Gruppen blir støttet av store multinasjonale selskaper.
(**b**) (= *bet on: horse*) holde* på, satse (*v1*) (penger) på ❑ *Did you back the winner?* Holdt du på *or* satset du (penger) på vinneren?
(**c**) (= *reverse: car*) rygge (*v1*) ❑ *He backed the car into the space.* Han rygget bilen inn i luken.
3 VI (*also* ***back up****: person, car etc*) rygge (*v1*) ❑ *She backed out of the driveway.* Hun rygget ut av oppkjørselen.
4 SAMMENS (**a**) (*payment, rent*) etterskudds-
NB *They owe six weeks' back rent.* De er seks uker på etterskudd med husleien.
(**b**) (*BIL: seat, wheels, garden*) bak-
(**c**) (*room*) på baksiden av huset
5 ADV tilbake ❑ *Charlie kept glancing back.* Charlie så seg stadig tilbake. *He's back* Han er tilbake *Throw the ball back* Kaste ballen tilbake *She called back* Hun ropte/ringte tilbake
▸ **at the back (of)** (*of crowd, etc*) bakerst (i)
▸ **back to front** bak fram
▸ **to break the back of a job** (*BRIT*) få* gjort (unna) det grøvste *or* verste
▸ **to have one's back to the wall** (*fig*) stå* med ryggen mot veggen
▸ **to take a back seat** (*fig*) holde* seg (beksjedent) i bakgrunnen
▸ **when will you be back?** når kommer du tilbake *or* igjen?
▸ **can I have it back?** kan jeg få* den tilbake *or* igjen?
▸ **back down** VI trekke* tilbake
▸ **back on to** VT FUS ▸ **the house backs on to the golf course** golfbanen ligger rett bak huset
▸ **back out** VI (= *withdraw*) bakke (*v1*) ut
▸ **back up** VT (**a**) (= *support: person, theory etc*) støtte (*v1*), bakke (*v1*) opp
(**b**) (*DATA*) sikkerhetskopiere (*v2*), ta* sikkerhetskopi *or* backup av
backache ['bækeɪk] s ▸ **to have a backache** ha* vondt i ryggen
backbencher ['bæk'bɛntʃəʳ] (*BRIT*) s *menig parlamentsmedlem*

back benches
Betegnelsen **back benches** *henspeiler på benkene som er plassert lengst fra midtgangen i Underhuset. Representantene som har sin faste plass på disse benkene, kalles* backbenchers, *og de har ikke ministerposter.*

backbiting ['bækbaɪtɪŋ] s baktaling *c*, baksnakking *c*
backbone ['bækbəun] s (**a**) ryggrad *m* (**b**) (= *courage*) bein *nt* i nesa (*var.* ben...) ❑ *He doesn't have the backbone to do it.* Han har ikke nok bein i nesa til å gjøre* det.
(**c**) (= *key person*) krumtapp *m*, ryggrad *m* ❑ *He's the backbone of the organization* Han er krumtappen *or* ryggraden i organisasjonen
backchat ['bæktʃæt] (*BRIT: sl*) s rappkjeftet svar *nt*, *det å svare igjen på en frekk eller rappkjeftet måte* ▸ **to give backchat** svare (*v2*) igjen ❑ *Des is the only one here who dares give any backchat.* Des er den eneste her som tør å svare igjen.
backcloth ['bækklɔθ] (*BRIT*) s (**a**) (*TEAT*) bakteppe *nt* (**b**) (*fig*) bakgrunn *m* ❑ *...against a backcloth of industrial unrest in Britain.* ...mot en bakgrunn av industriell uro i Storbritannia.
backcomb, **back-comb** ['bækkəum] (*BRIT*) VT tupere (*v2*)
backdate [bæk'deɪt] VT (**a**) (+*pay rise*) gi* tilbakevirkende kraft ❑ *The pay rise is 4 per cent, backdated to January.* Lønnsøkningen er på 4 prosent, med tilbakevirkende kraft fra januar.
(**b**) (+*letter, cheque*) antedatere (*v2*), tilbakedatere (*v2*)
▸ **backdated pay rise** lønnsøkning *m* med tilbakevirkende kraft
backdrop ['bækdrɔp] s = **backcloth**
backer ['bækəʳ] s støtte *m*
backfire [bæk'faɪəʳ] VI (*BIL*) slå* tilbake; (*plans+*) slå* feil
backgammon ['bækgæmən] s backgammon *m*
background ['bækgraund] [1] s (*gen, COMPUT*) bakgrunn *m* ❑ *In the background is a tall cypress tree.* I bakgrunnen står det et høyt sypresstre. *...the economic background to the present political crisis.* ...den økonomiske bakgrunnen for den nåværende politiske krisen. *We looked pretty closely into her background.* Vi undersøkte bakgrunnen hennes ganske nøye.
[2] SAMMENS (*noise, music*) bakgrunns-
▸ **family background** familiebakgrunn *m*
▸ **background reading** bakgrunnslitteratur *m* ❑ *I haven't done the background reading for tomorrow's lecture.* Jeg har ikke lest bakgrunnslitteraturen til forelesningen i morgen.
backhand ['bækhænd] (*TENNIS etc*) s backhand *c* ❑ *...a backhand return.* ...en retur med backhand.. ...en backhand-retur
backhanded ['bæk'hændɪd] ADJ (*fig: compliment*) tvetydig, tvilsom
backhander ['bæk'hændəʳ] (*BRIT: sl*) s (= *bribe*) smøring *c*
backing ['bækɪŋ] s (**a**) (*MERK*) støtte *m* ❑ *The bid has the backing of the directors.* Budet har støtte fra direktørene.
(**b**) (*layer*) bakside *c* ❑ *These maps with a cloth backing last longer.* Disse kartene med stoff på baksiden varer lenger.
(**c**) (*MUS*) backing *m* ❑ *...a backing group.* ...en backinggruppe.
backlash ['bæklæʃ] s tilbakeslag *nt* ❑ *...a backlash against the government.* ...et tilbakeslag mot regjeringen.
backlog ['bæklɔg] s ▸ **backlog of work** etterslep *nt*
back number s (*of magazine etc*) tidligere *or* gammelt nummer *nt*
backpack ['bækpæk] s ryggsekk *m*
backpacker ['bækpækəʳ] s ryggsekkturist *m*
back pay s etterbetaling *c*, utestående lønn *m*
backpedal ['bækpɛdl] VI (*fig*) ro (*v4*) ❑ *I saw that my remark had offended them, so I tried to backpedal.* Jeg så at bemerkningen min hadde fornærmet dem, så jeg prøvde å ro.
backseat driver s baksetesjåfør *m*
backside ['bæksaɪd] (*sl*) s bak *m* ❑ *He landed on his backside.* Han landet på baken.
backslash ['bækslæʃ] s backslash *m*, omvendt skråstrek *m*
backslide ['bækslaɪd] VI falle* tilbake til gamle synder
backspace ['bækspeɪs] VI tilbakeslag *nt*
backstage [bæk'steɪdʒ] ADV bak scenen *or* kulissene
backstreet ['bækstri:t] [1] s bakgate *c*
[2] SAMMENS ▸ **backstreet abortionist** *en som foretar illegale aborter*
backstroke ['bækstrəuk] s ryggkrål *m*
backtrack ['bæktræk] VI (*fig*) gå* tilbake ❑ *They appeared to backtrack on their original demands.* De så ut til å gå* tilbake på sine opprinnelige krav.
backup ['bækʌp] [1] ADJ (**a**) (*staff, services*) støtte- ❑ *...a vast back-up team.* ...et enormt støtteapparat.
(**b**) (*DATA*) sikkerhets-
[2] s (= *support*) støtte *m*, oppbakking *c* ❑ *...the tremendous technological back-up which each mission required.* ...den veldige teknologiske støtten *or* oppbakkingen som hvert oppdrag krevde.
▸ **backup disk** diskett *m* til sikkerhetskopier
▸ **backup file** sikkerhetsfil *m*
backward ['bækwəd] ADJ (**a**) (*movement*) tilbake, bakover ❑ *Without a word or a backward glance...* Uten et ord eller et blikk tilbake *or* bakover...
(**b**) (*fig: step*) tilbake *after noun* ❑ *This latest policy is a backward step.* Denne siste politikken er et skritt tilbake *or* tilbakeskritt.
(**c**) (*neds: person, country*) tilbakestående ❑ *...the backward nomadic hunting societies.* ...de tilbakestående nomadiske jegersamfunnene.
backwards ['bækwədz] ADV (**a**) (*move*) baklengs, bakover
(**b**) (*fig*) bakover, tilbake ❑ *This is a step backwards technologically.* Dette er et skritt bakover *or* tilbake teknologisk sett.
(**c**) (*in time*) tilbake, bakover ❑ *Some people*

prefer to look backwards to the past. Noen mennesker foretrekker å se tilbake til *or* bakover på fortiden.
▸ **to move backwards and forwards** bevege (*v1*) seg bakover og forover, bevege seg fram og tilbake
▸ **to know sth backwards** *or (US)* **backwards and forwards** kunne* noe forlengs og baklengs
backwater [ˈbækwɔːtəʳ] s (*fig*) bakevje *c* ❑ *...a cultural backwater.* ...en kulturell bakevje.
backyard [bækˈjɑːd] s bakgård *m*
bacon [ˈbeɪkən] s bacon *nt*
bacteria [bækˈtɪərɪə] SPL bakterier *pl*
bacteriology [bæktɪərɪˈɔlədʒɪ] s bakteriologi *m*
bad [bæd] ADJ (**a**) (= *evil: person*) slem, dårlig
(**b**) (= *naughty: child*) slem, uskikkelig
(**c**) (= *unacceptable, poor*) dårlig
(**d**) (= *serious: mistake, accident, injury*) alvorlig
(**e**) (*news*) dårlig
(**f**) (= *painful: back, arm*) vond ❑ *The wooden bed was good for his bad back.* Tresengen var god for den vonde ryggen hans.
(**g**) (= *gone off: food, milk*) dårlig
▸ **to go bad** (*food, milk+*) bli* dårlig
▸ **I feel bad about it** (= *guilty*) jeg er lei (meg) for det
▸ **in bad faith** i ond tro
▸ **to be bad for** være* skadelig for, ikke være* bra for ❑ *Candy is bad for your teeth.* Sukkertøy er skadelig *or* ikke bra for tennene dine.
▸ **to be bad at** være* dårlig i ❑ *I've always been terribly bad at languages.* Jeg har alltid vært forferdelig dårlig i språk.
▸ **not bad** ikke dårlig, ikke verst ❑ *Not bad for a beginner.* Ikke dårlig *or* verst for en nybegynner.
bad debt s uerholdelig fordring *m* ❑ *I wrote off six thousand dollars worth of bad debts.* Jeg avskrev seks tusen dollar i uerholdelige fordringer.
baddy [ˈbædɪ] (*sl*) s skurk *m*
bade [bæd] PRET *of* **bid**
badge [bædʒ] s (**a**) (*of school etc*) merke *nt*, emblem *nt*
(**b**) (*of policeman*) skilt *nt*
(**c**) (*stick-on, sew-on*) merke *nt*
(**d**) (*fig: of power etc*) kjennemerke *nt*, kjennetegn *nt* ❑ *Wisdom is the badge of maturity.* Visdom er kjennemerket *or* kjennetegnet på modenhet.
badger [ˈbædʒəʳ] 1 s grevling *m*
2 VT mase (*v2*) på, plage (*v1*) ❑ *They used to badger him with questions.* De pleide å mase på *or* plage ham med spørsmål.
badly [ˈbædlɪ] ADV (*work, dress, go etc*) dårlig ❑ *It was badly organized.* Det var dårlig organisert.
▸ **to think badly of sb/sth** fordømme (*v2x*) noe/noen
▸ **to reflect badly on sb/sth** stille (*v2x*) noe/noen i et dårlig lys
▸ **badly wounded** alvorlig såret
▸ **he needs the money badly** han trenger pengene sårt
▸ **to be badly off (for money)** ha* dårlig med penger, være* dårlig stilt
bad-mannered [ˈbædˈmænəd] ADJ uoppdragen
badminton [ˈbædmɪntən] s badminton *m*
bad-tempered [ˈbædˈtɛmpəd] ADJ (*person: by nature*) grinet(e), humørsyk; (*on one occasion*) i dårlig humør
baffle [ˈbæfl] VT forbløffe (*v1*), forundre (*v1*)
baffling [ˈbæflɪŋ] ADJ forunderlig, besynderlig
bag [bæg] 1 s (**a**) (*made of paper, plastic*) pose *m*
(**b**) (= *handbag*) veske *c*
(**c**) (= *satchel*) bag *m*, veske *c*
(**d**) (= *suitcase*) koffert *m*
(**e**) (*neds: woman*) megge *f*, hurpe *f* ❑ *She's such a stupid old bag!* Hun er sånn ei dum gammel megge *or* hurpe!
2 VT (= *kill: animal, bird*) nedlegge* ❑ *General Culling bagged a tiger today.* General Culling nedla en tiger i dag.
▸ **bags of** (*sl: lots of*) massevis av, masser av ❑ *There's bags of room.* Det er massevis *or* masser av plass.
▸ **to pack one's bags** pakke (*v1*) sakene sine
▸ **bags under the eyes** poser under øynene
bagful [ˈbægful] s veske *c*, bag *m* NB *...three bagfuls of old clothes.* ...tre vesker *or* bager fulle av gamle klær.
baggage [ˈbægɪdʒ] s bagasje *m*
baggage car (*US*) s godsvogn *c*
baggage claim s bagasjeutlevering *c*
baggy [ˈbægɪ] ADJ (*suit, trousers*) poset(e)
Baghdad [bægˈdæd] s Bagdad
bag lady (*især US*) s baglady *m*
bagpipes [ˈbægpaɪps] SPL sekkepipe *c*
bag-snatcher [ˈbægsnætʃəʳ] (*BRIT*) s veskenapper *m*
Bahamas [bəˈhɑːməz] SPL ▸ **the Bahamas** Bahamas
Bahrain [bɑːˈreɪn] s Bahrain
bail [beɪl] s (**a**) (*JUR: payment*) kausjon *m*
(**b**) (= *release*) løslatelse *m* mot kausjon ❑ *Bail was set at half a million dollars.* Kausjonen ble satt til en halv million dollar. *Bail was denied.* Løslatelse mot kausjon ble nektet.
▸ **grant bail (to)** løslate* (noen) mot kausjon
▸ **on bail** løslatt mot kausjon
▸ **to be released on bail** bli* løslatt mot kausjon
VI (*also* **bail out**: *on boat*) øse (*v2*) ❑ *They began bailing with their helmets.* De begynte å øse med hjelmene sine.
see also **bale**
▸ **bail out** VT (**a**) (*+prisoner*) kausjonere (*v2*) for
(**b**) (*+firm, industry, friend*) redde (*v1*)
bailiff [ˈbeɪlɪf] s (*JUR: BRIT*) ≈ namsmann *m irreg*; (*US*) rettsbetjent *m*; (*BRIT: agent*) godsforvalter *m*
bait [beɪt] 1 s (**a**) (*for fish*) agn *nt*
(**b**) (*for animal*) åte *m or nt*, lokkemat *m*
(**c**) (*for criminal etc*) lokkemat *m*, agn *nt* ❑ *He's using my papers as bait.* Han bruker papirene mine som lokkemat *or* agn.
2 VT (**a**) (*+hook, trap*) agne (*v1*) ❑ *Bait the hook with a raisin.* Agne kroken med en rosin.
(**b**) (= *tease: person*) tirre (*v1*), terge (*v1*) ❑ *Lucy seemed to take a delight in baiting him.* Lucy så ut til å fryde seg over å tirre *or* terge ham.
bake [beɪk] 1 VT (**a**) (*+potatoes*) bake (*v2*)
(**b**) (*+cake*) steike (*v2*) (*var:* steke)
(**c**) (*prepare and cook*) bake (*v2*)
(**d**) (*TEKN: clay etc*) brenne (*v2x*)
2 VI (**a**) (*bread etc+*) bli* ste(i)kt

(**b**) (= *make cakes etc: person*) bake (*v2*) ❑ ***I spent the afternoon baking.*** Jeg bakte hele ettermiddagen.

baked beans SPL tomatbønner *pl*

baker ['beɪkəʳ] s baker *m*

baker's dozen s tretten

bakery ['beɪkərɪ] s (*building*) bakeri *nt*

baking ['beɪkɪŋ] 1 s (**a**) (*act*) baking *c* ❑ ***One of my hobbies is baking.*** En av hobbyene mine er baking.
(**b**) (*cakes etc*) bakst *m* ❑ ***She left the baking on the table to cool down.*** Hun satte baksten på bordet for at den skulle* kjølne.
2 ADJ (*sl: hot*) brennhe(i)t ❑ ***He stared out across the baking roofs of Rome.*** Han stirret ut over Romas brennhe(i)te tak.
▸ **baking hot** brennhe(i)t ❑ ***...a baking hot day.*** ...en brennhe(i)t dag.

baking powder s bakepulver *nt*

baking tin s (*for cake*) kakeform *c*; (*for meat*) ste(i)keform *c*

baking tray s ste(i)kebrett *nt*

balaclava [bælə'klɑːvə] s (*also* ***balaclava helmet***) balaklava *m, strikket hette som dekker hodet og halsen, men ikke ansiktet*

balance ['bæləns] 1 s (**a**) (= *equilibrium*) balanse *m*, likevekt *m* ❑ ***She lost her balance...*** Hun mistet balansen...
(**b**) (*FIN: sum*) saldo *m*
(**c**) (= *remainder*) restbeløp *nt* ❑ ***He asked the amount of his current balance.*** Han spurte etter saldobeløpet sitt. ***You will be given the balance as a cash payment.*** Du vil få* restbeløpet kontant utbetalt.
(**d**) (= *scales*) skålvekt *m*
2 VT (**a**) (*+object, budget, account*) balansere (*v2*) ❑ ***An ashtray was balanced on the arm of her chair.*** Et askebeger var balansert på armlenet på stolen hennes.
(**b**) (*+pros and cons*) veie (*v3*) ❑ ***You have to balance the pros and cons here.*** Du må veie fordelene og ulempene her.
(**c**) (= *compensate*) oppveie (*v3*) ❑ ***...escapism is balanced by more practical items.*** ...virkelighetsflukt blir oppveid av mer praktiske ting.
(**d**) (= *make equal*) balansere (*v2*), avstemme (*v2x*) ❑ ***Demand and supply could be balanced.*** Tilbud og etterspørsel kunne* bli* balansert *or* avstemt.
3 VI (*person, object+*) balansere (*v2*) ❑ ***Balancing on one leg is an excellent exercise.*** Å balansere på ett bein er en glimrende øvelse.
▸ **to lose one's balance** miste (*v1*) balansen *or* likevekten
▸ **on balance** etter nøye avveininger, ved nærmere overveielser
▸ **balance of trade/payments** handelsbalanse/betalingsbalanse *m*
▸ **balance carried forward** (*MERK*) overført saldo *m*
▸ **balance brought forward** (*MERK*) overført saldo *m*
▸ **to balance the books** (*MERK*) gjøre* opp bøkene

balanced ['bælənst] ADJ (= *unbiased: report*) balansert; (= *calm: personality*) (av)balansert; (*diet*) (av)balansert

balance sheet s statusoppgjør *nt*

balance wheel s balansehjul *nt*

balcony ['bælkənɪ] s (*gen, also theatre*) balkong *m*

bald [bɔːld] ADJ (*head, person*) skallet; (*tyre*) blankslitt; (*statement*) likefram, (svært) direkte

baldness ['bɔːldnɪs] s skallethet *m*

bale [beɪl] s (*of papers etc*) balle *m*
▸ **bale out** 1 VI (*of a plane*) hoppe (*v1*) ut (i fallskjerm)
2 VT (*+water, boat*) øse (*v2*)

Balearic Islands [bælɪ'ærɪk-] SPL ▸ **the Balearic Islands** Balearene

baleful ['beɪlful] ADJ (*glance, influence*) ondskapsfull

balk [bɔːk] VI ▸ **to balk (at)** (**a**) (*person+*) vegre (*v1*) seg (mot) ❑ ***I balked at cleaning the lavatory.*** Jeg vegret meg mot å gjøre* rent på toalettet.
(**b**) (*horse+*) bråstoppe (*v1*), refusere (*v2*) ❑ ***My horse balked at the high fence.*** Hesten min bråstoppet *or* refuserte foran det høye gjerdet.

Balkan ['bɔːlkən] 1 ADJ Balkan-
2 s ▸ **the Balkans** Balkan

ball [bɔːl] s (**a**) (= *for football, tennis, golf*) ball *m*
(**b**) (*of wool, string*) nøste *nt*
(**c**) (= *dance*) ball *nt*
▸ **to set the ball rolling** (*fig: get things started*) få* snøballen til å rulle
▸ **to play ball (with sb)** (*fig*) samarbeide (*v1*) (med noen)
▸ **to be on the ball** (**a**) (*fig: competent*) være* årvåken ❑ ***...a reputation for being on the ball...*** et ry for å være* årvåken...
(**b**) (= *alert*) våken, oppmerksom ❑ ***You're on the ball this morning.*** Du er våken *or* oppmerksom i formiddag.
▸ **the ball is in their court** (*fig*) nå er det deres tur, nå er det opp til dem

ballad ['bæləd] s (*poem, song*) ballade *m*

ballast ['bæləst] s (*on ship, balloon*) ballast *m*

ball bearings SPL kulelager *nt sg*

ballcock ['bɔːlkɔk] s flottørkran *m*

ballerina [bælə'riːnə] s ballerina *m*

ballet ['bæleɪ] s ballett *m* ❑ ***...the elegance of classical ballet.*** ...elegansen i klassisk ballett. ***...a ballet by Michel Fokine.*** ...en ballett av Michel Fokine.

ballet dancer s ballettdanser *m*

ballistic [bə'lɪstɪk] ADJ ballistisk

ballistic missile s ballistisk rakett *m*

ballistics [bə'lɪstɪks] s ballistikk *m*

balloon [bə'luːn] s (*child's*) ballong *m*; (= *hot air balloon*) ballong *m*; (*in comic strip*) boble *c*

balloonist [bə'luːnɪst] s ballongfarer *m*

ballot ['bælət] s (hemmelig) avstemning *c* ❑ ***The workforce voted for a strike in a secret ballot.*** Arbeidsstokken stemte for streik i en hemmelig avstemning.

ballot box s (**a**) valgurne *c*
(**b**) (*fig*) demokratiske midler *pl* ❑ ***Social change can be achieved through the ballot box.*** Sosiale forandringer kan oppnås ved demokratiske midler.

ballot paper s stemmeseddel *m*

ballpark ['bɔːlpɑːk] (*US*) s baseballbane *m*

ballpark figure (*sl*) s cirkatall *nt* ❑ *I don't need the exact sum, just give me a ballpark figure.* Jeg trenger ikke den eksakte summen, bare gi* meg et cirkatall.
ballpoint (pen) ['bɔːlpɔɪnt-] s kulepenn *m*
ballroom ['bɔːlrum] s ballsal *m*
▸ **ballroom dancing** selskapsdans *m*
balls [bɔːlz] (*sl!*) SPL (= *testicles*) baller *pl* (*sl!*) ❑ *It hit him right in the balls.* Det traff ham rett i ballene.
balm [bɑːm] s (*oil*) balsam *m*
balmy ['bɑːmɪ] ADJ (*breeze, air*) mild og behagelig; (*BRIT: sl*) = **barmy**
BALPA ['bælpə] S FK (= **British Airline Pilots' Association**) *fagforening*
balsam ['bɔːlsəm] s balsam *m*
balsa (wood) ['bɔːlsə-] s balsa *m*, balsatre *nt*
Baltic ['bɔːltɪk] s ▸ **the Baltic (Sea)** Østersjøen
balustrade [bæləs'treɪd] s balustrade *m*
bamboo [bæm'buː] s bambus *m*
bamboozle [bæm'buːzl] (*sl*) VT lure (*v2*), forlede (*v1*) ❑ *Their sermons were intended to bamboozle people into obedience.* Prekenene deres var ment for å lure *or* forlede folk til å adlyde.
ban [bæn] 1 s (= *prohibition*) forbud *nt* ❑ *There was no ban on smoking.* Det var ikke noe forbud mot å røyke.
2 VT (= *prohibit*) forby* ❑ *McEwan's play was banned by the BBC.* McEwans skuespill ble forbudt av BBC.
▸ **to be banned from driving** (*BRIT*) få* forbud mot å kjøre
banal [bə'nɑːl] ADJ (*remark, idea, situation*) banal
banana [bə'nɑːnə] s banan *m*
band [bænd] s (**a**) (= *group*) flokk *m* ❑ *...a small band of revolutionaries.* ...en liten flokk av revolusjonære.
(**b**) (*MUS: jazz, rock, etc*) band *nt*
(**c**) (*military etc*) korps *nt*
(**d**) (*strip*) bånd *nt* (*var:* band) ❑ *...a panama hat with a red band.* ...en panamahatt med rødt bånd.
(**e**) (*painted stripe*) stripe *c*
(**f**) (= *range*) gruppe *c*, klasse *m* ❑ *This disease occurs within a very narrow age band.* Denne sykdommen opptrer bare innenfor en svært liten aldersgruppe *or* aldersklasse.
▸ **band together** VI flokke (*v1*) seg sammen ❑ *Groups of women banded together to talk about liberation.* Grupper av kvinner flokket seg sammen for å snakke om kvinnefrigjøring.
bandage ['bændɪdʒ] 1 s bandasje *m*
2 VT bandasjere (*v2*)
Band-Aid ['bændeɪd]® (*US*) s plaster *nt*
B & B S FK = **bed and breakfast**
b & b S FK = **B & B**
bandit ['bændɪt] s banditt *m*
bandstand ['bændstænd] s musikkpaviljong *m*
bandwagon ['bændwægən] s ▸ **to jump on the bandwagon** (*fig*) bli* med på lasset, hive* seg på bølgen
bandy ['bændɪ] VT (*+jokes, insults, ideas*) kaste (*v1*) ❑ *...ideas bandied to and fro between producer and writer.* ...ideer som blir kastet fram og tilbake mellom produsent og forfatter.
▸ **bandy about** VT (*+words, insults*) slenge (*v2*) ut (*sl*), kaste (*v1*) fram
bandy-legged ['bændɪ'lɛgɪd] ADJ hjulbe(i)nt
bane [beɪn] s ▸ **it/he is the bane of my life** det/han er mitt livs forbannelse
bang [bæŋ] 1 s (**a**) (= *sound*) smell *nt* ❑ *She slammed the drawer shut with a loud bang.* Hun slengte igjen skuffen med et høyt smell. *They cover their ears and wait for the bang.* De holder seg for ørene og venter på smellet.
(**b**) (= *blow*) slag *nt* ❑ *I got a nasty bang on the head.* Jeg fikk et stygt slag i hodet.
2 INTERJ pang ❑ *Bang! Bang! You're dead!* Pang! Pang! Du er død!
3 VT (**a**) (*+door*) smelle (*v2x*) med ❑ *Don't bang the door!* Ikke smell med døren!
(**b**) (*+one's head etc*) slå* ❑ *I bang my head against that shelf every time I sit back.* Jeg slår hodet mot den hyllen hver gang jeg lener meg tilbake.
4 VI (**a**) (*door+*) smelle (*v2x*) igjen
(**b**) (*fireworks+*) smelle (*v2x*)
5 ADV ▸ **to be bang on time** (*BRIT: sl*) være* (der) på slaget
▸ **to bang at the door** dundre (*v1*) på døren
▸ **to bang into sth** smelle (*v2x*) inn i noe
banger ['bæŋəʳ] (*BRIT: sl*) s (*car*) skranglekasse *c*; (= *sausage*) pølse *c*; (*firework*) kinaputt *m*
Bangkok [bæŋ'kɔk] s Bangkok
Bangladesh [bæŋglə'dɛʃ] s Bangladesh
bangle ['bæŋgl] s armring *m*
bangs [bæŋz] (*US*) SPL (= *fringe*) lugg *m*
banish ['bænɪʃ] VT (**a**) (= *exile: person*) forvise (*v2*) ❑ *She was banished from the country.* Hun ble forvist fra landet.
(**b**) (*+thought*) forkaste (*v1*)
banister(s) ['bænɪstə(z)] S(PL) rekkverk *nt*
banjo ['bændʒəu] (*pl* **banjoes** *or* **banjos**) s banjo *m*
bank [bæŋk] 1 s (**a**) (*FIN: building, institution*) bank *m*
(**b**) (*blood bank, data bank*) bank *m* ❑ *...access to huge banks of public data.* ...tilgang til enorme banker med offentlige data.
(**c**) (*of river, lake*) bredd *m* ❑ *He followed the man along the river bank.* Han fulgte mannen langs elvebredden.
(**d**) (*of earth*) forhøyning *c* ❑ *...up the bank to the road.* ...oppover forhøyningen til veien.
(**e**) (*of switches*) rad *m* ❑ *...the banks of levers and switches.* ...radene med spaker og brytere.
2 VI (**a**) (*AVIAT*) krenge (*v1*) ❑ *The plane banked steeply.* Flyet krenget kraftig.
(**b**) (*MERK*) ▸ **they bank with Pitt's** de har Pitts som bankforbindelse, banken de bruker er Pitts.
▸ **bank on** VT FUS (= *rely on*) stole (*v2*) på ❑ *I was banking on your coming today.* Jeg stolte på at du kom i dag.
bank account s bankkonto *m*
bank balance s saldo *m* (i banken)
bank card s bankkort *nt*
bank charges (*BRIT*) SPL bankgebyr *nt*
bank draft s bankanvisning *m*
banker ['bæŋkəʳ] s bankier *m*
banker's card (*BRIT*) s = **bank card**
banker's order (*BRIT*) s fast oppdrag *nt*

bank giro s bankgiro *m*
bank holiday (*BRIT*) s offentlig fridag *m*

> *En* **bank holiday** *i Storbritannia er en fridag som vanligvis faller på en mandag, og som dermed muliggjør en langhelg. Trafikken på veiene og reisning med offentlig transport øker betydelig på disse tidspunktene. De viktigste* bank holidays, *utenom jul og påske, er i begynnelsen av mai og i slutten av august.*

banking ['bæŋkɪŋ] s (*profession*) bankvirksomhet *m*; (*system*) bankvesen *nt*
banking hours SPL bankenes åpningstid *c sg*
bank loan s banklån *nt*
bank manager s banksjef *m*
banknote ['bæŋknəut] s pengeseddel *m*
bank rate s utlånsrente *c*
bankrupt ['bæŋkrʌpt] [1] ADJ (*person, organization*) konkurs, fallitt, bankerott
[2] s (*person*) fallert *m* (person), person *m* som har spilt fallitt
▸ **to go bankrupt** gå* konkurs *or* fallitt
▸ **to be bankrupt** være* konkurs, være* fallitt
bankruptcy ['bæŋkrʌptsɪ] s (*MERK*) konkurs *m*, fallitt *m*; (*fig: moral, ideological*) fallitt
bank statement s kontoutskrift *m*
banner ['bænəʳ] s (*for decoration, advertising*) banner *nt*; (*in demonstration*) fane *m*, banner *nt*
banner headline s kjempeoverskrift *m*
bannister(s) ['bænɪstə(z)] S(PL) = **banister(s)**
banns [bænz] SPL lysning *m* ❑ *We were wed without even posting the banns.* Vi ble gift uten en gang å ta* ut lysning.
banquet ['bæŋkwɪt] s bankett *m*
bantamweight ['bæntəmweɪt] s bantamvekt *c*
banter ['bæntəʳ] s tøysing *c*, løssnakk *nt* ❑ *...some routine banter about their wives.* ...den sedvanlige tøysingen *or* det sedvanlige løssnakket om konene sine.
BAOR S FK (= **British Army of the Rhine**) *britiske tropper i Tyskland*
baptism ['bæptɪzəm] s dåp *m*
Baptist ['bæptɪst] s baptist *m*
baptize [bæp'taɪz] VT døpe (*v2*)
bar [bɑːʳ] [1] s (**a**) (= *place for drinking*) bar *m*
(**b**) (= *counter*) bardisk *m*
(**c**) (= *rod: of metal etc*) stang *m* ❑ *...an iron bar.* ...en jernstang.
(**d**) (*on window etc*) sprinkel *m*, sprosse *c* ❑ *We shook hands through the bars.* Vi tok hverandre i hånden gjennom sprinklene *or* sprossene.
(**e**) (= *tablet: of soap*) stykke *nt*
(**f**) (*of chocolate*) plate *c*
(**g**) (*fig: obstacle*) hindring *c*, sperre *m* ❑ *This was no bar to anyone who wanted to emigrate.* Dette var ingen hindring *or* sperre for dem som ønsket å emigrere.
(**h**) (= *prohibition*) sperre *m* ❑ *There should be a bar on people coming across...* Det burde være* en sperre mot folk som kommer over...
(**i**) (*MUS*) takt *c*
[2] VT (**a**) (*+way, road*) sperre (*v1*) ❑ *...one of his bodyguards barred the way.* ...en av livvaktene hans sperret veien.
(**b**) (*+door, window*) stenge (*v2*) for
(**c**) (*+person*) utestenge (*v2*) ❑ *The leader of the sect was barred from Britain.* Sektlederen ble utestengt fra Storbritannia.
(**d**) (*+activity*) (for)hindre (*v1*) ❑ *...restrictions barring the use of such weapons.* ...restriksjoner som (for)hindrer bruken av slike våpen.
▸ **a bar of chocolate** en sjokolade(plate)
▸ **a bar of soap** en såpe, et såpestykke
▸ **behind bars** (*prisoner*) bak murene
▸ **the Bar** (*JUR: profession*) advokatstand *m*
▸ **bar none** uten sidestykke ❑ *...the fastest sprinter in the world, bar none.* ...den raskeste sprinteren i verden, uten sidestykke.
Barbados [bɑː'beɪdɔs] s Barbados
barbaric [bɑː'bærɪk] ADJ (= *uncivilized, cruel*) barbarisk ❑ *How can you approve of the barbaric sport of hunting?* Hvordan kan du godta den barbariske sporten som jakt er?
barbarous ['bɑːbərəs] ADJ barbarisk ❑ *...the most barbarous and inhuman atrocities.* ...de mest barbariske og umenneskelige grusomheter.
barbecue ['bɑːbɪkjuː] s (= *cooking device*) (ute)grill *m*; (*meal, party*) grillfest *m*
barbed wire ['bɑːbd-] s piggtråd *m*
barber ['bɑːbəʳ] s barberer *m*
barbiturate [bɑː'bɪtjurɪt] s barbiturat *nt*
Barcelona [bɑːsə'ləunə] s Barcelona
bar chart s stolpediagram *nt*, søylediagram *nt*
bar code s (*on goods*) strekkode *m*
bare [bɛəʳ] [1] ADJ (**a**) (= *naked*) bar, naken ❑ *...splinters in her bare feet.* ...splinter i de bare *or* nakne føttene hennes. *...a hilly patch of bare rock.* ...en bakkete flekk med bart *or* nakent fjell.
(**b**) (*minimum, necessities*) absolutt ❑ *Two hundred is the bare minimum.* To hundre er det absolutte minimum.
[2] VT (= *reveal: one's body, teeth*) blotte (*v1*) ❑ *He bared his left arm.* Han blottet den venstre armen sin.
▸ **the bare essentials** det absolutt nødvendige
▸ **to bare one's soul** blottlegge* sjelen sin
bareback ['bɛəbæk] ADV uten sal, barbak
barefaced ['bɛəfeɪst] ADJ (*lie, cheek*) skamløs
barefoot ['bɛəfut] ADJ, ADV barbe(i)nt
bareheaded [bɛə'hɛdɪd] ADJ, ADV barhodet
barely ['bɛəlɪ] ADV knapt, bare så vidt ❑ *He was so drunk that he could barely stand.* Han var så full at han knapt *or* bare så vidt kunne* stå.
Barents Sea ['bærənts-] s ▸ **the Barents Sea** Barentshavet
bargain ['bɑːgɪn] [1] s (**a**) (= *deal, agreement*) avtale *m* ❑ *You keep your part of the bargain, and I'll keep mine.* Hvis du holder din del av avtalen, skal jeg holde min.
(**b**) (= *good buy*) godt kjøp *nt*, røverkjøp *nt*
[2] VI (**a**) (= *haggle: buyer*) prute (*v1*), kjøpslå*
(**b**) (*seller+*) kjøpslå*
(**c**) (= *negotiate*) ▸ **to bargain (with sb)** forhandle (*v1*) (med noen) ❑ *Trade unions bargain with employers for better conditions.* Fagforeninger forhandler med arbeidsgivere om bedre vilkår.
▸ **to drive a hard bargain** drive* hard forretning

▸ **into the bargain** ovenikjøpet ❑ *She was an exceptional woman and a beautiful one into the bargain.* Hun var en enestående kvinne og vakker i tillegg.

▸ **bargain for** VT FUS ▸ **he got more than he bargained for** han fikk mer enn han hadde tenkt seg

bargaining ['bɑːgənɪŋ] s kjøpslåing *c*, hestehandel *m* ❑ *...the kind of bargaining that goes on in industry.* ...all den kjøpslåingen *or* hestehandelen som foregår i næringslivet.

bargaining position s forhandlingsposisjon *m*

barge [bɑːdʒ] s (**a**) (*boat*) lekter *m*
(**b**) (*smaller*) pram *m*

▸ **barge in** VI buse (*v2*) inn ❑ *They barged in without knocking.* De buste inn uten å banke på. *I'm sorry to barge in on you like this.* Jeg beklager å buse inn til dere på denne måten.

▸ **barge into** VT FUS (**a**) (*+room*) buse (*v2*) inn i, komme* busende inn i
(**b**) (*= bump into: person*) skumpe (*v1*) borti ❑ *People are always barging into you in town.* I byen skumper folk borti deg hele tiden.

bargepole ['bɑːdʒpəul] s ▸ **I wouldn't touch it with a bargepole** jeg ville* ikke ta* i den med en ildtang

baritone ['bærɪtəun] s baryton *m*

barium meal ['bɛərɪəm-] (*MED*) s bariumgrøt *m*

bark [bɑːk] [1] s (**a**) (*of tree*) bark *m*
(**b**) (*of dog*) bjeffing *c*
[2] VI (*dog+*) bjeffe (*v1*)
▸ **she's barking up the wrong tree** hun er på villspor, hun er (langt ute) på viddene

barley ['bɑːlɪ] s bygg *m or nt*

barley sugar s knekk *m*

barmaid ['bɑːmeɪd] s barpike *m*

barman ['bɑːmən] *irreg* s barmann *m irreg*, bartender *m*

barmy ['bɑːmɪ] (*BRIT: sl*) ADJ sprø (*sl*), gæren (*sl*)

barn [bɑːn] s låve *m*

barnacle ['bɑːnəkl] s rankeføtting *m*

barn owl s tårnugle *c*

barometer [bə'rɔmɪtəʳ] s barometer *nt*

baron ['bærən] s (*nobleman, businessman*) baron *m* ❑ *...the papers controlled by the press barons.* ...avisene som blir kontrollert av pressebaroner.

baroness ['bærənɪs] s baronesse *c*

baronet ['bærənɪt] s baronett *m*

barracking ['bærəkɪŋ] s spetakkel *nt*

barracks ['bærəks] SPL kaserne *c*, brakke *c*

barrage ['bærɑːʒ] s (**a**) (*MIL*) sperreild *m*
(**b**) (*= dam*) demning *m*
(**c**) (*fig: of criticism, questions etc*) storm *m* ❑ *His comments provoked a barrage of criticism...* Kommentarene hans framkalte en storm av kritikk...

barrel ['bærəl] s (*of wine, beer*) fat *nt*, tønne *c*; (*of oil*) fat *nt*; (*of gun*) løp *nt*

barrel organ s lirekasse *c*

barren ['bærən] ADJ (*land*) ufruktbar, gold

barricade [bærɪ'keɪd] [1] s barrikade *m* ❑ *They refused to man the barricades during the uprising.* De nektet å bemanne barrikadene under oppstanden.
[2] VT (*road, entrance*) barrikadere (*v2*)
▸ **to barricade o.s. (in)** barrikadere (*v2*) seg ❑ *We rushed into the bedroom and barricaded ourselves in.* Vi sprang inn på soverommet og barrikaderte oss.

barrier ['bærɪəʳ] s (**a**) (*at frontier, entrance*) sperring *c* ❑ *Show your ticket at the barrier.* Vis fram billetten din ved sperringen.
(**b**) (*BRIT: **crash barrier***) autovern *nt* ❑ *The lorry skidded into the barrier.* Lastebilen skled inn i autovernet.
(**c**) (*fig: to progress, communication etc*) ▸ **a barrier (to)** en barriere (for) ❑ *...barriers to human understanding.* ...barrierer for menneskelig forståelse.

barrier cream (*BRIT*) s beskyttelseskrem *m*

barring ['bɑːrɪŋ] PREP med mindre det er/blir ❑ *Barring complications...* Med mindre det oppstår komplikasjoner...

barrister ['bærɪstəʳ] (*BRIT*) s advokat *m* (*som prosederer i retten*)

> ℹ
> *I England er en* **barrister**, *også kalt* barrister-at-law, *en advokat som representerer klientene sine i retten og taler deres sak. Klienten kan først henvende seg til en* **solicitor** *som kan fungere som bindeledd. Man blir kvalifisert som* barrister *etter å ha studert ved et av de fire juridiske lærestedene i London som kalles* Inns of Court.

barrow ['bærəu] s (*= wheelbarrow*) trillebår *c*; (*for selling vegetables etc*) dragkjerre *c*

bar stool s barkrakk *m*

Bart. (*BRIT*) FK = **baronet**

bartender ['bɑːtɛndəʳ] (*US*) s bartender *m*

barter ['bɑːtəʳ] [1] VT bytte (*v1*) bort, drive* byttehandel med ❑ *They bring grain to sell or barter.* De har med seg korn å selge eller bytte bort *or* drive byttehandel med.
[2] s byttehandel *m* ❑ *They are being offered for barter.* De bys fram for byttehandel.

base [beɪs] [1] s (**a**) (*= foot: of post, tree*) fot *m* ❑ *...the chain around the base of the post.* ...lenken rundt foten av stolpen.
(**b**) (*= lowest face: of cup, box*) underside *c* ❑ *The cup had "Paris" on the base.* Det stod "Paris" på undersiden av koppen.
(**c**) (*= foundation: of paint, make up*) underlag *nt* ❑ *...a cream that acts as a base for the rest of your make-up.* ...en krem som virker som et underlag for resten av sminken.
(**d**) (*= centre*) base *m* ❑ *...a military base.* ...en militærbase. *The company made Luxembourg city their base.* Selskapet gjorde Luxembourg by til sin base.
[2] VT ▸ **to base sth on** (*+opinion, belief*) basere (*v2*) noe på, bygge (*v3x*) noe på ❑ *The new agreement is based on the original proposal.* Den nye overenskomsten er basert *or* bygd på det opprinnelige forslaget.
[3] ADJ (*mind, thoughts*) nedrig, ussel ❑ *...base and unpatriotic motives.* ...nedrige *or* usle og upatriotiske motiver.
▸ **to be based at** (*troops, employee+*) være* basert ved
▸ **I'm based in London** jeg har base i London,

jeg har London som base
▸ **a Paris-based firm** et Parisbasert firma, et firma med base i Paris
▸ **coffee-based** basert på kaffe ❑ *The country's economy is almost entirely coffee-based.* Landets økonomi er nesten utelukkende basert på kaffe.

baseball ['beɪsbɔːl] s baseball *m*

baseboard ['beɪsbɔːd] (*US*) s fotlist *c*, gulvlist *c*

base camp s leir *m*

Basel [bɑːl] s = **Basle**

baseline ['beɪslaɪn] s (*TENNIS*) grunnlinje *c*; (*fig: standard*) utgangspunkt *nt*

basement ['beɪsmənt] s kjeller *m*

base rate (*FIN*) s basisrente *c*

bases[1] ['beɪsɪz] SPL *of* **base**

bases[2] ['beɪsiːz] SPL *of* **basis**

bash [bæʃ] (*sl*) 1 VT (= *beat*) delje (*v1*) ❑ *She was bashing him over the head with a saucepan.* Hun deljet ham i hodet med en kjele.
2 VI (= *crash*) ▸ **to bash into/against** brase (*v2*) inn i/mot ❑ *He bashed into a tree.* Han braste inn i et tre.
3 s ▸ **I'll have a bash (at it)** (*BRIT: sl*) jeg skal gjøre* et forsøk (på det), jeg skal prøve (på det)
▸ **bash up** VT (*damage: car etc*) smadre (*v1*)

bashful ['bæʃful] ADJ blyg, sjenert

bashing ['bæʃɪŋ] s ▸ **Paki-/queer-bashing** (*sl*) angrep på *or* utfall mot pakkis/homser

BASIC ['beɪsɪk] (*DATA*) s BASIC

basic ['beɪsɪk] ADJ (**a**) (= *fundamental: principles, problem, needs*) grunn-, grunnleggende ❑ *The basic theme of these stories...* Grunntemaet *or* Det grunnleggende temaet i disse fortellingene...
(**b**) (= *elementary: wage, knowledge etc*) grunn- ❑ *...people with only a basic education.* ...folk med bare grunnutdannelse.
(**c**) (= *primitive: facilities*) enkel ❑ *The facilities are terribly basic.* Fasilitetene er fryktelig enkle.

basically ['beɪsɪklɪ] ADV (**a**) (= *fundamentally*) egentlig, i bunn og grunn ❑ *They're all basically the same.* De er egentlig *or* i bunn og grunn like alle sammen.
(**b**) (= *in fact, put simply*) i hovedsak, egentlig, i grunnen ❑ *Basically, I think Britain shouldn't have...* I hovedsak *or* egentlig *or* i grunnen synes jeg ikke Storbritannia skulle* ha...

basic rate s (*of tax*) grunntakst *m*

basics ['beɪsɪks] SPL ▸ **the basics** det mest grunnleggende ❑ *For a year I learnt the basics of journalism.* I et år lærte jeg meg det mest grunnleggende av journalistikk.

basil ['bæzl] s basilikum *nt irreg*

basin ['beɪsn] s (**a**) (*vessel*) balje *c*
(**b**) (*BRIT: for food*) bolle *m*
(**c**) (*also* ***wash basin***) vask *m*, (vaske)servant *m*
(**d**) (*of river, lake*) basseng *nt* ❑ *...the Amazon basin.* ...Amazonasbassenget.

basis ['beɪsɪs] (*pl* **bases**) s (**a**) (= *starting point*) utgangspunkt *nt*
(**b**) (= *foundation*) grunnlag *nt*, basis *m* ❑ *This was the basis of the final design.* Dette var utgangspunktet/grunnlaget *or* basisen for den endelige designen.
▸ **on a part-time/voluntary basis** på deltidsbasis/frivillig basis
▸ **on the basis of what you've said** på grunnlag *or* basis av det du har sagt

bask [bɑːsk] VI ▸ **to bask in the sun** kose (*v1 or v2*) seg i sola

basket ['bɑːskɪt] s kurv *m*, korg *f*

basketball ['bɑːskɪtbɔːl] s basketball *m*, kurvball *m*

basketball player s basket(ball)spiller *m*

Basle [bɑːl] s Basel

basmati rice [bəz'mætɪ-] s basmatiris *m*

Basque [bæsk] 1 ADJ baskisk
2 s (*person*) basker *m*; (*LING*) baskisk

bass [beɪs] (*MUS*) s bass *m*

bass clef s bassnøkkel *m*

bassoon [bə'suːn] s fagott *m*

bastard ['bɑːstəd] s (*offspring*) uekte barn *nt*; (*sl!*) jævel *m* (*sl!*)

baste [beɪst] VT (+*food*) dryppe (*v1*); (*in sewing*) tråkle (*v1*)

bastion ['bæstɪən] s (*fig*) bastion *m*, høyborg *m* ❑ *They regard capitalism as a bastion of privilege.* De ser på kapitalismen som en bastion *or* høyborg for privilegier.

bat [bæt] 1 s (**a**) (*animal*) flaggermus *c*
(**b**) (*for cricket, baseball*) balltre *nt*
(**c**) (*BRIT: for table tennis*) racket *m*
2 VT ▸ **he didn't bat an eyelid** han fortrakk ikke en mine
▸ **off one's own bat** på egen hånd ❑ *...he did it off his own bat.* ...han gjorde det på egen hånd.

batch [bætʃ] s (*of bread*) bakst *m*; (*of letters, papers*) sending *c*; (*of applicants*) pulje *m*; (*of work*) porsjon *m*, ladning *c*; (*of goods*) sending *c*

batch processing (*DATA*) s satsvis behandling *c*

bated ['beɪtɪd] ADJ ▸ **with bated breath** åndeløst, i åndeløs spenning

bath [bɑːθ] 1 s (**a**) (= *bathtub*) badekar *nt* ❑ *Andy's in the bath.* Andy bader. Andy sitter i badekaret.
(**b**) (*act of bathing*) bad *nt* ❑ *I need a bath after all that cycling.* Jeg trenger et bad etter all den syklingen.
2 VT (+*baby, patient*) bade (*v1*)
▸ **to have a bath** ta* et bad
see also **baths**

bathe [beɪð] 1 VI (**a**) (= *swim*) bade (*v1*)
(**b**) (*US: have a bath*) bade (*v1*)
2 VT (**a**) (+*wound*) vaske (*v1*)
(**b**) (*fig: in light, love etc*) bade (*v1*) ❑ *The room was bathed in sunlight.* Rommet var badet i sollys.

bather ['beɪðə^r] s badende *m decl as adj*

bathing ['beɪðɪŋ] s bading *c* ❑ *Bathing is dangerous on this part of the shore.* Bading er farlig på denne delen av bredden. Det er farlig å bade på denne delen av bredden.

bathing cap s badehette *c*

bathing costume, **bathing suit** (*US*) s badedrakt *c*

bath mat s badematte *c*

bathrobe ['bɑːθrəub] s badekåpe *c*

bathroom ['bɑːθrum] s bad *nt*; (*toilet*) toalett *nt*

baths [bɑːðz] SPL (= *swimming baths*) (offentlig) bad *nt*

bath towel s badehåndkle *nt*

bathtub [ˈbɑ:θtʌb] s badekar *nt*
batman [ˈbætmən] (*BRIT: MIL*) *irreg* s oppasser *m*
baton [ˈbætən] s (*MUS*) taktstokk *m*; (*SPORT*) (stafett)pinne *m*; (*policeman's*) kølle *c*
battalion [bəˈtælɪən] s bataljon *m*
batten [ˈbætn] s (*in carpentry*) labank *m*; (*NAUT: on sail*) skalkelist *c*
▸ **batten down** VT ▸ **to batten down the hatches** (*NAUT*) skalke (*v1*) lukene
batter [ˈbætəʳ] 1 VT (**a**) (+*child, wife*) slå*, mishandle (*v1*)
(**b**) (*wind, rain+*) slå* (voldsomt) ❑ *The ship was being battered by the waves.* Bølgene slo voldsomt mot skipet *or* Skipet fikk en hard medfart av bølgene.
2 S (*KULIN*) røre *c*
battered [ˈbætəd] ADJ (*hat, car*) medtatt
▸ **battered wife/child** mishandlet kone/barn
battering ram s rambukk *m*
battery [ˈbætərɪ] s (**a**) (*for torch, radio, electrical etc*) batteri *nt*
(**b**) (*of tests, cameras*) batteri *nt* ❑ *We both underwent a battery of tests.* Vi gikk begge igjennom et batteri av tester.
battery charger s batterilader *m*
battery farming s hønsebatteri *nt*, batteridrift *c*
battle [ˈbætl] 1 s (**a**) (*MIL*) slag *nt* NB *...the Battle of Waterloo.* ...slaget ved Waterloo.
(**b**) (*fig*) kamp *m* ❑ *...the battle between the sexes.* ...kampen mellom kjønnene.
2 VI (= *fight: also fig*) kjempe (*v1*) ❑ *The males settle their differences by battling between themselves.* Hannene avgjør stridighetene ved å kjempe innbyrdes. *Dad was soon battling for his life.* Pappa kjempet snart for sitt liv.
▸ **that's half the battle** det er halve jobben *or* seieren
▸ **it's a** *or* **we're fighting a losing battle** (*fig*) det er *or* vi kjemper en håpløs kamp
battledress [ˈbætldrɛs] s feltuniform *m*
battlefield [ˈbætlfi:ld] s slagmark *m*
battlements [ˈbætlmənts] SPL brystvern *nt*
battleship [ˈbætlʃɪp] s slagskip *nt*
batty [ˈbætɪ] (*sl*) ADJ sprø
baubles [ˈbɔ:blz] SPL (*neds*) juggel *nt sg*
baud [bɔ:d] (*DATA*) s baud *m*
baud rate s datatakt *c*
baulk [bɔ:lk] VI = **balk**
bauxite [ˈbɔ:ksaɪt] s bauksitt *m* (*var.* bauxitt)
Bavaria [bəˈvɛərɪə] s Bayern
Bavarian [bəˈvɛərɪən] 1 ADJ bayersk
2 s (*person*) bayrer *m*
bawdy [ˈbɔ:dɪ] ADJ (*joke, song*) liderlig, slibrig
bawl [bɔ:l] VI brøle (*v2*), vræle (*v2*)
bay [beɪ] s (**a**) (*GEOG*) bukt *c* ❑ *...the Bay of Biscay.* ...Biscayabukta.
(**b**) (*BRIT: for parking*) parkeringslomme *c*
(**c**) (*for loading*) lasteplass *m*
(**d**) (*horse*) fuks *m*, rødbrun hest *m*
▸ **to hold sb at bay** holde* noe på avstand
bay leaf s laurbærblad *nt*
bayonet [ˈbeɪənɪt] s bajonett *m*
bay tree s laurbærtre *nt*
bay window s karnappvindu *nt*
bazaar [bəˈzɑ:ʳ] s (= *market*) basar *m*; (= *fete*) marked *nt*, messe *c*
bazooka [bəˈzu:kə] s bazooka *m*
BB (*BRIT*) S FK (= **Boys' Brigade**) *organisasjon for unge gutter til fremme av disiplin og selvaktelse*
BBB (*US*) S FK (= **Better Business Bureau**) ≈ Forbrukerrådet
BBC S FK (= **British Broadcasting Corporation**) britisk rikskringkasting *c*, NRK *c* (= *Norsk rikskringkasting*)

BBC
BBC *er Storbritannias offentlige kringkastingsorganisasjon (tilsvarende NRK) som styrer to Tv-kanaler (BBC1, som sender programmer for et bredt publikum, og BBC2 som er mer orientert mot kulturprogrammer), og en rekke radiostasjoner (5 riksdekkende og 37 lokale). Selv om* BBC *ikke er statlig, er den ansvarlig overfor parlamentet når det gjelder innholdet i sendingene. Videre tilbyr* BBC *nyhetssendinger over hele verden, på engelsk og 35 øvrige språk, under benevnelsen* BBC World Service. BBC *finansieres gjennom lisensavgifter og salg av programmer.*

BC 1 ADV FK (= **before Christ**) f.Kr. (= *før Kristus*)
2 FK (*CAN*) = **British Columbia**
BCG S FK (= **Bacillus Calmette-Guérin**) *vaksine mot tuberkulose*
BD S FK (= **Bachelor of Divinity**) *lavere universitetsgrad i teologi*
B/D FK (= **bank draft**) bankremisse *m*
BDS S FK (= **Bachelor of Dental Surgery**) *lavere universitetsgrad i odontologi*

KEYWORD

be [bi:] (*pt* **was, were**, *pp* **been**) 1 H-VERB (**a**) (*forming continuous tenses*) ▸ **what are you doing?** hva gjør du?
▸ **it is raining** det regner
▸ **they're coming tomorrow** de kommer i morgen
▸ **I've been waiting for hours** jeg har ventet i timevis
(**b**) (*forming the passive*) bli; (*expressing state*) være
▸ **to be killed** bli* drept
▸ **he was not to be seen** han var ikke til å se
(**c**) (*in tag questions*) ▸ **he's good-looking, isn't he?** han ser bra ut, ikke sant?
▸ **you're back again, are you?** jasså, du er tilbake igjen?
(**d**) (+ *to* + *infinitive*) ▸ **the house is to be sold** huset skal selges
▸ **he's not to open it** han skal ikke åpne det
2 VB + KOMPL (**a**) (*gen*) være
▸ **I'm English** jeg er engelsk
▸ **I'm tired/hot** jeg er trøtt/varm
▸ **he's a doctor** han er lege
▸ **2 and 2 are 4** 2 og 2 er 4
▸ **she's tall/pretty** hun er høy/pen
▸ **be careful/quiet!** vær forsiktig/stille!
▸ **I'm sixteen (years old)** jeg er seksten (år gammel)
(**b**) (*of health*) ▸ **how are you?** hvordan har du det?
▸ **I'm better now** jeg er bedre nå
(**c**) (= *cost*) koste (*v1*) ❑ *How much was the meal?*

Hvor mye kostet måltidet?
▸ **that'll be 5 pounds please** det blir 5 pund takk
3 VI (**a**) (*= exist, occur etc*) ▸ **the best singer that ever was** den beste sangeren som noen gang har levd
▸ **is there a God?** finnes det en Gud?
▸ **be that as it may** det får jo bare være
▸ **so be it** det får være/bli slik; (*as reply*) javel
(**b**) (*referring to place*) være
▸ **I won't be here tomorrow** jeg er ikke her i morgen, jeg kommer ikke til å være* her i morgen
▸ **Edinburgh is in Scotland** Edinburgh er i Skottland
▸ **it's on the table** det er på bordet
▸ **we have been here for ages** vi har vært her i evigheter
▸ **where have you been?** hvor har du vært?
4 UPERS VB (**a**) (*referring to time, date, distance, weather*) være
▸ **it's 5 o'clock** klokken er 5
▸ **it's the 28th of April** det er den tjuende april
▸ **it's 10 km to the village** det er 10 km til landsbyen
▸ **it's too hot/cold** det er for varmt/kaldt
▸ **it's windy today** det blåser i dag

B/E FK (= **bill of exchange**) veksel *m*
beach [biːtʃ] 1 s strand *c*
2 VT (*+boat*) dra* opp på stranden, trekke* opp på stranden
beach buggy s strandbil *m*
beachcomber [ˈbiːtʃkəuməʳ] s *en som samler opp drivgods i strandkanten*
beachwear [ˈbiːtʃwɛəʳ] s strandklær *pl*, strandtøy *nt*
beacon [ˈbiːkən] s (*= signal light*) fyrlykt *c*; (*= marker in sea*) sjømerke *nt*; (*= radio beacon*) radiofyr *nt*
bead [biːd] s (*gen*) perle *m*
▸ **beads** SPL (*= necklace*) perle(hals)bånd *nt* ❑ *She put on her beads and bangles.* Hun tok på seg perlebånd og armringer.
beady [ˈbiːdɪ] ADJ ▸ **beady eyes** plirende øyne
beagle [ˈbiːgl] s beagle *m*
beak [biːk] s (*bird's*) nebb *nt*
beaker [ˈbiːkəʳ] s (*= cup*) beger *nt*
beam [biːm] 1 s (**a**) (*ARKIT*) bjelke *m*
(**b**) (*of light, RADIO, PHYS*) stråle *m*
2 VI (*= smile*) stråle (*v2*) ❑ *He beamed at Ralph.* Han strålte mot Ralph.
3 VT (*+signal, programme*) sende (*v2*)
▸ **to drive on full** *or* **main** *or (US)* **high beam** kjøre (*v2*) med fjernlys
beaming [ˈbiːmɪŋ] ADJ (*sun, smile*) strålende
bean [biːn] s bønne *c*
▸ **runner/broad bean** prydbønne/hestebønne
▸ **coffee bean** kaffebønne
beanpole [ˈbiːnpəul] s (*lit*) påle *m*, staur *m*; (*fig*) bønnestengel *m*
beanshoots [ˈbiːnʃuːts] SPL bønneskudd *pl*
beansprouts [ˈbiːnsprauts] SPL bønnespirer
bear[1] [bɛəʳ] s (**a**) (*ZOOL*) bjørn *m*
(**b**) (*FIN*) baissist *m* ❑ *...a bear market.* ...et baisseaktig marked.

bear[2] [bɛəʳ] (*pt* **bore**, *pp* **borne**) 1 VT (**a**) (*= carry, support: load, burden, expenses, signs*) bære* ❑ *The scene bore all the marks of a country wedding.* Omgivelsene bar alle tegnene på et landsens bryllup.
(**b**) (*= tolerate: person*) tåle (*v2*) ❑ *I can't bear him!* Jeg tåler ham ikke!
(**c**) (*= stand up to: examination, scrutiny*) tåle (*v2*) ❑ *The results don't bear examination.* Resultatene tåler ikke nærmere undersøkelser.
(**d**) (*= endure*) orke (*v1*), holde* ut ❑ *Stop keeping me in suspense! I can't bear it!* Slutt å holde meg i spenning! Jeg orker det ikke *or* holder det ikke ut!
(**e**) (*MERK: interest, dividend*) kaste (*v1*) av seg, innbringe*
(**f**) (*= produce: children*) føde (*v2*) ❑ *She bore three children in three years.* Hun fødte tre barn på tre år.
(**g**) (*+fruit*) bære*
2 VI ▸ **to bear right/left** (*AUT*) dreie (*v3*) mot høyre/venstre
▸ **to bear the responsibility of** bære* *or* ha* ansvaret for
▸ **to bear no relation to** ikke ha* noen sammenheng med, ikke ha* noe å gjøre* med ❑ *The interpretation bore no relation to the actual words spoken.* Tolkningen hadde ingen sammenheng med *or* hadde ikke noe å gjøre* med de ordene som faktisk ble sagt.
▸ **I can't bear him** jeg tåler ham ikke
▸ **to bring pressure to bear on sb** utsette* noen for press
▸ **bear out** VT (**a**) (*+person*) støtte (*v1*)
(**b**) (*+suspicions etc*) underbygge (*v3x*), bekrefte (*v1*) ❑ *The claims are not borne out by the evidence.* Påstandene er ikke underbygd *or* bekreftet av bevisene.
▸ **bear up** VI (*person+*) holde* motet oppe
▸ **bear with** VT FUS (*+sb's decision, plan*) bære* over med
▸ **bear with me a minute** bær over med meg i et øyeblikk
bearable [ˈbɛərəbl] ADJ utholdelig, levelig ❑ *...something that would make life more bearable.* ...noe som ville* gjøre* livet mer utholdelig *or* levelig.
beard [bɪəd] s skjegg *nt*
bearded [ˈbɪədɪd] ADJ med skjegg
bearer [ˈbɛərəʳ] s (**a**) (*of letter, news*) overbringer *m* ❑ *...the bearer of the invitation.* ...den som overbringer invitasjonen.
(**b**) (*of cheque, passport etc*) innehaver *m*
(**c**) (*of title*) innehaver *m*, bærer *m* ❑ *He is the current bearer of the Sackville title.* Han er den nåværende innehaveren *or* bæreren av Sackvilltittelen.
bearing [ˈbɛərɪŋ] s (**a**) (*posture*) holdning *m* ❑ *...that tall and distinguished bearing.* ...den høyreiste og distingverte holdningen.
(**b**) (*= connection*) ▸ **to have a bearing on sth** ha* noe å si for noe ❑ *It has no bearing on what is happening today.* Det har ingen forbindelse med hva som skjer i dag *or* Det har ikke noe å si for hva som skjer i dag.

(**c**) (*TEKN*) lager *nt sg* ❑ *...the wheel bearings.* ...hjullagrene.
▸ **bearings** SPL (= *ball bearings*) kulelager *nt sg*
▸ **to take a bearing** ta* peiling, orientere (*v2*) seg ❑ *Father took bearings off the lighthouse.* Far tok peiling *or* orienterte seg ut fra fyrtårnet.
▸ **to get one's bearings** orientere (*v2*) seg ❑ *They stopped to get their bearings.* De stoppet for å orientere seg. *After a week in the job, she had got her bearings.* Etter en uke i jobben hadde hun fått orientert seg.

beast [bi:st] S (**a**) (= *animal*) dyr *nt*
(**b**) (*sl: person*) udyr *nt* ❑ *The selfish little beast!* Det egoistiske lille udyret!

beastly ['bi:stlɪ] ADJ (= *awful: weather, child, trick etc*) fryktelig, fæl ❑ *That was a beastly thing to do.* Det var fryktelig *or* fælt gjort.

beat [bi:t] (*pt* **beat**, *pp* **beaten**) 1 S (**a**) (*of heart*) slag *nt* ❑ *He could feel the beat of her heart.* Han kunne* føle hjerteslagene hennes.
(**b**) (*MUS: rhythm*) takt *m* ❑ *The various instruments were keeping to the beat.* De forskjellige instrumentene holdt takten.
(**c**) (= *stressed note*) slag *nt*
(**d**) (*of policeman*) distrikt *nt*
2 VT (**a**) (= *strike: wife, child*) slå*
(**b**) (*+eggs, cream*) piske (*v1*)
(**c**) (= *defeat: opponent, record*) slå* ❑ *Arsenal beat Oxford United five one...* Arsenal slo Oxford United fem-en...
3 VI (*heart, drum, rain, wind+*) slå* ❑ *The rain beat against the window.* Regnet slo mot vinduet.
▸ **to beat time** slå* takten
▸ **beat it!** (*sl*) pigg av!, stikk!
▸ **that beats everything** det slår alt, det slår alle rekorder
▸ **to beat about the bush** gå* (som katten) rundt (den varme) grøten
▸ **off the beaten track** utenfor allfarvei ❑ *...a little mountain village well off the beaten track.* ...en liten fjellandsby langt utenfor allfarvei.

▸ **beat down** 1 VT (**a**) (*+door*) slå* inn
(**b**) (*+seller*) prute (*v1*) ned ❑ *I beat him down from 500 dollars to 400 dollars.* Jeg prutet ham ned fra 500 dollar til 400 dollar.
2 VI (**a**) (*rain+*) piske (*v1*) ned, hølje (*v1*) ned
(**b**) (*sun+*) være* brennende varm

▸ **beat off** VT (*+attack, attacker*) slå* tilbake ❑ *She used her handbag to beat the attacker off.* Hun brukte håndvesken sin for å slå angriperen tilbake.

▸ **beat up** VT (*+person*) banke (*v1*) opp ❑ *He told us that he had been beaten up by the police.* Han fortalte oss at han hadde blitt banket opp av politiet.

beater ['bi:təʳ] S (*for eggs, cream*) visp *m*

beating ['bi:tɪŋ] S (= *thrashing*) juling *c* ❑ *She had left home after a savage beating.* Hun hadde dratt hjemmefra etter en kraftig omgang juling.
▸ **to take a beating** (*fig*) få* (en omgang) juling ❑ *England's cricketers took a terrible beating.* Englands cricketlag fikk en fryktelig omgang juling.
▸ **to take some beating** kunne* stå for en støyt ❑ *Woody Allen's last film will take some beating.* Woody Allens siste film vil kunne* stå for en støyt.

beat-up ['bi:t'ʌp] (*sl*) ADJ medtatt, ramponert
▸ **a beat-up old car** en medtatt *or* ramponert gammel bil

beautician [bju:'tɪʃən] S skjønnhetspleier *m*, kosmetolog *m*

beautiful ['bju:tɪful] ADJ (**a**) (*person, day, place, weather*) nydelig, vakker
(**b**) (*action, experience*) vakker, skjønn ❑ *Falling in love is a beautiful experience.* Det å forelske seg er en vakker *or* skjønn opplevelse.

beautifully ['bju:tɪflɪ] ADV (**a**) (*play, sing, etc*) nydelig, skjønt, vakkert ❑ *Doesn't he play the piano beautifully?* Spiller han ikke nydelig *or* skjønt *or* vakkert piano?
(**b**) (*quiet, dressed etc*) nydelig ❑ *It's a beautifully constructed book.* Det er en nydelig oppbygd bok.
▸ **beautifully clean** ren og pen

beautify ['bju:tɪfaɪ] VT forskjønne (*v1*)

beauty ['bju:tɪ] S skjønnhet *m* ❑ *Even a stupid person can appreciate beauty.* Selv en dum person kan sette pris på skjønnhet. *My mother was no beauty.* Moren min var ingen skjønnhet.
▸ **the beauty of it is that...** (*fig: attraction*) det som er så bra *or* fint med det er at...

beauty contest S skjønnhetskonkurranse *m*

beauty queen S skjønnhetsdronning *c*

beauty salon S skjønnhetssalong *m*

beauty sleep S skjønnhetssøvn *m*

beauty spot (*BRIT*) S naturperle *m* ❑ *Ashness Bridge is a popular beauty spot.* Ashness Bridge er en populær naturperle.

beaver ['bi:vəʳ] S bever *m*

becalmed [bɪ'kɑ:md] ADJ (*ship*) ▸ **to be becalmed** få* vindstille, ligge* stille

became [bɪ'keɪm] PRET *of* **become**

because [bɪ'kɔz] KONJ fordi ❑ *I couldn't see Helen's expression, because her head was turned.* Jeg kunne* ikke se Helens ansiktsuttrykk fordi hodet hennes var vendt bort.
▸ **because of** på grunn av ❑ *He retired last month because of illness.* Han gikk av forrige måned på grunn av sykdom.

beck [bɛk] S ▸ **to be at sb's beck and call** stå* på pinne for noen

beckon ['bɛkən] 1 VT (*also* ***beckon to***: *person*) vinke (*v1*) på
2 VI (*fame, glory+*) lokke (*v1*)

become [bɪ'kʌm] (*irreg* **come**) VI bli ❑ *In 1845 Texas became part of the USA.* I 1845 Texas ble en del av USA. *The smell became stronger and stronger.* Lukten ble sterkere og sterkere.
▸ **what has become of him?** hva har det blitt av ham?

becoming [bɪ'kʌmɪŋ] ADJ (*behaviour*) passende, høvelig; (*clothes*) kledelig

BECTU ['bɛktu] (*BRIT*) S FK (= **Broadcasting Entertainment Cinematographic and Theatre Union**) *fagforening*

BEd S FK (= **Bachelor of Education**) *lavere universitetsgrad i pedagogikk*

bed [bɛd] S (**a**) (*piece of furniture*) seng *c*
(**b**) (*of coal, clay*) lag *nt* ❑ *...horizontal beds of*

sandstone. ...horisontale lag med sandstein.
(**c**) (= *bottom: of river, sea*) bunn *m* ❑ *...on the sea bed.* ...på havbunnen.
(**d**) (*of flowers*) bed *nt* ❑ *...a flower bed.* ...et blomsterbed.
▸ **to go to bed** gå* til sengs, (gå og) legge* seg
▸ **bed down** VI (*person+*) legge* seg ❑ *Don't worry, I'll bed down on the floor.* Ta det med ro, jeg legger meg på gulvet.
bed and breakfast s (**a**) (*place*) pensjonat *nt* (*som tilbyr overnatting og frokost*) ❑ *We stayed in a bed and breakfast place in Devon.* Vi bodde på et pensjonat i Devon.
(**b**) (*terms*) overnatting *c* med frokost ❑ *...15 pounds a night for bed and breakfast.* ...15 pund per natt for overnatting med frokost.

*En **bed and breakfast** er et lite pensjonat i et spesielt hus eller på en gård hvor man kan leie et rom med frokost til en rimelig pris sammenlignet med det man må betale på hotell. Disse etablissementene kalles ofte **B & B**, og de har skilt enten i hagen eller utenfor døren.*

bedbug ['bɛdbʌg] s sengetege *m*
bedclothes ['bɛdkləuðz] SPL sengetøy *nt*, sengklær *pl*
bedding ['bɛdɪŋ] s sengetøy *nt*, sengklær *pl*
bedevil [bɪ'dɛvl] VT (**a**) (*+person*) plage (*v1*)
(**b**) (*+plans*) forkludre (*v1*)
▸ **to be bedevilled by** være* plaget *or* hjemsøkt av
bedfellow ['bɛdfɛləu] s ▸ **they are strange bedfellows** (*fig*) de er noen underlige forbundsfeller
bedlam ['bɛdləm] s ▸ **it's bedlam in here!** det er et svare spetakkel her inne!
bedpan ['bɛdpæn] s bekken *nt*
bedpost ['bɛdpəust] s sengestolpe *m*
bedraggled [bɪ'drægld] ADJ (*person, clothes, hair*) tilsjasket, sjasket(e)
bedridden ['bɛdrɪdn] ADJ sengeliggende
bedrock ['bɛdrɔk] s (**a**) (*fig*) grunnvoll *m* ❑ *...the moral bedrock of the nation.* ...nasjonens moralske grunnvoll.
(**b**) (*GEOG*) grunnfjell *nt*
bedroom ['bɛdrum] s soverom *nt*, soveværelse *nt*
Beds (*BRIT: POST*) FK = **Bedfordshire**
bed settee s sovesofa *m*
bedside ['bɛdsaɪd] 1 s ▸ **at sb's bedside** ved (siden av) sengen til noen, ved/på sengekanten til noen
2 SAMMENS ▸ **a bedside table** et nattbord
▸ **a bedside lamp** en nattbordslampe
bedsit(ter) ['bɛdsɪt(əʳ)] (*BRIT*) s ≈ hybel *m*
bedspread ['bɛdsprɛd] s sengeteppe *nt*
bedtime ['bɛdtaɪm] s sengetid *c* ❑ *He always read to me at bedtime.* Han leste alltid for meg ved sengetid.
bee [biː] s bie *c*
▸ **to have a bee in one's bonnet (about sth)** ha* en fiks idé (om noe)
beech [biːtʃ] s bøk *m*
beef [biːf] s storfekjøtt *nt*, oksekjøtt *nt*
▸ **roast beef** roastbiff *m*
▸ **beef up** VT (*sl: essay, programme*) sprite (*v1*) opp
beefburger ['biːfbəːgəʳ] s biffburger *m*
Beefeater ['biːfiːtəʳ] s Beefeater *m* (*vakt ved Tower of London*)
beehive ['biːhaɪv] s bikube *m*
beekeeping ['biːkiːpɪŋ] s biavl *m*
beeline ['biːlaɪn] s ▸ **to make a beeline for** gå* strake veien til, sette* kursen mot
been [biːn] PP *of* **be**
beep [biːp] (*sl*) 1 s pip *nt*
2 VI pipe*
3 VT ▸ **to beep one's horn** tute (*v1*) i hornet
beer [bɪəʳ] s øl *nt* ❑ *She had drunk a few pints of beer.* Hun hadde drukket noen halvlitere med øl.
beer belly (*sl*) s ølvom *c*
beer can s ølboks *m*
beet [biːt] s (*vegetable*) bete *c*; (*US:* ***red beet***) rødbete *c*
beetle ['biːtl] s bille *m*
beetroot ['biːtruːt] (*BRIT*) s rødbete *c*
befall [bɪ'fɔːl] (*irreg* **fall**) VT vederfares (*v5, no past tense*) ❑ *A similar fate befell Leda...* En liknende sjebne vederfartes Leda...
befit [bɪ'fɪt] VT passe (*v1*) for ❑ *The food, as befits a four-star hotel, was excellent.* Maten, som seg hør og bør for et firestjerners hotell, var utsøkt. *It ill befits somebody who...* Det passer dårlig for noen som...
before [bɪ'fɔːʳ] 1 PREP (**a**) (*of time*) før ❑ *It was just before Christmas.* Det var rett før jul.
(**b**) (*of space*) foran ❑ *He stood before the door leading to the cellar.* Han stod foran døren som førte til kjelleren.
2 KONJ, ADV før ❑ *Can I see you before you leave, Helen?* Kan jeg treffe deg før du drar, Helen? *Have you been to Greece before?* Har du vært i Hellas før?
▸ **before going** før jeg/du/han *etc* går
▸ **before she goes** før hun går
▸ **the week before** (= *week past*) uken i forveien, uken før
▸ **I've never seen it before** jeg har aldri sett den før
beforehand [bɪ'fɔːhænd] ADV på forhånd ❑ *I'd rung up beforehand to book a table.* Jeg hadde ringt opp på forhånd for å bestille bord.
befriend [bɪ'frɛnd] VT bli* venner med, gjøre* seg til venns med
befuddled [bɪ'fʌdld] ADJ omtåket
beg [bɛg] 1 VI tigge (*v3x*) ❑ *...children begging in the subways.* ...barn som tigger i undergrunnen.
2 VT (**a**) (*also* ***beg for****: food, money*) tigge (*v3x*) om ❑ *...females begging for food around the station.* ...kvinner som tigger om mat rundt stasjonen.
(**b**) (*+favour*) be* om, bønnfalle* om ❑ *I've come to beg a favour.* Jeg har kommet for å be om en tjeneste.
(**c**) (*+forgiveness, mercy etc*) be* om, trygle (*v1*) om
▸ **to beg sb to do sth** be* *or* bønnfalle* noen om å gjøre* noe
▸ **I beg your pardon** (**a**) (*apologizing*) om forlatelse, unnskyld
(**b**) (*not hearing*) unnskyld
▸ **to beg the question (as to) whether** sette*

spørsmålstegn ved om, få* en til å spørre seg (selv) om

began [bɪ'gæn] PRET *of* **begin**

beggar ['bɛgəʳ] s tigger *m*

begin [bɪ'gɪn] (*pt* **began**, *pp* **begun**) VTI begynne (*v2x*) ❑ *The vicar began the wedding ceremony with a reading.* Soknepresten begynte bryllupsseremonien med en lesning. *My career as a journalist was about to begin.* Min karriere som journalist skulle* nettopp begynne.
▸ **to begin doing** *or* **to do sth** begynne (*v2x*) å gjøre* noe
▸ **beginning (from) Monday** med virkning fra mandag
▸ **I can't begin to thank you** jeg kan ikke få* takket deg nok
▸ **to begin with...** til å begynne med...

beginner [bɪ'gɪnəʳ] s nybegynner *m*

beginning [bɪ'gɪnɪŋ] s (*of event, period, book*) begynnelse *m*
▸ **at the beginning** i begynnelsen
▸ **right from the beginning** helt fra begynnelsen

begrudge [bɪ'grʌdʒ] VT ▸ **to begrudge sb sth** misunne (*v2x*) noen noe, ikke unne (*v2x*) noen noe ❑ *I do not begrudge her that happiness.* Jeg misunner henne ikke den gleden. Jeg unner henne den gleden.

beguile [bɪ'gaɪl] VT (= *enchant*) forlede (*v1*), lokke (*v1*)
▸ **to beguile sb into doing sth** lokke (*v1*) noen til å gjøre* noe

beguiling [bɪ'gaɪlɪŋ] ADJ (= *charming: voice, sight*) forheksende; (= *deluding: prospect, promise*) besnærende

begun [bɪ'gʌn] PP *of* **begin**

behalf [bɪ'hɑːf] s ▸ **on behalf of,** *(US)* **in behalf of** på vegne av ❑ *He spoke on behalf of the Labour Party.* Han talte på vegne av Arbeiderpartiet. *Scientists are campaigning on behalf of local charities.* Vitenskapsmenn aksjonerer på vegne av lokale veldedige formål.
▸ **on my/his behalf** på mine/hans vegne

behave [bɪ'heɪv] VI (**a**) oppføre (*v2*) seg, te (*v4*) seg ❑ *Why is she behaving this way?* Hvorfor oppfører hun *or* ter hun seg på denne måten? *...the way matter behaves at low temperatures.* ...måten materien oppfører *or* ter seg på ved lave temperaturene.
(**b**) (*also* **behave o.s.**) oppføre seg ordentlig ❑ *"Behave yourself!" said Mrs Jane.* "Oppfør deg ordentlig!" sa fru Jane.

behaviour [bɪ'heɪvjəʳ], **behavior** (*US*) s (**a**) oppførsel *m*
(**b**) (*PSYK*) atferd *m* ❑ *...patterns of behaviour.* ...atferdsmønster.

behead [bɪ'hɛd] VT halshugge (*v1 or v3x*)

beheld [bɪ'hɛld] PRET, PP *of* **behold**

behind [bɪ'haɪnd] 1 PREP (**a**) (= *at the back of*) bak, bakenfor ❑ *Just behind the cottage was a sort of shed.* Rett bak huset var det et slags uthus.
(**b**) (= *supporting*) bak ❑ *The country was behind the President.* Landet stod bak presidenten.
(**c**) (= *lower in rank etc*) etter ❑ *Watson lags well behind Nicklaus...* Watson ligger langt etter Nicklaus...
2 ADV (**a**) (= *at/towards the back*) bak ❑ *I sat in the front row and Mick sat behind.* Jeg satt på fremste rad, og Mick satt bak.
(**b**) (*leave, stay*) igjen ❑ *Afterwards Vorster asked me to stay behind.* Etterpå ba Vorster meg om å bli* igjen.
3 s (= *buttocks*) bak *m* ❑ *He slapped her on her behind with his racket.* Han klapset henne på baken med racketen sin.
▸ **to be behind** (= *late*) ligge* etter, ligge* på etterskudd ❑ *I'm half an hour behind already.* Jeg ligger en halv time etter *or* på etterskudd allerede
▸ **we're behind (them) in technology** vi ligger etter (dem) med hensyn til teknologi
▸ **behind the scenes** (*fig*) bak kulissene ❑ *A lot of negotiating went on behind the scenes.* Det foregikk en hel del forhandlinger bak kulissene.
▸ **to leave sth behind** (= *forget*) legge* noe igjen ❑ *Millie had left her cloak behind.* Millie hadde lagt igjen kappen sin.

behold [bɪ'həuld] (*irreg* **hold**) (*gam*) VT skue (*v1*) ❑ *She was a terrible sight to behold.* Hun var et fryktelig syn å skue.

beige [beɪʒ] ADJ beige

Beijing ['beɪ'dʒɪŋ] s Beijing

being ['biːɪŋ] s (**a**) (= *creature*) vesen *nt* ❑ *...beings from outer space.* ...vesener fra rommet.
(**b**) (= *existence*) væren *nt*, tilværelse *m* ❑ *Can you explain to me the purpose of being?* Kan du forklare for meg formålet med væren *or* tilværelsen?
▸ **to come into being** bli* til

Beirut [beɪ'ruːt] s Beirut

Belarus [bɛlə'rus] s Hviterussland

belated [bɪ'leɪtɪd] ADJ (*thanks, welcome*) forsinket ❑ *Guppy gave Etta a belated welcome.* Guppy gav Etta en forsinket velkomst.

belch [bɛltʃ] 1 VI rape (*v2*) ❑ *The baby drank his milk and belched.* Babyen drakk melken sin og rapet *or* rapte.
2 VT (*also* **belch out**: *smoke etc*) spy (*v4*) ut ❑ *A truck stalled and belched black smoke.* En lastebil stanset og spydde ut svart røyk.

beleaguered [bɪ'liːgɪd] ADJ (**a**) beleiret
(**b**) (*fig*) hardt presset ❑ *The word processor is a great help to beleaguered secretaries.* Tekstbehandlingsmaskinen er av stor hjelp for hardt pressede sekretærer.

Belfast ['bɛlfɑːst] s Belfast

belfry ['bɛlfrɪ] s klokketårn *nt*

Belgian ['bɛldʒən] 1 ADJ belgisk
2 s (*person*) belgier *m*

Belgium ['bɛldʒəm] s Belgia

Belgrade [bɛl'greɪd] s Beograd

belie [bɪ'laɪ] VT (**a**) (= *disprove*) stå* i motsetning til ❑ *Their lives belie the popular image of rock stars.* Livene deres står i motsetning til det populære bildet av rockemusikerne.
(**b**) (= *give false impression of*) gi* et galt inntrykk av, tilsløre (*v2*) ❑ *His unlined face belied his fifty-five years.* Det glatte ansiktet hans gav et galt inntrykk av *or* tilslørte de femtifem årene hans.

belief [bɪ'liːf] s (**a**) (= *opinion, faith*) tro *c* ❑ *It is my*

firm belief... Det er min faste tro at... *a belief in the goodness of human nature.* ...en tro på det gode i mennesket.
(**b**) (= *acceptance as true*) oppfatning *m* ❑ *Contrary to popular belief...* Stikk i strid med vanlig oppfatning...
▸ **beyond belief** ikke til å tro ❑ *His stupidity is beyond belief.* Han er så dum at det er ikke til å tro.
▸ **in the belief that** i den tro at

believable [bɪ'liːvəbl] ADJ (*story, explanation*) troverdig

believe [bɪ'liːv] 1 VT (**a**) (+*person, story*) tro (*v4*) (på) ❑ *He knew I didn't believe him.* Han visste at jeg ikke trodde (på) ham.
(**b**) (+*fact*) tro (*v4*) ❑ *Scientists believe (that)...* Forskerne tror at...
2 VI (= *have faith*) tro (*v4*) ❑ *Do you believe, my son?* Tror du, min sønn?
▸ **to believe in** (**a**) (+*God, ghosts*) tro (*v4*) på (**b**) (+*method*) tro (*v4*) på, ha* tro på
▸ **I don't believe in corporal punishment** jeg tror ikke *or* har ikke noen tro på fysisk avstraffelse
▸ **he is believed to be abroad** han antas å være* i utlandet, det antas at han er i ulandet

believer [bɪ'liːvəʳ] S (**a**) (*in idea, activity*) tilhenger *m* ❑ *I am a passionate believer in free enterprise.* Jeg er en lidenskapelig tilhenger av fri foretaksvirksomhet.
(**b**) (*REL*) troende *m decl as adj* ❑ *None of my friends were Christian believers.* Ingen av vennene mine var troende kristne *or* personlig kristne.
▸ **she's a great believer in healthy eating** hun har stor tro på sunt kosthold, hun er en varm tilhenger av et sunt kosthold

belittle [bɪ'lɪtl] VT bagatellisere (*v2*), forkleine (*v1*)

Belize [bɛ'liːz] S Belize

bell [bɛl] S (**a**) (*of church*) klokke *c*
(**b**) (*small*) bjelle *c*, klokke *c*
(**c**) (*on door, also electric*) (ringe)klokke *c*
▸ **that rings a bell** (*fig*) det låter *or* lyder kjent

bell-bottoms ['bɛlbɔtəmz] SPL slengbukser *pl*

bellboy ['bɛlbɔɪ] (*BRIT*) S pikkolo *m*

bellhop ['bɛlhɔp] (*US*) S = **bellboy**

belligerence [bɪ'lɪdʒərəns] S fiendtlighet *m*

belligerent [bɪ'lɪdʒərənt] ADJ (*person, attitude*) fiendtlig, krigersk

bellow ['bɛləu] 1 VI brøle (*v2*)
2 VT (+*orders*) brøle (*v2*) (ut)

bellows ['bɛləuz] SPL (blåse)belg *m*

bell push (*BRIT*) S ringeknapp *m*

belly ['bɛlɪ] S (*of person*) mage *m*; (*of animal*) mage *m*, buk *m*

bellyache ['bɛlɪeɪk] (*sl*) 1 S mageknip *m*, magepine *m*
2 VI (*person+ : complain*) jamre (*v1*) seg, syte (*v2*)

belly button (*sl*) S navle *m*

bellyful ['bɛlɪful] (*sl*) S ▸ **I've had a bellyful of that** jeg har fått mer enn nok av det

belong [bɪ'lɔŋ] VI ▸ **to belong to** tilhøre (*v2*) (*var.* høre til) ❑ *He had taken some valuables belonging to another person.* Han hadde tatt noen verdisaker som tilhørte *or* hørte til en annen. *She belongs to the Labour Party.* Hun tilhører *or* hører til Arbeiderpartiet.
▸ **this book belongs here** denne boka hører til her

belongings [bɪ'lɔŋɪŋz] SPL eiendeler *m pl* ❑ *We packed the few belongings we had...* Vi pakket de få* eiendelene vi hadde...

Belorussia [bɛləu'rʌʃə] S Hviterussland

beloved [bɪ'lʌvɪd] 1 ADJ (*person, place, thing*) elsket
2 S (*gam*) elskede *m decl as adj*, (hjertens)kjær *m decl as adj*

below [bɪ'ləu] 1 PREP under ❑ *...a kilometer below the surface of the Pacific Ocean.* ...en kilometer under Stillehavets overflate. *Our circulation of 21,000 had slumped to below 18,000.* Opplaget vårt på 21 000 hadde falt til under 18 000.
2 ADV nedenfor, under ❑ *The high canopy of branches shades the ground below.* Den høye hvelvingen av greiner gir skygge til bakken nedenfor *or* under.
▸ **see below** (*in letter etc*) se nedenfor
▸ **temperatures below normal** temperaturer under det normale

belt [bɛlt] 1 S (**a**) (*clothing*) belte *nt*
(**b**) (*of land, sea, air*) belte *nt* ❑ *This part of America is known as the corn belt.* Denne delen av Amerika er kjent som maisbeltet.
(**c**) (*TEKN*) reim *c* (*var.* rem) ❑ *A belt snapped in the vacuum cleaner today.* Det røk en re(i)m i støvsugeren i dag.
2 VT (*sl : thrash*) gi* juling *or* ris ❑ *Her Dad belted her when she got home late.* Faren hennes gav henne juling *or* ris da hun kom sent hjem.
3 VI (*BRIT : sl*) ▸ **to belt along/down/into** *etc* dure (*v2*) i vei langs/nedover/inn i *etc* ❑ *We were belting along the motorway at 140 km per hour.* Vi durte i vei langs motorveien i 140 km i timen.
▸ **industrial belt** industribelte *nt*
▸ **belt out** VT (*sl : song*) vræle (*v2*) ❑ *She was belting out "My Way" at the top of her voice.* Hun vrælte "My Way" av full hals.
▸ **belt up** (*BRIT : sl*) VI holde* kjeft ❑ *Why don't you belt up for a change?* Kan du ikke holde kjeft til en forandring?

beltway ['bɛltweɪ] (*US : BIL*) S ringvei *m*

bemoan [bɪ'məun] VT beklage (*v1*) seg over, sukke (*v1*) over ❑ *She bemoaned her lack of qualifications.* Hun beklaget seg *or* sukket over sin mangel på kvalifikasjoner.

bemused [bɪ'mjuːzd] ADJ (*person, expression*) perpleks, forfjamset

bench [bɛntʃ] S (*gen, POL*) benk *m* ❑ *...loud cheers from the government benches.* ...høye tilrop fra regjeringsbenkene.
▸ **on the bench** (*SPORT*) på benken
▸ **the Bench** (*JUR : in court*) dommeren/dommerne ❑ *Would the witness please address his remarks to the Bench.* Vil vitnet være* så vennlig å rette sine bemerkninger til dommeren/dommerne?

benchmark ['bɛntʃmɑːk] S (*fig*) målestokk *m* ❑ *...the benchmark for establishing success.* ...målestokken for å bedømme suksess.

bend [bɛnd] (*pt, pp* **bent**) 1 VT bøye (*v3*) ❑ *Bend the arm at the elbow.* Bøy armen ved albuen.

...pliers for bending wire. ...tenger for å bøye ståltråd.
2 VI bøye (*v3*) seg ❑ *He found it difficult to bend these days.* Han syntes det var vanskelig å bøye seg for tiden. *It's obviously not going to bend.* Den kommer opplagt ikke til å bøye seg.
3 S (**a**) (*BRIT: in road, river*) sving *m* ❑ *When I was out of sight around the first bend...* Da jeg var ute av syne rundt den første svingen...
(**b**) (*in pipe*) bøy *m*
▸ **the bends** SPL (*MED*) dykkersyke *m*
▸ **bend down** VI bøye (*v3*) seg ❑ *He bent down and undid the laces.* Han bøyde seg og knyttet opp lissene.
▸ **bend over** 1 VI bøye (*v3*) seg
2 VT bøye (*v3*) seg over ❑ *He bent over the basin and splashed his face.* Han bøyde seg over vasken og sprutet vann i ansiktet.
beneath [bɪ'ni:θ] 1 PREP (**a**) (*in position*) under ❑ *She concealed the bottle beneath her mattress.* Hun skjulte flasken under madrassen sin.
(**b**) (*in status*) ▸ **beneath one** under sin stand ❑ *The Duke married beneath him, some thought.* Greven giftet seg under sin stand, syntes noen.
2 ADV nedenfor, under ❑ *On the step beneath stood Judy.* På trinnet nedenfor *or* under stod Judy.
benefactor ['bɛnɪfæktəʳ] S (*to person, institution*) velgjører *m*
benefactress ['bɛnɪfæktrɪs] S velgjører *m*
beneficial [bɛnɪ'fɪʃəl] ADJ (*effect, influence*) fordelaktig, heldig
▸ **beneficial to** til fordel for, til beste for ❑ *Most of the effects of science are beneficial to people.* De fleste følgene av vitenskap er til fordel for *or* til beste for folk.
beneficiary [bɛnɪ'fɪʃərɪ] (*JUR*) S begunstiget *m decl as adj* ❑ *...a will naming his children as beneficiaries.* ...et testamente som begunstiget barna hans *or* som navngav barna hans som begunstigede.
benefit ['bɛnɪfɪt] 1 S (**a**) (*= advantage*) fordel *m* ❑ *Only a few reap the benefits of agricultural advance.* Bare noen få* høster fordelene av framskritt i jordbruket.
(**b**) (*money*) trygd *c* ❑ *He is unemployed and receiving benefit.* Han er arbeidsløs og mottar trygd.
(**c**) (*also* ***benefit concert/match***) veldedighetskonsert *m*/veldedighetskamp *m*
2 VT gagne (*v1*), være* til nytte *or* gagn for ❑ *...a medical service which will benefit rich and poor.* ...en helsetjeneste som vil gagne *or* være* til nytte *or* gagn for både rike og fattige.
3 VI ▸ **he'll benefit from it** han vil ha* nytte *or* godt av det
Benelux ['bɛnɪlʌks] S Benelux(landene)
benevolent [bɪ'nɛvələnt] ADJ (*person*) sjenerøs, gavmild; (*organization*) veldedig
BEng S FK (= **Bachelor of Engineering**) *ingeniørutdannelse*
benign [bɪ'naɪn] ADJ (*person, smile*) vennlig, godmodig; (*MED*) godartet
bent [bɛnt] 1 PRET, PP *of* **bend**
2 S legning *c* ❑ *...a boy with a technical bent.* ...en gutt med teknisk legning.
3 ADJ (**a**) (*wire, pipe*) bøyd
(**b**) (*sl: dishonest*) frynset(e) (i kanten) ❑ *...a bent copper.* ...en frynset(e) purk *or* en purk som er frynset(e) i kanten.
(**c**) (*neds: homosexual*) skeiv
▸ **to be bent on** være* oppsatt på ❑ *There is always someone bent on interrupting the speakers.* Det er alltid en som er oppsatt på å avbryte talerne.
bequeath [bɪ'kwi:ð] VT ▸ **to bequeath sb sth** testamentere (*v2*) noe til noen ❑ *He bequeathed her forty million dollars.* Han testamenterte førti millioner dollar til henne.
bequest [bɪ'kwɛst] S (*to person, charity*) testamentarisk gave *m*
bereaved [bɪ'ri:vd] 1 S ▸ **the bereaved** de etterlatte
2 ADJ som har mistet en av sine kjære
bereavement [bɪ'ri:vmənt] S sorg *m* (*over tapet av en venn/et familiemedlem*)
bereft [bɪ'rɛft] (*fml*) ADJ ▸ **bereft of** blottet for ❑ *Her cheeks were bereft of colour.* Kinnene hennes var blottet for farge.
beret ['bɛreɪ] S alpelue *c*, beret *m*
Bering Sea ['beɪrɪŋ-] S ▸ **the Bering Sea** Beringhavet
berk [bə:k] (*sl*) S dust *m*
Berks (*BRIT: POST*) FK = **Berkshire**
Berlin [bə:'lɪn] S Berlin
berm [bə:m] (*US: BIL*) S veiskulder *m*
Bermuda [bə:'mju:də] S Bermuda
Bermuda shorts SPL bermudashorts *m*
Bern [bə:n] S Bern
berry ['bɛrɪ] S bær *nt*
berserk [bə'sə:k] ADJ ▸ **to go berserk** gå* berserk
berth [bə:θ] 1 S (**a**) (*= bed*) køye *c*
(**b**) (*NAUT: mooring*) kaiplass *m*
2 VI (*ship+*) legge* til kai
▸ **to give sb a wide berth** (*fig*) skygge (*v1*) unna noen
beseech [bɪ'si:tʃ] (*pt, pp* **besought**) VT (*+person, God*) bønnfalle*
▸ **to beseech sb to do sth** bønnfalle* noen om å gjøre* noe
beset [bɪ'sɛt] (*pt, pp* **beset**) VT (*fears, doubts, difficulties+*) tynge (*v1*), bebyrde (*v1*) ❑ *The problems which beset us...* Problemene som tynger oss...
▸ **beset with** (*+problems, dangers etc*) (ned)tynget av, bebyrdet med
beside [bɪ'saɪd] PREP (**a**) (= *next to*) ved siden av ❑ *I sat down beside my wife.* Jeg satte meg ved siden av kona mi.
(**b**) (= *compared with*) ved siden av, foruten ❑ *Beside the eternal Brahman, there exists only dreams.* Ved siden av *or* foruten den evige Brahman, eksisterer det bare drømmer.
▸ **to be beside o.s. (with rage)** være* ute av seg (av raseri), være* fra seg (av raseri)
▸ **that's beside the point** det har ikke noe med saken å gjøre, det er ikke det som er poenget *or* saken
besides [bɪ'saɪdz] 1 ADV (**a**) (= *in addition*) til

❑ *He's guilty of six killings, and more besides.* Han er skyldig i seks drap, og flere til.
(**b**) (= *in any case*) dessuten ❑ *Besides, by their nature such businesses take risks.* Dessuten er det innebygd i slike foretagender at de tar sjanser.
2 PREP (= *in addition to, as well as*) ved siden av, foruten, utenom ❑ *What languages do you know besides Arabic and English?* Hvilke språk kan du ved siden av *or* foruten *or* utenom arabisk og engelsk?

besiege [bɪ'siːdʒ] VT (*gen, fig*) beleire (*v1*) ❑ *They were besieged for six months.* De var beleiret i seks måneder. *She was besieged with requests for her autograph.* Hun ble beleiret av spørsmål etter autografen hennes.

besmirch [bɪ'smɜːtʃ] VT (*+person, reputation*) sverte (*v1*), besudle (*v1*)

besotted [bɪ'sɒtɪd] (*BRIT*) ADJ ▸ **besotted with** forgapt i ❑ *He was besotted with me.* Han var forgapt i meg.

besought [bɪ'sɔːt] PRET, PP *of* **beseech**

bespectacled [bɪ'spɛktɪkld] ADJ bebrillet

bespoke [bɪ'spəuk] (*BRIT*) ADJ (*garment*) skreddersydd, sydd etter mål
▸ **bespoke tailor** skredder *m* (som syr etter mål)

best [bɛst] ADJ, ADV best ❑ *That was one of the best films I've seen.* Det var en av de beste filmene jeg har sett. *...the best preserved mediaeval township in the world.* ...den best bevarte middelalderbyen i verden.
▸ **the best thing to do is...** det beste er å...
▸ **the best part of** (= *most of*) mesteparten av, størstedelen av ❑ *...the best part of a year.* ...mesteparten *or* størstedelen av året.
▸ **at best** i beste fall ❑ *The accommodation was makeshift at best.* Losjiet var provisorisk i beste fall.
▸ **to make the best of sth** gjøre* det beste ut av noe
▸ **to do one's best** gjøre* sitt beste
▸ **to the best of my knowledge** så vidt jeg vet
▸ **to the best of my ability** så godt jeg kan, etter beste evne
▸ **he's not exactly patient at the best of times** han er ikke akkurat tålmodig selv på sitt beste *or* selv når forholdene ligger vel til rette

bestial ['bɛstɪəl] ADJ (*behaviour, habits, violence*) bestialsk

best man S forlover *m*

bestow [bɪ'stəu] VT ▸ **to bestow sth on sb** (*+honour, title*) tildele (*v2*) noen noe; (*+affection, praise*) tilkjenne (*v2x*) noen noe

bestseller ['bɛst'sɛləʳ] S (*book*) bestselger *m* (*var.* bestseller)

bet [bɛt] (*pt, pp* **bet** *or* **betted**) 1 S veddemål *nt* ❑ *I didn't put a bet on.* Jeg inngikk ikke noe veddemål.
2 VT (**a**) (= *wager*) ▸ **to bet sb 100 pounds that...** vedde (*v1*) 100 pund med noen på at...
(**b**) (= *expect, guess*) ▸ **to bet (that)** vedde (*v1*) på at, tippe (*v1*) på at ❑ *I bet nobody's been here before.* Jeg skal vedde *or* tippe på at ingen har vært her før.
3 VI ▸ **to bet on** spille (*v2x*) på, vedde (*v1*) på ❑ *I told him which horse to bet on.* Jeg sa til ham hvilken hest han skulle* spille *or* vedde på.
▸ **I wouldn't bet on it** (*fig*) jeg ville* ikke satse på det
▸ **it's a safe bet that...** (*fig*) det er svært sannsynlig at..., det er ganske opplagt at...

Bethlehem ['bɛθlɪhɛm] S Betlehem

betray [bɪ'treɪ] VT (**a**) (= *denounce: friends, country*) forråde (*v2*), svike*
(**b**) (*+trust, confidence*) svikte (*v1*) ❑ *You betrayed a position of trust.* Du sviktet en betrodd stilling.
(**c**) (= *reveal: emotion*) røpe (*v1 or v2*) ❑ *His face betrayed his grief.* Ansiktet hans røpet sorgen.

betrayal [bɪ'treɪəl] S (*action*) svik *nt*, forræderi *nt*

better ['bɛtəʳ] 1 ADJ, ADV bedre ❑ *...much better than might have been expected.* ...mye bedre enn man kunne* ha* ventet. *"Have you still got a cold?" "No, I'm better now, thanks."* "Er du fremdeles forkjølet?" "Nei, jeg er bedre nå, takk." *Some people can ski better than others.* Noen kan gå* på ski bedre enn andre.. Noen er flinkere *or* bedre til å gå* på ski enn andre.
2 VT (*+score, record*) forbedre (*v1*) ❑ *We couldn't have bettered last year's figures.* Vi kunne* ikke ha* forbedret fjorårets tall.
3 S ▸ **to get the better of** (*curiosity etc+*) løpe* av med ❑ *My curiosity got the better of me.* Nysgjerrigheten min løp av med meg.
▸ **a change for the better** en forandring til det bedre
▸ **I had better go** det er best jeg går, jeg bør nok gå
▸ **you had better do it** det er (nok) best du gjør det
▸ **he thought better of it** han betenkte seg
▸ **to get better** bli* bedre
▸ **that's better!** det var bedre!

better off ADJ ▸ **to be better off** (**a**) (= *wealthier*) ha* bedre råd
(**b**) (= *more comfortable etc*) ha/få det bedre ❑ *She will be better off in hospital.* Hun vil ha/få det bedre på sykehus.
▸ **you're better off without him** du har det bedre uten ham

betting ['bɛtɪŋ] S (**a**) (= *gambling*) pengespill *nt* ❑ *There was some illegal betting going on.* Det foregikk en del ulovlig pengespill.
(**b**) (= *odds*) odds *m* ❑ *The betting on the next election is very close.* Oddsene for det neste valget er ganske like.

betting shop (*BRIT*) S ≈ tippekommisjonær *m* (*en forretning hvor man kan tippe fotball, vedde på hester etc*)

between [bɪ'twiːn] 1 PREP mellom ❑ *The revolver lay between the two bodies.* Revolveren lå mellom de to likene. *...between 9 and 10 tomorrow morning.* ...mellom 9 og 10 i morgen tidlig.
2 ADV ▸ **in between** (**a**) (*in space*) i mellom ❑ *...Penn Close, Court Road and all the little side streets in between.* ...Penn Close, Court Road og alle de små sidegatene i mellom dem.
(**b**) (*in time*) i mellomtiden, innimellom
▸ **the road between here and London** veien herfra til London, veien mellom dette stedet og

London
▸ **we only had 5 pounds between us** vi hadde bare 5 pund til sammen
▸ **between you and me** mellom oss
bevel ['bɛvəl] s (*also* ***bevel edge***) skråkant *m*
bevelled ['bɛvəld] ADJ ▸ **a bevelled edge** en skråkant
beverage ['bɛvərɪdʒ] s drikk *m*
bevy ['bɛvɪ] s ▸ **a bevy of** en skokk (med)
bewail [bɪ'weɪl] VT beklage (*v1*) seg over
❏ *Frequently they bewail the ingratitude of their children.* Ofte beklager de seg over sine barns utakknemlighet.
beware [bɪ'wɛəʳ] VI ▸ **to beware (of)** se* opp for
❏ *Beware of cheap imitations.* Se opp for billige etterligninger.
▸ **"beware of the dog"** "vokt Dem for hunden"
bewildered [bɪ'wɪldəd] ADJ forvirret
bewildering [bɪ'wɪldrɪŋ] ADJ forvirrende
bewitching [bɪ'wɪtʃɪŋ] ADJ (*smile, person*) fortryllende
beyond [bɪ'jɔnd] 1 PREP (**a**) (*in space*) utenfor
❏ *...a farm out beyond Barnham.* ...en gård utenfor Barnham.
(**b**) (= *past: understanding*) hinsides ❏ *It's changed beyond recognition.* Det har forandret seg til det ugjenkjennelige *or* har forandret seg hinsides enhver gjenkjennelse.
(**c**) (= *exceeding*) som overgår ❏ *...beyond my wildest dreams.* ...som overgår mine villeste fantasier.
(**d**) (= *after: date*) lenger enn til, utover ❏ *It might be unwise to delay it beyond 1987.* Det kan være* uklokt å utsette det lenger enn til 1987 *or* utover 1987.
(**e**) (= *above*) utover ❏ *Few children remain in the school beyond the age of 16.* Få barn fortsetter på skolen utover 16 års alder.
2 ADV (**a**) (*in space*) bortenfor ❏ *The room beyond proved to be a mirror image of the first room.* Rommet bortenfor viste seg å være* et speilbilde av det første rommet.
(**b**) (*in time*) som følger/fulgte
▸ **beyond doubt** hevet over (enhver) tvil
▸ **to be beyond repair** ikke kunne* repareres
▸ **it's beyond me** det overgår min forstand
b/f (*MERK*) FK (= **brought forward**) overført
BFPO S FK (= **British Forces Post Office**) *posttjeneste for hæren*
bhp (*BIL*) S FK (= **brake horsepower**) bremsehestekraft *c*
bi... [baɪ] PREF bi...
biannual [baɪ'ænjuəl] ADJ som skjer/kommer ut *etc* to ganger i året, som skjer/kommer ut *etc* hvert halvår
bias ['baɪəs] s (**a**) (= *prejudice*) forutinntatthet *m*, fordommer *pl* ❏ *There's an intense bias against women candidates.* Det er en intens forutinntatthet *or* Det er intense fordommer mot kvinnelige kandidater.
(**b**) (= *preference*) tilbøyelighet *m* til å foretrekke
❏ *...a bias towards a certain type of personality.* ...en tilbøyelighet til å foretrekke en viss personlighetstype.
bias(s)ed ['baɪəst] ADJ (*jury, judgement, reporting*) forutinntatt, partisk
▸ **to be bias(s)ed against** være* forutinntatt mot
biathlon [baɪ'æθlən] s skiskyting *m*
bib [bɪb] s (*child's*) smekke *c*
Bible ['baɪbl] (*REL*) s Bibel *m*
biblical ['bɪblɪkl] ADJ bibelsk
bibliography [bɪblɪ'ɔgrəfɪ] s bibliografi *m*, litteraturliste *c*
bicarbonate of soda [baɪ'kɑːbənɪt-] s (*for baking*) natron *nt*; (*medicinal*) natriumbikarbonat *m*
bicentenary [baɪsɛn'tiːnərɪ] s (*day*) tohundreårsdag *m*; (*period, event*) tohundreårsjubileum *nt irreg*
bicentennial [baɪsɛn'tɛnɪəl] s = **bicentenary**
biceps ['baɪsɛps] s biceps *m*
bicker ['bɪkəʳ] VI kjekle (*v1*)
bickering ['bɪkərɪŋ] s kjekling *c* ❏ *...constant bickering over interest rates.* ...stadig kjekling om rentesatsene.
bicycle ['baɪsɪkl] s sykkel *m*
bicycle path s sykkelsti *m*
bicycle pump s sykkelpumpe *c*
bicycle track s sykkelsti *m*
bid [bɪd] (*pt* **bade** *or* **bid**, *pp* **bid(den)**) 1 s (**a**) (*at auction*) bud *nt* ❏ *I believe a bid was made...* Jeg tror det ble gitt et bud...
(**b**) (*in tendering for work*) (til)bud *nt*
(**c**) (= *attempt*) forsøk *nt* ❏ *...if he makes a bid for power.* ...hvis han gjør noe forsøk på å komme til makten.
2 VI (**a**) (*at auction*) by*, gi* bud ❏ *Are you planning to bid?* Har du tenkt å by *or* å gi* bud?
(**b**) (*KORT*) melde (*v2*)
3 VT (= *offer*) by* ❏ *I can't afford to bid more than £150 for the table.* Jeg har ikke råd til å by mer enn 150 pund for bordet.
▸ **to bid sb good-bye** ta* farvel med noen
bidder ['bɪdəʳ] s budgiver *m*
▸ **the highest bidder** budgiveren med det høyeste budet, den som har det høyeste budet/den høyeste meldingen, den som byr/melder høyest
bidding ['bɪdɪŋ] s (**a**) (*at auction*) budgiving *c*
(**b**) (= *order, command*) ▸ **to do sb's bidding** handle (*v1*) på oppdrag fra noen
▸ **he assumes she is only there to do his bidding** han antar at hun bare er der for å oppfylle hans ønsker
bide [baɪd] VT ▸ **to bide one's time** vente (*v1*) på det rette øyeblikket, se* tiden an
bidet ['biːdeɪ] s bidé *nt*
bidirectional ['baɪdɪ'rɛkʃənl] (*DATA*) ADJ toveis
biennial [baɪ'ɛnɪəl] 1 ADJ som skjer/kommer ut *etc* hvert annet år ❏ *Every union has its own annual or biennial conference.* Hver forening har sin egen konferanse hvert eller annethvert år.
2 s toårig plante *c*
bier [bɪəʳ] s likbåre *c*
bifocals [baɪ'fəuklz] SPL bifokale briller *pl*
big [bɪg] ADJ (**a**) (*in size*) stor, svær ❏ *She was a big woman in her early forties.* Hun var en stor *or* svær dame i begynnelsen av førtiårene. *She was holding a big black umbrella.* Hun holdt en stor *or* svær, sort paraply.

(**b**) (= *in importance*) stor ❑ *The biggest problem at the moment is unemployment.* Det største problemet for øyeblikket er arbeidsledigheten. *He's big in publishing.* Han er stor innenfor forlagsvirksomhet.
▸ **to have big ideas** ha* store vyer ❑ *He's got big ideas about buying a sports car.* Han har store vyer om å kjøpe seg en sportsbil.
▸ **big brother/sister** storebror/storesøster ❑ *Chris admired his big brother.* Chris beundret storebroren sin.
▸ **to do things in a big way** gjøre* noe i stort format

bigamist ['bɪgəmɪst] s bigamist *m*
bigamous ['bɪgəməs] ADJ (*marriage*) bigamistisk
bigamy ['bɪgəmɪ] s bigami *m*, flerkoneri *nt*
big dipper s (*at fair*) berg-og-dal-bane *m*
big end (*BIL*) s veivstangfot *m irreg*
biggish ['bɪgɪʃ] ADJ ganske stor
bigheaded ['bɪg'hɛdɪd] ADJ innbilsk
big-hearted ['bɪg'hɑːtɪd] ADJ godhjertet
bigot ['bɪgət] s bigott *m*, forstokket person *m*
bigoted ['bɪgətɪd] ADJ bigott, forstokket, stivsinnet
bigotry ['bɪgətrɪ] s bigotteri *nt*, forstokkethet *m*, stivsinnethet *m*
big toe s storetå *c irreg*
big top s (*at circus*) sirkustelt *nt*
big wheel s (*at fair*) pariserhjul *nt*
bigwig ['bɪgwɪg] (*sl*) s stor kanon *m*
bike [baɪk] s sykkel *m*
bikini [bɪ'kiːnɪ] s bikini *m*
bilateral [baɪ'lætərəl] ADJ (*agreement*) bilateral
bile [baɪl] s (*BIO, also fig*) galle *m*
bilingual [baɪ'lɪŋgwəl] ADJ (*dictionary, secretary*) tospråklig
bilious ['bɪlɪəs] ADJ (= *queasy*) kvalm; (*fig : colour*) spy-
bill [bɪl] 1 s (**a**) (= *account*) regning *c* ❑ *The bill for dinner...* Regningen for middagen...
(**b**) (*POL*) lovforslag *nt* ❑ *The Bill was defeated by 238 votes to 145.* Lovforslaget ble avvist med 238 mot 145 stemmer.
(**c**) (*US : banknote*) seddel *m* ❑ *...a dollar bill.* ...en dollarseddel.
(**d**) (*of bird*) nebb *nt*
(**e**) (*TEAT*) ▸ **on the bill** på plakaten ❑ *There were some famous names on the bill.* Det var noen berømte navn på plakaten.
2 VT (+*customer*) sende (*v2*) regning ❑ *Bill me at my London address, please.* Send regningen til Londonadressen min, er du snill.
▸ **"post no bills"** "plakater forbudt"
▸ **to fit** *or* **fill the bill** (*fig*) passe (*v1*) bra, egne (*v1*) seg (bra)
▸ **bill of exchange** veksel *m*
▸ **bill of fare** spiseseddel *m*
▸ **bill of lading** konnossement *nt*
▸ **bill of sale** skjøte *nt*
billboard ['bɪlbɔːd] s plakattavle *c*, reklametavle *c*
billet ['bɪlɪt] 1 s kvarter *nt*
2 VT innkvartere (*v2*) ❑ *...the soldiers that were billeted in private houses...* soldatene som var innkvartert i privathus...
billfold ['bɪlfəuld] (*US*) s lommebok *c*
billiards ['bɪljədz] s biljard *m*
billion ['bɪljən] s (*BRIT*) billion *m*; (*US*) milliard *m*
billow ['bɪləu] 1 s sky *m* ❑ *...billows of smoke.* ...skyer av røyk.
2 VI (**a**) (*smoke+*) velte (*v1*) opp/ut
(**b**) (*sail+*) bølge (*v1*)
billy goat ['bɪlɪ-] s geitebukk *m*
bimbo ['bɪmbəu] (*sl : neds*) s skreppe *f*
bin [bɪn] s (**a**) (*BRIT : for rubbish*) søppelkasse *c*, søppelbøtte *c* ❑ *She threw both letters in the bin.* Hun kastet begge brevene i søppelkassen *or* søppelbøtten.
(**b**) (*container*) kasse *c*
binary ['baɪnərɪ] (*MAT*) ADJ binær
bind [baɪnd] (*pt, pp* **bound**) 1 VT (**a**) (*gen*) binde* ❑ *She bound him to the bed.* Hun bandt ham til sengen. *His hands were bound behind the post.* Hendene hans var bundet bak stolpen. *Duty bound him.* Plikten bandt ham.
(**b**) (+*book*) binde* inn ❑ *...beautifully bound books.* ...nydelig innbundne bøker.
2 s (*sl : nuisance*) heft *nt* ❑ *It's a terrible bind to have to cook your own meals.* Det er et fryktelig heft å måtte* lage sin egen mat.
▸ **bind over** VT (*JUR*) ▸ **to bind sb over (to keep the peace)** ≈ gi* noen en betinget dom
▸ **bind up** VT (+*wound*) forbinde*
▸ **to be bound up in** (+*work, research etc*) være* (svært) opptatt med
binder ['baɪndəʳ] s (= *file*) (ring)perm *m*
binding ['baɪndɪŋ] 1 ADJ (*contract*) bindende
2 s (*of book*) innbinding *c*
binge [bɪndʒ] (*sl*) 1 s ▸ **to go on a binge** gå* på rangel
2 VI skeie (*v1*) ut
bingo ['bɪŋgəu] s bingo *m* ❑ *Mum has gone to bingo.* Mamma har gått på bingo.
bin liner s søppelpose *m*
binoculars [bɪ'nɔkjuləz] SPL kikkert *m*
bio... ['baɪəu] PREF bio...
biochemistry [baɪə'kɛmɪstrɪ] s biokjemi *m*
biodegradable ['baɪəudɪ'greɪdəbl] ADJ biologisk nedbrytbar
biodiversity ['baɪəudaɪ'vəːsɪtɪ] s biologisk mangfold *nt*
biographer [baɪ'ɔgrəfəʳ] s biograf *m*
biographic(al) [baɪə'græfɪk(l)] ADJ biografisk
biography [baɪ'ɔgrəfɪ] s biografi *m*
▸ **a biography of Dylan Thomas** en biografi om Dylan Thomas
biological [baɪə'lɔdʒɪkl] ADJ biologisk ❑ *The biological sciences...* De biologiske vitenskapene... *biological washing powder.* ...biologisk vaskepulver.
biological clock s biologisk klokke *m*
biologist [baɪ'ɔlədʒɪst] s biolog *m*
biology [baɪ'ɔlədʒɪ] s biologi *m*
biophysics ['baɪəu'fɪzɪks] s biofysikk *m*
biopic ['baɪəupɪk] s filmbiografi *m*
biopsy ['baɪɔpsɪ] s biopsi *m*
biosphere ['baɪəsfɪəʳ] s biosfære *m*
biotechnology ['baɪəutɛk'nɔlədʒɪ] s bioteknologi *m*
biped ['baɪpɛd] s tobe(i)nt *m decl as adj*
birch [bəːtʃ] s bjørk *c* (*var:* bjerk)
bird [bəːd] s (*ZOOL*) fugl *m*; (*BRIT : sl : woman*)

skreppe *f*
bird of prey s rovfugl *nt*
bird's-eye view ['bɜːdzaɪ-] s (= *aerial view*) fugleperspektiv *nt*; (= *overview*) overblikk *nt*, oversikt *m*
bird-watcher ['bɜːdwɔtʃəʳ] s fugleforsker *m* (*en som har som hobby å iaktta fugler*)
Biro® ['baɪərəu] s kulepenn *m*
birth [bɜːθ] s (**a**) (*of baby, animal*) fødsel *m*
(**b**) (*fig*) fødsel *m*, tilblivelse *m* ❑ *...the birth of radio.* ...radioens fødsel *or* tilblivelse.
▸ **to give birth to** (*woman, animal+*) føde (*v2*)
birth certificate s fødselsattest *m*
birth control s (*policy*) fødselskontroll *m*, barnebegrensning *m*; (*methods*) prevensjon *m*
birthday ['bɜːθdeɪ] 1 s fødselsdag *m*, bursdag *m*, geburtsdag *m* ❑ *For her birthday I bought her a bicycle.* Til fødselsdagen *or* bursdagen *or* geburtsdagen hennes kjøpte jeg en sykkel til henne.
2 SAMMENS (*cake, card, present etc*) fødselsdags-, (ge)bursdags- *see also* **happy**
birthmark ['bɜːθmɑːk] s (*brown*) føflekk *m*; (*reddish*) fødselsmerke *nt*
birthplace ['bɜːθpleɪs] s (**a**) fødested *nt*
(**b**) (*fig*) vugge *m* ❑ *...the birthplace of romantic love.* ...den romantiske kjærlighetens vugge.
birth rate ['bɜːθreɪt] s fødselstall *nt*
Biscay ['bɪskeɪ] s ▸ **the Bay of Biscay** Biscayabukta
biscuit ['bɪskɪt] s (*BRIT*) kjeks *m*; (*US*) scone *m*
bisect [baɪ'sɛkt] VT (*+angle etc*) dele (*v2*) i to, dele (*v2*) på midten
bisexual ['baɪ'sɛksjuəl] 1 ADJ biseksuell
2 s biseksuell *m*
bishop ['bɪʃəp] s (*REL*) biskop *m*; (*SJAKK*) løper *m*
bistro ['biːstrəu] s bistro *m*
bit [bɪt] 1 PRET *of* **bite**
2 s (**a**) (= *piece*) bit *m*, stykke *nt* ❑ *...a loaf of bread and a little bit of cheese.* ...et brød og en liten bit *or* et lite stykke ost.
(**b**) (*tool*) bor *nt*, borstål *nt*
(**c**) (*DATA*) bit *m*
(**d**) (*of horse*) bissel *nt*, (munn)bitt *nt*
(**e**) (*US: coin*) småskilling *m*
▸ **a bit of** litt ❑ *I was in the West End doing a bit of shopping.* Jeg var i West end og handlet litt.
▸ **a bit mad/dangerous** litt gal/farlig
▸ **bit by bit** bit for bit
▸ **to come to bits** (= *break*) gå* i stykker
▸ **bring all your bits and pieces** ta* med deg alle greiene dine
▸ **to do one's bit** gi* sitt bidrag
bitch [bɪtʃ] s (**a**) (*dog*) tispe *c*
(**b**) (*sl!: woman*) innmari kvinnfolk *nt* (*sl*) ❑ *You bitch! don't speak about her like that.* Ditt innmarie kvinnfolk. Ikke snakk sånn om henne.
bitchy ['bɪtʃɪ] ADJ (*sl: neds*) innmari (*sl*)
bite [baɪt] (*pt* **bit**, *pp* **bitten**) 1 VT (**a**) (*person+*) bite* (i) ❑ *Please bite this rubber block hard.* Kan du bite hardt i denne gummiplaten.
(**b**) (*dog etc+*) bite* ❑ *My sister's dog bit me.* Hunden til søsteren min bet meg.
(**c**) (*insect+*) bite*
(**d**) (*mosquito+*) stikke* ❑ *A mosquito had bitten her on the wrist.* En mygg hadde stukket henne på ankelen.
2 VI (**a**) (*dog etc+*) bite*
(**b**) (*insect+*) bite*
(**c**) (*mosquito+*) stikke*
3 s (**a**) (*from insect*) bitt *nt*
(**b**) (*from mosquito*) stikk *nt* ❑ *My face and hands are covered with mosquito bites.* Ansiktet og hendene mine er fulle av myggstikk.
(**c**) (= *mouthful*) bit *m* ❑ *She took a big bite out of her bread and butter.* Hun tok en stor bit av brødskiven sin.
▸ **to bite one's nails** bite* negler
▸ **let's have a bite (to eat)** (*sl*) la oss få* oss noe å bite i, la oss få* oss en matbit
biting ['baɪtɪŋ] ADJ (*wind, wit*) bitende
bit part (*TEAT*) s (liten) birolle *m*
bitten ['bɪtn] PP *of* **bite**
bitter ['bɪtəʳ] 1 ADJ bitter ❑ *He was a jealous, slightly bitter man.* Han var en sjalu og noe bitter mann. *...bitter almonds.* ...bitre mandler. *It was a bitter blow for the new party.* Det var et bittert slag for det nye partiet. *...the bitter cold.* ...den bitre kulden. *...two years of bitter and ferocious fighting.* ...to år med bitter og innbitt kamp.
2 s (*BRIT: beer*) bitter *m* (*øl*) ❑ *...two pints of bitter.* ...to halvlitere med bitter.
▸ **to the bitter end** til siste slutt
bitterly ['bɪtəlɪ] ADV (**a**) (*complain, weep*) bittert
(**b**) (*oppose, criticize, hate*) inderlig
(**c**) (*jealous, disappointed*) inderlig
▸ **it's bitterly cold** det er bitterlig kaldt, det er iskaldt
bitterness ['bɪtənɪs] s bitterhet *m* ❑ *He remembers with bitterness how his father was cheated.* Han husker med bitterhet hvordan faren hans ble lurt.
bittersweet ['bɪtəswiːt] ADJ (*gen, fig*) bittersøt
bitty ['bɪtɪ] (*BRIT: sl*) ADJ (*film, story*) oppstykket
bitumen ['bɪtjumɪn] s asfalt *m*
bivouac ['bɪvuæk] s bivuakk *m*
bizarre [bɪ'zɑːʳ] ADJ (*conversation, contraption*) bisarr
bk FK = **bank**, **book**
BL s FK (= **Bachelor of Law**) *lavere universitetsgrad i jus*; (= **Bachelor of Letters**) *lavere universitetsgrad i litteraturvitenskap og klassikk*; (*US*) (= **Bachelor of Literature**) *lavere universitetsgrad i litteraturvitenskap og klassikk*
bl FK (= **bill of lading**) konnossement *nt*
blab [blæb] (*sl*) VI (*give away secrets*) sladre (*v1*)
black [blæk] 1 ADJ (**a**) (*object, person*) sort, svart ❑ *...a black leather coat.* ...en sort *or* svart skinnfrakk. *...black musicians.* ...sorte *or* svarte musikere.
(**b**) (*tea, coffee*) svart, uten melk/fløte ❑ *Do you want your coffee black?* Vil du ha* kaffen din svart?
(**c**) (*humour*) svart ❑ *...a black comedy.* ...en svart komedie.
2 s (**a**) (*colour*) sort *m*, svart *m* ❑ *...a woman dressed in black.* ...en kvinne kledd i sort *or* svart.
(**b**) (*person*) sort *m decl as adj*, svart *m decl as adj* ❑ *He was the first black to be elected to the*

Congress. Han var den første sorte *or* svarte som ble valgt inn i Kongressen.

3 VT (*BRIT: INDUST*) boikotte (*v1*) ❑ *They blacked all goods from Israel.* De boikottet alle varer fra Israel.

▸ **to give sb a black eye** gi* noen et blått øye

▸ **black and blue** (= *bruised*) gul og blå

▸ **there it is in black and white** (*fig*) der har du det svart på hvitt

▸ **to be in the black** (= *in credit*) ha* penger på konto *or* i banken

▸ **black out** VI (= *faint*) besvime (*v2*), svime (*v1 or v2*) av

black belt s (**a**) (*US: area*) black belt *nt* (*område i Sørstatene Georgia, Alabama, Mississippi hvor det bor mange svarte*)
(**b**) (*JUDO*) sort *or* svart belte *nt* ❑ *He's got a black belt in judo.* Han har sort *or* svart belte i judo.

blackberry ['blækbərɪ] s bjørnebær *nt*

blackbird ['blækbə:d] s svarttrost *m*

blackboard ['blækbɔ:d] s tavle *c*

black box (*AVIAT*) s ferdskriver *m*

black coffee s svart kaffe *m*

Black Country (*BRIT: GEOG*) s ▸ **the Black Country** Black Country (*industriområde i West Midlands i England*)

blackcurrant ['blæk'kʌrənt] s solbær *nt*

black economy s ▸ **the black economy** det svarte markedet

blacken ['blækn] VT (*fig: name, reputation*) sverte (*v1*)

Black Forest (*GEOG*) s ▸ **the Black Forest** Schwartzwald

blackhead ['blækhɛd] s sort *or* svart prikk *m*, hudorm *m*

black hole s sort *or* svart hull *nt*

black ice s tynn ishinne *m*, isfilm *m*

blackjack ['blækdʒæk] s (*KORT*) tjueett *nt*; (*US: truncheon*) blykølle *c*

blackleg ['blæklɛg] (*BRIT: INDUST*) s streikebryter *m*

blacklist ['blæklɪst] 1 s svarteliste *c* ❑ *Many had been placed on a blacklist.* Mange var satt på svarteliste.
2 VT (*+person*) svarteliste (*v1*)

blackmail ['blækmeɪl] 1 s (penge)utpressing *c*
2 VT drive* (penge)utpressing mot, presse (*v1*) for penger

blackmailer ['blækmeɪlə^r] s pengeutpresser *m*

black market s svartebørs *m*

▸ **on the black market** på svartebørs ❑ *...to sell jeans on the black market.* ...å selge jeans på svartebørs.

blackout ['blækaut] s (*in wartime*) blending *c*, mørklegging *c*; (= *power cut*) strømbrudd *nt*, mørklegging *c*; (*TV, RADIO*) sendeforbud *nt*; (= *faint*) bevisstløshet *m*, blackout *m*

black pepper s sort *or* svart pepper *m*

Black Sea s ▸ **the Black Sea** Svartehavet

black sheep s (*fig*) ▸ **the black sheep of the family.** familiens sorte får.

blacksmith ['blæksmɪθ] s smed *m*

black spot s (*BIL*) ulykkesutsatt sted *nt*

▸ **an unemployment black spot** *et område som er hardt rammet av arbeidsledighet*

bladder ['blædə^r] (*ANAT*) s blære *c*

blade [bleɪd] s (*gen*) blad *nt*

▸ **a blade of grass** et gressblad

blame [bleɪm] 1 s (*for error, crime*) skyld *c* ❑ *He had to take the blame for everything.* Han måtte* ta* skylden for alt.
2 VT ▸ **to blame sb for sth** beskylde (*v2*) noen for noe ❑ *I was blamed for the theft.* Jeg ble beskyldt for tyveriet.

▸ **to be to blame (for sth)** ha* skylden (for noe), være* skyld i noe ❑ *The housing shortage is largely to blame for the inflated rents.* Boligmangelen er hovedsakelig skyld i oppgangen i husleier *or* har mesteparten av skylden for oppgangen i husleier.

▸ **who's to blame?** hvem er det som har skylden?

▸ **I'm not to blame** jeg er uskyldig, jeg kan ikke klandres

blameless ['bleɪmlɪs] ADJ uklanderlig

blanch [blɑ:ntʃ] 1 VI (*person, face+*) blekne (*v1*)
2 VT (*KULIN: to remove skin*) skålde (*v1*); (*before freezing*) forvelle (*v1*)

blancmange [blə'mɔnʒ] s pudding *m* (*dessert*)

bland [blænd] ADJ (*taste, food*) tam, smakløs

blank [blæŋk] 1 ADJ (**a**) (*paper*) blank ❑ *...a blank sheet of paper.* ...et blankt ark.
(**b**) (*expression*) tom ❑ *She looked blank.* Hun hadde et tomt uttrykk i ansiktet.. Hun var uttrykksløs. *She gave him a blank look.* Hun så uttrykksløst *or* tomt på ham.
2 s (**a**) (*on form*) åpent felt *nt* ❑ *Fill in the blanks with the relevant details.* Fyll ut de åpne feltene med de aktuelle detaljene.
(**b**) (*cartridge*) løspatron *m* ❑ *They were firing blanks.* De skjøt med løspatroner.

▸ **my mind's a blank** jeg har jernteppe, det står helt stille for meg, jeg er helt tom i hodet

▸ **we drew a blank** (*fig*) vi hadde ikke hellet med oss

blank cheque s blankosjekk *m*

▸ **to give sb a blank cheque to do sth** (*fig*) gi* noen carte blanche for å gjøre* noe, gi* noen fritt spillerom for å gjøre* noe

blanket ['blæŋkɪt] 1 s (*gen*) teppe *nt*
2 ADJ (*statement, agreement*) alminnelig, generell ❑ *...our blanket acceptance of everything they say.* ...vår alminnelige *or* generelle samtykke i alt de sier.

blanket cover (*FORS*) s helassuranse *m*, *forsikring som dekker alle eventualiteter*

blare [blɛə^r] VI (*brass band, horn+*) skingre (*v1*), tute (*v1*); (*radio+*) skråle (*v2*)

▸ **blare out** VI (*radio, stereo+*) skråle (*v2*)

blarney ['blɑ:nɪ] s smisking *c*

blasé ['blɑ:zeɪ] ADJ (*reaction, tone*) blasert

blaspheme [blæs'fi:m] VI være* blasfemisk

blasphemous ['blæsfɪməs] ADJ blasfemisk

blasphemy ['blæsfɪmɪ] (*REL*) s blasfemi *m*, gudsbespottelse *m*

blast [blɑ:st] 1 s (**a**) (*of wind*) vindkast *nt*, gufs *nt* ❑ *...icy blasts.* ...iskalde vindkast *or* gufs.
(**b**) (*of whistle*) støt *nt* ❑ *Ralph blew a series of short blasts.* Ralph blåste en serie med korte støt (i fløyten).
(**c**) (*of air, steam*) vell *nt* ❑ *...blasts of air.* ...vell av

luft.
(**d**) (= *explosion*) eksplosjon *m* ❑ *Nobody had been hurt in the blast.* Ingen hadde blitt skadet i eksplosjonen.
2 VT (= *blow up*) sprenge (*v2*) (i luften)
3 INTERJ (*BRIT: sl*) fillern (*sl*), søren (*sl*)
▸ **at full blast** (*play music etc*) på full styrke, på full guffe ❑ *She insists on having the radio on at full blast.* Hun insisterer på å ha* radioen på full styrke *or* guffe.
▸ **blast off** VI (*rocket+*) bli* skutt ut
blast furnace S masovn *m*
blast-off [ˈblɑːstɔf] (*of rocket*) S utskyting *c*
blatant [ˈbleɪtənt] ADJ (*discrimination, bias*) åpenlys, skamløs
blatantly [ˈbleɪtəntlɪ] ADV (*lie*) skamløst
▸ **it's blatantly obvious** det er opp i dagen
blaze [bleɪz] 1 S (**a**) (= *fire*) (voldsom) brann *m* ❑ *...the blaze at the night club.* ...den voldsomme brannen på nattklubben.
(**b**) (*fig: of colour*) hav *nt* ❑ *The flower beds were a blaze of colour.* Blomsterbedene var et hav av farger *or* et fargehav.. Blomsterbedene var fargesprakende.
(**c**) (*of glory, publicity*) storm *m* ❑ *He left office in a blaze of glory.* Han forlot embetet på en bølge av heder og ære.
2 VI (**a**) (*fire+*) flamme (*v1*) ❑ *The fire was still blazing...* Ilden flammet fremdeles...
(**b**) (*guns+*) fyre (*v2*) løs ❑ *The armoured infantry-carriers followed, guns blazing.* De pansrede infanterivognene fulgte mens geværene fyrte løs.
(**c**) (*fig: eyes*) flamme (*v1*) ❑ *She turned and faced him, her eyes blazing.* Hun snudde seg mot ham med flammende øyne.
3 VT ▸ **to blaze a trail** (*fig*) bane (*v1 or v2*) vei ❑ *They're currently blazing a trail in the biotechnology field.* De baner nå vei innenfor bioteknologien.
▸ **in a blaze of publicity** i en storm av publisitet
blazer [ˈbleɪzəʳ] S (*of school, team etc*) blazer *m*
bleach [bliːtʃ] 1 S (*chemical*) blekemiddel *nt*
2 VT (*+fabric, hair*) bleke (*v1*)
bleached [bliːtʃt] ADJ (*hair*) bleket
bleachers [ˈbliːtʃəz] (*SPORT: US*) SPL ståtribune *m*
bleak [bliːk] ADJ (*countryside*) ødslig; (*weather*) ufyselig; (*prospect, situation*) trøsteløs, dyster; (*expression, voice*) dyster
bleary-eyed [ˈblɪərɪˈaɪd] ADJ trang i øynene, tung i øyelokkene
bleat [bliːt] 1 VI (*goat, sheep+*) breke (*v2*)
2 S (*of goat, sheep*) breking *c*
bled [blɛd] PRET, PP *of* **bleed**
bleed [bliːd] (*pt, pp* **bled**) 1 VI (**a**) (*MED*) blø (*v4*)
(**b**) (= *run: colour*) farge (*v1*) av
2 VT (*+brakes, radiator*) tappe (*v1*)
▸ **my nose is bleeding** jeg blør neseblod
▸ **to bleed to death** blø (*v4*) seg i hjel
bleep [bliːp] 1 S (*noise*) pip *nt*; (*gadget*) calling *m*, piper *m*
2 VI pipe*
3 VT (*doctor etc*) calle (*v1*) på, pipe* på
bleeper [ˈbliːpəʳ] S (*device*) calling *m*
blemish [ˈblɛmɪʃ] S (*on skin*) lyte *nt*; (*on fruit*) flekk *m*; (*fig: on reputation*) plett *m*
blend [blɛnd] 1 S (*of tea, whisky*) blanding *c*
2 VT (*+ingredients*) blande (*v1*) sammen; (*+colours, styles, flavours etc*) samstemme (*v2x*)
3 VI (*also* ***blend in***: *colours etc*) blande (*v1*) seg med
blender [ˈblɛndəʳ] (*KULIN*) S hurtigmikser *m*
bless [blɛs] (*pt, pp* **blessed** *or* **blest**) VT (*REL*) velsigne (*v1*) ❑ *...when the Pope blessed the President.* ...da paven velsignet presidenten.
▸ **to be blessed with** være* velsignet med ❑ *She is blessed with immense boundless energy.* Hun er velsignet med en grenseløs energi.
▸ **bless you!** (*after sneeze*) prosit!
blessed [ˈblɛsɪd] ADJ (**a**) (*REL: holy*) velsignet, salig
(**b**) (= *glorious*) velsignet, herlig ❑ *...blessed freedom.* ...velsignede *or* herlige frihet.
▸ **it rains every blessed day** (*sl*) det regner hver salige dag
blessing [ˈblɛsɪŋ] S (*gen, REL*) velsignelse *m* ❑ *She did it with the full blessing of her parents.* Hun gjorde det med full velsignelse fra foreldrene sine. *Health is a blessing that money cannot buy.* Helse er en velsignelse som ikke kan kjøpes for penger. *Then there was a blessing in church after the civil ceremony.* Så var det en velsignelse i kirken etter den borgerlige seremonien.
▸ **to count one's blessings** være* takknemlig for det man har
▸ **it was a blessing in disguise** det var hell i uhell
blew [bluː] PRET *of* **blow**
blight [blaɪt] 1 VT (*+hopes, life, career*) spolere (*v2*)
2 S (*of plants*) *plantesykdom som får planten til å visne* ❑ *...potato blight.* ...potetsyke.
blimey [ˈblaɪmɪ] (*BRIT: sl*) INTERJ jøss(es) (*sl*)
blind [blaɪnd] 1 ADJ (**a**) (*MED*) blind
(**b**) (*fig*) ▸ **blind (to)** blind (for) ❑ *I realized how blind I was to his faults.* Jeg innså hvor blind jeg hadde vært for feilene hans.
2 S (**a**) (*for window*) rullegardin *nt or c* ❑ *She pulled the blind.* Hun drog ned rullegardinen.
(**b**) (*also* ***Venetian blind***) persienne *c*
3 VT (**a**) (*MED*) blinde (*v1*) ❑ *The acid went into her face and blinded her.* Syren angrep ansiktet hennes og blindet henne.
(**b**) (= *dazzle*) blende (*v1*) ❑ *My eyes were momentarily blinded by flash bulbs.* I et øyeblikk ble øynene mine blendet av blitzpærer.
(**c**) (*fig: make insensitive*) gjøre* blind ❑ *We have to beware that missionary zeal doesn't blind us to reality.* Vi må passe oss så ikke misjonæränden gjør oss blinde for virkeligheten.
▸ **the blind** SPL (= *blind people*) de blinde ❑ *...the help that's given to the blind.* ...hjelpen som blir gitt til de blinde.
▸ **blind in one eye** blind på et øye
▸ **to turn a blind eye on** *or* **to sth** se* noe gjennom fingrene med, late* som om man ikke ser noe
blind alley S (*fig*) blindspor *c*
blind corner (*BRIT*) S uoversiktlig sving *m*
blind date S blind date *m*, *stevnemøte med en man ikke kjenner*

blinders ['blaɪndəz] (*US*) SPL = **blinkers**
blindfold ['blaɪndfəuld] 1 s bind *nt* for øynene
2 ADJ (*also* **blindfolded**) som har bind for øynene
3 ADV (*also* **blindfolded**) med bind for øynene
4 VT sette* bind for øynene på
blindly ['blaɪndlɪ] ADV blindt ❑ *A few men were shooting blindly into the flames.* Noen menn skjøt blindt inn i flammene. NB *...to obey blindly.* ...å adlyde blindt.
blindness ['blaɪndnɪs] s (*also fig*) blindhet *m*
blind spot s (**a**) (*BIL*) dødvinkel *m*
(**b**) (*in vision*) blind flekk *m*
(**c**) (*fig*) ▸ **to have a blind spot about sth** være* blind for noe ❑ *Ford always had a terrible blind spot about these things.* Ford var alltid blind for disse tingene.
blink [blɪŋk] 1 VI (**a**) (*person, animal+*) blunke (*v1*) ❑ *They looked at each other without blinking.* De så på hverandre uten å blunke.
(**b**) (*light+*) blinke (*v1*)
2 s ▸ **the TV's on the blink** (*sl*) tv'en er i uorden *or* i ustand, tv'en virker *or* funker ikke
blinkers ['blɪŋkəz] SPL skylapper *pl*
blinking ['blɪŋkɪŋ] (*BRIT : sl*) ADJ ▸ **this blinking...** denne forbaskede...> *sl*
blip [blɪp] s (*on radar screen*) glimt *nt*; (*in a straight line*) utslag *nt*; (*fig*) blaff *nt*
bliss [blɪs] s lykksalighet *c*
blissful ['blɪsful] ADJ lykksalig, lykkelig
▸ **a blissful sigh** et lykksalig sukk, et sukk av lykke
▸ **in blissful ignorance** i lykkelig uvitenhet
blissfully ['blɪsfəlɪ] ADV lykksalig ❑ *His eyes shut blissfully and he smiled.* Øynene hans lukket seg lykksalig, og han smilte.
▸ **blissfully happy** glad og lykkelig
▸ **blissfully unaware of...** lykkelig uvitende om...
blister ['blɪstəʳ] 1 s (*on skin*) vannblemme *c*; (*in paint, rubber*) blemme *c*
2 VI (*paint+*) slå* blemmer på seg
blithely ['blaɪðlɪ] ADV (**a**) (= *unconcernedly : proceed, assume*) gladelig, uanfektet ❑ *They blithely violated the Constitution...* De brøt gladelig *or* uanfektet Grunnloven...
(**b**) (= *joyfully*) fornøyd, gledestrålende ❑ *Mollie strolled blithely into the yard.* Mollie spradet fornøyd *or* gledestrålende inn i gården.
blithering ['blɪðərɪŋ] (*sl*) ADJ ▸ **this blithering idiot** denne håpløse idioten (*sl*), denne erketufsen (*sl*)
BLit(t) S FK (= **Bachelor of Literature, Bachelor of Letters**) *lavere universitetsgrad i litteraturvitenskap og klassikk*
blitz [blɪts] s (*MIL*) luftangrep *nt*
▸ **to have a blitz on sth** (*fig*) ta* en sjau *or* et krafttak med noe
blizzard ['blɪzəd] s (kraftig) snøstorm *m*
BLM (*US*) S FK (= **Bureau of Land Management**) *organ som forvalter land og eiendommer*
bloated ['bləutɪd] ADJ (= *swollen : face, stomach*) oppsvulmet; (= *full : person*) oppblåst
blob [blɔb] s (**a**) (*of glue, paint*) klatt *m*
(**b**) (= *sth indistinct*) flekk *m* ❑ *...a blob of grey in the distance.* ...en grå flekk i det fjerne.
bloc [blɔk] (*POL*) s blokk *m*
▸ **the Eastern bloc** østblokken, østblokklandene
block [blɔk] 1 s (**a**) (*buildings*) kvartal *nt* ❑ *I went around the block again.* Jeg gikk rundt kvartalet igjen.
(**b**) (*toy*) kloss *m* ❑ *He was playing with his building blocks.* Han lekte med byggeklossene sine.
(**c**) (*of stone, wood, ice*) blokk *c* ❑ *...a block of ice.* ...en isblokk.
(**d**) (*DATA*) blokk *c*
2 VT (**a**) (*+entrance, road*) blokkere (*v2*), sperre (*v1*) ❑ *The Turks had blocked the land routes.* Tyrkerne hadde blokkert *or* sperret landeveiene.
(**b**) (*+progress*) blokkere (*v2*) ❑ *Agreement had been blocked by certain governments.* En overenskomst hadde blitt blokkert av visse regjeringer.
▸ **block of flats** (*BRIT*) (bolig)blokk *c*
▸ **3 blocks from here** 3 kvartaler unna
▸ **mental block (about)** mental sperre *m* (mot) ❑ *I have a mental block about maths.* Jeg har en mental sperre mot matte.
▸ **block and tackle** (*TEKN*) talje *m*
► **block up** 1 VT (*+sink, pipe etc*) tette (*v1*) igjen *or* til ❑ *Never block up ventilators.* Aldri tett igjen *or* tett til ventiler.
2 VI bli* tett *or* tilstoppet, tette (*v1*) seg til, stoppe (*v1*) seg til ❑ *The sink keeps blocking up.* Vasken blir stadig tett *or* tilstoppet.. Vasken tetter *or* stopper seg stadig til.
blockade [blɔ'keɪd] 1 s blokade *m*
2 VT blokkere (*v2*)
blockage ['blɔkɪdʒ] s (*in pipe, tube*) tilstopning *m*
block booking s gruppebestilling *c*
blockbuster ['blɔkbʌstəʳ] s (*film, book*) storslager *m* (på filmfronten/bokfronten)
block capitals SPL blokkbokstaver *mpl*, store bokstaver *mpl*
▸ **in block capitals** med blokkbokstaver *or* store bokstaver
blockhead ['blɔkhɛd] (*sl*) s teiting *m* (*sl*), dumming *m* (*sl*)
block letters SPL = **block capitals**
block release (*BRIT*) s *skoleperiode for lærlinger i en bedrift*
block vote (*BRIT*) s blokkavstemning *m*
bloke [bləuk] (*BRIT : sl*) s fyr *m* (*sl*), type *m* (*sl*)
blond(e) [blɔnd] 1 ADJ (*hair*) blond, lys
2 s ▸ **blonde** (*woman*) blondine *c*
blood [blʌd] s (*BIO*) blod *nt* ❑ *...the circulation of the blood.* ...blodsirkulasjonen *or* blodomløpet.
▸ **new blood** (*fig*) nytt blod ❑ *What this company needs is an injection of new blood.* Det dette firmaet trenger, er en innsprøytning av nytt blod.
blood bank s blodbank *m*
bloodbath ['blʌdbɑːθ] s (= *violent event*) blodbad *nt*
blood count s blodtelling *m*
bloodcurdling ['blʌdkəːdlɪŋ] ADJ (*scream, story*) som får blodet til å fryse i årene
blood donor s blodgiver *m*
blood group s blodgruppe *c*, blodtype *m*
bloodhound ['blʌdhaund] s blodhund *m*
bloodless ['blʌdlɪs] ADJ blodløs

bloodletting ['blʌdlɛtɪŋ] s (*MED*) årelating *c*; (*fig*) blodsutgytelse *m*
blood poisoning s blodforgiftning *c*
blood pressure s blodtrykk *nt*
▸ **to have high/low blood pressure** ha* høyt/lavt blodtrykk
bloodshed ['blʌdʃɛd] s blodsutgytelse *m*
bloodshot ['blʌdʃɔt] ADJ (*eyes*) blodskutt
blood sport s jaktsport *m*
bloodstained ['blʌdsteɪnd] ADJ blodflekket(e)
bloodstream ['blʌdstri:m] s blodomløp *nt*
blood sugar s blodsukker *nt*
blood test s blodprøve *c*
bloodthirsty ['blʌdθə:stɪ] ADJ (*tyrant, regime*) blodtørstig
blood transfusion (*MED*) s blodoverføring *c*
blood type s blodtype *m*
blood vessel s blodkar *nt*
bloody ['blʌdɪ] ADJ (**a**) (*gen*) blodig
(**b**) (*BRIT: sl!*) ▸ **this bloody...** denne jævla...> *sl!* denne forbannede *or* forbanna (*sl!*)
▸ **bloody strong/good** (*sl!*) jævla sterk/bra (*sl!*), forbannet *or* forbanna sterk/bra (*sl!*)
bloody-minded ['blʌdɪ'maɪndɪd] (*BRIT: sl*) ADJ vrang, umedgjørlig, vrangvillig
bloom [blu:m] 1 s (*BOT: flower*) blomst *m*
2 VI (**a**) (*tree, flower+*) blomstre (*v1*)
(**b**) (*fig: talent*) slå* ut i full blomst ❑ *...a rare talent that had never bloomed.* ...et sjeldent talent som aldri hadde slått ut i full blomst.
(**c**) (*person+*) ▸ **to bloom (into)** blomstre (*v1*) (opp til) ❑ *She had bloomed into a real beauty.* Hun hadde blomstret opp til en virkelig skjønnhet.
▸ **to be in bloom** (*plant+*) stå* i blomst
blooming ['blu:mɪŋ] (*sl*) ADJ ▸ **this blooming...** denne forbaskede...> *sl*
blossom ['blɔsəm] 1 s (*BOT*) (frukt)blomster *mpl* ❑ *...the white and pink blossom of apple trees.* ...de hvite og rosa blomstene til epletrærne.
2 VI (*BOT*) blomstre (*v1*), springe* ut
▸ **to blossom (into)** (*fig*) blomstre (*v1*) (opp til) ❑ *She had blossomed into a real beauty.* Hun hadde blomstret opp til en virkelig skjønnhet.
blot [blɔt] 1 s (**a**) (*on text*) klatt *m* ❑ *...ink blots on the paper.* ...blekklatter på papiret.
(**b**) (*fig: on name etc*) (skam)plett *m* ❑ *...this blot on our civilization.* ...denne (skam)pletten på vår kultur.
2 VT (**a**) (*with blotting paper*) legge* (et) trekkpapir over NB *She signed the agreement and blotted it carefully.* Hun undertegnet avtalen og la forsiktig (et) trekkpapir over.
(**b**) (*with towel*) klappe (*v1*) ❑ *Blot the skin dry with a soft towel.* Klapp huden tørr med et mykt håndkle.
▸ **to be a blot on the landscape** skjemme (*v2x*) landskapet, være* skjemmende for landskapet
▸ **to blot one's copybook** (*fig*) skjemme (*v2x*) seg ut, ødelegge* sitt gode navn og rykte
► **blot out** VT (**a**) (*+view, sun*) skygge (*v1*) for
(**b**) (*+memory*) viske (*v1*) ut, fortrenge (*v2*)
blotchy ['blɔtʃɪ] ADJ (*complexion*) flekket(e)
blotter ['blɔtə^r] s løsjer *m*
blotting paper s trekkpapir *nt*
blotto ['blɔtəu] (*sl*) ADJ (*drunk*) dritings (*sl*)
blouse [blauz] s (*woman's garment*) bluse *c*
blow [bləu] (*pt* **blew**, *pp* **blown**) 1 s (**a**) (= *punch*) slag *nt* ❑ *...with one blow of his fist.* ...med ett knyttneveslag.
(**b**) (*with sword*) hogg *nt* (*var:* hugg)
(**c**) (*fig: setback*) slag *nt* ❑ *...a further blow to hopes of reconciliation.* ...et ytterligere slag for håp om forsoning.
2 VI (**a**) (*wind+*) blåse (*v2*) ❑ *There seemed to be a gale blowing.* Det så ut til å blåse storm.
(**b**) (*person+*) blåse (*v2*), puste (*v1*)
3 VT (**a**) (*wind+*) blåse (*v2*) ❑ *A gust of wind blew snow in her face.* Et vindkast blåste snø i ansiktet på henne.
(**b**) (*+instrument, whistle*) blåse (*v2*) i ❑ *The children were blowing flutes...* Barna blåste i fløyter...
(**c**) (*+fuse*) sprenge (*v2*) ❑ *...you'll blow a fuse.* ...du kommer til å sprenge en sikring.
▸ **to blow one's nose** pusse (*v1*) nesen, snyte* seg
▸ **to blow a whistle** blåse (*v2*) i en fløyte
▸ **to come to blows** ryke* i tottene på hverandre
▸ **a fuse has blown** det har gått en sikring
► **blow away** VTI blåse (*v2*) vekk *or* bort ❑ *The wind blew all the leaves away.* Vinden blåste vekk *or* bort alt løvet. *The note I left for the milkman has blown away.* Beskjeden jeg la igjen til melkemannen har blåst vekk *or* bort.
► **blow down** VT (*+tree*) blåse (*v2*) ned
► **blow off** VTI (*+hat etc*) blåse (*v2*) av ❑ *The strong breeze blew my hat off.* Den friske brisen blåste av meg hatten. *The washing blew off the line.* Vasken blåste (ned) av klessnora.
▸ **to be blown off course** (*ship+*) bli* blåst (ut) av kurs
► **blow out** 1 VT (*+fire, flame*) blåse (*v2*) ut
2 VI (*fire, flame+*) bli* blåst ut
► **blow over** VI (*storm, crisis+*) blåse (*v2*) over, legge* seg ❑ *The row has blown over.* Krangelen har blåst over *or* lagt seg.
► **blow up** 1 VI (*storm, crisis+*) blåse (*v2*) opp ❑ *...a storm blowing up off the East coast.* ...en storm som blåste opp utenfor østkysten.
2 VT (**a**) (= *destroy: bridge*) sprenge (*v2*) (i luften) ❑ *He was going to blow the place up.* Han skulle* sprenge stedet i luften.
(**b**) (= *inflate: tyre*) pumpe (*v1*) opp
(**c**) (*FOTO: enlarge*) forstørre (*v1*), blåse (*v2*) opp
blow-dry ['bləudraɪ] 1 s føning *c* ❑ *He is having a cut and blow-dry.* Han skal ha* en klipp og føning.
2 VT føne (*v1 or v2*)
blowlamp ['bləulæmp] (*BRIT*) s blåselampe *c*
blown [bləun] PP *of* **blow**
blow-out ['bləuaut] s (*of tyre*) (dekk)eksplosjon *m*; (*sl: big meal*) etegilde *nt*; (*of oil well*) utblåsning *m*
blowtorch ['bləutɔ:tʃ] s = **blowlamp**
blow-up ['bləuʌp] (*FOTO*) s forstørrelse *m*
blowzy ['blauzɪ] (*BRIT*) ADJ sjusket(e), subbet(e)
BLS (*US*) S FK (= **Bureau of Labor Statistics**) *byrå for arbeidsmarkedsstatistikk*
blubber ['blʌbə^r] 1 s spekk *nt*

2 VI (*neds: cry*) tute (*v1*)
bludgeon ['blʌdʒən] VT klubbe *c*
▸ **to bludgeon sb into doing sth** (*fig*) tyne (*v2*) noen til å gjøre* noe
blue [blu:] ADJ (**a**) (*in colour*) blå ❑ *...blue eyes...* blå øyne...
(**b**) (= *depressed*) nedfor, nedtrykt, deppa (*sl*)
▸ **the blues** S (*MUS*) blues *m*
▸ **blue film/joke** slibrig film/vits
▸ **(only) once in a blue moon** (en gang) hvert jubelår
▸ **out of the blue** (*fig*) uten videre
▸ **to have the blues** være* deppa
blue baby S blått barn *nt*
bluebell ['blu:bɛl] S blåklokke *c*
bluebottle ['blu:bɔtl] S spyflue *c*
blue cheese S blåmuggost *m*
blue-chip ['blu:tʃɪp] ADJ ▸ **blue-chip investment** trygg *or* god investering
blue-collar worker ['blu:kɔlə^r-] S arbeider *m*
blue jeans SPL olabukse *c*
blueprint ['blu:prɪnt] S ▸ **a blueprint (for)** (*fig*) en plan (for), en oppskrift (på)
bluff [blʌf] 1 VI bløffe (*v1*)
2 S (**a**) (= *deception*) bløff *m*
(**b**) (= *cliff*) klippeskrent *m*
(**c**) (= *promontory*) nes *nt* (*med bratte sider*)
▸ **to call sb's bluff** avsløre (*v2*) noens bløff
blunder ['blʌndə^r] 1 S tabbe *m*, bommert *m* ❑ *...a major blunder on the Prime Minister's part.* ...en stor tabbe *or* bommert av statsministeren.
2 VI gjøre* en tabbe *or* en bommert ❑ *Clearly, Sir Alec had blundered badly.* Det var åpenbart at Sir Alec hadde gjort en stygg tabbe *or* bommert.
▸ **to blunder into sb/sth** snuble (*v1*) inn i noen/noe
blunt [blʌnt] 1 ADJ (**a**) (*knife*) sløv
(**b**) (*pencil*) butt ❑ *My pencil's blunt.* Blyanten min er butt.
(**c**) (*person, talk*) direkte, likefram
2 VT (*+chisel, knife, scissors*) sløve (*v1*)
▸ **blunt instrument** (*JUR*) stump gjenstand *m*
▸ **to be blunt** for å si det rett ut ❑ *To be blunt, you are no longer needed here.* For å si det rett ut, jeg er redd du ikke behøves her lenger.
bluntly ['blʌntlɪ] ADV (*speak*) rett ut, uten omsvøp
bluntness ['blʌntnɪs] S (*of person*) mangel *m* på fintfølelse
blur [blə:^r] 1 S (*in vision, memory*) ▸ **to be a blur** være* utydelig *or* uklart *or* tåket ❑ *...places that seem a blur to me now.* ...steder som virker utydelige *or* uklare *or* tåkete for meg nå.
2 VT (**a**) (*+vision*) sløre (*v1*), gjøre* uklar ❑ *Tears blurred my vision.* Tårer sløret synet mitt *or* gjorde synet mitt uklart.
(**b**) (*+distinction*) dekke (*v1 or v2x*) over, tilsløre (*v2*) ❑ *...to blur the line between art and reality.* ...å dekke over *or* tilsløre grensen mellom kunst og virkelighet.
blurb [blə:b] S (*for book, concert etc*) forhåndsomtale *m*, vaskeseddel *m*; (*on book*) baksidetekst *m*, vaskeseddel *m*
blurred [blə:d] ADJ uskarp, uklar
blurt out [blə:t-] VT plumpe (*v1*) ut (med) ❑ *She suddenly blurted out, "I'm not going."* Plutselig plumpet hun ut, "Jeg drar ikke."
blush [blʌʃ] 1 VI rødme (*v1*)
2 S rødme *m*
blusher ['blʌʃə^r] S rouge *m*, rødfarge *m*
bluster ['blʌstə^r] 1 S brauting *c*
2 VI braute (*v1*), bryske (*v1*) seg
blustering ['blʌstərɪŋ] ADJ (*person, tone*) krakilsk, brautende
blustery ['blʌstərɪ] ADJ (*weather*) med sterke vindkast
Blvd FK = **boulevard**
BM S FK (= **British Museum**) Britisk Museum *nt*; (= **Bachelor of Medicine**) *lavere universitetsgrad i medisin*
BMA S FK (= **British Medical Association**) *den britiske legeforeningen*, Den norske lægeforening *m*
BMJ S FK (= **British Medical Journal**) *tidsskrift for den britiske legeforeningen*, Tidsskrift *nt* for Den norske lægeforening
BMus S FK (= **Bachelor of Music**) *lavere universitetsgrad i musikk*
BMX S FK (= **bicycle motorcross**) *sykkelløp i kupert løype i terreng*; (*also* ***BMX bike***) BMX-sykkel *m*
BO S FK (*sl*) (= **body odour**) svettelukt *c*, kroppslukt *c*; (*US*) = **box office**
boar [bɔ:^r] S råne *m*
board [bɔ:d] 1 S (**a**) (= *piece of cardboard*) papp *m*
(**b**) (= *piece of wood*) (planke)bord *nt*, planke *m*
(**c**) (*also* ***notice board***: *on wall*) oppslagstavle *c*
(**d**) (*for chess etc*) brett *nt*
(**e**) (= *committee, in firm*) styre *nt* ❑ *He put the suggestion to the board.* Han la forslaget fram for styret.
2 VT (*+ship, train*) gå* om bord i ❑ *We joined the passengers waiting to board the ship.* Vi ble med passasjerene som ventet på å gå* om bord i båten.
▸ **full/half board** (*BRIT*) full/halv pensjon *m*
▸ **board and lodging** kost og losji
▸ **to go by the board** (*fig*) gå* i vasken
▸ **on board** om bord (i); (*NAUT, AVIAT*) ❑ *...on board the spacecraft.* ...om bord i romskipet.
▸ **above board** (*fig*) over bordet ❑ *That deal was all above board.* Hele det kjøpet var over bordet.
▸ **across the board** (*fig*) over hele linjen, over hele fjelen ❑ *This new rule is to be applied across the board.* Denne nye regelen skal brukes over hele linjen *or* fjelen. *We're aiming for a 20% reduction across the board.* Vi sikter mot en nedskjæring på 20 % over hele linjen *or* fjelen.
▸ **board up** VT (*+door, window*) spikre (*v1*) for, slå* bord for ❑ *Shopkeepers were boarding up their windows.* Butikkeiere spikret for *or* slo bord for vinduene sine.
boarder ['bɔ:də^r] (*SKOL*) S *elev som bor på pensjonatskole*
board game S brettspill *nt*
boarding card (*AVIAT, NAUT*) S = **boarding pass**
boarding house S pensjonat *nt*
boarding party S (*NAUT*) entregjeng *m*
boarding pass (*AVIAT, NAUT*) S ombordstigningskort *nt*, boardingkort *nt*

boarding school s pensjonatskole *m*, kostskole *m*
board meeting s styremøte *nt*
board room s styrerom *nt*
boardwalk ['bɔːdwɔːk] (*US*) s plankesti *m*, trebro *c*
boast [bəust] 1 VI ▸ **to boast (about** *or* **of)** skryte* (av)
2 VT (*fig: possess, have*) kunne* rose seg av ❑ *The village boasted only one small general store.* Landsbyen kunne* bare rose seg av én liten landhandel.
boastful ['bəustful] ADJ skrytende, brautende
boastfulness ['bəustfulnɪs] s skrytaktighet *c*
boat [bəut] s båt *m* ❑ *...to take the boat to Stockholm.* ...ta båten til Stockholm.
▸ **to go by boat** reise (*v2*) med båt
▸ **to be in the same boat** (*fig*) være* i samme båt
boater ['bəutəʳ] s (*hat*) (flat) stråhatt *m*
boating ['bəutɪŋ] s ▸ **to go boating** dra* på båttur
▸ **a boating accident** en båtulykke
boat people SPL båtfolk *nt sg*
boatswain ['bəusn] s båtsmann *m*
bob [bɔb] 1 VI (*also* ***bob up and down****: boat, cork on water*) duppe (*v1*) opp og ned
2 s (*BRIT: sl: formerly*) = **shilling**
▸ **bob up** VI (= *appear*) dukke (*v1*) opp
bobbin ['bɔbɪn] s (tråd)snelle *c*, spole *m*
bobby ['bɔbɪ] (*BRIT: sl*) s politimann *m irreg*
bobsleigh ['bɔbsleɪ] s bobsleigh *m*
bode [bəud] VI ▸ **to bode well/ill (for)** love (*v1 or v2*) godt/dårlig (for) ❑ *This does not bode well for his chances.* Dette lover ikke godt for sjansene hans.
bodice ['bɔdɪs] s (kjole)liv *nt*
bodily ['bɔdɪlɪ] 1 ADJ (**a**) (*needs, functions*) kropps-, kroppslig
(**b**) (*pain, comfort*) kroppslig, i kroppen
2 ADV ▸ **to carry sb bodily** bære* hele noen ❑ *He carried her bodily past the rows of empty seats.* Han bar (hele) henne forbi radene med tomme seter.
body ['bɔdɪ] s (**a**) (*of person, animal*) kropp *m*
(**b**) (*litter, Bible*) legeme *nt*
(**c**) (= *corpse*) lik *nt* ❑ *We've just found a body in the water.* Vi har nettopp funnet et lik i vannet.
(**d**) (= *main part*) hoveddel *m* ❑ *...the main body of the church.* ...hoveddelen av kirken. *The body of the talk was about...* Hoveddelen av foredraget var om...
(**e**) (*of car*) karosseri *nt*
(**f**) (*of plane*) kropp *m*, skrog *nt*
(**g**) (*fig: group*) (for)samling *c* ❑ *...a body of people...* en (for)samling med mennesker...
(**h**) (= *organization*) organ *nt* ❑ *...a unique body called the Inner London Education Authority.* ...et frittstående organ som kalles Inner London Education Authority.
(**i**) (= *quantity: of facts*) samling *c*, mengde *m* ❑ *There is a growing body of evidence pointing to these effects.* Det er en stadig voksende samling *or* mengde med bevis som peker i denne retningen.
(**j**) (*of wine etc*) fylde *m* ❑ *"Grain" whisky has a lighter flavour and less body.* "Kornwhisky" har en lettere smak og mindre fylde.
▸ **ruling body** styrende organ *nt*
▸ **body and soul** sjel og legeme
body blow s (*fig: setback*) hardt slag *nt*
body-building ['bɔdɪ'bɪldɪŋ] s kroppsbygging *c*, body-building *c*
bodyguard ['bɔdɪgɑːd] s livvakt *m*
body language s kroppsspråk *nt*
body repairs (*BIL*) SPL karosserireparasjoner *pl*
body search s kroppsvisitering *m*
body stocking s body *m*
bodywork ['bɔdɪwəːk] (*BIL*) s karosseri *nt*
boffin ['bɔfɪn] (*BRIT: hum*) s vitenskapsmann *m*
bog [bɔg] 1 s (*GEOG*) myr *c*
2 VT ▸ **to get bogged down** (*fig*) kjøre (*v2*) seg fast ❑ *Don't get bogged down in details.* Ikke kjør deg fast i detaljer.
bogey ['bəugɪ] s (= *worry*) skremmebilde *nt*, spøkelse *nt*; (*also* ***bogeyman***) busemann *m irreg*
boggle ['bɔgl] VI ▸ **the mind boggles** forstanden må gi* opp, det går over enhver forstand *or* begripelse
bogie ['bəugɪ] s boggi *m*
Bogotá [bəugə'tɑː] s Bogota
bog-standard ['bɔg'stændəd] (*BRIT: sl*) ADJ ordinær
bogus ['bəugəs] ADJ (*claim, workman etc*) falsk
Bohemia [bəu'hiːmɪə] s Bøhmen
Bohemian [bəu'hiːmɪən] 1 ADJ bøhmisk
2 s bøhmer *m*
▸ **bohemian** (= *gipsy*) bohem *m*
boil [bɔɪl] 1 VT (**a**) (*+water*) koke (*v2*) (opp) NB *He boiled the kettle and made the tea.* Han kokte (opp) vannet og lagde teen.
(**b**) (*+eggs, potatoes etc*) koke (*v2*) ❑ *She didn't know how to boil an egg.* Hun kunne* ikke koke egg.
2 VI (*gen, fig*) koke (*v2*) ❑ *I was boiling with rage.* Jeg kokte av sinne.
3 s (*MED*) byll *m*
▸ **to come to the** (*BRIT*) *or* **a** (*US*) **boil** koke (*v2*) opp
▸ **boil down to** VT FUS (*fig*) koke (*v2*) ned til ❑ *What it all seemed to boil down to was money.* Det som alt så ut til å koke ned til var penger.
▸ **boil over** VI (*kettle, milk+*) koke (*v2*) over ❑ *The milk's boiling over.* Melken koker over.
boiled egg s kokt egg *nt*
boiled potatoes SPL kokte poteter *pl*
boiler ['bɔɪləʳ] s fyrkjele *m*
boiler suit (*BRIT*) s kjeledress *m*
boiling (hot) ['bɔɪlɪŋ] ADJ ▸ **I'm boiling** (*sl*) jeg er kokvarm
▸ **it's boiling** (*weather, temperature+*) det er kokhett
boiling point s (*of liquid*) kokepunkt *nt* ❑ *After the water has reached boiling point...* Når vannet har nådd kokepunktet...
boisterous ['bɔɪstərəs] ADJ livlig og støyende
bold [bəuld] 1 ADJ dristig ❑ *It was a bold move.* Det var et dristig trekk. *...his bold black-and-white striped shirt.* ...den dristige svart-og-hvitstripete skjorten hans.
2 s (*TYP*) fete typer *mpl*, uthevet skrift *c*
▸ **in bold** med fete typer *or* med uthevet skrift

▸ **if I may be so bold** hvis jeg kan få* være* så frekk *or* freidig å si det/å spørre ❑ *If I may be so bold, how long do you intend to stay?* Hvis jeg kan få* være* så frekk *or* freidig å spørre, hvor lenge har du tenkt å bli?

boldly ['bəʊldlɪ] ADV (**a**) (= *bravely*) dristig, frimodig ❑ *...to boldly go where no man had gone before.* ...å gå* dristig *or* frimodig der hvor ingen mann hadde gått før.
(**b**) (= *defiantly*) freidig, frimodig ❑ *He returned her gaze boldly.* Han gjengjeldte blikket hennes freidig *or* frimodig.

boldness ['bəʊldnɪs] s dristighet *c*, frimodighet *c* ❑ *For any success, boldness is required.* For å oppnå noen suksess, trenger man dristighet *or* frimodighet.

bold type (*TYP*) s uthevet skrift *c*

Bolivia [bə'lɪvɪə] s Bolivia

Bolivian [bə'lɪvɪən] 1 ADJ boliviansk
2 s (*person*) bolivianer *m*

bollard ['bɒləd] s (*BRIT: BIL*) trafikkstolpe *m*; (*NAUT*) fortøyningspæl *m*

bolshy ['bɒlʃɪ] (*BRIT: sl*) ADJ obsternasig (*sl*)

bolster ['bəʊlstəʳ] s (= *pillow*) lang pute *c*

▸ **bolster up** VT (+*case*) støtte (*v1*) opp under ❑ *To bolster up their case...* For å støtte opp under saken sin...

bolt [bəʊlt] 1 s (**a**) (= *lock*) slå *c*
(**b**) (*with nut*) bolt *m* ❑ *The bolts are all tight enough.* Boltene er stramme nok.
2 VT (**a**) (+*door*) skyve* slåen for, bolte (*v1*)
(**b**) (+*food*) sluke (*v2*) ❑ *Don't bolt your food, you'll get indigestion.* Ikke sluk maten, du kommer til å få* fordøyelsesbesvær.
3 VI (**a**) (= *run very fast: person*) (bein)fly* ❑ *He bolted blindly towards his father.* Han (bein)fløy blindt mot faren sin.
(**b**) (*horse+*) løpe* løpsk ❑ *I was terrified that the horse would bolt.* Jeg var livredd for at hesten skulle* løpe løpsk.
4 ADV ▸ **bolt upright** rett som en linjal
▸ **bolt of lightning** lyn(nedslag) *nt* ❑ *He was struck by a bolt of lightning.* Han ble truffet av et lyn(nedslag).
▸ **a bolt from the blue** (*fig*) lyn fra klar himmel
▸ **to bolt sth to sth** bolte (*v1*) noe (fast) til noe ❑ *...chains that were bolted to the walls.* ...lenker som var boltet til veggene.

bomb [bɒm] 1 s bombe *m*
2 VT bombe (*v1*) ❑ *The premises were bombed in the War.* Denne eiendommen ble bombet under krigen.

bombard [bɒm'bɑːd] VT (*MIL, also fig*) bombardere (*v2*)

bombardment [bɒm'bɑːdmənt] (*MIL*) s bombardement *nt*

bombastic [bɒm'bæstɪk] ADJ (*person, language*) bombastisk

bomb disposal s ▸ **bomb disposal unit** sprengningskommando *m*
▸ **bomb disposal expert** sprengningsekspert *m*

bomber ['bɒməʳ] s (*plane*) bombefly *nt*; (= *terrorist*) bombemann *m irreg*

bombing ['bɒmɪŋ] s bombing *c*

bombshell ['bɒmʃɛl] s (*fig: revelation*) bombe *m* ❑ *Then she dropped a bombshell: "I'm pregnant."* Så slapp hun en bombe: "Jeg er gravid."

bomb site s *sted hvor det har falt en bombe*

bona fide ['bəʊnə'faɪdɪ] ADJ (*traveller etc*) ekte, faktisk; (*offer*) bona fide, ærlig og redelig

bonanza [bə'nænzə] s (*fig*) uventet storgevinst *m*

bond [bɒnd] s (**a**) (= *link: of affection etc*) bånd *nt* ❑ *...the bond between mother and child.* ...båndet mellom mor og barn.
(**b**) (*FIN*) obligasjon *m*
▸ **in bond** (*MERK: of goods*) på frilager *nt*
▸ **my word is my bond** det har du mitt æresord på

bondage ['bɒndɪdʒ] s (**a**) (= *slavery*) trelldom *m* ❑ *They were kept in bondage to their masters.* De ble holdt i trelldom *or* ble de holdt som treller for herrene sine.
(**b**) (*sexual*) binding *c* (*sado-masochistisk praksis*)

bonded warehouse s frilager *nt*, transittopplag *nt*

bone [bəʊn] 1 s (*gen*) bein *nt* (*var.* ben) ❑ *Mary broke a bone in her back.* Mary brakk et bein i ryggen. *...a fish bone...* et fiskebein...
2 VT (+*meat, fish*) beine (*v1*) ut (*var.* bene ut)
▸ **I've got a bone to pick with you** jeg har en høne å plukke med deg

bone china s beinporselen *nt*

bone-dry ['bəʊn'draɪ] ADJ knusktørr

bone idle ADJ lutdoven, giddeløs

bone marrow s benmarg *m*

boner ['bəʊnəʳ] (*US*) s tabbe *m*, brøler *m*

bonfire ['bɒnfaɪəʳ] s bål *nt*
▸ **bonfire night** *om kvelden den 5. nov, britisk feiring med bål og fyrverkeri til minne om Guy Fawkes*

bonk [bɒŋk] (*sl*) VT, VI (*have sex (with)*) knulle (*v1*)

bonkers ['bɒŋkəz] (*BRIT: sl*) ADJ sprø

Bonn [bɒn] s Bonn

bonnet ['bɒnɪt] s (*hat*) kyse *c*; (*BRIT: of car*) panser *nt*

bonny ['bɒnɪ] ADJ (*in Northern Britain*) pen, vakker

bonus ['bəʊnəs] s (**a**) (*payment: on wages*) bonus *m*, gratiale *nt* ❑ *Did you get your Christmas bonus?* Fikk du julegratialet ditt?
(**b**) (*fig: additional benefit*) bonus *m* ❑ *If it also works, that is an added bonus.* Hvis det også fungerer, er det en tilleggsbonus.

bony ['bəʊnɪ] ADJ (**a**) (*arm, face, fingers*) beinet(e), knoklet(e)
(**b**) (*tissue*) beinet(e) ❑ *The animal possessed bony jaws lined with teeth.* Dyret hadde beinete kjever med en rad med tenner.
(**c**) (= *thin: person*) knoklet(e), radmager ❑ *He was tall, thin, and bony.* Han var høy, tynn, og knoklete *or* radmager.
(**d**) (*meat, fish*) beinet(e), full av bein ❑ *I wish kippers weren't so bony.* Jeg skulle* ønske røykesild ikke var så beinete *or* fulle av bein.

boo [buː] 1 INTERJ bø
2 VT bue (*v1*), pipe* ❑ *He was booed off the stage.* Han ble buet *or* pepet ut av scenen.

boob [buːb] (*sl*) s (= *breast*) pupp *m* (*sl*); (*BRIT: mistake*) tabbe *m*

booby prize ['buːbɪ-] s jumbopremie *m*

booby trap s (*MIL*) minefelle *c*; (= *practical joke*) (skøyer)strek *m*, felle *c*

booby-trapped ['bu:bɪtræpt] ADJ ▸ **a booby-trapped car** en bil som det er plassert en (bil)bombe i

book [buk] 1 s (**a**) (= *novel etc*) bok *c*
(**b**) (*of stamps, tickets*) hefte *nt* ❑ *A book of first-class stamps, please.* Et hefte med A-postfrimerker, takk.
2 VT (**a**) (*+ticket, seat, room*) bestille (*v2x*) ❑ *He booked a ticket to Washington.* Han bestilte en billett til Washington. *I'd like to book a table for four for tomorrow night.* Jeg vil gjerne bestille et bord for fire til i morgen kveld.
(**b**) (*traffic warden, police officer+*) ta* (*og registrere forseelsen hos politiet*) ❑ *I was booked for speeding yesterday.* Jeg ble tatt for rakjøring i går.
(**c**) (*referee+*) gi* en advarsel ❑ *He was booked for punching another player.* Han fikk en advarsel for å ha* slått til en annen spiller.
▸ **books** SPL (*MERK: accounts*) bøker *pl*, regnskaper *pl* ❑ *He's going to help me go over my books.* Han skal hjelpe meg å gå* over bøkene *or* regnskapene mine.
▸ **to keep the books** føre (*v2*) bøkene
▸ **by the book** etter boka, til punkt og prikke
▸ **to throw the book at sb** lese (*v2*) noen teksten

▸ **book in** (*BRIT*) VI (*at hotel*) sjekke (*v1*) inn

▸ **book up** VTI (*+holiday etc*) bestille (*v2x*)
▸ **all seats are booked up** alle plassene er bortbestilt
▸ **the hotel is booked up** hotellet er fullt, hotellet er fullbooket

bookable ['bukəbl] ADJ ▸ **all seats are bookable** alle plassene må forhåndsbestilles

bookcase ['bukkeɪs] s bokhylle *c*, bokreol *m*

book ends SPL bokstøtter *pl*

booking ['bukɪŋ] (*BRIT*) s bestilling *c*

booking office (*BRIT*) s billettkontor *nt*

book-keeping ['buk'ki:pɪŋ] s bokføring *c*, regnskapsførsel *m*

booklet ['buklɪt] s hefte *nt*, brosjyre *m*

bookmaker ['bukmeɪkə^r] s bookmaker *m*

bookseller ['buksɛlə^r] s bokhandler *m*

bookshelf ['bukʃɛlf] s bokhylle *c*
▸ **bookshelves** SPL (*piece of furniture*) bokhylle *c*

bookshop ['bukʃɔp] s bokhandel *m*

bookstall ['bukstɔ:l] s ≈ aviskiosk *m*

book store s = **bookshop**

book token s gavekort *nt* på bøker, boksjekk *m*

book value s bokført verdi *m*

bookworm ['bukwə:m] s lesehest *m*

boom [bu:m] 1 s (**a**) (*noise*) drønn *nt* ❑ *The boom of the cannon echoed along the street.* Drønnet fra kanonen gav gjenlyd bortover gaten.
(**b**) (*in prices etc*) høykonjunktur *m* ❑ *...the boom in world shipping.* ...høykonjunkturen i internasjonal shipping.
(**c**) (*in population*) boom *m*, plutselig vekst *m*
(**d**) (*industrial*) boom *m*, høykonjunktur *m*
2 VI (**a**) (= *sound*) drønne (*v1*) ❑ *The cannon boomed again.* Kanonen drønnet igjen.
(**b**) (*business+*) være* i sterk vekst *or* framgang ❑ *The gardening industry is booming.* Gartnernæringen er i sterk vekst *or* framgang.

boomerang ['bu:məræŋ] 1 s boomerang *m*
2 VI (*fig*) ▸ **to boomerang on sb** slå* tilbake på noen

boom town s by *m* i vekst

boon [bu:n] s (= *blessing, benefit*) gode *nt* ❑ *The bus service is a great boon to old people.* Busslinjen er et stort gode for eldre mennesker.

boorish ['buərɪʃ] ADJ ubehøvlet

boost [bu:st] 1 s (*to one's confidence*) oppmuntring *m*, (kraftig) stimulans *m*
2 VT (*+confidence, sales, economy etc*) få* til å skyte i været ❑ *This new technology will boost food production.* Denne nye teknologien vil få* matproduksjonen til å skyte i været.
▸ **to give a boost to sb's spirits** *or* **to sb** gi* en oppmuntring *or* en stimulans til noens humør *or* til noen

booster ['bu:stə^r] s (*MED*) booster *m* (*påfyll av vaksine for å vedlikeholde immunitet*); (*TV, ELEK*) forsterker *m*; (*also* ***booster rocket***) startrakett *m*

booster seat (*BIL*) s (*for children*) juniorpute *c*

boot [bu:t] 1 s (**a**) (*footwear*) støvel *m*
(**b**) (*also* ***ankle boot***) støvlett *m*
(**c**) (*BRIT: of car*) bagasjerom *nt* ❑ *Is the boot open?* Er bagasjerommet åpent?, Er det åpent bak?
2 VT (*DATA*) starte (*v1*) opp
▸ **...to boot** (= *in addition*) ...ovenikjøpet ❑ *She was brilliant, rich, and beautiful to boot.* Hun var skarpsindig, rik, og vakker ovenikjøpet.
▸ **to give sb the boot** (*sl*) gi* noen sparken

booth [bu:ð] s (*at fair*) bod *m*; (*for telephoning, voting*) boks *m*

bootleg ['bu:tlɛg] ADJ (*alcohol: illegally imported*) smugler-; (*illegally produced*) hjemmebrent; (*fuel*) ulovlig framstilt/omsatt; (*record*) pirat-

bootlegger ['bu:tlɛgə^r] s smugler *m*

booty ['bu:tɪ] s bytte *nt*

booze [bu:z] (*sl*) 1 s sprit *m*
2 VI supe (*v2*) (*sl*), drikke*

boozer ['bu:zə^r] (*sl*) 1 s (*person*) ▸ **he's a real boozer** han er litt av en dranker *or* drukkenbolt
2 s (*BRIT: pub*) pub *m*, (øl)kneipe *c*

border ['bɔ:də^r] 1 s (**a**) (*of a country*) grense *c* ❑ *They crossed the border into Mexico.* De krysset grensen til Mexico.
(**b**) (*for flowers*) bed *nt*, rabatt *m* ❑ *...unkempt flower borders.* ...ustelte blomsterbed *or* blomsterrabatter.
(**c**) (= *band, edge: on cloth etc*) bord *m*, (pynte)kant *m* ❑ *...with a gold border.* ...med en gullbord *or* gullkant.
2 VT (**a**) (*+road*) kante (*v1*)
(**b**) (*also* ***border on***: *another country*) grense (*v1*) mot *or* til
▸ **the Borders** grenseområdet (*mellom England og Skottland*)

▸ **border on** VT FUS (*fig: insanity, brutality*) grense (*v1*) til ❑ *...a state of excitement bordering on insanity.* ...en henrykkelse som grenset til vanvidd.

borderline ['bɔ:dəlaɪn] s grense *c*
▸ **to be on the borderline** (*fig*) ligge* på grensen ❑ *I'm not sure if I passed -- I think I'm on the borderline.* Jeg er ikke sikker på om jeg stod -- jeg tror jeg ligger på grensen.

borderline case s grensetilfelle *nt*
bore [bɔːʳ] 1 PRET *of* **bear**
2 VT (**a**) (*+hole, well, tunnel*) bore (*v1*)
(**b**) (*+person*) kjede (*v1*) ❑ *I won't bore you with the details.* Jeg skal ikke kjede dere med detaljene.
3 s (**a**) (*of gun*) kaliber *m*
(**b**) (*person*) ▸ **to be a bore** være* kjedelig ❑ *Steve is the most frightful bore.* Steve er håpløst kjedelig.
▸ **to be bored** kjede (*v1*) seg
▸ **he's bored to tears** *or* **bored to death** *or* **bored stiff** han holder på å kjede seg i hjel, han kjeder vettet *or* livet av seg
boredom [ˈbɔːdəm] s kjedsommelighet *m* ❑ *...through sheer boredom.* ...av ren kjedsommelighet. *...the monotony and boredom of her city life.* ...monotonien og kjedsommeligheten ved bylivet hennes.
boring [ˈbɔːrɪŋ] ADJ kjedelig ❑ *Are all your meetings this boring?* Er alle møtene deres så kjedelige? *...faded towels and boring bedspreads.* ...falmede håndkler og kjedelige sengetepper.
born [bɔːn] ADJ ▸ **to be born** bli* født
▸ **I was born in 1949/London** jeg er født i 1949/London ❑ *Morris had been born and brought up in New York.* Morris var født og oppvokst i New York.
▸ **born blind** født blind
▸ **a born comedian** den fødte komiker
born-again [bɔːnəˈgɛn] ADJ gjenfødt
borne [bɔːn] PP *of* **bear**
Borneo [ˈbɔːnɪəu] s Borneo
borough [ˈbʌrə] (*POL*) s bydel *m* (*med eget by(dels)råd*)
borrow [ˈbɔrəu] VT låne (*v2*) ❑ *He always borrows money from his friends.* Han låner alltid penger av vennene sine.
borrower [ˈbɔrəuəʳ] s låner *m*, låntaker *m*
borrowing [ˈbɔrəuɪŋ] s *det å låne* ❑ *Lowering interest rates will make borrowing cheaper.* Å senke renten vil gjøre* det billigere å låne.
borstal [ˈbɔːstl] (*BRIT*) s ≈ ungdomsfengsel *nt*
Bosnia [ˈbɔznɪə] s Bosnia
Bosnian [ˈbɔznɪən] 1 ADJ bosnisk
2 s bosnier *m*
bosom [ˈbuzəm] s (**a**) (*ANAT*) bryst *nt*, byste *m*
(**b**) (*fig: of family*) skjød *nt* ❑ *...torn from the bosom of his own family.* ...revet vekk fra sin egens families skjød.
bosom friend s hjertevenn *m*
boss [bɔs] 1 s sjef *m* ❑ *You're not the boss around here.* Du er ikke sjefen her.
2 VT (*also* **boss around, boss about**) herse (*v1*) med ❑ *They've bossed us around enough.* De har herset med oss lenge nok.
bossy [ˈbɔsɪ] ADV sjefet(e)
bosun [ˈbəusn] (*NAUT*) s båtsmann *m irreg*
botanical [bəˈtænɪkl] ADJ botanisk
botanist [ˈbɔtənɪst] s botaniker *m*
botany [ˈbɔtənɪ] s botanikk *m*
botch [bɔtʃ] VT (*also* **botch up**) klusse (*v1*) til, kludre (*v1*) til ❑ *I hope I don't do something stupid and botch it.* Jeg håper jeg ikke gjør noe dumt og klusser *or* kludrer til alt.
both [bəuθ] 1 ADJ begge ❑ *Both policies make good sense.* Begge framgangsmåtene gir god mening *or* er fornuftige.
2 PRON (**a**) (*things*) begge (deler) ❑ *They speak either good English or good German or both.* De snakker enten godt engelsk eller godt tysk eller begge deler.
(**b**) (*people*) begge (to) ❑ *He's fond of you both.* Han er glad i dere begge (to).
3 ADV ▸ **both A and B** både A og B ❑ *These are dangers that threaten both men and women.* Dette er farer som truer både menn og kvinner.
▸ **both (of them)** begge (to) ❑ *He got angry with both of them.* Han ble sint på begge (to)
▸ **both of us went, we both went** vi gikk begge to
▸ **they saw both of us** de så oss begge
bother [ˈbɔðəʳ] 1 VT (**a**) (*= worry*) plage (*v1*), bekymre (*v1*) ❑ *Is something bothering you?* Er det noe som plager *or* bekymrer deg?
(**b**) (*= disturb*) bry (*v4 or irreg*) ❑ *Don't bother me with little things like that.* Ikke bry meg med sånne småting.
2 VI (*also* ***bother o.s.***) bekymre (*v1*) seg, engste (*v1*) seg ❑ *You really shouldn't bother yourself on my account.* Du skulle* virkelig ikke bekymre *or* engste deg for min del.
3 s (**a**) (*= trouble*) besvær *nt*, trøbbel *nt* ❑ *We're having a bit of bother with the children...* Vi har en del besvær *or* trøbbel med ungene...
(**b**) (*= difficulty*) vanskelighet *m* ❑ *We found the address without any bother.* Vi fant adressen uten vanskeligheter.
(**c**) (*= nuisance*) bry *nt*, bryderi *nt* ❑ *Sorry to be a bother, but could you sign this for me?* Beklager å være* til bry(deri), men kunne* du skrive under dette for meg?
4 INTERJ søren! ❑ *Bother! My watch has stopped.* Søren! Klokken min har stoppet.
▸ **it is a bother to have to do** det er et ork å måtte* gjøre
▸ **to bother doing** bry (*v4 or irreg*) seg med å gjøre ❑ *Why bother learning all those facts?* Hvorfor skal man bry seg med å lære alle disse faktaene?
▸ **don't bother** ikke bry deg (om det), ikke tenk på det
▸ **it's no bother** det er ikke noe bry(deri), (det er) bare hyggelig
Botswana [bɔtˈswɑːnə] s Botswana
bottle [ˈbɔtl] 1 s (**a**) (*= glass etc container*) flaske *c* ❑ *Boris took out a bottle and a glass.* Boris tok ut en flaske og et glass. *The baby went on sucking the bottle.* Babyen fortsatte å suge på flasken. *...half a bottle of whisky...* en halv flaske whisky...
(**b**) (*BRIT: sl: courage*) mot *nt*
2 VT (**a**) (*+beer, wine*) tappe (*v1*) (på flaske) ❑ *When was this wine bottled?* Når ble denne vinen tappet?
(**b**) (*+fruit*) hermetisere (*v2*)
▸ **a bottle of wine/milk** en flaske vin/melk
▸ **a wine/milk bottle** en vinflaske/en melkeflaske
▸ **to lose one's bottle** (*sl*) miste (*v1*) motet ❑ *I*

didn't want them to think I'd lost my bottle. Jeg ville* ikke at de skulle* tro jeg hadde mistet motet.
▸ **bottle up** VT (*+emotion*) stenge (*v2*) inne
bottle bank s container *m* (for glassinnsamling)
bottle-fed ['bɔtlfɛd] ADJ som får melk fra flaske
bottleneck ['bɔtlnɛk] s (*BIL: also fig*) flaskehals *m* ❑ *The shortage of labour is often a serious industrial bottleneck.* Mangelen på arbeidskraft er ofte en alvorlig flaskehals for industrien.
bottle-opener ['bɔtləupnəʳ] s flaskeåpner *m*, opptrekker *m*
bottom ['bɔtəm] 1 s (**a**) (*of container, sea etc*) bunn *m* ❑ *It sank to the bottom of the lake.* Den sank til bunnen av innsjøen.
(**b**) (*= buttocks*) bak *m*, ende *m*
(**c**) (*of page, list*) bunn *m* NB *...at the bottom of page 40.* ...nederst på side 40., ...på bunnen av side 40.
(**d**) (*of chair*) sete *nt*
(**e**) (*of class*) bunn *m* ❑ *I'm at the bottom of my class in maths.* Jeg er blant de dårligste i klassen i matte.. Jeg ligger på bunnen av klassen i matte.
(**f**) (*of mountain, tree, hill*) fot *m* ❑ *The cliff plunged in a vertical drop to the bottom.* Klippen kastet seg loddrett ned mot foten.
2 ADJ (**a**) (*= lowest: part*) nederst ❑ *...the bottom layer.* ...det nederste laget.
(**b**) (*= lowest, least important: rung, position*) nederst, bunn-
❑ *...someone on the bottom rung of the pay scale?* ...en som er på det nederste trinnet *or* bunntrinnet på lønnsstigen?
▸ **at the bottom of** i bunnen av ❑ *...at the bottom of the hill.* ...i bunnen av bakken.
▸ **to get to the bottom of sth** (*fig*) komme* til bunns i noe ❑ *I'm going to get to the bottom of this, once and for all.* Jeg skal til bunns i dette, en gang for alle.
bottomless ['bɔtəmlɪs] ADJ (*funds, store*) bunnløs ❑ *...American millionaires with bottomless purses.* ...amerikanske millionærer med bunnløse pengepunger.
bottom line s (*of accounts*) sluttresultat *nt*; (*fig*)
▸ **that's the bottom line (of it)** det er det det går ut på
botulism ['bɔtjulɪzəm] s botulisme *m*
bough [bau] s grein *c*, gren *m*
bought [bɔːt] PRET, PP *of* **buy**
boulder ['bəuldəʳ] s kampestein *m*
boulevard ['buːləvaːd] s bulevard *m*
bounce [bauns] 1 VI (**a**) (*ball, person+*) sprette* ❑ *The ball bounced five yards to my right.* Ballen spratt fem meter til høyre for meg. *He came bouncing in, grinning with glee.* Han kom sprettende inn og gliste av fryd.
(**b**) (*cheque+*) bli* avvist (*på grunn av manglende dekning*)
2 VT (**a**) (*+ball*) sprette* ❑ *She bounced the ball once or twice.* Hun spratt ballen en eller to ganger.
(**b**) (*+signal*) kaste (*v1*) tilbake ❑ *A mirror will increase light, as it bounces it back into a room.* Et speil vil øke virkningen av lyset, idet det kaster det tilbake inn i et rom.
3 s (*= rebound*) sprett *nt* ❑ *She had not reached the ball before its second bounce.* Hun hadde ikke nådd ballen før det andre sprettet.
bouncer ['baunsəʳ] (*sl*) s (*at dance, club*) utkaster *m*
bouncy castle s hoppeslott *nt*
bound [baund] 1 PRET, PP *of* **bind**
2 s (**a**) (*= leap*) hopp *nt*, sprang *nt* ❑ *...with bounds three metres high.* ...med tre meter høye hopp *or* sprang.
(**b**) (*gen pl: limit*) grense *c*, ramme *m* ❑ *It is not outside the bounds of possibility.* Det er ikke utenfor det muliges grenser *or* utenfor rammene av det mulige.
3 VI (*= leap*) bykse (*v1*) ❑ *Goats were bounding off in all directions.* Det var geiter som bykset av gårde i alle retninger.
4 VT (*= border*) avgrense (*v1*) ❑ *The weeds bounded and identified each woman's plot.* Ugresset avgrenset og identifiserte området til hver av kvinnene.
5 ADJ ▸ **bound by** (*+law, regulation*) bundet av ❑ *They are bound by legal but not moral obligations.* De er bundet av juridiske, men ikke moralske forpliktelser.
▸ **to be bound to do sth** være* nødt til å gjøre* noe ❑ *Others felt bound to follow suit.* Andre følte at de var nødt til å følge farge. *You're almost bound to make a mistake.* Du er nesten nødt til å gjøre* en feil.
▸ **bound for** (**a**) (*NAUT*) med kurs for, som går/gikk til
(**b**) (*BIL, JERNB*) som går/gikk til ❑ *...the steamer bound for New York.* ...damperen som gikk til *or* med kurs for New York.
▸ **out of bounds** på forbudt område ❑ *I will be in trouble. Already we are out of bounds.* Jeg vil få* vanskeligheter. Vi er allerede på forbudt område.
boundary ['baundrɪ] s (*= border, limit*) grense *c* ❑ *...territorial boundaries.* ...territorialgrenser.
boundless ['baundlɪs] ADJ (*energy etc*) grenseløs
bountiful ['bauntɪful] ADJ (**a**) (*person, God*) gavmild
(**b**) (*supply*) rikelig ❑ *...a bountiful supply of her favourite cigarettes.* ...et rikelig lager av hennes yndlingssigaretter.
bounty ['bauntɪ] s (*= generosity*) gavmildhet *c* ❑ *They must accept the colonel's bounty.* De må akseptere oberstens gavmildhet.
bounty hunter s lykkeridder *m*
bouquet ['bukeɪ] s (*of flowers*) bukett *m*; (*of wine*) bouquet *m*
bourbon ['buəbən] (*US*) s Bourbon whisky *m*
bourgeois ['buəʒwaː] 1 ADJ (spiss)borgerlig
2 s spissborger *m*
bout [baut] s (**a**) (*of illness*) anfall *nt* ❑ *Following a bout of malaria...* Etter et anfall av malaria...
(**b**) (*of activity*) raptus *m* ❑ *...frenzied bouts of writing.* ...ville skriveraptuser.
(**c**) (*BOKSING etc*) kamp *m*
boutique [buːˈtiːk] s boutique *m*
bow[1] [bau] s (**a**) (*knot*) sløyfe *c*
(**b**) (*weapon*) bue *m* ❑ *...his bow and arrows.* ...buen og pilene hans.
(**c**) (*MUS*) bue *m*
▸ **to tie sth in a bow** knytte (*v1*) noe i en sløyfe,

knytte sløyfe på noe

bow² [bau] 1 s (**a**) (*of the head, body*) bukk *nt* ❑ *The usher opened the door with a bow.* Betjenten åpnet døren med et bukk.
(**b**) (*NAUT: **bows***) baug *m* ❑ *...the bows of the boat.* ...baugen på båten.
2 VI ▸ **to bow (to sb)** bukke (*v1*) (for noen) ❑ *"Goodbye," he said, bowing to her.* "Adjø," sa han og bukket for henne.
▸ **to bow to** *or* **before** (*fig*) bøye (*v3*) seg for ❑ *They bow to all her wishes...* De bøyer seg for alle hennes ønsker...
▸ **to bow to the inevitable** bøye (*v3*) seg for det uunngåelige

bowels ['bauəlz] SPL (*ANAT*) tarmer *mpl*; (*of the earth etc*) indre *nt*

bowl [bəul] 1 s (**a**) (*= for food, its contents*) bolle *m*, skål *c* ❑ *...a china bowl.* ...en porselensskål. *She lived on one bowl of milk a day.* Hun levde på en bolle *or* en skål med melk om dagen.
(**b**) (*for washing*) (vaskevanns)fat *nt*, (vaske)balje *c*
(**c**) (*of toilet*) skål *m*
(**d**) (*SPORT: ball*) (bowling)kule *c*
(**e**) (*of pipe*) pipehode *nt*
(**f**) (*US: stadium*) amfi *m*
2 VI (*SPORT*) kaste (*v1*)

▸ **bowl over** VT (*fig*) ta* pusten fra ❑ *I was bowled over by the beauty of Malawi.* Malawis skjønnhet tok pusten fra meg.

bow-legged ['bəu'lɛgɪd] ADJ hjulbeint

bowler ['bəuləʳ] s (*SPORT*) bowler *m*, kaster *m*; (*BRIT: **bowler hat***) bowlerhatt *m*, skalk *m*

bowling ['bəulɪŋ] s (*game*) bowling *m*

bowling alley s (*building*) bowlinghall *m*

bowling green s gressplen *m* til å spille boccia på

bowls [bəulz] s (*game*) boccia *m*

bow tie [bəu-] s (tversover)sløyfe *c*

box [bɔks] 1 s (**a**) (*container: crate*) kasse *c* ❑ *...boxes filled with old clothes.* ...kasser fylt med gamle klær.
(**b**) (*= cardboard box*) (papp)eske *m*, kartong *m*
(**c**) (*TEAT*) losje *m*
(**d**) (*BRIT: BIL: road marking*) markert felt *nt* ❑ *Do not enter the box until your exit is clear.* Kjør ikke inn i det markerte feltet før banen er klar.
(**e**) (*on form*) rute *m* ❑ *Put a tick in the box marked "yes".* Kryss av i ruten hvor det står "ja".
2 VT (**a**) (*= put in boxes*) pakke (*v1*) i kasser ❑ *The best idea is to box everything before you move.* Det beste vil være* å pakke alt i kasser før du flytter.
(**b**) (*SPORT*) bokse (*v1*) mot
3 VI (*SPORT*) bokse (*v1*)
▸ **to box sb's ears** gi* noen en ørefik *or* øreteve

▸ **box in** VT (*+car, person*) stenge (*v2*) inne ❑ *Some fool parked his car too close and boxed me in.* En eller annen idiot parkerte bilen sin for nær og stengte meg inne.

▸ **box off** VT (*+area*) bygge (*v3x*) inn ❑ *You could box off the area under the stairs to make a cupboard.* Du kunne* bygge inn plassen under trappen og lage et skap.

boxer ['bɔksəʳ] s (*person, dog*) bokser *m*

boxing ['bɔksɪŋ] (*SPORT*) s boksing *c*

Boxing Day (*BRIT*) s annen juledag *m*

> **Boxing Day** *er andre juledag, og offentlig høytidsdag i Storbritannia. Hvis juledagen faller på en lørdag eller på en søndag, blir den ekstra fridagen tatt igjen den følgende mandagen. Navnet stammer fra en skikk fra 1800-tallet som gikk ut på gi julegaver (i esker =* **box***) til sine ansatte den 26. desember.*

boxing gloves SPL boksehansker *mpl*

boxing ring s boksering *m*

box number s (*for advertisements*) billett *m* merket

box office s billettkontor *nt*, billettluke *c*

boxroom ['bɔksrum] s kott *nt*

boy [bɔɪ] s gutt *m* ❑ *The eldest child was a boy of five.* Det eldste barnet var en gutt på fem år. *I have three beautiful boys.* Jeg har tre flotte gutter.

boycott ['bɔɪkɔt] 1 s boikott *m* ❑ *...an Olympic boycott.* ...en boikott av OL.
2 VT (*+person, product, place etc*) boikotte (*v1*)

boyfriend ['bɔɪfrɛnd] s kjæreste *m*, venn *m* (*av hankjønn*)

boyish ['bɔɪɪʃ] ADJ gutteaktig

boy scout s guttespeider *m*

Bp FK = **bishop**

BPOE (*US*) s FK (= **Benevolent and Protective Order of Elks**) *veldedighetsorganisasjon*

BR FK (= **British Rail**) *britiske jernbaner*, NSB *m* (= *Norges Statsbaner*)

bra [brɑː] s bh *m* (*var.* behå)

brace [breɪs] 1 s (**a**) (*on teeth*) (tann)regulering *c* ❑ *...I wore a brace.* ...jeg hadde tannregulering.
(**b**) (*tool*) borvinde *c*
(**c**) (*TYP: **brace bracket***) klamme *m*
2 VT (*+knees, shoulders*) rette (*v1*) seg opp i ❑ *He stood to attention, bracing his shoulders.* Han stod i giv akt, mens han rettet seg opp i skuldrene.
▸ **braces** SPL (*BRIT*) bukseseler *mpl*
▸ **to brace o.s.** (**a**) (*in order to steady o.s.*) rette (*v1*) seg opp ❑ *I grasped the edge of a table to brace myself.* Jeg grep tak i bordkanten for å rette meg opp.
(**b**) (*fig: for shock*) stålsette* seg ❑ *She braced herself for her forthcoming ordeal.* Hun stålsatte seg for den prøvelsen som stod foran.

bracelet ['breɪslɪt] s armbånd *nt*

bracing ['breɪsɪŋ] ADJ forfriskende, oppkvikkende

bracken ['brækən] s (ørne)bregne *c*

bracket ['brækɪt] 1 s (**a**) (*TEKN*) knekt *m*
(**b**) (*= group, range*) gruppe *c* ❑ *...in the 14-16 age bracket.* ...i aldersgruppen 14-16.
(**c**) (*also **brace bracket***) klamme *m*
(**d**) (*also **round bracket***) (rund) parentes *m*
(**e**) (*also **square bracket***) hakeparentes *m*, skarp klamme *m*
2 VT (**a**) (*also **bracket together***) plassere (*v2*) i samme kategori *or* gruppe ❑ *Should current affairs and documentary be bracketed together?* Bør aktuelle saker og dokumentar plasseres i samme kategori *or* gruppe?
(**b**) (*+word, phrase*) sette* parentes/klammer rundt ❑ *Bracket the last two words.* Sett parentes/klammer rundt de to siste ordene.
▸ **income bracket** inntekstgruppe *c*,

inntektsklasse *m*
▸ **in brackets** i parentes/klammer ❑ *The comments in brackets are the author's.* Kommentarene i parentes/klammer er forfatterens.
brackish ['brækɪʃ] ADJ (*water*) brakk-
brag [bræg] VI ▸ **to brag (about)** skryte* (av) ❑ *I didn't brag about the salary.* Jeg skrøt ikke av lønnen.
braid [breɪd] s (= *trimming*) bånd *nt*; (= *plait*) flette *c*
Braille [breɪl] s blindeskrift *c*, punktskrift *c*
brain [breɪn] s (**a**) (*ANAT*) hjerne *m*
(**b**) (*fig*) hode *nt*, hjerne *m* ❑ *He had one clear wish in his confused brain.* Han hadde ett klart ønske i det forvirrede hodet sitt *or* i den forvirrede hjernen sin.
▸ **brains** SPL (**a**) (*KULIN*) hjerne *m sg*
(**b**) (= *intelligence*) hode *nt* ❑ *He had his mother's brains.* Han hadde sin mors hode.
▸ **he's got brains** han har et godt hode
brainchild ['breɪntʃaɪld] s (*project, invention*) påfunn *nt*, oppfinnelse *m* ❑ *The project was the brainchild of Max Clark.* Prosjektet var Max Clarks påfunn.
braindead ['breɪndɛd] ADJ hjernedød
brain drain s ▸ **the brain drain** hjerneflukten *m def*, ekspertflukten *m def*
brainless ['breɪnlɪs] ADJ tanketom
brainstorm ['breɪnstɔːm] s (**a**) (*fig*) anfall *nt* av sinnsforvirring ❑ *I can't imagine why I bought it. I must have had a brainstorm.* Jeg skjønner ikke hvorfor jeg kjøpte den. Jeg må ha* hatt et anfall av sinnsforvirring.
(**b**) (*US : brainwave*) lys idé *m*
brainwash ['breɪnwɔʃ] VT hjernevaske (*v1*)
brainwave ['breɪnweɪv] s lys idé *m*
brainy ['breɪnɪ] ADJ (*child*) glup, oppvakt, gløgg
braise [breɪz] (*KULIN*) VT braisere (*v2*), gryteste(i)ke (*v2*)
brake [breɪk] 1 s (*BIL, also fig*) brems *m* ❑ *...to apply the brakes abruptly...* bremse brått... *Such practices were putting the brakes on enterprise.* Slike ordninger satte bremsene på foretaksvirksomheten.
2 VI bremse (*v1*) ❑ *As he braked a tyre burst.* Da han bremset, eksploderte et dekk.
brake fluid s bremsevæske *m*
brake light s bremselys *nt*
brake pedal s bremsepedal *m*
bramble ['bræmbl] s (**a**) (= *bush*) tornebusk *m*
(**b**) (= *thorny branch*) tornekvist *m* ❑ *...overgrown with brambles.* ...overgrodd med tornebusker.
bran [bræn] s kli *nt*
branch [brɑːntʃ] 1 s (**a**) (*of tree*) grein *c*, gren *m*
(**b**) (*fig : of family, organization*) grein *c*, gren *m* ❑ *The Foster-Smith branch of the family...* Foster-Smith-gre(i)nen av familien...
(**c**) (*MERK*) filial *m*, avdeling *m* ❑ *...the Ipswich branch of Marks and Spencer.* ...Ipswichfilialen *or* Ipswichavdelingen av Marks and Spencer.
2 VI forgre(i)ne (*v1*) seg, dele (*v2*) seg ❑ *These creatures sprout five arms which branch repeatedly.* Disse skapningene utvikler fem armer som igjen forgre(i)ner *or* deler seg.
▸ **branch out** VI ▸ **to branch out into** (*fig*) utvide (*v1*) virksomheten til ❑ *She decided to branch out into sportswear.* Hun bestemte seg for å utvide virksomheten til sportsklær.
branch line (*JERNB*) s sidelinje *c*, sidespor *nt*
branch manager s filialbestyrer *m*
brand [brænd] 1 s (**a**) (= *make*) merke *nt* ❑ *What brand of soap powder do you use?* Hvilket vaskepulvermerke bruker du?
(**b**) (*fig : type*) type *m* ❑ *...a new brand of humour.* ...en ny type humor.
2 VT (*+cattle*) brennemerke (*v1*), merke (*v1*) med svijern
▸ **to brand sb a communist** *etc* (*neds*) stemple (*v1*) noen som kommunist *etc*
brandish ['brændɪʃ] VT (*+weapon*) vifte (*v1*) med
brand name s merkenavn *nt*
brand-new ['brænd'njuː] ADJ splitter ny
brandy ['brændɪ] s konjakk *m*
brash [bræʃ] ADJ frekk, flåkjeftet
Brasilia [brə'zɪlɪə] s Brasilia
brass [brɑːs] s messing *m*
▸ **the brass** (*MUS*) messingblåserne *pl*
brass band s brassband *nt*, hornorkester *nt*
brassiere ['bræsɪəʳ] s bysteholder *m*
brass tacks SPL ▸ **to get down to brass tacks** komme* til saken
brassy ['brɑːsɪ] ADJ (**a**) (*colour*) messingfarget
(**b**) (*sound*) skingrende
(**c**) (*appearance*) vulgær
▸ **a brassy blonde** en falsk blondine
brat [bræt] (*neds*) s (*child*) drittunge *m* ❑ *He's a spoilt brat.* Han er en bortskjemt drittunge.
bravado [brə'vɑːdəu] s (påtatt) dristighet *m*, vågemot *nt*
brave [breɪv] 1 ADJ (*attempt, smile, action*) tapper ❑ *He made a brave attempt to prevent the hijack.* Han gjorde et tappert forsøk på å forhindre kapringen.
2 s (*warrior*) indianerkriger *m*
3 VT (= *face up to*) trosse (*v1*) ❑ *Farmers braved the winter cold...* Bønder trosset vinterkulden...
bravely ['breɪvlɪ] ADV tappert
bravery ['breɪvərɪ] s tapperhet *c*, mot *nt*
bravo [brɑː'vəu] INTERJ bravo
brawl [brɔːl] 1 s slagsmål *nt*
2 VI slåss*, lage (*v1 or v3*) bråk
brawn [brɔːn] s (= *strength*) muskler *pl*; (*meat*) persesylte *c*
brawny ['brɔːnɪ] ADJ muskelsterk, kraftig
bray [breɪ] 1 VI (*donkey+*) skryte*
2 s skryting *c*
brazen ['breɪzn] 1 ADJ skamløs
2 VT ▸ **to brazen it out** spille (*v2x*) på frekkheten
brazier ['breɪzɪəʳ] s fyrfat *nt*, varmebekken *nt*
Brazil [brə'zɪl] s Brasil
Brazilian [brə'zɪljən] 1 ADJ brasiliansk
2 s (*person*) brasilianer *m*
Brazil nut s paranøtt *c*
breach [briːtʃ] 1 VT (*+defence, wall*) bryte* igjennom
2 s (**a**) (= *gap*) hull *nt*
(**b**) (= *estrangement*) kløft *c* ❑ *...the deep political breach between his father and uncle.* ...den dype politiske kløften mellom faren og onkelen hans.

▸ **breach of contract** kontraktbrudd *nt* ❑ *He was charged with breach of contract.* Han ble anklaget for kontraktbrudd.
▸ **breach of the peace** forstyrrelse *m* av ro og orden ❑ *...arrested for (causing a) breach of the peace.* ...arrestert for å ha* forstyrret ro og orden.
▸ **breach of trust** tillitsbrudd *nt*

bread [brɛd] s (**a**) (*food*) brød *nt* ❑ *...three large slices of bread.* ...tre store brødskiver *or* skiver brød.
(**b**) (*sl : money*) gryn *nt* (*sl*), stål *nt* (*sl*)
▸ **to earn one's daily bread** tjene (*v2*) til sitt daglige brød
▸ **to know which side one's bread is buttered (on)** vite* hvordan man skal mele sin egen kake, vite hvordan man skal sno seg

bread and butter s smørbrød *nt*; (*fig : source of income*) levebrød *nt*

breadbin ['brɛdbɪn] (*BRIT*) s brødboks *m*

breadboard ['brɛdbɔːd] s brødfjøl *c*

breadbox ['brɛdbɔks] (*US*) s brødboks *m*

breadcrumbs ['brɛdkrʌmz] SPL brødsmuler *cpl*; (*for frying*) griljermel *nt*, knust kavring *m*

breadline ['brɛdlaɪn] s ▸ **on the breadline** på eksistensminimum

breadth [brɛtθ] s (*of cloth, knowledge, subject etc*) bredde *m* [NB] *...this kind of breadth of vision.* ...denne typen bredde i perspektivet *or* dette vidsynet.

breadwinner ['brɛdwɪnə^r] s (*in family*) forsørger *m*

break [breɪk] (*pt* **broke**, *pp* **broken**) [1] VT (**a**) (*+cup, glass, object, window*) knuse (*v2*)
(**b**) (*+leg, arm*) brekke* ❑ *She's broken her ankle.* Hun har brukket ankelen.
(**c**) (*+promise, law*) bryte*
(**d**) (*+record*) slå*
[2] VI (**a**) (*crockery+*) bli* knust ❑ *...a cup, which broke into several pieces.* ...en kopp som ble knust i flere biter.
(**b**) (*storm, weather+*) bryte* løs
(**c**) (*dawn, day+*) bryte* fram, gry (*v4*)
(**d**) (*story, news+*) bli* (plutselig) kjent, springe* ❑ *The news broke in Paris that...* Nyheten ble kjent *or* sprang i Paris om at...
[3] s (**a**) (*= gap*) opphold *nt* ❑ *...a break between sounds of one tenth of a second.* ...et opphold mellom lyder på en tidels sekund.
(**b**) (*= fracture*) brudd *nt*
(**c**) (*= rest*) pause *m*, avbrekk *nt* ❑ *I'm having a break, I'm tired.* Jeg tar meg en pause *or* et avbrekk, jeg er trøtt.
(**d**) (*= pause, interval*) pause *m*, avbrudd *nt* ❑ *There was a break in the middle of the day's events.* Det var en pause *or* et avbrudd midt i dagens hendelser.
(**e**) (*at school*) friminutt *nt*, frikvarter *nt* ❑ *What time's break?* Når er det friminutt *or* frikvarter?
(**f**) (*= opportunity*) sjanse *m* ❑ *His main break came last spring in Australia.* Han fikk sin store sjanse i fjor vår i Australia.
(**g**) (*= holiday*) avbrekk *nt* ❑ *To give himself a well-deserved break...* For å gi* seg selv et velfortjent avbrekk...
▸ **to break the news to sb** meddele (*v2*) nyheten(e) til noen
▸ **to break even** (*MERK*) gå* i balanse
▸ **to break with sb** bryte* med noen ❑ *He broke with Shaw altogether.* Han brøt fullstendig med Shaw.
▸ **to break free** *or* **loose** (*person, animal+*) bryte* seg løs
▸ **to take a break** (**a**) (*for a few minutes*) ta* en pause
(**b**) (*= to have a holiday*) ta* (seg) fri
▸ **without a break** uten avbrekk, uten opphold, uten pause ❑ *The doctors had worked two days without a break.* Legene hadde arbeidet i to dager uten avbrekk *or* opphold *or* pause.
▸ **lucky break** gyllen anledning *m*, stor sjanse *m* ❑ *Her lucky break came in 1991...* Den gylne anledningen *or* hennes store sjanse kom i 1991...

▸ **break down** [1] VT (**a**) (*+figures, data*) dele (*v2*) opp ❑ *Learn to break down large amounts of data into manageable units.* Lær å dele opp store mengder med data i håndterlige enheter.
(**b**) (*+door etc*) slå* inn ❑ *He hit the door so hard I thought he was going to break it down.* Han dundret så hardt på døra at jeg trodde han skulle* slå den inn.
[2] VI (*gen*) bryte* sammen ❑ *Our TV has broken down.* Tv'en vår har brutt sammen. *All resistance to change has broken down.* All motstand mot forandring har brutt sammen. *He broke down and cried.* Han brøt sammen og gråt. *The talks broke down over differences on doctrine.* Samtalene brøt sammen på grunn av ulike doktriner.

▸ **break in** [1] VT (*+horse etc*) ri*/kjøre (*v2*) inn
[2] VI (**a**) (*burglar+*) bryte* seg inn
(**b**) (*= interrupt*) bryte* inn ❑ *"Yes...," began Spear, but his wife broke in.* "Ja...," begynte Spear, men konen hans brøt inn.

▸ **break into** VT FUS (*+house, shop*) bryte* seg inn i

▸ **break off** [1] VI brekke* (av), knekke* (av); (*speaker+*) bryte* av ❑ *She broke off in the middle of her talk.* Hun brøt av midt i foredraget sitt.
[2] VT (**a**) (*+branch, piece of sth*) brekke* av
(**b**) (*+talks, engagement*) (av)bryte* ❑ *I've broken off my engagement.* Jeg har brutt forlovelsen min.

▸ **break open** VT (*+door etc*) bryte* opp ❑ *Thieves broke the safe open with dynamite.* Tyver brøt opp safen med dynamitt.

▸ **break out** VI (**a**) (*= begin : war, fight*) bryte* ut ❑ *Fierce fighting broke out between rival groups.* Innbitt slåssing brøt ut mellom rivaliserende grupper.
(**b**) (*= escape : prisoner*) bryte* seg ut
▸ **to break out in spots/a rash** få* utslett

▸ **break through** [1] VI ▸ **the sun broke through** sola brøt igjennom
[2] VT FUS (**a**) (*+through defences, barrier*) bryte* (seg) igjennom
(**b**) (*+through a crowd*) bryte* seg igjennom, brøyte (*v1*) seg igjennom

▸ **break up** [1] VI (**a**) (*ship+*) bli* brutt i stykker
(**b**) (*partnership, couple+*) skille (*v2x*) lag
(**c**) (*marriage+*) gå* i stykker *or* i oppløsning

(**d**) (*crowd+*) spre (*v4*) seg ❑ *The crowd broke up in panic.* Mengden spredde seg i panikk.
(**e**) (*meeting+*) bryte* opp
(**f**) (SKOL) slutte (*v1*) ❑ *We're lucky, we break up in June.* Vi er heldige, vi slutter i juni.
2 VT (**a**) (*+rocks, biscuit etc*) bryte* (opp)
(**b**) (*+journey, day*) brekke* opp, bryte* opp
(**c**) (*+fight etc*) løse (*v2*) opp
(**d**) (*+meeting*) bryte* opp
(**e**) (*+marriage*) få* til å gå* i stykker *or* i oppløsning ❑ *It was her illness which finally broke up the marriage.* Det var sykdommen hennes som til slutt fikk ekteskapet til å gå* i stykker *or* i oppløsning.
breakable ['breɪkəbl] 1 ADJ knuselig
2 S ▸ **breakables** knuselige gjenstander
breakage ['breɪkɪdʒ] s (= *act of breaking*) beskadigelse *m* ❑ *Accidental breakage of glassware...* Beskadigelse av husholdningsglass ved uhell...
▸ **to pay for breakages** betale (*v2*) for skade
breakaway ['breɪkəweɪ] ADJ (*group etc*) utbryter-
break-dancing ['breɪkdɑːnsɪŋ] s breakdans *m* (*var.* breakdance)
breakdown ['breɪkdaun] s (**a**) (BIL) motorstopp *nt* ❑ *We had a breakdown on the motorway.* Vi fikk motorstopp på motorveien.
(**b**) (*of communications*) sammenbrudd *nt* ❑ *There was a serious breakdown of communication.* Det var et alvorlig sammenbrudd i kommunikasjonen.
(**c**) (*of marriage*) oppløsning *m*
(**d**) (MED : ***nervous breakdown***) sammenbrudd *nt*
(**e**) (*of statistics*) spesifikasjon *m* ❑ *I forget what the breakdown of hours is.* Jeg har glemt hva spesifikasjonen av arbeidstiden er.
breakdown service (BRIT) s redningstjeneste *m*, bergingstjeneste *m*
breakdown van (BRIT) s servicebil *m*, kranbil *m*
breaker ['breɪkəʳ] s (*wave*) brottsjø *m*
break-even point [breɪk'iːvn-] s dekningspunkt *nt*
breakfast ['brɛkfəst] 1 s frokost *m*
2 VI spise (*v2*) frokost
breakfast cereal s frokostblanding *c*
break-in ['breɪkɪn] s innbrudd *nt*
breaking and entering (JUR) s innbrudd *nt* ❑ *He was charged with breaking and entering.* Han ble anklaget for innbrudd.
breaking point s bristepunkt *nt* ❑ *The system is being pushed to breaking point.* Systemet blir presset til bristepunktet.
breakthrough ['breɪkθruː] s (*fig : in technology etc*) gjennombrudd *nt*
break-up ['breɪkʌp] s (**a**) (*of partnership*) opphør *nt* ❑ *This caused the break-up of the coalition.* Dette forårsaket opphøret av koalisjonen.
(**b**) (*of marriage*) oppløsning *m* ❑ *All marriage break-ups are traumatic.* Oppløsningen av ethvert ekteskap er traumatisk.
break-up value s (kurs)verdi *m* ved likvidasjon
breakwater ['breɪkwɔːtəʳ] s molo *m*
breast [brɛst] s bryst *nt* ❑ *...women with small breasts.* ...kvinner med små bryster. *The bullet pierced Joel's breast.* Kulen gjennomboret Joels bryst. *...breast of lamb.* ...lammebryst.
breast-feed ['brɛstfiːd] (*irreg* **feed**) VTI amme (*v1*)
breast pocket s brystlomme *c*
breast-stroke ['brɛststrəuk] s brystsvømming *c*
breath [brɛθ] s (**a**) (= *breathing*) pust *m* ❑ *Jenny paused for breath.* Jenny stanset for å få* igjen pusten.. Jenny tok seg en pustepause *or* en pust i bakken.
(**b**) (*single intake of air*) pust *m*, åndedrag *nt* ❑ *He took a deep breath...* Han tok en dyp pust *or* et dypt åndedrag...
(**c**) (*air from mouth*) ånde *m*
▸ **out of breath** andpusten
▸ **to get one's breath back** få* igjen pusten
▸ **to have bad breath** ha* dårlig ånde
▸ **to go out for a breath of air** gå* ut for å få* (seg) litt luft
breathalyze, breathalyse ['brɛθəlaɪz] VT promilleteste (*v1*), alkoteste (*v1*) (*ved hjelp av pusteapparat*)
Breathalyzer®, Breathalyser® ['brɛθəlaɪzəʳ] s pusteapparat *nt* (*til bruk ved promilletest*)
breathe [briːð] 1 VT puste (*v1*) inn ❑ *Let's get out and breathe a little country air.* La oss komme oss ut og puste inn litt landluft.
2 VI puste (*v1*) ❑ *I stood by the window and breathed deeply.* Jeg stod ved vinduet og pustet dypt.
▸ **I won't breathe a word about it** jeg skal ikke nevne det med et ord
▸ **breathe in** VTI puste (*v1*) inn
▸ **breathe out** VTI puste (*v1*) ut
breather ['briːðəʳ] s ▸ **(to have a) breather** (ta seg en) pustepause *m*, (ta seg en) pust *m* i bakken
breathing ['briːðɪŋ] s pust *m*, åndedrett *nt* ❑ *Her breathing became loud and strenuous.* Pusten *or* åndedrettet hennes ble høy og anstrengt.
breathing space s (*fig*) pusterom *nt*
breathless ['brɛθlɪs] ADJ andpusten
▸ **breathless with excitement** åndeløs av spenning
breathtaking ['brɛθteɪkɪŋ] ADJ (*speed, view*) som (nesten) tar pusten fra en
breath test s promilletest *m*
bred PRET, PP *of* **breed**
-bred [brɛd] SUFF ▸ **well/ill-bred** veloppdragen/uoppdragen
breed (*pt, pp* **bred**) 1 VT (**a**) (*+animals*) ale (*v2*) opp, drive* oppdrett *or* avl av
(**b**) (*+plants*) dyrke (*v1*) (fram)
(**c**) (*fig : give rise to*) avle (*v1*) ❑ *Success breeds success.* Suksess avler suksess. *The rumours bred hope and doubt.* Ryktene avlet håp og tvil.
2 VI (ZOOL) formere (*v2*) seg
3 S (ZOOL, *fig : type, class*) rase *m* ❑ *...the very finest breeds of hunting dogs.* ...de aller edleste rasene av jakthunder. *This required a whole new breed of actors.* Dette krevde en helt ny rase skuespillere.
breeder ['briːdəʳ] s (**a**) (*person*) oppdretter *m* ❑ *...breeders of pedigree dogs.* ...oppdrettere av rasehunder.
(**b**) (FYS : ***breeder reactor***) breederreaktor *m*, avlsreaktor *m*
breeding ['briːdɪŋ] s (= *education, refinement*)

oppdragelse *m*, dannelse *m*
breeding ground s (**a**) (*for animals*) yngleplass *m*
(**b**) (*for birds*) hekkeplass *m*
(**c**) (*fig: for trouble etc*) arnested *nt* ❑ *...the breeding ground of snobbery.* ...arnestedet for snobberi.
breeze [bri:z] s bris *m*
breezeblock ['bri:zblɔk] (*BRIT*) s Lecablokk *c*®
breezy ['bri:zɪ] ADJ (*manner, tone*) frisk, kvikk; (*weather*) blåsende, luftig
Breton ['brɛtən] 1 ADJ fra Bretagne, bretagnisk
2 s (*person*) bretagner *m*
brevity ['brɛvɪtɪ] s knapphet *m*, kortfattethet *m*
brew [bru:] 1 VT (**a**) (+*tea*) lage (*v1 or v3*)
(**b**) (+*beer*) brygge (*v1*)
2 VI (**a**) (*tea+*) trekke*
(**b**) (*beer+*) brygge (*v1*)
▸ **there's a storm brewing** (*also fig*) det brygger opp til storm
brewer ['bru:əʳ] s brygger *m*
brewery ['bru:ərɪ] s bryggeri *nt*
briar ['braɪəʳ] s (= *thorny bush*) nypetornbusk *m*; (= *wild rose*) nyperose *m*
bribe [braɪb] 1 s bestikkelse *m*
2 VT bestikke*
▸ **to bribe sb to do sth** bestikke* noen for å få* dem til å gjøre* noe ❑ *We had to bribe the border guard to let us through.* Vi måtte* bestikke grensevakten for å få* ham til å slippe oss igjennom.
bribery ['braɪbərɪ] s (*with money, favours*) bestikkelse *m*
bric-a-brac ['brɪkəbræk] s krimskrams *nt*
brick [brɪk] s (*for building*) murste(i)n *m*; (*of ice cream*) blokk *c*
bricklayer ['brɪkleɪəʳ] s murer *m* (*som legger murstein*)
brickwork ['brɪkwə:k] s mursteinsverk *nt*
bridal ['braɪdl] ADJ (*suite, gown*) brude-
bride [braɪd] s brud *m*
bridegroom ['braɪdgru:m] s brudgom *m*
bridesmaid ['braɪdzmeɪd] s brudepike *m*
bridge [brɪdʒ] 1 s (**a**) (*all senses, incl dentistry*) bro *c* (*var:* bru)
(**b**) (*of nose*) rygg *m*
(**c**) (*KORT*) bridge *m*
2 VT bygge (*v3x*) bro over; (*gen, fig*) ❑ *The gulf between their cultures was too great to be easily bridged.* Kløften mellom kulturene deres var for stor til at det lettvint kunne* bygges bro over den.
bridging loan (*BRIT*) s overgangslån *nt*
bridle ['braɪdl] 1 s beksel *nt*, bissel *nt*
2 VT (+*horse*) beksle (*v1*), bisle (*v1*)
3 VI ▸ **to bridle (at)** (+*memory, comment etc*) steile (*v1*) (over)
bridle path s ridesti *m*
brief [bri:f] 1 ADJ (**a**) (*period of time*) kort, kortvarig
(**b**) (*description, speech*) kort
2 s (**a**) (*JUR*) saksresymé *nt*
(**b**) (= *task*) instruks *m* ❑ *I was given the brief of developing local history research.* Jeg fikk instruks om å utvikle forskning på lokalhistorie.
3 VT (**a**) (= *inform*) ▸ **to brief sb (about sth)**
(**b**) (*gen*) (forhånds)orientere (*v2*) noen (om noe), underrette (*v1*) noen (om noe)
(**c**) (*MIL*) briefe (*v1*) noen (om noe), orientere (*v2*) noen (om noe)
▸ **briefs** SPL (*undergarment*) truse *c*
▸ **in brief...** kort sagt... ❑ *In brief then, do you two agree to join me?* Så kort sagt, er dere to villige til å bli* med meg?
briefcase ['bri:fkeɪs] s stresskoffert *m*
briefing ['bri:fɪŋ] s (*gen, MIL, PRESS*) briefing *c*
briefly ['bri:flɪ] ADV (**a**) (*smile, glance*) kort
(**b**) (*visit*) (ganske) kort ❑ *We stopped off briefly at Beaulieu Abbey.* Vi stoppet (ganske) kort ved Beaulieu Abbey.
(**c**) (*explain, say*) kort, i korthet
Brig. FK = **brigadier**
brigade [brɪ'geɪd] s brigade *m*
brigadier [brɪgə'dɪəʳ] s brigader *m*, brigadegeneral *m*
bright [braɪt] ADJ (**a**) (*light, room, fig: idea, outlook, future*) lys
(**b**) (*weather*) klar
(**c**) (= *clever: person*) flink, skarp
(**d**) (= *lively: person*) lystig ❑ *He was bright and cheerful.* Han var lystig og munter.
(**e**) (*colour*) ▸ **bright red/green** knallrød/ knallgrønn
(**f**) (*clothes*) fargeglad
▸ **to look on the bright side** se* lyst på det, se de lyse sidene
brighten ['braɪtn] (*also* ***brighten up***) 1 VT (**a**) (+*place*) lyse (*v2*) opp i ❑ *These flowers will brighten up your garden.* Disse blomstene vil lyse opp i hagen din.
(**b**) (+*person*) få* til å lysne (opp)
(**c**) (+*event*) gjøre* lysere ❑ *The music brightened things up a little.* Musikken gjorde alt litt lysere.
2 VI (**a**) (*weather+*) klarne (*v1*), lysne (*v1*) ❑ *It should brighten up in the afternoon.* Det skulle* klarne opp *or* lysne om ettermiddagen.
(**b**) (*person, face+*) lysne (*v1*) til, lyse (*v2*) opp ❑ *She seemed to brighten up a bit at this.* Hun så ut til å lysne til *or* lyse opp litt av dette.
(**c**) (*prospects+*) lysne (*v1*) ❑ *The prospects are brightening.* Utsiktene blir stadig lysere.
brightly ['braɪtlɪ] ADV (**a**) (*shine*) klart
(**b**) (*smile*) strålende
(**c**) (*talk*) lystig ❑ *"That's all right," Billy answered brightly.* "Det er greit," svarte Billy lystig.
brill [brɪl] (*BRIT: sl*) ADJ glitrende
brilliance ['brɪljəns] s (**a**) (*of light, colour*) glans *m* ❑ *...the brilliance of the lagoon...* glansen fra *or* i lagunen...
(**b**) (*of talent, skill*) briljans *m* ❑ *...a chapter of quite stunning brilliance.* ...et kapittel med en helt forbløffende briljans.
brilliant ['brɪljənt] ADJ (**a**) (*person*) briljant
(**b**) (*idea, smile, career*) strålende, lysende
(**c**) (*sunshine, light*) strålende
(**d**) (*sl: holiday etc*) kjempebra, helt strålende ❑ *We had a brilliant time.* Vi hadde det kjempebra *or* helt strålende
brilliantly ['brɪljəntlɪ] ADV strålende
brim [brɪm] s (*of cup*) rand *m*; (*of hat*) brem *m*
brimful ['brɪm'ful] ADJ ▸ **brimful (of)** breddfull (av)
brine [braɪn] s saltlake *m* ❑ *...mushrooms in brine.*

...sopp i saltlake.

bring [brɪŋ] (*pt, pp* **brought**) VT (**a**) (*thing, person: with you*) ta* med (seg) ❑ *He would have to bring Judy with him.* Han ville* måtte* ta* med seg Judy.
(**b**) (*to sb*) hente (*v1*) ❑ *Bring me a glass of Dubonnet.* Hent et glass Dubonnet til meg.
(**c**) (*fig: satisfaction, trouble*) bringe* (med seg) ❑ *Money did not bring happiness.* Penger brakte ikke lykke (med seg).
▸ **to bring sth to an end** få* (en) slutt på noe
▸ **I can't bring myself to fire him** Jeg kan ikke få* meg til å sparke ham

▸ **bring about** VT få* i stand, avstedkomme* ❑ *They helped bring about a peaceful settlement.* De hjalp til med å få* i stand *or* avstedkomme en fredelig løsning.

▸ **bring back** VT (**a**) (*= restore: hanging etc*) gjeninnføre (*v2*), få* tilbake ❑ *He was in favour of bringing back the cane.* Han var for å gjeninnføre *or* få* tilbake spanskrøret.
(**b**) (*= return*) levere (*v2*) tilbake ❑ *She brought my book back.* Hun leverte tilbake boka min.

▸ **bring down** VT (**a**) (*+government*) velte (*v1*), få* til å falle ❑ *A national strike would bring the government down.* En landsomfattende streik ville* velte regjeringen *or* få* regjeringen til å falle.
(**b**) (*+price: by competition, circumstances*) drive* ned, få* ned
(**c**) (*by company, government+*) sette* ned

▸ **bring forward** VT (**a**) (*+meeting*) flytte (*v1*) fram, framskynde (*v1*) ❑ *The meeting has been brought forward to Tuesday.* Møtet har blitt flyttet fram *or* framskyndet til tirsdag.
(**b**) (*+proposal*) legge* fram
(**c**) (*MERK: balance*) overføre (*v2*)

▸ **bring in** VT (**a**) (*+money*) innbringe*
(**b**) (*= include: object, person*) bringe* inn ❑ *It would be fatal to bring in an outsider.* Det ville* være* fatalt å bringe inn en utenforstående.
(**c**) (*POL: legislation*) innføre (*v2*)
(**d**) (*JUR: verdict*) avgi*, avsi* ❑ *They brought in a guilty verdict.* De avga *or* avsa en kjennelse på skyldig.

▸ **bring off** VT få* til ❑ *The most brilliant manoeuvre was brought off by Japan.* Den mest briljante manøveren var det Japan som fikk til.

▸ **bring out** VT (**a**) (*+person*) få* til å åpne seg ❑ *He talks to them and brings them out.* Han snakker med dem og får dem til å åpne seg.
(**b**) (*= publish, produce: book, album*) gi* ut (*var.* utgi) ❑ *Bradbury has now brought out a second album.* Bradbury har nå gitt ut en plate til.
▸ **to bring out the worst in sb** få* fram det verste i noen

▸ **bring round** VT (*+unconscious person*) bringe* til bevissthet, få* til å våkne

▸ **bring up** VT (**a**) (*= carry up*) komme* opp med ❑ *We asked room service to bring up a bottle of champagne.* Vi bad roomservicen om å komme opp med en flaske champagne.
(**b**) (*= educate: person*) oppdra* ❑ *Women are brought up to be...* Kvinner er oppdratt til å være...
(**c**) (*+question, subject*) ta* opp ❑ *I advised her to bring the matter up at the next meeting.* Jeg rådet henne til å ta* opp saken på det neste møtet.
(**d**) (*= vomit: food*) kaste (*v1*) opp

bring and buy sale s loppemarked *nt* (*hvor folk har med seg ting for salg, og kjøper det andre har hatt med, til inntekt for et godt formål*)

brink [brɪŋk] s (*of disaster, war etc*) rand *m* ❑ *The country was on the brink of civil war.* Landet var på randen av borgerkrig.
▸ **on the brink of doing** på nippet til å gjøre
▸ **on the brink of tears** på randen av tårer

brisk [brɪsk] ADJ (**a**) (*= abrupt: tone, person*) driftig, kontant
(**b**) (*pace*) rask ❑ *...at a brisk pace.* ...i raskt tempo.
(**c**) (*trade*) livlig ❑ *...trade was brisk.* ...handelen gikk livlig.
▸ **to go for a brisk walk** gå* (seg) en rask tur
▸ **business is brisk** forretningen går strykende

bristle ['brɪsl] [1] s bust *c uncount* ❑ *His chin was covered with bristles.* Haken hans var dekket med (skjegge)bust. *This toothbrush is real bristle.* Denne tannbørsten har ekte bust.
[2] VI (*in anger*) reise (*v2*) bust ❑ *Mrs Pringle bristled at the memory.* Fru Pringle reiste bust ved tanken.
▸ **bristling with sth** *som det sikker noe ut av* ❑ *...a long nose bristling with whiskers.* ...en lang snute som det stakk værhår ut av.

bristly ['brɪslɪ] ADJ (*beard, hair*) stri; (*chin*) skjegget(e)

Brit [brɪt] (*sl*) s FK (= **British person**) brite *m*

Britain ['brɪtən] s (*also* ***Great Britain***) Storbritannia

British ['brɪtɪʃ] [1] ADJ britisk
[2] SPL ▸ **the British** britene

British Isles SPL ▸ **the British Isles** De britiske øyer

British Rail s *de britiske statsbaner*

Briton ['brɪtən] s brite *m*

Brittany ['brɪtənɪ] s Bretagne

brittle ['brɪtl] ADJ skjør

Br(o). (*REL*) FK = **brother**

broach [brəutʃ] VT (*+subject*) ta* opp

broad [brɔ:d] [1] ADJ (**a**) (*street, shoulders, smile*) bred
(**b**) (*range*) bred, vid
(**c**) (*= general: sense*) vid
(**d**) (*outlines, distinction etc*) grov, i grove trekk ❑ *He gave us a very broad introduction to linguistics.* Han gav oss en innføring i lingvistikk i svært grove trekk *or* en svært generell innføring i lingvistikk.
(**e**) (*accent*) bred ❑ *...a broad Glaswegian accent.* ...en bred Glasgow-aksent.
[2] s (*US: sl: woman*) tøyte *c* (*sl*)
▸ **in broad daylight** i fullt dagslys, midt på lyse dagen
▸ **broad hint** tydelig vink *or* hint

broad bean s hestebønne *c*

broadcast ['brɔ:dkɑ:st] (*pt, pp* **broadcast**) [1] s (*TV, RADIO*) sending *c* ❑ *He was criticized for making these broadcasts.* Han ble kritisert for at han laget disse sendingene.
[2] VTI (*TV, RADIO*) sende (*v2*), kringkaste (*v1*) ❑ *Episode One was broadcast last night.* Første episode ble sendt *or* kringkastet i går kveld. *...a*

station which broadcast from a different place each week. ...en stasjon som sendte *or* kringkastet fra forskjellig sted hver uke.

broadcaster [ˈbrɔːdkɑːstəʳ] s radiomann/tv-mann *m irreg*

broadcasting [ˈbrɔːdkɑːstɪŋ] s kringkasting *c*

broadcasting station s kringkastingsstasjon *m*

broaden [ˈbrɔːdn] 1 VT (*+scope, appeal*) utvide (*v1*) 2 VI (*river+*) utvide (*v1*) seg, bli* bredere *or* videre ▸ **to broaden the/sb's mind** utvide (*v1*) ens/ noens horisont ❑ *Travel broadens the mind.* Reising utvider ens horisont.

broadly [ˈbrɔːdlɪ] ADV (= *in general terms*) i store trekk, i det store og hele ❑ *I was broadly in favour of it.* Jeg var i store trekk *or* i det store og hele for det.
▸ **broadly speaking** i store trekk, i det store og hele

broad-minded [ˈbrɔːdˈmaɪndɪd] ADJ frisinnet

broadsheet [ˈbrɔːdʃiːt] s *avis i stort format (ikke tabloid)*

broccoli [ˈbrɔkəlɪ] s brokkoli *m*

brochure [ˈbrəuʃjuəʳ] s brosjyre *c*

brogue [brəug] s (*accent*) aksent *m*; (*shoe*) (solid) spasersko *m*

broil [brɔɪl] VT grille (*v1*)

broiler [ˈbrɔɪləʳ] s (*fowl*) kylling *m* (*som er beregnet for grilling*)

broke [brəuk] 1 PRET *of* **break**
2 ADJ (*sl: person, company*) blakk
▸ **to go broke** (*business+*) gå* konk (*sl*)

broken [ˈbrəukn] 1 PP *of* **break**
2 ADJ (**a**) (*window, cup etc*) knust
(**b**) (*machine*) i stykker ❑ *The telephone box is broken.* Telefonkiosken er i stykker.
(**c**) (*promise, vow*) brutt
▸ **a broken leg** et brukket bein
▸ **a broken marriage** et ødelagt *or* oppløst ekteskap
▸ **a broken home** et oppløst hjem ❑ *...children from broken homes.* ...barn fra oppløste hjem.
▸ **in broken English/French** på gebrokkent engelsk/fransk

broken-down [ˈbrəuknˈdaun] ADJ (*car, machine*) nedbrutt, sammenbrutt; (*house*) forfallen

broken-hearted [ˈbrəuknˈhɑːtɪd] ADJ sønderknust

broker [ˈbrəukəʳ] 1 s (*in shares*) mekler *m* (*var:* megler) (= *insurance broker*) forsikringsmekler *m*
2 VT (*+deal, agreement*) formidle (*v1*)

brokerage [ˈbrəukrɪdʒ] s (*business*) meklervirksomhet *m*; (*fee*) meklerprovisjon *m*

brolly [ˈbrɔlɪ] (*BRIT: sl*) s paraply *m*

bronchitis [brɔŋˈkaɪtɪs] s bronkitt *m*

bronze [brɔnz] s (*metal*) bronse *m*; (*sculpture*) bronsestatue(tt) *m*, bronseskulptur *m*

bronzed [brɔnzd] ADJ (*person, body*) solbrun, bronsebrun

brooch [brəutʃ] s brosje *c*

brood [bruːd] 1 s (**a**) (= *baby birds*) (fugle)unger *pl*
(**b**) (*of children*) ungeflokk *m* ❑ *...a squabbling brood of children.* ...en kjeklende ungeflokk.
2 VI (**a**) (*hen+*) ruge (*v1*) ❑ *The birds brood for up to four weeks.* Fuglene ruger i opp til fire uker.
(**b**) (*person+*) ruge (*v1*), gruble (*v1*) ❑ *...he was brooding about the meaning of life.* ...han ruget *or* grublet over meningen med livet.
▸ **brood on, brood over** VT FUS ruge (*v1*) over *or* på, gruble (*v1*) over ❑ *He'd been brooding over how furious he was.* Han har ruget over *or* grublet over hvor rasende han var.

broody [ˈbruːdɪ] ADJ (= *moody: person*) tungsindig; (= *motherly: woman, hen*) verpesyk

brook [bruk] s bekk *m*

broom [brum] s (*for cleaning*) (feie)kost *m*; (*BOT*) gyvel *m*

broomstick [ˈbrumstɪk] s kosteskaft *nt*

Bros. (*MERK*) FK (= **brothers**) brd *pl* (= *brødrene*)

broth [brɔθ] s suppe *c* (*klar kjøtt-, grønnsak- eller fiskesuppe*) ❑ *...Scotch broth* ...skotsk kjøttsuppe

brothel [ˈbrɔθl] s bordell *nt*

brother [ˈbrʌðəʳ] s (**a**) (*in family, association etc*) bror *m irreg* ❑ *All men are our brothers.* Alle mennesker er våre brødre.
(**b**) (*REL*) bror *m irreg*, broder *m irreg*

brotherhood [ˈbrʌðəhud] s bro(de)rskap *nt* ❑ *...the brotherhood of man.* ...brorskapet mellom mennesker.

brother-in-law [ˈbrʌðərɪnlɔː] s svoger *m*

brotherly [ˈbrʌðəlɪ] ADJ broderlig ❑ *...brotherly love.* ...broderlig kjærlighet.. ...kjærlighet (som) mellom brødre.

brought [brɔːt] PRET, PP *of* **bring**

brought forward ADJ (*in accounts*) overført

brow [brau] s (**a**) (= *forehead*) panne *m*
(**b**) (= *eyebrow*) (øyen)bryn *nt*
(**c**) (*of hill*) kam *m* ❑ *A tank appeared over the brow of a hill.* En tanks kom til syne over bakkekammen.

browbeat [ˈbraubiːt] VT ▸ **to browbeat sb (into doing sth)** presse (*v1*) noen (til å gjøre* noe)

brown [braun] 1 ADJ brun
2 s (*colour*) brunt *nt*, brunfarge *m*
3 VI (*KULIN*) brune (*v1*) seg

brown bread s grovbrød *nt*

Brownie [ˈbraunɪ] s (*also* ***Brownie Guide***) småspeider *m* (*jentes*), meis *m*

brownie [ˈbraunɪ] (*US*) s (*cake*) *brun sjokoladekjeks med nøtter*

brown paper s gråpapir *nt*

brown rice s naturris *m*

brown sugar s brunt sukker *nt*

browse [brauz] 1 VI (**a**) (*through book*) bla (*v4*)
(**b**) (*in shop*) kikke (*v1*) (seg rundt) ❑ *She browses a while, then picks up a magazine.* Hun kikker (seg) litt (rundt), så tar hun opp et ukeblad.
(**c**) (*animal+*) beite (*v1*), gresse (*v1*)
2 s ▸ **to have a browse (around)** kikke (*v1*) seg rundt
▸ **to browse through a file** (*DATA*) kikke (*v1*) gjennom en fil

browser [ˈbrauzəʳ] (*DATA*) s søkeprogram *n*

bruise [bruːz] 1 s (**a**) (*on face etc*) blåmerke *nt* ❑ *Just a few cuts and bruises.* Bare noen kutt og blåmerker.
(**b**) (*on fruit*) flekk *m*, støtmerke *nt*
2 VT (**a**) (*+arm, leg etc: one's own*) få* blåmerke(r) på
(**b**) (*other people's*) gi* blåmerke(r) på, lage (*v1 or v3*) blåmerke(r) på
(**c**) (*+person*) gi* blåmerke(r) ❑ *He was severely*

bruised. Han fikk stygge blåmerker.
(**d**) (*+fruit*) støte (*v2*)
3 VI (*fruit+*) få* støtmerker ❑ *...peaches bruise easily.* ...ferskener får lett støtmerker.
▸ **to bruise one's arm** få* blåmerke(r) på armen
Brum [brʌm] (*BRIT: sl*) S FK = **Birmingham**
Brummie ['brʌmɪ] (*sl*) s *person fra Birmingham*
brunch [brʌntʃ] s brunch *m*
brunette [bru:'nɛt] s brunette *m*
brunt [brʌnt] s ▸ **to bear the brunt of** (*+attack, criticism*) ta* (mesteparten) av støyten for
brush [brʌʃ] 1 s (**a**) (*for cleaning, shaving*) kost *m*
(**b**) (*for decorating*) kost *m*, pensel *m*
(**c**) (*artist's*) pensel *m*
(**d**) (= *unpleasant encounter*) gnisning *m* ❑ *...some brushes with authority.* ...noen gnisninger med myndighetene.
2 VT børste (*v1*) ❑ *She began vigorously to brush her hair.* Hun begynte energisk å børste håret.; (*also* **brush against**: *person, object*) stryke* mot *The girl's hair brushed his cheek.* Jentas hår strøk mot kinnet hans.
▸ **to brush one's teeth** pusse (*v1*) tennene
▸ **to have a brush with death** se* døden i ansiktet
▸ **to have a brush with the police** ha* et (mindre) sammenstøt med politiet
▸ **brush aside** VT (*+emotion, criticism*) feie (*v3*) til side ❑ *She brushed his protests aside.* Hun feide protestene hans til side.
▸ **brush past** VT (*+person, object*) feie (*v3*) forbi ❑ *She brushed past me out of the room.* Hun feide forbi meg ut av rommet.
▸ **brush up (on)** VT (*+subject, language*) friske (*v1*) opp ❑ *I really need to brush up on my French.* Jeg trenger virkelig å få* frisket opp fransken min.
brushed [brʌʃt] ADJ (*TEKN: metal, fabric*) børstet
brush-off ['brʌʃɔf] s ▸ **to give sb the brush-off** (*sl*) gi* noen en kald skulder
brushwood ['brʌʃwud] s kvist *m* og kvas *nt*
brusque [bru:sk] ADJ brysk ❑ *I made a brusque apology and left.* Jeg unnskyldte meg bryskt og gikk.
Brussels ['brʌslz] s Brussel
Brussels sprout s rosenkål *m (usu uncount)*
brutal ['bru:tl] ADJ brutal ❑ *...a brutal killing.* ...et brutalt drap. *He spoke with brutal frankness.* Han snakket med en brutal åpenhet.
brutality [bru:'tælɪtɪ] s brutalitet *m*
brutalize ['bru:təlaɪz] VT brutalisere (*v2*); (= *ill-treat*) behandle (*v1*) brutalt
brute [bru:t] 1 s (**a**) (*person*) brutal person *m*, umenneske *nt*
(**b**) (*animal*) udyr *nt*
2 ADJ ▸ **by brute force** ved rå kraft ❑ *They got the window open by brute force.* De fikk åpnet vinduet ved rå kraft.
brutish ['bru:tɪʃ] ADJ brutal, bestialsk, umenneskelig ❑ *Man's life is nasty, brutish and short.* Menneskelivet er ubarmhjertig, brutalt *or* bestialsk og kort.
BS (*US*) S FK (= **Bachelor of Science**) *lavere universitetsgrad i naturvitenskap*
bs FK = **bill of sale**
BSA S FK (= **Boy Scouts of America**) *amerikanske guttespeidere*
BSc FK (= **Bachelor of Science**) *lavere universitetsgrad i naturvitenskap*
BSE S FK (= **bovine spongiform encephalopathy**) BSE, kugalskap *nt*
BSI S FK (= **British Standards Institution**) ≈ NSF *nt* (= *Norges Standardiseringsforbund*)
BST FK (= **British Summer Time**) *sommertid i Storbritannia*
Bt. (*BRIT*) FK = **Bart.**
btu S FK (= **British thermal unit**) btu
bubble ['bʌbl] 1 s (*in liquid, soap*) boble *c*
2 VI (**a**) (*liquid+*) boble (*v1*) ❑ *Cook the mixture until it bubbles.* Kok blandingen til den bobler. *The spring bubbled out of the hillside.* Kilden boblet ut av åssiden.
(**b**) (*fig*: ***bubble over***) sprudle (*v1*), boble (*v1*) over ❑ *She was bubbling with confidence.* Hun boblet over *or*sprudlet av selvtillit.
bubble bath s skumbad *nt*
bubble gum s bobletyggegummi *m*
bubble pack s *innpakning av plast festet til et bakstykke av papp*
bubbly ['bʌblɪ] 1 ADJ (*person*) sprudlende; (*liquid*) boblende
2 s (*sl: champagne*) sjampis *m*
Bucharest [bu:kə'rɛst] s Bucuresti
buck [bʌk] 1 s (**a**) (*rabbit*) kaninhann *m*
(**b**) (*deer*) råbukk *m*
(**c**) (*US: sl: dollar*) dollar *m*
2 VI (*horse+*) gjøre* bukkesprang ❑ *I fell off every time she bucked.* Jeg falt av hver gang hun gjorde bukkesprang.
▸ **to pass the buck (to sb)** vri (*v4 or irreg*) seg unna (og skyve ansvaret over på noen) ❑ *You're passing the buck! It was up to you to check!* Du vrir deg unna! Det var ditt ansvar å sjekke!
▸ **buck up** 1 VI (**a**) (= *cheer up*) få* opp humøret
(**b**) (= *hurry up*) skynde (*v2*) seg, forte (*v1*) seg
2 VT ▸ **to buck one's ideas up** stramme (*v1*) seg opp
bucket ['bʌkɪt] 1 s bøtte *c* ❑ *...a bucket of warm water.* ...en bøtte varmt vann.
2 VI (*BRIT: sl*) ▸ **the rain is bucketing (down)** regnet (p)øser ned, regnet høljer ned
buckle ['bʌkl] 1 s (*on shoe, belt*) spenne *c*
2 VT (**a**) (*+shoe, belt*) spenne (*v2x*) på seg
(**b**) (= *distort: wheel*) bøye (*v3*), gjøre* buklet(e) ❑ *The car clipped my bicycle wheel and badly buckled it.* Bilen smelte til sykkelhjulet mitt og bøyde det stygt.
3 VI (**a**) (*wheel+*) bli* buklet(e) ❑ *My wheels buckled after only a few days riding on these bumpy roads.* Hjulene mine ble buklete etter bare et par dagers sykling på disse humpete veiene.
(**b**) (*bridge, support+*) bøye (*v3*) seg, gjøre* bøy på seg ❑ *The bridge buckled under the weight of so many lorries.* Broen bøyde seg *or* gjorde bøy på seg under vekten av så mange lastebiler.
▸ **buckle down** VI ▸ **to buckle down (to sth)** (for alvor) ta* fatt (på noe) ❑ *I'm going to buckle down to the training course.* Jeg skal for alvor ta* fatt på treningskurset.

Bucks (*BRIT: POST*) FK = **Buckinghamshire**
bud [bʌd] 1 s (*on tree, plant*) knopp *m*
2 VI (*= produce leaves*) sprette*; (*= produce flowers*) skyte* (knopp)
Budapest [bju:də'pɛst] s Budapest
Buddha ['budə] s Buddha
Buddhism ['budɪzəm] s buddhisme *m*
Buddhist ['budɪst] 1 ADJ buddhistisk
2 s buddhist *m*
budding ['bʌdɪŋ] ADJ (*actor, entrepreneur*) spirende, lovende
buddy ['bʌdɪ] (*US*) s kompis *m* ❑ *You dialled the wrong number, buddy.* Du slo feil nummer, kompis.
budge [bʌdʒ] 1 VT (**a**) (*+object*) rikke (*v1*) ❑ *She could not budge the wheel.* Hun kunne* ikke rikke hjulet.
(**b**) (*fig: person*) rokke (*v1*) ❑ *...he could not be budged.* ...han lot seg ikke rokke.
2 VI (**a**) (*object+*) rikke (*v1*) (på) seg ❑ *The screw just will not budge.* Skruen vil bare ikke rikke (på) seg.
(**b**) (*fig: person*) la seg rokke ❑ *She has not budged on any important issue.* Hun har ikke latt seg rokke i noen viktig sak.
budgerigar ['bʌdʒərɪgɑ:ʳ] s undulat *m*
budget ['bʌdʒɪt] 1 s (*person's, government's*) budsjett *nt*
2 VI ▸ **to budget for sth** budsjettere (*v2*) med noe ❑ *I've budgeted for food for twelve people.* Jeg har budsjettert med mat til tolv personer.
▸ **I'm on a tight budget** jeg har et stramt budsjett
budgie ['bʌdʒɪ] s = **budgerigar**
Buenos Aires ['bweɪnɔs'aɪrɪz] s Buenos Aires
buff [bʌf] 1 ADJ (**a**) (*= colour*) brungul
(**b**) (*envelope*) brun/gul
2 s (*sl: enthusiast*) ekspert *m* ❑ *Huggins was an American movie buff.* Huggins var ekspert på amerikanske filmer.
▸ **a computer buff** en datafrik
buffalo ['bʌfələu] (*pl* **buffalo** *or* **buffaloes**) s (*BRIT*) bøffel *m*; (*US: bison*) bison(okse) *m*
buffer ['bʌfəʳ] s (*DATA, JERNB*) buffer *m*; (*fig: against shortage etc*) buffer *m*, støtdemper *m*
buffering ['bʌfərɪŋ] (*DATA*) s bufring *c*
buffer state s bufferstat *m*
buffer zone s buffersone *m*
buffet[1] ['bufeɪ] (*BRIT*) s (**a**) (*in station*) kafe(teria) *m*, jernbanerestaurant *m*
(**b**) (*food*) anretning *m*, buffet *m* ❑ *...a cold buffet.* ...et koldtbord.
buffet[2] ['bʌfɪt] VT (*wind, sea+*) slenge (*v2*) hit og dit, kaste (*v1*) hit og dit ❑ *The vessel was buffeted by huge waves.* Farkosten ble slengt *or* kastet hit og dit av kjempestore bølger.
buffet car s kafeteriavogn *m*
buffet lunch s koldtbordlunsj *nt*
buffoon [bə'fu:n] s klovn *m*, gjøgler *m*
bug [bʌg] 1 s (**a**) (*især US: insect*) insekt *nt*
(**b**) (*DATA: in program*) programfeil *m*
(**c**) (*in equipment*) feil *m*
(**d**) (*= germ*) basill *m* ❑ *There must be a bug going around.* Det må være* en basill som går.
(**e**) (*= hidden microphone*) skjult mikrofon *m*
2 VT (**a**) (*sl: annoy*) ergre (*v1*), irritere (*v2*) ❑ *That's what bugs me about the whole business.* Det er det som ergrer *or* irriterer meg med hele saken.
(**b**) (*+room, telephone etc*) avlytte (*v1*) ❑ *Don't speak in the bedrooms; they are bugged.* Ikke snakk i soverommene; de blir avlyttet.
▸ **I've got the travel bug** jeg er bitt av reisebasillen, jeg har reisedilla
bugbear ['bʌgbɛəʳ] s skremmebilde *m*
bugger ['bʌgəʳ] (*sl!*) 1 s dritt *m* (*om person, sl!*), jævel *m* (*sl!*)
2 VB ▸ **bugger off!** dra til helvete! (*sl!*)
▸ **bugger (it)!** fader! (*sl!*), fanken! (*sl!*)
buggy ['bʌgɪ] s (*for baby*) sportsvogn *c*
bugle ['bju:gl] s (signal)horn *nt*
build [bɪld] (*pt, pp* **built**) 1 s (*of person*) (kropps)bygning *m* ❑ *...a lean, athletic build.* ...en slank, atletisk bygning.
2 VT bygge (*v3x*) ❑ *John had built a house...* John hadde bygd et hus...
▸ **build on** VT FUS (*fig*) bygge (*v3x*) videre på ❑ *We must try to build on this success.* Vi må prøve å bygge videre på denne suksessen.
▸ **build up** VT (*gen*) bygge (*v3x*) opp ❑ *I suddenly found myself trying to build up his morale.* Jeg var plutselig i full gang med å prøve å bygge opp kampmoralen hans. *They've worked hard to build up their business.* De har arbeidet hardt for å bygge opp forretningen sin.
▸ **don't build your hopes up (too soon)** gled deg ikke for tidlig
builder ['bɪldəʳ] s (*= worker*) bygningsarbeider *m*; (*= tradesman*) byggmester *m*
building ['bɪldɪŋ] s (**a**) (*= industry, construction*) bygging *c*, byggevirksomhet *c* ❑ *Building has stopped while the dispute is being sorted out.* Byggingen *or* byggevirksomheten har stoppet mens uenigheten blir forsøkt løst.
(**b**) (*= house, office etc*) bygning *m* ❑ *There were still people trapped inside fallen buildings.* Det var fremdeles folk innesperret i sammenraste bygninger.
building contractor s bygningsentreprenør *m*
building industry s ▸ **the building industry** bygningsindustrien *m*
building site s byggeplass *m*
building society (*BRIT*) s ≈ husbank *m*, *finansinstitusjon som gir boliglån, og hvor man også kan ha* en sparekonto*

> *Et* **building society** *er et samvirke hvor spare- og lånekundene er eiere. Disse samvirkene tilbyr hovedsakelig to tjenester: man kan ha en sparekonto hvor man kan forta uttak på direkte forespørsel, eller etter forhåndsvarsel. Man kan også få langsiktige lån, særlig for å kjøpe bolig. Building society'ene hadde fram til 1985 praktisk talt monopol på boligsparing og boliglån, men nå har bankene også en viktig rolle på dette markedet.*

building trade s = **building industry**
build-up ['bɪldʌp] s (**a**) (*of gas etc*) oppbygging *c* ❑ *...a massive build-up of nuclear weapons.* ...en massiv oppbygging av kjernefysiske våpen.
(**b**) (*publicity*) ▸ **to give sb/sth a good build-up**

gi* noen/noe god forhåndsreklame

built [bɪlt] 1 PRET, PP *of* **build**
2 ADJ ▸ **built-in** innebygd ❑ *...a dishwasher with a built-in waste disposal unit.* ...en oppvaskmaskin med en innebygd innretning for avfallstømming.
▸ **well-built** (*person*) velbygd

built-up area ['bɪltʌp-] s bebygd *or* utbygd område *nt*

bulb [bʌlb] s (*BOT*) løk *m*; (*ELEK*) (lys)pære *c*

bulbous ['bʌlbəs] ADJ bulende

Bulgaria [bʌl'gɛərɪə] s Bulgaria

Bulgarian [bʌl'gɛərɪən] 1 ADJ bulgarsk
2 s (*person*) bulgarer *m*; (*LING*) bulgarsk

bulge [bʌldʒ] 1 s (**a**) (= *bump*) kul *m*, bule *m* ❑ *...the bulge at his waistline.* ...kulen *or* bulen på magen hans.
(**b**) (*in birth rate, sales*) topp *m* ❑ *...the population bulge of the nineteen fifties.* ...befolkningstoppen i nitten femtiårene.
2 VI (*pocket, file, cheeks etc+*) bule (*v2*) (ut), svulme (*v1*)
▸ **to be bulging with** bule (*v2*) av, svulme (*v1*) av ❑ *The shelves were bulging with knick-knacks.* Hyllene svulmet av nipsgjenstander.

bulimia [bə'lɪmɪə] s bulimi *m*

bulk [bʌlk] s (**a**) (= *mass: of object*) masse *m* ❑ *...the dark bulk of the building.* ...den mørke massen av bygningen.
(**b**) (*of person*) korpus *m*, kropp *m* ❑ *Flora swung her big bulk off the bed.* Flora svingte den digre korpusen *or* kroppen sin ut av sengen.
▸ **in bulk** (*MERK*) i store partier *or* kvanta ❑ *Goods can be made very much cheaper if they're sold in bulk.* Varer kan gjøres svært mye billigere hvis de blir solgt i store partier *or* kvanta.
▸ **the bulk of** (= *most of*) mesteparten av ❑ *The bulk of his days are spent quietly.* Mesteparten av dagene hans blir tilbrakt fredelig.

bulk buying s masse(inn)kjøp *nt*, *det å kjøpe inn i store partier*

bulkhead ['bʌlkhɛd] s skott *nt*

bulky ['bʌlkɪ] ADJ (*equipment, parcel*) svær (og tung), omfangsrik

bull [bul] s (**a**) (*ZOOL*) okse *m*, stut *m*
(**b**) (= *male elephant/whale*) hann *m* ❑ *...a bull elephant* ...en hannelefant. ...en elefanthann
(**c**) (*FIN*) haussist *m* ❑ *...a bull market* ...et haussemarked
(**d**) (*REL*) bulle *m* ❑ *...a papal bull* ...en pavelig bulle

bulldog ['buldɔg] s bulldogg *m*

bulldoze ['buldəuz] VT rydde (*v1*) med bulldoser, planere (*v2*) med bulldoser
▸ **I was bulldozed into it** (*sl: fig*) jeg ble presset inn i det/presset til å gjøre* det

bulldozer ['buldəuzəʳ] s bulldoser *m*

bullet ['bulɪt] s kule *c*

bulletin ['bulɪtɪn] s bulletin *m* ❑ *The Institute publishes a fortnightly bulletin.* Instituttet gir ut en bulletin hver annen uke.

bulletin board (*DATA, gen*) s oppslagstavle *c*

bulletproof ['bulɪtpru:f] ADJ (*glass, vest, car*) skuddsikker

bullfight ['bulfaɪt] s tyrefekting *c*

bullfighter ['bulfaɪtəʳ] s tyrefekter *m*

bullfighting ['bulfaɪtɪŋ] s tyrefekting *c*

bullion ['buljən] s (*gold, silver*) barrer *pl*

bullock ['bulək] s gjeldokse *m*

bullring ['bulrɪŋ] s tyrefekterarena *m*

bull's-eye ['bulzaɪ] s blink *m* ❑ *He hit the bull's-eye and won the prize.* Han traff blinken og vant førstepremien.

bullshit ['bulʃɪt] (*sl!*) 1 s pisspreik *nt* (*sl!*)
2 VI komme* med pisspreik
▸ **bullshit!** pisspreik!
▸ **don't bullshit me!** ikke kom med pisspreik (til meg)!

bully ['bulɪ] 1 s bølle *m*
2 VT mobbe (*v1*)
▸ **he was bullied into doing it** han ble mobbet *or* presset til å gjøre* det

bullying ['bulɪɪŋ] s mobbing *c*

bum [bʌm] (*sl*) s (**a**) (*BRIT: backside*) rumpe *c* (*sl*)
(**b**) (*især US: tramp*) boms *m*

▸ **bum around** (*sl*) VI streife (*v1*) om, drive* rundt ❑ *He's been bumming around since he left college.* Han har streifet om *or* drevet rundt siden han sluttet på høyskolen.

bumbag ['bʌmbæg] s belteveske *c*, rumpetaske *c*

bumblebee ['bʌmblbi:] s humlebie *m*

bumf, **bumph** [bʌmf] (*sl*) s (*forms etc*) papir *nt*

bump [bʌmp] 1 s (**a**) (*in car: minor accident*) støt *m* ❑ *Her car got three severe bumps...* Bilen hennes fikk tre kraftige støt...
(**b**) (= *jolt*) dunk *nt* ❑ *The plane landed with a bit of a bump.* Flyet landet med et lite dunk.
(**c**) (= *swelling: on head*) kul *m* ❑ *You've got a bump on your forehead...* Du har en kul i pannen...
(**d**) (*on road*) kul *m*, ujevnhet *m* ❑ *If the motor cycle goes over a bump...* Hvis motorsykkelen går over en kul *or* en ujevnhet...
2 VT (*strike*) dunke (*v1*) ❑ *I've bumped my head on that shelf again!* Jeg har dunket hodet mitt mot den hylla igjen!
3 VI (= *jolt: car*) humpe (*v1*)

▸ **bump into** VT FUS (**a**) (= *strike: obstacle*) støte (*v2*) borti, skumpe (*v1*) borti
(**b**) (*sl: meet: person*) dumpe (*v1*) borti, støte (*v2*) på ❑ *We happened to bump into one another in town.* Vi dumpet tilfeldigvis borti *or* Vi støtte tilfeldigvis på hverandre i byen.

bumper ['bʌmpəʳ] 1 s (*BIL*) støtfanger *m*
2 ADJ ▸ **bumper crop/harvest** rekordavling, rekordstor avling *c*

bumper cars SPL radiobiler *mpl*

bumph [bʌmf] s = **bumf**

bumptious ['bʌmpʃəs] ADJ (*person*) brautende, skittviktig

bumpy ['bʌmpɪ] ADJ (*road*) humpet(e)
▸ **it was a bumpy flight/ride** det ristet *or* humpet på flyturen/kjøreturen

bun [bʌn] s (**a**) (*KULIN*) bolle *m*
(**b**) (*hair style*) knute *m* ❑ *She wore her hair in a tight bun.* Hun hadde håret i en stram knute.

bunch [bʌntʃ] s (**a**) (*of flowers*) bukett *m*
(**b**) (*of keys*) knippe *nt*
(**c**) (*of bananas*) klase *c*

(**d**) (*of people*) gjeng *m*
▸ **bunches** SPL (*in hair*) musefletter *pl* ❑ *She had her hair tied in bunches.* Hun hadde håret i musefletter.
▸ **a bunch of grapes** en drueklase

bundle [ˈbʌndl] 1 s (**a**) (= *parcel : of clothes, samples etc*) bunt *m*, bylt *m*
(**b**) (*of sticks*) bunt *m*, knippe *nt*
(**c**) (*of papers*) bunt *m*
2 VT (**a**) (*also* ***bundle up***) bunte (*v1*) sammen
(**b**) (*put*) ▸ **to bundle sth/sb into** putte (*v1*) noe/noen inn i, dytte (*v1*) noe/noen inn i ❑ *Len bundled the knives and forks into a drawer.* Len puttet *or* dyttet knivene og gaflene ned i en skuff.

▸ **bundle off** VT (*+person*) skysse (*v1*) av gårde *or* av sted ❑ *Jack was bundled off to Ely...* Jack ble skysset av gårde *or* av sted til Ely...

bun fight (*BRIT : sl*) s (= *official function*) allmøte *nt*

bung [bʌŋ] 1 s propp *m*, spuns *m*
2 VT (*BRIT*) slenge (*v2*) ❑ *Bung me the ball.* Sleng til meg ballen. *Just bung it in the oven.* Bare sleng det inn i ovnen.
▸ **to be bunged up** (*+pipe, hole, nose*) være* potte tett
❑ *The sink's got bunged up again.* Oppvaskkummen er blitt potte tett igjen.

bungalow [ˈbʌŋgələu] s bungalow *m*, (enetasjes) enebolig *m*

bungee jumping [ˈbʌndʒiːˈdʒʌmpɪŋ] s strikkhopping *c*

bungle [ˈbʌŋgl] VT (*+job*) kludre (*v1*) til, forkludre (*v1*)

bunion [ˈbʌnjən] s ilke *m*

bunk [bʌŋk] s (*bed*) køye *c*
▸ **to do a bunk** (*sl*) stikke* av

▸ **bunk off** (*sl*) VI stikke* av

bunk beds SPL køyesenger *pl*

bunker [ˈbʌŋkəʳ] s (= *coal store, GOLF*) bunker *m*; (*MIL*) bunker(s) *m*

bunny [ˈbʌnɪ] s (*also* ***bunny rabbit***) harepus *m*

bunny girl (*BRIT*) s *nattklubbvertinne med drakt som har kaninører og kaninhale*

bunting [ˈbʌntɪŋ] s (*flags*) flaggrekke *c*, vimpelrekke *c*

buoy [bɔɪ] s (*NAUT*) bøye *c*

▸ **buoy up** VT (*fig*) holde* flytende ❑ *He did his best to buoy her up.* Han gjorde sitt beste for å holde henne flytende.

buoyancy [ˈbɔɪənsɪ] s (*of ship*) flyteevne *m*

buoyant [ˈbɔɪənt] ADJ (**a**) (*on water*) som flyter ❑ *The birds become less buoyant...* Fuglene flyter ikke så lett...
(**b**) (*MERK*) stigende
(**c**) (*fig : person, nature*) opprømt

burden [ˈbəːdn] 1 s (**a**) (= *responsibility, worry*) byrde *m* ❑ *This would relieve the burden on hospital staff.* Dette ville* lette byrden for sykehuspersonalet.
(**b**) (= *load*) bør *c* ❑ *...bearing heavy burdens of provisions.* ...bærende på tunge bører med proviant.
2 VT ▸ **to burden sb with** (*+trouble*) belemre (*v1*) noen med, bebyrde (*v1*) noen med
▸ **to be a burden to sb** være* en byrde *or* en belastning for noen

bureau [ˈbjuərəu] (*pl* **bureaux**) s (*BRIT : writing desk*) skatoll *nt*; (*US : chest of drawers*) kommode *m*; (= *office : for travel, information etc*) byrå *nt*

bureaucracy [bjuəˈrɔkrəsɪ] s byråkrati *nt*

bureaucrat [ˈbjuərəkræt] s byråkrat *m*

bureaucratic [bjuərəˈkrætɪk] ADJ byråkratisk ❑ *...a nightmare of bureaucratic procedures.* ...et mareritt av byråkratiske prosedyrer.

bureaux [ˈbjuərəuz] SPL *of* **bureau**

burgeon [ˈbəːdʒən] VI (*fig*) blomstre (*v1*) opp ❑ *...the country's burgeoning pacifist movement.* ...landets oppblomstrende pasifistbevegelse.

burger [ˈbəːgəʳ] (*sl*) s burger *m*

burglar [ˈbəːgləʳ] s innbruddstyv *m*

burglar alarm s tyverialarm *m*, innbruddsalarm *m*

burglarize [ˈbəːgləraɪz] (*US*) VT gjøre* innbrudd i

burglary [ˈbəːglərɪ] s tyveri *nt* (*ved innbrudd*) ❑ *He was found guilty of burglary.* Han ble funnet skyldig i tyveri.
Contact the police as soon as possible after a burglary. Kontakt politiet så snart som mulig etter et innbrudd.

burgle [ˈbəːgl] VT gjøre* innbrudd i

Burgundy [ˈbəːgəndɪ] s Bourgogne, Burgund (*old*)

burial [ˈbɛrɪəl] s begravelse *m*

burial ground s gravplass *m*, gravlund *m*

burlesque [bəːˈlɛsk] s burlesk *m*

burly [ˈbəːlɪ] ADJ (*figure, workman etc*) kraftig

Burma [ˈbəːmə] s Burma

Burmese [bəːˈmiːz] 1 ADJ burmesisk
2 S UBØY (*person*) burmeser *m* ❑ *My mother was a Burmese.* Moren min var burmeser.
3 S (*LING*) burmesisk

burn [bəːn] (*pt, pp* **burned** *or* **burnt**) 1 VT brenne (*v2x*) ❑ *...burning coal.* ...brennende kull. *Food has been burnt in it.* Mat har blitt brent i den.
2 VI (**a**) (*house, wood+*) brenne*
(**b**) (*cakes etc+*) svi (*v4*) seg, bli* brent
(**c**) (= *sting*) svi (*v4*), brenne* ❑ *The blister throbbed and burned.* Vannblemmen banket og sved *or* brente.
3 S forbrenning *c* ❑ *...third degree burns.* ...tredjegradsforbrenninger.
▸ **the cigarette burnt a hole in her dress** sigaretten brente *or* svidde et hull i kjolen hennes.
▸ **I've burnt myself** jeg har brent meg

▸ **burn down** VT (*+house etc*) brenne (*v2x*) ned

▸ **burn (o.s.) out** VI (*writer etc+*) bli* utbrent ❑ *After three years without a break, he burned out.* Etter tre år uten opphold, ble han utbrent. *You'll burn yourself out if you don't take a rest.* Du kommer til å brenne deg ut hvis du ikke tar en pause.

burner [ˈbəːnəʳ] s (*on cooker, heater*) brenner *m*

burning [ˈbəːnɪŋ] ADJ (**a**) (= *on fire, fig: desire etc*) brennende ❑ *The burning forest lit up the night.* Den brennende skogen lyste opp i natten. *Malone had a burning ambition to write crime novels.* Malone hadde en brennende ambisjon om å skrive kriminalromaner.
(**b**) (= *very hot*) brennhet ❑ *...the burning sand.* ...den brennhete sanden.

burnish [ˈbəːnɪʃ] VT polere (*v2*), blankpusse (*v1*)

Burns Night

Burns Night *(25. januar) er en festdag til minne om den skotske lyrikeren Robert Burns (1759-1796). Over hele verden arrangerer skotter middagsselskaper, som regel med whisky som tilbehør. Hovedretten er alltid* **haggis**, *servert med potetmos og kålrabistappe. Haggisen nytes til sekkepipemusikk, og i løpet av måltidet blir det lest dikt og sunget sanger av Robert Burns.*

burnt [bəːnt] PRET, PP *of* **burn**

burnt sugar (*BRIT*) s knekk *m*

burp [bəːp] (*sl*) 1 s rap *nt*
2 VI rape (*v2*) ❑ *Beer makes me burp.* Øl får meg til å rape.

burrow ['bʌrəu] 1 s (*of rabbit etc*) hule *c*, hi *nt*
2 VI (**a**) (*= dig in soil etc*) grave (*v3*) seg ned
(**b**) (*= rummage*) grave (*v3*) ❑ *She began burrowing underneath the paper.* Hun begynte å grave under papiret.

bursar ['bəːsəʳ] s økonomidirektør *m* (*ved skole/universitet*)

bursary ['bəːsərı] (*BRIT*) s (*= grant*) stipend(ium) *nt*; (*= office*) økonomidirektørens kontor *nt* (*ved skole/universitet*)

burst [bəːst] (*pt, pp* **burst**) 1 VT (**a**) (*+bag, balloon etc*) (få til å) sprekke*
(**b**) (*+pipe*) sprenge (*v2*)
(**c**) (*river+ : banks etc*) gå* over
2 VI (**a**) (*pipe+*) springe*
(**b**) (*tyre+*) sprekke*
3 s (**a**) (*of gunfire*) salve *m* ❑ *There was a burst of automatic rifle fire.* Det kom en salve med skudd fra automatrifler.
(**b**) (*also* ***burst pipe***) ▸ **I've got a burst** det har sprunget et rør hos meg
▸ **to burst into flames** slå* opp i flammer, plutselig ta* fyr
▸ **to burst into tears** briste* i gråt
▸ **to burst out laughing** briste* i latter
▸ **burst blood vessel** sprengt blodkar *nt*
▸ **to be bursting with** (**a**) (*room, container+*) være* breddfull *or* sprengfull av ❑ *The place was bursting with people.* Stedet var breddfullt *or* sprengfullt av folk.
(**b**) (*person+ : emotion*) holde* på å sprekke av ❑ *Claud was bursting with pride and excitement.* Claud holdt på å sprekke av stolthet og iver.
▸ **to burst open** (*door etc+*) slå* opp
▸ **a burst of energy/speed/enthusiasm** et utbrudd av energi/fart/entusiasme
▸ **burst of laughter** latterutbrudd *nt*, lattersalve *m*
▸ **burst of applause** klappsalve *m*

► **burst into** VT FUS (*+room etc*) komme* styrtende inn i ❑ *Masked gunmen burst into the bank...* Maskerte bevæpnede menn kom styrtende inn i banken...

► **burst out of** VT FUS komme* styrtende ut av

bury ['bɛrı] VT (**a**) (*gen*) begrave (*v3*), grave (*v3*) ned ❑ *...buried treasure* ...begravd *or* nedgravd skatt
(**b**) (*at funeral*) begrave (*v3*) ❑ *She will be buried here in the church.* Hun vil bli* begravd her i kirken.
▸ **to bury one's face in one's hands** begrave (*v3*) ansiktet i hendene
▸ **to bury one's head in the sand** (*fig*) begrave (*v3*) *or* stikke* hodet i sanden
▸ **to bury the hatchet** (*fig*) begrave (*v3*) stridsøksen

bus [bʌs] s buss *m*

bush [buʃ] s (**a**) (*= small tree*) busk *m*
(**b**) (*= scrubland*) bush *m*
▸ **to beat about the bush** gå* som katten rundt (den varme) grøten, komme* med utflukter

bushed [buʃt] (*sl*) ADJ utslått, (helt) kake (*sl*)

bushel ['buʃl] s ≈ skjeppe *c* (*som britisk måleenhet (= 8 gallons): 36,4 liter. En norsk skjeppe er 17,5 liter.*)

bushfire s skogbrann *m*

bushy ['buʃı] ADJ (**a**) (*tail, hair, eyebrows*) busket(e)
(**b**) (*plant*) tett, frodig ❑ *My house plants never look as healthy and bushy as yours.* Mine stueplanter ser aldri så sunne og tette *or* frodige ut som dine.

busily ['bızılı] ADV (*= actively*) flittig, iherdig ❑ *I went on writing busily.* Jeg fortsatte å skrive flittig *or* iherdig.
▸ **to be busily doing sth** være* ivrig opptatt med å gjøre* noe ❑ *Some children were busily catching crabs.* Noen barn var ivrig opptatt med å fange krabber.

business ['bıznıs] s (**a**) (*= matter, question*) sak *m* NB *I've some important business to discuss.* Jeg har noen viktige saker å diskutere.
(**b**) (*= trading*) forretning *m*, omsetning *m* ❑ *"How's business?"* "Hvordan går (det med) forretningen *or* omsetningen?"
(**c**) (*= firm*) bedrift *m*, forretningsforetak *nt* ❑ *The new business grew and grew.* Den nye bedriften *or* det nye forretningsforetaket vokste og vokste.
(**d**) (*= occupation*) bransje *m* ❑ *...the hotel business.* ...hotellbransjen.
▸ **to be away on business** være* bortreist i forretninger, være* ute på forretningsreise *or* tjenestereise
▸ **I'm here on business** jeg er her i forretninger
▸ **he's in the insurance/transport business** han er i forsikrings-/transportbransjen
▸ **to do business with sb** gjøre* forretninger med noen ❑ *It's a pleasure doing business with you.* Der er hyggelig å gjøre* forretninger med Dem.
▸ **it's my business to...** det er min sak å..., det er et anliggende for meg å... ❑ *He made it his business to find out.* Han gjorde det til sin sak å finne ut av det.. Han gjorde det til sitt anliggende å finne ut av det.
▸ **it's none of my business** det er ikke din sak, det har ikke du noe med
▸ **he means business** han mener alvor

business address s forretningsadresse *m*

business card s visittkort *nt*

business class s businessklasse *m*

businesslike ['bıznıslaık] ADJ forretningsmessig

businessman ['bıznısmən] *irreg* s forretningsmann *m irreg*

business trip s forretningsreise *c*

businesswoman ['bıznıswumən] *irreg* s forretningskvinne *c*

busker ['bʌskəʳ] (*BRIT*) s (*singer*) gatesanger *m*; (*musician*) gatemusikant *m*
bus lane (*BRIT*) s bussfil *m*
bus shelter s leskur *nt* (*ved bussholdeplass*)
bus station s busstasjon *m*
bus stop s busstopp *nt*, bussholdeplass *m*
bust [bʌst] 1 s (*ANAT, sculpture*) byste *m* ❑ *She has a very large bust.* Hun har en svært stor byste. *"Bust 34" means that the garment is a size 12.* "Byste 34" betyr at plagget er i størrelse 38.
2 ADJ (*sl: broken*) kaputt, gåen ❑ *That clock's been bust for weeks.* Den klokka har vært kaputt *or* gåen i ukesvis.
3 VT (*sl: POLITI: arrest*) taue (*v1*) inn ❑ *They were busted for drug dealing.* De ble tauet inn for narkotikahandel.
▸ **to go bust** (*company etc+*) gå* nedenom ❑ *Lots of small businesses have gone bust...* En masse småbedrifter har gått nedenom...
bustle ['bʌsl] 1 s (= *activity*) travelhet *c* ❑ *...the bustle of the airport.* ...travelheten på flyplassen.
2 VI (*person+*) stå* i ❑ *He was bustling around the kitchen...* Han stod i på kjøkkenet...
bustling ['bʌslɪŋ] ADJ (*town, place*) travel, livlig
bust-up ['bʌstʌp] (*BRIT: sl*) s basketak *nt*
busty ['bʌstɪ] ADJ (*woman*) barmfager
BUSWE (*BRIT*) S FK (= **British Union of Social Work Employees**) *fagforening*
busy ['bɪzɪ] 1 ADJ (**a**) (*person*) travel, opptatt
(**b**) (*shop, street*) travel
(**c**) (*TEL: line*) opptatt
2 VT ▸ **to busy o.s. with** beskjeftige (*v1*) seg med ❑ *I decided to busy myself with our untidy lawn.* Jeg bestemte meg for å beskjeftige meg med den lurvete plenen vår.
▸ **he's a busy man** (*normally*) han er en travel mann, han er mye opptatt
▸ **he's busy** (*temporarily*) han er opptatt
busybody ['bɪzɪbɔdɪ] s ▸ **he's such a busybody** han er så geskjeftig
busy signal (*US: TEL*) s opptattsignal *nt*

KEYWORD

but [bʌt] 1 KONJ (= *yet, however*) men ❑ *He's not very bright, but he's hard-working.* Han er ikke så skarp, men han arbeider hardt. *I'd love to come, but I'm busy.* Jeg skulle* gjerne ha* kommet, men jeg er opptatt.
▸ **enjoyable but tiring** hyggelig, men slitsom
▸ **but that's far too expensive!** men det er altfor dyrt!
2 PREP (= *apart from, except*) ▸ **he was/we've had nothing but trouble** det var bare trøbbel med ham/vi har ikke hatt annet enn trøbbel
▸ **no-one but him** ingen annen *or* ingen andre enn ham
▸ **who but a lunatic would do such a thing?** hvem andre enn en galning ville* gjøre* noe slikt?
▸ **but for you/your help** uten deg/din hjelp
▸ **anything but that** alt unntatt det
3 ADV (= *just, only*) bare
▸ **she's but a child** hun er bare et barn
▸ **had I but known** hadde jeg bare visst
▸ **I can but try** jeg kan ikke annet enn prøve

butane ['bju:teɪn] s (*also* ***butane gas***) butan *nt*
butch [butʃ] (*sl*) ADJ maskulin
butcher ['butʃəʳ] 1 s slakter *m*
2 VT (**a**) (*+cattle etc for meat*) slakte (*v1*) ❑ *The pig was butchered at Christmas.* Grisen ble slaktet til jul.
(**b**) (*+prisoners etc*) slakte (*v1*) (ned) ❑ *He butchered tens of thousands of people.* Han slaktet ned titusner av mennesker.
butcher's (shop) s slakter(butikk) *m*, slakter(forretning) *m*
butler ['bʌtləʳ] s hovmester *m*
butt [bʌt] 1 s (**a**) (= *large barrel*) (stor) tønne *c* ❑ *...wooden rain butts.* ...store regntønner av tre.
(**b**) (= *handle end*) butt *or* tykk ende *m* ❑ *...the butt end of a spear.* ...den butte *or* tykke enden av et spyd.
(**c**) (*of gun*) kolbe *m* ❑ *...the padded butt of the rifle.* ...den polstrede geværkolben.
(**d**) (*of cigarette*) stump *m* ❑ *Cigarette butts...* Sigarettstumper...
(**e**) (*BRIT: target, of teasing, criticism etc*) skyteskive *c* ❑ *They made him the butt of endless practical jokes.* De gjorde ham til skyteskive for et utall skøyerstreker.
(**f**) (*US: sl*) rumpe *c* (*sl*), ræv *f* (*sl!*) ❑ *It's time you got off your butt and did something.* Det er på tide at du letter på rumpa *or* ræva og gjør noe.
2 VT (**a**) (*goat+*) stange (*v1*) (til)
(**b**) (*person+*) skalle (*v1*) (til) ❑ *He butted Stuart in the chest.* Han skallet (til) Stuart i brystet.
▸ **butt in** VI (= *interrupt*) bryte* inn ❑ *You can't just butt in on someone else's discussion.* Du kan ikke bare bryte inn i noen andres diskusjon.
butter ['bʌtəʳ] 1 s smør *nt*
2 VT (*+bread*) smøre* (smør på)
buttercup ['bʌtəkʌp] s smørblomst *m*
butter dish s smørasjett *m*
butterfingers ['bʌtəfɪŋgəz] (*sl*) s klossmajor *m*, slepphendt person *m* ❑ *"Butterfingers!" called Ben.* "Din klossmajor!" ropte Ben.
butterfly ['bʌtəflaɪ] s (**a**) (*insect*) sommerfugl *m*
(**b**) (*also* ***butterfly stroke***) butterfly *m* ❑ *I could never do butterfly.* Jeg klarte aldri å svømme butterfly.
buttocks ['bʌtəks] SPL rumpe *c*, bak *m*
button ['bʌtn] 1 s (**a**) (*on clothes, machine*) knapp *m* ❑ *The gate slid open at the push of a button.* Porten åpnet seg når man trykket på en knapp.
(**b**) (*US: badge*) button *m*
2 VT (*also* ***button up***: *garment etc*) kneppe (*v1 or v2x*) (igjen) ❑ *Sam stands up, buttoning his jacket.* Sam reiser seg og knepper (igjen) jakken sin.
3 VI kneppes (*v25x*) (igjen) ❑ *This shirt doesn't button easily.* Denne skjorten er ikke lett å kneppe.
buttonhole ['bʌtnhəul] 1 s knapphull *nt*
2 VT (*+person*) huke (*v1 or v2*) tak i, slå* kloa i (*for å prate*) ❑ *I was just on my way out and he buttonholed me.* Jeg var akkurat på vei ut og han huket tak i *or* slo kloa i meg.
buttress ['bʌtrɪs] s strebepilar *m*, støttepilar *m*
buxom ['bʌksəm] ADJ yppig
buy [baɪ] (*pt, pp* **bought**) 1 VT kjøpe (*v2*)
2 s (= *purchase*) kjøp *nt* ❑ *Other good buys*

include cameras and toys. Av andre gode kjøp kan man nevne kameraer og leker.
▸ **that was a good/bad buy** det var et godt/dårlig kjøp, det var en god/dårlig handel
▸ **to buy sb sth** kjøpe (*v2*) noe til noen
▸ **to buy sth from a shop** kjøpe (*v2*) noe i en butikk
▸ **to buy sth off** *or* **from sb** kjøpe (*v2*) noe av noen ❑ *I'm going to buy some jewellery off Jane.* Jeg skal kjøpe noen smykker av Jane.
▸ **to buy sb a drink** kjøpe (*v2*) en drink til noen
▸ **buy back** VT kjøpe (*v2*) tilbake
▸ **buy in** (*BRIT*) VT kjøpe (*v2*) inn
▸ **buy into** (*BRIT: MERK*) VT FUS kjøpe (*v2*) seg inn i ❑ *He's been trying to buy into the printing industry.* Han har prøvd å kjøpe seg inn i trykkeriindustrien.
▸ **buy off** VT (= *bribe*) kjøpe (*v2*) ❑ *They tried to buy off the witnesses.* De prøvde å kjøpe vitnene.
▸ **buy out** VT kjøpe (*v2*) ut
▸ **buy up** VT kjøpe (*v2*) opp ❑ *They were trying to buy up every acre in sight.* De prøvde å kjøpe opp et hvert mål de kunne* få* øye på.

buyer ['baɪəʳ] s (**a**) (= *purchaser*) kjøper *m* ❑ *I have a buyer for the house.* Jeg har en kjøper til huset.
(**b**) (*MERK*) innkjøpssjef *m*
(**c**) (*assistant*) innkjøpsassistent *m* ❑ *She is the chief fashion buyer for Sparks Fraser.* Hun er klesinnkjøpssjef for Sparks Fraser.

buyer's market s kjøpers marked *nt*

buy-out ['baɪaut] s ▸ **a management buy-out** et oppkjøp av ledelsen

buzz [bʌz] 1 s (**a**) (= *noise*) summing *c*, surring *c* ❑ *...it sounds like the buzz of an insect.* ...det høres ut som summingen *or* surringen fra et insekt.
(**b**) (*sl: phone call*) ▸ **to give sb a buzz** slå* på tråden til noen ❑ *I'll give you a buzz later in the week.* Jeg slår på tråden til deg seinere i uka.
2 VI (*insect, saw+*) summe (*v1*), surre (*v1*) ❑ *A fly was buzzing round her head.* En flue summet *or* surret rundt hodet hennes.
3 VT (**a**) (= *call: with buzzer*) ringe (*v2*)
(**b**) (*on intercom*) ringe (*v2*) på, kalle (*v2x*) på ❑ *I'll buzz you when I need you.* Jeg skal ringe *or* kalle på deg når jeg trenger deg.
(**c**) (*AVIAT: plane, building*) fly* lavt over ❑ *Helicopters flew low along the beach, buzzing the Marines.* Helikoptere fløy lavt langs stranden og avskar marinefartøyene.
▸ **my head is buzzing** det summer *or* surrer i hodet mitt, det suser for ørene mine, jeg har øresus
▸ **buzz off** (*sl*) VI stikke* (av) ❑ *"Now buzz off," shouted Mrs Coggs.* "Stikk (av) nå," ropte fru Coggs.

buzzard ['bʌzəd] s musvåk *m*

buzzer ['bʌzəʳ] s summer *m*

buzz word (*sl*) s moteord *nt*

KEYWORD

by [baɪ] 1 PREP (**a**) (*referring to cause, agent*) av
▸ **killed by lightning** drept av lynet
▸ **surrounded by a fence** omgitt av et gjerde
▸ **a painting by Picasso** et maleri av Picasso
(**b**) (*referring to method, manner, means*) med
▸ **by bus/car/train** med buss/bil/tog
▸ **to pay by cheque** betale (*v2*) med sjekk
▸ **by moonlight/candlelight** i lyset fra månen/stearinlys
▸ **by saving hard, he could...** ved å spare alt han kunne, kunne* han...
(**c**) (= *via, through*) ▸ **we came by Dover** vi kom via *or* over Dover
▸ **he came in by the back door** han kom inn gjennom bakdøren
(**d**) (= *close to*) ved
▸ **the house by the river** huset ved elven
▸ **close by** like ved
(**e**) (= *past*) forbi
▸ **she rushed by me** hun hastet forbi meg
(**f**) (= *not later than*) innen
▸ **by 4 o'clock** innen klokken 4
▸ **by this time tomorrow** på denne tiden i morgen
▸ **by the time I got here** innen jeg kom hit
(**g**) (*amount*) ▸ **sold by the kilo/metre** solgt kilovis/metervis
▸ **paid by the hour** timebetalt
(**h**) (*MAT, measure*) ▸ **to divide/multiply by 3** dele (*v2*)/gange (*v1*) med 3
▸ **a room 3 metres by 4** et rom som er 3 ganger 4 meter
▸ **it's broader by a metre** det er en meter bredere
(**i**) (= *according to*) ▸ **to play by the rules** spille (*v2x*) etter reglene
▸ **it's all right by me** det er i orden for meg
(**j**) ▸ **(all) by oneself** helt alene
(**k**) ▸ **by the way** forresten
2 ADV (**a**) *see* **go, pass** *etc*
(**b**) ▸ **by and by** (*in the past*) etter en stund ❑ *By and by they came to a fork in the road.* Etter en stund kom de til et veiskille.; (*future*) etter hvert *They'll come back by and by.* De kommer vel tilbake etter hvert.
(**c**) ▸ **by and large** stort sett, i det store og hele ❑ *By and large I would agree with you.* Stort sett *or* i det store og hele er jeg enig med deg. *Britain has a poor image abroad, by and large.* Storbritannia har stort sett en dårlig image i utlandet.

bye(-bye) ['baɪ('baɪ)] S INTERJ ha* det, morna

by(e)-law ['baɪlɔː] s vedtekt *m*, forskrift *m*

by-election ['baɪɪlɛkʃən] (*BRIT*) s suppleringsvalg *nt*

Byelorussia [bjɛləu'rʌʃə] s = **Belarus**

bygone ['baɪgɔn] 1 ADJ (*age, days*) svunnen, forgangen
2 s ▸ **let's let bygones be bygones** la oss glemme det som ligger bak oss

bypass ['baɪpɑːs] 1 s (**a**) (*BIL*) ringvei *m*
(**b**) (*MED: operation*) bypassoperasjon *m*
2 VT (**a**) (+*town*) kjøre (*v2*) utenom
(**b**) (*fig: ignore: problem etc*) omgå* ❑ *It's no good trying to bypass the issue.* Det er ingen vits i å prøve å omgå saken.
(**c**) (+*secretary etc*) gå* utenom ❑ *This is what happens when the worker bypasses his foreman.* Dette er det som skjer når arbeideren går utenom formannen.

by-product [ˈbaɪprɔdʌkt] s biprodukt *nt*
byre [ˈbaɪəʳ] (*BRIT*) s fjøs *nt*
bystander [ˈbaɪstændəʳ] s (*at accident, crime*) tilskuer *m* ❑ *...an innocent bystander.* ...en uskyldig tilskuer.
byte [baɪt] (*DATA*) s byte *m*
byway [ˈbaɪweɪ] s (liten) sidevei *m*
byword [ˈbaɪwəːd] s ▸ **to be a byword for** være* ensbetydende med ❑ *The department had become a byword for ignorance and obstinacy.* Departementet hadde blitt ensbetydende med uvitenhet og stahet.
by-your-leave [ˈbaɪjɔːˈliːv] s ▸ **without so much as a by-your-leave** uten å be noen om lov

C

C, c [siː] s (**a**) (*letter*) C, c *m*
(**b**) (*SKOL: mark*) ≈ 3 *m*, G *m*
▸ **C for Charlie** ≈ C for Cæsar
c FK (= **century, circa**) ca (= *cirka*) (*currency*) (= **cent(s)**) c
C [siː] s (*MUS*) C *m*
C. FK = **Celsius, centigrade**
C4 (*BRIT*) S FK (*TV*) (= **Channel Four**) Channel Four
CA 1 S FK (*BRIT*) (= **chartered accountant**)
2 FK (*US: POST*) (= **Central America**),**California**
ca. FK (= **circa**) ca (= *cirka*)
c/a FK (*MERK*) = **capital account, credit account, current account**
CAA S FK (*BRIT* = **Civil Aviation Authority**, *US* = **Civil Aeronautics Authority**) ≈ Luftfartsverket
CAB (*BRIT*) S FK (= **Citizens' Advice Bureau**) *rådgivningskontor for allmenheten*
cab [kæb] s (= *taxi*) drosje *c*, taxi *m*; (*of truck, tractor, train etc*) førerhus *nt*; (*horse-drawn*) drosje *c*
cabaret ['kæbəreɪ] s (= *floor show*) kabaret *m*
cabbage ['kæbɪdʒ] s kål *m*
cabbie, cabby ['kæbɪ] s drosjesjåfør *m*
cab driver s drosjesjåfør *m*
cabin ['kæbɪn] s (*on ship, plane*) lugar *m*; (*house*) hytte *f*
cabin cruiser s cabincruiser *m* (*var.* kabinkrysser)
cabinet ['kæbɪnɪt] s (**a**) (*piece of furniture*) skap *nt* ❑ *...a cocktail cabinet.* ...et barskap.
(**b**) (*also* ***display cabinet***) kabinett *nt* ❑ *...a glass cabinet.* ...et glasskabinett.
(**c**) (*POL*) regjering *c* ❑ *...the Kennedy cabinet.* ...Kennedyregjeringen.
cabinet-maker ['kæbɪnɪt'meɪkəʳ] s møbelsnekker *m*
cabinet minister s statsråd *m*
cable ['keɪbl] 1 s (**a**) (= *strong rope*) kabeltau *m* ❑ *...the suspension cables of the bridge.* ...kabeltauene som holdt broen oppe.
(**b**) (*ELEK, TEL, TV*) kabel *m* ❑ *...ten metres of electrical cable.* ...ti meter elektrisk kabel.
2 VT (*+message, money*) telegrafere (*v2*) ❑ *He had already cabled a thousand dollars to Mrs Ruiz.* Han hadde allerede telegrafert tusen dollar til fru Ruiz.
cable-car ['keɪblkɑːʳ] s stol *m* (*i taubane*)
cablegram ['keɪblgræm] s kabeltelegram *nt*
cable railway s taubane *m*
cable television s kabel-tv *m*, kabelfjernsyn *nt*
cache [kæʃ] s (*of weapons, drugs etc*) hemmelig lager *nt* ❑ *...an arms cache.* ...et hemmelig våpenlager.
cackle ['kækl] VI (**a**) (*person, witch+*) klukke (*v1*) ❑ *She cackled with delight.* Hun klukket av fryd.
(**b**) (*hen+*) kakle (*v1*)
cacti ['kæktaɪ] SPL *of* **cactus**
cactus ['kæktəs] (*pl* **cacti**) s kaktus *m*
CAD [kæd] S FK (= **computer-aided design**) DAK *m* (= *datamaskinassistert konstruksjon*)
caddie ['kædɪ] (*GOLF*) s caddie *m*
caddy ['kædɪ] s = **caddie**
cadence ['keɪdəns] s (*of voice*) tonefall *nt*
cadet [kə'dɛt] s (*MIL*) kadett *m*
▸ **police cadet** ≈ politiaspirant *m*
cadge [kædʒ] (*sl*) VT ▸ **to cadge (from** *or* **off)** (*+cigarette, meal etc*) bomme (*v1*) (fra *or* av)
cadger ['kædʒəʳ] (*BRIT: sl*) s snylter *m*
cadre ['kædrɪ] s kader *m*
Caesarean [siː'zɛərɪən] ADJ ▸ **Caesarean (section)** keisersnitt *nt*
CAF (*BRIT*) FK (= **cost and freight**) kostfrakt
café ['kæfeɪ] s kafé *m* (*var.* café)
cafeteria [kæfɪ'tɪərɪə] s (*in school, factory*) kantine *c*; (*in station*) kafeteria *m*
caffein(e) ['kæfiːn] s koffein *nt*
cage [keɪdʒ] 1 s bur *nt*
2 VT sette* i bur
▸ **a caged bird** en fugl i bur
cagey ['keɪdʒɪ] (*sl*) ADJ vaktsom
cagoule [kə'guːl] s regnjakke *c* (*vanligvis av nylon*)
cahoots [kə'huːts] (*sl*) s ▸ **to be in cahoots with** stå* i ledtog med
CAI S FK (= **computer-aided instruction**) DAL *c* (= *datamaskinassistert læring*)
Cairo ['kaɪərəu] s Kairo *m*
cajole [kə'dʒəul] VT godsnakke (*v1*) med
▸ **they were cajoled into coming with us** de ble overtalt til å bli* med oss
cake [keɪk] s (**a**) (*KULIN*) kake *c* ❑ *She cut the cake and gave me a piece.* Hun skar opp kaken og gav meg et stykke. *...a plate of cakes.* ...et fat med kaker.
(**b**) (*of soap*) stykke *nt*
▸ **it's a piece of cake** (*sl*) det er en smal sak, det er (så) lett som ingenting
▸ **he wants to have his cake and eat it (too)** (*fig*) han vil ha* både i pose og sekk
caked [keɪkt] ADJ ▸ **to be caked with** (*+blood, mud etc*) være* dekket av tykke lag med ❑ *His shoes were caked with mud* Skoene hans var dekket av tykke lag med søle.
cake shop s bakeri *nt*, konditori *nt*
calamine lotion ['kæləmaɪn-] s galmeiesalve *m*
calamitous [kə'læmɪtəs] ADJ katastrofal, fatal
calamity [kə'læmɪtɪ] s katastrofe *c*
calcium ['kælsɪəm] s kalsium *nt*
calculate ['kælkjuleɪt] VT (**a**) (= *work out: cost, distance, numbers etc*) beregne (*v1*) ❑ *The number of votes will then be calculated.* Antall stemmer vil så bli* beregnet.
(**b**) (= *estimate: chances, effect etc*) (forhånds)beregne (*v1*), kalkulere (*v2*) (på forhånd) ❑ *...the consequences can in no way be calculated.* ...følgene kan på ingen måte forhåndsberegnes *or* kalkuleres på forhånd.
▸ **to be calculated to do sth** være* beregnet for å gjøre* noe ❑ *...articles which were calculated to sway the reader's opinions.* ...artikler som var beregnet på *or* var ment å

påvirke leserens meninger.

calculated ['kælkjuleɪtɪd] ADJ (*insult, action*) bevisst ❑ *...the deliberate, calculated use of violence.* ...den overlagte, bevisste bruken av vold.
▸ **a calculated risk** en sjanse man tar, en kalkulert risk

calculating ['kælkjuleɪtɪŋ] ADJ beregnende ❑ *...a cold, calculating criminal.* ...en kald, beregnende forbryter.

calculation [kælkju'leɪʃən] S (**a**) (= *sum*) utregning *m*, regnestykke *nt* ❑ *...the figures on which he based his calculation.* ...tallene som han bygde utregningen sin *or* regnestykket sitt på.
(**b**) (= *estimate*) beregning *m* ❑ *We expected this, but our calculations were wrong.* Vi ventet dette, men beregningene våre var gale.

calculator ['kælkjuleɪtəʳ] S kalkulator *m* ❑ *...a pocket calculator.* ...en lommekalkulator.

calculus ['kælkjuləs] S (*MAT*) ▸ **integral/ differential calculus** integralregning/ differensialregning

calendar ['kæləndəʳ] S kalender *m*
▸ **calendar month/year** kalendermåned *m*/ kalenderår *nt*

calf [kɑːf] (*pl* **calves**) S (*of cow*) kalv *m*; (*of elephant, seal etc*) unge *m*; (*also* **calfskin**) kalveskinn *nt*; (*of leg*) legg *m*

caliber ['kælɪbəʳ] (*US*) S = **calibre**

calibrate ['kælɪbreɪt] VT (*+gun*) kalibrere (*v2*); (*+instrument*) justere (*v2*)

calibre ['kælɪbəʳ], **caliber** (*US*) S (*also fig*) kaliber *m* ❑ *...directors of the right calibre.* ...direktører av den rette kaliberen. *...the same calibre guns and rifles.* ...den samme kaliberen på geværer og rifler.

calico ['kælɪkəu] S (*BRIT*) (hvitt/ubleket) bomullslerret *nt*; (*US*) (mønstret, grovt) bomullslerret *nt*

California [kælɪ'fɔːnɪə] S California (*var:* Kalifornia)

calipers ['kælɪpəz] (*US*) SPL = **callipers**

call [kɔːl] 1 VT (**a**) (= *christen, name*) kalle (*v2x*) ❑ *We called our son Ian.* Vi kalte sønnen vår Ian.
(**b**) (= *label*) kalle (*v2x*) (for) ❑ *The President called his opponents traitors.* Presidenten kalte motstanderne sine (for) forrædere.
(**c**) (*TEL*) ringe (*v2*) ❑ *Call me when you get home.* Ring meg når du kommer hjem.
(**d**) (= *summon: person, witness*) innkalle (*v2x*) ❑ *The editor called me to his office...* Redaktøren innkalte meg til kontoret sitt...
(**e**) (= *arrange: meeting*) innkalle (*v2x*) til ❑ *He called a press conference...* Han innkalte til en pressekonferanse...
(**f**) (= *announce: flight*) rope (*v2*) opp ❑ *Hurry up, they've just called our flight.* Skynd deg, de har akkurat ropt opp flyet vårt.
(**g**) (*+strike*) varsle (*v1*) ❑ *...the union called a strike...* fagforeningen varslet streik...
2 VI (**a**) (= *shout*) rope (*v2*) ❑ *Listen, I can hear someone calling.* Hør, jeg kan høre noen som roper.
(**b**) (= *telephone*) ringe (*v2*) ❑ *Did anyone call while I was out?* Var det noen som ringte mens jeg var ute?
(**c**) (*also* **call in, call round**: *visit*) komme* (innom), stikke* innom ❑ *Goodnight. Do call again.* God natt. Kom (innom) *or* stikk innom en annen gang også.
3 S (**a**) (= *shout*) rop *nt* ❑ *We heard a call for help.* Vi hørte et rop om hjelp.
(**b**) (*of bird*) låt *m* ❑ *...bird calls.* ...fuglelåter.
(**c**) (= *visit*) besøk *nt* ❑ *The doctor made three calls to sick patients.* Doktoren avla tre sykebesøk.
(**d**) (= *demand*) krav *nt* ❑ *They renewed their call for the abolition of the House of Lords.* De fornyet sitt krav om at Overhuset burde oppheves.
(**e**) (= *summons: for flight etc*) opprop *nt* ❑ *That's the call for our flight.* Der er oppropet for flyet vårt.
(**f**) (*fig: lure*) dragning *m* ❑ *He felt the call of the sea.* Han følte en dragning mot sjøen.
(**g**) (*TEL*) telefon *m* ❑ *Did I have any calls while I was out?* Kom det noen telefoner til meg mens jeg var ute?
▸ **to be called** (**a**) (*person+*) hete* ❑ *She's called Susan* Hun heter Susan
(**b**) (*thing+*) hete*, kalles (*v25x*) ❑ *A dictionary of synonyms is called a thesaurus.* En ordbok over synonymer heter *or* kalles en tesaurus.
▸ **to make a call** (*TEL*) ta* en telefon
▸ **who's calling?** (*TEL*) hvem er det som ringer?
▸ **long-distance call** rikstelefon *m* ❑ *I made a long-distance call to Aberdeen.* Jeg tok en rikstelefon *or* jeg ringte riks til Aberdeen.
▸ **local call** lokalsamtale *m*
▸ **on call** (*nurse, doctor etc*) på vakt
▸ **to be on call** være* på vakt, ha* vakt ❑ *The nurse had been on call for twenty-four hours.* Sykepleiersken hadde vært på vakt *or* hatt vakt i tjuefire timer.
▸ **London calling** (*RADIO*) London kaller
▸ **please give me a call at 7 a.m.** vennligst vekk meg klokka 7
▸ **to pay a call on sb** stikke* innom noen ❑ *We went to pay a call on some people I used to know.* Vi gikk for å stikke innom noen folk som jeg kjente før i tiden.
▸ **there's not much call for these items** det er ikke så stor etterspørsel etter disse tingene

▸ **call at** VT FUS (**a**) (*ship+*) legge* til i/på, anløpe* ❑ *We will be calling at Malta and Rhodes.* Vi kommer til å legge til på *or* anløpe Malta og Rhodos.
(**b**) (*train+*) stoppe (*v1*) i/på ❑ *...the 8.55 to York, calling at Doncaster.* ...8.55-toget til York, som stopper i Doncaster.

▸ **call back** 1 VI (**a**) (= *return*) komme* innom igjen ❑ *I'll call back tonight...* Jeg kommer innom igjen i kveld...
(**b**) (*TEL*) ringe (*v2*) tilbake ❑ *I told him I would call back when I had some news.* Jeg sa til ham at jeg ville* ringe tilbake når jeg hadde noen nyheter.
2 VT (*TEL*) ringe (*v2*) tilbake til ❑ *Would you ask him to call me back as soon as possible.* Vil du be ham å ringe tilbake til meg så snart som mulig.

▸ **call for** VT FUS (**a**) (= *demand*) kreve (*v3*),

framsette* krav om ❑ *The declaration called for an immediate cease-fire.* Erklæringen krevde *or* framsatte krav om en umiddelbar våpenhvile.
(**b**) (= *fetch*) hente (*v1*) ❑ *The parcel was kept at the Post Office until someone called for it.* Pakken ble oppbevart på postkontoret til noen hentet den.
▸ **call in** VT (**a**) (*+doctor, expert, police*) tilkalle (*v2x*)
(**b**) (*+books, cars, stock etc*) innkalle (*v2x*)
▸ **call off** VT (= *cancel: meeting, arrangement*) avlyse (*v2*)
▸ **call on** VT FUS (= *visit*) stikke* innom ❑ *I called on John last night.* Jeg stakk *or* var innom John i går kveld.
▸ **to call on sb to do sth** (= *request*) appellere (*v2*) til *or* påkalle (*v2x*) noen for å få* dem til å gjøre, oppfordre (*v1*) noen til å gjøre* noe ❑ *They called on the Prime Minister to stop the arms deal.* De appellerte til *or* påkalte statsministeren for å få* henne til å stoppe våpensalget.. De oppfordret statsministeren til å stanse våpensalget.
▸ **call out** 1 VI (= *shout*) rope (*v2*) (ut)
2 VT (*+doctor, police, troops*) kalle (*v2x*) ut
▸ **call up** VT (**a**) (*MIL*) innkalle (*v2x*), utkommandere (*v2*)
(**b**) (*TEL*) ringe (*v2*) til
callbox ['kɔːlbɔks] (*BRIT: TEL*) s telefonkiosk *m*
caller ['kɔːləʳ] s (**a**) (= *visitor*) gjest *m*
(**b**) (*TEL*) *den som ringer*
▸ **hold the line, caller!** (*TEL*) ikke legg på!
call girl s call girl *m*
call-in ['kɔːlɪn] (*US: RADIO, TV*) s innringingsprogram *nt*
calling ['kɔːlɪŋ] s (= *vocation*) kall *nt* ❑ *Teaching is said to be a worthwhile calling.* Læreryrket sies å være* givende.. Undervisning sies å være* et givende kall *He claims he has a calling to become a priest.* Han sier han har et kall til å bli* prest.
calling card (*US*) s visittkort *nt*
callipers ['kælɪpəz], **calipers** (*US*) SPL (*MAT*) passer *m*; (*MED*) (bein)skinner *pl*
callous ['kæləs] ADJ hardhjertet, følelseskald
callousness ['kæləsnɪs] s ufølsomhet *c*, følelseskulde *c*
callow ['kæləu] ADJ grønn, umoden
calm [kɑːm] 1 ADJ (**a**) (*gen*) rolig ❑ *Gary was a calm and reasonable man.* Gary var en rolig og fornuftig mann. *The park is wonderfully calm.* Parken er eventyrlig rolig. *Her voice was calm.* Stemmen hennes var rolig.. Hun var rolig i stemmen.
(**b**) (*weather, sea*) rolig, stille ❑ *It was a calm, sunny evening.* Det var en rolig *or* stille, solfylt kveld. *...a clear, blue sky and calm sea.* ...en klar, blå himmel og et rolig *or* stille hav.
2 s (= *quiet, peacefulness*) ro *m*, fred *m* ❑ *Calm descended once again on the village...* Roen *or* freden senket seg igjen over landsbyen...
3 VT (**a**) (*+person, child, animal*) roe (*v1*)
❑ *Meadows tried to calm her.* Meadows prøvde å roe henne.
(**b**) (*+fears, grief etc*) dempe (*v1*)
▸ **calm down** 1 VT (*+person, animal*) roe (*v1*) ned, berolige (*v1*)
2 VI (*person+*) roe (*v1*) seg ned ❑ *"Calm down."* "Ro deg ned"
calmly ['kɑːmlɪ] ADV rolig
calmness ['kɑːmnɪs] s ro *m* ❑ *A great sense of calmness began to settle upon her.* En god følelse av ro begynte å bre seg i henne.
Calor gas® ['kæləʳ-] s *butangass på beholdere*
calorie ['kælərɪ] s kalori *m*
▸ **low calorie product** lavkaloriprodukt, lettprodukt
calve [kɑːv] VI (*cow, deer etc+*) kalve (*v1*); (*elephant, seal etc+*) føde (*v2*), få* unge(r)
calves [kɑːvz] SPL *of* **calf**
CAM [kæm] s FK (= **computer-aided manufacturing**) DAP *m* (= *datamaskinassistert produksjon*)
camber ['kæmbəʳ] s dossering *c*
Cambodia [kæm'bəudɪə] s Kambodsja
Cambodian [kæm'bəudɪən] 1 ADJ kambodsjansk
2 s (*person*) kambodsjaner *m*
Cambs (*BRIT: POST*) FK = **Cambridgeshire**
camcorder ['kæmkɔːdəʳ] s videokamera *nt* (*med opptaker*)
came [keɪm] PRET *of* **come**
camel ['kæməl] s kamel *m*
cameo ['kæmɪəu] s (*jewellery*) kamé *m*; (*TEAT, LITT*)
▸ **a cameo (part)** en karakterrolle
camera ['kæmərə] s (**a**) (*FOTO*) kamera *nt*, foto(grafi)apparat *m*
(**b**) (*FILM, TV*) kamera *nt*
▸ **35 mm camera** 35-millimeters kamera
▸ **in camera** (*JUR*) for lukkede dører
cameraman ['kæmərəmæn] *irreg* s kameramann *m irreg*
Cameroon [kæmə'ruːn] s Kamerun
Cameroun [kæmə'ruːn] s = **Cameroon**
camomile ['kæməumaɪl] s kamille *m*
camouflage ['kæməflɑːʒ] 1 s kamuflasje *m*
2 VT kamuflere (*v2*)
camp [kæmp] 1 s (*gen*) leir *m*
2 VI (**a**) (= *go camping*) sove* i telt, campe (*v1*)
❑ *That night I camped in the hills.* Den natten sov jeg i telt *or* campet jeg i åsene.
(**b**) (= *pitch tent*) slå* leir
3 ADJ (= *effeminate*) femi
campaign [kæm'peɪn] 1 s (**a**) kampanje *m*
(**b**) (*POL*) kamp *m* ❑ *...election campaign.* ...valgkamp.
(**c**) (*publicity: by protestors*) kampanje *m*
(**d**) (*MIL*) felttog *nt* ❑ *...the Dardanelles campaign.* ...felttoget i Dardanellene.
2 VI (*objectors, pressure group etc+*) føre (*v2*) en kampanje, drive* kampanje ❑ *They successfully campaigned to get their scheme accepted.* De førte en vellykket kampanje for å få* planen sin akseptert.
▸ **to campaign for/against** drive* kampanje for/mot ❑ *He campaigned for political reform.* Han drev kampanje for politisk reform.
campaigner [kæm'peɪnəʳ] s ▸ **campaigner for** forkjemper *m* for
▸ **campaigner against** en som kjemper mot
camp bed (*BRIT*) s feltseng *c*
camper ['kæmpəʳ] s (*person*) campingturist *m*;

(*vehicle*) bobil *m*, campingbil *m*
camping ['kæmpɪŋ] s camping *m*
▸ **to go camping** dra* på campingtur
camping site s campingplass *m*, teltplass *m*
campsite ['kæmpsaɪt] s campingplass *m*, teltplass *m*
campus ['kæmpəs] s universitetsområde *nt*, campus *m*
▸ **to live on campus** bo (*v4*) på universitetsområdet *or* på campus
camshaft ['kæmʃɑːft] (*BIL*) s kamaksel *m*
can[1] [kæn] 1 s (**a**) (*container: for foodstuffs*) (hermetikk)boks *m*
(**b**) (*for oil, water*) kanne *c*
(**c**) (*for beer*) boks *m*
2 VT (*+foodstuffs*) hermetisere (*v2*) ❑ *They discovered how to can food.* De oppdaget hvordan de kunne* hermetisere mat.
▸ **a can of beer** en ølboks, en boks øl
▸ **a can of petrol** en kanne bensin
▸ **he had to carry the can** (**a**) (*BRIT: sl: blame*) han fikk all skylden, han måtte* ta* hele støyten
(**b**) (*responsibility*) han fikk hele ansvaret

KEYWORD

can [kæn] (*negative* **cannot, can't**, *conditional and pt* **could**) 1 H-VERB (**a**) (*= be able to, permission*) kunne ❑ *You can do it if you try.* Du kan gjøre* det hvis du prøver. *I can swim/drive.* Jeg kan svømme/kjøre. *Can I use your phone?* Kan jeg få* låne telefonen din?
(**b**) (*= achieve*) få ❑ *She couldn't sleep that night.* Hun fikk ikke sove den natten.
(**c**) (*expressing disbelief, puzzlement, possibility, suggestion*) kunne ❑ *It can't be true!* Det kan ikke være* sant! *He could be in the library.* Han kan *or* kunne* (jo) være* på biblioteket.

Canada ['kænədə] s Canada (*var.* Kanada)
Canadian [kə'neɪdɪən] 1 ADJ canadisk (*var.* kanadisk)
2 s (*person*) canadier *m* (*var.* kanadier)
canal [kə'næl] s (*all senses*) kanal *m* ❑ *...the alimentary canal.* ...fordøyelseskanalen.
Canaries [kə'nɛərɪz] SPL = **Canary Islands**
canary [kə'nɛərɪ] s kanarifugl *m*
Canary Islands [kə'nɛərɪ 'aɪləndz] SPL ▸ **the Canary Islands** Kanariøyene
Canberra ['kænbərə] s Canberra
cancel ['kænsəl] VT (**a**) (*+appointment, meeting, party*) avlyse (*v2*), kansellere (*v2*)
(**b**) (*+reservation*) avbestille (*v2x*)
(**c**) (*+train, flight*) innstille (*v2x*), kansellere (*v2*)
(**d**) (*+contract, order*) heve (*v1*), kansellere (*v2*)
(**e**) (*= cross out: words, figures*) stryke* over *or* ut
(**f**) (*+cheque*) kansellere (*v2*)
▸ **cancel out** VT oppheve (*v1*) ❑ *The one effect tends to cancel the other out.* Den ene effekten har en tendens til å oppheve den andre.
▸ **they cancel each other out** de opphever *or* eliminerer hverandre
cancellation [kænsə'leɪʃən] s (*of appointment, reservation*) avlysning *m*, kansellering *c*; (*of flight, train*) innstilling *c*, kansellering *c*; (*= cancelled seat, holiday etc*) avbestilling *c*
cancer ['kænsə^r] s kreft *m*
▸ **Cancer** (*ASTROL*) Krepsen
▸ **to be Cancer** være* Kreps, være* født i Krepsens tegn
cancerous ['kænsrəs] ADJ kreft-
cancer patient s kreftpasient *m*
cancer research s kreftforskning *m*
C and F (*BRIT: MERK*) FK = **CAF**
candid ['kændɪd] ADJ (*expression, comment, person*) oppriktig
candidacy ['kændɪdəsɪ] s kandidatur *nt*
candidate ['kændɪdeɪt] s (*at exam, election, for job*) kandidat *m* ❑ *...the Labour candidate for Stoke-on-Trent.* ...Arbeiderpartiets kandidat i Stoke-on-Trent.
candidature ['kændɪdətʃə^r] (*BRIT*) s = **candidacy**
candied ['kændɪd] ADJ (*fruit*) kandisert
▸ **candied peel** sukat *m*
▸ **candied apple** (*US*) kandisert eple *nt*
candle ['kændl] s (*gen*) (stearin)lys *nt*; (*of tallow*) (talg)lys *nt*; (*lighted*) (levende) lys *nt*
candlelight ['kændllaɪt] s ▸ **by candlelight** (*read*) i skjæret av levende lys; (*eat*) med levende lys på bordet
candlestick ['kændlstɪk] s lysestake *m*
candour ['kændə^r], **candor** (*US*) s oppriktighet *m*, åpenhet *m* ❑ *...with unusual candour.* ...med en usedvanlig oppriktighet *or* åpenhet.
C & W S FK = **country and western music**
candy ['kændɪ] s (*also* ***sugar candy***) sukkertøy *nt*; (*US: sweet*) godt *nt*, godteri *nt*
candyfloss ['kændɪflɔs] (*BRIT*) s sukkerspinn *nt*
candy store (*US*) s godte(ri)butikk *m*
cane [keɪn] 1 s (**a**) (*BOT*) rør *nt* ❑ *...sugar cane.* ...sukkerrør.
(**b**) (*for furniture, baskets etc*) kurvmateriale *nt*, spanskrør *nt* ❑ *It was made entirely of cane.* Det var laget bare av kurvmateriale *or* spanskrør.
(**c**) (*to punish sb*) spanskrør *nt* NB *I got the cane for smoking.* Jeg fikk spanskrør for å ha* røkt.
(**d**) (*for walking*) stokk *m* ❑ *...elderly ladies leaning on their canes.* ...eldre kvinner som støttet seg på stokkene sine.
2 VT (*BRIT: SKOL*) slå* med spanskrør ❑ *If you even said "Damn", you got caned.* Hvis du bare sa "dæven", ble du slått med spanskrør.
canine ['keɪnaɪn] ADJ hunde-
canister ['kænɪstə^r] s (*= container: for tea, sugar etc*) boks *m*; (*= pressurized container*) (spray)boks *m*; (*of gas, chemicals etc*) sylinder *m*
cannabis ['kænəbɪs] s (*drug*) cannabis *m*
canned [kænd] ADJ (**a**) (*fruit, vegetables etc*) hermetisert, hermetisk, på glass/boks
(**b**) (*sl: music*) på boks
(**c**) (*BRIT: sl: drunk*) full ❑ *We got canned every Saturday night.* Vi drakk oss fulle hver lørdagskveld.
cannibal ['kænɪbəl] s kannibal *m*
cannibalism ['kænɪbəlɪzəm] s kannibalisme *m*
cannon ['kænən] (*pl* **cannon** *or* **cannons**) s kanon *m*
cannonball ['kænənbɔːl] s kanonkule *c*
cannon fodder s kanonføde *c*
cannot ['kænɔt] = **can not**
canny ['kænɪ] ADJ oppvakt, våken
canoe [kə'nuː] s kano *m*

canoeing [kə'nu:ɪŋ] kanopadling *c*
canon ['kænən] s (= *clergyman*) prest *m* (*i en katedral*); (= *rule, principle, standard*) standardverk *nt*
canonize ['kænənaɪz] VT kanonisere (*v2*)
can opener [-'əupnəʳ] s boksåpner *m*
canopy ['kænəpɪ] s (**a**) (*above bed, throne*) himmel *m*
(**b**) (*for shade, shelter*) baldakin *m*
(**c**) (*above pram*) soltak *nt*
(**d**) (*of leaves, sky etc*) hvelving *m* ❑ *The leaves created a dense canopy that cut out much of the light.* Løvet dannet en tykk hvelving som stengte for mye av lyset.
cant [kænt] s fraser *pl*, floskler *pl*
can't [kænt] = **can not**
Cantab. (*BRIT*) FK (= **Cantabrigiensis**) *of Cambridge University*
cantankerous [kæn'tæŋkərəs] ADJ kranglevoren
canteen [kæn'ti:n] s (*in workplace, school etc*) kantine *c*; (*BRIT: for cutlery*) eske *m*
canter ['kæntəʳ] 1 VI (*horse+*) galoppere (*v2*) lett
2 s kort galopp *m* ❑ *It broke into a canter.* Den gikk over i kort galopp.
cantilever ['kæntɪli:vəʳ] s utkravning *m* ❑ *...a cantilever bridge.* ...en utkragebro.
canvas ['kænvəs] s (**a**) (*fabric*) lerret *nt*
(**b**) (= *painting*) maleri *nt*, bilde *nt* ❑ *...the canvases of Bosch.* ...maleriene *or* bildene til Bosch.
(**c**) (*NAUT*) seilduk *m*
▸ **under canvas** (= *in a tent*) i telt
canvass ['kænvəs] 1 VI (*POL*) (forsøke (*v2*) å) sanke (*v1*) stemmer (*ved husbesøk*), drive* husagitasjon ❑ *I was canvassing in Fairbourne Road.* Jeg sanket stemmer *or* drev husagitasjon i Fairbourne Road.
2 VT (**a**) (= *investigate: opinions, views*) lodde (*v1*), undersøke (*v2*) ❑ *They decided to canvass opinion before making a final decision.* De bestemte seg for å lodde *or* undersøke meningene før de tok den endelige beslutningen.
(**b**) (*+people, place*) undersøke (*v2*), gjøre* undersøkelser hos/i
▸ **to canvass for** sanke (*v1*) stemmer for, drive* valgkamp for
canvasser ['kænvəsəʳ] (*POL*) s *en som driver stemmesanking/husagitasjon foran et valg*
canvassing ['kænvəsɪŋ] (*POL*) s stemmesanking *c*, husagitasjon *m*
canyon ['kænjən] s juv *nt*, canyon *m*
CAP s FK (= **Common Agricultural Policy**) *EUs landbrukspolitikk*
cap [kæp] 1 s (**a**) (*hat*) lue *c*
(**b**) (*of pen*) hette *c*
(**c**) (*of bottle*) kork *m*
(**d**) (*contraceptive*) pessar *nt*
(**e**) (*for toy gun*) kruttlapp *m*
(**f**) (*for swimming*) hette *c*
(**g**) (*SPORT*) ▸ **he won his England cap** han fikk plass på det engelske landslaget i fotball, han fikk på seg den engelske landslagstrøya
2 VT (**a**) (= *outdo*) toppe (*v1*) ❑ *He capped his performance by telling the funniest joke I have ever heard.* Han toppet forestillingen sin ved å fortelle den morsomste vitsen jeg noen gang har hørt.
(**b**) (*POL: put limit on: tax*) sette* tak på
(**c**) (*SPORT*) ▸ **she was capped twenty times** hun spilte på landslaget tjue ganger
▸ **capped with sth** toppet med noe, med noe på toppen ❑ *...sweets capped with a cherry.* ...søtsaker toppet med et kirsebær *or* med et kirsebær på toppen.
▸ **and to cap it all, he said...** og på toppen av alt sa han...
capability [keɪpə'bɪlɪtɪ] s (*gen, MIL*) evne *m* ❑ *The capability of society to meet those needs...* Samfunnets evne til å møte slike behov... *The French nuclear capability...* Frankrikes kjernefysiske evne...
▸ **capabilities** SPL kompetanse *m sing* ❑ *...beyond their capabilities.* ...utenfor deres kompetanse.
capable ['keɪpəbl] ADJ (= *able: person*) dyktig
▸ **capable (of doing)** i stand til (å gjøre) ❑ *The poison was capable of causing death within a few minutes.* Giften var i stand til å forårsake døden i løpet av få* minutter. *Moths are capable of speeds of 50 kph.* Møll kan oppnå hastigheter på 50 km/t.
capacious [kə'peɪʃəs] ADJ (*pocket, bag etc*) romslig
capacity [kə'pæsɪtɪ] s (**a**) (= *size, output, input*) kapasitet *m* ❑ *The pipeline has a capacity of some 1.2m barrels a day.* Rørledningen har en kapasitet på cirka 1,2 millioner fat om dagen. *The theatre was full, crowded beyond its capacity.* Teateret var fullt, tettpakket over sin kapasitet. *Maximum capacity: 8 people.* Maksimumskapasitet: 8 personer. *We need to raise productivity and expand capacity.* Vi må øke produktiviteten og utvide kapasiteten.
(**b**) (= *capability*) evne *m* ❑ *People have different capacities for learning.* Folk har ulike evner til læring.
(**c**) (= *position, role*) egenskap *m* ❑ *...in her capacity as company director.* ...i egenskap av direktør for selskapet.
▸ **filled to capacity** helt fullt
▸ **in his capacity as** i egenskap av
▸ **this work is beyond my capacity** dette arbeidet har jeg ikke evner til (å gjøre)
▸ **in an advisory capacity** i egenskap av rådgiver
▸ **to work at full capacity** arbeide (*v1*) på spreng, gå* for full maskin
cape [keɪp] s (*GEOG*) kapp *m*; (= *cloak*) cape *m*
Cape of Good Hope s ▸ **the Cape of Good Hope** Kapp det gode håp
caper ['keɪpəʳ] s (**a**) (*KULIN: gen pl*) kapers *m* ❑ *...wild duck in caper sauce.* ...villand i kaperssaus.
(**b**) (= *prank*) puss *nt*
Cape Town s Cape Town
capita ['kæpɪtə] = **per capita**
capital ['kæpɪtl] s (**a**) (*city*) hovedstad *m irreg* ❑ *In the Danish capital...* I den danske hovedstaden...
(**b**) (*money*) kapital *m* ❑ *He put up most of the capital.* Han skjøt inn det meste av kapitalen.
(**c**) (*also* ***capital letter***) stor bokstav *m*
▸ **capital R/L** *etc* stor R/L *etc*

capital account s (*of country*) kapitalregnskap *n*
capital allowance s kapitalfradrag *nt*
capital assets SPL anleggsmidler, faste aktiva
capital expenditure s kapitalutgifter *pl*
capital gains tax s formuesgevinstskatt *m*
capital goods s kapitalvarer *pl*
capital-intensive ['kæpɪtlɪn'tɛnsɪv] ADJ kapitalintensiv
capitalism ['kæpɪtəlɪzəm] s kapitalisme *m*
capitalist ['kæpɪtəlɪst] 1 ADJ kapitalistisk
2 s kapitalist *m*
capitalize ['kæpɪtəlaɪz] 1 VT kapitalisere (*v2*)
❑ *They'll have to capitalize their assets.* De vil måtte* kapitalisere sine aktiva.
2 VI ▸ **to capitalize on** (*fig*) slå* mynt på, dra* fordel av ❑ *They did their utmost to capitalize on this situation.* De gjorde sitt ytterste for å slå mynt på *or* dra fordel av denne situasjonen.
capital punishment s dødsstraff *m*
capital transfer tax (*BRIT*) s ≈ arveavgift *m*
Capitol ['kæpɪtl] s ▸ **the Capitol** Kapitol

> **Capitol** *er setet til Kongressen i Washington DC. Det ligger på Capitol Hill.*

capitulate [kə'pɪtjuleɪt] VI kapitulere (*v2*)
capitulation [kəpɪtju'leɪʃən] s kapitulasjon *m*
capricious [kə'prɪʃəs] ADJ lunefull
Capricorn ['kæprɪkɔ:n] s (*ASTROL*) Steinbukken *m def*
▸ **to be Capricorn** være* Steinbukk, være* født i Steinbukkens tegn
caps [kæps] FK = **capital letters**
capsize [kæp'saɪz] 1 VT (+*boat, ship*) få* til å kantre
2 VI (*boat, ship*+) kantre (*v1*)
capstan ['kæpstən] s gangspill *nt*
capsule ['kæpsju:l] s (**a**) (*gen*) kapsel *m* ❑ *He produced a packet of blue capsules.* Han fisket fram en pakke med blå kapsler. *The plastic capsule was entirely transparent.* Plastkapselen var fullstendig gjennomsiktig.
(**b**) (= *spacecraft*) (rom)kapsel *m*
Capt. (*MIL*) FK = **captain**
captain ['kæptɪn] 1 s (**a**) (*gen, also MIL*) kaptein *m*
(**b**) (*BRIT: SKOL*) leder *m* ❑ *I was the captain of the debating team.* Jeg var leder for diskusjonsgruppen.
2 VT (+*ship, team*) være* kaptein på ❑ *Willis is probably the best player to have captained England.* Willis er antakelig den beste spilleren som har vært kaptein på landslaget.
caption ['kæpʃən] s (*to picture*) bildetekst *m* (*var:* billedtekst)
captivate ['kæptɪveɪt] VT (= *fascinate*) bergta*, beta*
captive ['kæptɪv] 1 ADJ i fangenskap ❑ *...captive animals.* ...dyr i fangenskap.
2 s (*person, animal*) fange *m*
captivity [kæp'tɪvɪtɪ] s fangenskap *nt*
▸ **in captivity** i fangenskap ❑ *...wild birds kept in captivity.* ...ville fugler holdt i fangenskap.
captor ['kæptə^r^] s ▸ **his captors** de som hadde tatt ham til fange
capture ['kæptʃə^r^] 1 VT (+*animal*) fange (*v1*); (+*person*) fange (*v1*), ta* til fange; (+*town, country*) innta*, erobre (*v1*); (+*attention, imagination*) fange (*v1*) (inn); (*MERK: share of market*) erobre (*v1*), sikre (*v1*) seg; (*DATA*) taste (*v1*) inn
2 s (*DATA: of data*) inntasting *c*; (*of town*) erobring *c*; (*of prisoner*) ▸ **...the night before his capture.** ...natten før han ble tatt til fange.
car [kɑ:^r^] s (**a**) (*BIL*) bil *m*
(**b**) (*JERNB*) vogn *c*
▸ **by car** med bil
Caracas [kə'rækəs] s Caracas
carafe [kə'ræf] s karaffel *m*
caramel ['kærəməl] s karamell *m*
carat ['kærət] s karat *m*
▸ **18 carat gold** 18 karat gull
caravan ['kærəvæn] s (*BRIT: vehicle*) campingvogn *c*; (*in desert*) karavane *m*
caravan site (*BRIT*) s campingplass *m* (*for campingvogner*)
caraway seed ['kærəweɪ-] s karve *m*
carbohydrate [kɑ:bəu'haɪdreɪt] s karbohydrat *nt*
NB *You have too much carbohydrate in your diet.* Du har for mye karbohydrater i kosten din.
❑ *...refined carbohydrates such as white flour.* ...raffinerte karbohydrater som hvitt mel.
carbolic acid [kɑ:'bɔlɪk-] s karbolsyre *c*
car bomb s bilbombe *c*
carbon ['kɑ:bən] s karbon *nt*
carbonated ['kɑ:bəneɪtɪd] ADJ (*drink*) kullsyret
carbon copy s gjennomslag *nt*, blåkopi *m* ❑ *I kept a carbon copy of my letter.* Jeg beholdt et gjennomslag *or* en blåkopi av brevet mitt.
carbon dioxide s karbondioksid *nt*
carbon monoxide [-mɔ'nɔksaɪd] s karbonmonoksid *nt*
carbon paper s karbonpapir *nt*, blåpapir *nt*, gjennomslagspapir *nt*
carbon ribbon s karbonbånd *nt*
car-boot sale s *loppemarked i bagasjerommet på en bil, eller biler*
carburettor [kɑ:bju'rɛtə^r^], **carburetor** (*US*) (*BIL*) s forgasser *m*
carcass ['kɑ:kəs] s kadaver *nt*
carcinogenic [kɑ:sɪnə'dʒɛnɪk] ADJ kreftfremkallende
card [kɑ:d] s (**a**) (*gen*) kort *nt* ❑ *You will then receive your club membership card.* Du vil så motta medlemskort. *He shuffled the cards and dealt them.* Han stokket kortene og delte dem ut. *They used to send me a card at Christmas time.* De pleide å sende meg et kort ved juletider. *Here's my card.* Her er kortet mitt.
(**b**) (*material*) kartong *m* ❑ *Make a second copy on card or paper.* Lag en kopi til på kartong eller papir.
▸ **to play cards** spille (*v2x*) kort
cardamom ['kɑ:dəməm] s kardemomme *c*
cardboard ['kɑ:dbɔ:d] s papp *m*, kartong *m*
cardboard box s pappeske *m*, (papp)kartong *m*
cardboard city (*sl*) s pappeskeby *m* (*område hvor hjemløse holder til, og ofte sover i pappesker*)
card-carrying ['kɑ:d'kærɪɪŋ] ADJ registrert, offisiell
card game s kortspill *nt*
cardiac ['kɑ:dɪæk] ADJ (*arrest, failure*) hjerte-
cardigan ['kɑ:dɪgən] s golfjakke *c*; (*thicker*) strikkejakke *c*
cardinal ['kɑ:dɪnl] 1 ADJ (**a**) (*number*) kardinal-

(**b**) (*sin*) kardinal-, døds-
(**c**) (= *chief: principle, importance*) avgjørende, hoved- ❑ ...*a cardinal feature of our society.* ...et avgjørende trekk *or* et hovedtrekk ved vårt samfunn.
2 S (*REL*) kardinal *m*

card index S kartotek *nt*

cardsharp ['kɑːdʃɑːp] S falskspiller *m*

card vote (*BRIT*) S *avstemming hvor hver deltaker representerer et større antall stemmer*

CARE [kɛəʳ] S FK (= **Cooperative for American Relief Everywhere**) *hjelpeorganisasjon*

care [kɛəʳ] **1** S (**a**) (= *attention*) pleie *m* ❑ *She needed a lot of care at home.* Hun trengte en masse pleie hjemme.
(**b**) (= *worry*) bekymring *c* ❑ ...*without a care in the world.* ...uten en bekymring i verden.
2 VI ▸ **to care about** bry (*v4 or irreg*) seg om ❑ ...*all he cared about was birds.* ...det eneste han brydde seg om var fugler. ...*people who care about political issues.* ...folk som bryr seg om politiske saker.
▸ **would you care to/for ...?** har du lyst til å/på...? ❑ *Would you care for a cup of tea?* Har du lyst på en kopp te?
▸ **I don't care to remember** jeg gidder ikke å huske
▸ **care of** (*on letter*) c/o
▸ **"with care"** "forsiktig"
▸ **in sb's care** under noens omsorg *or* ansvar ❑ *She has a duty to protect the children in her care.* Hun har plikt til å beskytte barna hun har omsorg *or* ansvaret for.
▸ **to take care (to do)** være* omhyggelig (med å gjøre) ❑ *He took care never to offend the visitors.* Han var omhyggelig med å aldri fornærme de besøkende.
▸ **to take care of** (**a**) (+*patient, child etc*) ha* omsorg(en) for, ta* seg av
(**b**) (+*details, arrangements, business*) passe (*v1*) (på), ivareta*
(**c**) (+*problem, situation*) ta* seg av, ivareta* ❑ *However, this problem was taken care of in the amendment.* Imidlertid ble dette problemet ivaretatt i tillegget.
▸ **the child has been taken into care** barnet har blitt plassert i fosterhjem/på barnehjem *etc*
▸ **I don't care** jeg blåser i det, jeg bryr meg ikke om det
▸ **I couldn't care less** det er meg komplett likegyldig, det interesserer meg overhodet ikke

▸ **care for** VT FUS (**a**) (= *look after*) passe (*v1*) ❑ *You can't really find out how to care for children from books.* Du kan ikke egentlig finne ut hvordan man passer barn fra bøker.
(**b**) (= *like*) bry (*v4 or irreg*) seg om ❑ *Do you think she still cares for him?* Tror du hun fremdeles bryr seg om ham?

career [kə'rɪəʳ] **1** S (**a**) (= *job, profession*) karriere *m* ❑ *My career as a journalist...* Min karriere som journalist...
(**b**) (= *life: in school, work etc*) karriere *m*, løpebane *m* ❑ ...*our school career...* vår karriere *or* løpebane på skolen...
2 VI (*also* **career along**: *car, horse*) rase (*v2*) av gårde *or* av sted, fare* av gårde *or* av sted

career girl S = **career woman**

careers officer S yrkesoffiser *m*

career woman *irreg* S karrierekvinne *c*

carefree ['kɛəfriː] ADJ (*person, attitude*) sorgløs

careful ['kɛəful] ADJ (**a**) (= *cautious*) forsiktig, varsom ❑ *We must be careful not to say anything libellous.* Vi må være* forsiktige *or* varsomme med å ikke si noe injurierende.
(**b**) (= *thorough*) grundig ❑ ...*a careful examination.* ...en grundig undersøkelse.
▸ **(be) careful!** (vær) forsiktig!
▸ **to be careful with one's money** være* forsiktig med pengene sine

carefully ['kɛəfəlɪ] ADV (**a**) (= *cautiously*) forsiktig, varsomt
(**b**) (= *methodically*) omhyggelig ❑ *He wrote down the details carefully.* Han skrev omhyggelig ned detaljene.

careless ['kɛəlɪs] ADJ (**a**) (*person*) uforsiktig, skjødesløs ❑ *I'm very careless with money.* Jeg er svært uforsiktig *or* skjødesløs med penger
(**b**) (*remark*) uforsiktig, sleivet(e)
▸ **to be careless of sth** ikke bekymre (*v1*) seg om noe ❑ *She was bending over the bowl, careless of her hair.* Hun bøyde seg over baljen, uten å bekymre seg om håret sitt.

carelessly ['kɛəlɪslɪ] ADV skjødesløst ❑ *He gathered up the bills and stuffed them carelessly into his pocket.* Han samlet opp regningene og stappet dem skjødesløst ned i lommen sin.

carelessness ['kɛəlɪsnɪs] S skjødesløshet *m* ❑ ...*with the carelessness of an expert.* ...med skjødesløsheten til en ekspert.

carer ['kɛərəʳ] S omsorgsperson *m*

caress [kə'rɛs] **1** S (= *stroke*) kjærtegn *nt*
2 VT (+*person, animal*) kjærtegne (*v1*)

caretaker ['kɛəteɪkəʳ] S vaktmester *m*

caretaker government (*BRIT*) S forretningsministerium *nt*

car ferry ['kɑːfɛrɪ] S bilferge *c*

cargo ['kɑːgəu] (*pl* **cargoes**) S last *m*

cargo boat S lastebåt *m*

cargo plane S lastefly *nt*

car hire (*BRIT*) S bilutleie *c*

Caribbean [kærɪ'biːən] **1** S ▸ **the Caribbean (Sea)** Det karibiske hav
2 ADJ karibisk

caricature ['kærɪkətjuəʳ] S karikatur *m* ❑ ...*an outrageous caricature of the truth.* ...en uhyrlig karikatur av sannheten.

caring ['kɛərɪŋ] ADJ omsorgsfull ❑ *We need a more caring society.* Vi trenger et mer omsorgsfullt samfunn.

carnage ['kɑːnɪdʒ] S blodbad *nt*

carnal ['kɑːnl] ADJ (*desires, feelings*) kjødelig

carnation [kɑː'neɪʃən] S nellik *m*

carnival ['kɑːnɪvl] S (= *public celebration*) karneval *nt*; (*US: funfair*) tivoli *nt*

carnivorous [kɑː'nɪvərəs] ADJ kjøttetende

carol ['kærəl] S ▸ **(Christmas) carol** julesang *m*

carouse [kə'rauz] VI ture (*v1*), feste (*v1*)

carousel [kærə'sɛl] (*US*) S karusell *m*

carp [kɑːp] S karpe *m*

▸ **carp at** VT FUS gnåle (*v2*) på

car park (*BRIT*) s parkeringsplass *m*
carpenter ['kɑːpɪntəʳ] s snekker *m*, tømrer *m*, tømmermann *m irreg*
carpentry ['kɑːpɪntrɪ] s snekkerarbeid *nt*, tømmermannsarbeid *nt*; (= *woodwork*) (tre)sløyd *m*
carpet ['kɑːpɪt] 1 s (*also fig*) teppe *nt* ❑ *...a glistening carpet of cockroaches.* ...et glinsende teppe av kakerlakker.
2 VT (*+room, stairs etc*) legge* teppe i/på, teppelegge* ❑ *We hadn't got enough money to carpet the whole house.* Vi hadde ikke nok penger til å legge teppe i *or* teppelegge hele huset.
▸ **fitted carpet** (*BRIT*) vegg-til-vegg-teppe *nt*
carpet bombing s teppebombing *c*
carpet slippers SPL (filt)tøfler *pl*
carpet sweeper s teppefeier *m*
car phone s mobiltelefon *m* (*i bil*)
car port s carport *m*, bilbås *m*
car rental s bilutleie *c*
carriage ['kærɪdʒ] s (**a**) (*RAIL, vehicle, also of typewriter*) vogn *c* ❑ *...a horse and carriage.* ...hest og vogn.
(**b**) (= *transport costs*) frakt *m* ❑ *It costs only 50 pounds, with carriage included.* Det koster bare 50 pund, inkludert frakt.
▸ **carriage forward** frakt pr etterkrav
▸ **carriage free** fraktfri(tt), fritt levert
▸ **carriage paid** fritt levert
carriage return s (*on typewriter etc*) linjeskift *nt*, returtast *m*
carriageway ['kærɪdʒweɪ] (*BRIT*) s (*part of road*) kjørebane *m* (*på vei med midtrabatt*) ❑ *...the southbound carriageway of the M1.* ...kjørebanen i sørlig retning på M1
carrier ['kærɪəʳ] s (**a**) (= *transporter*) transportør *m* ❑ *...a nuclear weapons carrier.* ...en transportør av atomvåpen.
(**b**) (= *transport company*) transportfirma *nt*
(**c**) (*MED*) (smitte)bærer *m* ❑ *...a lethal carrier of bacteria.* ...en dødelig bærer av bakterier.
carrier bag (*BRIT*) s bærepose *m*
carrier pigeon s brevdue *c*
carrion ['kærɪən] s åtsel *nt*
carrot ['kærət] s (*also fig*) gulrot *c irreg* ❑ *Grants are a carrot with which to entice students* Stipendier er en gulrot som man kan lokke studenter med.
carry ['kærɪ] 1 VT (**a**) (*gen*) bære* ❑ *He carried his suitcase into the bedroom.* Han bar kofferten sin inn på soverommet.
(**b**) (= *transport*) frakte (*v1*)
(**c**) (= *pass: a motion, bill*) vedta* ❑ *The Government's motion was carried by 259 votes to 162.* Regjeringens uttalelse ble vedtatt med 259 stemmer mot 162.
(**d**) (= *involve: responsibilities etc*) medføre (*v2*) ❑ *It carries a lot of risk.* Det medfører en stor risiko.
(**e**) (*MED: disease, virus*) være* bærer av ❑ *Rats carry very nasty diseases.* Rotter er bærere av svært alvorlige sykdommer.
2 VI (*sound+*) bære* ❑ *Sound seems to carry better in the still evening air.* Lyden ser ut til å bære bedre i den stille kveldsluften.
▸ **to get carried away** (*fig: by enthusiasm, idea*) bli* revet med, la seg rive med
▸ **this loan carries 10% interest** det er 10 % rente på dette lånet
▸ **carry forward** VT (*+figures*) overføre (*v2*)
▸ **carry on** 1 VI (**a**) (= *continue*) fortsette* ❑ *"I'm not boring you am I?" "No, carry on."* "Jeg kjeder deg vel ikke?" "Nei, bare fortsett."
(**b**) (*sl: make a fuss*) bære* seg ❑ *Anyone would think you owned the place the way you carry on.* En skulle* tro du eide stedet, slik du bærer deg.
2 VT (= *conduct*) drive* med ❑ *It was the worst possible place to carry on his research.* Det var det verst mulige stedet å drive med forskningen hans.
▸ **to carry on with sth/doing** fortsette* med noe/å gjøre, drive* på med noe/å gjøre ❑ *I carried on with my studies.* Jeg fortsatte med *or* drev på med mine studier.
▸ **carry out** VT (**a**) (*+orders, investigation*) utføre (*v2*) ❑ *...he was simply carrying out instructions.* ...han bare utførte ordre. *The first experiments were carried out by Dr McLendon.* De første eksperimentene ble utført av Dr McLendon.
(**b**) (*+plan, threat*) gjøre* alvor av ❑ *...he won't carry out his threat.* ...at han vil ikke gjøre* alvor av trusselen sin.
carrycot ['kærɪkɔt] (*BRIT*) s bærebag *m*
carry-on ['kærɪ'ɔn] (*sl*) s ▸ **what a carry-on!** for et leven *or* et styr!
cart [kɑːt] 1 s kjerre *c* ❑ *...a cart loaded with hay.* ...en kjerre med høy. *...carts of fruits...* kjerrer med frukt...
2 VT (*sl: people, objects*) dra* på ❑ *I don't have to worry about carting belongings all over the world.* Jeg behøver ikke bekymre meg om å dra på eiendeler over hele verden.
carte blanche ['kɑːt'blɔŋʃ] s ▸ **to give sb carte blanche (to do)** gi* noen carte blanche (til å gjøre), gi* noen frie hender (til å gjøre)
cartel [kɑː'tɛl] s kartell *nt*
cartilage ['kɑːtɪlɪdʒ] s brusk *m*
cartographer [kɑː'tɔgrəfəʳ] s kartograf *m*, karttegner *m*
cartography [kɑː'tɔgrəfɪ] s kartografi *m*
carton ['kɑːtən] s kartong *m*
cartoon [kɑː'tuːn] s (**a**) (*drawing*) vitsetegning *m*
(**b**) (*BRIT: comic strip*) tegneserie *m*
(**c**) (*FILM*) tegnefilm *m* ❑ *We watched a Tom and Jerry cartoon.* Vi så på en Tom og Jerry-tegnefilm.
cartoonist [kɑː'tuːnɪst] s (*drawings*) vitsetegner *m*; (*comic strips*) tegneserietegner *m*
cartridge ['kɑːtrɪdʒ] s (*for gun*) patron *m*; (*for camera, music tape*) kassett *m*; (*of record player*) hode *nt*; (*of pen*) patron *m*
cartwheel ['kɑːtwiːl] s kjerrehjul *nt*
▸ **to turn a cartwheel** slå* hjul
carve [kɑːv] VT (**a**) (*+meat*) skjære* ❑ *She carved me a piece of roast pork.* Hun skar et stykke svinesteik til meg.
(**b**) (*+wood, stone*) skjære* ut ❑ *...candles carved in the shape of Buddhas.* ...lys som var skåret ut som en Buddha.
(**c**) (*+initials, design: in wood*) skjære* ut
(**d**) (*in stone*) hogge (*v3x*) ut ❑ *He begins to carve his initials on the tree.* Han begynner å skjære

(ut) initialene sine i treet.
▸ **carve up** VT (**a**) (*+land, property*) dele (*v2*) opp
(**b**) (*+meat*) skjære* opp

carving ['kɑːvɪŋ] s (**a**) (*= object made from wood, stone etc*) utskåret figur *m* ❑ *Miniature carvings...* Utskårne figurer i miniatyr...
(**b**) (*in wood etc: design*) utskjæring *c* ❑ *It's an interesting piece of furniture. Some nice carving on it too.* Det er et interessant møbel. Noen fine utskjæringer på det også.
(**c**) (*= art of carving*) treskjæring *c*, treskurd *m* ❑ *Here you can see English carving at its best.* Her ser du engelsk treskjæring *or* treskurd på sitt beste.

carving knife s forskjærkniv *m*

car wash s bilvask *m*

Casablanca [kæsə'blæŋkə] s Casablanca

cascade [kæs'keɪd] [1] s (**a**) (*= waterfall*) foss *m*
(**b**) (*fig: of hair etc*) kaskade *m* ❑ *Her dark hair fell in a cascade over her shoulders.* Det mørke håret hennes falt i kaskader over skuldrene hennes.
[2] VI (**a**) (*water+*) fosse (*v1*), bruse (*v2*) ❑ *The water cascaded over the rocks.* Vannet fosset *or* bruste over steinene.
(**b**) (*hair etc+*) falle* i kaskader

case [keɪs] s (**a**) (*= situation, instance*) tilfelle *nt* ❑ *This causes problems in some cases.* Dette skaper problemer i noen tilfeller.
(**b**) (*MED*) tilfelle *nt*, kasus *m* ❑ *Doctor C. will take over the case.* Doktor C. vil overta tilfellet *or* kasusen.
(**c**) (*JUR*) sak *m* ❑ *...until a recent case came up in court.* ...inntil en sak nylig kom opp for retten. *...one of Sherlock Holmes's cases.* ...en av Sherlock Holmes' saker
(**d**) (*container: for spectacles etc*) etui *nt* ❑ *...scissors in a leather case.* ...en saks i et læretui.
(**e**) (*BRIT: **suitcase***) koffert *m*
(**f**) (*of wine, whisky etc*) kasse *c* ❑ *I bought a couple of cases of wine.* Jeg kjøpte et par kasser vin.
(**g**) (*LING*) kasus *m*
▸ **lower/upper case** (*TYP*) små/store (bokstaver)
▸ **to have a good case** stå* sterkt
▸ **there's a strong case for reform** det er god(e) grunn(er) for reform
▸ **in case (of)** (*+fire, emergency*) i tilfelle ❑ *...in case of an emergency.* ...i nødstilfelle.
▸ **in case he comes** i tilfelle han kommer
▸ **in any case** forresten
▸ **just in case** for sikkerhets skyld ❑ *Do you want me to hold one of them just in case?* Vil du at jeg skal holde en av dem for sikkerhets skyld?

case-hardened ['keɪshɑːdnd] ADJ hardhudet

case history (*MED*) s sykehistorie *m*, anamnese *m*

case study s kasusstudie *m*, case study *m*

cash [kæʃ] [1] s kontanter *pl* ❑ *How much cash do you have?* Hvor mye kontanter har du?
[2] VT (*+cheque, money order*) heve (*v1*) ❑ *The cheque must be cashed within 3 months.* Sjekken må heves innen 3 måneder.
▸ **to pay (in) cash** betale (*v2*) kontant, betale med *or* i kontanter, betale med *or* i cash
▸ **cash on delivery** kontant ved levering
▸ **cash with order** kontant ved bestilling
▸ **cash in** VT (*+policy etc*) innløse (*v2*)
▸ **cash in on** VT FUS sko (*v4*) seg på

cash account s kasseregnskap *nt*

cash-and-carry [kæʃən'kærɪ] s cash and carry(avdeling/butikk) *m*

cashback ['kæʃbæk] s (*= money back*) ▸ **we'll give you £400 cashback on your old car** vi gir deg £400 i innbytte for din gamle bil; (*= cash for cheque*) ▸ **to use the cashback service** ta* ut kontanter ved bruk av sjekk eller betalingsterminal

cash-book ['kæʃbuk] s kassabok *c*

cash box s pengeskrin *nt*, kasse *c*

cash card (*BRIT*) s minibankkort *nt*

cash crop s salgsavling *c*

cash desk (*BRIT*) s kasse *c*

cash discount s kontantrabatt *m*

cash dispenser (*BRIT*) s minibank *m*

cashew [kæ'ʃuː] s (*also **cashew nut***) cashewnøtt *c*

cash flow s kontantstrøm *m*

cashier [kæ'ʃɪə^r] s (*in bank*) kasserer *m*; (*in shop, restaurant*) kassabetjent *m*, mann/dame i kassen; (*female*) kassadame *c*

cashmere ['kæʃmɪə^r] [1] s kasjmir *m*
[2] ADJ kasjmir-

cashpoint ['kæʃpɔɪnt] s minibank *m*

cash price s kontantpris *m*

cash register s kassaapparat *nt*

cash sale s kontantsalg *nt*

casing ['keɪsɪŋ] s hylster *nt* ❑ *...a bomb casing.* ...et bombehylster.

casino [kə'siːnəu] s kasino *m*

cask [kɑːsk] s tønne *c*

casket ['kɑːskɪt] s (*for jewellery*) smykkeskrin *nt*; (*US: coffin*) (lik)kiste *c*

Caspian Sea ['kæspɪən-] s ▸ **the Caspian Sea** Det kaspiske hav

casserole ['kæsərəul] s (*of lamb, chicken etc*) ovnsrett *m*; (*= pot, container*) ildfast form *c*, leirgryte *c*

cassette [kæ'sɛt] s kassett *m*

cassette deck s kassettspiller *m*

cassette player s kassettspiller *m*

cassette recorder s kassettopptaker *m*

cast [kɑːst] (*pt, pp* **cast**) [1] VT (**a**) (*= throw*) kaste (*v1*) ❑ *The fire cast shadows over the wide circle of faces.* Bålet kastet skygger over den store sirkelen av ansikter. *I was casting a line out into the river.* Jeg kastet en line ut i elva. *He kept casting worried glances over his shoulder.* Han kastet stadig bekymrede blikk over skulderen. *The Minister had cast doubt on...* Ministeren hadde sådd tvil om...
(**b**) (*+metal, statue*) støpe (*v2*) ❑ *This statue is cast in bronze.* Denne statuen er støpt i bronse.
(**c**) (*= shed: skin*) kaste (*v1*)
(**d**) (*TEAT*) ▸ **to cast sb as Hamlet** gi* noen rollen som Hamlet
(**e**) (*spell*) ▸ **to cast a spell on sb** trollbinde* noen
[2] VI (*in fishing*) kaste (*v1*)
[3] s (**a**) (*TEAT*) besetning *c*
(**b**) (*= mould*) avstøpning *m* ❑ *Casts taken from the inside of their skulls...* Avstøpninger som er

tatt fra innsiden av hodeskallene deres...
(**c**) (*also* **plaster cast**) gips *m* ❑ *...her foot still in a cast.* ...fremdeles med foten i gips.
▸ **to cast one's vote** avgi* sin stemme
▸ **cast aside** VT forkaste (*v1*) ❑ *...a notion which has been cast aside in anger.* ...et begrep som har blitt forkastet i sinne.
▸ **cast off** 1 VI (*NAUT*) kaste (*v1*) loss
2 VTI (*in knitting*) felle (*v2x*) av
▸ **cast on** (*in knitting*) VTI legge* opp ❑ *...cast on 53 stitches.* ...legg opp 53 masker.
castanets [kæstə'nɛts] SPL kastanjetter *pl*
castaway ['kɑːstəweɪ] s skipbrudden *m decl as adj*
caste [kɑːst] s (**a**) (= *social class*) kaste *m* ❑ *Sushma came from a lower caste.* Sushma kom fra en lavere kaste.
(**b**) (= *system*) kastesystem *nt* ❑ *Caste was the final barrier.* Kastesystemet var den siste barrieren.
caster sugar (*BRIT*) s (fin) farin *m*
casting vote (*BRIT*) s ≈ dobbeltstemme *m* ❑ *He used his casting vote as chairman to defeat the motion.* Han brukte sin dobbeltstemme som formann for å nedstemme uttalelsen.
cast iron 1 s støpejern *nt*
2 ADJ ▸ **cast-iron** (*fig: alibi, excuse etc*) vanntett
castle ['kɑːsl] s (*fortified*) borg *m*; (= *manor*) slott *nt*; (*SJAKK*) tårn *nt*
cast-off ['kɑːstɔf] s avlagt (kles)plagg *nt* ❑ *She was sick of wearing her elder sister's cast-offs.* Hun var lut lei av å ha* på seg sin søsters avlagte klær *or* klesplagg.
castor ['kɑːstəʳ] s (= *wheel*) trinse *c*
castor oil s lakserolje *c*
castrate [kæs'treɪt] VT kastrere (*v2*)
casual ['kæʒjul] ADJ (**a**) (= *chance*) tilfeldig ❑ *...a casual meeting.* ...et tilfeldig møte. *...casual workers...* løsarbeidere...
(**b**) (= *unconcerned*) uanstrengt, ubesværet ❑ *He tried to appear casual.* Han prøvde å virke uanstrengt *or* ubesværet.
(**c**) (= *informal: clothes*) uformell ❑ *...a casual shirt.* ...fritidsskjorte.
▸ **casual wear** fritidsklær *pl*
▸ **casual sex** tilfeldig sex *m*
casual labour s leilighetsarbeide *nt*
casually ['kæʒjulɪ] ADV (**a**) (= *in a relaxed way*) ubesværet, avslappet ❑ *I walked casually into his room.* Jeg spaserte ubesværet *or* avslappet inn på rommet hans.
(**b**) (*dress*) uformelt
(**c**) (= *by chance*) tilfeldig(vis) ❑ *...a casually acquired object.* ...en ting som man har fått tak på tilfeldig(vis).
casualty ['kæʒjultɪ] s (**a**) (*of war, accident: injured*) såret *m decl as adj*
(**b**) (= *killed*) drept *m decl as adj* ❑ *The casualties were taken to the nearest hospital.* De sårede ble brakt til nærmeste sykehus. *The battle cost a quarter of a million casualties.* Slaget kostet en kvart million drepte.
(**c**) (*of situation, event*) offer *nt* ❑ *Truth was an early casualty of the newspaper campaign.* Sannheten var blant de første ofrene i aviskampanjen.
(**d**) (*MED: department*) akuttavdeling *c*, akutten *m def* NB *...the young doctor in Casualty.* ...den unge legen ved akuttavdelingen *or* på akutten.
▸ **heavy casualties** mange drepte og sårede ❑ *There were heavy casualties on both sides.* Det var mange drepte og sårede på begge sider.
casualty ward (*BRIT*) s akuttavdeling *c*
cat [kæt] s (*domestic*) katt *m*; (*lion, tiger etc*) kattedyr *nt*
catacombs ['kætəkuːmz] SPL katakomber
catalogue ['kætəlɔg], **catalog** (*US*) 1 s (**a**) (*gen*) katalog *m* ❑ *I got a catalogue from one of the big department stores.* Jeg fikk en katalog fra et av de store varehusene.
(**b**) (= *list: of events, faults*) lang liste *m* ❑ *...a whole catalogue of serious crimes.* ...en lang liste med alvorlige forbrytelser.
2 VT (+*books, collection, events*) katalogisere (*v2*)
catalyst ['kætəlɪst] s (*gen, CHEM*) katalysator *m*
catalytic converter [kætə'lɪtɪk kən'vəːtəʳ] s katalysator *m*
catapult ['kætəpʌlt] 1 s (**a**) (*BRIT: sling*) sprettert *m*
(**b**) (*HIST, MIL*) katapult *m*
2 VI fare* ❑ *She catapults into the air.* Hun farer opp i luften.
3 VT slynge (*v1*) ❑ *...the risk of a back-seat passenger being catapulted into the windscreen.* ...faren for at en passasjer i baksetet blir slynget mot frontruten.
cataract ['kætərækt] (*MED*) s grå stær *m*, katarakt *m*
catarrh [kə'tɑːʳ] s katarr *m*
catastrophe [kə'tæstrəfɪ] s katastrofe *m*
catastrophic [kætə'strɔfɪk] ADJ katastrofal
catcall ['kætkɔːl] s ▸ **catcall(s)** piping *c*, pipekonsert *m*
catch [kætʃ] (*pt, pp* **caught**) 1 VT (**a**) (+*animal, fish*) fange (*v1*)
(**b**) (+*ball*) fakke (*v1*), ta* imot
(**c**) (+*bus, train etc*) rekke*, nå (*v4*)
(**d**) (+*thief, culprit etc*) fakke (*v1*), ta ❑ *Do you realize we can get six months in prison if they catch us?* Er du klar over at vi kan få* seks måneders fengsel hvis de fakker *or* tar oss?
(**e**) (= *surprise: person*) overraske (*v1*) ❑ *He caught them in bed together.* Han overrasket dem sammen i sengen.
(**f**) (= *attract: attention*) fange (*v1*) ❑ *...if you can catch the waiter's eye.* ...hvis du kan fange blikket til kelneren.
(**g**) (= *hit*) treffe* ❑ *His foot caught the man in the belly.* Foten hans traff mannen i magen.
(**h**) (= *hear: comment, whisper etc*) få* tak i ❑ *I didn't quite catch his name.* Jeg fikk ikke helt tak i navnet hans.
(**i**) (*MED: flu, illness*) få NB *...to catch a cold.* ...bli forkjølet.
(**j**) (*also* **catch up**: *person*) ta* igjen ❑ *She stood still, allowing him to catch her up.* Hun stod stille, og lot ham få* ta* henne igjen.
2 VI (**a**) (*fire+*) fatte (*v1*) ❑ *The fire took a long time to catch.* Det tok lang tid før ilden fattet.
(**b**) (= *become trapped*) bli* sittende *or* hengende fast ❑ *My jumper caught in the branches and ripped.* Genseren min ble hengende fast i greinene og spjæret.

3 s (**a**) (*of fish etc*) fangst *m* ❑ *Their total catch was one minnow.* Hele fangsten deres var en ørekyte.
(**b**) (*of ball*) redning *c* ❑ *It was a difficult catch, but he held it.* Det var en vanskelig redning, men han holdt den.
(**c**) (= *hidden problem*) hake *c* ❑ *There's no catch. I swear it.* Det er ikke noen hake. Det sverger jeg på.
(**d**) (*of lock*) haspe *m* ❑ *He released the catch.* Han løsnet haspen.
(**e**) (*game*) ▸ **to play catch** kaste (*v1*) ball
▸ **to catch sb's attention** *or* **eye** fange (*v1*) noens oppmerksomhet *or* blikk
▸ **to catch fire** ta* fyr
▸ **to catch sight of** få* øye på
▸ **to catch one's breath** få* igjen pusten
▸ **catch on** VI (**a**) (= *understand*) komme* inn i det ❑ *He'll catch on eventually.* Han kommer inn i det etter hvert.
(**b**) (= *grow popular*) slå* an, fenge (*v1*)
▸ **to catch on to sth** komme* inn i noe ❑ *He hasn't really caught on to the system.* Han har ikke riktig kommet inn i systemet.
▸ **catch out** (*BRIT*) VT (*with trick question*) sette* fast ❑ *Why are you trying to catch me out?* Hvorfor prøver du å sette meg fast?
▸ **catch up** VI ▸ **to catch up (with sb)** ta* igjen noen, nå (*v4*) igjen noen, innhente (*v1*) noen ❑ *He is dawdling behind, not wanting to catch up.* Han blir hengende etter, og ønsker ikke å nå *or* ta* dem igjen *or* å innhente dem.
▸ **to catch up on** (*on work, sleep*) ta* igjen
▸ **catch up with** VT FUS ta* igjen, innhente (*v1*)

catch-22 ['kætʃtwɛntɪ'tu:] s ▸ **it's a catch-22 situation** det er en situasjon hvor man ikke kan vinne
catching ['kætʃɪŋ] ADJ smittsom
catchment area ['kætʃmənt-] (*BRIT*) s (*of school, hospital*) distrikt *nt*, nedslagsområde *nt*
catch phrase s slagord *nt*, standarduttrykk *nt*
catchy ['kætʃɪ] ADJ (*tune*) fengende
catechism ['kætɪkɪzəm] s katekisme *m*
categoric(al) [kætɪ'gɔrɪk(l)] ADJ kategorisk
categorize ['kætɪgəraɪz] VT kategorisere (*v2*)
category ['kætɪgərɪ] s kategori *m*
caterer ['keɪtərə^r] s catering-firma *nt*, leverandør *m* av selskapsmat/ferdigmat
cater for ['keɪtə-] VT FUS (**a**) (= *provide food for*) levere (*v2*) mat til
(**b**) (*+needs, tastes*) ta* seg av, imøtekomme* ❑ *...to cater for the needs of the elderly.* ...å ta* seg av *or* imøtekomme behovene til de eldre. *We can cater for all age groups.* Vi kan ta* oss av *or* imøtekomme alle aldersgrupper.
catering ['keɪtərɪŋ] s (*trade, business*) catering *m*
caterpillar ['kætəpɪlə^r] s sommerfugllarve *m*, kålorm *m*
cat flap s kattedør *c*
cathedral [kə'θi:drəl] s (*having a bishop*) domkirke *m*; (*grand church building*) katedral *m*
cathode ['kæθəud] s katode *m*
cathode ray tube s katodestrålerør *nt*
Catholic ['kæθəlɪk] 1 ADJ katolsk
2 s katolikk *m*
catholic ['kæθəlɪk] ADJ (*tastes, interests*) allsidig
CAT scanner ['kæt-] (*MED*) s FK (= **computerized axial tomography scanner**) *bruk av røntgenstråler til å lage tredimensjonale bilder*
cat's-eye ['kæts'aɪ] (*BRIT*) s (*in road*) kattøye *nt*
catsup ['kætsəp] (*US*) s ketchup *m*
cattle ['kætl] SPL storfe *nt*, kveg *nt*
catty ['kætɪ] ADJ (*comment, person*) infam
catwalk ['kætwɔ:k] s gangbro *m*; (*for models*) motemolo *m*, catwalk *m*
Caucasian [kɔ:'keɪzɪən] ADJ kaukasisk
Caucasus ['kɔ:kəsəs] s ▸ **the Caucasus** Kaukasus
caucus ['kɔ:kəs] (*POL*) s (= *meeting*) partistyremøte *nt*, gruppemøte *nt*; (*group*) gruppe *c*

> *En* **caucus** *i enkelte stater i USA er et møte av lederne i et politisk parti forut for et landsmøte, med det formål å velge kandidater og legge en strategi. I forlengelsen av dette, blir betegnelsen også brukt om administrasjonen i et politisk parti.*

caught [kɔ:t] PRET, PP *of* **catch**
cauliflower ['kɔlɪflauə^r] s blomkål *m*
cause [kɔ:z] 1 s (**a**) (*of outcome, effect*) årsak *m*, grunn *m* ❑ *Nobody knew the cause of the explosion.* Ingen visste årsaken *or* grunnen til eksplosjonen.
(**b**) (= *reason*) grunn *m* ❑ *I have no cause to go back.* Jeg har ingen grunn til å gå* tilbake.
(**c**) (*also POL: aim, principle*) sak *m* ❑ *He is sympathetic to our cause.* Han har sympati for saken vår.
2 VT (= *produce, lead to: outcome, effect*) forårsake (*v1*) ❑ *Does smoking cause cancer?* Kan røyking forårsake kreft?
▸ **there is no cause for concern** det er ingen grunn til å engste seg
▸ **to cause sth to be done** få* noe til å bli* gjort
▸ **to cause sb to do sth** få* noen til å gjøre* noe
causeway ['kɔ:zweɪ] s (*road*) *vei/sti på en demning*
caustic ['kɔ:stɪk] ADJ (*KJEM*) kaustisk, etsende; (*fig: remark*) bitende
cauterize ['kɔ:təraɪz] VT brenne (*v2x*) (ut)
caution ['kɔ:ʃən] 1 s (**a**) (= *prudence*) forsiktighet *m*, varsomhet *m* ❑ *You must proceed with extreme caution.* Du må gå* fram med en ekstrem forsiktighet *or* varsomhet.
(**b**) (= *warning*) advarsel *m* ❑ *...released with a caution.* ...løslatt med en advarsel.
2 VT (**a**) (= *warn*) advare (*v2*), gi* en advarsel ❑ *He solemnly cautioned me that...* Han advarte meg alvorlig *or* gav meg en alvorlig advarsel om at...
(**b**) (*POLITI*) gi* en advarsel ❑ *They were taken in by the police and cautioned.* De ble tatt med av politiet og fikk en advarsel.
cautious ['kɔ:ʃəs] ADJ forsiktig, varsom
cautiously ['kɔ:ʃəslɪ] ADV forsiktig, varsomt
cautiousness ['kɔ:ʃəsnɪs] s forsiktighet *c*, varsomhet *c*
cavalier [kævə'lɪə^r] ADJ (*attitude, fashion*) hovmodig
cavalry ['kævəlrɪ] s kavaleri *nt*
cave [keɪv] 1 s (*in cliff, hill*) hule *c*
2 VI ▸ **to go caving** dra* på huletur
▸ **cave in** VI (**a**) (*roof etc+*) styrte (*v1*) inn *or* sammen

(**b**) (*to demands*) gi* etter ❑ ***I caved in, though I still defended my explanation.*** Jeg gav etter, selv om jeg fremdeles forsvarte forklaringen min.
caveman ['keɪvmæn] *irreg* s huleboer *m*
cavern ['kævən] s (stor) hule *c*
caviar(e) ['kævɪɑːʳ] s kaviar *m*
cavity ['kævɪtɪ] s (*in wall*) hulrom *nt*; (*in body*) hule *c*; (*in tooth*) hull *nt*
cavity wall insulation s hulveggisolasjon *m*
cavort [kə'vɔːt] VI jumpe (*v1*) opp og ned, hoppe (*v1*) og sprette* ❑ ***...children were cavorting in the adventure playground.*** ...barn jumpet opp og ned *or* hoppet og spratt på lekeplassen.
cayenne [keɪ'ɛn] s (*also* ***cayenne pepper***) kajennepepper *nt*
CB S FK (= **Citizens' Band (Radio)**) *radiofrekvens for lastebilsjåfører osv.*; (*BRIT*) (= **Companion of (the Order of) the Bath**) *orden*
CBC S FK (= **Canadian Broadcasting Corporation**) kanadisk rikskringkasting *c*
CBE (*BRIT*) S FK (= **Commander of (the Order of) the British Empire**) *orden*
CBI S FK (= **Confederation of British Industries**) *arbeidsgiverorganisasjon som informerer om industriens behov og mål*
CBS (*US*) S FK (= **Columbia Broadcasting System**) *amerikansk, nasjonal tv-stasjon*
CC (*BRIT*) FK (= **county council**) ≈ fylkesting *nt*
cc FK (= **cubic centimetre**) kubikkcentimeter; = **carbon copy**
CCA (*US*) S FK (= **Circuit Court of Appeals**) *appelldomstol*
CCU (*US*) S FK (= **coronary care unit**) *intensivavdeling for hjertesyke*
CD S FK (= **compact disc**) CD-plate *c*; (*also* ***compact disc player***) CD-spiller *m*; (= **Corps Diplomatique**) CD; (*MIL*) (= **Civil Defence**) ≈ Sivilforsvaret
CDC (*US*) S FK (= **Center for Disease Control**) *organ som overvåker og forhindrer epidemier*
CDI S FK (= **compact disc interactive**) CDI *m*
Cdr. (*MIL*) FK = **commander**
CD-ROM [siːdiː'rɔm] s CD-ROM *m*
CDT (*US*) FK (= **Central Daylight Time**) *sommertid i tidssonen som dekker sentrale deler av USA*
cease [siːs] 1 VT stanse (*v1*), innstille (*v2x*) ❑ ***They threatened to cease financial support.*** De truet med å stanse *or* innstille den økonomiske støtten.
2 VI stanse (*v1*), opphøre (*v2*) ❑ ***Hostilities must cease at once.*** Fiendtlighetene må stanse *or* opphøre øyeblikkelig.
ceasefire ['siːsfaɪəʳ] s våpenhvile *m*
ceaseless ['siːslɪs] ADJ ustanselig, uopphørlig
CED (*US*) S FK (= **Committee for Economic Development**) *statlig organ for økonomisk utvikling*
cedar ['siːdəʳ] s (*tree*) seder *m*; (*wood*) seder *m*, sedertre *nt*
cede [siːd] VT (*+land, rights etc*) avstå*
cedilla [sɪ'dɪlə] s cédille *m*
CEEB (*US*) S FK (= **College Entry Examination Board**) *råd som forestår inngangseksamen til universitet*
ceiling ['siːlɪŋ] s (*also fig*) tak *nt*
celeb [sɪ'lɛb] (*sl*) s kjendis *m*
celebrate ['sɛlɪbreɪt] VTI (*gen, also REL*) feire (*v1*) ❑ ***His victory was celebrated with music and dancing.*** Seieren hans ble feiret med musikk og dans. ***The company was celebrating its fiftieth birthday.*** Selskapet feiret femtiårsdagen sin.
celebrated ['sɛlɪbreɪtɪd] ADJ (*author, hero*) feiret, fetert
celebration [sɛlɪ'breɪʃən] s feiring *c*
celebrity [sɪ'lɛbrɪtɪ] s (= *person*) kjendis *m*, berømthet *m*
celeriac [sə'lɛrɪæk] s sellerirot *c irreg*
celery ['sɛlərɪ] s selleri *m*
celestial [sɪ'lɛstɪəl] ADJ himmelsk
celibacy ['sɛlɪbəsɪ] s sølibat *nt*
cell [sɛl] s (*gen, also BIO*) celle *c*; (*ELEK*) celle *c*, element *nt*
cellar ['sɛləʳ] s kjeller *m*
cellist ['tʃɛlɪst] s cellist *m*
cellmate ['sɛlmeɪt] s cellekamerat *m*
cello ['tʃɛləu] s cello *m*
cellophane ['sɛləfeɪn] s cellofan *m*
cellphone ['sɛlfəun] s mobiltelefon *m*
cellular ['sɛljuləʳ] ADJ (*structure, tissue*) celle-
▸ **cellular blanket** helseteppe *nt*
Celluloid® ['sɛljulɔɪd] s celluloid *m*
cellulose ['sɛljuləus] s cellulose *m*
Celsius ['sɛlsɪəs] ADJ celsius ❑ ***...30 degrees Celsius.*** ...30 grader celsius
Celt [kɛlt, sɛlt] s kelter *m*
Celtic ['kɛltɪk, 'sɛltɪk] ADJ, s keltisk
cement [sə'mɛnt] 1 s (**a**) (= *concrete*) sement *m* ❑ ***...a sack of cement.*** ...en sekk (med) sement. ***...slabs of cement.*** ...sementheller.
(**b**) (= *glue*) lim *nt* ❑ ***...a tube of balsa-wood cement.*** ...en tube med balsatrelim.
2 VT (**a**) (*+path, floor*) sementere (*v2*)
(**b**) (*fig: relationship*) befeste (*v1*)
(**c**) (= *stick, glue*) feste (*v1*)
cement mixer s sementblander *m*
cemetery ['sɛmɪtrɪ] s gravlund *m*
cenotaph ['sɛnətɑːf] s minnesmerke *nt*
censor ['sɛnsəʳ] 1 s sensor *m* (*som sensurerer filmer, bøker etc*) ❑ ***...it didn't get past the censor.*** ...det gikk ikke forbi sensoren.
2 VT sensurere (*v2*)
censorship ['sɛnsəʃɪp] s sensur *m* ❑ ***Government censorship is relaxing a bit...*** Regjeringens sensur blir lettet litt på... ***the censorship of bad news in wartime.*** ...sensuren av dårlige nyheter i krigstid.
censure ['sɛnʃəʳ] 1 VT klandre (*v1*) (sterkt)
2 s fordømmelse *m* ❑ ***Labour brought a motion of censure on...*** Arbeiderpartiet vedtok en fordømmelse av...
census ['sɛnsəs] s folketelling *c* ❑ ***The 1890 census...*** Folketellingen i 1890...
cent [sɛnt] (*US etc*) s (*coin*) cent *m see also* **per**
centenary [sɛn'tiːnərɪ] s hundreårsjubileum *nt* ❑ ***...the centenary of his birth.*** ...hundre år siden han ble født.. ...hundreårsjubileet for hans fødsel.
centennial [sɛn'tɛnɪəl] s hundreårsjubileum *nt*
center ['sɛntəʳ] (*US*) = **centre**
centigrade ['sɛntɪgreɪd] ADJ celsius ❑ ***...23***

degrees centigrade. ...23 grader celsius.
centilitre ['sɛntɪli:tə^r], **centiliter** (*US*) s centiliter *m*
centimetre ['sɛntɪmi:tə^r], **centimeter** (*US*) s centimeter *m*
centipede ['sɛntɪpi:d] s tusenbein *m*
central ['sɛntrəl] ADJ (**a**) (*gen*) sentral ❑ *...a central courtyard.* ...sentral gårdsplass. *The cafe was very central for her.* Kaféen var svært sentralt for henne. *The central character in the film...* Den sentrale rollen i filmen...
(**b**) (*committee, government*) sentral(-) ❑ *...controlled by a central committee.* ...kontrollert av en sentralkomité.
Central African Republic s Den sentralafrikanske republikken
Central America s Mellom-Amerika
central heating s sentralfyring *c*
centralize ['sɛntrəlaɪz] VT sentralisere (*v2*)
central processing unit s prosessorenhet *m*
central reservation (*BRIT: BIL*) s midtrabatt *m*
centre ['sɛntə^r], **center** (*US*) 1 s (**a**) (*of circle, room, line*) midte *m* ❑ *...the centre of the room.* ...midten av rommet.
(**b**) (*of town*) sentrum *nt no def* ❑ *...through the centre of town.* ...gjennom sentrum av byen.
(**c**) (*= focus: of attention, interest*) sentrum *nt no def* ❑ *...the centre of attention.* ...sentrum for oppmerksomheten.
(**d**) (*institution*) senter *nt* ❑ *They're starting up a new arts centre there.* De starter opp et nytt kunstsenter der.
(**e**) (*POL*) sentrum *nt no def*, sentrumspartier *pl*
2 VT (**a**) (*+weight, sights*) plassere (*v2*) på *or* i midten
(**b**) (*FOTO, TYP*) sentrere (*v2*)
(**c**) (*+ball*) sentre (*v1*)
▸ **to be at the centre of sth** stå* sentralt i noe
▸ **to centre on** (*fig: focus on*) sentrere (*v2*) om ❑ *Attention was centred on Michael.* Oppmerksomheten var sentrert om Michael.
centrefold ['sɛntəfəuld], **centerfold** (*US*) s midtside *m*
centre-forward ['sɛntə'fɔ:wəd] s senterløper *m*
centre-half ['sɛntə'hɑ:f] s senterhalf *m*
centrepiece ['sɛntəpi:s], **centerpiece** (*US*) s (**a**) borddekorasjon *m* ❑ *...a beautiful vase of orchids as a centrepiece.* ...en nydelig vase med orkidéer som borddekorasjon.
(**b**) (*fig*) flaggskip *nt* ❑ *This Bill is the centrepiece of Labour's programme.* Dette lovforslaget er flaggskipet i Arbeiderpartiets program.
centre spread (*BRIT*) s (*pages*) midtside *c*
centre-stage [sɛntə'steɪdʒ] (*fig*) 1 ADV ▸ **to be centre-stage** være* midtpunktet
2 s ▸ **to take centre stage** bli* midtpunktet
centrifugal [sɛn'trɪfjugl] ADJ (*force*) sentrifugal(-)
centrifuge ['sɛntrɪfju:ʒ] s sentrifuge *m*
century ['sɛntjurɪ] s (**a**) (*period*) århundre *nt* ❑ *...a century of progress.* ...et århundre med framgang.
(**b**) (*in cricket*) *hundre poeng* ❑ *He scored the most fantastic century.* Han scoret den mest fantastiske hundrepoengeren.
▸ **the 20th century** det 20. århundre
▸ **in the twentieth century** i det tjuende århundre
CEO s FK (= **chief executive officer**) formann *m*
ceramic [sɪ'ræmɪk] ADJ keramisk, keramikk-
ceramics [sɪ'ræmɪks] SPL (*objects*) keramikk *m uncount*
cereal ['si:rɪəl] s (**a**) (*= plant, crop*) korn(slag) *nt*
(**b**) (*= food*) kornblanding *c* ❑ *...a new breakfast cereal.* ...en ny frokostblanding.
cerebral ['sɛrɪbrəl] ADJ (**a**) (*MED: of the brain*) cerebral, hjerne- ❑ *Val died of a cerebral hemorrhage.* Val døde av hjerneblødning.
(**b**) (*= intellectual*) intellektuell ❑ *Telemann's style is less cerebral than Bach's.* Telemanns stil er mindre intellektuell en Bachs.
ceremonial [sɛrɪ'məunɪəl] ADJ, s seremoniell (*nt*)
ceremony ['sɛrɪmənɪ] s seremoni *m* ❑ *...the ceremony of exchanging gifts at Christmas.* ...seremonien med å utveksle gaver til jul.
▸ **pomp and ceremony** pomp og prakt
▸ **to stand on ceremony** være* formell ❑ *There's no need to stand on ceremony.* Det er ingen grunn til å være* så formell.
cert [sə:t] (*BRIT: sl*) s ▸ **it's a dead cert** det er sikkert som amen i kjerka (*sl*)
certain ['sə:tən] ADJ (**a**) (*= sure: person*) sikker, viss
(**b**) (*fact*) sikker ❑ *He felt certain that...* Han følte seg sikker på *or* viss på at... *It is almost certain that...* Det er nesten sikkert at...
(**c**) (*person*) ▸ **a certain Mr Smith** en viss Smith
(**d**) (*= particular*) ▸ **certain days/places** visse *or* enkelte dager/steder
(**e**) (*= some*) ▸ **a certain coldness/pleasure** en viss kulde/nytelse
▸ **to make certain that** forvisse (*v1*) seg om at ❑ *We need to make certain that governments adhere to the agreements.* Vi må forvisse oss om at regjeringer slutter opp om avtalene.
▸ **to be certain of** være* sikker på
▸ **for certain** (helt) sikkert ❑ *I don't think we'll ever know for certain.* Jeg tror ikke vi noen gang vil vite det (helt) sikkert.
certainly ['sə:tənlɪ] ADV (**a**) (*= undoubtedly*) (helt) sikkert, utvilsomt ❑ *If nothing is done there will certainly be an economic crisis.* Hvis ingenting blir gjort vil det (helt) sikkert *or* utvilsomt oppstå en økonomisk krise.
(**b**) (*= of course*) selvfølgelig, ja visst ❑ *"Could you give me a lift?" "Certainly."* "Kunne jeg få* sitte på med deg?" "Selvfølgelig." *or* "Ja visst".
certainty ['sə:təntɪ] s (**a**) (*= assurance*) sikkerhet *m*, visshet *m* ❑ *The answers would never be known with certainty.* Svarene ville* aldri vites med sikkerhet.
(**b**) (*= inevitability*) selvfølgelighet *m* ❑ *It's by no means a certainty that we'll win.* Det er overhodet ingen selvfølgelighet at vi vinner.
certificate [sə'tɪfɪkɪt] s (*of birth, marriage etc*) attest *m*; (*= diploma*) sertifikat *nt*, vitnemål *nt*
certified letter (*US*) s rekommandert brev *nt*
certified mail (*US*) s rekommandert post *m*
certified public accountant (*US*) s ≈ statsautorisert revisor *m*
certify ['sə:tɪfaɪ] 1 VT (**a**) (*+fact*) bekrefte (*v1*), attestere (*v2*) ❑ *He received a paper certifying the payment of his taxes.* Han fikk et papir som

bekreftet *or* attesterte at han hadde betalt skatt.
(**b**) (= *award a diploma to*) autorisere (*v2*) ❑ *The pilots are certified by the navy.* Pilotene blir autorisert av marinen.
(**c**) (= *declare insane*) erklære (*v2*) sinnssyk
2 VI ▸ **to certify that** bekrefte (*v1*) at, attestere (*v2*) at

cervical ['sə:vɪkl] ADJ livmorhals-, i/fra livmorhalsen
▸ **cervical cancer** livmorhalskreft *m*, kreft *m* i livmorhalsen
▸ **cervical smear** utstryk *nt* fra livmorhalsen

cervix ['sə:vɪks] s livmorhals *m*

Cesarean [sɪ'zɛərɪən] (*US*) ADJ, S = **Caesarean**

cessation [sə'seɪʃən] s (*of hostilities etc*) opphør *nt*

cesspit ['sɛspɪt] s septiktank *m*

CET FK (= **Central European Time**) *tidssone som dekker Sentral-Europa*

Ceylon [sɪ'lɔn] s Ceylon

cf. FK = **compare**

c/f (*MERK*) FK (= **carried forward**) transportert

CFC S FK (= **chlorofluorocarbon**) KFK *nt* (= *klorfluorkarbon*)

CG (*US*) S FK = **coastguard**

cg FK (= **centigram**) cg (= *centigram*)

CH (*BRIT*) S FK (= **Companion of Honour**) *orden*

ch. FK = **chapter**

c.h. (*BRIT*) FK = **central heating**

Chad [tʃæd] s Tchad

chafe [tʃeɪf] 1 VT irritere (*v2*) (*ved å gnisse*), gnisse (*v1*) mot
2 VI ▸ **to chafe at** (*fig*) irritere (*v2*) seg over

chaffinch ['tʃæfɪntʃ] s bokfink *m*

chagrin ['ʃægrɪn] s ergrelse *m* ❑ *...to his great chagrin...* til sin store ergrelse...

chain [tʃeɪn] 1 S (**a**) (*metal, of mountains, shops etc*) kjede *m* ❑ *...a chain of food stores.* ...en kjede med matvarebutikker.
(**b**) (*large: on anchor, hoist, crane etc*) kjetting *m*
(**c**) (*for prisoner, dog*) lenke *c*
(**d**) (*of events, ideas*) rekke *c* ❑ *...the brief chain of events that led up to her death.* ...den korte rekken av hendelser som førte til hennes død.
2 VT (*also* ***chain up***: *prisoner, dog*) lenke (*v1*)

chain reaction s kjedereaksjon *m*

chain-smoke ['tʃeɪnsməuk] VI kjederøyke (*v2*)

chain store s kjedebutikk *m*

chair [tʃɛəʳ] 1 S (**a**) (= *seat*) stol *m* ❑ *...a kitchen chair...* en kjøkkenstol... *I sat in a low chair by the fire.* Jeg satt i en lav stol ved peisen.
(**b**) (*at university*) professorat *nt* ❑ *...when he got his chair at Leeds.* ...da han fikk sitt professorat i Leeds.
(**c**) (*of meeting*) møteleder *m*, ordstyrer *m*
(**d**) (*of committee*) leder *m* ❑ *You should address your remarks to the chair.* Du bør rette bemerkningene dine til møtelederen.
2 VT (*+meeting*) lede (*v1*)
▸ **the chair** (*US: electric chair*) den elektriske stol(en)

chairlift ['tʃɛəlɪft] s stolheis *m*

chairman ['tʃɛəmən] *irreg* S (**a**) (*of committee*) formann *m*, leder *m*
(**b**) (*BRIT: of company*) formann *m* ❑ *...the chairman of the board.* ...styreformannen.

chairperson ['tʃɛəpə:sn] s leder *m*

chairwoman ['tʃɛəwumən] *irreg* s forkvinne *c*

chalet ['ʃæleɪ] s (sveitser)hytte *c*

chalice ['tʃælɪs] s kalk *m*

chalk [tʃɔ:k] S (**a**) kalk *m* ❑ *This plant is easy to grow in all soils, including chalk.* Denne planten er lett å dyrke i all slags jord, iberegnet kalk.
(**b**) (*for writing*) kritt *nt* ❑ *...a piece of chalk.* ...et stykke kritt.

▸ **chalk up** VT (**a**) (*write*) kritte (*v1*) opp, skrive* opp (*på tavle*) ❑ *We need someone to chalk up the scores.* Vi trenger noen til å kritte *or* skrive opp scoringene.
(**b**) (*fig: success etc*) notere (*v2*) seg for ❑ *She's chalked up four wins already.* Hun har notert seg for fire seire allerede.

challenge ['tʃælɪndʒ] 1 S (*gen*) utfordring *c* ❑ *...the challenge of the unknown.* ...utfordringen fra det ukjente. *Her smile held a tiny hint of a challenge.* Smilet hennes hadde et ørlite drag av utfordring. *These ideas are open to challenge.* Disse tankene er åpne for utfordring *or* bestridelse.. Disse tankene kan bestrides.
2 VT (**a**) (*gen, also SPORT*) utfordre (*v1*) ❑ *They had challenged and beaten the best teams in the world.* De hadde utfordret og slått de beste lagene i verden. *U.S. business today is challenged by aggressive overseas competitors.* Amerikansk forretningsvirksomhet i dag blir utfordret av agressive utenlandske konkurrenter.
(**b**) (*+authority, right, idea etc*) utfordre (*v1*), bestride* ❑ *The idea has never been challenged.* Tanken har aldri blitt utfordret *or* bestridt.
▸ **to challenge sb to do sth** utfordre (*v1*) noen til å gjøre* noe
▸ **to challenge sb to a fight/game** utfordre (*v1*) noen til (en) kamp/et spill

challenger ['tʃælɪndʒəʳ] s utfordrer *m* ❑ *...the only serious challenger for the gold medal.* ...den eneste seriøse utfordreren til gullmedaljen.

challenging ['tʃælɪndʒɪŋ] ADJ utfordrende

chamber ['tʃeɪmbəʳ] S (**a**) (= *room, POL*) kammer *nt* ❑ *...the torture chamber.* ...torturkammeret. *...an efficient second chamber.* ...et effektivt annetkammer.
(**b**) (*BRIT: JUR: gen pl*) dommerkontor *nt*
▸ **chamber of commerce** handelskammer *nt*

chambermaid ['tʃeɪmbəmeɪd] s stuepike *c*

chamber music s kammermusikk *m*

chamberpot ['tʃeɪmbəpɔt] s nattpotte *c*

chameleon [kə'mi:lɪən] s kameleon *m*

chamois ['ʃæmwɑ:] S (*animal*) gemse *m*; (*also* ***chamois leather***: *cloth*) pusseskinn *nt*

champagne [ʃæm'peɪn] s champagne *m*

champers ['ʃæmpəz] (*sl*) S (*champagne*) sjampis *m*

champion ['tʃæmpɪən] 1 S (**a**) (*of league, contest, fight*) mester *m* ❑ *He was the world champion last year.* Han var verdensmester i fjor.
(**b**) (*of cause, principle*) forkjemper *m* ❑ *...a champion of liberty.* ...en frihetsforkjemper.
(**c**) (*of person, underdog*) forsvarer *m*, forkjemper *m* ❑ *Is the Labour Party the great champion of the working man?* Er Arbeiderpartiet den store forsvareren av *or* forkjemperen for arbeideren?

2 VT (**a**) (*+cause, principle, person: fight for*) kjempe (*v1*) for
(**b**) (*= defend*) forsvare (*v2*)

championship ['tʃæmpɪənʃɪp] s (**a**) (*= contest*) mesterskap *nt* ❑ *...the World Snooker championships.* ...verdensmesterskapet i biljard.
(**b**) (*= title*) verdensmestertittel *m* ❑ *He's in training for the heavyweight championship of the world.* Han ligger i trening til verdensmestertittelen i tungvekt.

chance [tʃɑːns] 1 s (**a**) (*= hope, likelihood, possibility, opportunity*) sjanse *m*, mulighet *c* ❑ *I think we've got a good chance of winning.* Jeg tror vi har (en) god sjanse *or* mulighet til *or* for å vinne. *...before I had a chance to reply.* ...før jeg fikk sjansen *or* muligheten til å svare.
(**b**) (*= risk*) sjanse *m* ❑ *...but that's a chance we'll have to take.* ...men det er en sjanse vi vil måtte* ta.
2 VT (**a**) (*= risk*) ▸ **to chance it** ta* sjansen ❑ *There's a risk that I'll be caught, but I'm going to chance it.* Det er en fare for at jeg kan bli* tatt, men jeg tar sjansen.
(**b**) (*= happen*) ▸ **to chance to do** tilfeldigvis gjøre ❑ *I chanced to overhear them talking about your work.* Jeg overhørte dem tilfeldigvis mens de snakket om arbeidet ditt.
3 ADJ tilfeldig ❑ *...a chance meeting.* ...et tilfeldig møte.
▸ **the chances are that...** det er store sjanser *or* muligheter for at...
▸ **there is little chance of his coming** det er små sjanser *or* liten sjanse for at han kommer.
▸ **to take a chance** ta* sjansen ❑ *I can't take a chance on being wrong.* Jeg kan ikke ta* sjansen på å ta* feil.
▸ **by chance** ved en tilfeldighet, ved et tilfelle ❑ *Penicillin was discovered quite by chance.* Penicillin ble oppdaget ved en ren tilfeldighet *or* ved et rent tilfelle.
▸ **by any chance** tilfeldigvis ❑ *Are you by any chance connected with...?* Har du tilfeldigvis noen forbindelse med...?, Du skulle* ikke tilfeldigvis ha* noen forbindelse med...?
▸ **it's the chance of a lifetime** det er mitt/hans *etc* livs sjanse, det er en enestående sjanse

▸ **chance (up)on** VT FUS (*+person, idea etc*) støte (*v2*) på, treffe* på ❑ *I chanced on an old school-friend in the street yesterday.* Jeg støtte *or* traff på en gammel skolekamerat på gaten i går.

chancel ['tʃɑːnsəl] s kor(parti) *nt*

chancellor ['tʃɑːnsələʳ] s (*= head of government*) kansler *m*; (*BRIT: of university*) *nominelt overhode for universitet*

Chancellor of the Exchequer (*BRIT*) s ≈ finansminister *m*

chancy ['tʃɑːnsɪ] ADJ risikabel

chandelier [ʃændə'lɪəʳ] s lysekrone *c*

change [tʃeɪndʒ] 1 VT (**a**) (*= alter*) forandre (*v1*), endre (*v1*) ❑ *You can't change human nature.* Du kan ikke forandre *or* endre menneskenaturen.
(**b**) (*= switch, substitute: wheel, bulb etc*) skifte (*v1*) ❑ *I changed the bulb.* Jeg skiftet pæren.
(**c**) (*+trains, buses etc*) bytte (*v1*) ❑ *You could change buses at the crossroads.* Du kunne* bytte buss ved veikrysset.
(**d**) (*+clothes, job, address*) skifte (*v1*), bytte (*v1*) ❑ *I'll just change my shirt.* Jeg skal bare skifte *or* bytte skjorte. *...who advised that he change his job.* ...som rådet ham til å skifte *or* bytte jobb.
(**e**) (*+baby, baby's nappy*) skifte (*v1*) på, bytte (*v1*) på ❑ *She changed its nappy.* Hun skiftet *or* byttet bleie på den.
(**f**) (*= exchange: money*) veksle (*v1*) ❑ *The bank could only change roubles into hard currency.* Banken kunne* bare veksle rubler til hard valuta.
(**g**) (*= replace*) ▸ **to change sth for sth** bytte (*v1*) noe i noe ❑ *I took the saucepan back and changed it for a smaller one.* Jeg tok med gryten tilbake og byttet den i en mindre.
(**h**) (*= transform*) ▸ **to change sb/sth into** omdanne (*v1*) noen/noe til ❑ *They can be used to change uranium into plutonium.* De kan brukes til å omdanne uran til plutonium.
(**i**) (*by magic*) forvandle (*v1*) noen/noe til ❑ *The witch changed him into a frog.* Heksa forvandlet ham til en frosk.
2 VI (**a**) (*= alter*) forandre (*v1*) seg, endre (*v1*) seg ❑ *Little has changed since then.* Lite har forandret *or* endret seg siden den gang.
(**b**) (*traffic lights+*) skifte (*v1*) ❑ *The lights changed to green.* Lysene skiftet til grønt.
(**c**) (*on bus, train etc*) bytte (*v1*) ❑ *Do I have to change?* Må jeg bytte?
(**d**) (*= be transformed*) ▸ **to change into** bli* til ❑ *He changes into a maniac when he gets behind the steering wheel.* Han blir til en galning når han setter seg bak rattet.
3 s (**a**) (*= alteration*) forandring *c*, endring *c* ❑ *I disliked change of any kind.* Jeg mislikte enhver form for forandring *or* endring.
(**b**) (*= difference*) forandring *c*, avveksling *c* ❑ *It is a refreshing change for her to meet a woman boss.* Det er en forfriskende forandring *or* avveksling for henne å møte en kvinnelig sjef.
(**c**) (*of government, climate, job*) forandring *c*
(**d**) (*= money: coins*) småpenger *pl*
(**e**) (*= money returned*) vekslepenger *pl* ❑ *Morris handed Hooper his change.* Morris gav Hopper vekslepengene hans.
▸ **to change gear** (*BIL*) skifte (*v1*) gir
▸ **to change hands** (*from one hand to the other*) skifte (*v1*) *or* bytte (*v1*) hånd ❑ *She put the bag down, changed hands and carried on.* Hun satte ned vesken, skiftet *or* byttet hånd og fortsatte.
▸ **she changed into an old skirt** hun skiftet *or* byttet til et gammelt skjørt
▸ **a change of clothes/underwear** et klesskift/et skift med undertøy
▸ **a change of scene** et sceneskifte
▸ **small change** småpenger *pl*, småmynter *pl*
▸ **to give sb change for** *or* **of 10 pounds** gi* noen igjen på 10 pund
▸ **keep the change** du kan beholde resten ❑ *I told him to keep the change.* Jeg bad ham beholde resten.
▸ **to change one's mind** ombestemme (*v2x*) seg
▸ **for a change** til en forandring ❑ *...we'll leave the car parked and walk for a change.* ...vi vil

sette igjen bilen og spasere til en forandring.
changeable ['tʃeɪndʒəbl] ADJ (*weather, mood, person*) ustadig, omskiftelig
change machine s vekslingsautomat *m*
changeover ['tʃeɪndʒəuvəʳ] s (*to new system etc*) overgang *m*
changing ['tʃeɪndʒɪŋ] ADJ (*world, nature*) i forandring
changing room (*BRIT*) s (*in shop*) prøverom *nt*; (*SPORT*) garderobe *m*
channel ['tʃænl] 1 s (**a**) (*gen, TV*) kanal *m* ❑ *...a narrow channel between the bank and the island.* ...en smal kanal mellom bredden og øya. *...diplomatic channels.* ...diplomatiske kanaler.
(**b**) (= *groove*) renne *c* ❑ *...a plastic channel into which the double glazing slides.* ...en plastrenne som dobbeltvinduet glir inn i.
2 VT ▸ **to channel sth into** (**a**) (*+money, resources*) kanalisere (*v2*) noe til ❑ *...the need to channel North Sea oil revenues into industry.* ...behovet for å kanalisere inntekter fra nordsjøoljen til industrien.
(**b**) (*+energies*) lede (*v1*) noe inn i/på ❑ *We try and channel the children' energies into creative pastimes.* Vi prøver å lede barnas energi inn i kreative sysler.
▸ **through the usual/normal channels** (*fig*) gjennom de vanlige kanalene
▸ **green/red channel** (*at customs*) grønn/rød sone *m*
▸ **the (English) Channel** Den engelske kanal
▸ **the Channel Islands** Kanaløyene
channel-hopping ['tʃænl'hɔpɪŋ] s zapping *c*
channel-surfing ['tʃænl'sə:fɪŋ] s kanalsurfing *c*
Channel Tunnel s ▸ **the Channel Tunnel** Kanaltunnelen
chant [tʃɑ:nt] 1 s (**a**) (*of crowd, fans etc*) (taktfast) roping *c* ❑ *Fifty thousand fans joined in the chant.* Femti tusen fans ble med på ropingen.
(**b**) (= *by priest*) messing *c* ❑ *A priest led the chant.* En prest ledet messingen.
2 VT (*+word, name, slogan*) rope (*v2*)
❑ *Demonstrators chanted anti-government slogans.* Demonstrantene ropte slagord mot regjeringen.
3 VI (**a**) (*REL*) messe (*v1*)
(**b**) (*+slogan etc*) rope (*v2*)
chaos ['keɪɔs] s kaos *nt*
chaos theory s kaosteori *m*
chaotic [keɪ'ɔtɪk] ADJ kaotisk
chap [tʃæp] (*BRIT: sl*) s fyr *m*
▸ **old chap** gamle ørn ❑ *Take care, old chap...* Pass på deg selv, gamle ørn...
chapel ['tʃæpl] s (**a**) (*REL*) kapell *nt*
(**b**) (*BRIT: non-conformist*) (fri)kirke *c* ❑ *...a Methodist chapel.* ...en metodistkirke. *...the Chapel of St Peter.* ...St Peters kapell. *The boys go to chapel...* Guttene går i kapellet...
(**c**) (*BRIT: of union*) klubb *m* (*i fagforening i trykkeribransjen*) ❑ *...raise it at your branch or chapel meeting.* ...ta det opp på møte i din lokale klubb.
chaperone ['ʃæpərəun] 1 s (*for woman*) anstand *m*, anstandsdame *c*
2 VT (*+woman*) være* anstand(sdame) for; (*+child*) passe (*v1*) (på), være* barnepike for
chaplain ['tʃæplɪn] s sykehus-/fengsel-/studentprest *etc m*, institusjonsprest *m*
chapped [tʃæpt] ADJ (*skin, lips*) skråen
chapter ['tʃæptəʳ] s (*also fig*) kapittel *nt* ❑ *...a new chapter in the history of international relations.* ...et nytt kapittel i historien om internasjonale relasjoner.
▸ **a chapter of accidents** en hel serie *or* rad med ulykker
char [tʃɑ:ʳ] 1 VT (*burn*) svi (*v4*), forkulle (*v1*)
2 VI (*BRIT: cleaner*) vaske (*v1*), gjøre* rent
3 s (*BRIT*) = **charlady**
character ['kærɪktəʳ] s (**a**) (= *nature, personality*) personlighet *m*, karakter *m* ❑ *There was another side to his character.* Det var en annen side ved personligheten *or* karakteren hans.
(**b**) (*of object, phenomenon*) (egen)art *m* ❑ *We need to emphasize the radical character of our demands.* Vi må understreke den radikale arten av *or* egenarten ved kravene våre.
(**c**) (= *moral strength*) karakterfasthet *m*, karakterstyrke *m* ❑ *It takes considerable character not to just give up.* Man må ha* en betydelig karakterfasthet *or* karakterstyrke for ikke å bare gi* opp.
(**d**) (*in novel, film*) rolle *m*, person *m*
(**e**) (= *eccentric*) personlighet *m*, original *m* ❑ *She was a real character.* Hun var litt av en personlighet *or* original.
(**f**) (= *letter*) bokstav *m* ❑ *...the twenty-six characters of the English alphabet.* ...de tjueseks bokstavene i det engelske alfabetet.
(**g**) (*DATA*) tegn *nt*
▸ **a person of good character** en person med godt omdømme
character code (*DATA*) s tegnkode *m*
characteristic [kærɪktə'rɪstɪk] 1 ADJ
▸ **characteristic (of)** karakteristisk (for)
2 s (= *trait, feature*) karaktertrekk *nt* ❑ *...a family characteristic.* ...et karaktertrekk *or* særtrekk i familien.
characterize ['kærɪktəraɪz] VT karakterisere (*v2*)
▸ **to characterize sb/sth as** karakterisere (*v2*) noen/noe som
charade [ʃə'rɑ:d] s maskespill *nt*, spill *nt* for galleriet
▸ **charades** SPL (*game*) mimelek *m*
charcoal ['tʃɑ:kəul] s (**a**) (= *fuel*) trekull *nt*
(**b**) (*for drawing*) kull *nt*
▸ **a piece of charcoal** en kullstift
charge [tʃɑ:dʒ] 1 s (**a**) (= *fee*) betaling *c* ❑ *No charge is made for repairs.* Det kreves ingen betaling for reparasjoner.. Det koster ikke noe for reparasjoner.
(**b**) (*JUR: accusation*) tiltale *m*, siktelse *m* ❑ *...a murder charge.* ...en mordtiltale *or* en mordsiktelse.
(**c**) (*MIL: attack*) stormangrep *nt* ❑ *The troops mounted one charge after the other.* Troppene iverksatte det ene stormangrepet etter det andre.
(**d**) (= *responsibility*) ansvar *nt* ❑ *...people under my charge.* ...folk jeg har ansvaret for.
(**e**) (*MIL: explosive: in cartridge*) (spreng)ladning *c*
(**f**) (*ELEK: of battery*) ladning *c* ❑ *...a small electrical*

charge. ...en liten elektrisk ladning.
2 VT (**a**) (*for goods, services: sum of money*) kreve (*v3*), forlange (*v2*) ❑ *They charged fifty cents admission.* De forlangte *or* krevde femti cent i inngangspenger.
(**b**) (*+customer, person*) ▸ **they charged us £20 (for the meal)** de forlangte 20 pund (for måltidet)
(**c**) (*JUR: accuse*) ▸ **to charge sb (with)** tiltale (*v2*) noen (for), sikte (*v1*) noen (for) ❑ *He was arrested and charged with a variety of offences.* Han ble arrestert og tiltalt *or* siktet for en rekke lovbrudd.
(**d**) (*+gun*) lade (*v1 or v3*)
(**e**) (*MIL: attack*) storme (*v1*) ❑ *...an order to charge enemy positions.* ...en ordre om å storme fiendens stillinger.
(**f**) (*also* ***charge up****: battery*) lade (*v1 or v3*) opp
3 VI (**a**) (*animal+*) angripe*
(**b**) (*MIL*) gjøre* stormangrep
▸ **to charge sb to do sth** (*= order*) pålegge* noen å gjøre* noe
▸ **to charge off/along** *etc* storme (*v1*) av gårde ❑ *She charged off to the bedroom.* Hun stormet av gårde til soverommet.
▸ **charges** SPL gebyr *nt*, takst *m* ❑ *...increases in postal and telephone charges.* ...økninger i porto- og teletakster.
▸ **bank charges** (bank)gebyrer
▸ **labour charges** arbeidskostnader, arbeidsomkostninger
▸ **to reverse the charges** (*BRIT: TEL*) ringe (*v2*) på noteringsoverføring
▸ **is there a charge?** koster det noe?
▸ **at no extra charge** uten ekstra omkostninger
▸ **free of charge** gratis, kostnadsfritt
▸ **how much do you charge?** hvor mye tar *or* forlanger du?
▸ **to charge an expense (up) to sb's account** belaste (*v1*) noens konto for en utgift, føre (*v2*) en utgift på noens konto
▸ **to take charge (of)** overta* ansvaret (for)
▸ **to be in charge (of)** ha* ansvaret (for)

charge account s kredittkonto *m*, kundekonto *m*

charge card s (*for particular shop*) kundekort *nt* (*knyttet til en forretning/kjede*)

chargé d'affaires [ˈʃɑːʒeɪdæˈfɛə] s chargé d'affaires *m*

charge hand (*BRIT*) s arbeidsformann *m irreg*

charger [ˈtʃɑːdʒəʳ] s (*also* ***battery charger***) batterilader *m*; (*gam: warhorse*) stridshest *m*

char-grilled [ˈtʃaːgrɪld] ADJ grillet på trekullgrill

chariot [ˈtʃærɪət] s stridsvogn *c* (*med to hjul, trukket av en hest*)

charisma [kæˈrɪsmə] s karisma *m*

charitable [ˈtʃærɪtəbl] ADJ (*organization*) veldedig; (*remark*) velvillig, barmhjertig

charity [ˈtʃærɪtɪ] s (**a**) (*organization*) veldedig organisasjon *m*
(**b**) (*= kindness, generosity*) velvilje *m*, barmhjertighet *m* ❑ *She found the charity to forgive them.* Hun hadde nok velvilje *or* barmhjertighet til å tilgi dem.
(**c**) (*= money, gifts*) veldedighet *m* ❑ *He's far too proud to accept charity.* Han er altfor stolt til å ta* imot veldedighet.

charity shop (*BRIT*) s bruktbutikk *m* (*som drives av veldedig organisasjon*)

charlady [ˈtʃɑːleɪdɪ] (*BRIT*) s vaskekone *c*, rengjøringshjelp *m*

charlatan [ˈʃɑːlətən] s sjarlatan *m*

charm [tʃɑːm] 1 s (**a**) (*= attractiveness*) sjarm *m* ❑ *The narrow streets of the old town are full of charm.* De smale gatene i gamlebyen er fulle av sjarm.
(**b**) (*to bring good luck*) trolldom *m* ❑ *Charms and spells are still common in Sri Lanka.* Trolldom og hekseri er fremdeles vanlig på Sri Lanka.
(**c**) (*on bracelet etc*) anheng *nt*, sjarm *m*
2 VT (*= please, delight*) sjarmere (*v2*) ❑ *I was charmed by his courtesy.* Jeg ble sjarmert av høfligheten hans.

charm bracelet s sjarmarmbånd *nt*

charming [ˈtʃɑːmɪŋ] ADJ sjarmerende

chart [tʃɑːt] 1 s (**a**) (*= graph, diagram*) tabell *m*, plansje *m*, oversikt *m*
(**b**) (*= map*) (sjø)kart *nt*, draft *nt* ❑ *...charts of the Indian Ocean.* ...(sjø)kart *or* draft over Det indiske hav.
(**c**) (*= weather chart*) værkart *nt*
2 VT (**a**) (*+course*) tegne (*v1*) inn ❑ *On this map we have charted the course of the Helford River.* På dette kartet har vi tegnet inn løpet til Helfordelven.
(**b**) (*+progress, movements*) kartlegge* ❑ *We charted their movements.* Vi kartla bevegelsene deres.
▸ **charts** SPL (*= hit parade*) (hit)lister ❑ *They've got a hit in the charts.* De har fått inn en hit på listene.
▸ **to be in the charts** (*record, pop group+*) ligge* på hitlistene

charter [ˈtʃɑːtəʳ] 1 VT (*+plane, ship etc*) chartre (*v1*)
2 s (**a**) (*= document, constitution*) charter *nt*, traktat *m* ❑ *It contravened article 51 of the UN charter.* Det brøt med artikkel 51 i FN-charteret *or* FN-traktaten.
(**b**) (*of university*) ≈ universitetslov *m*
(**c**) (*of company*) konsesjon *m*

chartered accountant (*BRIT*) s ≈ statsautorisert revisor *m*

charter flight s charterfly *nt* ❑ *He is travelling on a charter flight.* Han reiser med charterfly.

charwoman [ˈtʃɑːwʊmən] *irreg* s = **charlady**

chary [ˈtʃɛərɪ] ADJ ▸ **to be/become chary of** være/bli varsom med ❑ *Enterprises are becoming increasingly chary of taking on new workers.* Foretakene blir mer og mer varsomme med å ta* inn nye arbeidere.

chase [tʃeɪs] 1 VT (**a**) (*= pursue*) jage (*v1 or v3*) ❑ *...to chase the chickens round the yard.* ...å jage kyllingene rundt på tunet. *They were chased from the village.* De ble jaget fra landsbyen.
(**b**) (*+job etc*) være* (på jakt) etter, jakte (*v1*) på ❑ *There are dozens of people chasing every job.* Det er dusinvis av folk som er (på jakt) etter *or* jakter på hver eneste jobb.
2 s jakt *m* ❑ *They abandoned the chase and returned home.* De oppgav jakten og drog hjem.

▸ **chase down** (*US*) VT = **chase up**
▸ **chase up** (*BRIT*) VT (**a**) (*+person*) purre (*v1*) på ❑ *I'll chase her up for those reports.* Jeg skal purre på henne etter de rapportene.
(**b**) (*+information*) finne* fram, grave (*v3*) fram ❑ *Can you chase up those statistics for me?* Kan du finne *or* grave fram de statistikkene for meg?
chasm ['kæzəm] S (**a**) (*GEOG*) (dyp) kløft *c*
(**b**) (*between people*) avgrunn *m* ❑ *There's a chasm between rich and poor in that society.* Det er en avgrunn mellom rike og fattige i det samfunnet.
chassis ['ʃæsɪ] (*BIL*) S chassis *m*
chaste [tʃeɪst] ADJ (*person, relationship etc*) kysk, ærbar
chastened ['tʃeɪsnd] ADJ tuktet, kuet
chastening ['tʃeɪsnɪŋ] ADJ (*remark*) disiplinerende
chastise [tʃæs'taɪz] VT refse (*v1*)
chastity ['tʃæstɪtɪ] S kyskhet *m* ❑ *A monk makes vows of poverty, chastity and obedience.* En munk avlegger løfter om fattigdom, kyskhet og lydighet.
chat [tʃæt] 1 VI prate (*v1*)
2 S prat *m* ❑ *My friends often come in for coffee and a chat.* Vennene mine kommer ofte innom for å få* seg kaffe og en prat.
▸ **to have a chat** ta* seg en prat
▸ **chat up** (*BRIT: sl*) VT flørte (*v1*) med, legge* an på
chatline ['tʃætlaɪn] S ≈ teletorg *nt*
chat show (*BRIT*) S talkshow *nt*
chattel ['tʃætl] *see* **goods**
chatter ['tʃætəʳ] 1 VI (**a**) (*person+*) skravle (*v1*)
(**b**) (*bird, animal+*) skvatre (*v1*)
(**c**) (*teeth+*) klapre (*v1*)
2 S (**a**) (*of people*) skravling *c* ❑ *At teatime there was much excited chatter.* Ved tetid var det mye opprømt skravling.
(**b**) (*of birds, animals*) skvatring *c*
▸ **my teeth are chattering** tennene mine klaprer, jeg hakker tenner
chatterbox ['tʃætəbɔks] (*sl*) S skravlebøtte *c* (*sl*)
chattering classes ['tʃætərɪŋ 'klɑːsɪz] SPL ▸ **the chattering classes** de pratende klasser
chatty ['tʃætɪ] ADJ (*style, letter*) skravlet(e), småpratende; (*person*) skravlet(e), snakkesalig
chauffeur ['ʃəufəʳ] S (privat)sjåfør *m*
chauvinism ['ʃəuvɪnɪzəm] S sjåvinisme *m*
chauvinist ['ʃəuvɪnɪst] S sjåvinist *m*
chauvinistic [ʃəuvɪ'nɪstɪk] ADJ sjåvinistisk
ChE FK (= **chemical engineer**) kjemiingeniør *m*
cheap [tʃiːp] 1 ADJ (**a**) (*gen*) billig ❑ *A solid fuel cooker is cheap to run.* En vedkomfyr er billig i drift. *...cheap copies.* ...billige kopier. *...cheap jokes at their expense.* ...billige vitser på deres bekostning.
(**b**) (= *reduced: ticket*) lavpris-
(**c**) (*fare*) redusert ❑ *...the issue of cheap tickets on production of a pension book.* ...utstedelse av lavprisbilletter ved forevisning av pensjonistbevis.
2 ADV ▸ **to buy/sell sth cheap** kjøpe (*v2*)/selge* noe billig
cheapen ['tʃiːpn] VT (*+person*) nedverdige (*v1*), gjøre* billig ❑ *I would not cheapen myself by doing such a thing.* Jeg ville* ikke nedverdige meg *or* gjøre* meg billig ved å gjøre* noe slikt.
cheaper ['tʃiːpəʳ] ADJ billigere
cheaply ['tʃiːplɪ] ADV billig
cheat [tʃiːt] 1 VI jukse (*v1*)
2 VT ▸ **to cheat sb (out of sth)** jukse (*v1*) noen (for noe), bedra* noen (for noe) ❑ *She cheated her little sister out of some money.* Hun jukset *or* bedrog lillesøsteren sin for litt penger.
3 S juksemaker *m*; (*more serious*) bedrager *m*
▸ **cheat on** VT FUS (*+husband, wife etc*) bedra*
cheating ['tʃiːtɪŋ] S juks *nt*
Chechen ['tʃɛtʃən] S tsjetsjener *m*
Chechnya ['tʃɛtʃnɪə] S Tsjetsjenia
check [tʃɛk] 1 VT (**a**) (= *examine: bill, progress*) kontrollere (*v2*) ❑ *Check your change before leaving the shop.* Kontroller vekslepengene før du forlater butikken.
(**b**) (*+passport, ticket, facts*) sjekke (*v1*), kontrollere (*v2*) ❑ *I checked his figures against the report.* Jeg sjekket *or* kontrollerte tallene hans mot utredningen.
(**c**) (= *halt: enemy, disease*) stanse (*v1*) ❑ *The destruction of the bridge checked the enemy's advance.* Ødeleggelsen av broen stanset fiendens framrykning.
(**d**) (= *restrain: impulse*) beherske (*v1*), tøyle (*v1*)
(**e**) (*+person*) stanse (*v1*), tøyle (*v1*) ❑ *She had to check an impulse to run after him...* Hun måtte* beherske *or* tøyle en trang til å løpe etter ham...
2 VI stemme (*v2x*) ❑ *Yeah -- that all checks with our data here.* Javisst -- det stemmer helt med dataene våre her.
3 S (**a**) (= *inspection*) kontroll *m* ❑ *...security checks.* ...sikkerhetskontroller.
(**b**) (= *curb*) stans *m* ❑ *...a check to the forward impetus of the invasion.* ...en stans i framrykkingen under invasjonen.
(**c**) (*især US: bill*) regning *c* ❑ *He waved to a waiter and got the check.* Han vinket på en kelner og fikk regningen.
(**d**) (*BANK*) = **cheque**
(**e**) (*SJAKK*) sjakk ❑ *...check!* ...sjakk!
(**f**) (*gen pl: pattern*) rutemønster *nt sg* ❑ *...a green jacket with sky-blue checks.* ...en grønn jakke med himmelblått rutemønster.
4 ADJ (*pattern, cloth*) rutet(e) ❑ *...a man in a check suit.* ...en mann i rutete dress.
▸ **to check with sb** sjekke (*v1*) med noen ❑ *He needed a chance to check with Hooper.* Han trengte en sjanse til å sjekke med Hooper.
▸ **to keep a check on sb/sth** holde* øye med noen/noe ❑ *We'll have to keep a check on how much we've spent.* Vi må holde øye med hvor mye vi har brukt.
▸ **check in** VTI (*at hotel, airport*) sjekke (*v1*) inn
▸ **check off** VT krysse (*v1*) av
▸ **check out** 1 VI (*of hotel*) sjekke (*v1*) ut
2 VT (**a**) (*+luggage, story*) sjekke (*v1*) ut ❑ *Sergeant Gray was sent to check out his story.* Sersjant Gray ble sendt for å sjekke historien hans.
(**b**) (*+person*) sjekke (*v1*) (opp) ❑ *We'd better check him out before we let him join the group.* Det er best vi sjekker ham (opp) før vi lar ham bli* med i gruppen.
▸ **check up on** VT FUS sjekke (*v1*) (opp) ❑ *The*

council checked up on her and decided she was unsuitable for employment. Rådet sjekket henne og besluttet at hun var uegnet for ansettelse.

checkered ['tʃɛkəd] (*US*) ADJ = **chequered**

checkers ['tʃɛkəz] (*US*) SPL dam *m sg*

check guarantee card (*US*) s bankkort *nt*

check-in (desk) ['tʃɛkɪn-] s innsjekkingsskranke *m*

checking account (*US*) s sjekkonto *m*, brukskonto *m*

checklist ['tʃɛklɪst] s sjekk(e)liste *c*, huskeliste *c*

checkmate ['tʃɛkmeɪt] s, ADJ sjakkmatt

checkout ['tʃɛkaut] s kasse *c*

checkpoint ['tʃɛkpɔɪnt] s grenseovergang *m*, kontrollpost *m*

checkroom ['tʃɛkrum] (*US*) s (bagasje)oppbevaring *c*

checkup, check-up ['tʃɛkʌp] s undersøkelse *m*, kontroll *m*

cheek [tʃi:k] s (**a**) (*on face*) kinn *nt*
(**b**) (*= impudence*) frekkhet *c*, uforskammethet *c*
❑ *I've had enough of your cheek!* Jeg har fått nok av frekkheten *or* uforskammetheten din!
▸ **to have the cheek to do sth** være* frekk nok til å gjøre* noe

cheekbone ['tʃi:kbəun] s kinnbein *nt*

cheeky ['tʃi:kɪ] ADJ frekk, uforskammet, nesevis

cheep [tʃi:p] [1] VI pipe*
[2] s pip *nt* ❑ *The bird gave a cheep and flew off.* Fuglen gav fra seg et pip og fløy av sted.

cheer [tʃɪəʳ] [1] VT (**a**) (*+team, speaker*) heie (*v1*) på
(**b**) (*= gladden*) oppmuntre (*v1*), oppkvikke (*v1*)
[2] VI (**a**) (*= shout*) rope (*v2*) (*oppmuntrende*), komme* med oppmuntrende tilrop
(**b**) (*SPORT*) heie (*v1*)
[3] s (**a**) (*= shout*) hurrarop *nt*, tilrop *nt*
(**b**) (*SPORT*) heiarop *nt* ❑ *I heard a great cheer go up.* Jeg hørte kraftige hurrarop/heiarop som steg.
▸ **cheers!** (**a**) (*toast*) skål!
(**b**) (*sl: thanks*) takk!

▸ **cheer on** VT (*+runner etc*) heie (*v1*) på

▸ **cheer up** [1] VI (*person+*) få* opp humøret ❑ *Oh Peter, cheer up -- it's not the end of the world, you know.* Å Peter, få* opp humøret -- det er ikke verdens undergang.
[2] VT (*+person*) oppmuntre (*v1*), få* i bedre humør ❑ *Her friends tried to cheer her up...* Vennen hennes prøvde å oppmuntre henne *or* få* henne i bedre humør...

cheerful ['tʃɪəful] ADJ (*wave, smile, person*) munter

cheerfulness ['tʃɪəfulnɪs] s munterhet *c*

cheerio [tʃɪərɪ'əu] (*BRIT*) INTERJ morn igjen, morna, ha* det

cheerleader ['tʃɪəli:dəʳ] s heiagjengleder *m* (*ung jente som leder en organisert heiagjeng ved fotballkamper etc*)

cheerless ['tʃɪəlɪs] ADJ (*morning, room*) trøstesløs

cheese [tʃi:z] s ost *m*

cheeseboard ['tʃi:zbɔ:d] s ostefjøl *c*, ostebrett *nt*; (*with cheese on it*) osteanretning *m*

cheeseburger ['tʃi:zbə:gəʳ] s cheeseburger *m*

cheesecake ['tʃi:zkeɪk] s ostekake *c*

cheetah ['tʃi:tə] s gepard *m*

chef [ʃɛf] s kjøkkensjef *m*

chemical ['kɛmɪkl] [1] ADJ kjemisk
[2] s kjemikalie *m*, kjemisk middel *nt*

chemical engineering s kjemiteknikk *m*

chemist ['kɛmɪst] s (*BRIT: pharmacist*) farmasøyt *m*, apoteker *m*; (*scientist*) kjemiker *m*

chemistry ['kɛmɪstrɪ] s kjemi *m*

chemist's (shop) (*BRIT*) s (*selling medicines etc*) apotek *nt*; (*selling toiletries etc*) parfymeri *nt*

chemotherapy [ki:məu'θɛrəpɪ] s kjemoterapi *m*; (*for cancer*) cellegiftbehandling *c*

cheque [tʃɛk] (*BRIT*) s sjekk *m*
▸ **to pay by cheque** betale (*v2*) med sjekk

chequebook ['tʃɛkbuk] (*BRIT*) s sjekkhefte *nt*

cheque card (*BRIT*) s bankkort *nt*

chequered ['tʃɛkəd], **checkered** (*US*) ADJ (*fig: career, history*) broket(e)

cherish ['tʃɛrɪʃ] VT (**a**) (*+person*) holde* av, sette* høyt
❑ *Comfort and cherish those you love.* Trøst og hold av *or* sett høyt dem som du elsker.
(**b**) (*+right, freedom, values*) verdsette*, sette* pris på
(**c**) (*+hope*) nære (*v2*) ❑ *I cherish a hope that one day...* Jeg nærer et håp om at en dag...

cherry ['tʃɛrɪ] s (*fruit*) kirsebær *nt*; (*also* ***cherry tree***) kirsebærtre *nt*

chervil ['tʃə:vɪl] s kjørvel *m*

Ches (*BRIT: POST*) FK = **Cheshire**

chess [tʃɛs] s sjakk *m*

chessboard ['tʃɛsbɔ:d] s sjakkbrett *nt*

chessman ['tʃɛsmən] *irreg* s sjakkbrikke *c*

chessplayer ['tʃɛspleɪəʳ] s sjakkspiller *m*

chest [tʃɛst] s (**a**) (*ANAT*) bryst *nt*, brystkasse *c*
(**b**) (*= box*) kiste *c*
▸ **to get sth off one's chest** (*sl*) lette (*v1*) sitt hjerte for noe

chest measurement s brystmål *nt*

chestnut ['tʃɛsnʌt] [1] s (**a**) kastanje *m*
(**b**) (*also* ***chestnut tree***) kastanjetre *nt*
[2] ADJ (*hair*) kastanjebrun, kastanjefarget
▸ **a chestnut** (*= horse*) en fuks

chest of drawers s kommode *m*

chesty ['tʃɛstɪ] ADJ (*cough*) bryst-

chew [tʃu:] VT (**a**) (*+food*) tygge (*v1 or v3*) (på)
(**b**) (*+object, hole*) bite* ❑ *My dog has chewed a hole in your slipper.* Hunden min har bitt hull i tøffelen din.

chewing gum s tyggegummi *m*

chic [ʃi:k] ADJ (*dress, hat etc*) chic; (*person, place*) fasjonabel, fornem

chick [tʃɪk] s (*= young bird*) fugleunge *m*, kylling *m*; (*sl: girl*) skreppe *f*

chicken ['tʃɪkɪn] s (**a**) (*young bird, meat*) kylling *m*
(**b**) (*grown bird*) høne *c*
(**c**) (*sl: coward*) feiging *m*, reddhare *m*

▸ **chicken out** (*sl*) VI bakke (*v1*) ut, få* kalde føtter
❑ *I chickened out at the last moment.* Jeg bakket ut *or* fikk kalde føtter i siste øyeblikk.
▸ **to chicken out of doing sth** bli* avskrekket fra å gjøre* noe

chicken feed s (*fig*) småpenger *pl*

chickenpox ['tʃɪkɪnpɔks] s vannkopper *pl*

chick pea s bukkeert *c*, gul ert *c*

chicory ['tʃɪkərɪ] s (*in coffee*) sikori *m*; (*salad vegetable*) sikori(salat) *m*

chide [tʃaɪd] VT ▸ **to chide sb (for)** skjenne (*v2x*) på noen (for)

chief [tʃiːf] 1 s (**a**) (*of tribe*) høvding *m*
(**b**) (*of organization, department*) sjef *m* ❑ *Defence chiefs urged mobilization at once.* Forsvarssjefene oppfordret til mobilisering straks.
2 ADJ (= *principal*) hoved-, viktigst ❑ *His country is one of the chief sources of cocaine.* Landet hans er en av hovedkildene *or* en av de viktigste kildene for kokain.

chief constable (*BRIT*) s politimester *m*

chief executive, chief executive officer (*US*) s administrerende direktør *m*

chiefly ['tʃiːflɪ] ADV hovedsakelig ❑ *...chiefly because the tools were of poor quality.* ...hovedsakelig fordi redskapene var av dårlig kvalitet.

Chief of Staff s stabssjef *m*

chiffon ['ʃɪfɔn] s chiffon *m*

chilblain ['tʃɪlbleɪn] s frostblemme *c*, frostknute *m*

child [tʃaɪld] (*pl* **children**) s barn *nt irreg* ❑ *She's just had her second child.* Hun har akkurat fått sitt andre barn. *Their children are all married.* Alle barna deres er gift.

child benefit (*BRIT*) s ≈ barnetrygd *c*

childbirth ['tʃaɪldbəːθ] s (barne)fødsel *m*

childhood ['tʃaɪldhud] s barndom *m*

childish ['tʃaɪldɪʃ] ADJ (*games, attitude, person*) barnslig

childless ['tʃaɪldlɪs] ADJ barnløs ❑ *...childless couples.* ...barnløse ektepar.

childlike ['tʃaɪldlaɪk] ADJ barnlig, barnaktig

child minder (*BRIT*) s dagmamma *m*

children ['tʃɪldrən] SPL barn*
▸ **the children** barna

children's home s barnehjem *nt*

child's play s ▸ **it was child's play** det var bare barnemat, det var lekende lett

Child Support Agency (*BRIT*) s *bidragsfogden*

Chile ['tʃɪlɪ] s Chile

Chilean ['tʃɪlɪən] 1 ADJ chilensk
2 s (*person*) chilener *m*

chill [tʃɪl] 1 s (**a**) (= *coldness: in air, water etc*) kulde *c* ❑ *...the chill in the air.* ...kulden i luften.
(**b**) (*MED: illness*) forkjølelse *m* ❑ *She caught a bad chill.* Hun fikk seg en lei forkjølelse.
(**c**) (= *shiver*) (kulde)gysninger *pl*, gys *pl* ❑ *The sound sent a chill down my spine.* Lyden sendte gysninger nedover ryggen på meg.. Lyden fikk det til å gå* kaldt nedover ryggen på meg.
2 ADJ (**a**) (*day, sun etc*) kjølig
(**b**) (*fig: reminder*) urovekkende, som får det til å gå* kaldt nedover ryggen på en
3 VT (= *cool: food, drinks*) avkjøle (*v2*) ❑ *White wine should be slightly chilled.* Hvitvin bør være* lettere avkjølt.
▸ **I'm chilled to the bone** *or* **marrow** jeg er iskald tvers igjennom
▸ **"serve chilled"** "serveres avkjølt"

chilli ['tʃɪlɪ], **chili** (*US*) s chili *m*, chilipepper *m*

chilling ['tʃɪlɪŋ] ADJ (*wind*) sur; (*fig: effect, prospect etc*) grufull

chill out (*sl*) VI kule (*v1*) ned

chilly ['tʃɪlɪ] ADJ (*weather, look etc*) kjølig ❑ *She had given him a very chilly look.* Hun hadde sendt ham et meget kjølig blikk.
▸ **to be** *or* **feel chilly** (små)fryse*

chime [tʃaɪm] 1 s (*of bell*) ringing *c*, kiming *c*; (*of clock*) slag *nt*
2 VI (*bell+*) ringe (*v2*), kime (*v2*); (*clock+*) slå*

chimney ['tʃɪmnɪ] s (*of house, factory*) pipe *c*, skorstein *m*

chimney sweep s (skorsteins)feier *m*

chimpanzee [tʃɪmpæn'ziː] s sjimpanse *m*

chin [tʃɪn] s hake *c*

China ['tʃaɪnə] s Kina

china ['tʃaɪnə] s porselen *nt*

Chinese [tʃaɪ'niːz] 1 ADJ kinesisk
2 s UBØY (= *person*) kineser *m*; (*LING*) kinesisk

chink [tʃɪŋk] s (**a**) (= *crack*) sprekk *m* ❑ *...a chink of light.* ...en lyssprekk *or* en strime av lys.
(**b**) (= *sound*) klirr *nt*, klirring *c* ❑ *...the chink of ice cubes in glasses.* ...klirret fra *or* klirringen av isbiter i glass.

chintz [tʃɪnts] s chintz *m*

chinwag ['tʃɪnwæg] (*BRIT: sl*) s sladder *m*

chip [tʃɪp] 1 s (**a**) (*KULIN: gen pl*) chips *m uncount*, pommes frites *m uncount* ❑ *...a portion of chips.* ...en porsjon chips *or* pommes frites.
(**b**) (*US:* ***potato chip***) potetgull *nt uncount*, (potet)chips *m uncount*
(**c**) (*of wood*) flis *c* ❑ *...wood chips.* ...trefliser.
(**d**) (*of glass, stone*) splint *m* ❑ *Their job is to hammer the rough blocks into smaller chips.* Jobben deres er å hamre de grovhogde blokkene til mindre splinter.
(**e**) (*in glass, cup etc*) skår *nt*, skall *nt* ❑ *It's the only mug we've got that hasn't got a chip n it.* Det er det eneste kruset vi har som ikke har skår *or* skall.
(**f**) (*in gambling*) sjetong *m* ❑ *They're playing with hundred-dollar chips.* De spiller med hundredollars sjetonger.
(**g**) (*DATA:* ***microchip***) brikke *c*, mikrochip *m*
2 VT (*+cup, plate*) slå* skår *or* skall i ❑ *...he chipped the glass.* ...han slo skår *or* skall i glasset.
▸ **chips** (= *gravel*) singel *m uncount*
▸ **when the chips are down** (*fig*) når det virkelig gjelder ❑ *It's difficult to tell who is "average" and who is not until the chips are down.* Det er vanskelig å si hvem som er "gjennomsnittlig" og ikke før det virkelig gjelder.

▸ **chip in** (*sl*) VI (**a**) (= *contribute*) legge* sammen ❑ *They all chipped in to pay the doctor's bill.* Alle la sammen for å betale legeregningen.
(**b**) (= *interrupt*) bryte* inn, skyte* inn

chipboard ['tʃɪpbɔːd] s sponplate *c*

chipmunk ['tʃɪpmʌŋk] s (nordamerikansk) jordekorn *nt*

chippings ['tʃɪpɪŋz] SPL ▸ **"loose chippings"** "steinsprut"

---

chip shop

En **chip shop**, *også kalt en* fish-and-chip-shop, *er en butikk hvor man selger ferdige retter som kunden kan ta med hjem. Chip-shop'ene er opprinnelsen til de moderne take-away-butikkene. Man kjøper særlig frityrstekt fisk med chips, men man kan også få tradisjonelle, britiske retter (kjøttpaier, pølser, osv.).*

Alle rettene ble opprinnelig pakket inn i avispapir. I noen av disse butikkene kan man sette seg ned og spise på stedet.

chiropodist [kɪ'rɔpədɪst] (*BRIT*) s fotpleier *m*
chiropody [kɪ'rɔpədɪ] (*BRIT*) s fotpleie *m*
chirp [tʃəːp] VI (*bird+*) pipe*, kvitre (*v1*); (*crickets, insects+*) synge*
chirpy ['tʃəːpɪ] (*sl*) ADJ glad *or* blid og fornøyd
chisel ['tʃɪzl] s meisel *m*
chit [tʃɪt] s (*paper*) lapp *m* (*vanligvis fra en myndighetsperson*)
chitchat, **chit-chat** ['tʃɪttʃæt] s småprat *m*
chivalrous ['ʃɪvəlrəs] ADJ ridderlig
chivalry ['ʃɪvəlrɪ] s ridderlighet *m*
chives [tʃaɪvz] SPL gressløk *m*
chloride ['klɔːraɪd] s klorid *nt*
chlorinate ['klɔrɪneɪt] VT klore (*v2*)
chlorine ['klɔːriːn] s klor *m*
chock [tʃɔk] s bremsekloss *m*
chock-a-block ['tʃɔkə'blɔk] ADJ tettpakket, proppfull ❑ *London is chock-a-block with tourists at the moment.* London er tettpakket *or* proppfull med turister for øyeblikket.
chock-full [tʃɔk'ful] ADJ = **chock-a-block**
chocolate ['tʃɔklɪt] 1 s (**a**) (*substance*) sjokolade *m* ❑ *...a bar of chocolate.* ...en sjokoladeplate.
(**b**) (*drink*) (varm) sjokolade *m* ❑ *Poirot drank his morning chocolate.* Poirot drakk sin morgensjokolade.
(**c**) (*sweet*) sjokolade *m*, konfekt *m* ❑ *...a box of chocolates.* ...en eske sjokolade *or* konfekt.
2 SAMMENS (*bar, cake etc*) sjokolade-
choice [tʃɔɪs] 1 s (**a**) (= *act of choosing, preference*) valg *nt* ❑ *You have to make a choice...* Du må gjøre* et valg... *Phil was her choice.* Phil var hennes valg.
(**b**) (= *selection, range*) utvalg *nt* NB *There's a choice of eleven sports.* Man kan velge mellom elleve idrettsgrener.
(**c**) (= *option*) alternativ *nt*, valgmulighet *c* ❑ *Each applicant has five choices.* Hver søker har fem alternativer *or* valgmuligheter.
2 ADJ (= *fine : meat, fruit etc*) utsøkt
▸ **by** *or* **from choice** etter valg
▸ **a wide choice (of)** et bredt utvalg (av)
choir ['kwaɪəʳ] s kor *nt*
choirboy ['kwaɪə'bɔɪ] s korgutt *m*
choke [tʃəuk] 1 VI (**a**) (*on food, drink etc*) sette* noe i halsen *or* i vrangstrupen ❑ *Philip choked on his drink.* Philip satte drinken sin i halsen *or* i vrangstrupen.
(**b**) (*with smoke, dust, anger etc*) holde* på å bli* kvalt, holde* på å kveles
2 VT (**a**) (= *strangle*) kvele* ❑ *An old woman was found choked to death.* En gammel dame ble funnet kvalt.
(**b**) (= *block*) ▸ **to be choked (with)** være* korket *or* tettpakket (med) ❑ *The centre of the city was choked with cars.* Sentrum av byen var korket *or* tettpakket med biler.
3 s (*BIL*) choke *m* ❑ *It's on full choke...* Den står på full choke...
cholera ['kɔlərə] s kolera *m*
cholesterol [kə'lɛstərɔl] s kolestrol *m or nt*

choose [tʃuːz] (*pt* **chose**, *pp* **chosen**) 1 VT velge* ❑ *They were choosing sweets.* De valgte (ut) søtsaker. *Wilson chose Callaghan as his Chancellor.* Wilson valgte Callaghan som sin finansminister.
2 VI ▸ **to choose between** velge* mellom
▸ **to choose from** velge* blant *or* mellom
▸ **to choose to do** velge* å gjøre
choosy ['tʃuːzɪ] ADJ (= *difficult to please*) kresen, kravstor
▸ **to be choosy** være* kresen ❑ *I'm very choosy about my whisky.* Jeg er svært kresen på whiskyen min.
chop [tʃɔp] 1 VT (**a**) (*+wood*) hogge (*v3x*), hugge ❑ *I don't like chopping wood.* Jeg liker ikke å hogge ved.
(**b**) (*+vegetables, fruit, meat*) skjære* i småbiter, hakke (*v1*) opp ❑ *Peel, slice, and chop the apple.* Skrell, skiv og hakk opp eplet.. Skrell og skiv eplet og skjær det i småbiter.
2 s (*KULIN*) kotelett *m* ❑ *...lamb chops.* ...lammekoteletter.
▸ **chops** (*sl*) SPL (= *jaws*) kjeft *m*
▸ **to get the chop** (**a**) (*BRIT : sl : project*) bli* droppet *or* skrinlagt
(**b**) (*+person*) få* sparken
▸ **chop down** VT (*+tree*) hogge (*v3x*) (ned)
▸ **chop up** VT skjære* i småbiter, hakke (*v1*) opp
chopper ['tʃɔpəʳ] (*sl*) s (= *helicopter*) helikopter *nt*
choppy ['tʃɔpɪ] ADJ (*sea*) krapp
chopsticks ['tʃɔpstɪks] SPL (spise)pinner *mpl*
choral ['kɔːrəl] ADJ kor-
chord [kɔːd] s (*MUS*) akkord *m*; (*MAT*) korde *m*
chore [tʃɔːʳ] s (**a**) (= *domestic task*) husarbeid *nt uncount* ❑ *Does your husband do his share of the chores?* Gjør mannen din sin del av husarbeidet?
(**b**) (= *routine task*) kjedelig plikt *m* ❑ *Writing should be a challenge rather than a chore.* Å skrive burde være* en utfordring og ikke en kjedelig plikt.
▸ **household chores** husarbeid *nt*
choreographer [kɔrɪ'ɔgrəfəʳ] s koreograf *m*
choreography [kɔrɪ'ɔgrəfɪ] s koreografi *m*
chorister ['kɔrɪstəʳ] s (kirke)korsanger *m*
chortle ['tʃɔːtl] VI klukkle*, klukke (*v1*)
chorus ['kɔːrəs] s (**a**) (*gen, fig*) kor *nt* ❑ *I arranged this huge chorus in groups.* Jeg plasserte dette kjempestore koret i grupper. *...the Soldiers' Chorus from Faust.* ...Soldatkoret fra Faust. *In recent weeks the chorus of complaints has been growing.* I de siste ukene har klagekoret vokst.
(**b**) (= *refrain*) kor *nt*, refreng *nt*, omkved *nt* ❑ *The chorus is repeated three times.* Koret *or* refrenget *or* omkvedet blir gjentatt tre ganger.
chorus line s korrekke *c* ❑ *She began her professional career in the chorus line of Oklahoma.* Hun begynte sin yrkeskarriere i korrekka i Oklahoma.
chose [tʃəuz] PRET *of* **choose**
chosen ['tʃəuzn] PP *of* **choose**
chow [tʃau] s chow-chow *m*
chowder ['tʃaudəʳ] s *tykk fiske- eller skalldyrsuppe*
Christ [kraɪst] s Kristus
christen ['krɪsn] VT (**a**) (*+baby*) døpe (*v2*)

(**b**) (*with nickname*) døpe (*v2*) (for) ❑ *The crew christened the geysers the "black smokers".* Mannskapet døpte de kildene (for) de "sorte røykerne".
christening ['krɪsnɪŋ] s barnedåp *m*
Christian ['krɪstɪən] 1 ADJ kristen
2 s kristen *m decl as adj* ❑ *Is he a Christian?* Er han kristen?
Christianity [krɪstɪ'ænɪtɪ] s kristendom *m*
Christian name s fornavn *nt*
Christmas ['krɪsməs] s jul *c* ❑ *The past few Christmases had been very quiet.* De siste par årene har det vært svært stille i julen.
▸ **at Christmas** (**a**) (*future*) til jul
(**b**) (*past*) om jul
▸ **over Christmas** i jula
▸ **Happy** *or* **Merry Christmas!** God *or* gledelig jul!
Christmas card s julekort *nt*
Christmas Day s første juledag *m*, juledagen *m def*
Christmas Eve s julaften *m*, julekveld *m*
Christmas Island s Christmas-øya
Christmas tree s juletre *nt*
chrome [krəum] s = **chromium**
chromium ['krəumɪəm] s krom *nt*; (*also* ***chromium plating***) forkromming *c*
chromosome ['krəuməsəum] s kromosom *nt*
chronic ['krɔnɪk] ADJ kronisk ❑ *In spite of chronic ill health...* På tross av en kronisk dårlig helse... *chronic food shortages.* ...kronisk matmangel.
chronicle ['krɔnɪkl] s (*of events*) krønike *m*
chronological [krɔnə'lɔdʒɪkl] ADJ kronologisk ❑ *...in strict chronological order.* ...i streng kronologisk rekkefølge.
chrysanthemum [krɪ'sænθəməm] s krysantemum *m*
chubby ['tʃʌbɪ] ADJ (*cheeks, child*) lubben
chuck [tʃʌk] (*sl*) VT (**a**) (= *throw: stone, ball etc*) hive*, slenge (*v2*)
(**b**) (*BRIT:* ***chuck in***: *job*) kutte (*v1*) ut
(**c**) (*+person*) slå* opp med ❑ *...his girlfriend's just chucked him.* ...kjæresten hans akkurat har slått opp med ham.
▸ **chuck out** VT (**a**) (*+person*) kaste (*v1*) ut
(**b**) (*+rubbish etc*) kaste (*v1*), hive*
chuckle ['tʃʌkl] VI klukkle*, klukke (*v1*)
chuffed [tʃʌft] (*BRIT: sl*) ADJ fornøyd
chug [tʃʌg] VI (*machine, car engine etc+*) dunke (*v1*), putre (*v1*); (*also* ***chug along***: *car, boat*) tøffe (*v1*) av sted, putre (*v1*) av sted *or* i vei
chum [tʃʌm] s kompis *m*, kamerat *m*
chump [tʃʌmp] (*sl*) s dumming *m*, tosk *m*
chunk [tʃʌŋk] s stykke *nt*, (stor) bit *m*
chunky ['tʃʌŋkɪ] ADJ (*person*) grovbygd, firskåren; (*knitwear*) tykk, av tykt *or* grovt garn; (*furniture etc*) svær, ruvende
Chunnel ['tʃʌnəl] s = **Channel Tunnel**
church [tʃə:tʃ] s (**a**) (*building*) kirke *m*
(**b**) (*denomination*) kirke *m*, kirkesamfunn *nt*
▸ **the Church of England** den anglikanske kirken, den engelske statskirken
churchyard ['tʃə:tʃjɑ:d] s kirkegård *m*
churlish ['tʃə:lɪʃ] ADJ kulten ❑ *It seemed churlish to send him away.* Det virket kultent å sende ham av gårde.
churn [tʃə:n] s (*for butter*) kjerne *c* (*var.* kinne) (*also* ***milk churn***) (stort) melkespann *nt*
▸ **churn out** VT (*+objects, books etc*) spy (*v4*) ut, produsere (*v2*) på løpende bånd
chute [ʃu:t] s (*also* ***rubbish chute***) sjakt *c*; (*for coal, parcels etc*) renne *c*; (*BRIT: slide*) rutsjebane *m*
chutney ['tʃʌtnɪ] s chutney *m*
CIA (*US*) s FK (= **Central Intelligence Agency**) *den sentrale etterretningsorganisasjonen i USA*
cicada [sɪ'kɑ:də] s sikade *m*
CID (*BRIT*) s FK (= **Criminal Investigation Department**) ≈ kriminalpoliti *nt*
cider ['saɪdə^r] s sider *m* (*alkoholholdig*)
c.i.f. (*MERK*) FK (= **cost, insurance and freight**) levert omkostnings-, forsikrings- og fraktfritt til mottaker
cigar [sɪ'gɑ:^r] s sigar *m*
cigarette [sɪgə'rɛt] s sigarett *m*
cigarette case s sigarettetui *nt*
cigarette end s sigarettstump *m*
cigarette holder s sigarettholder *m*
C-in-C (*MIL*) FK (= **commander-in-chief**) øverstkommanderende *m decl as adj*
cinch [sɪntʃ] (*sl*) s ▸ **it's a cinch** det går som en lek, det er lett match
Cinderella [sɪndə'rɛlə] s Askepott
cinders ['sɪndəz] SPL aske *m*
cine camera ['sɪnɪ-] (*BRIT*) s (smal)filmkamera *nt*
cine film (*BRIT*) s smalfilm *m*
cinema ['sɪnəmə] s (**a**) (*place*) kino *m* ❑ *...films made for the cinema and for television.* ...filmer som er lagd for kino og for tv.
(**b**) (= *film-making*) film *m* ❑ *...one of the classic works of Hollywood cinema.* ...en av de klassiske Hollywoodfilmene.
cine projector (*BRIT*) s (smal)filmapparat *nt*
cinnamon ['sɪnəmən] s kanel *nt*
cipher ['saɪfə^r] s (**a**) (= *code*) kode *m*
(**b**) (*fig: faceless employee etc*) null *nt* ❑ *He's no more than a cipher in the organization.* Han er bare et null i organisasjonen.
▸ **in cipher** i kode ❑ *They had been corresponding in cipher.* De hadde korrespondert i kode.
circa ['sə:kə] PREP circa
circle ['sə:kl] 1 s (**a**) (*shape*) sirkel *m*, runding *m*
(**b**) (*of trees, people*) sirkel *m*, ring *m* ❑ *The students sit in a circle on the floor.* Studentene sitter i en sirkel *or* en ring på gulvet.
(**c**) (*of friends*) krets *m* ❑ *...my circle of friends.* ...vennekretsen min.
(**d**) (*in cinema, theatre*) balkong *m* ❑ *Shall we sit in the stalls or the circle?* Skal vi sitte i parkett eller på balkongplass?
2 VI (*bird, plane+*) kretse (*v1*), sirkle (*v1*) ❑ *The pilot circled and came down very fast.* Piloten kretset *or* sirklet og kom svært raskt ned.
3 VT (**a**) (= *move round*) kretse (*v1*) rundt ❑ *...animals circling each other.* ...dyr som kretser rundt hverandre.
(**b**) (= *surround*) omkranse (*v1*) ❑ *By now, the trench circled the camp...* Nå omkranset grøften leiren...
circuit ['sə:kɪt] s (**a**) (*ELEK*) (strøm)krets *m* ❑ *...the*

current flowing through the circuit. ...strømmen som går gjennom kretsen.
(**b**) (= *tour*) rundtur *m* ❑ *One cannot make a complete circuit of the grounds.* Man kan ikke ta* en hel rundtur på området.
(**c**) (= *track*) bane *m* ❑ *...drivers driving round a circuit.* ...sjåfører som kjørte rundt en bane.
(**d**) (= *lap*) runde *m* ❑ *Lauda has now completed twenty-two circuits.* Lauda har nå fullført tjueto runder.
circuit board (*DATA, ELEK*) S kretskort *nt*
circuitous [sə:'kjuɪtəs] ADJ (*journey*) snirklet(e), som går i krok og sving
▸ **a circuitous route** en omvei
circular ['sə:kjuləʳ] 1 ADJ (**a**) (*plate, pond etc*) (sirkel)rund
(**b**) (*argument*) sirkel-
2 S (**a**) (= *letter*) sirkulære *nt*, rundskriv *nt*
(**b**) (*as advertisement*) reklametrykksak *m*
▸ **a circular route** en rundtur, en runde
circulate ['sə:kjuleɪt] 1 VI sirkulere (*v2*) ❑ *The traffic circulates freely.* Trafikken sirkulerer fritt. *Stories about him circulated at his club.* Det sirkulerte historier om ham i klubben hans. *After John had circulated amongst his guests...* Etter at John hadde sirkulert blant gjestene sine...
2 VT (+*report*) sirkulere (*v2*), sende (*v2*) rundt ❑ *The report was circulated to all the members.* Rapporten ble sirkulert *or* sendt rundt til alle medlemmene.
circulating capital S flytende kapital *m*
circulation [sə:kju'leɪʃən] S (**a**) (= *sending round: of report etc*) sirkulering *c*
(**b**) (*of traffic, air etc*) sirkulasjon *m*
(**c**) (= *number circulated: of newspaper etc*) opplag *nt* ❑ *The local paper had a circulation of six thousand.* Lokalavisen hadde et opplag på seks tusen.
(**d**) (*of blood*) omløp *nt*, sirkulasjon *m* ❑ *He jumped up and down to get the circulation going.* Han hoppet opp og ned for å få* i gang blodomløpet *or* blodsirkulasjonen.
circumcise ['sə:kəmsaɪz] VT omskjære*
circumference [sə'kʌmfərəns] S (**a**) (= *edge*) kant *m* ❑ *He jogged around the circumference of the reservoir.* Han jogget rundt kanten av reservoaret.
(**b**) (= *distance*) omkrets *m* ❑ *...seven hundred feet in circumference.* ...sju hundre fot i omkrets.
circumflex ['sə:kəmflɛks] S (*also* ***circumflex accent***) cirkumfleks *m*
circumscribe ['sə:kəmskraɪb] VT (**a**) (+*geometrical figure*) omskrive*
(**b**) (*fig: limit*) begrense (*v1*) ❑ *His authority was circumscribed.* Myndigheten hans var begrenset.
circumspect ['sə:kəmspɛkt] ADJ varsom
circumstances ['sə:kəmstənsɪz] SPL (**a**) (*of accident, death*) omstendigheter *pl*, forhold *pl* ❑ *...the circumstances of her father's death.* ...omstendighetene *or* forholdene rundt hennes fars død.
(**b**) (= *conditions, state of affairs*) forhold *pl* ❑ *...the political and economic circumstances that exist in Ireland.* ...de politiske og økonomiske forholdene som Irland har.
(**c**) (= *financial condition*) (økonomiske) kår *pl* ❑ *The change in George's circumstances was abrupt.* Forandringen i Georges (økonomiske) kår var brå.
▸ **in** *or* **under the circumstances** under omstendighetene, under de rådende forhold *or* omstendigheter
▸ **under no circumstances** ikke under noen omstendighet ❑ *Under no circumstances whatsoever will I support Mr Baldwin.* Ikke under noen omstendighet vil jeg støtte Baldwin.
circumstantial [sə:kəm'stænʃl] ADJ (*report, statement*) omstendelig, utførlig
▸ **circumstantial evidence** (*JUR*) indisium *nt*
circumvent [sə:kəm'vɛnt] VT (+*regulation, difficulty*) omgå*
circus ['sə:kəs] S (**a**) (*show*) sirkus *nt* ❑ *We were going to take the children to the circus.* Vi skulle* ta* med barna på sirkus.
(**b**) (*in place names*) plass *m* (*rund*)
cirrhosis [sɪ'rəusɪs] S (*also* ***cirrhosis of the liver***) skrumplever *c*
CIS S FK (= **Commonwealth of Independent States**) SUS (= *Samveldet av uavhengige stater*)
cissy ['sɪsɪ] S, ADJ *see* **sissy**
cistern ['sɪstən] S cisterne *c*
citation [saɪ'teɪʃən] S (**a**) (= *quotation*) sitat *nt*
(**b**) (*commendation*) hederlig *or* rosende omtale *m* (*skriftlig*) ❑ *They subsequently received citations for their action.* De fikk deretter hederlig *or* rosende omtale for sin handlemåte.
(**c**) (*JUR*) (inn)stevning *m* (for retten)
cite [saɪt] VT (**a**) (= *quote: example, author etc*) sitere (*v2*)
(**b**) (*JUR: mention*) anføre (*v2*), nevne (*v2*)
(**c**) (= *summon*) (inn)stevne (*v1*) (for retten) ❑ *...the woman who was cited in his divorce action.* ...kvinnen som var anført *or* nevnt i skilsmissesaken hans.
citizen ['sɪtɪzn] S (**a**) (*of country*) statsborger *m* ❑ *He became a British citizen.* Han ble britisk statsborger.
(**b**) (*of town*) innbygger *m*, borger *m* ❑ *...the citizens of Massachusetts.* ...innbyggerne i *or* borgerne av Massachusetts.
Citizens' Advice Bureau S *rådgivningskontor for allmenheten*
citizenship ['sɪtɪznʃɪp] S statsborgerskap *nt* ❑ *...before you obtain British citizenship.* ...før du får britisk statsborgerskap.
citric acid ['sɪtrɪk-] ADJ sitronsyre *c*
citrus fruit ['sɪtrəs-] S sitrusfrukt *m*
city ['sɪtɪ] S by *m* ❑ *...the city of Cambridge.* ...Cambridge by.
▸ **the City** (*BRIT*) City *nt*, *finansstrøket i London*
city centre S sentrum *nt* (av byen)
City Hall S rådhus *nt*; (*US: municipal government*) lokaladministrasjon *m*
city technology college S ≈ teknisk høyskole *m*
civic ['sɪvɪk] ADJ (**a**) (*leader, authorities*) kommunal, kommune-
(**b**) (*duties, pride*) borger- ❑ *...her civic responsibilities.* ...sine borgerplikter.
civic centre (*BRIT*) S kommunehus *nt*

civil ['sɪvɪl] ADJ (**a**) (*disobedience, disturbances, authorities*) sivil ❑ *...civil and military communications centres.* ...sivile og militære kommunikasjonssentra.
(**b**) (*rights, liberties*) samfunns-
(**c**) (= *polite*) ▸ **civil (to)** høflig (mot)
Civil Aviation Authority S ≈ Luftfartsverket
civil defence S sivilforsvar *nt*
civil engineer S bygningsingeniør *m*
civil engineering S byggteknikk *m*
civilian [sɪ'vɪlɪən] 1 ADJ (*casualties, life*) sivil
2 S sivil *m decl as adj*
civilization [sɪvɪlaɪ'zeɪʃən] S sivilisasjon *m*
civilized ['sɪvɪlaɪzd] ADJ (**a**) (*society, person*) sivilisert
(**b**) (*place, experience*) sivilisert, anstendig ❑ *Every room has its own jacuzzi -- very civilized.* Hvert rom har et eget boblebad -- veldig sivilisert *or* anstendig.
civil law S sivilrett *m*
civil liberties S borgerrettigheter
civil rights SPL borgerrettigheter *pl* ❑ *...the civil rights movement.* ...borgerrettighetsbevegelsen.
civil servant S statstjenestemann *m irreg*, funksjonær *m* i statsadministrasjonen
Civil Service S ▸ **the Civil Service** statsadministrasjonen
civil war S borgerkrig *m*
civvies ['sɪvɪz] (*sl*) SPL sivil
CJD S FK (= **Creutzfeldt-Jakob Disease**) CJS (= *Creutzfeldt-Jakobs sykdom*)
cl FK = **centilitre**
clad [klæd] ADJ ▸ **clad (in)** kledd (i)
claim [kleɪm] 1 VT (**a**) (= *assert*) ▸ **to claim that/ to be** påstå* at/at man er, hevde (*v1*) at/at man er ❑ *He claimed to be a Scot...* Han påstod *or* hevdet at han var skotte...
(**b**) (+*responsibility, credit*) påberope (*v2*) seg ❑ *The freedom fighters claimed responsibility for the bombing.* Frihetsforkjemperne påberopte *or* påtok seg ansvar for bombingen.
(**c**) (+*expenses, rights, inheritance*) kreve (*v3*), gjøre* krav på ❑ *...to claim travelling expenses.* ...kreve *or* gjøre* krav på dekning av reiseutgifter.
2 VI (*for insurance*) reise (*v2*) krav
3 S (**a**) (= *assertion*) påstand *m* ❑ *...the government's claim that the economy is picking up.* ...regjeringens påstand om at økonomien er i ferd med å ta* seg opp.
(**b**) (*for pension, wage rise, compensation*) krav *nt* ❑ *...millions of dollars in claims.* ...krav på millioner av dollar.
(**c**) (= *right*) ▸ **claim (to)** krav *nt* (på) ❑ *...her rightful claim to the property.* ...hennes rettsmessige krav på eiendommen.
▸ **to claim on one's insurance** reise (*v2*) krav mot forsikringsselskapet
▸ **(insurance) claim** forsikringskrav *nt*
▸ **to put in a claim for** (+*expenses*) sende (*v2*) regning for
claimant ['kleɪmənt] S søker *m*
claim form S (*ADMIN*) søknadsskjema *nt*; (*FORS*) skademeldingsskjema *nt*
clairvoyant [klɛə'vɔɪənt] S synsk person *m*
clam [klæm] S musling *m*
▸ **clam up** (*sl*) VI bli* stum som en østers

clamber ['klæmbəʳ] VI (**a**) (*aboard vehicle*) klyve* ❑ *...clamber aboard a train heading north.* ...klyver ombord i et nordgående tog.
(**b**) (*up hill etc*) kravle (*v1*) (seg) ❑ *We clambered up the hill.* Vi kravlet (oss) opp bakken.
clammy ['klæmɪ] ADJ (*hands, face*) klam
clamour ['klæməʳ], **clamor** (*US*) 1 VI ▸ **to clamour for** rope (*v2*) på/etter ❑ *All Western Europe might soon be clamouring for such a leader.* Hele Vest-Europa vil snart kunne* rope etter en slik leder.
2 S (= *noise*) larm *m* ❑ *...the clamour of voices.* ...larmen av stemmer.
clamp [klæmp] 1 S (**a**) (*device*) klemme *c* ❑ *...a dozen bottles held in place by clamps.* ...et dusin flasker holdt på plass med klemmer.
(**b**) (*also* ***wheel clamp***) hjullås *m*
2 VT (+*wheel, car*) sette* hjullås på ❑ *He only parked there for 10 minutes, but he was still clamped.* Han parkerte der i bare 10 minutter, men han fikk likevel hjullås.
▸ **to clamp sth to sth** feste (*v1*) noe til noe med en klemme ❑ *...special trays that were clamped to the arm of a chair.* ...spesielle brett som var festet til armlenet på stolen med en klemme.
▸ **to clamp sth on/round sth** klemme (*v2x*) fast noe til/rundt noe ❑ *They clamped handcuffs around my wrists.* De klemte fast håndjern rundt håndleddene mine.
▸ **clamp down on** VT FUS (+*violence, speculation etc*) slå* hardt ned på ❑ *The authorities have got to clamp down on these troublemakers.* Myndighetene må slå hardt ned på disse uromakerne.
clampdown ['klæmpdaun] S ▸ **a clampdown on sth** det å slå ned på noe
clan [klæn] S klan *m*
clandestine [klæn'dɛstɪn] ADJ (*activity, broadcast*) hemmelig
clang [klæŋ] 1 VI (**a**) (*bell+*) klinge*
(**b**) (*metal object+*) gi* fra seg metallklang *or* metallisk lyd
2 S (**a**) (*of bell*) klang *m*
(**b**) (*of metal object*) (metall)klang *m*, metallisk lyd *m* ❑ *The door opened with a heavy clang.* Døren gikk opp med en tung metallklang *or* metallisk lyd.
clanger ['klæŋəʳ] (*BRIT: sl*) S tabbe *c*
▸ **to drop a clanger** legge* det store egget
clansman ['klænzmən] S (mannlig) klanmedlem *nt*
clap [klæp] 1 VI klappe (*v1*) ❑ *The audience clapped enthusiastically...* Publikum klappet entusiastisk...
2 VT ▸ **to clap (one's hands)** klappe (*v1*) (i hendene) ❑ *They clapped their hands in time to the music.* De klappet i hendene i takt med musikken.
▸ **a clap of thunder** et tordenskrall
clapping ['klæpɪŋ] S klapp *m*, applaus *m*
claptrap ['klæptræp] (*sl*) S tomprat *nt*
claret ['klærət] S rødvin *m* (*særlig fra Bordeaux-distriktet*)
clarification [klærɪfɪ'keɪʃən] S avklaring *c* ❑ *We need clarification of the legal position.* Vi trenger

en avklaring av det juridiske ved saken.

clarify ['klærɪfaɪ] VT (+*argument, point*) klargjøre*, forklare (*v2*)

clarinet [klærɪ'nɛt] s klarinett *m*

clarity ['klærɪtɪ] s klarhet *c*

clash [klæʃ] 1 s (**a**) (= *fight, disagreement*) sammenstøt *nt* ❑ *...violent clashes with the police.* ...voldsomme sammenstøt med politiet. *...the first public clash between the two party leaders.* ...det første offentlige sammenstøtet mellom de to partilederne.
(**b**) (*of beliefs, ideas, views*) konflikt *m* ❑ *...a personality clash.* ...en personlighetskonflikt.
(**c**) (*of colours, styles, events, dates*) kollisjon *m*, krasj *nt* ❑ *...a colour clash.* ...en fargekollisjon.. ...et fargekrasj. *I've got a clash in my timetable.* Jeg har en kollisjon *or* et krasj på timeplanen min.
(**d**) (= *metallic noise: of swords*) klirring *c*
2 VI (**a**) (*weapons, pans etc+*) skramle (*v1*) ❑ *...the pots clashing in the sink.* ...kjelene som skramlet i oppvaskkummen.
(**b**) (*cymbals+*) slå*
▸ **to clash (with)** (**a**) (= *fight, disagree*) støte (*v2*) sammen (med) ❑ *Youths clashed with police in the streets...* Ungdommer støtte sammen med politiet i gatene... *Ingrams clashed frequently with Goldsmith.* Ingrams støtte ofte sammen med Goldsmith.
(**b**) (*beliefs, ideas, views+*) være* på kollisjonskurs (med)
(**c**) (*colours, styles+*) ikke stå* i stil (med), skjære* (mot) ❑ *The fittings clash with the architecture.* Innredningen står ikke i stil med *or* skjærer mot arkitekturen.
(**d**) (*two events, dates, appointments+*) kollidere (*v2*) (med), krasje (*v1*) (med) ❑ *A religious convention had clashed with a flower show.* En religiøs storsamling hadde kollidert *or* krasjet med en blomsterutstilling.
▸ **a clash of cymbals** et slag med cymbaler

clasp [klɑːsp] 1 s (= *hold, embrace*) grep *nt*, tak *nt*; (*of necklace, bag*) lås *m*
2 VT holde* (fast)

class [klɑːs] 1 s (**a**) (= *group, also SCOL*) klasse *m* ❑ *If classes were smaller, children would learn more.* Hvis klassene var mindre, ville* barna lære mer. *...the working class.* ...arbeiderklassen. *...several classes of fern.* ...flere klasser av bregner.
(**b**) (= *lesson*) time *m* ❑ *His classes are very popular.* Timene hans er svært populære.
2 ADJ (*conflict, struggle*) klasse-
3 VT (= *categorize*) regne (*v1*) ❑ *At nineteen you're still classed as a teenager.* Når man er nitten, blir man fremdeles regnet som tenåring.

class-conscious ['klɑːs'kɔnʃəs] ADJ klassebevisst

class-consciousness ['klɑːs'kɔnʃəsnɪs] s klassebevissthet *c*

classic ['klæsɪk] 1 ADJ (**a**) (*example, illustration*) typisk, karakteristisk ❑ *...a classic illustration of British politeness.* ...en typisk *or* karakteristisk illustrasjon av britisk høflighet.
(**b**) (*film, work, style, dress*) klassisk ❑ *...one of the classic works of the cinema.* ...en av de klassiske verkene innen filmen.
2 s klassiker *m* ❑ *...War and Peace, or any other classic.* ...Krig og fred, eller en hvilken som helst annen klassiker. *The Olympic 1500 metres race was a classic.* 1500-meteren i OL var en klassiker.
▸ **Classics** SPL (*SKOL*) klassiske fag *pl* (*språk, filosofi og kulturhistorie*)

classical ['klæsɪkl] ADJ klassisk ❑ *...the classical Hindu scheme of values.* ...det klassiske verdisettet til hinduene. *...classical music.* ...klassisk musikk. *...plays set in classical times.* ...skuespill som var lagt til klassisk tid.

classification [klæsɪfɪ'keɪʃən] s (**a**) (*process*) klassifisering *c*, klassifikasjon *m* ❑ *The cataloguing and classification of all the plants...* Katalogiseringen og klassifiseringen *or* klassifikasjonen av alle plantene...
(**b**) (= *category*) kategori *m*, klasse *m* ❑ *Your insurance group classification changes...* Du kommer i en annen kategori *or* klasse forsikringstakere...

classified ['klæsɪfaɪd] ADJ (*information*) (sikkerhets)gradert

classified advertisement s rubrikkannonse *m*

classify ['klæsɪfaɪ] VT klassifisere (*v2*) ❑ *Books are classified according to subject area.* Bøker blir klassifisert etter emne.

classless ['klɑːslɪs] ADJ klasseløs

classmate ['klɑːsmeɪt] s klassekamerat *m*

classroom ['klɑːsrum] s klasserom *nt*

classy ['klɑːsɪ] (*sl*) ADJ (*person, flat, car etc*) flott, som har klasse

clatter ['klætəʳ] 1 s (**a**) (*of dishes, pots etc*) skramling *c* ❑ *...the clatter of dishes being washed.* ...skramlingen fra tallerkner som ble vasket.
(**b**) (*of hooves*) klapring *c*
2 VI (**a**) (*dishes, pots etc+*) skramle (*v1*)
(**b**) (*hooves+*) klapre (*v1*)

clause [klɔːz] s (**a**) (*JUR*) klausul *m*
(**b**) (*LING*) setning *c*
▸ **main/subordinate clause** hoved-/leddsetning

claustrophobia [klɔːstrə'fəubɪə] s klaustrofobi *m*

claustrophobic [klɔːstrə'fəubɪk] ADJ (*place, situation*) klaustrofobisk; (*person*) ▸ **to be/feel claustrophobic** ha/få klaustrofobi

claw [klɔː] s klo *c irreg*
▸ **claw at** VT FUS (+*curtains, door etc*) klore (*v2*) (på)

clay [kleɪ] s leire *c*

clean [kliːn] 1 ADJ (**a**) (*free from dirt*) ren (*var:* rein) ❑ *The room was spotlessly clean.* Rommet var skinnende rent. *...clean water.* ...rent vann.
(**b**) (*person, animal: in habits*) renslig ❑ *She is so clean and tidy...* Hun er så renslig og ryddig av seg...
(**c**) (*fight, contest*) renhårig
(**d**) (*record, reputation*) plettfri, ren
(**e**) (*driving licence*) uten prikkbelastning
(**f**) (*joke, story*) uskyldig ❑ *It's all good clean fun.* Det er bare uskyldig moro.
(**g**) (*edge*) rett, ren ❑ *...clean edges, as though they had been cut.* ...rette *or* rene kanter, som om de hadde blitt klipt.
(**h**) (*MED: fracture*) pen ❑ *Fortunately, it was a nice*

clean break. Heldigvis var det et pent brudd.
2 VT (**a**) (*+car, cooker etc*) vaske (*v1*), gjøre* ren
(**b**) (*+room*) vaske (*v1*), gjøre* rent på ❑ *Clean the bathroom thoroughly.* Vask ordentlig *or* Gjør ordentlig rent på badet.
(**c**) (*+hands, face etc*) vaske (*v1*)
(**d**) (*+teeth*) pusse (*v1*) ❑ *Go and clean your hands at once!* Gå og vask hendene dine med en gang!
3 ADV ▸ **he clean forgot** han glemte det rent *or* fullstendig
▸ **the thief got clean away** tyven forsvant helt *or* fullstendig
▸ **to come clean** (*sl: admit guilt*) legge* kortene på bordet
▸ **clean out** VT (**a**) (*+cupboard, drawer*) rydde (*v1*) ut av ❑ *I was cleaning out my desk...* Jeg ryddet ut av skrivebordet mitt...
(**b**) (*sl: person*) ribbe (*v1*) (helt) ❑ *I've got no more money -- they cleaned me out.* Jeg har ikke mer penger -- de ribbet meg helt.
▸ **clean up** 1 VT (**a**) (*+liquid, dirt*) tørke (*v1*) opp, vaske (*v1*) vekk ❑ *Clean up food spills at once.* Tørk opp *or* vask vekk matsøl med det samme.
(**b**) (*+room*) rydde (*v1*) (og vaske (*v1*))
(**c**) (*+untidy mess*) rydde (*v1*) opp i ❑ *Clean up this mess this minute!* Rydd opp i dette rotet med en gang!
(**d**) (*+child*) vaske (*v1*) ❑ *I cleaned him up as best I could.* Jeg vasket ham så godt jeg kunne.
(**e**) (*fig: deal with crime etc*) renske (*v1*) opp i ❑ *Then the police can begin to clean up the cities.* Så kan politiet begynne å renske opp i byene.
2 VI (**a**) (*spills*) vaske (*v1*)
(**b**) (*in room*) rydde (*v1*) og vaske (*v1*) ❑ *Leave everything, I'll clean up later.* La alt være, jeg skal rydde og vaske senere.
(**c**) (*fig: make profit*) gjøre* en kjempegevinst ❑ *People who buy shares now will clean up when the price rises.* Folk som kjøper aksjer nå vil gjøre* en kjempegevinst når prisen stiger.

clean-cut ['kli:n'kʌt] ADJ (**a**) (*person*) med rene trekk
(**b**) (*situation*) enkel og grei ❑ *James Bond lives in a clean-cut world.* James Bond lever i en enkel og grei verden.

cleaner ['kli:nəʳ] S (**a**) (*person*) renholder *m*, rengjøringshjelp *m*
(**b**) (*substance*) rensemiddel *nt*, vaskemiddel *nt* ❑ *...an oven cleaner.* ...et rensemiddel for steikovnen.

cleaner's ['kli:nəz] S (*also* **dry cleaner's**) renseri *nt*

cleaning ['kli:nɪŋ] S (*of house etc*) rengjøring *c*

cleaning lady S vaskehjelp *m*, rengjøringshjelp *m*

cleanliness ['klɛnlɪnɪs] S renslighet *c*

cleanly ['kli:nlɪ] ADV pent og ordentlig ❑ *He pulled the cork out cleanly.* Han trakk ut korken pent og ordentlig.

cleanse [klɛnz] VT rense (*v1*) ❑ *...and cleansed the skin.* ...og renset huden. *...images I could not cleanse from my mind.* ...bilder jeg ikke kunne* rense ut av tankene mine.

cleanser ['klɛnzəʳ] S (*for face*) rensekrem *m*, rensevann *nt*

clean-shaven ['kli:n'ʃeɪvn] ADJ glattbarbert

cleansing department (*BRIT*) S ≈ renovasjonsvesenet, renholdsverket

clean sweep S ▸ **to make a clean sweep** (*SPORT*) gjøre* rent bord

cleanup ['kli:nʌp] S (**a**) (*of house*) rengjøring *c* ❑ *This room could do with a good cleanup.* Dette rommet kunne* trenge en skikkelig rengjøring.
(**b**) (*of outdoor area, also fig*) opprensking *c*

clear [klɪəʳ] 1 ADJ (**a**) (*= easy to understand, definite*) klar ❑ *I gave a clear account of the incident.* Jeg gav en klar framstilling av hendelsen. *They won the vote by a clear majority.* De vant valget med et klart flertall.
(**b**) (*= easy to see or hear*) tydelig ❑ *He had clear, childish handwriting.* Han hadde en tydelig, barnslig håndskrift. *...in a clear voice.* ...med tydelig stemme.
(**c**) (*= obvious*) klar, tydelig ❑ *It was clear from his letter that...* Det var klart *or* tydelig av brevet hans at...
(**d**) (*glass, plastic, water, eyes, sky*) klar ❑ *The water was so clear that you could see the sea bed.* Vannet var så klart at du kunne* se sjøbunnen.
(**e**) (*skin*) ren, glatt
(**f**) (*road, way, floor etc*) klar
(**g**) (*conscience*) ren (*var.* rein) ❑ *I can leave with a clear conscience.* Jeg kan gå* med ren samvittighet.
2 VT (**a**) (*+space, room*) rydde (*v1*) ❑ *The police cleared the building...* Politiet ryddet bygningen...
(**b**) (*+trees, weeds, etc*) rydde (*v1*), fjerne (*v1*)
(**c**) (*+slums*) sanere (*v2*)
(**d**) (*JUR: suspect*) frikjenne (*v2x*) ❑ *The defendant was cleared of all charges.* Tiltalte ble frikjent på alle punkter.
(**e**) (*= jump: fence, wall*) gå* klar av, komme* seg over
(**f**) (*+cheque*) klarere (*v2*)
(**g**) (*MERK: sell*) selge* ut
3 VI (**a**) (*weather, sky+*) klarne (*v1*)
(**b**) (*fog, smoke+*) lette (*v1*)
(**c**) (*cheque+*) bli* klarert ❑ *Your cheque will take three days to clear.* Det vil ta* tre dager å klarere sjekken din.
4 ADV ▸ **clear of** (*+trouble, the ground*) klar av
▸ **in the clear** (**a**) (*= free of suspicion*) utenfor mistanke
(**b**) (*= out of danger*) utenfor fare
▸ **to clear the table** rydde (*v1*) av bordet, ta* av bordet
▸ **to clear one's throat** kremte (*v1*), renske (*v1*) stemmen
▸ **"reduced to clear"** "opprydningssalg"
▸ **to clear a profit** gjøre* en nettogevinst
▸ **to make o.s. clear** uttrykke (*v2x*) seg klart, gjøre* seg forstått ❑ *Do I make myself clear?* Har jeg uttrykt meg klart?, Har jeg gjort meg forstått?
▸ **to make it clear to sb that...** gjøre* det klart for noen at...
▸ **to keep** *or* **stay** *or* **steer clear of sb/sth** holde* seg borte fra noen/noe, holde seg unna noen/noe, styre (*v2*) klar av *or* unna noen/noe
▸ **clear off** (*sl*) VI gå* sin vei, pelle (*v1*) seg vekk (*sl*) ❑ *Now you clear off and leave me alone.* Nå kan

du gå* din vei *or* pelle deg vekk og la meg være* i fred.

▸ **clear up** 1 VT (**a**) (*+room, mess*) rydde (*v1*) (på/i), rydde (*v1*) opp på/i ❑ *Go and clear up your room.* Gå og rydd (på) rommet ditt.. Gå og rydd opp på rommet ditt.
(**b**) (*+mystery, problem, misunderstanding*) oppklare (*v2*)
2 VI (**a**) (= *tidy up*) rydde (*v1*) (opp) ❑ *I was too exhausted to clear up properly.* Jeg var for utmattet til å rydde (opp) ordentlig.
(**b**) (*illness+*) gå* over

clearance ['klıərəns] S (**a**) (= *removal : of trees*) rydding *c*
(**b**) (*of slums*) sanering *c*
(**c**) (= *permission*) klarering *c* ❑ *We should get clearance by next Monday.* Vi burde få* en klarering innen neste mandag.
(**d**) (= *free space*) klaring *c* ❑ *There was sufficient clearance between the car and the wall.* Det var nok klaring mellom bilen og veggen.
(**e**) (AVIAT) klarsignal *nt* ❑ *...clearance to take off.* ...klarsignal for å ta* av.
▸ **to get clearance** (**a**) (= *permission*) få* en klarering
(**b**) (*to land*) få* klarsignal

clearance sale S (= *stock clearance*) ryddesalg *nt*; (*shop closing down*) opphørssalg *nt*

clear-cut ['klıə'kʌt] ADJ (*decision, issue*) tydelig, klar

clearing ['klıərıŋ] S lysning *m*

clearing bank (BRIT) S clearingbank *m*, *bank som har forbindelse med et sentralt clearingkontor for å kunne* foreta transaksjoner med andre banker*

clearing house S clearingkontor *nt*

clearly ['klıəlı] ADV (**a**) (= *distinctly*) klart, tydelig ❑ *I couldn't see him clearly.* Jeg kunne* ikke se ham klart *or* tydelig.
(**b**) (= *obviously*) tydeligvis ❑ *He was clearly not expecting us.* Han ventet oss tydeligvis ikke.
(**c**) (= *coherently*) klart ❑ *Wait until you can think more clearly.* Vent til du kan tenke klarere.

clearway ['klıəweı] (BRIT) S *veistrekning med stoppforbud*

cleavage ['kli:vıdʒ] S kløft *c*

cleaver ['kli:vəʳ] S slakterkniv *m*, kjøttøks *c*

clef [klɛf] (MUS) S nøkkel *m*

cleft [klɛft] S (*in rock*) kløft *c*, spalte *m*

cleft palate S åpen gane *m*

clemency ['klɛmənsı] S mildhet *c*, barmhjertighet *c*

clement ['klɛmənt] ADJ mild

clench [klɛntʃ] VT (*+fist*) knytte (*v1*); (*+teeth*) bite* (hardt) sammen

clergy ['klə:dʒı] S prester *pl*, presteskap *nt*, geistlighet *c*

clergyman ['klə:dʒımən] *irreg* S ≈ prest *m*

clerical ['klɛrıkl] ADJ (**a**) (*worker, job, skills*) kontor-
(**b**) (REL) klerikal, geistlig
▸ **a clerical error** en feil fra kontorets side

clerk [klɑ:k, (*US*)klə:rk] S (*BRIT : office worker*) kontorist *m*; (*US : sales person*) ekspeditør *m*, ekspeditrise *c* (*female*)

Clerk of Court (*JUR*) S rettsskriver *m*

clever ['klɛvəʳ] ADJ (**a**) (= *intelligent*) flink, skarp ❑ *My sister was very clever at school.* Søsteren min var veldig flink *or* skarp på skolen.
(**b**) (= *deft, crafty*) dyktig, flink ❑ *He's a clever rogue.* Han er en dyktig *or* flink rakker.
(**c**) (*device, arrangement*) smart, snedig ❑ *It's such a clever gadget.* Det er sånn en smart *or* snedig innretning.

cleverly ['klɛvəlı] ADV smart

clew [klu:] S (*US*) = **clue**

cliché ['kli:ʃeı] S klisjé *m*

click [klık] 1 VT (**a**) (*+tongue*) smekke (*v1*) med
(**b**) (*+heels*) slå* sammen
2 VI (**a**) (*device, switch etc+*) klikke (*v1*) ❑ *His camera was clicking away.* Kameraet hans klikket i vei.
(**b**) (*fig : people*) finne* hverandre ❑ *We seemed to click as soon as we met.* Vi fant hverandre med det samme vi møttes.
3 S (= *sound*) klikk *nt* ❑ *The lock opened with a click.* Låsen åpnet seg med et klikk.

client ['klaıənt] S kunde *m*; (*of lawyer, architect, social security*) klient *m*

clientele [kli:ɑ̃:n'tɛl] S klientell *nt*

cliff [klıf] S klippe *m*, skrent *m*

cliffhanger ['klıfhæŋəʳ] S (*fig*) *situasjon der spenningen er på topp* ❑ *There's a real cliffhanger in the final scene.* Den siste scenen slutter mens spenningen er på topp.

climactic [klaı'mæktık] ADJ ▸ **climactic point** klimaks *nt*

climate ['klaımıt] S (*weather, also fig*) klima *nt* ❑ *...changes in climate due to pollution.* ...klimaforandringer som skyldes forurensning. *In the present economic climate...* I det nåværende økonomiske klimaet...

climax ['klaımæks] S klimaks *nt*, høydepunkt *nt*; (*sexual*) klimaks *nt*

climb [klaım] 1 VI (**a**) (*sun, plane, prices, shares+*) stige* ❑ *The cost has climbed to a staggering £3 billion .* Kostnadene har steget til svimlende tre milliarder pund.
(**b**) (*plant+*) klatre (*v1*)
(**c**) (*person+*) kravle (*v1*) (seg) ❑ *We climbed over the wall.* Vi kravlet (oss) over muren.
2 VT (**a**) (*+stairs*) gå* opp
(**b**) (*+ladder*) klatre (*v1*) opp ❑ *He climbed the stairs to his bedroom.* Han gikk opp trappen til soverommet sitt.
(**c**) (*+tree*) klatre (*v1*) (opp) i
(**d**) (*on foot : mountain*) klatre (*v1*) opp på
(**e**) (*+hill*) gå* opp ❑ *We started to climb the hill.* Vi begynte å gå* opp bakken.
3 S (**a**) (*of hill*) oppstigning *m*
(**b**) (*of cliff, mountain*) klatretur *m* ❑ *We were still out of breath from the climb.* Vi var fremdeles andpustne etter oppstigningen/klatreturen.

▸ **climb down** VI (*fig : retract*) gjøre* retrett, stige* ned fra sin høye hest

climb-down ['klaımdaun] S (= *retraction*) retrett *m*, innrømmelser *mpl* ❑ *...a climb-down on the part of management.* ...innrømmelser *or* en retrett fra ledelsens side.

climber ['klaıməʳ] S (= *mountaineer*) (fjell)klatrer *m*; (*plant*) klatreplante *c*

climbing ['klaımıŋ] 1 S (= *mountaineering*) (fjell)klatring *c*

2 ADJ ▸ **climbing plant** klatreplante *c*
clinch [klɪntʃ] VT (*+argument*) avgjøre*; (*+deal*) slutte (*v1*)
clincher ['klɪntʃəʳ] S siste ord *nt*
cling [klɪŋ] (*pt, pp* **clung**) VI ▸ **to cling to** (**a**) (*+mother, support, idea, belief*) klynge (*v1*) seg til, klamre (*v1*) seg til ▫ *The human baby is too weak to cling to its mother...* Menneskebabyer er for svake til å klynge seg til mødrene sine... *The adults cling to old emotional values.* De voksne klynger *or* klamrer seg til gamle følelsesmessige verdier.
(**b**) (*clothes, dress+*) klistre (*v1*) seg til ▫ *The dress clung tight over her hips.* Kjolen klistret seg *or* satt stramt over hoftene hennes.
clingfilm ['klɪŋfɪlm] S plastfolie *m*
clinic ['klɪnɪk] S (**a**) (*MED: centre*) klinikk *m*
(**b**) (*session*) kontortid *c*, konsultasjonstid *c* ▫ *His clinic is on Thursdays.* Han har kontortid *or* konsultasjonstid på torsdager.
clinical ['klɪnɪkl] ADJ (**a**) (*MED: tests etc*) klinisk
(**b**) (*fig: dispassionate*) steril, klinisk
(**c**) (*building, room*) steril ▫ *...tiny offices painted clinical white.* ...bittesmå kontorer malt i sterilt hvitt.
clink [klɪŋk] VI (*glasses, cutlery+*) klirre (*v1*)
clip [klɪp] 1 S (**a**) (*also* ***paper clip***) binders *m*
(**b**) (*BRIT:* ***bulldog clip***) (metall)klype *c*
(**c**) (*for holding hose etc*) klemme *c*, klype *c*
(**d**) (*for hair*) spenne *c*, klemme *c*
(**e**) (*TV, FILM*) klipp *nt*
2 VT (**a**) (*= fasten*) sette* *or* hefte (*v1*) fast med binders ▫ *Keep the list clipped to that notebook.* Oppbevar listen heftet fast (med binders) til den notatboka.
(**b**) (*also* ***clip together****: papers*) hefte (*v1*) sammen (med binders)
(**c**) (*= cut: nails, hedge etc*) klippe (*v1 or v2x*)
clippers ['klɪpəz] SPL (*for gardening*) hagesaks *c*; (*for nails*) neglsaks *c*
clipping ['klɪpɪŋ] S (*from newspaper*) utklipp *nt*
clique [kli:k] S klikk *m*
clitoris ['klɪtərɪs] S klitoris *m*
cloak [kləuk] 1 S (*= cape*) kappe *c*
2 VT ▸ **to be cloaked in** (*mist, secrecy*) være* innhyllet i
cloakroom ['kləukrum] S (*BRIT: for coats etc*) garderobe *m*; (*= bathroom*) toalett *nt*
clobber ['klɔbəʳ] (*sl*) 1 S (*= coats, bags etc*) pargas *nt* (*sl*) ▫ *Have you got all your clobber?* Har du fått med deg alt pargaset ditt?
2 VT (**a**) (*= hit*) dra* til (*sl*) ▫ *Do that again and I'll clobber you...* Hvis du gjør det igjen, drar jeg til deg...
(**b**) (*= defeat*) slå* ut
clock [klɔk] S (**a**) (*timepiece*) klokke *c* ▫ *The church clock...* Kirkeklokka...
(**b**) (*of taxi*) taksameter *nt*
▸ **round the clock** (*work etc*) døgnet rundt, 24 timer i døgnet
▸ **30,000 on the clock** (*BRIT: BIL*) 30 000 på (kilometer)telleren
▸ **to work against the clock** arbeide (*v1*) med tiden mot seg, arbeide under sterkt tidspress
▸ **clock in** *or* **on** (*BRIT*) VI (*for work*) stemple (*v1*) inn
▸ **clock off** *or* **out** (*BRIT*) VI (*from work*) stemple (*v1*) ut
▸ **clock up** VT (*+hours, miles etc*) komme* opp i
clockwise ['klɔkwaɪz] ADV med klokka
clockwork ['klɔkwə:k] 1 S urverk *nt*
2 ADJ (*model, toy*) opptrekks-
▸ **everything went like clockwork** alt gikk som smurt
clog [klɔg] 1 S (*leather, wooden*) tresko *m*
2 VT gjøre* tett, tette (*v1*) til
3 VI bli* tett, tette (*v1*) seg til
cloister ['klɔɪstəʳ] S søylegang *m*
clone [kləun] 1 S klon *m*
2 VT klone (*v1*)
close[1] [kləus] 1 ADJ (**a**) (*= near*) ▸ **close (to)** tett (inntil), nær, nærme ▫ *Their two heads were close to each other.* Hodene deres var tett inntil *or* nær(me) hverandre.
(**b**) (*writing, texture*) tett ▫ *I find it difficult to read such close print.* Jeg synes det er vanskelig å lese så tett skrift.
(**c**) (*friend, relative, link, examination, look*) nær ▫ *my closest friends...* mine nærmeste venner... *My sons have maintained close ties with a college friend.* Sønnene mine har beholdt nære bånd til en venn fra universitetet. *...to have a closer look...* for å ta* en nærmere kikk...
(**d**) (*contest*) tett ▫ *It is close but we are going to win.* Det er tett, men vi skal vinne.
(**e**) (*= oppressive: weather*) (tett og) trykkende
(**f**) (*room*) tett ▫ *It's very close today, isn't it?* Det er veldig trykkende vær i dag, ikke sant? *The room was hot and close and full of smoke.* Rommet var varmt og tett og fullt av røyk.
2 ADV tett ▫ *The children followed close behind them.* Barna fulgte tett bak dem.
▸ **close to** på nært hold ▫ *It was my first glimpse of him close to.* Det var første gangen jeg så ham på nært hold.
▸ **close by** ADJ, ADV rett *or* like ved (siden av) ▫ *...on the table close by.* ...på bordet rett *or* like ved siden av. *A man sitting close by...* En man som satt rett *or* like ved (siden av)...
▸ **close at hand**
= **close by**
▸ **how close is Edinburgh to Glasgow?** hvor langt er det mellom Edinburgh og Glasgow?, hvor nærme Glasgow ligger Edinburgh?
▸ **a close friend** en nær venn
▸ **it was a close shave** (*fig*) det var nære på, det var på hengende håret
▸ **at close quarters** på nært hold
close[2] [kləuz] 1 VT (**a**) (*= shut: door, window*) lukke (*v1*)
(**b**) (*= finalize: sale, deal*) slutte (*v1*)
(**c**) (*= end: case, speech, conversation*) avslutte (*v1*)
2 VI (**a**) (*shop etc+*) stenge (*v2*), lukke (*v1*) ▫ *Many libraries close on Saturdays at 1 p.m.* Mange biblioteker stenger *or* lukker klokka ett på lørdager.
(**b**) (*door, lid+*) lukke (*v1*) seg
(**c**) (*= come to an end*) (av)slutte (*v1*) ▫ *The film closes with a scene of...* Filmen (av)slutter med en scene...
3 S (*= end*) slutt *m* ▫ *...towards the close of the*

day. ...mot slutten av dagen.
▸ **to bring something to a close** avslutte (*v1*) noe
▸ **close down** 1 VT (*factory, magazine+*) legge* ned 2 VI bli* lagt ned ❑ *The magazine closed down.* Bladet ble lagt ned *or* gikk inn.
▸ **close in** VI ▸ **to close in (on sb/sth)** (**a**) (*hunters+*) omringe (*v1*) noen/noe (*gradvis*) (**b**) (*night, fog+*) falle* på, senke (*v1*) seg
▸ **the days are closing in** dagene blir kortere
▸ **close off** VT (*+area, road*) stenge (*v2*) av, sperre (*v1*) av
closed [kləuzd] ADJ (**a**) (*door, window*) lukket, igjen ❑ *...with my window closed tight.* ...med vinduet tett lukket *or* godt igjen.
(**b**) (*shop etc*) stengt, lukket
(**c**) (*road*) stengt
closed-circuit ['kləuzd'sə:kɪt] ADJ
▸ **closed-circuit television** intern-tv *m*
closed shop S (*business*) *bedrift hvor alle arbeidstakere må være* fagorganiserte*
close-knit ['kləus'nɪt] ADJ (*family, community*) (fast) sammensveiset
closely ['kləuslɪ] ADV (**a**) (*examine, watch*) nøye ❑ *He studied the photographs very closely.* Han studerte fotografiene svært nøye.
(**b**) (*connected, related, resemble*) nært ❑ *My family was very closely connected with the theatre.* Familien var allerede nært forbundet med teateret.
▸ **we are closely related** vi er nære slektninger, vi er nært beslektet
▸ **a closely guarded secret** en nøye bevoktet hemmelighet
close season ['kləus-] S ▸ **in the close season** (*in hunting*) i fredningstiden; (*SPORT*) utenom sesong
closet ['klɔzɪt] S skap *nt*
close-up ['kləusʌp] (*FOTO*) S nærbilde *nt*
closing ['kləuzɪŋ] ADJ (*stages, remarks*) avsluttende
closing price (*FIN*) S sluttkurs *m*
closing time (*BRIT*) S stengetid *c*
closure ['kləuʒəʳ] S (**a**) (*of factory, magazine*) nedleggelse *m* ❑ *...are threatened with closure.* ...trues av nedleggelse.
(**b**) (*of road, border*) stengning *m* ❑ *...the closure of the Suez Canal.* ...stengningen av Suezkanalen.
clot [klɔt] 1 S (**a**) (*MED*) klump *m* med størknet blod ❑ *...before a clot forms.* ...før det begynner å størkne.
(**b**) (*sl: idiot*) teiting *m* (*sl*), asen *nt* (*sl*) ❑ *...you clot.* ...din teiting *or* ditt asen.
2 VI (*blood+*) størkne (*v1*), levre (*v1*) seg
cloth [klɔθ] S (**a**) (*= material*) stoff *nt*, tøy *nt* ❑ *...woven cloth.* ...vevd stoff *or* tøy.
(**b**) (*= piece of cloth*) klut *m* ❑ *Clean with a soft cloth.* Vask med en myk klut.
(**c**) (*BRIT: teacloth*) glasshåndkle *nt*, oppvaskhåndkle *nt*
(**d**) (*= tablecloth*) duk *m*
clothe [kləuð] VT (**a**) (*one's family*) skaffe (*v1*) klær til
(**b**) (*as charity*) gi* klær
▸ **clothed in green** antrukket i grønt
clothes [kləuðz] SPL klær *pl* ❑ *They hadn't got any clothes on.* De hadde ikke (noen) klær på seg.
▸ **to put one's clothes on** kle (*v4*) på seg, ta* på seg klærne
▸ **to take one's clothes off** ta* av seg klærne, kle (*v4*) av seg
clothes brush S klesbørste *m*
clothes line S klessnor *c*
clothes peg, clothes pin (*US*) S klesklype *c*
clothing ['kləuðɪŋ] S klær *pl*
clotted cream (*BRIT*) S *tykk fløte skummet av melk som er brakt til kokepunktet*
cloud [klaud] 1 S sky *c* ❑ *...a cloud of smoke.* ...en røyksky.
2 VT (*+liquid*) blakke (*v1*)
▸ **to cloud the issue** tåkelegge* saken
▸ **every cloud has a silver lining** (*proverb*) bak(om) skyene er himmelen alltid blå (*proverb*)
▸ **cloud over** VI (**a**) (*sky+*) skye (*v1*) over *or* til ❑ *It was clouding over...* Det skyet over *or* til...
(**b**) (*face, eyes+*) mørkne (*v1*)
cloudburst ['klaudbə:st] S skybrudd *nt*
cloud-cuckoo-land [klaud'kuku:lænd] (*BRIT*) S
▸ **to be/live in cloud-cuckoo-land** sveve (*v3*) på en sky *or* oppe i skyene
cloudy ['klaudɪ] ADJ (**a**) (*sky, weather*) (over)skyet
(**b**) (*liquid*) uklar ❑ *The water there is a cloudy blue.* Vannet der har en uklar blåfarge.
clout [klaut] (*sl*) 1 VT (*= hit, strike*) dra* til
2 S (*fig*) gjennomslagskraft *c* ❑ *The committee has more clout.* Komitéen har mer gjennomslagskraft.
clove [kləuv] S nellik(spiker) *m*
▸ **a clove of garlic** en hvitløkskløft, en hvitløksbåt, et fedd hvitløk
clover ['kləuvəʳ] S kløver *m*
cloverleaf ['kləuvəli:f] S kløverblad *nt*
clown [klaun] 1 S klovn *m*
2 VI (*also* ***clown about, clown around***) tøyse (*v1*), drive* med klovnestreker
cloying ['klɔɪɪŋ] ADJ (*taste, smell*) søtladen, emmen
club [klʌb] 1 S (**a**) (*= society, place*) klubb *m* ❑ *...the local youth club.* ...den lokale ungdomsklubben. *I'll see you at the club.* Jeg ser deg på klubben.
(**b**) (*weapon*) kølle *c* ❑ *...policemen armed with clubs.* ...politimenn bevæpnet med køller.
(**c**) (*= stick:* ***golf club***) golfkølle *c*
2 VT (*= hit*) klubbe (*v1*) ❑ *They were going to club him to death.* De skulle* klubbe ham i hjel.
3 VI ▸ **to club together** (*for gift, card*) spleise (*v1*), legge* sammen
▸ **clubs** SPL (*KORT*) kløver *nt*
club car (*US: JERNB*) S restaurantvogn *c*
club class S businessklasse *m*
clubhouse ['klʌbhaus] S klubbhus *nt*
club soda (*US*) S soda *m*
cluck [klʌk] VI (*hen+*) kakle (*v1*), klukke (*v1*)
clue [klu:] S (**a**) (*in investigation etc*) spor *nt* ❑ *The police found no clues.* Politiet fant ingen spor.
(**b**) (*fig: indication*) nøkkel *m*, holdepunkt *nt* ❑ *The clue to solving our energy problem...* Nøkkelen til å løse energiproblemet vårt... *The sculpture offers a clue as to how Picasso's work must be interpreted...* Skulpturen gir en nøkkel til *or* et holdepunkt for hvordan Picassos verk må

tolkes...
(**c**) (*in crossword*) stikkord *nt*, nøkkelord *nt*
▸ **I haven't a clue** jeg har ikke peiling, jeg har ingen anelse
clued up, clued in (*US*) (*sl*) ADJ velinformert, velorientert
clueless ['klu:lɪs] ADJ (*sl: person*) dum, tjukk i hue (*sl*)
clump [klʌmp] s (*of trees, buildings etc*) klynge *c*
clumsy ['klʌmzɪ] ADJ (**a**) (*person, attempt*) klosset(e), klønet(e) ❑ *Oh, how clumsy of me!* Å, så klosset(e) *or* klønet(e) av meg! *His efforts were clumsy and naive.* Anstrengelsene hans var klossete *or* klønete og naive.
(**b**) (*object*) klumpet(e) ❑ *...above her clumsy wellingtons.* ...over de klumpete gummistøvlene hennes.
clung [klʌŋ] PRET, PP *of* **cling**
cluster ['klʌstəʳ] 1 s (*of people, stars, flowers etc*) klynge *c* ❑ *There was a little cluster of admirers...* Det var en liten klynge med beundrere...
2 VI (**a**) (*people+*) flokke (*v1*) seg ❑ *People were clustered round a radio.* Folk var flokket rundt en radio.
(**b**) (*things+*) stå* i klynge(r) ❑ *...the white buildings clustered together.* ...de hvite bygningene stod sammen i klynger.
clutch [klʌtʃ] 1 s (**a**) (*= grip, grasp*) (fast) grep *nt*
(**b**) (*BIL*) clutch *m* (*var:* kløtsj) ❑ *He let out the clutch far too quickly.* Han slapp ut clutchen altfor tidlig.
2 VT (*+purse, hand, stick*) tviholde* på/i ❑ *The boy's mother was sitting clutching a handkerchief.* Guttens mor satt og tviholdt på et lommetørkle.
▸ **to clutch at** VT FUS klamre (*v1*) seg til; (*fig: excuse etc*) gripe*
clutter ['klʌtəʳ] 1 VT (*also* ***clutter up***) rote (*v1*) til
2 s rot *nt* ❑ *The rooms were full of clutter.* Rommene var fulle av rot.
CM (*US: POST*) FK = **North Mariana Islands**
cm FK = **centimetre**
CNAA (*BRIT*) s FK (= **Council for National Academic Awards**) *institusjon som utsteder eksamener fra høyskoler*
CND s FK (= **Campaign for Nuclear Disarmament**) ≈ Nei til atomvåpen
CO 1 s FK = **commanding officer**; (*BRIT* = **Commonwealth Office**) *departement som tar seg av Samveldesaker*
2 FK (*US: POST*) = **Colorado**
Co. FK = **county, company**
c/o FK (= **care of**) adr
coach [kəutʃ] 1 s (**a**) (*BRIT: bus*) buss *m* (*turbuss, eller rutebuss på lange strekninger*) ❑ *We usually go by coach.* Vi reiser vanligvis med buss.
(**b**) (*horse-drawn, of train*) vogn *c*
(**c**) (*SPORT: trainer*) trener *m*
(**d**) (*SKOL: tutor*) veileder *m*, privatlærer *m*
2 VT (**a**) (*+sportsman/woman*) trene (*v2*) ❑ *She had been coached by a former Wimbledon champion.* Hun hadde blitt trent av en tidligere Wimbledon-vinner.
(**b**) (*+student*) lese (*v2*) privat med ❑ *I used to coach pupils in French.* Jeg pleide å ha* privatelever i fransk.
coach trip s busstur *m*
coagulate [kəu'ægjuleɪt] 1 VI (*blood, paint etc+*) koagulere (*v2*)
2 VT få* til å koagulere
coal [kəul] s (**a**) (*substance*) kull *nt*
(**b**) (*= piece of coal*) kullbit *m* ❑ *There were red coals in the grate.* Det var glødende kullbiter *or* glødende kull i ovnen.
coal face s bruddsted *nt* (*i kullgruve*)
coalfield ['kəulfi:ld] s kullfelt *nt*
coalition [kəuə'lɪʃən] s koalisjon *m*
coalman ['kəulmən] *irreg* s kullkjører *m*
coal merchant s = **coalman**
coalmine ['kəulmaɪn] s kullgruve *c*
coal miner s kullgruvearbeider *m*
coal mining s kullgruvedrift *c*
coarse [kɔ:s] ADJ grov ❑ *...the coarse skin of her neck.* ...den grove huden på halsen hennes. *He objected to her coarse remarks.* Han reagerte på de grove bemerkningene hennes.
coast [kəust] 1 s kyst *m* ❑ *...the rugged coast of Maine.* ...den barske Maine-kysten.
2 VI (*car, bicycle etc+*) rulle (*v1*), trille (*v1*) ❑ *I let the car coast for a second or two.* Jeg lot bilen rulle *or* trille i et par sekunder.
coastal ['kəustl] ADJ (*cities, waters*) kyst-
coaster ['kəustəʳ] s (*NAUT*) kystskip *nt*, kystfartøy *nt*; (*for glass*) glassbrikke *c*, flaskebrikke *c*
coastguard ['kəustgɑ:d] s kystvakt *c*
coastline ['kəustlaɪn] s kystlinje *c*
coat [kəut] 1 s (**a**) (*man's*) frakk *m*
(**b**) (*woman's*) kåpe *c*
(**c**) (*of animal*) pels *m*
(**d**) (*of paint*) ▸ **a coat (of)** et strøk (med)
2 VT (*with chocolate, dust etc*) overtrekke* ❑ *...coated with chocolate.* ...overtrukket med sjokolade.
coat hanger s (kles)henger *m*
coating ['kəutɪŋ] s (*of chocolate*) overtrekk *nt*; (*of dust*) lag *nt*, belegg *nt*
coat of arms s våpen(skjold) *nt*
co-author ['kəu'ɔ:θəʳ] s medforfatter *m*
coax [kəuks] VT lokke (*v1*) ❑ *You just coax them into doing it.* Du bare lokker dem til å gjøre* det.
cob [kɔb] s *see* **corn**
cobbler ['kɔbləʳ] s (lappe)skomaker *m*
cobbles ['kɔblz] SPL brostein *m*
cobblestones ['kɔblstəunz] SPL = **cobbles**
COBOL ['kəubɔl] s COBOL
cobra ['kəubrə] s kobra *m*
cobweb ['kɔbwɛb] s spindelvev *nt*
cocaine [kə'keɪn] s kokain *m or nt*
cock [kɔk] 1 s (**a**) (*= rooster*) hane *m* ❑ *Cocks began to crow.* Haner begynte å gale.
(**b**) (*= male bird*) hannfugl *m* ❑ *...a cock pheasant.* ...en hannfasan.
(**c**) (*sl!: penis*) pikk *m* (*sl!*)
2 VT (*+gun*) spenne (*v2x*) hanen på
▸ **to cock one's ears** (*fig*) spisse (*v1*) ører
cock-a-hoop [kɔkə'hu:p] (*sl*) ADJ stolt som en hane
cockerel ['kɔkərl] s hanekylling *m*
cock-eyed ['kɔkaɪd] ADJ (*fig: idea, method*) vanvittig, avsindig

cockle ['kɔkl] s hjertemusling *m*
cockney ['kɔknɪ] s cockney *m*
cockpit ['kɔkpɪt] s cockpit *m*
cockroach ['kɔkrəutʃ] s kakerlakk *m*
cocktail ['kɔkteɪl] s cocktail *m* ❑ *...shrimp cocktail.* ...rekecocktail.
cocktail cabinet s barskap *nt*
cocktail party s cocktailselskap *nt*
cocktail shaker s cocktailryster *m*, cocktailshaker *m*
cock-up ['kɔkʌp] (*sl!*) s fadese *m*
▸ **to make a cock-up (of sth)** drite* seg ut (med noe) (*sl!*)
cocky ['kɔkɪ] ADJ skråsikker
cocoa ['kəukəu] s kakao *m*
coconut ['kəukənʌt] s (*fruit*) kokosnøtt *c*; (*flesh*) kokos *m*
cocoon [kə'ku:n] s (**a**) (*of butterfly*) kokong *m* (**b**) (*fig: environment*) beskyttet atmosfære *m or* verden *m* ❑ *I lived in a cocoon of love and warmth.* Jeg levde i en beskyttet atmosfære *or* verden av kjærlighet og varme.
COD FK (= **cash on delivery**) kontant ved levering; (*US*) (= **collect on delivery**) kontant ved levering
cod [kɔd] s torsk *m*
code [kəud] s (**a**) (*of practice, behaviour*) (uskrevne) lover *pl*, regler *pl* for skikk og bruk (**b**) (= *cipher*) kode *m* ❑ *It is a code that even I can crack.* Det er en kode som selv jeg kan knekke. (**c**) (= *dialling code, post code*) nummer *nt*
▸ **dialling code** retningsnummer *nt*
▸ **post code** postnummer *nt*
▸ **code of behaviour** regler *pl* for skikk og bruk
▸ **code of practice** yrkesetikk *m*
codeine ['kəudi:n] s kodein *nt*
codger ['kɔdʒə^r] (*sl*) s ▸ **old codger** gammel gubbe *m*
codicil ['kɔdɪsɪl] s kodisill *m*, tilføyelse *m* (*til testamente*)
codify ['kəudɪfaɪ] VT systematisere (*v2*), kodifisere (*v2*)
cod-liver oil ['kɔdlɪvə-] s (torskelever)tran *c*
co-driver ['kəu'draɪvə^r] s (*in race*) annenfører *m*; (*of lorry*) medsjåfør *m*
co-ed ['kəu'ɛd] (*SKOL*) [1] ADJ med fellesundervisning, for både gutter og jenter [2] s FK (*US: female student*) kvinnelig student *m*; (*BRIT: school*) *skole med fellesundervisning*
coeducational ['kəuɛdju'keɪʃənl] ADJ med fellesundervisning, for både gutter og jenter
coerce [kəu'ə:s] VT tvinge*, presse (*v1*) ❑ *They tried to coerce me into changing my appearance.* De prøvde å tvinge *or* presse meg til å forandre utseendet mitt.
coercion [kəu'ə:ʃən] s tvang *m*, makt *c*
coexistence ['kəuɪg'zɪstəns] s sameksistens *m*
C. of C. s FK (= **chamber of commerce**) handelskammer *nt*
C of E FK = **Church of England**
coffee ['kɔfɪ] s kaffe *m* ❑ *Over coffee...* Over en kopp kaffe... *some coffee.* ...litt kaffe. *Do you want a coffee?* Har du lyst på en kaffe?
▸ **black coffee** (svart) kaffe
▸ **white coffee** kaffe med melk
▸ **coffee with cream** kaffe med fløte
coffee bar (*BRIT*) s (liten) kafé *m*
coffee bean s kaffebønne *c*
coffee break s kaffepause *c*
coffee cake (*US*) s kake *c* (til kaffen)
coffee cup s kaffekopp *m*
coffee pot s (*for making coffee*) kaffekjele *m*; (*for serving coffee*) kaffekanne *c*
coffee table s salongbord *nt*
coffin ['kɔfɪn] s (lik)kiste *c*
C of I FK = **Church of Ireland**
C of S FK = **Church of Scotland**
cog [kɔg] s (= *wheel*) tannhjul *nt*; (= *tooth*) tann *c*
cogent ['kəudʒənt] ADJ (*argument etc*) overbevisende, tilforlatelig
cognac ['kɔnjæk] s konjakk *m*
cogwheel ['kɔgwi:l] s tannhjul *nt*
cohabit [kəu'hæbɪt] (*fml*) VI være* samboere
▸ **to cohabit with sb** være* samboer med noen
coherent [kəu'hɪərənt] ADJ (*answer, theory, speech*) sammenhengende; (*person*) som snakker sammenhengende
cohesion [kəu'hi:ʒən] s (*political, ideological etc*) samhold *nt*; (*in speech, text*) sammenheng *m*
cohesive [kə'hi:sɪv] ADJ enhetlig
COI (*BRIT*) s FK (= **Central Office of Information**) ≈ SI *m* (= *Statens informasjonstjeneste*)
coil [kɔɪl] [1] s (**a**) (*of rope, wire*) kveil *m* (**b**) (= *one loop*) løkke *c*, vinding *c* ❑ *A couple of coils of rope...* Et par taukveiler... (**c**) (*of smoke*) ring *m* ❑ *...blue coils of smoke.* ...blå røykringer. (**d**) (*BIL, ELEK*) coil *m* (**e**) (*contraceptive*) spiral *m*
[2] VT (*+rope*) vikle (*v1*), kveile (*v1*) ❑ *We coiled the rope round the post.* Vi viklet *or* kveilet tauet rundt stolpen.
coin [kɔɪn] [1] s (*money*) mynt *m*
[2] VT (*+word, slogan*) finne* på
▸ **they're coining it!** (*sl*) de håver inn (*sl*)
coinage ['kɔɪnɪdʒ] s (**a**) (*money*) mynter *pl* ❑ *...a display of British coinage.* ...en utstilling av britiske mynter. (**b**) (*LING*) nydannelse *m*, nytt *or* nylaget ord *nt*/uttrykk *nt* ❑ *"Privatization" is a recent coinage.* "Privatisering" er et nytt ord *or* en nydannelse.
coin box (*BRIT: TEL*) s myntapparat *nt*
coincide [kəuɪn'saɪd] VI sammenfalle* ❑ *Macmillan's departure coincided with Benn's return.* Macmillans avreise sammenfalt med Benns gjenkomst. *...their views coincided.* ...holdningene deres var sammenfallende.
coincidence [kəu'ɪnsɪdəns] s sammentreff *nt* ❑ *It was quite a coincidence that my sister was on the same train.* Det var litt av et sammentreff at søsteren min var på det samme toget.
coin-operated ['kɔɪn'ɔpəreɪtɪd] ADJ (*machine*) med myntapparat
Coke® [kəuk] s (*drink*) Cola *m*
coke [kəuk] s (= *coal*) koks *m*
Col. FK = **Colonel**
COLA (*US*) s FK (= **cost-of-living adjustment**) *indeksregulert lønn*
colander ['kɔləndə^r] s dørslag *nt*
cold [kəuld] [1] ADJ (**a**) (*gen, feelings, emotionally*)

kald ❑ *Wash delicate fabrics in cold water.* Vask ømfintlige stoffer i kaldt vann.
(**b**) (*person: in temperature*) frossen ❑ *You do look cold in that thin T-shirt.* Du ser frossen ut *or* det ser ut som om du fryser i den tynne t-skjorta.
2 s (**a**) (*weather*) kulde *c* ❑ *Come in out of the cold.* Kom inn fra kulden.
(**b**) (*MED*) forkjølelse *m*
▸ **it's cold** det er kaldt
▸ **to be** *or* **feel cold** (**a**) (*person+*) fryse*
(**b**) (*object+*) være* kald
▸ **to catch (a) cold** bli* forkjølet
▸ **in cold blood** med kaldt blod
▸ **to have cold feet** (*fig*) ha* kalde føtter
▸ **to give sb the cold shoulder** gi* noen en kald skulder

cold-blooded ['kəuld'blʌdɪd] ADJ (*also fig*) kaldblodig

cold cream s koldkrem *m*

coldly ['kəuldlɪ] ADV (*speak, behave*) kaldt

cold-shoulder [kəuld'ʃəuldəʳ] VT gi* en kald skulder

cold sore s forkjølelsessår *nt*

cold sweat s ▸ **to come out in a cold sweat (about sth)** kaldsvette (*v1*) (ved tanken på noe)

Cold War s ▸ **the Cold War** den kalde krigen

cold war s ▸ **the cold war** den kalde krigen

coleslaw ['kəulslɔː] s italiensk salat *nt*

colic ['kɔlɪk] s kolikk *m*

colicky ['kɔlɪkɪ] ADJ ▸ **to be colicky** ha* kolikk

collaborate [kə'læbəreɪt] VI (*on book, research*) ▸ **to collaborate (on)** samarbeide (*v1*) (om); (*with enemy*) kollaborere (*v2*), samarbeide (*v1*)

collaboration [kəlæbə'reɪʃən] s samarbeid *nt*

collaborator [kə'læbəreɪtəʳ] s (*on book, research*) medarbeider *m*, samarbeidspartner *m*; (*with enemy*) kollaboratør *m*

collage [kɔ'lɑːʒ] s collage *m* (*var.* kollasj)

collagen ['kɔlədʒən] s kollagen *nt*

collapse [kə'læps] 1 VI (**a**) (*building, table+*) falle* sammen, rase (*v2*) sammen ❑ *These houses are liable to collapse in a heavy storm.* Disse husene vil lett kunne* falle *or* rase sammen i en kraftig storm.
(**b**) (*system, company, government, person etc+*) bryte* sammen ❑ *Their marriage had collapsed.* Ekteskapet deres hadde brutt sammen.
(**c**) (*plans, hopes+*) falle* i grus
(**d**) (*person+ : mentally*) bryte* sammen, få* sammenbrudd
(**e**) (*physically*) kollapse (*v1*), falle* om
2 s (**a**) (*of building, table*) *det å rase sammen* ❑ *The collapse of the building...* Den sammenraste bygningen...
(**b**) (*of system, company, government, plans*) sammenbrudd *nt* ❑ *...a company on the verge of collapse.* ...et firma på randen av sammenbrudd. *...the collapse of Asquith's Government.* ...sammenbruddet av Asquiths regjering.
(**c**) (*of person: physical*) kollaps *m*
(**d**) (*mental*) sammenbrudd *nt*

collapsible [kə'læpsəbl] ADJ (*seat, bed, bicycle*) sammenleggbar

collar ['kɔləʳ] 1 s (**a**) (*of coat, shirt, TECH*) krave *m* (*var.* krage)
(**b**) (*of dog, cat*) halsbånd *nt*
2 VT (*sl: person*) hogge (*v3x*) tak i, ta* tak i kraven på ❑ *The boss collared me this morning...* Sjefen hogde tak i meg *or* tok meg i kraven i morges...

collarbone ['kɔləbəun] s kravebe(i)n *nt* (*var.* kragebe(i)n)

collate [kɔ'leɪt] VT (*+information, evidence, papers*) sammenstille (*v2x*)

collateral [kə'lætərl] s sikkerhet *m* (*i form av penger*)

collation [kə'leɪʃən] s (*of information*) sammenstilling *c*; (*fml*) ▸ **a cold collation** en kald anretning, et koldtbord

colleague ['kɔliːg] s kollega *m irreg*

collect [kə'lɛkt] 1 VT (**a**) (*= gather: wood, litter etc*) samle (*v1*), sanke (*v1*) ❑ *She used to go collecting birds' eggs.* Hun pleide å gå* og samle *or* sanke fugleegg.
(**b**) (*as a hobby*) samle (*v1*) på ❑ *Do you collect antiques?* Samler du på antikviteter?
(**c**) (*= fetch*) hente (*v1*) ❑ *I have to collect the children from school.* Jeg må hente barna fra skolen. *The mail is collected twice a day.* Posten blir hentet to ganger om dagen.
(**d**) (*for charity*) samle (*v1*) inn ❑ *How much money have you collected so far?* Hvor mye penger har du samlet inn til nå?
(**e**) (*+debts, taxes etc*) kreve (*v3*) inn
2 VI (**a**) (*dust etc+*) samle (*v1*) seg
(**b**) (*for charity etc*) samle (*v1*) inn (penger)
▸ **to call collect** (*US: TEL*) ringe (*v2*) på noteringsoverføring
▸ **to collect one's thoughts** samle (*v1*) tankene sine
▸ **collect on delivery** (*US*) mot oppkrav

collectable, collectible [kə'lɛktəbl] ADJ med samleverdi

collected [kə'lɛktɪd] ADJ ▸ **collected works** samlede verker

collection [kə'lɛkʃən] s (**a**) (*of objects, art, poems, stamps etc*) samling *c* ❑ *...a large collection of pop records.* ...en stor samling med popplater. *...a collection of short stories.* ...en novellesamling.
(**b**) (*from place, person*) henting *c* ❑ *Your curtains are ready for collection.* Gardinene dine er klare for henting *or* til å bli* hentet.
(**c**) (*for charity*) (penge)innsamling *c*
(**d**) (*of mail from public mailboxes*) tømming *c* ❑ *There is no Sunday collection.* Posten tømmes ikke *or* det er ingen tømming på søndager.

collective [kə'lɛktɪv] 1 ADJ (*decision*) felles, kollektiv; (*farm*) kollektiv
2 s kollektiv *nt*

collective bargaining s kollektive forhandlinger *pl*

collector [kə'lɛktəʳ] s (**a**) (*of art, stamps etc*) samler *m* ❑ *...a butterfly collector.* ...en sommerfuglsamler.
(**b**) (*of taxes, rent etc*) oppkrever *m*, innkrever *m*
▸ **collector's item** *or* **piece** samlerobjekt *nt*

college ['kɔlɪdʒ] s (**a**) (*of university*) college *nt* (*del av universitet*) ❑ *...Jesus College, Cambridge.* ...Jesus College i Cambridge.
(**b**) (*of agriculture, technology, art etc*) høyskole *m* (*var.* høgskole) ❑ *...the local technical college.*

...den lokale tekniske høyskolen.
▸ **to go to college** gå* på høyskole/på universitetet
▸ **college of education** lærerhøyskole *m*
collide [kə'laɪd] VI (*cars, people+*) kollidere (*v2*)
▸ **to collide with** kollidere (*v2*) med
collie ['kɔlɪ] s collie *m*, fårehund *m*
colliery ['kɔlɪərɪ] (*BRIT*) s kullgruve *c*
collision [kə'lɪʒən] s kollisjon *m* ❑ *This car is safer in a collision.* Denne bilen er sikrere i kollisjon.
▸ **to be on a collision course (with)** (*also fig*) være* på kollisjonskurs (med)
collision damage waiver s skadeforsikring *c*
colloquial [kə'ləukwɪəl] ADJ uformell
collusion [kə'lu:ʒən] s sammensvergelse *m*, kollusjon *m*
▸ **in collusion with** sammensverget med
Cologne [kə'ləun] s Køln *m*
cologne [kə'ləun] s (*also* ***eau de cologne***) eau de cologne *m*
Colombia [kə'lɔmbɪə] s Colombia
Colombian [kə'lɔmbɪən] 1 ADJ colombiansk
2 s (*person*) colombianer *m*
colon ['kəulən] s (*punctuation*) kolon *nt*; (*ANAT*) tykktarm *m*
colonel ['kə:nl] s oberst *m*
colonial [kə'ləunɪəl] ADJ koloni-, kolonial- ❑ *...a colonial economy.* ...en kolonialøkonomi.
colonize ['kɔlənaɪz] VT (*+country, territory*) kolonisere (*v2*)
colony ['kɔlənɪ] s koloni *m* ❑ *...a colony of termites.* ...en koloni med termitter.
color *etc* ['kʌlə^r] (*US*) = **colour** *etc*
Colorado beetle [kɔlə'rɑ:dəu-] s coloradobille *c*
colossal [kə'lɔsl] ADJ kolossal
colour ['kʌlə^r], **color** (*US*) 1 s (**a**) (*of dress, eyes, hair etc*) farge *m* ❑ *...the colour of that carpet.* ...fargen på det teppet.
(**b**) (*= skin colour*) (hud)farge *m* ❑ *It was illegal to discriminate on the grounds of colour.* Det var ulovlig å diskriminere på grunnlag av hudfarge.
(**c**) (*of spectacle etc*) fargerikdom *m* ❑ *...the romance and colour of the play.* ...romantikken og fargerikdommen i stykket.
2 VT farge (*v1*) ❑ *Does she colour her hair?* Farger hun håret sitt? *Anger had coloured her judgement.* Sinnet hadde farget bedømmelsen hennes.
3 VI (*= blush*) rødme (*v1*)
4 SAMMENS (*film, photograph, television*) farge-
▸ **colours** SPL (*of party, club etc*) farger
▸ **in colour** (*film, illustrations*) i farger
▸ **colour in** VT (*+drawing*) farge (*v1*), fargelegge*
colour bar s raseskille *nt*
colour-blind ['kʌləblaɪnd] ADJ fargeblind
coloured ['kʌləd] ADJ (*gen*) farget ❑ *...the integration of coloured immigrants.* ...integrasjonen av fargede innvandrere. *...the coloured pages in your order book.* ...de fargede sidene i ordreboka din.
colour film s fargefilm *m*
colourful ['kʌləful] ADJ (**a**) (*cloth etc*) fargerik, fargesprakende ❑ *...colourful posters of Paris.* ...fargerike *or* fargesprakende plakater av Paris.
(**b**) (*account, story, personality*) fargerik
colouring ['kʌlərɪŋ] s (*= complexion*) (hud)farge *m*; (*in food*) farge(tilsetning) *m*
colour scheme s fargesammensetning *m*
colour supplement (*BRIT : PRESS*) s kulørt bilag *nt*
colour television s fargefjernsyn *nt*, farge-tv *m*
colt [kəult] s (hingst)fole *m*, (hingst)føll *nt*
column ['kɔləm] s (**a**) (*gen*) søyle *m* ❑ *The house had two white columns...* Huset hadde to hvite søyler... *columns of smoke...* røyksøyler...
(**b**) (*of people*) kolonne *m* ❑ *...came a column of workers.* ...det kom en kolonne med arbeidere.
(**c**) (*= in newspaper etc*) spalte *m*
▸ **the editorial column** lederspalten
columnist ['kɔləmnɪst] s spaltist *m*
coma ['kəumə] s koma *m*
▸ **to be in a coma** være* *or* ligge* i koma
comb [kəum] 1 s kam *m*
2 VT (**a**) (*+hair*) gre (*v4*)
(**b**) (*+area*) finkjemme (*v1*) ❑ *We'll comb the countryside till we find him.* Vi skal finkjemme bygda til vi finner ham.
combat ['kɔmbæt] 1 s kamp *m*
2 VT (*= oppose*) bekjempe (*v1*) ❑ *The schools were fighting to combat truancy.* Skolene kjempet for å bekjempe skulking.
combination [kɔmbɪ'neɪʃən] s (**a**) (*= mixture*) kombinasjon *m* ❑ *...a combination of all these reasons.* ...en kombinasjon av alle disse årsakene.
(**b**) (*for lock, safe etc*) kode *m*, kombinasjon *m*
combination lock s kodelås *m*, kombinasjonslås *m*
combine [*VB* kəm'baɪn, *N* 'kɔmbaɪn] 1 VT forene (*v2*), kombinere (*v2*) ❑ *...the man who combines knowledge with understanding.* ...mannen som forener *or* kombinerer kunnskap med forståelse. *It's difficult to combine family life with a career.* Det er vanskelig å forene *or* kombinere familieliv med en karriere.
2 VI (**a**) (*people, groups*) gå* sammen
(**b**) (*KJEM*) inngå* forbindelse med ❑ *...carbon combines directly with hydrogen.* ...karbon inngår direkte forbindelse med hydrogen.
3 s (*ØKON*) sammenslutning *m*
▸ **to combine sth with sth** kombinere (*v2*) noe med noe
▸ **a combined effort** en felles anstrengelse
combine (harvester) ['kɔmbaɪn-] s skurtresker *m*
combustible [kəm'bʌstɪbl] ADJ brennbar, antennelig
combustion [kəm'bʌstʃən] s (*act, process*) forbrenning *c*

KEYWORD

come [kʌm] (*pt* **came**, *pp* **come**) 1 VI (**a**) (*movement towards, arrive*) komme* ❑ *He's just come from Aberdeen.* Han har *or* er nettopp kommet fra Aberdeen.
▸ **come here!** kom hit!
▸ **come with me** bli* med meg
▸ **to come running** komme* løpende
(**b**) (*= reach*) ▸ **the bill came to 40 pounds** regningen kom på 40 pund
▸ **her hair came to her waist** håret hennes rakk henne til livet

▸ **to come to power** komme* til makten
▸ **to come to a decision** nå (*v4*) (fram til) en beslutning
(**c**) (= *occur*) ▸ **an idea came to me** jeg fikk en idé
(**d**) (= *be, become*) bli
▸ **to come loose/undone** *etc* løsne (*v1*)
▸ **I've come to like him** jeg liker ham nå, jeg har lært meg å like ham
▸ **come about** VI skje (*v4*) ❑ *The discovery of adrenalin came about through a mistake.* Oppdagelsen av adrenalin skjedde ved en feil.
▸ **come across** VT FUS (= *find*) komme* over
2 VI ▸ **to come across well/badly** (*idea, meaning+*) virke (*v1*) bra/dårlig; (*person+*) gjøre* et godt/dårlig inntrykk
▸ **come along** VI (= *arrive*) komme* ❑ *Once every ten years a really exciting writer comes along.* En gang hvert tiår kommer det en virkelig spennende forfatter.; (= *make progress*) gå* framover *Your work is really coming along!* Det går virkelig framover med arbeidet ditt!
▸ **come along!** (*encouraging*) kom igjen!
▸ **come apart** VI (= *break in pieces*) gå* i stykker, gå* fra hverandre ❑ *It came apart in my hands.* Den gikk i stykker *or* gikk fra hverandre i hendene på meg.
▸ **come away** VI (= *leave an object, person*) komme* seg vekk; (= *leave a place*) dra* av gårde ❑ *We came away with the feeling that we had not been welcome.* Vi drog av gårde med følelsen av at vi ikke hadde vært velkomne.; (= *become detached*) løsne (*v1*) *The book's cover has come away from the spine.* Bokens omslag har løsnet fra ryggen.
▸ **come back** VI (= *return*) komme* tilbake ❑ *We hope you'll come back next year.* Vi håper du vil komme tilbake nest år.
▸ **to come back into fashion** komme* på mote igjen
▸ **come by** VT (= *acquire*) ▸ **jobs were hard to come by** det var vanskelig å finne seg arbeid
▸ **come down** VI (*price+*) bli* satt ned, bli* nedsatt; (*tree+ : fall*) falle* (ned); (= *be cut down*) tas *no past tense* ned; (*building+*) bli* revet (ned)
▸ **come forward** VI (= *volunteer*) melde (*v2*) seg frivillig ❑ *People won't come forward with evidence in court.* Folk vil ikke melde seg frivillig til å vitne i retten.
▸ **come from** VT FUS (*+place, source etc*) komme* fra
▸ **come in** VI (*person, news, mail+*) komme* inn ❑ *Reports are coming in of an earthquake in Mexico.* Det kommer inn rapporter om et jordskjelv i Mexico.; (*on deal etc*) bli* med *You can come in for half a million.* Du kan bli* med for en halv million.
▸ **come in!** kom inn!
▸ **come in for** VT FUS (*+criticism etc*) få, bli* tildelt
▸ **come into** VT FUS (= *inherit : money*) arve (*v1*)
▸ **to come into fashion** bli* moderne, komme* på moten
▸ **money doesn't come into it** det handler ikke om penger
▸ **come off** 1 VI (= *become detached : button, handle*) løsne (*v1*) (helt); (= *succeed : attempt, plan*) bli* til noe
2 VT FUS (*sl*) ▸ **come off it!** gi* deg!, hold opp!
▸ **come on** VI (*pupil, work, project+*) gå* framover ❑ *My new book is coming on quite well.* Det går fint framover med boka mi.; (*lights, electricity+*) bli* slått *or* skrudd på
▸ **come on!** (= *hurry up, giving encouragement*) kom igjen!
▸ **come out** VI (*gen*) komme* ut; (*from behind sth : fact, sun, person*) komme* fram; (*stain+*) gå* vekk; (*workers+ : on strike*) gå* ut
▸ **come over** VT FUS (= *visit*) stikke* innom; (= *happen to*) ▸ **I don't know what's come over him!** jeg vet ikke hva som har kommet over ham!
▸ **come round** VI (*after faint, operation*) komme* til seg selv; (= *visit*) stikke* innom; (= *agree*) ▸ **he'll come round to our way of thinking** han kommer vel fram til vår synsmåte
▸ **come through** VI (= *survive*) stå* det over, klare (*v2*) seg; (= *arrive*) ▸ **the call came through** samtalen ble satt over
▸ **come to** 1 VI (= *regain consciousness*) komme* til seg selv, våkne (*v1*)
2 VT FUS (= *add up to*) ▸ **how much does it come to?** hvor mye blir det (til sammen)?
▸ **come under** VT FUS (*+heading*) sortere (*v2*) under, komme* under ❑ *Records and tapes come under published material.* Plater og lydbånd sorterer *or* kommer under publisert materiale.; (*+criticism, pressure, attack*) komme* under
▸ **come up** VI (= *approach*) komme* bort ❑ *An old man came up and spoke to him.* En gammel mann kom bort og snakket til ham.; (*sun+*) stå* opp; (*problem+*) dukke (*v1*) opp; (*event+*) være* på trappene *There's a royal wedding coming up.* Det er et kongelig bryllup på trappene.; (*in conversation*) bli* nevnt *Your name came up last night.* Navnet ditt ble nevnt i går kveld.
▸ **come up against** VT FUS (*+resistance, difficulties*) møte (*v2*)
▸ **come upon** VT FUS (= *find*) komme* over
▸ **come up to** VT FUS ▸ **the film didn't come up to our expectations** filmen svarte ikke til forventningene våre
▸ **it's coming up to 10 O'clock** klokka nærmer seg 10
▸ **come up with** VT FUS (*+idea, money*) komme* med

comeback ['kʌmbæk] s comeback *m or nt*
▸ **to make a comeback** gjøre* comeback
▸ **to have no comeback** ikke kunne* gjøre* noe ved det
Comecon ['kɔmɪkɔn] s FK (= **Council for Mutual Economic Aid**) *sammenslutning av tidligere Østblokkland for å fremme økonomisk utvikling*
comedian [kə'miːdɪən] s komiker *m*
comedienne [kəmiːdɪ'ɛn] s (kvinnelig) komiker *m*
comedown ['kʌmdaun] (*sl*) s nedtur *m* ❑ *The Polytechnic seemed a bit of a comedown after Oxford.* Distriktshøgskolen virket som litt av en nedtur etter Oxford.
comedy ['kɔmɪdɪ] s (*play, film*) komedie *m*; (= *humour*) komikk *m*, komedie *m*
comet ['kɔmɪt] s komet *m*
come-uppance [kʌm'ʌpəns] s ▸ **to get one's**

come-uppance få* sin velfortjente *or* rettsmessige straff

comfort ['kʌmfət] 1 S (**a**) (= *well-being: physical, material*) komfort *m*, bekvemmelighet *m* ❑ *It was a chair not made for comfort.* Det var en stol som ikke var laget for komfort *or* bekvemmelighet.
(**b**) (= *solace, relief*) trøst *m* ❑ *I found comfort in his words.* Jeg fant trøst i ordene hans.
2 VT (= *console*) trøste (*v1*)
▸ **comforts** SPL komfort *m*, bekvemmeligheter *pl* ❑ *I longed for the comforts of home.* Jeg lengtet etter komforten *or* bekvemmelighetene hjemme.

comfortable ['kʌmfətəbl] ADJ (**a**) (*physically*) ▸ **to be comfortable** ha* det bra *or* behagelig, sitte*/ligge* godt
(**b**) (*financially*) velstående
(**c**) (*furniture, room*) komfortabel, bekvem, behagelig
(**d**) (*patient*) ▸ **she is comfortable** tilstanden hennes er tilfredsstillende
(**e**) (*walk, climb etc*) makelig, lett
(**f**) (*income, majority*) pen, romslig ❑ *In the end they won by a comfortable margin.* Til slutt vant de med god *or* en pen *or* en romslig margin.
▸ **to feel comfortable** føle (*v2*) seg vel
▸ **to make o.s. comfortable** slappe (*v1*) av
▸ **I don't feel very comfortable about it** (*emotionally*) jeg føler meg ikke særlig vel ved det

comfortably ['kʌmfətəblɪ] ADV (*sit, live, sleep etc*) behagelig

comforter ['kʌmfətə^r] (*US*) S (*on bed*) vatteppe *nt*; (*for baby to suck*) kosedyr *nt*

comfort station (*US*) S offentlig toalett *nt* (med stellerom)

comic ['kɔmɪk] 1 ADJ komisk
2 S (= *comedian*) komiker *m*; (*BRIT: magazine*) tegneseriehefte *nt*

comical ['kɔmɪkl] ADJ komisk

comic strip S tegneserie *m*

coming ['kʌmɪŋ] S, ADJ (**a**) (*event, attraction*) kommende ❑ *...at the coming election.* ...i det kommende valget.
(**b**) (= *next, future*) kommende, neste
▸ **in the coming weeks** i de kommende *or* neste ukene, i ukene som kommer

comings and goings SPL bevegelser *pl*

Comintern ['kɔmɪntəːn] S Komintern *m*

comma ['kɔmə] S komma *nt*

command [kə'mɑːnd] 1 S (**a**) (= *order*) ordre *m*, befaling *c* ❑ *They waited for their master's command.* De ventet på ordre *or* befaling fra sin herre.
(**b**) (= *control, charge*) kontroll *m*, herredømme *nt* ❑ *He was looking more in command than ever before.* Han så ut til å ha* mer kontroll *or* herredømme enn noensinne.
(**c**) (*MIL: authority*) kommando *m* ❑ *...under his command.* ...under hans kommando.
(**d**) (= *mastery: of subject*) beherskelse *m* ❑ *...a good command of spoken English.* ...en god beherskelse av muntlig engelsk.
(**e**) (*DATA*) kommando *m*
2 VT (**a**) (*+troops*) kommandere (*v2*)
(**b**) (*+support*) innbringe* ❑ *The campaign commanded support from all sides.* Kampanjen innbrakte støtte fra alle kanter.
(**c**) (*+respect*) inngi*
▸ **to be in command (of)** ha* kommandoen (over/på)
▸ **under sb's command** under noens kommando
▸ **to have/take command of** ha/overta kommandoen over
▸ **to have at one's command** (*+money, resources etc*) ha* i sin makt
▸ **to command sb to do sth** kommandere (*v2*) noen til å gjøre* noe, befale (*v2*) noen å gjøre* noe ❑ *She commanded me to lie down and relax.* Hun kommanderte meg til *or* befalte meg å legge meg ned og slappe av.

commandant ['kɔməndænt] S kommandant *m*

command economy S planøkonomi *m*

commandeer [kɔmən'dɪə^r] VT (= *requisition*) rekvirere (*v2*); (*fig: office, equipment etc*) bemektige (*v1*) seg

commander [kə'mɑːndə^r] S kommandør *m*

commander-in-chief [kə'mɑːndərɪn'tʃiːf] S øverstkommanderende *m decl as adj*

commanding [kə'mɑːndɪŋ] ADJ (*voice, manner*) bydende, befalende; (*position*) ledende; (*lead*) avgjørende

commanding officer S befalshavende *m decl as adj*, kommanderende offiser *m*

commandment [kə'mɑːndmənt] S bud *nt*

command module S kommandoseksjon *m*

commando [kə'mɑːndəu] S (*group*) kommando *m*; (= *soldier*) kommandosoldat *m*

commemorate [kə'mɛməreɪt] VT minnes (*v25x*) ❑ *Today we commemorate the end of the Second World War.* I dag minnes vi slutten på andre verdenskrig.

commemoration [kəmɛmə'reɪʃən] S minnehøytidelighet *m* ❑ *...the commemoration of the fiftieth anniversary...* minnehøytideligheten på femtiårsdagen...

commemorative [kə'mɛmərətɪv] ADJ (*plaque etc*) minne-

commence [kə'mɛns] VTI begynne (*v2x*)

commend [kə'mɛnd] VT (= *praise*) gi* ros, rose (*v2*) ❑ *I was commended by Richards for my reports.* Jeg fikk ros *or* ble rost av Richards for rapportene mine.
▸ **to commend sth to sb** anbefale (*v2*) noe til noen

commendable [kə'mɛndəbl] ADJ prisverdig

commendation [kɔmɛn'deɪʃən] S lovord *pl*

commensurate [kə'mɛnʃərɪt] ADJ
▸ **commensurate with/to** i samsvar med

comment ['kɔmɛnt] 1 S (**a**) (= *remark: written or spoken*) kommentar *m* ❑ *People in the town started making rude comments.* Folk i byen begynte å komme med ufine kommentarer.
(**b**) (*on situation, development etc*) kommentar *m*, ytring *c* ❑ *I think this is a very sad comment on what is happening to our country.* Jeg syns dette er en veldig trist kommentar til *or* ytring om det som skjer med landet vårt.
2 VI ▸ **to comment (on)** (= *remark*) kommentere (*v2*) ❑ *Both of the girls commented on Chris's*

size. Begge jentene kommenterte størrelsen til Chris.
▸ **to comment that** bemerke (*v1*) at
▸ **"no comment"** "ingen kommentar"

commentary ['kɔməntərɪ] s (**a**) (*SPORT*) reportasje *m* ❑ *...a commentary on the Cup Final.* ...en reportasje om cupfinalen.
(**b**) (*book, article*) kommentar *m* ❑ *...a series of political commentaries in New Society.* ...en serie med politiske kommentarer i New Society.

commentator ['kɔmənteɪtəʳ] s (*gen*) kommentator *m* ❑ *...an experienced commentator on political affairs.* ...en erfaren politisk kommentator.

commerce ['kɔmə:s] s handel *m*, forretningsvirksomhet *m* ❑ *...a centre of commerce.* ...et handelssentrum. ...et senter for forretningsvirksomhet.

commercial [kə'mə:ʃəl] 1 ADJ kommersiell ❑ *...commercial and industrial organisations.* ...handels- og industriorganisasjoner. *People knew that Concorde would never be a commercial success.* Folk visste at Concorde aldri ville* bli* noen kommersiell suksess.
2 s (*TV, RADIO : advertisement*) reklame *m*, reklameinnslag *nt*
▸ **commercial French** handelsfransk, merkantil fransk

commercial bank s handelsbank *m*, forretningsbank *m*

commercial break (*TV*) s reklamepause *m*

commercial college s handelsskole *m*, sekretærskole *m*

commercialism [kə'mə:ʃəlɪzəm] s kommersialisme *m*

commercialize [kə'mə:ʃəlaɪz] VT kommersialisere (*v2*)

commercialized [kə'mə:ʃəlaɪzd] (*neds*) ADJ (*place, event etc*) kommersialisert

commercial radio s reklameradio *m*

commercial television s reklamefjernsyn *nt*, reklame-tv *m*

commercial traveller s salgsrepresentant *m* (*som reiser*), handelsreisende *m*

commercial vehicle s offentlig transportmiddel *nt* (*buss eller (vare)bil*)

commiserate [kə'mɪzəreɪt] VI ▸ **to commiserate with** føle (*v2*) med ❑ *I commiserated with him over the recent news.* Jeg følte med ham på grunn av nyhetene han nettopp hadde fått.

commission [kə'mɪʃən] 1 s (**a**) (*= order for work : esp of artist*) oppdrag *nt* ❑ *Red House was Webb's first independent commission as an architect.* Red House var Webbs første selvstendige oppdrag som arkitekt.
(**b**) (*MERK*) provisjon *m* ❑ *They get commission on top of their basic salary.* De får provisjon på toppen av grunnlønnen sin.
(**c**) (*= committee*) kommisjon *m* ❑ *A commission was appointed...* Det ble nedsatt en kommisjon...
(**d**) (*MIL*) offisersutnevnelse *m* ❑ *Colonel Mitchell resigned his commission in 1959.* Oberst Mitchell gikk av som offiser i 1959.
2 VT (**a**) (*+work of art*) bestille (*v2x*) ❑ *These pieces were commissioned by Queen Victoria.* Disse bildene ble bestilt av dronning Victoria.
(**b**) (*MIL*) utnevne (*v2*) til offiser ❑ *He was commissioned as an RAF pilot...* Han ble utnevnt til RAF-pilot med offisers rang...
▸ **out of commission** (*= not working*) i ustand
▸ **I get 10% commission** jeg får 10 % i provisjon
▸ **commission of inquiry** undersøkelseskommisjon *m*
▸ **to commission sb to do sth** gi* noen i oppdrag å gjøre* noe
▸ **to commission sth from sb** bestille (*v2x*) noe fra noen

commissionaire [kəmɪʃə'nɛəʳ] (*BRIT*) s (*at shop, cinema etc*) dørvakt *m*

commissioner [kə'mɪʃənəʳ] s kommisær *m*
▸ **(police) commissioner** politimester *m*

commit [kə'mɪt] VT (**a**) (*+crime, murder etc*) begå* (**b**) (*+money, resources*) sette* inn ❑ *They must commit their entire resources to the project.* De må sette inn alle sine ressurser på prosjektet.
(**c**) (*to sb's care*) overlate* ❑ *She was committed to a nursing home.* Hun ble overlatt til et pleiehjem.
▸ **to commit o.s. (to do)** binde* seg (til å gjøre) ❑ *They don't want to commit themselves to any expenditure.* De ønsker ikke å binde seg til noen utlegg.
▸ **to commit suicide** begå* selvmord, ta* selvmord
▸ **to commit sth to writing** sette* noe ned på papiret
▸ **to commit sb for trial** stevne (*v1*) noen for retten (*anklagede*)

commitment [kə'mɪtmənt] s (**a**) (*to ideology, system*) ▸ **commitment (to)** engasjement *nt* (i) ❑ *...your long commitment to feminism.* ...ditt langvarige engasjement i kvinnesaken.
(**b**) (*= obligation*) forpliktelse *m* ❑ *She's got family commitments.* Hun har familieforpliktelser.
(**c**) (*= undertaking*) bindende løfte *nt*/avtale *n* NB *To become a disciple of his is to make a lifetime commitment.* Å bli* en av disiplene hans er å binde seg på livstid.

committed [kə'mɪtɪd] ADJ (*writer, politician, Christian*) ihuga, engasjert

committee [kə'mɪtɪ] s (*of organization, club etc*) komité *m*, utvalg *nt* ❑ *A special committee has been set up.* En egen komité *or* et eget utvalg har blitt nedsatt.
▸ **to be on a committee** være* med i en komité *or* et utvalg

committee meeting s komitémøte *nt*, utvalgsmøte *nt*

commodity [kə'mɔdɪtɪ] s vare *m* ❑ *Labour is bought and sold like any other commodity.* Arbeid blir kjøpt og solgt som enhver annen vare.

common ['kɔmən] 1 ADJ (**a**) (*= shared : knowledge, property, good*) felles ❑ *...a common frontier.* ...en felles grense.
(**b**) (*= usual, ordinary*) vanlig ❑ *Durand is a common name there.* Durand er et vanlig navn der.

(**c**) (= *vulgar*) simpel ❑ *She was often common and rude.* Hun var ofte simpel og frekk.
2 s (*area*) gresslette *c* (*utenfor landsby og som kan brukes av alle*)
▸ **the Commons** (*BRIT : POL*) SPL Underhuset *nt*
▸ **to have sth in common (with sb)** ha* noe (til) felles (med noen)
▸ **in common use** i vanlig bruk
▸ **it's common knowledge that** det er allment kjent at, det er en velkjent sak at
▸ **for the common good** til felles beste, til beste for alle
common cold s ▸ **the common cold** forkjølelse *m*
common denominator s (*MAT, fig*) fellesnevner *m*
commoner ['kɔmənəʳ] s vanlig borger *m* (*som ikke tilhører adelen*)
common ground s (*fig*) felles grunnlag *nt*
common land s friområde *nt*
common law s ≈ sedvanerett *m* ❑ *Our legal system is based on common law.* Det juridiske systemet vårt er basert på sedvanerett.
common-law ['kɔmənlɔː] ADJ ▸ **common-law wife** samboer *m* (*kvinnelig*)
commonly ['kɔmənlɪ] ADV vanlig ❑ *The most commonly used argument is...* Det mest vanlig brukte argumentet er...
Common Market s ▸ **the Common Market** Fellesmarkedet
commonplace ['kɔmənpleɪs] ADJ hverdagslig ❑ *Air travel has now become commonplace.* Flyreiser har blitt hverdagslige *or* har blitt hverdagskost nå.
common room s pauserom *nt*
common sense s sunn fornuft *m*, sunt vett *nt* ❑ *Use your common sense.* Bruk din sunne fornuft *or* ditt sunne vett.
Commonwealth ['kɔmənwɛlθ] (*BRIT*) s ▸ **the Commonwealth** Samveldet

> **i**
> **Commonwealth** *(Samveldet) består av 50 uavhengige stater og flere territorier som alle anerkjenner det britiske statsoverhodet som leder for organisasjonen.*

commotion [kə'məuʃən] s oppstyr *nt*, ståhei *m*
communal ['kɔmjuːnl] ADJ (**a**) (= *for common use*) felles ❑ *...a communal dining room.* ...en felles spisestue.
(**b**) (*life*) basert på fellesskap
commune [*N* 'kɔmjuːn, *VB* kə'mjuːn] 1 s (= *group*) kollektiv *nt*
2 VI ▸ **to commune with** (+*nature, God*) tale (*v2*) med
communicate [kə'mjuːnɪkeɪt] 1 VT (+*idea, decision, feeling*) meddele (*v2*)
2 VI ▸ **to communicate (with)** (**a**) (*by speech, gesture*) kommunisere (*v2*) (med) ❑ *Bees have several ways of communicating.* Bier har mange måter å kommunisere på.
(**b**) (*in writing*) ha* kontakt ❑ *Anthony and I hadn't communicated for years.* Anthony og jeg hadde ikke hatt noen kontakt på mange år.
communication [kəmjuːnɪ'keɪʃən] s (**a**) (*process*) kommunikasjon *m* ❑ *...a highly effective system of communication.* ...et svært effektivt kommunikasjonssystem.
(**b**) (*message*) meddelelse *m* ❑ *...a secret communication from the Foreign Minister.* ...en hemmelig meddelelse fra utenriksministeren.
communication cord (*BRIT*) s (*on train*) nødbrems *m* (*i form av en snor*)
communications network s kommunikasjonsnettverk *nt*
communications satellite s kommunikasjonssatelitt *m*
communicative [kə'mjuːnɪkətɪv] ADJ meddelsom
communion [kə'mjuːnɪən] s (*also* ***Holy Communion***) nattverd *m*
communiqué [kə'mjuːnɪkeɪ] s kommuniké *nt*
communism ['kɔmjunɪzəm] s kommunisme *m*
communist ['kɔmjunɪst] 1 ADJ kommunistisk
2 s kommunist *m*
community [kə'mjuːnɪtɪ] s (**a**) (= *group of people*) samfunn *nt* ❑ *...all sections of the local community.* ...alle grupper i lokalsamfunnet.
(**b**) (*within larger group*) ▸ **the business community.** forretningsmiljøet.
community centre s samfunnshus *nt*, kulturhus *nt*
community charge (*BRIT*) s koppskatt *m*
community chest (*US*) s (privat) velferdsfond *nt*
community health centre s offentlig legesenter *nt*
community home (*BRIT*) s (offentlig) barnehjem *nt*
community service s samfunnstjeneste *m*
community spirit s samfunnsånd *m*
commutation ticket [kɔmju'teɪʃən-] (*US*) s sesongkort *nt*
commute [kə'mjuːt] 1 VI (*to work*) pendle (*v1*)
2 VT (*gen, JUR : sentence*) omgjøre* ❑ *Bethwell's sentence was commuted to life imprisonment.* Bethwells dom ble omgjort til livsvarig fengsel.
commuter [kə'mjuːtəʳ] s pendler *m*
compact [*ADJ* kəm'pækt, *N* 'kɔmpækt] 1 ADJ kompakt
2 s (*also* ***powder compact***) (liten) pudderdåse *m*
compact disc s CD-plate *c*
compact disc player s CD-spiller *m*
companion [kəm'pænjən] s ledsager *m* (*fml*) NB *I know her but not her companion...* Jeg kjenner henne, men ikke han som er med henne *or* han som hun er sammen med...
companionship [kəm'pænjənʃɪp] s selskap *nt*
companionway [kəm'pænjənweɪ] (*NAUT*) s lugartrapp *c*
company ['kʌmpənɪ] s (**a**) (*MERK*) selskap *nt*, firma *nt* ❑ *...a big oil company.* ...et stort oljeselskap.
(**b**) (*TEAT*) kompani *nt* ❑ *...a French company has put the opera on.* ...et fransk kompani har satt opp operaen.
(**c**) (*MIL*) kompani *nt* ❑ *...a regular Marine company.* ...et alminnelig marinekompani.
(**d**) (= *companionship*) selskap *nt* ❑ *I enjoy the company of animals.* Jeg liker å ha* selskap av dyr.
▸ **he's good company** han er hyggelig å være* sammen med
▸ **we have company** vi har selskap, vi er ikke

alene
▸ **to keep sb company** holde* noen med selskap
▸ **to part company with** skille (*v2x*) lag med
▸ **Smith and Company** Smith og kompani
company car s firmabil *m*
company director s direktør *m* for et firma *or* et selskap
company secretary (*BRIT*) s direksjonssekretær *m*, firmafullmektig *m*
comparable ['kɔmpərəbl] ADJ (**a**) (*size, style, extent*) sammenlignbar, som kan sammenlignes ❑ *The sums of money involved were not comparable.* Pengesummene det dreide seg om, var ikke sammenlignbare *or* kunne* ikke sammenlignes.
(**b**) (*car, property etc*) sammenlignbar ❑ *...comparable models.* ...sammenlignbare modeller.
▸ **comparable to** som kan sammenlignes med ❑ *...nothing in the world comparable to sleep.* ...ingen ting i verden som kan sammenlignes med søvn.
comparative [kəm'pærətɪv] ADJ (**a**) (= *relative*) forholdsvis, relativ ❑ *This comparative peace...* Denne relativt *or* forholdsvis fredelige perioden...
(**b**) (*study*) komparativ, sammenlignende ❑ *...a comparative study of Indian and Western achievements.* ...en komparativ *or* sammenlignende studie av indiske og vestlige meritter.
(**c**) (*LING : adjective, adverb etc*) komparativ
(**d**) (*literature*) komparativ, sammenlignende
▸ **in the comparative** i komparativ
comparatively [kəm'pærətɪvlɪ] ADV forholdsvis, relativt
compare [kəm'pɛəʳ] 1 VT ▸ **to compare sb/sth with/to** sammenligne (*v1*) noen/noe med ❑ *...studies comparing Russian children with those in Britain.* ...studier som sammenligner russiske barn med britiske. *...he is compared frequently to Hazlitt.* ...han blir ofte sammenlignet med Hazlitt.
2 VI ▸ **to compare favourably/unfavourably (with)** komme* heldig/uheldig ut i sammenligning (med)
▸ **how do the prices compare?** hvordan er prisene i sammenligning?
▸ **compared with** *or* **to** sammenlignet med ❑ *The fee is low, compared with that at other schools.* Skolepengene er lave, sammenlignet med andre skoler.
comparison [kəm'pærɪsn] s sammenligning *m* NB *...the comparison of the party conference to a circus.* ...sammenligningen mellom partikonferansen og et sirkus.
▸ **for comparison** til sammenligning ❑ *Here, for comparison, is the French version.* Her, til sammenligning, er den franske versjonen.
▸ **in comparison (with)** i sammenligning med, i forhold til ❑ *This is trifling in comparison with the devastations caused by war.* Dette er bare småtterier i sammenligning med *or* i forhold til ødeleggelsene som krigen forårsaket.
compartment [kəm'pɑːtmənt] s (*JERNB*) kupé *m*; (= *section : of wallet, fridge etc*) rom *nt*
compass ['kʌmpəs] s (**a**) (*instrument*) kompass *nt*
(**b**) (*fig : scope*) rekkevidde *m* ❑ *...the global compass of politics.* ...den globale rekkevidden av politikk.
▸ **compasses** SPL (*also* ***pair of compasses***) passer *m*
▸ **beyond/within the compass of** utenfor/innenfor rekkevidden av
compassion [kəm'pæʃən] s medlidenhet *m*, medfølelse *m*
compassionate [kəm'pæʃənɪt] ADJ (*person, look*) medlidende, medfølende
▸ **on compassionate grounds** av velferdsgrunner
compassionate leave s (*esp MIL*) velferdspermisjon *m*
compatibility [kəmpætɪ'bɪlɪtɪ] s (**a**) (*of people, ideas etc*) forenlighet *c* ❑ *...compatibility between people.* ...forenlighet mellom mennesker.
(**b**) (*DATA*) kompatibilitet *m*
compatible [kəm'pætɪbl] ADJ (**a**) (*people, ideas etc*) forenlig ❑ *We weren't really compatible with each other.* Vi passet i grunnen ikke sammen.
(**b**) (*DATA*) kompatibel
compel [kəm'pɛl] VT tvinge* ❑ *Indians were compelled to work in the mines.* Indianere ble tvunget til å arbeide i gruvene.
compelling [kəm'pɛlɪŋ] ADJ (*argument, reason*) tvingende
compendium [kəm'pɛndɪəm] s sammenfatning *m*, kompendium *nt*
compensate ['kɔmpənseɪt] 1 VT (*+employee, victim*) gi* kompensasjon, gi* vederlag ❑ *Rather than compensate people for unemployment,...* I stedet for å gi* folk kompensasjon *or* vederlag for arbeidsledighet,...
2 VI ▸ **to compensate for** (*+loss, disappointment, change etc*) kompensere (*v2*) for, veie (*v3*) opp for ❑ *...to compensate for their inability to have children.* ...å kompensere for *or* veie opp for at de ikke kan få* barn.
compensation [kɔmpən'seɪʃən] s (**a**) (= *adjustment, consolation*) kompensasjon *m* ❑ *...the compensations your body has to make.* ...de kompensasjonene som kroppen din må gjøre. *The letters from Nell were some compensation.* Brevene fra Nell var en liten kompensasjon.
(**b**) (*money*) erstatning *m*, kompensasjon *m* ❑ *If you were killed, your dependants could get compensation.* Hvis du ble drept, kunne* dine pårørende få* erstatning *or* kompensasjon.
compère ['kɔmpɛəʳ] s konferansier *m*
compete [kəm'piːt] VI ▸ **to compete (with)** konkurrere (*v2*) (med) ❑ *British shipbuilders can now compete on equal terms with foreign yards.* Britiske skipsbyggere kan nå konkurrere på like vilkår med utenlandske verft. *Moorcroft has now competed in two Olympics.* Moorcroft har nå konkurrert i to olympiader.
competence ['kɔmpɪtəns] s dyktighet *c*, kompetanse *m*
competent ['kɔmpɪtənt] ADJ (**a**) (*person*) dyktig,

kompetent ❑ *She was very competent at her work.* Hun var svært dyktig *or* kompetent i arbeidet sitt.
(**b**) (*piece of work*) dyktig

competing [kəm'piːtɪŋ] ADJ konkurrerende

competition [kɔmpɪ'tɪʃən] S (*gen*) konkurranse *m* ❑ *Competition for admission to the school is keen.* Konkurransen for å komme inn på skolen er hard. *I entered one or two competitions...* Jeg deltok i en eller to konkurranser... *fierce international competition.* ...hard internasjonal konkurranse.
▸ **in competition with** i konkurranse med

competitive [kəm'pɛtɪtɪv] ADJ (**a**) (*industry, society*) konkurransepreget ❑ *...a highly competitive society.* ...et høyst konkurransepreget samfunn.. ...i høy grad et konkurransesamfunn.
(**b**) (*person*) som har sterk konkurranse mentalitet
(**c**) (*price, product*) konkurransedyktig ❑ *...a competitive car for the '90s.* ...en konkurransedyktig bil for nittiårene.
(**d**) (*sport*) konkurranse- ❑ *...competitive tennis.* ...konkurransetennis.

competitive examination S konkurranse *m*

competitor [kəm'pɛtɪtə^r] S (**a**) (= *rival*) konkurrent *m* ❑ *...the firm's challenge to its foreign competitors.* ...firmaets utfordring til sine utenlandske konkurrenter.
(**b**) (= *participant*) (konkurranse)deltaker *m* ❑ *Most of the competitors in the games...* De fleste av deltakerne i lekene...

compile [kəm'paɪl] VT (*+report etc*) sette* sammen, kompilere (*v2*); (*+reference work*) kompilere (*v2*), utarbeide (*v1*)

complacency [kəm'pleɪsnsɪ] S selvtilfredshet *c*

complacent [kəm'pleɪsnt] ADJ (*person, smile, attitude*) selvtilfreds

complain [kəm'pleɪn] VI ▸ **to complain (about)** klage (*v1 or v3*) (på) ❑ *He's always complaining.* Han klager bestandig. *The neighbours complained to the police about the noise.* Naboene klaget til politiet på bråket.
▸ **to complain of** (*+pain*) klage (*v1 or v3*) over ❑ *He complained of a pain in the chest.* Han klaget over smerte i brystet.

complaint [kəm'pleɪnt] S (**a**) (= *criticism*) klage *m* ❑ *They have no real grounds for complaint.* De har ingen reelle grunner for klage. *She wrote a letter of complaint.* Hun skrev et klagebrev.
(**b**) (= *reason for complaining*) klagemål *nt*, ankepunkt *nt* ❑ *Our main complaint is the lack of child-care facilities.* Hovedklagemålet *or* hovedankepunktet vårt er mangelen på barnehageplasser.
(**c**) (= *illness*) lidelse *m* ❑ *...a minor urinary complaint.* ...en mindre urinveislidelse.

complement [*N* 'kɔmplɪmənt, *VB* 'kɔmplɪmɛnt] [1] S (**a**) (= *supplement*) supplement *nt* ❑ *...an ideal complement to...* et ideelt supplement til...
(**b**) (= *esp ship's crew*) besetning *m* ❑ *...the original complement of 150...* den opprinnelige besetningen på 150...
[2] VT (= *enhance*) utfylle (*v2x*) ❑ *Tribal medicine and Western medicine complement each other.* Stammemedisin og Vestens medisin utfyller hverandre.
▸ **to have a full complement of** ha* et fullstendig sett av

complementary [kɔmplɪ'mɛntərɪ] ADJ som utfyller hverandre ❑ *These two approaches are complementary.* Disse to framgangsmåtene utfyller hverandre.
▸ **complementary medicine** alternativ medisin *m*

complete [kəm'pliːt] [1] ADJ (**a**) (= *total: silence, change, success*) fullstendig ❑ *You need a complete change of diet.* Du trenger en fullstendig endring av kostholdet.
(**b**) (= *whole: list, edition, set etc*) fullstendig, komplett ❑ *...our group was complete again.* ...gruppen vår var fullstendig *or* komplett igjen.
(**c**) (= *finished: building, task*) fullført, ferdig ❑ *...blocks of luxury flats, complete but half-empty.* ...blokker med luksusleiligheter, ferdige *or* fullførte, men halvtomme.
[2] VT (**a**) (= *finish: building, task*) fullføre (*v2*)
(**b**) (*+set, group etc*) gjøre* komplett *or* fullstendig ❑ *A silk tie completed the outfit.* Et silkeslips gjorde antrekket komplett *or* fullstendig *or* kompletterte antrekket.
(**c**) (= *fill in: form*) fylle (*v2x*) ut
▸ **it's a complete disaster** det er en total katastrofe, det er helt katastrofalt
▸ **the complete works of Shakespeare** Shakespeares samlede verker

completely [kəm'pliːtlɪ] ADV fullstendig, aldeles, helt

completion [kəm'pliːʃən] S (**a**) (*of sale*) sluttføring *c*, avslutning *m*
(**b**) (*of building*) ▸ **the house was due for completion in 1983** huset skulle* stå ferdig *or* være* ferdigstilt i 1983
▸ **to be nearing completion** være* ferdig snart, være* nesten ferdig
▸ **on the completion of sth** når noe er ferdig *or* avsluttet

complex ['kɔmplɛks] [1] ADJ (*structure, problem, decision, society etc*) kompleks, sammensatt
[2] S (**a**) (= *group: of buildings*) kompleks *nt* ❑ *...a new sports and leisure complex.* ...et nytt sport- og fritidskompleks.
(**b**) (*PSYK*) kompleks *nt* ❑ *...a guilt complex about it.* ...et skyldkompleks overfor det.

complexion [kəm'plɛkʃən] S (**a**) (*of face*) farge *m* (i ansiktet)
(**b**) (*of event etc*) beskaffenhet *c* ❑ *The complexion of the problem had changed.* Problemets beskaffenhet hadde endret seg.

complexity [kəm'plɛksɪtɪ] S kompleksitet *m* ❑ *...problems of varying complexity.* ...problemer med varierende kompleksitet.

compliance [kəm'plaɪəns] S føyelighet *c* ❑ *There are ways of ensuring compliance.* Det er måter å sikre føyelighet på.
▸ **compliance with** (= *agreement*) ettergivenhet *c* overfor ❑ *...her compliance with these terms.* ...hennes ettergivenhet overfor disse betingelsene.
▸ **in compliance with** i samsvar med, i overensstemmelse med

compliant [kəm'plaɪənt] ADJ (*person*) føyelig, ettergivende ❑ *...compliant to the demands of others.* ...føyelig *or* ettergivende (over) for andres krav.
complicate ['kɔmplɪkeɪt] VT komplisere (*v2*), gjøre* vanskeligere, vanskeliggjøre*
complicated ['kɔmplɪkeɪtɪd] ADJ komplisert
complication [kɔmplɪ'keɪʃən] S (*also MED*) komplikasjon *m*
complicity [kəm'plɪsɪtɪ] S delaktighet *c*, medskyldighet *c* ❑ *She suspected him of complicity in John's escape.* Hun mistenkte ham for delaktighet *or* medskyldighet i Johns rømming.
compliment [*N* 'kɔmplɪmənt, *VB* 'kɔmplɪment] 1 S (= *expression of admiration*) kompliment *m*
2 VT komplimentere (*v2*), gi* komplimenter ❑ *She is to be complimented for handling the situation so well.* Hun skal komplimenteres *or* få* komplimenter for å ha* taklet situasjonen så godt.
▸ **compliments** SPL (= *regards*) hilsener *pl*, komplimenter *pl* ❑ *My compliments to the chef.* Mine komplimenter til kokken.
▸ **to pay sb a compliment** gi* noen en kompliment
▸ **to compliment sb (on sth/on doing sth)** gi* noen komplimenter (for noe/for å ha* gjort noe) ❑ *He complimented Morris on his new car.* Han gav Morris komplimenter for den nye bilen hans.
complimentary [kɔmplɪ'mɛntərɪ] ADJ (*remark*) smigrende; (*ticket*) gratis-, fri-; (*copy of book*) gratis-
compliments slip ['kɔmplɪmənts-] S *trykt seddel med hilsen fra et firma eller lignende*
comply [kəm'plaɪ] VI ▸ **to comply with** (**a**) (*+law, ruling : person*) bøye (*v3*) seg for, etterkomme*
(**b**) (*thing+*) være* i overensstemmelse med, etterkomme* ❑ *New vehicles must comply with certain standards.* Nye kjøretøyer må være* i overensstemmelse med *or* etterkomme visse krav.
component [kəm'pəunənt] 1 ADJ (*parts, elements*) bestand-, del-
2 S komponent *m*
compose [kəm'pəuz] 1 VT ▸ **to be composed of** være* satt sammen *or* sammensatt av, bestå* av
2 VT (**a**) (*+music*) komponere (*v2*)
(**b**) (*+poem, letter*) forfatte (*v1*)
▸ **to compose o.s.** ta* seg sammen, gjenvinne* fatningen
composed [kəm'pəuzd] ADJ fattet, rolig
composer [kəm'pəuzəʳ] S komponist *m*
composite ['kɔmpəzɪt] 1 ADJ sammensatt
2 S sammensetning *m*
composition [kɔmpə'zɪʃən] S (**a**) (*of substance, group etc*) sammensetning *m* ❑ *...the chemical composition of the atmosphere.* ...den kjemiske sammensetningen av atmosfæren.
(**b**) (= *essay*) stil *m* ❑ *The composition had to be at least three pages long.* Stilen måtte* være* på minst tre sider.
(**c**) (*MUS*) komposisjon *m*
compositor [kəm'pɔzɪtəʳ] S setter *m*
compos mentis ['kɔmpɔs'mentɪs] ADJ i stand til å tenke klart
compost ['kɔmpɔst] S (**a**) (= *decaying material*) kompost *m* ❑ *...a compost heap.* ...en komposthaug.
(**b**) (*also* ***potting compost***) plantejord *c*, pottejord *c*
composure [kəm'pəuʒəʳ] S (*of person*) fatning *m* ❑ *She had regained her composure once again.* Hun hadde gjenvunnet fatningen enda en gang.
compound [*N, ADJ* 'kɔmpaund, *VB* kəm'paund] 1 S (**a**) (*KJEM*) forbindelse *m* ❑ *...various carbon compounds.* ...ymse karbonforbindelser.
(**b**) (= *enclosure*) (innelukket *or* inngjerdet) område *nt* ❑ *...the prison compound.* ...fengselsområdet.
(**c**) (*LING*) sammensetning *m*, sammensatt ord *nt*
2 ADJ (*structure, eye, leaf etc*) sammensatt
3 VT (*+problem etc*) blande (*v1*) med ❑ *Her uncertainty was now compounded by fear.* Usikkerheten hennes var nå blandet med frykt.
compound fracture S komplisert brudd *nt*
compound interest S rentesrente *c*
comprehend [kɔmprɪ'hɛnd] VT (= *understand*) begripe*, fatte (*v1*) ❑ *They did not comprehend how...* De begrep *or* fattet ikke hvordan...
comprehension [kɔmprɪ'hɛnʃən] S (= *understanding*) fatteevne *m*, forstand *m* NB *This is beyond my comprehension.* Dette er utenfor min fatteevne *or* over min forstand.
comprehensive [kɔmprɪ'hɛnsɪv] ADJ (*description, review, list*) omfattende; (*FORS*) kasko-
comprehensive (school) (*BRIT*) S *skole for alle ungdommer fra 11 til 18 år*, ungdomsskole *m*
compress [*VB* kəm'prɛs, *N* 'kɔmprɛs] 1 VT (*+air, cotton, paper etc*) komprimere (*v2*); (*+text, information*) komprimere (*v2*), presse (*v1*) sammen
2 S (*MED*) kompress *m*, omslag *nt*
compressed air S komprimert luft *c*
compression [kəm'prɛʃən] S kompresjon *m* ❑ *...the compression of air by the piston.* ...kompresjonen av luft med stempelet.
comprise [kəm'praɪz] VT (**a**) (*also* ***be comprised of***) bestå* av ❑ *The Privy Council comprised 283 members.* Kongens råd bestod av 283 medlemmer.
(**b**) (= *constitute*) utgjøre* ❑ *Farmers comprise just 1.2 per cent of the population.* Bøndene utgjør bare 1,2 prosent av befolkningen.
compromise ['kɔmprəmaɪz] 1 S kompromiss *nt* ❑ *...some compromise will be reached.* ...det vil bli* nådd fram til et kompromiss.
2 VT (*+beliefs, principles*) gå* på akkord med ❑ *The Government had compromised its principles.* Regjeringen hadde gått på akkord med prinsippene sine.
3 VI (= *make concessions*) inngå* kompromiss ❑ *Don't compromise...* Ikke inngå noe kompromiss...
4 SAMMENS (*decision, solution*) kompromiss-
compulsion [kəm'pʌlʃən] S (**a**) (= *desire, impulse*) (sykelig) trang *m* ❑ *She feels a compulsion to tidy up all the time.* Hun føler en sykelig trang til å rydde opp hele tiden.
(**b**) (= *pressure*) tvang *m* ❑ *There was no compulsion on employers to take part.* Arbeidsgivere var ikke tvunget til å delta.

▸ **under compulsion** under tvang
compulsive [kəm'pʌlsɪv] ADJ ▸ **a compulsive liar** en lystløgner
▸ **a compulsive gambler** en som lider av spillegalskap
▸ **it's compulsive reading/viewing** man kan ikke legge den fra seg/ta øynene vekk fra den
▸ **he's a compulsive smoker** han klarer seg ikke uten røyk
compulsory [kəm'pʌlsərɪ] ADJ (*attendance, retirement*) obligatorisk, tvungen
compulsory purchase s ekspropriasjon *m*
compunction [kəm'pʌŋkʃən] s skrupler *pl*, samvittighetsnag *nt*, kvaler *pl* ❑ *...without any compunction.* ...uten skrupler *or* kvaler *or* samvittighetsnag.
▸ **to have no compunction about doing sth** ikke ha* noen skrupler *or* kvaler med å gjøre* noe ❑ *They had no compunction about taking the furniture.* De hadde ingen skrupler *or* kvaler med å ta* møblene.
computer [kəm'pju:tə'] 1 s datamaskin *m*
2 SAMMENS (*language, peripheral, program etc*) data-
▸ **by computer** på data
computer game s dataspill *nt*
computerization [kəmpju:tərar'zeɪʃən] s datorisering *c*
computerize [kəm'pju:təraɪz] VT (*+system, filing, accounts etc*) datorisere (*v2*), legge* om til data, legge* inn på data; (*+information*) legge* inn på data
computer literate ADJ datakyndig
computer programmer s dataprogrammerer *m*
computer programming s dataprogrammering *c*
computer science s informatikk *m*
computer scientist s informatiker *m*
computer sex s datasex *m*
computing [kəm'pju:tɪŋ] s (**a**) (*activity*) datamaskinarbeid *nt* ❑ *I have never done any computing.* Jeg har aldri gjort noe datamaskinarbeid *or* arbeidet med EDB.
(**b**) (*science*) databehandling *c*, EDB *m* ❑ *...the impact of computing on office work.* ...hvordan databehandling *or* EDB influerer kontorarbeid.
comrade ['kɔmrɪd] s (*gen, POL, MIL*) kamerat *m* ❑ *This is what I propose, Comrades.* Dette er forslaget mitt, kamerater.
comradeship ['kɔmrɪdʃɪp] s kameratskap *nt*
comsat ['kɔmsæt] s FK (= **communications satellite**) kommunikasjonssatellitt *m*
con [kɔn] 1 VT ▸ **to con sb (out of)** lure (*v2*) noen (for), narre (*v1*) noen (for) ❑ *Lynn felt women had been conned.* Lynn følte at kvinner var blitt lurt *or* narret. *He goes around conning people out of their money.* Han går rundt og lurer *or* narrer folk for pengene deres.
2 s (= *trick*) lureri *nt* ❑ *The whole thing was a big con.* Hele greia var noe stort lureri.
▸ **to con sb into doing sth** lure (*v2*) *or* narre (*v1*) noen til å gjøre* noe
concave ['kɔnkeɪv] ADJ konkav
conceal [kən'si:l] VT skjule (*v2*) ❑ *The scarf concealed a revolver.* Skjerfet skjulte en revolver. *He might be concealing a secret from me.* Han holder kanskje noe hemmelig for meg.
concede [kən'si:d] 1 VT (*+error, defeat*) innrømme (*v1 or v2x*) NB *Each of them conceded the point that...* Hver av dem innrømmet at...
2 VI gi* seg ❑ *Another strike will force the government to concede.* En streik til vil tvinge regjeringen til å gi* seg.
conceit [kən'si:t] s innbilskhet *m*
conceited [kən'si:tɪd] ADJ innbilsk
conceivable [kən'si:vəbl] ADJ tenkelig ❑ *There is no conceivable reason...* Det er ingen tenkelig grunn...
▸ **it is conceivable that...** det kan tenkes at...
conceivably [kən'si:vəblɪ] ADV ▸ **he may conceivably be right** han kan muligens ha* rett
conceive [kən'si:v] 1 VT (**a**) (*+child*) unnfange (*v1*) (**b**) (*+plan, policy*) unnfange (*v1*), klekke (*v1*) ut
2 VI bli* gravid ❑ *My wife has not been able to conceive.* Kona mi har ikke greid å bli* gravid.
▸ **to conceive of sth/of doing sth** forestille (*v2x*) seg noe/å gjøre* noe
concentrate ['kɔnsəntreɪt] 1 VI konsentrere (*v2*) seg ❑ *I'm trying to concentrate.* Jeg prøver å konsentrere meg.
2 VT konsentrere (*v2*) ❑ *Modern industry has been concentrated in a few large urban centres.* Moderne industri har vært konsentrert i noen få* store bysentra. *...he concentrates his attention on the question of...* konsentrerer han oppmerksomheten om spørsmålet om...
concentration [kɔnsən'treɪʃən] s (*gen, CHEM*) konsentrasjon *m* ❑ *His concentration on civil rights...* Det at han har konsentrert seg om borgerrettigheter... *Large concentrations of capital...* Store konsentrasjoner av kapital... *high concentrations of chemical pollutants.* ...høye konsentrasjoner av forurensende kjemikalier.
concentration camp s konsentrasjonsleir *m*
concentric [kɔn'sɛntrɪk] ADJ konsentrisk
concept ['kɔnsɛpt] s forestilling *c*, begrep *nt*
conception [kən'sɛpʃən] s (**a**) (= *idea*) forestilling *c* ❑ *...a definite conception of how...* en klar forestilling om hvordan...
(**b**) (*of child*) unnfangelse *m* ❑ *...prevent conception.* ...å forhindre graviditet *or* unnfangelse.
concern [kən'sə:n] 1 s (**a**) (= *affair*) sak *m* ❑ *That's your concern.* Det er din sak.
(**b**) (= *anxiety, worry*) bekymring *c* ❑ *...no cause for concern.* ...ingen grunn til bekymring.
(**c**) (*MERK: firm*) konsern *nt* ❑ *...the giant chemical concern.* ...det gigantiske kjemikonsernet.
2 VT (**a**) (= *worry*) bekymre (*v1*) ❑ *One of the things that concerns me...* En av de tingene som bekymrer meg...
(**b**) (= *relate to*) angå*, vedkomme*, berøre (*v2*) ❑ *These are matters which do not concern them.* Dette er saker som ikke angår *or* vedkommer *or* berører dem.
▸ **to concern o.s. with** bekymre (*v1*) seg om, engasjere (*v2*) seg i
▸ **to be concerned (about)** (*+person, situation etc*) være* bekymret (for) ❑ *Your mother's really concerned about you.* Moren din er virkelig

bekymret for deg.
▸ **"to whom it may concern"** "til den det måtte* angå"
▸ **as far as I am concerned** hva meg angår, for min (egen) del
▸ **to be concerned with** (= *involved with*) være* opptatt av ❑ *We are more concerned with efficiency than expansion.* Vi er mer opptatt av effektivitet enn utvidelse.
▸ **the people concerned** de aktuelle menneskene ❑ *We've spoken to the lecturers concerned.* Vi har snakket med de aktuelle foreleserne.
▸ **all concerned** alle de berørte ❑ *It was a perfect arrangement for all concerned.* Det var en perfekt ordning for alle de berørte.

concerning [kən'sɜ:nɪŋ] PREP angående, vedrørende ❑ *...questions concerning his private life.* ...spørsmål angående *or* vedrørende privatlivet hans.

concert ['kɒnsət] s konsert *m*
▸ **in concert** (**a**) (*MUS*) på konsert ❑ *See "The Who" in concert.* Se "The Who" på konsert.
(**b**) (= *in cooperation*) samlet

concerted [kən'sɜ:tɪd] ADJ (*effort etc*) felles, samlet

concert hall s (= *room*) konsertsal *m*; (= *building*) konserthus *nt*

concertina [kɒnsə'ti:nə] [1] s konsertina *m*, *lite sekskantet trekkspill*
[2] VI krølle (*v1*) seg sammen som et trekkspill

concerto [kən'tʃɜ:təu] s konsert *m* (*musikkstykke*)

concession [kən'sɛʃən] s (**a**) (= *compromise*) innrømmelse *m* ❑ *Ending the dispute was worth almost any concession.* Det å få* slutt på debatten var verdt nesten enhver innrømmelse.
(**b**) (= *right*) konsesjon *m* ❑ *Oil companies were granted concessions.* Oljeselskaper fikk innvilget konsesjon.
▸ **tax concession** skattelettelse *m*

concessionaire [kənsɛʃə'nɛəʳ] s konsesjonshaver *m*

concessionary [kən'sɛʃənrɪ] ADJ (*ticket, fare*) rabatt-

conciliation [kənsɪlɪ'eɪʃən] s forsoning *m*; (*through third party*) megling *c* (*var*: mekling)

conciliatory [kən'sɪlɪətrɪ] ADJ (*gesture, tone*) forsonlig

concise [kən'saɪs] ADJ (*description, text*) konsis, kortfattet

conclave ['kɒnkleɪv] s fortrolig møte *nt*; (*REL*) konklave *nt*

conclude [kən'klu:d] [1] VT (**a**) (= *finish : speech, chapter*) (av)slutte (*v1*)
(**b**) (+*treaty, deal etc*) slutte (*v1*), inngå*
(**c**) (= *deduce*) slutte (*v1*), konkludere (*v2*) ❑ *What do you conclude from that?* Hva slutter *or* konkluderer du av det?
[2] VI ▸ **to conclude (with)** (av)slutte (*v1*) (med) ❑ *Perhaps I ought to conclude with a question.* Kanskje jeg burde (av)slutte med et spørsmål. *The matter concluded without too much fuss.* Saken avsluttet uten altfor mye surr.
▸ **"That," he concluded, "is why we did it."** "Det var derfor vi gjorde det," konkluderte han.
▸ **I conclude that...** jeg slutter meg til *or* konkluderer at...

concluding [kən'klu:dɪŋ] ADJ (*remarks etc*) avsluttende

conclusion [kən'klu:ʒən] s (**a**) (*of speech, chapter*) avslutning *m*, slutt *m* ❑ *At the conclusion of the opening session...* Ved avslutningen *or* slutten av åpningsmøtet...
(**b**) (*of treaty, deal etc*) slutning *m* ❑ *...the conclusion of peace with Britain.* ...fredsslutningen med Storbritannia.
(**c**) (= *deduction*) konklusjon *m*, slutning *m* ❑ *Only one conclusion can be drawn from that.* Bare en konklusjon *or* slutning kan trekkes av det.
▸ **to come to the conclusion that** komme* fram til den konklusjonen *or* slutningen at..., trekke* den konklusjonen *or* slutningen at...

conclusive [kən'klu:sɪv] ADJ (*evidence, defeat*) avgjørende

concoct [kən'kɒkt] VT (*gen, fig*) koke (*v2*) sammen, brygge (*v1*) sammen

concoction [kən'kɒkʃən] s (**a**) (*liquid*) brygg *nt*, blanding *c* ❑ *...a concoction of chemicals.* ...et kjemikaliebrygg *or* en kjemikalieblanding.
(**b**) (*food*) blanding *c*

concord ['kɒŋkɔ:d] s (**a**) (= *harmony*) fordragelighet *m*, forståelse *m* ❑ *One day we shall all live in concord.* En dag skal vi alle leve i fordragelighet *or* forståelse.
(**b**) (= *treaty*) overenskomst *m*
(**c**) (*LING*) samsvar *nt* (*mellom subjekt og verbal*)

concourse ['kɒŋkɔ:s] s (**a**) (= *hall*) hall *m* ❑ *...the station concourse.* ...stasjonshallen.
(**b**) (= *crowd*) mengde *m*, sammenstimling *c* ❑ *...an immense concourse of bishops and priests.* ...en umåtelig mengde *or* sammenstimling med biskoper og prester.

concrete ['kɒŋkri:t] [1] s betong *m*
[2] ADJ (*block, floor*) betong-; (*fig : proposal, idea*) konkret

concrete mixer s betongblander *m*

concur [kən'kɜ:ʳ] VI ▸ **to concur (with)** samtykke (*v1*) (med), samstemme (*v2x*) (i)

concurrently [kən'kʌrntlɪ] ADV (*happen, run*) samtidig

concussion [kən'kʌʃən] s hjernerystelse *m*

condemn [kən'dɛm] VT (**a**) (+*action, report etc*) fordømme (*v2x*) ❑ *Mr Wilson condemned the invasion.* Mr Wilson fordømte invasjonen.
(**b**) (+*prisoner*) dømme (*v2x*) ❑ *She was condemned to death.* Hun ble dømt til døden.
(**c**) (+*building*) kondemnere (*v2*)

condemnation [kɒndɛm'neɪʃən] s (= *criticism*) fordømmelse *m* ❑ *...their strong condemnation of her conduct.* ...den sterke fordømmelsen deres av oppførselen hennes.

condensation [kɒndɛn'seɪʃən] s kondens *m*

condense [kən'dɛns] [1] VI (*vapour+*) kondensere (*v2*)
[2] VT (+*report, book*) forkorte (*v1*), kondensere (*v2*)

condensed milk s søtrømme *m*

condescend [kɒndɪ'sɛnd] VI være* nedlatende, oppføre (*v2*) seg nedlatende
▸ **to condescend to do sth** nedlate* seg til å gjøre* noe

condescending [kɒndɪ'sɛndɪŋ] ADJ (*reply,*

attitude) nedlatende

condition [kən'dɪʃən] 1 s (**a**) (= *state*) tilstand *m*, forfatning *m* ❑ *...in that condition.* ...i den tilstanden *or* forfatningen.
(**b**) (= *requirement*) betingelse *m* ❑ *What is the condition that you have to satisfy?* Hva er betingelsen som man må oppfylle?
(**c**) (= *illness*) lidelse *m* ❑ *Hypothermia is a complex condition.* Hypotermi er en komplisert lidelse.
2 VT (**a**) (+*person*) forme (*v1*) ❑ *I had been conditioned by the world.* Jeg hadde blitt formet av verden.
(**b**) (+*hair*) pleie (*v1 or v3*)
▸ **conditions** SPL (= *circumstances*) forhold *pl*, kår *pl* ❑ *...some appalling living conditions.* ...noen forferdelige leveforhold *or* levekår.
▸ **in good/poor condition** i god/dårlig stand
▸ **a heart condition** en hjertelidelse
▸ **weather conditions** værforhold
▸ **on condition that** på betingelse av at, under forutsetning av at

conditional [kən'dɪʃənl] ADJ betinget
▸ **to be conditional upon** være* betinget av

conditioner [kən'dɪʃənəʳ] s (*for hair*) balsam *m*; (*for fabrics*) skyllemiddel *nt*, tøymykner *m*

condo ['kɔndəu] (*US : sl*) s FK = **condominium**

condolences [kən'dəulənsɪz] SPL kondolanser *mpl* ❑ *She wished to offer her condolences.* Hun ville* gjerne kondolere.

condom ['kɔndəm] s kondom *m*

condominium [kɔndə'mɪnɪəm] (*US*) s (*building*) *boligblokk med selveierleiligheter*, sameie *nt*; (= *apartment*) selveierleilighet *c*

condone [kən'dəun] VT (+*misbehaviour, crime*) tolerere (*v2*), godta*

conducive [kən'dju:sɪv] ADJ ▸ **conducive to** (+*rest, study*) gagnlig for, gunstig for, tjenlig for

conduct [*N* 'kɔndʌkt, *VB* kən'dʌkt] 1 s (*of person*) oppførsel *m*, atferd *m*
2 VT (**a**) (+*survey, research etc*) utføre (*v2*)
(**b**) (= *manage*) føre (*v2*) ❑ *...the manner in which he conducted his public life.* ...måten som han førte sitt offentlige liv på.
(**c**) (+*orchestra, choir etc*) dirigere (*v2*)
(**d**) (+*heat, electricity*) lede (*v1*) ❑ *Copper conducts electricity.* Kobber leder strøm.
▸ **to conduct o.s.** oppføre (*v2*) seg ❑ *He conducted himself impeccably.* Han oppførte seg ulastelig.

conducted tour s omvisning *m*

conductor [kən'dʌktəʳ] s (*of orchestra*) dirigent *m*; (*on bus, train*) konduktør *m*; (*ELEK*) leder *m*

conductress [kən'dʌktrɪs] s konduktør *m* (*kvinnelig*)

conduit ['kɔndjuɪt] s ledningsrør *nt*

cone [kəun] s (**a**) (*shape*) kjegle *c* ❑ *...the steep volcanic cones.* ...de bratte vulkankjeglene.
(**b**) (*on road*) kjegle *c* ❑ *...traffic cones.* ...trafikkjegler.
(**c**) (*BOT*) kongle *c* ❑ *...fir cones.* ...furukongler.
(**d**) (*ice cream*) is *m* i kjeks

confectioner [kən'fɛkʃənəʳ] s (*of sweets*) konditor *m*, konfekthandler *m*; (*of cakes*) konditor *m*

confectioner's (shop) s godte(ri)butikk *m*

confectionery [kən'fɛkʃənrɪ] s (= *sweets, candies*) søtsaker *mpl*, konditorvarer *mpl*; (= *cakes*) konditorvarer *mpl*

confederate [kən'fɛdrɪt] s (**a**) medsammensvoren *m decl as adj*
(**b**) (*US : HIST*) *en som tilhørte Konføderasjonen*, sørstatsmann *m irreg* ❑ *...the Confederate army.* ...Konføderasjonshæren.

confederation [kənfɛdə'reɪʃən] s forbund *nt*, konføderasjon *m* ❑ *...a loose confederation of states.* ...et løst forbund *or* en løs konføderasjon av stater.

confer [kən'fə:ʳ] 1 VT ▸ **to confer sth (on sb)**
(**a**) (+*honour, degree*) tildele (*v2*) noen noe
(**b**) (+*advantage*) gi* noen noe ❑ *Certain cars have always tended to confer status.* Enkelte biler har alltid hatt en tendens til å gi* status.
2 VI ▸ **to confer (with sb about sth)** konferere (*v2*) (med noen om noe)

conference ['kɔnfərəns] s konferanse *m*
▸ **to be in conference** være* opptatt i et møte

conference room s møtelokale *nt*, konferanserom *nt*

confess [kən'fɛs] 1 VT tilstå*, innrømme (*v1 or v2x*) ❑ *Ted had openly confessed his guilt to me.* Ted har åpent tilstått *or* innrømmet sin skyld for meg. *Don't confess your ignorance...* Ikke tilstå *or* innrøm at du ikke kan dette...
2 VI (= *admit*) tilstå* ❑ *They shot him before he confessed.* De skjøt ham før han tilstod.
▸ **to confess to** (+*crime, weakness etc*) tilstå* ❑ *Bianchi had confessed to five murders.* Bianchi hadde tilstått fem mord.
▸ **I must confess that...** jeg må tilstå *or* innrømme at...

confession [kən'fɛʃən] s (**a**) (= *admission*) tilståelse *m*
(**b**) (*REL*) skriftemål *nt*, skrifte *nt* ❑ *He had gone to confession.* Han hadde gått til skrifte(mål).
▸ **to make a confession** komme* med en tilståelse

confessor [kən'fɛsəʳ] s skriftefar *m*

confetti [kən'fɛtɪ] s konfetti *m uncount*

confide [kən'faɪd] VI ▸ **to confide in** betro (*v4*) seg til

confidence ['kɔnfɪdns] s (**a**) (= *faith*)
▸ **confidence (in)** tillit *m* (til) ❑ *...confidence in the pound.* ...tilliten til pundet.
(**b**) (= *self-assurance*) selvtillit *m*, selvsikkerhet *m* ❑ *Working in a group gives you a bit more confidence.* Det å arbeide i en gruppe gir deg litt mer selvtillit *or* selvsikkerhet.
(**c**) (= *secret*) betroelse *m* ❑ *Edith was used to receiving confidences.* Edith var vant til å få* betroelser.
▸ **to have confidence in sb/sth** ha* tillit til noen/noe
▸ **to have (every) confidence that** være* sikker *or* trygg på at
▸ **motion of no confidence** mistillitsvotum *nt*
▸ **in confidence** fortrolig, i fortrolighet
▸ **in strict confidence** i streng fortrolighet

confidence trick s bondefangeri *nt*

confident ['kɔnfɪdənt] ADJ (**a**) (= *self-assured*) selvsikker ❑ *His manner is more confident these*

days. Opptredenen hans er mer selvsikker nå for tiden.
(**b**) (= *positive*) sikker, trygg ❑ *He said he was very confident that...* Han sa han var svært sikker *or* trygg på at...

confidential [kɔnfɪ'dɛnʃəl] ADJ (*report, information*) fortrolig, konfidensiell; (*tone*) fortrolig

confidentiality [kɔnfɪdɛnʃɪ'ælɪtɪ] s konfidensiell *or* fortrolig art *m* ❑ *Please respect the confidentiality of this information.* Vennligst respekter den konfidensielle *or* fortrolige arten av disse opplysningene.

configuration [kənfɪgju'reɪʃən] s form *m*; (*DATA*) konfigurasjon *m*

confine [kən'faɪn] VT ▸ **to confine (to)** (**a**) (= *limit*) begrense (*v1*) (til) ❑ *...a male attitude not confined to judges.* ...en mannsholdning som ikke er begrenset til dommere.
(**b**) (= *shut up*) sperre (*v1*) inne (på) ❑ *William was confined to an institution...* William var innesperret på en institusjon...
▸ **to confine o.s. to doing sth/to sth** begrense (*v1*) seg til å gjøre* noe/til noe ❑ *They confine themselves to discussing the weather.* De begrenser seg til å diskutere været.

confined [kən'faɪnd] ADJ (*space*) lukket

confinement [kən'faɪnmənt] s (**a**) (= *imprisonment*) innesperring *c* ❑ *...his many years in confinement.* ...de mange årene han satt innesperret.
(**b**) (*MED*) fødsel *m* ❑ *Her previous confinements...* De tidligere fødslene hennes...

confines ['kɔnfaɪnz] SPL ▸ **within the confines of** (*a situation*) innenfor (rammene av)
▸ **within the confines of the gallery** *etc* innenfor galleriets *etc* område

confirm [kən'fə:m] VT bekrefte (*v1*) ❑ *I neither confirmed nor denied the rumours.* Jeg verken bekreftet eller benektet ryktene. *I want to confirm my booking...* Jeg vil bekrefte bestillingen min...
▸ **to be confirmed** (*REL*) bli* konfirmert, stå* til konfirmasjon

confirmation [kɔnfə'meɪʃən] s (**a**) (*gen*) bekreftelse *m* ❑ *...a confirmation of Darwin's theory.* ...en bekreftelse på Darwins teori. *I'll phone you back for a final confirmation.* Jeg ringer tilbake for å få* en endelig bekreftelse.
(**b**) (*REL*) konfirmasjon *m*

confirmed [kən'fə:md] ADJ (*bachelor, teetotaller*) inngrodd, hardbarket

confiscate ['kɔnfɪskeɪt] VT (= *impound, seize*) konfiskere (*v2*), beslaglegge*

confiscation [kɔnfɪs'keɪʃən] s konfiskering *c*, beslagleggelse *m*

conflagration [kɔnflə'greɪʃən] s storbrann *m*

conflict [*N* 'kɔnflɪkt, *VB* kən'flɪkt] 1 s (**a**) (*gen*) konflikt *m* ❑ *...the conflict between government and opposition.* ...konflikten mellom regjering og opposisjon. *Conflicts of loyalty arose.* Det oppstod lojalitetskonflikter.
(**b**) (= *fighting*) konflikt *m*, strid *m*
2 VI ▸ **to conflict with** (*opinions, research etc+*) stride* mot ❑ *...research that conflicts with this view.* ...forskning som strider mot dette synet.

conflicting [kən'flɪktɪŋ] ADJ (*reports, interests etc*) motstridende

conform [kən'fɔ:m] VI (= *comply*) innordne (*v1*) seg, tilpasse (*v1*) seg
▸ **to conform to a law/sb's wishes** *etc* (**a**) (*person+*) rette (*v1*) seg etter en lov/noens ønsker *etc*
(**b**) (*action+*) være* i overensstemmelse med en lov/noens ønsker *etc*, samsvare (*v2*) med en lov/noens ønsker *etc*

conformist [kən'fɔ:mɪst] s konformist *m*

confound [kən'faund] VT gjøre* usikker, forvirre (*v1*)

confounded [kən'faundɪd] ADJ (*nuisance, idiot etc*) forbasket

confront [kən'frʌnt] VT (**a**) (*+problems, task*) konfrontere (*v2*), stå* overfor
(**b**) (*+enemy, danger*) møte (*v2*), konfrontere (*v2*) ❑ *I had to confront the reporters.* Jeg måtte* møte *or* konfrontere reporterne.

confrontation [kɔnfrən'teɪʃən] s (= *dispute, conflict*) konfrontasjon *m*

confuse [kən'fju:z] VT (**a**) (= *perplex : person*) forvirre (*v1*) ❑ *You're trying to confuse me.* Du prøver å forvirre meg.
(**b**) (= *mix up : two things, people etc*) forveksle (*v1*) ❑ *You must be confusing me with someone else.* Du må forveksle meg med en annen.
(**c**) (= *complicate : situation, plans*) skape (*v2*) forvirring i ❑ *...to confuse the issue.* ...å skape forvirring i saken.

confused [kən'fju:zd] ADJ (**a**) (*person*) forvirret
(**b**) (*situation*) i (et eneste) virvar ❑ *Everything's confused at the office...* Allting er et eneste virvar på kontoret...
▸ **to get confused** bli* forvirret

confusing [kən'fju:zɪŋ] ADJ (*plot, instructions*) forvirrende

confusion [kən'fju:ʒən] s (**a**) (= *mix-up*) forveksling *c*, forbytting *c*
(**b**) (= *perplexity*) forvirring *c* ❑ *Her answers have only added to his confusion.* Svarene hennes har bare økt forvirringen hans.
(**c**) (= *disorder*) forvirring *c*, virvar *nt* ❑ *In all the confusion, both men managed...* I all forvirringen *or* alt virvaret, klarte begge mennene...

congeal [kən'dʒi:l] VI (*blood, sauce, oil+*) størkne (*v1*)

congenial [kən'dʒi:nɪəl] ADJ (**a**) (*person, atmosphere etc*) som man trives (*v25*) i/med NB *They found each other congenial.* De trivdes i hverandres selskap.
(**b**) (*place, work, company*) trivelig ❑ *It is difficult to find congenial work.* Det er vanskelig å finne trivelig arbeide *or* arbeide som man trives i.

congenital [kən'dʒɛnɪtl] ADJ (*defect, illness*) medfødt

conger eel ['kɔngər-] s havål *m*

congested [kən'dʒɛstɪd] ADJ (*nose*) tett; (*road*) korket; (*area*) overbefolket

congestion [kən'dʒɛstʃən] s (**a**) (*in lungs*) kongestion *m* (*økt blodtilførsel*)
(**b**) (*in nose, throat*) tette luftveier *pl*
(**c**) (*of road*) kork *m* ❑ *...traffic congestion.*

...trafikkork.

conglomerate [kən'glɔmərɪt] s konglomerat *nt,* storkonsern *nt*

conglomeration [kənglɔmə'reɪʃən] s sammenblanding *c,* ansamling *c*

Congo ['kɔŋgəu] s Kongo, Folkerepublikken Kongo

congratulate [kən'grætjuleɪt] VT ▸ **to congratulate sb (on)** gratulere (*v2*) noen (med), lykkeønske (*v1*) noen (med)

congratulations [kəngrætju'leɪʃənz] SPL gratulasjoner *pl,* lykkeønskninger *pl* ❑ *I offered him my heartiest congratulations.* Jeg gratulerte ham hjertelig. Jeg gav ham mine hjerteligste gratulasjoner *or* lykkeønskninger.
▸ **congratulations!** gratulerer!, til lykke!
▸ **congratulations on** gratulasjoner *or* lykkeønskninger i anledning ❑ *Let me offer you my congratulations on your success.* Jeg må få* gratulere deg *or* ønske deg til lykke med suksessen din.

congregate ['kɔŋgrɪgeɪt] VI (*people, animals+*) samle (*v1*) seg

congregation [kɔŋgrɪ'geɪʃən] s (*at church*) menighet *m*

Congress

Congress *(Kongressen) er nasjonalforsamlingen i USA. Den består av the* **House of Representatives** *(Representantenes hus) og Senatet. Representanter og senatorer blir direkte valgt, ved allmenn stemmerett. Kongressen har sete på* **Capitol** *i Washington DC.*

---

congress ['kɔŋgrɛs] s (= *conference*) kongress *m*
▸ **Congress** (*US*) Kongressen

congressman ['kɔŋgrɛsmən] (*US*) *irreg* s kongressmedlem *nt*

congresswoman ['kɔŋgrɛswumən] (*US*) *irreg* s kongressmedlem *nt*

conical ['kɔnɪkl] ADJ kjegleformet, konisk

conifer ['kɔnɪfə^r] s nåletre *nt irreg,* bartre *nt irreg*

coniferous [kə'nɪfərəs] ADJ (*forest*) bar-

conjecture [kən'dʒɛktʃə^r] [1] s (= *speculation*) gjetning *m*
[2] VI gjette (*v1*) ❑ *Her mysterious friends were, Tim conjectured, probably women.* De mystiske vennene hennes var antakelig kvinner, gjettet Tim.

conjugal ['kɔndʒugl] ADJ ekteskapelig

conjugate ['kɔndʒugeɪt] VT bøye (*v3*), konjugere (*v2*)

conjugation [kɔndʒə'geɪʃən] s bøying *c,* konjugasjon *m*

conjunction [kən'dʒʌŋkʃən] s (*LING*) konjunksjon *m*
▸ **in conjunction with** sammen med

conjunctivitis [kəndʒʌŋktɪ'vaɪtɪs] s bindehinnebetennelse *m,* konjunktivitt *m*

conjure ['kʌndʒə^r] [1] VI trylle (*v1*), gjøre* tryllekunster
[2] VT trylle (*v1*) fram ❑ *...a small bucket he'd apparently conjured from nowhere.* ...en liten bøtte han tydeligvis hadde tryllet fram fra intet.
▸ **conjure up** VT mane (*v2*) fram ❑ *Seeing the lake again conjured up childhood memories.* Gjensynet med sjøen mante fram barndomsminner.

conjurer ['kʌndʒərə^r] s tryllekunstner *m*

conjuring trick s tryllekunst *m*

conker ['kɔŋkə^r] (*BRIT*) s kastanje(nøtt) *c*

conk out [kɔŋk-] (*sl*) VI (*machine, engine+*) streike (*v1*) (*sl*), parkere (*v2*) (*sl*)

con man *irreg* s (= *swindler*) svindler *m*

connect [kə'nɛkt] [1] VT (**a**) (= *join*) ▸ **to connect sth (to)** kople (*v1*) noe til ❑ *Connect the hose pipe to the tap.* Kople røret til kranen. *We'll have to connect these wires to make the radio work.* Vi må kople til disse ledningene for å få* radioen til å virke.
(**b**) (*TEL: caller*) gi* forbindelse
(**c**) (*+telephone, subscriber*) kople (*v1*) til ❑ *I'm trying to connect you, sir.* Jeg prøver å gi* Dem forbindelse. *I'm having the phone connected in my new house...* Jeg får koplet til telefonen i det nye huset mitt...
(**d**) (*fig: associate*) forbinde* ❑ *I did not connect her with the theatre.* Jeg forbandt henne ikke med teateret.
[2] VI ▸ **to connect with** (*+train, plane etc*) korrespondere (*v2*) med, ha* forbindelse med
▸ **to be connected with** (= *associated*) være* forbundet med, henge* sammen med
▸ **to connect something with** forbinde* noe med ❑ *This connects the ear with the throat.* Dette forbinder øret med halsen.

connection [kə'nɛkʃən] s (**a**) (*ELEK*) kopling *c* ❑ *...a loose connection.* ...en løs kopling.
(**b**) (= *train, plane etc*) *korresponderende tog, fly etc* ❑ *I missed my connection.* Jeg rakk ikke toget/flyet *etc* som jeg skulle* videre med.
(**c**) (*TEL: of caller*) forbindelse *m*
(**d**) (*of telephone, subscriber*) tilkopling *c* ❑ *I had to go through the operator to get a connection.* Jeg måtte* gå* via sentralbordet for å få* forbindelse. *Is there a connection charge?* Er det noen tilkoplingsavgift?
(**e**) (*fig: link*) forbindelse *m,* sammenheng *m* ❑ *I think his illness must have had some connection with his diet.* Jeg tror sykdommene hans må ha* hatt en eller annen forbindelse *or* sammenheng med kostholdet hans.
▸ **in connection with** i forbindelse med ❑ *The police wanted to interview him in connection with the murder.* Politiet ville* avhøre ham i forbindelse med mordet.
▸ **what is the connection between them?** hva er forbindelsen *or* sammenhengen mellom dem
▸ **business connections** forretningsforbindelser
▸ **to miss/get one's connection** (ikke) rekke* toget/flyet videre

connexion [kə'nɛkʃən] (*BRIT*) s = **connection**

conning tower ['kɔnɪŋ-] s kommandotårn *nt* (*på ubåt/krigsskip*)

connive [kə'naɪv] VI ▸ **to connive at** se* gjennom fingrene med, la gå* upåtalt hen ❑ *...his mother who connived at his laziness.* ...moren hans, som så gjennom fingrende med latskapen hans *or* som lot latskapen hans gå* upåtalt hen.

connoisseur [kɔnɪ'səː^r] s kjenner *m,* skjønner *m*

connotation [kɔnə'teɪʃən] s bibetydning *m*, konnotasjon *m*
connubial [kə'nju:bɪəl] ADJ ekteskapelig
conquer ['kɔŋkə^r] VT (**a**) (*+country*) erobre (*v1*) ❑ *Britain was conquered by the Romans in A.D. 43.* Storbritannia ble erobret av romerne i år 43 e. Kr.
(**b**) (*+enemy*) beseire (*v1*), seire (*v1*) over
(**c**) (*fig: fear, feelings*) overvinne*, bli* herre over ❑ *She tried to conquer her nervousness.* Hun prøvde å overvinne *or* bli* herre over nervøsiteten.
conqueror ['kɔŋkərə^r] s erobrer *m*; (= *winner*) seierherre *m*
conquest ['kɔŋkwɛst] s (*gen, MIL*) erobring *c* ❑ *Negotiations are preferable to conquest.* Forhandlinger er å foretrekke framfor erobring. *They returned with many conquests.* De kom tilbake med mange erobringer. *...the conquest of space.* ...erobringen av rommet.
cons [kɔnz] SPL *see* **convenience, pro**
conscience ['kɔnʃəns] s samvittighet *c* ❑ *...the moral conscience of the nation.* ...nasjonens moralske samvittighet.
▸ **to have a guilty/clear conscience** ha* dårlig/ren *or* god samvittighet
▸ **in all conscience** i rettferdighetens navn
conscientious [kɔnʃɪ'ɛnʃəs] ADJ samvittighetsfull
conscientious objector s militærnekter *m*
conscious ['kɔnʃəs] ADJ (**a**) (= *awake*) bevisst, ved bevissthet ❑ *The patient was fully conscious...* Pasienten var ved full bevissthet...
(**b**) (= *deliberate: effort, error*) bevisst ❑ *He made a conscious effort to...* Han gjorde en bevisst anstrengelse for å...
(**c**) (= *aware*) ▸ **conscious of** klar over, oppmerksom på ❑ *He is conscious of his limited achievements.* Han er klar over *or* oppmerksom på begrensningene i det han har oppnådd.
▸ **to become conscious of/that** bli* klar over/ over at, bli* oppmerksom på/på at
consciousness ['kɔnʃəsnɪs] s (*gen, MED*) bevissthet *m* ❑ *Doubts were starting to enter into my consciousness.* Tvilen begynte å snike seg inn i bevisstheten min. *...the English consciousness.* ...den engelske bevisstheten.
▸ **to lose consciousness** miste (*v1*) bevisstheten
▸ **to regain consciousness** komme* til bevissthet (igjen)
conscript ['kɔnskrɪpt] s vernepliktig *m decl as adj*
conscription [kən'skrɪpʃən] s verneplikt *c*
consecrate ['kɔnsɪkreɪt] VT (*+building, place*) vigsle (*v1*)
consecutive [kən'sɛkjutɪv] ADJ (*days, wins*) etter hverandre, på rad ❑ *On three consecutive occasions...* Ved tre anledninger etter hverandre *or* på rad...
consensus [kən'sɛnsəs] s (alminnelig) enighet *c*
▸ **the consensus of opinion** samstemmigheten
consent [kən'sɛnt] 1 s tillatelse *m*, samtykke *nt*
2 VI ▸ **to consent to do** gå* med på (å) gjøre
▸ **to consent to sth** gi* tillatelse *or* samtykke til noe
▸ **age of consent** kriminell lavalder *m*
▸ **by common consent** ved *or* etter felles overenskomst
consenting [kən'sɛntɪŋ] ADJ ▸ **between consenting adults** mellom samtykkende voksne
consequence ['kɔnsɪkwəns] s (= *result*) følge *m*, konsekvens *m*
▸ **of consequence** (= *significance*) av betydning ❑ *These are developments of such consequence that...* Det er en utvikling av en slik betydning at...
▸ **it's of little consequence** det er av liten betydning
▸ **in consequence** følgelig
consequently ['kɔnsɪkwəntlɪ] ADV følgelig
conservation [kɔnsə'veɪʃən] s (*also* ***nature conservation***) naturvern *nt*, miljøbevaring *c*; (*also* ***energy conservation***) energisparing *c*; (*of paintings, books*) konservering *c*
conservationist [kɔnsə'veɪʃnɪst] s naturverner *m*
conservative [kən'sə:vətɪv] 1 ADJ (**a**) (= *traditional, conventional*) konservativ
(**b**) (= *cautious: estimate etc*) forsiktig, nøktern ❑ *...at a fairly conservative estimate.* ...etter ganske forsiktige *or* nøkterne beregninger.
(**c**) (*POL*) ▸ **Conservative** konservativ
2 s (*POL*) ▸ **Conservative** konservativ *m decl as adj*
conservatory [kən'sə:vətrɪ] s (= *greenhouse*) vinterhage *m*; (*MUS*) konservatorium *nt irreg*
conserve [kən'sə:v] 1 VT (**a**) (= *preserve*) bevare (*v2*), ivareta* ❑ *...to conserve the privilege of a selfish minority.* ...å ivareta *or* bevare privilegiene til et selvopptatt mindretall.
(**b**) (*+supplies, energy*) spare (*v2*) på ❑ *We turned the lights off to conserve the batteries.* Vi slo av lysene for å spare på batteriene.
2 s (= *jam*) syltetøy *nt*
consider [kən'sɪdə^r] VT (**a**) (= *believe*) anse*, betrakte (*v1*) ❑ *Charles Babbage is generally considered to have invented the first computer.* Charles Babbage blir vanligvis ansett *or* betraktet for å være* den som oppfant den første datamaskinen.
(**b**) (= *study*) tenke (*v2*) over ❑ *He had no time to consider the matter.* Han hadde ikke tid til å tenke over saken.
(**c**) (= *take into account*) ta* i betraktning, ta* hensyn til ❑ *Other points to consider are size and weight.* Andre saker å ta* i betraktning *or* å ta* hensyn til, er størrelse og vekt.
(**d**) (= *think about, judge*) overveie (*v3*), vurdere (*v2*) ❑ *...a meeting to consider the report.* ...et møte for å overveie *or* vurdere rapporten.
▸ **to consider doing sth** overveie (*v3*) *or* vurdere (*v2*) å gjøre* noe
▸ **to consider sb an idiot** synes (*v25*) noen er en idiot
▸ **they consider themselves (to be) superior** de anser seg selv for (å være) overlegne, de ser på seg selv som overlegne
▸ **she considered it a disaster** hun så det som en katastrofe, hun regnet *or* anså det for å være* en katastrofe
▸ **consider yourself lucky** du er faktisk *or* egentlig ganske heldig

▸ **all things considered** alt tatt i betraktning
considerable [kən'sɪdərəbl] ADJ (*amount, expense, difference etc*) betydelig, betraktelig, vesentlig
considerably [kən'sɪdərəblɪ] ADV betydelig, betraktelig, vesentlig
considerate [kən'sɪdərɪt] ADJ hensynsfull
consideration [kənsɪdə'reɪʃən] S (**a**) (= *deliberation*) overveielse *m*, vurdering *c* ❑ *After careful consideration...* Etter grundig overveielse *or* vurdering...
(**b**) (= *factor*) hensyn *nt* ❑ *An important consideration is...* Et viktig hensyn er...
(**c**) (*fml: reward*) godtgjørelse *m* ❑ *...consideration in the form of benefits.* ...godtgjørelse i form av fordeler.
(**d**) (= *thoughtfulness*) ▸ **consideration (for)** hensyn *nt* (til) ❑ *He showed no consideration for his daughters.* Han tok ikke hensyn til døtrene sine.
▸ **out of consideration for** av hensyn til
▸ **under consideration** til vurdering
▸ **my first consideration is my family** mitt fremste hensyn er familien
considered [kən'sɪdəd] ADJ (*opinion*) veloverveid
considering [kən'sɪdərɪŋ] PREP (= *bearing in mind*) når man tar i betrakning, tatt i betraktning ❑ *Considering her dislike of Martin...* Når man tar i betraktning at *or* Tatt i betraktning at hun ikke liker Martin...
▸ **considering that** når man tar betraktning at, tatt i betrakting at
consign [kən'saɪn] VT ▸ **to consign sth to** henvise (*v2*) noe til ❑ *...some wheels that had been consigned to the loft.* ...noen hjul som hadde blitt henvist til loftet *or* stuet vekk på loftet. ▸ **to consign sb to** (**a**) (*+sb's care etc*) henvise (*v2*) noen til ❑ *Belinda had been consigned to Lizzie's care.* Belinda hadde vært henvist til Lizzies omsorg.
(**b**) (= *send: goods*) sende (*v2*), konsignere (*v2*)
consignment [kən'saɪnmənt] S forsendelse *m*, (vare)sending *c*
consignment note S fraktbrev *nt*
consist [kən'sɪst] VI ▸ **to consist of** bestå* av
consistency [kən'sɪstənsɪ] S (**a**) (*of actions, policies etc*) konsekvens *m* ❑ *They show a lack of consistency.* De viser mangel på konsekvens.
(**b**) (*of yoghurt, cream etc*) konsistens *m* ❑ *...a porridge-like consistency.* ...en grøtaktig konsistens.
consistent [kən'sɪstənt] ADJ (*person, idea*) konsekvent
▸ **to be consistent with** stemme (*v2x*) overens med, være* i samsvar med
consolation [kɔnsə'leɪʃən] S trøst *c*
console [*VB* kən'səul, *N* 'kɔnsəul] [1] VT trøste (*v1*) [2] S kontrollpanel *nt*, konsoll *m*
consolidate [kən'sɔlɪdeɪt] VT (*+position, power*) konsolidere (*v2*)
consols ['kɔnsɔlz] (*BRIT*) SPL *langsiktige statsobligasjoner med fast rente*
consommé [kən'sɔmeɪ] S consommé *m* (*kraftig, klar kjøttsuppe*)
consonant ['kɔnsənənt] S konsonant *m*
consort [*N* 'kɔnsɔ:t, *VB* kən'sɔ:t] [1] S (*also* ***prince consort***) (prins)gemal *m*
[2] VI ▸ **to consort with** omgås *no past tense* ❑ *...she was consorting with drug addicts.* ...hun omgikkes stoffmisbrukere.
consortium [kən'sɔ:tɪəm] S konsortium *nt irreg*
conspicuous [kən'spɪkjuəs] ADJ (*person, feature*) iøynefallende, påfallende
▸ **to make o.s. conspicuous** gjøre* seg bemerket
▸ **he was conspicuous by his absence** han glimret med sitt fravær
conspiracy [kən'spɪrəsɪ] S sammensvergelse *m*
conspiratorial [kənspɪrə'tɔ:rɪəl] ADJ konspiratorisk
conspire [kən'spaɪə[r]] VI ▸ **to conspire (against)** sammensverge (*v1*) seg (mot) ❑ *Three factors conspired against us.* Tre faktorer sammensverget seg mot oss.
constable ['kʌnstəbl] (*BRIT*) S konstabel *m*, politibetjent *m*
▸ **chief constable** ≈ politimester *m*
constabulary [kən'stæbjulərɪ] (*BRIT*) S politikorps *nt* (*i et bestemt distrikt*)
constant ['kɔnstənt] ADJ (*criticism, pain*) konstant, vedvarende, stadig; (*temperature, level*) konstant
constantly ['kɔnstəntlɪ] ADV konstant, stadig
constellation [kɔnstə'leɪʃən] S konstellasjon *m*; (*of named stars*) stjernebilde *nt*
consternation [kɔnstə'neɪʃən] S (= *dismay*) bestyrtelse *m* ❑ *To my utter consternation...* Til min største bestyrtelse...
constipated ['kɔnstɪpeɪtɪd] ADJ forstoppet
constipation [kɔnstɪ'peɪʃən] S forstoppelse *m*
constituency [kən'stɪtjuənsɪ] (*POL*) S (**a**) (= *area*) valgkrets *m* ❑ *14,000 voters in the constituency.* 14 000 stemmeberettigede i valgkretsen.
(**b**) (= *electors*) ▸ **he spoke to his constituency** han snakket med folk i valgkretsen hans

*Et **constituency** er en valgkrets som velger en representant til parlamentet, samt en betegnelse på folkene som bor i denne valgkretsen. I Storbritannia har parlamentsmedlemmene jevnlige møter med velgerne i sine respektive valgkretser, der folk kan snakke med dem om problemene sine.*

constituent [kən'stɪtjuənt] S (**a**) (*POL*) velger *m* (*i en bestemt valgkrets*)
(**b**) (= *component*) bestanddel *m* ❑ *Nitrogen is one of the essential constituents of living matter.* Nitrogen er en av de essensielle bestanddelene i levende materie.
constitute ['kɔnstɪtju:t] VT utgjøre* ❑ *What constitutes an emergency?* Hva er det som utgjør en nødsituasjon? *Conifers constitute a third of the world's forests.* Bartrær utgjør en tredjedel av all verdens skoger.
constitution [kɔnstɪ'tju:ʃən] S (**a**) (*of country*) grunnlov *m*, konstitusjon *m*
(**b**) (*of club etc*) statutter *mpl*
(**c**) (= *health*) helse *c*, konstitusjon *m* ❑ *He has a strong constitution.* Han har en sterk helse *or* konstitusjon.
(**d**) (= *make-up: of committee etc*) konstituering *c*, sammensetning *m*
constitutional [kɔnstɪ'tju:ʃənl] ADJ (*government*)

konstitusjonell; (*reform, importance etc*) grunnlovsmessig, konstitusjonell, grunnlovs-
constitutional monarchy s konstitusjonelt monarki *nt*
constrain [kən'streɪn] VT legge* bånd på
constrained [kən'streɪnd] ADJ tvunget ❑ *He felt constrained to apologize.* Han følte seg tvunget til å be om unnskyldning.
constraint [kən'streɪnt] s (**a**) (= *restriction*) begrensning *m* ❑ *The constraint on most doctors is lack of time.* Begrensningen på de fleste leger er tidsnød.
(**b**) (= *compulsion*) tvang *m* ❑ *The list of instructions and guidelines sounds like constraint.* Listen med instruksjoner og retningslinjer virker som tvang.
constrict [kən'strɪkt] VT (**a**) (= *squeeze*) få* til å trekke seg sammen, få* til å innsnevre seg ❑ *...constricts the blood vessels.* ...får blodkarene til å trekke seg sammen *or* til å innsnevre seg.
(**b**) (= *limit, restrict*) hemme (*v1*), legge* bånd på ❑ *...many of the rules that constricted his predecessor.* ...mange av reglene som la bånd på *or* hemmet forgjengeren hans.
constriction [kən'strɪkʃən] s (= *restriction*) snever ramme *c*
construct [kən'strʌkt] VT (+*building*) bygge (*v3x*), oppføre (*v2*); (+*machine*) bygge (*v3x*), konstruere (*v2*); (+*theory, argument*) bygge (*v3x*) opp, stille (*v2x*) opp
construction [kən'strʌkʃən] s (**a**) (*of building*) bygging *c*, oppførelse *m* ❑ *...the construction of the Panama Canal.* ...byggingen av Panamakanalen.
(**b**) (= *structure*) konstruksjon *m* ❑ *These wigs are complicated constructions...* Disse parykkene er kompliserte konstruksjoner...
(**c**) (= *interpretation*) ▸ **the construction that might be put upon a clause** utlegningen som denne paragrafen kunne* få
▸ **to be under construction** (*building etc+*) være* under bygging *or* oppførelse
construction industry s bygningsindustri *m*, byggebransje *m*
constructive [kən'strʌktɪv] ADJ (*remark, criticism*) konstruktiv
construe [kən'stru:] VT (+*statement, event*) oppfatte (*v1*) ❑ *Any show of emotion would be construed as a weakness.* Ethvert tegn på følelser ville* bli* oppfattet som en svakhet.
consul ['kɔnsl] s konsul *m*
consulate ['kɔnsjulɪt] s konsulat *nt*
consult [kən'sʌlt] VT (**a**) (+*doctor, lawyer,*) konsultere (*v2*)
(**b**) (+*friend*) rådføre (*v2*) seg med
(**c**) (+*reference book*) konsultere (*v2*)
▸ **to consult sb about sth** konsultere (*v2*) noen om *or* an[illegible]ende noe, rådføre (*v2*) seg med noen om [illegible]
consultancy [kən'sʌltənsɪ] s (= *firm of consultants*) konsulentfirma *nt*; (*MED : job*) ≈ overlegestilling *c*
consultant [kən'sʌltənt] [1] s (**a**) (*MED*) spesialist *m* (*lege med spesialisering*), overlege *m*
(**b**) (= *other specialist*) konsulent *m*, rådgiver *m*
[2] SAMMENS ▸ **consultant engineer** rådgivende ingeniør *m*
▸ **consultant paediatrician/surgeon** *etc* overlege *m* i pediatri/kirurgi *etc*
▸ **legal/management consultant** juridisk rådgiver/organisasjonskonulent
consultation [kɔnsəl'teɪʃən] s konsultasjon *m*
▸ **in consultation with** i samråd med
consultative [kən'sʌltətɪv] ADJ rådgivende
consulting room (*BRIT*) s konsultasjonsrom *nt*
consume [kən'sju:m] VT (**a**) (+*food, drink*) konsumere (*v2*)
(**b**) (+*fuel, energy, time etc*) (for)bruke (*v2*)
(**c**) (*emotion, fire etc+*) fortære (*v2*) ❑ *...consumed by fire.* ...fortært av flammer.
consumer [kən'sju:məʳ] s forbruker *m*
consumer credit s forbrukerkreditt *m*
consumer durables SPL forbrukervarer *pl* med lang levetid
consumer goods SPL forbrukervarer
consumerism [kən'sju:mərɪzəm] s forbrukerrettigheter *pl*
consumer society s forbrukersamfunn *nt*
consummate ['kɔnsʌmeɪt] VT fullbyrde (*v1*)
consumption [kən'sʌmpʃən] s (**a**) (*of food, drink*) inntak *nt*
(**b**) (*of fuel, energy, time, goods etc*) forbruk *nt* ❑ *...our consumption of energy.* ...energiforbruket vårt *or* energibruken vår. *...the consumption of material goods.* ...forbruket av materielle goder.
(**c**) (*MED*) tæring *m*
▸ **"not fit for human consumption"** "bør ikke spises/drikkes av mennesker"
cont. FK (= **continued**) forts (= *fortsettes, fortsettelse*)
contact ['kɔntækt] [1] s (**a**) (*gen*) kontakt *m* ❑ *There is little contact between them.* Det er liten kontakt mellom dem. *...physical contact with...* fysisk kontakt med...
(**b**) (= *person*) kontakt *m*, forbindelse *m* ❑ *He had contacts in America.* Han hadde kontakter *or* forbindelser i Amerika.
[2] VT (*by phone, letter*) kontakte (*v1*)
▸ **to be in contact with sb/sth** stå* i kontakt *or* forbindelse med noen/noe, ha* kontakt med
▸ **business contacts** forretningsforbindelser
contact lenses SPL kontaktlinser *cpl*
contagious [kən'teɪdʒəs] ADJ (*disease*) smittsom; (*laughter, enthusiasm*) smittende
contain [kən'teɪn] VT (**a**) (= *hold : objects, components etc*) inneholde* ❑ *...a basket containing groceries.* ...en handlekurv som inneholdt matvarer. *Does it contain sugar?* Inneholder den sukker? *...a letter containing further details.* ...et brev som inneholder ytterligere detaljer.
(**b**) (= *curb : growth, spread*) begrense (*v1*)
(**c**) (+*feeling*) beherske (*v1*)
▸ **to contain o.s.** styre (*v2*) seg, beherske (*v1*) seg ❑ *Philip could hardly contain himself.* Philip knapt kunne* styre *or* beherske seg.
container [kən'teɪnəʳ] s (= *box, jar etc*) beholder *m*; (*for shipping etc*) container *m*
containerize [kən'teɪnəraɪz] VT frakte (*v1*) i

containere
container lorry s containertrailer *m*
container ship s containerskip *nt*
contaminate [kən'tæmɪneɪt] VT (*+water, food, soil etc*) forurense (*v1*)
contamination [kəntæmɪ'neɪʃən] s (*of water, food, soil etc*) forurensning *m* ❑ *...the contamination of beaches...* forurensningen av strender...
cont'd FK (= **continued**) forts (= *fortsettes, fortsettelse*)
contemplate ['kɔntəmpleɪt] VT (**a**) (= *consider: idea, subject, course of action*) overveie (*v3*) ❑ *Are you contemplating marriage?* Overveier du å gifte deg?
(**b**) (= *look at: person, painting etc*) betrakte (*v1*) ❑ *...to contemplate the high, blue sky.* ...å betrakte den blå himmelen høyt oppe.
contemplation [kɔntəm'pleɪʃən] s (= *thought*) ettertanke *m* ❑ *Sunday should be a day of contemplation.* Søndag burde være* en dag for ettertanke.
contemporary [kən'tɛmpərərɪ] 1 ADJ (**a**) (= *present-day: writer, artist*) nålevende
(**b**) (*design, literature etc*) moderne, vår tids *before noun*
(**c**) (= *belonging to same time: account etc*) samtidig ❑ *...a contemporary account of the execution of Charles I.* ...en samtidig beretning om henrettelsen av Charles I.
2 s (= *person*) samtidig *m decl as adj*
▸ **Samuel Pepys and his contemporaries** Samuel Pepys og hans samtidige
contempt [kən'tɛmpt] s forakt *m*
▸ **contempt of court** ringeakt *m* for retten
▸ **to have contempt for sb/sth** forakte (*v1*) noen/noe, føle (*v2*) forakt for noen/noe
▸ **to hold sb in contempt** forakte (*v1*) noen
contemptible [kən'tɛmptəbl] ADJ foraktelig
contemptuous [kən'tɛmptjuəs] ADJ foraktelig, hånlig
contend [kən'tɛnd] 1 VT (= *assert*) ▸ **to contend that** påstå* at, hevde (*v1*) at
2 VI ▸ **to contend with** (*+problem, difficulty*) kjempe (*v1*) med, stri (*v4 or irreg*) med
▸ **to have to contend with** (= *be faced with*) måtte* kjempe med, måtte* stri med
▸ **he has a lot to contend with** han har mye å kjempe *or* stri med
▸ **to contend for** (*+power etc*) kjempe (*v1*) om, konkurrere (*v2*) om
contender [kən'tɛndə^r] s ▸ **contender (for)** kandidat *m* (til)
content [*ADJ, VB* kən'tɛnt, *N* 'kɔntɛnt] 1 ADJ fornøyd, tilfreds
2 VT tilfredsstille (*v2x*) ❑ *Perhaps I'm too easily contented.* Kanskje jeg er for lett å tilfredsstille.
3 s (*gen*) innhold *nt* ❑ *...the content of the newspaper.* ...innholdet i avisen. *No other food has so high an iron content.* Ingen andre matvarer har så høyt jerninnhold.
▸ **contents** SPL innhold *nt sing* ❑ *She poured out the contents.* Hun helte ut innholdet. *I opened the letter and read its contents.* Jeg åpnet brevet og leste innholdet.
▸ **(table of) contents** innholdsfortegnelse *m*
▸ **to be content to do sth** godta* å gjøre* noe ❑ *A few were content to pay the fines.* Noen få* godtok å betale bøtene.
▸ **to content o.s. with sth/with doing sth** nøye (*v3*) seg med noe/med å gjøre* noe
contented [kən'tɛntɪd] ADJ fornøyd, tilfreds
contentedly [kən'tɛntɪdlɪ] ADV fornøyd, tilfreds
contention [kən'tɛnʃən] s (**a**) (= *assertion*) påstand *m* ❑ *My main contention is...* Min hovedpåstand er...
(**b**) (= *dispute*) strid *m* ❑ *This is an issue of great contention.* Dette er en sak som det er mye strid om.
▸ **bone of contention** stridens eple
contentious [kən'tɛnʃəs] ADJ (*opinion, subject, view*) omstridt ❑ *...his contentious views on mental illness.* ...hans omstridte meninger om psykiske lidelser.
contentment [kən'tɛntmənt] s tilfredshet *m*
contest [*N* 'kɔntɛst, *VB* kən'tɛst] 1 s (**a**) (= *competition*) konkurranse *m*
(**b**) (= *struggle: for control, power etc*) kamp *m* ❑ *...a contest between the management and the unions.* ...en kamp mellom ledelsen og fagforeningene.
2 VT (**a**) (*+election, competition*) stille (*v2x*) (opp) i/til ❑ *There was a by-election contested by six candidates.* Det var et suppleringsvalg hvor seks kandidater stilte til valg.
(**b**) (= *compete for*) være* utfordrer til ❑ *She contested eight of the eleven titles.* Hun var utfordrer til åtte av de elleve titlene.
(**c**) (*+statement, decision, also LAW*) bestride* ❑ *We would hotly contest this idea.* Vi vil på det sterkeste bestride dette synet. *I am going to contest the will.* Jeg kommer til å bestride testamentet.
contestant [kən'tɛstənt] s (*in quiz, competition*) deltaker *m*; (*in election*) kandidat *m*
context ['kɔntɛkst] s (**a**) (= *circumstances: of events, ideas etc*) sammenheng *m* ❑ *...in the context of recent events.* ...i sammenheng med nylige hendelser.
(**b**) (*of word, phrase*) kontekst *m*, sammenheng *m* ❑ *Try and guess what it means from the context.* Prøv å gjette hva det betyr ut fra konteksten *or* sammenhengen.
▸ **in/out of context** i sin rette sammenheng/ute av sammenhengen
continent ['kɔntɪnənt] s kontinent *nt*
▸ **the Continent** (*BRIT*) kontinentet
▸ **on the Continent** på kontinentet
continental [kɔntɪ'nɛntl] (*BRIT*) 1 ADJ (*country, neighbours, style*) kontinental; (*restaurant, food*) fransk/italiensk *etc*
2 s ≈ mellomeuropeer *m*
continental breakfast s kontinental frokost *m*
continental quilt (*BRIT*) s dyne *c*
contingency [kən'tɪndʒənsɪ] s eventualitet *m* ❑ *She planned for all possible contingencies.* Hun forberedte seg for alle mulige eventualiteter.
contingency plan s kriseplan *m*
contingent [kən'tɪndʒənt] 1 s (*gen, MIL*) kontingent *m* ❑ *...a powerful feminist contingent.*

...en mektig feministkontingent.
2 ADJ ▸ **to be contingent on/upon** være* avhengig *or* betinget av

continual [kən'tɪnjuəl] ADJ (*movement, process, rain etc*) kontinuerlig, vedvarende

continually [kən'tɪnjuəlɪ] ADV stadig, kontinuerlig

continuation [kəntɪnju'eɪʃən] S (**a**) (= *persistence*) videreføring *c* ❑ *...the continuation of full employment.* ...videreføringen av full sysselsetting.
(**b**) (*after interruption*) fortsettelse *m*, videreføring *c* ❑ *The continuation of fighting...* Fortsettelsen *or* videreføringen av kamper...
(**c**) (= *extension*) fortsettelse *m* ❑ *We saw the trip as a natural continuation of the tour.* Vi så turen som en naturlig fortsettelse av turnéen.

continue [kən'tɪnju:] 1 VI fortsette*
2 VT fortsette* (med) ❑ *They want to continue their education.* De vil gjerne fortsette med utdannelsen sin.
▸ **"to be continued"** (*story*) "fortsettelse følger"
▸ **"continued on page 10"** "fortsettelse på side 10"

continuing education S voksenopplæring *c*

continuity [kɔntɪ'nju:ɪtɪ] S (**a**) (*in policy, management etc*) kontinuitet *m*, sammenheng *m* ❑ *There is a lack of continuity in their approach.* Det er en mangel på kontinuitet *or* sammenheng i angrepsmåten deres.
(**b**) (*TV, FILM: person*) script *m*
▸ **continuity announcer** programannonsør *m*

continuous [kən'tɪnjuəs] ADJ (**a**) (*process, growth etc*) kontinuerlig
(**b**) (*line*) sammenhengende
(**c**) (*LING*) samtids-, ing-form
▸ **continuous performance** (*FILM*) kontinuerlig forestilling *c*

continuously [kən'tɪnjuəslɪ] ADV (**a**) (= *repeatedly*) ustanselig ❑ *They had to get up and close the door continuously.* De har måttet stå opp og lukke døren ustanselig.
(**b**) (= *uninterruptedly*) ustanselig, uavbrutt ❑ *The volcano had been erupting continuously since March.* Vulkanen har hatt utbrudd ustanselig *or* uavbrutt siden mars.

contort [kən'tɔ:t] VT (*+body, face*) fordreie (*v3*), forvri (*v4*)

contortion [kən'tɔ:ʃən] S (for)vridning *m* ❑ *Their bodily contortions...* Kroppsvridningene deres...

contortionist [kən'tɔ:ʃənɪst] S slangemenneske *nt*

contour ['kɔntuəʳ] S (**a**) (*also* ***contour line***) (høyde)kote *m*
(**b**) (*gen pl: shape, outline*) kontur *m*, omriss *nt* ❑ *...the contours of the hillside.* ...konturene *or* omrisset av bakketoppen.

contraband ['kɔntrəbænd] 1 S smuglervarer *mpl*, smuglergods *nt*
2 ADJ (*goods*) smugler-

contraception [kɔntrə'sɛpʃən] S prevensjon *m*

contraceptive [kɔntrə'sɛptɪv] 1 ADJ (*method, technique*) prevensjons-
2 S (= *device, pill*) prevensjonsmiddel *nt*, preventiv *nt*

contract [N 'kɔntrækt, VB kən'trækt] 1 S (*JUR, MERK*) kontrakt *m*
2 VI (**a**) (= *become smaller*) trekke* seg sammen ❑ *Metals contract with cold.* Metaller trekker seg sammen i kulde.
(**b**) (*MERK*) ▸ **to contract to do sth** inngå* kontrakt om å gjøre* noe
3 VT (*+illness*) pådra* seg
4 SAMMENS ▸ **contract date** kontraktfrist *m*
▸ **contract work** akkordarbeid *nt*
▸ **contract of employment** arbeidskontrakt *m*
▸ **contract in/out** (*BRIT: ADMIN*) VI *formelt slutte seg til/trekke seg fra et program* ❑ *You have to contract in if you want to participate in the scheme.* Du må gi* en formell tilslutning hvis du ønsker å delta i programmet.

contraction [kən'trækʃən] S (*gen, also LING*) sammentrekning *m*; (*in childbirth*) ve *m*

contractor [kən'træktəʳ] S kontraktør *m*

contractual [kən'træktʃuəl] ADJ (*obligation, agreement etc*) kontraktfestet

contradict [kɔntrə'dɪkt] VT (**a**) (*+person, statement etc*) motsi* (*var.* si mot) ❑ *She contradicts everything I say.* Hun motsier alt jeg sier.
(**b**) (= *be contrary to*) stride* mot ❑ *...research evidence which contradicts this idea.* ...forskningsmateriale som strider mot dette synet.

contradiction [kɔntrə'dɪkʃən] S motsigelse *m*
▸ **a contradiction in terms** en selvmotsigelse

contradictory [kɔntrə'dɪktərɪ] ADJ (*ideas, statements*) motstridende

contralto [kən'træltəu] S alt *m*

contraption [kən'træpʃən] (*neds*) S innretning *m*

contrary[1] ['kɔntrərɪ] 1 ADJ (= *opposite, different*) motsatt ❑ *...to set such contrary ideas side by side.* ...å sette slike motsatte *or* motstridende ideer ved siden av hverandre.
2 S motsatt *decl as adj* ❑ *Her views were the contrary of what I'd expected.* Synet hennes var det motsatte av det jeg hadde ventet meg.
▸ **on the contrary** tvert imot
▸ **unless you hear to the contrary** med mindre du hører noe annet
▸ **contrary to what we thought** i motsetning til hva vi trodde

contrary[2] [kən'trɛərɪ] ADJ (= *perverse*) vrangvillig ❑ *...a contrary child.* ...et vrangvillig barn.

contrast [N 'kɔntrɑ:st, VB kən'trɑ:st] 1 S kontrast *m*, motsetning *m*
2 VT sammenligne (*v1*) ❑ *I cannot help contrasting her attitude with that of her friends.* Jeg kan ikke la være* å sammenligne holdningen hennes med den som vennene hennes har.
▸ **in contrast to** *or* **with** i motsetning til

contrasting [kən'trɑ:stɪŋ] ADJ (*colours, attitudes*) kontrasterende, kontrast-

contravene [kɔntrə'vi:n] VT overtre*

contravention [kɔntrə'vɛnʃən] S overtredelse *m*
▸ **in contravention of** i strid med

contribute [kən'trɪbju:t] 1 VI ▸ **to contribute to** (**a**) (*+charity etc*) gi* bidrag til, gi* penger til
(**b**) (*+magazine*) levere (*v2*) bidrag til
(**c**) (*event, situation+ : discussion, problem, cost etc*) bidra* til, medvirke (*v1*) til
2 VT ▸ **to contribute 10 pounds to** (*+charity*) bidra* med 10 pund til

▸ **to contribute an article to** (*+newspaper*) bidra* med en artikkel til
contribution [kɔntrɪ'bju:ʃən] s (= *donation*) bidrag *nt*; (*BRIT: for social security*) pensjonspremie *m*; (*to debate, campaign*) bidrag *nt*, innlegg *nt*; (*to magazine*) bidrag *nt*
contributor [kən'trɪbjutə^r] s (*to appeal*) bidragsyter *m*, giver *m*; (*to magazine*) bidragsyter *m*
contributory [kən'trɪbjutərɪ] ADJ (*cause, factor*) medvirkende
contributory pension scheme (*BRIT*) s *pensjonsordning hvor både arbeidsgiver og ansatt betaler inn premie*
contrite ['kɔntraɪt] ADJ angerfull
contrivance [kən'traɪvəns] s (**a**) (= *scheme*) opplegg *nt*, påfunn *nt* ❑ *...a contrivance to raise prices.* ...et opplegg *or* et påfunn for å øke prisene.
(**b**) (= *device*) innretning *m*
contrive [kən'traɪv] [1] VT (**a**) (= *construct: device*) konstruere (*v2*) ❑ *It had a mechanism contrived from two tubes.* Den hadde en mekanisme som var konstruert av to rør.
(**b**) (= *engineer: meeting etc*) få* i stand ❑ *...a moving little drama that she contrived.* ...et rørende lite drama som hun fikk i stand.
[2] VI ▸ **to contrive to do sth** klare (*v2*) å gjøre* noe, greie (*v3*) å gjøre* noe
control [kən'trəul] [1] VT (**a**) (= *be in charge of, regulate*) kontrollere (*v2*) ❑ *...computer systems which control the lighting.* ...datasystemer som kontrollerer belysningen. *...the failure to control inflation.* ...det mislykkede forsøket på å kontrollere inflasjonen. *...a way of controlling cancer.* ...en måte å kontrollere kreft på.
(**b**) (*+fire*) få* kontroll over ▸ **to control one's temper** styre (*v2*) *or* kontrollere (*v2*) sinnet sitt
[2] s (**a**) (*of country, organization*) kontroll *m* ❑ *Political control over colonies...* Politisk kontroll over koloniene...
(**b**) (*of oneself, emotions*) kontroll *m*, beherskelse *m* ❑ *She gained control of herself.* Hun gjenvant kontrollen over seg selv *or* selvbeherskelsen.
(**c**) (*also* ***control group***) kontrollgruppe *c*
▸ **controls** SPL betjening *c* ❑ *She explained the controls of the washing machine.* Hun forklarte betjeningen av vaskemaskinen.; (*governmental*) kontroll *m* *...government price controls.* ...statlig priskontroll.
▸ **at the controls** (*car/plane*) ved rattet/spakene
▸ **to take control of** overta* kontrollen over
▸ **to be in control (of)** (*of situation, car etc*) ha* kontroll (over)
▸ **to control o.s.** beherske (*v1*) seg
▸ **under control** under kontroll
▸ **the car went out of control** bilen kom ut av kontroll
▸ **circumstances beyond our control** omstendigheter utenfor vår kontroll
▸ **to get out of control** (*crowd, situation+*) komme* ut av kontroll
control freak (*sl*) s kontrollfrik *m*
control key s (*on keyboard*) kontrolltast *m*
controller [kən'trəulə^r] s (*person*) leder *m*, sjef *m*
controlling interest s (*in company*) aksjemajoritet *m*
control panel s (*on aircraft, ship, TV etc*) kontrollpanel *nt*
control room s kontrollrom *nt*
control tower s kontrolltårn *nt*
control unit (*DATA*) s kontrollenhet *m*
controversial [kɔntrə'və:ʃl] ADJ kontroversiell
controversy ['kɔntrəvə:sɪ] s kontrovers *m*
conurbation [kɔnə'beɪʃən] s konurbasjon *m* (*sammenvoksing av byer*)
convalesce [kɔnvə'lɛs] VI komme seg
convalescence [kɔnvə'lɛsns] s rekonvalesens *m*
convalescent [kɔnvə'lɛsnt] [1] ADJ (*home, leave etc*) rekonvalesens-
[2] s (*person*) rekonvalesent *m*
convector [kən'vɛktə^r] s (*heater*) vifteovn *m*
convene [kən'vi:n] [1] VT (*+meeting, conference*) sammenkalle (*v2x*) til
[2] VI (*parliament, inquiry+*) tre* sammen
convener [kən'vi:nə^r] s (*in union*) (hoved)tillitsmann *m irreg*; (*in meeting*) *en som sammenkaller til og leder et møte*
convenience [kən'vi:nɪəns] s (**a**) (= *easiness: of using sth, doing sth*) lettvinthet *c*, enkelhet *c* ❑ *...we use all frozen food for convenience.* ...vi bruker bare frossenmat for lettvinthets *or* enkelhets skyld
(**b**) (= *advantage, help*) ▸ **for sb's convenience** for noens skyld ❑ *The entire event had been arranged for their convenience.* Hele opplegget hadde blitt arrangert for deres skyld.
▸ **at your convenience** når det passer deg, når det er beleilig for deg
▸ **at your earliest convenience** ved første leilighet *or* anledning
▸ **all modern conveniences,** ***(BRIT)*** **all mod cons** alle moderne bekvemmeligheter *or* fasiliteter
convenience foods SPL hurtigmat *m uncount*
convenient [kən'vi:nɪənt] ADJ passende, beleilig ❑ *...a convenient time to visit the hospital.* ...en passende *or* beleilig tid å besøke sykehuset på.
▸ **if it is convenient to you** hvis det passer for deg, hvis det er beleilig for deg
conveniently [kən'vi:nɪəntlɪ] ADV (*happen*) beleilig; (*situated*) praktisk, bekvemt
convenor [kən'vi:nə^r] s = **convener**
convent ['kɔnvənt] s (nonne)kloster *nt*
convention [kən'vɛnʃən] s (**a**) (= *custom, agreement*) konvensjon *m* ❑ *A lot of the usual conventions are ignored...* Mange av de vanlige konvensjonene blir ignorert... *the Geneva Convention.* ...Genevekonvensjonen.
(**b**) (= *conference: gen*) konferanse *m*
(**c**) (*political*) møte *nt*
(**d**) (*national*) landsmøte *nt*
conventional [kən'vɛnʃənl] ADJ konvensjonell
convent school s klosterskole *m* (*særlig for piker*)
converge [kən'və:dʒ] VI (**a**) (*roads+*) løpe* sammen, møtes (*v25*)
(**b**) (*ideas etc+*) møtes (*v25*), konvergere (*v2*)
▸ **to converge on** (*+place, person*) møtes (*v25*) på
conversant [kən'və:snt] ADJ ▸ **to be conversant with** (*+problem, requirements*) være* fortrolig med
conversation [kɔnvə'seɪʃən] s samtale *m*,

konversasjon *m* ❑ *Roger and I had a conversation about fishing.* Roger og jeg hadde en samtale *or* konversasjon om fisking.

conversational [kɔnvəˈseɪʃənl] ADJ (*tone*) konverserende; (*language, skills*) konversasjons-, samtale-

conversationalist [kɔnvəˈseɪʃnəlɪst] S samtalepartner *m* ❑ *I'm a poor conversationalist.* Jeg er en dårlig samtalepartner.. Jeg er ikke så flink til å konversere.

converse [*N* ˈkɔnvəːs, *VB* kənˈvəːs] 1 S motsatt *nt decl as adj* ❑ *I actually believe that the converse is true.* Jeg tror faktisk at det motsatte er tilfelle.
2 VI (= *talk*) ▸ **to converse (with sb) (about sth)** konversere (*v2*) *or* samtale (*v2*) (med noen) (om noe)

conversely [kɔnˈvəːslɪ] ADV motsatt

conversion [kənˈvəːʃən] S (**a**) (*of substances*) omdannelse *m* ❑ *...the conversion of chemical energy into electricity.* ...omdannelsen av kjemisk energi til elektrisk strøm.
(**b**) (*of money, measurement etc*) omregning *c*
(**c**) (*REL*) omvendelse *m* ❑ *...conversion to a faith.* ...omvendelse til en tro.
(**d**) (*BRIT: of house*) ombygging *c* ❑ *The loft conversion...* Ombyggingen av loftet...

conversion table S omregningstabell *m*

convert [*VB* kənˈvəːt, *N* ˈkɔnvəːt] 1 VT ▸ **to convert to** *or* **into** (**a**) (*+quantity, money*) regne (*v1*) om til, konvertere (*v2*) til ❑ *...the formula for converting kilometres to miles.* ...formelen for å regne om *or* konvertere kilometer til miles.
(**b**) (*REL, POL: person*) omvende (*v2*) til, konvertere (*v2*) til
(**c**) (*+building, vehicle*) bygge (*v3x*) om til
(**d**) (= *change*) omdanne (*v1*) til ❑ *Energy is converted from one form to another.* Energi blir omdannet fra en form til en annen.
2 S (*REL, POL*) omvendt *m decl as adj*

convertible [kənˈvəːtəbl] 1 ADJ (*currency*) konvertibel
2 S (*BIL*) kabriolet *m*

convex [ˈkɔnvɛks] ADJ konveks

convey [kənˈveɪ] VT (*+information, idea, thanks*) overbringe*, formidle (*v1*); (*+cargo, traveller*) frakte (*v1*)

conveyance [kənˈveɪəns] S (*of goods*) frakt *c*, transport *m*; (= *vehicle*) befordringsmiddel *nt*

conveyancing [kənˈveɪənsɪŋ] (*JUR*) S (eiendoms)overdragelse *m*

conveyor belt S samlebånd *nt*

convict [*VB* kənˈvɪkt, *N* ˈkɔnvɪkt] 1 VT ▸ **to convict sb (of sth)** dømme (*v2x*) noen (for noe), erklære (*v2*) noen skyldig (i noe) ❑ *He was convicted of spying.* Han ble erklært skyldig i *or* dømt for spionasje.
2 S (*prisoner*) soningsfange *m*

conviction [kənˈvɪkʃən] S (**a**) (= *belief, certainty*) overbevisning *m* ❑ *...Ernest's convictions.* ...Ernests overbevisning. *"Yes," I said without much conviction.* "Ja," sa jeg uten særlig overbevisning.
(**b**) (*JUR*) dom *m* ❑ *He had a long record of previous convictions.* Han hadde et langt rulleblad med tidligere dommer.

convince [kənˈvɪns] VT (**a**) (= *assure*) overbevise (*v2*) ❑ *It took me a day or two to convince her that I was...* Det tok meg en eller to dager å overbevise henne om at jeg var...
(**b**) (= *persuade*) overtale (*v2*) ❑ *...to convince people to buy almost anything.* ...overtale folk til å kjøpe nesten hva som helst.
▸ **to convince sb of sth/that** overbevise (*v2*) noen om noe/om at ❑ *These experiences served to convince me of the drug's harmful effects.* Disse erfaringene var nok til å overbevise meg om stoffets skadevirkninger.

convinced [kənˈvɪnst] ADJ ▸ **convinced of/that** overbevist om/om at

convincing [kənˈvɪnsɪŋ] ADJ (*case, argument*) overbevisende

convincingly [kənˈvɪnsɪŋlɪ] ADV overbevisende

convivial [kənˈvɪvɪəl] ADJ gemyttelig

convoluted [ˈkɔnvəluːtɪd] ADJ (*statement, argument*) innviklet, intrikat, snirklet(e); (*shape*) snirklet(e)

convoy [ˈkɔnvɔɪ] S konvoi *m*

convulse [kənˈvʌls] VT ▸ **to be convulsed with laughter/pain** ha* latterkrampe/smertekramper

convulsion [kənˈvʌlʃən] (*MED*) S krampetrekning *m*

coo [kuː] VI kurre (*v1*)

cook [kuk] 1 VT (*+food, meal etc*) ste(i)ke (*v2*)/koke (*v2*) ❑ *We cooked the pie in the brick oven.* Vi stekte paien i mursteinsovnen.
2 VI (**a**) (*person+*) lage (*v1 or v3*) mat ❑ *I can't be bothered to cook tonight.* Jeg orker ikke å lage mat i kveld.
(**b**) (*meat, pie etc+*) ste(i)ke (*v2*)/koke (*v2*) ❑ *Let the soup cook for an hour.* La suppen koke i en time.
3 S (*person*) kokk *m* ❑ *Are you a good cook?* Er du en dyktig kokk?, Er du flink til å lage mat?

▸ **cook up** (*sl*) VT (*+excuse, story*) koke (*v2*) sammen

cookbook [ˈkukbuk] S kokebok *c*

cook-chill [ˈkuktʃɪl] ADJ ▸ **cook-chill foods** ferdiglaget mat *m uncount* fra kjøledisk

cooker [ˈkukəʳ] S komfyr *m*

cookery [ˈkukərɪ] S matlaging *c*

cookery book (*BRIT*) S kokebok *c*

cookie [ˈkukɪ] (*US*) S (søt) kjeks *m*, småkake *c*

cooking [ˈkukɪŋ] 1 S matlaging *c* ❑ *Boys are just as keen on cooking as girls are.* Gutter er like interesserte i matlaging som jenter er.
2 SAMMENS (**a**) (*apples, chocolate*) koke-
(**b**) (*utensils*) koke-, matlagings-

cookout [ˈkukaut] (*US*) S *selskap hvor maten tilberedes utendørs*

cool [kuːl] 1 ADJ (**a**) (*temperature, air*) kjølig
(**b**) (*drink*) kald, avkjølt
(**c**) (*dress, clothes*) luftig, lett
(**d**) (*person: calm, unemotional*) kjølig
(**e**) (= *unfriendly*) kald, avvisende ❑ *...their cool handling of the riots.* ...sin kjølige behandling av opprørene. *She was cool and remote.* Hun var kald *or* avvisende og fjern.
2 VT (= *make colder*) avkjøle (*v2*), kjøle (*v2*) ned
3 VI (= *become colder*) avkjøle (*v2*) seg, bli* avkjølt, kjølne (*v1*) ❑ *...allow the liquid to cool.* ...la væsken få* avkjøle seg *or* bli* avkjølt *or* kjølne.

▸ **(that's) cool!** (*sl*) det er kult!
▸ **to keep sth cool** *or* **in a cool place** oppbevare noe kjølig *or* på et kjølig sted
▸ **to keep one's cool** holde* *or* bevare (*v2*) hodet kaldt
▶ **cool down** VI (**a**) (*substance, object+*) avkjøle (*v2*) seg, bli* avkjølt, kjølne (*v1*)
(**b**) (*fig: person, situation*) kjøle (*v2*) seg ned, hisse (*v1*) seg ned
coolant ['ku:lənt] s kjølevæske *c*
cool box, **cooler** (*US*) s (= *for picnic etc*) ≈ kjølebag *m*
cooling ['ku:lɪŋ] ADJ (*drink, shower*) avkjølende
cooling tower s kjøletårn *nt*
coolly ['ku:lɪ] ADV (**a**) (= *calmly*) kjølig, rolig ❑ *He answered coolly and collectedly.* Han svarte kjølig *or* rolig og behersket.
(**b**) (= *in unfriendly way*) kjølig, kaldt ❑ *...he behaved very coolly towards her.* ...han oppførte seg svært kjølig *or* kaldt mot henne.
coolness ['ku:lnɪs] s (**a**) (*of temperature, drink*) svalhet *m*, kjølighet *m* ❑ *...the sweet coolness of the night air.* ...den liflige svalheten i natteluften.
(**b**) (= *calmness*) ro *m*, sinnsro *m* ❑ *Her coolness and authority...* (Sinns)roen og myndigheten hennes...
(**c**) (= *unfriendly behaviour*) kulde *c*
coop [ku:p] 1 s (*for rabbits, poultry*) bur *nt*
2 VT ▸ **to coop up** bure (*v1 or v2*) inn
co-op ['kəuɔp] s FK (= *cooperative (society)*) ko-op *c or nt*, samvirkelag *nt*
cooperate [kəu'ɔpəreɪt] VI ▸ **to cooperate (with)** samarbeide (*v1*) (med) ❑ *I wish you'd cooperate!* Jeg skulle* ønske du ville* samarbeide!
cooperation [kəuɔpə'reɪʃən] s samarbeid *nt* ❑ *...co-operation between the sellers.* ...samarbeid mellom selgerne. *Thank you for your co-operation.* Takk for samarbeidet.
cooperative [kəu'ɔpərətɪv] 1 ADJ (**a**) (*farm, business*) kooperativ
(**b**) (*person*) samarbeidsvillig ❑ *The authorities had been very cooperative.* Myndighetene hadde vært svært samarbeidsvillige.
2 s (*factory, business*) kooperativ *nt*, samvirke *nt* ❑ *...a workers' cooperative.* ...et arbeiderkooperativ *or* et arbeidersamvirke.
co-opt [kəu'ɔpt] VT ▸ **to co-opt sb onto a committee** kooptere (*v2*) noen til en komité, velge* noen inn i en komité (*ved selvsupplering*)
coordinate [*VB* kəu'ɔ:dɪneɪt, *N* kəu'ɔdɪnət] 1 VT (*+campaign, movements etc*) koordinere (*v2*), samordne (*v1*)
2 s (*MAT*) koordinat *nt*
coordination [kəuɔ:dɪ'neɪʃən] s (*of services, systems*) samordning *c*, samspill *nt*; (*of one's movements*) koordinasjon *m*
co-ownership [kəu'əunəʃɪp] s medeierskap *nt*
cop [kɔp] (*sl*) s purk *m* (*sl*)
cope [kəup] VI ▸ **to cope with** (*+problem, situation etc*) ta* seg av, greie (*v3*) opp i
Copenhagen ['kəupn'heɪgən] s København
copier ['kɔpɪə^r] s (*also* ***photocopier***) kopimaskin *m*
co-pilot ['kəupaɪlət] s annenflyver *m*
copious ['kəupɪəs] ADJ (*helpings, amounts*) rikelig
copper ['kɔpə^r] s (**a**) (*metal*) kopper *nt* (*var.* kobber)
(**b**) (*BRIT: sl*) purk *m* (*sl*)
▸ **coppers** SPL (= *small change, coins*) koppermynter *mpl*, (kopper)slanter *mpl*
coppice ['kɔpɪs] s kratt *nt*, krattskog *m*
copse [kɔps] s = **coppice**
copulate ['kɔpjuleɪt] VI kopulere (*v2*)
copy ['kɔpɪ] 1 s (**a**) (= *duplicate*) kopi *m* ❑ *...a copy of the driving licence.* ...en kopi av førerkortet.
(**b**) (*of book, record, newspaper*) eksemplar *nt* ❑ *Sixty thousand copies of the record...* Seksti tusen eksemplarer av platen...
(**c**) (= *written material*) manuskript *nt*, manus *nt*
2 VT (**a**) (*+person, idea etc*) kopiere (*v2*)
(**b**) (*+something written*) kopiere (*v2*), skrive* av ❑ *...a comment she had copied from one of his notes.* ...en kommentar hun hadde kopiert *or* skrevet av fra et av notatene hans.
▸ **to make good copy** (*PRESS*) være* godt stoff
▶ **copy out** VT skrive* av ❑ *I remember copying out the whole play.* Jeg husker at jeg skrev av hele skuespillet.
copycat ['kɔpɪkæt] (*neds*) s hermegås *c*, apekatt *m*
copyright ['kɔpɪraɪt] s opphavsrett *m*, copyright *m* ❑ *...the copyright on the book.* ...opphavsrett til *or* copyright på boka.
▸ **"copyright reserved"** "ettertrykk forbudt"
copy typist s maskinskriver *m* (*som skriver fra manus*); (*woman*) maskinskriverske *c*
copywriter ['kɔpɪraɪtə^r] s tekstforfatter *m* (*i reklamebransjen*)
coral ['kɔrəl] s korall *m*
coral reef s korallrev *nt*
Coral Sea s ▸ **the Coral Sea** Korallhavet
cord [kɔ:d] s (**a**) (= *string*) snor *c*
(**b**) (*ELEK*) ledning *m*
(**c**) (*fabric*) kordfløyel *m*
▸ **cords** SPL (*trousers*) kordfløyelsbukse *c sg*
cordial ['kɔ:dɪəl] 1 ADJ (*person, welcome, relationship*) hjertelig
2 s (*BRIT: drink*) (frukt)saft *m*
cordless ['kɔ:dlɪs] ADJ (*iron, phone etc*) trådløs
cordon ['kɔ:dn] s sperring *m* ❑ *...police cordons.* ...politisperringer.
▶ **cordon off** VT sperre (*v1*) av
corduroy ['kɔ:dərɔɪ] s kordfløyel *m*
CORE [kɔ:^r] (*US*) s FK (= **Congress of Racial Equality**) *borgerrettighetsorganisasjon*
core [kɔ:^r] 1 s (**a**) (*of fruit, planet, problem*) kjerne *m*
(**b**) (*of apple, pear*) kjernehus *nt*, skrott *m*
2 VT (*+apple, pear etc*) ta* kjernehuset ut av
▸ **rotten to the core** (*fig*) råtten tvers igjennom
Corfu [kɔ:'fu:] s Korfu
coriander [kɔrɪ'ændə^r] s koriander *m*
cork [kɔ:k] s (*gen*) kork *m* ❑ *He took the cork out of the bottle.* Han tok korken ut av flasken. *...cork table mats.* ...kuvertbrikker av kork.
corkage ['kɔ:kɪdʒ] s korkpenger *pl*
corked [kɔ:kt], **corky** (*US*) ADJ (*wine*) med korksmak
corkscrew ['kɔ:kskru:] s korketrekker *m*
corm [kɔ:m] s knoll *m*
cormorant ['kɔ:mərnt] s skarv *m*
Corn (*BRIT: POST*) FK = **Cornwall**
corn [kɔ:n] s (**a**) (*BRIT: cereal*) korn *nt*
(**b**) (*US: maize*) mais *m*

(**c**) (*on foot*) liktorn *m*
▸ **corn on the cob** maiskolbe *m*
cornea ['kɔ:nɪə] s hornhinne *c*
corned beef s corned beef *m*
corner ['kɔ:nəʳ] 1 s (**a**) (*gen*) hjørne *nt* ❑ *...a tower at each corner.* ...et tårn i hvert hjørne. *...in the corner of the room.* ...i hjørnet av rommet. *Suddenly Terry appeared around the corner.* Plutselig kom Terry til syne rundt hjørnet.
(**b**) (*also* ***corner kick***) hjørnespark *nt*, corner *m*
(**c**) (*SPORT*) corner *m*
2 VT (**a**) (*+person*) fange (*v1*), trenge (*v2*) opp i et hjørne
(**b**) (*+market*) erobre (*v1*)
3 VI (*in car*) ta* svingen/svingene ❑ *It's not a powerful car but it corners well.* Det er ingen kraftig bil, men den tar svingene bra.
▸ **to cut corners** (*fig*) slå* av på kravene
corner kick s hjørnespark *nt*, corner *m*
cornerstone ['kɔ:nəstəun] s (*fig*) ▸ **the cornerstone (of)** hjørneste(i)n *m* (i)
cornet ['kɔ:nɪt] s (*MUS*) kornett *m*; (*BRIT: ice-cream*) is *m* i kjeks
cornflakes ['kɔ:nfleɪks] SPL cornflakes *m uncount*
cornflour ['kɔ:nflauəʳ] (*BRIT*) s maismel *nt*, maisenna *m*
cornice ['kɔ:nɪs] s (*outside*) (utsmykket) gesims *m*; (*inside*) (utsmykket) taklist *c*
Cornish ['kɔ:nɪʃ] ADJ fra Cornwall
corn oil s maisolje *m*
cornstarch ['kɔ:nstɑ:tʃ] (*US*) s maismel *nt*, maisenna *m*
cornucopia [kɔ:nju'kəupɪə] s overflødighetshorn *nt*; (*fig*) overflod *m*
Cornwall ['kɔ:nwəl] s Cornwall
corny ['kɔ:nɪ] (*sl*) ADJ platt
corollary [kə'rɔlərɪ] s konsekvens *m*, følge *m* ❑ *...the inevitable corollary of the social revolution.* ...den uunngåelige konsekvensen *or* følgen av den sosiale revolusjonen.
coronary ['kɔrənərɪ] s (*also* ***coronary thrombosis***) hjerteinfarkt *nt*
coronation [kɔrə'neɪʃən] s kroning *c*
coroner ['kɔrənəʳ] s *embetsmann som fortar rettslige undersøkelser etter (mistenkelige) dødsfall*
coronet ['kɔrənɪt] s (liten) krone *m*
Corp. FK = **corporation**; (*MIL*) = **corporal**
corporal ['kɔ:pərl] 1 s korporal *m*
2 ADJ ▸ **corporal punishment** korporlig *or* legemlig avstraffelse
corporate ['kɔ:pərɪt] ADJ (*action, effort, ownership*) felles; (*finance, image, identity*) korporativ, felles
corporation [kɔ:pə'reɪʃən] s (*MERK*) korporasjon *m*; (*of town*) bystyre *nt*, kommunestyre *nt*
corporation tax s selskapsskatt *m*
corps [kɔ:ʳ] (*pl* **corps**) s korps *nt* ❑ *...the diplomatic corps.* ...diplomatkorpset.
▸ **the press corps** pressekorpset
corpse [kɔ:ps] s lik *nt*
corpuscle ['kɔ:pʌsl] s blodlegeme *nt*
corral [kə'rɑ:l] s kve *c*, innhegning *m*
correct [kə'rɛkt] 1 ADJ (**a**) (= *accurate*) riktig, korrekt ❑ *That's the correct answer.* Det er det riktige *or* korrekte svaret.
(**b**) (= *proper*) korrekt ❑ *...the correct course of action.* ...den korrekte handlemåten.
2 VT (**a**) (*+mistake, fault*) rette (*v1*) (på), korrigere (*v2*) ❑ *He had asked her to correct his English.* Han hadde bedt henne om å rette på *or* korrigere engelsken hans.
(**b**) (*+exam*) rette (*v1*) ❑ *...at her desk correcting papers.* ...ved skrivebordet sitt og rettet stiler.
▸ **you are correct** du har rett
correction [kə'rɛkʃən] s (**a**) (= *act of correcting*) rettelse *m*, korreksjon *m* ❑ *A couple of mistakes need correction.* Det er et par feil som trenger rettelse *or* korreksjon.
(**b**) (*instance*) rettelse *m* ❑ *My homework was covered in corrections.* Hjemmearbeidet mitt var fullt av rettelser.
correctly [kə'rɛktlɪ] ADV riktig, korrekt
correlate ['kɔrɪleɪt] 1 VT korrelere (*v2*) ❑ *Class and region are strongly correlated.* Klasse og bosted er sterkt korrelert.
2 VI ▸ **to correlate with** korrelere (*v2*) med, sammenfalle* med
correlation [kɔrɪ'leɪʃən] s korrelasjon *m*, samsvar *nt* ❑ *There's no correlation between mental ability and physical strength.* Det er ingen korrelasjon *or* ikke noe samsvar mellom mentale evner og fysisk styrke.
correspond [kɔrɪs'pɔnd] 1 VI (**a**) (= *write*) ▸ **to correspond (with)** korrespondere (*v2*) (med)
(**b**) (= *be equivalent*) ▸ **to correspond (to)** tilsvare (*v2*) ❑ *His job corresponds to your father's.* Jobben hans tilsvarer din fars.
2 VI (= *be in accordance*) ▸ **to correspond (with)** stemme (*v2x*) overens (med) ❑ *Check the numbers in case they don't correspond.* Sjekk numrene i tilfelle de ikke stemmer overens.
correspondence [kɔrɪs'pɔndəns] s (**a**) (= *letters, communication*) korrespondanse *m* ❑ *...no correspondence will be entered into.* ...det vil ikke bli* inngått noen korrespondanse.
(**b**) (= *relationship*) samsvar *nt*, overensstemmelse *m* ❑ *...a close correspondence between sounds and letters.* ...god overensstemmelse *or* et nært samsvar mellom lyder og bokstaver.
correspondence column s brevspalte *m*
correspondence course s korrespondansekurs *nt*, brevkurs *nt*
correspondent [kɔrɪs'pɔndənt] s (= *journalist*) korrespondent *m*
corresponding [kɔrɪs'pɔndɪŋ] ADJ tilsvarende, som tilsvarer
corridor ['kɔrɪdɔ:ʳ] s korridor *m*
corroborate [kə'rɔbəreɪt] VT (*+facts, story*) bekrefte (*v1*)
corrode [kə'rəud] 1 VT korrodere (*v2*), etse (*v1*) på
2 VI korrodere (*v2*)
corrosion [kə'rəuʒən] s korrosjon *m*
corrosive [kə'rəuzɪv] ADJ etsende
corrugated ['kɔrəgeɪtɪd] ADJ (*roof*) bølgeblikk-
▸ **corrugated cardboard** bølgepapp *m*
▸ **corrugated iron** bølgeblikk *nt*
corrupt [kə'rʌpt] 1 ADJ (**a**) (*person*) korrupt
(**b**) (*DATA*) ødelagt
2 VT (**a**) (*+person*) korrumpere (*v2*)
(**b**) (*DATA*) ødelegge*

▸ **corrupt practices** korrupsjon *m*
corruption [kəˈrʌpʃən] s korrupsjon *m*
corset [ˈkɔːsɪt] s korsett *nt*
Corsica [ˈkɔːsɪkə] s Korsika
Corsican [ˈkɔːsɪkən] 1 ADJ korsikansk
2 s (*person*) korsikaner *m*
cortège [kɔːˈteɪʒ] s begravelsesfølge *nt*, kortesje *m*
cortisone [ˈkɔːtɪzəun] s kortison *nt*
coruscating [ˈkɔrəskeɪtɪŋ] ADJ glitrende, gnistrende
c.o.s. FK (= **cash on shipment**) kontant ved forsendelse
cosh [kɔʃ] (*BRIT*) s (gummi)kølle *c*
cosignatory [ˈkəuˈsɪgnətərɪ] s medunderskriver *m*
cosiness [ˈkəuzɪnɪs] s hygge *m*
cos lettuce [ˈkɔs-] s romersalat *m*
cosmetic [kɔzˈmɛtɪk] 1 s kosmetikk *m uncount*, kosmetisk middel *nt* ❑ *Many millions are spent on cosmetics.* Mange millioner blir brukt på kosmetikk *or* kosmetiske midler.
2 ADJ (*gen, fig*) kosmetisk ❑ *It was a purely cosmetic measure.* Det var et rent kosmetisk tiltak.
▸ **cosmetic surgery** kosmetisk *or* plastisk kirurgi *m*
cosmic [ˈkɔzmɪk] ADJ kosmisk
cosmonaut [ˈkɔzmənɔːt] s kosmonaut *m*
cosmopolitan [kɔzməˈpɔlɪtn] ADJ kosmopolitisk
cosmos [ˈkɔzmɔs] s ▸ **the cosmos** kosmos *nt*
cosset [ˈkɔsɪt] VT forkjæle (*v2*)
cost [kɔst] (*pt, pp* **cost**) 1 s (**a**) (= *price*) pris *m*, kostnad *m* ❑ *The total cost of the holiday...* Den totale prisen på *or* kostnaden for ferien...
(**b**) (*fig: loss, damage etc*) pris *m* ❑ *...the cost in human life...* prisen i form av menneskeliv...
2 VT (**a**) (= *be priced at*) koste (*v1*) ❑ *Lodgings and food cost us around 5,000 dollars.* Kost og losji kostet oss omtrent 5 000 dollar.
(**b**) (= *find out cost of: project, purchase etc: pt, pp costed*) kostnadsberegne (*v1*) ❑ *Drake passed the months in costing an expedition.* Drake tilbrakte månedene med å kostnadsberegne en ekspedisjon.
▸ **costs** SPL (**a**) (*MERK*) kostnader *pl*, utgifter *pl* ❑ *...to cover increased costs.* ...å dekke økte kostnader *or* utgifter.
(**b**) (*JUR*) omkostninger *pl* ❑ *She lost the case and had to pay the' legal costs.* Hun tapte saken og måtte* betale saksomkostningene.
▸ **how much does it cost?** hvor mye koster det?
▸ **it costs £5/too much** det koster 5 pund/for mye
▸ **what will it cost to have it repaired?** hvor mye vil det koste å få* reparert den?
▸ **to cost sb time/effort** koste (*v1*) noen tid/anstrengelse
▸ **it cost him his life/job** det kostet ham livet/jobben
▸ **the cost of living** levekostnaden(e)
▸ **at all costs** for *or* til enhver pris
cost accountant s driftsbokholder *n*, kostnadsberegner *m*
co-star [ˈkəustɑːʳ] s hovedrolleinnehaver *m* (*en av flere*)
Costa Rica [ˈkɔstəˈriːkə] s Costa Rica
cost centre s kostnadsavdeling *m*
cost control s kostnadskontroll *m*
cost-effective [ˈkɔstɪˈfɛktɪv] ADJ kostnadseffektiv
cost-effectiveness [ˈkɔstɪˈfɛktɪvnɪs] s kostnadseffektivitet *m*
costing [ˈkɔstɪŋ] s kostnadsberegning *m*
costly [ˈkɔstlɪ] ADJ (*gen*) kostbar ❑ *It proved a costly mistake.* Det viste seg å være* en kostbar feil
cost-of-living [ˈkɔstəvˈlɪvɪŋ] ADJ (*allowance, index*) levekostnads-
cost price (*BRIT*) s kostpris *m*
▸ **to sell/buy at cost price** selge*/kjøpe (*v2*) til kostpris
costume [ˈkɔstjuːm] s (**a**) (= *outfit*) kostyme *nt* ❑ *The cast makes its own costumes.* Besetningen lager sine egne kostymer.
(**b**) (= *style of dress*) kostyme *nt*, drakt *c* ❑ *...17th-century costume.* ...syttenhundretallskostymer *or* syttenhundretallsdrakter.
(**c**) (*BRIT:* ***swimming costume***) badedrakt *c*
costume drama s kostymedrama *n*
costume jewellery s bijouteri *nt*
cosy [ˈkəuzɪ], **cozy** (*US*) ADJ (**a**) (*room, atmosphere, evening*) koselig, hyggelig
(**b**) (*bed, person*) god og varm ❑ *A hot water bottle will make you feel cosier.* En varmeflaske vil få* deg til å føle deg mer god og varm.
cot [kɔt] s (*BRIT: child's*) barneseng *c*; (*US: camp bed*) feltseng *c*
cot death s krybbedød *m*
Cotswolds [ˈkɔtswəuldz] SPL ▸ **the Cotswolds** Cotswolds
cottage [ˈkɔtɪdʒ] s (*house*) lite hus *nt* (*særlig på landet*); (*for holidays*) hytte *c*
cottage cheese s cottage cheese *m*
cottage industry s hjemmeindustri *m*, husflid *m*
cottage pie s *pai med kvernet kjøtt og potetmos*
cotton [ˈkɔtn] s (**a**) (*fabric, plant*) bomull *c*
(**b**) (= *thread*) (bomulls)tråd *m* ❑ *...reels of cotton.* ...spoler med bomullstråd.
▸ **a cotton dress** en bomullskjole
▸ **cotton on** (*sl*) VI ▸ **to cotton on (to)** skjønne (*v2x*) ❑ *At last he has cottoned on to the fact that...* Endelig har han skjønt *or* endelig har det gått opp for ham at...
cotton candy (*US*) s sukkerspinn *nt*
cotton wool (*BRIT*) s bomull *c*
couch [kautʃ] 1 s (**a**) (= *sofa*) sofa *m*
(**b**) (*doctor's, psychiatrist's*) brisk *m*
2 VT (*+statement, question, motion etc*) formulere (*v2*) ❑ *The booklet was couched in legal jargon.* Heftet var formulert i juridiske vendinger.
couchette [kuːˈʃɛt] s (*on train, boat*) couchette *m*, køye *c*
couch potato (*især US: sl*) s sofabonde *m*
cough [kɔf] 1 VI (*person, engine+*) hoste (*v1*)
2 s (**a**) (*noise: single*) host *nt*
(**b**) (*series*) hosting *c*
(**c**) (*illness*) hoste *m* ❑ *I had a racking cough every winter.* Jeg hadde en lei hoste hver vinter.
cough drop s halstablett *m*
cough mixture s hostesaft *c*

cough syrup s hostesaft *c*
could [kud] PRET *of* **can**
couldn't ['kudnt] = **could not**
council ['kaunsl] s (= *committee, board*) råd *nt* ❑ *...the Arts Council.* ...Kulturrådet.
▸ **city** *or* **town council** bystyre *nt*
▸ **the Council of Europe** Europarådet
council estate (*BRIT*) s kommunalt boligfelt *nt* (*med sosialboliger*)
council house (*BRIT*) s sosialbolig *m*
council housing (*BRIT*) s sosialboliger *mpl*
councillor ['kaunslə^r] s bystyremedlem *nt*, kommunestyremedlem *nt*
council tax (*BRIT*) s kommuneskatt *m*
counsel ['kaunsl] 1 s (**a**) (= *advice*) råd *nt* ❑ *...their mother's good counsel.* ...morens gode råd.
(**b**) (= *lawyer*) prosessfullmektig *m* ❑ *You should take the advice of counsel.* Du burde høre på rådet fra prosessfullmektigen.
2 VT (= *advise*) råde (*v1*), gi* råd til ❑ *Part of her work is to counsel families.* En del av arbeidet hennes er å gi* råd til *or* å råde familier.
▸ **to counsel sth/sb to do sth** råde (*v1*) noen til å gjøre* noe
▸ **counsel for the defence** forsvarer *m*
▸ **counsel for the prosecution** aktor *m*
counsellor ['kaunslə^r] s (= *advisor*) rådgiver *m*; (*US: lawyer*) advokat *m*
count [kaunt] 1 VT (**a**) (*+numbers, money, things, people*) telle (*v2x or irreg*)
(**b**) (= *include*) regne (*v1*) med, telle (*v2x or irreg*) med ❑ *If I count the holidays I get six pounds a week.* Hvis jeg regner *or* teller med feriene, får jeg seks pund i uken.
2 VI (*gen*) telle (*v2x or irreg*) ❑ *He began to count out loud...* Han begynte å telle høyt... *He doesn't count.* Han teller ikke. *In sport what really counts...* I sport er det som virkelig teller...
3 s (**a**) (= *figure, total: of things, people, votes*) opptelling *c* ❑ *The official count has now risen...* Det offisielle antallet har nå steget...
(**b**) (= *level: of pollen, alcohol etc*) nivå *nt* ❑ *...a high cholesterol count.* ...et høyt kolestrolnivå.
(**c**) (= *nobleman*) greve *m*
▸ **to count (up) to 10** telle (*v2x or irreg*) til 10
▸ **to keep count of sth** holde* tellingen med
▸ **not counting the children** barna ikke medregnet
▸ **10 counting him** 10 med ham
▸ **to count the cost of sth** gjøre* opp regnskapet for noe
▸ **it counts for very little** det teller svært lite
▸ **count yourself lucky** pris deg lykkelig
► **count on** VT FUS regne (*v1*) med ❑ *...count on a regular salary.* ...regne med en fast lønn. *You can count on me.* Du kan regne med meg.
▸ **to count on doing sth** regne (*v1*) med å gjøre* noe
► **count up** VT FUS telle (*v2x or irreg*) opp
countdown ['kauntdaun] s nedtelling *c*
countenance ['kauntınəns] 1 s oppsyn *nt*
2 VT (= *tolerate*) godta*, tolerere (*v2*) ❑ *He is unlikely to countenance the use of nuclear weapons.* Det er lite sannsynlig at han vil tolerere bruken av kjernevåpen.
counter ['kauntə^r] 1 s (**a**) (*in shop, café*) disk *m* ❑ *...at the medicine counter.* ...ved medisindisken.
(**b**) (*in bank, post office*) skranke *m*
(**c**) (*in game*) spillebrikke *c*
(**d**) (*TEKN*) teller *m*
2 VT (**a**) (= *oppose*) imøtegå* ❑ *We should counter this propaganda with...* Vi burde imøtegå denne propagandaen med...
(**b**) (*+blow*) motvirke (*v1*)
3 ADV ▸ **to run counter to** gå* på tvers av, stride* mot
▸ **to buy sth under the counter** (*fig*) kjøpe (*v2*) noe under disk(en)
▸ **to counter with sth/by doing sth** svare (*v2*) med noe/med å gjøre* noe ❑ *I countered by enquiring whether she...* Jeg svarte med å forhøre meg om hun...
counteract ['kauntər'ækt] VT (*+effect, tendency*) motvirke (*v1*); (*+poison etc*) motvirke (*v1*)
counterattack ['kauntərə'tæk] 1 s motangrep *nt*
2 VI slå* tilbake
counterbalance ['kauntə'bæləns] VT danne (*v1*) motvekt til
counter-clockwise ['kauntə'klɔkwaız] ADV mot klokka
counter-espionage ['kauntər'ɛspıənɑ:ʒ] s kontraspionasje *m*
counterfeit ['kauntəfıt] 1 s forfalskning *m*
2 VT forfalske (*v1*)
3 ADJ falsk
counterfoil ['kauntəfɔıl] s (*of cheque, money order*) kvitteringsdel *m*, talong *m*
counterintelligence ['kauntərın'tɛlıdʒəns] s kontraspionasje *m*
countermand ['kauntəmɑ:nd] VT tilbakekalle (*v2x*)
countermeasure ['kauntəmɛʒə^r] s mottiltak *nt*
counteroffensive ['kauntərə'fɛnsıv] s motoffensiv *m*
counterpane ['kauntəpeın] s sengeteppe *nt*
counterpart ['kauntəpɑ:t] s (**a**) (*of person, company etc*) kollega *m*, motstykke *nt* ❑ *The British Foreign Minister met his Angolan counterpart.* Den britiske utenriksministeren møtte sin angolanske kollega.
(**b**) (*of document etc*) duplikat *nt*, kopi *m*
counterproductive ['kauntəprə'dʌktıv] ADJ (*measure, policy etc*) (som er) mot sin hensikt
counterproposal ['kauntəprə'pəuzl] s motforslag *nt*
countersign ['kauntəsaın] VT kontrasignere (*v2*)
countersink ['kauntəsıŋk] VT forsenkning *m*
countess ['kauntıs] s grevinne *c*
countless ['kauntlıs] ADJ utallig, talløs
countrified ['kʌntrıfaıd] ADJ landsens, bonde-
country ['kʌntrı] s (**a**) (*state, nation, as opposed to town*) land *nt* ❑ *...unemployment in this country...* arbeidsledigheten i dette landet... *The country was stunned.* (Hele) landet var forbløffet. *He loved his country.* Han elsket landet sitt. *...schools in country areas.* ...skoler i landlige områder *or* på landet.
(**b**) (= *region*) distrikt *nt*, område *nt* ❑ *This isn't the best camping country.* Dette er ikke det beste

campingdistriktet *or* campingområdet.
(**c**) (= *scenery*) landskap *nt* ❑ *...mountainous country.* ...fjellandskap.
▸ **in the country** på landet
country and western (music) s country and western(musikk) *m*, countrymusikk *m*
country dancing (*BRIT*) s ≈ folkedans *m*
country house s herregård *m*
countryman ['kʌntrɪmən] *irreg* s (**a**) (= *compatriot*) landsmann *m irreg* ❑ *...my fellow countrymen.* ...mine landsmenn.
(**b**) (= *country dweller*) landsens menneske *nt*
countryside ['kʌntrɪsaɪd] s (*farmland*) landsbygd *c*; (*forests, mountanins*) natur *m*
country-wide ['kʌntrɪ'waɪd] 1 ADJ landsomfattende
2 ADV på landsbasis, over hele landet
county ['kauntɪ] s ≈ fylke *nt*
county council (*BRIT*) s ≈ fylkesting *nt*
county town (*BRIT*) s ≈ fylkeshovedstad *m*
coup [kuː] s (*also* ***coup d'état***) (stats)kupp *nt*; (= *achievement*) kupp *nt*
coupé [kuː'peɪ] s kupé *m*
couple ['kʌpl] 1 s (= *married couple*) (ekte)par *nt*
2 VT (**a**) (+*ideas, names*) kombinere (*v2*) ❑ *...strong protests, coupled with demands for...* sterke protester, kombinert med krav om...
(**b**) (+*machinery*) sammenkople (*v1*) ❑ *...coupled coal trucks.* ...sammenkoplete kullvogner.
▸ **a couple of** et par ❑ *...a couple of newspaper reporters.* ...et par nyhetsreportere. *...a couple of years ago.* ...for et par år siden.
couplet ['kʌplɪt] s kuplett *m*
coupling ['kʌplɪŋ] (*JERNB*) s kopling *c*
coupon ['kuːpɔn] s kupong *m*
courage ['kʌrɪdʒ] s mot *nt*
courageous [kə'reɪdʒəs] ADJ (*person, attempt*) modig
courgette [kuə'ʒɛt] (*BRIT*) s squash *m*
courier ['kurɪə^r] s (= *messenger*) kurér *m*; (*for tourists*) reiseleder *m*
course [kɔːs] s (**a**) (*SKOL*) kurs *nt* ❑ *The people on the French course...* Folkene på franskkurset...
(**b**) (*of life, events, time etc*) gang *m*, løp *nt* ❑ *...that change the course of history.* ...som forandrer historiens gang *or* løp.
(**c**) (*of treatment*) kur *m* ❑ *A course of injections was prescribed.* En sprøytekur ble foreskrevet.
(**d**) (*of argument, action, ship*) kurs *m*
(**e**) (*of river*) løp *nt* ❑ *...the course of the Ganges.* ...løpet til Gangesfloden.
(**f**) (= *part of meal*) rett *m* ❑ *The first course was soup.* Den første retten var suppe.
(**g**) (*for golf*) bane *m*
▸ **of course** selvfølgelig, selvsagt
▸ **(no) of course not!** (nei) selvfølgelig *or* selvsagt ikke!
▸ **in the course of the next few days** i løpet av de neste par dagene
▸ **in due course** med tid og stunder
▸ **course (of action)** handlemåte *m*
▸ **the best course would be to...** den beste utveien ville* være* å...
▸ **we have no other course but to...** vi har ingen annen utvei enn å...
▸ **course of lectures** forelesningsrekke *c*
▸ **course of treatment** behandlingskur *m*
courseware ['kɔːswɛə^r] s opplæringsprogram *nt*
court [kɔːt] 1 s (**a**) (*royal*) hoff *nt* ❑ *...the court of Louis XIV.* ...hoffet til Ludvig den fjortende.
(**b**) (*JUR*) rett *m* ❑ *...evidence for use in court.* ...bevis som kan brukes i retten.
(**c**) (*for tennis, badminton etc*) bane *m*
2 VT (**a**) (+*woman*) beile (*v1*) til, gå* på frierføtter til
(**b**) (+*favour, popularity*) påkalle (*v2x*)
(**c**) (+*death, disaster*) utfordre (*v1*) ❑ *Walston appears to be courting disaster.* Walston ser ut til å utfordre sjebnen.
▸ **out of court** (*settle*) uten å gå* til rettssak, i minnelighet
▸ **to take to court** bringe* inn for retten
courteous ['kəːtɪəs] ADJ ▸ **courteous (to)** høflig (mot), høvisk (mot)
courtesan [kɔːtɪ'zæn] s kurtisane *c*
courtesy ['kəːtəsɪ] s høflighet *m* ❑ *Common courtesy dictates that...* Vanlig høflighet tilsier at...
▸ **(by) courtesy of** (= *thanks to*) takket være
courtesy coach s gratis buss *m*
courtesy light (*BIL*) s kupélys *nt*
courthouse ['kɔːthaus] (*US*) s rettsbygning *m*, tinghus *nt*
courtier ['kɔːtɪə^r] s hoffmann *m irreg*
court martial (*pl* **courts martial**) 1 s krigsrett *m*
2 VT stille (*v2x*) for krigsrett
court of appeal (*pl* **courts of appeal**) s appelldomstol *m*, appellinstans *m*
court of inquiry (*pl* **courts of inquiry**) s ≈ forhørsrett *m*
courtroom ['kɔːtrum] s rettssal *m*, rettslokale *nt*
court shoes SPL pumps *pl*
courtyard ['kɔːtjɑːd] s (*of castle*) borggård *m*; (*of house*) gårdsplass *m*
cousin ['kʌzn] s (**a**) (*gen*) søskenbarn *nt*
(**b**) (*male*) fetter *m*
(**c**) (*female*) kusine *c*
▸ **first/second cousin** søskenbarn *nt*/ tremenning *m*
cove [kəuv] s vik *c*
covenant ['kʌvənənt] 1 s pakt *m*, bindende avtale *m*
2 VT ▸ **to covenant money to a charity** binde* seg skriftlig til å gi* penger til et veldedig formål
Coventry ['kɔvəntrɪ] s ▸ **to send sb to Coventry** (*fig*) fryse* ut noen
cover ['kʌvə^r] 1 VT (**a**) (*gen, INSUR, PRESS*) dekke (*v1 or v2x*) ❑ *She covered her face with her hands.* Hun dekket ansiktet med hendene. *Will the goods be covered for loss or damage through fire?* Vil varene være* dekket mot tap eller skade ved brann? *We've covered a wide range of subjects today.* Vi har dekket et bredt spekter av emner i dag. *Workers are already covered by the Factories Act.* Arbeidere er allerede dekket ved fabrikkloven.
(**b**) (= *travel: distance*) tilbakelegge*, dekke (*v1 or v2x*) ❑ *...to cover approximately twenty kilometres a day.* ...å tilbakelegge *or* dekke cirka tjue kilometer om dagen.
2 s (**a**) (*for furniture, machinery etc*) (over)trekk *nt*

❑ *She put the cover on her typewriter.* Hun satte (over)trekket på skrivemaskinen sin.
(**b**) (*of book, magazine*) omslag *nt* ❑ *On the front cover...* På forsiden (av omslaget)...
(**c**) (= *shelter*) ly *nt* ❑ *...in search of cover.* ...på leting etter ly.
(**d**) (*FORS*) dekning *m* ❑ *This policy gives unlimited cover for hospital charges.* Denne polisen gir ubegrenset dekning for sykehuskostnader.
(**e**) (*fig: for illegal activities*) skalkeskjul *nt* ❑ *...a cover for murder.* ...et skalkeskjul for mord.
▸ **to be covered in** *or* **with** (*+mud, blood, dust etc*) være* dekket av *or* med
▸ **to take cover** søke (*v2*) ly
▸ **under cover** i ly
▸ **under cover of darkness** i ly av mørket
▸ **under separate cover** (*MERK*) separat
▸ **50 pounds will cover my expenses** 50 pund vil dekke utgiftene mine

► **cover up** [1] VT (**a**) (*+person, object*) dekke (*v1 or v2x*) seg til ❑ *Cover yourself up with this sheet.* Dekk deg til med dette lakenet.
(**b**) (*+facts, feelings, mistakes*) dekke (*v1 or v2x*) over ❑ *There is a great deal to cover up in this case.* Det er en hel del å dekke over i denne saken.
[2] VI ▸ **to cover up for sb** (*fig*) dekke (*v1 or v2x*) noen ❑ *She tried to cover up for Willie.* Hun prøvde å dekke Willie.

coverage ['kʌvərɪdʒ] s (*TV, PRESS*) dekning *m*
▸ **television coverage of** fjernsynsdekning av
▸ **to give full coverage to** gi* en full dekning av

coveralls ['kʌvərɔːlz] (*US*) SPL overtrekksdress *m*, kjeledress *m*

cover charge s (*in restaurant*) kuvertpris *m*

covering ['kʌvərɪŋ] s (dekkende) lag *nt*; (*of snow, dust etc*) dekke *nt*

covering letter, **cover letter** (*US*) s følgeskriv *nt*

cover note (*FORS*) s dekningsnota *m*

cover price s *prisen som står trykt på omslaget*, veiledende pris *m*

covert ['kʌvət] ADJ (*glance*) stjålent, hemmelig; (*threat*) hemmelig, fordekt; (*attack*) hemmelig

cover-up ['kʌvərʌp] s dekkhistorie *m*, hvitvasking *c*

covet ['kʌvɪt] VT begjære (*v2*)

cow [kau] [1] s (**a**) (*animal*) ku *f irreg*
(**b**) (*sl!: woman*) merr *f* (*sl!*)
[2] SAMMENS ku *f*, hunn *m* ❑ *...a cow elephant.* ...en elefantku *or* en elefanthunn.
[3] VT (= *oppress*) kue (*v1*) ❑ *People shouldn't allow themselves to be cowed into this.* Folk burde ikke la seg kue til dette.

coward ['kauəd] s feiging *m*

cowardice ['kauədɪs] s feighet *m*

cowardly ['kauədlɪ] ADJ feig

cowboy ['kaubɔɪ] s (*in US*) cowboy *m*; (*neds: tradesman*) pirat *m*

cower ['kauə^r] VI krype* sammen ❑ *Bernadette cowered in her seat.* Bernadette krøp sammen i setet sitt.

cowshed ['kauʃɛd] s fjøs *nt*

cowslip ['kauslɪp] s marianøklebånd *m*

cox [kɔks] S FK = **coxswain**

coxswain ['kɔksn] s (*in rowing*) styrmann *m irreg* (*i kapproingsbåt*), cox *m*; (*of ship*) styrmann *m irreg*

coy [kɔɪ] ADJ kokett, (påtatt) blyg

coyote [kɔɪ'əutɪ] s coyote *m*, prærieulv *m*

cozy ['kəuzɪ] (*US*) ADJ = **cosy**

CP S FK (= **Communist Party**) kommunistparti *nt*

cp. FK = **compare**

c/p (*BRIT*) FK (= **carriage paid**) inkludert frakt

CPA (*US*) S FK = **certified public accountant**

CPI S FK (= **Consumer Price Index**) konsumprisindeks *m*

Cpl. (*MIL*) FK = **corporal**

c.p.s. (*DATA, TYP*) FK (= **characters per second**) tegn per sekund

CPSA (*BRIT*) S FK (= **Civil and Public Services Association**) *fagforening*

CPU (*DATA*) S FK = **central processing unit**

cr. FK = **credit**, **creditor**

crab [kræb] s krabbe *c*

crab apple s villeple *nt*

crack [kræk] [1] s (**a**) (*noise*) smell *nt*
(**b**) (*of whip*) snert *m* ❑ *...the crack of a whip.* ...en piskesnert *or* et piskesmell.
(**c**) (= *gap*) sprekk *m* ❑ *...the cracks between the boards.* ...sprekkene mellom plankene. *...a crack in one of the teacups.* ...en sprekk i en av tekoppene.
(**d**) (= *joke*) vits *m* ❑ *There were the routine cracks about the Prime Minister.* Det var de vanlige vitsene om statsministeren.
(**e**) (*sl: attempt*) ▸ **to have a crack (at sth)** forsøke (*v2*) *or* prøve (*v3*) seg (på noe) ❑ *He's hoping to have a crack at the championship.* Han håper å forsøke *or* prøve seg på å vinne mesterskapet.
(**f**) (*NARKO*) crack *m*
[2] VT (**a**) (*+whip*) smelle (*v2x*) med
(**b**) (= *break: bone*) stekke (*v2x*)
(**c**) (*+dish, glass*) slå* sprekk(er) i
(**d**) (*+nut*) knekke (*v1 or v2x*)
(**e**) (*+wall*) slå* sprekk(er) i
(**f**) (= *solve: problem, code*) knekke (*v1 or v2x*)
(**g**) (*+joke*) dra*, slå*
[3] ADJ (**a**) (*expert, athlete*) mesterlig, mester-
(**b**) (*squad, team*) mesterlig
▸ **to get cracking** (*sl*) komme i gang

► **crack down on** VT FUS (*+crime, expenditure etc*) slå* ned på

► **crack up** (*sl*) VI (*mentally*) bli* sprø (*sl*)

crackdown ['krækdaun] s ▸ **crackdown (on)** straffetiltak *nt* (mot), represalier *pl* (mot) ❑ *...a crackdown on criminals.* ...represalier *or* et straffetiltak mot kriminelle.

cracked [krækt] (*sl*) ADJ sprø (*sl*) ❑ *He's cracked, if you ask me.* Han er sprø, spør du meg.

cracker ['krækə^r] s (**a**) (*biscuit*) kjeks *m*
(**b**) (= *Christmas cracker*) knallbonbon *m*
(**c**) (= *firework*) kinaputt *m*
▸ **a cracker of a...** (*BRIT: sl*) en/et flott *or* nydelig...
▸ **he's crackers** (*BRIT: sl*) han er (klin) gæren (*sl*)

crackle ['krækl] VI knitre (*v1*), sprake (*v1 or v2*)

crackling ['kræklɪŋ] s (*sound*) spraking *c*, knitring *c*; (*on pork*) svor *m*

crackpot ['krækpɔt] (*sl*) [1] ADJ helt sprø
[2] S ▸ **she's a real crackpot** hun er helt sprø

cradle ['kreɪdl] [1] s (*baby's*) vogge *f*, vugge *c*

2 VT (*in one's arms*) vogge (*v1*) (*var.* vugge)
craft [krɑːft] S (**a**) (= *weaving etc*) husflid *m*, håndverk *nt* ❑ *...an international craft festival.* ...en internasjonal husflidsfestival.
(**b**) (= *trade*) håndverk *nt* ❑ *...the journalistic craft.* ...journalistyrket *or* journalisthåndverket.
(**c**) (*skill*) dyktighet *c*
(**d**) (= *boat, plane: pl inv*) fartøy *nt* ❑ *...fifty craft.* ...femti fartøyer.
craftsman ['krɑːftsmən] *irreg* S håndverker *m*
craftsmanship ['krɑːftsmənʃɪp] S håndverk *nt*
crafty ['krɑːftɪ] ADJ listig, slu
crag [kræg] S klippe *m*, (fjell)skrent *m*
craggy ['krægɪ] ADJ (*mountain, cliff*) forreven; (*face*) grovhogd
cram [kræm] 1 VT (**a**) (= *fill*) ▸ **to cram sth with** stappe (*v1*) noe fullt av, proppe (*v1*) noe fullt av
(**b**) (= *push*) ▸ **to cram sth into** stappe (*v1*) noe inn i/ned i ❑ *He crammed the bank notes into his pockets...* Han stappet pengesedlene ned i lommene sine...
2 VI (*for exams*) ▸ **to cram (for)** pugge (*v1*) (til), sprenglese (*v2*) (til)
cramming ['kræmɪŋ] S (*for exams*) pugging *c*, sprenglesing *c*
cramp [kræmp] 1 S krampe *c* ❑ *I had the most excruciating cramp in my leg.* Jeg hadde en aldeles uutholdelig krampe i beinet.
2 VT hemme (*v1*) ❑ *...this may cramp the desire to explore.* ...dette kan hemme trangen til å utforske.
cramped [kræmpt] ADJ (*accommodation*) trang, trangbodd
crampon ['kræmpən] S brodd *m*, krampong *m*
cranberry ['krænbərɪ] S tranebær *nt*
crane [kreɪn] 1 S (*machine*) (heise)kran *c*; (*bird*) trane *m*
2 VT ▸ **to crane one's neck** strekke* hals
3 VI ▸ **to crane forward** strekke* seg fram
cranium ['kreɪnɪəm] (*pl* **crania**) S kranium *nt irreg*, hodeskalle *m*
crank [kræŋk] S (*person*) skrulling *m*; (= *handle*) sveiv *c*
crankshaft ['kræŋkʃɑːft] S veivaksel *m*
cranky ['kræŋkɪ] ADJ (*person*) forskrudd, skrullete
cranny ['krænɪ] S *see* **nook**
crap [kræp] (*sl!*) 1 S dritt *m* (*sl!*), bæsj *m* (*sl!*)
2 VI bæsje (*v1*) (*sl!*), drite* (*sl!*)
3 ADJ elendig
▸ **to have a crap** bæsje (*v1*) (*sl!*), drite* (*sl!*)
crappy ['kræpɪ] (*sl!*) ADJ søplete (*sl*), elendig
crash [kræʃ] 1 S (**a**) (= *noise*) brak *nt* ❑ *The tray fell to the floor with a terrific crash.* Brettet falt i gulvet med et forferdelig brak.
(**b**) (*of car, plane etc*) kollisjon *m* ❑ *...a car crash.* ...en bilkollisjon.
(**c**) (*of stock market, business etc*) krakk *nt* ❑ *...the Wall Street Crash.* ...krakket på Wall Street.
2 VT (**a**) (+*car*) krasje (*v1*) ❑ *He crashed his car into the barrier.* Han krasjet *or* kjørte bilen sin inn i bommen.
(**b**) (+*plane*) styrte (*v1*) med, krasje (*v1*)
3 VI (**a**) (*car+*) kollidere (*v2*), krasje (*v1*)
(**b**) (*plane+*) styrte (*v1*)
(**c**) (MERK: *market, firm*) krakke (*v1*) ❑ *Lots of small businesses have crashed.* En masse småbedrifter har krakket.
▸ **to crash into** brase (*v2*) inn i, krasje (*v1*) med
▸ **he crashed the car into a wall** han braste inn i *or* krasjet med en vegg med bilen
crash barrier (BRIT) S autovern *nt*
crash course S intensivkurs *nt*
crash helmet S styrthjelm *m*
crash landing, crash-landing S krasjlanding *c*, styrtlanding *c*
crass [kræs] ADJ (*behaviour, comment, person*) plump
crate [kreɪt] S (**a**) (= *box*) kasse *c* ❑ *...a crate of oranges.* ...en kasse (med) appelsiner.
(**b**) (*sl: vehicle*) skranglekasse *c*
crater ['kreɪtə^r] S krater *nt*
cravat [krə'væt] S halstørkle *nt*
crave [kreɪv] 1 VT lengte (*v1*) etter, hige (*v1*) etter
2 VI ▸ **to crave for** lengte (*v1*) (veldig) etter ❑ *Baker was craving for a smoke.* Baker lengtet etter en røyk.
craving ['kreɪvɪŋ] S ▸ **craving (for)** lyst *m* (på), trang *m* (til) ❑ *I get sudden cravings for sweets.* Jeg får plutselige anfall av lyst på *or* trang til godterier.
crawl [krɔːl] 1 VI (**a**) (*adult+*) krabbe (*v1*), krype*
(**b**) (*baby+*) krabbe (*v1*)
(**c**) (*insect+*) krype*, kravle (*v1*)
(**d**) (*vehicle+*) krabbe (*v1*), snegle (*v1*) seg av sted ❑ *The car crawled along the last fifty kilometres.* Bilen krabbet *or* sneglet seg av gårde de siste femti kilometerne.
(**e**) (*sl: grovel*) krype*
2 S (*in swimming*) crawl *m* ❑ *Can you do the crawl?* Kan du crawle?
▸ **to crawl to sb** (*sl*) krype* for noen, smiske (*v1*) for noen
▸ **to drive along at a crawl** kjøre (*v2*) i krabbefart *or* sneglefart
crayfish ['kreɪfɪʃ] S UBØY kreps *m*
crayon ['kreɪən] S fargeblyant *m*
craze [kreɪz] S mote *m* ❑ *...the latest dance craze.* ...den siste dansemoten.
crazed [kreɪzd] ADJ (*look, person*) avsindig; (*pottery, glaze*) krakelert
crazy ['kreɪzɪ] ADJ gal, gæren (*sl*)
▸ **to be crazy about sb/sth** (*sl*) være* vill *or* gal *or* gæren etter noen/noe (*sl*)
▸ **to go crazy** bli* gal *or* gæren
crazy paving (BRIT) S (hellelegging med) bruddheller *pl*
creak [kriːk] VI knirke (*v1*)
cream [kriːm] 1 S (**a**) (*liquid*) fløte *m*
(**b**) (*whipped*) krem *m*
(**c**) (*for skin*) krem *m*
(**d**) (= *élite*) krem *m* ❑ *...the cream of the navy.* ...kremen av marinen.
2 ADJ (= *colour*) kremgul, kremfarget
▸ **whipped cream** (pisket) krem *m*
▸ **cream off** VT (+*best talents, profits*) sile (*v2*) ut
cream cake S bløtkake *m*
cream cheese S fløteost *m*
creamery ['kriːmərɪ] S (*shop*) meieriutsalg *nt*; (*factory*) meieri *nt*
creamy ['kriːmɪ] ADJ (= *colour*) kremaktig; (*taste, food: containing cream*) fløte-, med (mye) fløte;

(= *smooth*) fløteaktig

crease [kri:s] 1 s (**a**) (= *fold*) brett *m* ❑ *She made a crease in the paper...* Hun lagde en brett på papiret...
(**b**) (= *wrinkle*) skrukk *m* ❑ *She smoothed down the creases in her dress.* Hun glattet ut skrukkene i kjolen sin.
(**c**) (= *in trousers*) press *m*
2 VTI skrukke (*v1*) ❑ *...material that doesn't crease.* ...et stoff som ikke skrukker.

crease-resistant ['kri:srɪzɪstənt] ADJ som ikke skrukker

create [kri:'eɪt] VT (**a**) (= *cause to exist*) skape (*v2*) ❑ *God created Heaven and Earth.* Gud skapte himmelen og jorda. *The industry created a new textile.* Industrien skapte et nytt tekstil. *His work created enormous interest.* Arbeidet hans skapte en enorm interesse.
(**b**) (= *produce, cause to happen*) danne (*v1*) ❑ *This reaction creates hydrogen gas.* Denne reaksjonen danner hydrogengass.

creation [kri:'eɪʃən] s (**a**) (= *bringing into existence*) opprettelse *m, det å skape noe* ❑ *...which resulted in the creation of new jobs.* ...som resulterte i at det ble skapt nye jobber.. ...som resulterte i opprettelsen av nye jobber.
(**b**) (= *production, design*) kreasjon *m* ❑ *...his ceramic creations.* ...hans keramiske kreasjoner.
(**c**) (*REL: act*) skapelse *m*
(**d**) (= *thing produced*) skaperverk *nt*

creative [kri:'eɪtɪv] ADJ (**a**) (= *artistic*) kreativ, skapende ❑ *I'd like to get involved in something creative.* Jeg vil gjerne være* med på noe kreativt.
(**b**) (= *inventive*) kreativ, nyskapende ❑ *...the creative use of language.* ...den kreative *or* nyskapende bruken av språk.

creativity [kri:eɪ'tɪvɪtɪ] s kreativitet *m*, skaperevne *m*

creator [kri:'eɪtəʳ] s (= *maker*) skaper *m*; (= *inventor*) skaper *m*, opphavsmann *m irreg*/opphavskvinne *c*

creature ['kri:tʃəʳ] s (**a**) (= *animal*) skapning *m*
(**b**) (= *person*) skapning *m*, vesen *nt* ❑ *...a voluptuous creature.* ...en yppig skapning *or* et yppig vesen.

creature comforts SPL bekvemmeligheter

crèche [krɛʃ] s barnehage *m*, daghjem *nt*

credence ['kri:dns] s ▸ **to give** *or* **lend credence to** (*person+*) feste (*v1*) lit til, ha* tiltro til ❑ *He did not give much credence to the story.* Han festet ikke mye lit *or* hadde ikke mye tiltro til historien.

credentials [krɪ'dɛnʃlz] SPL (= *references*) attester *pl*; (= *identity papers*) akkreditiver *pl*

credibility [krɛdɪ'bɪlɪtɪ] s (*of person, fact*) troverdighet *m* ❑ *...doubts about the credibility of the nuclear deterrent.* ...tvil om troverdigheten til det kjernefysiske avskrekkingsvåpenet.

credible ['krɛdɪbl] ADJ troverdig ❑ *His latest statements are hardly credible.* De siste påstandene hans er neppe troverdige. *No politicians seem credible these days.* Ingen politikere virker troverdige nå for tiden.

credit ['krɛdɪt] 1 s (**a**) (*MERK*) kreditt *m* ❑ *...cheap long-term credit...* billig langsiktig kreditt...
(**b**) (= *recognition*) ære *m*, honnør *m* ❑ *Some of the credit should go to Nick.* Noe av æren *or* honnøren bør gå* til Nick.
(**c**) (*SKOL*) ≈ vekttall *nt*
2 ADJ (*balance, entry*) kredit(t)- ❑ *...£50 on the credit side.* ...50 pund på kreditsiden.
3 VT (**a**) (*MERK*) kreditere (*v2*) ❑ *The employer's contributions will be credited to you.* Arbeidgiverens bidrag vil bli* kreditert Dem.
(**b**) (= *believe*) tro (*v4*) (på) NB *Would you credit it!* Kan du tro (på) det!
▸ **credits** SPL (*FILM, TV*) rulletekst *m*
▸ **to be in credit** (**a**) (*person+*) ha* penger i banken *or* på kontoen
(**b**) (*bank account+*) stå* i kredit *or* i pluss
▸ **to credit sb with sth** (*fig: sense etc*) tiltro (*v4*) noen noe ❑ *I used to credit you with a bit of common sense.* Jeg pleide å tiltro deg litt sunt bondevett.
▸ **to credit £50 to sb** kreditere (*v2*) 50 pund til noen
▸ **on credit** på kreditt
▸ **it is to sb's credit** det tjener til noens ære ❑ *It is to their credit that...* De skal ha* ros for at *or* Det tjener til deres ære at...
▸ **to take the credit for** ta* æren for
▸ **it does you credit** du skal ha* ros for det, du har all ære av det
▸ **he's a credit to his family** han gjør ære på familien sin, han er en ære for familien sin

creditable ['krɛdɪtəbl] ADJ hederlig, aktverdig ❑ *...a creditable 44.8%.* ...hederlige 44,8 %.

credit account s kredittkonto *m*

credit agency (*BRIT*) s finansselskap *nt*

credit bureau (*US*) s finansselskap *nt*

credit card s kredittkort *nt*

credit control s kredittkontroll *m*

credit facilities SPL kredittmuligheter *mpl*

credit limit s kredittgrense *c*

credit note (*BRIT*) s kreditnota *m*

creditor ['krɛdɪtəʳ] s kreditor *m*, fordringshaver *m*

credit transfer s kredittoverføring *c*

creditworthy ['krɛdɪt'wə:ðɪ] ADJ kredittverdig

credulity [krɪ'dju:lɪtɪ] s *vilje til å godta noe som sant*

credulous ['krɛdjuləs] ADJ godtroende

creed [kri:d] s tro *m*, overbevisning *m*

creek [kri:k] s (**a**) (= *inlet*) (trang) vik *c*
(**b**) (*US: stream*) liten elv *c*, bekk *m*
▸ **to be up the creek** (*sl*) være* ute å kjøre (*sl*)

creel [kri:l] s hummerteine *c*

creep [kri:p] (*pt, pp* **crept**) 1 VI krype*
2 s (*sl*) kryp *nt* (*sl*) ❑ *You little creep.* Ditt lille kryp.
▸ **it gives me the creeps** det får meg til å fryse på ryggen *or* grøsse
▸ **to creep up on sb** snike* seg innpå noen
▸ **a creeping plant** en kryp(e)plante

creeper ['kri:pəʳ] s (*plant*) slyngplante *c*, krypplante *c*

creepy ['kri:pɪ] ADJ (*story, experience*) nifs, skummel

creepy-crawly ['kri:pɪ'krɔ:lɪ] (*sl*) s småkryp *nt* (*insekt*)

cremate [krɪ'meɪt] VT kremere (*v2*)

cremation [krɪ'meɪʃən] s kremasjon *m*

crematoria [krɛmə'tɔːrɪə] SPL *of* **crematorium**
crematorium [krɛmə'tɔːrɪəm] (*pl* **crematoria**) s krematorium *nt*
creosote ['krɪəsəut] s kreosot *m*
crêpe [kreɪp] s (*fabric*) krepp *m*; (= *rubber*) rågummi *m*
crêpe bandage (*BRIT*) s kreppbandasje *m*
crêpe paper s kreppapir *nt*
crêpe sole s rågummisåle *m*
crept [krɛpt] PRET, PP *of* **creep**
crescendo [krɪ'ʃɛndəu] s (**a**) (= *noise*) brus *nt* ❑ *The ovation rose in a new crescendo.* Ovasjonene steg i et nytt brus.
(**b**) (*MUS*) crescendo *m or nt*
crescent ['krɛsnt] s (**a**) (*shape*) halvmåne *m* ❑ *...a dazzling silver crescent.* ...en blendende halvmåne av sølv.
(**b**) (*street*) *gate som går i en bue/halvsirkel*, sving *m*
cress [krɛs] s karse *m*
crest [krɛst] s (*of hill*) kam *m*; (*of bird*) fjærbusk *m*, kam *m*; (= *coat of arms*) våpenskjold *nt*
crestfallen ['krɛstfɔːlən] ADJ motfallen, nedslått
Crete [kriːt] s Kreta
crevasse [krɪ'væs] s bresprekk *m*
crevice ['krɛvɪs] s sprekk *m*
crew [kruː] s (**a**) (*NAUT, AVIAT*) mannskap *nt*, besetning *m*
(**b**) (*TV, FILM*) team *nt*
(**c**) (= *gang*) gjeng *m* ❑ *...a motley crew of punks...* en broket gjeng av punkere...
crew-cut ['kruːkʌt] s crew-cut *m*
crew neck ['kruːnɛk] s rund hals *m*; (*jersey*) genser *m* med rund hals
crib [krɪb] [1] s (**a**) (= *cot*) vogge *f*, vugge *c*
(**b**) (*REL*) (jule)krybbe *c*
[2] VT (*sl: copy*) stjele*, plagiere (*v2*) ❑ *It is unlikely that the story was cribbed.* Det er usannsynlig at historien var stjålet *or* plagiert.
cribbage ['krɪbɪdʒ] s cribbage *m* (*kortspill*)
crick [krɪk] s (*in neck, back*) kink *m*, muskelstrekk *m*
cricket ['krɪkɪt] s (*sport*) cricket *m*; (*insect*) siriss *m*
cricketer ['krɪkɪtə[r]] s cricketspiller *m*
crime [kraɪm] s (= *illegal activities*) kriminalitet *m* NB *...a life of petty crime.* ...et liv i småkriminalitet.; (= *illegal action*) forbrytelse *m* NB *A crime has been committed.* Det har blitt begått en forbrytelse.; (*fig*) synd *m*, forbrytelse *m* NB *To waste good food is a crime.* Det er synd *or* en forbrytelse å kaste god mat.
crime wave s kriminalitetsbølge *m*, bølge *m* av kriminalitet
criminal ['krɪmɪnl] [1] s forbryter *m*
[2] ADJ kriminell, forbrytersk ❑ *It is a criminal offence.* Det er en kriminell *or* forbrytersk handling. *To refuse would be criminal.* Å nekte ville* være* kriminelt *or* forbrytersk.
▸ **Criminal Investigation Department** (*BRIT*) ≈ kriminalavdelingen
criminal damage s (*JUR*) straffbar ødeleggelse *m* av eiendom
crimp [krɪmp] VT kreppe (*v1*)
crimson ['krɪmzn] ADJ høyrød
cringe [krɪndʒ] VI krympe (*v1*) seg, vri (*v4 or irreg*) seg ❑ *I used to cringe with embarrassment whenever...* Jeg pleide å krympe *or* vri meg av forlegenhet hver gang...
crinkle ['krɪŋkl] VT krølle (*v1*) seg
cripple ['krɪpl] [1] s (*gam*) krøpling *m*
[2] VT (**a**) (+*person*) forkrøple (*v1*), gjøre* til krøpling
(**b**) (+*ship, plane*) sette* ut av spill ❑ *A broken propellor had crippled the ship.* En ødelagt propell hadde satt skipet ut av spill.
(**c**) (+*production, exports*) lamme (*v1*) ❑ *The government had done much to cripple national enterprise.* Regjeringen hadde gjort mye for å lamme nasjonale foretak.
▸ **crippled with rheumatism** forkrøplet av reumatisme
crippling ['krɪplɪŋ] ADJ (*disease*) som gjør en til krøpling; (*taxation, debts*) lammende, ødeleggende
crises ['kraɪsiːz] SPL *of* **crisis**
crisis ['kraɪsɪs] (*pl* **crises**) s krise *c* ❑ *...in time of crisis.* ...i krisetider.
crisp [krɪsp] ADJ (**a**) (*vegetables, bacon etc*) sprø
(**b**) (*weather*) frisk ❑ *...on a crisp October morning.* ...på en frisk oktobermorgen.
(**c**) (*manner, tone, reply*) brysk, skarp
crisps [krɪsps] (*BRIT*) SPL potetgull *nt sg*
crisscross ['krɪskrɔs] [1] ADJ (*pattern, design*) (som går *or* løper) på kryss og tvers ❑ *...a crisscross diamond pattern.* ...et rutemønster (som går *or* løper) på kryss og tvers.
[2] VT gå* *or* løpe* på kryss og tvers over ❑ *...the freeways that crisscross Los Angeles.* ...motorveiene som går på kryss og tvers gjennom Los Angeles.
criteria [kraɪ'tɪərɪə] SPL *of* **criterion**
criterion [kraɪ'tɪərɪən] (*pl* **criteria**) s kriterium *nt irreg* ❑ *...the sole criterion for...* det eneste kriteriet for...
critic ['krɪtɪk] s kritiker *m* ❑ *...art critics.* ...kunstkritikere.
critical ['krɪtɪkl] ADJ kritisk ❑ *This was a critical moment.* Dette var et kritisk øyeblikk. *...his critical essays on Dante.* ...hans kritiske essayer om Dante. *She became critical.* Hun ble kritisk. *Five people are still in a critical condition in hospital.* Tilstanden er fremdeles kritisk for fem mennesker som er på sykehus.
▸ **to be critical of sb/sth** være* kritisk mot noen/noe
critically ['krɪtɪklɪ] ADV kritisk ❑ *He spoke critically...* Han snakket kritisk... *Her mother was sick but not critically.* Moren hennes var syk, men ikke kritisk.
criticism ['krɪtɪsɪzəm] s kritikk *m* ❑ *The Government came in for severe criticism.* Regjeringen fikk hard kritikk. *...literary criticism.* ...litteraturkritikk. *I don't mean this as a criticism...* Jeg mener ikke dette som (noen) kritikk...
criticize ['krɪtɪsaɪz] VT kritisere (*v2*)
critique [krɪ'tiːk] s kritisk analyse *m*
croak [krəuk] VI kvekke (*v1*)
Croatia [krəu'eɪʃə] s Kroatia
crochet ['krəuʃeɪ] [1] s hekletøy *nt*
[2] VT hekle (*v1*)
crock [krɔk] s (**a**) kar *nt* ❑ *...a big earthenware crock.* ...et stort leirkar.

(**b**) (*sl: vehicle, person*) vrak *nt* ❑ *...that old crock of a bike.* ...det gamle vraket av en sykkel.
crockery ['krɔkərɪ], **crocks** s (= *dishes*) servise *nt*
crocodile ['krɔkədaɪl] s krokodille *m*
crocus ['krəukəs] s krokus *m*
croft [krɔft] (*BRIT*) s (= *small farm*) ≈ småbruk *nt*
crofter ['krɔftəʳ] (*BRIT*) s ≈ småbruker *m*
crone [krəun] s gammel kjerring *c*
crony ['krəunɪ] (*sl*) s kamerat *m*
crook [kruk] s (**a**) (= *criminal*) skurk *m*, kjeltring *m*
(**b**) (*of shepherd*) stav *m*
▸ **in the crook of her arm** i armkroken hennes
crooked ['krukɪd] ADJ (**a**) (= *bent, twisted*) kroket(e) ❑ *...narrow, crooked streets.* ...trange, krokete *or* svingete gater.
(**b**) (= *dishonest*) uhederlig, upålitelig ❑ *...a crooked cop.* ...en uhederlig *or* upålitelig politimann.
crop [krɔp] 1 s (**a**) (*of fruit, cereals, vegetables*) avling *c* ❑ *They get two crops of rice a year.* De får to risavlinger i året.
(**b**) (= *amount produced*) produksjon *m* ❑ *...half the usual honey crop.* ...halvparten av den vanlige honningproduksjonen.
(**c**) (*also* ***riding crop***) ridepisk *m*
(**d**) (*of bird*) krås *m*
2 VT snauklippe (*v1 or v2x*) ❑ *Her hair was cropped close to her skull.* Håret hennes var snauklipt helt inntil hodet hennes.; (*animal+ : grass*) snauspise (*v2*) *Our goat was cropping the hedge.* Geita vår snauspiste hekken.
▸ **crop up** VI (*problem, topic+*) dukke (*v1*) opp
cropper ['krɔpəʳ] (*sl*) s ▸ **to come a cropper** gå* på trynet (*sl*)
crop spraying s sprøyting *c* (*særlig fra fly*)
croquet ['krəukeɪ] (*BRIT*) s krokket *m*
croquette [krə'kɛt] s krokett *m* ❑ *...potato croquettes.* ...potetkroketter.
cross [krɔs] 1 s (**a**) (*the shape of x*) kryss *nt* ❑ *They mark them with a red cross.* De merker dem med et rødt kryss.
(**b**) (*the shape of +, also REL*) kors *nt*
(**c**) (= *hybrid*) krysning *m*, mellomting *m* ❑ *...a cross between a wild duck and an ordinary duck.* ...en krysning *or* en mellomting mellom en villand og en vanlig and.
2 VT (**a**) (*+street etc*) gå* (tvers) over, krysse (*v1*)
(**b**) (*+room*) gå* tvers over
(**c**) (*+cheque*) krysse (*v1*)
(**d**) (*+arms, legs*) legge* over kors ❑ *She sat back and crossed her legs.* Hun satte seg tilbake og la beina over kors.
(**e**) (*+animal, plant*) krysse (*v1*) ❑ *It has been crossed with L candidum to produce L testaceum.* Den har blitt krysset med L candidum for å få* fram L testaceum.
(**f**) (= *thwart: person, plan*) gå* imot ❑ *She won't forgive you if you cross her.* Hun kommer ikke til å ikke tilgi deg hvis du går imot henne.
3 VI ▸ **the boat crosses from ...to...** båten krysser fra ...til...
4 ADJ (= *angry*) ▸ **cross (with)** sint (på)
▸ **to cross o.s.** korse (*v1*) seg
▸ **we have a crossed line** (*BRIT*) vi har en krysning på linjen
▸ **they've got their lines/wires crossed** (*fig*) de snakker forbi hverandre
▸ **cross out** VT (= *delete*) stryke* (ut)
▸ **cross over** VI (= *move across*) krysse (*v1*) over, gå* over ❑ *Let's cross over to the sunny side of the street.* La oss gå* over til solsiden av gaten.
crossbar ['krɔsbɑːʳ] (*SPORT*) s tverrligger *m*
crossbow s armbrøst *m*
crossbreed ['krɔsbriːd] s krysning *m*
cross-Channel ferry ['krɔs'tʃænl-] s *ferge som går over Den engelske kanal*
crosscheck, **cross-check** ['krɔstʃɛk] 1 s kryssjekk *m*
2 VT kryssjekke (*v1*)
cross-country (race) [krɔs'kʌntrɪ-] s terrengløp *nt*; (*SKI*) langrenn *nt*
cross-dressing [krɔs'drɛsɪŋ] s transvestitisme *m*
cross-examination ['krɔsɪgzæmɪ'neɪʃən] s kryssforhør *nt*, krysseksaminasjon *m*
cross-examine ['krɔsɪg'zæmɪn] VT kryssforhøre (*v2*), krysseksaminere (*v2*)
cross-eyed ['krɔsaɪd] ADJ skjeløyd, blingset(e)
crossfire ['krɔsfaɪəʳ] s kryssild *m*
▸ **to get caught in the crossfire** (*MIL, fig*) bli* fanget i kryssilden ❑ *...caught in the crossfire of the dispute over socialism.* ...fanget i kryssilden i disputten om sosialismen.
crossing ['krɔsɪŋ] s (**a**) (= *sea passage*) overfart *m* ❑ *It was a very rough crossing.* Det var en veldig hard overfart.
(**b**) (*also* ***pedestrian crossing***) fotgjengerovergang *m*, gangfelt *nt*
crossing guard (*US*) s ▸ **he's the crossing guard at the school** han er med i skolepatruljen
crossing point s overgang *m*
cross-purposes ['krɔs'pəːpəsɪz] SPL ▸ **to be at cross-purposes with sb** snakke (*v1*) forbi noen
▸ **we're (talking) at cross-purposes** vi snakker forbi hverandre
cross-question ['krɔs'kwɛstʃən] VT krysseksaminere (*v2*)
cross-reference ['krɔs'rɛfrəns] s kryssreferanse *m*, krysshenvisning *m*
crossroads ['krɔsrəudz] s (vei)kryss *nt*, (gate)kryss *nt*; (*fig*) veiskille *nt*
cross-section ['krɔs'sɛkʃən] s (*gen, BIO*) tverrsnitt *nt* ❑ *...a large cross-section of the public.* ...et stort tverrsnitt av publikum. *...how the pipe looks in cross-section.* ...hvordan røret ser ut i tverrsnitt. *...a cross-section of a human brain.* ...et tverrsnitt av en menneskehjerne.
crosswalk ['krɔswɔːk] (*US*) s fotgjengerovergang *m*, gangfelt *nt*
crosswind ['krɔswɪnd] s sidevind *m*
crosswise ['krɔswaɪz] ADV på tvers
crossword ['krɔswəːd] s kryssord *nt*
crotch [krɔtʃ], **crutch** s skritt *nt*
crotchet ['krɔtʃɪt] (*MUS*) s fjerdedelsnote *c*
crotchety ['krɔtʃɪtɪ] ADJ irritabel, sur
crouch [krautʃ] VI (*person, animal+*) krøke (*v1*) seg sammen, huke (*v1 or v2*) seg ned
croup [kruːp] s krupp *m*
croupier ['kruːpɪəʳ] s (*in casino*) croupier *m*
crouton ['kruːtɔn] s krutong *m*

crow [krəu] 1 s (*bird*) kråke *c*
2 VI (*cock+*) gale*; (*fig*) ▸ **to crow (about** *or* **over)** skryte* (av)
crowbar ['krəubɑːʳ] s brekkjern *nt*, kubein *nt*
crowd [kraud] 1 s (*of people, fans etc*) (folke)mengde *m* ❑ *A big crowd had gathered.* Det hadde samlet seg en stor folkemengde.
2 VT ▸ **to crowd sb/sth in/into** presse (*v1*) *or* stue (*v1*) noe/noen sammen i ❑ *Reporters were crowded into the lobby.* Reportere var presset *or* stuet sammmen i lobbyen.
3 VI (**a**) (= *gather*) ▸ **to crowd round** stimle (*v1*) sammen rundt, trenge (*v2*) seg sammen rundt
(**b**) (= *cram*) ▸ **to crowd in/into** strømme (*v1*) inn i ❑ *Eager fans crowded into trains and buses...* Ivrige fans strømmet inn i tog og busser...
▸ **the/our crowd** (= *clique: of friends*) gjengen (vår), venneflokken (vår)
▸ **crowds of people** mengder *or* masser *or* massevis av folk
crowded ['kraudɪd] ADJ (**a**) (= *full*) folksom ❑ *The bar was very crowded.* Det var svært folksomt i baren
(**b**) (= *densely populated*) folksom, tett befolket ❑ *...in crowded urban areas.* ...i folksomme *or* tett befolkede bystrøk.
▸ **crowded with** full av, overfylt av *or* med ❑ *The centre was crowded with shoppers.* Sentrum var fullt av *or* overfylt med folk som handlet.
crowd scene (*FILM*) s massescene *m*
crown [kraun] 1 s (**a**) (*of monarch*) krone *m*
(**b**) (= *monarchy*) ▸ **the Crown** kronen
(**c**) (*ANAT*) ▸ **crown (of the head)** isse *m*
(**d**) (*of hill*) topp *m*
(**e**) (*of tooth*) krone *m* ❑ *I'm having a gold crown fitted...* Jeg skal få* satt gullkrone...
(**f**) (*of hat*) pull *m*
2 VT krone (*v1 or v2*) ❑ *The Emperor was crowned by the Pope.* Keiseren ble kront av paven. *The evening was crowned by a dazzling performance...* Kvelden ble kront av en blendende opptreden...
▸ **and to crown it all...** (*fig*) og toppen på kransekaka var at..., og for å sette prikken over i'en...
crown court (*BRIT*) s ≈ lagmannsrett *m*

ℹ *I England og Wales er en* **crown court** *en rettsinstans hvor svært alvorlige forbrytelser blir behandlet og dømt av en jury, som f. eks. mord, overfall og grovt ran. Alle forbrytelser, uansett alvorlighetsgrad, må først behandles av en* magistrates' court. *Det finnes omkring 90* crown courts.

crowning ['kraunɪŋ] ADJ (*achievement, glory*) ypperste, som setter kronen på verket
crown jewels SPL kronjuveler
crown prince s kronprins *m*
crow's feet SPL smilerynker
crow's nest s (*on ship*) (utkikks)tønne *c*
crucial ['kruːʃl] ADJ (**a**) (= *vital, essential*) vesentlig
(**b**) (= *decisive*) (helt) avgjørende
▸ **the crucial thing is to...** det viktigste er å...
▸ **crucial to** (helt) avgjørende for
crucifix ['kruːsɪfɪks] s krusifiks *nt*
crucifixion [kruːsɪ'fɪkʃən] s korsfestelse *m*
crucify ['kruːsɪfaɪ] VT (**a**) (*fig*) hudflette (*v1*), henge (*v2*) ❑ *If he catches us he'll crucify us.* Hvis han tar oss, hudfletter *or* henger han oss.
(**b**) (*kill*) korsfeste (*v1*)
crude [kruːd] ADJ (**a**) (*primitive, simple*) primitiv, enkel ❑ *These implements are crude but effective.* Disse redskapene er primitive *or* enkle, men effektive.
(**b**) (= *vulgar*) grov, vulgær
(**c**) (= *raw: oil, state*) rå-
crude (oil) s råolje *m*
cruel ['kruəl] ADJ grusom ❑ *He was cruel to her.* Han var grusom mot henne.
cruelty ['kruəltɪ] s grusomhet *m* ❑ *The cruelty of the decision...* Grusomheten i beslutningen...
cruet ['kruːɪt] s *liten kurv til salt, pepper, sennep etc*
cruise [kruːz] 1 s cruise *nt* ❑ *He was on a Mediterranean cruise.* Han var på cruise i Middelhavet.
2 VI (**a**) (*ship+*) seile (*v2*) (*med jevn hastighet*)
(**b**) (*car+*) cruise (*v1*) (av sted), kjøre (*v2*) (av sted) ❑ *We cruised at 110 km/h.* Vi cruiset *or* kjørte (av sted) i 110 km/t.
(**c**) (*aircraft+*) fly* (*med jevn hastighet*) ❑ *We are currently cruising at 10,000 metres.* Vi flyr for øyeblikket i en høyde av 10 000 meter.
(**d**) (*taxi+*) kjøre (*v2*) langsomt fram og tilbake
▸ **world cruise** jordomseiling *c*
cruise missile s krysserrakett *m*
cruiser ['kruːzəʳ] s (= *motorboat*) cruiser *m*; (*warship*) krysser *m*
cruising speed s marsjfart *m* ❑ *It has a cruising speed of 80 km/h.* Den har en marsjfart på 80 km/t.
crumb [krʌm] s (*also fig*) smule *m* ❑ *...a crumb of hope.* ...en smule håp.
crumble ['krʌmbl] 1 VT smuldre (*v1*) (opp), smule (*v2*) opp
2 VI (*building, plaster, earth etc+*) smuldre (*v1*) opp; (*fig: society, organization*) smuldre (*v1*) opp, gå* i oppløsning
crumbly ['krʌmblɪ] ADJ (*bread, biscuits*) smulet(e), som lett smuler
crummy ['krʌmɪ] (*sl*) ADJ kummerlig, ussel ❑ *...a crummy little flat.* ...en kummerlig *or* ussel liten leilighet.
crumpet ['krʌmpɪt] s *rund bolle stekt på panne eller takke, servert varm med smør på*
crumple ['krʌmpl] VT (*+paper, clothes*) krølle (*v1*) sammen
crunch [krʌntʃ] 1 VT (*+food etc*) knaske (*v1*) på
2 VI (*gravel, snow+*) knase (*v2*)
3 s ▸ **the crunch** (*fig*) sannhetens øyeblikk ❑ *I wasn't ready for the crunch.* Jeg var ikke klar for sannhetens øyeblikk.
▸ **when/if it comes to the crunch** når/hvis det kommer til stykket
crunchy ['krʌntʃɪ] ADJ (*food*) sprø; (*gravel, snow etc*) knasende
crusade [kruː'seɪd] 1 s (**a**) (= *campaign*) felttog *nt*, kampanje *m* ❑ *...the anti-drugs crusade.* ...anti-stoffkampanjen. ...felttoget mot

stoffmisbruk.
(**b**) (*REL*) korstog *nt*
2 VI (*fig*) ▸ **to crusade for/against** kjempe (*v1*) for/mot
crusader [kruːˈseɪdəʳ] s (**a**) (*HIST, REL*) korsfarer *m*
(**b**) (*fig*) forkjemper *m* ❑ *...a moral crusader.* ...en forkjemper for moral.
crush [krʌʃ] 1 s (**a**) (= *crowd*) trengsel *m*, vrimmel *m* ❑ *I found myself in a crush of people.* Jeg befant meg i en trengsel *or* vrimmel av folk.
(**b**) (*drink*) presset fruktsaft *m*, juice *m* ❑ *...lemon crush.* ...presset sitronsaft *or* sitronjuice.
2 VT (**a**) (= *press, break, also fig*) knuse (*v2*) ❑ *...and crushed bones and flesh.* ...og knuste bein og kjøtt. *The government think they can crush the union.* Regjeringen tror de kan knuse fagforeningen. *She was utterly crushed by the news.* Hun ble aldeles knust av nyheten.
(**b**) (= *crumple: paper, clothes*) krølle (*v1*)
(**c**) (*+grapes, garlic*) presse (*v1*)
(**d**) (*+ice*) knuse (*v2*) ❑ *...crushed ice.* ...knust is.
▸ **to have a crush on sb** (= *be attracted to*) sverme (*v1*) for
crush barrier (*BRIT*) s sperring *c* (*for å holde på en folkemengde*)
crushing [ˈkrʌʃɪŋ] ADJ (*defeat, blow etc*) knusende
crust [krʌst] s (**a**) (*of bread, pastry*) skorpe *c*
(**b**) (*of snow, ice*) skorpe *c*, skare *m*
▸ **the earth's crust** jordskorpen
crustacean [krʌsˈteɪʃən] s skalldyr *nt*
crusty [ˈkrʌstɪ] ADJ (*loaf*) med sprø skorpe
crutch [krʌtʃ] s (**a**) (*MED*) krykke *c* ❑ *She came walking in on crutches.* Hun kom gående inn på krykker.
(**b**) (*fig: support*) støtte *m* ❑ *...a mental crutch.* ...en psykologisk støtte.
see also **crotch**
crux [krʌks] s ▸ **the crux of the problem/matter** problemets/sakens kjerne
cry [kraɪ] 1 VI (**a**) (= *weep*) gråte*, grine (*v2 or irreg*) (*sl*)
(**b**) (= *shout*) skrike*
2 s (**a**) (= *shout*) rop *nt* ❑ *The cries of the market traders were all around.* Ropene fra torghandlerne lød overalt. *She uttered a cry of fright.* Hun utstøtte et rop av overraskelse.
(**b**) (*of bird, animal*) skrik *nt*, hyl *nt*
▸ **what are you crying about?** hva gråter du for?
▸ **to cry for help** rope (*v2*) *or* skrike* om hjelp
▸ **she had a good cry** hun gråt ut
▸ **it's a far cry from...** (*fig*) det er et langt steg *or* sprang fra..., det er vidt forskjellig fra...
▸ **cry off** (*sl*) VI (= *change one's mind, cancel*) snu (*v4*) på hælen (*sl*) ❑ *She cried off at the last moment.* Hun snudde på hælen i siste øyeblikk
▸ **cry out** VI skrike*
crying [ˈkraɪɪŋ] ADJ (*need*) skrikende
▸ **it's a crying shame** det er skammelig, det er stor skam
crypt [krɪpt] s krypt *m*
cryptic [ˈkrɪptɪk] ADJ (*remark, clue*) kryptisk, gåtefull
crystal [ˈkrɪstl] s krystall *m or nt* ❑ *...crystals of copper sulphate.* ...krystaller av kobbersulfat. *...a beautiful inlay of crystal.* ...en nydelig innfelling av krystall.
crystal clear ADJ (**a**) (*sky, air*) krystallklar
(**b**) (*sound*) krystallklar, klokkeklar
(**c**) (= *easy to understand*) tindrende klar, helt klar ❑ *I made my position crystal clear.* Jeg gjorde standpunktet mitt tindrende *or* helt klart.
crystallize [ˈkrɪstəlaɪz] 1 VT (*+opinion, thoughts*) utkrystallisere (*v2*), utforme (*v1*)
2 VI (*sugar etc+*) krystallisere (*v2*) seg
▸ **crystallized fruits** (*BRIT*) kandiserte frukter
CSA s FK = **Confederate States of America**; (*BRIT*) = **Child Support Agency** *bidragsfogden*
CSC s FK (= **Civil Service Commission**) *råd som ansetter folk i offentlig tjeneste*
CSE (*BRIT*) s FK (*formerly*) (= **Certificate of Secondary Education**) ≈ ungdomsskoleeksamen *m*, realskoleksamen *m*
CS gas (*BRIT*) s (en type) tåregass *m*
CST (*US*) FK (= **Central Standard Time**) *normaltid i tidssonen som dekker sentrale deler av USA*
CT (*US: POST*) FK = **Connecticut**
ct FK = **carat**
CTC (*BRIT*) s FK (= **city technology college**) *alternativ videregående skole*
cu. FK = **cubic**
cub [kʌb] s (*of lion, wolf etc*) unge *m*; (*also* ***cub scout***) ulvunge *m*
Cuba [ˈkjuːbə] s Cuba (*var.* Kuba)
Cuban [ˈkjuːbən] 1 ADJ cubansk (*var.* kubansk)
2 s (*person*) cubaner *m* (*var.* kubaner)
cubbyhole [ˈkʌbɪhəul] s kott *nt*
cube [kjuːb] 1 s (**a**) (*shape*) terning *m* ❑ *...cubes of bread.* ...brødterninger.
(**b**) (*MAT: of number*) tredje potens *m*
2 VT (*MAT*) opphøye (*v1 or v3*) i tredje potens ❑ *Four cubed is sixty-four.* Fire opphøyd i tredje potens er sekstifire.
▸ **sugar cube** sukkerbit *m*
cube root s kubikkrot *m*
cubic [ˈkjuːbɪk] ADJ kubikk-
▸ **cubic metre** kubikkmeter
cubic capacity s sylindervolum *nt*
cubicle [ˈkjuːbɪkl] s (*at pool, hospital*) avlukke *nt* (*i garderobe, for en person*)
cuckoo [ˈkukuː] s gjøk *m*
cuckoo clock s gjøkur *nt*
cucumber [ˈkjuːkʌmbəʳ] s (slange)agurk *m*
cud [kʌd] s ▸ **to chew the cud** (*fig*) tygge (*v1 or v3*) drøv
cuddle [ˈkʌdl] 1 VT (*+baby, person*) kose (*v1 or v2*) med
2 s kjærtegn *nt*; (*between lovers*) kosing *c*
▸ **to give sb a cuddle** gi* noen et kjærtegn ❑ *Give them a few cuddles...* Gi dem noen kjærtegn *or* kos litt med dem...
▸ **to have a cuddle** kose (*v1 or v2*) med hverandre ❑ *We had to go to the park if we wanted to have a cuddle.* Vi måtte* gå* til parken hvis vi ville* kose med hverandre.
cuddly [ˈkʌdlɪ] ADJ (*toy*) kose-; (*person*) koset(e), som man får lyst til å kose med
cudgel [ˈkʌdʒl] 1 s stokk *m*, knortekjepp *m*
2 VT ▸ **to cudgel one's brains** vrenge (*v2*) hjernen, tenke (*v2*) så det knaker
cue [kjuː] s (**a**) (= *snooker cue*) kø *m*

(**b**) (*TEAT etc*) stikkord *nt* ❑ *...it's my cue to get up out of the chair.* ...det er stikkordet mitt til å komme meg opp av stolen.

cuff [kʌf] 1 s (**a**) (*of sleeve*) mansjett *m*
(**b**) (*US: of trousers*) (bukse)oppbrett *m*
(**c**) (*also* ***handcuff***) håndjern *nt*
(**d**) (= *blow*) dask *nt* ❑ *...a cuff on the head.* ...et dask på hodet.
2 VT (*+person*) daske (*v1*) ❑ *Sally cuffed my head lightly.* Sally dasket meg lett på hodet.
▸ **off the cuff** (= *impromptu*) på stående fot

cuff links SPL mansjettknapper *pl*

cu. in. FK (= **cubic inches**) kubikktommer

cuisine [kwɪ'ziːn] s kjøkken *nt*, kokekunst *m* ❑ *...Indian cuisine.* ...indisk kjøkken *or* kokekunst.

cul-de-sac ['kʌldəsæk] s blindgate *m*, blindvei *m*

culinary ['kʌlɪnərɪ] ADJ (*skill, delight*) kulinarisk

cull [kʌl] 1 VT (**a**) (*+story, idea*) hente (*v1*) ❑ *The story is culled from legend.* Historien er hentet fra legender.
(**b**) (*+animals*) tynne (*v1*) ut (bestanden av)
2 s (*of animals*) uttynning *c* (av dyrebestand) ❑ *...a big elephant cull.* ...en storstilet uttynning av elefantbestanden.

culminate ['kʌlmɪneɪt] VI ▸ **to culminate in** kulminere (*v2*) i

culmination [kʌlmɪ'neɪʃən] s (*of career, process etc*) kulminasjon *m*

culottes [kjuː'lɔts] SPL bukseskjørt *nt*

culpable ['kʌlpəbl] ADJ skyldig

culprit ['kʌlprɪt] s (straffe)skyldig *m decl as adj*

cult [kʌlt] s (*REL, gen*) kult *m* ❑ *...a world-wide cult.* ...en verdensomspennende kult.

cult figure s kultfigur *m*

cultivate ['kʌltɪveɪt] VT (*+land, crop*) dyrke (*v1*); (*+attitude, feeling*) framelske (*v1*), utvikle (*v1*); (= *seek favour: person*) pleie (*v1 or v3*), oppvarte (*v1*)

cultivation [kʌltɪ'veɪʃən] s (*of land, crop*) dyrking *c*

cultural ['kʌltʃərəl] ADJ kultur-, kulturell ❑ *...cultural activities.* ...kulturelle aktiviteter *or* kulturaktiviteter.

culture ['kʌltʃə^r] s (*gen*) kultur *m* ❑ *...the great cultures of Japan and China.* ...de store kulturene i Japan og Kina. *Culture was not very high in their list of priorities.* Kultur stod ikke særlig høyt på deres prioriteringsliste.

cultured ['kʌltʃəd] ADJ (*individual*) kultivert, dannet; (*pearl*) kultur-

cumbersome ['kʌmbəsəm] ADJ (**a**) (*object*) tungvint
(**b**) (*process*) tungvint, tungrodd ❑ *...a cumbersome, slow computer system.* ...et tungvint *or* tungrodd, langsomt datasystem.

cumin ['kʌmɪn] s spisskarve *m*

cumulative ['kjuːmjulətɪv] ADJ (*effect, result*) kumulativ

cunning ['kʌnɪŋ] 1 s sluhet *m*, listighet *m* ❑ *...by stealth and cunning.* ...ved hjelp av sniking og sluhet *or* listighet.
2 ADJ (*person, move, idea*) slu, listig

cunt [kʌnt] (*sl!*) s fitte *c* (*sl!*)

cup [kʌp] s (**a**) (*for drinking*) kopp *m* ❑ *...5 cups of plain flour.* ...5 kopper (med) vanlig mel.
(**b**) (*trophy*) pokal *m*
(**c**) (*of bra*) cup *m*, skål *c*
▸ **a cup of tea** en kopp te

cupboard ['kʌbəd] s skap *nt*

cup final (*BRIT*) s cupfinale *m*

cupful ['kʌpful] s kopp *m* ❑ *...a cupful of brown rice.* ...en kopp (med) naturris.

Cupid ['kjuːpɪd] s Amor, Cupido; (*figurine*) amorin *m*

cupidity [kjuː'pɪdɪtɪ] s griskhet *m*, havesyke *m*

cupola ['kjuːpələ] s kuppel *m*

cuppa ['kʌpə] (*BRIT: sl*) s kopp *m* te

cup tie (*BRIT*) s cupkamp *m*

curable ['kjuərəbl] ADJ som kan helbredes, helbredelig

curate ['kjuərɪt] s ≈ kapellan *m*

curator [kjuə'reɪtə^r] s konservator *m*

curb [kəːb] 1 VT (**a**) (*+powers, expenditure*) holde* i tømme
(**b**) (*+person*) tøyle (*v1*), holde* i tømme
2 s (**a**) (= *restraint*) demper *m*, bånd *nt* ❑ *This requires a curb on public spending.* Dette krever at vi legger bånd på *or* en demper på offentlig pengebruk.
(**b**) (*US: on roadside*) fortauskant *m*

curd cheese [kəːd-] s skjørost *m*, dravle *m*

curdle ['kəːdl] VI skjære* seg

curds [kəːdz] SPL ostemasse *m*, skjørost *m*

cure [kjuə^r] 1 VT (**a**) (*+illness, patient*) kurere (*v2*), helbrede (*v1*)
(**b**) (*+food*) speke (*v1*)
(**c**) (*+problem*) bøte (*v2*) på
2 s (**a**) (= *recovery*) bedring *m* ❑ *The cure was immediate...* Bedringen var momentan...
(**b**) (= *remedy*) kur *m*, middel *nt* ❑ *There's no known cure for a cold.* Det fins ingen kjent kur *or* noe kjent middel mot forkjølelse.
(**c**) (= *solution*) løsning *m*, fasit *m* ❑ *...a problem without a cure.* ...et problem uten noen løsning *or* fasit.
▸ **to be cured of sth** bli* kurert *or* helbredet for noe

cure-all ['kjuərɔːl] s (**a**) universalmiddel *nt*
(**b**) (*fig*) universalmiddel *nt*, patentløsning *m* ❑ *Lowering of interest rates as a kind of universal cure-all...* En senkning av rentenivået som et slags universalmiddel *or* en slags patentløsning...

curfew ['kəːfjuː] s portforbud *nt*

curio ['kjuərɪəu] s kuriositet *m*, raritet *m*

curiosity [kjuərɪ'ɔsɪtɪ] s (**a**) (= *interest, nosiness*) nysgjerrighet *m* ❑ *His curiosity got the better of him.* Nysgjerriheten hans tok overhånd.
(**b**) (= *unusual thing*) kuriositet *m*, raritet *m* ❑ *...a little curiosity shop.* ...en liten antikvitetshandel.

curious ['kjuərɪəs] ADJ (**a**) (= *interested, nosy*)
▸ **curious (about)** nysgjerrig (på) ❑ *She was curious to see what would happen.* Hun var nysgjerrig etter å se hva som ville* hende.
(**b**) (= *strange, unusual*) pussig, merkelig ❑ *...a curious thing happened.* ...det skjedde noe pussig *or* merkelig.

curiously ['kjuərɪəslɪ] ADV (**a**) (*with verb*) nysgjerrig ❑ *They looked at her curiously.* De tittet nysgjerrig på henne. *...I asked curiously.* ...spurte jeg nysgjerrig.

(**b**) (*with adjective*) merkelig ❑ *...a curiously husky voice.* ...en merkelig hes stemme.
▸ **curiously (enough)...** merkelig *or* pussig nok...
curl [kə:l] 1 s (**a**) (*of hair*) krøll *m* ❑ *...dark red curls.* ...mørkerøde krøller.
(**b**) (*of smoke etc*) krusedull *m*
2 VT (**a**) (*+hair: loosely*) krølle *m*
(**b**) (*tightly*) krølle *m*, kruse (*v2*)
3 VI (**a**) (*hair+*) krølle (*v1*) seg
(**b**) (*smoke+*) sno (*v4*) seg ❑ *Smoke was curling out of kitchen chimneys.* Det snodde seg røyk ut av kjøkkenpipene.
▸ **curl up** VI (*person, animal+*) krølle (*v1*) seg sammen, rulle (*v1*) seg sammen ❑ *He was lying curled up with his back to us.* Han lå sammenkrøllet *or* rullet sammen med ryggen til oss.
curler ['kə:lə^r] s krøllspenne *c*
curlew ['kə:lu:] s spove *c*
curling ['kə:lɪŋ] (*SPORT*) s curling *m*
curling tongs, **curling irons** (*US*) SPL krølltang *c sg*
curly ['kə:lɪ] ADJ krøllet(e); (= *tightly*) kruset(e)
currant ['kʌrnt] s (= *dried fruit*) korint *m*; (*also* ***blackcurrant***) solbær *nt*; (*also* ***redcurrant***) rips *m*
currency ['kʌrnsɪ] s valuta *m* ❑ *...one of the stronger currencies.* ...en av de sterke valutaene. *I took bits of odd currency.* Jeg tok med meg litt forskjellig valuta.
▸ **to gain currency** (*fig*) få* utbredelse ❑ *They have seen many of their ideas gain wide currency.* De har sett mange av sine ideer få* stor utbredelse.
current ['kʌrnt] 1 s (**a**) (*of air, water, electricity*) strøm *m* ❑ *The child had been swept out to sea by the current.* Barnet hadde blitt trukket ut på sjøen av strømmen.
(**b**) (*of opinion*) strømning *m* ❑ *...the fickle currents of fashion.* ...de ustadige motestrømningene.
2 ADJ (**a**) (= *present*) nåværende ❑ *Our current methods of production...* Våre nåværende produksjonsmetoder...
(**b**) (= *accepted*) gangbar, gjengs *inv* ❑ *...the beliefs current in a particular age.* ...oppfatningene som er gangbare *or* gjengs i en bestemt tidsalder.
▸ **direct/alternating current** likestrøm/vekselstrøm
▸ **the current issue** (*of magazine*) den siste utgaven
▸ **in current use** i vanlig bruk
current account (*BRIT*) s brukskonto *m*
current affairs SPL nyheter, aktualiteter
▸ **current affairs programme** nyhetsprogram *nt*, aktualitetsprogram *nt*
current assets SPL omløpsmidler *pl*
current liabilities SPL kortsiktig gjeld *c sg*
currently ['kʌrntlɪ] ADV på det nåværende tidspunkt, for tiden
curricula [kə'rɪkjulə] SPL *of* **curriculum**
curriculum [kə'rɪkjuləm] (*pl* **curriculums** *or* **curricula**) s undervisningsplan *m*, (undervisnings)fag *pl*
curriculum vitae [-'vi:taɪ] s curriculum vitae *nt*
curry ['kʌrɪ] 1 s karri *m* (*sterkt krydret gryterett*) ❑ *...a vegetable curry.* ...en grønnsakskarri.
2 VT ▸ **to curry favour with** innynde (*v1*) seg hos
curry powder s karri *m*
curse [kə:s] 1 VI banne (*v1*)
2 VT (**a**) (= *swear at*) banne (*v1*) mot ❑ *I was cursing him for his carelessness.* Jeg forbannet ham for uforsiktigheten hans.
(**b**) (= *bemoan*) forbanne (*v1*) ❑ *Cursing my plight...* Idet jeg forbannet sjebnen min...
3 s (**a**) (= *spell, problem*) forbannelse *m* ❑ *There is a curse on this family.* Det hviler en forbannelse over denne familien. *Loneliness is the curse of modern societies.* Ensomhet er forbannelsen ved moderne samfunn.
(**b**) (= *swearword*) ed *m*
cursor ['kə:sə^r] s markør *m*
cursory ['kə:sərɪ] ADJ (*glance, examination*) kursorisk, overfladisk, flyktig
curt [kə:t] ADJ (*reply, tone*) kort
curtail [kə:'teɪl] VT (*+freedom, rights*) begrense (*v1*), innskrenke (*v1*); (*+visit etc*) korte (*v1*) inn på *or* ned; (*+expenses etc*) begrense (*v1*), skjære* ned på
curtain ['kə:tn] s (**a**) (*at window*) gardin *m or nt*
(**b**) (*TEAT*) teppe *nt* ❑ *...the curtain went up.* ...teppet gikk opp.
▸ **to draw the curtains** (**a**) (*together*) trekke* for gardinene
(**b**) (*apart*) trekke* fra gardinene
curtain call s *det å bli* kalt fram (på scenen) igjen*
curts(e)y ['kə:tsɪ] 1 VI (*woman, girl+*) neie (*v3*)
2 s neiing *c*
curvature ['kə:vətʃə^r] s krumning *c*
curve [kə:v] 1 s (**a**) (= *bend*) bue *m*, kurve *m* ❑ *...in a gentle curve.* ...i en svak bue *or* kurve.
(**b**) (*in road*) sving *m*
2 VI (**a**) (*road+*) svinge (*v2*) ❑ *The lane curved round to the right.* Vegen svingte til venstre.
(**b**) (*line, surface, arch+*) bue (*v1*) seg
curved [kə:vd] ADJ buet, krum
cushion ['kuʃən] 1 s (*gen*) pute *c* ❑ *The device floats on a cushion of air.* Innretningen flyter på en luftpute.
2 VT ta* av for, dempe (*v1*) ❑ *The pile of branches cushioned his fall.* Kvisthaugen tok av for *or* dempet fallet. *A cut in income tax would cushion the blow.* En reduksjon av inntektsskatten ville* ta* av for *or* dempe sjokket med.
cushy ['kuʃɪ] (*sl*) ADJ (*job, life*) behagelig
custard ['kʌstəd] s pudding *m*; (*for pouring*) ≈ vaniljesaus *m*; (*filling*) vaniljekrem *m*
custard powder (*BRIT*) s ≈ vaniljesauspulver *nt*
custodial [kʌs'təudɪəl] ADJ ▸ **custodial sentence** fengselsdom *m*
custodian [kʌs'təudɪən] s (*of building, collection*) vokter *m*, oppsynsmann *m irreg*; (*of museum etc*) vakt *c*
custody ['kʌstədɪ] s (**a**) (*of child*) foreldrerett *m* ❑ *Almost always divorce courts award custody to mothers.* Nesten alltid gir skilsmissedommer foreldreretten til mødre.
(**b**) (*for offenders*) varetekt *m*
▸ **to be remanded in custody** bli* satt i varetekt
▸ **to take sb into custody** sette* noen i varetekt

custom ['kʌstəm] s (**a**) (= *traditional activity*) skikk *m* ❑ *...the old English customs.* ...de gamle engelske skikkene.
(**b**) (= *convention*) skikk *m* (og bruk) ❑ *As was the custom...* Som skikken var *or* som skikk og bruk var....
(**c**) (= *habit*) vane *m* ❑ *It is Howard's custom to...* Howard har for vane å...
(**d**) (MERK) ▸ **I shall take my custom elsewhere** jeg skal begynne å handle et annet sted.
customary ['kʌstəmərı] ADJ (*behaviour, method, time*) sedvanlig, vanlig ❑ *His customary good humour...* Det sedvanlige gode humøret hans...
▸ **it is customary to do it** det er vanlig å gjøre* det
custom-built ['kʌstəm'bılt] ADJ (*car, boat etc*) spesialbygd
customer ['kʌstəmə[r]] s (*of shop, business etc*) kunde *m*
▸ **he's an awkward customer** (*sl*) han er vanskelig å ha* med å gjøre
customer profile s kundeprofil *m* ❑ *...draw up a customer profile.* ...sette opp en kundeprofil.
customized ['kʌstəmaızd] ADJ (*car etc*) stylet
custom-made ['kʌstəm'meıd] ADJ (*clothes*) skreddersydd, sydd på bestilling; (*car etc*) spesialbygd, lagd på bestilling
customs ['kʌstəmz] SPL toll *m*
▸ **to go through (the) customs** gå* gjennom tollen
Customs and Excise (*BRIT*) s ≈ Tollog avgiftsdirektoratet *def*
customs duty s tollavgift *c*
customs officer s toller *m*, tollbetjent *m*
cut [kʌt] (*pt, pp* **cut**) [1] VT (**a**) (*+bread, meat*) skjære* opp ❑ *She cut the cake...* Hun skar opp kaken...
(**b**) (*+hand, knee*) skjære* seg i ❑ *Robert cut his knee quite badly.* Robert skar seg ganske stygt i kneet.
(**c**) (*+grass, hair*) klippe (*v1 or v2x*)
(**d**) (*remove: scene, episode*) kutte (*v1*) ut ❑ *Her publishers insisted on cutting several stories.* Forleggerne hennes insisterte på å kutte ut flere historier.
(**e**) (= *reduce: prices, spending, supply*) skjære* ned på, kutte (*v1*) ned på ❑ *We intend to cut arms spending.* Vi akter å skjære *or* kutte ned på forsvarsutgiftene.
(**f**) (= *shape, make: cloth etc*) skjære* til [NB] *...superbly cut clothes.* ...klær med et nydelig snitt.
(**g**) (*sl: cancel: lecture, appointment*) kutte (*v1*) ut ❑ *For a while he cut meetings.* En stund kuttet han ut møter.
(**h**) (= *bisect: line, path*) dele (*v2*) ❑ *A metal gate cut the path in half.* En metallport delte stien i to.
[2] VI (**a**) (*knife+*) skjære*
(**b**) (*scissors+*) klippe (*v1 or v2x*)
[3] S (**a**) (*in skin*) kutt *nt* ❑ *...some cuts and bruises...* noen kutt og blåmerker...
(**b**) (*in salary, spending etc*) nedskjæring *c*
(**c**) (*of meat*) stykke *nt* ❑ *...choice cuts of beef.* ...utsøkte stykker av oksekjøtt.
(**d**) (*of garment*) snitt *nt* ❑ *The cut of that jacket is all wrong.* Snittet i jakken er helt galt.
[4] ADJ (*jewel*) slipt ❑ *...the biggest cut diamond in the world.* ...den største slipte diamanten i verden.
▸ **to cut a tooth** få* en tann
▸ **to cut one's finger** skjære* seg i fingeren
▸ **to get one's hair cut** klippe (*v1 or v2x*) håret
▸ **to cut sth short** avbryte* noe
▸ **to cut sb dead** late* som noen er luft, overse* noen (fullstendig)
▸ **cold cuts** (*US*) kjøttpålegg *nt*
▸ **power cut** strømbrudd *nt*
▶ **cut back** VT (**a**) (*+plants*) beskjære*, skjære* *or* klippe (*v1 or v2x*) ned
(**b**) (*+production, expenditure*) skjære* ned på
▶ **cut down** VT (**a**) (*+tree*) hogge (*v3x*) (ned), felle (*v2x*)
(**b**) (= *reduce: consumption*) skjære* ned på, kutte (*v1*) ned på
▸ **to cut sb down to size** (*fig*) sette* noen på plass
▶ **cut down on** VT FUS (*+smoking etc*) skjære* ned på, kutte (*v1*) ned på
▶ **cut in** [1] VI ▸ **to cut in (on)** (= *interrupt*) avbryte* ❑ *Mrs T. began a reply, but Mrs P. cut in again.* Fru T. begynte å svare, men fru P. avbrøt igjen.
[2] VI (*car+*) svinge (*v2*) inn rett foran noe(n), kaste (*v1*) seg inn ❑ *The idiot tried to overtake me, and had to cut in at the last moment.* Idioten prøvde å kjøre forbi meg, og måtte* kaste seg *or* svinge inn rett foran meg i siste øyeblikk.
▶ **cut off** VT (**a**) (*+limb, piece*) skjære* av, kutte (*v1*) av
(**b**) (*+person, village*) avskjære* ❑ *The town was cut off.* Byen var avskåret.
(**c**) (*+supply*) kutte (*v1*), stenge (*v2*) (av) ❑ *Gas supplies had now been cut off.* Gasstilførselen hadde nå blitt kuttet *or* stengt.
(**d**) (*TEL: remove service*) stenge (*v2*) (av)
(**e**) (*during conversation*) bryte* ❑ *...they cut you off by mistake.* ...de brøt deg ved en feiltakelse.
▸ **we've been cut off** (*TEL*) vi har blitt brutt
▶ **cut out** VT (**a**) (*+shape, article from newspaper*) klippe (*v1 or v2x*) ut
(**b**) (= *stop: activity*) kutte (*v1*) ut, holde* opp med ❑ *He ought to cut out the drinking.* Han burde kutte ut *or* holde opp med drikkingen.
(**c**) (= *remove*) ta* ut *or* vekk ❑ *He cut out all the references to the baron.* Han tok ut *or* vekk alle hentydningene til baronen.
▶ **cut up** VT (*+paper, meat*) skjære* opp, kutte (*v1*) opp
▸ **to be/feel cut up about sth** (*sl: upset*) være* nedfor *or* deppa (*sl*) for noe
cut-and-dried ['kʌtən'draıd] ADJ (*also* ***cut-and-dry***) fiks og ferdig
cutaway ['kʌtəweı] s (= *drawing, model*) *illustrasjon/ modell der en del er avdekket, slik at det indre er synlig*; (*FILM, TV: shot*) sideblikk *nt*
cutback ['kʌtbæk] s nedskjæring *c* ❑ *...the cutback in public services.* ...nedskjæringen i offentlige tjenester.
cute [kju:t] ADJ (**a**) (= *sweet: child, house*) søt, nydelig

(**b**) (= *clever*) smart ❑ *He's cute enough to know that...* Han er smart nok til å vite at...
(**c**) (*især US: attractive*) søt ❑ *"You're cute. What's your name?"* "Du er søt. Hva heter du?"
cut glass s krystall *nt*
cuticle ['kjuːtɪkl] s neglebånd *nt*
▸ **cuticle remover** neglebåndsfjerner *m*
cutlery ['kʌtlərɪ] s (spise)bestikk *nt*
cutlet ['kʌtlɪt] s (*meat*) kotelett *m*; (*vegetable, nut*) karbonade *m*
cutoff, **cut-off** ['kʌtɔf] s (*also* ***cutoff point***) grense *m*
cutoff switch s avbryter *m*
cutout ['kʌtaut] s (**a**) (= *switch*) avbryter *m*, stoppemekanisme *m*
(**b**) (= *paper figure*) utklippsfigur *m*, pappfigur/papirfigur *m* ❑ *...two cardboard cutouts.* ...to pappfigurer.
cut-price ['kʌt'praɪs], **cut-rate** (*US*) ADJ lavpris-
cut-throat ['kʌtθrəut] 1 s morder *m*
2 ADJ (*business, competition*) nådeløs, skånselløs
cutting ['kʌtɪŋ] 1 ADJ (**a**) (*edge*) skarp *see also* **phrase**
(**b**) (*fig: remark etc*) bitende, skarp
2 s (**a**) (*BRIT: from newspaper*) utklipp *nt* ❑ *...press cuttings.* ...avisutklipp.
(**b**) (*JERNB*) skjæring *c* ❑ *...a railway cutting.* ...en jernbaneskjæring.
(**c**) (*from plant*) stikling *m* ❑ *They are easy roses to grow from cuttings.* De rosene er lette å dyrke fra stiklinger.
▸ **at the cutting edge** (*fig*) i frontlinjen
cutting edge s (*fig*) ▸ **on the cutting edge (of)** i forgrunnen (av)
cuttlefish ['kʌtlfɪʃ] s (tiarmet) blekksprut *m*
CV s FK = **curriculum vitae**
c.w.o. (*MERK*) FK (= **cash with order**) kontant ved bestilling
cwt. FK = **hundredweight**
cyanide ['saɪənaɪd] s cyanid *nt*
cybercafé ['saɪbəkæfeɪ] s cyberkafé *m*
cybernetics [saɪbə'nɛtɪks] s kybernetikk *m*
cybersex ['saɪbəsɛks] s datasex *m*
cyberspace ['saɪbəspeɪs] s cyberspace *m*
cyclamen ['sɪkləmən] s alpefiol *m*
cycle ['saɪkl] 1 s (**a**) (= *bicycle*) sykkel *m*
(**b**) (*of events, seasons etc*) syklus *m*, kretsløp *nt* ❑ *...the economic cycle of growth and recession.* ...den økonomiske syklusen *or* det økonomiske kretsløpet med vekst og nedgang.
(**c**) (*of songs etc*) syklus *m* ❑ *...the controversial Ring cycle.* ...den omstridte Ring-syklusen.
(**d**) (*TEKN: movement*) periode *m*, takt *c* ❑ *...50 cycles per second.* ...50 perioder *or* takter i sekundet.
2 VI (= *go by bicycle*) sykle (*v1*) ❑ *I decided to cycle into town...* Jeg bestemte meg for å sykle til byen...
cycle race s sykkelløp *nt*
cycle rack s sykkelstativ *nt*
cycling ['saɪklɪŋ] s sykling *c*
▸ **to go on a cycling holiday** (*BRIT*) dra* på sykkelferie
cyclist ['saɪklɪst] s syklist *m*
cyclone ['saɪkləun] s syklon *m*
cygnet ['sɪgnɪt] s svaneunge *m*
cylinder ['sɪlɪndəʳ] s (**a**) (*shape*) sylinder *m*
(**b**) (*of gas*) flaske *c*, beholder *m* ❑ *...an oxygen cylinder.* ...en oksygenflaske *or* oksygenbeholder.
(**c**) (*in engine, machine etc*) sylinder *m* ❑ *...a five cylinder engine.* ...en femsylindret motor.
cylinder block s sylinderblokk *c*, motorblokk *c*
cylinder head s topplokk *nt*
cylinder-head gasket ['sɪlɪndəhɛd-] s toppakning *m*
cymbals ['sɪmblz] SPL bekken, cymbaler
cynic ['sɪnɪk] s kyniker *m*
cynical ['sɪnɪkl] ADJ (*attitude, view*) kynisk
cynicism ['sɪnɪsɪzəm] s kynisme *m*
CYO (*US*) s FK (= **Catholic Youth Organization**) *katolsk ungdomsorganisasjon*
cypress ['saɪprɪs] s sypress *m*
Cypriot ['sɪprɪət] 1 ADJ kypriotisk
2 s (*person*) kypriot *m*
Cyprus ['saɪprəs] s Kypros
cyst [sɪst] s cyste *m*
cystitis [sɪs'taɪtɪs] s blærebetennelse *m*, cystitt *m*
CZ (*US*) s FK = **Canal Zone**
czar [zɑːʳ] s = **tsar**
Czech [tʃɛk] 1 ADJ tsjekkisk
2 s (*person*) tsjekker *m*; (*LING*) tsjekkisk
Czechoslovak [tʃɛkə'sləuvæk] (*gam*) ADJ, S = **Czechoslovakian**
Czechoslovakia [tʃɛkəslə'vækɪə] (*gam*) s Tsjekkoslovakia
Czechoslovakian [tʃɛkəslə'vækɪən] (*gam*) 1 ADJ tsjekkoslovakisk
2 s (*person*) tsjekker *m*, tsjekkoslovak *m*
Czech Republic s ▸ **the Czech Republic** Tsjekkia

D

D, d [diː] s D, d *m*
▸ **D for David,** *(US)* **D for Dog** D for David
D [diː] (*US: POL*) FK = **democrat(ic)**
d (*BRIT: formerly*) FK = **penny**
d. FK (= **died**) d. (= *død*)
▸ **Henry Jones, d. 1754** Henry Jones, d. 1754
DA (*US*) s FK = **district attorney**
dab [dæb] 1 VT (**a**) (+*eyes*) klappe (*v1*)
(**b**) (+*paint, cream*) klatte (*v1*) ❑ *He dabbed some paint on the wall.* Han klattet noe maling på veggen.
2 s ▸ **a dab (of)** (*of paint, rouge etc*) en klatt, en smule ❑ *...a dab of rouge on each cheekbone.* ...en klatt *or* en smule rouge på hvert kinnben.
▸ **to dab a wound with sth** smøre* noe lett på et sår
▸ **to be a dab hand at sth/doing sth** være* en kløpper til noe/til å gjøre* noe
▸ **dab at** VT FUS (+*mouth, eyes, paper etc*) klappe (*v1*) ❑ *She dabbed at her mouth with the handkerchief.* Hun klappet munnen sin *or* klappet seg på munnen med lommetørklet.
dabble ['dæbl] VI ▸ **to dabble in** (+*politics, antiques etc*) sysle (*v1*) med
dachshund ['dækshund] s dachs *m*, grevlinghund *m*
dad [dæd] (*sl*) s pappa *m*
daddy ['dædɪ] (*sl*) s = **dad**
daddy-long-legs [dædɪ'lɔŋlɛgz] (*sl*) s stankelbe(i)n *m or nt*
daffodil ['dæfədɪl] s påskelilje *m*
daft [dɑːft] ADJ tåpelig, dum
▸ **to be daft about sb/sth** være* gal etter noen/noe
dagger ['dægəʳ] s dolk *m*
▸ **to be at daggers drawn with sb** være* bitre fiender med noen
▸ **to look daggers at sb** se* på noen med et drepende blikk
dahlia ['deɪljə] s georgine *m*
daily ['deɪlɪ] 1 ADJ (*dose, wages, routine etc*) daglig ❑ *We went about our daily lives as before.* Vi levde videre som vanlig.. Vi fortsatte med vårt dagligliv som før.
2 s (**a**) (= *paper*) dagsavis *m* NB *...any of Friday's dailies.* ...noen av fredagsavisene.
(**b**) (*BRIT: **daily help***) hjemmehjelp *m*
3 ADV (*pay, see*) daglig ❑ *He wrote to her almost daily.* Han skrev til henne nesten daglig.
▸ **twice daily** to ganger daglig
dainty ['deɪntɪ] ADJ lekker, delikat
dairy ['dɛərɪ] 1 s (*BRIT: shop*) meieriutsalg *nt*; (*company*) meieri *nt*; (*on farm*) melkebu *m*
2 SAMMENS (*cattle, cow, herd, chocolate*) melke-; (*industry, farming*) meieri-
dairy farm s gård *m* som driver melkeproduksjon
dairy products SPL meieriprodukter, melkeprodukter
dairy store (*US*) s meieriutsalg *nt*
dais ['deɪɪs] s podium *nt*
daisy ['deɪzɪ] s tusenfryd *m*
daisy wheel s (*on printer*) typehjul *nt*, skrivehjul *nt*
daisy-wheel printer ['deɪzɪwiːl-] s typehjulskriver *m*
Dakar ['dækəʳ] s Dakar *m*
dale [deɪl] (*BRIT*) s (liten) dal *m*
dally ['dælɪ] VI somle (*v1*) ❑ *The children dallied in the lane.* Barna somlet rundt i gata.
▸ **to dally with** VT FUS (+*idea, plan*) leke (*v2*) med
dalmatian [dæl'meɪʃən] s (*dog*) dalmatiner *m*
dam [dæm] 1 s (**a**) (*on river*) demning *m*, damanlegg *nt*
(**b**) (= *reservoir*) dam *m*
2 VT (+*river, stream*) demme (*v1*) opp ❑ *...men who dammed rivers and built railroads.* ...menn som demmet opp elver og bygde jernbaner.
damage ['dæmɪdʒ] 1 s (**a**) (= *harm*) skader *pl* ❑ *The earthquake caused damage estimated at 300 million pounds.* Jordskjelvet forårsaket skader til en antatt verdi av 300 pund. *His car suffered slight damage in the accident.* Bilen hans fikk bare små skader i ulykken.
(**b**) (*fig: to a cause etc*) skade *m* ❑ *...the damage done to the party.* ...skaden som var påført partiet.
2 VT skade (*v1*) ❑ *A fire had severely damaged the school.* En brann hadde skadet skolen betydelig. *Unofficial strikes were damaging the British economy.* Ulovlige streiker skadet britisk økonomi.
▸ **damages** SPL (*JUR*) (skades)erstatning *m*
▸ **to pay 5,000 pounds in damages** betale (*v2*) 5 000 pund i (skades)erstatning
▸ **damage to property** skade *m* på eiendom
damaging ['dæmɪdʒɪŋ] ADJ ▸ **damaging (to)** skadelig (for)
Damascus [də'mɑːskəs] s Damaskus *m*
dame [deɪm] s (*title*) dame *m* (*adelstittel*); (*US: sl*) kvinnfolk *nt*; (*TEAT*) *moren til, eller en eldre kvinnelig slektning av gutten som er hovedperson i tradisjonell britisk pantomime*
damn [dæm] 1 VT (**a**) (= *curse at*) forbanne (*v1*) ❑ *He never saw the sense of it, and damned Matt.* Han skjønte aldri vitsen, og forbannet Matt.
(**b**) (= *condemn*) fordømme (*v2x*)
2 s (*sl*) ▸ **I don't give a damn** jeg gir blanke (*sl*), jeg gir pokker (*sl*)
3 ADJ (*sl: **damned***) fordømt
▸ **damn (it)!** pokker (*sl*), fanken (*sl*)
damnable ['dæmnəbl] ADJ fordømt, forbannet
damnation [dæm'neɪʃən] 1 s (*REL*) fortapelse *m* ❑ *...eternal damnation in hell.* ...evig fortapelse i helvete.
2 INTERJ (*sl*) pokker (*sl*), fanken (*sl*)
damning ['dæmɪŋ] ADJ (*evidence*) fellende
damp [dæmp] 1 ADJ (*building, wall, cloth*) fuktig
2 s (*in air, in walls*) fuktighet *m* ❑ *Keeping the cold*

and damp outside is a problem... Å holde kulda og fuktigheten ute er et problem...
3 VT (**a**) (*+cloth*) fukte (*v1*) ❑ *The material should be damped before ironing.* Stoffet bør fuktes før det strykes.
(**b**) (*+enthusiasm etc*) dempe (*v1*), legge* demper på ❑ *This in no way damped Benn's spirits.* Dette dempet overhodet ikke *or* la overhodet ikke noen demper på Benns humør.

damp course s fuktighetssperre *m*

dampen ['dæmpən] VT (*+cloth*) fukte (*v1*); (*+enthusiasm*) dempe (*v1*), legge* demper på

damper ['dæmpəʳ] s ▸ **to put a damper on** (*fig: atmosphere, enthusiasm*) legge* en demper på

dampness ['dæmpnɪs] s fuktighet *m*

damson ['dæmzən] s blåplomme *m*

dance [dɑːns] 1 s (**a**) (*piece of music*) dans *m* ❑ *The band played all my favourite dances.* Bandet spilte alle favorittdansene mine.
(**b**) (= *dancing*) dans *m* ❑ *The teacher interpreted the story in dance.* Læreren tolket historien i dans.
(**c**) (*social event*) dans *m uncount*, dansetilstelning *m*, ball *nt* ❑ *...the big dances at college.* ...de store ballene *or* dansetilstelningene på universitetet.
2 VI danse (*v1*)
▸ **to dance about** danse (*v1*) omkring

dance hall s danselokale *nt*, dansested *nt*

dancer ['dɑːnsəʳ] s (**a**) (*professional*) danser *m* ❑ *...a Broadway dancer.* ...en danser på Broadway.
(**b**) (*for pleasure*) ▸ **He is not a very good dancer.** Han er ikke særlig god til å danse

dancing ['dɑːnsɪŋ] s dans *m*, dansing *m* ❑ *The music and dancing lasted for hours.* Musikken og dansen *or* dansingen varte i timevis.

D and C S FK (*MED*) (= **dilation and curettage**) utblokking *c* og utskraping *c*

dandelion ['dændɪlaɪən] s løvetann *m*

dandruff ['dændrəf] s flass *nt*

dandy ['dændɪ] 1 s spradebasse *m*
2 ADJ (*US: sl*) flott, kjempefint

Dane [deɪn] s danske *m*

danger ['deɪndʒəʳ] s fare *m* ❑ *The child is too young to understand danger.* Barnet er for ungt til å forstå fare. NB *Cigarette smoking is a danger to health.* Sigarettrøyking er farlig for helsen.
▸ **there is a danger of...** det er fare for... ❑ *There was widespread danger of disease.* Det var stor fare for sykdommer
▸ **"danger!"** (*on sign*) "fare!"
▸ **in danger** i fare ❑ *A smoky atmosphere may put our lives in danger.* Et røykfylt miljø kan sette våre liv i fare.
▸ **to be in danger of** stå* i fare for
▸ **out of danger** utenfor fare

danger list s ▸ **...he is on the danger list.** ...tilstanden er kritisk for ham.

dangerous ['deɪndʒrəs] ADJ farlig ❑ *It is dangerous to drive with a dirty windscreen.* Det er farlig å kjøre med skitten frontrute. *...a dangerous animal.* ...et farlig dyr.

dangerously ['deɪndʒrəslɪ] ADV farlig ❑ *He drives very dangerously.* Han kjører svært farlig. *She was dangerously close to the fire.* Hun var farlig nær bålet.
▸ **dangerously ill** svært alvorlig syk

danger zone s faresone *m*

dangle ['dæŋgl] 1 VT dingle (*v1*) med ❑ *...dangling the long roll of paper.* ...og dinglet med den lange papirrullen. *...as they dangle their legs in a swimming pool.* ...mens de dingler med beina ned i et svømmebasseng.
2 VI (*earrings, keys+*) dingle (*v1*) ❑ *Huge wooden earrings dangled from her ears.* Store øreringer av tre dinglet i ørene hennes.

Danish ['deɪnɪʃ] 1 ADJ dansk
2 s dansk

Danish pastry s wienerbrød *nt*

dank [dæŋk] ADJ fuktig, rå ❑ *I slept in the dank basement room.* Jeg sov i det fuktige *or* rå kjellerrommet

Danube ['dænjuːb] s ▸ **the Danube** Donau

dapper ['dæpəʳ] ADJ pertentelig

Dardanelles [dɑːdə'nɛlz] ▸ **the Dardanelles** Dardanellene

dare [dɛəʳ] 1 VT ▸ **to dare sb to do** utfordre (*v1*) noen til å gjøre* noe
2 VI ▸ **to dare (to) do sth** tore* (å) gjøre* noe, våge (*v1*) å gjøre* noe ❑ *...no one dared even to whisper.* ...ingen torde *or* våget engang å hviske.
▸ **I daren't tell him** (*BRIT*) jeg tør *or* våger ikke å fortelle ham det.
▸ **I dare say** (– *I suppose*) jeg skulle* tro, jeg antar

daredevil ['dɛədɛvl] s våghals *m*

Dar es Salaam ['dɑːrɛssə'lɑːm] s Dar-es-Salam

daring ['dɛərɪŋ] 1 ADJ (**a**) (= *audacious: escape, raid, person*) dristig, vågal
(**b**) (= *bold: dress, film, speech*) dristig ❑ *He was the most daring of contemporary writers.* Han var den dristigste av samtidens forfattere.
2 s (= *courage*) dristighet *m*

dark [dɑːk] 1 ADJ (**a**) (*gen*) mørk
(**b**) (*colour: blue, green etc*) mørke-
(**c**) (*fig: time, deed, look*) dyster, mørk ❑ *I had some dark looks from the dreaded Williams.* Jeg fikk noen dystre *or* mørke blikk fra den fryktede Williams.
2 s mørke *nt*
▸ **in the dark** i mørket
▸ **to be in the dark about** (*fig*) være* uvitende om, ikke vite* noe om, ikke ane (*v2*) noe om
▸ **after dark** etter at det har blitt mørkt, etter mørkets frembrudd
▸ **it is/is getting dark** det blir mørkt, det mørkner
▸ **dark chocolate** mørk sjokolade

Dark Ages SPL ▸ **the Dark Ages** den mørke middelalder

darken [dɑːkn] 1 VT gjøre* mørkere ❑ *Rub in linseed oil to darken the wood.* Smør på linolje for å gjøre* treet mørkere.
2 VI (*sky+*) formørke (*v1*), mørkne (*v1*)

dark glasses SPL mørke briller *pl*

dark horse s (*fig: in competition*) outsider *m*; (*quiet person*) ukjent størrelse *m*

darkly ['dɑːklɪ] ADV (*hint, say*) dystert

darkness ['dɑːknɪs] s (*of room, night*) mørke *nt*

darkroom ['dɑːkrum] (*FOTO*) s mørkerom *nt*

darling ['dɑːlɪŋ] [1] ADJ (**a**) (*child, spouse*) elskede, kjære
(**b**) (= *lovely, cute : person*) elskelig
(**c**) (*place etc*) yndig
[2] S (**a**) (*vocative : dear*) kjære
(**b**) (*stronger*) elskede ❑ *You're looking absolutely marvellous, darling.* Du ser fantastisk ut, kjære/elskede.
(**c**) (= *kind, helpful person*) knupp *m* ❑ *You're an absolute darling!* Du er en knupp!
(**d**) (= *favourite*) yndling *m* NB *...her darling baby brother.* ...hennes yngre yndlingsbror.
▸ **to be the darling of sb, to be sb's darling** være* noens favoritt

darn [dɑːn] VT stoppe (*v1*)

dart [dɑːt] [1] S (*in game*) pil *c*; (*in sewing*) innsnitt *nt*
[2] VI ▸ **to dart towards** (= *make a dart towards*) styrte (*v1*) mot

dartboard ['dɑːtbɔːd] S pilkastskive *c*

darts [dɑːts] S (*game*) pilspill *nt*, dart(s) *m*

dash [dæʃ] [1] S (**a**) (= *small quantity*) klatt *m*, dash *m* (*var.* dæsj)
(**b**) (*liquid*) skvett *m* ❑ *...a dash of cream.* ...en klatt *or* dash krem.
(**c**) (*in punctuation*) tankestrek *m*
(**d**) (= *rush*) sprang *nt* ❑ *He made a dash for the door.* Han la på sprang mot døra.
[2] VT (**a**) (= *throw*) kaste (*v1*) (voldsomt) ❑ *He suddenly dashed the magazine aside.* Plutselig kastet han avisa tilside.
(**b**) (*+hopes*) knuse (*v2*)
[3] VI ▸ **to dash towards** (= *make a dash towards*) styrte (*v1*) mot, brase (*v2*) mot
▸ **a dash of soda** en skvett soda
▸ **to make a dash for it** legge* beina på nakken

▸ **dash away** VI stikke* av sted

▸ **dash off** [1] VI = **dash away**
[2] VT (*write etc*) rable (*v1*) ned ❑ *His essay seemed to have been dashed off in seconds.* Stilene hans så ut som om de var rablet ned på noen sekunder.

dashboard ['dæʃbɔːd] S dashbord *nt*

dashing ['dæʃɪŋ] ADJ (*person, hat etc*) flott

dastardly ['dæstədlɪ] ADJ (*deed*) feig

DAT FK = **digital audio tape**

data ['deɪtə] SPL data *pl*

database ['deɪtəbeɪs] S database *m*

data capture S inntasting *c*, innskriving *c* på data

data processing S databehandling *m*

data transmission S dataoverføring *m*

date [deɪt] [1] S (**a**) (*day*) dato *m*, tidspunkt *nt* ❑ *No date was announced for the talks.* Det var ikke angitt noen dato *or* noe tidspunkt for møtene.
(**b**) (*with friend*) avtale *m* ❑ *I have a date with Jill.* Jeg har en avtale med Jill.
(**c**) (*fruit*) daddel *m*
[2] VT (**a**) (*+event, object*) tidsbestemme (*v2x*), datere (*v2*)
(**b**) (*+letter*) datere (*v2*) ❑ *The letter was dated September 18.* Brevet var datert 18. september.
(**c**) (*+person*) ha* følge med ❑ *Jenny told them she was dating me.* Jenny fortalte dem at hun hadde følge med meg.
▸ **what's the date today?** hvilken dato er det i dag?
▸ **date of birth** fødselsdato *m*
▸ **to date** (= *until now*) til nå
▸ **out-of-date** (**a**) (= *old-fashioned*) umoderne
(**b**) (= *expired*) over datoen
▸ **up-to-date** (= *modern*) moderne, up-to-date
▸ **to bring up to date** oppdatere (*v2*) ❑ *All these files need to be brought up to date.* Alle disse arkivmappene trenger å oppdateres. *Let me bring you up to date on what has happened.* La meg oppdatere deg på det som har skjedd.. La meg gi* deg en oppdatering på det som har skjedd.

dated ['deɪtɪd] ADJ (*expression, style*) umoderne, gammeldags

dateline ['deɪtlaɪn] (*PRESS*) S *linjen hvor utgivelsesdatoen angis*

date rape S *stevnemøtevoldtekt*

date stamp S datostempel *nt*

dative ['deɪtɪv] S dativ *m*
▸ **in the dative** ....

daub [dɔːb] VT (*+mud, paint*) smøre*, kline (*v2*) til med; (*+wall, face*) kline (*v2*) til NB *The side of the building was daubed with slogans.* Hele siden av bygningen var tilklint med slagord.

daughter ['dɔːtəʳ] S datter *c*

daughter-in-law ['dɔːtərɪnlɔː] S svigerdatter *c*

daunt [dɔːnt] VT skremme (*v2x*) ❑ *He was daunted by...* Han ble skremt av...

daunting ['dɔːntɪŋ] ADJ (*task, prospect*) skremmende

dauntless ['dɔːntlɪs] ADJ uforferdet, ukuelig

dawdle ['dɔːdl] VI daffe (*v1*), somle (*v1*)
▸ **to dawdle over one's work** somle (*v1*) med arbeidet

dawn [dɔːn] [1] S (**a**) (*of day*) daggry *nt*
(**b**) (*of period, situation*) begynnelse *m* ❑ *This marked the dawn of a new era.* Dette markerte begynnelsen på en ny epoke.
[2] VI (*day+*) demre (*v1*), gry (*v4*)
▸ **it dawned on him that...** det demret for ham at..., det gikk opp for ham at...
▸ **from dawn to dusk** fra soloppgang til solnedgang

dawn chorus (*BRIT*) S fuglekvitter *nt* ved daggry

day [deɪ] S (**a**) (*gen*) dag *m* ❑ *Nobody has seen them for days.* Ingen har sett dem på flere dager. *The days and nights are of equal length...* Dagene og nettene er like lange... *He just sits there all day...* Han bare sitter der hele dagen...
(**b**) (= *heyday*) tid *m* ❑ *The day of the silent film has passed.* Stumfilmens tid er forbi.
▸ **the day before/after** dagen før/etter
▸ **the day after tomorrow** i overmorgen, i overimorgen
▸ **the day before yesterday** i forgårs
▸ **the following day** dagen etter(på)
▸ **the day that I...** dagen da jeg...
▸ **day by day** dag etter dag
▸ **by day** om dagen
▸ **to be paid by the day** få* betaling per dag
▸ **to work an 8 hour day** arbeide (*v1*) 8 timers dag
▸ **these days** for tiden, i disse dager

daybook ['deɪbuk] (*BRIT : ADMIN*) S journal *m*, dagbok *m*

dayboy ['deɪbɔɪ] (*SKOL*) S *elev (gutt) på kostskole*

som ikke bor på skolen
daybreak ['deɪbreɪk] s daggry *nt* ❑ *They got up at daybreak.* De sto opp ved daggry.
day-care centre ['deɪkɛə-] s (*for children*) daghjem *nt*; (*for old people*) dagsenter *nt*
daydream ['deɪdri:m] 1 VI dagdrømme (*v2x*)
2 s dagdrøm *m*
daygirl ['deɪgə:l] (*SKOL*) s *elev (jente) på kostskole som ikke bor på skolen*
daylight ['deɪlaɪt] s dagslys *nt* ❑ *It looks different in daylight.* Det ser annerledes ut i dagslys.
daylight robbery (*sl*) s landeveisrøveri *nt*
Daylight Saving Time [deɪlaɪt'seɪvɪŋ-] (*US*) s ≈ sommertid *c*
day release s ▸ **to be on day release** *få* fri fra arbeidet en dag i uka for å gå* på undervisning*
day return (*BRIT*) s (*ticket*) returbillett *m* (som gjelder for samme dag)
day shift s dagskift *nt*
daytime ['deɪtaɪm] s dag *m*, dagtid *c* ❑ *The forests were dark as night even in the daytime.* Skogene var mørke som natten selv om det var dag(tid).
day-to-day ['deɪtə'deɪ] ADJ (*life, organization*) daglig-, daglig ❑ *...the day-to-day life of all human beings.* ...dagliglivet for alle mennesker.
▸ **on a day-to-day basis** for hver dag, daglig
day trip s dagstur *m*
day tripper s *en som tar en dagstur*
daze [deɪz] 1 VT gjøre* fortumlet ❑ *She was dazed by the news.* Hun ble fortumlet av nyhetene. *...dazed by the blow.* ...fortumlet av slaget.
2 s ▸ **in a daze** (= *confused*) fortumlet
dazed [deɪzd] ADJ (*person, expression*) fortumlet
dazzle ['dæzl] VT blende (*v1*) ❑ *She had been dazzled by the performance.* Hun hadde blitt blendet av utførelsen. *...a bright light had suddenly dazzled her.* ...et sterkt lys hadde plutselig blendet henne.
dazzling ['dæzlɪŋ] ADJ blendende ❑ *...the dazzling sun.* ...den blendende sola. *...even more dazzling achievements.* ...enda mer blendende prestasjoner.
DC FK (*US: POST*) (= **direct current**),**District of Columbia**
DD s FK (= **Doctor of Divinity**) ≈ dr.theol.; doktor *m* i teologi
dd. (*MERK*) FK = **delivered**
D/D FK (= **direct debit**) ≈ autogiro *m*
D-day ['di:deɪ] s D-dagen *m*
DDS (*US*) s FK (= **Doctor of Dental Surgery**) ≈ dr.odont.; doktor *m* i odontologi
DDT s FK (= **dichlorodiphenyl trichloroethane**) DDT *nt*
DE (*US: POST*) FK = **Delaware**
DEA (*US*) s FK (= **Drug Enforcement Administration**) *statlig organ som bekjemper narkotikakriminalitet*
deacon ['di:kən] (*REL*) s diakon *m*; (*Church of England*) hjelpeprest *m*
dead [dɛd] 1 ADJ (**a**) (= *not alive: person, etc*) død
(**b**) (= *numb*) nummen, følelsesløs ❑ *My arm's gone dead.* Armen min har blitt helt nummen *or* følelsesløs.
(**c**) (= *not working: telephone*) død
(**d**) (*battery*) flat
(**e**) (= *total, absolute: centre*) absolutt
(**f**) (*silence*) total ❑ *The table was placed in the dead centre of the room.* Bordet ble plassert i rommets absolutte senter.
2 ADV (**a**) (= *completely*) helt ❑ *They were dead against the idea.* De var helt mot ideen.
(**b**) (= *directly, exactly*) nøyaktig, akkurat ❑ *It landed dead in the middle of the pond.* Det landet nøyaktig *or* akkurat i midten av dammen.
3 SPL ▸ **the dead** de døde *decl as adj*
▸ **to shoot sb dead** skyte* noen (*med døden til følge*)
▸ **dead on time** presis
▸ **dead tired** dødstrøtt
▸ **to stop dead** bråstoppe (*v1*)
▸ **the line has gone dead** (**a**) (*TEL: interrupted conversation*) forbindelsen er brutt
(**b**) (*on picking up the receiver*) telefonen *or* linjen er død
dead beat (*sl*) ADJ dødssliten
deaden [dɛdn] VT (*+blow, sound*) dempe; (*+pain*) døyve, dempe
dead end s (*street*) blindvei *m*, blindgate *c*
dead-end ['dɛdɛnd] ADJ ▸ **a dead-end job** en jobb som ikke fører til noe
dead heat s ▸ **to finish in a dead heat** komme i mål i et dødt løp
dead-letter office [dɛd'lɛtə-] s returbrevkontor *nt*
deadline ['dɛdlaɪn] s deadline *m*, (siste) frist *m*, tidsfrist *m*
▸ **to work to a deadline** arbeide (*v1*)med deadline *or* tidsfrist
deadlock ['dɛdlɔk] s fastlåst situasjon *m*, *situasjon som har kjørt seg fast* ❑ *The Government was blamed for the political deadlock.* Regjeringen fikk skylden for at den politiske situasjonen hadde kjørt seg fast.
dead loss (*sl*) s ▸ **to be a dead loss** (*person*) være* ubrukelig, være* håpløs; (*meeting, party etc*) være* håpløs
deadly ['dɛdlɪ] 1 ADJ (**a**) (= *lethal: poison, weapon*) dødelig, dødbringende
(**b**) (*accuracy*) drepende ❑ *...deadly to man.* ...dødelig for mennesker.
(**c**) (= *devastating*) drepende ❑ *She argued with deadly logic.* Hun argumenterte med drepende logikk.
2 ADV ▸ **deadly dull** dødskjedelig, dødsens *or* drepende kjedelig
deadpan ['dɛdpæn] ADJ (*look, tone*) uttrykksløs, utgrunnelig
Dead Sea s ▸ **the Dead Sea** Dødehavet
dead season s lavsesong *m*, utenom sesongen *m def*
deaf [dɛf] ADJ (**a**) (*totally*) døv
(**b**) (*partially*) høselssvekket, hørselshemmet
▸ **to turn a deaf ear to sth** vende (*v2*) det døve øret til noe
deaf-aid ['dɛfeɪd] (*BRIT*) s høreapparat *nt*
deaf-and-dumb ['dɛfən'dʌm] ADJ døvstum
▸ **deaf-and-dumb alphabet** tegnspråkalfabet *nt*
deafen ['dɛfn] VT gjøre* døv ❑ *She was momentarily deafened by the din.* For et øyeblikk ble hun døv av larmen.

deafening ['dɛfnɪŋ] ADJ øredøvende
deaf-mute ['dɛfmju:t] s døvstum *m*
deafness ['dɛfnɪs] s døvhet *m*
deal [di:l] (*pt, pp* **dealt**) 1 s (= *agreement*) avtale *m* ❑ *...the best business deal I ever did.* ...den beste forretningsavtalen jeg noen gang oppnådde.
2 VT (**a**) (*+blow*) tildele (*v2*)
(**b**) (*+card*) gi, dele (*v2*) ut ❑ *He dealt them each six cards.* Han gav *or* delte ut seks kort til hver.
▸ **to strike a deal with sb** komme* fram til en avtale med noen
▸ **it's a deal!** (*sl*) det er avtale!
▸ **he got a fair/bad deal from them** han ble behandlet godt/dårlig av dem, han fikk en god/dårlig avtale med dem
▸ **a good deal** (= *a lot*) en god del
▸ **a great deal (of)** en god del NB *There was a great deal of concern about energy shortages.* Det var en god del bekymring for energimangel.
▶ **deal in** (*MERK*) VT FUS forhandle (*v1*) NB *The shop deals only in trousers.* Butikken forhandler bare bukser.
▶ **deal with** VT FUS (**a**) (*+person : after misdemeanour*) ta* seg av
(**b**) (*have relationship with*) forholde* seg til ❑ *He was not an easy man to deal with.* Han var ingen lett mann å forholde seg til.
(**c**) (*+company*) forhandle (*v1*) med ❑ *I would never deal with that company on principle.* Av prinsipp ville* jeg aldri forhandle med det firmaet.
(**d**) (*+problem*) ta* seg av, forholde* seg til ❑ *They learned to deal with any sort of emergency.* De lærte seg å ta* seg av *or* forholde seg til alle slags kriser.
(**e**) (*+subject*) behandle (*v1*), handle (*v1*) om ❑ *The film deals with a strange encounter between two soldiers.* Filmen behandler *or* handler om et merkelig møte mellom to soldater.
dealer ['di:ləʳ] s (*MERK*) forhandler *m*; (*in drugs*) langer *m*, pusher *m*; (*KORT*) giver *m*
dealership ['di:ləʃɪp] (*MERK*) s (**a**) (= *licence*) *rett til å forhandle en merkevare* ❑ *This shop has the dealership for Britax seatbelts.* Denne butikken er forhandler av *or* for Britax sikkerhetsbelter.
(**b**) (= *business*) forhandler *m* ❑ *One of the dealerships has gone bankrupt.* En av forhandlerne har gått konkurs.
dealings ['di:lɪŋz] SPL (**a**) (= *business*) handling *m* ❑ *He was questioned about his business dealings.* Han ble spurt om handlingene sine i forretningslivet.
(**b**) (= *relations*) befatning *m* ❑ *He insists that Carter's dealings with him have been totally correct.* Han insisterer på at Carters befatning med ham har vært helt korrekt.
dealt [dɛlt] PRET, PP *of* **deal**
dean [di:n] s (*REL*) domprost *m*; (*UNIV*) dekanus *m*
dear [dɪəʳ] 1 ADJ (**a**) (*person*) søt
(**b**) (*friend*) svært god
(**c**) (= *expensive*) dyr
2 s ▸ **(my) dear** (min) kjære
3 INTERJ ▸ **dear me!** kjære vene!
▸ **he's very dear to her** hun holder svært mye av ham, han er svært kjær for henne
▸ **Dear Sir/Madam** Kjære herr/fru/frøken X
▸ **Dear Mr/Mrs X** Kjære herr/fru X
dearly ['dɪəlɪ] ADV (*love*) inderlig; (*pay*) dyrt
dear money s dyre penger *mpl*
dearth [də:θ] s ▸ **a dearth of** en mangel på
death [dɛθ] s (**a**) (*of animal, human*) død *m* ❑ *What was the cause of death?* Hva var dødsårsaken?
(**b**) (*fig*) undergang *m*, død *m* ❑ *...the death of the printed word.* ...det skrevne ords undergang *or* død.
(**c**) (= *fatality*) dødsfall *nt*, dødsoffer *nt* ❑ *The two deaths in the accident...* De to dødsfallene *or* dødsofrene i ulykken...
deathbed ['dɛθbɛd] s ▸ **to be on one's deathbed** ligge* på dødsleie
death certificate s dødsattest *m*
deathly ['dɛθlɪ] 1 ADJ (*silence*) døds- NB *A deathly hush lay in the streets.* Det var dødsstille i gatene.
2 ADV helt, totalt ❑ *Her feet were deathly cold.* Føttene hennes var helt (is)kalde.
▸ **deathly pale** hvit som et laken
death penalty s dødsstraff *m*
death rate s dødelighetsprosent *m*, dødelighet *m*
death row [-rəu] (*US*) s ▸ **on death row** dødsdømt
death sentence s dødsdom *m*
death squad s dødsskvadron *m*
death toll s dødsklokke *c*
death trap s dødsfelle *c*
deb [dɛb] (*sl*) s FK = **debutante**
debacle [deɪ'bɑ:kl] s (**a**) (= *defeat*) nederlag *nt* ❑ *...the British and French debacle at Suez.* ...det britiske og franske nederlaget ved Suez.
(**b**) (= *failure*) fiasko *m* ❑ *...after the debacle of the TV series.* ...etter fiaskoen med tv-serien.
debar [dɪ'bɑ:ʳ] VT ▸ **to debar sb from doing sth** utelukke (*v1*) noen fra å gjøre* noe, hindre (*v1*) noen i å gjøre* noe
▸ **to debar sb from a club** utelukke (*v1*) noen fra en klubb
debase [dɪ'beɪs] VT (**a**) (*+value, quality*) forringe (*v1*)
(**b**) (*+person*) fornedre (*v1*) ❑ *It's absurd for journalists to debase themselves in this way.* Det er absurd for journalister å fornedre seg selv på denne måten.
debatable [dɪ'beɪtəbl] ADJ (*decision, assertion*) diskutabel
▸ **it is debatable whether** det er diskutabelt om
debate [dɪ'beɪt] 1 s debatt *m*
2 VT (**a**) (*+topic*) debattere (*v2*), drøfte (*v1*) ❑ *The meeting debated the motion that...* Møtet debatterte *or* drøftet forslaget om at...
(**b**) (*+course of action*) drøfte (*v1*)
(**c**) (*with oneself*) overveie (*v3*), vurdere (*v2*) ❑ *While I was debating what to do...* Mens jeg overveide *or* vurderte hva jeg skulle* gjøre...
▸ **to debate whether** diskutere (*v2*) om, drøfte (*v1*) om; (*with oneself*) vurdere (*v2*) om, overveie (*v3*) om
debauchery [dɪ'bɔ:tʃərɪ] s (= *drunkenness, promiscuity*) utesvevelser *pl*, utskeielser *pl*
debenture [dɪ'bɛntʃəʳ] s *langsiktig obligasjon med fast rente*
debilitate [dɪ'bɪlɪteɪt] VT svekke (*v1*)
debilitating [dɪ'bɪlɪteɪtɪŋ] ADJ (*illness etc*) svekkende

debit ['dɛbɪt] 1 s debet *m*
2 VT ▸ **to debit a sum to sb** føre (*v2*) over en sum til noen
▸ **to debit a sum to sb's account** debitere (*v2*) en sum på noens konto, føre (*v2*) over en sum på noens konto
see also **direct**
debit balance s debetbalanse *m*
debit note s debetnota *m*
debonair [dɛbə'nɛəʳ] ADJ beleven, gentlemannsaktig
debrief [diː'briːf] VT spørre* ut (etter et oppdrag), avhøre (*v2*) (etter et oppdrag)
debriefing [diː'briːfɪŋ] s utspørring *c*, avhøring *c*
debris ['dɛbriː] s (= *rubble*) rester *pl*; (= *mess: of meal etc*) rester *pl*, søl *nt*; (*things lying about*) rot *nt*
debt [dɛt] s gjeld *c* ❏ *You must spend less until your debts are paid off.* Du må bruke mindre penger helt til gjelden er betalt. *Scott's novels were written to get him out of debt.* Scotts romaner ble skrevet for betale gjelden hans.
▸ **to be in debt** ha* gjeld, skylde (*v2*) penger
▸ **bad debt** uerholdelige fordringer *cpl*
debt collector s inkassator *m*
debtor ['dɛtəʳ] s debitor *m*
debug ['diː'bʌg] (*DATA*) VT fjerne (*v1*) feil i *or* ved, avluse (*v2*)
debunk [diː'bʌŋk] VT (**a**) (+*myths, ideas*) avsløre (*v2*), detronisere (*v2*)
(**b**) (+*claim*) avsløre (*v2*)
(**c**) (+*person, institution*) detronisere (*v2*) ❏ *People can criticise Christianity but never debunk it.* Folk kan kritisere kristendommen, men aldri detronisere den.
debut ['deɪbjuː] s debut *m*
debutante ['dɛbjutænt] s *ung kvinne som debuterer i selskapslivet i høyere sosiale lag*
Dec. FK = **December**
decade ['dɛkeɪd] s tiår *nt*
decadence ['dɛkədəns] s (*moral, spiritual*) dekadanse *m*
decadent ['dɛkədənt] ADJ dekadent
decaff ['diːkæf] (*sl*) s koffeinfri kaffe *m*
decaffeinated [dɪ'kæfɪneɪtɪd] ADJ koffeinfri
decamp [dɪ'kæmp] (*sl*) VI stikke* av
decant [dɪ'kænt] VT dekantere (*v2*), helle (*v2x*) over
decanter [dɪ'kæntəʳ] s karaffel *m*
decarbonize [diː'kɑːbənaɪz] (*BIL*) VT fjerne (*v1*) sot fra
decathlon [dɪ'kæθlən] s tikamp *m*
decay [dɪ'keɪ] 1 s (**a**) (*of building*) forfall *nt*
(**b**) (*of tooth*) råte *m* NB *Dental decay in children...* Tannråte hos barn...
2 VI (**a**) (= *rot: body, leaves, teeth etc*) råtne (*v1*)
(**b**) (*fig: society etc*) forfalle* ❏ *The human world could only decay in the course of time.* Den menneskelige verden var dømt til å forfalle i tidens løp.
decease [dɪ'siːs] (*JUR*) s ▸ **upon your decease** ved Deres død *m*
deceased [dɪ'siːst] s ▸ **the deceased** (den) avdøde *decl as adj*
deceit [dɪ'siːt] s bedrageri *nt*, utroskap *nt*
deceitful [dɪ'siːtful] ADJ bedragersk, svikefull
deceive [dɪ'siːv] VT lure (*v2*), narre (*v1*) NB *She deceived me into coming here.* Hun lurte *or* narret meg til å komme hit.
▸ **to deceive o.s.** lure (*v2*) seg selv ❏ *They try to deceive themselves that everything is all right.* De prøvde å lure seg selv til å tro at alt er i orden.
decelerate [diː'sɛləreɪt] VI saktne (*v1*) farten
December [dɪ'sɛmbəʳ] s desember *see also* **July**
decency ['diːsənsɪ] s (**a**) (= *propriety*) anstendighet *m* ❏ *They tried to restore some sense of decency.* De prøvde å gjeninnføre en anstendighetsfølelse.
(**b**) (= *kindness*) vennlighet *m* ❏ *They were full of kindness and decency to each other.* De var snille og greie *or* reale mot hverandre.
decent ['diːsənt] ADJ (**a**) (= *proper: wages, English, night's rest*) skikkelig, ordentlig
(**b**) (*interval, behaviour*) passende ❏ *...as soon as a decent amount of time had elapsed.* ...så snart det hadde gått passe lang tid.
(**c**) (= *kind, honest: person*) skikkelig, ordentlig ❏ *You have the support of all decent people.* Du har støtte fra alle skikkelige *or* ordentlige mennesker.
▸ **to do the decent thing** gjøre* det riktige
▸ **they were very decent about it** det tok det på en grei *or* real måte
▸ **that was very decent of him** det var realt (gjort) av ham *or* fint gjort av ham
▸ **are you decent?** (= *dressed*) er du påkledd?
decently ['diːsəntlɪ] ADV (**a**) (= *respectably*) anstendig ❏ *They only want the chance to live their lives decently.* De ønsker bare å få* sjansen til å leve anstendig.
(**b**) (= *kindly*) skikkelig, ordentlig
decentralization ['diːsɛntrəlaɪ'zeɪʃən] s desentralisering *m*
decentralize [diː'sɛntrəlaɪz] VT desentralisere (*v2*)
deception [dɪ'sɛpʃən] s lureri *nt*, bedrag *nt* ❏ *He admitted obtaining the drugs by deception.* Han innrømte å ha* fått tak i medisinene ved å narre noen *or* lure noen *or* ved hjelp av lureri *or* bedrag. *You must forgive my little deception.* Du må tilgi meg mitt lille lureri *or* mitt lille bedrageri.
deceptive [dɪ'sɛptɪv] ADJ villedende
decibel ['dɛsɪbɛl] s desibel *m*
decide [dɪ'saɪd] 1 VT (**a**) (= *persuade: person*) få* til å bestemme seg NB *It was this which finally decided me to...* Det var dette som til slutt fikk meg til å bestemme meg for å...
(**b**) (= *settle: question, argument*) avgjøre*, bestemme (*v2x*) ❏ *The case is to be decided by the International Court.* Saken vil bli* avgjort *or* bestemt av Den internasjonale domstol.
2 VI bestemme (*v2x*) seg
▸ **to decide to do, to decide on doing** bestemme (*v2x*) seg for *or* beslutte (*v1*) å gjøre ❏ *What made you decide to get married?* Hva fikk deg til å bestemme deg for å gifte deg?, Hva fikk deg til å beslutte å gifte deg?
▸ **to decide that** bestemme (*v2x*) *or* beslutte (*v1*) at
▸ **to decide on sth** (= *choose sth*) bestemme (*v2x*) seg for noe

▸ **to decide against doing sth** bestemme (*v2x*) seg for ikke å gjøre* noe, beslutte (*v1*) å ikke gjøre* noe

decided [dɪ'saɪdɪd] ADJ (**a**) (= *resolute: character, views, opinion*) bestemt ❑ *She has very decided views on abortion.* Hun har svært bestemte meninger om abort.
(**b**) (= *clear, definite: dangers, improvement*) klar, avgjort ❑ *...their plan held very decided dangers.* ...planen deres innebar helt klare *or* avgjorte farer.

decidedly [dɪ'saɪdɪdlɪ] ADV (**a**) (= *distinctly*) utpreget, absolutt ❑ *The men looked decidedly uncomfortable.* Mennene så utpreget *or* absolutt ukomfortable ut.
(**b**) (= *emphatically: act, reply*) bestemt ❑ *"It's time things changed," she said decidedly.* "Det er på tide å forandre på ting," sa han bestemt.

deciding [dɪ'saɪdɪŋ] ADJ avgjørende ❑ *The deciding factor...* Den avgjørende faktoren...

deciduous [dɪ'sɪdjuəs] ADJ som feller løv

decimal ['dɛsɪməl] 1 ADJ (*system, currency*) desimal-
2 S (*fraction*) desimal *m*
▸ **to three decimal places** med tre desimaler

decimalize ['dɛsɪməlaɪz] (*BRIT*) VI gå* over til desimalsystem

decimal point S desimaltegn *nt*

decimate ['dɛsɪmeɪt] VT desimere (*v2*), redusere (*v2*) (sterkt)

decipher [dɪ'saɪfə^r] VT dechiffrere (*v2*), tyde (*v1*)

decision [dɪ'sɪʒən] S (**a**) (= *choice*) beslutning *m*, avgjørelse *m* ❑ *The government announced its decision.* Regjeringen bekjentgjorde sin beslutning *or* avgjørelse. *...the moment of decision.* ...det avgjørende øyeblikket.
(**b**) (= *decisiveness*) bestemthet *m*, beslutsomhet *m* ❑ *He pulled on his coat with decision.* Han tok på seg frakken med bestemthet *or* beslutsomhet.
▸ **to make a decision** ta* en avgjørelse *or* beslutning

decisive [dɪ'saɪsɪv] ADJ (**a**) (*action, intervention*) avgjørende ❑ *The government fought two decisive battles against the union.* Regjeringen kjempet to avgjørende slag mot fagforeningen.
(**b**) (*person*) bestemt, beslutsom ❑ *He isn't decisive enough to be a good leader.* Han er ikke bestemt *or* beslutsom nok til å bli* en god leder.
(**c**) (*manner, reply*) bestemt ❑ *...his decisive voice of command.* ...hans bestemte, kommanderende stemme. *His answer was decisive.* Svaret hans var bestemt.

deck [dɛk] S (**a**) (*NAUT*) dekk *nt*
(**b**) (*of bus*) etasje *m* ❑ *They sat on the top deck.* De satte seg i øverste etasje.
(**c**) (*also* ***record deck***) spiller *m*
(**d**) (*of cards*) kortstokk *m* ❑ *He took out his deck of cards and shuffled them.* Han tok fram kortstokken og stokket kortene.
▸ **to go up on deck** gå* opp på dekk
▸ **below deck** under dekk
▸ **cassette deck** kassettspiller *m*

deckchair ['dɛktʃɛə^r] S liggestol *m*

deckhand ['dɛkhænd] S dekksgutt *m*, dekksmannskap *nt* (*collective*)

declaration [dɛklə'reɪʃən] S (**a**) (= *statement*) erklæring *m* ❑ *...her declaration of love.* ...kjærlighetserklæringen hennes.
(**b**) (= *public announcement*) kunngjøring *m*, erklæring *m* ❑ *...formal declarations of war.* ...formelle krigserklæringer.

declare [dɪ'klɛə^r] VT (**a**) (*+truth, intention, result*) erklære (*v2*), kunngjøre* ❑ *They declared that they would never steal again.* De erklærte *or* kunngjorde at de aldri ville* stjele igjen.
(**b**) (= *reveal: income etc*) deklarere (*v2*)
(**c**) (*+goods at customs*) deklarere (*v2*), fortolle (*v1*) ❑ *Have you anything to declare?* Har du noe å deklarere *or* fortolle?

declassify [diː'klæsɪfaɪ] VT (*+information, document*) frigi*, gjøre* tilgjengelig ❑ *Most cabinet papers are declassified after thirty years.* De fleste regjeringspapirene blir frigitt etter tredve år.

decline [dɪ'klaɪn] 1 S ▸ **a decline in/of** en nedgang i, tilbakegang i ❑ *There is a discernible decline in confidence.* Det er en merkbar nedgang *or* tilbakegang i tillit.
2 VT (= *turn down: invitation*) avslå*
3 VI (*health, market+*) gå* nedover ❑ *Her health declined rapidly...* Det gikk raskt nedover med helsa hennes... *when the market begins to decline.* ...når markedet begynner å gå* nedover.
▸ **to be on the decline** være* i nedgang, være* på tilbakegang
▸ **to fall into decline** komme* inn i nedgangstider
▸ **a decline in living standards** en nedgang i levestandard

declutch ['diː'klʌtʃ] VI trå* inn kløtsjen

decode ['diː'kəud] VT dekode (*v1*)

decoder [diː'kəudə^r] S dekoder *m*

decompose [diːkəm'pəuz] VI råtne (*v1*), dekomponere (*v2*)

decomposition [diːkɔmpə'zɪʃən] S forråtnelse *m*, dekomposisjon *m*

decompression [diːkəm'prɛʃən] S dekompresjon *m*

decompression chamber S dekompresjonskammer *nt*

decongestant [diːkən'dʒɛstənt] S slimløsende middel *nt* (*for luftveiene ved forkjølelse*)

decontaminate [diːkən'tæmɪneɪt] VT dekontaminere (*v2*), rense (*v1*) (*for gass, radioaktivitet, bakterier etc*)

decontrol [diːkən'trəul] 1 VT oppheve (*v1*) kontrollen med
2 S oppheving *c* av kontroll ❑ *Price decontrol can decrease market supplies...* Oppheving av priskontroll kan senke tilgangen på varer på markedet...

decor ['deɪkɔː^r] S interiør *nt* ❑ *...an example of eighteenth-century decor.* ...et eksempel på interiør fra 1800-tallet.

decorate ['dɛkəreɪt] VT (**a**) (= *adorn*) ▸ **to decorate (with)** dekorere (*v2*) (med)
(**b**) (= *paint and paper*) pusse (*v1*) opp ❑ *...a newly decorated room.* ...et nyoppusset rom.

decoration [dɛkə'reɪʃən] S (**a**) (*on tree etc*) dekorasjon *m*, pynt *m* ❑ *They put Christmas decorations up...* De satte opp juledekorasjoner

or julepynt...
(**b**) (*on dress*) pynt *m*, utsmykning *m*
(**c**) (*of room etc*) interiør *nt* ❑ ***Her house had the style of decoration typical of the 1920s.*** Huset hennes hadde den interiørstilen som var typisk for 1920-tallet.
(**d**) (= *medal*) orden *m*

decorative ['dɛkərətɪv] ADJ dekorativ

decorator ['dɛkəreɪtəʳ] s (= *painter*) (interiør)maler *m*

decorum [dɪ'kɔːrəm] s sømmelighet *m*

decoy ['diːkɔɪ] s (*person, object*) lokkedue *c*

decrease [*N* 'diːkriːs, *VB* diː'kriːs] 1 s ▸ **decrease (in)** reduksjon *m* (i), nedgang *m* (i) ❑ ***The decrease in size was gradual.*** Reduksjonen i størrelse var gradvis.
2 VT redusere (*v2*), senke (*v1*)
3 VI gå* ned, avta* ❑ ***...the number of marriages has decreased.*** ...tallet på ekteskap har gått ned *or* avtatt.
▸ **to be on the decrease** være* i nedgang

decreasing [diː'kriːsɪŋ] ADJ nedadgående, avtagende (*var*: avtakende)

decree [dɪ'kriː] 1 s (*ADMIN, JUR*) dekret *nt*, forordning *m*; (*POL, REL*) rådslutning *m*
2 VT ▸ **to decree (that)** bestemme (*v2x*) (at)

decree absolute s skilsmissebevilling *m*

decree nisi [-'naɪsaɪ] s foreløpig skilsmissedom *m*

decrepit [dɪ'krɛpɪt] ADJ (*shack*) falleferdig, skrøpelig; (*person*) skrøpelig, avfeldig

decry [dɪ'kraɪ] VT (*+idea, suggestion, behaviour*) fordømme (*v2x*), nedvurdere (*v2*)

dedicate ['dɛdɪkeɪt] VT ▸ **to dedicate to** (**a**) (*+o.s., time*) vie (*v1*) til ❑ ***She dedicated herself to the anti-nuclear movement.*** Hun viet seg til nei-til-atomvåpen-bevegelsen.
(**b**) (*+book, record*) dedisere (*v2*), tilegne (*v1*) ❑ ***She dedicated her first book to her sister.*** Hun dediserte *or* tilegnet sin første bok til søsteren.

dedicated ['dɛdɪkeɪtɪd] ADJ (**a**) (*person*) trofast
(**b**) (*DATA*) dedisert
▸ **dedicated word processor** dedisert tekstbehandler

dedication [dɛdɪ'keɪʃən] s (**a**) (= *devotion*) trofasthet *m* (mot en sak) ❑ ***I admired her dedication.*** Jeg beundret trofastheten hennes mot saken *or* det at hun var så trofast mot saken.
(**b**) (*in book*) dedikasjon *m*, tilegnelse *m*
(**c**) (*on radio*) ▸ **the DJ played a dedication for her...** plateprateren spilte en hilsen til henne...

deduce [dɪ'djuːs] VT ▸ **to deduce (that)** slutte (*v1*) (at)

deduct [dɪ'dʌkt] VT (= *subtract*) ▸ **to deduct sth (from)** trekke* noe (fra) ❑ ***Tax will be deducted automatically from your wages.*** Skatt vil bli* trukket fra lønnen automatisk.

deduction [dɪ'dʌkʃən] s (**a**) (= *deducing*) deduksjon *m*, utledning *m*
(**b**) (= *deducting, amount*) fradrag *nt* ❑ ***...deduction of interest.*** ...rentefradraget. ***...tax and national insurance deductions.*** ...fradrag for skatt og folketrygd.

deed [diːd] s (**a**) (= *feat*) bedrift *m*, dåd *m* ❑ ***He talked to her of the brave deeds his son would do.*** Han snakket med henne om de modige bedriftene sønnen hans ville* utføre.
(**b**) (*JUR: document*) skjøte *nt*
▸ **deed of covenant** (*BRIT*) *erklæring om å betale bidrag som gir rett til skattefradrag*

deem [diːm] (*fml*) VT anse* for, holde* for å være ❑ ***I hoped that my work would be deemed worthy.*** Jeg håpet at arbeidet mitt ville* blitt ansett for *or* holdt for å være* verdig.
▸ **to deem it wise to do** anse* det *or* holde* det for å være* klokt å gjøre

deep [diːp] 1 ADJ (**a**) (*gen*) dyp ❑ ***The sea is not very deep there.*** Sjøen er ikke særlig dyp der. ***The shelf is 30 cm deep.*** Hyllen er 30 cm dyp. ***He sang this in a deep voice.*** Han sang dette med dyp stemme. ***I have no deep thoughts, no profound philosophy.*** Jeg har ingen dype tanker, ingen dypsindig filosofi.
(**b**) (*sleep*) dyp, tung ❑ ***I awoke from a deep sleep.*** Jeg våknet fra en dyp *or* tung søvn.
(**c**) (= *serious: trouble, concern*) stor, dyp ❑ ***Frank was still in deep financial trouble.*** Frank hadde fortsatt store *or* dype økonomiske vansker.
(**d**) (*colour*) dyp- ❑ ***He had deep blue eyes.*** Han hadde dypblå øyne.
2 ADV ▸ **the spectators stood 20 deep** tilskuerne stod 20 i bredden
▸ **he took a deep breath** han trakk pusten dypt
▸ **in deepest sympathy** min/vår dypeste sympati *or* medfølelse ❑ ***Our hearts go out to you in deepest sympathy.*** Vi tenker på deg med den dypeste sympati.
▸ **knee-deep in water** med vann til knærne, i vann til knes
▸ **deep down** innerst inne

deepen ['diːpn] 1 VT (*+hole, canal etc*) gjøre* dypere
2 VI (*crisis+*) forverre (*v1*) seg, bli* verre; (*mystery+*) bli* større

deep freeze s fryseboks *m*, dypfryser *m*

deep-fry ['diːp'fraɪ] VT frityrsteke (*v2*)

deeply ['diːplɪ] ADV (**a**) (*breathe*) dypt
(**b**) (*interested, moved, grateful*) svært, meget ❑ ***...deeply religious people.*** ...svært *or* meget religiøse mennesker.
(**c**) (*sleep*) dypt

deep-rooted ['diːp'ruːtɪd] ADJ (*prejudice, desire*) rotfestet, inngrodd; (*habit*) inngrodd

deep-sea ['diːp'siː] ADJ (*diver, diving, fishing*) dypvanns-, hav-

deep-seated ['diːp'siːtɪd] ADJ som ligger dypt, inngrodd, rotfestet

deep-set ['diːpsɛt] ADJ (*eyes*) dyptliggende

deer [dɪəʳ] hjort *m*
▸ **red deer** kronhjort *m*
▸ **roe deer** rådyr *nt*
▸ **fallow deer** dådyr *nt*

deerskin ['dɪəskɪn] s hjorteskinn *nt*

deerstalker ['dɪəstɔːkəʳ] s (*hat*) jaktlue *m*

deface [dɪ'feɪs] VT (*+wall, notice*) grise (*v1*) til, svine (*v2*) til

defamation [dɛfə'meɪʃən] s ærekrenkelse *m*, injurie *m* ❑ ***...he would sue for defamation of character.*** ...han ville* saksøke for ærekrenkelse *or* injurie.

defamatory [dɪ'fæmətrɪ] ADJ (*speech, article*)

ærekrenkende, injurierende
default [dɪˈfɔːlt] 1 S ▸ **default (value)** normalverdi *m*
2 VI ▸ **to default on a debt** misligholde (*v1*) et lån
▸ **by default** (*win*) på walkover, uten motstand
defaulter [dɪˈfɔːltəʳ] S (*on debt*) en som misligholder
default option (*DATA*) S standardbetingelse *m*, standardvilkår *nt*
defeat [dɪˈfiːt] 1 S nederlag *nt* ❑ *...the defeat of the navy.* ...marinens nederlag. *These defeats came as a particular setback...* Disse nederlagene kom som et spesielt tilbakeslag...
2 VT (*+enemy, opposition*) beseire (*v1*), vinne* over, overvinne*
defeatism [dɪˈfiːtɪzəm] S defaitisme *m*, nederlagsorientering *c*
defeatist [dɪˈfiːtɪst] 1 ADJ (*attitude, mood*) defaitistisk, selvoppgivende
2 S defaitist *m*
defecate [ˈdɛfəkeɪt] VI ha* avføring
defect [*N* ˈdiːfɛkt, *VB* dɪˈfɛkt] 1 S feil *m*, mangel *m*
2 VI ▸ **to defect to** (**a**) (*+enemy*) gå* over til (**b**) (*+West*) hoppe (*v1*) over til
▸ **physical defect** skavank *m*
▸ **mental defect** åndssvakhet *m*
defective [dɪˈfɛktɪv] ADJ (*goods*) defekt, mangelfull
defector [dɪˈfɛktəʳ] S avhopper *m*
defence [dɪˈfɛns], **defense** (*US*) S forsvar *nt* ❑ *They carried sticks for defence.* De hadde stokker til forsvar. *...a defence of monetary policy.* ...et forsvarsskrift for pengepolitikken.
▸ **to come to sb's defence** ta* noen i forsvar
▸ **in defence of** i/til forsvar for
▸ **witness for the defence** (*JUR*) vitne for den saksøkte
▸ **the Ministry of Defence,** *(US)* **the Department of Defense** Forsvarsdepartementet
defenceless [dɪˈfɛnslɪs] ADJ forsvarsløs
defend [dɪˈfɛnd] VT (*gen, LAW, SPORT*) forsvare (*v2*) ❑ *I am capable of defending myself.* Jeg er i stand til å forsvare meg selv. *You're defending the wrong cause...* Du forsvarer feil formål... *That point of view will be hard to defend.* Det synspunktet vil bli* vanskelig å forsvare. *He had lawyers to defend him.* Han hadde advokater til å forsvare seg. *McGuigan defended his title in Dublin.* McGuigan forsvarte tittelen sin i Dublin.
defendant [dɪˈfɛndənt] (*JUR*) S ▸ **the defendant** (*in criminal case*) den anklagede *decl as adj*; (*in civil case*) den saksøkte *decl as adj*
defender [dɪˈfɛndəʳ] S (*gen, SPORT*) forsvarer *m* ❑ *They were staunch defenders of social democracy.* De var trofaste forsvarere av sosialdemokrati. *...attackers or defenders.* ...angripere eller forsvarere.
defending champion S *en som forsvarer tittelen*
defending counsel S forsvarer *m*
defense [dɪˈfɛns] (*US*) S = **defence**
defensive [dɪˈfɛnsɪv] 1 ADJ (**a**) (*weapons, measures*) defensiv, forsvars-
(**b**) (*behaviour, manner*) defensiv, tilbakeholden ❑ *...very defensive about their masculinity.* ...på defensiven *or* tilbakeholdne med maskuliniteten sin.
2 S ▸ **on the defensive** på defensiven
defer [dɪˈfəːʳ] VT utsette* ❑ *The company will defer payment...* Firmaet vil utsette betalingen...
deference [ˈdɛfərəns] S aktelse *m*, respekt *m*
▸ **out of** *or* **in deference to** av respekt for
deferential [dɛfəˈrɛnʃəl] ADJ ærbødig
defiance [dɪˈfaɪəns] S trass *m*
▸ **in defiance of** trass i, på tross av ❑ *The houses were erected in defiance of all building regulations.* Husene ble reist trass i *or* på tross av bygningsbestemmelsene.
defiant [dɪˈfaɪənt] ADJ (*tone, reply, person*) trassig
defiantly [dɪˈfaɪəntlɪ] ADV (*say, announce*) trassig
deficiency [dɪˈfɪʃənsɪ] S (**a**) (= *lack*) mangel *m*, underskudd *nt* ❑ *...deficiencies in personnel and equipment.* ...mangel *or* underskudd på personell og utstyr.
(**b**) (= *inadequacy*) mangelfullhet *m*, ufullkommenhet *m* ❑ *The deficiency of the answers...* Mangelfullheten *or* ufullkommenheten i svarene...
(**c**) (*MERK*) underskudd *nt*
deficiency disease S mangelsykdom *m*
deficient [dɪˈfɪʃənt] ADJ mangelfull, utilstrekkelig ❑ *...increasingly deficient public services.* ...mer og mer mangelfulle *or* utilstrekkelige offentlige tjenester.
▸ **to be deficient in** (= *lacking*) mangle (*v1*) ❑ *Many old people are deficient in vitamin C.* Mange gamle mennesker mangler C-vitaminer.
deficit [ˈdɛfɪsɪt] S underskudd *nt* NB *...a deficit of six million pounds.* ...et underskudd på seks millioner pund.
defile [*VB* dɪˈfaɪl, *N* ˈdiːfaɪl] 1 VT (*+memory, statue etc*) skitne (*v1*) til
2 S innsnevring *m*
define [dɪˈfaɪn] VT (*gen*) definere (*v2*) ❑ *The boundaries were strictly defined.* Grensene var klart definert. *Can you define "thought"?* Kan du definere "tanke"?
definite [ˈdɛfɪnɪt] ADJ (**a**) (= *fixed*) bestemt ❑ *They have very definite views on this topic.* De har svært bestemte syn på dette området.
(**b**) (= *clear, obvious*) klar ❑ *I had a definite advantage.* Jeg hadde en klar fordel.
(**c**) (= *certain*) definitiv, helt sikker ❑ *You're arriving tomorrow? Is that definite?* Du kommer i morgen? Er det definitivt *or* helt sikkert?
▸ **he was definite about it** han var helt bestemt i den saken
definite article S bestemt artikkel *m*
definitely [ˈdɛfɪnɪtlɪ] ADV definitivt, bestemt
definition [dɛfɪˈnɪʃən] S (**a**) (*of word*) definisjon *m* ❑ *There is no clear definition of schizophrenia.* Det finnes ikke noen klar definisjon av schizofreni.
(**b**) (= *clearness: of photograph etc*) skarphet *m* ❑ *The picture lacks definition.* Bildet er ikke helt skarpt.
definitive [dɪˈfɪnɪtɪv] ADJ (*account, version*) definitiv, endelig
deflate [diːˈfleɪt] VT (*+tyre, balloon*) slippe* luften ut av; (*fig: person*) jekke (*v1*) ned; (*ØKON*) deflatere (*v2*)
deflation [diːˈfleɪʃən] S deflasjon *m*

deflationary [diːˈfleɪʃənrɪ] ADJ deflatorisk ❏ *...a mildly deflationary budget.* ...et mildt deflatorisk budsjett.

deflect [dɪˈflɛkt] VT (**a**) (= *fend off: attention, criticism*) avlede (*v1*)
(**b**) (= *divert: shot, light*) forandre (*v1*) retningen på ❏ *Our goalie deflected their shot.* Målmannen vår forandret retningen på skuddet

defog [ˈdiːˈfɔg] (*US: BIL*) VT fjerne (*v1*) kondensen fra

defogger [ˈdiːˈfɔgəʳ] (*US: BIL*) s vifte *m*, defroster *m*

deform [dɪˈfɔːm] VT deformere (*v2*)

deformed [dɪˈfɔːmd] ADJ deformert

deformity [dɪˈfɔːmɪtɪ] s (**a**) (= *condition*) vanskapthet *m*, misdannelser *pl* ❏ *Many cases of deformity and death occurred among the villagers.* Vanskapthet *or* misdannelser og død var vanlig blant landsbyboerne.
(**b**) (= *distorted part*) misdannelse *m*, skavank *m* ❏ *Any deformities frightened her.* Hun ble skremt av alle slags misdannelser *or* skavanker.

defraud [dɪˈfrɔːd] VT ▸ **to defraud sb (of sth)** bedra* noen (for noe)

defray [dɪˈfreɪ] VT ▸ **to defray sb's expenses** refundere (*v2*) noens utgifter

defrost [diːˈfrɔst] VT (*+fridge*) tine (*v2*) av; (*+food*) tine (*v2*)

defroster [diːˈfrɔstəʳ] (*US*) s = **demister**

deft [dɛft] ADJ (*movement, hands*) rask og presis

defunct [dɪˈfʌŋkt] ADJ (*industry, organization*) (som har blitt) nedlagt

defuse [diːˈfjuːz] VT (*+bomb*) uskadeliggjøre*, desarmere (*v2*); (*fig: crisis, tension, situation*) avdramatisere (*v2*), nøytralisere (*v2*)

defy [dɪˈfaɪ] VT (**a**) (*+person*) sette* seg opp mot, trosse (*v1*)
(**b**) (*+order*) sette* seg opp mot
(**c**) (*fig: description, explanation*) gjøre* umulig ❏ *...it defied comprehension.* ...det var umulig å fatte.

degenerate [*VB* dɪˈdʒɛnəreɪt, *ADJ* dɪˈdʒɛnərɪt] 1 VI (*condition, health+*) degenerere (*v2*), utarte (*v1*) seg
2 ADJ (= *depraved*) degenerert, vanslektet

degradation [dɛgrəˈdeɪʃən] s fornedrelse *m*

degrade [dɪˈgreɪd] VT (**a**) (*+person*) fornedre (*v1*), nedverdige (*v1*) ❏ *...films that degrade women.* ...filmer som fornedrer kvinner.
(**b**) (= *worsen*) forringe (*v1*) ❏ *Industrial expansion must necessarily degrade the planet.* Utbygging av industrien må nødvendigvis forringe planeten.

degrading [dɪˈgreɪdɪŋ] ADJ (*conduct, activity*) nedverdigende

degree [dɪˈgriː] s (*gen, SCOL*) grad *m* ❏ *...23 degrees centigrade.* ...23 grader Celsius. *I did my first degree at the University of Ohio.* Jeg tok lavere grad ved University of Ohio.
▸ **10 degrees below (zero)** 10 minusgrader
▸ **a considerable degree of risk** (en) høy *or* stor grad av risiko
▸ **it's just/all a matter of degree** det er bare en gradsforskjell *or* en nyanseforskjell
▸ **a degree in maths** en grad i matematikk
▸ **by degrees** (= *gradually*) gradvis
▸ **to some degree, to a certain degree** til en viss grad, i noen grad

dehydrated [diːhaɪˈdreɪtɪd] ADJ (*MED*) dehydrert
▸ **dehydrated milk** tørrmelk *c*
▸ **dehydrated eggs** eggepulver *nt*

dehydration [diːhaɪˈdreɪʃən] (*MED*) s dehydrering *m*

de-ice [ˈdiːˈaɪs] VT (*+windscreen*) avise (*v1*)

de-icer [ˈdiːˈaɪsəʳ] s aviser *m*, frosthindrer *m*

deign [deɪn] VI ▸ **to deign to do** nedlate* seg til å gjøre ❏ *Occasionally I would deign to read one of her ridiculous editorials.* Av og til nedlot jeg meg til å lese en av de tåpelige lederartiklene hennes.

deity [ˈdiːɪtɪ] s guddom *m*

déjà vu [deɪʒɑːˈvuː] s *følelse av å ha* opplevd det samme før* ❏ *I had a sense of déjà vu....* Jeg hadde en følelse av å ha* opplevd det samme før...

dejected [dɪˈdʒɛktɪd] ADJ nedslått

dejection [dɪˈdʒɛkʃən] s nedslåtthet *m*

del. FK = **delete**

delay [dɪˈleɪ] 1 VT (**a**) (*+decision, ceremony, changes etc*) utsette*
(**b**) (*+person, plane, train*) forsinke (*v1*)
2 VI (= *linger, hesitate*) nøle (*v2*), somle (*v1*) ❏ *Don't delay too long.* Ikke nøl *or* somle for lenge
3 s (= *waiting period, postponement*) utsettelse *m* ❏ *...a delay in introducing the new law.* ...en utsettelse med å innføre den nye loven. *This interruption caused delay.* Avbrytelsen forårsaket en utsettelse forsinkelse.
▸ **to be delayed** (*person, flight, departure etc+*) være* forsinket
▸ **without delay** uten forsinkelse

delayed-action [dɪˈleɪdˈækʃən] ADJ (*mechanism, bomb*) tidsinnstilt

delectable [dɪˈlɛktəbl] ADJ (**a**) (*person*) deilig ❏ *...the delectable Miss Clarke.* ...den deilige frøken Clarke.
(**b**) (*food*) deilig, utsøkt

delegate [*N* ˈdɛlɪgɪt, *VB* ˈdɛlɪgeɪt] 1 s delegert *m*, representant *m*
2 VT (**a**) (*+person*) delegere (*v2*), overlate*
(**b**) (*+task*) delegere (*v2*) ❏ *I delegate all household tasks.* Jeg delegerer alle oppgaver i hjemmet.
▸ **to delegate sth to sb** delegere (*v2*) *or* overlate* noe til noen
▸ **to delegate sb to do sth** delegere *or* overlate til noen å gjøre* noe

delegation [dɛlɪˈgeɪʃən] s (**a**) (= *group*) delegasjon *m* ❏ *...a delegation from the British Isles.* ...en delegasjon fra De britiske øyer.
(**b**) (*by manager, leader*) delegering *m* ❏ *...the delegation of responsibility.* ...delegering av ansvar.

delete [dɪˈliːt] VT (= *cross out*) stryke* ut; (*DATA*) slette (*v1*)

Delhi [ˈdɛlɪ] s Delhi

deli [ˈdɛlɪ] s delikatesseforretning *m*

deliberate [*ADJ* dɪˈlɪbərɪt, *VB* dɪˈlɪbəreɪt] 1 ADJ (**a**) (= *intentional*) bevisst, tilsiktet ❏ *...a deliberate lie.* ...en bevisst løgn.
(**b**) (= *slow*) veloverveid, rolig og sindig ❏ *His speech was deliberate.* Hans talemåte var veloverveid *or* rolig og sindig.
2 VI (= *consider*) rådslå* ❏ *After deliberating for 28*

hours, the union decided... Etter å ha* rådslått i 28 timer, bestemte fagforeningen seg...
deliberately [dɪ'lɪbərɪtlɪ] ADV (**a**) (= *on purpose*) med vilje, bevisst ❑ *...were left deliberately vague.* ...var med vilje *or* bevisst blitt stående vage.
(**b**) (= *carefully*) målbevisst ❑ *He climbed the stairs slowly and deliberately.* Han gikk sakte og målbevisst opp trappen.
deliberation [dɪlɪbə'reɪʃən] s (**a**) (= *decisiveness*) overveielse *m* ❑ *John, with great deliberation, put his books into his briefcase.* John la bøkene sine i mappen med stort omhu.
(**b**) (*gen pl : discussions*) drøftinger *mpl* ❑ *The deliberations at Versailles...* Drøftingene i Versailles...
delicacy ['delɪkəsɪ] s (**a**) (*of movement*) ynde *m*
(**b**) (*of material, china*) skjørhet *m*
(**c**) (= *choice food*) delikatesse *m* ❑ *...artichokes and other delicacies.* ...artisjokker og andre delikatesser.
(**d**) (*of problem*) ▸ **a matter of exceptional delicacy.** en eksepsjonelt delikat sak.
delicate ['delɪkɪt] ADJ (**a**) (*movement*) fin, yndig
(**b**) (*taste, smell*) fin, delikat
(**c**) (*material , fabric*) ømtålig
(**d**) (+*glass, china*) skjør
(**e**) (*approach, problem*) delikat ❑ *...the delicate sphere of race relations.* ...det delikate området omkring raseforhold.
(**f**) (*health*) svakelig
delicately ['delɪkɪtlɪ] ADV (**a**) (*gen*) fint ❑ *...delicately veined pale skin.* ...blek hud med fine årer.
(**b**) (*act, express*) forsiktig, diskré ❑ *She had delicately hinted at his inadequacy.* Hun hadde hintet forsiktig *or* diskré til hans utilstrekkelighet.
delicatessen [delɪkə'tesn] s delikatesseforretning *m*
delicious [dɪ'lɪʃəs] ADJ (**a**) (*food, smell, feeling*) nydelig, deilig ❑ *This trout is delicious.* Denne ørreten smaker nydelig *or* deilig.
(**b**) (*person*) herlig
delight [dɪ'laɪt] [1] s (**a**) (*feeling*) glede *m* ❑ *Kate wrote to me of her delight that I was now so happy.* Kate skrev til meg om gleden hun følte over at jeg nå var så lykkelig.
(**b**) (*person, experience etc*) glede *m*, fryd *m* ❑ *The trip to the island was a delight.* Turen til øya var en glede *or* fryd.
[2] VT (= *please*) glede (*v1*)
▸ **to take (a) delight in** ha* stor glede av
▸ **she was a delight to interview** det var en glede *or* en fryd å intervjue henne
delighted [dɪ'laɪtɪd] ADJ ▸ **delighted (at** *or* **with/ to do)** henrykt (over/over å gjøre), meget glad (for/for å gjøre) ❑ *He was delighted to meet them again.* Han var henrykt over *or* meget glad for å møte dem igjen.
▸ **I'd be delighted** det ville* glede meg, det ville* være* en fornøyelse for meg
delimit [diː'lɪmɪt] VT avgrense (*v1*)
delineate [dɪ'lɪnɪeɪt] VT (**a**) (= *outline*) skissere (*v2*), tegne (*v1*) opp
(**b**) (*fig*) beskrive* ❑ *Liberty must be firmly and clearly delineated.* Frihet må være* nøyaktig og klart beskrevet.
delinquency [dɪ'lɪŋkwənsɪ] s kriminalitet *m* (*vanligvis begått av ungdom*)
delinquent [dɪ'lɪŋkwənt] [1] ADJ (*youth*) *kriminell*
[2] s (*youth*) ungdomsforbryter *m*
delirious [dɪ'lɪrɪəs] ADJ (**a**) delirisk
(**b**) (= *ecstatic*) ekstatisk ❑ *He sang before delirious crowds in a movie theatre.* Hun sang for et ekstatisk publikum i en kino.
delirium [dɪ'lɪrɪəm] s delirium *nt*
deliver [dɪ'lɪvə^r] VT (**a**) (= *distribute*) (av)levere (*v2*) ❑ *The postman at last delivered the letter...* Postmannen (av)leverte til slutt brevet...
(**b**) (= *hand over*) levere (*v2*), overlevere (*v2*) ❑ *Chance delivered his enemy into their hands.* Tilfeldigheter leverte *or* overleverte fienden rett i hendene deres.
(**c**) (+*verdict, judgement*) avsi*
(**d**) (+*speech*) holde* ❑ *He delivered an emotional speech...* Han holdt en følelsesladet tale...
(**e**) (+*blow*) rette (*v1*), gi [NB] *She delivered a hard blow to his stomach.* Hun gav ham et hardt slag i magen *or* rettet et hardt slag mot magen hans.
(**f**) (+*warning, ultimatum*) overlevere (*v2*) ❑ *Mr King delivered a clear warning to Saddam Hussein.* King overleverte en klar advarsel til Saddam Hussein.
(**g**) (+*baby*) ta* imot, forløse (*v2*) ❑ *The doctor agreed to deliver her baby at home.* Doktoren gikk med på å ta* imot *or* forløse barnet hjemme.
(**h**) (= *release*) redde (*v1*), befri (*v4*) ❑ *They came to deliver the people from tyranny.* De kom for å redde *or* befri folket fra tyranni.
▸ **to deliver the goods** (*fig*) sette* det ut i livet ❑ *The government promised much but failed to deliver the goods.* Regjeringen lovte mye, men de var ikke i stand til å sette det ut i livet.
deliverance [dɪ'lɪvrəns] s befrielse *m*
delivery [dɪ'lɪvərɪ] s (**a**) (= *distribution*) levering *c*, leveranse *m* ❑ *All goods must be paid for before delivery.* Alle varer må være* betalt før levering *or* leveranse.
(**b**) (*of speaker*) framføring *c*
(**c**) (*of baby*) fødsel *m* (*øyeblikket da barnet kommer ut*) ❑ *She had a difficult delivery.* Hun hadde en vanskelig fødsel.
▸ **to take delivery of** overta* leveransen av
delivery note (*MERK*) s følgeseddel *m*
delivery van, delivery truck (*US*) s varebil *m*
delouse ['diː'laus] VT avluse (*v2*)
delta ['deltə] s (*of river*) delta *nt*
delude [dɪ'luːd] VT narre (*v1*), lure (*v2*) ❑ *...you can be deluded into thinking that...* man kan bli* narret *or* lurt til å tro at...
▸ **to delude o.s.** narre (*v1*) *or* lure (*v2*) seg selv
deluge ['deljuːdʒ] s (**a**) (*of rain*) flom *m*, oversvømmelse *m*
(**b**) (*fig : of petitions, requests*) flom *m*, strøm *m* ❑ *...a deluge of petitions to the Tsar.* ...en flom *or* strøm av bønner til tsaren.
delusion [dɪ'luːʒən] s (= *false belief*) illusjon *m*, vrangforestilling *m*

▸ **to have delusions of grandeur** ha* en illusjon *or* vrangforestilling om storhet, lide* av stormannsgalskap
de luxe [də'lʌks] ADJ (*car, holiday*) luksus-
delve [dɛlv] VI ▸ **to delve into** (*+subject*) grave (*v3*) seg ned i
▸ **to delve into/among** (*+cupboard, handbag*) rote (*v1*) (rundt) i
Dem. (*US: POL*) FK = **democrat(ic)**
demagogue ['dɛməgɔg] s demagog *m*
demand [dɪ'mɑːnd] 1 VT (*gen*) kreve (*v3*) ❑ *They are demanding still higher wages.* De krever enda høyere lønninger. *I demand to see a doctor.* Jeg krever å få* snakke med en lege. *It demands a good supply of skilled workers.* Det krever en god tilgang på velutdannede arbeidere.
2 s (**a**) (*gen*) krav *nt* ❑ *My demand for a clean towel...* Mitt krav om et rent håndkle... *Inflation puts extra demands on the State purse.* Inflasjon stiller ekstra mange krav til staskassen.
(**b**) (*ØKON*) etterspørsel *m* ❑ *There has been a general increase in demand.* Det har vært en generell økning i etterspørsel.
▸ **to demand sth (from** *or* **of sb)** kreve (*v3*) noe (av noen)
▸ **to be in demand** være* etterspurt
▸ **on demand** (= *available, payable*) på forespørsel
demanding [dɪ'mɑːndɪŋ] ADJ krevende
demarcation [diːmɑː'keɪʃən] s (**a**) (*of areas*) grenselinje *c*, skillelinje *c* ❑ *The demarcation line which separated East and West....* Grenselinjen *or* skillelinjen som skilte øst og vest...
(**b**) (*of tasks*) avgrensing *c*
demarcation dispute s *strid om avgrensing av arbeidsoppgaver*
demean [dɪ'miːn] VT ▸ **to demean o.s.** nedverdige (*v1*) seg
demeanour [dɪ'miːnə^r], **demeanor** (*US*) s oppførsel *m*, adferd *m*
demented [dɪ'mɛntɪd] ADJ sinnssyk, avsindig
demilitarized zone [diː'mɪlɪtəraɪzd-] s demilitarisert område *nt*
demise [dɪ'maɪz] s bortgang *m*, død *m* ❑ *...the demise of the student movement.* ...studentbevegelsens død.
demist [diː'mɪst] (*BRIT*) VT (*+windscreen*) fjerne (*v1*) dugg fra
demister [diː'mɪstə^r] (*BRIT*) s (*in car etc*) defroster *m*
demo ['dɛməu] (*sl*) s FK = **demonstration**
demob [diː'mɔb] (*sl*) VT demobilisere (*v2*)
demobilize [diː'məubɪlaɪz] VT demobilisere (*v2*)
democracy [dɪ'mɔkrəsɪ] s demokrati *nt* ❑ *...a parliamentary democracy.* ...et parlamentarisk demokrati.
democrat ['dɛməkræt] s demokrat *m*
democratic [dɛmə'krætɪk] ADJ demokratisk ❑ *...a more democratic society.* ...et mer demokratisk samfunn. *...the Democratic presidential nomination.* ...den demokratiske presidentnominasjonen.
demography [dɪ'mɔgrəfɪ] s demografi *m*
demolish [dɪ'mɔlɪʃ] VT (*+building*) rive* ned; (*fig: argument*) plukke (*v1*) fra hverandre
demolition [dɛmə'lɪʃən] s (*of building*) nedrivning *c*, rasering *c*; (*of argument*) pulverisering *c*
demon ['diːmən] 1 s demon *m*
2 ADJ (= *skilled, enthusiastic: squash player, driver*) djevelsk god
demonstrate ['dɛmənstreɪt] 1 VT (**a**) (= *prove: theory*) vise (*v2*) ❑ *This example is enough to demonstrate the general principle.* Dette eksemplet er nok til å vise det generelle prinsippet.
(**b**) (= *show: skill, appliance*) vise (*v2*), demonstrere (*v2*) ❑ *She has been demonstrating how you make bread.* Hun har vist *or* demonstrert hvordan man baker brød.
2 VI ▸ **to demonstrate (for/against)** demonstrere (*v2*) (for/mot)
demonstration [dɛmən'streɪʃən] s (*gen, POL*) demonstrasjon *m* ❑ *...a demonstration of the power of reason.* ...en demonstrasjon av fornuftens makt. *...the first public demonstration of television.* ...den første offentlige demonstrasjon av televisjon.
▸ **to hold a demonstration** demonstrere (*v2*), holde* en demonstrasjon
demonstration model s (= *car*) demonstrasjonsbil *m*
demonstrative [dɪ'mɔnstrətɪv] ADJ (*person*) demonstrativ; (*LING*) påpekende
demonstrator ['dɛmənstreɪtə^r] s (*POL*) demonstrant *m*; (*MERK: sales person*) *en som demonstrerer et produkt*; (= *car*) demonstrasjonsbil *m*
demoralize [dɪ'mɔrəlaɪz] VT demoralisere (*v2*)
demote [dɪ'məut] VT degradere (*v2*)
demotion [dɪ'məuʃən] s degradering *m*
demur [dɪ'məː^r] (*fml*) 1 VI innvende (*v2*)
2 s ▸ **without demur** uten (noen) innvendinger
demure [dɪ'mjuə^r] ADJ (*little girl, smile*) beskjeden, unnselig; (*dress*) uanselig
demurrage [dɪ'mʌrɪdʒ] s liggetid *c* (*skip*)
den [dɛn] s (**a**) (*of bear*) hi *nt*
(**b**) (*of lion*) hule *c*
(**c**) (*of thieves*) rede *nt*, røverhule *c*
(**d**) (= *room*) hule *c* ❑ *...the den in his basement.* ...en hule i kjelleren hans.
denationalization ['diːnæʃnəlaɪ'zeɪʃən] s privatisering *c*
denationalize [diː'næʃnəlaɪz] VT privatisere (*v2*)
denatured alcohol [diː'neɪtʃəd-] (*US*) s denaturalisert alkohol *m*
denial [dɪ'naɪəl] s (**a**) (= *refutation*) benektelse *m*
(**b**) (*refusal*) nektelse *m* ❑ *They protested against the denial of civil liberties.* De protesterte mot å bli* nektet borgerfriheter.
denier ['dɛnɪə^r] s denier *m* NB *...a pair of 15 denier stockings.* ...et par 15 denier strømper.
denigrate ['dɛnɪgreɪt] VT (*+person, action*) nedvurdere (*v2*)
denim ['dɛnɪm] s (= *fabric*) denim *m*
▸ **denims** SPL (= *jeans*) jeans *m sing*, olabukser *mpl*
denim jacket s jeansjakke *m*, olajakke *m*
denizen ['dɛnɪzn] s beboer *m*
Denmark ['dɛnmɑːk] s Danmark
denomination [dɪnɔmɪ'neɪʃən] s (*REL*) trosretning *m*; (*of money*) ▸ **...banknotes of different denominations** ...pengesedler i forskjellige størrelser

denominator [dɪ'nɔmɪneɪtəʳ] (*MAT*) s nevner *m*
denote [dɪ'nəut] VT (**a**) (= *indicate*) indikere (*v2*) (**b**) (= *represent*) betegne (*v1*) ❑ *We're using "R" to denote the function.* Vi bruker "R" for å betegne funksjonen.
denounce [dɪ'nauns] VT (*+person, action*) fordømme (*v2x*)
dense [dɛns] ADJ (*crowd, fog etc*) tett; (*sl: person*) dum, tjukk i hue (*sl*)
densely ['dɛnslɪ] ADV ▸ **densely populated** tett befolket
▸ **densely wooded** med tett skog
density ['dɛnsɪtɪ] s (*gen, PHYSICS*) tetthet *m* ❑ *Australia has a very low population density.* Australia har lav befolkningstetthet. ...*the density of water.* ...vannets tetthet.
▸ **double-/high-density disk** double-/high-density diskett *m*
dent [dɛnt] 1 s (*in metal*) bulk *m*
2 VT (*+metal*) bulke (*v1*); (*fig: pride, ego*) gi* en skrape (i lakken)
dental ['dɛntl] ADJ (*treatment, hygiene etc*) tann-, dental-
dental floss [-flɔs] s tanntråd *m*
dental surgeon s tannlege *m*
dentifrice ['dɛntɪfrɪs] s tannpleiemiddel *nt*
dentist ['dɛntɪst] s tannlege *m*
▸ **at/to the dentist's (surgery)** hos/til tannlegen
dentistry ['dɛntɪstrɪ] s tannlegevitenskap *m*
dentures ['dɛntʃəz] SPL gebiss *nt*, tannprotese *m*
denuded [di:'nju:dɪd] ADJ ▸ **denuded of** ribbet for
denunciation [dɪnʌnsɪ'eɪʃən] s fordømmelse *m*
deny [dɪ'naɪ] VT (**a**) (*+charge, allegation, involvement*) benekte (*v1*), nekte (*v1*) (for) ❑ *He denied all involvement...* Han nektet (for) *or* benektet å ha* hatt noe med saken å gjøre...
(**b**) (= *refuse: permission, chance*) nekte (*v1*) ❑ *He has denied you access to some information.* Han har nektet deg tilgang til en del informasjon.
(**c**) (= *disown: country, religion etc*) fornekte (*v1*) ❑ *Jesus knew that his disciple Peter would deny him.* Jesus visste at disippelen Peter ville* fornekte ham.
▸ **he denies having said it** han benekter *or* nekter for å ha* sagt det
deodorant [di:'əudərənt] s deodorant *m*
depart [dɪ'pɑ:t] VI (**a**) (*person+*) reise (*v2*), dra* (**b**) (*bus, plane, train+*) gå, dra*
▸ **to depart from** (*fig: stray from*) forlate* ❑ *...their unwillingness to depart from traditional practice.* ...deres uvilje mot å forlate vanlig praksis.
departed [dɪ'pɑ:tɪd] ADJ ▸ **the (dear) departed** avdøde
department [dɪ'pɑ:tmənt] s (**a**) (*in shop, company*) avdeling *m* ❑ *...the menswear department.* ...herreavdelingen.
(**b**) (*SKOL*) seksjon *m* ❑ *He was head of the physics department.* Han var leder for fysikkseksjonen.
(**c**) (*UNIV*) ≈ institutt *nt*
(**d**) (*POL*) departement *nt* ❑ *...the Defence Department.* ...forsvarsdepartementet.
▸ **that's not my department** (*fig*) det er ikke mitt område
▸ **Department of State** (*US*) Utenriksdepartementet
departmental [di:pɑ:t'mɛntl] ADJ (*meeting, responsibility*) avdelings-
▸ **departmental manager** avdelingssjef *m*, avdelingsleder *m*
department store s varemagasin *nt*, varehus *nt*
departure [dɪ'pɑ:tʃəʳ] s (**a**) (*of plane, bus, train*) avgang *m*
(**b**) (*of person*) avreise *m*
(**c**) (*of employee, colleague*) avgang *m* ❑ *Mr Hugh's departure has been a great loss to the company.* Herr Hughs avgang har vært et stort tap for selskapet.
(**d**) (*fig: from method, procedure*) ▸ **departure from** avvik(else) *nt(m)* fra, fravikelse *m* fra
▸ **a new departure** (**a**) (*in or from policy etc*) en kursendring
(**b**) (*in development etc*) noe helt nytt
departure lounge s avgangshall *m*
depend [dɪ'pɛnd] VI ▸ **to depend on** (**a**) (*gen*) være* avhengig av ❑ *Our lives and those of all other animals depend on oxygen.* Våre liv, og alle andre dyrs liv, er avhengige av oksygen.
(**b**) (= *rely on, trust*) stole (*v2*) på ❑ *I knew I could depend on you.* Jeg visste jeg kunne* stole på deg.
(**c**) (*financially*) være* avhengig av
▸ **it (all) depends** det kommer an på
▸ **depending on the result...** avhengig av resultatet...
dependable [dɪ'pɛndəbl] ADJ (*person*) pålitelig; (*watch, car etc*) driftsikker, pålitelig
dependant, **dependent** [dɪ'pɛndənt] s ▸ **to have three dependants** ha* tre å forsørge
dependence [dɪ'pɛndəns] s avhengighet *c* ❑ *...dependence on Western imported technology.* ...avhengighet av teknologi importert fra vesten. *His dependence on her grew.* Hans avhengighet av henne ble større.
dependent [dɪ'pɛndənt] 1 ADJ ▸ **to be dependent on** (*+person, decision*) være* avhengig av
2 s = **dependant**
depict [dɪ'pɪkt] VT (*in picture*) framstille (*v2x*), avbilde (*v1*); (= *describe*) skildre (*v1*)
depilatory [dɪ'pɪlətrɪ] s (*also* ***depilatory cream***) hårfjerningskrem *m*
depleted [dɪ'pli:tɪd] ADJ (*stocks, reserves*) tømte
deplorable [dɪ'plɔ:rəbl] ADJ høyst beklagelig, svært harmelig
deplore [dɪ'plɔ:ʳ] VT mislike (*v2*) sterkt, ikke kunne* fordra
deploy [dɪ'plɔɪ] VT (*+troops*) utplassere (*v2*), bringe* i stilling; (*+resources*) utplassere (*v2*), plassere (*v2*)
depopulate [di:'pɔpjuleɪt] VT avfolke (*v1*)
depopulation ['di:pɔpju'leɪʃən] s avfolking *c*, avfolkning *m*
deport [dɪ'pɔ:t] VT utvise (*v2*), deportere (*v2*)
deportation [di:pɔ:'teɪʃən] s utvisning *m*, deportasjon *m*
deportation order s utvisningsordre *m*
deportee [di:pɔ:'ti:] s deportert *m decl as adj*

deportment [dɪ'pɔːtmənt] S (= *behaviour*) oppførsel *m*; (= *way of walking etc*) holdning *m*
depose [dɪ'pəuz] VT avsette*
deposit [dɪ'pɔzɪt] 1 S (**a**) (*in bank account*) innskudd *nt*
(**b**) (*on goods*) kontantsum *m*, depositum *nt*
(**c**) (*on house*) egenkapital *m*, egenandel *m*
❑ *...we've saved enough for the deposit.* ...vi har spart opp nok til egenkapitalen *or* egenandelen.
(**d**) (*when hiring*) depositum *nt* ❑ *There's a deposit on the car of a hundred dollars.* Det er et depositum på bilen på hundre dollar.
(**e**) (*on bottle etc*) pant *m*
(**f**) (*KJEM*) utfellingsprodukt *nt*, utfellingsstoff *nt*
❑ *What remains is a powdery deposit of carbon.* Det som blir igjen er et utfellingsstoff av karbon.
(**g**) (*of ore, oil*) forekomst *m* ❑ *...rich mineral deposits.* ...rike mineralforekomster.
2 VT (**a**) (*+money*) sette* inn ❑ *...deposit this money in a savings account.* ...sett inn beløpet på en sparekonto.
(**b**) (*+sand, silt etc*) avleire (*v1*) ❑ *The sea that deposited the limestone in these hills...* Sjøen som avleiret kalksteinen i disse fjellene...
(**c**) (*+case, bag*) deponere (*v2*)
▸ **to put down a deposit of 50 pounds** betale et depositum på 50 pund *or* betale 50 pund kontant.
deposit account S sparekonto *m*
depositor [dɪ'pɔzɪtəʳ] S innskyter *m*
depository [dɪ'pɔzɪtərɪ] S oppbevaringssted *nt*, lager *nt*
depot ['dɛpəu] S (**a**) (= *storehouse*) lager *nt*
(**b**) (*for vehicles*) depot *nt*
(**c**) (*US: station*) stasjon *m* ❑ *The Greyhound bus depot...* Busstasjonen til Greyhound...
depraved [dɪ'preɪvd] ADJ (*conduct, person*) lastefull
depravity [dɪ'prævɪtɪ] S lastefullhet *m*
deprecate ['dɛprɪkeɪt] VT mislike (*v2*) (sterkt), beklage (*v1*) (sterkt)
deprecating ['dɛprɪkeɪtɪŋ] ADJ misbilligende, klandrende
depreciate [dɪ'priːʃɪeɪt] VI (*currency, property, value etc+*) synke* (i verdi)
depreciation [dɪpriːʃɪ'eɪʃən] S verditap *nt*
depress [dɪ'prɛs] VT (*+person*) gjøre* nedtrykt, gjøre* deprimert; (*+price, wages*) sette* ned; (*+accelerator etc*) trykke (*v2x*) ned
depressant [dɪ'prɛsnt] S deprimerende middel *nt*
depressed [dɪ'prɛst] ADJ (**a**) (*person*) deprimert, nedtrykt
(**b**) (*prices*) (svært) lav
(**c**) (*industry*) preget av lavkonjunktur
(**d**) (*area*) kriserammet, vanskeligstilt
❑ *...depressed city areas.* ...kriserammede *or* vanskeligstilte bystrøk.
depressing [dɪ'prɛsɪŋ] ADJ (*outlook, time*) deprimerende, nedslående
depression [dɪ'prɛʃən] S (**a**) (*state of mind*) depresjon *m*
(**b**) (*ØKON*) depresjon *m* ❑ *...the depression of the twenties and thirties.* ...depresjonen i tyveårene og tredveårene.
(**c**) (= *weather system*) lavtrykk *nt* ❑ *...a depression moving in from the east.* ...et lavtrykk som nærmer seg østfra.
(**d**) (= *hollow*) fordypning *m* ❑ *...a shallow depression in the surface.* ...en liten fordypning i overflaten.
deprivation [dɛprɪ'veɪʃən] S (**a**) (= *poverty*) sosial nød *m*, fattigdom *m*
(**b**) (*of freedom, rights etc*) berøvelse *m* ❑ *They suffer from deprivation of political and civil rights.* De lider under å være* berøvet for *or* frarøvet statsborgerlige rettigheter.
deprive [dɪ'praɪv] VT ▸ **to deprive sb of** frarøve (*v1*), berøve (*v1*) for
deprived [dɪ'praɪvd] ADJ (**a**) (*area, background*) nødstilt, nødstedt ❑ *...the most socially deprived area in England.* ...sosialt sett det mest nødstilte *or* nødstedte området i England.
(**b**) (*child, family*) ressurssvak ❑ *...deprived children benefit from playgroups.* ...ressurssvake barn har nytte av lekegrupper.
dept. FK = **department**
depth [dɛpθ] S (**a**) (*of hole, water, cupboard etc*) dybde *m* ❑ *...the exact depth of the well.* ...nøyaktig hvor dyp brønnen er. *The depth of the cupboard was 40 centimetres.* Dybden på skapet var 40 centimeter.
(**b**) (*of emotion, feeling*) styrke *m* ❑ *The depth of his concern was evident enough.* Det var tydelig nok at bekymringen hans var stor *or* satt dypt.
(**c**) (*of knowledge*) dybde *m* ❑ *I was impressed by her depth of knowledge.* Jeg var imponert over hvor mye hun visste *or* over dybden i kunnskapene hennes.
▸ **the depths** dypet ❑ *It sank slowly into the depths of the water.* Det sank sakte ned i dypet.
▸ **in the depths of despair** i fortvilelsens dype mørke
▸ **in the depths of winter** på den mørkeste vinter
▸ **at a depth of 3 metres** på 3 meters dyp
▸ **to be out of one's depth** (**a**) (*in water*) ikke kunne* nå bunnen, ikke kunne* stå ❑ *Don't go out of your depth.* Ikke gå* så langt ut i vannet at du ikke kan nå bunnen *or* stå.
(**b**) (*fig*) være* på dypt vann ❑ *I was out of my depth in that class.* Jeg var ute på dypt vann på det kurset.
▸ **to study sth in depth** studere (*v2*) noe grundig
depth charge S dypvannsbombe *m*
deputation [dɛpju'teɪʃən] S deputasjon *m*
deputize ['dɛpjutaɪz] VI ▸ **to deputize for sb** vikariere (*v2*) for noen
deputy ['dɛpjutɪ] 1 SAMMENS (*chairman, leader etc*) vise-, nest- ❑ *...the former Deputy Chairman.* ...den tidligere viseformann *or* nestformann.
2 S (**a**) (= *assistant*) assistent *m* ❑ *He and his deputy had cooperated very well.* Han og assistenten hans hadde samarbeidet meget bra.
(**b**) (*POL*) representant *m*
(**c**) (*US:* **deputy sheriff**) visesheriff *m*
(**d**) (= *replacement*) stedfortreder *m*
▸ **deputy head** (*BRIT: SKOL*) førsteinspektør *m*, undervisningsinspektør *m*
derail [dɪ'reɪl] VT spore (*v1*) av
derailment [dɪ'reɪlmənt] S avsporing *c*

deranged [dɪ'reɪndʒd] ADJ ▸ **mentally deranged** mentalt forstyrret, sinnsforvirret
derby ['dɑ:rbɪ] (*US*) S (= *hat*) skalk *m*
Derbys (*BRIT: POST*) FK = **Derbyshire**
deregulate [dɪ'rɛgjuleɪt] VT deregulere (*v2*)
deregulation [dɪ'rɛgju'leɪʃən] S deregulering *c*
derelict ['dɛrɪlɪkt] ADJ forfallen (*og ubebodd*)
deride [dɪ'raɪd] VT spotte (*v1*), håne (*v2*)
derision [dɪ'rɪʒən] S hån *nt or m*
derisive [dɪ'raɪsɪv] ADJ (*comment, laughter*) hånlig, spottende
derisory [dɪ'raɪsərɪ] ADJ (*sum*) latterlig; (*laughter, person*) hånlig, spottende
derivation [dɛrɪ'veɪʃən] S opprinnelse *m* ❑ *...the derivation of a word.* ...opprinnelsen til et ord.
derivative [dɪ'rɪvətɪv] 1 S (**a**) (*KJEM*) derivat *nt*, avledet materie *m*
(**b**) (*LING, fig*) avledning *m*, avledet ord *nt* ❑ *...the modern derivative of the fairy story.* ...den moderne avledningen av en eventyrfortelling.
2 ADJ (*neds: style, work of art etc*) uoriginal
derive [dɪ'raɪv] 1 VT ▸ **to derive sth (from)** (*+pleasure, benefit*) ha* noe (av), få* noe (ut av) ❑ *They derive enormous pleasure from their grandchildren.* De har enorm glede av barnebarna sine.
2 VI ▸ **to derive from** komme* fra, være* et resultat av ❑ *Wealth derives from political power.* Rikdom er et resultat av politisk makt.
dermatitis [də:mə'taɪtɪs] S dermatitt *m*
dermatology [də:mə'tɔlədʒɪ] S dermatologi *m*
derogatory [dɪ'rɔgətərɪ] ADJ (*remark*) nedsettende
derrick ['dɛrɪk] S (*on ship*) lossebom *m*, lastebom *m*; (*on well*) boretårn *nt*
derv [də:v] (*BRIT*) S (= *fuel*) dieselolje *m* (*for kjøretøy*)
DES (*BRIT*) S FK (= **Department of Education and Science**) ≈ KUF *nt* (= *Kirke-, utdannings- og forskningsdepartement*)
desalination [di:sælɪ'neɪʃən] S avsalting *c*
descend [dɪ'sɛnd] 1 VT (*+stairs, hill*) gå/kjøre (*v2*) ned ❑ *They descended the stairs.* De gikk ned trappen.
2 VI gå* nedover ❑ *The valley becomes more exquisite as we descend.* Dalen blir vakrere etterhvert som vi går nedover.
▸ **to be descended from** stamme (*v1*) fra
▸ **to descend to** (*+lying, begging etc*) nedverdige (*v1*) seg til ❑ *All too soon they will descend to spreading scandal...* Altfor raskt vil de nedverdige seg til å formidle skandaler...
▸ **in descending order of size/age** ordnet etter størrelse/alder
▸ **in descending order of importance** i prioritert rekkefølge
▸ **descend on** VT FUS (**a**) (*enemy, angry person+*) overfalle*, kaste (*v1*) seg over
(**b**) (*gloom, silence+*) komme* over ❑ *Gloom began to descend on all of them.* Alle sammen begynte å bli* dystre.. En dysterhet begynte å komme over dem alle.
▸ **visitors descended (up)on us** gjester invaderte oss
descendant [dɪ'sɛndənt] S etterkommer *m*
descent [dɪ'sɛnt] S (**a**) (*gen, AVIAT*) nedstigning *m* ❑ *...an aircraft making a very steep descent.* ...et fly som tok en svært rask nedstigning.
(**b**) (= *origin*) avstamning *m* ❑ *Our family can claim royal descent.* Familien vår kan hevde å være* av kongelig avstamning.
describe [dɪs'kraɪb] VT beskrive*
description [dɪs'krɪpʃən] S beskrivelse *m*
▸ **of some description** av ett eller annet slag
▸ **of any description** av noe slag ❑ *...too tight to have concealed a weapon of any description.* ...for trang til å kunne* skjule et våpen av noe slag.
▸ **of every description** av alle slag
descriptive [dɪs'krɪptɪv] ADJ (*writing, painting*) beskrivende, deskriptiv
desecrate ['dɛsɪkreɪt] VT (*+altar, cemetery*) skjende (*v1*)
desegregate [di:'sɛgrɪgeɪt] VT (*+school, area*) oppheve (*v1*) raseskillet på/i
desert [*N* 'dɛzət, *VB* dɪ'zə:t] 1 S (**a**) (*GEOG*) ørken *m*
(**b**) (*fig: wilderness*) ødeland *nt* ❑ *I couldn't live in a small town – they're cultural deserts.* Jeg kunne* ikke bo i en liten by – de er kulturelle ødeland.
2 VT (**a**) (*+place, post*) forlate*
(**b**) (*+partner, family*) svikte (*v1*), forlate*
3 VI (*MIL*) desertere (*v2*) *see also* **deserts**
deserter [dɪ'zə:tə[r]] S desertør *m*
desertion [dɪ'zə:ʃən] S (*MIL*) desertering *c*
▸ **on grounds of desertion** (*JUR*) fordi man har blitt forlatt ❑ *She could get a divorce on the grounds of desertion.* Hun kunne* få* skilsmisse fordi mannen hadde forlatt henne.
desert island S ubebodd øy *c* (i tropene)
deserts [dɪ'zə:ts] SPL ▸ **to get one's just deserts** få* som fortjent
deserve [dɪ'zə:v] VT (= *merit, warrant*) fortjene (*v2*) ❑ *...he deserves whatever he gets.* ...han fortjener hva han enn får.
deservedly [dɪ'zə:vɪdlɪ] ADV med rette
deserving [dɪ'zə:vɪŋ] ADJ (*person*) fortjenstfull; (*in need*) trengende; (*action, cause, charity*) verdig
desiccated ['dɛsɪkeɪtɪd] ADJ (*coconut*) tørket
design [dɪ'zaɪn] 1 S (**a**) (= *art, process*) design *m*, formgiving *c* ❑ *...graphic and industrial design.* ...grafisk og industriell design *or* formgiving.
(**b**) (= *drawing*) tegning *m* ❑ *His design was rejected.* Tegningen hans ble ikke antatt.
(**c**) (= *layout, shape*) konstruksjon *m*, utførelse *m* ❑ *The awkward design of the handles...* Den uheldige konstruksjonen på *or* utførelsen av håndtakene...
(**d**) (= *pattern*) mønster *nt* ❑ *...curtains and wallpaper with the same design.* ...gardiner og tapet i samme mønster.
(**e**) (*of dress, car*) design *m* ❑ *...car design.* ...bildesign.
2 VT (**a**) (*+house, kitchen, product*) tegne (*v1*) ❑ *Who designed the costumes?* Hvem tegnet klærne?
(**b**) (*+test*) utvikle (*v1*), utarbeide (*v1*)
▸ **by design** (= *intention*) med vilje
▸ **to have designs on** være* ute etter ❑ *...she had no designs on any of the men.* ...hun var ikke ute etter noen av mennene.
designate [*VB* 'dɛzɪgneɪt, *ADJ* 'dɛzɪgnɪt] 1 VT utpeke (*v2*) ❑ *The President designated Hussein as his successor.* Presidenten utpekte Hussein

som sin etterfølger.
2 ADJ (*chairman etc*) som er utnevnt (*men ikke tiltrådt*)
designation [dɛzɪg'neɪʃən] S (= *description*) betegnelse *m*; (= *name*) tittel *m*
designer [dɪ'zaɪnə^r] 1 S (*KUNST*) formgiver *m*, tegner *m*; (*TEKN*) konstruktør *m*; (*also* ***fashion designer***) designer *m*, motetegner *m*; (*of furniture*) designer *m*, formgiver *m*
2 ADJ (*clothes, label, jeans etc*) designer-
desirability [dɪzaɪərə'bɪlɪtɪ] S ▸ **the desirability of** ønskeligheten av
desirable [dɪ'zaɪərəbl] ADJ (**a**) (= *proper*) ønskelig ❑ *Make any changes that you think desirable.* Du kan forandre på alt du finner ønskelig.
(**b**) (= *attractive*) attraktiv ❑ *...one of the most desirable residences.* ...et av de mest attraktive bosteder.
(**c**) (= *sexually attractive*) fristende ❑ *He found his wife no longer desirable.* Kona virket ikke lenger fristende på ham.
▸ **it is desirable that** det er ønskelig at
desire [dɪ'zaɪə^r] 1 S (**a**) (= *urge*) ønske *nt*, lyst *m* ❑ *He had not the slightest desire to go on holiday.* Han hadde ikke det minste ønske om *or* lyst til å dra på ferie.
(**b**) (= *sexual*) lyst *m*, begjær *nt* ❑ *She no longer has any desire for her husband.* Hun har ikke lenger noen lyst på mannen sin.. Ektemannen vekker ikke lenger noe begjær i henne.
2 VT (**a**) (= *want*) ønske (*v1*)
(**b**) (= *lust after*) begjære (*v2*) ❑ *He still desired her.* Han begjærte henne fortsatt.
▸ **to desire to do sth/that** ønske (*v1*) å gjøre* noe/at
desirous [dɪ'zaɪərəs] (*fml*) ADJ ▸ **to be desirous of** være* oppsatt på, ønske (*v1*) ❑ *Is Miss Paget desirous of travelling to London?* Er frøken Paget oppsatt på å reise til London?, Ønsker frøken Paget å reise til London?
desist [dɪ'zɪst] VI ▸ **to desist (from)** avstå* (fra), holde* opp (med) ❑ *They ought to desist from such foolish activities.* De burde avstå fra *or* holde opp med slike tåpelige aktiviteter.
desk [dɛsk] S (**a**) (*in office*) skrivebord *nt*
(**b**) (*for pupil*) pult *m*
(**c**) (*in hotel*) resepsjon *m*
(**d**) (*at airport*) skranke *m* ❑ *I enquired at the desk.* Jeg spurte ved skranken.
(**e**) (*BRIT: in shop, restaurant*) kasse *m* ❑ *Please pay at the desk.* Vennligst betal i kassen.
desk job S kontorjobb *m*
desktop ['dɛsktɔp] S desktop *m*
desk-top publishing ['dɛsktɔp-] S desk-top publishing *m*
desolate ['dɛsəlɪt] ADJ (*place*) øde; (*person*) (ensom og) trøstesløs
desolation [dɛsə'leɪʃən] S (**a**) (*of place*) forlatthet *m* ❑ *...the horror and desolation of the camp.* ...leirens skremmende forlatthet.
(**b**) (*of person*) elendighet *m*, trøstesløshet *m* ❑ *It can only have added to their desolation.* Det kan bare ha* gjort deres elendighet *or* trøstesløshet verre.
despair [dɪs'pɛə^r] 1 S fortvilelse *m*, håpløshet *c*
2 VI ▸ **to despair of** være* fortvilet *or* oppgitt over ❑ *She had despaired of completing her thesis.* Hun hadde vært fortvilet *or* oppgitt over å skulle* fullføre hovedoppgaven sin.
▸ **to be in despair** være* fortvilet
despatch [dɪs'pætʃ] S, VT = **dispatch**
desperate ['dɛspərɪt] ADJ (**a**) (*gen*) desperat, fortvilet ❑ *...a desperate attempt to...* et desperat *or* fortvilet forsøk på... *The situation had become desperate.* Situasjonen hadde blitt desperat.
(**b**) (*criminal*) desperat
▸ **to be desperate for sth/to do sth** være* desperat etter noe/å gjøre* noe
desperately ['dɛspərɪtlɪ] ADV (= *in despair, frantically*) desperat, fortvil(e)t; (= *very*) ekstremt
desperation [dɛspə'reɪʃən] S desperasjon *m*, fortvilelse *m*
▸ **in (sheer) desperation** i (ren) desperasjon
despicable [dɪs'pɪkəbl] ADJ foraktelig, avskyelig
despise [dɪs'paɪz] VT forakte (*v1*)
despite [dɪs'paɪt] PREP til tross for, på tross av, trass i
despondent [dɪs'pɔndənt] ADJ motløs
despot ['dɛspɔt] S despot *m*, enehersker *m*
dessert [dɪ'zəːt] S dessert *m* ❑ *For dessert there was ice cream.* Det var is til dessert.
dessert spoon S (= *object, quantity*) dessertskje *m* ❑ *Add two dessert spoons of yoghurt.* Tilsett to dessertskjeer yoghurt.
destabilize [diː'steɪbɪlaɪz] VT (*fig*) gjøre* ustabil
destination [dɛstɪ'neɪʃən] S (**a**) (*of traveller*) reisemål *nt*, destinasjon *m*, bestemmelsessted *nt* ❑ *I reached my destination around half-past two.* Jeg nådde fram til bestemmelsesstedet rundt halv tre.
(**b**) (*mail*) bestemmelsessted *nt*
destined ['dɛstɪnd] ADJ ▸ **to be destined to do/for sth** være* forutbestemt til å gjøre/til noe NB *The station was destined for demolition.* Det var bestemt at stasjonen skulle* rives.
destiny ['dɛstɪnɪ] S skjebne *m*
destitute ['dɛstɪtjuːt] ADJ på bar bakke, lutfattig
destroy [dɪs'trɔɪ] VT (*+building, object*) ødelegge*, tilintetgjøre*; (*+faith, confidence*) bryte* ned, ødelegge*; (*+animal*) avlive (*v1*)
destroyer [dɪs'trɔɪə^r] (*NAUT*) S destroyer *m*, (torpedo)jager *m*
destruction [dɪs'trʌkʃən] S (= *act, state*) ødeleggelse *m*, tilintetgjørelse *m*
destructive [dɪs'trʌktɪv] ADJ (*capacity, force*) ødeleggelses-, ødeleggende, destruktiv; (*child*) destruktiv
desultory ['dɛsəltərɪ] ADJ (*reading*) usammenhengende, planløs; (*conversation*) usammenhengende, springende
detach [dɪ'tætʃ] VT (= *remove, unclip*) ta* av, løsne (*v1*) ❑ *The handle of the saucepan can be detached.* Hanken på kasserollen kan tas av *or* løsnes.
detachable [dɪ'tætʃəbl] ADJ til å ta* av, avtagbar
detached [dɪ'tætʃt] ADJ (**a**) (*person*) objektiv, som distanserer seg
(**b**) (*attitude*) objektiv
▸ **detached house** ≈ enebolig *m*
detachment [dɪ'tætʃmənt] S (*MIL*) avdeling *m*;

(= *aloofness*) ▸ **...with detachment** ...uten interesse *or* engasjement.
detail ['di:teɪl] 1 S (**a**) (*gen*) detalj *m* ❑ *I can still remember every single detail...* Jeg kan fortsatt huske hver eneste detalj...
(**b**) (*no pl: in picture, one's work etc*) detaljer *pl* ❑ *He has a marvellous eye for detail.* Han har et flott øye for detaljer.
2 VT (= *list*) gi* en detaljert redegjørelse for ❑ *The report details areas where...* Rapporten gir en detaljert redegjørelse for områdene hvor...
▸ **in detail** i detalj ❑ *We'll talk about it in more detail later on.* Vi får snakke om det i detalj senere.
▸ **to go into details** gå* i detaljer
detailed ['di:teɪld] ADJ (*account, description*) detaljert
detain [dɪ'teɪn] VT (**a**) (= *keep, delay*) oppholde*, hefte (*v1*) ❑ *Well, I needn't detain you any longer.* Vel, jeg trenger ikke å oppholde *or* hefte deg lenger.
(**b**) (*in captivity*) sette* i varetekt ❑ *We shall be obliged to detain you here...* Vi er nødt til å sette deg i varetekt her...
(**c**) (*in hospital*) beholde* ❑ *He was detained overnight...* Han beholdt (på sykehuset) over natten...
detainee [di:teɪ'ni:] S fange *m* (i forvaring)
detect [dɪ'tɛkt] VT (**a**) (= *sense*) merke (*v1*) ❑ *...she detected a flicker of irony in his voice.* ...hun merket et snev av ironi i stemmen hans.
(**b**) (*MED*) oppdage (*v1*)
(**c**) (*MIL, POLITI, RADAR, TEKN*) oppdage (*v1*), oppspore (*v1*)
detection [dɪ'tɛkʃən] S ▸ **without detection** uten å bli* oppdaget
▸ **crime detection** oppklaring *c* av forbrytelser
▸ **to escape detection** (**a**) (*criminal+*) ikke bli* oppdaget, unngå* å bli* oppdaget
(**b**) (*mistake+*) ikke bli* oppdaget
detective [dɪ'tɛktɪv] S ≈ førstebetjent *m* (*i kriminalpolitiet*), kriminalbetjent *m*
▸ **(private) detective** (privat)etterforsker *m*, (privat)detektiv *m*
detective story S kriminalhistorie *m*; (= *novel*) kriminalroman *m*
detector [dɪ'tɛktəʳ] S detektor *m* ❑ *...a metal detector.* ...en metalldetektor
détente [deɪ'tɑ:nt] S avspenning *m*
detention [dɪ'tɛnʃən] S (**a**) (= *arrest*) fengsling *m* ❑ *Detention without trial was introduced in 1971.* Fengsling uten rettegang ble innført i 1971.
(**b**) (*SKOL*) ▸ **to be in detention** sitte* igjen ❑ *Your son has been in detention at least once a week.* Sønnen din har sittet igjen minst en gang i uka.
deter [dɪ'tɜ:ʳ] VT avskrekke (*v1*)
detergent [dɪ'tɜ:dʒənt] S vaskemiddel *nt*
deteriorate [dɪ'tɪərɪəreɪt] VI bli* verre
deterioration [dɪtɪərɪə'reɪʃən] S forverring *c*
determination [dɪtɜ:mɪ'neɪʃən] S (**a**) (= *resolve*) beslutsomhet *m* ❑ *Going 60 days without alcohol takes a lot of determination.* Det krever stor beslutsomhet å klare seg gjennom 60 dager uten alkohol.
(**b**) (= *establishment*) fastsettelse *m*, bestemmelse *m* ❑ *...the determination of wage levels.* ...fastsettelsen av *or* det å fastsette *or* bestemme lønnsnivået.
determine [dɪ'tɜ:mɪn] VT (**a**) (*+facts*) fastslå* ❑ *...to determine exactly what happened.* ...å fastslå nøyaktig hva som hadde skjedd.
(**b**) (*+budget, quantity, limits, progress etc*) bestemme (*v2x*), fastsette*
▸ **to determine that** fastslå* at ❑ *An X-ray determined that no bones were broken.* En røntgenundersøkelse fastslo at det ikke var noen brukne ben.
▸ **to determine to do (sth)** bestemme (*v2x*) seg for å gjøre* (noe)
determined [dɪ'tɜ:mɪnd] ADJ (**a**) (*person: strong minded*) bestemt, målbevisst
(**b**) (= *having decided*) som har bestemt seg
(**c**) (*effort*) målbevisst
▸ **determined to do** fast bestemt på å gjøre ❑ *I was determined not to say a word.* Jeg var fast bestemt på ikke å si et ord.
deterrence [dɪ'tɛrəns] S makt *c*, press *nt*
deterrent [dɪ'tɛrənt] S (**a**) (*gen*) ▸ **to act as a deterrent** virke (*v1*) avskrekkende ❑ *A solid door with several locks acts as a deterrent to most burglars.* En solid dør med flere låser virker avskrekkende på de fleste tyver.
(**b**) (*MIL*) ▸ **the nuclear deterrent** det avskrekkende ved kjernekraft
(**c**) (*JUR*) ▸ **it is the only deterrent** det er det eneste som virker avskrekkende
detest [dɪ'tɛst] VT avsky (*v4*)
detestable [dɪ'tɛstəbl] ADJ avskyelig
detonate ['dɛtəneɪt] VTI detonere (*v2*), sprenge (*v2*)
detonator ['dɛtəneɪtəʳ] S sprengkapsel *m*
detour ['di:tuəʳ] S (**a**) (*from route*) omvei *m* ❑ *...he made a detour.* ...han tok en omvei.
(**b**) (*US: BIL: diversion*) omkjøring *c*
detract [dɪ'trækt] VI ▸ **to detract from** redusere (*v2*) ❑ *This fact did not detract from her sense of achievement.* Dette faktum reduserte ikke hennes følelse av å ha* oppnådd noe.
detractor [dɪ'træktəʳ] S kritiker *m*
detriment ['dɛtrɪmənt] S ▸ **to the detriment of** til skade for
▸ **without detriment to** uten skade for ❑ *The land could be reclaimed without detriment to conservation.* Landområdet kunne* gjenvinnes uten skade for miljøet.
detrimental [dɛtrɪ'mɛntl] ADJ ▸ **detrimental to** skadelig for ❑ *...actions which could be detrimental to the company.* ...handlinger som kunne* være* skadelige for firmaet.
deuce [dju:s] (*TENNIS*) S a 40
devaluation [dɪvælju'eɪʃən] S devaluering *m* ❑ *...the devaluation of sterling.* ...devalueringen av sterling.
devalue ['di:'vælju:] VT (*+work, person*) gjøre* mindre verdt; (*+currency*) devaluere (*v2*)
devastate ['dɛvəsteɪt] VT (**a**) (= *destroy*) ødelegge*
(**b**) (*fig: shock*) ▸ **to be devastated by** bli* knust av ❑ *We were devastated by her decision.* Vi var knust på grunn av beslutningen hennes.
devastating ['dɛvəsteɪtɪŋ] ADJ (*weapon, storm etc*) ødeleggende; (*announcement, news, effect*)

knusende

devastation [dɛvəs'teɪʃən] s ødeleggelse *m*

develop [dɪ'vɛləp] 1 VT (**a**) (*+business, idea, land, resource*) utvikle (*v1*) ❑ *...industry was developed in the region.* ...industri ble utviklet i regionen.
(**b**) (*+land, resource*) utbygge (*v3x*)
(**c**) (*FOTO*) framkalle (*v2x*) ❑ *I would like to have these pictures developed.* Jeg skulle* gjerne ha* disse bildene framkalt.
(**d**) (*+disease*) få ❑ *Every winter I developed a bad cough.* Hver vinter fikk jeg en lei hoste.
(**e**) (*+fault, engine trouble*) få, utvikle (*v1*) ❑ *...if the machine develops the same fault again.* ...hvis maskinen får *or* utvikler den samme feilen igjen. ...hvis den samme feilen oppstår i maskinen igjen.
2 VI (*gen*) utvikle (*v1*) ❑ *Her friendship with Harold developed slowly.* Vennskapet hennes med Harold utviklet seg langsomt. *Birds' feathers developed from reptilian scales.* Fuglefjær utviklet seg fra reptilskjell. *When the great civilizations developed...* Da det siviliserte samfunn utviklet seg...
▸ **to develop a taste for sth** få* sans for noe, få* smaken på noe
▸ **to develop into** utvikle seg til

developer [dɪ'vɛləpə^r] s (*also* ***property developer***) utbygger *m*

developing country s utviklingsland *nt*, u-land *nt*

development [dɪ'vɛləpmənt] s (**a**) (*= advance*) utvikling *c* ❑ *Some people expect rapid economic development in Pakistan.* Noen venter seg rask økonomisk utvikling i Pakistan.
(**b**) (*= change : in affair, case*) utvikling *c no pl* ❑ *Recent developments in Latin America suggest that...* Den senere utvikling i Latin-Amerika tyder på at...
(**c**) (*of land*) utbygging *c* ❑ *...Japanese ventures for the development of Siberia.* ...japansk satsing på utbygging av Sibir.

development area s utbyggingsområde *nt*

deviant ['di:vɪənt] ADJ (*behaviour*) avvikende

deviate ['di:vɪeɪt] VI ▸ **to deviate (from)** avvike* (fra) ❑ *He has not deviated from his view.* Han har ikke avveket fra sin oppfatning.

deviation [di:vɪ'eɪʃən] s (*in route*) omkjøring *c*; (*from subject*) digresjon *m*, avsporing *c*; (*in behaviour*) avvik *nt*

device [dɪ'vaɪs] s (**a**) (*= apparatus*) instrument *nt*, innretning *m* ❑ *A computer is a device for handling information.* En datamaskin er et instrument *or* en innretning for å behandle informasjon.
(**b**) (*= ploy, stratagem*) knep *nt* ❑ *She would stoop to any device to lay her hands on his money.* Hun ville* bruke alle knep for å få* tak i pengene hans.
▸ **explosive device** sprengmekanisme *m*
▸ **to leave sb to his own devices** overlate* noen til seg selv, la noen seile sin egen sjø

devil ['dɛvl] s (**a**) (*REL*) djevel *m*
(**b**) (*fig*) djevel *m*, faen *m* ❑ *The poor devil died of a heart attack.* Den stakkars faen *or* djevelen døde av et hjerteattakk.
▸ **be a devil!** la det stå til!, ta* sjansen!
▸ **talk of the devil!** du snakker om sola!

devilish ['dɛvlɪʃ] ADJ (*idea, problem*) djevelsk, pokkers, fandenivoldsk

devil's advocate s djevelens advokat *m*

devious ['di:vɪəs] ADJ (*person*) underfundig
▸ **by a devious route** ad omveier

devise [dɪ'vaɪz] VT (*+plan, scheme*) tenke (*v2*) ut, pønske (*v1*) ut; (*+machine*) oppfinne*

devoid [dɪ'vɔɪd] ADJ ▸ **devoid of** blottet for, fri for ❑ *He was devoid of any talent whatsoever.* Han var totalt blottet for *or* fri for talent.

devolution [di:və'lu:ʃən] s *overføring av myndighet fra sentrale organisasjoner/ myndigheter til mindre organisasjoner/ myndigheter.*

devolve [dɪ'vɔlv] 1 VI ▸ **to devolve (up)on** falle* på
2 VT (*+power, duty etc*) overføre (*v2*) ❑ *...to devolve power on the regions.* ...å overføre makt til regionene.

devote [dɪ'vəut] VT ▸ **to devote sth to** vie (*v1*) noe til

devoted [dɪ'vəutɪd] ADJ (**a**) (*service, work*) engasjert ❑ *...years of devoted research.* ...årevis med engasjert forskning.
(**b**) (*admirer, partner*) trofast, hengiven ❑ *...a devoted husband and father.* ...en hengiven *or* trofast ektemann og far.
▸ **to be devoted to sb** være* hengiven mot noen
▸ **the book is devoted to politics** boka handler om politikk

devotee [dɛvəu'ti:] s tilhenger *m*

devotion [dɪ'vəuʃən] s hengivenhet *m* ❑ *Their devotion to their children...* Deres hengivenhet for barna sine... *It demands total devotion to the cause.* Det krever full hengivenhet til saken.
▸ **devotions** PL (*REL*) andakt *c*
▸ **devotion to duty** trofasthet *m* i tjenesten

devour [dɪ'vauə^r] VT (*gen, fig*) sluke (*v2*)

devout [dɪ'vaut] ADJ from

dew [dju:] s dugg *nt* (*var.* dogg)

dexterity [dɛks'tɛrɪtɪ] s (*mental*) dyktighet *c*; (*manual*) hendighet *c*, dyktighet *c*

dext(e)rous ['dɛkstrəs] ADJ hendig

dg FK (= **decigram**) dg *nt* (= *desigram*)

DH (*BRIT*) s FK (= **Department of Health**) *sosialdepartement nt*

Dhaka ['dækə] s Dhaka

DHSS (*BRIT*) s FK (*formerly*) (= **Department of Health and Social Security**) *sosialdepartement nt*

diabetes [daɪə'bi:ti:z] s sukkersyke *m*

diabetic [daɪə'bɛtɪk] 1 ADJ (*person*) med sukkersyke; (*chocolate, jam*) diabetiker-
2 s diabetiker *m*

diabolical [daɪə'bɔlɪkl] ADJ (*sl : behaviour, weather*) djevelsk, diabolsk

diaeresis [daɪ'ɛrɪsɪs] s tødler *mpl*

diagnose [daɪəg'nəuz] VT (*+illness, problem*) diagnostisere (*v2*)

diagnoses [daɪəg'nəusi:z] SPL *of* **diagnosis**

diagnosis [daɪəg'nəusɪs] (*pl* **diagnoses**) s diagnose *m*

diagonal [daɪ'ægənl] 1 ADJ (*line*) diagonal, diagonal-, skrå-
2 S (*MAT*) diagonal *m*, diagonallinje *m*
diagram ['daɪəgræm] s diagram *nt*
dial ['daɪəl] 1 s (**a**) (= *indicator*) tallskive *c* ❑ *...the figures on the dial.* ...tallene på tallskiva.
(**b**) (= *tuner*) innstillingshjul *m*, innstillingsknapp *nt* ❑ *Hodges turned the dial to 1850 kilohertz.* Hodges stilte inn innstillingshjulet *or* innstillingsknappen på 1850 kilohertz.
(**c**) (*of phone*) nummerskive *c*
2 VT (*+number*) slå*
▸ **to dial a wrong number** slå* et feil nummer, ringe (*v2*) feil
▸ **can I dial London direct?** kan jeg ringe London direkte?
dial. FK = **dialect**
dial code (*US*) s = **dialling code**
dialect ['daɪəlɛkt] s dialekt *m*
dialling code, **dial code** (*US*) s retningsnummer *nt*
dialling tone, **dial tone** (*US*) s summetone *m*
dialogue ['daɪəlɔg], **dialog** (*US*) s (**a**) (= *communication*) dialog *m* ❑ *There is no dialogue between us.* Vi klarer ikke å snakke ordentlig sammen.
(**b**) (= *conversation*) samtale *m* ❑ *Their dialogue was interrupted by Philip's voice.* Philips stemme brøt inn i samtalen deres.
dial tone (*US*) s = **dialling tone**
dialysis [daɪ'ælɪsɪs] s dialyse *m*
diameter [daɪ'æmɪtəʳ] s diameter *m*
diametrically [daɪə'mɛtrɪklɪ] ADV ▸ **diametrically opposed (to)** diametralt motsatt (av) ❑ *The two systems are diametrically opposed.* De to systemene er diametralt motsatte (av hverandre).
diamond ['daɪəmənd] s (**a**) (*gem*) diamant *m*
(**b**) (*shape*) rombe *m*
▸ **diamonds** SPL (*KORT*) ruter *m* ❑ *...the king of diamonds.* ...ruterkonge.
diamond ring s diamantring *m*
diaper ['daɪəpəʳ] (*US*) s bleie *m*
diaphragm ['daɪəfræm] s (*ANAT*) mellomgulv *nt*; (*contraceptive*) pessar *nt*
diarrhoea [daɪə'riːə], **diarrhea** (*US*) s diaré *m*
diary ['daɪərɪ] s (**a**) (= *engagements book*) avtalebok *c* ❑ *He got out his diary and made a note in it.* Han tok fram avtaleboka og skrev ned noe.
(**b**) (= *daily account*) dagbok *c* ❑ *...the diary I wrote at the time.* ...dagboka jeg skrev på den tiden.
▸ **to keep a diary** skrive* dagbok
diatribe ['daɪətraɪb] s sterkt angrep *nt*
dice [daɪs] 1 S UBØY (*in game*) terning *m*
2 VT (*KULIN*) skjære* opp i terninger
dicey ['daɪsɪ] (*sl*) ADJ risikabel
dichotomy [daɪ'kɔtəmɪ] s dikotomi *m*
dickhead ['dɪkhɛd] (*sl!*) s rasshøl *m* (*sl!*)
Dictaphone® ['dɪktəfəun] s diktafon *m* (*R*)
dictate [*VB* dɪk'teɪt, *N* 'dɪkteɪt] 1 VT (**a**) (*+letter*) diktere (*v2*)
(**b**) (*+conditions*) diktere (*v2*), bestemme (*v2x*)
2 VI ▸ **to dictate to** (= *give orders*) diktere (*v2*) ❑ *His last attempt to dictate to the Prime Minister was a total failure.* Hans siste forsøk på å diktere statsministeren var en komplett fiasko.
3 S (= *order*) diktat *nt* ❑ *They obeyed the union's dictates...* De adlød fagforeningens diktater...
▸ **the dictates of one's conscience** ens samvittighet ❑ *You condemn me for following the dictates of my conscience.* Du dømmer meg for å følge min samvittighet.
▸ **I won't be dictated to** jeg vil ikke la meg diktere
dictation [dɪk'teɪʃən] s (*gen*) diktat *nt* ❑ *I had to take dictation from him.* Jeg måtte* ta* diktat for ham. *Our teacher was always giving us French dictations.* Læreren vår gav oss alltid franskdiktat. *The group resented dictation from above.* Gruppen likte ikke å få* diktat fra overordnede.
▸ **at dictation speed** i diktatfart
dictator [dɪk'teɪtəʳ] s (*POL, MIL, also fig*) diktator *m*
dictatorship [dɪk'teɪtəʃɪp] s diktatur *nt* ❑ *...a military dictatorship.* ...et miltærdiktatur.
diction ['dɪkʃən] s diksjon *m*
dictionary ['dɪkʃənrɪ] s ordbok *c*
did [dɪd] PRET *of* **do**
didactic [daɪ'dæktɪk] ADJ (*teaching, purpose, film*) didaktisk
diddle ['dɪdl] (*sl*) VT snyte*
didn't ['dɪdnt] = **did not**
die [daɪ] 1 s (*pl: dice*) terning *m*
2 VI dø*
▸ **to die of** *or* **from** dø* av ❑ *My father died of a heart attack.* Faren min døde av et hjerteattakk.; (*fig*) holde* på å dø av *I was dying of boredom.* Jeg holdt på å dø av kjedsomhet *or* holdt på å kjede meg i hjel.
▸ **to be dying** være* døende
▸ **to be dying for sth/to do sth** lengte (*v1*) etter noe/å gjøre* noe ❑ *I'm dying for a drink.* Jeg lengter etter en drink.
► **die away** VI (*sound, light+*) dø* hen, dø* ut
► **die down** VI (**a**) (*wind+*) løye (*v1*) (av)
(**b**) (*excitement, noise+*) legge* seg ❑ *She waited until the laughter had died down.* Hun ventet til latteren hadde lagt seg.
► **die out** VI dø* ut
diehard ['daɪhɑːd] s erkekonservativ person *m*
diesel ['diːzl] s (*also* ***diesel oil***) diesel *m*, dieselolje *c*; (*vehicle*) dieselkjøretøy *nt*
diesel engine s dieselmotor *m*
diet ['daɪət] 1 s (**a**) (= *food intake*) kosthold *nt*, kost *m* ❑ *Dogs need a regular, balanced diet.* Hunder trenger et vanlig, variert kosthold *or* trenger vanlig, variert kost.
(**b**) (*MED, when slimming*) diett *m*
2 VI (*also* ***to be on a diet***) slanke (*v1*) seg ❑ *"Have a biscuit." "No thanks, I'm on a diet."* "Ta en kjeks." "Nei takk, jeg slanker meg."
▸ **to live on a diet of fish and rice** leve (*v3*) på fisk og ris
dietician [daɪə'tɪʃən] s ernæringsfysiolog *m*
differ ['dɪfəʳ] VI (**a**) (= *be different*) ▸ **to differ (from)** skille (*v2x*) seg (fra), være* forskjellig (fra)
(**b**) (= *disagree*) ▸ **to differ (about)** være* uenige (om) ❑ *This is basically where we differ.* Dette er i hovedsak det vi er uenige om.
▸ **to agree to differ** være* enige om å være*

uenige

difference ['dɪfrəns] s (**a**) (= *dissimilarity*) forskjell *m*, ulikhet *m* NB *Look at their difference in size.* Se på forskjellen *or* ulikheten i størrelse mellom dem.
(**b**) (= *disagreement*) uenighet *m*
▸ **it makes no difference to me** det er det samme for meg
▸ **to settle one's differences** bli* enige, komme til enighet

different ['dɪfrənt] ADJ (**a**) (= *not like*) forskjellig, annerledes, ulik
(**b**) (= *distinct*) forskjellig, ulik
▸ **different from** forskjellig fra, annerledes enn, ulik ❑ *The meeting was different from any other.* Møtet var forskjellig fra *or* annerledes enn *or* ulikt alle andre.

differential [dɪfə'rɛnʃəl] s (*MAT*) differensial *m*; (*BRIT: in wages*) forskjell *m*

differentiate [dɪfə'rɛnʃɪeɪt] 1 VI ▸ **to differentiate (between)** skille (*v2x*) (mellom)
2 VT ▸ **to differentiate sth from** skille (*v2x*) noe fra

differently ['dɪfrəntlɪ] ADV annerledes, forskjellig, på en annen måte

difficult ['dɪfɪkəlt] ADJ (**a**) (*task, problem*) vanskelig, vrien
(**b**) (*person*) vanskelig
▸ **difficult to understand** vanskelig å forstå
▸ **it's difficult for me to...** jeg har vanskelig for å..., det er vanskelig for meg å...

difficulty ['dɪfɪkəltɪ] s (**a**) (= *problem*) problem *nt*, vanskelighet *m* ❑ *The main difficulty is a shortage of time.* Hovedproblemet *or* den største vanskeligheten er tidsnød.
(**b**) (= *hardness*) vanskelighet *m*, vanskelighetsgrad *m* ❑ *...questions of varying difficulty.* ...spørsmål med varierende vanskelighet *or* vanskelighetsgrad.
▸ **to have difficulties with** ha* problemer *or* vanskeligheter med
▸ **to be in difficulty** være* i vanskeligheter

diffidence ['dɪfɪdəns] s tilbakeholdenhet *m*, forknytthet *m*

diffident ['dɪfɪdənt] ADJ (= *hesitant, self-effacing*) tilbakeholden, forknytt

diffuse [*ADJ* dɪ'fju:s, *VB* dɪ'fju:z] 1 ADJ diffus
2 VT (+*information*) spre (*v4*)

dig [dɪg] (*pt, pp* **dug**) 1 VT (**a**) (+*hole*) grave (*v3*) ❑ *A new well must be dug.* Man må grave en ny brønn.
(**b**) (+*garden*) grave (*v3*) i ❑ *He's outside digging the garden.* Han er ute og graver i hagen.
2 s (**a**) (= *prod*) dytt *nt*, slag *nt* ❑ *She gave me a dig in the ribs.* Hun gav meg et dytt *or* slag i ribbeina.
(**b**) (*also* **archaeological dig**) utgraving *c*
(**c**) (= *remark*) stikk *nt* ❑ *Whenever she can, she takes a dig at me.* Hun benytter enhver anledning til å gi* meg et stikk.
▸ **to dig one's nails into sth** kjøre (*v2*) neglene inn i noe

▸ **dig in** 1 VI (*soldiers+*) grave (*v3*) seg ned
2 VT grave (*v3*) ned
▸ **to dig one's heels in** (*fig*) sette* seg på bakbeina

▸ **dig into** VT FUS (+*savings*) gjøre* et innhugg i ❑ *They had to dig into their savings to pay for it.* De måtte* gjøre* et innhugg i sparepengene for å betale for det.

▸ **dig out** VT (+*survivors, car from snow*) grave (*v3*) fram *or* ut

▸ **dig up** VT (**a**) (+*plant*) grave (*v3*) opp
(**b**) (+*information*) grave (*v3*) fram

digest [*VB* daɪ'dʒɛst, *N* 'daɪdʒɛst] 1 VT (*also fig*) fordøye (*v3*)
2 s (*book*) artikkelsamling *c*

digestible [dɪ'dʒɛstəbl] ADJ (*food*) fordøyelig

digestion [dɪ'dʒɛstʃən] s fordøyelse *m* ❑ *A good walk aids digestion.* En lang spasertur hjelper på fordøyelsen. *His digestion had always been poor.* Fordøyelsen hans hadde alltid vært dårlig.

digestive [dɪ'dʒɛstɪv] 1 ADJ (*juices, system*) fordøyelses-
2 s (*biscuit*) *søtlig, grov kjeks*

digit ['dɪdʒɪt] s (= *number*) tall *nt* (*ensifret*); (= *finger*) finger *m*

digital ['dɪdʒɪtl] ADJ digital(-)

digital computer s digital datamaskin *m*

dignified ['dɪgnɪfaɪd] ADJ (*person, manner*) ærverdig

dignitary ['dɪgnɪtərɪ] s øvrighetsperson *m*, *person som er høyt på strå*
▸ **all the dignitaries of the town** all øvrigheten i byen

dignity ['dɪgnɪtɪ] s (= *poise, self-esteem*) verdighet *m*

digress [daɪ'grɛs] VI ▸ **to digress (from the subject)** (+*topic, subject*) komme bort fra emnet

digression [daɪ'grɛʃən] s digresjon *m*

digs [dɪgz] (*BRIT: sl*) SPL (privat)hybel *m sg*
▸ **to live in digs** bo (*v4*) på hybel

dike [daɪk] s = **dyke**

dilapidated [dɪ'læpɪdeɪtɪd] ADJ (*building*) forfallen, falleferdig

dilate [daɪ'leɪt] 1 VI utvide (*v1*) seg
2 VT utvide (*v1*)

dilatory ['dɪlətərɪ] ADJ bedagelig, makelig

dilemma [daɪ'lɛmə] s dilemma *nt*
▸ **to be in a dilemma** være* i et dilemma

diligence ['dɪlɪdʒəns] s flittighet *m*, arbeidsomhet *m*

diligent ['dɪlɪdʒənt] ADJ (*worker*) flittig, arbeidsom; (*research*) grundig, omhyggelig

dill [dɪl] s dill *m*

dilly-dally ['dɪlɪ'dælɪ] VI somle (*v1*), dille (*v1*)

dilute [daɪ'lu:t] 1 VT (**a**) (+*liquid*) blande (*v1*) (ut), tynne (*v1*) ut ❑ *Dilute one part of juice with seven parts of water.* Bland (ut) *or* Tynn ut en del juice med syv deler vann.
(**b**) (*fig: belief, principle*) vanne (*v1*) ut
2 ADJ fortynnet ❑ *...very dilute milk.* ...svært fortynnet *or* utvannet melk.

dim [dɪm] 1 ADJ (**a**) (*light*) svak, dunkel
(**b**) (*outline, figure*) uklar
(**c**) (*room*) svakt opplyst, dunkel
(**d**) (*memory*) vag, uklar
(**e**) (*eyes, sight*) svak
(**f**) (*future, prospects*) mørk
(**g**) (*sl: person*) teit (*sl*)
2 VT (**a**) (+*light*) dempe (*v1*) ❑ *Someone dimmed the lights.* Noen dempet lyset.

(**b**) (*US: BIL*) ▸ **to dim one's lights** blende (*v1*) ned, slå* av fjernlyset
▸ **to take a dim view of sth** ikke se* på noe med blide øyne
dime [daɪm] (*US*) s ticent *m*, ticentstykke *nt*
dimension [daɪ'mɛnʃən] s (**a**) (= *aspect*) dimensjon *m* ❑ *There are international dimensions to our problems.* Det er internasjonale dimensjoner over våre problemer.
(**b**) (= *measurement*) mål *nt* ❑ *...the dimensions of a standard brick.* ...målene på en standard murstein.
(**c**) (*also pl: scale, size*) dimensjon *m* ❑ *...the true dimensions of the threat.* ...trusselens virkelige dimensjoner.
-dimensional [dɪ'mɛnʃənl] ADJ SUFF
▸ **two-dimensional** to-dimensjonal
diminish [dɪ'mɪnɪʃ] 1 VI (*size+*) bli* mindre, avta*; (*effect, sound+*) bli* lavere, avta*
2 VT gjøre* mindre, forminske (*v1*)
diminished [dɪ'mɪnɪʃt] ADJ ▸ **diminished responsibility** (*LAW*) nedsatt bevissthet *m* i gjerningsøyeblikket
diminutive [dɪ'mɪnjutɪv] 1 ADJ (= *tiny*) ørliten, diminutiv
2 s (*LING*) diminutiv *nt* ❑ *Sasha is the diminutive of Alexander.* Sasha er diminutivet av Alexander.
dimly ['dɪmlɪ] ADV (**a**) (*shine, light*) svakt ❑ *The lamp shone dimly from the doorway.* Lampen lyste svakt i gangen. *...the dimly lit department store.* ...det svakt opplyste varemagasinet.
(**b**) (*visible*) så vidt NB *A figure was dimly visible.* En skikkelse var så vidt synlig *or* kunne* (så vidt) skimtes.
(**c**) (*remember*) vagt
(**d**) (*see*) uklart
dimmer ['dɪmə^r] s (*also* ***dimmer switch***) dimmer *m*
dimmers ['dɪməz] (*US: BIL*) SPL (= *dipped headlights*) nærlys *nt*; (= *parking lights*) parklys *nt*
dimmer (switch) s (*ELEK, BIL*) dimmer *m*
dimple ['dɪmpl] s smilehull *nt*
dim-witted ['dɪm'wɪtɪd] (*sl*) ADJ (*person*) tosket(e) (*sl*), dustet(e) (*sl*), teit (*sl*)
din [dɪn] 1 s (*row, racket*) bråk *nt*, larm *m*
2 VT (*sl*) ▸ **to din sth into sb** banke (*v1*) noe inn i noen ❑ *I had it dinned into me at school.* Det ble banket inn i meg på skolen.
dine [daɪn] VI spise (*v2*) middag
diner ['daɪnə^r] s (*person*) middagsgjest *m* (*på restaurant*); (*US: restaurant*) spisested *nt*
dinghy ['dɪŋgɪ] s (*also* ***rubber dinghy***) jolle *c*; (*also* ***sailing dinghy***) lettere seilbåt *m*
dingy ['dɪndʒɪ] ADJ (*streets, room*) snusket(e); (*clothes, curtains etc*) sjusket(e)
dining car (*BRIT*) s spisevogn *c*
dining room s (*in house*) spisestue *c*; (*in hotel*) spisesal *m*
dinner ['dɪnə^r] s (= *evening meal, banquet*) middag *m*; (= *lunch*) lunsj *m*
dinner jacket s smoking *m*
dinner party s middagsselskap *nt*
dinner service s middagsservise *nt*
dinner time s (*evening*) middagstid *c*; (*midday*) lunsjtid *c*
dinosaur ['daɪnəsɔː^r] s dinosaurus *m*
dint [dɪnt] s ▸ **by dint of** ved hjelp av
diocese ['daɪəsɪs] s bispedømme *nt*
dioxide [daɪ'ɔksaɪd] s dioksid *nt*
dip [dɪp] 1 s (**a**) (= *slope*) skråning *m*, helling *m*
(**b**) (*in sea*) ▸ **to take a dip/to go for a dip** ta* en dukkert
(**c**) (*KULIN*) dip *m* ❑ *...two sour cream dips for the party.* ...to slag rømmedip til selskapet.
(**d**) (*for sheep: liquid*) desinfiserende vaskemiddel *nt*
2 VT (**a**) (*in water etc*) dyppe (*v1*) ❑ *He dipped his finger into the jar.* Han dyppet fingeren (opp/ned) i krukka. *Dip the bread into the fondue mixture.* Dypp brødbiten i fondyblandingen.
(**b**) (*BRIT: BIL: lights*) blende (*v1*) ned
3 VI (*ground, road+*) gå* (bratt) nedover *or* utfor
❑ *The railway line dips between thick forests.* Jernbanelinjen går nedover *or* utfor mellom tette skoger.
Dip. (*BRIT*) FK = **diploma**
diphtheria [dɪf'θɪərɪə] s difteri *m*
diphthong ['dɪfθɔŋ] s diftong *m*
diploma [dɪ'pləumə] s vitnemål *nt* (*for en utdannelse som er lavere enn en grad*), eksamensbevis *nt*
diplomacy [dɪ'pləuməsɪ] s (*POL, gen*) diplomati *nt*
diplomat ['dɪpləmæt] s diplomat *m*
diplomatic [dɪplə'mætɪk] ADJ diplomatisk
▸ **to break off diplomatic relations (with)** bryte* de diplomatiske forbindelsene (med)
diplomatic corps s diplomatkorps *nt*
diplomatic immunity s diplomatisk immunitet *m*
dip rod ['dɪprɔd] (*US*) s oljepinne *m*, målepinne *m*
dipstick ['dɪpstɪk] (*BRIT: BIL*) s oljepinne *m*, målepinne *m*
dip switch (*BRIT: BIL*) s (ned)blenderknapp *m*
dire [daɪə^r] ADJ (*consequences, effects*) (svært) alvorlig
direct [daɪ'rɛkt] 1 ADJ (**a**) (*gen*) direkte ❑ *This sweater should be dried away from direct heat.* Denne genseren må ikke tørkes i direkte varme. *...a direct challenge to the government.* ...en direkte utfordring til regjeringen. *He is very direct, almost too direct.* Han er veldig direkte, nesten for direkte.
(**b**) (*route*) direkte(-) ❑ *direct flights to Athens* direktefly til Aten
2 VT (**a**) (= *address: letter*) adressere (*v2*)
(**b**) (= *aim: attention, remark*) rette (*v1*) ❑ *...a question to which we are all directing our attention.* ...et spørsmål som vi alle retter oppmerksomheten mot.
(**c**) (= *manage: company, project etc*) lede (*v1*)
(**d**) (*+play, film, programme*) iscenesette*, instruere (*v2*)
(**e**) (= *order*) ▸ **to direct sb to do sth** be* noen om å gjøre* noe
3 ADV (*go, write*) direkte ❑ *Some of the money comes direct from industry.* Noen av pengene kommer direkte fra industrien.
▸ **can you direct me to ...?** kunne* du si meg veien til ...?
direct access (*DATA*) s direkte tilgang *m*
direct cost s direkte kostnad *m*
direct current s likestrøm *m*
direct debit (*BRIT*) s automatisk trekk *m* (fra

bankkonto)

direct dialling s direktevalg *nt*

direct hit s fulltreffer *m*

direction [dɪ'rɛkʃən] s (**a**) (= *way*) retning *m* ❑ *Bits of china went flying in all directions.* Porselensbiter fløy i alle retninger.
(**b**) (*TV, RADIO, FILM*) iscenesetting *m*, instruksjon *m*
▸ **directions** SPL (= *instructions*) instruks *m*, anvisning *m* ❑ *You should follow the directions that the doctor gives you.* Du bør følge instruksene *or* anvisningene som legen gir deg.
▸ **sense of direction** stedsans *m*
▸ **directions for use** bruksanvisning *m*
▸ **to ask for directions** spørre* om veien
▸ **in the direction of** i retning (av)

directional [dɪ'rɛkʃənl] ADJ (*radar, aerial*) retningsbestemt, retnings-

directive [dɪ'rɛktɪv] s (*POL, ADMIN*) direktiv *nt*
▸ **a government directive** et regjeringsdirektiv

directly [dɪ'rɛktlɪ] ADV (**a**) (= *in a straight line*) rett, direkte ❑ *The door opened directly onto the street.* Døren gikk rett ut på gaten.
(**b**) (= *at once*) med en gang ❑ *They go directly to live in the village of their new husband.* De drar med en gang for å slå seg ned i landsbyen til sin nye mann.

direct mail s direkte markedsføring *c* (*i posten*)

directness [daɪ'rɛktnɪs] s (*of person, speech*) *det å være* direkte*; likeframhet *c*

director [dɪ'rɛktə[r]] s (*MERK*) direktør *m*; (*of project*) leder *m*; (*TV, RADIO, FILM*) instruktør *m*

Director of Public Prosecutions (*BRIT: JUR*) s ≈ riksadvokat *m*

directory [dɪ'rɛktərɪ] s (*TEL*) (telefon)katalog *m*; (*also* ***street directory***) adressebok *c*; (*DATA*) katalog *m*; (*MERK: directorate*) direksjon *m*

directory enquiries, **directory assistance** (*US*) (*TEL*) s opplysningen *m def* ❑ *I'll ring directory enquiries.* Jeg skal ringe (til) opplysningen.

dirt [də:t] s (**a**) (= *stains, dust*) skitt *m* ❑ *These carpets don't show dirt.* Det synes ikke skitt på disse teppene.
(**b**) (= *earth*) jord *m* ❑ *He drew a circle in the dirt with a stick.* Han tegnet en sirkel i jorda med en pinne.
▸ **to treat sb like dirt** behandle (*v1*) noen som dritt

dirt-cheap ['də:t'tʃi:p] [1] ADJ kjempebillig
[2] ADV kjempebillig

dirt road s grusvei *m*

dirty ['də:tɪ] [1] ADJ (**a**) (*clothes, face*) skitten ❑ *He wiped his face with a dirty arm.* Han tørket fjeset med en skitten arm.
(**b**) (*joke, story*) grov, stygg ❑ *...dirty books were banned.* ...grove *or* stygge bøker var forbudt.
[2] VT (+*clothes, face*) skitne (*v1*) til, søle (*v2*) til

dirty trick s skittent knep *nt*, simpelt knep *nt* ❑ *They even played a dirty trick or two on him.* De utsatte ham til og med for et skittent *or* simpelt knep eller to.

disability [dɪsə'bɪlɪtɪ] s (*physical*) handikap *nt*, uførhet *m*; (*mental*) handikap *nt*

disability allowance s uføretrygd *m*

disable [dɪs'eɪbl] VT (**a**) (*illness, accident*+) gjøre* arbeidsufør ❑ *The disease disables thousands every year.* Sykdommen gjør tusenvis (arbeids)uføre hvert år.
(**b**) (*tank, gun*+) sette* ut av spill ❑ *This weapon was used to disable two battleships.* Dette våpenet ble brukt til å sette to slagskip ut av spill.

disabled [dɪs'eɪbld] [1] ADJ (*physically*) handikappet, funksjonshemmet; (*mentally*) handikappet
[2] SPL ▸ **the disabled** de handikappede, de funksjonshemmede

disabuse [dɪsə'bju:z] VT ▸ **to disabuse sb of a notion** rive* noen ut av en villfarelse

disadvantage [dɪsəd'vɑ:ntɪdʒ] s ulempe *m*, minus *nt* ❑ *This inability was an enormous disadvantage.* Denne manglende evnen var en stor ulempe *or* et stort minus.
▸ **to work to sb's disadvantage** være* en ulempe *or* et minus for noen
▸ **to be at a disadvantage** ha* et handikap, ha* et uheldig utgangspunkt

disadvantaged [dɪsəd'vɑ:ntɪdʒd] ADJ (*person*) uheldig stilt

disadvantageous [dɪsædvɑ:n'teɪdʒəs] ADJ (*terms, situation*) ufordelaktig, ugunstig

disaffected [dɪsə'fɛktɪd] ADJ (*person*) misfornøyd, utilfreds

disaffection [dɪsə'fɛkʃən] s (*with leadership etc*) misnøye *m*, utilfredshet *m* ❑ *He was accused of sowing disaffection among the troops.* Han ble beskyldt for å skape misnøye *or* utilfredshet blant soldatene.

disagree [dɪsə'gri:] VI (= *differ*) være* uenig(e) ❑ *He and I disagree about it.* Han og jeg er uenige om det.
▸ **to disagree with sth** (**a**) (= *differ*) være* uenig i noe
(**b**) (= *oppose*) være* imot noe
▸ **I disagree with you** jeg er uenig med deg
▸ **garlic disagrees with me** jeg tåler ikke hvitløk

disagreeable [dɪsə'gri:əbl] ADJ (*gen*) ubehagelig ❑ *...a disagreeable encounter.* ...et ubehagelig møte.

disagreement [dɪsə'gri:mənt] s (**a**) (= *lack of consensus*) uenighet *m* ❑ *There was little disagreement over what needed to be done.* Det var liten uenighet om hva som måtte* gjøres.
(**b**) (= *argument*) uoverensstemmelse *m* ❑ *You could call it a family disagreement.* Man kan kalle det en familieuoverensstemmelse.
▸ **to have a disagreement with sb** være* uenig med noen

disallow ['dɪsə'lau] VT (*JUR: appeal*) avvise (*v2*); (*SPORT: goal*) annullere (*v2*)

disappear [dɪsə'pɪə[r]] VI (**a**) (*person, vehicle, object*+) forsvinne* ❑ *I saw him disappear round the corner.* Jeg så at han forsvant rundt hjørnet.
(**b**) (*custom, phenomenon*+) forsvinne*, bli* borte ❑ *Some newspapers are going to disappear as a result of new technology.* Noen aviser kommer til å forsvinne *or* bli* borte som en følge av ny teknologi.

disappearance [dɪsə'pɪərəns] s (**a**) (*of person*) forsvinning *c* (**b**) (*of vehicle, object, custom*) det å forsvinne/ha forsvunnet ❑ *This could lead to their total disappearance within fifty years.* Dette kan føre til at de er helt forsvunnet i løpet av femti år.

disappoint [dɪsə'pɔɪnt] VT skuffe (*v1*)

disappointed [dɪsə'pɔɪntɪd] ADJ skuffet NB *He was disappointed that the other side had won.* Han var skuffet over at motparten hadde vunnet.

disappointing [dɪsə'pɔɪntɪŋ] ADJ (*outcome, result, book etc*) skuffende

disappointment [dɪsə'pɔɪntmənt] s skuffelse *m* ❑ *He said it was a disappointment.* Han sa det var en skuffelse.
▸ **to my disappointment** til min skuffelse

disapproval [dɪsə'pruːvəl] s misbilligelse *m*, uvilje *m* NB *...his disapproval of the President.* ...sin misbilligelse for *or* uvilje mot presidenten.

disapprove [dɪsə'pruːv] VI ▸ **to disapprove (of)** (*+person, thing*) mislike (*v2*)

disapproving [dɪsə'pruːvɪŋ] ADJ (*expression, gesture*) misbilligende

disarm [dɪs'ɑːm] 1 VT (*MIL, fig*) avvæpne (*v1*) ❑ *They set out to disarm the terrorist groups.* De hadde til hensikt å avvæpne terroristgruppene. *Perhaps it was the French accent that disarmed her.* Kanskje det var den franske aksenten som avvæpnet henne.
2 VI (*MIL*) nedruste (*v1*), ruste (*v1*) ned

disarmament [dɪs'ɑːməmənt] s nedrustning *m*

disarming [dɪs'ɑːmɪŋ] ADJ (*smile, friendliness*) avvæpnende

disarray [dɪsə'reɪ] s ▸ **in disarray** (**a**) (*hair*) bustete, i uorden ❑ *My hair was in hopeless disarray.* Håret var håpløst bustete.
(**b**) (*clothes*) i uorden
▸ **the Party was in disarray** det hersket forvirring i partiet
▸ **my mind was in complete disarray** jeg var helt forvirret
▸ **to throw sb into disarray** skape (*v2*) forvirring hos noen

disaster [dɪ'zɑːstə[r]] s katastrofe *m* ❑ *...when the disaster happened.* ...da katastrofen inntraff. *...the worst air disaster since 1979.* ...den verste flykatastrofen siden 1979. *This policy is an unmitigated disaster.* Denne politikken er en absolutt katastrofe.

disaster area s (**a**) katastrofeområde *nt* ❑ *The region has been declared a disaster area.* Regionen har blitt erklært som katastrofeområde.
(**b**) (*hum: person*) (vandrende) katastrofeområde *nt* ❑ *He's a disaster area as a politician.* Han er en katastrofe som politiker.

disastrous [dɪ'zɑːstrəs] ADJ (*mistake, effect, results*) katastrofal, skjebnesvanger

disband [dɪs'bænd] 1 VT (*+regiment, group*) oppløse (*v2*)
2 VI (*regiment, group+*) løse (*v2*) seg opp

disbelief ['dɪsbə'liːf] s vantro *m*
▸ **in disbelief** med vantro

disbelieve ['dɪsbə'liːv] VT (**a**) (*+person*) mistro (*v4*), ikke tro (*v4*) på ❑ *There is no reason to disbelieve him.* Det er ikke noen grunn til å ikke tro på *or* mistro ham.
(**b**) (*+story*) ikke tro (*v4*) på ❑ *I never disbelieved their story.* Jeg tvilte aldri på deres versjon.
▸ **I don't disbelieve you** jeg mistror deg ikke

disc [dɪsk] s (*ANAT*) skive *m*; (= *record*) plate *m*; (*DATA*) = **disk**

disc. (*MERK*) FK = **discount**

discard [dɪs'kɑːd] VT (**a**) (*+old things, food, waste*) kaste (*v1*). De spiste mat som soldatene hadde kastet.
(**b**) (*fig: idea, plan*) forkaste (*v1*) ❑ *Should they discard the present system entirely?* Skulle de forkaste det nåværende systemet helt?

disc brake s skivebrems *m*

discern [dɪ'səːn] VT (**a**) (= *see*) skjelne (*v1*) ❑ *I could dimly discern his figure.* Jeg kunne* såvidt skjelne figuren hans.
(**b**) (= *understand*) innse*, forstå*

discernible [dɪ'səːnəbl] ADJ som kan/kunne skjelnes

discerning [dɪ'səːnɪŋ] ADJ (*judgement, look, listeners etc*) forstandig, fornuftig
▸ **of discerning taste** med utsøkt smak

discharge [*VB* dɪs'tʃɑːdʒ, *N* 'dɪstʃɑːdʒ] 1 VT (**a**) (*+duties*) utføre (*v2*) ❑ *He is unable to discharge the duties of his office.* Han er ikke i stand til å utføre de pliktene han er pålagt.
(**b**) (= *settle: debt*) betale (*v2*), innfri (*v4*)
(**c**) (*+waste*) slippe* ut ❑ *The waste discharged at night...* Avfallsstoffene som ble sluppet ut om natten...
(**d**) (*+patient*) skrive* ut ❑ *He was discharged from hospital last week.* Han ble skrevet ut fra sykehuset i forrige uke.
(**e**) (*+employee*) si* opp
(**f**) (*+soldier*) dimittere (*v2*) ❑ *He had been discharged from the army.* Han hadde blitt dimittert fra hæren.
(**g**) (*+defendant*) løslate*
(**h**) (*+gun, weapon*) avfyre (*v2*)
2 s (**a**) (*KJEM, ELEK*) utslipp *nt* ❑ *Carbon monoxide discharge is high.* Utslippet av karbonmonoksid er høyt.
(**b**) (*MED: substance*) utsondring *m*
(**c**) (= *dismissal: of patient*) utskrivning *m*
(**d**) (*of soldier*) dimittering *c*
(**e**) (*of defendant*) løslatelse *m* ❑ *The midwife will come and see you after your discharge.* Jordmora vil komme og se til deg etter at du har blitt skrevet ut. *He is applying for discharge from the Army...* Han søker om å få* dimittere fra hæren... *He was given a conditional discharge...* Han ble løslatt på prøve...

discharged bankrupt (*JUR*) s fallent *m* med et bo som er ekstradert

disciple [dɪ'saɪpl] s (*REL, fig*) disippel *m* ❑ *Lenin was the disciple of Marx.* Lenin var en disippel av Marx.

disciplinary ['dɪsɪplɪnərɪ] ADJ (*code, problems, measures*) disiplinær(-)
▸ **to take disciplinary action against sb** gi* noen disiplinærstraff

discipline ['dɪsɪplɪn] 1 s (*gen*) disiplin *m* ❑ *...an aid in imposing discipline on children.* ...et hjelpemiddel til å lære barn disiplin. *She was*

holding back with iron discipline. Hun behersket seg ved hjelp av jerndisiplin. ...*candidates from any academic discipline.* ...kandidater fra alle akademiske disipliner.
2 VT (**a**) (= *train*) displinere (*v2*)
(**b**) (= *punish*) straffe (*v1*) ❑ *The company is not going to discipline anybody.* Selskapet kommer ikke til straffe noen.
▸ **to discipline o.s. to do sth** disiplinere (*v2*) seg (selv) til å gjøre* noe

disc jockey s disc jockey *m*, plateprater *m*

disclaim [dɪs'kleɪm] VT (+*knowledge, responsibility*) fraskrive* seg, nekte (*v1*)

disclaimer [dɪs'kleɪməʳ] s dementi *nt*
▸ **to issue a disclaimer** komme* med et dementi

disclose [dɪs'kləuz] VT (+*interest, involvement*) avsløre (*v2*), røpe (*v1 or v2*)

disclosure [dɪs'kləuʒəʳ] s avsløring *c*

disco ['dɪskəu] s disko *nt*

discolour [dɪs'kʌləʳ], **discolor** (*US*) 1 VT misfarge (*v1*)
2 VI bli* misfarget ❑ *The pans may discolour inside.* Grytene kan bli* misfarget på innsiden.

discolo(u)ration [dɪskʌlə'reɪʃən] s misfarging *c*

discolo(u)red [dɪs'kʌləd] ADJ misfarget, skjoldet

discomfort [dɪs'kʌmfət] s ubehag *nt* ❑ *Her letter caused him some discomfort.* Brevet hennes forårsaket noe ubehag for ham. *Discomfort can usually be eased with heat.* Ubehag kan vanligvis lindres med varme.

disconcert [dɪskən'sə:t] VT bringe* ut av fatning, gjøre* urolig

disconcerting [dɪskən'sə:tɪŋ] ADJ (*habit, situation*) sjenerende

disconnect [dɪskə'nɛkt] VT (**a**) (+*pipe, tap*) kople (*v1*) fra, frakople (*v1*) ❑ *Make sure you have disconnected the hose from the tap.* Sjekk at du har koplet slangen fra kranen.
(**b**) (*ELEK, RADIO*) kople (*v1*) ut ❑ *Removal firms won't disconnect any electrical apparatus.* Flyttebyråer vil ikke kople ut elektriske apparater.
(**c**) (*TEL: permanently*) kople (*v1*) ut
(**d**) (*during conversation*) bryte* ❑ *I think we've been disconnected.* Jeg tror linjen har blitt brutt.

disconnected [dɪskə'nɛktɪd] ADJ (*speech, thoughts*) usammenhengende, springende

disconsolate [dɪs'kɔnsəlɪt] ADJ utrøstelig

discontent [dɪskən'tɛnt] s misnøye *m*, utilfredshet *m*

discontented [dɪskən'tɛntɪd] ADJ misfornøyd, utilfreds

discontinue [dɪskən'tɪnju:] VT (**a**) (+*visits*) holde* opp med
(**b**) (+*payments*) stanse (*v1*)
▸ **"discontinued"** (*MERK*) "opphørt"

discord ['dɪskɔ:d] s (**a**) (= *quarrelling*) splid *m*, uenighet *m* ❑ *I don't want to introduce a note of discord.* Jeg vil ikke skape noe splid *or* uenighet.
(**b**) (*MUS*) disharmoni *m*

discordant [dɪs'kɔ:dənt] ADJ (*fig*) uharmonisk, skurrende ❑ *This statement struck a discordant note...* Dette utsagnet skurret...

discothèque ['dɪskəutɛk] s (*place*) diskotek *nt*

discount [*N* 'dɪskaunt, *VB* dɪs'kaunt] 1 s (*for students, employees etc*) rabatt *m*, avslag *nt* (i prisen)
2 VT (**a**) (*MERK*) slå* av ❑ *I can discount ten per cent for you.* Jeg kan slå av ti prosent for deg.. Jeg kan gi* deg ti prosent rabatt *or* avslag.
(**b**) (+*idea, fact*) avskrive* ❑ *This must be discounted as a solution.* Dette må avskrives som en løsning.
▸ **to give sb a discount on sth** gi* noen rabatt *or* avslag på noe
▸ **discount for cash** kontantrabatt *m*
▸ **at a discount** med avslag

discount house s (*FIN*) diskontobank *m*; (*MERK*: ***discount store***) lavprisbutikk *m*

discount rate s diskonto *m*

discourage [dɪs'kʌrɪdʒ] VT (= *dishearten*) gjøre* motløs ❑ *Don't be discouraged.* Ikke mist motet.
▸ **to discourage sb from doing sth** (= *prevent*) fraråde (*v1*) noen å gjøre* noe

discouragement [dɪs'kʌrɪdʒmənt] s (= *opposition*) motstand *m*; (= *being discouraged*) motløshet *m*

discouraging [dɪs'kʌrɪdʒɪŋ] ADJ nedslående

discourteous [dɪs'kə:tɪəs] ADJ (*person, behaviour, letter etc*) uhøflig

discover [dɪs'kʌvəʳ] VT (**a**) (*gen*) oppdage (*v1*) ❑ *Columbus discovered the largest island...* Columbus oppdaget den største øya... *The mistake was finally discovered.* Tabben ble til slutt oppdaget.
(**b**) (+*missing person*) finne*, oppdage (*v1*)
▸ **to discover that** finne* ut at, oppdage (*v1*) at

discovery [dɪs'kʌvərɪ] s (**a**) (= *act of finding*) ▸ **my discovery of these books** det at jeg fant *or* oppdaget disse bøkene
(**b**) (= *thing found*) oppdagelse *m* ❑ *One of the most important discoveries this century.* En av de viktigste oppdagelsene i dette århundret.

discredit [dɪs'krɛdɪt] 1 VT (**a**) (+*person, group*) bringe* i vanry
(**b**) (+*claim, idea*) så (*v4*) tvil om ❑ *Scientific discoveries have discredited religious belief.* Vitenskapelige funn har sådd tvil om religiøs tro.
2 s ▸ **it was to his discredit that he refused to...** det brakte ham i vanry at han nektet å...

discreet [dɪs'kri:t] ADJ diskret ❑ *I waited in the car at a discreet distance.* Jeg ventet i bilen på diskret avstand. *It was a discreet flat in a quiet street.* Det var en diskret leilighet i en stille gate.

discreetly [dɪs'kri:tlɪ] ADV diskret

discrepancy [dɪs'krɛpənsɪ] s mangel *m* på samsvar ❑ *There was a striking discrepancy between the suicide rates.* Det var en slående mangel på samsvar mellom selvmordstallene.

discretion [dɪs'krɛʃən] s (= *tact*) diskresjon *m*
▸ **at the discretion of sb** etter noens skjønn
▸ **use your own discretion** bruk ditt eget skjønn

discretionary [dɪs'krɛʃənrɪ] ADJ ▸ **discretionary powers** bestemmelsesrett *m*
▸ **discretionary payments** betaling *c* etter skjønn

discriminate [dɪs'krɪmɪneɪt] VI ▸ **to discriminate between** skille (*v2x*) mellom

▸ **to discriminate against** diskriminere (*v2*) ❑ *The divorce laws discriminated against women.* Skilsmisselovene diskriminerte kvinner.

discriminating [dɪs'krɪmɪneɪtɪŋ] ADJ (*public, audience*) kresen

discrimination [dɪskrɪmɪ'neɪʃən] s (**a**) (= *bias*) diskriminering *c* ❑ *...discrimination against women.* ...diskriminering av kvinner.
(**b**) (= *discernment*) skjønn *nt*
▸ **racial/sexual discrimination** rase-/kjønnsdiskriminering

discus ['dɪskəs] s (*object, event*) diskos *m* ❑ *She's in the discus.* Hun er med i diskos.

discuss [dɪs'kʌs] VT (**a**) (= *talk over*) diskutere (*v2*), drøfte (*v1*) ❑ *They've got an important matter to discuss with you.* De har en viktig sak de vil diskutere *or* drøfte med deg.
(**b**) (= *analyse*) diskutere (*v2*), behandle (*v1*), drøfte (*v1*) ❑ *...the problems discussed in the previous chapter.* ...problemene som er diskutert *or* behandlet *or* drøftet i de foregående kapitlene.

discussion [dɪs'kʌʃən] s diskusjon *m* ❑ *There was much discussion about the new rules.* Det var mye diskusjon om de nye reglene. *John Lyons will take part in a discussion on...* John Lyons vil delta i en diskusjon om...
▸ **under discussion** under drøfting

disdain [dɪs'deɪn] [1] s forakt *m*
[2] VT forakte (*v1*), se* ned på ❑ *Young people disdain anything so old-fashioned.* Unge mennesker forakter *or* ser ned på alt som er så gammeldags.
[3] VI ▸ **to disdain to do** holde* seg for god til å gjøre, synes (*v25*) det er under ens verdighet å gjøre ❑ *Claire disdained to reply.* Claire holdt seg for god til å svare *or* syntes det var under hennes verdighet å svare.

disease [dɪ'ziːz] s (**a**) (MED) sykdom *m*
(**b**) (*fig*) besettelse *m*, syke *m* ❑ *...the English disease of being nice to everyone.* ...den engelske sykelige trangen til å være* hyggelig mot alle.

diseased [dɪ'ziːzd] ADJ (MED, *also fig*) syk ❑ *...the product of a diseased imagination.* ...produktet av en syk fantasi.

disembark [dɪsɪm'bɑːk] [1] VT (+*goods, passengers*) sette* i land
[2] VI (*passengers*+) gå* i land

disembarkation [dɪsɛmbɑː'keɪʃən] s landgang *m*

disembodied ['dɪsɪm'bɔdɪd] ADJ (*voice, hand*) herreløs

disembowel ['dɪsɪm'bauəl] VT ta* innvollene ut av

disenchanted ['dɪsɪn'tʃɑːntɪd] ADJ
▸ **disenchanted (with)** lei (av)

disenfranchise ['dɪsɪn'fræntʃaɪz] VT frata* stemmerett

disengage [dɪsɪn'geɪdʒ] VT (BIL: *clutch*) kople (*v1*) ut

disengagement [dɪsɪn'geɪdʒmənt] s (POL) tilbaketrekning *m*

disentangle [dɪsɪn'tæŋgl] VT (**a**) (*from wreckage*) frigjøre* seg, komme* seg løs ❑ *She clawed at the bushes to disentangle herself.* Hun klorte seg til buskene for å frigjøre seg *or* komme seg løs.
(**b**) (+*ideas*) skille (*v2x*) ❑ *I will try to disentangle the facts from the fantasy.* Jeg vil prøve å skille fakta og fantasi.

disfavour [dɪs'feɪvə^r], **disfavor** (US) s mishag *nt*, motvilje *m*

disfigure [dɪs'fɪgə^r] VT (+*person*) vansire (*v1*); (+*object, place*) skjemme (*v2x*)

disgorge [dɪs'gɔːdʒ] VT (+*effluent, passengers*) spy (*v4*) ut

disgrace [dɪs'greɪs] [1] s (= *shame, dishonour*) vanære *m* ❑ *She could not bear the disgrace of anyone knowing...* Hun kunne* ikke holde ut vanæren det ville* innebære hvis noen fikk vite...
[2] VT vanære (*v1*), gjøre* skam på
▸ **to be a disgrace to** (= *cause of shame*) vanære (*v1*), gjøre* skam på ❑ *He was a disgrace to the regiment.* Han gjorde skam på *or* vanæret hele regimentet.
▸ **it's a disgrace!** det er en skam!

disgraceful [dɪs'greɪsful] ADJ (*behaviour, condition, state*) uverdig, skammelig

disgruntled [dɪs'grʌntld] ADJ (*person, tone*) misfornøyd, utilfreds

disguise [dɪs'gaɪz] [1] s (*costume*) forkledning *m* ❑ *He's a master of disguise.* Han er en mester til å kle seg ut
[2] VT (**a**) (+*person, object*) ▸ **to disguise (as)** kle (*v4*) ut (som) ❑ *He escaped disguised as a girl.* Han unnslapp utkledd som jente.
(**b**) (+*fact, emotions*) skjule (*v2*)
▸ **in disguise** utkledd, forkledd
▸ **there's no disguising the fact that...** det er ikke mulig å skjule at...
▸ **to disguise o.s. as** kle (*v4*) seg ut som

disgust [dɪs'gʌst] [1] s (= *aversion, distaste*) avsky *m*, vemmelse *m*
[2] VT virke (*v1*) frastøtende på, virke (*v1*) avskyelig på [NB] *You disgust me!* Du er avskyelig *or* motbydelig!
▸ **she walked off in disgust** hun gikk i avsky

disgusting [dɪs'gʌstɪŋ] ADJ (*food etc*) motbydelig, vemmelig; (*behaviour etc*) motbydelig, avskyelig, vemmelig

dish [dɪʃ] s (**a**) (*for serving*) fat *nt*
(**b**) (*for eating*) dyp tallerken *m*
(**c**) (*small*) dessertskål *c*
(**d**) (*recipe, food*) rett *m*
(**e**) (*also* **satellite dish**) parabolantenne *m*
▸ **to do** *or* **wash the dishes** vaske (*v1*) opp
▸ **dish out** VT dele (*v2*) ut (**a**) (+*food*) servere (*v2*)
(**b**) (+*advice*) strø (*v4*) om seg med
(**c**) (+*money*) dele (*v2*) ut
▸ **dish up** VT (+*food*) servere (*v2*)

dishcloth ['dɪʃklɔθ] s oppvaskklut *m*

dishearten [dɪs'hɑːtn] VT gjøre* motløs
▸ **I was disheartened to learn that...** jeg ble lei meg over å høre at..., jeg mistet motet da jeg hørte at...

dishevelled [dɪ'ʃɛvəld], **disheveled** (US) ADJ ustelt, uflidd, pjusket(e)

dishonest [dɪs'ɔnɪst] ADJ (*person, behaviour*) uærlig, uredelig

dishonesty [dɪs'ɔnɪstɪ] s uærlighet *m*, uredelighet *m*

dishonour [dɪs'ɒnəʳ], **dishonor** (*US*) s skam *m*, vanære *m*
dishono(u)rable [dɪs'ɒnərəbl] ADJ (*person, behaviour*) skammelig
dish soap (*US*) s oppvaskmiddel *nt*, oppvasksåpe *c*
dishtowel ['dɪʃtauəl] (*US*) s glasshåndkle *nt*
dishwasher ['dɪʃwɔʃəʳ] s (*machine*) oppvaskmaskin *m*
dishy ['dɪʃɪ] (*sl: BRIT*) ADJ lekker
disillusion [dɪsɪ'lu:ʒən] 1 VT gjøre* desillusjonert 2 s desillusjonering *c*
▸ **to become disillusioned (with)** bli* desillusjonert (over)
disillusionment [dɪsɪ'lu:ʒənmənt] s desillusjonering *c*
disincentive [dɪsɪn'sɛntɪv] s (*to work, investment*) hemsko *m* NB *...a disincentive to work.* ...en hemsko for arbeidet.
▸ **to be a disincentive to sb** virke (*v1*) demoraliserende på noen
disinclined [dɪsɪn'klaɪnd] ADJ ▸ **to be disinclined to do sth** ikke være* tilbøyelig til å gjøre* noe
disinfect [dɪsɪn'fɛkt] VT desinfisere (*v2*)
disinfectant [dɪsɪn'fɛktənt] s desinfeksjonsmiddel *nt*
disinflation [dɪsɪn'fleɪʃən] (*ØKON*) s inflasjonsbegrensning *m*
disinformation [dɪsɪnfə'meɪʃən] s desinformasjon *m*
disingenuous [dɪsɪn'dʒɛnjuəs] ADJ (*person, behaviour*) uoppriktig
disinherit [dɪsɪn'hɛrɪt] VT gjøre* arveløs
disintegrate [dɪs'ɪntɪgreɪt] VI (**a**) (*object, organization+*) falle* fra hverandre, gå* i oppløsning ❑ *Both ships simply seemed to disintegrate.* Det så ut som begge skipene rett og slett var i ferd med å falle fra hverandre *or* gå* i oppløsning.
(**b**) (*marriage, partnership+*) gå* i oppløsning ❑ *They had seen their marriages disintegrate...* De hadde sett ekteskapene sine gå* i oppløsning...
disinterested [dɪs'ɪntrəstɪd] ADJ (= *impartial: advice*) upartisk
disjointed [dɪs'dʒɔɪntɪd] ADJ (*thoughts, words*) usammenhengende
disk [dɪsk] (*DATA: hard*) s (**a**) disk *m*
(**b**) (*floppy*) diskett *m*
▸ **single-/double-sided disk** en-/tosidet diskett
disk drive s diskettstasjon *m*
diskette [dɪs'kɛt] s diskett *m*
disk operating system s operativsystem *nt*
dislike [dɪs'laɪk] 1 s (**a**) (*feeling*) ▸ **dislike (of)** mishag *nt* (mot)
(**b**) (*gen pl: object of dislike*) antipati *m* ❑ *She has her likes and dislikes.* Hun har sine sympatier og antipatier.
2 VT mislike (*v2*) ❑ *I grew to dislike working for the cinema.* Jeg begynte etterhvert å mislike å jobbe for kinoen.
▸ **to take a dislike to sb/sth** få* noe i mot noen/noe
▸ **I dislike the idea** jeg misliker tanken
dislocate ['dɪsləkeɪt] VT (*+joint*) få* av ledd ❑ *He has dislocated his shoulder.* Han har fått skulderen av ledd.
dislodge [dɪs'lɔdʒ] VT (*+boulder etc*) løsne (*v1*) på
disloyal [dɪs'lɔɪəl] ADJ (*to country, family*) illojal
dismal ['dɪzml] ADJ (= *depressing: weather, song, mood*) dyster; (= *very bad: prospects, failure*) elendig, forferdelig
dismantle [dɪs'mæntl] VT (*+machine*) demontere (*v2*), ta* fra hverandre
dismast [dɪs'mɑ:st] VT ta* ned masten(e) på, rigge (*v1*) ned masten(e) på
dismay [dɪs'meɪ] 1 s bestyrtelse *m*, forferdelse *m* 2 VT bestyrte (*v1*), forferde (*v1*)
▸ **much to my dismay** til min store rystelse *or* forferdelse
▸ **he gasped in dismay** han gispet av rystelse *or* forferdelse
dismiss [dɪs'mɪs] VT (**a**) (*+worker*) si* opp, avskjedige (*v1*) ❑ *An individual cannot be dismissed for...* Ingen enkeltperson kan bli* sagt opp *or* avskjediget for...
(**b**) (*+pupils*) sende (*v2*) avgårde, la gå ❑ *She dismissed the other children.* Hun sendte avgårde de andre barna *or* lot de andre barna gå.
(**c**) (*+soldiers*) la tre av
(**d**) (*JUR: case*) avvise (*v2*) ❑ *Her lawyer asked to have the case dismissed.* Advokaten hennes ba om at saken måtte* avvises.
(**e**) (*+possibility, idea*) avvise (*v2*), avferdige (*v1*) ❑ *The problems can no longer be dismissed.* Problemene kan ikke lenger avvises *or* avferdiges.
dismissal [dɪs'mɪsl] s (= *sacking*) oppsigelse *m*, avskjedigelse *m*
dismount [dɪs'maunt] VI (*from horse, bicycle*) stige* av, gå* av
disobedience [dɪsə'bi:dɪəns] s ulydighet *m*
disobedient [dɪsə'bi:dɪənt] ADJ (*child, dog*) ulydig
disobey [dɪsə'beɪ] VT (*+person, order*) ikke adlyde*, nekte (*v1*) å adlyde
disorder [dɪs'ɔ:dəʳ] s (**a**) (= *untidiness*) rot *nt*
(**b**) (= *rioting*) uroligheter *pl*, opptøyer *pl* ❑ *...a risk of public disorder.* ...en risiko for uroligheter.
(**c**) (*MED*) lidelse *m* ❑ *...a kidney disorder.* ...en nyrelidelse.
▸ **in disorder** (= *untidy*) rotete, i uorden ❑ *The room was in dreadful disorder.* Rommet var forferdelig rotete.
▸ **civil disorder** uroligheter *pl*, opptøyer *pl*
disorderly [dɪs'ɔ:dəlɪ] ADJ (**a**) (= *untidy: room etc*) i uorden, rotete ❑ *...in a disorderly mess.* ...i et uendelig rot.
(**b**) (*meeting, behaviour, crowd*) urolig, bråket(e)
disorderly conduct (*JUR*) s gateuorden *m*
disorganize [dɪs'ɔ:gənaɪz] VT skape (*v2*) uorden i
disorganized [dɪs'ɔ:gənaɪzd] ADJ (*person*) uten orden, ustrukturert; (*event*) uorganisert, dårlig organisert
disorientated [dɪs'ɔ:rɪɛnteɪtɪd] ADJ (*person: after journey, deep sleep*) desorientert
disown [dɪs'əun] VT (**a**) (*+action*) ikke ville* kjennes ved ❑ *He disowned responsibility for his actions.* Han ville* ikke kjennes ved ansvaret for sine handlinger.
(**b**) (*+child*) ikke ville* vite av ❑ *Her father disowned and disinherited her.* Faren hennes

ville* ikke vite av henne og gjorde henne arveløs.
disparaging [dɪs'pærɪdʒɪŋ] ADJ (*remarks, person*) nedsettende
▸ **to be disparaging about sb/sth** være* nedsettende overfor noen/noe
disparate ['dɪspərɪt] ADJ (*levels, groups*) helt forskjellig
disparity [dɪs'pærɪtɪ] S (stor) forskjell *m*, (stor) ulikhet *m* ❑ *...disparities between the rich and poor countries.* ...store forskjeller *or* ulikheter mellom de rike og de fattige landene.
dispassionate [dɪs'pæʃənət] ADJ objektiv, distansert
dispatch [dɪs'pætʃ] 1 VT (**a**) (= *send: message, goods, mail*) ekspedere (*v2*)
(**b**) (+*messenger*) sende (*v2*) av sted, sende (*v2*) av gårde ❑ *My sister was dispatched to our grandmother.* Søsteren min ble sendt av sted *or* sendt av gårde til bestemoren vår.
(**c**) (= *deal with: business*) gjøre* unna ❑ *She managed to dispatch her business in time to catch the last train.* Hun klarte å gjøre* unna ærendene sine tidsnok til å rekke det siste toget.
(**d**) (= *kill: person, animal*) ekspedere (*v2*) ❑ *...humanely dispatched with a shotgun.* ...ekspedert på humant vis med gevær.
2 S (**a**) (= *sending*) sending *c* ❑ *The emergency required the dispatch of special forces.* Unntakstilstanden krevde at man sendte spesialstyrker.
(**b**) (PRESS, MIL) rapport *m* ❑ *We were bringing dispatches from the Captain.* Vi overbragte rapporter fra kapteinen.
dispatch department S ekspedisjonskontor *nt*
dispatch rider S ordonnans *m*
dispel [dɪs'pɛl] VT (+*myths, fears*) fjerne (*v1*)
dispensary [dɪs'pɛnsərɪ] S apotek *nt*
dispensation [dɪspən'seɪʃən] S (*of justice, treatment*) utdeling *m*; (= *special permission*) dispensasjon *m*
dispense [dɪs'pɛns] VT dele (*v2*) ut
▸ **dispense with** VT FUS (**a**) (= *get rid of*) kvitte (*v1*) seg med
(**b**) (= *do without*) unnvære (*v2*) ❑ *His knowledge is too precious to be dispensed with.* Hans kunnskap er for verdifull til å unnvære.
dispenser [dɪs'pɛnsə^r] S (*machine*) automat *m* ❑ *...cash dispensers.* ...myntautomater.
dispensing chemist (BRIT) S apoteker *m*
dispersal [dɪs'pəːsl] S (*of objects, group, crowd*) spredning *m* ❑ *...the widespread dispersal of a poisonous chemical.* ...en betydelig spredning av en giftig kjemikalie.
disperse [dɪs'pəːs] 1 VT (+*objects, crowd, smoke, gas*) spre (*v4*)
2 VI (*crowd*+) spre (*v4*) seg ❑ *The soldiers rapidly dispersed...* Soldatene spredde seg raskt...
dispirited [dɪs'pɪrɪtɪd] ADJ motløs, oppgitt
displace [dɪs'pleɪs] VT forflytte (*v1*), flytte (*v1*) (på) ❑ *This family has been displaced three times.* Denne familien har blitt forflyttet *or* flyttet (på) tre ganger.
displaced person S flyktning *m*
displacement [dɪs'pleɪsmənt] S (*of population*) forflytning *m*; (FYS) fortrengning *m*
display [dɪs'pleɪ] 1 S (**a**) (*in shop*) utstilling *m* ❑ *A display of cheap books...* En utstilling av billigbøker...
(**b**) (= *exhibition*) oppvisning *m* ❑ *...a gymnastics display.* ...en turnoppvisning.
(**c**) (*of feeling*) demonstrasjon *m* ❑ *...a spontaneous display of friendship and affection.* ...en spontan demonstrasjon av vennskap og hengivenhet.
(**d**) (DATA, TEKN) skjerm *m*
2 VT (**a**) (= *show*) stille (*v2x*) ut ❑ *...a museum where they display the collection.* ...et museum hvor de stiller ut samlingen.
(**b**) (*ostentatiously*) vise (*v2*) fram ❑ *He thrust his chest out, displaying his organiser's badge.* Han skjøt fram brystet for å vise fram arrangørskiltet.
(**c**) (+*results, departure times*) slå* opp, legge* fram
▸ **on display** på utstilling
▸ **a firework display** et festfyrverkeri
displease [dɪs'pliːz] VT gjøre* misfornøyd
displeased [dɪs'pliːzd] ADJ ▸ **displeased (with)** misfornøyd (med)
displeasure [dɪs'plɛʒə^r] S misnøye *m*
disposable [dɪs'pəuzəbl] ADJ engangs-
▸ **disposable income** disponibel inntekt *c*
disposable nappy (BRIT) S papirbleie *m*
disposal [dɪs'pəuzl] S (*of rubbish, body*) ▸ **the disposal of radioactive waste** å fjerne radioaktivt avfall
▸ **at one's disposal** til disposisjon, til rådighet
▸ **to put sth at sb's disposal** stille (*v2x*) noe til noens disposisjon *or* rådighet
dispose [dɪs'pəuz] ▸ **dispose of** VT FUS (**a**) (= *get rid of: body, unwanted goods*) bli* kvitt, kvitte (*v1*) seg med ❑ *Miles of telex tape had to be disposed of.* Man måtte* kvitte seg med *or* bli* kvitt milevis av teleksbånd.
(**b**) (= *deal with: problem, task*) gjøre* seg ferdig med ❑ *He was glad he had disposed of the first question.* Han var glad han hadde gjort seg ferdig med det første spørsmålet.
(**c**) (COMM: *stock*) selge* (unna)
disposed [dɪs'pəuzd] ADJ ▸ **to be disposed to do sth** være* villig *or* tilbøyelig til å gjøre* noe
▸ **to be well disposed towards sb** være* vennlig innstilt til noen
disposition [dɪspə'zɪʃən] S (**a**) (= *nature*) natur *m* ❑ *My boss was of an exceptionally nervous disposition.* Sjefen min var usedvanlig nervøs av natur.
(**b**) (= *inclination*) tilbøyelighet *m*, tendens *m* ❑ *He had been showing a disposition to tremble and stagger.* Han hadde vist en tilbøyelighet *or* tendens til å skjelve og sjangle.
dispossess ['dɪspə'zɛs] VT ▸ **to dispossess sb of a house** *etc* ta* et hus *etc* fra noen
disproportion [dɪsprə'pɔːʃən] S misforhold *nt*
disproportionate [dɪsprə'pɔːʃənət] ADJ (*amount, effect*) uforholdsmessig
disprove [dɪs'pruːv] VT (+*belief, assertion*) motbevise (*v2*)
dispute [dɪs'pjuːt] 1 S (*gen*) konflikt *m* ❑ *...workers in dispute.* ...arbeidere i konflikt. *...a revival of old border disputes.* ...en

oppblomstring av gamle grensekonflikter.
2 VT bestride* ❑ *I don't dispute that children need love.* Jeg bestrider ikke at barn trenger kjærlighet. *They continued to dispute the ownership of the territory.* De fortsatte å bestride eiendomsretten til territoriet.
▸ **to be in** *or* **under dispute** være* omstridt

disqualification [dıskwɔlıfı'keıʃən] S
▸ **disqualification (from)** diskvalifisering *m* (fra), diskvalifikasjon *m* (fra)
▸ **disqualification (from driving)** (*BRIT*) det å bli* fratatt førerkortet

disqualify [dıs'kwɔlıfaı] VT diskvalifisere (*v2*)
▸ **to disqualify sb for sth** diskvalifisere (*v2*) noen for noe
▸ **to disqualify sb from doing sth** frata* noen retten til å gjøre* noe
▸ **to be disqualified from driving** (*BRIT*) bli* fratatt førerkortet

disquiet [dıs'kwaıət] S uro *m*, engstelse *m*

disquieting [dıs'kwaıətıŋ] ADJ (*moment, news*) foruroligende, urovekkende

disregard [dısrı'gɑ:d] 1 VT (= *ignore, pay no attention to*) ignorere (*v2*), ikke ta* hensyn til ❑ *...if we disregard the facts.* ...hvis vi ignorerer *or* ikke tar hensyn til fakta.
2 S ▸ **disregard (for)** (**a**) (*+sb's feelings*) manglende hensyn *nt* (til), manglende respekt *m* (for)
(**b**) (*+danger, money*) manglende respekt *m* (for)

disrepair ['dısrı'pɛə^r] S ▸ **to fall into disrepair** (*building+*) forfalle*

disreputable [dıs'rɛpjutəbl] ADJ (*person*) beryktet; (*behaviour*) tvilsom

disrepute ['dısrı'pju:t] S ▸ **to be in disrepute** ha* dårlig rykte
▸ **to bring sth into disrepute** bringe* noe i vanry

disrespectful [dısrı'spɛktful] ADJ (*person, conduct*) respektløs, uærbødig

disrupt [dıs'rʌpt] VT (*+plans*) snu (*v4*) på hodet; (*+conversation, proceedings*) forstyrre (*v1*), avbryte*

disruption [dıs'rʌpʃən] S (**a**) (= *interruption*) avbrytelse *m*, brudd *nt* ❑ *...the disruption of rail communications.* ...bruddet på jernbaneforbindelsen
(**b**) (= *disturbance*) forstyrrelse *m* ❑ *...kids who are a potential source of disruption in lessons.* ...barn som er en mulig kilde til forstyrrelse i timene.

disruptive [dıs'rʌptıv] ADJ (*influence*) forstyrrende; (*strike, action*) nedbrytende

dissatisfaction [dıssætıs'fækʃən] S misnøye *m*, utilfredshet *c* ❑ *There is widespread dissatisfaction with the existing political system.* Det er utbredt misnøye *or* utilfredshet med det nåværende politiske systemet.

dissatisfied [dıs'sætısfaıd] ADJ misfornøyd, utilfreds ❑ *...dissatisfied with their lives.* ...misfornøyde *or* utilfredse med livene sine.

dissect [dı'sɛkt] VT (*+body, animal*) dissekere (*v2*); (*fig: theory, article*) analysere (*v2*)

disseminate [dı'sɛmıneıt] VT (*+information*) spre (*v4*)

dissent [dı'sɛnt] S dissens *m*, avvikende meninger *pl*

dissenter [dı'sɛntə^r] S annerledes tenkende *m decl as adj*, dissenter *m*

dissertation [dısə'teıʃən] (*SKOL*) S oppgave *c* (*lang*), avhandling *c*

disservice [dıs'sə:vıs] S ▸ **to do sb a disservice** gjøre* noen en bjørnetjeneste

dissident ['dısıdnt] 1 ADJ (*faction, voice*) uenig
2 S systemkritiker *m*

dissimilar [dı'sımılə^r] ADJ ulik, forskjellig
▸ **dissimilar to** ulik, forskjellig fra

dissipate ['dısıpeıt] VT (*+heat*) drive* bort; (*+clouds*) løse (*v2*) opp; (*+money, effort*) sløse (*v2*) bort

dissipated ['dısıpeıtıd] ADJ (*person*) herjet; (*behaviour*) utsvevende

dissociate [dı'səuʃıeıt] VT dissosiere (*v2*), atskille (*v2x*)
▸ **to dissociate o.s. from** ta* avstand fra

dissolute ['dısəlu:t] ADJ (*individual*) herjet; (*behaviour*) utsvevende

dissolution [dısə'lu:ʃən] S (*gen*) oppløsning *m* ❑ *...the dissolution of the government.* ...oppløsningen av regjeringen.

dissolve [dı'zɔlv] 1 VT (**a**) (*in liquid*) løse (*v2*) opp ❑ *Dissolve the sugar in the water.* Løs opp sukkeret i vannet.
(**b**) (*+organization, marriage*) oppløse (*v2*) ❑ *Parliament was dissolved on 30th April.* Parlamentet ble oppløst den 30. april.
2 VI (*material+*) løse (*v2*) seg opp, løses (*v25, rare past tense*) opp
▸ **to dissolve in(to) tears** bli* oppløst i tårer

dissuade [dı'sweıd] VT ▸ **to dissuade sb (from)** få* noen fra noe

distance ['dıstns] 1 S (**a**) (*being far away*) avstand *m* ❑ *...the world seems smaller and distance doesn't matter so much...* verden virker mindre, og avstand betyr ikke så mye...
(**b**) (*space between*) avstand *m*, distanse *m* ❑ *The distance between the town and the sea...* Avstanden *or* distansen mellom byen og sjøen...
(**c**) (*SPORT*) distanse *m* ❑ *Did he run long or short distances?* Løp han lange eller korte distanser?
(**d**) (*in time*) avstand *m* (i tid) ❑ *Distance from the event should make the memories less painful.* Avstand (i tid) fra hendelsen bør gjøre* minnene mindre smertefulle.
(**e**) (= *reserve*) avmålthet *c* ❑ *Beneath her distance and aloofness lay a heart of gold.* Bak hennes avmålthet og tilbakeholdenhet var et hjerte av gull.
2 VT ▸ **to distance o.s. (from)** distansere (*v2*) seg (fra)
▸ **in the distance** i det fjerne
▸ **what's the distance to London?** hva er avstanden til London?
▸ **to be some distance from** være* et stykke fra ❑ *The town is some distance from the sea.* Byen ligger et stykke fra sjøen.
▸ **it's within walking distance** det er innen gangavstand
▸ **at a distance of 2 metres** på en avstand på 2 meter
▸ **keep your distance!** hold avstand!

distant [ˈdɪstnt] ADJ (*place, time, relative*) fjern; (*manner*) avmålt
distaste [dɪsˈteɪst] S ▸ **distaste (for)** (= *dislike*) motvilje *m* (mot), avsmak *m* (for) ❏ *...his distaste for money.* ...hans motvilje mot *or* avsmak for penger
distasteful [dɪsˈteɪstful] ADJ usmakelig
Dist. Atty. (*US*) FK = **district attorney**
distemper [dɪsˈtɛmpəʳ] S (*paint*) limfarge *m*; (*disease: of dogs*) valpesyke *m*
distend [dɪsˈtɛnd] 1 VT spile (*v2*) ut, utvide (*v1*) 2 VI utspile (*v2*) seg, utvide (*v1*) seg
distended [dɪsˈtɛndɪd] ADJ (*stomach*) utspilt
distil [dɪsˈtɪl], **distill** (*US*) VT (**a**) (*+water, whisky*) destillere (*v2*)
(**b**) (*fig: extract*) ▸ **to be distilled from**
(**c**) (*information etc+*) være* basert på
(**d**) (*from a given source*) hente (*v1*) stoff fra
❏ *Allinson's three books are distilled from many sources.* Allinsons tre bøker henter stoff fra mange kilder.
distillery [dɪsˈtɪlərɪ] S spritfabrikk *m*, brenneri *nt*
distinct [dɪsˈtɪŋkt] ADJ (**a**) (= *different*) distinkt, forskjellig ❏ *...at least three distinct senses.* ...minst tre distinkte *or* forskjellige betydninger.
(**b**) (= *clear, comprehensible*) tydelig
(**c**) (= *unmistakable: advantages etc*) klar
▸ **as distinct from** (= *in contrast to*) i motsetning til, til forskjell fra
distinction [dɪsˈtɪŋkʃən] S (**a**) (= *difference*) skille *nt*, forskjell *m* ❏ *The distinction between a moth and a butterfly...* Skillet *or* forskjellen mellom en møll og en sommerfugl...
(**b**) (= *honour*) æresbevisning *m*, hedersbevisning *m* ❏ *I had the distinction of being invited to...* Jeg ble vist den æresbevisning *or* hedersbevisning å bli* invitert til...
(**c**) (*in exam*) utmerkelse *m*, ros *m*
▸ **to draw a distinction between** skille (*v2x*) *or* skjelne (*v1*) mellom
▸ **a writer of distinction** en framtredende *or* høyt anerkjent forfatter
distinctive [dɪsˈtɪŋktɪv] ADJ distinktiv, markant
distinctly [dɪsˈtɪŋktlɪ] ADV tydelig, distinkt
distinguish [dɪsˈtɪŋgwɪʃ] VT (= *identify: details etc*) skjelne (*v1*) ❏ *...few details could be distinguished.* ...det var ikke mulig å skjelne mange detaljer.
▸ **to distinguish X from Y, to distinguish between X and Y** skille (*v2x*) mellom X og Y, skjelne (*v1*) mellom X og Y ❏ *...he found it difficult to distinguish reality from dreams.* ...det var vanskelig for ham å skille *or* skjelne mellom virkelighet og drømmer.
▸ **to distinguish o.s.** (*in battle etc*) utmerke (*v1*) seg
distinguished [dɪsˈtɪŋgwɪʃt] ADJ (**a**) (= *eminent*) fremragende, framtredende
(**b**) (*in appearance*) distingvert ❏ *She was still beautiful and distinguished.* Hun var fortsatt vakker og distingvert.
distinguishing [dɪsˈtɪŋgwɪʃɪŋ] ADJ ▸ **a distinguishing feature** noe som skiller en fra andre, et kjennetegn
distort [dɪsˈtɔːt] VT forvrenge (*v2*), fordreie (*v3*) ❏ *I don't think I'm distorting his argument.* Jeg tror ikke jeg forvrenger *or* fordreier argumentet hans. *His voice was distorted.* Stemmen hans ble forvrengt *or* fordreid.
distortion [dɪsˈtɔːʃən] S forvrengning *m*, fordreining *m*
distract [dɪsˈtrækt] VT (*+person, sb's attention*) distrahere (*v2*), avlede (*v1*) ❏ *It distracted them from their work.* Det distraherte dem i *or* avledet dem fra arbeidet.
distracted [dɪsˈtræktɪd] ADJ fjern ❏ *During classes he was distracted...* I timene var han fjern...
distraction [dɪsˈtrækʃən] S (**a**) (= *diversion*) distraksjon *m*
(**b**) (= *amusement*) atspredelse *m* ❏ *Her playing had been reduced to the level of a gentle distraction.* Spillingen hennes hadde blitt redusert til å være* ren atspredelse.
▸ **to drive sb to distraction** drive* noen til vanvidd *or* fra sans og samling
distraught [dɪsˈtrɔːt] ADJ som forrykt
distress [dɪsˈtrɛs] 1 S engstelse *m*
2 VT gjøre* engstelig *or* urolig
▸ **in distress** i nød
▸ **distressed area** (*BRIT*) problemområde *m*
distressing [dɪsˈtrɛsɪŋ] ADJ smertefull
distress signal S nødsignal *nt*
distribute [dɪsˈtrɪbjuːt] VT (**a**) (= *hand out: leaflets, prizes etc*) distribuere (*v2*), dele (*v2*) ut
(**b**) (= *share out, spread out: profits, weight*) fordele (*v2*) ❏ *Fuel resources are very unevenly distributed.* Brenselressurser er svært ujevnt fordelt.
distribution [dɪstrɪˈbjuːʃən] S (*of goods*) distribusjon *m*; (*of profits etc*) fordeling *m*
distribution cost S distribusjonskostnad *m*
distributor [dɪsˈtrɪbjutəʳ] S (*MERK*) grossist *m*, distributør *m*; (*BIL, TEKN*) (strøm)fordeler *m*
district [ˈdɪstrɪkt] S (**a**) (*of country*) distrikt *nt*, område *nt*
(**b**) (*of town*) distrikt *nt*, bydel *m* ❏ *...a working class district of Paris.* ...et arbeiderdistrikt *or* en arbeiderbydel i Paris.
(**c**) (*ADMIN*) ≈ distrikt *nt*
district attorney (*US*) S ≈ statsadvokat *m*
district council (*BRIT*) S *lokalt styringsorgan innen County Council*

> *I Storbritannia er et* **district council** *et lokalt administrasjonsorgan som styrer et* **district.** *Rådsmedlemmene (*councillors*) blir valgt i lokalvalg, som regel hvert fjerde år. Et* district council *finansieres gjennom lokal skattlegging og overføringer fra staten.*

district nurse (*BRIT*) S ≈ hjemmesykepleier *m*
distrust [dɪsˈtrʌst] 1 S mistillit *m*, mistro *m*
2 VT ha* mistillit til, mistro (*v4*) ❏ *...he distrusts the banks.* ...han har mistillit til *or* mistror bankene.
distrustful [dɪsˈtrʌstful] ADJ ▸ **distrustful (of)** mistroisk (til)
disturb [dɪsˈtəːb] VT (**a**) (= *interrupt, inconvenience*) forstyrre (*v1*) ❏ *If she's asleep, don't disturb her.* Ikke forstyrr henne hvis hun sover.

(**b**) (= *upset*) gjøre* urolig, forurolige (*v1*) ❑ ***It disturbs me profoundly that you so misuse your talents.*** Det gjør meg svært urolig *or* det foruroliger meg svært at du misbruker talentene dine.
(**c**) (*rearrange*) lage (*v1 or v3*) uorden i ❑ ***Please don't disturb my papers.*** Vær så snill å ikke lage uorden i papirene mine.
▸ **sorry to disturb you** unnskyld at jeg forstyrrer

disturbance [dɪs'tə:bəns] s (**a**) (= *upheaval*) forstyrrelse *m*
(**b**) (*political etc*) urolighet *m* ❑ ***The disturbances spread to more than thirty cities.*** Urolighetene spredde seg til mer enn tretti byer.
(**c**) (*violent event*) opptøyer *pl* ❑ ***There was a disturbance last night...*** Det var opptøyer i går kveld...
(**d**) (*of mind*) forstyrrelse *m* ❑ ***...anxiety and mood disturbance.*** ...angst og humørforstyrrelser.
(**e**) (*by drunks etc*) bråk *nt*
▸ **to cause a disturbance** lage (*v1 or v3*) bråk
▸ **disturbance of the peace** (*JUR*) brudd *nt* på ro og orden

disturbed [dɪs'tə:bd] ADJ (**a**) (= *worried, upset*) (svært) urolig ❑ ***He clearly felt disturbed about the killing.*** Han var helt tydelig svært urolig på grunn av drapet.
(**b**) (*childhood, relationship*) (svært) problemfylt
▸ **mentally disturbed** mentalt forstyrret, i mental ubalanse
▸ **emotionally disturbed** i følelsesmessig ubalanse

disturbing [dɪs'tə:bɪŋ] ADJ (*experience, moment*) urovekkende

disuse [dɪs'ju:s] s ▸ **to fall into disuse** (*methods, laws etc+*) gå* ut av bruk

disused [dɪs'ju:zd] ADJ (*building, airfield*) som ikke lenger er i bruk

ditch [dɪtʃ] 1 s grøft *c*
2 VT (*sl: partner, car etc*) kvitte (*v1*) seg med; (*+plan*) kutte (*v1*) ut

dither ['dɪðəʳ] VI somle (*v1*)

ditto ['dɪtəu] ADV ditto; (*introducing clause*)
▸ **Lister's dead. Ditto three Miami drugmen...** Lister er død. Det samme er tilfelle med tre narkolangere fra Miami...

divan [dɪ'væn] s (*also* ***divan bed***) divan *m*

dive [daɪv] 1 s (**a**) (*from board*) stup *nt* ❑ ***...a graceful dive.*** ...et grasiøst stup.
(**b**) (*underwater*) dykk *nt* ❑ ***On the second dive they discovered a Spanish galleon.*** I det andre dykket fant de en spansk galleon.
(**c**) (*neds: place*) bule *c*
2 VI (**a**) (*swimmer+ : into water*) stupe (*v2*)
(**b**) (*under water*) dykke (*v1*)
(**c**) (*fish, submarine+*) dykke (*v1*)
(**d**) (*bird+ : into water*) dykke (*v1*)
(**e**) (*through air*) stupe (*v2*)
▸ **to take a dive** rase (*v2*) ned
▸ **to dive into** (**a**) (*+bag, drawer etc*) dukke ned i
(**b**) (*+shop, car*) hive* seg inn i

diver ['daɪvəʳ] s (sports)dykker *m*; (*also* ***deep-sea diver***) (dypvanns)dykker *m*

diverge [daɪ'və:dʒ] VI (*paths+*) gå* i forskjellige retninger; (*interests+*) divergere (*v2*), gå* i forskjellige retninger

divergent [daɪ'və:dʒənt] ADJ (*groups, views, interests*) divergerende

diverse [daɪ'və:s] ADJ uensartet, mangfoldig ❑ ***...the most numerous and diverse group.*** ...den mest tallrike og uensartede *or* mangfoldige gruppen.

diversification [daɪvə:sɪfɪ'keɪʃən] s ▸ **the diversification of sth** det å gjøre* noe mer variert

diversify [daɪ'və:sɪfaɪ] VI spre (*v4*) seg på flere områder

diversion [daɪ'və:ʃən] s (**a**) (*BRIT: BIL*) omkjøring *c*
(**b**) (= *distraction*) avledning *m* ❑ ***Billy created a most welcome diversion.*** Billy skapte en svært velkommen avledning.
(**c**) (*of funds*) *annen bruk av enn planlagt* ❑ ***Diversion of investment was having a bad effect.*** Annen bruk av midler enn planlagt hadde en negativ effekt.

diversionary [daɪ'və:ʃənrɪ] ADJ ▸ **diversionary tactics** avledende manøver *m*

diversity [daɪ'və:sɪtɪ] s mangfold *nt*, mangfoldighet *c* ❑ ***The diversity of nature is threatened.*** Mangfoldet *or* mangfoldigheten i naturen er truet.

divert [daɪ'və:t] VT (**a**) (*+funds*) føre (*v2*) over ❑ ***...you can divert the money into savings.*** ...du kan føre over pengene på sparekonto.
(**b**) (*+sb's attention*) avlede (*v1*)
(**c**) (= *reroute*) omdirigere (*v2*)

divest [daɪ'vɛst] VT ▸ **to divest sb of sth** ta* noe fra noen

divide [dɪ'vaɪd] 1 VT (**a**) (= *separate*) dele (*v2*) (inn) ❑ ***...an attempt to divide the country into two social classes.*** ...et forsøk på å dele (inn) landet i to sosiale klasser.
(**b**) (*MAT*) dividere (*v2*), dele (*v2*) ❑ ***Divide 7 into 35.*** Divider 35 med 7.. Del 35 på 7.
(**c**) (= *share out*) fordele (*v2*) ❑ ***He divided his property among his brothers and sisters.*** Han fordelte eiendommen på *or* mellom brødrene og søstrene sine.
2 VI (*gen*) dele (*v2*) seg
3 s (= *gulf, rift*) skille *nt* ❑ ***The divide between rich and poor...*** Skillet mellom rike og fattige...
▸ **to divide between** *or* **among** fordele (*v2*) mellom
▸ **40 divided by 5** 40 delt på 5, 40 dividert med 5

▸ **divide out** VT ▸ **to divide out (between** *or* **among)** fordele (*v2*) (mellom)

divided [dɪ'vaɪdɪd] ADJ (*country, couple*) splittet; (*opinions*) delt

divided highway (*US*) s vei *m* med midtrabatt

dividend ['dɪvɪdɛnd] s dividende *m*, avkastning *m*; (*fig*) ▸ **to pay dividends** betale (*v2*) seg

dividers [dɪ'vaɪdəz] SPL (*MAT, TEKN*) stikkpasser *m*; (*between pages*) skilleark *nt*

divine [dɪ'vaɪn] 1 ADJ (**a**) (*REL*) guddommelig ❑ ***...divine inspiration.*** ...guddommelig inspirasjon.
(**b**) (*fig: person, thing*) vidunderlig ❑ ***Isn't it divine in the sun?*** Er det ikke vidunderlig i sola?

2 VT (**a**) (*+truth*) ane (*v2*) ❑ *She had divined something about me...* Hun hadde ant noe om meg...
(**b**) (*+future*) spå (*v4*)
(**c**) (*+water, metal*) lete (*v2*) etter (med ønskekvist)

diving ['daɪvɪŋ] S (*underwater*) dykking *c*; (*from board*) stup *nt*

diving board S stupebrett *nt*

diving suit S dykkerdrakt *c*

divinity [dɪ'vɪnɪtɪ] S (**a**) (*REL: quality of being divine*) guddommelighet *c* ❑ *The divinity of the Pharoah...* Faraoens guddommelighet...
(**b**) (*= god, goddess*) guddom *m*, gudeskikkelse *m*
(**c**) (*SKOL*) teologi *m*

divisible [dɪ'vɪzəbl] ADJ ▸ **divisible (by)** delelig (med) ❑ *Each of these numbers is divisible by two.* Hvert tall er delelig med to.
▸ **to be divisible into** være* delelig med

division [dɪ'vɪʒən] S (**a**) (*splitting up*) inndeling *c* ❑ *...the division of physical science into chemistry and physics.* ...inndelingen av naturfag i kjemi og fysikk.
(**b**) (*of cells*) deling *c*
(**c**) (*MAT*) divisjon *m*
(**d**) (*= sharing out*) (for)deling *c* ❑ *...the division of his money.* ...(for)delingen av pengene hans.
(**e**) (*= gulf*) splittelse *m* ❑ *There's quite a division between left and right in the Party.* Det er litt av en splittelse mellom venstre og høyrefløyen i partiet.
(**f**) (*BRIT: POL*) formell avstemning *m* ❑ *The house passed it without division.* Parlamentet vedtok det uten formell avstemning.
(**g**) (*= department*) avdeling *c* ❑ *...the BBC's engineering division.* ...BBCs ingeniøravdeling.
(**h**) (*MERK, MIL, SPORT*) divisjon *m* ❑ *Two tank divisions led the attack.* To stridsvognsdivisjoner ledet angrepet. *Liverpool used always to be top of the First Division.* Liverpool pleide alltid å være* i toppen av førstedivisjon.
▸ **division of labour** arbeidsdeling *c*

divisive [dɪ'vaɪsɪv] ADJ (*tactics, system etc*) splittende

divorce [dɪ'vɔ:s] 1 S skilsmisse *m*
2 VT (**a**) (*+spouse*) skille (*v2x*) seg fra ❑ *If she wants to divorce him...* Hvis kun ønsker å skille seg fra ham...
(**b**) (*= dissociate*) ▸ **to divorce sth from sth** skille (*v2x*) noe og *or* fra noe ❑ *I don't think it is possible to divorce sport from politics.* Jeg tror ikke det er mulig å skille sport og politikk.

divorced [dɪ'vɔ:st] ADJ skilt

divorcee [dɪvɔ:'si:] S fraskilt person *m* (*særlig kvinne*)

divulge [daɪ'vʌldʒ] VT (*+information, secret*) røpe (*v1 or v2*)

DIY (*BRIT*) S FK = **do-it-yourself**

dizziness ['dɪzɪnɪs] S svimmelhet *c*

dizzy ['dɪzɪ] ADJ (**a**) (*turn, spell*) fjollet(e)
(**b**) (*height*) svimlende
▸ **to feel dizzy** føle (*v2*) seg svimmel
▸ **to make sb dizzy** gjøre* noen forvirret

DJ S FK = **disc jockey**

d.j. S FK = **dinner jacket**

Djakarta [dʒə'kɑ:tə] S Jakarta

DJIA (*US*) S FK (= **Dow-Jones Industrial Average**) *børsindeks*

dl FK (= **decilitre**) dl *m* (= *desiliter*)

DLit(t) S FK (= **Doctor of Literature, Doctor of Letters**) ≈ dr.art. (*doktor i (klassiske) humanistiske fag*)

DLO S FK (= **dead-letter office**) kontor *nt* for ubesørgede brev

dm FK (= **decimetre**) dm *m* (= *desimeter*)

DMus S FK (= **Doctor of Music**) *doktor i musikk*

DMZ S FK (= **demilitarized zone**) demilitarisert sone *c*

DNA S FK (= **deoxyribonucleic acid**) DNA *c*

KEYWORD

do [du:] (*pt* **did**, *pp* **done**) 1 H-VERB (**a**) (*in negative constructions*) *not translated*
▸ **I don't understand** jeg forstår ikke
▸ **she doesn't want it** hun ønsker det ikke
▸ **he didn't seem to care** han så ikke ut til å bry seg om det
(**b**) (*to form questions*) *not translated*
▸ **didn't you know?** visste du det ikke?
▸ **why didn't you come?** hvorfor kom du ikke?
▸ **what do you think?** hva syns du?
(**c**) (*for emphasis, in polite expressions*) ▸ **people do make mistakes** folk gjør jo feil
▸ **she does seem rather late** det virker jo som om hun er ganske sein
▸ **do sit down/help yourself** du må sette deg ned/forsyne deg, sett deg ned/forsyn deg
▸ **do take care!** vær nå forsiktig!
▸ **oh do shut up!** å hold kjeft!
(**d**) (*used to avoid repeating vb*) gjøre ❑ *He asked me to help him and I did.* Han bad meg om å hjelpe seg og det gjorde jeg.
▸ **(and) so do I** (og) det gjør jeg også
▸ **and neither did we** og det gjorde ikke vi heller
▸ **better than I do** bedre enn jeg *or* meg
▸ **who made this mess? – I did** hvem lagde dette rotet? – Jeg
(**e**) (*in question tags*) gjøre
▸ **do you?, doesn't he?** gjør du?, gjør han ikke?, ikke sant
▸ **you like him, don't you?** du liker ham, ikke sant?, du liker ham, gjør du ikke?
▸ **I don't know him, do I?** jeg kjenner ham ikke, gjør jeg vel?
2 VT (**a**) (*gen: carry out, perform etc*) gjøre
▸ **what are you doing tonight?** hva skal du gjøre* i kveld?
▸ **have you done your homework?** har du gjort leksene dine?
▸ **to do the cooking** lage (*v1 or v3*) mat
▸ **to do the washing-up** ta* oppvasken, vaske (*v1*) opp
▸ **to do one's teeth/hair/nails** pusse (*v1*) tennene/ordne (*v1*) håret/stelle (*v2x*) naglene
▸ **we're doing "Othello" at school** (*studying it*) vi leser "Othello" på skolen; (*performing it*) vi spiller "Othello" på skolen
(**b**) (*for a living*) ▸ **what do you do (for a living)?** hva jobber *or* arbeider du med?
(**c**) (*speed*) ▸ **the car was doing 100** bilen gjorde 100 km i timen; (*distance*) ▸ **we've done 200 km already** vi har kjørt 200 km allerede
3 VI (**a**) (*= act, behave*) gjøre

▸ **do as I do** gjør som jeg *or* meg
▸ **do as I tell you** gjør som jeg sier
(**b**) (= *get on, fare*) gjøre* det
▸ **he's doing well/badly at school** han gjør det bra/dårlig på skolen
▸ **the firm is doing well** firmaet gjør det bra
▸ **how do you do?** hvordan har du det?
(**c**) (= *suit*) ▸ **will it do?** er det bra nok?
(**d**) (= *be sufficient*) være* nok
▸ **will 10 pounds do?** er 10 pund nok?
▸ **that'll do** det er nok, det holder
▸ **that'll do!** (*in annoyance*) nå er det nok!
(**e**) ▸ **to make do (with)** klare (*v2*) *or* greie (*v3*) seg (med)
4 s (*sl: party etc*) fest *m* ❑ *We're having a little do on Saturday.* Vi skal ha* en liten fest på lørdag.
▸ **it was quite a do** det var litt av en fest
▸ **do away with** VT FUS (= *get rid of*) bli* kvitt ❑ *It would be nice to do away with all the paperwork.* Det ville* vært fint å bli* kvitt alt papirarbeidet.
▸ **do for** (*sl*) VT FUS ▸ **to be done for** være* ferdig ❑ *If I can't finish this report, I'm done for.* Hvis jeg ikke kan fullføre denne rapporten, er jeg ferdig.
▸ **do in** (*sl*) VT (= *kill*) ta* rotta på (*sl*)
▸ **do out of** (*sl*) VT (*deprive*) snyte* for ❑ *He did me out of 500 pounds.* Han snøt meg for 500 pund.
▸ **do up** VT FUS (+*laces*) knyte*; (+*dress, buttons*) kneppe (*v1 or v2x*) igjen; (= *renovate: room, house*) pusse (*v1*) opp
▸ **do with** VT FUS (**a**) (= *need*) ▸ **could do with** kunne* trenge ❑ *I could do with a drink/some help.* Jeg kunne* trenge en drink/litt hjelp.
(**b**) (= *be connected*) ▸ **to have to do with** ha* å gjøre* med
▸ **what has it got to do with you?** hva har det med deg å gjøre?
▸ **I won't have anything to do with it** jeg vil ikke ha* noe med det å gjøre
▸ **it has to do with money** det har å gjøre* med penger, det har med penger å gjøre
▸ **do without** VT FUS klare (*v2*) *or* greie (*v3*) seg uten
▸ **I can do without a car** jeg klarer *or* greier meg uten bil

do. FK = **ditto**
DOA FK (= **dead on arrival**) *død ved ankomst*
d.o.b. FK = **date of birth**
doc [dɔk] (*sl*) s doktor *m*
docile ['dəusaɪl] ADJ (*person, beast*) medgjørlig, føyelig
dock [dɔk] 1 s (**a**) (*NAUT*) dokk *m*
(**b**) (*JUR*) anklagebenk *m*
(**c**) (*BOT*) syre *c*
2 VI (**a**) (*NAUT: enter dock*) gå* i dokk
(**b**) (*spaceships+*) kople (*v1*) sammen
3 VT ▸ **they docked a third of his wages** de trakk en tredjedel av lønna hans.
▸ **docks** SPL (*NAUT*) havn *c*
dock dues SPL havneavgifter *mpl*
docker ['dɔkəʳ] s havnearbeider *m*
docket ['dɔkɪt] s (*ADMIN, MERK*) resymé *nt*, sammendrag *nt*; (*on parcel etc*) merkelapp *m*
dockyard ['dɔkjɑ:d] s verft *nt*
doctor ['dɔktəʳ] 1 s (**a**) (*MED*) lege *m*
(**b**) (= *PhD etc*) doktor *m*
2 VT (**a**) (+*drink etc*) ha* noe oppi ❑ *...the doctored wine.* ...vinen med noe oppi.
(**b**) (+*figures, list*) fikse (*v1*) på, pynte (*v1*) på ❑ *...the figures for AIDS victims have been heavily doctored.* ...tallene på AIDS-ofre har blitt sterkt fikset *or* pyntet på.
(**c**) (+*animal*) sterilisere (*v2*)
▸ **doctor's office** (*US*) legekontor *nt*
doctorate ['dɔktərɪt] s doktorgrad *m*

Doctorate *(doktorgrad) er den høyeste akademiske graden. Den oppnås etter minst tre års forskning, og blir tildelt etter at kandidaten har forsvart en avhandling for en jury. Den mest vanlige typen doktorgrad er* **PhD** *(Doctor of Philosophy), tildelt i humanistiske fag, naturvitenskapelige og ingeniørfag, selv om det også finnes andre typer doktorgrader (innen musikk, jus, osv.); se* **Bachelor's degree, Master's degree.**

Doctor of Philosophy s (*degree*) ≈ Doktor philos.-grad *m*, Doktor art.-grad *m*; (*person*) *person med doktor philos.- eller doktor art.-grad*
doctrine ['dɔktrɪn] s doktrine *m*
docudrama ['dɔkjudrɑ:mə] s dokudrama *nt*
document [*N* 'dɔkjumənt, *VB* 'dɔkjumɛnt] 1 s dokument *nt*
2 VT dokumentere (*v2*)
documentary [dɔkju'mɛntərɪ] 1 ADJ dokumentarisk, dokumentar-
2 s dokumentar *m*, dokumentarfilm *m*
documentation [dɔkjumən'teɪʃən] s (*papers*) dokumentasjon *m*; (*DATA*) dokumentasjon *m*, dokumentbehandling *c*
DOD (*US*) s FK = **Department of Defense**
doddering ['dɔdərɪŋ] ADJ ustø og skjelven
doddery ['dɔdərɪ] ADJ = **doddering**
doddle ['dɔdl] (*sl*) s ▸ **it's a doddle** det er ren plankekjøring
Dodecanese (Islands) [dəudɪkə'ni:z('aɪləndz)] S(PL) ▸ **the Dodecanese (Islands)** Dodekanesos
dodge [dɔdʒ] 1 s knep *nt*, triks *nt*
2 VT (**a**) (+*question*) unngå*, unnvike*
(**b**) (+*tax*) unndra*
(**c**) (+*blow, ball*) vike* unna, unnvike*
3 VI smette* (unna/inn i *etc*), vike* unna ❑ *He ran off, dodging and ducking to escape more blows.* Han løp av gårde mens han smatt *or* vek unna og dukket for å unngå flere slag.
▸ **to dodge out of the way** smette* unna
▸ **to dodge through the traffic** skli* gjennom trafikken
dodgems ['dɔdʒəmz] (*BRIT*) SPL radiobil *m*
dodgy ['dɔdʒɪ] (*sl*) ADJ (*person, plan*) tvilsom
DOE s FK (*BRIT*) (= **Department of the Environment**) ▸ **the DOE** ≈ MD (= *Miljøverndepartementet*) (*US*) (= **Department of Energy**) energidepartement *nt*
doe [dəu] s (*deer*) kolle *c*; (*rabbit*) hunnkanin *m*
does [dʌz] VB *see* **do**
doesn't ['dʌznt] = **does not**
dog [dɔg] 1 s hund *m*
2 VT (**a**) (*person+*) være* *or* følge* i hælene på
(**b**) (*bad luck, memory, dream+*) forfølge* ❑ *I soon became dogged by a recurring dream* Jeg

begynte snart å bli* forfulgt av en tilbakevendende drøm.
▸ **to go to the dogs** gå* i hundene
dog biscuit s hundekjeks *m*
dog collar s (*of dog*) hundehalsbånd *m*; (*sl* : *REL*) prestekrage *m*
dog-eared ['dɔgɪəd] ADJ (*book, paper*) med eselører
dog food s hundemat *m*
dogged ['dɔgɪd] ADJ (*determination, spirit*) utholdende, innbitt
doggy ['dɔgɪ] (*sl*) s vovvov *m* (*sl*)
doggy bag s doggybag *m*
dogma ['dɔgmə] s dogme *m*
dogmatic [dɔg'mætɪk] ADJ (*attitude, assertion*) dogmatisk
do-gooder [du:'gudə^r] (*neds*) s naiv idealist *m* (*som vil hjelpe folk*)
dogsbody ['dɔgzbɔdɪ] (*BRIT* : *sl*) s visergutt *m*
doily ['dɔɪlɪ] s kakeserviett *m*
doing ['duɪŋ] s ▸ **this is your doing** dette er ditt verk
doings ['duɪŋz] SPL (= *activities*) handlinger *mpl*, gjøren og laden
do-it-yourself ['du:ɪtjɔ:'sɛlf] s *snekring, maling etc som man gjør selv*
▸ **do-it-yourself shop** gjør-det-selv-butikk *m*
doldrums ['dɔldrəmz] SPL ▸ **to be in the doldrums** (*business+*) være* i en stille periode; (*person+*) være* nedfor *or* deprimert
dole [dəul] (*BRIT* : *sl*) s arbeidsledighetstrygd *c*
❑ *How much is the dole now?* Hva er arbeidsledighetstrygden på nå?
▸ **to be on the dole** være* arbeidsledig, gå* på arbeidsledighetstrygd
▸ **dole out** VT dele (*v2*) ut
doleful ['dəulful] ADJ (*voice, expression*) sørgmodig
doll [dɔl] s dukke *c* (*var*: dokke)
dollar ['dɔlə^r] (*US etc*) s dollar *m*
dollar area s dollarområde *nt*
dolled up (*sl*) ADJ dollet opp
dollop ['dɔləp] (*sl*) s klatt *m*
dolly ['dɔlɪ] (*sl*) s (*doll, woman*) dukke *c*
Dolomites ['dɔləmaɪts] SPL ▸ **the Dolomites** Dolomittene
dolphin ['dɔlfɪn] s delfin *m*
domain [də'meɪn] s (**a**) (= *sphere*) domene *nt*
❑ *...the domain of philosophy.* ...filosofiens domene.
(**b**) (= *empire*) område *nt*
dome [dəum] s kuppel *m*
domestic [də'mɛstɪk] ADJ (**a**) (= *of country* : *flight*) innenlands(-), innenriks(-)
(**b**) (*news, trade, policy*) innenriks- ❑ *...half an hour of world and domestic news.* ...en halvtime med nyheter fra inn- og utland.. ...en halvtime med utenriks- og innenriksnyheter. *...foreign and domestic policy.* ...utenriks og innenrikspolitikk
(**c**) (= *of home* : *appliances*) husholdnings-
(**d**) (*duty, happiness*) hjemlig, i hjemmet
(**e**) (*tasks*) huslig ❑ *We share our money and the domestic chores.* Vi deler på penger og huslige gjøremål.
(**f**) (*animal*) hus-
domesticated [də'mɛstɪkeɪtɪd] ADJ (*animal*) hus-; (*husband*) huslig
domesticity [dəumɛs'tɪsɪtɪ] s familieliv *nt*
domestic servant s hushjelp *m*
domicile ['dɔmɪsaɪl] (*JUR, ADMIN*) [1] s bopel *m*
[2] VT ▸ **he is domiciled in Britain** han er bosatt i Storbritannia
dominant ['dɔmɪnənt] ADJ dominerende
dominate ['dɔmɪneɪt] VT dominere (*v2*)
domination [dɔmɪ'neɪʃən] s herredømme *nt*
domineering [dɔmɪ'nɪərɪŋ] ADJ dominerende
Dominican Republic [də'mɪnɪkən-] s ▸ **the Dominican Republic** Den dominikanske republikken
dominion [də'mɪnɪən] s (= *authority*) ▸ **to have dominion over** ha* herredømme over
domino ['dɔmɪnəu] (*pl* **dominoes**) s dominobrikke *m*
domino effect (*POL*) s dominoeffekt *m*
dominoes ['dɔmɪnəuz] s (*game*) domino *m*
don [dɔn] [1] s (*BRIT* : *SKOL*) universitetslærer *m*
[2] VT (*+clothing*) kle (*v4*) på
donate [də'neɪt] VT ▸ **to donate (to)** donere (*v2*) (til)
donation [də'neɪʃən] s gave *m*, donasjon *m*
❑ *...the donation of this sum of money.* ...denne pengegaven.. ...donasjonen av denne pengesummen. *They received a large donation from...* De mottok en stor gave *or* donasjon fra...
done [dʌn] PP *of* **do**
donkey ['dɔŋkɪ] s esel *nt*
donkey-work ['dɔŋkɪwə:k] (*BRIT* : *sl*) s slavearbeid *n* ❑ *Why should I do all the donkey-work?* Hvorfor skal jeg gjøre* alt slavearbeidet?
donor ['dəunə^r] s (**a**) (*MED* : *of blood*) blodgiver *m*
(**b**) (*of heart etc*) donor *m* ❑ *There is still a shortage of kidney donors.* Det er fortsatt for få* nyredonorer.
(**c**) (*to charity*) giver *m*, donator *m* ❑ *...from individual donors.* ...fra enkeltgivere *or* enkeltdonatorer.
donor card s donorkort *nt*
don't [dəunt] = **do not**
donut ['dəunʌt] (*US*) s = **doughnut**
doodle ['du:dl] [1] VI tegne (*v1*) kruseduller
[2] s krusedulle *m*
doom [du:m] [1] s skjebne *m*
[2] VT ▸ **to be doomed to failure** være* dømt til å mislykkes
doomsday ['du:mzdeɪ] s dommedag *m*
door [dɔ:^r] s dør *c*
▸ **to go from door to door** gå* fra dør til dør
doorbell ['dɔ:bɛl] s dørklokke *c*, ringeklokke *c*
door handle s dørhåndtak *nt*
doorman ['dɔ:mən] *irreg* s (*in hotel*) dørvakt *c*; (*in block of flats*) portner *m*
doormat ['dɔ:mæt] s (*also fig*) dørmatte *c* ❑ *Ever since then you've treated me like a doormat.* Helt siden da har du behandlet meg som en dørmatte.
doorpost ['dɔ:pəust] s dørstolpe *m*
doorstep ['dɔ:stɛp] s (dør)tram *m*
▸ **on the doorstep** (*fig*) like utenfor døra ❑ *He certainly didn't want an airport on his doorstep.* Han ville* såvisst ikke ha* en flyplass like utenfor døra.
door-to-door ['dɔ:tə'dɔ:^r] ADJ (*selling, salesman*)

dør-
doorway ['dɔːweɪ] s døråpning *m*
▸ **in the doorway** i døråpningen
dope [dəup] (*sl*) 1 s (**a**) (= *drug*) stoff *nt* ❑ *...dope addicts.* ...stoffmisbrukere
(**b**) (= *person*) tulling *m* ❑ *You dope!* Din tulling!
(**c**) (= *information*) opplysninger *pl* ❑ *We got the dope on the latest offer.* Vi har opplysningene om det seneste tilbudet.
2 VT (*+horse, person*) dope (*v1*), bedøve (*v1 or v3*)
dopey ['dəupɪ] (*sl*) ADJ (= *groggy*) groggy, sløv; (= *stupid*) tåpelig
dormant ['dɔːmənt] ADJ (**a**) (*plant*) sovende
(**b**) (*volcano*) uvirksom
▸ **to lie dormant** (*fig: idea*) ligge* ubrukt
dormer ['dɔːmə^r] s (*also* ***dormer window***) kvistvindu *nt*
dormice ['dɔːmaɪs] SPL *of* **dormouse**
dormitory ['dɔːmɪtrɪ] s (*room*) sovesal *m*; (*US: building*) studenthus *nt*, studenthjem *nt*
dormouse ['dɔːmaus] (*pl* **dormice**) s hasselmus *c*
Dors (*BRIT: POST*) FK = **Dorset**
DOS [dɔs] (*DATA*) s FK (= **disk operating system**) DOS *nt*
dosage ['dəusɪdʒ] s (**a**) (*MED*) dosering *c* ❑ *...a maximum daily dosage.* ...en maksimal dosering per dag.
(**b**) (*on label*) dose *m*
dose [dəus] 1 s (**a**) (*of medicine*) dose *m* ❑ *This is lethal to rats in small doses.* Dette er dødelig for rotter i små doser.
(**b**) (*BRIT: bout*) omgang *m*
2 VT ▸ **to dose o.s. (up) with aspirin** *etc* proppe (*v1*) i seg aspirin *etc*
▸ **a dose of flu** en omgang influensa
dosh [dɔʃ] (*BRIT: sl*) s ståler *pl* (*sl*)
dosser ['dɔsə^r] (*BRIT: sl*) s uteligger *m*
doss house ['dɔs-] (*BRIT*) s hospits *nt*
dossier ['dɔsɪeɪ] s saksmappe *c*
DOT (*US*) s FK (= **Department of Transportation**) transportdepartement *nt*
dot [dɔt] 1 s prikk *m* ❑ *She painted little black dots for the clown's eyes.* Hun malte små sorte prikker som skulle* være* klovnens øyne. *...a dot that might have been a ship.* ...en prikk som kunne* være* et skip.
2 VT ▸ **dotted with** (som er) prikket(e) av
▸ **on the dot** (= *punctually*) på prikken
dote [dəut] ▸ **to dote on** VT FUS (*+child, pet, lover*) forgude (*v1*)
dot-matrix printer [dɔt'meɪtrɪks-] s matriseskriver *m*
dotted line s prikket linje *c*
▸ **to sign on the dotted line** (*fig*) skrive* under på den prikkete linja
dotty ['dɔtɪ] (*sl*) ADJ sprø
double ['dʌbl] 1 ADJ (**a**) (*share, size*) dobbelt ❑ *They are aiming for a double share of the market by 2005.* De tar sikte på å doble markedsandelen innen 2005.
(**b**) (*chin, yolk*) dobbelt-
2 ADV (= *twice*) ▸ **to cost double** koste (*v1*) det dobbelte
3 s (*twin*) dobbeltgjenger *m*
4 VT (**a**) (*+offer, one's weight*) (for)doble (*v1*)
(**b**) (= *fold in two: paper, blanket*) brette (*v1*) (dobbelt)
5 VI (*population, size+*) bli* fordoblet
▸ **to double as** også fungere (*v2*) som ❑ *Her secretary doubled as her housekeeper.* Sekretæren hennes var også *or* fungerte også som hushjelpen hennes.
▸ **on the double,** (*BRIT*) **at the double** på rappen
▸ **double five two six** (*BRIT: TEL*) femtifem tjueseks, fem fem to seks
▸ **it's spelt with a double "l"** det staves med to l'er
▸ **double back** VI (= *turn back*) snu (*v4*)
▸ **double up** VI (**a**) (= *bend over*) knekke* sammen ❑ *He doubled up with laughter.* Han knakk sammen av latter.
(**b**) (= *share room*) dele (*v2*) (rom) ❑ *There weren't enough offices for everyone, so we had to double up.* Det var ikke nok kontorer, så vi måtte* dele.
double bass s kontrabass *m*
double bed s dobbeltseng *c*
double bend (*BRIT*) s s-sving *m*
double-breasted ['dʌbl'brɛstɪd] ADJ (*jacket, coat*) dobbeltspent
double-check ['dʌbl'tʃɛk] VTI dobbeltsjekke (*v1*)
double-clutch ['dʌbl'klʌtʃ] (*US: BIL*) VI dobbeltkløtsje (*v1*)
double cream (*BRIT*) s tykk fløte *m*
double-cross ['dʌbl'krɔs] VI narre (*v1*), lure (*v2*)
double-decker ['dʌbl'dɛkə^r] s (= *bus*) to-etasjes buss *m*
double-declutch ['dʌbldiː'klʌtʃ] (*BRIT: BIL*) VI dobbeltkløtsje (*v1*)
double exposure (*FOTO*) s dobbelteksponering *c*
double glazing [-'gleɪzɪŋ] (*BRIT*) s dobbeltvinduer *pl*
double-page spread ['dʌblpeɪdʒ-] s dobbeltsideoppslag *nt*
double parking s dobbeltparkering *c*
double room s dobbeltrom *nt*
doubles ['dʌblz] (*TENNIS*) s double *m*
double time (*INDUST*) s 100 % overtid *c*
double whammy [-'wæmɪ] (*sl*) s *to ubehagelige ting på en gang*
doubly ['dʌblɪ] ADV dobbelt ❑ *We were doubly disappointed that...* Vi var dobbelt skuffet over at...
doubt [daut] 1 s tvil *m* ❑ *...but we have serious doubts.* ...men vi har virkelig våre tvil.
2 VT tvile (*v2*) på ❑ *They inwardly doubted the facts.* I sitt stille sinn tvilte de på faktaene.
▸ **without (a) doubt** uten tvil
▸ **I doubt it (very much)** jeg tviler (sterkt) på det
▸ **to doubt if** *or* **whether...** tvile (*v2*) på om...
▸ **I don't doubt that...** jeg tviler ikke på at...
doubtful ['dautful] ADJ (**a**) (*fact*) tvilsom, uviss ❑ *How long this would continue was doubtful.* Hvor lenge dette ville* fortsette var tvilsomt *or* uvisst.
(**b**) (*person*) tvilende ❑ *He was doubtful that he could ever manage it.* Han var tvilende til om han kunne* klare det noen gang.
▸ **to be doubtful about sth** tvile (*v2*) på noe,

være* tvilende til noe
▸ **I'm a bit doubtful** jeg er litt tvilende, jeg tviler litt
doubtless ['dautlıs] ADV uten tvil, utvilsomt
dough [dəu] S (*KULIN*) deig *m*; (*sl: money*) gryn *nt* (*sl*)
doughnut ['dəunʌt], **donut** (*US*) S smultring *m*, berlinerbolle *m*
dour [duəʳ] ADJ (*person, expression*) mutt
douse [dauz] VT (**a**) (= *drench*) ▸ **to douse (with)** dynke (*v1*) (med) ❑ *She had doused herself with perfume.* Hun hadde dynket seg med parfyme.
(**b**) (= *extinguish*) slukke (*v1*) ❑ *He doused the lamp...* Han slukket lampen...
dove [dʌv] S due *c*
Dover ['dəuvəʳ] S Dover
dovetail ['dʌvteıl] 1 VI (*fig*) føye (*v3*) seg sammen ❑ *The two schedules dovetailed together.* De to timeplanene føyde seg sammen.
2 S ▸ **dovetail joint** sinkeskjøt *m*
dowager ['dauədʒəʳ] S rik *or* fornem gammel (adels)dame *c*
dowdy ['daudı] ADJ uelegant, ufiks
Dow-Jones average ['dau'dʒəunz-] S Dow Jones-indeks *m*
down [daun] 1 S (= *soft feathers*) dun *nt* ❑ *The chicks are covered with down...* Kyllingene er dekket av dun...
2 ADV (**a**) (= *downwards*) ned ❑ *She nodded and looked down.* Hun nikket og så ned.
(**b**) (= *on the ground*) nede ❑ *We could see the others down on the pavement.* Vi kunne* se de andre nede på fortauet.
3 PREP (**a**) (= *towards lower level*) nedover ❑ *They walked down the stone steps.* De gikk nedover steintrappen.
(**b**) (*movement along*) nedover ❑ *He walked down the road...* Han gikk nedover gaten...
4 VT (*sl: drink*) hive* innpå
▸ **the downs** SPL (*landscape*) bakkelandskap *nt*
▸ **down there** der nede
▸ **down here** her nede
▸ **the price of meat is down** prisen på kjøtt har gått ned
▸ **I've got it down in my diary** jeg har skrevet det ned i dagboka min
▸ **to pay 5 pounds down** betale 5 pund i avbetaling
▸ **England are two goals down** England ligger under med to mål
▸ **to down tools** (*BRIT*) legge* ned arbeidet
▸ **down with X!** ned med X!
down-and-out ['daunəndaut] S uteligger *m*
down-at-heel ['daunət'hi:l] ADJ (*shoes etc*) nedslitt, utgått; (*appearance, person*) sliten
downbeat ['daunbi:t] 1 S (*MUS*) nedslag *nt*
2 ADJ nedtrykt
downcast ['daunkɑ:st] ADJ (*gen*) nedslått ❑ *Cameron seemed unusually downcast.* Cameron virket usedvanlig nedslått. *With downcast eyes...* Med nedslåtte øyne...
downer ['daunəʳ] (*sl*) S (= *drug*) beroligende (middel) *nt* ❑ *Is methaqualone an upper or downer?* Er methaqualone et oppkvikkende eller et beroligende middel?
▸ **to be on a downer** (= *depressed*) være* deppa
downfall ['daunfɔ:l] S fall *nt*
downgrade ['daungreıd] VT nedgradere (*v2*)
downhearted ['daun'hɑ:tıd] ADJ nedslått
downhill ['daun'hıl] 1 ADV (**a**) (*go: road, person, car*) nedover (bakke)
(**b**) (*to face, look*) nedover
2 S (*SKI*) utforrenn *nt*
▸ **to go downhill** (*fig: business, person*) gå* nedover (bakke)
Downing Street ['daunıŋ-] S ▸ **10 Downing Street** ≈ statsministerboligen *def*

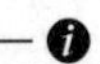

Downing Street *er en gate i Westminster (i London) hvor man finner den offisielle statsministerboligen (Nr 10) og boligen til finansministeren (Nr 11). Navnet* Downing Street *blir ofte brukt som betegnelse på denbritiske regjeringen.*

download ['daunləud] VT laste (*v1*) ned
down-market ['daun'mɑ:kıt] ADJ (*product*) simpel (*forbundet med lavere samfunnsklasser*)
down payment S kontantsum *m* (*som forskudd på avbetaling*)
downplay ['daunpleı] VT gjøre* lite vesen av
downpour ['daunpɔ:ʳ] S kraftig regnskyll *nt*
downright ['daunraıt] 1 ADJ (*lie, liar etc*) regelrett
2 ADV rett og slett ❑ *Some of the jobs were downright disgusting.* Noen av jobbene var rett og slett motbydelige.
Downs [daunz] (*BRIT*) SPL ▸ **the Downs** Downs-området
downsize ['daun'saiz] VT downsize (*v1*)
Down's syndrome S Downs syndrom *nt*
downstairs ['daun'stɛəz] ADV (**a**) (= *below*) nede, nedenunder ❑ *Downstairs on the second floor...* Nede *or* nedenunder i tredje etasje...
(**b**) (= *downwards: go, run etc*) ned, nedenunder ❑ *...he followed Armstrong downstairs.* ...han fulgte Armstrong ned *or* nedenunder.
downstream ['daunstri:m] ADV (*be, go*) nedover elven
downtime ['dauntaım] S (*of machine etc*) dødtid *c*
down-to-earth ['dauntu'ə:θ] ADJ (*person, manner*) jordnær
downtown ['daun'taun] 1 ADV (**a**) (*be*) i sentrum
(**b**) (*go*) til sentrum ❑ *We went downtown to buy new shoes.* Vi dro ned til sentrum for å kjøpe nye sko.
2 ADJ (*US*) ▸ **downtown Chicago** i sentrum av Chicago
downtrodden ['dauntrɔdn] ADJ (*person*) underkuet
down under ADV (= *in Australia etc*) på undersiden av jordkloden
downward ['daunwəd] 1 ADJ nedover ❑ *She made a bold downward stroke with the paint brush.* Hun gjorde en freidig bevegelse nedover med penselen.
2 ADV nedover ❑ *He kept his head on one side, looking downward.* Han holdt hodet på den ene siden, og så ned.
▸ **a downward trend** en negativ utvikling
downwards ['daunwədz] ADV = **downward**
dowry ['daurı] S medgift *m*
doz. FK = **dozen**
doze [dəuz] VI døse (*v2*)

▸ **doze off** VI døse (*v2*) av
dozen ['dʌzn] s dusin *nt*
▸ **a dozen books** et dusin bøker
▸ **dozens of** dusinvis av
DPh S FK (= **Doctor of Philosophy**) ≈ dr.philos.
DPhil S FK (= **Doctor of Philosophy**) ≈ dr.philos.
DPP (*BRIT*) S FK (= **Director of Public Prosecutions**) ≈ riksadvokat *m*
DPT S FK (= **diphtheria, pertussis, tetanus**) difteri, kikhost og stivkrampe
DPW (*US*) S FK (= **Department of Public Works**) *departement for offentlige tjenester*
Dr FK = **doctor**
dr (*MERK*) FK = **debtor**
Dr. FK (*in street names*) = **Drive**
drab [dræb] ADJ (*weather, building, clothes*) nitrist, trist
draft [drɑ:ft] 1 s (**a**) (= *first version*) utkast *nt*, kladd *m* ❑ *...the draft of an article he was writing.* ...utkastet *or* kladden til en artikkel som han skrev på.
(**b**) (*POL: of bill*) utkast *nt* ❑ *He corrected the first draft of the bill.* Han rettet det første utkastet til lovforslaget.
(**c**) (= *bank draft*) veksel *m* ❑ *...a draft for 500 pounds...* en veksel på 500 pund...
(**d**) (*US: call-up*) innkalling *c* til militæret
2 VT (**a**) (= *plan*) lage (*v1 or v3*) utkast til ❑ *That programme has not yet been drafted.* Det har ennå ikke blitt laget et utkast til program.
(**b**) (= *write roughly*) kladde (*v1*) ❑ *They drafted a letter to the local newspaper.* De kladdet et brev til lokalavisen
see also **draught**
draftsman ['drɑ:ftsmən] (*US*) *irreg* s = **draughtsman**
draftsmanship ['drɑ:ftsmənʃɪp] (*US*) s = **draughtsmanship**
drag [dræg] 1 VT (**a**) (*+bundle, person*) slepe (*v2*) ❑ *...the body was dragged up the stairs.* ...liket ble slept opp trappene.
(**b**) (*+river*) sokne (*v1*) i ❑ *I didn't want the police dragging the river for the body.* Jeg ville* ikke at politiet skulle* sokne i elva etter liket.
2 VI (*time, concert etc+*) trekke* ut, dra* ut ❑ *The day was dragging.* Dagen trakk *or* drog ut
3 s (**a**) (*sl*) ▸ **what a drag!** så kjedelig! NB *Her father's a real drag.* Faren hennes er helt pyton. (*sl*)
(**b**) (= *women's clothing*) ▸ **in drag** i kvinneklær
(**c**) (*NAUT, AVIAT*) luftmotstand *m*
▸ **drag away** VT slepe (*v2*) avgårde
▸ **drag on** VI (*case, concert etc+*) dra* ut, trekke* i langdrag
dragnet ['drægnɛt] s slepenot *c*; (*fig: police hunt*) politijakt *c*
dragon ['drægn] s drage *m*
dragonfly ['drægənflaɪ] s øyenstikker *m*
dragoon [drə'gu:n] 1 s (*cavalryman*) dragon *m*
2 VT ▸ **to dragoon sb into doing sth** (*BRIT*) tvinge* noen til å gjøre* noe
drain [dreɪn] 1 s (**a**) (*in street*) kum *m*
(**b**) (*fig: on resources*) belastning *m*, *noe som tærer på noe* ❑ *The banks are facing a very large drain on their funds.* Bankene opplever at det tærer mye på *or* er stor belastning på beholdningen.
2 VT (**a**) (*+land, marshes, pond*) drenere (*v2*)
(**b**) (*+vegetables*) tømme (*v2x*) vannet av ❑ *Drain the soaked chick peas...* Tøm vannet av de våte ertene...
(**c**) (*+glass, cup*) tømme (*v2x*)
3 VI (*liquid+*) renne* ut ❑ *All the sewage drains off into the river.* All kloakken renner ut i elva.
▸ **to feel drained (of energy/emotion)** føle (*v2*) seg tom (for energi/følelser)
drainage ['dreɪnɪdʒ] s drenering *c* ❑ *Massive drainage ditches...* Store dreneringsdiker... *Good drainage doesn't mean dry soil.* God drenering betyr ikke tørr jord.
draining board, **drainboard** (*US*) s oppvaskbenk *m* (*hvor oppvasken settes til tørk*)
drainpipe ['dreɪnpaɪp] s avløpsrør *nt*
drake [dreɪk] s andestegg *nt*
dram [dræm] s (*drink*) dram *m*
drama ['drɑ:mə] s (**a**) (*art*) drama *nt* ❑ *...an expert on modern poetic drama.* ...en ekspert på moderne poetisk drama.
(**b**) (= *play*) skuepill *nt* ❑ *...a drama called The Garden Party.* ...et skuepill som het The Garden Party.
(**c**) (= *excitement*) spill *nt* ❑ *...the drama of politics.* ...politikkens spill.
dramatic [drə'mætɪk] ADJ (**a**) (= *marked, sudden*) dramatisk ❑ *I expect to see dramatic improvements.* Jeg venter å se dramatiske forbedringer.
(**b**) (= *theatrical*) drama-, dramatisk ❑ *...Browning's dramatic works.* ...Brownings dramaabeider *or* dramatiske arbeider.
dramatically [drə'mætɪklɪ] ADV (*gen*) dramatisk
dramatist ['dræmətɪst] s dramatiker *m*, skuespillforfatter *m*
dramatize ['dræmətaɪz] VT (*gen*) dramatisere (*v2*) ❑ *The conflict has been dramatized in the newspapers.* Konflikten har vært dramatisert i avisene. *His ambition is to dramatize the great works of literature.* Hans ambisjon er å dramatisere de store litterære verkene.
drank [dræŋk] PRET *of* **drink**
drape [dreɪp] VT (*+cloth, flag*) drapere (*v2*)
drapes [dreɪps] (*US*) SPL (= *curtains*) gardiner *pl*
drastic ['dræstɪk] ADJ drastisk
drastically ['dræstɪklɪ] ADV (*change, reduce*) drastisk
draught [drɑ:ft], **draft** (*US*) s (**a**) (*of air*) trekk *m*
(**b**) (*NAUT*) dypgang *m*
▸ **on draught** (*beer*) på fat
draught beer s fatøl *nt*
draughtboard ['drɑ:ftbɔ:d] (*BRIT*) s dambrett *nt*
draughts [drɑ:fts] (*BRIT*) s (*game*) dam *m*
draughtsman ['drɑ:ftsmən] *irreg*, **draftsman** (*US*) s (teknisk) tegner *m*
draughtsmanship ['drɑ:ftsmənʃɪp], **draftsmanship** (*US*) s (**a**) (*technique*) (teknisk) tegneferdighet *m* ❑ *...drawn badly in terms of draughtsmanship.* ...tegnet dårlig hvis tegneferdigheter legges til grunn.
(**b**) (*art*) håndverk *nt* ❑ *The draughtsmanship of the forgery was excellent.* Håndverket i forfalskningen var meget bra.
draw [drɔ:] (*pt* **drew**, *pp* **drawn**) 1 VT (**a**) (*KUNST,*

TEKN) tegne (*v1*) ❏ *We ought to draw a map.* Vi burde tegne et kart.
(**b**) (= *pull: cart*) trekke*
(**c**) (= *curtain*) trekke* for
(**d**) (+*gun, tooth*) trekke* ❏ *She saw vehicles drawn by huge animals.* Hun så kjøretøy som ble trukket av store dyr. *He was always ready to draw his sword.* Han var alltid klar til å trekke sverdet.
(**e**) (= *attract: response*) føre (*v2*) til ❏ *The Government's action drew an angry response.* Regjeringens handling førte til sinte reaksjoner.
(**f**) (+*money*) ta* ut, heve (*v1*) ❏ *He drew fifty pounds from his savings account.* Han tok ut *or* hevet fem pund fra sparekontoen sin.
(**g**) (+*wages*) heve (*v1*) ❏ *She draws a good salary each month.* Hun hever en god lønn hver måned.
(**h**) (= *formulate*) trekke* ❏ *What conclusions do you draw from all this?* Hva slags konklusjoner trekker du av alt dette? *He drew a parallel between unemployment and suicide.* Han trakk en parallell mellom arbeidsledighet og selvmord.
[2] VI (**a**) (*KUNST, TEKN*) tegne (*v1*) ❏ *He admits that he can't draw.* Han innrømmer at han ikke kan tegne.
(**b**) (*SPORT*) spille (*v2x*) uavgjort ❏ *Brazil drew against Spain.* Brasil spilte uavgjort mot Spania.
[3] S (**a**) (*SPORT*) uavgjort kamp *m* ❏ *The match ended in a goalless draw.* Kampen endte målløs og uavgjort.
(**b**) (= *lottery*) trekning *m*, lotteri *nt*
▸ **to draw attention to sth** henlede (*v1*) oppmerksomheten på noe
▸ **to draw attention to o.s.** tiltrekke* seg oppmerksomhet
▸ **to draw near** (*person, event+*) nærme (*v1*) seg
▸ **to draw to a close** trekke* mot slutten, dra* seg mot slutten
► **draw back** VI (= *move back*) ▸ **to draw back (from)** trekke* seg tilbake (fra)
► **draw in** VI (**a**) (*BRIT: vehicle*) kjøre (*v2*) inn
(**b**) (*nights+*) trekke* inn
► **draw on** VT trekke* veksler på, dra* nytte av ❏ *The company can draw on their vast reserves.* Selskapet kan trekke veksler på *or* dra nytte av de store pengereservene sine. *...he was forced to draw on his imagination...* han var tvunget til å trekke veksler på *or* dra nytte av fantasien sin...
► **draw out** [1] VI (*train+*) kjøre (*v2*) ut fra stasjonen
[2] VT (+*money: from bank*) ta* ut, heve (*v1*)
► **draw up** [1] VI (= *stop: car etc*) kjøre (*v2*) opp ❏ *...a bus drew up.* ...det kjørte fram en buss.
[2] VT (**a**) (+*chair etc*) sette* fram
(**b**) (+*document*) skrive* (ut)
(**c**) (+*plans*) legge* ❏ *I was busy drawing up plans for the new course.* Jeg var travelt opptatt med å legge planer for det nye kurset.
drawback ['drɔ:bæk] s ulempe *m*, drawback *nt*
drawbridge ['drɔ:brɪdʒ] s vindebru *f*
drawee [drɔ:'i:] s trassat *m*
drawer [drɔ:ʳ] s (*of desk etc*) skuff *m*
drawing ['drɔ:ɪŋ] s (*gen*) tegning *m* ❏ *She had a real passion for drawing and painting.* Hun var virkelig glad i tegning og maling.
drawing board s tegnebord *nt*
▸ **back to the drawing board** (*fig*) tilbake til planleggingsstadiet *or* utgangspunktet
drawing pin (*BRIT*) s tegnestift *m*
drawing room s salong *m*
drawl [drɔ:l] [1] s snøvling *c*
[2] VI snøvle (*v1*)
drawn [drɔ:n] [1] PP *of* **draw**
[2] ADJ (= *haggard*) dratt
drawstring ['drɔ:strɪŋ] s snøre *nt*
dread [drɛd] [1] s ▸ **dread (of)** gru *c* (for), frykt *m* (for) ❏ *He spoke of his growing dread of getting old.* Han fortalte om hans økende gru *or* frykt for å bli* gammel.
[2] VT (= *fear*) grue (*v1*) seg til ❏ *She had begun to dread these excursions.* Hun hadde begynt å grue seg til disse ekskursjonene.
dreadful ['drɛdful] ADJ (*weather, day, person etc*) redselsfull, fryktelig
▸ **I feel dreadful!** (**a**) (= *ill*) jeg føler meg elendig!
(**b**) (= *ashamed*) jeg er forferdelig lei meg!
dream [dri:m] (*pt, pp* **dreamed** *or* **dreamt**) [1] s (*gen, PSYCH*) drøm *m* ❏ *I had a strange dream last night.* Jeg hadde en rar drøm i natt. *His dream of becoming President...* Drømmen hans om å bli* president...
[2] VTI drømme (*v2x*) ❏ *That night I dreamt that...* Den natten drømte jeg at...
▸ **to have a dream about sb/sth** ha* en drøm om noen/noe
▸ **to dream of doing sth** (= *fantasize*) drømme (*v2x*) om å gjøre* noe
▸ **sweet dreams!** drøm søtt!
► **dream up** VT (+*plan*) komme* opp med, komme* fram til
dreamer ['dri:məʳ] s drømmer *m*
dreamt [drɛmt] PRET, PP *of* **dream**
dream world s drømmeverden *m*, fantasiverden *m*
dreamy ['dri:mɪ] ADJ drømmende
dreary ['drɪərɪ] ADJ (*weather, talk, time*) nitrist, trist, kjedelig
dredge [drɛdʒ] VT (+*river, harbour*) mudre (*v1*)
► **dredge up** VT (*fig: unpleasant facts*) grave (*v3*) fram
dredger ['drɛdʒəʳ] s (*ship*) mudringsbåt *m*; (*machine*) mudringsmaskin *m*
dregs [drɛgz] SPL (*of drink*) bunnfall *nt*
▸ **the dregs of humanity** menneskeenhetens utskudd *nt*
drench [drɛntʃ] VT gjøre* gjennomvåt *or* gjennombløt
▸ **drenched to the skin** gjennomvåt, gjennombløt
dress [drɛs] [1] s (**a**) (= *frock*) kjole *m*
(**b**) (*no pl: clothing*) klær *pl* ❏ *They started to wear western dress.* De begynte å bruke vestlige klær.
[2] VT (**a**) (+*child*) kle (*v4*) på
(**b**) (+*wound*) forbinde*
(**c**) (+*shop window*) dekorere (*v2*)
[3] VI kle (*v4*) på seg
▸ **she dresses very well** hun kler seg veldig fint
▸ **to get dressed** kle (*v4*) på seg
► **dress up** VI (**a**) (= *wear best clothes*) pynte (*v1*) seg ❏ *I can't be bothered to dress up this evening.*

Jeg orker ikke å pynte meg i kveld.
(**b**) (*in fancy dress*) kle (*v4*) seg ut ❑ *He dressed up as a pig.* Han kledde seg ut som en gris.

dress circle (*BRIT*) s balkong *m* (*første etasje*)

dress designer s klesdesigner *m*

dresser ['drɛsəʳ] s (*BRIT: cupboard*) framskap *nt*; (*US: chest of drawers*) toalettkommode *m*; (*TEAT*) påkleder *m*

dressing ['drɛsɪŋ] s (*MED*) forbinding *c*; (*KULIN: for salad*) dressing *m*

dressing gown (*BRIT*) s morgenkåpe *m*, slåbrok *m*

dressing room s (*TEAT*) omkledningsrom *nt*, garderobe *m*; (*SPORT*) garderobe *m*

dressing table s toalettbord *nt*

dressmaker ['drɛsmeɪkəʳ] s sydame *c*

dressmaking ['drɛsmeɪkɪŋ] s (kjole)søm *m*, sying *c*

dress rehearsal (*TEAT*) s generalprøve *m*

dressy ['drɛsɪ] (*sl*) ADJ (= *smart: clothes*) elegant, stilig

drew [dru:] PRET *of* **draw**

dribble ['drɪbl] 1 VI (**a**) (= *trickle*) piple (*v1*) ❑ *Orange juice dribbled down his chin.* Det rant en strime av appelsinsaft nedover haken hans.
(**b**) (*baby+*) sikle (*v1*)
(**c**) (*FOTB*) drible (*v1*)
2 VT (*+ball*) drible (*v1*)

dried [draɪd] ADJ (*fruit*) tørket; (*eggs*) i pulverform; (*milk*) tørr-

drier ['draɪəʳ] s = **dryer**

drift [drɪft] 1 s (**a**) (*of current*) retning *c* ❑ *The drift of the current took us downstream.* Strømretningen tok oss nedover elva.
(**b**) (*of snow*) fonne *c* ❑ *The road was edged with snow drifts.* Veien hadde snøfonner på begge sider.
(**c**) (= *meaning*) tankegang *m* ❑ *I was able to follow his drift pretty well.* Jeg var i stand til å følge tankegangen hans ganske bra.
2 VI (**a**) (*boat+*) drive*
(**b**) (*sand, snow+*) fyke*
▸ **to let things drift** la ting flyte
▸ **to drift apart** (*friends, lovers+*) gli* fra hverandre
▸ **I get** *or* **catch your drift** (*sl*) jeg skjønner hva du mener

drifter ['drɪftəʳ] s (*person*) løsgjenger *m*

drifting s (= *drifting snow*) snøføyke *f*

driftwood ['drɪftwud] s drivved *m*

drill [drɪl] 1 s (**a**) (*TEKN*) bor *nt*
(**b**) (*for DIY*) drill *m*
(**c**) (*MIL*) øvelse *m*, eksersis *m* ❑ *...battle drills.* ...kampøvelser *or* kampeksersiser
2 VT (**a**) (*+hole*) bore (*v1*) ❑ *A hole had already been drilled.* Det hadde allerede blitt boret et hull.
(**b**) (*+troops*) drille (*v1*), drive* eksersis med
(**c**) (*+pupils: in grammar*) drive* med øvelser i
3 VI (*for oil*) bore (*v1*)

drilling ['drɪlɪŋ] s (*for oil*) boring *c*

drilling rig s (*on land*) boretårn *nt*; (*at sea*) borerigg *m*

drily ['draɪlɪ] ADV = **dryly**

drink [drɪŋk] (*pt* **drank**, *pp* **drunk**) 1 s ▸ **a drink**
(**a**) (*gen*) noe å drikke
(**b**) (*alcoholic, social*) en drink *m* NB *Lynne brought me a hot drink.* Lynne kom med noe varmt å drikke til meg.
2 VTI drikke*
▸ **to have a drink** (**a**) (*gen*) ta/få (seg) noe å drikke
(**b**) (*alcoholic, social*) ta* en drink ❑ *I'm going to have a drink with some friends.* Jeg skal ta* en drink med noen venner.
▸ **to take** *or* **have a drink of sth** nippe (*v1*) til noe ❑ *She took a drink of her whisky...* Hun nippet til whiskyen sin...
▸ **a drink of water** et glass vann
▸ **something to drink** noe å drikke
▸ **we had drinks before lunch** vi tok noe å drikke før lunsj
▸ **drink in** VT (**a**) (*+sight*) absorbere (*v2*) ❑ *He stood still, drinking in the beauty of the countryside.* Han stod helt stille og absorberte det skjønne landskapet.
(**b**) (*+words*) sluke (*v2*) ❑ *She drank in every word he spoke.* Hun slukte hvert ord han sa.

drinkable ['drɪŋkəbl] ADJ (**a**) (= *not dangerous*) drikkelig
(**b**) (= *palatable*) brukbar ❑ *...drinkable wines at reasonable prices.* ...brukbare viner til en rimelig pris.

drink-driving ['drɪŋk'draɪvɪŋ] s fyllekjøring *c*

drinker ['drɪŋkəʳ] s (*of alcohol*) dranker *m*, *en som drikker*

drinking ['drɪŋkɪŋ] s (*of alcohol*) drikking *c* ❑ *There had been some heavy drinking at the party.* Det hadde vært veldig mye drikking på festen.

drinking fountain s drikkefontene *c*

drinking water s drikkevann *nt*

drip [drɪp] 1 s (**a**) (= *dripping, noise*) drypping *c*
(**b**) (*MED*) drypp *nt*
2 VI dryppe (*v1*) ❑ *The rain was dripping down our necks.* Regnet dryppet nedover nakken på oss. *...a dripping tap.* ...en dryppende kran. *She left the clothes dripping on the line.* Hun lot klærne henge dryppende på snora.

drip-dry ['drɪp'draɪ] ADJ (*shirt*) som skal drypptørres

drip-feed ['drɪpfi:d] (*MED*) 1 VT gi* ernæring intravenøst
2 s ▸ **to be on a drip-feed** få* intravenøs næring

dripping ['drɪpɪŋ] 1 s (*KULIN*) steikefett *nt*
2 ADJ (**a**) (= *very wet: object*) dryppende, dryppvåt
(**b**) (*+person*) dryppende våt, søkkvåt
▸ **dripping wet** dryppende våt

drive [draɪv] (*pt* **drove**, *pp* **driven**) 1 s (**a**) (= *journey*) kjøretur *m* ❑ *It's a thirty mile drive.* Det er en kjøretur på tredve miles.
(**b**) (*also* **driveway**) innkjørsel *c*, oppkjørsel *c*
(**c**) (= *energy*) pågangsmot *nt*
(**d**) (= *campaign*) kampanje *m*
(**e**) (*SPORT*) (hardt) slag *nt*
(**f**) (*DATA: **disk drive***) (diskett)stasjon *m*
2 VT (**a**) (*+vehicle*) kjøre (*v2*) ❑ *It is her turn to drive the car.* Det er hennes tur til å kjøre bilen.
(**b**) (*TEKN: machine, motor, wheel*) drive* ❑ *They use liquid hydrogen now to drive the rockets.* Nå bruker de flytende hydrogen for å drive rakettene.

(**c**) (*+nail, stake etc*) ▸ **to drive sth into sth** slå* noe ned i *or* inn i noe ❑ *...a stake driven into the gravel.* ...en påle som var slått ned i grusen.
(**d**) (*+animal*) drive* ❑ *He drove the sheep down to the valley.* Han drev sauene ned til dalen.
(**e**) (*+ball*) slå* ❑ *He drove the ball low into the net.* Han slo ballen lavt inn i nettet.
(**f**) (*= incite, encourage*) drive* ❑ *A man driven by greed or envy...* En mann som er drevet av grådighet eller misunnelse...
3 VI (**a**) (*BIL: at controls*) kjøre (*v2*) ❑ *They have never learned to drive.* De har aldri lært å kjøre (bil).
(**b**) (*travel*) dra*, kjøre (*v2*) ❑ *We drove down to the seaside.* Vi dro *or* kjørte ned til sjøen.
▸ **to go for a drive** ta* en kjøretur
▸ **it's 3 hours' drive from London** det er en 3 timers kjøretur fra London
▸ **left-/right-hand drive** venstre-/høyrekjøring *c*
▸ **front-/rear-wheel drive** forhjuls-/bakhjulsdrift
▸ **he drives a taxi** han kjører drosje
▸ **to drive at 50 km an hour** kjøre (*v2*) i 50 km i timen
▸ **to drive sb home/to the airport** kjøre (*v2*) noen hjem/til flyplassen
▸ **to drive sb mad** drive* noen til vanvidd
▸ **to drive sb to (do) sth** drive* noen til (å gjøre) noe
▸ **what are you driving at?** hva er det du vil fram til?
▶ **drive off** VT (*= repel*) jage (*v1 or v3*) vekk
▶ **drive out** VT (*= force to leave*) drive* ut
drive-by shooting ['draɪvbaɪ-] s *skyting fra bil i fart*
drive-in ['draɪvɪn] (*især US*) 1 ADJ (*restaurant, cinema*) drive-in-
2 s drive-in *m*
drivel ['drɪvl] (*sl*) s tull *nt*
driven ['drɪvn] PP *of* **drive**
driver ['draɪvəʳ] s (*of own car*) sjåfør *m*, bilist *m*; (*= chauffeur, of taxi, bus*) sjåfør *m*; (*of train*) (lokomotiv)fører *m*, (tog)fører *m*
driver's license (*US*) s førerkort *nt*
driveway ['draɪvweɪ] s innkjørsel *c*, oppkjørsel *c*
driving ['draɪvɪŋ] 1 s kjøring *c*
2 ADJ (*+rain, snow*) drivende
driving belt s drivreim *c*
driving force s drivkraft *c*
driving instructor s kjørelærer *m*, kjøreinstruktør *m*
driving lesson s kjøretime *m*
driving licence (*BRIT*) s førerkort *nt*
driving mirror s bakspeil *nt*
driving school s kjøreskole *m*, sjåførskole *m*
driving test s førerprøve *c*
drizzle ['drɪzl] 1 s duskregn *m*
2 VI duskregne (*v1*)
droll [drəul] ADJ (*comment, person*) pussig, merkelig
dromedary ['drɔmədərɪ] s dromedar *m*
drone [drəun] 1 s (**a**) (*noise*) dur *m* ❑ *...the steady drone of the traffic.* ...den jevne duren fra trafikken
(**b**) (*= male bee*) drone *m*
2 VI (**a**) (*bee+*) summe (*v1*)
(**b**) (*engine etc+*) dure (*v2*)
(**c**) (*also* ***drone on***) holde* på i det uendelige
drool [dru:l] VI sikle (*v1*)
▸ **to drool over sth/sb** (*fig*) sikle (*v1*) etter noe/noen
droop [dru:p] VI (*flower, shoulders, head+*) henge* ned
drop [drɔp] 1 s (**a**) (*of liquid*) dråpe *m* ❑ *A drop of blood slid down his leg.* En dråpe blod gled nedover beinet hans.
(**b**) (*= reduction*) nedgang *m*, fall *nt* ❑ *...a drop in the mortality rate.* ...en nedgang *or* et fall i dødelighetsprosenten.
(**c**) (*vertical distance*) fall *nt* ❑ *...a vertical drop of 300 feet.* ...et loddrett fall på 300 fot.
(**d**) (*delivery: by parachute etc*) slipp *nt* ❑ *They are requesting air drops of essential foodstuffs.* De ber om fallskjermslipp med viktige matvarer.
2 VT (**a**) (*from hands etc: object*) slippe*
(**b**) (*+voice, eyes*) senke (*v1*)
(**c**) (*= reduce: price*) sette* ned, senke (*v1*)
(**d**) (*= set down from car*) sette* av ❑ *Drop me at the corner of the street.* Sett meg av på gatehjørnet.
(**e**) (*= omit: name from list etc*) droppe (*v1*), kutte (*v1*) ut
3 VI (**a**) (*object+*) dette* (ned), falle* (ned)
(**b**) (*wind+*) løye (*v1*)
▸ **drops** SPL (*MED*) dråper
▸ **cough drops** hostedråper
▸ **a 300 ft drop** et fall på 300 fot
▸ **a drop of 10%** en nedgang *or* et fall på 10 %
▸ **to drop anchor** kaste (*v1*) anker
▸ **to drop sb a line** sende (*v2*) noen noen linjer, sende (*v2*) ord til noen
▶ **drop in** (*sl*) VI (*= visit*) ▸ **to drop in (on sb)** stikke* innom (noen)
▶ **drop off** 1 VI (*= go to sleep*) duppe (*v1*) av
2 VT (*+passenger*) slippe* av ❑ *I can drop Daisy off on my way home.* Jeg kan slippe av Daisy på vei hjem.
▶ **drop out** VI droppe (*v1*) ut
droplet ['drɔplɪt] s liten dråpe *m*
drop-out ['drɔpaut] s (*SKOL*) en som har droppet ut fra skolen
▸ **a social drop-out** en som har meldt seg ut av samfunnet
dropper ['drɔpəʳ] s (*for liquid*) dråpeteller *m*
droppings ['drɔpɪŋz] SPL (*of bird*) skitt *m*; (*of mouse*) lort *m*
dross [drɔs] s skrot *nt*
drought [draut] s tørke *m*
drove [drəuv] 1 PRET *of* **drive**
2 s ▸ **droves of people** horder *or* mengder med folk
▸ **they came in (their) droves** de kom i store horder *or* mengder
drown [draun] 1 VT (**a**) (*kill: person, animal*) drukne (*v1*)
(**b**) (*also* ***drown out****: sound, voice*) drukne (*v1*) ❑ *His words were drowned by loud cheers.* Ordene hans druknet i høye tilrop.
2 VI (*person, animal+*) drukne (*v1*)
drowse [drauz] VI døse (*v2*)
drowsy ['drauzɪ] ADJ døsig
drudge [drʌdʒ] s arbeidsslave *m*

drudgery ['drʌdʒərɪ] s (= *routine work*) rutinearbeid *nt*; (= *hard work*) slavearbeid *nt*
drug [drʌg] 1 s (**a**) (*gen*) legemiddel *nt* ❑ *This drug is prescribed to treat hay fever.* Dette legemiddelet er foreskrevet for å behandle høysnue.
(**b**) (= *narcotic*) narkotika *m*, stoff *nt*
2 VT (= *sedate: person, animal*) dope (*v1*) (ned)
▸ **to be on drugs** gå* på stoff
▸ **to take drugs** bruke (*v2*) narkotika
▸ **hard/soft drugs** harde/lettere stoffer
drug addict s narkoman *m decl as adj*
druggist ['drʌgɪst] (*US*) s apoteker *m*
drug peddler s narkotikalanger *m*
drugstore ['drʌgstɔːʳ] s (*US*) *butikk med apotek*; (*BRIT*) ≈ parfymeri *nt*
drum [drʌm] 1 s (**a**) (*MUS*) tromme *c*
(**b**) (*for wire, cable*) trommel *m*
(**c**) (*for oil, petrol*) fat *nt*
2 VI (*gen*) tromme (*v1*) ❑ *The rain started to drum on the roof.* Regnet begynte å tromme på taket. *He was waiting, drumming on the table with his fingers.* Han ventet mens han trommet på bordet med fingrene.
▸ **drums** SPL (*kit*) trommer
▸ **drum kit** trommesett *nt*
▸ **drum up** VT (*+enthusiasm, support*) oppdrive*, tromme (*v1*) sammen
drummer ['drʌməʳ] s trommeslager *m*
drum roll s trommevirvel *m*
drumstick ['drʌmstɪk] s (*MUS*) trommestikke *m*; (*of chicken*) legg *m*
drunk [drʌŋk] 1 PP *of* **drink**
2 ADJ (*with alcohol*) full
3 s fyllik *m*, drukkenbolt *m*
▸ **to get drunk** bli* full, drikke* seg full
drunkard ['drʌŋkəd] s fyllik *m*, drukkenbolt *m*
drunken ['drʌŋkən] ADJ (*laughter, party*) fordrukken; (*person*) full
drunkenness ['drʌŋkənnɪs] s drukkenskap *m*
dry [draɪ] 1 ADJ (*gen, fig*) tørr ❑ *The night was dry and clear.* Natten var tørr og klar. *...the river was almost dry.* ...elven var nesten tørr. *...dry white wine.* ...tørr hvitvin. *I enjoyed her dry accounts of her work.* Jeg likte de tørre fortellingene om arbeidet hennes. *I thought the book was very dry.* Jeg syntes boka var veldig tørr.
2 VTI tørke (*v1*) ❑ *I dried his glasses...* Jeg tørket brillene hans... *Leave it to dry.* La det stå og tørke.
▸ **on dry land** på tørt land
▸ **to dry one's hands/hair/eyes** tørke (*v1*) seg på hendene/i håret/i øynene, tørke (*v1*) hendene (sine)/håret (sitt)/øynene (sine)
▸ **to dry the dishes** tørke (*v1*) opp
▸ **dry up** VI (**a**) (*river, well+*) tørke (*v1*) ut, tørke (*v1*) inn
(**b**) (*in speech*) gå* i stå ❑ *Halfway through the speech she dried up completely.* Halvveis i talen gikk hun helt i stå.
dry clean VT rense (*v1*) (*i renseri*)
dry-cleaner's ['draɪ'kliːnəz] s renseri *nt*
dry-cleaning ['draɪ'kliːnɪŋ] s rensing *c*
dry dock (*NAUT*) s tørrdokk *c*
dryer ['draɪəʳ] s (= *tumble dryer*) tørketrommel *m*; (= *spin-dryer*) sentrifuge *m*; (= *hair dryer*) tørrer *m*
dry goods SPL manufakturvarer
dry ice s tørris *m*
dryly ['draɪlɪ] ADV tørt
dryness ['draɪnɪs] s (*of ground, climate, weather, skin*) tørrhet *c*
dry rot s tørråte *m*
dry run s (*fig*) prøvekjøring *c*
dry ski slope s plastbakke *m*
DSc S FK (= **Doctor of Science**) ≈ dr.scient.
DSS (*BRIT*) S FK (= **Department of Social Security**) sosialdepartement *nt*
DST (*US*) FK (= **Daylight Saving Time**) sommertid *c*
DT (*DATA*) S FK (= **data transmission**) dataoverføring *c*
DTI (*BRIT*) S FK (= **Department of Trade and Industry**) næringsdepartement *nt*
DTP S FK = **desk-top publishing**
DT's (*sl*) SPL FK (= **delirium tremens**) delirium tremens
▸ **to have the DT's** ha* delirium tremens
dual ['djuəl] ADJ dobbel
dual carriageway (*BRIT*) s vei *m* med midtrabatt
dual nationality s dobbelt statsborgerskap *nt*
dual-purpose ['djuəl'pəːpəs] ADJ med to bruksområder
dubbed [dʌbd] ADJ (**a**) (*FILM*) dubbet
(**b**) (= *nicknamed*) kalt ❑ *London was dubbed "the insurance capital of the world".* London ble kalt "verdens forsikringshovedstad".
dubious ['djuːbɪəs] ADJ (**a**) (*claim, reputation, company*) tvilsom ❑ *...he has a very dubious record indeed.* ...han har en svært så tvilsom fortid.
(**b**) (*person*) tvilende
▸ **to be dubious about sth** stille (*v2x*) seg tvilende til noe
Dublin ['dʌblɪn] s Dublin
Dubliner ['dʌblɪnəʳ] s Dubliner *m*
duchess ['dʌtʃɪs] s hertuginne *c*
duck [dʌk] 1 s and *c*
2 VI (*also* ***duck down***) dukke (*v1*)
3 VT (*+blow*) dukke (*v1*) for; (*+duty, responsibility*) smyge* unna
duckling ['dʌklɪŋ] s andunge *m*
duct [dʌkt] s (**a**) (*ELEK, TEKN*) ledning *m* ❑ *...the water duct.* ...vannledningen.
(**b**) (*ANAT*) kanal *m* ❑ *...an obstructed tear duct.* ...en tett tårekanal.
dud [dʌd] 1 S ▸ **it's a dud** (*object, tool*) den er ubrukelig; (*note, coin*) den er falsk; (*shell, bullet etc*) den er en blindgjenger
2 ADJ ▸ **dud cheque** (*BRIT*) sjekk *m* uten dekning
due [djuː] 1 ADJ (**a**) (*person, train, bus+*) ▸ **to be due** *skulle* komme/være her etc* ❑ *The train is due at 8.* Toget skal være* her klokka 8. *We were due in London at 2 a.m.* Vi skulle* være* i London klokka 2. *She is due back tomorrow.* Hun skal komme tilbake i morgen.
(**b**) (*baby+*) ventet NB *When's the baby due?* Når er babyen ventet?
(**c**) (*rent, payment+*) ▸ **to be due** forfalle* ❑ *The rent is due on the 30th.* Husleien forfaller den 30.
(**d**) (= *owed to sb: money*) til gode ❑ *That money*

was due to me. Jeg hadde de pengene til gode.
(**e**) (= *proper: attention, consideration*) behørig
2 S ▸ **to give sb his (*or* her) due** gi* noen kreditt
3 ADV ▸ **due north** rett nord
▸ **dues** SPL (**a**) (*for club, union*) kontigent *m*
(**b**) (*in harbour*) (havne)avgift *c*
▸ **Due to...** På grunn av...
▸ **it was due to the weather** det skyldtes været
▸ **to be due to do sth** skulle* gjøre* noe
▸ **in due course** (= *eventually*) når tiden kommer, med tiden
▸ **I am due 6 days' leave** jeg har 6 fridager til gode
▸ **she's due next week** (*sl: to give birth*) hun har termin neste uke
▸ **I'm due 5 pounds** (*sl*) jeg har 5 pund til gode
▸ **I'm due you 5 pounds** (*sl*) jeg skylder deg 5 pund

due date S forfallsdato *m*
duel ['djuəl] S (*also fig*) duell *m*
duet [dju:'ɛt] (*MUS*) S duett *m*
duff [dʌf] (*BRIT: sl*) ADJ ubrukelig
▸ **duff up** (*sl*) VT banke (*v1*) opp
duffel bag ['dʌfl-] S skipssekk *m*
duffel coat S dyffelcoat *m*
duffer ['dʌfə^r] (*sl*) S klossmajor *m*
dug [dʌg] PRET, PP *of* **dig**
dugout ['dʌgaut] S (*canoe*) uthult kano *m*; (*shelter*) skyttergrav *m*
duke [dju:k] S hertug *m*
dull [dʌl] 1 ADJ (**a**) (= *light*) svak
(**b**) (= *gloomy: weather, day*) grå ❑ *It's very dull today.* Det er veldig grått i dag.
(**c**) (*intelligence, wit, person*) sløv ❑ *He was the dullest boy in the class.* Han var den sløveste gutten i klassen.
(**d**) (= *boring: event, place, book*) kjedelig ❑ *It's a terribly dull place.* Det er et fryktelig kjedelig sted.
(**e**) (*sound, pain*) svak, dempet ❑ *The dull ache in her belly...* Den svake *or* dempede smerten hun hadde i magen...
2 VT (**a**) (*+pain, grief*) dempe (*v1*)
(**b**) (*+mind, senses*) sløve (*v1*) ❑ *Her sensitivity is dulled.* Hennes følsomhet er sløvet.
duly ['dju:lɪ] ADV (**a**) (= *properly*) på behørig måte, på behørig vis ❑ *Everything has been duly taken care of.* Alt har blitt tatt hånd om på behørig måte *or* vis.
(**b**) (= *on time*) i tide, innen fristen ❑ *The book duly appeared in March...* Boka kom i tide *or* innen fristen i mars...
dumb [dʌm] ADJ (**a**) (= *mute, silent*) stum
(**b**) (*neds: stupid*) dum, teit
▸ **to be struck dumb** bli* stum
dumbbell ['dʌmbɛl] S vektstang *c*
dumbfounded [dʌm'faundɪd] ADJ helt målløs
dummy ['dʌmɪ] 1 S (**a**) (= *tailor's model*) utstillingsdukke *c*
(**b**) (*TEKN, MERK: mock-up*) modell *m* (i full størrelse)
(**c**) (*KORT: **dummy hand***) blindemann *m irreg*
(**d**) (*BRIT: for baby*) smokk *m*
2 ADJ (**a**) (*explosives*) løs-
(**b**) (*weapon, object*) falsk
(**c**) (*company*) strå-
▸ **a dummy run** en prøvekjøring *c*, en gjennomgang *m*
dump [dʌmp] 1 S (**a**) (*for rubbish*) (søppel)fylling *m*, avfallsplass *m*
(**b**) (*sl: place*) svinesti *m* ❑ *His house is a real dump.* Huset hans er en ordentlig svinesti.
(**c**) (*MIL*) depot *nt*
2 VT (**a**) (= *put down*) slenge (*v2*) ❑ *She dumped her bag on Judy's table.* Hun slengte veska på bordet til Judy.
(**b**) (= *get rid of, also COMPUT*) dumpe (*v1*)
▸ **to be down in the dumps** (*sl*) være* deppa (*sl*)
▸ **"no dumping"** "søppeltømming forbudt"
dumpling ['dʌmplɪŋ] S (*with meat etc*) melbolle *m*
dumpy ['dʌmpɪ] ADJ (*person*) (liten og) trinn *or* tykkfallen
dunce [dʌns] S sinke *m*
dune [dju:n] S (sand)dyne *c*
dung [dʌŋ] S møkk *f*
dungarees [dʌŋgə'ri:z] SPL (*for work*) overall *m*, snekkerbukse *c*; (*for child*) overall *m*; (*for woman*) snekkerbukse *c*
dungeon ['dʌndʒən] S fangehull *nt*
dunk [dʌŋk] VT dyppe (*v1*) ❑ *He used to dunk his biscuits in his tea.* Han pleide å dyppe kjeksen i teen sin.
Dunkirk [dʌn'kə:k] S Dunkirk
duo ['dju:əu] S (*gen, MUS*) duo *m* ❑ *...they make a frightening duo.* ...de utgjør en skremmende duo.
duodenal [dju:əu'di:nl] ADJ duodenal
▸ **duodenal ulcer** sår *nt* på tolvfingertarmen
duodenum [dju:əu'di:nəm] S tolvfingertarm *m*
dupe [dju:p] 1 S (= *victim*) tosk *m*, dumming *m*
2 VT (= *trick*) lure (*v2*)
duplex ['dju:plɛks] (*US*) S (*house*) dupleks *nt*; (*apartment*) dublett *m*
duplicate [*N* 'dju:plɪkət, *VB* 'dju:plɪkeɪt] 1 S (*of document, key etc*) duplikat *nt*, kopi *m*
2 ADJ (*key, copy etc*) ekstra, duplikat-
3 VT (**a**) (= *copy*) kopiere (*v2*) ❑ *We really haven't duplicated the old system.* Vi har virkelig ikke kopiert the gamle systemet.
(**b**) (= *photocopy*) kopiere (*v2*) opp ❑ *The story was typed and duplicated.* Historien ble maskinskrevet og kopiert opp.
(**c**) (= *repeat in writing*) skrive* av ❑ *...an oversight allowing candidates to duplicate material.* ...en overseelse som gjorde det mulig for kandidatene å skrive av det som stod.
▸ **in duplicate** i to eksemplarer
duplicating machine S kopimaskin *m*
duplicator ['dju:plɪkeɪtə^r] S duplikator *m*
duplicity [dju:'plɪsɪtɪ] S falskhet *m*
Dur (*BRIT: POST*) FK = **Durham**
durability [djuərə'bɪlɪtɪ] S varighet *c*, holdbarhet *c*
durable ['djuərəbl] ADJ (*goods, materials*) varig, holdbar
duration [djuə'reɪʃən] S (*of process, state, film*) varighet *m*, lengde *m*
▸ **for the duration of the holiday/his stay** hele ferien/oppholdet hans ❑ *I shall be away for the duration of the holiday.* Jeg kommer til å være* borte hele ferien.
▸ **of 8 months duration** som varer i 8 måneder

duress [djuəˈrɛs] S ▸ **under duress** under tvang
Durex® [ˈdjuərɛks] (*BRIT*) S Durex *m®*
during [ˈdjuərɪŋ] PREP i løpet av, under
dusk [dʌsk] S skumring *m*
dusky [ˈdʌskɪ] ADJ (**a**) (= *dim: room, light*) dunkel (**b**) (*skin, maiden*) mørk
▸ **dusky pink** gråroşa
dust [dʌst] [1] S støv *nt*
[2] VT (**a**) (+*furniture*) tørke (*v1*) støv av
(**b**) (+*cake etc*) ▸ **to dust with sth** pudre (*v1*) med noe, strø (*v4*) noe på
▸ **dust off** VT børste (*v1*) av ❑ *He picked himself up and dusted himself off.* Han reiste seg opp og børstet av seg.; (*fig*) tørke (*v1*) støv av *...a chance to dust off my old technique.* ...sjansen til å tørke støv av min gamle teknikk.
dustbin [ˈdʌstbɪn] (*BRIT*) S søppeldunk *m*
dustbin liner S søppelsekk *m*
duster [ˈdʌstəʳ] S (*cloth*) støveklut *m*
dust jacket S (*of book*) smussomslag *nt*
dustman [ˈdʌstmən] (*BRIT*) *irreg* S søppelkjører *m*, søppelmann *m irreg*
dustpan [ˈdʌstpæn] S feiebrett *nt*
dusty [ˈdʌstɪ] ADJ (*road, furniture*) støvet(e)
Dutch [dʌtʃ] [1] ADJ nederlandsk, hollandsk
[2] S (*LING*) nederlandsk
[3] ADV ▸ **to go Dutch** (*sl*) spleise (*v1*)
▸ **the Dutch** SPL (*people*) nederlenderne, hollenderne
Dutch auction S *auksjon hvor prisen blir senket gradvis inntil det melder seg en kjøper*
Dutchman [ˈdʌtʃmən] *irreg* S nederlender *m*, hollender *m*
Dutchwoman [ˈdʌtʃwumən] *irreg* S nederlender *m*, hollender *m*
dutiable [ˈdjuːtɪəbl] ADJ (*goods*) tollpliktig
dutiful [ˈdjuːtɪful] ADJ pliktoppfyllende, samvittighetsfull
duty [ˈdjuːtɪ] S (**a**) (= *responsibility*) plikt *m* ❑ *It was my duty to preserve life.* Det var min plikt å redde liv.
(**b**) (= *tax*) avgift *m*, skatt *m* ❑ *...increased the duty on petrol.* ...økte avgiften *or* skatten på bensin.
▸ **duties** SPL (= *functions*) oppgaver ❑ *They help nurses with their basic duties.* De hjelper sykepleierne med de enkleste oppgavene.
▸ **to make it one's duty to do sth** ta* ansvaret for å gjøre* noe
▸ **to pay duty on sth** betale (*v2*) skatt på noe
▸ **to be on duty** være* på vakt
▸ **to be off duty** ha* fri, ikke være* på vakt
duty-free [ˈdjuːtɪˈfriː] ADJ (*drink, cigarettes*) tollfri
▸ **duty-free shop** tax-free (butikk) *m*
duty officer (*MIL etc*) S vakthavende *m decl as adj*, vakthavende offiser *m*
duvet [ˈduːveɪ] (*BRIT*) S dyne *c*
DV FK (= **Deo volente**) om Gud vil
DVLA (*BRIT*) S FK (= **Driver and Vehicle Licensing Authority**) ≈ Biltilsynet
DVM (*US*) S FK (= **Doctor of Veterinary Medicine**) ≈ dr.med.vet.
dwarf [dwɔːf] (*pl* **dwarves**) [1] S (*person, animal*) dverg *m*
[2] VT få* til å se liten ut [NB] *David was dwarfed by a huge desk.* David så liten ut ved siden av et digert skrivebord.
dwarves [dwɔːvz] SPL *of* **dwarf**
dwell [dwɛl] (*pt, pp* **dwelt**) VI (= *reside, stay*) bo (*v4*), høre (*v2*) hjemme
▸ **dwell on** VT FUS (= *brood on*) dvele (*v2*) ved
dweller [ˈdwɛləʳ] S beboer *m*
▸ **city dweller** bymenneske *nt*
▸ **cave dweller** huleboer *m*
dwelling [ˈdwɛlɪŋ] S bolig *m*, bosted *nt*
dwelt [dwɛlt] PRET, PP *of* **dwell**
dwindle [ˈdwɪndl] VI (*interest, attendance*+) minke (*v1*), dale (*v2*); (*resources, supplies, strength*+) minke (*v1*), avta*
dwindling [ˈdwɪndlɪŋ] ADJ (*interest, attendance*) minkende, dalende; (*resources, supplies, strength*) minkende, avtagende
dye [daɪ] [1] S (*for hair, cloth*) farge *m*
[2] VT farge (*v1*)
dyestuffs [ˈdaɪstʌfs] SPL fargestoffer
dying [ˈdaɪɪŋ] ADJ (**a**) (*person, animal*) døende
(**b**) (*moments, words*) siste (*før man dør*) ❑ *...with her dying breath.* ...med sine siste åndedrag.
dyke [daɪk] S (= *wall, channel, causeway*) dike *nt*; (*sl: lesbian*) lesbe *c* (*sl*)
dynamic [daɪˈnæmɪk] ADJ (*person, force*) dynamisk
dynamics [daɪˈnæmɪks] S OR SPL dynamikk *m*
dynamite [ˈdaɪnəmaɪt] [1] S dynamitt *m*
[2] VT sprenge (*v2*) (*med dynamitt*)
dynamo [ˈdaɪnəməu] S dynamo *m*
dynasty [ˈdɪnəstɪ] S (= *family, period*) dynasti *nt*
dysentery [ˈdɪsntrɪ] S dysenteri *m*
dyslexia [dɪsˈlɛksɪə] S dysleksi *m*, ordblindhet *c*
dyslexic [dɪsˈlɛksɪk] [1] ADJ dyslektisk, ordblind
[2] S dyslektiker *m*
dyspepsia [dɪsˈpɛpsɪə] S dyspepsi *m*
dystrophy [ˈdɪstrəfɪ] S dystrofi *m*
▸ **muscular dystrophy** muskeldystrofi *m*

E

E, e [iː] s (*letter*) E, e *m*
▸ **E for Edward,** (*US*) **E for Easy** E for Edith
E [iː] 1 s (*MUS*) E *m*
2 FK = **east**
E111 s FK (*also* ***form E111***) E111 (= *attest for rett til naturytelser under opphold i en medlemsstat*)
E.A. (*US*) s FK = **educational age**
ea. FK = **each**
each [iːtʃ] ADJ, PRON hver ❑ *...ten sketches, each taking less than five minutes.* ...ti sketsjer som hver tar mindre enn fem minutter.
▸ **each other** hverandre
▸ **each day** hver dag
▸ **they have 2 books each** de har 2 bøker hver
▸ **they cost 5 pounds each** de koster 5 pund hver (seg)
▸ **each of us** hver av oss
eager [ˈiːgəʳ] ADJ ivrig
▸ **eager to do** ivrig etter å gjøre
▸ **eager for** ivrig etter
eagerly [ˈiːgəlɪ] ADV ivrig ❑ *...the eagerly awaited new album from U2.* ...den nye platen fra U2 som man hadde ventet utålmodig på.
eagle [ˈiːgl] s ørn *m*
ear [ɪəʳ] s (**a**) (*person's, animal's*) øre *nt*
(**b**) (*of corn*) aks *nt*
▸ **up to one's ears in debt/work/paint** *etc* til opp over ørene i gjeld/arbeid/maling *etc*
▸ **to give sb a thick ear** (*sl*) gi* noen en ørefik, fike (*v1*) til noen
▸ **we'll play it by ear** (*fig*) vi tar det på gefühlen
earache [ˈɪəreɪk] s øreverk *m*
eardrum [ˈɪədrʌm] s trommehinne *c*
earful [ˈɪəful] (*sl*) s ▸ **to give sb an earful** la noen få* høre det ▸ **to get an earful** få* høre det
earl [əːl] s jarl *m*
earlier [ˈəːlɪəʳ] ADJ, ADV tidligere ❑ *This was agreed at an earlier meeting.* Dette ble det enighet om på et tidligere møte. *The story isn't in earlier editions.* Historien står ikke i tidligere utgaver. *She left earlier than us.* Hun drog tidligere enn oss.
▸ **I can't come any earlier** jeg kan ikke komme noe tidligere
earlobe [ˈɪələub] s øreflipp *m*
early [ˈəːlɪ] 1 ADV tidlig ❑ *...early last week.* ...tidlig i forrige uke. *The day's practice ended early...* Dagens øvelse sluttet tidlig...
2 ADJ (**a**) (= *near the beginning: work, hours*) tidlig ❑ *...in the early hours of the morning.* ...i de tidlige morgentimene.
(**b**) (*Christians, settlers*) første
(**c**) (= *sooner than expected: death, departure*) (for) tidlig ❑ *After her husband's early death...* Etter hennes manns for tidlige død...
(**d**) (= *quick: reply*) rask ❑ *We look forward to your early reply.* Vi håper på et raskt svar.
▸ **to have an early night** legge* seg tidlig
▸ **in the early** *or* **early in the spring/19th century** tidlig på våren/i begynnelsen av det nittende århundre
▸ **the early train** det tidlige toget
▸ **you're early!** du kommer tidlig!
▸ **early in the morning** tidlig om morgenen
▸ **she's in her early forties** hun er i begynnelsen av førtiårene
▸ **at your earliest convenience** så snart som mulig
early retirement s ▸ **to take early retirement** bli* førtidspensjonert
early warning system (*MIL*) s varslingssystem *nt* (*for å gi* tidlig varsel om bombeangrep ol*)
earmark [ˈɪəmaːk] VT ▸ **to earmark (for)** (*+funds, site etc*) øremerke (*v1*) (for)
earn [əːn] VT (**a**) (*+salary, reward*) tjene (*v2*)
(**b**) (*+interest*) innbringe*
(**c**) (*fig: praise*) bringe*
(**d**) (*+hatred*) pådra* seg ❑ *...a system that would earn the hatred of the world.* ...et system som ville* pådra seg verdens hat.
▸ **to earn one's living** tjene (*v2*) til livets opphold
earned income s (arbeids)inntekt *c*
earnest [ˈəːnɪst] ADJ (**a**) (*wish, desire*) oppriktig ❑ *It is my earnest wish that...* Det er mitt oppriktige ønske at...
(**b**) (*person, manner*) seriøs ❑ *...an earnest young man from the University.* ...en seriøs, ung mann fra universitetet.
▸ **in earnest** 1 ADV for alvor ❑ *Then she started crying in earnest.* Så begynte hun å gråte for alvor. 2 ADJ ▸ **to be in earnest** mene alvor ❑ *Is the Minister in earnest about these proposals?* Mener ministeren alvor med disse forslagene?
earnings [ˈəːnɪŋz] SPL inntekter
ear nose and throat specialist s øre-nese-hals-spesialist *m*
earphones [ˈɪəfəunz] SPL hodetelefoner *pl*, høretelefoner *pl*
earplugs [ˈɪəplʌgz] SPL ørepropper
earring [ˈɪərɪŋ] s ørering *m*
earshot [ˈɪəʃɔt] s ▸ **within earshot** innen(for) hørevidde
▸ **out of earshot** utenfor hørevidde
earth [əːθ] 1 s (**a**) (*planet, soil, surface*) jord *c* ❑ *The earth moves around the sun.* Jorda beveger seg rundt sola. *For twenty minutes the earth shook.* I tjue minutter ristet jorda. *...a cliff of naked red earth.* ...en klippe med naken, rød jord.
(**b**) (*BRIT: ELEK*) jord *c*, jording *c*
(**c**) (*of fox*) hi *nt*
2 VT (*BRIT: ELEK*) jorde (*v1*) ❑ *My stereo isn't earthed.* Stereoanlegget mitt er ikke jordet.
earthenware [ˈəːθnwɛəʳ] 1 s keramikk *m*
2 ADJ keramikk-
earthly [ˈəːθlɪ] ADJ (*life*) jordisk
▸ **earthly paradise** paradis *nt* på jord
▸ **there is no earthly reason to think...** det er

ingen verdens grunn til å tro..., det er ingen grunn i verden til å tro...

earthquake ['ɜːθkweɪk] s jordskjelv *nt*

earthshattering ['ɜːθʃætərɪŋ] ADJ (*fig*) rystende

earth tremor s mindre jordskjelv *nt*

earthworks ['ɜːθwɜːks] SPL jordvoller (*del av forsvarsverk*)

earthworm ['ɜːθwɜːm] s meitemark *m*

earthy ['ɜːθɪ] ADJ (*flavour*) jordaktig; (*humour*) rå

earwig ['ɪəwɪg] s saksedyr *nt*

ease [iːz] 1 s (**a**) (= *easiness*) letthet *c* ❑ *She performed this trick with ease.* Hun utførte dette trikset med letthet.
(**b**) (= *comfort*) komfort *m*, bekvemmelighet *c* ❑ *...a life of ease and luxury.* ...et liv i komfort *or* bekvemmelighet og luksus.
2 VT (**a**) (*+problem, pain*) lindre (*v1*)
(**b**) (*+tension*) minske (*v1*), lette (*v1*) på
3 VI (**a**) (*rain, snow, situation+*) letne (*v1*)
(**b**) (*pain, grief+*) avta*
(**c**) (*grip+*) løsne (*v1*)
▸ **to ease sth in/out** lirke (*v1*) noe inn/ut ❑ *It took eight men to ease the piano out of the lorry.* Det måtte* åtte man til for å lirke pianoet ut av lastebilen.
▸ **at ease!** (*MIL*) på stedet hvil!
▸ **with ease** med letthet
▸ **a life of ease** et behagelig *or* bekvemt liv

► **ease off** VI (*wind, rain, pace+*) avta*

► **ease up** VI = **ease off**

easel ['iːzl] s staffeli *nt*

easily ['iːzɪlɪ] ADV (**a**) (= *without difficulty*) lett ❑ *A baby buggy can be easily carried on a bus.* En sportsvogn kan lett tas med på bussen. *She might easily decide to cancel the whole thing.* Hun kunne* lett bestemme seg for å avlyse hele greia.
(**b**) (= *in a relaxed way*) utvungent ❑ *...a friendly man who talked freely and easily.* ...en vennlig mann som snakket fritt og utvungent.
(**c**) (= *by far*) opplagt, (helt) klart ❑ *This car is easily the most popular model.* Denne bilen er opplagt *or* (helt) klart den mest populære modellen.

easiness ['iːzɪnɪs] s ▸ **the easiness of the exam** hvor lett eksamen var

east [iːst] 1 s (**a**) (= *direction*) øst
(**b**) (*of country, town*) østlig del *m* ❑ *The east of the Square has been rebuilt.* Østsiden av plassen har blitt ombygd. *There was a good rail link with the East.* Det var god togforbindelse med den østlige delen av landet.
2 ADJ (**a**) (*region*) øst- ❑ *...East Africa.* ...Øst-Afrika.
(**b**) (*wind*) østa-, østlig
3 ADV østover ❑ *They were heading due east.* De var på vei østover.
▸ **the East** Østen; (*POL*) øst, østblokklandene *pl* ❑ *...a balance of forces between East and West.* ...en maktbalanse mellom øst og vest *or* mellom østblokklandene og Vesten.

Easter ['iːstəʳ] s påske *c*
▸ **the Easter holidays** påskeferien

Easter egg s påskeegg *nt*

Easter Island s Påskeøya

easterly ['iːstəlɪ] ADJ (*direction, point*) østlig; (*wind*) østa-, østlig

Easter Monday s annen påskedag

eastern ['iːstən] ADJ (**a**) (*GEOG*) østlig, øst- ❑ *...the eastern shores of Lake Tanganyika.* ...østbredden av Tanganyikasjøen.
(**b**) (= *oriental*) østlig, Østens ❑ *...Eastern philosophy.* ...østlig *or* Østens filosofi.
(**c**) (= *communist*) øst-
▸ **Eastern Europe** Øst-Europa
▸ **the Eastern bloc** østblokken

Easter Sunday s første påskedag

East Germany (*formerly*) s Øst-Tyskland

eastward(s) ['iːstwəd(z)] ADV østover, mot øst

easy ['iːzɪ] 1 ADJ (**a**) (= *simple*) lett ❑ *This new dancing looked easy.* Denne nye dansemåten så lett ut. *Older people are often easy prey for swindlers.* Eldre mennesker er ofte et lett bytte for svindlere.
(**b**) (= *relaxed*) utvungen, uanstrengt ❑ *It was an easy, rambling conversation.* Det var en utvungen *or* uanstrengt, springende samtale.
(**c**) (= *comfortable*) ▸ **to feel** *or* **be easy about sth** føle (*v2*) seg (helt) vel ved noe ❑ *I never felt easy about that theory.* Jeg følte meg aldri helt vel ved den teorien.
2 ADV ▸ **to take it** *or* **things easy** (**a**) (= *go slowly, rest*) ta* det med ro ❑ *We'll take it easy and stop on the way.* Vi tar det med ro og stopper på veien. *I've retired and I'm going to take things easy.* Jeg har blitt pensjonist, og jeg skal ta* det med ro.
(**b**) (= *not worry*) ta* det rolig, ta* det med ro ❑ *Take it easy. Everything's under control.* Ta det rolig *or* ta* det med ro. Alt er under kontroll.
▸ **payment on easy terms** avbetaling *c*
▸ **that's easier said than done** det er lettere sagt enn gjort
▸ **I'm easy** (*sl*) det er ikke så nøye (for meg)

easy chair s lenestol *m*

easy-going ['iːzɪ'gəuɪŋ] ADJ likevektig, lugn

easy touch (*sl*) s ▸ **to be an easy touch** være* lett bytte

eat [iːt] (*pt* **ate**, *pp* **eaten**) VTI spise (*v2*)

► **eat away** VT tære (*v2*) bort ❑ *...the waves were eating the walls away.* ...bølgene holdt på å tære bort veggene. *The silver was eaten away.* Sølvet var tært bort.

► **eat away at, eat into** VT FUS (*+metal, funds*) tære (*v2*) på ❑ *The purchase had eaten away at their savings.* Kjøpet hadde tært på sparepengene deres.

► **eat out** VI (*in restaurant, garden*) spise (*v2*) ute

► **eat up** VT (*+food, money*) spise (*v2*) opp ❑ *Rising costs were eating up the profits.* Stigende kostnader spiste opp fortjenesten.

eatable ['iːtəbl] ADJ spiselig

eau de Cologne ['əudəkə'ləun] s eau de cologne *m*

eaves [iːvz] SPL takskjegg *nt*

eavesdrop ['iːvzdrɔp] VI ▸ **to eavesdrop (on)** (tyv)lytte (*v1*) (på)

ebb [ɛb] 1 s ebbe *m*, fjære *c* ❑ *...the stormy ebb and flow of the sea.* ...havets stormfulle flo og fjære.
2 VI (*tide, sea, strength, feelings+*) ebbe (*v1*) ❑ *The*

strength ebbed from his fingers. Kreftene ebbet ut av fingrene hans.
▸ **the ebb and flow** (*fig*) bølgene ❑ *In the ebb and flow of political struggle...* I bølgene av den politiske drakampen...
▸ **sth is at a low ebb** (*fig*) det er smått stell med noe ❑ *George's fortunes were at a low ebb.* Det stod dårlig til *or* det var smått stell med hellet til George.
▸ **ebb away** VI (*strength etc+*) ebbe (*v1*) ut
ebb tide S ebbe *m*, lavvann *nt* ❑ *They set sail on the ebb tide.* De satte seil da det ble ebbe *or* lavvann.
ebony [ˈɛbənɪ] S ibenholt *m*
ebullient [ɪˈbʌlɪənt] ADJ overstrømmende
EC S FK (= **European Community**) ▸ **the EC** EF (= *Det europeiske fellesskapet*)
eccentric [ɪkˈsɛntrɪk] [1] ADJ eksentrisk
[2] S eksentriker *m*
ecclesiastic(al) [ɪkliːzɪˈæstɪk(l)] ADJ geistlig, kirkelig
ECG S FK = **electrocardiogram**
echo [ˈɛkəu] (*pl* **echoes**) [1] S ekko *nt*
[2] VT (= *repeat*) gjenta* ❑ *This was a view echoed by Mr Healey.* Dette var et synspunkt som ble gjentatt av Healey.
[3] VI (**a**) (*sound+*) kaste (*v1*) ekko, gi* gjenlyd ❑ *The cry echoed back from the mountain.* Ropet kastet ekko *or* gav gjenlyd fra fjellet.
(**b**) (*cave, room+*) gi* gjenlyd ❑ *The cave echoed at every footstep.* Hulen gav gjenlyd for hvert fottrinn.
éclair [eɪˈklɛəʳ] S ≈ vannbakkels *m* (*avlang, med sjokolade på toppen*)
eclipse [ɪˈklɪps] [1] S formørkelse *m* ❑ *...a total eclipse of the sun.* ...en total solformørkelse.
[2] VT (*+competitor, rival*) stille (*v2x*) i skyggen ❑ *It is the second biggest group, eclipsed only by Argosy.* Den er den nest største gruppen og blir bare stilt i skyggen av Argosy.
ECM (*US*) S FK (= **European Common Market**) ≈ Fellesmarkedet
eco- [ˈiːkəu] PREF øko-
eco-friendly ADJ miljøvennlig
ecological [iːkəˈlɔdʒɪkəl] ADJ økologisk
ecologist [ɪˈkɔlədʒɪst] S økolog *m*
ecology [ɪˈkɔlədʒɪ] S økologi *m* ❑ *...desert ecology...* ørkenøkologi...
economic [iːkəˈnɔmɪk] ADJ (*system, history*) økonomisk; (= *profitable : business etc*) som bærer seg
economical [iːkəˈnɔmɪkl] ADJ (= *system, car, machine*) økonomisk; (= *person*) sparsommelig, økonomisk
economically [iːkəˈnɔmɪklɪ] ADV (**a**) (= *saving money*) sparsommelig, økonomisk ❑ *We live very economically.* Vi lever svært sparsommelig *or* økonomisk.
(**b**) (= *regarding economics*) økonomisk (sett) ❑ *This makes sense both environmentally and economically.* Dette gir mening både miljømessig og økonomisk (sett).
economics [iːkəˈnɔmɪks] [1] S (*subject of study*) økonomi *m*
[2] SPL (*of project, situation*) økonomisk *or* finansiell side *c* ❑ *...the economics of the timber trade.* ...den økonomiske *or* finansielle siden ved tømmerhandelen.
economist [ɪˈkɔnəmɪst] S økonom *m*
economize [ɪˈkɔnəmaɪz] VI spare (*v2*), økonomisere (*v2*)
economy [ɪˈkɔnəmɪ] S (**a**) (*of country etc*) økonomi *m* ❑ *New England's economy...* New Englands økonomi...
(**b**) (= *financial prudence*) sparsommelighet *c* ❑ *...for reasons of economy.* ...av økonomiske grunner.
▸ **economies of scale** stordriftsfordel(er) *m(pl)*
economy class S økonomiklasse *m* ❑ *I'll have to travel economy class.* Jeg må reise på økonomiklasse.
economy size S økonomistørrelse *m*
ecosystem [ˈiːkəusɪstəm] S økosystem *nt*
eco-tourism [ˈiːkəuˈtuərɪzm] S økoturisme *m*
ECSC S FK (= **European Coal Steel Community**) Det europeiske kull- og stålfellesskapet
ecstasy [ˈɛkstəsɪ] S (**a**) (= *rapture*) ekstase *m*
(**b**) (*drug*) ecstasy *m*
▸ **to go into ecstasies over** bli* ekstatisk over
▸ **in ecstasy** i ekstase
ecstatic [ɛksˈtætɪk] ADJ (*welcome, reaction, person*) ekstatisk
ECT S FK (= **electro-convulsive therapy**) elektrosjokkbehandling *c*
ECU [ˈeɪkjuː] S FK (= **European Currency Unit**) ECU *m* (= *europeiske valutaenhet*)
Ecuador [ˈɛkwədɔːʳ] S Ecuador
ecumenical [iːkjuˈmɛnɪkl] ADJ økumenisk
eczema [ˈɛksɪmə] S eksem *m or nt*
eddy [ˈɛdɪ] S virvel *m*
edge [ɛdʒ] [1] S (**a**) (*of road, table, chair*) kant *m*
(**b**) (*of lake*) bredd *m*
(**c**) (*of knife etc*) egg *m*
[2] VT kante (*v1*) ❑ *...a garden edged with trees.* ...en hage kantet med trær.
[3] VI ▸ **to edge forward** bevege (*v1*) seg forsiktig forover
▸ **to edge past** smyge* seg forbi
▸ **on edge** (*fig*) anspent, urolig
▸ **to edge away from** trekke* seg unna
▸ **to have the edge (over)** (*fig*) ha* et lite overtak (på) ❑ *Both contestants are world-class, but I think Peterson has the edge.* Begge konkurrentene er i verdensklasse, men jeg tror Peterson har et lite overtak.
edgeways [ˈɛdʒweɪz] ADV ▸ **he couldn't get a word in edgeways** han slapp ikke til med et eneste ord
edging [ˈɛdʒɪŋ] S bord *m*
edgy [ˈɛdʒɪ] ADJ anspent, urolig
edible [ˈɛdɪbl] ADJ spiselig
edict [ˈiːdɪkt] S edikt *nt*
edifice [ˈɛdɪfɪs] S byggverk *nt*
edifying [ˈɛdɪfaɪɪŋ] ADJ oppbyggelig
edit [ˈɛdɪt] VT redigere (*v2*)
edition [ɪˈdɪʃən] S utgave *m* ❑ *...the city edition of the Times.* ...cityutgaven av Times. *Tonight's edition of Kaleidoscope...* Kveldens utgave av Kaleidoskop...
editor [ˈɛdɪtəʳ] S (**a**) (*of newspaper, magazine, book*)

redaktør *m*
(**b**) (*FILM*) filmredaktør *m*
(**c**) (*RADIO, TV*) programredaktør *m*
▸ **foreign/literary editor** utenriksredaktør/ litteraturredaktør *m*
editorial [ɛdɪ'tɔːrɪəl] 1 ADJ (*staff, policy, control*) redaksjonell
2 S (*of newspaper*) leder(artikkel) *m*
EDP (*DATA*) S FK = **electronic data processing**
EDT (*US*) FK (= **Eastern Daylight Time**) *sommertid i tidssonen som dekker de østlige deler av USA*
educate ['ɛdjukeɪt] VT (**a**) (*in school*) utdanne (*v1*) ❑ *Many more schools are needed to educate the young.* Det trengs mange flere skoler for å utdanne ungdommen *or* for å gi* ungdommen utdanning.
(**b**) (= *give information*) opplyse (*v2*) ❑ *...to educate smokers about the benefits of stopping.* ...å opplyse røykere om fordelene ved å slutte.
▸ **she was educated at...** hun hadde fått *or* tatt (sin) utdanning ved...
educated guess S informert gjetning *m*
education [ɛdju'keɪʃən] S (**a**) (= *schooling*) utdanning *c*, utdannelse *m* ❑ *Examinations play a large part in education.* Eksamener spiller en stor rolle i utdanningen.
(**b**) (= *teaching*) undervisning *m*, undervisningssektor *m* ❑ *Women in education...* Kvinner innen undervisning(ssektoren)...
(**c**) (= *knowledge, culture*) utdanning *c*, utdannelse *m* ❑ *I want my children to have a broad education.* Jeg vil at barna mine skal få* en bred utdanning.
▸ **primary or** *(US)* **elementary education** ≈ grunnskolen
▸ **secondary education** den videregående skolen
educational [ɛdju'keɪʃənl] ADJ (*institution, policy etc*) utdannings-, skole-; (*experience*) som man kan lære noe av; (*toy*) pedagogisk
Edwardian [ɛd'wɔːdɪən] ADJ *fra perioden rundt 1900 (da Edward VII var konge)*
EE FK = **electrical engineer**
EEC S FK (= **European Economic Community**) Det europeiske økonomiske fellesskapet
EEG S FK = **electroencephalogram**
eel [iːl] S ål *m*
EENT (*US: MED*) S FK (= **eye, ear, nose and throat**) øye, øre, nese og hals
EEOC (*US*) S FK (= **Equal Employment Opportunities Commission**) *organ som undersøker diskriminering i arbeidslivet*
eerie ['ɪərɪ] ADJ (*place, feeling, silence*) nifs, skummel
EET FK (= **Eastern European Time**) *tidssone som dekker Øst-Europa*
efface [ɪ'feɪs] VT (**a**) (= *erase: footprints*) slette (*v1*) ut (*var:* utslette) viske (*v1*) ut (*var:* utviske)
(**b**) (*+memory*) viske (*v1*) ut (*var:* utviske)
▸ **to efface oneself** holde* seg helt i bakgrunnen, utslette (*v1*) seg selv
effect [ɪ'fɛkt] 1 S (**a**) (= *result, consequence*) effekt *m*, virkning *m* ❑ *...the effect of noise on people in the factories.* ...effekten *or* virkningen som bråket har på folk i fabrikkene.
(**b**) (= *impression: of speech, picture etc*) effekt *m*, inntrykk *nt* ❑ *Don't move, or you'll destroy the whole effect.* Ikke rør deg, ellers ødelegger du hele effekten *or* inntrykket.
2 VT (*+repairs, savings etc*) iverksette*
▸ **effects** SPL (**a**) (= *belongings*) eiendeler ❑ *His personal effects...* De personlige eiendelene hans...
(**b**) (*TEAT, FILM etc*) effekter ❑ *...special effects.* ...spesialeffekter.
▸ **to take effect** (**a**) (*law, ruling+*) tre* i kraft, være* virksom
(**b**) (*drug, anaesthetic+*) begynne (*v2x*) å virke
▸ **to put into effect** sette* i verk, sette* ut i livet ❑ *Signing the agreement was one thing, putting it into effect was another.* å undertegne avtalen var en ting, å sette den i verk *or* ut i livet var noe annet.
▸ **to have an effect on sb/sth** ha* (noen) virkning på noen/noe
▸ **in effect** egentlig, så å si ❑ *In effect he has no choice.* Egentlig har han ikke noe valg.. Han har så å si ikke noe valg.
▸ **his letter is to the effect that...** brevet hans går ut på at...
effective [ɪ'fɛktɪv] ADJ (**a**) (= *successful*) vellykket, effektiv ❑ *...effective ways of reducing pollution.* ...vellykkede *or* effektive måter å redusere forurensing på
(**b**) (= *actual: leader, command*) faktisk ❑ *He assumed effective command of the armed forces.* Han påtok seg den faktiske kommandoen over de militære styrkene.
▸ **to become effective** (*law, ruling+*) tre* i kraft
▸ **effective date** effektiv dato *m*
effectively [ɪ'fɛktɪvlɪ] ADV (**a**) (= *successfully*) effektivt ❑ *...to make the system work more effectively.* ...å få* systemet til å virke mer effektivt.
(**b**) (= *in reality*) faktisk, egentlig ❑ *Effectively, it means that...* Faktisk *or* egentlig betyr det at...
effectiveness [ɪ'fɛktɪvnɪs] S effektivitet *m*
effeminate [ɪ'fɛmɪnɪt] ADJ feminin
effervescent [ɛfə'vɛsnt] ADJ med kullsyre, kullsyreholdig
efficacy ['ɛfɪkəsɪ] S effektivitet *m*
efficiency [ɪ'fɪʃənsɪ] S effektivitet *m*
efficiency apartment (*US*) S ≈ hybelleilighet *c*
efficient [ɪ'fɪʃənt] ADJ (*person, organization, machine*) effektiv ❑ *Nationalized industries could be efficient.* Nasjonaliserte bedrifter kunne* være* effektive.
efficiently [ɪ'fɪʃəntlɪ] ADV effektivt
effigy ['ɛfɪdʒɪ] S dukke *m* (*som skal forestille en bestemt person*)
effluent ['ɛfluənt] S utslipp *nt*
effort ['ɛfət] S anstrengelse *m* ❑ *...a waste of effort.* ...forgjeves anstrengelse(r). *With practice, it becomes less of an effort.* Med øvelser, blir det mindre anstrengende.
▸ **in an effort to** i en anstrengelse for å
▸ **to make an effort to do sth** anstrenge (*v2*) seg for å gjøre* noe, gjøre* anstrengelser for å gjøre* noe ❑ *Little effort has been made to investigate this claim.* Det har ikke blitt gjort store anstrengelser for å etterforske denne

påstanden.

effortless ['ɛfətlɪs] ADJ uanstrengt ❑ *He scaled the wall with effortless ease.* Han klatret over muren med uanstrengt letthet.

effrontery [ɪ'frʌntərɪ] s uforskammethet *c*, frekkhet *c*
▸ **to have the effrontery to do sth** være* uforskammet *or* frekk nok til å gjøre* noe

effusive [ɪ'fju:sɪv] ADJ (*handshake, welcome*) overstrømmende

EFL (*SKOL*) s FK (= **English as a foreign language**) engelsk som fremmedspråk

EFTA ['ɛftə] s FK (= **European Free Trade Association**) EFTA (= *Det europeiske frihandelsforbundet*)

e.g. ADV FK (= *for example*) (= **exempli gratia**) f.eks. (= *for eksempel*)

egalitarian [ɪgælɪ'tɛərɪən] 1 ADJ (*society, principles*) egalitær
2 s (*person*) *en som er for sosial utjevning*

egg [ɛg] s egg *nt*
▸ **hard-boiled/soft-boiled egg** hardkokt/ bløtkokt egg

▸ **egg on** VT egge (*v1*) (opp)

eggcup ['ɛgkʌp] s eggeglass *nt*

eggplant ['ɛgplɑ:nt] (*især US*) s aubergine *m*, eggfrukt *m*

eggshell ['ɛgʃɛl] 1 s eggeskall *nt*
2 ADJ (*paint*) silkematt

egg timer s timeglass *nt*

egg white s eggehvite *m*

egg yolk s eggeplomme *c*

ego ['i:gəu] s ego *nt* ❑ *It was a blow to my ego.* Det var et slag for egoet mitt.

egotism ['ɛgəutɪzəm], **egoism** s egoisme *m*

egotist ['ɛgəutɪst], **egoist** s egoist *m*

ego trip (*sl*) s egotripp *m*

Egypt ['i:dʒɪpt] s Egypt

Egyptian [ɪ'dʒɪpʃən] 1 ADJ egyptisk
2 s (*person*) egypter *m*

eiderdown ['aɪdədaun] s (= *quilt*) ≈ dyne *c*

eight [eɪt] TALLORD åtte *see also* **five**

eighteen [eɪ'ti:n] TALLORD atten *see also* **five**

eighteenth [eɪ'ti:nθ] TALLORD attende *see also* **fifth**

eighth [eɪtθ] TALLORD åttende *see also* **fifth**

eighty ['eɪtɪ] TALLORD åtti *see also* **fifty**

Eire ['ɛərə] s Eire

EIS s FK (= **Educational Institute of Scotland**) *fagforening*

either ['aɪðə^r] 1 ADJ (**a**) (= *one or other*) begge ❑ *Either bus will take you there.* Begge bussene går dit.
(**b**) (= *both, each*) begge, hver ❑ *In either case the answer is the same.* I begge tilfeller *or* i hvert tilfelle er svaret det samme.
2 PRON (**a**) (*after negative*) noen ❑ *There was no sound from either of the flats.* Det kom ingen lyd fra noen av leilighetene.
(**b**) (*after interrogative*) ▸ **which? – either (of them)** hvilken? – det er det samme
3 ADV heller ❑ *"I haven't got that address." "No, I haven't got it either."* "Jeg har ikke den adressen." "Nei, jeg har den ikke heller." *or* "Nei, jeg har den heller ikke."
4 KONJ ▸ **either ...or...** enten ...eller...
▸ **on either side** på begge sider
▸ **I don't like either** jeg liker ikke noen av dem
▸ **no, I don't either** nei, det gjør ikke jeg heller
▸ **either one or the other** den ene eller den andre

ejaculation [ɪdʒækju'leɪʃən] s (*sexual*) ejakulasjon *m*, sædavgang *m* ❑ *...premature ejaculation.* ...for tidlig sædavgang.

eject [ɪ'dʒɛkt] 1 VT (**a**) (+*object*) støte (*v2*) ut (**b**) (+*tenant, gatecrasher*) kaste (*v1*) ut
2 VI (*pilot+*) skyte* seg ut ❑ *The pilot ejected to safety.* Piloten skjøt seg ut og i sikkerhet.

ejector seat s katapultsete *nt*, utskytningssete *nt*

eke out [i:k-] VT tøye (*v3*) ❑ *...cash that helps eke out low incomes.* ...penger som bidrar til å tøye lave inntekter.

EKG (*US*) s FK = **electrocardiogram**

el [ɛl] (*US : sl*) s FK (= **elevated railroad**) høybane *m*

elaborate [*ADJ* ɪ'læbərɪt, *VB* ɪ'læbəreɪt] 1 ADJ (**a**) (*network, plan*) komplisert, innfløkt ❑ *...elaborate cooling systems.* ...kompliserte *or* innfløkte kjølesystemer.
(**b**) (*ritual*) utførlig, omfattende ❑ *...an elaborate ceremony.* ...en utførlig *or* omfattende seremoni.
2 VT (**a**) (+*idea, point for discussion*) utdype (*v1*)
(**b**) (+*system, mechanism*) videreutvikle (*v1*)
3 VI ▸ **to elaborate (on sth)** (+*idea, plan etc*) utdype (*v1*) (noe), forklare (*v2*) (noe) nærmere ❑ *That's an interesting idea – would you care to elaborate?* Det var en interessant idé – vil du forklare nærmere *or* utdype?

elapse [ɪ'læps] VI gå, forløpe*

elastic [ɪ'læstɪk] 1 s elastikk *m*
2 ADJ (**a**) (= *stretchy*) elastisk, tøyelig
(**b**) (*fig : adaptable*) elastisk ❑ *Liberal policy was sufficiently elastic to accommodate both views.* Politikken til de liberale var elastisk nok til å omfatte begge syn.

elastic band (*BRIT*) s strikk *m*

elasticity [ɪlæs'tɪsɪtɪ] s elastisitet *m*

elated [ɪ'leɪtɪd] ADJ oppstemt, opprømt

elation [ɪ'leɪʃən] s oppstemthet *c*, opprømthet *c*

elbow ['ɛlbəu] 1 s albue *m* ❑ *...worn through at the elbows.* ...slitt tvers igjennom på albuene.
2 VT ▸ **to elbow one's way through the crowd** albue (*v1*) seg fram gjennom mengden

elbow grease (*sl*) s slit *n*

elbow room s albuerom *nt*

elder ['ɛldə^r] 1 ADJ (*brother, sister etc*) eldre
2 s (**a**) (*tree*) hyll *m*
(**b**) (*gen pl : older person*) eldste *m decl as adj* ❑ *...village elders.* ...landsbyeldste.

elderly ['ɛldəlɪ] 1 ADJ eldre
2 SPL ▸ **the elderly** de eldre

elder statesman s elder statesman *m*

eldest ['ɛldɪst] 1 ADJ (*child, daughter*) eldst
2 s eldste *m decl as adj* ❑ *Emily's eldest has just got married.* Den eldste til Emily har nettopp giftet seg.

elect [ɪ'lɛkt] 1 VT velge*
2 ADJ ▸ **the president elect** den påtroppende presidenten
▸ **to elect to do** velge* å gjøre

election [ɪ'lɛkʃən] s (**a**) (= *voting*) valg *nt* ❑ *I may vote for her at the next election.* Det kan hende

jeg stemmer på henne ved neste valg.
(**b**) (= *installation*) det å bli* valgt [NB] *...his election to the chairmanship.* ...det at han ble valgt til formann.
▸ **to hold an election** avholde* valg

election campaign s valgkamp *m*

electioneering [ɪlɛkʃə'nɪərɪŋ] s valgkamp *m*

elector [ɪ'lɛktəʳ] s velger *m*, stemmeberettiget *m decl as adj*

electoral [ɪ'lɛktərəl] ADJ (*register, roll*) valg-

electoral college (*US*) s valgmannsforsamling *c* (*som formelt velger presidenten og visepresidenten*)

electorate [ɪ'lɛktərɪt] s velgere *pl* ❑ *The Government was responsible to the electorate as a whole.* Regjeringen stod ansvarlig overfor alle velgerne.

electric [ɪ'lɛktrɪk] ADJ (*machine, current, power*) elektrisk

electrical [ɪ'lɛktrɪkl] ADJ (*appliance, energy*) elektrisk; (*system*) elektrisk, strøm-; (*failure*) strøm-

electrical engineer s elektroingeniør *m*

electric blanket s elektrisk (varme)teppe *nt*

electric chair s elektrisk stol *m*

electric cooker s elektrisk komfyr *m*

electric current s elektrisk strøm *m*

electric fire (*BRIT*) s elektrisk ovn *m*

electrician [ɪlɛk'trɪʃən] s elektriker *m*

electricity [ɪlɛk'trɪsɪtɪ] [1] s (**a**) (*energy*) strøm *m*, elektrisitet *m* ❑ *...powered by electricity from a battery.* ...drevet av strøm *or* elektrisitet fra et batteri.
(**b**) (*supply*) strøm *m* ❑ *There were no telephones and no electricity.* Det fantes verken telefoner eller strøm.
[2] SAMMENS (**a**) (*industry*) elektro-
(**b**) (*bill, meter*) strøm-
▸ **to switch on/off the electricity** slå* strømmen på/av

electric light s elektrisk lys *nt*

electric shock s (elektrisk) støt *nt*

electrify [ɪ'lɛktrɪfaɪ] VT (**a**) (*+fence, rail network*) elektrifisere (*v2*)
(**b**) (*fig: audience*) henrykke (*v1*) ❑ *...the news that had electrified the world.* ...nyheten som hadde henrykket verden.

electro... [ɪ'lɛktrəu] PREF elektro...

electrocardiogram [ɪ'lɛktrə'kɑːdɪəgræm] s elektrokardiogram *nt*

electroconvulsive therapy [ɪ'lɛktrəkən'vʌlsɪv-] s elektrosjokkbehandling *c*

electrocute [ɪ'lɛktrəkjuːt] VT drepe (*v2*) (*med elektrisitet*)

electrode [ɪ'lɛktrəud] s elektrode *m*

electroencephalogram [ɪ'lɛktrəuɛn'sɛfələgræm] s elektroencefalogram *nt*

electrolysis [ɪlɛk'trɔlɪsɪs] s elektrolyse *m*

electromagnetic [ɪ'lɛktrəmæg'nɛtɪk] ADJ elektromagnetisk

electron [ɪ'lɛktrɔn] s elektron *nt*

electronic [ɪlɛk'trɔnɪk] ADJ elektronisk

electronic data processing s elektronisk databehandling *c*

electronic mail s elektronisk post *m*

electronics [ɪlɛk'trɔnɪks] s elektronikk *m* ❑ *...modern developments in electronics.* ...nyere utvikling innen elektronikk.

electron microscope s elektronmikroskop *nt*

electroplated [ɪ'lɛktrə'pleɪtɪd] ADJ forsølvet (*ved hjelp av elektrolyse*)

electrotherapy [ɪ'lɛktrə'θɛrəpɪ] s elektroterapi *m*

elegance ['ɛlɪgəns] s (**a**) (*of person, building*) eleganse *m*, stilfullhet *c* ❑ *The street had retained some of its old elegance.* Gaten hadde behold noe av den gamle elegansen *or* stilfullheten.
(**b**) (*of idea, theory*) eleganse *m*

elegant ['ɛlɪgənt] ADJ (**a**) (*person, building*) elegant, stilig, stilfull
(**b**) (*idea, theory*) elegant ❑ *His proposal has an elegant simplicity.* Forslaget hans hadde en elegant enkelhet.

element ['ɛlɪmənt] s (**a**) (= *part: of whole, job, process*) element *nt* ❑ *The different elements in the play...* De ulike elementene i stykket...
(**b**) (*KJEM*) grunnstoff *nt*
(**c**) (*of heater, kettle etc*) (varme)element *nt*
▸ **to be in one's element** være* i sitt rette element

elementary [ɛlɪ'mɛntərɪ] ADJ (**a**) (*gen*) elementær ❑ *...books at very elementary levels.* ...bøker på svært elementære nivåer. *...some elementary precautions.* ...noen elementære forholdsregler.
(**b**) (*school, education*) ≈ grunn-, elementær

> ℹ *I USA og i Canada er en* **elementary school** *(også kalt* **grade school** *eller* **grammar school** *i USA) en offentlig skole hvor barna går de første seks til åtte årene av den obligatoriske skolegangen.*

elephant ['ɛlɪfənt] s elefant *m*

elevate ['ɛlɪveɪt] VT (**a**) (*in rank*) opphøye (*v1 or v3*) ❑ *Some people elevate football into a religion.* Noen opphøyer fotball til religion.
(**b**) (*physically*) heve (*v1*) ❑ *Earth movements elevated areas of the seabed.* Bevegelser i jordmassen hevet flater av havbunnen.

elevated railroad (*US*) s høybane *m* (*trikk som går på bruer over gateplanet*)

elevation [ɛlɪ'veɪʃən] s (**a**) (= *raising, promotion*) *det å bli* opphøyd* [NB] *His elevation to the peerage...* Det at han ble opphøyd til adelstanden...
(**b**) (= *height*) høyde *m* [NB] *...at an elevation of a hundred metres.* ...på hundre meters høyde.
(**c**) (*ARKIT*) fasade *m* ❑ *...the front elevation.* ...fasaden på forsiden.

elevator ['ɛlɪveɪtəʳ] s (*US: lift*) heis *m*; (*in warehouse etc*) (vare)heis *m*

eleven [ɪ'lɛvn] TALLORD elleve *see also* **five**

elevenses [ɪ'lɛvnzɪz] (*BRIT: sl*) SPL (**a**) (= *coffee break*) formiddagspause *m*, formiddagskaffe *m*
(**b**) (*food eaten*) kaffemat *m* ❑ *I've brought a chocolate biscuit to have for elevenses.* Jeg har tatt med en sjokoladekjeks til formiddagskaffen *or* for å ha* som kaffemat.

eleventh [ɪ'lɛvnθ] TALLORD ellevte
▸ **at the eleventh hour** (*fig*) i ellevte time
see also **five**

elf [ɛlf] (*pl* **elves**) s alv *m*

elicit [ɪ'lɪsɪt] VT (*+response, reaction*) utløse (*v2*); (*+information*) få* ut

eligible ['ɛlɪdʒəbl] ADJ (*man, woman*) som er et passende parti
▸ **to be eligible for sth** (= *entitled*) være* berettiget til noe, ha* rett til noe ❑ *You may even be eligible for a grant.* Du kan til og med være* berettiget til *or* ha* rett til et stipend.
▸ **to be eligible to do sth** ha* rett til å gjøre* noe ❑ *Not all applicants are legally eligible to work here.* Ikke alle søkerne har lovlig rett til å arbeide her.
eliminate [ɪ'lɪmɪneɪt] VT eliminere (*v2*); (*+team, contestant*) slå* ut
elimination [ɪlɪmɪ'neɪʃən] S (**a**) (*of poverty, smoking, errors*) eliminasjon *m*
(**b**) (*of candidate, team, contestant*) ▸ **their elimination in the first round** (det) at de ble slått ut i første runde
▸ **by a process of elimination** etter eliminasjonsmetoden
élite [eɪ'li:t] S elite *m*
elitist [eɪ'li:tɪst] (*neds*) ADJ elite-
elixir [ɪ'lɪksə^r^] S eliksir *m* ❑ *...the elixir of life.* ...livseliksiren.
Elizabethan [ɪlɪzə'bi:θən] ADJ (*house, music, period*) elisabethansk (*karakteristisk for Elisabeth 1.s tid*), renessanse-
ellipse [ɪ'lɪps] S ellipse *m*
elliptical [ɪ'lɪptɪkl] ADJ (*shape, remark*) elliptisk
elm [ɛlm] S (*also* ***elm tree***) alm *m*, almetre *nt irreg*; (*wood*) alm *m*
elocution [ɛlə'kju:ʃən] S stemmebruk *m*
❑ *...elocution lessons.* ...timer i stemmebruk.
elongated ['i:lɔŋgeɪtɪd] ADJ langstrakt
elope [ɪ'ləup] VI rømme (*v2x*) (for å gifte seg), stikke* av (for å gifte seg)
elopement [ɪ'ləupmənt] S rømming *c* (for å gifte seg)
eloquence ['ɛləkwəns] S veltalenhet *c*
eloquent ['ɛləkwənt] ADJ (*speech, description*) velformulert; (*person*) veltalende
else [ɛls] ADV ▸ **or else** (**a**) (= *otherwise*) ellers
❑ *You've got to be careful or else you'll miss the turn-off.* Du må være* forsiktig, ellers kommer du ikke til å se svingen.
(**b**) (*threatening*) ellers ❑ *Don't talk to me like that again, or else...* Ikke snakk sånn til meg igjen, ellers...
▸ **something else, anything else** noe annet
▸ **little else** lite annet
▸ **somewhere else** et annet sted
▸ **everywhere else** overalt ellers, alle andre steder
▸ **where else?** hvor ellers?
▸ **everyone else** alle andre
▸ **nobody else** ingen andre
elsewhere [ɛls'wɛə^r^] ADV (**a**) (*be*) andre steder/et annet sted ❑ *This song is popular in Europe and elsewhere.* Denne sangen er populær både i Europa og andre steder.
(**b**) (*go*) et annet sted ❑ *I shall go elsewhere.* Jeg skal gå* et annet sted.
ELT (*SKOL*) S FK (= **English Language Teaching**) engelskundervisning *c*
elucidate [ɪ'lu:sɪdeɪt] VT (*+argument, point*) kaste (*v1*) lys over

elude [ɪ'lu:d] VT (**a**) (*fact, idea+*) gå* hus forbi ❑ *Yet new ideas may for ever elude them.* Likevel kan nye ideer stadig gå* dem hus forbi.
(**b**) (*+captor, capture*) slippe* unna ❑ *...problems of eluding the police.* ...problemer med å slippe unna politiet.
elusive [ɪ'lu:sɪv] ADJ (**a**) (*person, animal*) vanskelig å få* tak i
(**b**) (*quality*) flyktig
▸ **he's very elusive** han er svært vanskelig å få* tak i
elves [ɛlvz] SPL *of* **elf**
emaciated [ɪ'meɪsɪeɪtɪd] ADJ utmagret, uttæret
E-mail, **e-mail** ['i:meɪl] 1 S FK (= ***electronic mail***) e-post *m*
2 VT (*+message*) maile (*v1*); (*+person*) maile (*v1*) til
emanate ['ɛməneɪt] VI ▸ **to emanate from** (**a**) (*idea, feeling+*) stamme (*v1*) fra ❑ *These ideas are said to emanate from Henry Kissinger.* Disse ideene sies å stamme fra Henry Kissinger.
(**b**) (*sound, light+*) komme* fra ❑ *A dim glow of light still emanated from the room.* Det kom fremdeles et svakt lysskjær fra rommet.
emancipate [ɪ'mænsɪpeɪt] VT (*+slave, women, the poor*) frigjøre*
emancipation [ɪmænsɪ'peɪʃən] S frigjøring *c*
emasculate [ɪ'mæskjuleɪt] VT (*+person, organization*) knekke (*v1 or v2x*)
embalm [ɪm'bɑ:m] VT balsamere (*v2*)
embankment [ɪm'bæŋkmənt] S (*of road, railway*) voll *m*; (*of river*) dike *nt*
embargo [ɪm'bɑ:gəu] (*pl* **embargoes**) 1 S embargo *m* ❑ *...a trade embargo.* ...en eksportforbud *or* embargo.
2 VT holde* tilbake
▸ **to put** *or* **impose** *or* **place an embargo on sth** belegge* noe med embargo
▸ **to lift an embargo** heve (*v1*) en embargo
embark [ɪm'bɑ:k] VI (*NAUT*) gå* om bord
▸ **embark on** VT FUS (**a**) (*+journey*) legge* ut på
(**b**) (*+task, course of action*) sette* i gang (med)
❑ *Peru embarked on a programme of reform.* Peru satte i gang med et reformprogram.
embarkation [ɛmbɑ:'keɪʃən] S (*of people*) ombordstigning *m*; (*of cargo*) innskiping *m*
embarrass [ɪm'bærəs] VT (*+person*) gjøre* flau *or* forlegen; (*+politician, government*) sette* i forlegenhet
embarrassed [ɪm'bærəst] ADJ flau, forlegen
embarrassing [ɪm'bærəsɪŋ] ADJ (*statement, situation, moment, position*) pinlig
embarrassment [ɪm'bærəsmənt] S (**a**) (= *feeling*) forlegenhet *c* ❑ *His cheeks were hot with embarrassment.* Kinnene hans glødet av forlegenhet.
(**b**) (= *situation, problem*) pinlig situasjon *m* ❑ *For Labour, it was a political embarrassment.* For arbeiderpartiet var det en politisk pinlig situasjon.
embassy ['ɛmbəsɪ] S ambassade *m*
embedded [ɪm'bɛdɪd] ADJ (**a**) (*object*) begravd
❑ *...its rudder was embedded in mud.* ...roret på den var begravd i søle.
(**b**) (*attitude, belief, feeling*) inngrodd ❑ *...a deeply embedded feeling of guilt.* ...en dypt inngrodd

skyldfølelse.

embellish [ɪm'bɛlɪʃ] VT (*+place*) utsmykke; (*+dress*) dekorere (*v2*), pynte (*v1*); (*+account*) utbrodere (*v2*)

embers ['ɛmbəz] SPL glør

embezzle [ɪm'bɛzl] VT underslå*

embezzlement [ɪm'bɛzlmənt] s underslag *nt*

embezzler [ɪm'bɛzləʳ] s *en som gjør/har gjort underslag*

embitter [ɪm'bɪtəʳ] VT forbitre (*v1*)

embittered [ɪm'bɪtəd] ADJ forbitret

emblem ['ɛmbləm] s (**a**) (= *design*) emblem *nt* ❑ *There was a small emblem on his tie.* Det var et lite emblem på slipset hans.
(**b**) (= *symbol*) symbol *nt* ❑ *...an emblem of kingship.* ...et symbol på kongemakt.

embodiment [ɪm'bɔdɪmənt] s ▸ **to be the embodiment of...** være* den personifiserte... ❑ *She was the embodiment of loyalty.* Hun var den personifiserte lojalitet.

embody [ɪm'bɔdɪ] VT (**a**) (*+idea, principle*) stå* for ❑ *...the institutions which embody traditional values.* ...institusjonene som står for tradisjonelle verdier.
(**b**) (= *include, contain*) innbefatte (*v1*) ❑ *The three corps embodied sixteen armoured brigades.* De tre korpsene innbefattet seksten panserbrigader.

embolden [ɪm'bəuldn] VT (*+person*) sette* mot i

embolism ['ɛmbəlɪzəm] s emboli *m*

embossed [ɪm'bɔst] ADJ (*design, word*) opphøyd ▸ **embossed with** preget med ❑ *...a sheet of writing paper embossed with the royal insignia.* ...et skriveark som var preget med det kongelige seglet.

embrace [ɪm'breɪs] [1] VT (**a**) (= *hug*) omfavne (*v1*) (**b**) (= *include*) romme (*v1*), innbefatte (*v1*) ❑ *It embraces elements of chemistry and engineering.* Det rommer *or* innbefatter elementer av kjemi og ingeniørfag.
[2] VI (= *hug*) omfavne (*v1*) hverandre ❑ *They laughed and embraced.* De lo og omfavnet hverandre.
[3] s (= *hug*) omfavnelse *m* ❑ *They greeted us with warm embraces.* De tok mot oss med varme omfavnelser.

embroider [ɪm'brɔɪdəʳ] VT (*+cloth*) brodere (*v2*); (*fig: story*) utbrodere (*v2*)

embroidery [ɪm'brɔɪdərɪ] s broderi *nt*

embroil [ɪm'brɔɪl] VT ▸ **to become embroiled in sth** bli* viklet inn i noe

embryo ['ɛmbrɪəu] s (*BIO*) embryo *nt*; (*fig: of idea, plan*) kime *m*

emcee [ɛm'siː] s seremonimester *m*

emend [ɪ'mɛnd] VT rette (*v1*) opp

emerald ['ɛmərəld] s smaragd *m*

emerge [ɪ'məːdʒ] VI ▸ **to emerge (from)** (**a**) (*person from place, sleep, dream etc*) dukke (*v1*) fram (fra) ❑ *I saw the woman emerge from a shop.* Jeg så damen dukke fram fra en butikk. *He seemed to emerge from his reverie.* Det virket som om han dukket fram fra dagdrømmene sine.
(**b**) (*idea, evidence+*) dukke (*v1*) opp (fra) ❑ *...important new evidence has emerged.* ...det har dukket opp nye, viktige bevis.
(**c**) (= *develop: industry, society, culture*) vokse (*v2*) fram (fra) ❑ *Large-scale industry emerged only gradually.* Storindustrien vokste fram svært gradvis.
▸ **it emerges that** (*BRIT*) det viser seg at

emergence [ɪ'məːdʒəns] s framvekst *m*

emergency [ɪ'məːdʒənsɪ] [1] s nødsituasjon *m*, nødstilfelle *nt* ❑ *We have facilities for any emergencies.* Vi har utstyr for enhver nødsituasjon *or* ethvert nødstilfelle.
[2] SAMMENS (*repair, talks*) nød-
▸ **in an emergency** i en nødsituasjon, i nødstilfelle
▸ **a state of emergency** unntakstilstand ❑ *...a state of emergency has been declared.* ...det har blitt erklært unntakstilstand.

emergency cord (*US*) s nødbrems *m*

emergency exit s nødutgang *m*

emergency landing s nødlanding *c* ▸ **to make an emergency landing** foreta* nødlanding

emergency services SPL ▸ **the emergency services** utrykningstjenestene

emergency stop (*BRIT: BIL*) s nødstopp *m*

emergent [ɪ'məːdʒənt] ADJ (*nation, group*) som er i ferd med å vokse fram

emeritus [ɪ'mɛrɪtəs] ADJ (*professor, chairman*) emeritus ❑ *...the Professor Emeritus of Theology.* ...professor emeritus i teologi.

emery board ['ɛmərɪ-] s smergelskive *c*

emery paper s smergelpapir *nt*

emetic [ɪ'mɛtɪk] s brekkmiddel *nt*

emigrant ['ɛmɪgrənt] s emigrant *m*, utvandrer *m*

emigrate ['ɛmɪgreɪt] VI emigrere (*v2*), utvandre (*v1*)

emigration [ɛmɪ'greɪʃən] s emigrasjon *m*, utvandring *c*

émigré ['ɛmɪgreɪ] s politisk flyktning *m*

eminence ['ɛmɪnəns] s rang *m*, betydning *m* ❑ *He was a man of some eminence.* Han var en mann med en viss rang *or* betydning.

eminent ['ɛmɪnənt] ADJ (*scientist, writer*) eminent, fremragende

eminently ['ɛmɪnəntlɪ] ADV (*practical, sensible*) absolutt, avgjort

emir [ɛ'mɪəʳ] s emir *m*

emirate ['ɛmɪrɪt] s emirat *nt*

emission [ɪ'mɪʃən] s (**a**) (*of radiation*) utstråling *c* (**b**) (*of gas*) utslipp *nt* ❑ *...carbon dioxide emissions.* ...utslipp av karbondioksid.

emissions [ɪ'mɪʃənz] SPL utslipp *nt*

emit [ɪ'mɪt] VT (*+smoke, smell*) gi* fra seg, avgi*; (*+sound, signal, light, heat*) gi* fra seg

emolument [ɪ'mɔljumənt] (*fml*) s (*often pl*) honorar *nt*

emotion [ɪ'məuʃən] s (**a**) (= *feeling*) følelse *m* ❑ *Chopin aroused complicated emotions in her.* Chopin vekket kompliserte følelser i henne.
(**b**) (*as opposed to reason*) følelser *pl* ❑ *He is very suspicious of emotion.* Han er svært mistenksom overfor følelser. *We respond to some music on the level of pure emotion.* Vi reagerer rent følelsesmessig på visse typer musikk.

emotional [ɪ'məuʃənl] ADJ (**a**) (*needs, exhaustion, stress*) følelsesmessig
(**b**) (*person*) opprørt ❑ *Nell was far more emotional about it...* Nell var mye mer opprørt over det...

(**c**) (*scene, issue, tone, speech*) følelsesladet ❑ *...an emotional plea for more aid.* ...en følelsesladet bønn om mer hjelp.

emotionally [ɪ'məuʃnəlɪ] ADV (**a**) (*behave, speak*) følelsesfullt ❑ *He acted very emotionally.* Han oppførte seg svært følelsesfullt. *A survivor spoke very emotionally about her experience.* En overlevende fortalte svært følelsesfullt om opplevelsen sin.
(**b**) (*be involved*) følelsesmessig ❑ *Surgeons try to avoid becoming emotionally involved with their patients.* Kirurger prøver å unngå å bli* følelsesmessig engasjert i pasientene sine.
▸ **emotionally disturbed** i følelsesmessig ubalanse

emotive [ɪ'məutɪv] ADJ (*subject, language*) følelsesladet, virkningsfull

empathize ['ɛmpəθaɪz] VT ▸ **to empathize with** føle (*v2*) med

empathy ['ɛmpəθɪ] s innfølingsevne *m*, empati *m*
▸ **to feel empathy with sb** leve (*v3*) seg inn i noens situasjon, føle (*v2*) empati med noen

emperor ['ɛmpərə^r] s keiser *m*

emphases ['ɛmfəsi:z] SPL *of* **emphasis**

emphasis ['ɛmfəsɪs] (*pl* **emphases**) s (**a**) (*= importance*) (hoved)vekt *m* ❑ *...the emphasis is on parental care.* ...(hoved)vekten ligger på foreldreomsorg.
(**b**) (*= stress*) trykk *nt* ❑ *...placing emphasis on each word.* ...og la trykk på hvert ord.
▸ **to lay** *or* **place emphasis on sth** (*fig*) legge* vekt på noe

emphasize ['ɛmfəsaɪz] VT (**a**) (*+word, point*) understreke (*v1*)
(**b**) (*+feature, shape*) framheve (*v1*)
▸ **I must emphasize that...** jeg må understreke at...

emphatic [ɛm'fætɪk] ADJ (*statement, denial, manner, person*) bestemt

emphatically [ɛm'fætɪklɪ] ADV (**a**) (*= forcefully*) med ettertrykk ❑ *"That'll be the day," said Foster emphatically.* "Det skulle* ta* seg ut," sa Foster med ettertrykk.
(**b**) (*= certainly*) avgjort ❑ *She is emphatically not the best.* Hun er avgjort ikke den beste.

emphysema [ɛmfɪ'si:mə] s emfysem *nt*

empire ['ɛmpaɪə^r] s (**a**) imperium *nt irreg*, keiserrike *nt* ❑ *...the ancient empires of Russia and Turkey.* ...de gamle imperiene *or* keiserrikene Russland og Tyrkia.
(**b**) (*fig*) imperium *nt irreg* ❑ *His publishing empire was flourishing.* Forlagsimperiet hans blomstret.

empirical [ɛm'pɪrɪkl] ADJ empirisk

employ [ɪm'plɔɪ] VT (*+workforce*) sysselsette*; (*+person*) ansette*; (*+tool, weapon*) ta* i bruk

employee [ɪmplɔɪ'i:] s ansatt *m decl as adj*, arbeidstaker *m*

employee rights SPL arbeidstagers rettigheter

employer [ɪm'plɔɪə^r] s arbeidsgiver *m*

employment [ɪm'plɔɪmənt] s arbeid *nt* ❑ *He had retired from regular employment.* Han hadde blitt pensjonert fra vanlig arbeid.
▸ **to find employment** finne* seg arbeid
▸ **without employment** uten (fast) arbeid
▸ **place of employment** arbeidssted *nt*

employment agency s (privat) arbeidsformidling *c*

employment exchange (*BRIT: gam*) s (offentlig) arbeidskontor *nt*

empower [ɪm'pauə^r] VT ▸ **to empower sb** (*+person, minority*) gi* noen makt ▸ **to empower sb to do sth** bemyndige (*v1*) noen til å gjøre* noe, gi* noen myndighet til å gjøre* noe

empress ['ɛmprɪs] s keiserinne *c*

empties ['ɛmptɪz] (*sl*) SPL (*= bottles*) tomflasker

emptiness ['ɛmptɪnɪs] s tomhet *c* ❑ *...the emptiness of the Pacific.* ...Stillehavets tomhet. *...emotional emptiness.* ...følelsesmessig tomhet.

empty ['ɛmptɪ] **1** ADJ tom ❑ *Meadows' glass was empty.* Meadows' glass var tomt. *As far as the eye could see the desert was empty.* Så langt øyet kunne* se, var ørkenen tom. *They ignored his threats as empty rhetoric.* De overså truslene hans som tom retorikk.
2 VT tømme (*v2x*) ❑ *You ought to empty the water out of those boots.* Du burde tømme ut vannet av de støvlene.
3 VI tømmes (*v5, no past tense*), tømme (*v2x*) seg ❑ *The auditorium began to empty.* Auditoriet begynte å tømmes *or* tømme seg.
▸ **on an empty stomach** på tom mage
▸ **to empty into** (*river+*) renne* ut i

empty-handed ['ɛmptɪ'hændɪd] ADJ tomhendt

empty-headed ['ɛmptɪ'hɛdɪd] ADJ tomhjernet

EMS s FK (= **European Monetary System**) Det europeiske valutasystemet

EMT s FK (= **emergency medical technician**) *person med kurs/utdannelse i førstehjelp, ofte ambulansesjåfør*

EMU ['i:mju:] s FK = **European monetary unit**

emu ['i:mju:] s emu *m*

emulate ['ɛmjuleɪt] VT etterlikne (*v1*), ta* etter

emulsion [ɪ'mʌlʃən] s (*FOTO*) emulsjon *m*; (*also* ***emulsion paint***) emulsjonsmaling *c*

enable [ɪ'neɪbl] VT ▸ **to enable sb to do** (**a**) (*= make possible*) gjøre* *or* sette* noen i stand til å gjøre ❑ *Contraception enables women to plan their families.* Prevensjon gjør *or* setter kvinner i stand til å planlegge familiene sine.
(**b**) (*= permit, allow*) la, tillate* ❑ *The shell has to be porous to enable oxygen to pass in.* Skallet må være* porøst for at oksygen skal kunne* slippe inn.

enact [ɪ'nækt] VT (*+law*) vedta*; (*+play, role*) spille (*v2x*) (ut)

enamel [ɪ'næməl] s (*for decoration, of tooth*) emalje *m*; (*also* ***enamel paint***) emaljemaling *c*

enamoured [ɪ'næməd] ADJ ▸ **to be enamoured of** (*+person, pastime, idea, belief*) være* betatt av, være* inntatt i

encampment [ɪn'kæmpmənt] s leir *m*

encased [ɪn'keɪst] ADJ ▸ **encased in** omsluttet av

encash [ɪn'kæʃ] (*BRIT*) VT innløse (*v2*)

enchant [ɪn'tʃɑ:nt] VT tryllebinde*, fengsle (*v1*)

enchanted [ɪn'tʃɑ:ntɪd] ADJ forhekset

enchanting [ɪn'tʃɑ:ntɪŋ] ADJ fortryllende

encircle [ɪn'sə:kl] VT (*+place, prisoner*) omringe (*v1*)

encl. FK (*on letters etc*) (= **enclosed, enclosure**) vedl. (= *vedlagt, vedlegg*)

enclave ['ɛnkleɪv] s enklave *m*

enclose [ɪn'kləuz] VT (**a**) (*+land, space,*) omgi*, omslutte (*v1*)
(**b**) (*+object in wrapping etc*) pakke (*v1*) inn (*var.* innpakke)
(**c**) (*in letter*) legge* ved ❑ *I enclose a cheque.* Jeg legger ved en sjekk.
▸ **please find enclosed** ≈ vedlagt følger
enclosure [ɪn'kləuʒə^r] S (*area of land*) innhegning *c*; (*in letter etc*) vedlegg *nt*
encoder [ɪn'kəudə^r] (*DATA*) S omkoder *m*
encompass [ɪn'kʌmpəs] VT omfatte (*v1*), innbefatte (*v1*)
encore [ɔŋ'kɔː^r] 1 INTERJ dakapo
2 S (*TEAT*) ekstranummer *nt* ❑ *What shall I sing as an encore?* Hva skal jeg synge som ekstranummer?
encounter [ɪn'kauntə^r] 1 S møte *nt*
2 VT (*+person, new experience, problem*) møte (*v2*) ❑ *...they encounter an English couple.* ...de møter et engelsk par. *They've never encountered any discrimination.* De har aldri møtt noen form for diskriminering.
encourage [ɪn'kʌrɪdʒ] VT (**a**) (*+person, activity, attitude*) oppmuntre (*v1*) ❑ *Her success encouraged me to try the same thing.* Suksessen hennes oppmuntret meg til å prøve på det samme. *Group meetings were always encouraged.* Det ble alltid oppmuntret til gruppemøter.
(**b**) (*+growth, industry*) gi* en spore til ❑ *This encouraged the growth of Marxism.* Dette gav en spore til marxismens vekst.
encouragement [ɪn'kʌrɪdʒmənt] S oppmuntring *c*
encouraging [ɪn'kʌrɪdʒɪŋ] ADJ oppmuntrende
encroach [ɪn'krəutʃ] VI ▸ **to encroach (up)on** (**a**) (*+property, time*) forgripe* seg på
(**b**) (*+rights*) gjøre* inngrep i ❑ *This new law doesn't encroach on the rights of the citizen.* Denne nye loven gjør ikke noe inngrep i borgernes rettigheter.
encrusted [ɪn'krʌstɪd] ADJ ▸ **encrusted with** (*+gems, snow, dirt*) belagt med
encumber [ɪn'kʌmbə^r] VT ▸ **to be encumbered with** (*+suitcase, baggage etc*) være* tynget (ned) av, være* nedlesset med; (*+debts*) være* tynget av
encyclop(a)edia [ɛnsaɪkləu'piːdɪə] S leksikon *nt*
end [ɛnd] 1 S (**a**) (*of period, event, experience, film, book*) slutt *m* ❑ *...at the end of August.* ...i slutten av august. *I wept at the end of the book.* Jeg gråt på slutten av boka.
(**b**) (*of table, street, line, rope, object*) ende *m* ❑ *...one at each end.* ...en på hver ende. *...sharpen a stick at both ends.* ...spiss en pinne i begge ender.
(**c**) (*of town*) kant *m* ❑ *...I was at the wrong end of town.* ...jeg var på feil kant av byen.
(**d**) (*= purpose*) hensikt *m*, øyemed *m* ❑ *...for political ends.* ...i politisk hensikt *or* øyemed.
2 VT avslutte (*v1*) ❑ *He refused to end his hunger strike.* Han nektet å avslutte sin sultestreik.
3 VI slutte (*v1*), ende (*v2*) ❑ *...before term ended.* ...før terminen sluttet *or* endte.
▸ **at the end of the street** i enden av gaten
▸ **at the end of the day** (*BRIT: fig*) når alt kommer til alt
▸ **from end to end** fra ende til annen
▸ **to come to an end** ende (*v2*), slutte (*v1*)
▸ **to be at an end** være* slutt *or* forbi
▸ **in the end** til slutt
▸ **on end** (*object*) på høykant ❑ *He asked them to stand an egg on end.* Han bad dem å stille et egg på høykant.
▸ **make sb's hair stand on end** få* hårene til å reise seg på (hodet til) noen
▸ **for hours on end** i timevis, flere timer i strekk
▸ **for 5 hours on end** i 5 timer i strekk
▸ **bring to an end, put an end to** få* en slutt på ❑ *They tried to bring the strike to an end.* De prøvde å få* en slutt på streiken.
▸ **to this end, with this end in view** med dette for øyet
▸ **end up** VI ▸ **to end up in** (**a**) (*+place*) ende (*v2*) opp i ❑ *Many of their friends have ended up in prison.* Mange av vennene deres har endt opp i fengsel.
(**b**) (*+condition*) havne (*v1*) i, ende (*v2*) opp i ❑ *He ended up in a fine mess...* Han havnet i litt av et rot...
▸ **to end up doing sth** ende (*v2*) med å gjøre* noe
endanger [ɪn'deɪndʒə^r] VT (*+lives, prospects*) sette* i fare
▸ **an endangered species** en truet art
endear [ɪn'dɪə^r] VT ▸ **to endear o.s. to sb** gjøre* seg populær hos noen
endearing [ɪn'dɪərɪŋ] ADJ vinnende
endearment [ɪn'dɪəmənt] S kjærlige *or* ømme ord *pl*
▸ **term of endearment** kjælenavn *nt*
endeavour [ɪn'dɛvə^r], **endeavor** (*US*) 1 S (**a**) (*= attempt*) bestrebelse *m* ❑ *They wished us good fortune in our endeavours.* De ønsket oss lykke til med bestrebelsene våre.
(**b**) (*= effort*) innsats *m* ❑ *...this exciting new field of endeavour.* ...dette spennende, nye innsatsfeltet.
2 VI ▸ **to endeavour to do** bestrebe (*v1*) seg på å gjøre, forsøke (*v2*) å gjøre ❑ *He endeavoured to adopt a positive attitude.* Han bestrebet seg på *or* forsøkte å innta en positiv holdning.
endemic [ɛn'dɛmɪk] ADJ (*poverty, disease*) endemisk
ending ['ɛndɪŋ] S (**a**) (*of book, film, play etc*) avslutning *m*, slutt *m*
(**b**) (*LING*) endelse *m*
▸ **a happy ending** en lykkelig slutt
endive ['ɛndaɪv] S (*curly*) endiv *m*; (*smooth : chicory*) sikori *m*
endless ['ɛndlɪs] ADJ (*argument, search*) endeløs; (*forest, beach*) endeløs, uendelig; (*patience, resources, possibilities*) uendelig
endorse [ɪn'dɔːs] VT (*+cheque*) påtegne (*v1*); (*= approve : proposal, plan, candidate*) gi* sin tilslutning til; (*+product*) gjøre* reklame for
endorsee [ɪndɔː'siː] S endossat *m*
endorsement [ɪn'dɔːsmənt] S (**a**) (*= approval*) tilslutning *m* ❑ *The Pope has issued his full endorsement of...* Paven har gitt sin fulle tilslutning til...
(**b**) (*of product by personality*) ▸ **endorsement of**

reklame *m* for
(**c**) (*BRIT: on driving licence*) ≈ prikkbelastning *m* ❑ *He's already got three endorsements.* Han har allerede tre prikkbelastninger.
endow [ɪn'dau] VT skjenke (*v1*) et legat til ❑ *He endowed a ward in Manhattan General Hospital.* Han skjenket et legat til en avdeling av Manhattan General Hospital.
▸ **to be endowed with** (*+talent, quality*) være* utrustet med
endowment [ɪn'daumənt] s (**a**) (*money*) legat *nt*
(**b**) (*of quality*) gave *m*, utrustning *m* ❑ *She had a reasonable endowment of intelligence.* Hun var godt utrustet med intelligens.
endowment assurance s kapitalforsikring *m*
endowment mortgage s *pantelån med sikkerhet i kapitalforsikringspolise*
endowment policy s livsforsikring *c* (*som gir utbetaling etter en viss alder*)
end product s (**a**) sluttprodukt *nt*
(**b**) (*fig*) sluttresultat *nt* ❑ *It's a tough exam, so the end product is a worthwhile qualification.* Det er en hard eksamen, så sluttresultatet er en nyttig kvalifikasjon.
end result s sluttresultat *nt*
endurable [ɪn'djuərəbl] ADJ utholdelig
endurance [ɪn'djuərəns] s utholdenhet *c*
endurance test s utholdenhetsprøve *c*
endure [ɪn'djuəʳ] 1 VT (*= bear: pain, suffering*) utholde*
2 VI (*= last: friendship, work of art etc*) holde*, vare (*v2*)
enduring [ɪn'djuərɪŋ] ADJ varig
end user s sluttbruker *m*
enema ['ɛnɪmə] s klyster *nt*
enemy ['ɛnəmɪ] 1 s fiende *m*
2 ADJ (*forces, strategy*) fiende-, fiendtlig
▸ **to make an enemy of sb** gjøre* noen til sin fiende
energetic [ɛnə'dʒɛtɪk] ADJ energisk ❑ *Do something energetic...* Gjør noe energisk...
energy ['ɛnədʒɪ] s energi *m* ❑ *...before I could muster the energy to get up.* ...før jeg kunne* mobilisere nok energi til å reise meg opp. *Wood is an efficient source of energy.* Ved er en effektiv energikilde.
▸ **Department of Energy** ≈ Olje- og Energidepartementet
energy crisis s energikrise *c*
energy-saving ['ɛnədʒɪ'seɪvɪŋ] ADJ (*policy*) energisparings-; (*device*) energibesparende
enervating ['ɛnəveɪtɪŋ] ADJ enerverende
enforce [ɪn'fɔːs] VT håndheve (*v1*)
enforced [ɪn'fɔːst] ADJ påtvungen
enfranchise [ɪn'fræntʃaɪz] VT gi* stemmerett til, gjøre* stemmeberettiget
engage [ɪn'geɪdʒ] 1 VT (**a**) (*+attention, interest*) fange (*v1*), engasjere (*v2*)
(**b**) (*= employ: consultant, lawyer*) engasjere (*v2*)
(**c**) (*BIL: clutch*) kople (*v1*) inn, trå* inn
(**d**) (*MIL: enemy*) ta* opp kampen med
2 VI gå* i/på ❑ *Press the lever until you hear the catch engage.* Trykk på hendelen til du hører at sikringen går på.
▸ **to engage in** (*+commerce, study, research etc*) delta* i, drive* med
▸ **to engage sb in conversation** få* i gang en samtale med noen
engaged [ɪn'geɪdʒd] ADJ (**a**) (*to marry*) forlovet ❑ *They were not officially engaged.* De var ikke offisielt forlovet.
(**b**) (*BRIT: busy, in use*) opptatt ❑ *"Is there any answer?" "No, it's engaged."* "Får du noe svar?" "Nei, det er opptatt."
▸ **to get engaged (to)** bli* forlovet (med), forlove (*v1*) seg (med)
▸ **he is engaged in research/a survey** han er opptatt med forskning/med en undersøkelse
engaged tone (*BRIT: TEL*) s opptattsignal *nt*
engagement [ɪn'geɪdʒmənt] s (**a**) (*= appointment*) avtale *m* ❑ *...my engagement book.* ...avtaleboka min.
(**b**) (*= employment*) engasjement *nt* ❑ *...Ellen's last professional engagement.* ...Ellens siste profesjonelle engasjement.
(**c**) (*to marry*) forlovelse *m* ❑ *They had to announce their engagement.* De måtte* kunngjøre forlovelsen sin.
(**d**) (*MIL: battle*) trefning *m*
▸ **I have a previous engagement** jeg er opptatt på annet hold
engagement ring s forlovelsesring *m*
engaging [ɪn'geɪdʒɪŋ] ADJ (*personality, trait*) vinnende
engender [ɪn'dʒɛndəʳ] VT (*+feeling, sense*) avføde (*v2*), skape (*v2*)
engine ['ɛndʒɪn] s (*BIL*) motor *m*; (*JERNB*) lokomotiv *nt*; (*= machine*) maskin *m*
engine driver s lokomotivfører *m*
engineer [ɛndʒɪ'nɪəʳ] s (**a**) (*designer*) ingeniør *m* ❑ *...a brilliant young mining engineer.* ...en dyktig, ung gruveingeniør.
(**b**) (*BRIT: for repairs*) reparatør *m* ❑ *The telephone engineers can't come until Wednesday.* Telefonreparatørene kan ikke komme før på onsdag.
(**c**) (*US: JERNB*) lokomotivfører *m*
(**d**) (*on ship*) maskinist *m*
▸ **civil/mechanical engineer** bygningsingeniør/maskiningeniør *m*
engineering [ɛndʒɪ'nɪərɪŋ] s (**a**) (*science*) ingeniørfag *nt* ❑ *Why don't many girls go into engineering?* Hvorfor er det ikke så mange jenter som begynner med ingeniørfag?
(**b**) (*= design, construction: of roads, bridges*) ingeniørkunst *m*
(**c**) (*of cars, ships, machines*) (maskin)konstruksjon *m*
▸ **engineering works** maskinverksted *nt or* maskinfabrikk *m*
engine failure s motorstopp *m*
engine trouble s (*BIL*) motorvansker *pl*
England ['ɪŋglənd] s England
English ['ɪŋglɪʃ] 1 ADJ engelsk
2 s engelsk
▸ **the English** SPL engelskmennene
▸ **an English speaker** en engelsktalende
English Channel s ▸ **the English Channel** Den engelske kanal
Englishman ['ɪŋglɪʃmən] *irreg* s engelskmann *m*

irreg

English-speaking ['ɪŋglɪʃspi:kɪŋ] ADJ engelsktalende

Englishwoman ['ɪŋglɪʃwumən] *irreg* s engelsk dame *c or* kvinne *c*

engrave [ɪn'greɪv] VT gravere (*v2*)

engraving [ɪn'greɪvɪŋ] s (*picture, print*) stikk *nt*, gravering *c*

engrossed [ɪn'grəust] ADJ ▸ **engrossed in** oppslukt av

engulf [ɪn'gʌlf] VT (**a**) (*fire, water+*) sluke (*v2*) ❑ *The house was soon engulfed in flames.* Huset var snart slukt av flammer.. Huset var snart overtent.
(**b**) (*panic, fear+*) overmanne (*v1*) ❑ *Finally panic engulfed him.* Til slutt overmannet panikken ham.

enhance [ɪn'hɑ:ns] VT (*+enjoyment, beauty, value*) høyne (*v1*); (*+reputation*) forbedre (*v1*)

enigma [ɪ'nɪgmə] s gåte *m*, mysterium *nt irreg*

enigmatic [ɛnɪg'mætɪk] ADJ (*smile, person*) gåtefull

enjoy [ɪn'dʒɔɪ] VT (**a**) (= *take pleasure in*) nyte* ❑ *She is someone who enjoys life.* Hun er en som nyter livet.
(**b**) (= *like doing*) være* glad i ❑ *I enjoy dancing.* Jeg er glad i å danse.
(**c**) (= *have benefit of: health, fortune, success*) nyte* (godt av) ❑ *...the privileges he enjoyed.* ...privilegiene han nøt (godt av).
▸ **to enjoy o.s.** more (*v1*) seg ❑ *He is thoroughly enjoying himself.* Han morer seg skikkelig.

enjoyable [ɪn'dʒɔɪəbl] ADJ hyggelig, koselig

enjoyment [ɪn'dʒɔɪmənt] s (**a**) (= *feeling of pleasure*) fornøyelse *m*, nytelse *m* NB *Do you think I do it for enjoyment?* Tror du jeg gjør det for fornøyelsens *or* for nytelsens skyld *or* for moro skyld?
(**b**) (*activity enjoyed*) fornøyelse *m* ❑ *His enjoyments in life are shooting and drinking.* Hans fornøyelser i livet er skyting og drikking.

enlarge [ɪn'lɑ:dʒ] 1 VT forstørre (*v1*)
2 VI ▸ **to enlarge on** (*+subject*) greie (*v3*) ut om

enlarged [ɪn'lɑ:dʒd] ADJ (*edition: physically*) stor; (*more comprehensive*) utvidet; (*organ, gland*) forstørret

enlargement [ɪn'lɑ:dʒmənt] s forstørrelse *m* ❑ *...poster-sized enlargements.* ...forstørrelser i plakatstørrelse.

enlighten [ɪn'laɪtn] VT opplyse (*v2*) ❑ *Would you care to enlighten me?* Vil du være* så snill å opplyse meg?

enlightened [ɪn'laɪtnd] ADJ (*person, policy, approach, system*) opplyst

enlightening [ɪn'laɪtnɪŋ] ADJ (*experience, talk, book*) oppklarende, informativ

enlightenment [ɪn'laɪtnmənt] s ▸ **the Enlightenment** opplysningstiden

enlist [ɪn'lɪst] 1 VT (**a**) (*+soldier, person*) verve (*v1*) ❑ *They were enlisted into the 21st Regiment.* De ble vervet til 21. regiment.
(**b**) (*+support, help*) innhente (*v1*) ❑ *He enlisted Nick's help.* Han innhentet hjelp fra Nick.
2 VI ▸ **to enlist in** (*+army, navy etc*) verve (*v1*) seg til, la seg verve til
▸ **enlisted man** (*US: MIL*) menig *m decl as adj*, menig soldat *m*

enliven [ɪn'laɪvn] VT (*+people*) live (*v1*) opp, kvikke (*v1*) opp; (*+events*) kvikke (*v1*) opp

enmity ['ɛnmɪtɪ] s ▸ **enmity (for)** fiendskap *nt* (med) ❑ *...his long-standing enmity for Baldwin.* ...det langvarige fiendskapet hans med Baldwin.

ennoble [ɪ'nəubl] VT (*with title*) adle (*v1*); (*fig: dignify*) opphøye (*v1 or v3*)

enormity [ɪ'nɔ:mɪtɪ] s (*of problem, danger*) uhyrlighet *c*

enormous [ɪ'nɔ:məs] ADJ (*size, amount*) enorm, (kjempe)svær, diger; (*delight, pleasure, success etc*) enorm

enormously [ɪ'nɔ:məslɪ] ADV enormt

enough [ɪ'nʌf] 1 ADJ, PRON nok ❑ *I don't think I've got enough information...* Jeg tror ikke jeg har nok informasjon... *I've got five thousand dollars – I hope it's enough.* Jeg har fem tusen dollar – jeg håper det er nok.
2 ADV ▸ **big/smooth enough** stor/glatt nok
▸ **have you got enough?** har du nok?
▸ **enough to eat** nok å spise
▸ **will 5 be enough?** vil det være* nok med 5?
▸ **I've had enough!** jeg har fått nok!
▸ **it's hot enough as it is** det er varmt nok som det er
▸ **he was kind enough to lend me the money** han var så snill å låne meg pengene
▸ **enough!** det holder!
▸ **I've had enough of him** jeg har fått nok av ham
▸ **funnily** *or* **oddly enough...** merkelig nok...

enquire [ɪn'kwaɪə^r] VT, VI = **inquire**

enrage [ɪn'reɪdʒ] VT gjøre* rasende

enrich [ɪn'rɪtʃ] VT (*morally, spiritually*) berike (*v1*); (*financially*) gjøre* rikere

enrol [ɪn'rəul], **enroll** (*US*) 1 VT (*at school, university*) skrive* inn; (*on course, in club*) melde (*v2*), registrere (*v2*)
2 VI (*at school, university*) skrive* seg inn, registrere (*v2*) seg; (*on course, in club*) ▸ **to enrol (on)** melde (*v2*) seg (på)

enrolment [ɪn'rəulmənt], **enrollment** (*US*) s (= *registration*) påmelding *c*, registrering *c* ❑ *...the enrolment of the Prince at the University.* ...Prinsens påmelding *or* registrering ved universitetet.

en route [ɔn'ru:t] ADV underveis ❑ *You'll see plenty to interest you en route.* Du vil se mye interessant underveis.
▸ **en route for** *or* **to/from** underveis til/fra

ensconced [ɪn'skɔnst] ADJ ▸ **ensconced in** plantet i/på ❑ *He was happily ensconced at West Point.* Han var lykkelig plantet på West Point.

ensemble [ɔn'sɔmbl] s (**a**) (*MUS*) ensemble *nt*
(**b**) (*clothing*) antrekk *nt* ❑ *A black silk tie completed the ensemble.* Et sort silkeslips gjorde antrekket komplett.

enshrine [ɪn'ʃraɪn] VT (*+belief, right*) hegne (*v1*) om, verne (*v1*) (om)
▸ **to be enshrined in** være* nedfelt i ❑ *The universities' autonomy is enshrined in their individual charters.* Universitetenes selvstyre er nedfelt i de individuelle universitetslovene.

ensue [ɪn'sjuː] VI følge*
ensuing [ɪn'sjuːɪŋ] ADJ påfølgende
ensure [ɪn'ʃuəʳ] VT sikre (*v1*)
▸ **to ensure that** sørge (*v1*) for at
ENT (*MED*) S FK (= **Ear, Nose and Throat**) øre, nese, hals
entail [ɪn'teɪl] VT medføre (*v2*) ❑ *The move entailed radical changes in lifestyle.* Flyttingen medførte radikale forandringer i livsstil.
entangled [ɪn'tæŋgld] ADJ ▸ **to become entangled (in)** bli* viklet inn (i)
enter ['ɛntəʳ] 1 VT (**a**) (*+room, building*) gå* *or* komme* inn i
(**b**) (*+club, army, profession*) begynne (*v2x*) i/på ❑ *I could not enter the university without Latin.* Jeg kunne* ikke begynne på universitetet uten latin.
(**c**) (*+race, contest*) melde (*v2*) seg på ❑ *I entered one or two competitions.* Jeg meldte meg på en eller to konkurranser.
(**d**) (*+person: for a competition*) melde (*v2*) på ❑ *She was entered for the modelling competition by her mother.* Hun ble meldt på modellkonkurransen av moren sin.
(**e**) (= *write down*) føre (*v2*) inn ❑ *Enter it in the cash book.* Før det inn i regnskapsboka.
(**f**) (*DATA: data*) skrive* (inn)
2 VI (= *come or go in*) komme*/gå inn ❑ *They stopped talking as soon as they saw Brody enter.* De sluttet å snakke så snart de så at Brody kom inn.
▸ **enter for** VT FUS (**a**) (*+race, competition*) melde (*v2*) seg på i
(**b**) (*+examination*) melde (*v2*) seg opp til
▸ **enter into** VT FUS (**a**) (*+discussion, correspondence, negotiations*) gi* seg inn på NB *No correspondence will be entered into.* Man vil ikke gå* inn på noen korrespondanse.
(**b**) (*+agreement*) inngå* ❑ *You freely entered into an agreement with them.* Du inngikk frivillig en avtale med dem.
▸ **enter (up)on** VT FUS (*+career, policy*) begynne (*v2x*) med
enteritis [ɛntə'raɪtɪs] S enteritt *m*, tarmkatarr *m*
enterprise ['ɛntəpraɪz] S (**a**) (= *company, business*) foretak *nt* ❑ *...large industrial enterprises.* ...store industriforetak.
(**b**) (= *venture*) foretakende *nt* ❑ *He said he had doubts about the whole enterprise.* Han sa han hadde sine tvil om hele foretakendet.
(**c**) (= *initiative*) initiativ *nt* ❑ *...men of enterprise and ambition.* ...menn med initiativ og ambisjoner.
▸ **free enterprise** fritt næringsliv
▸ **private enterprise** privat initiativ, det private næringsliv
enterprising ['ɛntəpraɪzɪŋ] ADJ (*person, scheme*) foretaksom
entertain [ɛntə'teɪn] VT (**a**) (= *amuse*) underholde* ❑ *We entertained them with a description of the party.* Vi underholdt dem med en beskrivelse av selskapet.
(**b**) (= *invite: guest*) invitere (*v2*), ha* som gjest ❑ *He entertained all the eminent people.* Han inviterte alle de fremstående menneskene *or* hadde alle de fremstående menneskene som gjester.
(**c**) (= *idea, plan*) reflektere (*v2*) på NB *What on earth could have led me to entertain such an idea?* Hva i all verden kunne* ha* fått meg til i det hele tatt å tenke på noe sånt?
entertainer [ɛntə'teɪnəʳ] S entertainer *m*, underholdningsartist *m*
entertaining [ɛntə'teɪnɪŋ] 1 ADJ underholdende
2 S ▸ **to do a lot of entertaining** ha* mange gjester, ha* mye besøk
entertainment [ɛntə'teɪnmənt] S (**a**) (= *amusement*) underholdning *m* ❑ *He performs magic tricks for entertainment.* Han utfører tryllekunster som underholdning.
(**b**) (= *show*) forestilling *c* ❑ *...the cast of this original entertainment.* ...de medvirkende i denne originale forestillingen.
entertainment allowance S representasjonsgodtgjørelse *m*
enthral [ɪn'θrɔːl] VT trollbinde*
enthralled [ɪn'θrɔːld] ADJ (= *engrossed, captivated*) oppslukt, fengslet
▸ **he was enthralled by** *or* **with the book** han var oppslukt *or* fengslet av boka
enthralling [ɪn'θrɔːlɪŋ] ADJ (*play, details etc*) fengslende
enthuse [ɪn'θuːz] 1 VI ▸ **to enthuse about** *or* **over** snakke (*v1*) begeistret om
2 VT begeistre (*v1*)
enthusiasm [ɪn'θuːzɪæzəm] S entusiasme *m*, begeistring *c* ❑ *...her enthusiasm for the theatre.* ...entusiasmen *or* begeistringen hennes for teateret.
enthusiast [ɪn'θuːzɪæst] S entusiast *m*
▸ **a jazz enthusiast** en jazzentusiast
enthusiastic [ɪnθuːzɪ'æstɪk] ADJ (**a**) (*person*) entusiastisk, begeistret
(**b**) (*response, reception*) entusiastisk
▸ **to be enthusiastic about** være* entusiastisk over
entice [ɪn'taɪs] VT lokke (*v1*)
enticing [ɪn'taɪsɪŋ] ADJ (*person*) lokkende; (*offer*) forlokkende
entire [ɪn'taɪəʳ] ADJ hel ❑ *That fact alone changed the entire situation.* Det ene faktumet forandret hele situasjonen.
entirely [ɪn'taɪəlɪ] ADV utelukkende ❑ *...made entirely of parsnips and herbs.* ...lagd utelukkende av pastinakk og urter.
entirety [ɪn'taɪərətɪ] S ▸ **in its entirety** i sin helhet ❑ *If published it must be published in its entirety.* Hvis den skal gis ut, må den gis ut i sin helhet.
entitle [ɪn'taɪtl] VT ▸ **to entitle sb to sth** gi* noen rett til noe, berettige (*v1*) noen til noe ❑ *Their qualifications entitle them to a higher salary.* Utdanningen deres gir dem rett til *or* berettiger dem til høyere lønn.
▸ **to entitle sb to do sth** gi* noen rett til å gjøre* noe
▸ **to be entitled to do sth** ha* rett til å gjøre* noe
entitled [ɪn'taɪtld] ADJ (*book, film etc*) ▸ **entitled "The Next Generation"** med tittelen "Neste generasjonen"

entity ['ɛntɪtɪ] s enhet *c*, størrelse *m* ❑ *When do children start being aware of themselves as separate entities?* Når begynner barn å bli* oppmerksom på seg selv som egne enheter *or* størrelser?
entourage [ɔntu'rɑːʒ] s (*of celebrity, politician*) følge *nt* ❑ *Among his entourage was a retired general.* I følget hans var det en pensjonert general.
entrails ['ɛntreɪlz] SPL innvoller
entrance [*N* 'ɛntrns, *VB* ɪn'trɑːns] 1 s (**a**) (*= way in*) inngang *m* ❑ *...the entrance to the National Gallery.* ...inngangen til Nasjonalgalleriet.
(**b**) (*= arrival*) entré *m* ❑ *She had only broken off to acknowledge our entrance.* Hun hadde bare brutt av for å tilkjennegi vår entré *or* at vi hadde kommet.
2 VT (*= enchant*) henrykke (*v1*) ❑ *She was entranced by the souvenirs.* Hun var henrykt over suvenirene.
▸ **to gain entrance to** (**a**) (*+university, profession etc*) bli* tatt opp ved/i
(**b**) (*+place*) få* adgang til
▸ **to deny sb entrance** nekte (*v1*) noen adgang
entrance examination s opptaksprøve *c*
entrance fee s inngangspenger *pl*
entrance ramp (*US: BIL*) s innkjøringsvei *m*
entrancing [ɪn'trɑːnsɪŋ] ADJ (*quality, place*) fortryllende, henrivende
entrant ['ɛntrnt] s (*in race, competition etc*) deltaker *m*; (*BRIT: in exam*) (eksamens)kandidat *m*
entreat [ɛn'triːt] VT ▸ **to entreat sb to do** bønnfalle* noen om å gjøre
entreaty [ɛn'triːtɪ] s bønnfallelse *m*
entrée ['ɔntreɪ] (*KULIN*) s hovedrett *m*
entrenched [ɛn'trɛntʃt] ADJ (*position, power, ideas*) forankret ❑ *...strongly entrenched ideas.* ...fast forankrede ideer.
entrepreneur ['ɔntrəprə'nəː[r]] s entreprenør *m*
entrepreneurial ['ɔntrəprə'nəːrɪəl] ADJ (*spirit, system*) gründer-, entreprenør-
entrust [ɪn'trʌst] VT ▸ **to entrust sth to sb** betro (*v4*) noen noe ❑ *It was a task the Minister had entrusted to him.* Det var en oppgave som ministeren hadde betrodd ham.
▸ **to entrust sb with sth** betro (*v4*) noen noe ❑ *Children are too young to be entrusted with family money.* Barn er for unge til å bli* betrodd familiens penger.
entry ['ɛntrɪ] s (**a**) (*= way in*) inngang *m* ❑ *The entry is up the Royal Staircase.* Inngangen er opp kongetrappen.
(**b**) (*in competition*) bidrag *m* ❑ *...the five winning entries.* ...de fem bidragene som vant.
(**c**) (*= item: in register*) post *m*
(**d**) (*in account book*) postering *m*
(**e**) (*in reference book*) oppslag *nt*, artikkel *m* ❑ *Let me look up the entries for mid-June.* La meg slå opp på posteringene for midten av juni. *I was looking up the entry for the French President in the encyclopaedia.* Jeg slo opp på oppslaget for *or* artikkelen om den franske presidenten i leksikonet.
(**f**) (*= arrival: into room etc*) inntreden *m*
(**g**) (*to country*) adgang *m* ❑ *At Derek's entry a few heads turned.* Ved Dereks inntreden var det en del som snudde på hodet. *Many of his friends were refused entry to Britain.* Mange av vennene hans ble nektet adgang til Storbritannia.
▸ **"no entry"** (**a**) (*to land etc*) "adgang forbudt" (**b**) (*BIL*) "innkjøring forbudt"
▸ **single/double entry book-keeping** enkelt/dobbelt bokholderi *nt*
entry form s påmeldingsskjema *nt*
entry phone (*BRIT*) s porttelefon *m*, dørtelefon *m*
entwine [ɪn'twaɪn] VT flette (*v1*) inn i ❑ *...her fingers were entwined in my own.* ...fingrene hennes var flettet inn i mine.
E-number [iː'nʌmbə[r]] s E-nummer *nt*
enumerate [ɪ'njuːməreɪt] VT regne (*v1*) opp
enunciate [ɪ'nʌnsɪeɪt] VT (*+word*) artikulere (*v2*); (*+principle, plan etc*) formulere (*v2*)
envelop [ɪn'vɛləp] VT innhylle (*v1*)
envelope ['ɛnvələup] s konvolutt *m*
enviable ['ɛnvɪəbl] ADJ (*record, job, position*) misunnelsesverdig
envious ['ɛnvɪəs] ADJ (*person, look*) misunnelig
▸ **to be envious of sth/sb** være* misunnelig på noe/noen
environment [ɪn'vaɪərnmənt] s miljø *nt*
▸ **the environment** naturen, miljøet
▸ **Department of the Environment** (*BRIT*) ≈ Miljøverndepartementet
environmental [ɪnvaɪərn'mɛntl] ADJ (**a**) (*= of surroundings*) miljø-, miljømessig ❑ *...their environmental requirements.* ...deres miljømessige krav.
(**b**) (*= of the natural world*) miljø- ❑ *...pesticides, herbicides, and all kinds of environmental pollutants.* ...insektmidler, ugressmidler, og all slags miljøgifter.
▸ **environmental studies** miljøfag *nt*
environmentalist [ɪnvaɪərn'mɛntlɪst] s naturverner *m*, miljøverner *m*
environmentally [ɪnvaɪərn'mɛntlɪ] ADV
▸ **environmentally sound/friendly** *etc* miljøvennlig ▸ **environmentally damaging** skadelig for miljøet *or* naturen, miljøfarlig
envisage [ɪn'vɪzɪdʒ] VT se* for seg ❑ *The last forecast envisaged inflation falling to...* Den forrige prognosen så for seg at inflasjonen skulle* falle til...
▸ **I envisage that...** jeg ser for meg at...
envision [ɪn'vɪʒən] (*US*) VT = **envisage**
envoy ['ɛnvɔɪ] s utsending *m*
envy ['ɛnvɪ] 1 s misunnelse *m*
2 VT misunne (*v2x*)
▸ **to envy sb sth** misunne (*v2x*) noen noe ❑ *It would be unfair to envy him his good fortune.* Det ville* være* urettferdig å misunne ham hellet hans.
enzyme ['ɛnzaɪm] s enzym *nt*
EPA (*US*) s FK (= **Environmental Protection Agency**) ≈ SFT (= *Statens forurensningstilsyn*)
ephemeral [ɪ'fɛmərl] ADJ (*fashion, fame*) flyktig
epic ['ɛpɪk] 1 s (*book, film, poem*) epos *nt* ❑ *...the latest James Bond epic.* ...det siste James Bond-eposet.
2 ADJ (*journey*) storslått
epicentre ['ɛpɪsɛntə[r]], **epicenter** (*US*) s episenter

nt
epidemic [ɛpɪ'dɛmɪk] s epidemi *m* ❑ *There was an epidemic of yellow fever.* Det var en gulfeberepidemi.
epigram ['ɛpɪgræm] s epigram *nt*
epilepsy ['ɛpɪlɛpsɪ] s epilepsi *m*
epileptic [ɛpɪ'lɛptɪk] 1 ADJ epileptisk
2 s epileptiker *m*
epilogue ['ɛpɪlɔg] s epilog *m*
Epiphany [ɪ'pɪfənɪ] s helligtrekongersdag *m*
episcopal [ɪ'pɪskəpl] ADJ biskoppelig
▸ **the Episcopal Church** den episkopale kirken
episode ['ɛpɪsəud] s (= *period, event, TV, RADIO*) episode *m*
epistle [ɪ'pɪsl] (*also REL*) s epistel *m*
epitaph ['ɛpɪtɑ:f] s gravskrift *c*
epithet ['ɛpɪθɛt] s betegnelse *m* ❑ *No one could have denied to him the epithet of handsome.* Ingen kunne* ha* nektet ham betegnelsen kjekk.
epitome [ɪ'pɪtəmɪ] s mønster *nt* ❑ *...the very epitome of Eastern grace...* det absolutte mønster på Østens eleganse...
epitomize [ɪ'pɪtəmaɪz] VT anskueliggjøre*
epoch ['i:pɔk] s epoke *m*
epoch-making ['i:pɔkmeɪkɪŋ] ADJ (*speech, account, discovery*) epokegjørende
eponymous [ɪ'pɔnɪməs] ADJ (*hero, heroine*) tittel- NB *...Cedric, the eponymous hero of Little Lord Fauntleroy.* ...Cedric, tittelhelten i Lille Lord Fauntleroy.
EPOS, epos ['i:pɔs] s FK *elektronisk lesbar varemerking*
equable ['ɛkwəbl] ADJ (*temper, reply*) likevektig
equal ['i:kwl] 1 ADJ (**a**) (*size, number, amount, treatment, rights, opportunities*) lik ❑ *Mix together equal parts of coarse salt and soda crystals.* Bland sammen like deler av grovt salt og natron. *There is a trend towards equal opportunities for men and women.* Det er en bevegelse mot like muligheter for menn og kvinner.
(**b**) (*intensity, quality*) samme ❑ *...cars that are at least of equal quality to the imports.* ...biler som minst er av samme kvalitet som de importerte.
2 s (= *peer*) likemann *m irreg*, jevnbyrdig *m decl as adj* ❑ *...his intellectual equals.* ...hans intellektuelle likemenn *or* jevnbyrdige.
3 VT (**a**) (*+number, amount*) være ❑ *79 minus 14 equals 65.* 79 minus 14 er 65.
(**b**) (= *match, rival*) kunne* måle seg med NB *Few cars can equal a Ferrari for speed.* Få biler kan måle seg med en Ferrari når det gjelder fart.
▸ **they are roughly equal in size** de har omtrent samme størrelse
▸ **to be equal to** (**a**) (= *the same as*) være* det samme som ❑ *The number of exports should be equal to imports...* Antall eksportvarer skulle* være* det samme som for importvarer...
(**b**) (*+a task, demands*) makte (*v1*) ❑ *The staff are not equal to all these demands.* Betjeningen makter ikke alle disse kravene.
equality [i:'kwɔlɪtɪ] s likestilling *c*
▸ **equality of opportunity** like *or* de samme muligheter
equalize ['i:kwəlaɪz] 1 VI (*SPORT*) utligne (*v1*)
2 VT (*+wealth, society, opportunities*) utjevne (*v1*)
equally ['i:kwəlɪ] ADV (**a**) (*share, divide etc*) likt ❑ *On his death the land was divided equally between them.* Da han døde, ble eiendommen delt likt mellom dem.
(**b**) (*good, brilliant, bad etc*) like ❑ *...two equally qualified men.* ...to like (godt) kvalifiserte menn.
▸ **they are equally clever** de er like dyktige
Equal Opportunities Commission, Equal Employment Opportunity Commission (*US*) s ≈ Likestillingsrådet
equals sign s likhetstegn *nt*
equanimity [ɛkwə'nɪmɪtɪ] s (= *calm*) sinnsro *m* ❑ *They were content to accept their loss with equanimity.* De var fornøyd med å ta* tapet med sinnsro.
equate [ɪ'kweɪt] VT ▸ **to equate sth with** sidestille (*v2x*) noe med, sette* likhetstegn mellom noe og ❑ *They equated socialism with the welfare state.* De sidestilte sosialismen med velferdsstaten.. De satte likhetstegn mellom sosialismen og velferdsstaten.
▸ **to equate A to B** sette* likhetstegn mellom A og B
equation [ɪ'kweɪʃən] s likning *c*
equator [ɪ'kweɪtə^r] s ▸ **the equator** ekvator
equatorial [ɛkwə'tɔ:rɪəl] ADJ ekvatorial
Equatorial Guinea s Ekvatorial-Guinea
equestrian [ɪ'kwɛstrɪən] 1 ADJ (*statue*) rytter-; (*gloves*) ride-
2 s rytter *m*
equilibrium [i:kwɪ'lɪbrɪəm] s (= *balance, composure*) likevekt *c* ❑ *...this state of equilibrium...* denne tilstanden av likevekt... *our inner equilibrium.* ...vår indre likevekt.
equinox ['i:kwɪnɔks] s jevndøgn *nt*
▸ **the spring equinox** vårjevndøgn
▸ **the autumn equinox** høstjevndøgn
equip [ɪ'kwɪp] VT ▸ **to equip (with)** (**a**) (*+person, army*) utruste (*v1*) (med)
(**b**) (*+room, car etc*) utruste (*v1*) (med), utstyre (*v2*) (med)
▸ **to equip sb for** utruste (*v1*) noen for
▸ **to be well equipped** være* godt utstyrt *or* utrustet
equipment [ɪ'kwɪpmənt] s utstyr *nt*
equitable ['ɛkwɪtəbl] ADJ (*settlement, agreement*) rett og rimelig, rettferdig
equities ['ɛkwɪtɪz] (*BRIT*) SPL stamaksjer
equity ['ɛkwɪtɪ] s rettferdighet *c*, rimelighet *c*
equity capital s egenkapital *m*
equivalent [ɪ'kwɪvələnt] 1 ADJ tilsvarende
2 s (= *equal*) motstykke *nt*, svar *nt* ❑ *...Kabutocho, Japan's equivalent of Wall Street.* ...Kabutocho, Japans motstykke til *or* svar på Wall Street.
▸ **to be equivalent to** tilsvare (*v2*)
equivocal [ɪ'kwɪvəkl] ADJ (**a**) (= *ambiguous*) tvetydig ❑ *She gave an equivocal reply.* Hun gav et tvetydig svar.
(**b**) (= *difficult to understand*) diffus ❑ *Their attitude is so often equivocal and subjective.* Deres holdning er så ofte diffus og subjektiv.
equivocate [ɪ'kwɪvəkeɪt] VI uttrykke (*v2x*) seg tvetydig, komme med utflukter
equivocation [ɪkwɪvə'keɪʃən] s tvetydig

formulering *c*
ER FK (*BRIT*) (= **Elizabeth Regina**) *Dronning Elisabeth*; (*US*) (= **emergency room**) akettstue *c*
ERA (*US*) S FK (*POL*) (= **Equal Rights Amendment**) *tillegg til grunnloven i USA som sikrer like rettigheter for alle, uansett hudfarge og kjønn*
era ['ɪərə] s tidsalder *m*, æra *m* ❑ *...the beginning of a new era...* begynnelsen på en ny tidsalder *or* æra...
▸ **the post-war era** etterkrigstiden ❑ *...in the post-war era.* ...i etterkrigstiden.
eradicate [ɪ'rædɪkeɪt] VT (*+disease, problem*) utradere (*v2*)
erase [ɪ'reɪz] VT (*+writing*) viske (*v1*) ut; (*+sound from tape etc*) slette (*v1*); (*fig: thought, memory, feeling*) viske (*v1*) ut
eraser [ɪ'reɪzəʳ] s viskelær *nt*
erect [ɪ'rɛkt] 1 ADJ (**a**) (*posture*) oppreist ❑ *She held herself erect.* Hun holdt seg oppreist.
(**b**) (*tail, ears*) som står (rett) opp ❑ *For a dog, an erect tail indicates aggression.* For en hund er en hale som står (rett) opp, et tegn på aggresjon.
(**c**) (*penis*) erigert
2 VT (**a**) (= *build*) oppføre (*v2*), reise (*v2*) ❑ *It would be splendid to erect a memorial to him.* Det ville* være* flott å oppføre *or* reise et minnesmerke over ham.
(**b**) (= *assemble*) sette* opp ❑ *Six policemen started to erect a roadblock.* Seks politimenn begynte å sette opp en veisperring.
erection [ɪ'rɛkʃən] s (**a**) (*of building, statue*) oppførelse *m*
(**b**) (*of tent, machinery etc*) oppsetting *c*
(**c**) (*of penis*) ereksjon *m*
▸ **to have an erection** få* ereksjon
ergonomics [əːgə'nɔmɪks] s ergonomi *m*
ERISA (*US*) S FK (= **Employee Retirement Income Security Act**) *lov som regulerer alderspensjoner*
ERM S FK (= **Exchange Rate Mechanism**) *valutakurssamarbeide i Det europeiske valutasystemet*
ermine ['əːmɪn] s hermelin *m*
ERNIE ['əːnɪ] (*BRIT*) S FK (= **Electronic Random Number Indicator Equipment**) *datamaskin som trekker vinnerne i Premium Bonds*
erode [ɪ'rəud] VT (**a**) (*+soil, rock, metal*) bryte* ned
(**b**) (*fig: confidence, power, freedom*) bryte* ned, uthule (*v2*) ❑ *Our freedom is being eroded by bureaucrats.* Friheten vår er i ferd med å bli* brutt ned *or* uthult av byråkrater.
erogenous [ɪ'rɔdʒənəs] ADJ erogen
erosion [ɪ'rəuʒən] s (**a**) (*of soil, rock, metal*) erosjon *m* ❑ *...soil erosion.* ...jorderosjon.
(**b**) (*fig: of confidence, power, freedom*) uthuling *c* ❑ *...the gradual erosion of individual freedom.* ...den gradvise uthulingen av personlig frihet.
erotic [ɪ'rɔtɪk] ADJ erotisk
eroticism [ɪ'rɔtɪsɪzəm] s erotikk *m* ❑ *The powerful eroticism of the book...* Den kraftfulle erotikken i boka...
err [əːʳ] (*fml*) VI feile (*v1*)
▸ **to err on the side of caution** være* (nesten) for forsiktig
errand ['ɛrənd] s ærend *nt*
▸ **to run errands** løpe* ærend
▸ **to go on an errand, to go on errands** gå* ærend
▸ **errand of mercy** nødærend *nt*
erratic [ɪ'rætɪk] ADJ (*behaviour*) uberegnelig; (*attempts*) tilfeldig, spredt; (*noise*) uregelmessig, ujevn
erroneous [ɪ'rəunɪəs] ADJ feilaktig
error ['ɛrəʳ] s feil *m* ❑ *His own country had made the same strategic error.* Hans eget land hadde gjort den samme strategiske feilen.
▸ **typing/spelling error** skrivemaskinfeil/ stavefeil
▸ **in error** ved en feil, på grunn av en feil
error message (*DATA*) s feilmelding *c*
erstwhile ['əːstwaɪl] ADJ forhenværende
erudite ['ɛrjudaɪt] ADJ lærd
erupt [ɪ'rʌpt] VI (*volcano+*) ha* utbrudd; (*war, crisis, riot+*) bryte* ut
eruption [ɪ'rʌpʃən] s (*of volcano*) utbrudd *nt*, erupsjon *m*; (*of fighting etc*) utbrudd *nt*
ESA S FK (= **European Space Agency**) Den europeiske romfartsorganisasjonen
escalate ['ɛskəleɪt] VI (*conflict, crisis+*) tilta*
escalation [ɛskə'leɪʃən] s opptrapping *c*, økning *m*
escalator ['ɛskəleɪtəʳ] s rulletrapp *c*
escalator clause (*MERK*) s hausse-baisse-klausul *m*
escapade [ɛskə'peɪd] s eskapade *m*
escape [ɪs'keɪp] 1 s (**a**) (*from prison*) flukt *m*, rømning *m* ❑ *It was a daring escape.* Det var en vågal flukt *or* rømning.
(**b**) (*from person*) ▸ **dreams of escape from her husband** drømmer om å rømme *or* flykte fra mannen sin
(**c**) (*of gas*) lekkasje *m*
2 VI (**a**) (= *get away*) rømme (*v2x*), flykte (*v1*) ❑ *The two other burglars were tipped off by a lookout and escaped.* De to andre tyvene ble tipset av en som holdt utkikk, og rømte.
(**b**) (*from jail*) rømme (*v2x*) ❑ *...George Blake escaped from prison.* ...George Blake rømte fra fengselet.
(**c**) (= *leak*) slippe* ut ❑ *...air escaping from a tyre.* ...luft som slipper ut av et dekk.
3 VT (*+consequences, responsibility etc*) slippe* unna
▸ **his name escapes me** jeg får ikke tak i navnet hans
▸ **to escape from** (**a**) (*+place*) rømme (*v2x*) *or* flykte (*v1*) fra
(**b**) (*+person*) slippe* unna
▸ **to escape to (another place)** flykte (*v1*) til (et annet sted)
▸ **to escape to safety** komme* seg i sikkerhet
▸ **to escape notice** unngå* oppmerksomhet
escape artist s rømningsartist *m*
escape clause s forbeholdsklausul *m*
escapee [ɪskeɪ'piː] s rømling *m*
escape hatch s rømningsluke *c*
escape key (*DATA*) s escape-tast *m*
escape route s (*from fire*) rømningsvei *m*; (*of prisoners etc*) fluktrute *c*
escapism [ɪs'keɪpɪzəm] s eskapisme *m*, virkelighetsflukt *m*
escapist [ɪs'keɪpɪst] ADJ (*literature*) eskapistisk
escapologist [ɛskə'pɔlədʒɪst] (*BRIT*) s = **escape**

artist
escarpment [ɪs'kɑːpmənt] s (langstrakt) brattheng *nt*
eschew [ɪs'tʃuː] (*fml*) VT (+*company, violence*) sky (*v4*), unngå*
escort [*N* 'ɛskɔːt, *VB* ɪs'kɔːt] 1 s (**a**) (*MIL, POLITI*) eskorte *m*
(**b**) (= *companion*) ledsager *m*
2 VT ledsage (*v1*), eskortere (*v2*) ❑ *John would be only too pleased to escort you.* John ville* bli* svært glad for å få* ledsage *or* eskortere deg.
escort agency s eskortebyrå *nt* (*som skaffer ledsager for en kveld*)
Eskimo ['ɛskɪməu] s eskimo *m*
ESL (*SKOL*) S FK (= **English as a Second Language**) engelsk som andrespråk
esophagus [iː'sɔfəgəs] (*US*) s = **oesophagus**
esoteric [ɛsə'tɛrɪk] ADJ esoterisk
ESP S FK (= **extrasensory perception**) *utenomsanselig persepsjon*; (*SKOL*) (= **English for Special Purposes**) fagspråksengelsk
esp. FK = **especially**
especially [ɪs'pɛʃlɪ] ADV (**a**) (= *above all, particularly*) særlig, spesielt ❑ *They don't trust anyone. Especially people in our position.* De stoler ikke på noen. Særlig *or* spesielt folk i vår stilling.
(**b**) (= *more than usually*) ekstra ❑ *I tried to appear especially cheerful.* Jeg prøvde å virke ekstra fornøyd.
espionage ['ɛspɪənɑːʒ] s spionasje *m*
esplanade [ɛsplə'neɪd] s esplanade *m*
espouse [ɪs'pauz] VT (+*policy, idea*) anta*, slutte (*v1*) seg til
Esquire [ɪs'kwaɪəʳ] s (*abbr Esq.*) ▸ **J. Brown, Esquire** ≈ herr J. Brown (*abbr hr.*)
essay ['ɛseɪ] s (*SKOL*) stil *m*; (*LITT*) essay *nt*
essence ['ɛsns] s (**a**) (= *soul, spirit*) innerste vesen *nt* ❑ *London has changed a lot, but her essence has remained.* London har forandret seg mye, men dens innerste vesen har forblitt det samme.
(**b**) (*KULIN*) essens *m* ❑ *...brandy essence.* ...konjakkessens.
▸ **in essence** i hovedsak
▸ **speed is of the essence** fart er helt avgjørende
essential [ɪ'sɛnʃl] 1 ADJ (**a**) (= *necessary, vital*) helt vesentlig *or* avgjørende ❑ *Land is essential for food and for work.* Jord er helt vesentlig *or* helt avgjørende for mat og for arbeid.
(**b**) (= *basic*) vesentlig, grunnleggende ❑ *...the essential feature of the situation.* ...det vesentlige *or* grunnleggende trekket ved situasjonen.
2 s (absolutt) nødvendighet *c* ❑ *...other essentials such as fuel and clothing.* ...andre (absolutte) nødvendigheter som brensel og klær.
▸ **it is essential that** det er (helt) vesentlig at
essentially [ɪ'sɛnʃəlɪ] ADV (= *basically*) i alt vesentlig ❑ *Phyllis was essentially a caring person.* Phyllis var i alt vesentlig et omsorgsfullt menneske.
EST (*US*) FK (= **Eastern Standard Time**) *normaltid i tidssonen som dekker østlige deler av USA*
est. FK (= **established**) etbl. (= *etablert*) (= **estimate(d)**) beregne(t)
establish [ɪs'tæblɪʃ] VT (**a**) (+*organization*) grunnlegge*
(**b**) (+*firm*) etablere (*v2*)
(**c**) (+*facts, cause, proof*) fastslå*
(**d**) (+*relations, contact*) etablere (*v2*), opprette (*v1*)
(**e**) (+*reputation*) skaffe (*v1*) (seg) ❑ *He immediately established his reputation as a radical.* Han skaffet seg straks et rykte som radikal. *This soon established his reputation as a writer.* Dette skaffet ham snart et (godt) rykte som forfatter.
established [ɪs'tæblɪʃt] ADJ (*business, practice, custom*) etablert ❑ *...a well-established custom...* en veletablert skikk...
establishment [ɪs'tæblɪʃmənt] s (**a**) (*of firm*) etablering *c*
(**b**) (*of organization*) grunnleggelse *m*, opprettelse *m*
(**c**) (= *shop etc*) etablissement *nt* ❑ *At least one establishment in Savile Row...* Minst et etablissement i Savile Row...
▸ **the Establishment** de etablerte, samfunnsstøttene, the establishment
estate [ɪs'teɪt] s (**a**) (*land*) (land)eiendom *m*
(**b**) (*BRIT*: ***housing estate***) boligområde *nt*, boligfelt *nt*
(**c**) (*JUR*) bo *nt* ❑ *He divided his estate among his four brothers.* Han delte boet sitt mellom sine fire brødre.
estate agency (*BRIT*) s eiendomsmeglerfirma *nt*
estate agent (*BRIT*) s eiendomsmegler *m*
estate car (*BRIT*) s stasjonsvogn *c*
esteem [ɪs'tiːm] s ▸ **to hold sb in high esteem** ha* stor aktelse for noen
esthetic [ɪs'θɛtɪk] (*US*) ADJ = **aesthetic**
estimate [*N* 'ɛstɪmət, *VB* 'ɛstɪmeɪt] 1 s (**a**) (= *calculation*) beregning *c*, overslag *nt*
❑ *According to estimates...* I følge beregninger *or* overslag...
(**b**) (= *assessment*) vurdering *c* ❑ *I've had to revise my estimate somewhat...* Jeg har måttet revidere vurderingen min litt...
(**c**) (*MERK*: *of builder*) anbud *nt* ❑ *...two written estimates.* ...to skriftlige anbud.
2 VT anslå*, beregne (*v1*) ❑ *...damage estimated at £300m.* ...skader som ble anslått *or* beregnet til 300 millioner pund.
▸ **to give sb an estimate of** gi* noen et overslag over
▸ **at a rough estimate** grovt anslått *or* regnet
▸ **I estimate that** jeg vil anslå at
estimation [ɛstɪ'meɪʃən] s (**a**) (= *opinion*) oppfatning *m* ❑ *Their children's estimation of them will gradually get lower.* Deres barns oppfatning av dem vil gradvis bli* dårligere.
(**b**) (= *calculation*) anslag *nt* ❑ *...an estimation of the speed of the air.* ...et anslag av farten til luften.
▸ **in my estimation** etter min oppfatning
estimator ['ɛstɪmeɪtəʳ] s takstmann *m*
Estonia [ɛs'təunɪə] s Estland
Estonian [ɛs'təunɪən] ADJ estisk
estranged [ɪs'treɪndʒd] ADJ (**a**) (*wife, husband*) fraskilt, *som man ikke bor sammen med*
(**b**) (*couple*) som ikke bor sammen
▸ **he was estranged from his wife** han bodde ikke lenger sammen med sin kone

estrangement [ɪs'treɪndʒmənt] s (*from wife, family*) atskillelse *m*
estrogen ['i:strəudʒən] (*US*) s = **oestrogen**
estuary ['ɛstjuərɪ] s elvemunning *m*
ET S FK (*BRIT*) (= **Employment Training**) arbeidsforberedende trening *c*
ETA S FK (= **estimated time of arrival**) beregnet ankomst *m*
et al. [et'æl] FK (= *and others*) (= **et alii**) m.fl., mfl. (= *med flere*) ofl., o.fl. (= *og flere*) o.a. (= *og andre*)
etc. FK (= **et cetera**) osv (= *og så videre*)
etch [ɛtʃ] 1 VI etse (*v1*)
2 VT ▸ **to etch (on)** etse (*v1*) inn (i)
etching ['ɛtʃɪŋ] s radering *c*
ETD S FK (= **estimated time of departure**) beregnet avgangstid *c*
eternal [ɪ'tə:nl] ADJ evig ❑ *...the land of eternal cold.* ...landet med evig kulde. *...a society which lives by eternal principles.* ...et samfunn som lever etter evige prinsipper.
eternity [ɪ'tə:nɪtɪ] s evighet *c*
ether ['i:θə^r] (*KJEM*) s eter *m*
ethereal [ɪ'θɪərɪəl] ADJ eterisk, overjordisk
ethical ['ɛθɪkl] ADJ (*question, problem*) etisk
ethics ['ɛθɪks] 1 s (*science*) etikk *m* ❑ *All ethics seeks some degree of general application.* All etikk søker noen grad av allmenn anvendelse.
2 SPL (*morality*) moral *m* ❑ *She despised his business ethics.* Hun foraktet forretningsmoralen hans.
Ethiopia [i:θɪ'əupɪə] s Etiopia
Ethiopian [i:θɪ'əupɪən] 1 ADJ etiopisk
2 s (*person*) etioper *m*
ethnic ['ɛθnɪk] ADJ etnisk ❑ *...ethnic minorities.* ...etniske minoriteter. *She's really into ethnic music.* Hun er svært opptatt av etnisk musikk.
ethnic cleansing s etninsk rensing *m*
ethnology [ɛθ'nɔlədʒɪ] s etnologi *m*
ethos ['i:θɔs] s etos *nt*
etiquette ['ɛtɪkɛt] s etikette *m*
ETV (*US*) S FK (= **Educational Television**) ≈ skolefjernsyn *nt*
etymology [ɛtɪ'mɔlədʒɪ] s etymologi *m* NB *...the etymology of "Wednesday".* ...etymologien til "Wednesday".
EU S FK (= **European Union**) EU
eucalyptus [ju:kə'lɪptəs] s eukalyptus *m*
Eucharist ['ju:kərɪst] s ▸ **the Eucharist** nattverden
eulogy ['ju:lədʒɪ] s lovtale *m*
euphemism ['ju:fəmɪzəm] s eufemisme *m*, forskjønnende omskriving *c*
euphemistic [ju:fə'mɪstɪk] ADJ eufemistisk, forskjønnende
euphoria [ju:'fɔ:rɪə] s lykkerus *m*, eufori *m*
Eurasia [juə'reɪʃə] s Eurasia
Eurasian [juə'reɪʃən] 1 ADJ eurasisk
2 s (*person*) eurasier *m*
Euratom [juə'rætəm] S FK (= **European Atomic Energy Community**) Det europeiske atomenergifellesskapet
Euro ['juərəu] s (*currency*) Euro *m*
euro ['juərəu] s (*currency*) euro *m*
Euro- ['juərəu] PREF euro-
Eurocheque ['juərəutʃɛk] s Eurosjekk *m*
Eurocrat ['juərəukræt] s eurokrat *m*, EU-byråkrat *m*
Eurodollar ['juərəudɔlə^r] s eurodollar *m*
Europe ['juərəp] s Europa
European [juərə'pi:ən] 1 ADJ europeisk
2 s (*person*) europeer *m*
European Community s ▸ **the European Community** Det europeiske fellesskapet
European Court of Justice s ▸ **the European Court of Justice** Den europeiske domstol
European Economic Community s ▸ **the European Economic Community** Fellesmarkedet, EEC
European Union s Den europeiske union *m*
Euro-sceptic ['juərəuskɛptɪk] s euroskeptiker *m*
euthanasia [ju:θə'neɪzɪə] s barmhjertighetsdrap *nt*, aktiv dødshjelp *m*
evacuate [ɪ'vækjueɪt] VT (+*people, place*) evakuere (*v2*)
evacuation [ɪvækju'eɪʃən] s (*of people, place*) evakuering *c*
evacuee [ɪvækju'i:] s evakuert *m*
evade [ɪ'veɪd] VT (+*tax, duty*) unngå*; (+*question, responsibility*) unngå*, unnvike*; (+*person*) unnslippe*
evaluate [ɪ'væljueɪt] VT (+*importance, achievement, situation*) evaluere (*v2*), vurdere (*v2*)
evangelical [i:væn'dʒɛlɪkl] ADJ evangelisk
evangelist [ɪ'vændʒəlɪst] s evangelist *m*; (= *preacher*) (omreisende) predikant *m*
evangelize [ɪ'vændʒəlaɪz] VI evangelisere (*v2*)
evaporate [ɪ'væpəreɪt] VI (**a**) (*liquid+*) fordampe (*v1*) ❑ *Boil until all the water has evaporated.* La det koke til alt vannet har fordampet.
(**b**) (*fig : feeling, attitude*) dunste (*v1*) bort ❑ *Outraged public opinion had evaporated.* Den rasende folkeopinionen har dunstet bort.
evaporated milk s kondensert melk *c*
evaporation [ɪvæpə'reɪʃən] s fordamping *c*
evasion [ɪ'veɪʒən] s (**a**) (*of responsibility, situation etc*) unnvikelse *m*
(**b**) (*of tax*) unndragelse *m* ❑ *...tax evasion.* ...skatteunndragelse.
evasive [ɪ'veɪsɪv] ADJ (*reply, person*) unnvikende ▸ **evasive action** unnvikelsesaksjon *m* NB *It might be necessary to take evasive action.* Det kan bli* nødvendig med en unnvikelsesaksjon.
eve [i:v] s ▸ **on the eve of** dagen før
▸ **Christmas Eve** julaften
▸ **New Year's Eve** nyttårsaften
even ['i:vn] 1 ADJ (**a**) (= *level, smooth*) jevn ❑ *The road wasn't very even.* Veien var ikke særlig jevn. *...a nice even surface.* ...en fin, jevn overflate.
(**b**) (= *equal*) lik ❑ *Land distribution here is much more even...* Fordelingen av jord her er mye mer lik...
(**c**) (*number*) lik ❑ *Houses with even numbers...* Hus med like nummer...
2 ADV (*showing surprise*) til og med, selv ❑ *She liked him even when she was quarrelling with him.* Hun likte ham til og med *or* selv når hun kranglet med ham.
▸ **even more** enda mer/flere
▸ **even better/faster** enda bedre/fortere

▸ **even if** selv om
▸ **even though** selv om
▸ **even so** likevel
▸ **not even** ikke engang
▸ **even he was there** til og med *or* selv han var der
▸ **even on Sundays** til og med *or* selv på søndager
▸ **to break even** gå* i balanse
▸ **to get even with sb** hevne (*v1*) seg på noen
▸ **even out** 1 VT jevne (*v1*) ut
2 VI jevne (*v1*) seg ut
even-handed ['i:vnhændɪd] ADJ upartisk
evening ['i:vnɪŋ] s (**a**) kveld *m*
(**b**) (*event*) kveld *m*, aften *m* ❑ *Tell me about the meditation evenings that you go to.* Fortell meg om meditasjonskveldene *or* meditasjonsaftenene som du går på.
▸ **in the evening** om kvelden
▸ **this evening** i kveld
▸ **tomorrow/yesterday evening** i morgen kveld/i går kveld
evening class s kveldskurs *nt*
evening dress s (*woman's*) aftenkjole *m*; (= *formal clothes: no pl*) aftenantrekk *nt*
evenly ['i:vnlɪ] ADV (*distribute, space, spread, breathe*) jevnt; (*divide*) likt, jevnt
evensong ['i:vnsɔŋ] s aftensang *m*
event [ɪ'vɛnt] s (**a**) (= *occurrence*) hendelse *m*, begivenhet *c* ❑ *Next day the newspapers reported the event.* Den neste dagen rapporterte avisene hendelsen *or* begivenheten.
(**b**) (*SPORT*) konkurranse *m*, øvelse *m* ❑ *...a team event.* ...en lagkonkurranse *or* en lagøvelse.
▸ **in the normal course of events** under normale omstendigheter
▸ **in the event of...** ved en eventuell... ❑ *In the event of a tie, the winner will be decided by the toss of a coin.* Ved et eventuelt uavgjort resultat *or* i tilfelle det skulle* bli* uavgjort, vil vinneren bli* kåret ved mynt og krone.
▸ **in the event** når det kommer/da det kom til stykket ❑ *In the event, it turned out to be rather fun.* Da det kom til stykket, viste det seg å bli* ganske gøy.
▸ **at all events** *(BRIT)*, **in any event** i hvert fall
eventful [ɪ'vɛntful] ADJ (*day, life, game etc*) begivenhetsrik
eventual [ɪ'vɛntʃuəl] ADJ endelig ❑ *...anxiety about the eventual outcome.* ...engstelse for det endelige resultatet.
eventuality [ɪvɛntʃu'ælɪtɪ] s eventualitet *m*
eventually [ɪ'vɛntʃuəlɪ] ADV (**a**) (= *finally*) til slutt, til sist, omsider ❑ *Rodin eventually agreed that Casson was right.* Rodin sa seg til slutt *or* til sist *or* omsider enig i at Casson hadde rett.
(**b**) (= *in time*) til slutt *or* sist ❑ *His activities eventually led him into politics.* Aktivitetene hans førte ham til slutt *or* sist inn i politikken.
ever ['ɛvəʳ] ADV (**a**) (= *always*) stadig, alltid ❑ *Ever hopeful, McKellen never gave up.* McKellen beholdt stadig *or* alltid håpet, og gav aldri opp.
(**b**) (= *at any time*) noen gang, noensinne ❑ *I don't think I'll ever be homesick here.* Jeg tror ikke jeg noen gang *or* noensinne kommer til å lengte hjem herfra.
▸ **why ever not?** hvorfor i all verden ikke?
▸ **the best ever** den beste noensinne
▸ **have you ever seen it?** har du noen gang sett den?
▸ **for ever** for alltid
▸ **hardly ever** nesten aldri
▸ **better than ever** bedre enn noensinne
▸ **ever since** 1 ADV hele tiden siden ❑ *We have been devoted friends ever since.* Vi har vært hengivne venner hele tiden siden. 2 KONJ helt siden ❑ *Jack has loved trains ever since his boyhood.* Jack har elsket tog helt siden barndommen.
▸ **ever so pretty** kjempepen
▸ **thank you ever so much** tusen hjertelig takk
▸ **yours ever** (*BRIT*) hjertelig hilsen
Everest ['ɛvərɪst] s ▸ **(Mount) Everest** (Mount) Everest
evergreen ['ɛvəgri:n] ADJ eviggrønn
everlasting [ɛvə'lɑ:stɪŋ] ADJ (*love etc*) evig, evigvarende; (*life*) evig

KEYWORD

every ['ɛvrɪ] 1 ADJ (**a**) (= *each*) hver eneste, alle ❑ *Every shop in the town was closed.* Hver eneste butikk i byen var stengt. *I interviewed every applicant.* Jeg intervjuet hver eneste søker.
▸ **every one of them** alle sammen, hver eneste en av dem
(**b**) (= *all possible*) all
▸ **every assistance/confidence** all mulig hjelp/tillit
▸ **he's every bit as clever as his brother** han er på alle måter like flink som broren sin
(**c**) (*showing recurrence*) hver
▸ **every day/week** hver dag/uke
▸ **every Sunday** hver søndag
▸ **every other car** annenhver bil
▸ **every other/third day** hver andre/tredje dag
▸ **every now and then** fra tid til annen

everybody ['ɛvrɪbɔdɪ] PRON alle
▸ **everybody knows about it** alle vet om det
▸ **everybody else** alle andre
everyday ['ɛvrɪdeɪ] ADJ (**a**) (= *daily*) daglig, hverdags- ❑ *People resumed their everyday life.* Folk gjenopptok sine daglige sysler *or* sine hverdagssysler.
(**b**) (= *usual, common*) daglig ❑ *Exercise is part of my everyday routine.* Mosjon er en del av min daglige rutine.
everyone ['ɛvrɪwʌn] PRON = **everybody**
everything ['ɛvrɪθɪŋ] PRON alt
▸ **everything is ready** alt er klart
▸ **he did everything possible** han gjorde alt som var mulig
everywhere ['ɛvrɪwɛəʳ] ADV overalt ❑ *People everywhere...* Folk overalt... *Everywhere I went...* Overalt (hvor) jeg kom...
evict [ɪ'vɪkt] VT kaste (*v1*) ut
eviction [ɪ'vɪkʃən] s utkastelse *m*
eviction notice s utkastelsesvarsel *nt*
eviction order s utkastelsesordre *m*
evidence ['ɛvɪdns] s (**a**) (= *proof*) bevis *nt* ❑ *There is no evidence to suggest it will occur.* Det er

ikke noe bevis som antyder at det vil skje. *There was no real evidence against Davis.* Det var ikke noe ordentlig bevis mot Davis.
(**b**) (= *statement*) vitneforklaring *c* ❑ *...the evidence she gave was rejected.* ...vitneforklaringen hun gav, ble avvist.
(**c**) (= *signs, indications*) tegn *pl* ❑ *In China, we saw evidence everywhere that...* I Kina så vi tegn overalt på at...
▸ **to give evidence** avgi* vitneforklaring, vitne (*v1*)
▸ **to show evidence of** vise (*v2*) tegn på
▸ **in evidence** (= *obvious*) synlig ❑ *Lawlessness was particularly in evidence in the towns.* Lovløsheten var spesielt synlig i byene.

evident ['ɛvɪdnt] ADJ ▸ **evident (to)** åpenbar (for), tydelig (for) ❑ *She took a sip with evident enjoyment.* Hun tok en slurk med åpenbar *or* tydelig nytelse. *Their exact purpose was not always evident to observers.* Akkurat hva som var hensikten deres, var ikke alltid åpenbart *or* tydelig for iakttakere.

evidently ['ɛvɪdntlɪ] ADV åpenbart ❑ *She was evidently excited.* Hun var åpenbart spent. *Evidently he feared I was going to refuse.* Åpenbart fryktet han at jeg skulle* nekte.

evil ['i:vl] 1 ADJ (*person, system, influence*) ond
2 s det onde ❑ *...the conflict between good and evil.* ...konflikten mellom det gode og det onde. *Taxation is a necessary evil.* Skattlegging er et nødvendig onde.

evocative [ɪ'vɔkətɪv] ADJ stemningsskapende

evoke [ɪ'vəuk] VT framkalle (*v2x*), vekke (*v1 or v2x*)

evolution [i:və'lu:ʃən] s (**a**) (*BIO*) evolusjon *m*, utvikling *c* ❑ *The Darwinian theory of evolution...* Darwins evolusjonsteori *or* utviklingsteori...
(**b**) (= *development*) (gradvis) utvikling *c* ❑ *...the evolution of parliamentary democracy.* ...(den gradvise) utviklingen av parlamentarisk demokrati.

evolve [ɪ'vɔlv] 1 VT (+*scheme, style*) utvikle (*v1*) ❑ *How did Giotto evolve this very personal style?* Hvordan utviklet Giotto denne svært personlige stilen?
2 VI utvikle (*v1*) seg ❑ *The early fish evolved into 30,000 different species.* Den første fisken utviklet seg til 30 000 forskjellige arter. *This policy must have evolved over time.* Denne politikken må ha* utviklet seg over tid.

ewe [ju:] s søye *c*

ewer ['ju:əʳ] s vannmugge *c*

ex- [ɛks] PREF eks-

exacerbate [ɛks'æsəbeɪt] VT (+*crisis, problem*) forverre (*v1*), intensivere (*v2*); (+*pain, condition*) forverre (*v1*)

exact [ɪg'zækt] 1 ADJ (**a**) (= *correct: time, amount, word etc*) nøyaktig, eksakt ❑ *He noted the exact time and place.* Han noterte den nøyaktige *or* eksakte tiden og stedet.
(**b**) (*person, worker*) nøyaktig ❑ *...an exact and patient scientist.* ...en nøyaktig og tålmodig vitenskapsmann.
2 VT ▸ **to exact sth (from)** (+*obedience, payment etc*) kreve (*v3*) noe (av), fordre (*v1*) noe (av)

exacting [ɪg'zæktɪŋ] ADJ (*task, conditions, person*) krevende

exactly [ɪg'zæktlɪ] ADV (= *precisely*) nøyaktig, akkurat, eksakt NB *I don't know exactly where it is.* Jeg vet ikke nøyaktig *or* akkurat *or* eksakt hvor det er. NB *That's exactly what they told me.* Det er akkurat *or* nettopp det de fortalte meg.; (*indicating emphasis or agreement*) ▸ **exactly!** akkurat!, nettopp!

exaggerate [ɪg'zædʒəreɪt] VTI overdrive*

exaggerated [ɪg'zædʒəreɪtɪd] ADJ overdreven

exaggeration [ɪgzædʒə'reɪʃən] s overdrivelse *m*

exalt [ɪg'zɔ:lt] VT lovprise (*v2*)

exalted [ɪg'zɔ:ltɪd] ADJ (**a**) (= *prominent*) høytstående ❑ *I had never met so exalted a person.* Jeg hadde aldri møtt en så høytstående person.
(**b**) (= *elated*) lykksalig, oppstemt ❑ *...joyous and exalted and free.* ...glad og lykksalig *or* oppstemt og fri.

exam [ɪg'zæm] s eksamen *m*

examination [ɪgzæmɪ'neɪʃən] s (**a**) (= *inspection, also MED*) undersøkelse *m* ❑ *...a detailed examination of the house.* ...en detaljert undersøkelse av huset.
(**b**) (*of candidate, witness, SCOL*) eksamen *m* ❑ *...a three-hour written examination.* ...en tretimers skriftlig eksamen. *...the witness had lied under examination.* ...vitnet hadde løyet under eksaminasjonen.
▸ **to take** *or (BRIT)* **sit an examination** ta* en eksamen
▸ **the matter is under examination** saken blir undersøkt *or* gransket

examine [ɪg'zæmɪn] VT (+*object, plan, accounts etc*) undersøke (*v2*), granske (*v1*); (*SKOL*) eksaminere (*v2*); (*JUR*) eksaminere (*v2*), forhøre (*v2*); (*MED*) undersøke (*v2*)

examiner [ɪg'zæmɪnəʳ] (*SKOL*) s (*setting exam*) eksaminator *m*; (*marking exam*) sensor *m*

example [ɪg'zɑ:mpl] s eksempel *nt*
▸ **an example of** et eksempel på
▸ **an example to** et eksempel for ❑ *...a shining example to progressive people everywhere.* ...et lysende eksempel for progressive mennesker overalt.
▸ **for example** for eksempel
▸ **to set a good/bad example** være* et godt/dårlig forbilde

exasperate [ɪg'zɑ:spəreɪt] VT forarge (*v1*)
▸ **exasperated by** *or* **with** ute av seg over *or* for, forarget over

exasperating [ɪg'zɑ:spəreɪtɪŋ] ADJ (*person, day, job*) enerverende, slitsom

exasperation [ɪgzɑ:spə'reɪʃən] s ergrelse *m*, forargelse *m*
▸ **in exasperation** forarget, oppgitt

excavate ['ɛkskəveɪt] VTI grave (*v3*) ut

excavation [ɛkskə'veɪʃən] s utgraving *c*

excavator ['ɛkskəveɪtəʳ] s gravemaskin *m*

exceed [ɪk'si:d] VT (**a**) (+*number, amount*) overstige* ❑ *His gross income will exceed £4 million.* Bruttoinntekten hans vil overstige 4 millioner pund.
(**b**) (+*speed limit, budget etc*) overskride*
(**c**) (+*powers, hopes, duties*) gå* utover, sette* seg

utover ❑ *You were exceeding your duty in opening those letters.* Du satte deg *or* gikk utover plikten din ved å åpne de brevene.

exceedingly [ɪk'si:dɪŋlɪ] ADV (*stupid, rich, pleasant*) umåtelig

excel [ɪk'sɛl] 1 VI ▸ **to excel (in/at)** (*+sports, business etc*) briljere (*v2*) (i), utmerke (*v1*) seg (i)
2 VT (*BRIT*) ▸ **to excel o.s.** overgå* seg selv

excellence ['ɛksələns] S fortreffelighet *c*, (stor) dyktighet *c* ❑ *...his excellence as an orator.* ...fortreffeligheten *or* (den store) dyktigheten hans som taler.

Excellency ['ɛksələnsɪ] S ▸ **His Excellency** Hans Eksellense *m*

excellent ['ɛksələnt] 1 ADJ (*idea, work etc*) glimrende, utmerket, ypperlig
2 INTERJ ▸ **excellent!** glimrende!, utmerket!

except [ɪk'sɛpt] 1 PREP (= *apart from*: ***except for, excepting***) unntatt ❑ *Anything, except water, is likely to block a sink.* Alt unntatt vann kan lett tette en vask.
2 VT ▸ **to except sb (from)** (*+attack, criticism etc*) unnta* noen (fra)
▸ **except if/when** unntatt hvis/når ❑ *He no longer went out, except when Jeannie forced him.* Han gikk ikke lenger ut, unntatt når Jeannie tvang ham.
▸ **except that** bortsett fra at, unntatt at ❑ *I can scarcely remember what we ate, except that it was plentiful.* Jeg kan knapt huske hva vi spiste, bortsett fra at *or* unntatt at det var rikelig.

excepting [ɪk'sɛptɪŋ] PREP med unntak av

exception [ɪk'sɛpʃən] S unntak *nt*
▸ **to take exception to** ta* anstøt av, bli* støtt av
▸ **with the exception of** med unntak av

exceptional [ɪk'sɛpʃənl] ADJ (**a**) (*person, talent*) usedvanlig, makeløs, enestående ❑ *She was an exceptional teacher.* Hun var en usedvanlig *or* makeløs *or* enestående lærer.
(**b**) (*circumstances*) eksepsjonell ❑ *...exceptional needs.* ...eksepsjonelle behov.

excerpt ['ɛksə:pt] S utdrag *nt*

excess [ɪk'sɛs] 1 S (**a**) (= *surplus*) ▸ **an excess of** for mye/for stor ❑ *Inflation results from an excess of demand over supply.* Inflasjon skyldes for stor etterspørsel i forhold til tilbudet.
(**b**) (*FORS*) ≈ egenandel *m*
2 ADJ overflødig
▸ **excesses** SPL eksesser ❑ *...the excesses of the French Revolution.* ...den franske revolusjonens eksesser.
▸ **in excess of** ut over ❑ *...interest rates in excess of 20%...* renter ut over 20 %...

excess baggage S overvektig bagasje *m*

excess fare (*BRIT: JERNB*) S tillegg *nt* i billettpris (*for å kjøre lengre*)

excessive [ɪk'sɛsɪv] ADJ overdreven, urimelig stor

exchange [ɪks'tʃeɪndʒ] 1 S (**a**) (= *swapping: of objects, ideas, students*) utveksling *c* ❑ *...an exchange of gifts.* ...en utveksling av gaver. *...an exchange of views.* ...en meningsutveksling. *...an exchange with a school in Italy.* ...en utveksling med en skole i Italia.
(**b**) (= *conversation*) ordveksling *c* ❑ *Our exchange was heated...* Ordvekslingen vår var opphetet...
(**c**) (*also* ***telephone exchange***) sentral *m*
2 VT ▸ **to exchange (for)** bytte (*v1*) (mot)
▸ **in exchange for** i bytte for
▸ **foreign exchange** valuta *m*

exchange control S valutakontroll *m*

exchange market S valutamarked *nt*

exchange rate S valutakurs *m*

Exchequer [ɪks'tʃɛkə^r] (*BRIT*) S ▸ **the Exchequer** ≈ Finansdepartementet

excisable [ɪk'saɪzəbl] ADJ avgiftsbelagt

excise [*N* 'ɛksaɪz, *VB* ɛk'saɪz] 1 S (= *tax*) forbrukeravgift *c*
2 VT (= *remove*) fjerne (*v1*) (*operativt*)

excise duties ['ɛksaɪz-] SPL forbrukeravgift *c*

excitable [ɪk'saɪtəbl] ADJ lettpåvirkelig

excite [ɪk'saɪt] VT (**a**) (*gen*) anspore (*v1*), oppildne (*v1*) ❑ *The idea of journalism excited me.* Tanken på journalistikk ansporet *or* oppildnet meg.
(**b**) (*sexually*) opphisse (*v1*)

excited [ɪk'saɪtɪd] ADJ begeistret; (*sexually*) opphisset

excitement [ɪk'saɪtmənt] S spenning *c*, begeistring *c*

exciting [ɪk'saɪtɪŋ] ADJ spennende

excl. FK = **excluding, exclusive (of)**

exclaim [ɪks'kleɪm] VI utbryte*
▸ **to exclaim at** *or* **over sth** komme* med (begeistrede) utrop over noe

exclamation [ɛksklə'meɪʃən] S utrop *nt*

exclamation mark S utropstegn *nt*

exclude [ɪks'klu:d] VT ▸ **to exclude (from)** (*+fact, possibility, person*) utelukke (*v1*) (fra), ekskludere (*v2*) (fra)

excluding [ɪks'klu:dɪŋ] PREP ▸ **excluding VAT** ≈ eksklusive mva

exclusion [ɪks'klu:ʒən] S utelukkelse *m*, *det å bli* utelatt* NB *...their exclusion from the rights that others enjoy.* ...det at de ble utelukket fra rettighetene som andre nyter.
▸ **to the exclusion of sth** slik at noe er/blir utelukket, på bekostning av noe

exclusion clause S eksklusjonsparagraf *m*

exclusion zone S forbudt område *nt*

exclusive [ɪks'klu:sɪv] 1 ADJ (**a**) (*club, district*) eksklusiv ❑ *...an exclusive gathering of top executives and their wives.* ...en eksklusiv forsamling av toppledere og konene deres.
(**b**) (*story, interview*) eksklusiv, med enerett
2 S (*PRESS*) eksklusiv artikkel *m* ❑ *The story was a Times exclusive.* Historien var en eksklusiv Times-artikkel.
▸ **exclusive of postage** eksklusive porto
▸ **to have exclusive use of sth** ha* enerett på å bruke noe
▸ **from 1st to 15th March exclusive** fra 1. til 15. mars (*med avreise den 15.*)
▸ **exclusive of tax** eksklusive skatt
▸ **mutually exclusive** som utelukker hverandre gjensidig

exclusively [ɪks'klu:sɪvlɪ] ADV utelukkende

exclusive rights SPL enerett *m*

excommunicate [ɛkskə'mju:nɪkeɪt] VT lyse (*v2*) i bann, bannlyse (*v2*)

excrement ['ɛkskrəmənt] S ekskrement *nt*, avføring *c*

excruciating [ɪks'kru:ʃɪeɪtɪŋ] ADJ (*pain, agony, noise, embarrassment*) ulidelig, uutholdelig ❑ *...a home which she associated with excruciating unhappiness.* ...et hjem som hun forbandt med ulidelig *or* uutholdelig mistrøstighet.

excursion [ɪks'kə:ʃən] s (*touristic*) utflukt *m*, ekskursjon *m*; (*shopping*) tur *m*

excursion ticket s *billett med rabatt på spesielle avganger*

excusable [ɪks'kju:zəbl] ADJ (*behaviour, mistake*) tilgivelig

excuse [N ɪks'kju:s, VB ɪks'kju:z] 1 s unnskyldning *m* ❑ *He kept finding excuses not to go home.* Han fant stadig unnskyldninger for ikke å dra hjem.
2 VT unnskylde (*v2*) ❑ *I could never excuse his bad manners.* Jeg kunne* aldri unnskylde de dårlige manerene hans.
▸ **to excuse sb from doing sth** frita* noen fra å gjøre* noe ❑ *She asked to be excused from acting that evening.* Hun bad om å bli* fritatt fra å spille den kvelden.
▸ **excuse me!** unnskyld (meg)!
▸ **if you will excuse me...** hvis du kan ha* meg unnskyldt...
▸ **to excuse o.s. for sth/for doing sth** be* om unnskyldning *or* forlatelse for noe/for å ha* gjort noe
▸ **to make excuses for sb** unnskylde (*v2*) noen
▸ **that's no excuse!** det er ingen unnskyldning!

ex-directory ['ɛksdɪ'rɛktərɪ] (BRIT: TEL) ADJ (*number*) hemmelig
▸ **she's ex-directory** hun har hemmelig telefonnummer

execrable ['ɛksɪkrəbl] ADJ (*accent, taste*) gyselig, redselsfull; (*food*) gyselig, horribel

execute ['ɛksɪkju:t] VT (**a**) (*+person*) henrette (*v1*) ❑ *A month or two later they executed the king.* En måned eller to senere henrettet de kongen.
(**b**) (*+plan, order, manoeuvre*) utføre (*v2*) ❑ *They did not execute the warrant immediately.* De utførte ikke ordren med en gang. *The dance was very skilfully executed.* Dansen ble dyktig utført.

execution [ɛksɪ'kju:ʃən] s (**a**) (*of person*) henrettelse *m*
(**b**) (*of plan, order, manoeuvre*) utførelse *m* ❑ *...a police officer in the execution of his duty.* ...en polititjenestemann som utførte sin plikt. *The idea was good but the execution lacked imagination.* Ideen var god, men utførelsen manglet fantasi.

executioner [ɛksɪ'kju:ʃnə[r]] s bøddel *m*

executive [ɪg'zɛkjutɪv] 1 s (**a**) (*person: of company*) leder *m* (*person i lederstilling*) ❑ *...business executives.* ...forretningsledere.
(**b**) (*committee*) styre *nt* ❑ *...the Party's National Executive.* ...partiets sentralstyre.
(**c**) (*POL*) den utøvende makt *c* ❑ *The executive had come to dominate the legislature.* Den utøvende makt hadde kommet til å dominere lovgivningen.
2 ADJ (**a**) (*board, role*) ledende, overordnet ❑ *...the executive function of actually running the business.* ...den ledende *or* overordnede rollen med å virkelig drive forretningen.
(**b**) (*car, plane*) standsmessig, eksklusiv
(**c**) (*chair*) sjefs-
▸ **executive secretary** sjefssekretær *m*

executive director s administrerende direktør *m*

executor [ɪg'zɛkjutə[r]] s eksekutor *m*

exemplary [ɪg'zɛmplərɪ] ADJ (*conduct, punishment*) eksemplarisk

exemplify [ɪg'zɛmplɪfaɪ] VT (**a**) (= *typify*) være* (et) eksempel på ❑ *Teachers exemplify the virtues of the middle class.* Lærere er eksempler på middelklassens dyder.
(**b**) (= *illustrate*) eksemplifisere (*v2*) ❑ *I'm going to try and exemplify one or two of these points.* Jeg skal prøve å eksemplifisere et eller to av disse punktene.

exempt [ɪg'zɛmpt] 1 ADJ ▸ **exempt from** fritatt fra *or* for
2 VT ▸ **to exempt sb from** frita* noen fra *or* for

exemption [ɪg'zɛmpʃən] s fritak *nt*

exercise ['ɛksəsaɪz] 1 s (**a**) (*no pl: keep-fit*) mosjon *m*, trim *m* ❑ *I have had all the exercise I need for one day.* Jeg har fått all den mosjonen *or* trimmen jeg trenger på en dag.
(**b**) (*series of movements, MUS, MIL*) øvelse *m* ❑ *...breathing exercises.* ...pusteøvelser. *...scales and exercises.* ...skalaer og øvelser. *...fleet exercises...* flåteøvelser...
(**c**) (*SKOL*) oppgave *c*, øvelse *m* ❑ *...exercise five.* ...oppgave *or* øvelse fem.
(**d**) (*of authority etc*) utøvelse *m* ❑ *The exercise of personal responsibility is encouraged.* Det blir oppmuntret til utøvelse av personlig ansvar.
2 VT (**a**) (= *carry out: right, authority etc*) utøve (*v3*)
(**b**) (*+patience*) utvise (*v2*) ❑ *They had no intention of exercising restraint.* De hadde ikke til hensikt å utvise tilbakeholdenhet.
(**c**) (*+dog*) mosjonere (*v2*) ❑ *He exercised the dog every day.* Han mosjonerte hunden hver dag.
(**d**) (*+mind*) sysselsette* ❑ *This problem has exercised the minds of academics...* Dette problemet har sysselsatt hjernene til akademikere...
3 VI (*also* ***to take exercise***) trimme (*v1*), mosjonere (*v2*)

exercise bike s trimsykkel *m*, ergometersykkel *m*

exercise book s innføringsbok *c*

exert [ɪg'zə:t] VT (*+influence, authority*) utøve (*v3*)
▸ **to exert o.s.** anstrenge (*v2*) seg

exertion [ɪg'zə:ʃən] s anstrengelse *m*

ex gratia ['ɛks'greɪʃə] ADJ ▸ **ex gratia payment** gratiale *nt*

exhale [ɛks'heɪl] VTI puste (*v1*) ut

exhaust [ɪg'zɔ:st] 1 s (**a**) (*BIL: **exhaust pipe***) eksosrør *nt*
(**b**) (*fumes*) eksos *m*
2 VT (**a**) (*+person*) utmatte (*v1*) ❑ *She exhausted Nell both nervously and physically.* Hun utmattet Neil både fysisk og psykisk.
(**b**) (*+money, resources etc*) bruke (*v2*) opp ❑ *They soon exhausted the food resources.* De brukte snart opp matressursene.
(**c**) (*+topic*) utdebattere (*v2*) ❑ *When the subject had been thoroughly exhausted...* Da emnet hadde blitt grundig utdebattert...
▸ **to exhaust o.s.** slite* seg ut

exhausted [ɪg'zɔ:stɪd] ADJ utmattet, utslitt
exhausting [ɪg'zɔ:stɪŋ] ADJ utmattende, slitsom
exhaustion [ɪg'zɔ:stʃən] s utmattelse *m*
▸ **nervous exhaustion** psykisk utmattelse *m*
exhaustive [ɪg'zɔ:stɪv] ADJ (*search, study*) uttømmende
exhibit [ɪg'zɪbɪt] 1 s (**a**) (*KUNST*) utstillingsgjenstand *m*, utstillingsobjekt *nt* ❑ *Our local gallery has over a thousand exhibits.* Det lokale galleriet vårt har over tusen utstillingsgjenstander *or* utstillingsobjekter.
(**b**) (*JUR*) bevisgjenstand *m* ❑ *Exhibit number two...* Bevisgjenstand nummer to...
2 VT (**a**) (*+quality, ability, emotion*) utvise (*v2*) ❑ *He still exhibited signs of stress.* Han utviste fremdeles tegn på stress.
(**b**) (*+paintings*) stille (*v2x*) ut ❑ *I exhibited some sketches I had done.* Jeg stilte ut noen skisser jeg hadde laget.
exhibition [ɛksɪ'bɪʃən] s (**a**) (*of paintings etc*) utstilling *c* ❑ *Did you see the Shakespeare exhibition?* Så du Shakespeare-utstillingen?
(**b**) (*of ill temper, talent etc*) demonstrasjon *m* ❑ *...an exhibition of arrogance.* ...en demonstrasjon av arroganse.
▸ **to make an exhibition of o.s.** dumme (*v1*) seg ut (*offentlig*)
exhibitionist [ɛksɪ'bɪʃənɪst] s ekshibisjonist *m*
exhibitor [ɪg'zɪbɪtə[r]] s utstiller *m*
exhilarating [ɪg'zɪləreɪtɪŋ] ADJ oppkvikkende, oppløftende
exhilaration [ɪgzɪlə'reɪʃən] s fryd *m*, opprømthet *c*
exhort [ɪg'zɔ:t] VT ▸ **to exhort sb to do sth** formane (*v2*) noen til å gjøre* noe
exile ['ɛksaɪl] 1 s (**a**) (*condition, state*) eksil *nt* ❑ *Nichiren was recalled from exile in 1274.* Nichiren ble kalt hjem fra eksil i 1274.
(**b**) (*person*) ▸ **an Iranian exile living in London** en eksiliraner bosatt i London
2 VT landsforvise (*v2*), sende (*v2*) i eksil ❑ *I was exiled from Ceylon.* Jeg ble landsforvist fra *or* sendt i eksil fra Ceylon.
▸ **in exile** i eksil
exist [ɪg'zɪst] VI (**a**) (*= be present*) finnes (*irreg v5*), eksistere (*v2*) ❑ *That word doesn't exist in English.* Det ordet fins *or* eksisterer ikke på engelsk.
(**b**) (*= live, subsist*) eksistere (*v2*) ❑ *She existed only on milk.* Hun eksisterte bare på melk.
existence [ɪg'zɪstəns] s (**a**) (*= reality*) eksistens *m* ❑ *Do you believe in the existence of God?* Tror du på Guds eksistens?
(**b**) (*= life*) tilværelse *m* ❑ *These unfortunate creatures eke out a miserable existence.* Disse ulykkelige skapningene frister en miserabel tilværelse.
▸ **to be in existence** foreligge*, finnes (*irreg v5*) ❑ *It will be much faster than any submarine now in existence.* Den vil være* mye raskere en noen ubåt som fins nå.
existentialism [ɛgzɪs'tɛnʃlɪzəm] s eksistensialisme *m*
existing [ɪg'zɪstɪŋ] ADJ nåværende, eksisterende
exit ['ɛksɪt] 1 s (**a**) (*from room, building etc*) utgang *m* ❑ *He hurried towards the exit.* Han skyndte seg mot utgangen.
(**b**) (*from motorway*) avkjøring *c* ❑ *I missed my exit and had to drive on...* Jeg kjørte forbi avkjøringen, og måtte* kjøre videre...
(**c**) (*= departure*) ▸ **to make a hasty exit** komme* seg fort ut
2 VI gå* ut
▸ **to exit from** gå/kjøre (*v2*) *etc* ut av
exit poll s *meningsmåling utenfor valglokalet*
exit ramp (*US : BIL*) s avkjøring *m* (*fra motorvei*)
exit visa s utreisevisum *nt*
exodus ['ɛksədəs] s (**a**) utvandring *c*
(**b**) (*in the Bible*) ▸ **Exodus** 2. mosebok *c*
▸ **the exodus to the cities** ≈ flukten fra landsbygda
ex officio ['ɛksə'fɪʃɪəu] ADJ, ADV i kraft av sin stilling
exonerate [ɪg'zɔnəreɪt] VT ▸ **to exonerate from** (*+responsibility*) frita* fra; (*+guilt*) frikjenne (*v2x*) fra
exorbitant [ɪg'zɔ:bɪtnt] ADJ (**a**) (*prices, rents*) ublu ❑ *...an exorbitant rent.* ...en ublu leie.
(**b**) (*demands*) urimelig ❑ *...his exorbitant demands on her time.* ...de urimelige kravene han gjorde på tiden hennes.
exorcize ['ɛksɔ:saɪz] VT utdrive* (*var.* drive ut)
exotic [ɪg'zɔtɪk] ADJ eksotisk
expand [ɪks'pænd] 1 VT (*+business, staff, chest, waistline, interests*) utvide (*v1*) ❑ *...major measures to expand the Air Force.* ...større tiltak for å utvide Luftvåpenet. *Sugary drinks expand your waistline.* Sukrede leskedrikker utvider livvidden din. *The company asked for money to expand its US interests.* Firmaet bad om penger til å utvide sine eierinteresser i USA.
2 VI (**a**) (*business+*) vokse (*v2*), ekspandere (*v2*)
(**b**) (*population+*) vokse (*v2*)
(**c**) (*gas, metal+*) utvide (*v1*) seg
▸ **to expand on** (*+notes, story etc*) utdype (*v1*)
expanse [ɪks'pæns] s (*of sea etc*) flate *m*; (*of sky*) hvelving *m*
expansion [ɪks'pænʃən] s (**a**) (*of business, population, economy etc*) vekst *m*, ekspansjon *m* ❑ *...the rapid expansion of British agriculture.* ...den raske veksten *or* ekspansjonen i britisk landbruk.
(**b**) (*of gas, metal*) utvidelse *m*
expansionism [ɪks'pænʃənɪzəm] s ekspansjonisme *m*
expansionist [ɪks'pænʃənɪst] ADJ ekspansjonistisk
expat(riate) [ɛks'pæt(rɪət)] s *person som lever i utlendighet*
expect [ɪks'pɛkt] 1 VT (**a**) (*= anticipate*) (for)vente (*v1*) ❑ *Nobody expected the strike to succeed.* Ingen (for)venter at streiken skal lykkes.
(**b**) (*= await*) vente (*v1*) ❑ *He was expecting an important letter.* Han ventet et viktig brev. *She was expecting her second child...* Hun ventet sitt andre barn...
(**c**) (*= require, hope for*) (for)vente (*v1*) ❑ *He is expected to put his work before his family.* Det (for)ventes at han setter jobben foran familien. *We expect to sell 70,000 by September.* Vi (for)venter å selge 70 000 innen september.
(**d**) (*= suppose*) anta*, regne (*v1*) med ❑ *I expect it'll be in the attic.* Jeg regner med *or* antar at den er på loftet.

2 VI ▸ **to be expecting** (*sl: be pregnant*) vente (*v1*) barn
▸ **to expect sb to do** (= *anticipate, require*) vente (*v1*) at noen skal gjøre ❑ *I expected him to turn down the invitation.* Jeg ventet at han skulle* avslå invitasjonen. *We stood there, not knowing what they expected us to do.* Vi stod der uten å vite hva de ventet at vi skulle* gjøre.
▸ **to expect to do sth** regne (*v1*) med å gjøre* noe
▸ **as expected** som ventet
▸ **I expect so** jeg går ut fra det, jeg regner med det, jeg antar det

expectancy [ɪks'pɛktənsɪ] s (= *anticipation*) forventning *m* ❑ *There had been such a sense of expectancy beforehand.* Det hadde vært slik en stemning av forventning på forhånd.
▸ **life expectancy** forventet levealder *m*

expectant [ɪks'pɛktənt] ADJ (*crowd, silence*) forventningsfull

expectantly [ɪks'pɛktəntlɪ] ADV forventningsfullt

expectant mother s vordende mor *c*

expectation [ɛkspɛk'teɪʃən] s forventning *m* NB *The plan has succeeded beyond our expectations.* Planen har gått over all forventning.
▸ **in the expectation that** i forventning om *or* i påvente av at
▸ **against** *or* **contrary to all expectation(s)** mot (enhver) forventning, i strid med enhver forventning
▸ **to come** *or* **live up to sb's expectations** leve opp til noens forventninger

expedience [ɪks'piːdɪəns] s = **expediency**

expediency [ɪks'piːdɪənsɪ] s hensyn *nt* til effektivitet ❑ *His policies were dictated by expediency.* Handlingsprogrammet hans ble diktert av hensynet til effektivitet.
▸ **for the sake of expediency** for å få* en effektiv løsning

expedient [ɪks'piːdɪənt] 1 ADJ hensiktsmessig
2 s (= *measure*) (nød)utvei *m*, (nød)løsning *m*

expedite ['ɛkspədaɪt] VT framskynde (*v1*)

expedition [ɛkspə'dɪʃən] s ekspedisjon *m* ❑ *...the British expedition to Mount Everest.* ...den britiske ekspedisjonen til Mount Everest. *I often go off on little expeditions when I have an afternoon off.* Jeg drar ofte ut på små ekspedisjoner når jeg har fri en ettermiddag.

expeditionary force [ɛkspə'dɪʃənrɪ-] s ekspedisjonsstyrke *m*

expeditious [ɛkspə'dɪʃəs] ADJ ekspeditt

expel [ɪks'pɛl] VT (*+person: from school*) utvise (*v2*); (*from organization*) ekskludere (*v2*); (*from place*) forvise (*v2*); (*+gas, liquid*) presse (*v1*) ut, drive* ut

expend [ɪks'pɛnd] VT (*+money, time, energy*) bruke (*v2*) opp, forbruke (*v2*)

expendable [ɪks'pɛndəbl] ADJ (*person, thing*) unnværlig, som kan ofres

expenditure [ɪks'pɛndɪtʃəʳ] s (**a**) (*of money*) utgifter *pl*, forbruk *nt* ❑ *...to cut down on public expenditure.* ...skjære ned på offentlige utgifter *or* offentlig forbruk.
(**b**) (*of energy, time*) forbruk *nt* ❑ *...a minimum expenditure of energy.* ...et minimalt energiforbruk.

expense [ɪks'pɛns] s (**a**) (= *cost*) kostnader *pl* ❑ *...the roads they're building at vast expense.* ...veiene de bygger til enorme kostnader.
(**b**) (= *expenditure*) utgifter *pl*, utlegg *nt* ❑ *It's well worth the expense.* Det er vel verdt utgiftene *or* utlegget.
▸ **expenses** SPL utgifter
▸ **at the expense of** på bekostning av
▸ **to go to the expense of** legge* ut penger på, gå* til innkjøp av
▸ **at great expense** i dyre dommer

expense account s utgiftskonto *m*

expensive [ɪks'pɛnsɪv] ADJ (*article*) dyr; (*mistake, tastes*) dyr, kostbar

experience [ɪks'pɪərɪəns] 1 s (**a**) (*in job, life, situation*) erfaring *c* ❑ *I had no military experience.* Jeg hadde ingen militærerfaring. *Everyone learns best from personal experience.* Alle lærer best ved personlig erfaring.
(**b**) (*event, activity*) opplevelse *m* ❑ *The funeral was a painful experience.* Begravelsen var en smertelig opplevelse.
2 VT (*+situation, feeling etc*) oppleve (*v3*), erfare (*v2*) ❑ *Similar problems have been experienced by other students.* Liknende problemer har blitt opplevd *or* erfart av andre studenter.
▸ **to know by** *or* **from experience** vite* av erfaring
▸ **to learn by experience** lære (*v2*) av erfaring

experienced [ɪks'pɪərɪənst] ADJ erfaren

experiment [ɪks'pɛrɪmənt] 1 s forsøk *nt*, eksperiment *nt* ❑ *...the failure of this great experiment in industrial democracy.* ...dette mislykkede store eksperimentet *or* forsøket med industridemokrati.
2 VI ▸ **to experiment (with/on)** (**a**) (*SCIENCE*) gjøre* forsøk (med/på), eksperimentere (*v2*) (med/på) ❑ *In 1939 he experimented with young rats.* I 1939 gjorde han forsøk med *or* eksperimenterte han med rotteunger.
(**b**) (*fig*) eksperimentere (*v2*) (med/på) ❑ *...small businesses anxious to experiment with computers.* ...småbedrifter som gjerne vil eksperimentere med datamaskiner.
▸ **to perform** *or* **carry out an experiment** gjøre* et forsøk, utføre (*v2*) et eksperiment

experimental [ɪkspɛrɪ'mɛntl] ADJ (*methods, ideas, tests*) eksperimentell ❑ *It's a very experimental novel.* Det er en svært eksperimentell roman. *There are some experimental studies which seem to back this up.* Det er noen eksperimentelle studier som ser ut til å støtte dette.
▸ **at the experimental stage** på eksperimentstadiet

expert ['ɛkspəːt] 1 ADJ (*opinion, help, driver etc*) ekspert-, sakkyndig
2 s ekspert *m*
▸ **expert in** *or* **at doing sth** ekspert på å gjøre* noe
▸ **an expert on sth** en ekspert på noe
▸ **expert witness** ekspertvitne *nt*, sakkyndig vitne *nt*

expertise [ɛkspəː'tiːz] s ekspertise *m*

expire [ɪks'paɪəʳ] VI (*passport, licence etc*+) utløpe*
expiry [ɪks'paɪərɪ] S (*of passport, lease etc*) utløp *nt*
expiry date S utløpsdato *m*
explain [ɪks'pleɪn] VT forklare (*v2*) ❑ *Mrs Travers explained that...* Fru Travers forklarte at... *He never wrote to me to explain his decision.* Han skrev aldri til meg for å forklare avgjørelsen sin .
▸ **explain away** VT bortforklare (*v2*)
explanation [ɛksplə'neɪʃən] S (**a**) (= *reason*) ▸ **explanation (for)** forklaring *c* (på) ❑ *There was no reasonable explanation for her decision.* Det var ingen rimelig forklaring på avgjørelsen hennes.
(**b**) (= *description*) ▸ **explanation (of)** forklaring *c* (av) ❑ *It is hard to give a simple explanation of her job.* Det er vanskelig å gi* en enkel forklaring av jobben hennes.
explanatory [ɪks'plænətrɪ] ADJ forklarende
expletive [ɪks'pliːtɪv] S kraftuttrykk *nt*
explicable [ɪks'plɪkəbl] ADJ forklarlig
▸ **for no explicable reason** uten noen forklarlig årsak
explicit [ɪks'plɪsɪt] ADJ (**a**) (= *clear: support, permission*) uttrykkelig, uttalt ❑ *...the explicit support of the Prime Minister.* ...den uttrykkelige *or* uttalte støtten til statsministeren.
(**b**) (*sex, violence*) åpenlys ❑ *Most adults have been exposed to explicit pornography.* De fleste voksne har blitt utsatt for åpenlys pornografi.
▸ **to be explicit** (= *frank*) si* rett ut ❑ *She was not explicit about what she really felt.* Hun sa ikke rett ut hva hun virkelig følte.
explode [ɪks'pləud] 1 VI eksplodere (*v2*) ❑ *A bomb had exploded...* En bombe hadde eksplodert... *The population was still exploding.* Befolkningen eksploderte fremdeles. *She exploded with rage.* Hun eksploderte av raseri.
2 VT (**a**) (+*bomb*) sprenge (*v2*)
(**b**) (+*myth, theory*) avlive (*v1*)
exploit [N 'ɛksplɔɪt, VB ɪks'plɔɪt] 1 S bedrift *m*, dåd *m*
2 VT (+*person, idea, opportunity, resources*) utnytte (*v1*) ❑ *Adults exploit children far too often.* Voksne utnytter barn altfor ofte. *You can exploit a talent which you already possess.* Du kan utnytte et talent som du allerede har.
exploitation [ɛksplɔɪ'teɪʃən] S (*of person, idea, opportunity, resources*) utnyttelse *m* ❑ *...to protect the public from commercial exploitation.* ...å beskytte publikum fra kommersiell utnyttelse. *...the exploitation of the Earth's resources.* ...utnyttelsen av jordas ressurser.
exploration [ɛksplə'reɪʃən] S (*of place, space, idea*) utforskning *m* ❑ *...space exploration...* utforskningen av rommet... *ideas in need of further exploration.* ...ideer som må utforskes nærmere.
exploratory [ɪks'plɔrətrɪ] ADJ (**a**) (*expedition*) oppdagelses-, undersøkelses- ❑ *An early exploratory expedition had failed.* En tidlig oppdagelses- *or* undersøkelsesekspedisjon hadde mislykkes.
(**b**) (*talks, operation*) foreløpig ❑ *They will begin exploratory talks on a new agreement.* De vil begynne foreløpige samtaler om en ny avtale.
▸ **exploratory operation** (*MED*) eksplorativ operasjon *m*
explore [ɪks'plɔːʳ] VT (**a**) (+*place, space, area*) utforske (*v1*) ❑ *Every part of the island has been explored.* Alle deler av øya har blitt utforsket. *With his hands he explored the grass around him.* Med hendene utforsket han gresset rundt seg.
(**b**) (+*idea, suggestion*) gjennomgå* ❑ *...issues that the group had already explored.* ...saker som gruppen allerede hadde gjennomgått.
explorer [ɪks'plɔːrəʳ] S (*of place, country*) oppdagelsesreisende *m decl as adj*
explosion [ɪks'pləuʒən] S eksplosjon *m* ❑ *...killed in the explosion.* ...drept i eksplosjonen. *The population explosion...* Befolkningseksplosjonen... *an explosion of rage.* ...en eksplosjon av sinne.
explosive [ɪks'pləusɪv] 1 ADJ (= *device, effect, situation, temper*) eksplosiv ❑ *Unemployment has become the most explosive political issue.* Arbeidsledigheten har blitt det mest eksplosive politiske spørsmålet.
2 S sprengstoff *nt*, sprengladning *m*
exponent [ɪks'pəunənt] S (*gen, also MATH*) eksponent *m* ❑ *...the leading exponents of apartheid.* ...den ledende eksponenten for apartheid. *...the supreme exponent of the English humorous essay.* ...den ypperste eksponenten for det engelske humoristiske essayet.
exponential [ɛkspəu'nɛnʃl] ADJ (*growth, increase*) lynrask; (*MAT*) eksponentiell
export [VB ɛks'pɔːt, N 'ɛkspɔːt] 1 VT (**a**) (+*goods*) eksportere (*v2*), utføre (*v2*)
(**b**) (+*ideas, values, data, file*) eksportere (*v2*)
2 S (**a**) (*process*) eksport *m*, utførsel *m* ❑ *They grow bananas for export.* De dyrker bananer for eksport *or* utførsel.
(**b**) (*product*) eksportvare *m*, eksportartikkel *m* ❑ *Coffee is Brazil's best-known export.* Kaffe er Brasils mest kjente eksportvare *or* eksportartikkel.
3 SAMMENS (*duty, permit, licence*) eksport-
exportation [ɛkspɔː'teɪʃən] S eksport *m*, utførsel *m*
exporter [ɛks'pɔːtəʳ] S eksportør *m*
expose [ɪks'pəuz] VT (**a**) (= *reveal: object*) avdekke (*v1*) ❑ *The rocks are exposed at low tide.* Knausene er avdekket ved lavvann.
(**b**) (= *unmask: person*) avsløre (*v2*) ❑ *He was eventually exposed in the perjury case.* Han ble til slutt avslørt i menedsaken.
▸ **to expose o.s.** (*JUR*) blotte (*v1*) (seg)
▸ **to expose sb to sth** (*radiation, virus, the sun etc*) utsette* noen for noe
exposé [ɛks'pəuzeɪ] S (skriftlig) avsløring *c*
exposed [ɪks'pəuzd] ADJ (**a**) (*house, place etc*) utsatt ❑ *The house is in a very exposed position.* Huset ligger på et svært utsatt sted.
(**b**) (= *uncovered: surface*) avdekket
(**c**) (*wire*) uisolert
exposition [ɛkspə'zɪʃən] S (**a**) (= *explanation*) framstilling *c* ❑ *The paper contained a clear exposition of the theory of evolution.* Oppgaven inneholdt en klar framstilling av

utviklingslæren.
(**b**) (= *exhibition*) utstilling *c* ❑ *...the Montreal Exposition of 1967.* ...Montrealutstillingen i 1967.

exposure [ɪks'pəuʒəʳ] s (**a**) (*to heat, cold, radiation*)
▸ **exposure (to)** utsettelse *m* (for)
(**b**) (= *publicity*) eksponering *c* ❑ *He had, in a few short days of intense exposure, become a folk hero.* Han hadde, i løpet av noen korte dager med intens eksponering, blitt en folkehelt.
(**c**) (*of wrongdoings, person*) avsløring *c* ❑ *She feared that exposure would mean her banishment.* Hun fryktet at en avsløring ville* bety at hun ville* bli* bannlyst.
(**d**) (*FOTO*) eksponeringstid *c*, lukkertid *c*
(**e**) (= *shot*) bilde *nt* ❑ *...pictures at very slow exposures.* ...bilder som var tatt med lang lukkertid *or* eksponeringstid. *...a camera capable of taking a hundred exposures.* ...et kamera som kunne* ta* hundre bilder.
▸ **to die from exposure** dø* av kulde

exposure meter s lysmåler *m*

expound [ɪks'paund] VT (*+theory, opinion*) redegjøre* for

express [ɪks'prɛs] 1 ADJ (**a**) (= *fast: letter, train etc*) ekspress-
(**b**) (= *clear: command, intention etc*) uttrykkelig ❑ *She came with the express purpose of causing trouble.* Hun kom i den uttrykkelige hensikt å skape vanskeligheter.
2 s (*train, bus*) ekspress *m*
3 ADV (*send*) (med) ekspress
4 VT (*+idea, view, emotion, number*) uttrykke (*v2x*) ❑ *He expressed his regret to the King.* Han uttrykte sin beklagelse overfor kongen. *Here it is expressed as a percentage.* Her er det uttrykt som et prosenttall.
▸ **to express o.s.** uttrykke (*v2x*) seg

expression [ɪks'prɛʃən] s uttrykk *nt* ❑ *She's always using slang expressions.* Hun bruker alltid slanguttrykk. *...many expressions of goodwill.* ...mange uttrykk for godvilje. *I couldn't see Helen's expression.* Jeg kunne* ikke se Helens (ansikts)uttrykk. *Their playing was full of expression.* Framførelsen deres var full av uttrykk.

expressionism [ɪks'prɛʃənɪzəm] s ekspresjonisme *m*

expressive [ɪks'prɛsɪv] ADJ (**a**) (*face, look*) uttrykksfull ❑ *She had given Lynn an expressive glance.* Hun hadde gitt Lynn et uttrykksfullt blikk.
(**b**) (*ability*) uttrykks- ❑ *It is not easy to evaluate a child's expressive powers in an exam.* Det er ikke lett å vurdere et barns uttrykksevne på en eksamen.

expressly [ɪks'prɛslɪ] ADV uttrykkelig ❑ *Jefferson had expressly asked her to invite Freeman.* Jefferson hadde uttrykkelig bedt henne om å invitere Freeman.

expressway [ɪks'prɛsweɪ] s gjennomfartsåre *c* (*motorvei*)

expropriate [ɛks'prəuprɪeɪt] VT ekspropriere (*v2*)

expulsion [ɪks'pʌlʃən] s (**a**) (*from school*) utvisning *m*
(**b**) (*from place*) bortvisning *m* ❑ *...the temporary expulsion of military advisers.* ...den midlertidige bortvisningen av militære rådgivere.
(**c**) (*of gas, liquid etc*) utstøting *c* ❑ *...with each expulsion of breath.* ...ved hver utstøting av pust *or* ved hver utpusting.

expurgate ['ɛkspəːgeɪt] VT (*+text, recording*) fjerne (*v1*) upassende elementer fra
▸ **the expurgated version** den sensurerte utgaven

exquisite [ɛks'kwɪzɪt] ADJ (*face, figure*) vakker; (*lace, workmanship, taste*) utsøkt; (= *keenly felt: pain*) fortettet, inderlig; (*pleasure, relief*) utsøkt, inderlig

exquisitely [ɛks'kwɪzɪtlɪ] ADV utsøkt ❑ *Their children were exquisitely dressed.* Barna var utsøkt kledd. *...his exquisitely polite voice.* ...hans utsøkt høflige stemme.

ex-serviceman ['ɛks'səːvɪsmən] s *pensjonert soldat/offiser*

ext. (*TEL*) FK = **extension**

extemporize [ɪks'tɛmpəraɪz] VI ekstemporere (*v2*)

extend [ɪks'tɛnd] 1 VT (**a**) (*+visit, street, visa, deadline*) forlenge (*v1*)
(**b**) (*+building*) bygge (*v3x*) på ❑ *Have you ever thought of extending your house?* Har du noen gang tenkt på å bygge på huset ditt?
(**c**) (*+arm, hand*) rekke* ut ❑ *He extended his hand, and Brody took it.* Han rakte ut hånden, og Brody tok den.
(**d**) (*+offer, invitation*) komme* med
(**e**) (*MERK: credit*) innvilge (*v1*) ❑ *The banks agreed to extend credit for the purchase of...* Bankene gikk med på å innvilge kreditt til kjøp av...
2 VI (*land, road, period+*) strekke* seg ❑ *The road now extends two km beyond the River.* Veien strekker seg nå to km bortenfor elven. *His working day often extends well into the evening.* Arbeidsdagen hans strekker seg ofte langt utover kvelden.

extension [ɪks'tɛnʃən] s (**a**) (*of building*) påbygg *nt* ❑ *Some house extensions need planning permission.* Noen påbygg krever byggetillatelse.
(**b**) (*in time, in length*) forlengelse *m* ❑ *I had applied for an extension to our visas.* Jeg hadde søkt om forlengelse av visumene våre. *...a forty-mile extension to the M40.* ...en sekstifem kilometers forlengelse av M40. *...an extension of the desk.* ...en forlengelse av bordet.
(**c**) (*of rights*) utvidelse *m*
(**d**) (*of campaign*) utvidelse *m*, opptrapping *c* ❑ *...the extension of bombing to the British mainland.* ...utvidelsen *or* opptrappingen av bombingen til det britiske fastlandet.
(**e**) (*ELEK*) skjøteledning *m*
(**f**) (*TEL: in private house*) (bi)apparat *nt*
(**g**) (*in office*) linjenummer *nt*
▸ **extension 3718** linje(nummer) 3718

extension cable s skjøtekabel *m*

extension lead s skjøteledning *m*

extensive [ɪks'tɛnsɪv] ADJ (**a**) (*area*) utstrakt, vidstrakt ❑ *...an extensive Roman settlement.* ...en utstrakt *or* vidstrakt romersk bosetning.
(**b**) (*effect, damage*) omfattende ❑ *Many buildings suffered extensive damage in the blast.* Mange

bygninger fikk omfattende skader i sprengningen.
(**c**) (*coverage, discussion, inquiries*) omfattende
(**d**) (*use*) utstrakt ❑ ***They make extensive use of foreign labour.*** De benytter seg i omfattende grad av utenlandsk arbeidskraft.

extensively [ɪks'tɛnsɪvlɪ] ADV ▸ **he has travelled extensively** han har reist mye *or* vidt og bredt

extent [ɪks'tɛnt] S (**a**) (= *size: of area, land etc*) utstrekning *m*
(**b**) (*of problem etc*) omfang *nt* ❑ ***The full extent of the problem is not yet known.*** Det fulle omfanget av problemet er ennå ikke kjent.
(**c**) (= *degree: of damage, loss*) omfang *nt*, grad *m* ❑ ***We reported the extent of the damage.*** Vi rapporterte omfanget *or* graden av skaden.
▸ **to some extent** i noen grad
▸ **to a certain extent** til en viss grad
▸ **to a large extent** i høy grad
▸ **to the extent of...** så langt som til...
▸ **to such an extent that...** i den grad at..., så mye at...
▸ **to what extent?** i hvilken grad?

extenuating [ɪks'tɛnjueɪtɪŋ] ADJ ▸ **extenuating circumstances** formildende omstendigheter

exterior [ɛks'tɪərɪəʳ] [1] ADJ (**a**) (= *external: drain, light, paint*) utvendig
(**b**) (*world*) ytre ❑ ***...the objects of the exterior world.*** ...tingene i den ytre verden.
[2] S (**a**) (= *outside*) eksteriør *nt*
(**b**) (= *appearance*) ytre *nt* ❑ ***Dirk's surly exterior...*** Dirks mutte ytre...

exterminate [ɪks'tə:mɪneɪt] VT utrydde (*v1*)

extermination [ɪkstə:mɪ'neɪʃən] S utryddelse *m*

external [ɛks'tə:nl] ADJ (**a**) (*walls, evidence*) utvendig
(**b**) (*examiner, auditor*) ekstern, utenfra *after noun*
▸ **externals** SPL ytre ting ❑ ***The popular historian is concerned only with externals.*** En populærhistoriker er bare opptatt av ytre ting.
▸ **for external use only** kun til utvortes bruk
▸ **external affairs** (*POL*) utenrikssaker

externally [ɛks'tə:nəlɪ] ADV utvendig, eksternt

extinct [ɪks'tɪŋkt] ADJ (*animal, plant, volcano*) utdødd

extinction [ɪks'tɪŋkʃən] S (*by actions of man*) utryddelse *m*
▸ **on the verge of extinction** som holder på å dø ut

extinguish [ɪks'tɪŋgwɪʃ] VT (*+fire, light*) slukke (*v1*); (*fig: hope*) kvele*; (*+memory*) utslette (*v1*)

extinguisher [ɪks'tɪŋgwɪʃəʳ] S (*also* ***fire extinguisher***) brannslukkingsapparat *nt*

extol [ɪks'təul], **extoll** (*US*) VT (*+merits, virtues, person*) rose (*v2*), lovprise (*v2*)

extort [ɪks'tɔ:t] VT (**a**) (*+money*) presse (*v1*) (ut)
(**b**) (*+confession*) presse (*v1*) ut *or* fram
▸ **to extort sth from sb** presse (*v1*) noe ut av noen

extortion [ɪks'tɔ:ʃən] S utpressing *c*

extortionate [ɪks'tɔ:ʃnɪt] ADJ (*price, demands*) ublu

extra ['ɛkstrə] [1] ADJ (*thing, person, amount*) ekstra
[2] ADV (= *in addition*) ekstra, i tillegg ❑ ***Send 25p extra for postage and packing.*** Send 25 pence ekstra *or* i tillegg til porto og emballasje.
[3] S (**a**) (= *luxury*) ekstra gode *nt* ❑ ***They miss the extras which most other children take for granted.*** De mangler de ekstra godene som de fleste andre barn tar for gitt.
(**b**) (= *surcharge*) tillegg *nt* ❑ ***Service charges may be shown as extras.*** Servicekostnader kan angis som tillegg.
(**c**) (*FILM, TEAT*) statist *m* ❑ ***Even the extras were dressed like kings and queens.*** Selv statistene var kledd som konger og dronninger.
▸ **wine will cost extra** vinen vil komme i tillegg

extra... ['ɛkstrə] PREF ekstra...

extract [*VB* ɪks'trækt, *N* 'ɛkstrækt] [1] VT (**a**) (= *take out*) trekke* ut ❑ ***He tried to extract his pole from the mud.*** Han prøvde å trekke stangen sin ut av sølen. ***That tooth should be extracted at once.*** Den tannen bør trekkes (ut) omgående.
(**b**) (*+mineral*) utvinne* ❑ ***The Japanese extract ten million tons of coal each year.*** Japanerne utvinner ti millioner tonn kull hvert år.
(**c**) (*+money, promise*) hale (*v2*) ut ❑ ***The blackmailers extracted £10,000 from their victim.*** Utpresserne hale 10 000 pund ut av offeret sitt.
[2] S (**a**) (*from novel, recording*) utdrag *nt* ❑ ***I would like to quote two extracts from the book.*** Jeg vil gjerne sitere to utdrag fra boka.
(**b**) (*of malt, vanilla etc*) ekstrakt *nt* ❑ ***...the extracts of certain plants and barks.*** ...ekstraktene fra visse typer planter og bark.

extraction [ɪks'trækʃən] S (**a**) (*of tooth*) (tann)trekking *c* ❑ ***Few patients need an extraction.*** Det er få* pasienter som må trekke tenner *or* som behøver (tann)trekking.
(**b**) (= *descent*) avstamning *m*, herkomst *m*
(**c**) (*of mineral*) utvinning *c* ❑ ***...the extraction of ore.*** ...malmutvinning.
▸ **of Scottish extraction** av skotsk avstamning *or* herkomst
▸ **Welsh by extraction** av walisisk avstamning *or* herkomst, med walisiske aner

extractor fan [ɪks'træktə-] S avtrekksvifte *c*

extracurricular ['ɛkstrəkə'rɪkjuləʳ] ADJ frivillig (*som ikke inngår i pensum*)

extradite ['ɛkstrədaɪt] VT utlevere (*v2*)

extradition [ɛkstrə'dɪʃən] [1] S utlevering *c*
[2] SAMMENS (*order, treaty*) utleverings-

extramarital ['ɛkstrə'mærɪtl] ADJ (*affair, relationship*) utenomekteskapelig

extramural ['ɛkstrə'mjuərl] ADJ (*lectures, activities*) *for deltidsstudenter*

extraneous [ɛks'treɪnɪəs] ADJ uvesentlig

extraordinary [ɪks'trɔ:dnrɪ] ADJ (**a**) (*person, conduct, situation*) merkverdig, besynderlig ❑ ***My grandfather was a most extraordinary man.*** Bestefaren min var en høyst merkverdig *or* besynderlig mann.
(**b**) (*meeting*) ekstraordinær ❑ ***...this month's extraordinary party congress.*** ...den ekstraordinære partikongressen denne måneden.
▸ **the extraordinary thing is that...** det besynderlige *or* merkverdige er at...

extraordinary general meeting S ekstraordinær generalforsamling *c*

extrapolation [ɛkstræpə'leɪʃən] S beregning *m*, ekstrapolering *m*

extrasensory perception ['ɛkstrə'sɛnsərɪ-] S oversanselig persepsjon *m*

extra time (*FOTB*) s (*for lost time*) overtid *c*; (*to decide result*) ekstraomgang *m*
extravagance [ɪks'trævəgəns] s (**a**) (*no pl: spending*) ekstravaganse *m*, råflotthet *c* ❑ *The African states were shocked at such extravagance.* De afrikanske statene var sjokkerte over en slik ekstravaganse *or* råflotthet.
(**b**) (*= example of spending*) råflotthet *c no pl* ❑ *...an unjustifiable extravagance* ...en råflotthet som ikke kunne* rettferdiggjøres
extravagant [ɪks'trævəgənt] ADJ (**a**) (*= lavish: person, tastes, gift*) ekstravagant, råflott ❑ *...extravagant and often harmful luxuries.* ...ekstravagante *or* råflotte og ofte skadelige luksusartikler.
(**b**) (*= wasteful: person, machine*) ekstravagant, ødsel ❑ *I was simply too extravagant for the company's good.* Jeg var rett og slett for ekstravagant *or* ødsel for bedriftens beste.
(**c**) (*= exaggerated: praise*) skam-
(**d**) (*ideas, claim*) fantastisk
extreme [ɪks'tri:m] 1 ADJ (**a**) (*= cold, poverty, discomfort etc*) ekstrem
(**b**) (*= opinions, methods etc*) ekstrem, ytterliggående
(**c**) (*= point, edge*) ytterst ❑ *...the extreme tip of the bullet.* ...den ytterste tuppen på patronen.
2 s ytterlighet *c* ❑ *Society does not tolerate the extremes of human behaviour.* Samfunnet tolererer ikke ytterlighetene av menneskelig atferd.
▸ **the extreme right/left** (*POL*) ytterste høyre/venstre
▸ **extremes of temperature** ekstreme temperaturer
extremely [ɪks'tri:mlɪ] ADV ekstremt
extremist [ɪks'tri:mɪst] 1 s ekstremist *m*
2 ADJ ekstrem
extremity [ɪks'trɛmɪtɪ] s (**a**) (*= edge, end*) ytterpunkt *nt* ❑ *...the northern extremity of the west wing.* ...det nordlige ytterpunktet av vestfløyen.
(**b**) (*= desperate state*) ulykke *m* ❑ *How did things ever reach such an extremity?* Hvordan ble tingene noen gang til en slik ulykke?
▸ **extremities** SPL (*= fingers and toes*) ekstremiteter
extricate ['ɛkstrɪkeɪt] VT ▸ **to extricate sb/sth (from)** frigjøre* noen/noe (fra)
extrovert ['ɛkstrəvə:t] s utadvendt
exuberance [ɪg'zju:bərns] s overstrømmende glede *m*
exuberant [ɪg'zju:bərnt] ADJ (*person, imagination etc*) overstrømmende, (svært) livlig
exude [ɪg'zju:d] VT (**a**) (*+confidence, enthusiasm*) utstråle (*v2*) ❑ *She exuded vitality, enthusiasm, and generosity.* Hun utstrålte vitalitet, entusiasme og raushet.
(**b**) (*+liquid, smell*) utsondre (*v1*) ❑ *Some frogs exude a poisonous chemical from their skins.* Noen frosker utsondrer et giftig stoff fra huden.
exult [ɪg'zʌlt] VI juble (*v1*) ❑ *I exulted at my good fortune.* Jeg jublet over hellet mitt.
▸ **he exulted in the name of X** (*hum*) han solte seg i (glansen av) navnet X
exultant [ɪg'zʌltənt] ADJ (*shout, expression*) jublende
▸ **to be exultant** være* jublende glad
exultation [ɛgzʌl'teɪʃən] s jubel *m*
eye [aɪ] 1 s (**a**) (*human, animal*) øye *nt*
(**b**) (*of needle*) (nål)øye *nt*
2 VT (*= look at*) mønstre (*v1*) ❑ *They eyed each other's new shoes.* De mønstret hverandres nye sko.
▸ **to keep an eye on** holde* øye med
▸ **as far as the eye can see** så langt øyet kan skue *or* se
▸ **in the public eye** i rampelyset
▸ **to see eye to eye with sb** være* helt på linje med noen
▸ **to have an eye for sth** ha* (et) blikk for noe ❑ *This artist has a marvellous eye for detail.* Denne kunstneren har et fabelaktig blikk for detaljer.
▸ **there's more to this than meets the eye** (**a**) (*= more difficult*) dette er vanskeligere enn det ser ut til
(**b**) (*hidden truth*) her ligger *or* stikker det noe under
eyeball ['aɪbɔ:l] s øyeeple *nt*
eyebath ['aɪbɑ:θ] (*BRIT*) s øyeglass *nt*
eyebrow ['aɪbrau] s øyenbryn *nt*
eyebrow pencil s øyenbrynsblyant *m*
eye-catching ['aɪkætʃɪŋ] ADJ iøynefallende
eye cup (*US*) s øyeglass *nt*
eyedrops ['aɪdrɔps] SPL øye(n)dråper
eyeful ['aɪful] s ▸ **to get an eyeful of sth** sjekke (*v1*) noe
▸ **she's quite an eyeful** hun er litt av et syn
eyeglass ['aɪglɑ:s] s monokkel *m*
▸ **eyeglasses** (*US*) briller
eyelash ['aɪlæʃ] s øyenvipp *m*
eyelet ['aɪlɪt] s hull *nt* (*til beltespenne, skolisser osv*)
eyelevel ['aɪlɛvl] ADJ i øyenhøyde
▸ **at eye level** i øyenhøyde
eyelid ['aɪlɪd] s øyelokk *nt*
eyeliner ['aɪlaɪnə^r] s eyeliner *m*
eye-opener ['aɪəupnə^r] s (*= revelation*) vekker *m* ❑ *The book is quite an eye-opener.* Denne boka er litt av en vekker.
eyeshadow ['aɪʃædəu] s øyenskygge *m*
eyesight ['aɪsaɪt] s syn *nt*
eyesore ['aɪsɔ:^r] s (*fig*) ▸ **it's an architectural eyesore** det er en arkitektur som skjærer en i øynene
eyestrain ['aɪstreɪn] ADJ ▸ **to get eyestrain** overanstrenge (*v2*) øynene
eyetooth ['aɪtu:θ] (*pl* **eyeteeth**) s hjørnetann *c irreg* (*i overkjeven*)
▸ **I would give my eyeteeth for that/to do that** jeg ville* gi* hva som helst for det/for å få* gjøre* det
eyewash ['aɪwɔʃ] s (**a**) øyenvann *nt*
(**b**) (*fig*) tøv *nt* ❑ *That report is a load of old eyewash.* Den rapporten er bare en masse tøv.
eye witness s øyenvitne *nt*
eyrie ['ɪərɪ] s ørnereir *nt* (*var.* ørnerede)

F

F, f [ɛf] s (*letter*) F, f *m*
▸ **F for Frederick,** (*US*) **F for Fox** ≈ F for Fredrik
F [ɛf] s (*MUS*) F *m*
FA (*BRIT*) s FK (= **Football Association**) ≈ Norges Fotballforbund *nt*
FAA (*US*) s FK (= **Federal Aviation Administration**) ≈ Luftfartsverket
fable ['feɪbl] s fabel *m*
fabric ['fæbrɪk] s (**a**) (= *cloth*) stoff *n*, tøy *nt*
(**b**) (*of society*) struktur *m* ❑ *...the priests who upheld the fabric of Roman society.* ...prestene som opprettholdt strukturen i det romerske samfunnet.
(**c**) (*of building*) (bygnings)konstruksjon *m, vegger, tak og gulv i en bygning* ❑ *This amount was enough to maintain the fabric of the house.* Dette beløpet var tilstrekkelig til å vedlikeholde huset.
fabricate ['fæbrɪkeɪt] VT (*+evidence, story*) fabrikere (*v2*); (*+metal, parts, equipment*) framstille (*v2x*), fabrikere (*v2*)
fabrication [fæbrɪ'keɪʃən] s (**a**) (= *lie*) fabrikasjon *m*, oppspinn *nt*
(**b**) (= *making*) framstilling *c* ❑ *...for fabrication into fuel rods.* ...for framstilling til brensel.
fabulous ['fæbjuləs] ADJ (**a**) (= *fantastic : person, looks, mood*) fabelaktig
(**b**) (= *extraordinary : beauty, wealth, luxury*) eventyrlig
(**c**) (= *mythical*) fabel- ❑ *...the door was carved with fabulous beasts...* i døra var det skåret ut fabeldyr...
façade [fə'sɑːd] s (*of building, fig : pretence*) fasade *m* ❑ *The unity of the Party was a facade.* Enheten i partiet var en fasade.
face [feɪs] **1** s (**a**) (*of person*) ansikt *nt*, fjes *nt*
(**b**) (= *expression*) (ansikts)uttrykk *nt* ❑ *...looking at her with a puzzled face.* ...(og) så på henne med et forundret uttrykk.
(**c**) (*of clock*) (ur)skive *c*
(**d**) (*of mountain, cliff, cube, object*) side *c*
(**e**) (*fig : of organization, city etc*) ansikt *nt* ❑ *...the ugly face of Liberalism.* ...liberalismens stygge ansikt. *The face of a city can change completely in a year.* En bys ansikt kan bli* helt forandret på et år.
2 VT (**a**) (*person+ : direction, object*) være* vendt mot, vende (*v2*) (seg) mot ❑ *He was facing forwards, listening to the speaker.* Han var vendt forover mens han hørte på taleren. *She turned and faced the window.* Hun snudde seg og sto vendt mot vinduet.
(**b**) (*+facts, unpleasant situation*) se* noe i øynene ❑ *We simply must face facts...* Vi må bare se fakta i øynene...
(**c**) (*building, seat, car etc+ : direction, object*) vende (*v2*) mot ❑ *Most seats on London buses face forward.* De fleste setene i bussene i London vender forover. *The building faces the main square.* Bygningen vender mot torget.
▸ **to lie face down/up** ligge* med ansiktet ned/opp
▸ **to lose/save face** miste (*v1*)/redde (*v1*) ansikt ❑ *He had to resign, to save face.* Han måtte* gå* av for å redde ansikt.
▸ **to make** *or* **pull a face (at sb)** skjære* grimaser (til noen)
▸ **in the face of** (*+difficulties etc*) på tross av
▸ **on the face of it** (= *superficially*) tilsynelatende
▸ **face to face (with)** ansikt til ansikt (med)
▸ **to face the fact that** avfinne* seg med at
▸ **face up to** VT FUS ta ❑ *It's about time you faced up to your responsibilities as a parent.* Det er på tide at du tar ditt ansvar som far/mor.
face cloth (*BRIT*) s vaskeklut *m*
face cream s ansiktskrem *m*
faceless ['feɪslɪs] ADJ ansiktsløs ❑ *...faceless bureaucrats in the Civil Service.* ...ansiktsløse byråkrater i statsadministrasjonen.
face lift s (*of person, building*) ansiktsløftning *c*
face powder s ansiktspudder *nt*
face-saving ['feɪs'seɪvɪŋ] ADJ (*compromise, gesture*) *som hjelper en å redde ansikt*
facet ['fæsɪt] s (*of question, personality*) side *c*; (*of gem*) fasett *m*
facetious [fə'siːʃəs] ADJ ironisk
face-to-face ['feɪstə'feɪs] ADJ (*encounter, confrontation*) ansikt til ansikt *after noun*
face value s (*of coin, stamp*) pålydende verdi *m*
▸ **to take sth at face value** ta* noe for god fisk
facia ['feɪʃə] s = **fascia**
facial ['feɪʃl] **1** ADJ (*hair, expression*) ansikts-
2 s ansiktsbehandling *c* ❑ *She had a manicure and a facial.* Hun fikk manikyr og en ansiktsbehandling.
facile ['fæsaɪl] ADJ (*comment, reaction*) lettvint
facilitate [fə'sɪlɪteɪt] VT (*+action, process*) lette (*v1*), gjøre* noe lettere
facilities [fə'sɪlɪtɪz] SPL (**a**) (*buildings, equipment*) fasiliteter
(**b**) (= *opportunities*) muligheter ❑ *She had no cooking facilities in her room.* Hun hadde ingen kokemuligheter på rommet sitt.
▸ **credit facilities** betalingsordning *c*
facility [fə'sɪlɪtɪ] s (**a**) (= *feature*) mulighet *m* ❑ *A tape recorder like this has a record facility...* En slik kassettspiller har mulighet for å gjøre* opptak...
(**b**) (= *service*) tilbud *n* ❑ *The central facility is the library...* Det viktigste tilbudet er biblioteket...
(**c**) (= *skill, aptitude*) ▸ **to have a facility for** ha* anlegg for
facing ['feɪsɪŋ] (*in clothes*) s belegg *nt* (*søm*)
facsimile [fæk'sɪmɪlɪ] s faksimile *m*
fact [fækt] s faktum *nt irreg* ❑ *...the full facts of the case.* ...alle fakta i saken. *I don't know whether the rumour was based on fact or not...* Jeg vet ikke om ryktet var basert på fakta eller ei...

▸ **in fact** faktisk ❑ *This is, in fact, what happened.* Dette er faktisk det som skjedde.
▸ **to know for a fact (that)...** være* (helt) sikker på (at)...
▸ **the fact (of the matter) is (that)...** saken er (at)...
▸ **the facts of life** hvordan barn blir til
▸ **a fact of life** en (hard) virkelighet ❑ *This service has now gone, victim of the economic facts of life.* Dette tilbudet har nå forsvunnet, som offer for den harde økonomiske virkeligheten.
▸ **facts and figures** tall og fakta

fact-finding ['fæktfaɪndɪŋ] ADJ ▸ **a fact-finding tour** *or* **mission** en befaring

faction ['fækʃən] s fraksjon *m*

factional ['fækʃənl] ADJ (*dispute, system*) fraksjons-

factor ['fæktəʳ] s faktor *m* ❑ *Youth unemployment is a major contributing factor to this problem...* Arbeidsledighet blant ungdom er en viktig bidragende faktor til dette problemet... *The amount of energy used has gone up by a factor of eight...* Mengden av forbrukt energi har blitt åtte ganger større...

factory ['fæktərɪ] s fabrikk *m*

factory farming (*BRIT*) s fabrikkmessig husdyrhold *nt*

factory floor s ▸ **the factory floor** (*workers*) fabrikkarbeiderne
▸ **on the factory floor** blant fabrikkarbeiderne

factory ship s fabrikkskip *nt*

factual ['fæktjuəl] ADJ (*analysis, information*) saks-, saklig

faculty ['fækəltɪ] s (**a**) (= *sense, ability*) (ånds)evne *m*, sans *m* ❑ *She was in full command of all her faculties...* Hun hadde full kontroll over alle sine åndsevner...
(**b**) (*of university*) fakultet *nt*
(**c**) (*US : teaching staff*) undervisningsstab *m*

fad [fæd] s grille *m*, dille *c*

fade [feɪd] VI (*colour, wallpaper, photograph+*) falme (*v1*); (*sound+*) stilne (*v1*); (*light+*) ▸ **the light is fading** det mørkner; (*applause+*) dø* gradvis bort; (*hope, memory, smile, interest+*) (for)svinne*

▸ **fade away** VI (*music, sound+*) svinne* hen, dø* (gradvis) bort; (*person+ : die*) sovne (*v1*) inn

▸ **fade in** VT (*+picture, sound*) tone (*v1 or v2*) opp

▸ **fade out** VT (*+picture, sound*) tone (*v1 or v2*) ut, fade (*v1*) ut

faeces ['fiːsiːz], **feces** (*US*) SPL faeces *m*

fag [fæg] (*sl*) s (*BRIT : cigarette*) røyk *m*; (*sl : homosexual*) homse *m* (*sl*); (*chore*) ▸ **what a fag!** for et slit!

fail [feɪl] 1 VT (**a**) (*+exam*) stryke* til/på ❑ *I failed my driving test twice...* Jeg strøk to ganger til førerprøven...
(**b**) (*+candidate*) stryke* ❑ *One of the examiners wanted to fail him.* En av eksaminatorene ville* stryke ham.
(**c**) (*leader, courage, memory+*) svikte (*v1*) ❑ *Our leaders have failed us...* Lederne våre har sviktet oss...
2 VI (**a**) (*candidate+*) stryke*
(**b**) (*attempt etc+*) mislykkes (*v25x*)
(**c**) (*brakes, eyesight, health, light+*) svikte (*v1*)
▸ **to fail to do sth** (**a**) (= *not succeed*) mislykkes (*v25x*) med å gjøre* noe
(**b**) (= *neglect*) unnlate* å gjøre* noe ❑ *He had been fined for failing to complete a national census.* Han fikk bot fordi han hadde unnlatt å svare på en landsomfattende spørreundersøkelse.
▸ **without fail** helt sikkert

failing ['feɪlɪŋ] 1 s (= *weakness*) feil *m*
2 PREP i mangel av
▸ **failing that** subsidiært ❑ *Wear evening dress or, failing that, a suit.* Kom i smoking, eller subsidiært, i mørk dress.

failsafe ['feɪlseɪf] ADJ (*device, mechanism, etc*) feilsikker

failure ['feɪljəʳ] s (**a**) (= *lack of success*) nederlag *nt* NB *The attempt ended in failure...* Forsøket mislyktes til slutt *or* ble (til slutt) mislykket...
(**b**) (*person*) mislykket person *m* ❑ *I felt such a failure.* Jeg følte meg så mislykket.
(**c**) (*of machine, crops*) svikt *m* ❑ *Crop failures are common.* Svikt i avlingene er vanlig.
▸ **his failure to turn up** det at han unnlot å møte opp
▸ **engine failure** maskinsvikt *m*, motorstopp *m or nt*
▸ **heart failure** hjertesvikt *m*
▸ **it was a complete failure** det var total fiasko

faint [feɪnt] 1 ADJ svak
2 s besvimelse *m* ❑ *She fell to the ground in a dead faint.* Hun falt bevisstløs om.
3 VI besvime (*v2*)
▸ **to feel faint** føle (*v2*) seg *or* være* svimmel

faintest ['feɪntɪst] ADJ, s ▸ **I haven't the faintest (idea)** jeg aner ikke

faint-hearted ['feɪnt'hɑːtɪd] ADJ forsagt

faintly ['feɪntlɪ] ADV (**a**) (= *slightly*) lettere ❑ *...they are faintly absurd.* ...de virker lettere absurde.
(**b**) (= *weakly*) svakt ❑ *The stars still glowed faintly in the sky.* Stjernene skinte fremdeles svakt på himmelen.

fair [fɛəʳ] 1 ADJ (**a**) (= *just, right : person, decision*) rettferdig, fair
(**b**) (= *quite large or good : size, number, chance, guess*) rimelig
(**c**) (*skin, complexion, hair*) lys
(**d**) (*weather*) fin, pen
2 ADV ▸ **to play fair** følge* spillereglene
3 s (**a**) (*also* ***trade fair***) (vare)messe *c*
(**b**) (*BRIT :* ***funfair***) tivoli *nt*
▸ **it's not fair!** det er urettferdig!
▸ **a fair amount of** ganske mange/mye

fair copy s rett kopi *m*

fair game s ▸ **to be fair game (for)** (*for attack, criticism*) være* fritt vilt (for)

fairground ['fɛəgraund] s fornøyelsespark *m*

fair-haired [fɛə'hɛəd] ADJ lyshåret

fairly ['fɛəlɪ] ADV (= *justly : share, distribute*) rettferdig; (= *quite : heavy, fast, good*) ganske, temmelig

fairness ['fɛənɪs] s rettferdighet *m*, rimelighet *m*
▸ **in all fairness** i rettferdighetens navn

fair play s ærlig spill *nt*, fair play *nt*

fairway ['fɛəweɪ] s fairway *m*

fairy ['fɛərɪ] s fe *m*

fairy godmother s god fe *m*
fairy lights (*BRIT*) SPL (farget) juletrebelysning *c*
fairy story, **fairy tale** s eventyr *nt*
faith [feɪθ] s (**a**) (= *trust*) tro *c*, tillit *m* ❑ *...my faith in the medical profession...* min tro på legestanden...
(**b**) (*religious*) tro *c* ❑ *His children were raised in the Catholic faith...* Barna hans ble oppdratt i den katolske tro... *She had deep religious faith...* Hun hadde en fast religiøs tro...
▸ **to have faith in sb/sth** ha* tro på noen/noe, ha* tillit til noen/noe
faithful ['feɪθful] ADJ (**a**) (*service, supporter*) tro(fast)
(**b**) (*spouse*) trofast
(**c**) (*account, record*) nøyaktig, pålitelig
▸ **to be faithful to** (**a**) (*+spouse*) være* trofast mot
(**b**) (*+book, film*) holde* seg til
faithfully ['feɪθfəlɪ] ADV (**a**) (= *loyally*) trofast ❑ *The party rallied round him faithfully.* Partiet støttet trofast opp om ham.
(**b**) (= *accurately*) nøyaktig ❑ *Their slightest move was faithfully described...* Deres minste bevegelser ble nøyaktig beskrevet...
▸ **Yours faithfully** Med vennlig hilsen
faith healer s *en som helbreder (ved tro)*
fake [feɪk] 1 s (*painting, antique etc*) forfalskning *c*, etterligning *c*; (*person*) bløffmaker *m*
2 ADJ (*gem, antique, passport, accent, laugh etc*) falsk
3 VT (*+painting etc*) forfalske (*v1*), etterligne (*v1*); (*+accounts, documents*) forfalske (*v1*); (*+illness, emotion*) simulere (*v2*)
falcon ['fɔːlkən] s falk *m*
Falkland Islands ['fɔːlklənd-] SPL ▸ **the Falkland Islands** Falklandsøyene
fall [fɔːl] (*pt* **fell**, *pp* **fallen**) 1 s (**a**) (= *act of falling*) fall *nt* ❑ *He had a nasty fall on the way out of the supermarket.* Han falt stygt på vei ut fra supermarkedet. *...a 3 per cent fall in industrial output...* et fall på 3 % i industriproduksjonen... *the Government's fall...* regjeringens fall... *A heavy fall of snow...* Et kraftig snøfall...
(**b**) (*US: autumn*) høst *m*
2 VI (**a**) (*gen*) falle*
(**b**) (*night, darkness+*) falle* på
(**c**) (*silence, hush, sadness+*) senke (*v1*) seg ❑ *A hush would fall among the villagers...* En stillhet pleide å senke seg over landsbyfolket...
▸ **falls** SPL (= *waterfall*) foss *m sg*
▸ **to fall flat** (**a**) (*plan+*) slå* feil
(**b**) (*joke+*) falle* til jorda
▸ **to fall in love (with sb/sth)** bli* forelsket (i noen/noe)
▸ **to fall short of sb's expectations** ikke greie (*v3*) å innfri noens forventninger
▸ **fall apart** VI falle* fra hverandre; (*sl: emotionally*) falle* sammen
▸ **fall back** VT FUS (= *retreat*) trekke* seg tilbake
▸ **fall back on** VT FUS (*+remedy etc*) falle* tilbake på
▸ **fall behind** VI komme* på etterskudd
▸ **fall down** VI (**a**) (*person+*) falle* (ned)
(**b**) (*building+*) rase (*v2*) (sammen)
▸ **fall for** VT FUS (**a**) (*+trick, story etc*) gå* på
(**b**) (*+person*) falle* for
▸ **fall in** VI (**a**) (*roof+*) rase (*v2*) sammen
(**b**) (*MIL*) stille (*v2x*) opp
▸ **fall in with** VT FUS (*+sb's plans etc*) gå* med på
▸ **fall off** VI (**a**) (*person, object+*) falle* av
(**b**) (*takings, attendance+*) synke*
▸ **fall out** VI (**a**) (*hair+*) falle* av
(**b**) (*teeth+*) falle* ut
(**c**) (*friends etc+*) komme* på kant (med noen)
▸ **to fall out with sb** komme* på kant med noen ❑ *Everybody stands to lose if the partners fall out.* Alle vil tape på at partnerne kommer på kant med hverandre.
▸ **fall over** 1 VI (**a**) (*person, object+*) falle* (overende)
(**b**) (*object+*) velte (*v1*)
2 VT ▸ **to fall over sth** snuble (*v1*) over noe (og falle*)
▸ **to fall over o.s. to do sth** løpe* bena av seg for å gjøre* noe
▸ **fall through** VI (*plan, project+*) falle* i fisk
fallacy ['fæləsɪ] s villfarelse *m*
fallback position ['fɔːlbæk] s rettrettstilling *m*
fallen ['fɔːlən] PP *of* **fall**
fallible ['fæləbl] ADJ feilbarlig
falling ['fɔːlɪŋ] ADJ (*market*) fallende, synkende
falling-off ['fɔːlɪŋ'ɔf] s (*of business, interest etc*) tilbakegang *m*
Fallopian tube [fə'ləupɪən-] s eggleder *m*
fallout ['fɔːlaut] s radioaktivt nedfall *nt*
fallout shelter s tilfluktsrom *nt*
fallow ['fæləu] ADJ (*land, field*) brakk
false [fɔːls] ADJ (*statement, accusation, impression*) gal, feil; (*person, smile, promise*) falsk
false alarm s falsk alarm *m*
falsehood ['fɔːlshud] s usannhet *m*
falsely ['fɔːlslɪ] ADV urettsmessig
false pretences SPL ▸ **under false pretences** under falskt foregivende
false teeth (*BRIT*) SPL gebiss *nt*
falsify ['fɔːlsɪfaɪ] VT forfalske (*v1*)
falter ['fɔːltə'] VI (**a**) (= *be unsteady: engine, voice*) svikte (*v1*)
(**b**) (*person, steps+*) bli* usikker
(**c**) (= *weaken: person*) vakle (*v1*) ❑ *From that moment onwards he never faltered in his resolve...* Fra det øyeblikket vaklet han aldri i sin beslutning...
(**d**) (*demand, interest+*) svikte (*v1*) ❑ *...when the demand for commodities began to falter in 1974...* da etterspørselen etter varer begynte å svikte i 1974...
fame [feɪm] s berømmelse *m*, berømthet *m*
familiar [fə'mɪlɪə'] ADJ (**a**) (= *well-known: face, voice*) (vel)kjent ❑ *My name was now familiar to millions of people...* Navnet mitt var nå kjent for millioner av mennesker...
(**b**) (*behaviour, tone: intimate*) fortrolig
(**c**) (= *overintimate*) familiær ❑ *I can't stand that familiar tone he uses when he talks to young women.* Jeg kan ikke fordra den familiære tonen han bruker når han snakker til unge damer.
▸ **to be familiar with** (*+subject*) være* kjent med
▸ **to be on familiar terms with sb** være* fortrolig med noen
familiarity [fəmɪlɪ'ærɪtɪ] s (**a**) (*of place*) kjent *nt decl as adj* ❑ *...the familiarity of the surroundings.* ...det kjente ved omgivelsene

(**b**) (*knowledge, intimacy*) fortrolighet *m* ❑ *...her familiarity with these things.* ...den fortroligheten hun har med dette.
familiarize [fəˈmɪlɪəraɪz] VT ▸ **to familiarize o.s. with sth** gjøre* seg kjent med noe
family [ˈfæmɪlɪ] s familie *m* ❑ *...the Adams Family.* ...familien Adams *...mothers with large families.* ...mødre med store familier.
family business s familiebedrift *m*
family credit s *familietilskudd*
family doctor s familielege *m*, familiedoktor *m*
family life s familieliv *nt*
family man s (*home-loving*) hjemmekjær mann *m*; (*with a family*) familiefar *m*
family planning s familieplanlegging *c*
▸ **family planning clinic** *sykehusavdeling som gir veiledning om prevensjon*
family tree s stamtre *nt*
famine [ˈfæmɪn] s hungersnød *m*
famished [ˈfæmɪʃt] (*sl*) ADJ utsultet
▸ **I'm famished** jeg er skrubbsulten
famous [ˈfeɪməs] ADJ berømt ❑ *...a famous writer...* en berømt forfatter... *a city famous for its cloth...* en by som er berømt for sin tøyproduksjon...
famously [ˈfeɪməslɪ] ADV ▸ **to get on famously** stortrives (*v25*) i hverandres selskap
fan [fæn] 1 s (**a**) (*of pop star*) fan *m*
(**b**) (*SPORT*) tilhenger *m*, fan *m*
(**c**) (*for cooling*) vifte *c*
2 VT (**a**) (*+face, person*) vifte (*v1*)
(**b**) (*+fire*) puste (*v1*) på
(**c**) (*fig: fears, anger*) få* noe til å blusse opp ❑ *Public hysteria fanned fears of an invasion.* Et allment hysteri fikk frykten for en invasjon til å blusse opp.
▸ **fan out** VI spre (*v4*) seg (i vifte)
fanatic [fəˈnætɪk] s fanatiker *m*
fanatical [fəˈnætɪkl] ADJ fanatisk
fan belt s vifterem *c*
fanciful [ˈfænsɪful] ADJ (**a**) (*notion, idea*) fantasifull, forskrudd
(**b**) (*design, name*) fancy ❑ *He considered this name far too fanciful.* Han syntes dette navnet var alt for fancy.
fan club s fanklubb *m*
fancy [ˈfænsɪ] 1 s (**a**) (*= liking*) forkjærlighet *m* ❑ *Where did he get this fancy for pineapples?* Hvor fikk han denne forkjærligheten for ananas?
(**b**) (*= imagination*) innfall *nt* ❑ *He paints whatever his fancy suggests.* Han maler hva som helst som faller ham inn.
(**c**) (*= fantasy*) forestilling *c*, fantasi *m* ❑ *I'd had a childhood fancy that I would one day be famous.* Jeg hadde en forestilling i barndommen om at jeg en dag skulle* bli* berømt. *It is difficult to separate fact from fancy.* Det er vanskelig å skille virkelighet og fantasi.
2 ADJ (**a**) (*clothes, hat*) moteriktig, fancy
(**b**) (*hotel, food*) fin
3 VT (**a**) (*= feel like, want*) ha* lyst på ❑ *Do you fancy a cup of tea?* Har du lyst på en kopp te?
(**b**) (*= imagine*) innbille (*v2x*) seg ❑ *I fancied I could hear a baby screaming.* Jeg innbilte meg at jeg kunne* høre en baby som skrek. *Fancy seeing you here!* Tenk å møte deg her! *"You're in hospital." "Well, fancy that."* "Du er på sykehuset." "Ja, tenk det."
(**c**) (*think*) tro (*v4*) ❑ *I don't know how long we can hold out. Not long, I fancy.* Jeg vet ikke hvor lenge vi kan holde ut. Ikke lenge, tror jeg.
(**d**) (*sl: person*) være* interessert i ❑ *...she fancied you.* ...hun var interessert i deg.
▸ **to take a fancy to sb** legge* sin elsk på noen
▸ **when the fancy takes him** når han får ånden over seg
▸ **it took** *or* **caught my fancy** jeg la min elsk på det ❑ *He bought a vase that had taken his fancy.* Han kjøpte en vase som han hadde lagt sin elsk på.
▸ **to fancy o.s.** (*neds*) tro (*v4*) at en er noe ❑ *Fancies himself, doesn't he?* Han tror at han er noe, ikke sant? *She fancies herself as a linguist.* Hun innbiller seg at hun er/kan bli* lingvist.
fancy dress s kostyme *nt*
fancy-dress ball [ˈfænsɪdrɛs-] s kostymeball *nt*
fancy goods SPL galanterivarer
fanfare [ˈfænfɛəʳ] s fanfare *m*
fang [fæŋ] s (*of snake, wolf etc*) hoggtann *c*
fan heater (*BRIT*) s vifteovn *m*
fanlight [ˈfænlaɪt] s *halvrundt vindu over en dør*
fanny [ˈfænɪ] s (*US: sl: bottom*) rumpe *c*; (*BRIT: sl!: genitals*) dåse *m* (*sl!*)
fantasize [ˈfæntəsaɪz] VI fantasere (*v2*)
fantastic [fænˈtæstɪk] ADJ fantastisk
fantasy [ˈfæntəsɪ] s (**a**) (*= dream*) drøm *m* ❑ *That's supposed to be every schoolgirl's fantasy...* Det skal være* enhver skolepikes drøm...
(**b**) (*= unreality, imagination*) fantasi *m* ❑ *To a small child, fantasy and reality are very close to each other...* For et lite barn er fantasien og virkeligheten svært nær hverandre...
fanzine [ˈfænziːn] s fanzin *nt*
FAO s FK (= **Food and Agriculture Organization**) FAO, *FNs organisasjon for ernæring og landbruk*
f.a.q. FK (= **free alongside quay**) fritt levert ved kai
far [fɑːʳ] 1 ADJ (*= distant*) langt unna ❑ *Yes, it's quite far.* Ja, det er temmelig langt unna.
2 ADV (**a**) (*in distance, time*) langt ❑ *He never hit the ball very far...* Han slo aldri ballen særlig langt... *if we look far into the future...* hvis vi ser langt inn i framtiden...
(**b**) (*= much, greatly*) noe særlig ❑ *Few of their closest friends would trust them very far...* Få av de nærmeste vennene deres ville* stole noe særlig på dem...
▸ **is it far to London?** er det langt til London?
▸ **it's not far from here** det er ikke langt herfra
▸ **how far?** (**a**) (*in distance, progress*) hvor langt? ❑ *How far is Amity from here?* Hvor langt er det herfra til Amity?
(**b**) (*in degree*) i hvilken grad? ❑ *How far are you going to tax people who don't own cars?* I hvilken grad skal du skattlegge folk som ikke har bil?
▸ **far away** *or* **off** langt unna ❑ *He sat as far away from the others as possible...* Han satt så

langt unna de andre som mulig...
▸ **far better** mye bedre
▸ **far from** langt fra ❑ *His hands were far from clean...* Hendene hans var langt fra rene... *Far from speeding up, the tank slithered to a halt...* Tanksen var langt fra å øke farten, den gled fram til den stoppet...
▸ **by far** absolutt, langt ❑ *She was by far the camp's best swimmer...* Hun var absolutt den beste svømmeren i leiren... *His expenses exceeded his income by far...* Utgiftene hans oversteg langt inntektene...
▸ **at the far end (of)** (**a**) (*of table*) på *or* ved den andre enden (av)
(**b**) (*of room, theatre*) innerst (i), borterst (i)
(**c**) (*of field*) i den andre enden (av), lengst vekk *or* bort (i *or* på)
(**d**) (*of pier etc*) ytterst (på)
▸ **at the far side (of)** på den andre siden (av)
▸ **go as far as the farm** gå* så langt som til gården
▸ **as far back as the 13th century** så langt tilbake som det trettende århundre
▸ **as far as I know** så vidt jeg vet
▸ **as far as possible** så langt som mulig
▸ **he went too far** han gikk for langt
▸ **he went so far as to resign** han gikk så langt som til å trekke seg
▸ **far and away** uten sammenligning ❑ *This is far and away the most important point...* Dette er uten sammenligning det viktigste punktet...
▸ **from far and wide** langveisfra
▸ **far from it** langt i fra
▸ **far be it from me to criticize** jeg vil på ingen måte kritisere
▸ **so far** så langt, hittil
▸ **the far left/right** (*POL*) ytterste venstre/høyre

faraway ['fɑːrəweɪ] ADJ (*place*) fjerntliggende; (*look, thought, voice*) fjern

farce [fɑːs] s (*TEAT: also fig*) farse *m*

farcical ['fɑːsɪkl] ADJ absurd, fullstendig latterlig

fare [fɛəʳ] [1] s (**a**) (*price: on trains, buses*) (billett)pris *m*
(**b**) (*in taxi*) pris *m*, takst *m*
(**c**) (= *food*) kost *m*
[2] VI klare (*v2*) seg ❑ *They fared badly in the recent elections.* De klarte seg dårlig i de siste valgene.
▸ **how did you fare?** hvordan gikk det med deg?
▸ **half/full fare** halv/full pris

Far East s ▸ **the Far East** det fjerne østen

farewell [fɛə'wɛl] [1] INTERJ far vel
[2] s farvel *nt*
▸ **to bid sb farewell** ta* farvel med noen
SAMMENS (*party, gift etc*) avskjeds-

far-fetched ['fɑː'fɛtʃt] ADJ søkt

farm [fɑːm] [1] s (bonde)gård *m*, (bonde)gard *m*, gårdsbruk *nt* (*var.* gardsbruk)
[2] VT (+*land*) dyrke (*v1*)
▸ **farm out** VT (+*work etc*) sette* bort ❑ *She has more orders than she can cope with, so she farms them out to old ladies.* Hun har flere bestillinger enn hun kan hanskes med, så hun setter dem bort til noen gamle damer.

farmer ['fɑːməʳ] s bonde *m*, gårdbruker *m* (*var.* gardbruker)

farmhand ['fɑːmhænd] s gårdsarbeider *m*

farmhouse ['fɑːmhaus] s våningshus *nt*

farming ['fɑːmɪŋ] s (= *agriculture*) jordbruk *nt*, gårdsdrift *c* (*var.* gardsdrift)
▸ **sheep farming** sauedrift *c*
▸ **intensive farming** intensivjordbruk *nt*

farm labourer s = **farmhand**

farmland ['fɑːmlænd] s dyrket mark *m*

farm produce s jordbruksprodukt *nt*

farm worker s = **farmhand**

farmyard ['fɑːmjɑːd] s (gårds)tun *nt*

Faroe Islands ['fɛərəu-] SPL ▸ **the Faroe Islands** Færøyene

Faroes ['fɛərəuz] SPL = **Faroe Islands**

far-reaching ['fɑː'riːtʃɪŋ] ADJ (*reforms, effects, implications*) vidtrekkende

far-sighted ['fɑː'saɪtɪd] ADJ (*US*) langsynt; (*fig*) framsynt

fart [fɑːt] (*sl!*) [1] VI prompe (*v1*) (*sl*), fise* (*sl!*)
[2] s promp *m* (*sl*), fis *m* (*sl!*)

farther ['fɑːðəʳ] [1] ADV lenger ❑ *He could throw a ball farther than anyone else in the school.* Han kunne* kaste ball lenger enn noen annen på skolen. *...look farther ahead...* se lenger fram... *He went farther than anyone expected.* Han gikk lenger enn noen hadde ventet.
[2] ADJ (*shore, side*) andre

farthest ['fɑːðɪst] SUP (**a**) (*in distance, degree*) lengst ❑ *Who can throw it the farthest?* Hvem kan kaste den lengst? *I'm afraid that's the farthest I can go in this deal.* Jeg er redd at dette er det lengste jeg kan strekke meg i denne saken.
(**b**) (*in time*) ▸ **the farthest back I can remember** det tidligste jeg kan huske

f.a.s. (*BRIT*) FK (= **free alongside ship**) fritt levert ved skipssiden

fascia ['feɪʃə] s dashbord *nt*

fascinate ['fæsɪneɪt] VT fascinere (*v2*)

fascinating ['fæsɪneɪtɪŋ] ADJ (*story, person, country*) fascinerende

fascination [fæsɪ'neɪʃən] s fascinasjon *m*, fortryllelse *m* ❑ *Ancient Egypt holds a strange fascination for me.* Det gamle Egypt har en fascinerende virkning på meg.
▸ **he watched in fascination** han så på med fortryllelse, han så fascinert på

fascism ['fæʃɪzəm] s fascisme *m*

fascist ['fæʃɪst] [1] ADJ fascistisk
[2] s fascist *m*

fashion ['fæʃən] [1] s (**a**) (= *trend: in clothes, thought, behaviour*) mote *m* ❑ *I gather mini skirts are the fashion again now...* Jeg hører at miniskjørt er på moten igjen nå... *These four young Beatles set the fashion for a generation.* Disse fire unge Beatles-medlemmene skapte mote for en generasjon. *...the latest Parisian fashions.* ...siste mote fra Paris.
(**b**) (= *manner*) måte *m*, vis *nt* ❑ *He greeted us warmly in his usual friendly fashion.* Han hilste varmt på oss på sin sedvanlige vennlige måte *or* sitt sedvanlige vis.
[2] VT (= *make*) forme (*v1*) ❑ *The artist fashioned out of clay a grinning skeleton...* Kunstneren formet et grinende skjelett av leire...
▸ **in fashion** på moten ❑ *Platform shoes are*

back in fashion again... Platåsko er på moten igjen...
▸ **out of fashion** umoderne, av moten NB *Open-plan offices are going out of fashion.* Kontorlandskap er i ferd med å bli* umoderne *or* å gå* av moten.
▸ **after a fashion** på et vis
fashionable ['fæʃnəbl] ADJ (*clothes, club, subject*) moteriktig, på moten; (= *upmarket*) fasjonabel; (*writer*) populær
fashion designer S moteskaper *m*
fashion show S moteshow *nt*
fast [fɑːst] 1 ADJ (**a**) (*runner, car, progress*) rask
(**b**) (*dye, colour*) fargeekte
2 ADV (**a**) (*run, act, think*) fort, raskt, hurtig
(**b**) (*stuck, held*) fast
3 S (*REL etc*) faste *m*
4 VI (*REL etc*) faste (*v1*)
▸ **to be fast** (*clock, watch+*) gå* for fort
▸ **my watch is 5 mins fast** klokka min går 5 min for fort
▸ **fast asleep** i dyp søvn
▸ **as fast as I can** så fort jeg kan
▸ **to make a boat fast** (*BRIT*) fortøye (*v3*) en båt
fasten ['fɑːsn] 1 VT (**a**) (= *tie, join*) feste (*v1*) ❑ *He had an electrode fastened to his wrist.* Han hadde en elektrode festet til håndleddet. *He fastened his seat belt...* Han festet sikkerhetsbeltet...
(**b**) (*+coat*) kneppe (*v1 or v2x*) (igjen)
2 VI (*coat, belt etc+*) ▸ **this dress fastens at the back** denne kjolen har lukningen i ryggen
▸ **fasten (up)on** VT FUS (*+idea, scheme*) feste (*v1*) seg ved
fastener ['fɑːsnə^r] S (= *button, clasp, pin etc*) festeanordning *c*
fastening ['fɑːsnɪŋ] S = **fastener**
fast food 1 S (= *hamburger etc*) gatekjøkkenmat *m*, fast-food *m*
2 SAMMENS (*restaurants, industry, chain etc*) fast-food-
fastidious [fæs'tɪdɪəs] ADJ nøye, pirkete
fast lane S (*BIL*) forbikjøringsfelt *nt*
fat [fæt] 1 ADJ (**a**) (*person, animal*) tykk (*var.* tjukk) fet (*var.* feit)
(**b**) (*book, wallet*) tykk (*var.* tjukk)
(**c**) (*profit*) fet (*var.* feit)
2 S fett *nt*
▸ **to live off the fat of the land** leve (*v3*) i sus og dus
▸ **that's a fat lot of use** *or* **good** (*sl*) det er (det) mye vits i
fatal ['feɪtl] ADJ (*accident*) fatal, døds-; (*injury, illness*) dødelig; (*mistake*) fatal, skjebnesvanger
fatalistic [feɪtə'lɪstɪk] ADJ (*person, attitude*) fatalistisk
fatality [fə'tælɪtɪ] S (= *road death etc*) drept *m decl as adj*
fatally ['feɪtəlɪ] ADV (*wounded, injured*) dødelig
fate [feɪt] S skjebne *m*
▸ **to meet one's fate** møte (*v2*) sin skjebne
fated ['feɪtɪd] ADJ skjebnebestemt ❑ *We were fated to dislike one another...* Vi var skjebnebestemt til å mislike hverandre...
fateful ['feɪtful] ADJ (*moment, decision*) skjebnesvanger
fat-free ['fæt'friː] ADJ fettfri
father ['fɑːðə^r] S (**a**) far *m*
(**b**) (*REL*) pater *m*, fader *m* ❑ *...the kind of religion which Father Drew preaches.* ...den typen religion som pater *or* fader Drew forkynner.
Father Christmas S ≈ julenissen *m def*
fatherhood ['fɑːðəhud] S det å være/bli far; (*role as father*) farsrolle *c*
father-in-law ['fɑːðərənlɔː] S svigerfar *m*
fatherland ['fɑːðəlænd] S fedreland *nt*
fatherly ['fɑːðəlɪ] ADJ faderlig
fathom ['fæðəm] 1 S (*NAUT*) favn *c*
2 VT (= *understand: meaning, mystery, reason*) fatte (*v1*)
fatigue [fə'tiːg] S utmattelse *m*
▸ **fatigues** SPL (*MIL*) feltuniform *m*
▸ **metal fatigue** metalltretthet *m*
fatness ['fætnɪs] S fedme *m*
fatten ['fætn] VT (*+animal*) fete opp (*v1*) (*var.* feite opp)
fattening ['fætnɪŋ] ADJ fetende (*var.* feitende)
fatty ['fætɪ] 1 ADJ (*food*) fet (*var.* feit)
2 S (*sl: man*) tjukkas *m* (*sl*); (*woman*) trulte *f* (*sl*)
fatuous ['fætjuəs] ADJ (*idea, remark*) tåpelig, fjollet
faucet ['fɔːsɪt] (*US*) S kran *c*
fault [fɔːlt] 1 S (**a**) (*gen*) feil *m* ❑ *...through no fault of her own.* ...uten at det var hennes feil. *Yet the fault lies not in him but in the system.* Allikevel har ikke feilen noe med ham å gjøre, men med systemet.
(**b**) (*GEOG*) forkastning *c*
2 VT (= *criticize*) finne* feil ved
▸ **it's my fault** det er min feil *or* skyld
▸ **to find fault with sb/sth** finne* feil ved noen/ noe
▸ **at fault** på villspor
▸ **generous to a fault** nesten for snill
faultless ['fɔːltlɪs] ADJ feilfri
faulty ['fɔːltɪ] ADJ defekt
fauna ['fɔːnə] S fauna *m*
faux pas ['fəu'pɑː] S UBØY feiltrinn *nt*
favour ['feɪvə^r], **favor** (*US*) 1 S (**a**) (= *approval*) velvilje *m* ❑ *I think the company will look with favour on your plan.* Jeg tror firmaet vil se på planen din med velvilje. *Is this just an attempt to win his favour?* Er dette bare et forsøk på å oppnå velvilje hos ham?
(**b**) (= *act of kindness*) tjeneste *m* ❑ *...as a special favour...* som en spesiell tjeneste...
2 VT (**a**) (*+solution*) foretrekke* ❑ *Most observers favour the second view...* De fleste observatører foretrekker det andre synet...
(**b**) (*+person*) favorisere (*v2*) ❑ *Parents sometimes favour the youngest child in the family...* Foreldre favoriserer av og til det yngste barnet i familien...
▸ **to ask a favour of sb** be* noen om en tjeneste
▸ **to do sb a favour** gjøre* noen en tjeneste
▸ **to be in favour of sth/doing sth** være* for noe/for å gjøre* noe ❑ *I'm all in favour of nuclear reactors...* Jeg er helt for kjernekraftverk...
▸ **biased in favour of** farget til fordel for
▸ **to find favour with sb** (*suggestion, plan+*) finne* nåde hos noen
favourable ['feɪvrəbl] ADJ (**a**) (*reaction, impression*)

positiv
(**b**) (*terms, conditions*) gunstig, fordelaktig
▸ **to be favourable to** være* positiv til
favourably ['feɪvrəblɪ] ADV fordelaktig
favourite ['feɪvrɪt] 1 ADJ yndlings-, favoritt-
2 S (*of teacher, parent*) yndling *m*, gullunge *m*; (*in race*) favoritt *m*
favouritism ['feɪvrɪtɪzəm] S favorisering *c*
fawn [fɔːn] 1 S (= *young deer*) hjortekalv *m*
2 ADJ (*also* ***fawn-coloured***) gulbrun
3 VI ▸ **to fawn (up)on** krype* for
fax [fæks] 1 S (tele)faks *m*
2 VT fakse (*v1*)
FBI (*US*) S FK (= **Federal Bureau of Investigation**) Det føderale undersøkingsbyrå
FCC (*US*) S FK (= **Federal Communications Commission**) *organ som regulerer telefontrafikk, fjernsynsendinger, radio- og satellittkommunikasjon*
FCO (*BRIT*) S FK (= **Foreign and Commonwealth Office**) ≈ UD (= *Utenriksdepartementet*)
FD (*US*) S FK (= **fire department**) brannvesen *nt*
FDA (*US*) S FK (= **Food and Drug Administration**) *organ som overvåker ernæringsprodukter og medisiner*
FE S FK (= **further education**) voksenopplæring *c*
fear [fɪəʳ] 1 S (**a**) (= *terror*) ▸ **fear (of)** frykt *m* (for), redsel *m* (for) ❑ *They huddled together, quaking with fear...* De trykket seg sammen mens de skalv av frykt *or* redsel... *She was brought up with no fear of animals.* Hun vokste opp uten noen frykt *or* redsel for dyr.
(**b**) (= *anxiety*) bekymring *c* ❑ *My worst fears were quickly realized.* Mine verste bekymringer ble snart til virkelighet.
2 VT frykte (*v1*) ❑ *...a woman whom he disliked and feared...* en kvinne som han mislikte og fryktet... *An epidemic of plague was feared.* Det ble fryktet en pestepidemi.
3 VI ▸ **to fear for/that** frykte (*v1*) for/at ❑ *Morris began to fear for the life of Mrs Reilly...* Morris begynte å frykte for livet til fru Reilly... *The new countries fear that their new-found independence might be lost.* De nye landene frykter at deres nyvunne uavhengighet kan gå* tapt.
▸ **fear of heights** høydeskrekk *m*
▸ **for fear of doing sth** av frykt for å gjøre* noe
fearful ['fɪəful] ADJ (**a**) (*person*) fryktsom, engstelig
(**b**) (*sight, noise*) fryktinngytende, fryktelig
(**c**) (*risk, accident*) fryktelig
▸ **to be fearful of sth/doing sth** være* engstelig for noe/for å gjøre* noe
fearfully ['fɪəfəlɪ] ADV (= *timidly*) engstelig; (*fml: very*) fryktelig
fearless ['fɪəlɪs] ADJ (*person*) fryktløs, uredd
fearsome ['fɪəsəm] ADJ (*opponent*) fryktinngytende; (*sight*) skrekkelig
feasibility [fiːzə'bɪlɪtɪ] S gjennomførbarhet *m*
feasibility study S gjennomførbarhetsstudie *m*
feasible ['fiːzəbl] ADJ (*proposal, idea*) gjennomførbar
feast [fiːst] 1 S (**a**) (= *banquet*) fest *m*
(**b**) (*day, event*) festdag *m*
2 VI feste (*v1*)
▸ **to feast on** gasse (*v1*) seg med, meske (*v1*) seg med
▸ **to feast one's eyes (up)on sth/sb** nyte* synet av noe/noen
feat [fiːt] S bragd *m* ❑ *The construction of this bridge was a brilliant feat of engineering.* Å konstruere denne broen var en glimrende bragd i ingeniørkunst.
feather ['fɛðəʳ] 1 S (*of bird*) fjær *c* (*var:* fjør)
2 SAMMENS (*mattress, bed, pillow*) fjær- (*var:* fjør-)
3 VT ▸ **to feather one's nest** (*fig*) mele (*v2*) sin egen kake
▸ **a feather in one's cap** en fjær i hatten
featherweight ['fɛðəweɪt] S (*BOKSING, fig*) fjærvekt *c* (*var:* fjørvekt)
feature ['fiːtʃəʳ] 1 S (**a**) (= *characteristic*) (karakteristisk) trekk *nt* ❑ *Career guidance discussions were a feature of our final year...* Samtaler med yrkesveiledere var et karakteristisk trekk ved det siste året vårt...
(**b**) (*PRESS, TV*) (hoved)oppslag *nt* ❑ *...the local newspaper ran a feature on drug abuse...* lokalavisen hadde et oppslag om stoffmisbruk...
2 VT (*film+*) ha* i hovedrollen ❑ *This film features two of my favourite actors...* To av mine yndlingsskuespillere spiller hovedroller i denne filmen...
3 VI ▸ **to feature in** (*+situation, film etc*) figurere (*v2*) i ❑ *This is not the first time he has featured in allegations of violence...* Dette er ikke første gang han har figurert i beskyldninger om voldsbruk...
▸ **features** SPL (*of face*) trekk *ntpl*
feature film S spillefilm *m*
featureless ['fiːtʃəlɪs] ADJ pregløs
Feb. FK = **February**
February ['fɛbruərɪ] S februar *m see also* **July**
feces ['fiːsiːz] (*US*) SPL = **faeces**
feckless ['fɛklɪs] ADJ skjødesløs
Fed (*US*) FK = **federal, federation**
fed [fɛd] PRET, PP *of* **feed**
Fed. [fɛd] (*US: sl*) S FK (= **Federal Reserve Board**) *sentralbanken i USA*, Norges Bank
federal ['fɛdərəl] ADJ føderal
Federal Republic of Germany S ▸ **the Federal Republic of Germany** Forbundsrepublikken Tyskland
Federal Reserve Board (*US*) S *sentralt styringsorgan for det nasjonale bankvesenet i USA*
Federal Trade Commission (*US*) S *den føderale handelskommisjon*
federation [fɛdə'reɪʃən] S føderasjon *m*, forbund *nt*
fed up ADJ ▸ **to be fed up** være* lei
fee [fiː] S (**a**) (= *payment*) avgift *c*
(**b**) (*of doctor, lawyer*) honorar *nt*
▸ **school fees** skolepenger *pl*
▸ **entrance fee** inngangsavgift *c*
▸ **membership fee** medlemskontingent *m*
▸ **for a small fee** mot en mindre avgift
feeble ['fiːbl] ADJ (*person, animal, voice*) svak; (*light*) svak, matt; (*attempt, excuse*) tam, sped; (*joke*) flau
feeble-minded ['fiːbl'maɪndɪd] ADJ åndssvak, evneveik
feed [fiːd] (*pt* **fed**)*pp* 1 S (**a**) (*of baby*) måltid *nt*
(**b**) (*of animal*) fôring *c*
(**c**) (*on printer*) inntak *nt*

2 VT (**a**) (*+baby, invalid*) mate (*v1*)
(**b**) (*+family, guests*) servere (*v2*), gi* mat
(**c**) (*+horse, dog etc*) fôre (*v1*), mate (*v1*)
▸ **to feed sth into** (**a**) (*+data, information*) mate (*v1*) noe inn i
(**b**) (*+current, gas, petrol*) tilføre (*v2*) noe til
(**c**) (*+coins, money*) putte (*v1*) noe (inn) på
▸ **feed on** VT FUS (**a**) (*= live on*) leve (*v3*) av ❑ *Not all bats feed on insects...* Ikke alle flaggermus lever av insekter...
(**b**) (*fig*) få* næring fra ❑ *Anger feeds on disappointment.* Sinne får næring fra skuffelse.

feedback ['fi:dbæk] S (*noise*) tilbakekobling *c*, feedback *m*; (*from person*) tilbakemelding *c*, feedback *m*

feeding bottle (*BRIT*) S tåteflaske *c*

feel [fi:l] (*pt* **felt**)*pp* 1 S (**a**) (*of substance, cloth*) ▸ **to have a pricky** *etc* **feel** kjennes (*v25x*) taggete *etc* ut
(**b**) (*= impression*) ▸ **to have the feel of sth** ha* karakter av noe ❑ *The Brazilian Amazon has the feel of a tropical wild west.* Det brasilianske Amazonas har karakter av et slags tropisk ville* vesten.
2 VT (**a**) (*= touch: object, face etc*) kjenne (*v2x*) på ❑ *Eric felt his face.* Eric kjente på ansiktet sitt.
(**b**) (*= experience: desire, anger, grief, cold, pain*) føle (*v2*), kjenne (*v2x*) ❑ *Mrs Oliver felt a sudden desire to burst out crying...* Fru Oliver følte *or* kjente en plutselig trang til å briste i gråt...
(**c**) (*= think, believe*) synes (*v25*) ❑ *She knew how I felt about totalitarianism...* Hun visste hva jeg syntes om totalitarisme...
▸ **to feel (that)** føle (*v2*) (at) ❑ *I feel I'm neglecting my duty.* Jeg føler at jeg ikke gjør min plikt.
▸ **to feel lonely/better** føle (*v2*) seg ensom/bedre
▸ **I don't feel well** jeg føler meg ikke bra
▸ **to feel sorry for** synes (*v25*) synd på
▸ **it feels soft** den kjennes myk ut
▸ **it feels like velvet** det føles som fløyel, det kjennes ut som fløyel
▸ **to feel like** (**a**) (*= want*) føle (*v2*) for, ha* lyst på ❑ *I feel like a stroll.* Jeg føler for *or* har lyst på en spasertur
(**b**) (*= seem to oneself*) føle (*v2*) seg som ❑ *I felt like a murderer.* Jeg følte meg som en morder.
▸ **to get the feel of sth** få* taket på noe
▸ **to have a feel of sth** kjenne (*v2x*) på noe
▸ **I'm still feeling my way** jeg føler meg fortsatt fram
▸ **I don't feel myself** jeg føler meg ikke helt bra
▸ **feel about, feel around** VI ▸ **to feel about** *or* **around in one's pocket for sth** kjenne (*v2x*) etter i lommen etter noe

feeler ['fi:lə^r] S (*of insect*) følehorn *nt*
▸ **to put out a feeler** *or* **feelers** (*fig*) sende (*v2*) ut en føler *or* følere

feeling ['fi:lɪŋ] S (**a**) (*emotional, physical*) følelse *m* ❑ *...strong feelings of jealousy...* sterk sjalusi... *an itchy feeling...* en stikkende følelse...
(**b**) (*= impression*) inntrykk *nt* ❑ *My feeling is that it would work very well...* Mitt inntrykk er at det ville* fungere svært bra...
▸ **feelings were running high** bølgene gikk høyt
▸ **what are your feelings about the matter?** hva føler du om saken?
▸ **I have a feeling that...** jeg har en følelse av at... ❑ *I'm not sure, but I have a nasty feeling that it's here at home...* Jeg er ikke sikker, men jeg har en lei følelse av at den er her hjemme...
▸ **my feeling is that...** mitt inntrykk er at...
▸ **to hurt sb's feelings** såre (*v1*) noen

fee-paying ['fi:peɪɪŋ] ADJ ▸ **fee-paying school** betalingsskole *m* ▸ **fee-paying pupils** *betalende elever*

feet [fi:t] SPL *of* **foot**

feign [feɪn] VT (*+injury, interest*) simulere (*v2*), hykle (*v1*)

feigned [feɪnd] ADJ (*surprise*) påtatt

felicitous [fɪ'lɪsɪtəs] ADJ (*expression*) høvelig

feline ['fi:laɪn] ADJ katteaktig

fell [fɛl] 1 PRET *of* **fall**
2 VT (*+tree, opponent*) felle (*v2x*)
3 S (*BRIT: mountain*) fjell *nt*
4 ADJ ▸ **in one fell swoop** med ett slag
▸ **the fells** fjellet

fellow ['fɛləu] 1 S (**a**) (*= man*) fyr *m*
(**b**) (*= comrade*) kamerat *m*
(**c**) (*of learned society*) medlem *nt* (*av akademi etc*)
(**d**) (*of university*) ≈ stipendiat *m*
2 SAMMENS ▸ **their fellow prisoners/students** deres medfanger/medstudenter
▸ **his fellow workers** kollegene hans

fellow citizen S medborger *m*

fellow countryman *irreg* S landsmann *m irreg*

fellow men SPL medmennesker *ntpl*

fellowship ['fɛləuʃɪp] S (*= comradeship*) fellesskap *nt*; (*= society*) forening *c*; (*SKOL*) stipendium *nt irreg*

fell-walking ['fɛlwɔ:kɪŋ] (*BRIT*) S fjellvandring *c*

felon ['fɛlən] (*US*) S forbryter *m*

felony ['fɛlənɪ] S (grov) forbrytelse *m*

felt [fɛlt] 1 PRET, PP *of* **feel**
2 S (*fabric*) filt *m*

felt-tip pen ['fɛlttɪp-] S tusjpenn *m*

female ['fi:meɪl] 1 S (**a**) (*ZOOL*) hunn *m* ❑ *The male fertilizes the female's eggs.* Hannen befrukter hunnens egg.
(**b**) (*= woman*) kvinne *c* ❑ *...a lone female staying at a hotel...* en enslig kvinne som bor på et hotell...
2 ADJ (**a**) (*ZOOL*) hunn-
(**b**) (*sex, character, child*) kvinnelig
(**c**) (*vote, equality etc*) for kvinner

female impersonator S dragartist *m*

Femidom® ['fɛmɪdɔm] S kondom for kvinner *nt*, Femidom *nt*®

feminine ['fɛmɪnɪn] ADJ (*clothes, behaviour*) feminin; (*LING*) hunkjønns-, feminin

femininity [fɛmɪ'nɪnɪtɪ] S femininitet *m*, kvinnelighet *m*

feminism ['fɛmɪnɪzəm] S feminisme *m*

feminist ['fɛmɪnɪst] S feminist *m*

fen [fɛn] (*BRIT*) S ▸ **the Fens** *de flate markene i East Anglia*

fence [fɛns] 1 S (*barrier*) gjerde *nt*
2 VT (*also* ***fence in****: land*) gjerde (*v1*) inn
3 VI (*SPORT*) fekte (*v1*)
▸ **to sit on the fence** (*fig*) sitte* på gjerdet

fencing ['fɛnsɪŋ] s (*SPORT*) fekting *c*
fend [fɛnd] VI ▸ **to fend for o.s.** klare (*v2*) seg selv
▸ **fend off** VT (*+attack, attacker, questions*) avverge (*v1*)
fender ['fɛndəʳ] s (*of fireplace*) gnistfanger *m*; (*on boat*) fender *m*; (*US: of car*) skjerm *m*
fennel ['fɛnl] s fennikel *m*
ferment [*VB* fə'mɛnt, *N* 'fə:mɛnt] 1 VI (*beer, dough etc+*) gjære (*v1 or v2*)
2 s (*fig: unrest*) uro *m*
fermentation [fə:mɛn'teɪʃən] s gjæring *c*
fern [fə:n] s bregne *c*
ferocious [fə'rəuʃəs] ADJ (*animal, assault, yell, competition*) grusom, voldsom
ferocity [fə'rɔsɪtɪ] s grusomhet *m*, voldsomhet *m*
ferret ['fɛrɪt] s jaktilder *m*
▸ **ferret about** VI (*person, animal+*) rote (*v1*) rundt
▸ **ferret around** VI = **ferret about**
▸ **ferret out** VT (*+information*) snuse (*v2*) opp
ferry ['fɛrɪ] 1 s ferge *c* (*var.* ferje)
2 VT frakte (*v1*)
▸ **to ferry sth/sb across** *or* **over** ferge (*v1*) noe/noen over (*var.* ferje)
ferryman ['fɛrɪmən] s fergemann *m irreg* (*var.* ferjemann)
fertile ['fə:taɪl] ADJ (*land, soil, woman*) fruktbar; (*imagination, mind*) fruktbar, frodig
fertility [fə'tɪlɪtɪ] s fruktbarhet *m*
fertility drug s fruktbarhetsfremmende middel *nt*
fertilization [fə:tɪlaɪ'zeɪʃən] s befruktning *c*
fertilize ['fə:tɪlaɪz] VT (*+land*) gjødsle (*v1*); (*BIO*) befrukte (*v1*)
fertilizer ['fə:tɪlaɪzəʳ] s (*for plants, land*) gjødsel *c*
fervent ['fə:vənt] ADJ (*admirer, supporter*) glødende, heftig; (*belief*) glødende, brennende
fervour ['fə:vəʳ], **fervor** (*US*) s glød *m*
fester ['fɛstəʳ] VI (*sore, wound+*) verke (*v1*), være* betent
festival ['fɛstɪvəl] s (*REL*) høytid *c*; (*KUNST, MUS*) festival *m*
festive ['fɛstɪv] ADJ (*mood, atmosphere*) feststemt
▸ **the festive season** (*BRIT*) julen (og nyttårshelgen)
festivities [fɛs'tɪvɪtɪz] SPL festligheter *m*
festoon [fɛs'tu:n] VT ▸ **to be festooned with** være* overhengt med
fetch [fɛtʃ] VT (*= bring*) hente (*v1*); (*= sell for*) innbringe*
▸ **fetch up** VI havne (*v1*)
fetching ['fɛtʃɪŋ] ADJ (*woman, dress*) henrivende
fête [feɪt] s (*at church, school*) stevne *nt*
fetid ['fɛtɪd] ADJ illeluktende
fetish ['fɛtɪʃ] s fetisj *m*
fetter ['fɛtəʳ] VT hemme (*v1*)
fetters ['fɛtəz] SPL (**a**) fotlenker
(**b**) (*fig*) lenker ❑ *They will run wild freed from the fetters of control.* De vil løpe fritt, ubundet av kontrollens lenker.
fettle ['fɛtl] (*BRIT*) s ▸ **in fine fettle** i fin form
fetus ['fi:təs] (*US*) s = **foetus**
feud [fju:d] 1 s feide *m*
2 VI strides *no past tense*
▸ **a family feud** en familiefeide
feudal ['fju:dl] ADJ føydal
feudalism ['fju:dlɪzəm] s føydalisme *m*, lensvesen *nt*
fever ['fi:vəʳ] s (**a**) (*MED*) feber *m*
(**b**) (*fig: mania*) farsott *m* ❑ *...the Chinese fever for gambling.* ...den kinesiske gamblingfarsotten.
▸ **he has a fever** han har feber
feverish ['fi:vərɪʃ] ADJ (*MED*) febril; (*fig: emotion, activity*) febrilsk
few [fju:] ADJ, PRON få ❑ *She has few friends.* Hun har få* venner. *Many of us tried but few succeeded...* Mange av oss prøvde, men få* lyktes...
▸ **a few** 1 ADJ noen (få) ❑ *She has a few friends.* Hun har noen få* venner. 2 PRON noen ❑ *Many of us tried and a few succeeded.* Mange av oss prøvde, og noen lyktes.
▸ **a few more/less** noen flere/færre
▸ **very few survive** svært få* overlever
▸ **a good few** *or* **quite a few** ganske mange
▸ **as few as** så få* som
▸ **no fewer than** ikke mindre enn
▸ **they are few and far between** det er langt mellom dem
▸ **in the next few days** i løpet av de neste par dagene
▸ **in the past few days** i de siste par dagene
▸ **every few days/months** med et par dagers/måneders mellomrom
fewer ['fju:əʳ] ADJ færre ❑ *We have fewer students this year than last.* Vi har færre studenter i år enn i fjor.
▸ **they are fewer** de er ikke så mange
▸ **there are fewer buses on Sundays** det er færre busser på søndager
fewest ['fju:ɪst] ADJ færrest
FH (*BRIT*) s FK = **fire hydrant**
FHA (*US*) s FK (= **Federal Housing Administration**) *statlig organ som forsikrer pantelån*
fiancé [fɪ'ɑ̃:ŋseɪ] s forlovede *m*
fiancée [fɪ'ɑ̃:ŋseɪ] s forlovede *m*
fiasco [fɪ'æskəu] s fiasko *m*
fib [fɪb] s skrøne *c*
fibre ['faɪbəʳ], **fiber** (*US*) s fiber *m*
fibreboard ['faɪbəbɔ:d], **fiberboard** (*US*) s (*cardboard*) fiberpapp *m*; (*of wood*) fiberplate *c*
fibreglass ['faɪbəglɑ:s], **fiberglass** (*US*) s fiberglass *nt*
fibrositis [faɪbrə'saɪtɪs] s fibrositt *m*
fickle ['fɪkl] ADJ (*person, weather*) ustadig
fiction ['fɪkʃən] s (**a**) (*LITT*) (skjønn)litteratur *m*
(**b**) (*= invention*) fantasi *m* ❑ *You can't tell the difference between truth and fiction.* Du vet ikke forskjellen mellom virkelighet og fantasi.
(**c**) (*= lie*) fiksjon *m* ❑ *We had to keep up the fiction of being a normal couple.* Vi måtte* opprettholde fiksjonen om at vi var et vanlig par.
fictional ['fɪkʃənl] ADJ (*unreal*) oppdiktet; (*relating to fiction*) skjønnlitterær
fictionalize ['fɪkʃnəlaɪz] VT (*account*) fiksjonalisere (*v2*)
fictitious [fɪk'tɪʃəs] ADJ fiktiv
fiddle ['fɪdl] 1 s (**a**) (*MUS*) fele *f*
(**b**) (*= fraud, swindle*) snusk *nt*
2 VT (*BRIT: accounts*) tukle (*v1*) med

▸ **tax fiddle** skattesnusk *nt*
▸ **to work a fiddle** fare* med snusk
▸ **fiddle with** VT FUS fingre (*v1*) med
fiddler ['fɪdləʳ] S felespiller *m*
fiddly ['fɪdlɪ] ADJ (*task, object*) kronglet(e), plundret(e)
fidelity [fɪ'dɛlɪtɪ] S (*of spouse, dog*) trofasthet *m*; (*of report, translation etc*) pålitelighet *m*
fidget ['fɪdʒɪt] VI ikke kunne* holde seg i ro, være* rastløs
fidgety ['fɪdʒɪtɪ] ADJ rastløs, urolig, som ikke kan holde seg i ro
fiduciary [fɪ'dju:ʃɪərɪ] S formynder *m*, verge *m*
field [fi:ld] 1 S (**a**) (*on farm*) jorde *nt*
(**b**) (*cultivated*) åker *m*
(**c**) (*SPORT: ground*) bane *m*
(**d**) (*fig: subject, area of interest*) felt *nt*, område *nt* ❑ *She is an expert in this field.* Hun er ekspert på dette feltet *or* området.
(**e**) (*TEKN, DATA*) felt *nt*
2 SAMMENS (*study, trip*) felt-
▸ **the field** (= *competitors, entrants*) feltet *nt*
▸ **to lead the field** (**a**) (*SPORT*) lede (*v1*) feltet
(**b**) (*fig*) være* ledende på feltet
field day S ▸ **to have a field day** ha* en stor dag
field glasses SPL (felt)kikkert *m sg*
field hospital S feltsykehus *nt*
field marshal S feltmarskalk *m*
fieldwork ['fi:ldwɜ:k] S (= *research*) feltarbeid *nt*
fiend [fi:nd] S (= *monster*) djevel *m*
fiendish ['fi:ndɪʃ] ADJ djevelsk
fierce [fɪəs] ADJ (*animal*) vill; (*warrior, enemy*) arg; (*look*) truende; (*loyalty, resistance*) innbitt; (*competition, wind, heat, storm*) voldsom
fiery ['faɪərɪ] ADJ (*sun*) brennende, flammende; (*temperament, speech*) ildfull, flammende
FIFA ['fi:fə] S FK (= **Fédération Internationale de Football Association**) Det internasjonale fotballforbund
fifteen [fɪf'ti:n] TALLORD femten
fifteenth [fɪf'ti:nθ] TALLORD femtende
fifth [fɪfθ] TALLORD femte
fiftieth ['fɪftɪɪθ] TALLORD femtiende
fifty ['fɪftɪ] TALLORD femti
fifty-fifty ['fɪftɪ'fɪftɪ] 1 ADJ fifty-fifty
2 ADV fifty-fifty, likt
▸ **to go fifty-fifty with sb** dele (*v2*) fifty-fifty med noen, dele likt med noen
▸ **to have a fifty-fifty chance (of success)** ha* en femti prosents sjanse (til å lykkes), ha* en fifty-fifty-sjanse (til å lykkes)
fig [fɪg] S (*fruit*) fiken *m*; (*tree*) fikentre *nt*
fight [faɪt] (*pt* **fought**)*pp* 1 S (**a**) (= *battle*) (slåss)kamp *m*
(**b**) (*against disease, alcoholism, prejudice etc*) kamp *m*
(**c**) (*BOKSING*) kamp *m* ❑ *It was his fourth fight...* Det var den fjerde kampen hans...
2 VT (**a**) (*+person, enemy, army*) kjempe (*v1*) mot, slåss* med
(**b**) (*+disease, prejudice*) bekjempe *m*
(**c**) (*+urge, impulse*) kjempe (*v1*) med *or* mot ❑ *He fought the urge to cry.* Han kjempet med gråten.
(**d**) (*JUR: case*) føre (*v2*)
(**e**) (*BOKSING*) kjempe (*v1*) mot
3 VI (*people, enemies, armies+*) kjempe (*v1*), slåss*
▸ **to put up a fight** yte (*v1 or v2*) motstand
▸ **to fight with sb** slåss* med noen, kjempe (*v1*) mot noen
▸ **to fight an election** drive* velgkamp
▸ **to fight for/against sth** slåss* for/mot noe
▸ **to fight one's way through a crowd/the undergrowth** kjempe (*v1*) seg fram gjennom en folkemengde/buskaset
▸ **fight back** 1 VI gjøre* motstand
2 VT FUS (*tears, fear etc*) tvinge* tilbake
▸ **fight down** VT overvinne* ❑ *He had to fight down the impulse to sneak out.* Han måtte* overvinne lysten til å liste seg ut.
▸ **fight off** VT (**a**) (*+attack, attacker, disease*) slå* tilbake
(**b**) (*+sleep, urge*) bekjempe (*v1*)
▸ **fight out** VT ▸ **to fight it out** slåss* om det
fighter ['faɪtəʳ] S (*MIL: soldier*) stridende *m*; (*plane*) jager *m*, jagerfly *nt*; (= *courageous person*) fighter *m*
fighter pilot S jagerflyger *m*
fighting ['faɪtɪŋ] S slåssing *c*
figment ['fɪgmənt] S ▸ **a figment of sb's imagination** et produkt av noens fantasi, noens fantasifoster
figurative ['fɪgjurətɪv] ADJ (*expression, style*) figurlig, billedlig
▸ **in a figurative sense** i overført betydning
figure ['fɪgəʳ] 1 S (**a**) (*body, shape, drawing, geometrical*) figur *m* ❑ *A hexagon is a six-sided figure.* Et heksagon er en sekskantet figur. *She's got a fabulous figure...* Hun har en fantastisk figur...
(**b**) (= *number, statistic*) tall *nt* ❑ *...unemployment figures...* arbeidsledighetstallene...
(**c**) (= *digit*) siffer *nt* ❑ *...the second figure looks like a five.* ...det andre sifferet ser ut som et femtall.
(**d**) (= *person, personality*) skikkelse *m* ❑ *...a lean figure dressed in a grey top hat...* en slank skikkelse kledd i en grå flosshatt...
2 VT (= *think: især US*) mene (*v2*) ❑ *They figured it was better to stay where they were...* De mente det var bedre å bli* der de var...
3 VI (= *feature*) figurere (*v2*) ❑ *Loneliness figures quite a lot in his conversation...* Ensomhet figurerer ganske ofte i samtalene med ham...
▸ **I couldn't put a figure on it** jeg kunne* ikke tallfeste det
▸ **public figure** offentlig person *m*
▸ **that figures** det høres rimelig ut
▸ **figure out** VT finne* ut ❑ *She had not yet figured out what she was going to do...* Hun hadde ennå ikke funnet ut hva hun skulle* gjøre...
figurehead ['fɪgəhɛd] S gallionsfigur *m*
figure of speech S (billedlig) uttrykk *nt*
figure skating S kunstløp *nt*
Fiji (Islands) ['fi:dʒi:-] S(PL) Fiji(øyene *pl*)
filament ['fɪləmənt] S (*ELEK*) glødetråd *m*; (*BIO*) støvbærer *m*
filch [fɪltʃ] (*sl*) VT (= *steal*) knabbe (*v1*) (*sl*), rappe (*v1*) (*sl*)
file [faɪl] 1 S (**a**) (= *dossier*) arkiv *nt* ❑ *...a very dull file about crime statistics...* et svært kjedelig arkiv over kriminalstatistikken...

(**b**) (= *folder*) perm *m*, omslag *nt* ❑ *...eight standard cardboard files...* åtte standard pappermer...
(**c**) (*for loose leaf*) (ring)perm *m*, brevordner *m*
(**d**) (*DATA*) fil *m*
(**e**) (*tool*) fil *c*
2 VT (**a**) (*+papers, document*) arkivere (*v2*)
(**b**) (*JUR: claim, lawsuit*) inngi*, innlevere (*v2*) inn
(**c**) (*+wood, metal, fingernails*) file (*v2*)
3 VI ▸ **to file in/out/past** defilere (*v2*) inn/ut/forbi
▸ **to file for divorce** søke (*v2*) om skilsmisse

file name s (*DATA*) filnavn *nt*

filibuster ['fɪlɪbʌstəʳ] (*især US*) 1 s filibustertaktikk *m*
2 VI forhale (*v2*) (ved hjelp av filibustertaktikk)

filing ['faɪlɪŋ] s (*of papers, letters etc*) arkivering *c*

filing cabinet s arkivskap *nt*

filing clerk s arkivar *m*

Filipino [fɪlɪ'pi:nəu] s (*person*) filippiner *m*; (*LING*) filippinsk

fill [fɪl] 1 VT (**a**) (*gen*) fylle (*v2x*) ❑ *Can you fill me a bucket of water, please?* Kan du være* så snill å fylle en bøtte vann for meg? *Enthusiastic crowds filled the streets.* En entusiastisk folkemengde fylte gatene. *This book fills a major gap.* Denne boka fyller et viktig behov. *People must fill their time "healthily".* Folk må fylle tiden sin på en "sunn" måte.
(**b**) (*+tooth*) fylle (*v2x*), plombere (*v2*)
(**c**) (*+vacancy, post*) besette*
2 VI (*room, hall+*) bli* fylt (opp), fylles (*v25x*) opp ❑ *The place of assembly filled quickly.* Forsamlingsstedet ble fort fylt opp *or* fyltes fort opp.
3 s ▸ **to eat/drink one's fill** spise (*v2*)/drikke* så mye man orker
▸ **to have one's fill of sth** få* sin del av noe
▸ **to fill sth with sth** fylle (*v2x*) noe med noe ❑ *Fill the teapot with boiling water...* Fyll tekannen med kokende vann... *Small wall cracks can be filled with plaster.* Små sprekker i veggen kan bli* fylt igjen med gips. *...something that would fill his life with meaning* ...noe som kunne* fylle livet hans med mening.
▸ **to be filled with anger/resentment** bli/være fylt av sinne/ergrelse

▸ **fill in** VT (**a**) (*+hole*) fylle (*v2x*) i
(**b**) (*+time, form, name*) fylle (*v2x*) ut
▸ **to fill in for sb** vikariere (*v2*) for noen
▸ **to fill sb in on sth** (*sl*) underrette (*v1*) noen om noe

▸ **fill out** VT (*+form, receipt*) fylle (*v2x*) ut

▸ **fill up** 1 VT (*+container, space*) fylle (*v2x*) (opp) ❑ *The computer was massive, filling up a whole room.* Datamaskinen var enorm; den fylte (opp) et helt rom.
2 VI (*room, stadium+*) fylles (*v25x*) (opp) ❑ *His office began to fill up with people.* Kontoret hans begynte å fylles (opp) med folk.
▸ **fill it** *or* **her up, please** (*BIL*) full tank, takk

fillet ['fɪlɪt] 1 s filet *m*
2 VT filetere (*v2*)

fillet steak s ≈ indrefilet *m*

filling ['fɪlɪŋ] s (*for tooth*) (tann)fylling *c*, plombe *c*; (*of cake*) fyll *nt*

filling station s bensinstasjon *m*

fillip ['fɪlɪp] s stimulans *m*

filly ['fɪlɪ] s (ung)hoppe *c*

film [fɪlm] 1 s (**a**) (*FILM, TV, FOTO*) film *m*
(**b**) (*of dust, tears, grease etc*) tynt lag *nt*
(**c**) (*for wrapping*) (plast)folie *m*, (steke)film *m*
2 VTI filme (*v1*) ❑ *The TV crews couldn't film at night...* Tv-folkene kunne* ikke filme om natten...

film star s filmstjerne *c*

film strip s bildebånd *nt* (*var:* billedbånd)

film studio s filmstudio *nt*

Filofax® ['faɪləufæks] s Filofax *m®*

filter ['fɪltəʳ] 1 s filter *nt*
2 VT filtrere (*v2*)

▸ **filter in** VI (*sound, light+*) sive (*v1*) inn

▸ **filter through** VI (*news, information+*) sive (*v1*) ut

filter coffee s filterkaffe *m*

filter lane (*BRIT: BIL*) s avkjøringsfil *c*

filter tip s filter *nt*

filter-tipped ['fɪltə'tɪpt] ADJ med filter, filter-

filth [fɪlθ] s (**a**) (= *dirt*) skitt *m*, lort *m*
(**b**) (= *obscenities*) skitt *m* ❑ *That filth should never be shown on television.* Den skitten skulle* aldri vært vist på fjernsyn.

filthy ['fɪlθɪ] ADJ (*object, person, language, book*) skitten

fin [fɪn] s finne *m*

final ['faɪnl] 1 ADJ (**a**) (= *last*) sist ❑ *...on the final morning of the festival...* på den siste formiddagen i festivalen...
(**b**) (= *ultimate: penalty, irony*) endelig, sist
(**c**) (= *definitive: decision, offer*) endelig
2 s (*SPORT*) finale *m*
▸ **finals** SPL (*SKOL*) avsluttende eksamen *m sg*

final demand s (*on invoice etc*) sluttkrav *nt*

finale [fɪ'nɑ:lɪ] s finale *m*

finalist ['faɪnəlɪst] s finalist *m*

finality [faɪ'nælɪtɪ] s uavvendelighet *m*
▸ **with an air of finality** besluttsomt, kategorisk

finalize ['faɪnəlaɪz] VT (*+arrangements, plans, deal*) bestemme (*v2x*) (endelig)

finally ['faɪnəlɪ] ADV (**a**) (= *eventually*) endelig, til slutt ❑ *When John finally arrived...* Da John endelig kom...
(**b**) (= *lastly*) til slutt ❑ *Let's come finally to the question of pensions.* La oss til slutt gå* over til spørsmålet om pensjoner.
(**c**) (= *irrevocably*) endelig ❑ *It wasn't finally decided until the last minute.* Det ble ikke endelig bestemt før i siste øyeblikk.

finance [faɪ'næns] 1 s (**a**) (= *money, backing*) finansiering *c* ❑ *Obtaining finance from him may be vital to the whole enterprise...* Å få* finansiering fra ham kan være* avgjørende for hele foretaket...
(**b**) (= *management of money*) økonomi *m* ❑ *...public-sector finance.* ...offentlig økonomi.
2 VT (= *back, fund*) finansiere (*v2*)
▸ **finances** SPL finanser *pl*

financial [faɪ'nænʃəl] ADJ (*difficulties, venture*) økonomisk, finansiell

financially [faɪ'nænʃəlɪ] ADV økonomisk, finansielt

financial year s regnskapsår *nt*, budsjettår *nt*

financier [faɪ'nænsɪəʳ] s (= *backer*) finansier *m*

find [faɪnd] (*pt* **found**)*pp* [1] VT (**a**) (*+person, object, exit, solution*) finne* ❑ *Put things in a place where you can find them quickly and easily...* Sett tingene på et sted hvor du kan finne dem raskt og greit... *She looked up to find Tony standing there.* Hun så opp og fant at Tony sto der.
(**b**) (*+lost object*) finne* (igjen) ❑ *He eventually found the book under his bed.* Han fant til slutt boka (igjen) under senga. *His body has not been found.* Liket av ham har ikke blitt funnet (igjen).
(**c**) (*= consider*) synes (*v25*) ❑ *I found him a disappointment...* Jeg syntes han var en skuffelse... *I don't find that funny at all...* Jeg syns ikke det er morsomt i det hele tatt...
(**d**) (*+work*) finne* (seg) ❑ *He cannot find work...* Han kan ikke finne seg arbeid...
(**e**) (*+money*) skaffe (*v1*) ❑ *Some families cannot even find enough money for basic needs...* Noen familier kan ikke engang skaffe nok penger til sine grunnleggende behov...
(**f**) (*+time*) få ❑ *How do you find time to write these books?* Hvordan får du tid til å skrive disse bøkene?
[2] S (*= discovery*) funn *nt* ❑ *They've got this new singer, and she's a real find.* De har fått seg en ny sanger, og hun er virkelig et funn.
▸ **to find sb guilty** finne* en skyldig, erklære (*v2*) en skyldig
▸ **to find that** finne* (ut) at ❑ *...I found that I could not move my legs...* jeg fant at jeg ikke kunne* bevege beina...
▸ **to find sth easy/difficult** synes (*v25*) noe er lett/vanskelig ❑ *He found it hard to make friends...* Han syntes det var vanskelig å finne seg venner...
► **find out** [1] VT (**a**) (*+fact*) finne* ut
(**b**) (*+truth*) få* greie på
(**c**) (*+person*) avsløre (*v2*)
[2] VI ▸ **to find out about sth** finne* ut av noe
findings ['faɪndɪŋz] SPL (*of report*) resultater *pl*; (*of committee etc*) ▸ **the committee's findings are that...** det komitéen har kommet fram til, er at...
fine [faɪn] [1] ADJ (**a**) (*= satisfactory*) fin ❑ *The temperature is fine.* Temperaturen er fin. *"Do you want it stronger than that? – No, that's fine."* "Vil du ha* den sterkere? – Nei, det er fint."
(**b**) (*quality, performance etc*) utmerket
(**c**) (*in texture: hair, thread, sand, powder*) fin
(**d**) (*= subtle: detail etc*) fin
(**e**) (*= pleasant: weather, day*) fin, vakker
[2] ADV (**a**) (*= well*) fint, bra ❑ *We get on fine...* Vi kommer fint *or* bra overens...
(**b**) (*= thin*) fint ❑ *Cut up the vegetables very fine.* Skjær opp grønnsakene fint.
[3] S bot *c*
[4] VT bøtlegge*
▸ **(I'm) fine** (jeg har det) bra *or* fint
▸ **(that's) fine** (det er) bra, greit
▸ **to cut it fine** (*in time*) beregne (*v1*) noe hårfint
▸ **you're doing fine** du klarer deg bra
fine arts SPL kunst *m*
finely ['faɪnlɪ] ADV fint
fine print S ▸ **the fine print** det som står med liten skrift
finery ['faɪnərɪ] s finstas *m*
finesse [fɪ'nɛs] s fintfølelse *m*
fine-tooth comb ['faɪntu:θ-] S ▸ **to go through sth with a fine-tooth comb** finkjemme (*v1*) noe
finger ['fɪŋgəʳ] [1] S finger *m*
[2] VT fingre (*v1*) med
▸ **little/index finger** lillefinger/pekefinger
fingernail ['fɪŋgəneɪl] S fingernegl *m*
fingerprint ['fɪŋgəprɪnt] [1] S fingeravtrykk *nt*
[2] VT ta* fingeravtrykkene til
fingertip ['fɪŋgətɪp] S fingertupp *m*
▸ **to have sth at one's fingertips** (**a**) (*= at one's disposal*) ha* noe for hånden
(**b**) (*= know well*) kunne* på fingrene
finicky ['fɪnɪkɪ] ADJ kresen
finish ['fɪnɪʃ] [1] S (**a**) (*= end, SPORT*) slutt *m* ❑ *I intend to be there at the finish.* Jeg har til hensikt å være* der til siste slutt. *I missed the finish of the match...* Jeg gikk glipp av slutten på kampen...
(**b**) (*= polish etc*) finish *m* ❑ *...a really gritty finish...* virkelig en ruglete finish...
[2] VT (**a**) (*+work*) være* ferdig på, slutte (*v1*) på ❑ *I finish work at 3.* Jeg er ferdig på jobben *or* slutter på jobben klokka 3.
(**b**) (*+task*) bli* ferdig med ❑ *Aren't you ever going to finish the ironing?* Blir du aldri ferdig med strykingen?
(**c**) (*+report, book*) fullføre (*v2*), bli* ferdig med ❑ *I have to finish a report tonight.* Jeg må bli* ferdig med *or* fullføre en rapport i kveld.
(**d**) (*+drink, sandwich, cigarette*) gjøre* seg ferdig med ❑ *She finished her cigarette.* Hun røykte ferdig *or* opp sigaretten.. Hun gjorde seg ferdig med sigaretten.
[3] VI (**a**) (*course, event+*) være* ferdig, avslutte (*v1*) ❑ *It starts in October and finishes in June...* Det begynner i oktober og er ferdig *or* avslutter i juni...
(**b**) (*person+*) bli* ferdig, avslutte (*v1*) ❑ *Don't interrupt, William. Let me finish...* Ikke avbryt, William. La meg bli* ferdig *or* avslutte...
▸ **a close finish** (*SPORT*) et jevnt løp
▸ **to finish doing sth** bli* ferdig med å gjøre* noe
▸ **to finish third** (*in race etc*) komme* på tredje (plass)
▸ **she's finished with him** hun er ferdig med han
► **finish off** VT (**a**) (*+job, report*) fullføre (*v2*), avslutte (*v1*)
(**b**) (*+dinner*) spise (*v2*) (helt) opp
(**c**) (*+wine*) drikke* (helt) opp
(**d**) (*= kill*) gjøre* det av med
► **finish up** [1] VI (*= end up*) ende (*v2*) (opp) ❑ *Maybe you too will finish up as Prime Minister.* Kanskje du også vil ende (opp) som statsminister. *...and finishes up in London.* ...og ender (opp) i London.
[2] VT (**a**) (*+meal*) spise (*v2*) opp
(**b**) (*+drink*) drikke* opp
finished ['fɪnɪʃt] ADJ (**a**) (*product, person*) ferdig ❑ *The finished product sells for five hundred pounds.* Det ferdige produktet selger for fem hundre pund. *If that happens, Richard is*

finished... Hvis det hender, er Richard ferdig...
(**b**) (*performance, event, activity*) over ❑ *The shooting was almost finished.* Opptakene var nesten over.
finishing line s målstrek *m*, mållinje *c*
finishing touches SPL ▸ **to put the finishing touches to sth** gi* noe en siste finpuss
finite ['faɪnaɪt] ADJ (*number, amount*) endelig; (*verb*) finitt
Finland ['fɪnlənd] s Finland
Finn [fɪn] s finne *m*
Finnish ['fɪnɪʃ] 1 ADJ finsk
2 s (*LING*) finsk
fiord [fjɔːd] s = **fjord**
fir [fəːʳ] s gran *c*
fire ['faɪəʳ] 1 s (**a**) (= *flames*) ild *m* ❑ *...how our ancestors discovered fire.* ...hvordan våre forfedre oppdaget ilden.
(**b**) (*in hearth etc*) ild *m*, bål *nt* ❑ *He gathered firewood, lit a fire...* Han samlet ved, tente et bål *or* en ild...
(**c**) (*accidental*) brann *m* ❑ *A fire had severely damaged part of the school.* En brann hadde gjort stor skade på en del av skolen.
2 VT (**a**) (= *shoot: gun, shot*) fyre (*v2*) av, avfyre (*v2*)
(**b**) (*+arrow*) skyte*
(**c**) (= *stimulate: imagination, enthusiasm*) vekke (*v1 or v2x*)
(**d**) (*sl: dismiss: employee*) sparke (*v1*)
3 VI (= *shoot*) skyte* ❑ *I fired three or four times in quick succession...* Jeg skjøt tre eller fire ganger i rask rekkefølge...
▸ **on fire** i brann NB *The house is on fire!* Huset står i brann!, Huset brenner!
▸ **to set fire to sth, set sth on fire** sette* fyr på noe, tenne (*v2x*) på noe
▸ **electric fire/gas fire** elektrisk ovn *m*/gassovn *m*
▸ **to come/be under fire (from)** komme*/være under ild (fra)
▸ **to catch fire** ta* fyr
▸ **to open fire** åpne (*v1*) ild
fire alarm s brannalarm *m*
firearm ['faɪərɑːm] s skytevåpen *nt*
fire brigade s brannvesen *nt*
fire chief s brannsjef *m*
fire department (*US*) s = **fire brigade**
fire door s branndør *m*
fire drill s brannøvelse *m*
fire engine s brannbil *m*
fire escape s brannstige *m*, (utvendig) branntrapp *c*
fire extinguisher s brannslukkingsapparat *nt*
fireguard ['faɪəgɑːd] (*BRIT*) s kamingitter *nt*
fire hazard s brannfare *m*
fire hydrant s brannhydrant *m*
fire insurance s brannforsikring *c*
fireman ['faɪəmən] *irreg* s brannmann *m irreg*
fireplace ['faɪəpleɪs] s peis *m*, ildsted *nt*
fireplug ['faɪəplʌg] (*US*) s = **fire hydrant**
fireproof ['faɪəpruːf] ADJ brannsikker
fire regulations SPL brannforskrifter *pl*
fireside ['faɪəsaɪd] s ▸ **by the fireside** ved peisen
fire station s brannstasjon *m*
firewood ['faɪəwud] s ved *m*
fireworks ['faɪəwəːks] SPL (**a**) (*explosives*) fyrverkeri *nt sing* ❑ *A few fireworks went off.* Noe fyrverkeri eksploderte.
(**b**) (*display*) fyrverkeri *nt sing* ❑ *I had gone to watch the fireworks...* Jeg hadde dratt for å se på fyrverkeriet...
firing line s ▸ **to be in the firing line** (*fig*) være* i ildlinjen *or* i skuddlinjen
firing squad s eksekusjonspelotong *m*
firm [fəːm] 1 ADJ (**a**) (*mattress, ground, grasp, hold, grip*) fast ❑ *I took a firm hold on the rope.* Jeg tok et fast tak i reipet.
(**b**) (*fig*) solid, fast ❑ *He has a firm grasp of the principles.* Han har et solid *or* fast grep om prinsippene.
(**c**) (*views, leadership, decision*) bestemt
(**d**) (*offer*) fast
(**e**) (*evidence, proof*) sikker
2 s (= *company*) firma *nt*
▸ **to be a firm believer in sth** tro (*v4*) fullt og fast på noe
firmly ['fəːmlɪ] ADV (**a**) (*rest, stand*) støtt, stødig ❑ *Each block rested firmly and squarely on the block below it.* Hver blokk hvilte støtt *or* stødig og rett på blokken under.
(**b**) (*push, pull, hold, say, tell*) bestemt ❑ *He held her arm, not hard, but firmly...* Han holdt armen hennes, ikke hardt, men bestemt... *I shall tell her quite firmly that it is not any business of hers.* Jeg skal si henne ganske bestemt at hun ikke har noe med det å bestille.
(**c**) (*believe*) fullt og fast
firmness ['fəːmnɪs] s fasthet *c*
first [fəːst] 1 ADJ (**a**) (*gen*) først ❑ *...her first baby...* hennes første barn... *For the first time in our lives...* For første gang i livet vårt...
(**b**) (= *top: prize, division*) første- ❑ *My pig won first prize at Skipton Fair...* Grisen min vant førstepremie på Skipton Fair...
2 ADV (**a**) (*before anyone/anything else*) først ❑ *Ralph spoke first...* Ralph snakket først... *But first I had to get a visa.* Men først måtte* jeg få* tak i visum.
(**b**) (*when listing reasons etc*) for det første ❑ *There were several reasons for this. First...* Det var flere grunner til dette. For det første...
(**c**) (= *for the first time*) (for) første gang ❑ *Vita and Harold first met in the summer of 1910.* Vita og Harold møttes (for) første gang sommeren 1910.
3 s (**a**) (*BIL*) første *nt* ❑ *I had to change down into first.* Jeg måtte* gire ned i første.
(**b**) (*BRIT: SKOL*) *beste karakter ved universitetseksamen* ❑ *He got a first in French.* Han fikk beste karakter i fransk.
▸ **the first of January** (den) første januar
▸ **at first** først
▸ **first of all** først og fremst, først av alt
▸ **in the first instance** til å begynne med, først
▸ **I'll do it first thing (tomorrow)** det skal være* det første jeg gjør (i morgen)
▸ **from the very first** helt fra begynnelsen *or* starten av
▸ **to put sb/sth first** la noen/noe komme først
▸ **he had learned about it at first hand** han hadde førstehåndskunnskap om det

first aid s førstehjelp *m*
first-aid kit [fəːst'eɪd-] s førstehjelpsskrin *nt*
first-class ['fəːst'klɑːs] 1 ADJ (*worker, piece of work*) førsteklasses; (*carriage, ticket, stamp*) førsteklasse-
2 ADV (*travel, send*) på første klasse
first-hand ['fəːst'hænd] ADJ (*account, experience*) førstehånds-
first lady (*US*) s førstedame *c*
▸ **the first lady of jazz** jazzens førstedame
firstly ['fəːstlɪ] ADV for det første ❑ *There are two reasons. Firstly I have no evidence whatever...* Det er to grunner. For det første har jeg ikke noe bevis i det hele tatt...
first name s fornavn *nt*
▸ **to be on first-name terms (with sb)** ≈ være* dus (med noen), være* på fornavn (med noen)
first night s (*TEAT*) premiere *m*
first-rate ['fəːst'reɪt] ADJ (*actor, swimmer, performance*) førsteklasses
first-time buyer ['fəːsttaɪm-] s førstegangskjøper *m*
fir tree s grantre *nt*
FIS (*BRIT*) S FK (= **Family Income Supplement**) *støtte til familier med lav inntekt*
fiscal ['fɪskl] ADJ (*year, policies*) skatte-, finans-
fish [fɪʃ] 1 S UBØY fisk *m*
2 VT (*+river, area*) fiske (*v1*) i
3 VI (**a**) (*commercially*) drive* fiske
(**b**) (*as sport, hobby*) fiske (*v1*)
▸ **to go fishing** dra* på fisketur, dra* ut for å fiske
► **fish out** VT (**a**) (*from water*) fiske (*v1*) opp, hente (*v1*) opp, plukke (*v1*) opp
(**b**) (*from box, bag etc*) fiske (*v1*) fram *or* opp
fishbone ['fɪʃbəun] s fiskebein *nt*
fishcake ['fɪʃkeɪk] s (panert) fiskekake *c*
fisherman ['fɪʃəmən] *irreg* s fisker *m*
fishery ['fɪʃərɪ] s fiskeplass *m*
fish farm s oppdrettsanlegg *nt*
fish fingers (*BRIT*) SPL fiskepinner *pl*
fish hook s fiskekrok *m*
fishing boat s fiskebåt *m*
fishing line s fiskesnøre *nt*
fishing net s fiskegarn *nt*
fishing rod s fiskestang *c*
fishing tackle s fiskeutstyr *nt*, fiskeredskap *m or nt*
fish market s fisketorg *nt*
fishmonger ['fɪʃmʌŋgər] s fiskehandler *m*
fishmonger's (shop) s fiskebutikk *m*, fiskeforretning *m*
fish slice (*BRIT*) s fiskespade *m*
fish sticks (*US*) SPL = **fish fingers**
fishy ['fɪʃɪ] (*sl*) ADJ suspekt
fission ['fɪʃən] s ▸ **atomic** *or* **nuclear fission** atomspalting *c*, atomdeling *c*
fissure ['fɪʃər] s sprekk *m*, revne *c*
fist [fɪst] s knyttneve *m*
fistfight ['fɪstfaɪt] s nevekamp *m*
fit [fɪt] 1 ADJ (**a**) (= *suitable*) egnet ❑ *She regarded herself as fit to be a governess.* Hun syntes selv at hun egnet seg som guvernante.
(**b**) (= *healthy*) opplagt, i (god) form ❑ *He felt relaxed and fit after his holiday...* Han følte seg uthvilt og opplagt *or* i form etter ferien...
2 VT (**a**) (*clothes, shoes etc+*) passe (*v1*) til ❑ *He was wearing pyjamas which did not fit him.* Han hadde på seg en pyjamas som ikke passet til han.
(**b**) (= *match : facts, theory etc*) stemme (*v2x*) med, passe (*v1*) med ❑ *This would fit the theory that he was in fact a spy.* Dette ville* stemme *or* passe med teorien om at han faktisk var spion.
(**c**) (= *attach : lock*) sette* inn
(**d**) (*+wheels*) sette* på
(**e**) (= *suit : needs, aims etc*) passe (*v1*) ❑ *Does this plan fit our future needs?* Passer planen (til) våre framtidige behov?
3 VI (*clothes, shoes etc+*) passe (*v1*) ❑ *Make sure that the jacket on the hot water cylinder fits snugly.* Pass på at kappen på varmtvannsberederen passer akkurat.
4 S (*MED*) anfall *nt*
▸ **to be fit to** (= *about to*) holde* på å ❑ *Casson looked fit to explode.* Casson så ut som han holdt på å eksplodere.
▸ **to be fit for** (= *suitable for*) være* egnet til ❑ *...the houses are fit for human habitation...* husene er egnet til menneskeboliger...
▸ **to keep fit** holde* seg i form
▸ **to see fit to do sth** finne* det passende å gjøre* noe
▸ **a fit of rage** et anfall av raseri, et raserianfall
▸ **a fit of pride** et anfall av stolthet
▸ **a fit of (the) giggles** et anfall av fnising, et fniseanfall
▸ **a fit of hysterics** et anfall av hysteri, et hysterianfall
▸ **to have a fit** (**a**) (*MED*) ha* *or* få* et anfall
(**b**) (*sl*) få* (et) anfall ❑ *My father would have a fit if he found out.* Faren min ville* få* (et) anfall hvis han fant det ut.
▸ **this dress is a good fit** denne kjolen passer helt fint *or* passer akkurat
▸ **by fits and starts** i rykk og napp, rykkevis
▸ **to fit sth with sth** utstyre (*v2*) noe med noe, innrede (*v1*) noe med noe
► **fit in** 1 VI (**a**) (*person, object+*) få* plass ❑ *The chapel was so small that only twenty-six people could fit in.* Kapellet var så lite at kun tjueseks mennesker fikk plass.
(**b**) (*fig : person*) passe (*v1*) inn ❑ *You can't bring outsiders here; they wouldn't fit in.* Du kan ikke ta* med utenforstående dit; de ville* ikke passe inn.
2 VT (*fig : appointment, visitor*) finne* tid til ❑ *I can fit you in on Thursday.* Jeg kan finne tid til deg på torsdag.
▸ **to fit in with sb's plans** passe (*v1*) inn i ens planer
► **fit into** VT FUS (**a**) (*+hole, gap*) passe (*v1*) i ❑ *...the hole into which the pole fitted...* hullet som stangen passet i...
(**b**) (*+suitcase, room*) få* plass i ❑ *All my clothes fit into one suitcase...* Alle klærne mine får plass i en koffert...
fitful ['fɪtful] ADJ (*sleep*) urolig
fitment ['fɪtmənt] s (*in room, cabin*) inventar *nt*
fitness ['fɪtnɪs] s form *c*, kondisjon *m*
fitted carpet s vegg-til-vegg-teppe *nt*, heldekkende teppe *nt*

fitted cupboards SPL innbygde skap *pl*
fitted kitchen (*BRIT*) s elementkjøkken *nt*
fitter ['fɪtəʳ] s (*of machinery, equipment*) montør *m*
fitting ['fɪtɪŋ] 1 ADJ passende
2 s (*of dress*) prøving *c* ❑ *I've got a fitting next week for my wedding dress.* Jeg skal prøve brudekjolen min neste uke.
▸ **fittings** SPL (*in building*) armatur *m sing* ❑ *...a bath with brass fittings...* et bad med messingarmatur...
fitting room s (*in shop*) prøverom *nt*
five [faɪv] TALLORD fem
five-day week ['faɪvdeɪ-] s femdagersuke *c*
fiver ['faɪvəʳ] (*sl*) s (*BRIT*) ≈ femmer *m*; fempundseddel *m*
fix [fɪks] 1 VT (**a**) (= *set: date, amount, meeting, etc*) fastsette* ❑ *The meeting is fixed for the 11th.* Møtedatoen er fastsatt til den ellevte.
(**b**) (= *mend: leak, radio etc*) reparere (*v2*)
(**c**) (= *prepare: meal, drink*) lage (*v1 or v3*)
(**d**) (*sl: game, election, result etc*) fikse (*v1*)
2 s (*sl: of drug, coffee etc*) dose *m*, skudd *nt*
▸ **to fix sth to/on sth** (= *attach*) feste (*v1*) noe til/på noe
▸ **to fix one's eyes/gaze on sb** feste (*v1*) sine øyne/sitt blikk på noen
▸ **to be in a fix** være* i (en) knipe
▸ **the fight was a fix** kampen var fiksa
► **fix up** VT (*+meeting, holiday etc*) ordne (*v1*)
▸ **to fix sb up with sth** skaffe (*v1*) noen noe ❑ *...they could fix me up with tickets...* de kunne* skaffe meg billetter...
fixation [fɪk'seɪʃən] s (**a**) (*PSYK*) binding *c*
(**b**) (*fig*) fiksering *c* ❑ *...the sport fixation of the British.* ...britenes fiksering på sport.
fixative ['fɪksətɪv] s fiksérmiddel *nt*
fixed [fɪkst] ADJ (**a**) (*price, amount, intervals etc*) fast
(**b**) (*ideas*) fiks
(**c**) (*smile*) stivnet
▸ **there's a fixed charge** det er en fast avgift
▸ **how are you fixed for money?** hvordan har du det med penger?
▸ **of no fixed abode** uten fast bopel
fixture ['fɪkstʃəʳ] s (**a**) (= *bath, sink, cupboard etc*) innredning *c*
(**b**) (*SPORT*) (oppsett) kamp *m*
▸ **sold with fixtures and fitments** *or* **fittings** solgt med fast inventar
fizz [fɪz] VI (*drink+*) bruse (*v2*); (*firework+*) frese (*v2*)
fizzle out ['fɪzl-] VI (*party, strike, match, interest+*) dø* ut
fizzy ['fɪzɪ] ADJ sprudlende, brusende
fjord [fjɔːd] s fjord *m*
FL (*US: POST*) FK = **Florida**
flabbergasted ['flæbəgɑːstɪd] ADJ forbløffet, paff
flabby ['flæbɪ] ADJ (= *fat*) kvapset(e), flesket(e)
flag [flæg] 1 s (**a**) flagg *nt*
(**b**) (*also* ***flagstone***) helle *c*
2 VI (**a**) (*person+*) dabbe (*v1*) av
(**b**) (*spirits+*) dale (*v2*)
▸ **flag of convenience** bekvemmelighetsflagg *nt*
▸ **to flag down** (**a**) (*+taxi*) praie (*v1*)
(**b**) (*+car*) stoppe (*v1*)
flagon ['flægən] s stor flaske *c* (*til vin og sider*)
flagpole ['flægpəul] s flaggstang *c*
flagrant ['fleɪgrənt] ADJ (*violation, injustice*) åpenlys
flagship ['flægʃɪp] s (*NAUT, fig*) flaggskip *nt*
flagstone ['flægstəun] s helle *c*
flag stop (*US*) s (*for bus*) stoppested *nt* (*hvor det stoppes på signal*)
flair [flɛəʳ] s (= *style*) (teft *m* og) stil *m*
▸ **to have a flair for sth** ha* (naturlig) anlegg for noe
flak [flæk] s (*MIL*) luftvernild *m*; (*fig*) ▸ **to get all the flak** få* all kjeften (*sl*)
flake [fleɪk] 1 s (*of rust, paint*) flak *nt*; (*of snow*) fnugg *nt*
2 VI (*also* ***flake off***: *paint*) skalle (*v1*) av, flasse (*v1*) av; (*enamel+*) flasse (*v1*) av
► **flake out** (*sl*) VI (*person+*) kollapse (*v1*), dette* sammen
flaky ['fleɪkɪ] ADJ (*paintwork, rust*) som faller av i flak; (*skin*) som flasser av
flaky pastry s ≈ butterdeig *m*
flamboyant [flæm'bɔɪənt] ADJ outrert
flame [fleɪm] s flamme *m*
▸ **to burst into flames** bryte* ut i lys lue
▸ **in flames** i flammer
▸ **an old flame** (*sl*) en gammel flamme
flaming ['fleɪmɪŋ] (*sl*) ADJ hersens (*sl*), satans (*sl!*) ❑ *The flaming car's locked.* Den hersens *or* satans bilen er låst.
flamingo [flə'mɪŋgəu] s flamingo *m*
flammable ['flæməbl] ADJ brennbar
flan [flæn] (*BRIT*) s *åpen terte eller kake med fyll*
Flanders ['flɑːndəz] s Flandern
flank [flæŋk] 1 s (*of animal, army*) flanke *m*
2 VT ▸ **to be flanked by sb/sth** bli* flankert av noen/noe
flannel ['flænl] s (**a**) (*fabric*) flanell *m*
(**b**) (*BRIT:* ***face flannel***) vaskeklut *m*
(**c**) (*sl*) utenomsnakk *nt* (*for å villede*)
▸ **flannels** SPL flanellsbukse *c sing*
flannelette [flænə'lɛt] s bomullsflanell *m*
flap [flæp] 1 s (*of pocket, envelope etc*) klaff *m*
2 VT (*+arms, wings*) flakse (*v1*)
3 VI (*sail, flag+*) blafre (*v1*)
▸ **to be/get in a flap (about sth)** (*sl*) være/bli oppskaket (over noe)
flapjack ['flæpdʒæk] s (*US: pancake*) pannekake *c*; (*BRIT: biscuit*) havrekjeks *m*
flare [flɛəʳ] s (*signal*) nødbluss *nt*
► **flare up** VI (**a**) (*fire, match+*) blusse (*v1*) opp, flamme (*v1*) opp
(**b**) (*fighting, violence, trouble+*) blusse (*v1*) opp
▸ **flares** SPL (*trousers*) slengbukse *c sing*
flared ['flɛəd] ADJ (*trousers*) med sleng; (*skirt*) utsvingt
flash [flæʃ] 1 s (**a**) (*of light*) glimt *nt*
(**b**) (*FOTO*) blits *m*
(**c**) (*US: torch*) (lomme)lykt *c*
2 ADJ (*sl*) stilig ❑ *Her new car looks really flash.* Den nye bilen hennes ser virkelig stilig ut.
3 VT (**a**) (*+light*) blinke (*v1*) med
(**b**) (= *send: news, message, look, smile*) sende (*v2*) ❑ *The computer immediately flashes the information to a control centre...* Datamaskinen sender straks informasjonen til et kontrollsenter...
4 VI (**a**) (*lightning, light+*) blinke (*v1*)

(**b**) (*eyes+*) lyne (*v2*) ❑ *Her eyes flashed as she demanded to know what I was laughing at...* Øynene hennes lynte da hun forlangte å få* vite hva jeg lo av...
▸ **in a flash** lynraskt
▸ **quick as a flash** lynrask
▸ **flash of inspiration/anger** glimt *nt* av inspirasjon/sinne
▸ **to flash one's headlights** blinke (*v1*) med lysene
▸ **the thought flashed through his mind** tanken for gjennom hodet hans
▸ **to flash by** *or* **past** fare* (lynraskt) forbi ❑ *Something white flashed past the van.* Noe hvitt for forbi varebilen.

flashback ['flæʃbæk] s tilbakeblikk *nt*
flashbulb ['flæʃbʌlb] s blitspære *c*
flashcube ['flæʃkju:b] s blitskube *m*, blitsterning *m*
flasher ['flæʃəʳ] s (*BIL*) blinklys *nt*; (*sl! : man*) blotter *m*
flashlight ['flæʃlaɪt] s (lomme)lykt *c*
flashpoint ['flæʃpɔɪnt] s (**a**) (= *crisis*) kritisk punkt *nt* ❑ *The crisis in that troubled country neared a flashpoint last week.* Krisen i det problemfylte landet nærmet seg et kritisk punkt i forrige uke.
(**b**) (= *place*) kruttønne *c* ❑ *This country is another very possible flashpoint...* Dette landet er enda en mulig kruttønne...
flashy ['flæʃɪ] (*neds*) ADJ gloret(e)
flask [flɑ:sk] s (= *bottle*) lommelerke *c*; (*KJEM*) kolbe *c*; (*also* **vacuum flask**) termos *m*
flat [flæt] 1 ADJ (**a**) (*ground, surface, tyre, battery*) flat
(**b**) (*beer*) doven
(**c**) (*refusal, denial*) blank, kategorisk
(**d**) (*shoes*) lav(hælt)
(**e**) (*MUS : voice, pitch*) for lav
(**f**) (*rate, fee*) fast
2 s (**a**) (*BRIT : apartment*) leilighet *c*
(**b**) (*BIL*) flatt dekk *nt*
(**c**) (*MUS*) (fortegn *nt*) b *m*
3 ADV flatt ❑ *He was lying flat on his back...* Han lå flatt på ryggen... *The rest of us pressed flat against the walls...* Resten av oss presset oss flatt inn mot veggene...
4 s ▸ **the flat of one's hand** håndflaten *c*
▸ **to work flat out** jobbe (*v1*) for fullt, jobbe (*v1*) for harde livet
▸ **in 10 minutes flat** på 10 (minutter) blank
▸ **B/A flat** (*MUS*) b/ass
flat-footed ['flæt'futɪd] ADJ plattfot
flatly ['flætlɪ] ADV (*refuse, deny*) blankt, kategorisk
flatmate ['flætmeɪt] (*BRIT*) s ▸ **he's my flatmate** han er romkameraten min
flatness ['flætnɪs] s flathet *m*
flat pack s ▸ **to buy a flat pack** kjøpe (*v2*) noe flatpakket
flatten ['flætn] VT (**a**) (*+building, crop, city*) jevne (*v1*) med jorda, rasere (*v2*) ❑ *The slums have been flattened.* Slummen har blitt jevnet med jorda/rasert.
(**b**) (*also* **flatten out**) flate (*v1*) ut, jevne (*v1*) ut ❑ *...a bulldozer flattening out the ruts in the road...* en bulldoser som flatet *or* jevnet ut hjulsporene i veien...
▸ **to flatten o.s. against a wall** trykke (*v2x*) seg opp mot en vegg
flatter ['flætəʳ] VT (**a**) (= *praise*) smigre (*v1*) ❑ *You flatter me. I'm not that important.* Du smigrer meg. Jeg er ikke så viktig.
(**b**) (*dress, photograph etc+*) gjøre* penere ❑ *That dress doesn't flatter her, does it?* Den kjolen gjør henne vel ikke penere?
▸ **to be flattered (that)** bli* smigret (over at)
▸ **to flatter o.s. on sth** rose (*v2*) seg av noe
flatterer ['flætərəʳ] s smigrer *m*
flattering ['flætərɪŋ] ADJ (*comment*) smigrende; (*dress, photograph etc*) flatterende
flattery ['flætərɪ] s smiger *m*
flatulence ['flætjuləns] s oppblåsthet *c*
flaunt [flɔ:nt] VT prale (*v2*) med
flavour ['fleɪvəʳ], **flavor** (*US*) 1 s smak *m* ❑ *...the flavour of the honey...* smaken på honningen...
2 VT smake (*v2*) til
▸ **strawberry-flavoured** med jordbærsmak
▸ **music with an African flavour** musikk med afrikansk preg
flavouring ['fleɪvərɪŋ] s smakstilsetning *c*
flaw [flɔ:] s (*in argument, policy, cloth, glass*) feil *m*; (*in character*) karakterbrist *m*
flawless ['flɔ:lɪs] ADJ (*performance, complexion*) feilfri
flax [flæks] s lin *nt*
flaxen ['flæksən] ADJ (*hair*) lingul
flea [fli:] s loppe *c*
flea market s loppemarked *nt*
fleck [flɛk] 1 s spette *m* ❑ *His coat is blue with a grey fleck.* Jakken hans er blå med grå spetter.
2 VT ▸ **to be flecked with mud/blood** *etc* være* flekket(e) av søle/blod *etc*
▸ **brown flecked with white** brun med hvite flekker
▸ **flecks of dust** støvdotter, støvfnugg
fled [flɛd] PRET, PP *of* **flee**
fledgling ['flɛdʒlɪŋ] s (*bird*) fugleunge *m* (*som nettopp har fått fjær og som holder på å lære å fly*)
flee [fli:] (*pt* **fled**)*pp* 1 VT (*+danger, famine, country*) flykte (*v1*) fra
2 VI (*refugees, escapees+*) flykte (*v1*), rømme (*v2x*)
fleece [fli:s] 1 s (= *sheep's wool*) ull *c*; (= *sheep's coat*) fell *m*
2 VT (*sl : cheat*) flå (*v4*)
fleecy ['fli:sɪ] ADJ (*blanket*) lodden
▸ **fleecy cloud** lammesky *c*
fleet [fli:t] s (*of ships*) flåte *m*; (*of lorries, buses*) park *m*
fleeting ['fli:tɪŋ] ADJ (*glimpse, visit, happiness*) flyktig, kortvarig
Flemish ['flɛmɪʃ] 1 ADJ flamsk
2 s (*LING*) flamsk
flesh [flɛʃ] s (**a**) (*of creature, fruit*) kjøtt *nt* ❑ *...pig's flesh...* svinekjøtt...
(**b**) (= *skin*) hud *c* ❑ *...the whiteness of her flesh.* ...hennes hvite hud.
▸ **in the flesh** i levende live
▸ **flesh out** VT (*+proposal, idea*) utdype (*v1*), gi* flere detaljer om
flesh wound [-wu:nd] s kjøttsår *nt*
flew [flu:] PRET *of* **fly**
flex [flɛks] 1 s (*of appliance*) ledning *m*
2 VT (*+muscles, fingers*) bøye (*v3*) og strekke*
flexibility [flɛksɪ'bɪlɪtɪ] s (*of object, material*)

elastisitet *m*, bøyelighet *c*; (*of ideas, approach*) fleksibilitet *m*

flexible ['flɛksəbl] ADJ (**a**) (*material*) elastisk, bøyelig (**b**) (*response, policy, person, schedule*) smidig, fleksibel ❑ *This is a flexible arrangement...* Dette er en smidig *or* fleksibel ordning... *flexible working hours...* fleksibel arbeidstid... *People today must be far more flexible.* Folk i dag må være* mye mer fleksible *or* smidige.

flexitime ['flɛksıtaım] s fleksitid *c*

flick [flık] 1 s (**a**) (*of finger*) knips *nt*
(**b**) (*of hand*) (lett) slag *nt* ❑ *...an upward flick of the arm.* ...et (lett) slag i luften med armen.
(**c**) (*of whip etc*) ▸ **he gave a flick of the whip** han slo med pisken
(**d**) (*through book, pages*) blading *c* ❑ *...a quick flick through the pages.* ...en rask blading gjennom sidene.
2 VT (**a**) (*with fingers*) knipse (*v1*) ❑ *He got up and flicked the dust from his suit...* Han reiste seg og knipset støvet fra dressen sin...
(**b**) (*+whip*) slå* med
(**c**) (*+ash*) knipse (*v1*) ❑ *She sat there, flicking ash into the ashtray...* Hun satt der og knipset aske ned i askebegeret...
(**d**) (*+switch*) slå* på/av
▸ **the flicks** (*BRIT: sl*) SPL kino *no art*

▶ **flick through** VT FUS (*+book, pages*) bla (*v4*) raskt gjennom

flicker ['flıkəʳ] 1 VI (*light, candle+*) blafre (*v1*)
2 s (**a**) (*of light*) blink *nt*, blaff *nt*
(**b**) (*of pain, fear, smile*) antydning *m* ❑ *A flicker of annoyance crossed the face.* En antydning til irritasjon viste seg i ansiktet.

flick knife (*BRIT*) s springkniv *m*

flier ['flaıəʳ] s (= *pilot*) flyger *m* (*var.* flyver)

flight [flaıt] s (**a**) (*action: of plane*) flyging *c* (*var.* flyvning) ❑ *Supersonic flight is very expensive.* Supersonisk flyging er svært dyrt.
(**b**) (*of birds*) flukt *m* ❑ *...the flight of a bird across a window...* en fugls flukt forbi et vindu... *the power of flight...* evnen til å fly...
(**c**) (*AVIAT: journey*) flytur *m*
(**d**) (= *plane*) fly *nt* ❑ *I had an hour to wait for my flight to London...* Jeg måtte* vente en time på flyet mitt til London...
(**e**) (= *escape*) flukt *m* ❑ *He was born at sea during his parents' flight from the revolution.* Han ble født på havet under foreldrenes flukt fra revolusjonen.
(**f**) (*also* ***flight of stairs***) trapp *c* ❑ *He lives two flights up.* Han bor to trapper opp.
▸ **to take flight** flykte (*v1*)
▸ **a flight of fancy** en fantasiflukt

flight attendant (*US*) s flyvert *m*; (*female*) flyvertinne *c*

flight crew s flybesetning *c*

flight deck s (*AVIAT*) cockpit *m* (*i større fly*); (*NAUT*) flydekk *nt*

flight path s flygebane *m*

flight recorder s ferdskriver *m*

flimsy ['flımzı] ADJ (*shoes, clothes, hut*) skrøpelig; (*excuse, evidence*) spinkel

flinch [flıntʃ] VI (*in pain*) krympe (*v1*) seg
▸ **to flinch from** (*+crime, unpleasant duty*) vike* tilbake for

fling [flıŋ] (*pt* **flung**)*pp* 1 VT (**a**) (*+ball, stone, hat*) slenge (*v2*)
(**b**) (*+one's arms, oneself*) slenge (*v2*), hive* ❑ *He flung himself down at Jack's feet...* Han hev seg ned foran Jacks føtter...
2 s (= *love affair*) lite eventyr *nt*

flint [flınt] s (*stone*) flint(stein) *m*; (*in lighter*) flint *m*

flip [flıp] VT (*+pancake*) snu (*v4*)
▸ **to flip a coin** slå* mynt og krone

▶ **flip through** VT FUS (*+book, pages etc*) bla (*v4*) raskt gjennom

flip chart s flip-over *m*

flippant ['flıpənt] ADJ (*attitude, answer, person*) flåset(e), fleipet(e)

flipper ['flıpəʳ] s (*of seal etc*) luffe *m*; (*for swimming*) svømmefot *m irreg*

flip side s (*of record*) B-side *c*

flirt [flə:t] 1 VI flørte (*v1*)
2 s flørt *m*
▸ **to flirt with sth** flørte (*v1*) med noe
❑ *Burlington has flirted for years with the idea...* Burlington har i årevis flørtet med ideen...

flirtation [flə:'teıʃən] s flørt *m*

flit [flıt] VI (*expression, smile+*) flakke (*v1*); (*bird, butterfly+*) ▸ **to flit from branch to branch** fly* fra gren til gren

float [fləut] 1 s (**a**) (*for swimming*) flytebrett *nt*, svømmebrett *nt*
(**b**) (*for fishing*) dupp *m*
(**c**) (*in carnival*) vogn *c* (*i karnevalsopptog*)
(**d**) (*money*) vekslepenger *pl*
2 VI (**a**) (*object, swimmer, sound+*) flyte*
(**b**) (*paper+ : through air*) sveve (*v3*)
(**c**) (*MERK: currency*) flyte* fritt ❑ *Sterling should be allowed to float.* Sterling burde få* flyte fritt.
3 VT (**a**) (*MERK: currency*) la flyte fritt
(**b**) (*+company*) børsnotere (*v2*)
(**c**) (*+idea, plan*) lansere (*v2*) ❑ *She could either sink or float a project with one word.* Hun kunne* stoppe eller lansere et prosjekt med ett ord.

▶ **float around** VI (**a**) (*idea, rumour+*) svirre (*v1*) rundt ❑ *There are a lot of weird ideas floating around at the moment.* Det er mange snodige ideer som svirrer rundt for øyeblikket.
(**b**) (*person, object+*) virre (*v1*) rundt

flock [flɔk] 1 s flokk *m*
2 VI ▸ **they flocked to the windows** de stimlet til vinduene

floe [fləu] s (*also* ***ice floe***) flak *nt*

flog [flɔg] VT (= *whip*) piske (*v1*); (*sl: sell*) selge*

flood [flʌd] 1 s (**a**) (*of water*) oversvømmelse *m*, flom *m*
(**b**) (*of letters, imports etc*) flom *m*
2 VT (**a**) (*through forces of nature*) oversvømme (*v2x*) ❑ *The dam collapsed, flooding an area of five thousand square kilometres...* Dammen brøt sammen og oversvømte et område på fem tusen kvadratkilometer...
(**b**) (*intentionally*) sette* under vann ❑ *The rice fields were flooded...* Rismarkene ble satt under vann...
(**c**) (*BIL: engine*) overflømme (*v2x*)
3 VI (*place+*) bli* oversvømt ❑ *When we took the*

plug out the kitchen flooded. Da vi tok ut proppen, ble kjøkkenet oversvømt.
▸ **to flood into** (*people, goods, calls+*) strømme (*v1*) inn til
▸ **to flood the market** oversvømme (*v2x*) markedet
▸ **in flood** i flom
flooding ['flʌdɪŋ] s oversvømmelse *m*
floodlight ['flʌdlaɪt] 1 s flomlys *nt*
2 VT flombelyse (*v2*)
floodlit ['flʌdlɪt] 1 PRET, PP *of* **floodlight**
2 ADJ flombelyst
flood tide s høyvann *nt*, flo *c*
floodwater ['flʌdwɔːtəʳ] s flomvann *nt*
floor [flɔːʳ] 1 s (**a**) (*of room*) golv *nt* (*var:* gulv)
(**b**) (= *storey*) etasje *m*
(**c**) (*of sea, valley*) bunn *m*
2 VT (**a**) (*blow+*) slå* i bakken *or* i golvet
(**b**) (*question, remark+*) vippe (*v1*) av pinnen, sette* til veggs
▸ **on the floor** på golvet
▸ **ground floor,** *(US)* **first floor** første etasje
▸ **first floor,** *(US)* **second floor** andre *or* annen etasje
▸ **top floor** toppetasje
▸ **to have the floor** (*speaker+*) ha* ordet
floorboard ['flɔːbɔːd] s golvbord *nt*
flooring ['flɔːrɪŋ] s (= *material*) golvbelegg *nt*
floor lamp (*US*) s golvlampe *c*
floor show s kabaret *m*
floor space s gulvflate *m*
floorwalker ['flɔːwɔːkəʳ] s (*især US*) butikkinspektør *m*
flop [flɔp] 1 s (= *failure*) flopp *m*, fiasko *m*
2 VI (= *fail*) mislykkes (*v25x*); (= *fall : into chair, onto floor etc*) dumpe (*v1*)
floppy ['flɔpɪ] ADJ (*hat*) med myk brem; (*bow*) løs
floppy disk s diskett *m*
flora ['flɔːrə] s flora *m*
floral ['flɔːrl] ADJ (*dress, wallpaper, pattern*) blomstret(e)
Florence ['flɔrəns] s Firenze
Florentine ['flɔrəntaɪn] ADJ florentinsk
florid ['flɔrɪd] ADJ (*style, verse*) overlesset(e); (*complexion*) rødmusset(e)
florist ['flɔrɪst] s blomsterhandler *m*
florist's (shop) s blomsterforretning *m*, blomsterbutikk *m*
flotation [fləu'teɪʃən] s (*of company*) børsnotering *c*
flotsam ['flɔtsəm] s (*also* ***flotsam and jetsam*** *: rubbish*) vrakgods *nt*; (*people*) løsgjengere *pl*
flounce [flauns] s (= *frill*) volang *m*
▸ **flounce out** *or* **off** VI fare* ut (*opprørt eller i sinne*)
flounder ['flaundəʳ] 1 VI (*swimmer+*) bakse (*v1*), kave (*v1*); (*fig : speaker, economy*) vakle (*v1*)
2 s flyndre *c*
flour ['flauəʳ] s mel *nt* (*var:* mjøl)
flourish ['flʌrɪʃ] 1 VI (*business, economy, arts, plant+*) blomstre (*v1*)
2 VT (*+document, handkerchief*) vifte (*v1*) med
3 s (*in writing*) krusedull *m*
▸ **with a flourish** med en feiende bevegelse
flourishing ['flʌrɪʃɪŋ] ADJ (*company, trade*) blomstrende
flout [flaut] VT (*+law, convention*) bryte* (åpenlyst)
flow [fləu] 1 s (**a**) (*of blood, river, oil, electricity, thoughts, speech*) strøm *m* ❑ *New channels are deliberately cut to alter the flow of the water...* Nye kanaler blir med vilje gravd for å forandre vannstrømmen... *a non-stop flow of baby talk...* en evigvarende strøm av babysnakk...
(**b**) (*of traffic*) strøm *m*, flyt *m* ❑ *There was a noisy flow of traffic.* Det var en støyende trafikkstrøm.
(**c**) (*of data, information, orders*) flyt *m* ❑ *There's a good flow of information.* Det er god informasjonsflyt.
(**d**) (*of tide*) flo *c* ❑ *...the stormy ebb and flow of the sea.* ...sjøens stormende ebbe og flo.
2 VI (**a**) (*blood, river, oil, tears+*) renne*, strømme (*v1*)
(**b**) (*ELEK*) strømme (*v1*)
(**c**) (*traffic+*) flyte*, strømme (*v1*) ❑ *...traffic was flowing down the streets of Helsinki.* ...trafikken fløt *or* strømmet nedover Helsinkis gater.
(**d**) (*clothes+*) bølge (*v1*)
(**e**) (*hair+*) flomme (*v1*) ❑ *Her hair flowed darkly over her shoulders.* Håret hennes flommet mørkt ut over skuldrene hennes.
flow chart s flytskjema *nt*, flytdiagram *nt*
flow diagram s = **flow chart**
flower ['flauəʳ] 1 s blomst *m*
2 VI blomstre (*v1*)
▸ **in flower** i blomst
flower bed s blomsterbed *nt*
flowerpot ['flauəpɔt] s blomsterpotte *c*
flowery ['flauərɪ] ADJ (*pattern, fabric, speech*) blomstret(e); (*perfume*) med blomsterduft
flown [fləun] PP *of* **fly**
fl. oz. FK = **fluid ounce(s)**
flu [fluː] s influensa *m*
fluctuate ['flʌktjueɪt] VI (*price, rate, temperature, opinions, attitudes+*) svinge (*v2*)
fluctuation [flʌktju'eɪʃən] s (*in price, rate, temperature, policy, attitude*) svingning *m*
flue [fluː] s røykkanal *m*
fluency ['fluːənsɪ] s ▸ **his fluency in French** hans flytende fransk, det at han snakker flytende fransk
fluent ['fluːənt] ADJ flytende
▸ **he's a fluent speaker/reader** han snakker/leser flytende
▸ **he speaks fluent French** han snakker flytende fransk
fluently ['fluːəntlɪ] ADV (*speak, read*) flytende; (*write*) med god flyt
fluff [flʌf] 1 s (*on jacket, carpet*) lo *m*; (= *fur : of kitten etc*) dun *nt or c*
2 VT (*sl : lines*) snuble (*v1*) i; (*also* ***fluff out*** *: hair, feathers etc*) riste (*v1*) (*slik at det virker luftigere*)
fluffy ['flʌfɪ] ADJ (*lamb, kitten, sweater*) myk og lodden
▸ **fluffy toy** mykt lekedyr *nt*
fluid ['fluːɪd] 1 ADJ (*movement, situation, arrangement*) flytende
2 s væske *c*
fluid ounce (*BRIT*) s (= *0.028l; 0.05 pints*) ≈ 0,028 l
fluke [fluːk] (*sl*) s griseflaks *m*
flummox ['flʌməks] VT gjøre* perpleks, forvirre (*v1*)
flung [flʌŋ] PRET, PP *of* **fling**
fluorescent [fluə'rɛsnt] ADJ fluorescerende

fluoride ['fluəraɪd] s fluorid *m*
fluorine ['fluəri:n] s fluor *m*
flurry ['flʌrɪ] s (*of snow*) sky *c*
▸ **a flurry of activity** et oppstuss, et oppstyr
▸ **a flurry of excitement** et gisp av spenning
flush [flʌʃ] 1 s (**a**) (*on face*) rødme *m* ❏ *...there was a flush in his cheeks.* ...det var en rødme i kinnene hans.
(**b**) (*KORT*) flush *m*
2 VT (**a**) (*+drain, pipe*) spyle (*v2*)
(**b**) (*+toilet*) ▸ **to flush the toilet** trekke* ned
3 VI (*person+*) rødme (*v1*)
4 ADV ▸ **flush with** i ett med ❏ *The trigger had been sawn off flush with the surface of the breech.* Avtrekkeren var saget av helt inntil overflaten på sluttstykket.
▸ **in the first flush of freedom** i den første frihetsrusen
▸ **in the first flush of youth** i ungdommens vår
▸ **hot flushes** hetetokter
▸ **flush out** VT (**a**) (*+game, birds*) jage (*v1 or v3*) opp, skremme (*v2x*) opp
(**b**) (*fig : criminal*) røyke (*v2*) ut
flushed [flʌʃt] ADJ rød (i toppen)
▸ **flushed with success/victory** beruset av suksess/seier
fluster ['flʌstəʳ] 1 s ▸ **in a fluster** oppskjørtet, oppkavet
2 VT (*+person*) gjøre* oppskjørtet *or* oppkavet
flustered ['flʌstəd] ADJ oppskjørtet, oppkavet
flute [flu:t] s fløyte *c*
fluted ['flu:tɪd] ADJ riflet(e), rillet(e)
flutter ['flʌtəʳ] 1 s (**a**) (*of wings*) flagring *c*
(**b**) (*of panic, excitement*) skjelving *c* ❏ *He suddenly felt a flutter of panic.* Han følte plutselig at hjertet slo i pannikk *or* han skalv i panikk.
2 VI (**a**) (*bird+*) flakse (*v1*)
(**b**) (*insect, flag, clothes+*) flagre (*v1*)
(**c**) (*heart+*) slå* raskere, banke (*v1*) (raskere)
3 VT (*wings+*) flakse (*v1*) med ❏ *Courting male birds flutter their wings like chicks.* Kurtiserende hanfugler flakser med vingene som kyllinger.
flux [flʌks] s ▸ **in a state of flux** i stadig forandring
fly [flaɪ] (*pt* **flew**, *pp* **flown**) 1 s (**a**) (*insect*) flue *c*
(**b**) (*on trousers :* ***flies***) buksesmekk *m*, gylf *m*
2 VT (*+passengers, cargo, distance, kite*) fly* NB *Once I was flying my plane...* En gang var jeg ute og fløy i flyet mitt...
3 VI (**a**) (*bird, insect, plane, passengers+*) fly*
(**b**) (*= dash away*) fly*, stikke* ❏ *I'm sorry, I must fly...* Unnskyld, jeg må fly *or* stikke...
(**c**) (*= escape*) rømme (*v2x*) ❏ *By the time they returned, their prisoner had flown.* Da de kom tilbake, hadde fangen deres rømt.
(**d**) (*flag+*) vaie (*v1*)
▸ **to fly open** fly* *or* springe* opp
▸ **to fly off the handle** fly* i flint
▸ **she came flying into the room** hun kom fykende inn i rommet
▸ **her glasses flew off** brillene hennes føk av
▸ **she flew into a rage** hun ble plutselig rasende
▸ **fly away** VI fly* bort *or* vekk
▸ **fly in** VI (**a**) (*plane+*) komme*
(**b**) (*person+*) komme* med fly ❏ *He flew in yesterday.* Han kom med fly i går.
▸ **fly out** VI (**a**) (*plane+*) dra*
(**b**) (*person+*) dra* med fly
▸ **fly off** VI = **fly away**
▸ **fly out** VI *see* **fly in**
fly-fishing ['flaɪfɪʃɪŋ] s fluefiske *nt*
flying ['flaɪɪŋ] 1 s flyging *c* ❏ *Why don't you take up flying?* Hvorfor begynner du ikke med flyging? *Flying is the only way to travel.* Å fly er den eneste måten å reise på.
2 ADJ ▸ **a flying visit** en lynvisitt *m*, en snartur *m*
▸ **he doesn't like flying** han liker ikke å fly
▸ **with flying colours** med vaiende faner
flying buttress s strebebue *m*
flying picket s *mobile streikevakter*
flying saucer s flygende tallerken *m*
flying start s ▸ **to get off to a flying start** få* en flying start
flyleaf ['flaɪli:f] s forsatsblad *nt*
flyover ['flaɪəuvəʳ] (*BRIT*) s veibro *c*
fly-past ['flaɪpɑ:st] s overflyvning *m*
flysheet ['flaɪʃi:t] s yttertelt *nt*
flyweight ['flaɪweɪt] s fluevekt *m*
flywheel ['flaɪwi:l] s svinghjul *nt*
FM FK (*BRIT : MIL*) = **field marshal**; (*RADIO* = **frequency modulation**) frekvensmodulering *c*
FMCS (*US*) s FK (= **Federal Mediation and Conciliation Services**) *meklingsorgan for partene i arbeidslivet*
FO (*BRIT*) s FK = **Foreign Office**
foal [fəul] s føll *nt*
foam [fəum] 1 s (**a**) (*on liquid, soap*) skum *nt*
❏ *She could see the line of white foam where the waves broke...* Hun kunne* se stripen med hvitt skum der hvor bølgene brøt...
(**b**) (*also* ***foam rubber***) skumgummi *m*
2 VI (**a**) (*champagne+*) bruse (*v2*)
(**b**) (*soapy water+*) skumme (*v1*)
▸ **he was foaming at the mouth** han frådet om munnen
fob [fɔb] 1 VT ▸ **to fob sb off** avspise (*v2*) noen
2 s (*also* ***watch fob***) klokkekjede *m or nt*
f.o.b. (*MERK*) FK (= **free on board**) fritt om bord
foc (*MERK : BRIT*) FK (= **free of charge**) avgiftsfri
focal point ['fəukl-] s (*of room, activity etc*) midtpunkt *nt*; (*of lens*) fokus *nt*, brennpunkt *nt*
focus ['fəukəs] (*pl* **focuses**) 1 s (**a**) (*FOTO*) fokus *nt*
(**b**) (*fig*) fokusering *c* ❏ *The focus on money and position tends to foster rivalry...* Fokuseringen på penger og posisjoner har en tendens til å fremme rivalisering...
2 VT (**a**) (*+telescope etc*) fokusere (*v2*), bringe* i fokus
(**b**) (*+light rays*) samle (*v1*) i et brennpunkt
(**c**) (*+one's eyes*) fokusere (*v2*)
3 VI ▸ **to focus (on)** (**a**) (*with camera*) stille (*v2x*) inn (på)
(**b**) (*person+*) fokusere (*v2*) (på)
▸ **in focus/out of focus** i fokus/ute av fokus
▸ **to be the focus of attention** være* i sentrum for oppmerksomheten, være* midtpunkt (for oppmerksomheten)
▸ **to focus attention on** fokusere (*v2*) på
fodder ['fɔdəʳ] s (*food*) fôr *nt*
FOE s FK (= **Friends of the Earth**)

miljøorganisasjon; (*US*) (= **Fraternal Order of Eagles**) *veldedighetsorganisasjon*
foe [fəu] (*litter*) s (= *rival, enemy*) fiende *m*
foetus ['fi:təs], **fetus** (*US*) s foster *nt*
fog [fɔg] s tåke *c*
fogbound ['fɔgbaund] ADJ stengt på grunn av tåke
foggy ['fɔgɪ] ADJ (= *day, climate*) tåket(e)
▸ **it's foggy** det er tåkete
▸ **I haven't the foggiest (idea)** (*sl*) jeg har ikke den fjerneste idé, jeg har ikke peiling ❑ *I haven't the foggiest idea what it is.* Jeg har ikke peiling på hva det er.
fog lamp, fog light (*US*) s (*BIL*) tåkelys *nt*
foible ['fɔɪbl] s særegenhet *m*
foil [fɔɪl] 1 VT (+*attack, plan*) forpurre (*v1*)
2 s (**a**) (*for wrapping food*) folie *m* ❑ *...aluminium foil...* aluminiumsfolie...
(**b**) (*SPORT*) florett *m*, kårde *m*
▸ **to act as a foil to** (*fig*) framheve (*v1*)
foist [fɔɪst] VT ▸ **to foist sth on sb** prakke (*v1*) noe på noen
fold [fəuld] 1 s (**a**) (*in paper*) brett *m* ❑ *You need to make three folds in the paper...* Du må lage tre bretter i papiret...
(**b**) (*in dress, skin*) fold *m* ❑ *The soft light fell on the folds of her dress...* Det bløte lyset falt på foldene i kjolen hennes...
(**c**) (*for sheep*) kve *nt*
(**d**) (*REL*) fold *m* ❑ *Renounce the devil and return to the fold...* Forsak djevelen og vend tilbake til folden...
2 VT (**a**) (*clothes, paper*) brette (*v1*) ❑ *Fold the sheet and blankets back at the top...* Brett lakenene og sengeteppene øverst...
(**b**) (+*one's arms*) legge* i kors ❑ *Fold your arms and sit up straight!* Legg armene i kors og rett dere opp i ryggen!
3 VI (*business, organization+*) legge* ned
► **fold up** 1 VI (**a**) (*map+*) kunne* brettes *or* foldes sammen, kunne* foldes sammen
(**b**) (*bed, table+*) kunne* slås sammen ❑ *This is a well designed easel which folds up quickly and neatly.* Dette er et staffeli som lett og raskt kan slås sammen.
(**c**) (*business+*) legge* ned, gå* dukken
2 VT (+*map, clothes etc*) legge* sammen ❑ *She folded up some shirts.* Hun la sammen noen skjorter.
folder ['fəuldəʳ] s (*for papers*) mappe *c*
folding ['fəuldɪŋ] ADJ (*chair, bed*) sammenleggbar
foliage ['fəulɪɪdʒ] s bladverk *nt*, løv(verk) *nt*
folk [fəuk] 1 SPL folk *pl*
2 SAMMENS (*art, singer, concert*) folke-
▸ **my folks** (*sl*)
SPL (= *family*) familien min
folklore ['fəuklɔ:ʳ] s folklore *m*, folkeminne *nt*
folk music s folkemusikk *m*
folk song s folkevise *c*
follow ['fɔləu] 1 VT (**a**) (+*person, suspect, leader*) følge* etter ❑ *He followed Sally into the yard...* Han fulgte etter Sally inn i gården...
(**b**) (+*event, story, example, advice, instructions, route, path*) følge* ❑ *They were having some difficulty in following the plot...* De hadde en del vanskeligheter med å følge handlingen... *She promised to follow his advice...* Hun lovte å følge hans råd... *We followed a path up along the creek...* Vi fulgte en sti oppover langs elva...
(**c**) (*with eyes*) følge* ❑ *Ralph shaded his eyes and followed the jagged outline of the crags...* Ralph skygget for øynene og fulgte de takkete konturene av klippene...
2 VI (**a**) (*person+*) følge* etter
(**b**) (*period of time, result, benefit+*) følge* ❑ *In the days that followed...* I dagene som fulgte... *A disturbing conclusion followed from that.* En urovekkende konklusjon fulgte av det.
▸ **to follow in sb's footsteps** følge* i ens fotspor
▸ **I don't quite follow you** jeg greier ikke helt å følge deg
▸ **it follows that** av det følger at
▸ **as follows** (**a**) (*when listing*) som følger ❑ *The contents are as follows:...* Innholdet er som følger:...
(**b**) (= *in this way*) på følgende måte ❑ *The amount will be worked out as follows.* Summen vil bli* regnet ut på følgende måte.
▸ **to follow suit** (*fig*) følge* opp
► **follow on** VI (= *continue*) følge* etter
► **follow out** VT (+*idea, plan*) gjennomføre (*v2*)
► **follow through** VT = **follow out**
► **follow up** VT (**a**) (+*letter, offer, advertisement*) forfølge*, følge* opp
(**b**) (+*idea, suggestion*) følge* opp ❑ *It's an idea which has been followed up by a group of researchers...* Det er en idé som har blitt fulgt opp av en gruppe forskere...
follower ['fɔləuəʳ] s (*of person, belief*) tilhenger *m*
following ['fɔləuɪŋ] 1 ADJ (**a**) (= *next : day, week*) (på)følgende ❑ *He died the following day...* Han døde den (på)følgende dagen *or* neste dag...
(**b**) (= *next-mentioned : way, list etc*) følgende ❑ *...in the following way...* på følgende måte...
2 s (*of party, religion, group etc*) tilhengerskare *m* ❑ *...to attract a large following.* ...tiltrekke seg en stor tilhengerskare.
follow-up ['fɔləuʌp] 1 s oppfølging *c*
2 ADJ (*treatment, survey, programme*) oppfølgende
folly ['fɔlɪ] s (= *foolishness*) dårskap *m*, dumhet *c*; (*building*) *imitasjon av borg, tempel eller annen bygning brukt som dekorasjon i store parker*
fond [fɔnd] ADJ (**a**) (*memory, smile, look*) kjærlig ❑ *...looking at me with fond eyes...* så på meg med kjærlig blikk...
(**b**) (*hopes*) forfengelig, dum (*pej*)
(**c**) (*dreams*) ønske-
▸ **to be fond of** (+*person, thing*) være* glad i
▸ **she's fond of swimming** hun er glad i *or* hun liker godt å svømme
fondle ['fɔndl] VT kjærtegne (*v1*), kjæle (*v2*) med
fondly ['fɔndlɪ] ADV (**a**) (= *lovingly*) kjærlig ❑ *He used to gaze at the old car fondly...* Han pleide å se kjærlig på den gamle bilen...
(**b**) (= *naively*) ▸ **he fondly believed that...** han var dum nok til å tro at...
fondness ['fɔndnɪs] s (**a**) (= *affection*) ømhet *c* ❑ *I recall with fondness a young woman...* Jeg husker med ømhet en ung kvinne...
(**b**) (*for person*) hengivenhet *c* ❑ *...his growing*

fondness for her. ...hans voksende hengivenhet for henne.

font [fɔnt] s (*in church*) døpefont *m*; (*TYP*) skrifttype *m*

food [fu:d] s mat *m*

food chain s næringskjede *m*

food mixer s mikser *m*, miksmaster *m*

food poisoning s matforgiftning *c*

food processor [-'prəusɛsəʳ] s matprosessor *m*

food stamp s matkupong *m*

foodstuffs ['fu:dstʌfs] SPL matvarer *pl*, næringsmidler *pl*

fool [fu:l] 1 s (**a**) (= *idiot*) tosk *m*, fjols *nt*
(**b**) (*KULIN*) *dessert laget av frukt, egg, sukker og kremfløte*, fruktfromasj *m*
2 VT (= *deceive*) lure (*v2*), narre (*v1*)
3 VI (= *be silly*) tulle (*v1*), tøyse (*v1*) ❑ *Don't worry, I was only fooling.* Ta det med ro, jeg bare tullet *or* tøyset.
▸ **to make a fool of sb** (= *ridicule*) gjøre* noen til latter, latterliggjøre* noen
▸ **to make a fool of o.s.** dumme (*v1*) seg ut
▸ **you can't fool me** du lurer ikke meg
▸ **to fool with sb/sth** rote (*v1*) med noen/noe

▸ **fool about** (*neds*) VI (**a**) (= *waste time*) tulle (*v1*), tøyse (*v1*)
(**b**) (= *behave foolishly*) rote (*v1*) (rundt)

▸ **fool around** VI = **fool about**

foolhardy ['fu:lhɑ:dɪ] ADJ dumdristig

foolish ['fu:lɪʃ] ADJ (= *stupid*) tåpelig, tosket(e); (= *rash*) uklok, ubetenksom

foolishly ['fu:lɪʃlɪ] ADV (*laugh*) tåpelig, tosket(e); (*act*) uklokt, ubetenksomt

foolishness ['fu:lɪʃnɪs] s tåpelighet *c*

foolproof ['fu:lpru:f] ADJ idiotsikker

foolscap ['fu:lskæp] s *papir som er ca 34 x 43 cm*

foot [fut] (*pl* **feet**) 1 s (**a**) (*measure, of person, animal, cliff, stairs*) fot *m irreg*
(**b**) (*of bed*) fotende *m*
2 VT ▸ **to foot the bill** betale (*v2*) for gildet
▸ **at the foot of the page** nederst på siden
▸ **on foot** til fots
▸ **to find one's feet** (*fig*) finne* seg til rette
▸ **to put one's foot down** (**a**) (*BIL*) gi* gass, sette* klampen i bånn
(**b**) (= *say no*) sette* foten ned, slå* i bordet

footage ['futɪdʒ] s (*FILM: length*) *lengden film brukt (på en scene eller hendelse)*; (*depicting event*) filmbit *m*

foot and mouth (disease) s munn-og-klovsyke *m*

football ['futbɔ:l] s fotball *m*

footballer ['futbɔ:ləʳ] (*BRIT*) s fotballspiller *m*

football ground s fotballbane *m*

football match (*BRIT*) s fotballkamp *m*

football player s fotballspiller *m*

footbrake ['futbreɪk] s fotbrems *m*

footbridge ['futbrɪdʒ] s gangbro *c*

foothills ['futhɪlz] SPL *lave fjell ved foten av høyere fjell*

foothold ['futhəuld] s fotfeste *nt*
▸ **to get a foothold** (*fig*) få* en fot innenfor, vinne* innpass

footing ['futɪŋ] s ▸ **on an official footing** i offisielle former
▸ **to lose one's footing** miste (*v1*) fotfestet
▸ **on an equal footing** på like fot

footlights ['futlaɪts] SPL rampelys *nt sing*

footman ['futmən] *irreg* s herskapstjener *m*, lakei *m*

footnote ['futnəut] s fotnote *m*

footpath ['futpɑ:θ] s gangsti *m*

footprint ['futprɪnt] s fotspor *nt*

footrest ['futrɛst] s fothviler *m*

Footsie ['futsɪ] (*sl*) s ▸ **the Footsie** = **FTSE 100 Index**

footsie ['futsɪ] (*sl*) s ▸ **to play footsie with sb** fotflørte (*v1*) med noen

footsore ['futsɔ:ʳ] ADJ sårbent

footstep ['futstɛp] s fotsteg *nt*, fottrinn *nt*

footwear ['futwɛəʳ] s fottøy *nt*, skotøy *nt*

KEYWORD

for [fɔ:ʳ] 1 PREP (**a**) (*destination, intention*) til
▸ **the train for London** toget til London
▸ **he left for Rome** han drog (av gårde) til Roma
▸ **he went for the paper** han gikk og hentet avisen
▸ **is this for me?** er denne til meg?
(**b**) (*purpose*) til, for
▸ **what's it for?** hva er det til?, hva skal det være* godt for?
▸ **what for?** hvorfor det?
▸ **clothes for children** klær for barn
▸ **to pray for peace** be* om fred
▸ **time for lunch** tid for lunsj
(**c**) (= *on behalf of, representing*) for
▸ **he works for a local firm** han jobber for et lokalt firma
▸ **the MP for Hove** Parlamentsmedlemmet fra Hove
▸ **G for George** G for Georg
(**d**) (= *because of*) ▸ **for this reason** av denne grunnen, derfor
▸ **for fear of being criticised** i frykt for å bli* kritisert
▸ **famous for** berømt for
(**e**) (= *with regard to*) for
▸ **mature for his age** moden for alderen
▸ **a gift for languages** (et) talent for språk
▸ **for everyone who voted yes, 50 voted no** for hver som stemte ja, var det 50 som stemte nei
▸ **it's cold for July** det er kaldt til å være* juli
(**f**) (= *in exchange for: pay, sell*) for
▸ **I sold it for 5 pounds** jeg solgte den for 5 pund
(**g**) (= *in favour of*) for
▸ **are you for or against us?** er du for eller mot oss?
▸ **I'm all for it** jeg er helt for det
▸ **vote for X** stemme (*v2x*) på X
(**h**) (*referring to distance*) *not translated* ▸ **there are roadworks for 5 km** det er veiarbeid de neste fem kilometerne, det er veiarbeid i fem kilometer framover
▸ **we walked for miles** vi gikk flere miles
(**i**) (*referring to time*) i; (*after negative*) på
▸ **he was away for 2 years** han var borte i 2 år
▸ **she will be away for a month** hun skal være* borte (i) en måned
▸ **can you do it for tomorrow?** kan du gjøre* det til i morgen?

▸ **it hasn't rained for 3 weeks** det har ikke regnet på 3 uker
(**j**) (*with infinitive clause*) ▸ **it is not for me to decide** det er ikke opp til meg å bestemme
▸ **it would be best for you to leave** det ville* være* best for deg å dra
▸ **there is still time for you to do it** det er fremdeles tid nok til at du gjør det
▸ **for this to be possible** for at dette skal være* mulig
(**k**) (= *in spite of*) til tross for, på tross av
▸ **for all his complaints, he is very fond of her** til tross for *or* på tross av alle klagene er han svært glad i henne
▸ **for all he said he would write, he didn't** til tross for at han sa han ville* skrive, gjorde han det ikke
2 KONJ (= *since, as*) for
▸ **she was very angry, for he was late again** hun var svært sint, for han var sein igjen

f.o.r. (*MERK*) FK (= **free on rail**) fritt på jernbane
forage ['fɔrɪdʒ] 1 s fôr *nt*
2 VI (= *search: for food*) lete (*v2*) etter mat, furasjere (*v2*)
forage cap s leirlue *c*, uniformslue *c* (*til bruk sammen med arbeidsuniformen*)
foray ['fɔreɪ] s plyndringstokt *nt*, streiftog *nt*
forbad(e) [fə'bæd] PRET *of* **forbid**
forbearing [fɔː'bɛərɪŋ] ADJ overbærende
forbid [fə'bɪd] (*pt* **forbad(e)**, *pp* **forbidden**) VT (*+sale, marriage, event etc*) forby*
▸ **to forbid sb to do sth** forby* noen å gjøre* noe ❑ *I forbid you to tell her...* Jeg forbyr deg å fortelle henne...
forbidden [fə'bɪdn] 1 PP *of* **forbid**
2 ADJ (*subject*) forbudt
▸ **forbidden fruit** (*fig*) forbuden frukt *m*
forbidding [fə'bɪdɪŋ] ADJ (*look, prospect*) skremmende, avskrekkende
force [fɔːs] 1 s (**a**) (= *violence, power, influence*) makt *c* ❑ *We have renounced the use of force to settle our disputes.* Vi har gitt avkall på bruken av makt for å avgjøre våre meningsforskjeller. *Nationalism was rapidly becoming a dangerous force...* Nasjonalisme var raskt i ferd med å bli* en farlig makt... *the forces of evil.* ...ondskapens makt.
(**b**) (= *strength*) styrke *m* ❑ *The force of an earthquake...* Styrken på et jordskjelv...
(**c**) (*FYS*) kraft *m* ❑ *The force acting on the particle is constant...* Kraften som virker på en partikkel, er konstant...
2 VT (**a**) (= *drive, push*) tvinge* ❑ *They forced a confession out of him...* De tvang en tilståelse ut av han... *They forced David into a small room.* De tvang David inn i et lite rom.
(**b**) (= *break open: lock, door*) bryte* opp ❑ *They had to force the lock on the trunk.* De måtte* bryte opp låsen på kisten.
▸ **the Forces** (*BRIT*) SPL militæret *sing*
▸ **in force** (= *in large numbers*) mannsterkt ❑ *Animal rights campaigners turned up in force.* Forkjempere for dyrenes rettigheter møtte mannsterkt opp.
▸ **to come into force** tre* i kraft
▸ **to join forces with** slå* seg sammen med, gjøre* felles sak med
▸ **a force 5 wind** vind med styrke 5 (*tilsvarer frisk bris*)
▸ **the sales force** salgskreftene
▸ **through** *or* **from force of habit** av gammel vane
▸ **to force o.s. to do sth** tvinge* seg (selv) til å gjøre* noe
▸ **to force sb to do sth** tvinge* noen til å gjøre* noe
▸ **to force sth (up)on sb** tvinge* noe på noen
▸ **to force o.s. (up)on sb** tvinge* seg innpå noen
▸ **force back** VT (*+tears, urge*) tvinge* tilbake
forced [fɔːst] ADJ (*labour*) tvangs-; (*landing*) nød-; (*smile*) tvungen
force-feed ['fɔːsfiːd] VT (*+animal, prisoner*) tvangsfore (*v2*)
forceful ['fɔːsful] ADJ (*person*) med sterk personlighet; (*attack*) kraftig; (*point*) overbevisende
forceps ['fɔːsɛps] SPL tang *c sing*
forcible ['fɔːsəbl] ADJ (*entry, imposition*) med makt; (*reminder, lesson*) kraftig
forcibly ['fɔːsəblɪ] ADV (*remove*) med makt; (*express*) med vekt
ford [fɔːd] 1 s (*in river*) vadested *nt*
2 VT vasse (*v1*) over
fore [fɔː[r]] s ▸ **to come to the fore** komme* fram, komme i forgrunnen
forearm ['fɔːrɑːm] s underarm *m*
forebear ['fɔːbɛə[r]] s ane *m*
foreboding [fɔː'bəudɪŋ] s forutanelse *m*
forecast ['fɔːkɑːst] (*irreg* **cast**) 1 s (**a**) (*of profits, prices etc*) prognose *m*
(**b**) (*of weather*) værmelding *c*, værutsikt *m*
2 VT forutsi*, varsle (*v1*) (om) ❑ *In 1974 the Worker's Press forecast large-scale unemployment...* I 1974 forutsa arbeiderpressen *or* varslet arbeiderpressen om arbeidsledighet i stor skala...
forecourt ['fɔːkɔːt] s (*of garage*) oppkjørsel *m*, innkjørsel *m*
forefathers ['fɔːfɑːðəz] SPL forfedre *mpl*
forefinger ['fɔːfɪŋgə[r]] s pekefinger *m*
forefront ['fɔːfrʌnt] s ▸ **in the forefront of** i fremste rekke av
forego [fɔː'gəu] (*irreg* **go**) VT avstå* fra
foregoing ['fɔːgəuɪŋ] 1 ADJ foregående, forannevnt
2 s ▸ **the foregoing** det foregående
foregone ['fɔːgɔn] 1 PP *of* **forego**
2 ADJ ▸ **it's a foregone conclusion** det er gitt på forhånd
foreground ['fɔːgraund] 1 s (*of painting*) forgrunn *m*
2 SAMMENS (*DATA*) forgrunns-
forehand ['fɔːhænd] s (*TENNIS*) forehand *m*
forehead ['fɔrɪd] s panne *c*
foreign ['fɔrɪn] ADJ (*country*) fremmed; (*trade, policy*) utenlands-; (*object, matter*) utenlandsk; (*holiday*) i utlandet
foreign body s fremmedlegeme *nt*
foreign currency s utenlandsk valuta *m*

foreigner ['fɔrɪnəʳ] s utlending *m*
foreign exchange s (*system*) valutahandel *m*; (*money*) utenlandsk valuta *m*
foreign exchange market s utenlandsk valutamarked *nt*
foreign exchange rate s valutakurs *m*
foreign minister s utenriksminister *m*
Foreign Office (*BRIT*) s ▸ **the Foreign Office** ≈ Utenriksdepartementet
Foreign Secretary (*BRIT*) s utenriksminister *m*
foreleg ['fɔːlɛg] s forbein *nt*
foreman ['fɔːmən] *irreg* s (*in factory, on building site, of jury*) formann *m*
foremost ['fɔːməust] 1 ADJ (= *most important*) fremst
2 ADV ▸ **first and foremost** først og fremst
forename ['fɔːneɪm] s fornavn *nt*
forensic [fə'rɛnsɪk] ADJ (*medicine*) retts-; (*test*) rettslig, juridisk
foreplay ['fɔːpleɪ] s forspill *nt*
forerunner ['fɔːrʌnəʳ] s forløper *m*, forgjenger *m*
foresee [fɔː'siː] (*irreg* **see**) VT forutse*
foreseeable [fɔː'siːəbl] ADJ forutsigbar
▸ **in the foreseeable future** i overskuelig framtid
foreseen [fɔː'siːn] PP *of* **foresee**
foreshadow [fɔː'ʃædəu] VT varsle (*v1*), bebude (*v1*)
foreshore ['fɔ'ʃɔːʳ] s strandlinje *c*
foreshorten [fɔː'ʃɔːtn] VT forkorte (*v1*)
foresight ['fɔːsaɪt] s forutseenhet *m*
foreskin ['fɔːskɪn] s forhud *m*
forest ['fɔrɪst] s skog *m*
forestall [fɔː'stɔːl] VT foregripe*
▸ **to forestall sb** komme noen i forkjøpet
forestry ['fɔrɪstrɪ] s (*science, skill*) skogbruk *nt*; (*administration*) skogvesen *nt*
foretaste ['fɔːteɪst] s ▸ **a foretaste of** en forsmak på
foretell [fɔː'tɛl] (*irreg* **tell**) VT (= *predict*) forutsi*, spå (*v4*) (om)
forethought ['fɔːθɔːt] s framsyn *nt*
foretold [fɔː'təuld] PRET, PP *of* **foretell**
forever [fə'rɛvəʳ] ADV (**a**) (= *permanently*) for alltid ❑ *In the latter half of the 19th century, Japan changed forever...* I den siste halvdelen av det 19. århundre forandret Japan seg for alltid...
(**b**) (= *always*) (for) alltid, til evig tid ❑ *She would remember his name forever...* Hun ville* huske navnet hans (for) alltid *or* til evig tid...
▸ **it has gone forever** det er borte for alltid
▸ **it will last forever** det vil vare evig
▸ **you're forever finding difficulties** du finner alltid vanskeligheter
forewarn [fɔː'wɔːn] VT advare (*v2*)
forewent [fɔː'wɛnt] PRET *of* **forego**
foreword ['fɔːwəːd] s forord *nt*
forfeit ['fɔːfɪt] 1 s (= *price, fine*) bot *m*, mulkt *m*
2 VT miste (*v1*), forspille (*v2x*)
forgave [fə'geɪv] PRET *of* **forgive**
forge [fɔːdʒ] 1 s smie *c*
2 VT (*+signature, money, document etc*) forfalske (*v1*); (*+wrought iron*) smi (*v3*); (*+alliance, relationship*) forme (*v1*), skape (*v2*)
▸ **forge ahead** VI (*country, person+*) presse (*v1*) seg fram
forger ['fɔːdʒəʳ] s forfalsker *m*, falskner *m*
forgery ['fɔːdʒərɪ] s (*crime*) falskneri *nt*, forfalskning *m*; (= *document, painting etc*) forfalskning *m*
forget [fə'gɛt] (*pt* **forgot**, *pp* **forgotten**) VTI glemme (*v2x*) ❑ *Sue was afraid that she had forgotten how to ride a bicycle...* Sue var redd hun hadde glemt å sykle... *Don't forget the bag.* Ikke glem vesken. *I think you ought to forget her...* Jeg synes du skulle* glemme henne...
▸ **to forget o.s.** glemme (*v2x*) seg
forgetful [fə'gɛtful] ADJ glemsom, glemsk
▸ **to be forgetful of** ikke kunne* huske
forgetfulness [fə'gɛtfulnɪs] s glemsomhet *m*
forget-me-not [fə'gɛtmɪnɔt] s forglemmegei *m*
forgive [fə'gɪv] (*pt* **forgave**, *pp* **forgiven**) VT tilgi*
▸ **to forgive sb for sth** tilgi* noen for noe ❑ *He has never forgiven the newspaper for printing this story.* Han har aldri tilgitt avisen for at de trykket denne historien.
▸ **forgive my ignorance, but...** unnskyld at jeg spør, men...
▸ **they could be forgiven for thinking that...** det er forståelig at de tror at...
▸ **let's forgive and forget** la oss (tilgi og) glemme det
forgiveness [fə'gɪvnɪs] s tilgivelse *m*
▸ **to ask** *or* **beg sb's forgiveness** be* noen om tilgivelse
forgiving [fə'gɪvɪŋ] ADJ tilgivende
forgo [fɔː'gəu] (*pt* **forwent**, *pp* **forgone**) VT = **forego**
forgot [fə'gɔt] PRET *of* **forget**
forgotten [fə'gɔtn] PP *of* **forget**
fork [fɔːk] 1 s (*for eating*) gaffel *m*; (*for gardening*) greip *nt*; (*in road, river, railway*) skille *nt*
2 VI (*road+*) dele (*v2*)
▸ **fork out** (*sl*) 1 VT (= *pay*) punge (*v1*) ut med (*sl*)
2 VI punge ut
forked [fɔːkt] ADJ ▸ **forked lightning** sikksakklyn *nt*
fork-lift truck ['fɔːklɪft-] s gaffeltruck *m*
forlorn [fə'lɔːn] ADJ (*person, cry, voice*) ussel; (*place*) forlatt, øde; (*attempt, hope*) ynkelig, håpløs
form [fɔːm] 1 s (**a**) (= *type*) ▸ **a form (of)** en form *m* (for) ❑ *Coal is a form of carbon...* Kull er en form for karbon... *The symptoms take various forms...* Symptomene tar ulike former...
(**b**) (= *body*) skikkelse *m*
(**c**) (*SKOL: class*) klasse *m*
(**d**) (= *questionnaire*) skjema *nt*
2 VT (**a**) (= *make: shape, queue, object*) danne (*v1*), forme (*v1*) ❑ *Her body and bare limbs formed a Z...* Hennes kropp og bare armer og bein formet *or* dannet en Z... *They formed a ring to keep her warm...* De formet *or* dannet en ring for å holde henne varm... *The black leather chair folds back to form a couch.* Den svarte skinnstolen kan foldes bakover og bli* til en sofa. *There were some red rocks forming a kind of cave...* Det var noen røde steiner som dannet en slags hule... *The islands are volcanic and were formed comparatively recently...* Øyene var vulkanske, og ble dannet relativt nylig...
(**b**) (*+organization, group, government: comprise*)

utgjøre*
(**c**) (= *create*) danne (*v1*) ▫ *The League was formed in 1959...* Ligaen ble dannet i 1959...
(**d**) (+*idea, impression*) danne (*v1*) ▫ *This was at variance with the impression I'd formed of Otto...* Dette var ikke i overensstemmelse med inntrykket jeg hadde dannet meg av Otto...
(**e**) (+*habit*) få ▫ *He formed the habit of taking long solitary walks.* Han fikk vanen med å ta* lange turer alene.
(**f**) (+*relationship*) gå* inn i
3 VI danne (*v1*) seg ▫ *Outside long queues had formed.* På utsiden hadde det dannet seg lange køer.
▸ **in the form of** i form av ▫ *She is taking lots of exercise in the form of walks or swimming.* Hun får mye mosjon i form av spaserturer eller svømming.
▸ **to take the form of** utvikle (*v1*) seg til ▫ *The broadcast took the form of an interview...* Sendingen utviklet seg til et intervju...
▸ **to form part of sth** utgjøre* en del av noe
▸ **to be in good** *or* **top form** være* i god form *or* toppform
▸ **to be on form** (*SPORT, fig*) være* i form

formal ['fɔːməl] ADJ (**a**) (*offer, statement, approval, education, qualifications*) formell
(**b**) (*person, behaviour, occasion, dinner, approach, style*) formell, høytidelig ▫ *"How is your mother?" Daintry asked with formal politeness...* "Hvordan er det med moren din?" spurte Daintry med høytidelig høflighet... *a formal dinner...* en formell middag... *a formal mathematical approach...* en formell matematisk tilnærming...
▸ **formal dress** smoking eller mørk dress
▸ **formal gardens** parkanlegg *nt*

formality [fɔː'mælɪtɪ] S (**a**) (*procedure*) formalitet *m* ▫ *The interview is just a formality...* Intervjuet er bare en formalitet...
(**b**) (*politeness*) formellhet *m*, formell opptreden *m* ▫ *The elders conversed with strict formality when children were around...* De eldre konverserte med streng formellhet når det var barn i nærheten...
▸ **formalities** SPL (*procedures*) formaliteter *pl*

formalize ['fɔːməlaɪz] VT formalisere (*v2*), gi* fast form

formally ['fɔːməlɪ] ADV (**a**) (*announce, accept, approve*) formelt
(**b**) (*dress, behave*) formelt, høytidelig
▸ **to be formally invited** være* formelt invitert

format ['fɔːmæt] 1 S format *nt*
2 VT (*DATA*) formatere (*v2*)

formation [fɔː'meɪʃən] S (**a**) (*of organization, business*) dannelse *m* ▫ *...the formation of the United Nations...* dannelsen av de Forente Nasjoner...
(**b**) (*of theory, ideas*) tilblivelse *m*, dannelse *m* ▫ *This procedure effectively prevents the formation of new ideas.* Denne prosedyren forhindrer effektivt at nye ideer blir dannet *or* blir til.
(**c**) (*of rocks, clouds, pattern formed*) formasjon *m* ▫ *...beautiful rock formations in underground caves.* ...nydelige steinformasjoner i underjordiske grotter.

formative ['fɔːmətɪv] ADJ (*years*) formende, dannende; (*influence, experience*) formende

former ['fɔːmə^r] 1 ADJ (**a**) (*husband, president etc*) tidligere, forhenværende ▫ *...a former army officer.* ...en tidligere *or* forhenværende militæroffiser.
(**b**) (*power, authority*) tidligere
2 S ▸ **the former** den/det/de første, den/det/de førstnevnte
▸ **in former times** i tidligere tider

formerly ['fɔːməlɪ] ADV tidligere

Formica® [fɔː'maɪkə] S Formica *m*

formidable ['fɔːmɪdəbl] ADJ (*task*) formidabel; (*opponent*) fryktinngytende, formidabel

formula ['fɔːmjʊlə] (*pl* **formulae** *or* **formulas**) S (**a**) (*MAT, KJEM*) formel *m*
(**b**) (= *plan*) løsning *m* ▫ *...a peace formula...* en fredsløsning... *Each must find its own formula for the distribution of national income.* Hver og en må finne sin egen løsning på fordelingen av nasjonale inntekter.
▸ **Formula One** (*BIL*) Formel 1

formulate ['fɔːmjʊleɪt] VT (+*plan, strategy*) utforme (*v1*), utarbeide (*v1*); (= *express*) formulere (*v2*)

fornicate ['fɔːnɪkeɪt] VI (be)drive* hor *or* utukt

forsake [fə'seɪk] (*pt* **forsook**, *pp* **forsaken**) VT forlate*

forsook [fə'sʊk] PRET *of* **forsake**

fort [fɔːt] S (*MIL*) fort *nt*, festning *m*
▸ **to hold the fort** (*fig*) holde* skansen

forte ['fɔːtɪ] S styrke *m*

forth [fɔːθ] ADV fram, ut
▸ **back and forth** fram og tilbake
▸ **to go back and forth** gå* fram og tilbake
▸ **to bring forth** bringe* fram *or* ut
▸ **and so forth** og så videre

forthcoming [fɔːθ'kʌmɪŋ] ADJ (*event*) (nær) forestående, kommende; (*help, money*) på vei; (*person*) forekommende, imøtekommende

forthright ['fɔːθraɪt] ADJ (*condemnation, opposition, person*) likefram, direkte

forthwith ['fɔːθ'wɪθ] ADV omgående, sporenstreks

fortieth ['fɔːtɪɪθ] TALLORD førtiende

fortification [fɔːtɪfɪ'keɪʃən] S befestning *m*, forsterkning *m*

fortified wine S hetvin *m*

fortify ['fɔːtɪfaɪ] VT (+*city*) befeste (*v1*), forsterke (*v1*); (+*person*) styrke (*v1*)

fortitude ['fɔːtɪtjuːd] S fatning *m*, sjelsstyrke *m*

fortnight ['fɔːtnaɪt] (*BRIT*) S (= *two weeks*) to uker *pl*, fjorten dager *pl*
▸ **it's a fortnight since...** det er to uker *or* fjorten dager siden...

fortnightly ['fɔːtnaɪtlɪ] 1 ADJ (*payment, visit, magazine*) som foregår/kommer hver fjortende dag
2 ADV (*pay, meet, appear*) hver fjortende dag, med to ukers mellomrom

FORTRAN ['fɔːtræn] S FORTRAN *nt*

fortress ['fɔːtrɪs] S festning *m*, befestet område *nt*

fortuitous [fɔː'tjuːɪtəs] ADJ (*discovery, result*) tilfeldig

fortunate ['fɔːtʃənɪt] ADJ (**a**) (*person*) heldig
(**b**) (*event*) heldig, lykkelig
▸ **to be fortunate** være* heldig, ha* hell
▸ **he is fortunate to have...** han er heldig som

har...
▸ **it is fortunate that...** det er heldig at...
fortunately ['fɔːtʃənɪtlɪ] ADV heldigvis, lykkeligvis
fortune ['fɔːtʃən] s (**a**) (= *luck*) hell *nt*, lykke *m* ❑ *It would be unfair to envy him his good fortune...* Det ville* være* urettferdig å misunne ham hans gode hell... *people who did not have the fortune to live in Britain...* mennesker som ikke var så heldige å bo i Storbritannia...
(**b**) (*wealth*) formue *m* ❑ *His father left him an immense fortune...* Faren hans etterlot ham en kjempestor formue...
▸ **to make a fortune** tjene (*v2*) en formue
▸ **to tell sb's fortune** spå (*v4*) noen
fortune-teller ['fɔːtʃəntɛləʳ] s (= *male*) spåmann *m irreg*; (= *female*) spåkvinne *c*
forty ['fɔːtɪ] TALLORD førti
forum ['fɔːrəm] s (*for debate*) forum *nt*; (= *Roman square*) Forum Romanum *nt*
forward ['fɔːwəd] [1] ADJ (**a**) (*in position*) fram (*var.* frem) ❑ *I like to have the seat quite far forward when I'm driving...* Jeg liker å ha* setet plassert helt fram når jeg kjører...
(**b**) (*in movement*) fram (*var.* frem) fremadskridende ❑ *...the impetus of his forward movement.* ...farten på bevegelsen hans framover.
(**c**) (*in development*) framover, fram (*var.* frem) ❑ *Obviously it's a great step forward for you...* Det er helt klart et stort steg framover for deg... *We're no further forward than we were two weeks ago...* Vi er ikke kommet lenger (fram) enn vi var for to uker siden...
(**d**) (= *not shy*) (små)frekk ❑ *That was very forward of you.* Det var veldig frekt av deg.
[2] s (*SPORT*) angriper *m*
[3] VT (**a**) (+*letter, parcel, goods*) videresende (*v2*)
(**b**) (+*career, plans*) fremme (*v1*)
▸ **"please forward"** "vennligst send videre"
▸ **forward planning** planlegging *c* framover
forward(s) ['fɔːwəd(z)] ADV framover ❑ *The seats face forward...* Setene vender framover... *When I was your age I could only look forward.* Da jeg var på din alder, kunne* jeg bare se framover.
fossil ['fɒsl] s fossil *nt*, forsteining *c*
fossil fuel s fossilt brensel *or* brennstoff *nt*
foster ['fɒstəʳ] VT (+*child*) fostre (*v1*) (opp); (+*idea, activity*) fremme (*v1*), støtte (*v1*)
foster child s fosterbarn *nt*, pleiebarn *nt*
foster mother s fostermor *c*, pleiemor *c*
fought [fɔːt] PRET, PP *of* **fight**
foul [faul] [1] ADJ (**a**) (*state, taste, smell, place*) vemmelig, ekkel, motbydelig
(**b**) (*temper, weather, day, time, luck*) forferdelig ❑ *He has a foul temper.* Han har et forferdelig humør. *He was in a foul temper.* Han var i elendig humør. *I've had a really foul day at work...* Jeg har hatt en virkelig forferdelig dag på arbeidet...
(**c**) (*language*) grov ❑ *I won't have you using such foul language...* Jeg vil ikke at du skal bruke et slikt grovt språk...
[2] s (*SPORT*) brudd *nt* på reglene, juks *nt*
[3] VT (**a**) (= *dirty*) tilgrise (*v1*) ❑ *...who was complaining about dogs fouling the pavement.* ...som klagde på at hunder tilgriset fortauet.
(**b**) (*SPORT*) takle (*v1*) ulovlig
(**c**) (+*anchor, propeller*) vikle (*v1*) seg inn i
foul play s (*JUR*) ▸ **foul play is not suspected** det er ingen mistanke om uregelmessigheter
found [faund] [1] PRET, PP *of* **find**
[2] VT (+*business, theatre, magazine*) grunnlegge*, etablere (*v2*)
foundation [faun'deɪʃən] s (**a**) (*of business, theatre, magazine etc*) grunnlegging *m*, etablering *c*
(**b**) (= *basis*) grunnlag *nt*, basis *m* ❑ *This early training gave her a very firm foundation.* Denne tidlige treningen gav henne et veldig solid grunnlag. *This theory seems to have no foundation in physical observation...* Denne teorien synes ikke å ha* noen basis i fysiske observasjoner...
(**c**) (*organization*) stiftelse *m*
(**d**) (*also* ***foundation cream***) underlagskrem *m*
▸ **foundations** SPL (*of building*) fundament *nt*
▸ **the rumours are without foundation** ryktene er grunnløse
▸ **to lay the foundations of sth** (*fig*) legge* grunnlaget for noe
foundation stone s grunnstein *m*
founder ['faundəʳ] [1] s (*of firm, college*) grunnlegger *m*
[2] VI (*ship*+) synke*
founder member s opprinnelig medlem *nt*
founding ['faundɪŋ] ADJ ▸ **founding father** (**a**) (*US*) *en av personene som var med på å utforme den amerikanske grunnloven på grunnlovskonventet i Philadelphia i 1787.*
(**b**) (*of institution, organization, idea*) grunnlegger *m* ❑ *If economics has a founding father, it is Smith.* Hvis det finnes en grunnlegger av økonomifaget, så er det Smith.
foundry ['faundrɪ] s støperi *nt*
fount [faunt] s (*TYP*) skrifttype *m*
▸ **a fount of wisdom** en kilde av visdom
fountain ['fauntɪn] s fontene *m*; (*fig*) kilde *m*
fountain pen s fyllepenn *m*
four [fɔːʳ] TALLORD fire
▸ **on all fours** på alle fire
four-letter word ['fɔːlɛtə-] s tabuord *nt*
four-poster ['fɔː'pəustəʳ] s (*also* ***four-poster bed***) himmelseng *c*
foursome ['fɔːsəm] s *gruppe på fire personer eller ting*
fourteen ['fɔː'tiːn] TALLORD fjorten
fourteenth ['fɔː'tiːnθ] TALLORD fjortende
fourth ['fɔːθ] [1] TALLORD fjerde
[2] s (*BIL*: ***fourth gear***) fjerde *nt*
four-wheel drive ['fɔːwiːl-] s (*BIL*) firehjulsdrift *m*, firehjulstrekk *nt*
fowl [faul] s høne *c*
fox [fɔks] [1] s rev *m*
[2] VT lure (*v2*), narre (*v1*)
foxglove ['fɔksglʌv] s revebjelle *c*
fox-hunting ['fɔkshʌntɪŋ] s revejakt *c*
foxtrot ['fɔkstrɔt] s foxtrot *m*
foyer ['fɔɪeɪ] s foajé *m*
FPA (*BRIT*) S FK (= **Family Planning Association**) *forening for familieplanlegging*
Fr. (*REL*) FK = **father, friar**

fr. FK = **franc**
fracas ['frækɑː] s bråk *nt*, oppstyr *nt*
fraction ['frækʃən] s (= *portion*) brøkdel *m*; (*MAT*) brøk *m*
fractionally ['frækʃnəlɪ] ADV ▸ **fractionally smaller** *etc* ubetydelig *or* marginalt mindre *etc*
fractious ['frækʃəs] ADJ irritabel
fracture ['fræktʃəʳ] 1 s brudd *nt*, fraktur *m* (*MED*)
2 VT brekke*, fakturere (*v2*) (*MED*)
fragile ['frædʒaɪl] ADJ (*object, structure*) skjør, sprø; (*economy*) skrøpelig, sårbar; (*peace*) sårbar, skjør; (*person*) skrøpelig, skjør
fragment [*N* 'frægmənt, *VB* fræg'mɛnt] 1 s (*of bone etc*) splint *m*, fragment *nt*; (*of cup*) skår *nt*; (*of conversation, poem etc*) bruddstykke *nt*
2 VI gå* *or* bryte* i stykker
fragmentary ['frægməntərɪ] ADJ (*knowledge, evidence*) fragmentarisk
fragrance ['freɪgrəns] s duft *m*, vellukt *m*
fragrant ['freɪgrənt] ADJ duftende, velluktende
frail [freɪl] ADJ (*person, invalid, structure*) skrøpelig, skjør
frame [freɪm] 1 s (**a**) (*of structure, bicycle, picture*) ramme *m*
(**b**) (*of building, structure*) rammeverk *m*, skjelett *nt*
(**c**) (*of human, animal*) legeme *nt*
(**d**) (*of door, window*) karm *m*, ramme *c*
(**e**) (*of spectacles*: ***frames***) innfatning *m*
2 VT (**a**) (*+picture*) innramme (*v1*), ramme (*v1*) inn
(**b**) (*+reply, law,*) utforme (*v1*) ❑ *Laws are invariably framed in tortuous jargon.* Lover er alltid utformet i en innviklet sjargong.
(**c**) (*+theory*) utforme (*v1*), danne (*v1*) seg
▸ **to frame sb** (*sl*) fabrikkere (*v2*) falske anklager *or* beviser mot noen
frame of mind s humør *nt*, lune *nt*
framework ['freɪmwəːk] s (**a**) (*structure*) rammeverk *nt*, skjelett *nt*
(**b**) (*fig*) ramme *c* ❑ *You can't make decisions without an ethical framework...* Du kan ikke ta* beslutninger uten en etisk ramme...
France [frɑːns] s Frankrike
franchise ['fræntʃaɪz] 1 s (*POL*) stemmerett *m*; (*MERK*) lisens *m*
2 VT (*MERK*) franchise (*v1*)
frank [fræŋk] 1 ADJ oppriktig
2 VT (*+letter*) frankere (*v2*)
Frankfurt ['fræŋkfəːt] s Frankfurt
frankfurter ['fræŋkfəːtəʳ] s frankfurterpølse *c*
franking machine ['fræŋkɪŋ-] s frankeringsmaskin *m*
frankly ['fræŋklɪ] ADV (**a**) åpent, oppriktig
(**b**) (*introducing statement*) for å si det rett ut ❑ *He asked me to tell him frankly what I wished to do.* Han spurte meg om å fortelle ham helt oppriktig hva jeg ville* at han skulle* gjøre. *Frankly, this has all come as a bit of a shock...* For å si det rett ut, har dette kommet som litt av et sjokk...
frankness ['fræŋknɪs] s åpenhet *m*
frantic ['fræntɪk] ADJ (**a**) (*person*) ute av seg ❑ *We were frantic with worry.* Vi var ute av oss av bekymring.
(**b**) (*rush, pace*) hektisk ❑ *...after a frantic week of high-level discussions.* ...etter en hektisk uke med diskusjoner på høyt plan.
(**c**) (*search, need*) desperat
frantically ['fræntɪklɪ] ADV (**a**) (= *desperately*) desperat ❑ *...they were frantically searching for David.* ...de lette desperat etter David.
(**b**) (= *hurriedly*) oppjaget ❑ *...he was rushing frantically from one place to another.* ...han sprang oppjaget fra sted til sted.
fraternal [frə'təːnl] ADJ broderlig
fraternity [frə'təːnɪtɪ] s (**a**) (*feeling*) brorskap *nt* ❑ *...liberty, equality, and fraternity.* ...frihet, likskap og brorskap.
(**b**) (= *group of people*) broderskap *nt*
(**c**) (*fig*) miljø *nt* ❑ *It's well-known amongst the computing fraternity...* Det er velkjent innen datamiljøet...
fraternize ['frætənaɪz] VI omgås *no past tense*
fraud [frɔːd] s (*crime*) bedrageri *nt*, svindel *m*; (*person*) svindler *m*
fraudulent ['frɔːdjulənt] ADJ (*scheme, claim*) falsk, bedragersk
fraught [frɔːt] ADJ (**a**) (= *tense, anxious*: *person*) spent, nervøs
(**b**) (*evening, meeting*) ladet, nervøs
▸ **to be fraught with danger/problems** være* fylt med fare/problemer
fray [freɪ] 1 VI (*cloth, rope+*) trevle (*v1*) opp, frynse (*v1*) seg
2 s ▸ **to return to the fray** komme* tilbake i kampens hete
▸ **tempers were frayed** sinnene var i kok
▸ **her nerves were frayed** nervene hennes var tynnslitte
FRB (*US*) s FK (= **Federal Reserve Board**) *styret i Fed/FRS (sentralbanken i USA)*
FRCM (*BRIT*) s FK (= **Fellow of the Royal College of Music**) *tittel*
FRCO (*BRIT*) s FK (= **Fellow of the Royal College of Organists**) *tittel*
FRCP (*BRIT*) s FK (= **Fellow of the Royal College of Physicians**) *tittel*
FRCS (*BRIT*) s FK (= **Fellow of the Royal College of Surgeons**) *tittel*
freak [friːk] 1 s (**a**) (*person*: *in attitude, behaviour*) avviker *m*, særing *m*
(**b**) (*in appearance*) avviker *m*, frik *m* ❑ *...hair-raising freaks, including a two-headed Indian...* hårreisende avvikere *or* friker, inkludert en tohodet indianer...
(**c**) (= *fanatic*) ▸ **health freak** helsefrik *m*, helsefanatiker *m*
2 ADJ (*accident, storm*) svært usedvanlig
▸ **freak out** (*sl*) VI (= *become upset*) frike (*v1*) ut (*sl*), bli* oppskjørtet ❑ *Well, I'm freaked out by what we're seeing.* Vel, jeg er oppskjørtet over hva vi ser.
freakish ['friːkɪʃ] ADJ frikete
freckle ['frɛkl] s fregne *m*
freckled ['frɛkld] ADJ fregnete
free [friː] 1 ADJ (**a**) (*person, choice, passage, movement, press, speech, trade*) fri ❑ *It's their free choice...* Det er deres frie valg...
(**b**) (*time*) ledig, fri- ❑ *They don't have much free time...* De har ikke mye fritid...
(**c**) (*seat, hands*) ledig ❑ *Is that seat free?* Er det

setet ledig? *...buttoning his overcoat with his free hand.* ...og kneppet ytterfrakken med den ledige hånden.
(**d**) (*= costing nothing : meal, ticket etc*) gratis
2 VT (**a**) (*+prisoner, slave*) frigi*, løslate*
(**b**) (*+colony, country*) frigjøre*
(**c**) (*+jammed object*) løsne (*v1*)
(**d**) (*+arms etc*) frigjøre*
(**e**) (*+person : from responsibility, duty etc*) frita*
▸ **to give sb a free hand** gi* noen frie hender ❑ *Do what you like, I'm giving you a free hand.* Gjør som du vil, jeg gir deg frie hender.
▸ **free and easy** åpen og fri
▸ **admission free** gratis adgang
▸ **to be free of sth** være* fri for noe, være* kvitt noe ❑ *The area will be reasonably free of pollution by the year 2000...* Området vil være* rimelig fritt for forurensing innen år 2000... *I was free of my previous paranoia...* Jeg var kvitt min tidligere paranoia...
▸ **to be free to do sth** stå* fritt til å gjøre* noe
▸ **free (of charge), for free** gratis ❑ *I got it for free.* Jeg fikk det gratis.
▸ **free speech** ytringsfrihet *m*

free agent s *person som står fritt*
freebie ['fri:bɪ] (*sl*) s ▸ **it's a freebie** det er gratis
freedom ['fri:dəm] s (**a**) (*gen*) frihet *m* ❑ *They had been given complete freedom to photograph what they chose...* De hadde fått full frihet til å fotografere det de ønsket... *freedom of choice...* valgfrihet... *political freedom...* politisk frihet... *freedom of speech...* ytringsfrihet... *The bar still had some freedom of vertical movement.* Stangen kunne* ennå beveges fritt vertikalt.
(**b**) (*from poverty, disease, hunger*) ▸ **freedom from hunger and starvation** det å være* fri fra hunger og sult
freedom fighter s frihetskjemper *m*
free enterprise s fritt initiativ *nt*
Freefone® ['fri:fəun] s ▸ **call Freefone 0800...** ring grønt nummer 800...
free-for-all ['fri:fərɔ:l] s kaotisk slagsmål *nt or* diskusjon *m*
free gift s gratis gave *m*
freehold ['fri:həuld] s selveie *m*
free kick s frispark *nt*
freelance ['fri:lɑ:ns] ADJ frilans-
freeloader ['fri:ləudə^r] (*neds*) s snylter *m*
freely ['fri:lɪ] ADV (**a**) (*= without restriction : spend, talk, move etc*) fritt
(**b**) (*= liberally : donate, give etc*) rikelig
(**c**) (*perspire*) i strie strømmer
▸ **drugs are freely available in the city** narkotika er fritt tilgjengelig i byen
free-market economy ['fri:'mɑ:kɪt-] s markedsøkonomi *m*
Freemason ['fri:meɪsn] s frimurer *m*
freemasonry ['fri:meɪsnrɪ] s frimureri *nt*
Freepost® ['fri:pəust] s *postsending betalt av mottager*
free-range ['fri:'reɪndʒ] ADJ (*eggs*) fra frittgående høner; (*chickens*) frittgående
free sample s gratis prøveeksemplar *nt*
freesia ['fri:zɪə] s fresia *m*, kappkonvall *m*
free speech s ytringsfrihet *m*
freestyle ['fri:staɪl] s (*SPORT*) fristil *m*
free trade s frihandel *m*
freeway ['fri:weɪ] (*US*) s motorvei *m*
freewheel [fri:'wi:l] VI (*in car, on bicycle*) kjøre (*v2*) i fri
free will s fri vilje *m*
▸ **of one's own free will** av egen fri vilje
freeze [fri:z] (*pt* **froze**, *pp* **frozen**) 1 VI (**a**) (*weather+*) være* kuldegrader, fryse* på ❑ *I think it'll freeze tonight.* Jeg tror det vil fryse på i natt.. Jeg tror det blir kuldegrader i natt.
(**b**) (*liquid+*) fryse* til ❑ *The pond usually freezes in the winter.* Tjernet fryser vanligvis til om vinteren.
(**c**) (*pipe+*) fryse* ❑ *No home can be comfortable if pipes freeze.* Ikke noe hjem kan ha* det bekvemt hvis rørene fryser.
(**d**) (*person+ : with cold*) fryse* ❑ *So he opens the window and she freezes.* Så åpner han vinduet og hun fryser.
(**e**) (*from fear*) fryse* til is ❑ *A tap at the front door. She froze...* En lett banking på inngangsdøren. Hun frøs til is...
2 VT (**a**) (*+water, lake*) få* til å fryse (til is) ❑ *The sudden drop in temperature froze the lake.* Den plutselige temperaturfallet fikk innsjøen til å fryse (til is).
(**b**) (*+food*) fryse* ned
(**c**) (*+prices, salaries*) (fast)fryse*
3 s (**a**) (*= cold weather*) frost *m*
(**b**) (*on arms, wages*) fastfrysing *c* ❑ *...a freeze in the nuclear arms race.* ...en fastfrysing i atomkappløpet.
▸ **freeze over** VI (**a**) (*river+*) fryse* til
(**b**) (*windscreen, windows+*) fryse* til, ise ned (*v1*)
freeze-dried ['fri:zdraɪd] ADJ frysetørket
freezer ['fri:zə^r] s (dyp)fryser *m*
freezing ['fri:zɪŋ] ADJ (*also* ***freezing cold***) iskald
▸ **3 degrees below freezing** 3 kuldegrader
▸ **I'm freezing** jeg fryser
▸ **it's freezing outside** det er iskaldt ute
freezing point s frysepunkt *nt*
freight [freɪt] s frakt *m*, gods *nt*
▸ **by air/sea freight** med luft-/sjøfrakt
freight car (*US*) s godsvogn *c*
freighter ['freɪtə^r] s (*NAUT*) lastebåt *m*; (*AVIAT*) transportfly *nt*
freight train (*US*) s godstog *nt*
French [frentʃ] ADJ, s fransk
▸ **the French** SPL franskmennene
French bean (*BRIT*) s hagebønne *c*
French Canadian 1 ADJ franskkanadisk
2 s franskkanadier *m*; (*LING*) franskkanadisk
French dressing (*KULIN*) s fransk dressing *m*
French fries [-fraɪz] (*især US*) SPL franske poteter, pommes frites
French Guiana [-gaɪ'ænə] s Fransk Guyana
Frenchman ['frentʃmən] *irreg* s franskmann *m irreg*
French Riviera s ▸ **the French Riviera** Den franske riviera
French stick s pariserloff *m*
French window s fransk vindu *nt*
Frenchwoman ['frentʃwumən] *irreg* s fransk kvinne *c*
frenetic [frə'netɪk] ADJ (*activity, pace*) frenetisk

frenzied ['frɛnzɪd] ADJ *(person, attack)* vanvittig, rasende
frenzy ['frɛnzɪ] S raseri(anfall) *nt*
▸ **a frenzy of joy** et vanvittig gledesutbrudd
▸ **to drive sb into a frenzy** drive* noen til vanvidd
▸ **to be in a frenzy** være* vanvittig rasende
frequency ['fri:kwənsɪ] S (**a**) *(of event)* hyppighet *m*, frekvens *m* ❑ *We are concerned at the frequency of death in the district.* Vi er bekymret over hyppigheten *or* frekvensen av dødsfall i distriktet.
(**b**) *(RADIO)* frekvens *m*
▸ **to increase in frequency** øke *(v2)* i hyppighet
frequency modulation S frekvensmodulering *c*, frekvensmodulasjon *m*
frequent [*ADJ* 'fri:kwənt, *VB* frɪ'kwɛnt] [1] ADJ hyppig, frekvent
[2] VT *(+pub, restaurant)* besøke *(v2)* ofte, frekventere *(v2)*
frequently ['fri:kwəntlɪ] ADV ofte, hyppig
fresco ['frɛskəu] S fresko *m*, freske *m*
fresh [frɛʃ] ADJ (**a**) *(food, bread, paint, footprints)* fersk
(**b**) *(vegetables, water, air)* frisk
(**c**) *(memories)* fersk, frisk
(**d**) *(instructions)* ny
(**e**) *(approach, way)* frisk ❑ *She treats the subject in a fresh and exciting way...* Hun behandler emnet på en frisk og spennende måte...
(**f**) *(= cheeky: person)* frekk, uforskammet
▸ **to make a fresh start** starte *(v1)* på ny
▸ **he's fresh from university** han kommer rett fra universitetet
▸ **we're fresh out of bread** vi har akkurat sluppet opp for brød
freshen ['frɛʃən] VI *(wind, air+)* friskne *(v1)* til
▸ **freshen up** VI *(person+)* friske *(v1)* (seg) opp
freshener ['frɛʃnə^r] S ▸ **skin freshener** ansiktsvann *nt*
▸ **air freshener** luftrenser *m*
fresher ['frɛʃə^r] *(BRIT: sl)* S *student i sitt første år av studiet*
freshly ['frɛʃlɪ] ADV *(made, cooked, painted)* nylig, ny-
freshman ['frɛʃmən] *(US)* *irreg* S = **fresher**
freshness ['frɛʃnɪs] S friskhet *m*
freshwater ['frɛʃwɔ:tə^r] ADJ *(lake, fish)* ferskvanns-
fret [frɛt] VI bekymre *(v1)* seg, uroe *(v1)* seg
fretful ['frɛtful] ADJ gretten, grinete
Freudian ['frɔɪdɪən] ADJ freudiansk
▸ **Freudian slip** freudiansk forsnakkelse *m*
FRG S FK *(formerly)* (= **Federal Republic of Germany**) Forbundsrepublikken Tyskland
Fri. FK = **Friday**
friar ['fraɪə^r] S munk *m*, bro(de)r *m*
friction ['frɪkʃən] S (**a**) *(= resistance)* friksjon *m* ❑ *...there is less friction.* ...det er mindre friksjon.
(**b**) *(= rubbing, conflict)* gnisning *m* ❑ *...the friction of the toes against the front of the running shoe.* ...gnisningen av tærne mot forsiden av løpsskoen. *These decisions can cause friction...* Disse beslutningene kan forårsake gnisninger...
Friday ['fraɪdɪ] S fredag *m* *see also* **Tuesday**
fridge [frɪdʒ] *(BRIT)* S kjøleskap *nt*
fridge-freezer ['frɪdʒ'fri:zə^r] S kombiskap *nt*
fried [fraɪd] [1] PRET, PP *of* **fry**
[2] ADJ stekt
friend [frɛnd] S (**a**) *(male)* venn *m*
(**b**) *(female)* venninne *c*, venn *m* ❑ *He was my best friend...* Han var min beste venn... *A close friend...* En god *or* nær venn... *Isabel and I are just good friends.* Isabel og jeg er bare gode venner. *We became great friends...* Vi ble gode venner...
▸ **to be friends** være* venner
▸ **to be friends with** være* venn/venner med
▸ **to make friends** få* venner
▸ **to make friends with** bli* venn/venner med
friendliness ['frɛndlɪnɪs] S vennlighet *m* ❑ *One of New England's great strengths is its friendliness to strangers.* En av New Englands store fordeler er dets vennlighet mot fremmede.
friendly ['frɛndlɪ] [1] ADJ (**a**) *(person, smile)* vennlig
(**b**) *(tone, hug, game, match, argument)* vennskapelig
(**c**) *(government, country)* vennligsinnet
(**d**) *(place, restaurant)* gjestfri
[2] S *(SPORT)* vennskapskamp *m*
▸ **to be friendly with** være* venn/venner med
▸ **to be friendly to** være* vennlig mot
friendly fire S egen ildgivning *m*
friendly society S privat trygdefond *nt*
friendship ['frɛndʃɪp] S vennskap *nt* ❑ *...the ability to form friendships...* evnen til å inngå vennskap... *Friendship is based on shared interests...* Vennskap er basert på felles interesser...
frieze [fri:z] S frise *m*
frigate ['frɪgɪt] S fregatt *m*
fright [fraɪt] S (**a**) *(= terror)* frykt *m*, redsel *m* ❑ *I heard Amy cry out in fright...* Jeg hørte Amy skrike ut av redsel *or* i frykt...
(**b**) *(= shock)* forskrekkelse *m* ❑ *...she had got a fright...* hun hadde blitt forskrekket...
▸ **to take fright** bli* skremt
▸ **to give sb a fright** skremme *(v2x)* noen
▸ **she looks a fright** hun ser redselsfull ut
frighten ['fraɪtn] VT skremme *(v2x)*
▸ **frighten away** VT skremme *(v2x)* vekk
▸ **frighten off** VT = **frighten away**
frightened ['fraɪtnd] ADJ (**a**) *(+person, animal)* redd
(**b**) *(eyes, expression)* skremt
▸ **to be frightened of sth/doing sth** *or* **to do sth** være* redd for noe/for å gjøre* noe
frightening ['fraɪtnɪŋ] ADJ *(experience, prospect)* skremmende
frightful ['fraɪtful] ADJ forferdelig, skrekkelig
frightfully ['fraɪtfəlɪ] ADV *(good, popular, expensive etc)* skrekkelig, fryktelig
▸ **I'm frightfully sorry** jeg er skrekkelig *or* fryktelig lei meg
frigid ['frɪdʒɪd] ADJ frigid
frigidity [frɪ'dʒɪdɪtɪ] S frigiditet *m*
frill [frɪl] S *(on dress, shirt)* rysj *m*, blonde *m*
▸ **with no** *or* **without frills** *(fig)* uten noe tull og tøys
frilly ['frɪlɪ] ADJ *(clothes, lampshade)* med rysjer *or* blonder
fringe [frɪndʒ] S (**a**) *(hair: around head)* krans *m*
(**b**) *(on forehead)* lugg *m*
(**c**) *(on shawl, lampshade etc)* frynse *m*

(**d**) (*of forest etc*) kant *m*
(**e**) (*of activity, organization etc*) kant *m*, grense *m* ❑ *...two agents on the fringes of espionage activities.* ...to agenter på kanten *or* grensen til spionaktiviteter.

fringe benefits SPL frynsegoder *ntpl*

fringe theatre s eksperimentteater *nt*

Frisbee® ['frɪzbɪ] s frisbee® $m

frisk [frɪsk] 1 VT ransake (*v1*), kroppsvisitere (*v2*) 2 VI sprette*

frisky ['frɪskɪ] ADJ (*animal, youngster*) vilter, spretten

fritter ['frɪtəʳ] s (*KULIN*) *frukteller grønnsakbit dyppet i røre og stekt*

▸ **fritter away** VT (*+time, money*) sløse (*v2*) bort

frivolity [frɪ'vɔlɪtɪ] s fjollethet *m*, frivolitet *m*
▸ **frivolities** SPL tøys *nt*, tull *nt* ❑ *No one could spare the time for such frivolities.* Ingen hadde noe tid til overs for slikt tøys *or* tull.

frivolous ['frɪvələs] ADJ (*conduct, person, activity*) frivol, lettsindig; (*object*) fjollet, frivol

frizzy ['frɪzɪ] ADJ krøllet, kruset

fro [frəu] ADV ▸ **to and fro** fram og tilbake

frock [frɔk] s (= *dress*) kjole *m*

frog [frɔg] s frosk *m*
▸ **to have a frog in one's throat** være* hes som ei kråke

frogman ['frɔgmən] *irreg* s froskemann *m*

frogmarch ['frɔgmɑːtʃ] (*BRIT*) VT ▸ **to frogmarch sb in/out** dra* *or* bære* noen etter armene

frolic ['frɔlɪk] VI (*animals, children+*) sprette*, leke (*v2*)

KEYWORD

from [frɔm] 1 PREP (**a**) (*place, time, distance, price, numbers*) fra
▸ **where do you come from?** hvor kommer du fra?
▸ **from London to Glasgow** fra London til Glasgow
▸ **to drink from the bottle** drikke* fra *or* av flasken
▸ **from one o'clock to two** *or* **till two** fra klokken ett til to
▸ **from January on** fra januar av
▸ **1 km from the beach** 1 km fra stranden
▸ **a long way from home** langt hjemmefra
▸ **from 9% to 10%** fra 9 % til 10 %; (*indicating difference*) fra
▸ **to be different from sb/sth** være* forskjellig fra noen/noe
▸ **he can't tell red from green** han kan ikke skille rødt fra grønt
(**b**) (= *because of, on the basis of*) etter
▸ **from what he says** etter det han sier
▸ **from what I understand** etter det jeg har forstått
▸ **to act from conviction** handle (*v1*) etter sin overbevisning
▸ **weak from hunger** svak av sult

frond [frɔnd] s bregneblad *nt*

front [frʌnt] 1 s (**a**) (*of house, dress*) framside *m*, forside *m* ❑ *They wore jackets with high lapels and six buttons down the front...* De hadde på seg jakker med høye slag og seks knapper på framsiden *or* foran... *She came crawling out of a trap door in the front of the stage.* Hun kom krypende ut av en luke på framsiden av scenen.
(**b**) (*of coach, train, car, MIL, METEOROLOGY*) front *m* ❑ *The cop searched the front of the car.* Politiet undersøkte fronten av bilen.
(**c**) (*also* ***sea front***) (sjø)kant *m* ❑ *After tea we'd walk along the front a bit.* Etter te gikk vi et stykke langs sjøkanten.
(**d**) (*fig: pretence*) skalkeskjul *nt* ❑ *I knew that this carefree attitude was only a front.* Jeg visste at denne likegyldige holdningen bare var et skalkeskjul.
2 ADJ (*seat, cover, garden, gate, tooth*) for-
3 VI ▸ **to front onto sth** ha* forsiden ut mot, vende ut mot
4 VT (*+organization etc*) lede (*v1*)
▸ **in front (of)** foran
▸ **on the political** *etc* **front** på den politiske *etc* fronten

frontage ['frʌntɪdʒ] s (*of building, shop*) fasade *m*, front *m*

frontal ['frʌntl] ADJ (*attack*) frontal-, front-

front bench (*BRIT*) s (*POL*) *benken der regjeringsmedlemmene eller opposisjonslederne sitter i underhuset*

ℹ

The front bench *er benken til regjeringen i Underhuset, plassert til høyre for* **the Speaker,** *eller benken til skyggeregjeringen, til venstre for* the Speaker. *Disse to benkene er plassert direkte overfor hverandre. I overført betydning betegner* front bench *lederne for de parlamentariske gruppene innen flertallspartiet og opposisjonen, og disse kalles* frontbenchers, *i motsetning til andre medlemmer som kalles* backbenchers.

front desk (*US*) s (*in hotel, doctor's surgery etc*) resepsjon *m*

front door s hoveddør *c*, entrédør *c*

frontier ['frʌntiəʳ] s grense *m*

frontispiece ['frʌntɪspiːs] s (*ARCHIT*) frontispis(e) *m*, hovedfasade *m*; (*of book*) frontispis(e) *m*, tittelbilde *nt*

front page s forside *m*

front room (*BRIT*) s stue *c* (*til or mot gate*)

front-runner ['frʌntrʌnəʳ] s (*fig*) *den/det som leder*

front-wheel drive ['frʌntwiːl-] s (*BIL*) forhjulsdrift *m*, forhjulstrekk *nt*

frost [frɔst] s (**a**) (*weather*) frost *m* ❑ *There was a touch of frost this morning...* Det var et snev av frost denne morgenen... *the first frosts of autumn.* ...høstens første frostdager.
(**b**) (*ice*) rim *nt* ❑ *The lawn was sparkling with frost.* Plenen tindret av rim.

frostbite ['frɔstbaɪt] s forfrysning *m*, frostskade *m*

frosted ['frɔstɪd] ADJ (*glass*) matt; (*cake*) glassert

frosting ['frɔstɪŋ] s (*on cake*) glasur *m*

frosty ['frɔstɪ] ADJ (*night*) frost-; (*welcome, look*) iskald; (*grass, window*) rimdekket, rimet(e)

froth [frɔθ] s skum *nt*

frothy ['frɔθɪ] ADJ skummende

frown [fraun] 1 s *det å rynke pannen* 2 VI rynke (*v1*) pannen

▸ **frown on** VT FUS (*fig*) ikke se* på med blide øyne

froze [frəuz] PRET *of* **freeze**

frozen ['frəuzn] 1 PP *of* **freeze**
2 ADJ (*food, fingers*) frossen; (*lake*) (til)frosset; (*MERK: assets*) bundet, sperret
FRS S FK (*BRIT*) (= **Fellow of the Royal Society**) *tittel*; (*US*) (= **Federal Reserve System**) *sentralbanken i USA*, Norges Bank
frugal ['fru:gl] ADJ (*person, meal*) sparsommelig, beskjeden
fruit [fru:t] S UBØY (**a**) (*food*) frukt *m*
(**b**) (*fig: results*) frukter *pl* ❑ *...their measures will start to bear fruit soon...* tiltakene deres vil begynne å bære frukter snart...
fruiterer ['fru:tərəʳ] S frukthandler *m*
fruit fly S bananflue *c*
fruitful ['fru:tful] ADJ (*meeting, discussion*) fruktbar
fruition [fru:'ɪʃən] S ▸ **to come to fruition** bli* virkeliggjort, bli* realisert
fruit juice S fruktjuice *m* (*var.* fruktjus) fruktsaft *c*
fruitless ['fru:tlɪs] ADJ ufruktbar
fruit machine (*BRIT*) S enarmet banditt *m*
fruit salad S fruktsalat *m*
fruity ['fru:tɪ] ADJ (*wine*) fruktig; (*smell, taste*) fruktig, frukt-; (*voice, laugh*) saftig
frump [frʌmp] (*neds*) S hurpe *c*
frustrate [frʌs'treɪt] VT (*+person*) frustrere (*v2*); (*+plan, attempt*) hindre (*v1*)
frustrated [frʌs'treɪtɪd] ADJ frustrert
frustrating [frʌs'treɪtɪŋ] ADJ frustrerende
frustration [frʌs'treɪʃən] S frustrasjon *m*
fry [fraɪ] (*pt* **fried**)*pp* VT steke (*v2*) (*var.* steike) *see also* **small**
frying pan S stekepanne *c*
FT (*BRIT*) S FK (= **Financial Times**)
▸ **the FT index** Financial Times-indeksen
ft. FK = **foot, feet**
FTC (*US*) S FK (= **Federal Trade Commission**) *byrå som overvåker handel*
FTSE 100 Index ['futsɪ-] S *indeks over 100 av selskapene som er notert på London-børsen*
fuchsia ['fju:ʃə] S fuksia *m*, tåre *m*
fuck [fʌk] (*sl!*) VT, VI knulle (*v1*) (*sl!*)
▸ **fuck off!** dra til helvete! (*sl!*)
fuddled ['fʌdld] ADJ forvirret, omtåket
fuddy-duddy ['fʌdɪdʌdɪ] (*neds*) S tullebukk *m*
fudge [fʌdʒ] 1 S (myk) karamell *m*
2 VT (*+issue, problem*) unnvike*
fuel ['fjuəl] 1 S (*for heating*) brensel *nt uncount* ❑ *...the use of fuels such as coal and oil.* ...bruken av brensel som kull og olje.
2 VT (**a**) (*+furnace etc*) legge* i
(**b**) (*+aircraft*) fylle (*v2x*) på tanken
(**c**) (*fig: rumours, dispute*) gi* næring til
fuel oil S fyringsolje *c*, brenselolje *c*
fuel pump S bensinpumpe *c*
fuel tank S bensintank *m*
fug [fʌg] (*BRIT*) S røykfylt atmosfære *m*
fugitive ['fju:dʒɪtɪv] S rømling *m*, flyktning *m*
fulfil [ful'fɪl], **fulfill** (*US*) VT (*+function, role, duty*) fylle (*v2x*); (*+condition, promise, order*) innfri (*v4*); (*+wish, desire, ambition*) oppfylle (*v2x*)
fulfilled [ful'fɪld] ADJ (*person*) som har realisert seg selv; (*life*) meningsfylt
fulfilment [ful'fɪlmənt], **fulfillment** (*US*) S (= *satisfaction*) oppfyllelse *m*; (*of promise, desire*) innfrielse *m*

full [ful] 1 ADJ (**a**) (*gen*) full ❑ *The bucket's almost full.* Bøtten er nesten full. *...to make full use of...* gjøre* full bruk av... *I haven't got his full name...* Jeg har ikke det fulle navnet hans... *Their parents have demanded a full inquiry.* Foreldrene deres hadde krevd full etterforsking.
(**b**) (*skirt*) vid
(**c**) (= *complete: details*) alle ❑ *We'll have full details in next week's programme...* Vi kommer med alle detaljer i neste ukes program...
(**d**) (*life*) (begivenhets)rik, meningsfylt
(**e**) (*impact, implications*) hele ❑ *I paused to allow the full impact of this to strike home.* Jeg stoppet opp for å tillate hele virkningen å gjøre* seg gjeldende.
2 ADV ▸ **to know full well that** vite veldig godt at
▸ **full up** (*hotel*) (helt) fullt belagt
▸ **I'm full (up)** jeg er (stapp)mett
▸ **a full week** en hel uke
▸ **in full view of sb** slik at noen kunne* se alt
▸ **full marks** (*SKOL*) beste karakter
▸ **at full speed** for full maskin, for fulle mugger
▸ **full of** (**a**) (*+objects, people*) full av
(**b**) (*+confidence, hope*) full av, fylt av
▸ **in full** (*reproduce, quote, pay*) i sin helhet
▸ **to write one's name in full** skrive hele navnet sitt
▸ **full in the face** rett i fjeset *or* ansiktet
▸ **to the full** helt og fullt, i fullt omfang
fullback ['fulbæk] S back *m*
full-blooded ['ful'blʌdɪd] ADJ (= *vigorous: attack, support*) kraftfull; (= *virile: man*) varmblodig
full board S full pensjon *m*, helpensjon *m*
full-cream ['ful'kri:m] ADJ ▸ **full-cream milk** (*BRIT*) helmelk *c*, H-melk *c*
full employment full sysselsetting *c*
full grown ADJ fullvoksen
full-length ['ful'lɛŋθ] ADJ (*film, novel, coat*) lang; (*portrait, mirror*) i helfigur
full moon S fullmåne *m*
fullness ['fulnɪs] S ▸ **in the fullness of time** i tidens fylde
full-page ['fulpeɪdʒ] ADJ (*advertisement, picture*) helsides-
full-scale ['fulskeɪl] ADJ (*attack, war*) stor-; (*model*) i full størrelse, i naturlig størrelse; (*search, negotiations, inquiry*) omfattende
full-sized ['ful'saɪzd] ADJ (*portrait etc*) i full størrelse, i naturlig størrelse
full stop S punktum *nt*
▸ **to come to a full stop** (*fig*) stoppe (*v1*) helt
full-time ['ful'taɪm] 1 ADJ (*job, student*) heltids-
2 ADV (*work, study*) heltid
fully ['fulɪ] ADV (**a**) (*recover*) fullstendig, helt
(**b**) (*understand*) fullt ut ❑ *The secrets of its success are still not fully understood...* Hemmeligheten bak suksessen blir ennå ikke forstått fullt ut...
(**c**) (*automatic*) hel- ❑ *...fully automatic washing machines...* helautomatiske vaskemaskiner...
(**d**) (*trained, qualified*) fullt (ut), fullstendig, helt
(**e**) (*answer, describe*) fullstendig
(**f**) (= *as many as*) hele, så mye som ❑ *Fully one-quarter of the workers are Turks...* Så mye som en fjerdedel av arbeiderne er tyrkere... *It*

was fully 200 years since... Det var hele 200 år siden...

fully-fledged ['fulɪ'flɛdʒd] ADJ (*teacher, barrister, doctor*) ferdigutdannet; (*member, party, atheist etc*) fullverdig

fulsome ['fulsəm] (*neds*) ADJ overdreven

fumble ['fʌmbl] VI ▸ **to fumble around in the dark** fomle (*v1*) rundt i mørket (*var*: famle)

▸ **fumble for** VT FUS rote (*v1*) etter, fomle (*v1*) etter (*var*: famle)

▸ **fumble with** VT FUS (*key, pen*) fomle (*v1*) med (*var*: famle)

fume [fju:m] VI rase (*v2*)

fumes [fju:mz] SPL røyk *m* (*ofte giftig*)

fumigate ['fju:mɪgeɪt] VT (*+house, clothes*) desinfisere (*v2*) (*med røyking*)

fun [fʌn] S (= *amusement*) moro *c* ❑ *I think it'll be enormous fun...* Jeg tror det vil bli* virkelig moro... *That would have spoiled the fun.* Det ville* ha* ødelagt moroa.

▸ **to have fun** ha* det moro, ha* det gøy ❑ *We had great fun sleeping rough on the beaches...* Vi hadde mye gøy med å sove ute på strendene...

▸ **to get a lot of fun out of** få* mye moro *or* gøy ut av

▸ **he's good fun** han er morsom ❑ *He was fun to be with sometimes...* Det var moro å være* sammen med ham noen ganger...

▸ **for fun** for moro skyld

▸ **in fun** for spøk, på gøy

▸ **it's not much fun** det er ikke noe særlig moro *or* gøy

▸ **to make fun of** gjøre* narr av

▸ **to poke fun at** gjøre* narr av

function ['fʌŋkʃən] [1] S (**a**) (= *purpose, result*) funksjon *m* ❑ *Each object has a single function...* Hvert objekt har en egen funksjon... *Intelligence is partly a function of the brain...* Intelligens er delvis en funksjon av hjernen...

(**b**) (= *social occasion*) tilstelning *m* (*ofte høytidelig*)

[2] VI (**a**) (= *work: system, process*) virke (*v1*)

(**b**) (*device+*) virke (*v1*), fungere (*v2*) ❑ *Quite often the phone didn't function at all...* Ganske ofte så fungerte *or* virket ikke telefonen i det hele tatt...

▸ **to function as** fungere (*v2*) som ❑ *The brain functions as a computer...* Hjernen fungerer som en datamaskin...

functional ['fʌŋkʃənl] ADJ (**a**) (= *operational*) operativ, i funksjon ❑ *How long has the machine really been functional?* Hvor lenge har maskinen virkelig vært operativ *or* i funksjon?

(**b**) (= *practical*) funksjonell ❑ *...an admirably clear and functional design.* ...et beundringsverdig klart og funksjonelt design.

function key S funksjonstast *m*

fund [fʌnd] [1] S (**a**) (*of money*) fond *nt* ❑ *A fund was set up...* Et fond ble opprettet... *the disaster fund...* katastrofefondet...

(**b**) (*source, store*) forråd *nt* ❑ *...a large fund of scientific and technological knowledge...* et stort forråd av vitenskaplig og teknologisk kunnskap...

[2] VT finansiere (*v2*) ❑ *The work is being funded both by governments and private industry.* Arbeidet blir finansiert av både regjeringer og privat industri.

▸ **funds** SPL midler *ntpl* ❑ *Congress cut back the funds for the program...* Kongressen kuttet ned på midlene til prosjektet...

fundamental [fʌndə'mɛntl] ADJ (*principle, concept, change*) grunnleggende, fundamental ❑ *...the fundamental principles on which society is based...* de grunnleggende prinsipper som samfunnet er bygd på... *Computers are fundamental to our industrial structure.* Datamaskiner er fundamentale for vår industrielle struktur.

fundamentalism [fʌndə'mɛntəlɪzəm] S fundamentalisme *m*

fundamentalist [fʌndə'mɛntəlɪst] S fundamentalist *m*

fundamentally [fʌndə'mɛntəlɪ] ADV (= *basically: wrong, correct*) hovedsaklig; (= *radically: change, disagree*) grunnleggende, fundamentalt

fundamentals [fʌndə'mɛntlz] SPL grunnlag *nt*, grunntrekk *pl*

fund-holding ['fʌndhəuldɪŋ] (*BRIT*) ADJ (*doctor*) *som styrer eget budsjett bevilget av staten*

funding ['fʌndɪŋ] S finansiering *m*

fund-raising ['fʌndreɪzɪŋ] S pengeinnsamling *c*

funeral ['fju:nərəl] S begravelse *m*

funeral director S innehaver *m* av begravelsesbyrå

funeral parlour S begravelsesbyrå *nt*

funeral service S begravelse *m*; (*at cremation*) bisettelse *m*

funereal [fju:'nɪərɪəl] ADJ (**a**) (= *gloomy*) begredelig, dyster

(**b**) (*pace*) begredelig ❑ *The procession continued at a funereal pace.* Prosesjonen fortsatte i et begredelig tempo.

funfair ['fʌnfɛə^r] (*BRIT*) S fornøyelsespark *m*, tivoli *nt*

fungi ['fʌŋgaɪ] SPL *of* **fungus**

fungus ['fʌŋgəs] (*pl* **fungi**) S sopp *m*

funicular [fju:'nɪkjulə^r] S (*also* ***funicular railway***) kabelbane *m*

funky ['fʌŋkɪ] ADJ funky

funnel ['fʌnl] S (*for pouring*) trakt *m*; (*of ship*) skorstein *m*

funnily ['fʌnɪlɪ] ADV (= *strangely*) merkelig, pussig

▸ **funnily enough** merkelig *or* pussig nok

funny ['fʌnɪ] ADJ (= *amusing*) morsom, gøyal; (= *strange*) pussig, merkelig, snodig

funny bone (*sl*) S albuknoke *m*

fun run S ≈ mosjonsløp *m*

fur [fə:^r] S (*of animal, garment*) pels *m*; (*BRIT: in kettle etc*) belegg *nt*

fur coat S pels *m*, pelskåpe *c*

furious ['fjuərɪəs] ADJ (**a**) (*person*) rasende

(**b**) (*row, argument, effort, speed*) voldsom

▸ **to be furious with sb** være* rasende på noen

furiously ['fjuərɪəslɪ] ADV (= *angrily*) rasende; (= *vigorously*) voldsomt

furl [fə:l] VT fastgjøre*, beslå*

furlong ['fə:lɔŋ] S *201,2 meter*

furlough ['fə:ləu] S permisjon *m*

furnace ['fə:nɪs] S ovn *m*

furnish ['fə:nɪʃ] VT (**a**) (*+room, building*) utstyre (*v2*), utruste (*v1*)

(**b**) (*+supply*) forsyne (*v2*), skaffe (*v1*) (fram)
▸ **to furnish sb with sth** skaffe (*v1*) noe til noen, forsyne (*v2*) noen med noe ❑ *Luckily, they have furnished us with a translation.* Heldigvis har de skaffet oss en *or* forsynt oss med en oversettelse.
▸ **furnished flat** *or (US)* **apartment** møblert leilighet
furnishings ['fəːnɪʃɪŋz] SPL utstyr *nt*, møbler *pl*
furniture ['fəːnɪtʃəʳ] s møbler *pl*
▸ **piece of furniture** møbel *nt*
furniture polish s møbelpolish *m*
furore [fjuə'rɔːrɪ] s furore *m*
furrier ['fʌrɪəʳ] s pelshandler *m*, bunthandler *m*
furrow ['fʌrəu] 1 s fure *m*
2 VT (*+brow*) rynke (*v1*)
furry ['fəːrɪ] ADJ (*tail, animal*) med pels; (*coat, toy*) pelsaktig, lodden
further ['fəːðəʳ] 1 ADJ (*additional*) ytterligere, mer/flere ❑ *There were no further casualties...* Det var ingen ytterligere *or* flere sårede... *For further information...* For mer informasjon *or* for nærmere opplysninger... *I don't think I've anything further to say.* Jeg tror ikke jeg har noe mer å si.
2 ADV (**a**) (= *farther: in distance, time*) lengre ❑ *...further along the beach...* lengre bort langs stranden... *I walked further than I intended...* Jeg gikk lengre enn jeg hadde tenkt... *It has its origins much further back in time...* Det har sin opprinnelse mye lengre tilbake i tid... *Looking further ahead...* For å ta* et blikk lengre fram...
(**b**) (*in degree*) ytterligere, videre ❑ *The situation was further complicated by...* Situasjonen ble ytterligere komplisert av... *He sank further into debt...* Han sank ytterligere ned i gjeld... *Now, however, the government are keen to take the matter further...* Nå, derimot, er regjeringen ivrig etter å bringe saken videre...
(**c**) (= *in addition*) videre ❑ *He related that the three girls were pretty; further, that they had all acquired admirers.* Han fortalte at de tre jentene var pene; videre at de alle hadde fått beundrere.
3 VT (*+career, project, cause*) fremme (*v1*)
▸ **to further one's interests** fremme (*v1*) sine interesser
▸ **until further notice** inntil videre
▸ **how much further is it?** hvor mye lengre er det?
▸ **further to your letter of...** (*MERK*) refererer til deres brev av...
further education (*BRIT*) s videregående utdannelse *m or* opplæring *c* (*men ikke akademiske studier*)
furthermore [fəːðə'mɔːʳ] ADV dessuten, dernest
furthermost ['fəːðəməust] ADJ fjernest, lengst bort
furthest ['fəːðɪst] 1 ADJ (**a**) (*in distance*) lengst (bort) ❑ *...the fields which lay furthest from his farm...* jordene som lå lengst fra gården hans... *We got the furthest.* Vi kom lengst.
(**b**) (*in time, degree*) lengst ❑ *Those who plan furthest ahead are most likely to succeed.* De som planlegger lengst fram, har størst sjanse for å lykkes. *...countries where farming has advanced furthest.* ...land hvor landbruket har kommet lengst.
2 ADJ lengst bort ❑ *She sat near the furthest window.* Hun satt nær vinduet lengst bort.
furtive ['fəːtɪv] ADJ (*glance*) fordekt, stjålen; (*movement*) fordekt, hemmelighetsfull
furtively ['fəːtɪvlɪ] ADV fordekt, i smug, stjålent
fury ['fjuərɪ] s raseri *nt*, raserianfall *nt*
▸ **in a fury** rasende
fuse [fjuːz], **fuze** (*US*) 1 s (**a**) (*ELEK*) sikring *m*
(**b**) (*for bomb etc*) tennrør *nt*, lunte *c*
2 VTI (**a**) (*+metal*) smelte (*v1*) (sammen)
(**b**) (*+ideas, systems*) føye (*v3*) sammen
▸ **to fuse the lights** kortslutte (*v2*) lysene
▸ **the lights have fused** lysene har sloknet
▸ **a fuse has blown** en sikring har gått
fuse box s sikringsboks *m*
fuselage ['fjuːzəlɑːʒ] s kropp *m*, skrog *nt*
fuse wire s smeltetråd *m*
fusillade [fjuːzɪ'leɪd] s geværild *m*; (*fig*) kryssild *m*
fusion ['fjuːʒən] s (*of ideas, qualities*) sammensmelting *c*; (*nuclear*) fusjon *m*
fuss [fʌs] 1 s bråk *nt*, oppstyr *nt* ❑ *What is all the fuss about?* Hva er alt oppstyret om? *The meeting ended without too much fuss.* Møtet sluttet uten altfor mye bråk. *There's certain to be a fuss when your Mother finds out...* Det blir helt sikkert bråk *or* oppstyr når moren din finner ut at...
2 VI (= *fret*) tulle (*v1*) ❑ *Stop fussing, Mary, and come here...* Slutt å tulle, Mary, og kom hit...
3 VT (= *bother*) plage (*v1*) ❑ *Tim, please, just stop fussing me.* Tim, vær så snill, hold opp med å plage meg.
▸ **to make a fuss (about sth)** lage (*v1 or v3*) bråk (om noe)
▸ **to make a fuss of sb** vie (*v1*) noen mye oppmerksomhet ❑ *She made a lot of fuss of her baby granddaughter.* Hun viet det yngste barnebarnet mye oppmerksomhet.
▸ **fuss over** VT FUS (**a**) (*+person*) vie (*v1*) mye oppmerksomhet
(**b**) (*+health, appearance etc*) henge* seg opp i
fusspot ['fʌspɔt] s petimeter *m*
fussy ['fʌsɪ] ADJ (*person, design, clothes*) kresen ❑ *I hope you're not fussy about garlic.* Jeg håper du ikke er kresen når det gjelder hvitløk.
▸ **I'm not fussy** (= *I don't mind*) det spiller ingen rolle
fusty ['fʌstɪ] ADJ muggen
futile ['fjuːtaɪl] ADJ forgjeves, unyttig
futility [fjuː'tɪlɪtɪ] s formålsløshet *m*
futon ['fuːtɔn] s futon *m*
future ['fjuːtʃəʳ] 1 ADJ (**a**) (*date, generations, reference*) senere (*var.* seinere) ❑ *...at some future date...* ved en senere anledning... *for future generations...* for senere generasjoner... *She stored it all away for her own future reference.* Hun lagret alt bort til eget bruk senere.
(**b**) (*president, spouse*) framtidig ❑ *She met her future husband at the party.* Hun møtte sin framtidige mann på festen.
2 s (**a**) (*gen*) framtid *c* ❑ *We will have to see what the future holds...* Vi får se hva framtiden bringer... *The offices of the future...* Framtidens kontorer... *There's no future in it.* Det er ikke

noen framtid i det.
(**b**) (*LING*) framtid *c*, futurum *nt*
▸ **futures** SPL (*MERK*) terminvarer *mpl*
▸ **in future** i framtiden
▸ **in the future** i framtiden
▸ **in the near/foreseeable future** i nær/ overskuelig framtid

futuristic [fju:tʃə'rɪstɪk] ADJ futuristisk

fuze [fju:z] (*US*) S, VT, VI = **fuse**

fuzz [fʌz] s fine hår *ntpl*, dun *nt*
▸ **the fuzz** (*sl: police*) purken (*sl*)

fuzzy ['fʌzɪ] ADJ (*photo, image, thoughts, ideas*) uklar, tåket; (*hair*) kruset

fwd. FK = **forward**

fwy. (*US*) FK = **freeway**

FY FK (= **fiscal year**) budsjettår *nt*

FYI FK (= **for your information**) ≈ til informasjon

G

G, g [dʒiː] s (*letter*) G, g *m*
▸ **G for George** G for Gustav
G [dʒiː] (*MUS*) 1 s G *m*
2 s FK (*BRIT: SKOL*) (= *good*) *karakter*; (*US: FILM*) (= *general (audience)*) tillatt for alle akdre; (*FYS*)
▸ **G-force** gravitasjonskraft *c*
g. FK = **gram**; (*FYS*) = **gravity**
G7 (*POL*) s FK (= **Group of Seven**) *de syv rikeste i-land i verden (Canada, Frankrike, Italia, Japan, Storbritannia, Tyskland, USA)*
GA (*US: POST*) s FK = **Georgia**
gab [gæb] (*sl*) s ▸ **to have the gift of the gab** ha* snakketøyet i orden, ha* (gode) talegaver
gabble ['gæbl] VI plapre (*v1*) (*snakke fort og utydelig*)
gaberdine [gæbə'diːn] s gabardin *m*
gable ['geɪbl] s gavl *m*
Gabon [gə'bɒn] s Gabon
gad about [gæd-] (*sl*) VI vimse (*v1*) rundt
gadget ['gædʒɪt] s innretning *m*
gadgetry ['gædʒɪtrɪ] s utstyr *nt uncount*
Gaelic ['geɪlɪk] 1 ADJ gælisk
2 s (*LING*) gælisk
gaffe [gæf] s fadese *m*, flause *m* ❑ *I had no idea of the gaffe which I was committing.* Jeg hadde ingen anelsen om fadesen *or* flausen jeg var i ferd med å begå.
gaffer ['gæfəʳ] (*BRIT: sl*) s (*boss*) boss *m*; (*foreman*) formann *m*; (*old man*) gubbe *m*
gag [gæg] 1 s (**a**) (*on mouth*) knebel *m* ❑ *A gag was taped over his mouth...* En knebel var tapet fast over munnen hans...
(**b**) (= *joke*) vits *m* ❑ *Where do you get all these gags?* Hvor har du lært alle de vitsene?
2 VT (+*prisoner*) kneble (*v1*) ❑ *She was tied up and gagged...* Hun ble bundet og kneblet...
3 VI (= *choke*) brekke* seg
▸ **to gag on sth** brekke* seg av noe
gaga ['gɑːgɑː] (*sl*) ADJ utafor (*sl*)
gage [geɪdʒ] (*US*) S, VT = **gauge**
gaiety ['geɪɪtɪ] s munterhet *c*, lystighet *c*
gaily ['geɪlɪ] ADV (*talk, dance, laugh*) muntert, lystig
▸ **gaily coloured** fargeglad, i/med glade *or* muntre farger
gain [geɪn] 1 s (**a**) (= *increase, improvement*) gevinst *m* ❑ *...some notable gains in productivity.* ...noen merkbare gevinster i produktivitet.
(**b**) (= *profit*) fortjeneste *m*, vinning *c* ❑ *He did it for financial gain.* Han gjorde det for økonomisk fortjeneste *or* vinning.
2 VT (**a**) (+*speed*) øke (*v2*)
(**b**) (+*confidence*) få ❑ *...the speaker began to gain confidence.* ...taleren begynte å få* selvtillit.
3 VI (**a**) (= *benefit*) ▸ **to gain from sth** vinne* på noe ❑ *We all hope to gain from the company's success.* Vi håper alle på å vinne på firmaets framgang.
(**b**) (*clock, watch*+) fortne (*v1*) seg
▸ **to gain in** øke (*v2*) i, stige* i ❑ *The opposition party is gaining in popularity.* Opposisjonspartiet øker *or* stiger i popularitet.
▸ **to gain by** tjene (*v2*) på ❑ *What has Britain gained by being a member of the EU?* Hva har Storbritannia tjent på å være* medlem av EU?
▸ **to gain ground** være* på frammarsj
▸ **to gain on sb** ta* innpå noen ❑ *You'll have to drive faster – they're gaining on us.* Du må kjøre fortere – de tar innpå oss.
▸ **to gain weight** legge* på seg, gå* opp i vekt
▸ **to gain 3lbs (in weight)** legge* på seg 3 pund, gå* opp 3 pund (i vekt)
▸ **to do sth for gain** gjøre* noe for å få* fortjeneste, gjøre* noe for egen vinning
gainful ['geɪnful] ADJ (*employment*) lønnet
gainfully ['geɪnfəlɪ] ADV ▸ **gainfully employed** i lønnet arbeid
gainsay [geɪn'seɪ] (*irreg* **say**) VT motsi*, benekte (*v1*) ❑ *This was such an evident truth that there was no gainsaying it.* Dette var slik en opplagt sannhet at det ikke var mulig å motsi *or* benekte det.
gait [geɪt] s gange *m*, ganglag *nt*
▸ **to walk with a slow/confident gait** gå* med en langsom/selvsikker gange
gala ['gɑːlə] s (**a**) (= *festival*) fest *m*
(**b**) (= *formal occasion*) galla *m*
▸ **swimming gala** svømmestevne *nt*
Galapagos (Islands) [gə'læpəgəs-] SPL ▸ **(the) Galapagos (Islands)** Galapagos(øyene)
galaxy ['gæləksɪ] s galakse *m*
gale [geɪl] s (**a**) (*wind: moderate*) (stiv) kuling *m*
(**b**) (*strong*) (liten) storm *m* ❑ *It seemed to be blowing a gale all the time.* Det virket som om det blåste storm hele tiden.
▸ **gale force 10** vindstyrke 10
gall [gɔːl] 1 s (**a**) (*ANAT*) galle *m*
(**b**) (*fig: impudence*) frekkhet *c* ❑ *They haven't the gall to steal...* De er ikke frekke nok til å stjele...
2 VT ergre (*v1*) ❑ *It galled him to have to ask permission.* Det ergret ham å måtte* be om tillatelse.
gall. FK = **gallon**
gallant ['gælənt] ADJ (= *brave*) tapper; (= *polite*) galant
gallantry ['gæləntrɪ] s (= *bravery*) tapperhet *c*; (= *politeness*) galanteri *nt*
gall bladder s galleblære *c*
galleon ['gælɪən] s gallion *m*
gallery ['gælərɪ] s (**a**) (*also* ***art gallery***) galleri *nt*
(**b**) (*in hall, church, theatre*) galleri *nt* ❑ *...the public gallery in Parliament.* ...publikumsgalleriet i parlamentet.
galley ['gælɪ] s (= *ship's kitchen*) bysse *c*; (= *ship*) galei *m*; (*also* ***galley proof***) spaltekorrektur *m*, uombrukket sats *m*
Gallic ['gælɪk] ADJ gallisk
galling ['gɔːlɪŋ] ADJ irriterende, forargelig
gallon ['gæln] s (= *8 pints; BRIT = 4.5l; US = 3.8l*) gallon *m*

gallop [ˈgæləp] 1 s galopp *m* ❑ *...a brisk morning's gallop.* ...en frisk morgengalopp.
2 VI (*horse+*) galoppere (*v2*) ❑ *The horse galloped down the road...* Hesten galopperte nedover veien...
▸ **galloping inflation** galopperende inflasjon

gallows [ˈgæləuz] s galge *m*

gallstone [ˈgɔːlstəun] s gallestein *m*

Gallup poll [ˈgæləp-] s gallupundersøkelse *m*

galore [gəˈlɔːʳ] ADV i overflod, i massevis
▸ **restaurants and night clubs galore** restauranter og nattklubber i overflod *or* i massevis

galvanize [ˈgælvənaɪz] VT (**a**) (*+person*) ildne (*v1*) opp, vekke (*v1 or v2x*) opp
(**b**) (*+support*) vinne*
▸ **to galvanize sb into action** vekke (*v1 or v2x*) noen til handling

Gambia [ˈgæmbɪə] s Gambia

gambit [ˈgæmbɪt] s ▸ **(opening) gambit** (åpnings)trekk *nt* ❑ *His basic gambit is to give them presents.* Det viktigste trekket hans er å gi* dem gaver.

gamble [ˈgæmbl] 1 s (= *risk*) satsing *c*, sjansespill *nt* ❑ *...a gamble that paid off for us.* ...en satsing *or* et sjansespill som lønte seg for oss.
2 VT (*+money*) spille (*v2x*) ❑ *Fred gambled his profits away.* Fred spilte bort fortjenesten sin.
3 VI (**a**) (= *take a risk*) spille (*v2x*) høyt, satse (*v1*), gamble (*v1*) ❑ *We gambled and lost...* Vi spilte høyt *or* satset *or* gamblet og tapte...
(**b**) (= *bet*) gamble (*v1*) ❑ *There was little to do except gamble and drink beer.* Det var lite å gjøre* utenom å gamble og drikke øl.
▸ **to gamble on the Stock Exchange** spekulere (*v2*) på Børsen
▸ **to gamble on sth** (**a**) (*+horses, race*) sette* penger på noe ❑ *He gambled heavily on the horses.* Han satte mye penger på hestene.
(**b**) (*+success, outcome etc*) satse (*v1*) på noe ❑ *The company gambled all on the new factory.* Firmaet satset alt på den nye fabrikken.

gambler [ˈgæmbləʳ] s spiller *m*, gambler *m*

gambling [ˈgæmblɪŋ] s pengespill *nt*

gambol [ˈgæmbl] VI hoppe (*v1*) og danse (*v1*) ❑ *...with his dogs gambolling round him.* ...med hundene sine hoppende og dansende rundt seg.

game [geɪm] 1 s (**a**) (= *activity: with rules, sport*) spill *nt*
(**b**) (*children's*) lek *m* ❑ *You need two people to play this game.* Dere må være* to for å spille dette spillet/leke denne leken.
(**c**) (= *match*) kamp *m* ❑ *He played in a game of cricket against...* Han spilte i en cricketkamp mot...
(**d**) (*TENNIS*) game *nt* ❑ *Becker leads by four games to one.* Becker leder med fire game mot et.
(**e**) (= *board game*) (brett)spill *nt* ❑ *...a box of toys, games, books.* ...en kasse med leker, spill, bøker.
(**f**) (= *strategy, scheme*) spill *nt* ❑ *It's a game of bluff and counter-bluff.* Det er et spill av bløff og atter bløff.
(**g**) (*animal, food*) vilt *nt* ❑ *...meat, game and poultry.* ...kjøtt, vilt og fugl.
2 ADJ (= *willing*) ▸ **game (for)** klar (for), innstilt på ❑ *I'm game for anything!* Jeg er klar for *or* innstilt på hva som helst!
▸ **games** SPL (*SKOL*) gym *m* ❑ *You were always hopeless at games at school.* Du var alltid håpløs i gym på skolen.
▸ **a game of football/tennis** en fotballkamp/tenniskamp
▸ **big game** storvilt

game bird s fuglevilt *nt*

gamekeeper [ˈgeɪmkiːpəʳ] s viltvokter *m*

gamely [ˈgeɪmlɪ] ADV tappert

game reserve s viltreservat *nt*

games console s TV-spill *nt*

game show s (*TV*) spørrekonkurranse *m*

gamesmanship [ˈgeɪmzmənʃɪp] s taktisk spill *nt*

gaming [ˈgeɪmɪŋ] s gambling *c*

gammon [ˈgæmən] s (= *bacon*) bacon *nt*; (= *ham*) spekeskinke *c*

gamut [ˈgæmət] s (= *range*) repertoar *nt*, register *nt* ❑ *...a rich gamut of facial expressions.* ...et rikt repertoar *or* register av ansiktsuttrykk.
▸ **to run the gamut (of sth)** gå* igjennom hele skalaen (av noe)

gander [ˈgændəʳ] s gasse *m*

gang [gæŋ] s (**a**) (*gen*) gjeng *m* ❑ *Highly organized gangs of criminals...* Gjennomorganiserte forbrytergjenger... *The whole gang's there – Suzie, Jack, Karen.* Hele gjengen er der – Suzie, Jack, Karen.
(**b**) (*of workmen*) (arbeids)gjeng *m*, (arbeids)lag *nt* ❑ *...a gang of six labourers...* en gjeng *or* et lag på seks arbeidere...
▸ **gang warfare** krig *m* mellom gjenger
▸ **gang up** VI ▸ **to gang up on sb** rotte (*v1*) seg sammen mot noen

Ganges [ˈgændʒiːz] s ▸ **the Ganges** Ganges

gangland [ˈgæŋlænd] ADJ (*killer, boss*) gangster-

gangling [ˈgæŋglɪŋ] ADJ ulenkelig

gangly [ˈgæŋglɪ] ADJ hengslete

gangplank [ˈgæŋplæŋk] s landgang *m*

gangrene [ˈgæŋgriːn] s koldbrann *m*

gangster [ˈgæŋstəʳ] s gangster *m*

gangway [ˈgæŋweɪ] s (*from ship*) landgang *m*; (*BRIT: in cinema, bus, plane etc*) midtgang *m*

gantry [ˈgæntrɪ] s (*for crane*) bro *c* (*var:* bru) (*for railway signal*) (signal)åk *nt*

GAO (*US*) s FK (= **General Accounting Office**) *serviceorgan (rettslig, regnskap, revisjon) for Kongressen*

gaol [dʒeɪl] (*BRIT*) s, VT = **jail**

gap [gæp] s (**a**) (*in space*) mellomrom *nt*
(**b**) (*between mountains etc*) spalte *m*, kløft *c* ❑ *...a narrow gap in the mountains.* ...en smal spalte *or* kløft i fjellene.
(**c**) (*in time*) opphold *nt* ❑ *After a gap of two or three years...* Etter et opphold på to-tre år...
(**d**) (*in market, records etc*) tomrom *nt*, hull *nt* ❑ *This book fills a gap in the market.* Denne boka fyller et tomrom *or* hull i markedet.
(**e**) (= *difference*) kløft *c* ❑ *The gap between rich and poor regions widened.* Kløften mellom rike og fattige regioner ble bredere.

gape [geɪp] VI (**a**) (*person+*) måpe (*v2*), gape (*v2*) ❑ *Jackson gaped in astonishment at the result.* Jackson måpte *or* gapte av overraskelse over

resultatet.
(**b**) (*shirt, hole+*) være* vidåpen, gape (*v2*) ❑ *The shirt gapes to reveal his chest.* Skjorten hans er vidåpen for å vise fram brystkassen hans.

gaping ['geɪpɪŋ] ADJ (*hole*) gapende

garage ['gærɑːʒ] s (*of private house*) garasje *m*; (*for car repairs*) verksted *nt*; (= *petrol station*) bensinstasjon *m*

garb [gɑːb] s klesdrakt *c*, antrekk *nt*

garbage ['gɑːbɪdʒ] s (**a**) (*US : rubbish*) søppel *nt*
(**b**) (*sl : nonsense*) tull *nt*, tøys *nt*, vås *nt* ❑ *He talked a lot of garbage on the subject.* Han pratet en masse tull *or* tøys *or* vås om emnet.
(**c**) (*fig : film, book*) søppel *nt*

garbage can (*US*) s søppelkasse *c*

garbage collector (*US*) s søppelkjører *m*

garbage disposal (unit) s avfallskvern *c*

garbage truck (*US*) s søppelbil *m*

garbled ['gɑːbld] ADJ (*account, message*) forvirret, rotet(e)

garden ['gɑːdn] 1 s hage *m* (*var.* have)
2 VI jobbe (*v1*) i hagen, drive* med hagearbeid ❑ *I was gardening when you phoned.* Jeg jobbet i hagen *or* drev med hagearbeid da du ringte.
▸ **gardens** SPL (**a**) (= *public park*) park *m* ❑ *Kensington Gardens...* Kensingtonparken.... Kensington Gardens...
(**b**) (*private*) hage *m*, hageanlegg *nt* ❑ *She took me on a tour of the gardens.* Hun viste meg rundt i hagen *or* hageanlegget.
▸ **she was busy gardening** hun var travelt opptatt med hagearbeid

garden centre s hagesenter *nt*

garden city s hageby *m*

gardener ['gɑːdnəʳ] s gartner *m*
▸ **he's a keen gardener** han er en ivrig gartner, han elsker å arbeide i hagen

gardening ['gɑːdnɪŋ] s (*nonprofessional*) hagearbeid *nt*; (*professional*) gartnerarbeid *nt*

gargle ['gɑːgl] 1 VI gurgle (*v1*)
2 s (= *liquid*) gurglevann *nt*; (= *sound*) gurgling *c*

gargoyle ['gɑːgɔɪl] s vannspyer *m*, dragehode *nt* (*på takrenne*)

garish ['gɛərɪʃ] ADJ gloret(e)

garland ['gɑːlənd] s (blomster)krans *m* ❑ *...decorated with a little garland of jasmine.* ...pyntet med en liten krans av jasmin.

garlic ['gɑːlɪk] s hvitløk *m* ❑ *...a crushed clove of garlic.* ...en presset hvitløksbåt.

garment ['gɑːmənt] s (kles)plagg *nt*

garner ['gɑːnəʳ] VT (*+information*) bringe* til veie, innhente (*v1*)

garnish ['gɑːnɪʃ] VT (*+food*) garnere (*v2*), pynte (*v1*) ❑ *Garnish the fish with cucumber slices.* Garner *or* pynt fisken med agurkskiver.

garret ['gærɪt] s kvist *m*, kvistværelse *nt*

garrison ['gærɪsn] s garnison *m*

garrulous ['gæruləs] ADJ pratsom, pratesyk, snakkesalig

garter ['gɑːtəʳ] s (*for sock etc*) strømpebånd *nt*; (*US : suspender*) strømpestropp *m*

garter belt (*US*) s hofteholder *m*

gas [gæs] 1 s (**a**) (*KJEM*) gass *m* ❑ *Helium is a gas at room temperature.* Helium er en gass i romtemperatur.
(**b**) (*fuel*) gass *m* ❑ *Gas, coal and oil are known as fossil fuels.* Gass, kull og olje er kjent som fossile brennstoffer.
(**c**) (*US : gasoline*) bensin *m* ❑ *Sorry I'm late. I had to stop for gas.* Unnskyld at jeg er sen. Jeg måtte* stoppe og fylle bensin.
(**d**) (*anaesthetic*) bedøvelse *m* (*i gassform*) ❑ *I used to hate having gas at the dentist.* Jeg hatet alltid å få* bedøvelse hos tannlegen.
2 VT (*kill*) gasse (*v1*) (i hjel) ❑ *About 100,000 people were gassed.* Omtrent 100 000 folk ble gasset i hjel.

Gascony ['gæskənɪ] s Gascogne

gas cooker (*BRIT*) s gasskomfyr *m*

gas cylinder s gassflaske *c*

gaseous ['gæsɪəs] ADJ i gassform, gass-, gassaktig ❑ *...gaseous oxygen.* ...oksygen i gassform.

gas fire (*BRIT*) s gassovn *m*, gasskamin *m*

gas-fired ['gæsfaɪəd] ADJ (*heater etc*) gass-

gash [gæʃ] 1 s flenge *m* ❑ *There was a large gash in the fabric.* Det var en stor flenge i stoffet.
2 VT skjære* opp ❑ *He gashed his arm on a window...* Han skar opp *or* fikk skåret flenger i armen sin på et vindu...

gasket ['gæskɪt] s pakning *m*

gas mask s gassmaske *c*

gas meter s gassmåler *m*

gasoline ['gæsəliːn] (*US*) s bensin *m*

gasp [gɑːsp] 1 s gisp *nt* ❑ *...breathing in short gasps.* ...som pustet i korte gisp. *...a gasp of horrified surprise.* ...et gisp av forskrekket overraskelse.
2 VI gispe (*v1*) ❑ *Fanny gasped and turned white.* Fanny gispet og ble blek. *"Call the doctor!" she gasped.* "Ring etter legen!" gispet hun.
▸ **to be gasping for a drink** holde* på å tørste i hjel
▸ **to be gasping for a cigarette** være* (veldig) røyksugen

gas ring s gassbrenner *m*

gas station (*US*) s bensinstasjon *m*

gas stove s gasskomfyr *m*

gassy ['gæsɪ] ADJ (*beer etc*) gassholdig

gas tank s gassbeholder *m*, gasstank *m*

gastric ['gæstrɪk] ADJ mage-, gastrisk

gastric ulcer s magesår *nt*

gastroenteritis [gæstrəuɛntə'raɪtɪs] s mage-tarmkatarr *m*, gastroenteritt *m*

gastronomy [gæs'trɔnəmɪ] s gastronomi *m*

gasworks ['gæswəːks] s gassverk *nt*

gate [geɪt] s (**a**) (*of garden, field*) port *m*
(**b**) (*of building*) inngang *m*, port *m*
(**c**) (*at airport*) utgang *m*, gate *m* ❑ *Passengers should proceed to gate four.* Passasjerer bes gå* til utgang *or* gate fire.
(**d**) (*at level-crossing etc*) bom *m*

gateau ['gætəu] (*pl* **gateaux**) s ≈ bløtkake *c*

gate-crash ['geɪtkræʃ] (*BRIT*) 1 VT (*+party*) trenge (*v2*) seg inn i/på, komme* ubedt i/på ❑ *I haven't gate-crashed a party since I was eighteen.* Jeg har ikke trengt meg inn på *or* kommet ubedt på en fest siden jeg var atten år.
2 VI trenge (*v2*) seg inn (i et selskap), komme* ubedt, komme* som ubuden gjest

gate-crasher ['geɪtkræʃəʳ] s ubuden gjest *m*

gatehouse ['geɪthaus] s vakt *c*
gateway ['geɪtweɪ] s (**a**) (= *entrance*) inngangsport *m* ❑ *They passed through an arched gateway.* De passerte gjennom en buet inngangsport.
(**b**) (*fig*) innfallsport *m* ❑ *...the most convenient gateway to the Continent.* ...den mest lettvinte innfallsporten til kontinentet.
▸ **the gateway to the city** inngangsporten *or* innfallsporten til byen
gather ['gæðəʳ] 1 VT (**a**) (*+flowers, fruit*) sanke (*v1*) ❑ *They gathered berries, nuts and fruit for food.* De sanket bær, nøtter og frukt til å spise.
(**b**) (= *pick up*) samle (*v1*) sammen ❑ *He gathered his papers and slipped away.* Han samlet sammen papirene sine og smatt ut.
(**c**) (= *assemble, collect: objects, information, data*) samle (*v1*) (inn)
(**d**) (= *understand*) høre (*v2*), forstå* ❑ *His wife had been ill, I gather, for some time.* Kona hans hadde vært syk en stund, hører jeg *or* har jeg forstått.
(**e**) (*in sewing*) rynke (*v1*)
2 VI (**a**) (= *assemble*) samle (*v1*) seg, flokke (*v1*) seg ❑ *The children gathered around their teacher.* Barna samlet *or* flokket seg rundt læreren sin.
(**b**) (*dust, clouds+*) samle (*v1*) seg
▸ **to gather from/that** forstå* av/at ❑ *I gathered that they were not expected...* Jeg forstod at de ikke var ventet...
▸ **as far as I can gather** så langt jeg forstår *or* kan se
▸ **to gather speed** skyte* fart, øke (*v2*) farten
gathering ['gæðərɪŋ] s samling *m*, sammenkomst *m* ❑ *...a rather exclusive gathering...* en ganske eksklusiv samling *or* sammenkomst...
GATT [gæt] S FK (= **General Agreement on Tariffs and Trade**) Generalavtalen for toll og handel
gauche [gəuʃ] ADJ (*adolescent, youth*) keitet(e)
gaudy ['gɔːdɪ] ADJ (*clothes etc*) gloret(e), i skrikende farger
gauge [geɪdʒ] 1 s (**a**) (*instrument*) måler *m*, måleinstrument *nt* ❑ *Bond read the speed gauge.* Bond leste av fartsmåleren.
(**b**) (*JERNB*) sporvidde *m*
2 VT (**a**) (*+amount, quantity*) måle (*v2*), bedømme (*v2x*), anslå* ❑ *Meg was able to gauge the distance to within an inch.* Meg kunne* måle *or* bedømme *or* anslå avstanden på en tomme nær.
(**b**) (*fig: feelings, character etc*) bedømme (*v2x*) ❑ *...a method for the teacher to gauge what the child is doing.* ...en metode som læreren kan bruke til å bedømme det barnet gjør.
▸ **petrol gauge, fuel gauge,** *(US)* **gas gauge** bensinmåler, drivstoffmåler
Gaul [gɔːl] s (*country*) Gallia; (*person*) galler *m*
gaunt [gɔːnt] ADJ (**a**) (= *haggard*) uttæret, utmagret ❑ *...her face was gaunt and drawn.* ...fjeset hennes var uttæret og dratt.
(**b**) (= *bare, stark*) naken, bar ❑ *...the gaunt outlines of the houses.* ...de nakne *or* bare omrissene av husene.
gauntlet ['gɔːntlɪt] s (= *glove*) hanske *m*
▸ **to run the gauntlet of** løpe* spissrotgang gjennom, utsette* seg for ❑ *They now had to run the gauntlet of rifle fire.* De måtte* nå utsette seg for *or* løpe spissrotgang gjennom geværild.
▸ **to throw down the gauntlet** kaste (*v1*) hansken ❑ *The assembly threw down the gauntlet to the Tsar.* Forsamlingen kastet hansken til tsaren.
gauze [gɔːz] s (**a**) (*fabric*) gas *m*, stors *m* ❑ *There were curtains of gauze.* Det var gardiner i gas *or* stors.
(**b**) (*MED*) gassbind *nt* ❑ *I taped a gauze square over his cuts.* Jeg plastret en gassbindkompress over kuttene hans.
gave [geɪv] PRET *of* **give**
gavel ['gævl] s (formanns)klubbe *c*
gawk [gɔːk] (*sl*) VI glane (*v2*) (*sl*), glo (*v4*)
gawky ['gɔːkɪ] ADJ keitet(e), ulenkelig
gawp [gɔːp] VI ▸ **to gawp at** glane (*v2*) på, glo (*v4*) på
gay [geɪ] 1 ADJ (**a**) (= *homosexual*) homo(fil)
(**b**) (*gam: cheerful*) munter, lystig
(**c**) (*colour, music, dress etc*) munter ❑ *Her dress was gay and flowered.* Kjolen hennes var munter og blomstrete.
2 s (= *homosexual*) homo *m*, homofil *m decl as adj*
gaze [geɪz] 1 s blikk *nt* ❑ *...without shifting his gaze from the television.* ...uten å ta* blikket fra fjernsynet.
2 VI ▸ **to gaze at sth** stirre (*v1*) på noe
gazelle [gəˈzɛl] s gaselle *m*
gazette [gəˈzɛt] s (= *newspaper*) avis *c*; (= *official publication*) lysningsblad *nt*
gazetteer [gæzəˈtɪəʳ] s (= *index*) register *nt* (*over geografiske navn*); (= *book*) *bok som inneholder korte stedsbeskrivelser*
gazump [gəˈzʌmp] (*BRIT*) VT ▸ **to be gazumped** *miste hus en har fått tilslag på til en som byr høyere*
gazumping [gəˈzʌmpɪŋ] (*BRIT*) s (*of house buyer*) svindel *m* (*ved å øke prisen på huset etter at en avtale er inngått*)
GB FK = **Great Britain**
GBH (*BRIT: JUR*) S FK (= **grievous bodily harm**) *alvorlig legemsbeskadigelse*
GC (*BRIT*) S FK (= **George Cross**) *tapperhetsmedalje*
GCE (*BRIT: formerly*) S FK (= **General Certificate of Education**) *ungdomsskoleeksamen*
GCHQ (*BRIT*) S FK (= **Government Communications Headquarters**) *senter for etterretningsvirksomhet*
GCSE (*BRIT*) S FK (= **General Certificate of Secondary Education**) *ungdomsskoleeksamen*
Gdns. FK (*in street names*) = **Gardens**
GDP S FK = **gross domestic product**
GDR (*formerly*) S FK (= **German Democratic Republic**) Den tyske demokratiske republikken
gear [gɪəʳ] 1 s (**a**) (= *equipment*) utstyr *nt* ❑ *We took off our riding gear.* Vi tok av oss rideutstyret vårt.
(**b**) (= *belongings*) saker *pl*, greier *pl* ❑ *I packed my gear and walked out.* Jeg pakket sakene *or* greiene mine og spaserte ut.
(**c**) (*TEKN*) sperreinnretning *m*
(**d**) (*in car*) gir *nt*
2 VT ▸ **to gear sth to** innrette (*v1*) noe på, tilpasse (*v1*) noe til ❑ *...a policy which has been*

geared to rehabilitation. ...en handlingsplan som har blitt innrettet på rehabilitering.
▸ **top** *or (US)* **high/low gear** høygir/lavgir *nt*
▸ **in gear** i gir ❑ *Leave the car in gear.* La bilen stå i gir.
▸ **gear up** VI ▸ **to gear (oneself) up (to do)** ruste (*v1*) seg (til å gjøre) ❑ *They are gearing up to begin a civil war.* De ruster opp til å begynne en borgerkrig. *Martin was gearing himself up to do full-time jobs.* Martin rustet seg til å ta* fulltidsjobber.
gearbox ['gɪəbɔks] s girkasse *c*
gear lever, **gear shift** (*US*) s girspak *m*
geese [gi:s] SPL *of* **goose**
geezer ['gi:zə^r] (*sl*) s type *m*
Geiger counter ['gaɪgə-] s geigerteller *m*
gel [dʒɛl] 1 s gelé *m*
2 VI (**a**) (*liquid+*) tykne (*v1*), stivne (*v1*) (til geléaktig konsistens)
(**b**) (*fig: thought, idea*) ta* form ❑ *...things really began to gel.* ...tingene begynte virkelig å ta* form.
gelatin(e) ['dʒɛləti:n] s gelatin *m*
gelignite ['dʒɛlɪgnaɪt] s gelatindynamitt *m*
gem [dʒɛm] s (**a**) (*stone*) edelste(i)n *m* ❑ *...a bracelet studded with gems.* ...et armbånd besatt med edelste(i)ner.
(**b**) (*fig: person, idea, house etc*) perle *m* ❑ *He's a real gem.* Han er virkelig en perle.
Gemini ['dʒɛmɪnaɪ] s Tvillingenes tegn
▸ **to be Gemini** være* Tvilling, være* født i Tvillingenes tegn
gen [dʒɛn] (*BRIT: sl*) s ▸ **to give sb the gen on sth** gi* noen en briefing om noe, orientere (*v2*) noen om noe
Gen. (*MIL*) FK = **general**
gen. FK = **general, generally**
gender ['dʒɛndə^r] s (**a**) (*= sex*) kjønn *nt*
❑ *...differences of race or gender.* ...forskjeller i rase og kjønn.
(**b**) (*LING*) kjønn *nt*, genus *nt*
gene [dʒi:n] s gen *m or nt*
genealogy [dʒi:nɪ'ælədʒɪ] s (*study*) slektsgranskning *m*
general ['dʒɛnərl] 1 s general *m* ❑ *No one under the rank of general...* Ingen med lavere grad enn general...
2 ADJ (**a**) (*= overall: decline, standard, rule*) generell, allmenn, alminnelig
(**b**) (*= miscellaneous: expenses, details*) generell
❑ *...your general business expenses.* ...dine generelle forretningsutgifter.
(**c**) (*= widespread: movement, interest*) allmenn
❑ *...a topic of general interest.* ...et emne av allmenn interesse.
(**d**) (*= non-specific: terms, outline, idea*) generell
❑ *...stated in very general terms.* ...uttrykket i svært generelle ordelag.
▸ **in general** generelt, i alminnelighet
▸ **the general public** folk flest, alminnelige mennesker
▸ **general audit** revisjon *m*, bokettersyn *nt*
general anaesthetic s full bedøvelse *m*, totalbedøvelse *m*
general delivery (*US*) s poste restante
general election s parlamentsvalg *nt*, stortingsvalg *nt*
generalization [dʒɛnrəlaɪ'zeɪʃən] s generalisering *c* ❑ *It is easy to make sweeping generalizations about...* Det er lett å gjøre* grove generaliseringer om...
generalize ['dʒɛnrəlaɪz] VI generalisere (*v2*) ❑ *I don't think you can generalize about that.* Jeg tror ikke du kan generalisere om det.
generally ['dʒɛnrəlɪ] ADV generelt (sett) ❑ *His account was generally accurate.* Beretningen hans var generelt (sett) riktig.
general manager s administrerende direktør *m*
general meeting s generalforsamling *c*
general practitioner s allmennpraktiserende lege *m*, allmennpraktiker *m*
general strike s generalstreik *m*
generate ['dʒɛnəreɪt] VT (**a**) (*+power, energy, electricity*) generere (*v2*)
(**b**) (*+jobs, profits*) skape (*v2*) ❑ *Tourism will generate new jobs.* Turisme vil skape nye arbeidsplasser.
generation [dʒɛnə'reɪʃən] s (**a**) (*gen*) generasjon *m*
❑ *...a generation that has had no experience of war.* ...en generasjon som ikke har hatt noen krigserfaring. *They have been advocating this for generations.* De har kjempet for dette gjennom generasjoner.
(**b**) (*of electricity etc*) generering *c* ❑ *Electric power generation had ceased.* Genereringen av elektrisk kraft hadde opphørt.
generator ['dʒɛnəreɪtə^r] s generator *m*
generic [dʒɪ'nɛrɪk] ADJ generisk ❑ *...generic faults in power plants.* ...generiske feil i kraftanlegg.
generosity [dʒɛnə'rɔsɪtɪ] s gavmildhet *c*, sjenerøsitet *m*
generous ['dʒɛnərəs] ADJ (**a**) (*person*) sjenerøs, gavmild
(**b**) (*measure, remuneration*) sjenerøs, rundhåndet
❑ *Steve made a generous donation to...* Steve gav et sjenerøst *or* rundhåndet bidrag til...
genesis ['dʒɛnɪsɪs] s opprinnelse *m*, tilblivelse *m*
▸ **the genesis of an idea** opprinnelsen til en idé
genetic [dʒɪ'nɛtɪk] ADJ genetisk
genetic engineering s genteknologi *m*
genetic fingerprinting [-'fɪŋgəprɪntɪŋ] s DNA-test *m*
genetics [dʒɪ'nɛtɪks] s genetikk *m*
Geneva [dʒɪ'ni:və] s Genève
genial ['dʒi:nɪəl] ADJ (*host, smile*) vennlig(sinnet), gemyttlig
genitals ['dʒɛnɪtlz] SPL genitalier, kjønnsorganer
genitive ['dʒɛnɪtɪv] s genitiv *m*
▸ **to be in the genitive** stå* i genitiv
genius ['dʒi:nɪəs] s (**a**) (*= ability, skill*) (sjelden) begavelse *m*, (sjelden) evne *m* ❑ *...the British genius for compromise.* ...den britiske begavelsen for *or* evnen til å finne kompromissløsninger.
(**b**) (*person*) geni *nt* ❑ *That man was a genius.* Den mannen var et geni.
Genoa ['dʒɛnəuə] s Genova
genocide ['dʒɛnəusaɪd] s folkemord *nt*
Genoese [dʒɛnəu'i:z] 1 ADJ genovesisk
2 s UBØY (*person*) genoveser *m*

gent [dʒɛnt] (BRIT: *sl*) S FK = **gentleman**
genteel [dʒɛn'tiːl] ADJ (*person, family*) dannet
gentle ['dʒɛntl] ADJ (**a**) (*person, animal*) snill *or* mild og god
(**b**) (*movement, breeze, shake*) forsiktig, mild ❑ *...the gentle rocking of his mother's chair.* ...den forsiktige gyngingen fra stolen til moren hans.
(**c**) (*touch*) varsom, forsiktig
(**d**) (*landscape, curve*) mild, blid ❑ *The scenery was gentler than at home.* Landskapet var mildere *or* blidere enn hjemme.
(**e**) (*soap, product*) mild, skånsom
▸ **a gentle hint** et forsiktig hint, en forsiktig hentydning
gentleman ['dʒɛntlmən] *irreg* S (**a**) (= *man*) herre *m* ❑ *He read the old gentleman's will.* Han leste den gamle herrens testamente.
(**b**) (*referring to social position*) *mann fra overklassen* ❑ *...the highest class of gentleman farmers.* ...det høyeste sjiktet av overklassebønder.
(**c**) (= *well-mannered man*) herre *m*, gentleman *m irreg* ❑ *He was a terribly nice man – a real gentleman.* Han var en fryktelig hyggelig mann – en virkelig herre *or* gentleman.
▸ **gentleman's agreement** gentleman's agreement *m*
gentlemanly ['dʒɛntlmənlɪ] ADJ galant, dannet ❑ *...a courteous, gentlemanly gesture.* ...en høflig, galant *or* dannet gestus.
gentleness ['dʒɛntlnɪs] S (*of person, animal*) mildt *or* blidt vesen *nt*; (*of movement, breeze*) mildhet *c*
gently ['dʒɛntlɪ] ADV (**a**) (*say*) mildt, skånsomt ❑ *"You have nothing to worry about," he said gently.* "Du har ingenting å engste deg for," sa han mildt *or* skånsomt.
(**b**) (*touch*) forsiktig, nennsomt ❑ *He patted my hand very gently.* Han klappet hånden min svært forsiktig *or* nennsomt.
(**c**) (*slope*) svakt ❑ *...gently sloping hills.* ...svakt skrånende bakker.
gentry ['dʒɛntrɪ] S UBØY ▸ **the gentry** lavadelen
gents [dʒɛnts] S ▸ **the gents** (= *men's toilet*) herretoalettet
genuine ['dʒɛnjuɪn] ADJ (**a**) (= *real*) ekte ❑ *...genuine Ugandan food.* ...ekte ugandisk mat.
(**b**) (*person*) oppriktig ❑ *They seemed nice, genuine fellows.* De så ut til å være* hyggelige, oppriktige karer.
genuinely ['dʒɛnjuɪnlɪ] ADV virkelig ❑ *...genuinely democratic countries.* ...virkelig demokratiske land.
geographer [dʒɪ'ɔgrəfəʳ] S geograf *m*
geographic(al) [dʒɪə'græfɪk(l)] ADJ geografisk
geography [dʒɪ'ɔgrəfɪ] S geografi *m* ❑ *...the geography of the United States.* ...geografien til De forente stater.
geological [dʒɪə'lɔdʒɪkl] ADJ geologisk
geologist [dʒɪ'ɔlədʒɪst] S geolog *m*
geology [dʒɪ'ɔlədʒɪ] S geologi *m*
geometric(al) [dʒɪə'mɛtrɪk(l)] ADJ (*problem, design*) geometrisk
geometry [dʒɪ'ɔmətrɪ] S geometri *m* ❑ *...the laws of geometry.* ...geometriens lover.. ...de geometriske lovene.
Geordie ['dʒɔːdɪ] (BRIT: *sl*) S *person fra Newcastle*
Georgia ['dʒɔːdʒə] S (*in Eastern Europe*) Georgia
Georgian ['dʒɔːdʒən] [1] ADJ georgisk
[2] S georgier *m*; (LING) georgisk
geranium [dʒɪ'reɪnɪəm] S geranium *m irreg*
geriatric [dʒɛrɪ'ætrɪk] [1] ADJ geriatrisk
[2] S (= *old person*) olding *m*
germ [dʒəːm] S (MED) basill *m*, bakterie *m*; (*fig*)
▸ **the germ of an idea** spiren til en idé
German ['dʒəːmən] [1] ADJ tysk
[2] S (*person*) tysker *m*; (LING) tysk
German Democratic Republic (*gam*) S Den tyske demokratiske Republikk, DDR
germane [dʒəː'meɪn] ADJ ▸ **germane (to)** relevant (for)
German measles (BRIT) S røde hunder *pl*
Germany ['dʒəːmənɪ] S Tyskland
germinate ['dʒəːmɪneɪt] VI (**a**) (*seed+*) spire (*v2*)
(**b**) (*fig*) spire (*v2*) (og gro) ❑ *New concepts germinate before your eyes.* Nye begrep spirer og gror rett for øynene på en.
germination [dʒəːmɪ'neɪʃən] S spiring *c*
germ warfare S bakteriologisk krigføring *c*
gerrymandering ['dʒɛrɪmændərɪŋ] S valgfusk *nt*
gestation [dʒɛs'teɪʃən] S ▸ **gestation period** drektighet *c*
gesticulate [dʒɛs'tɪkjuleɪt] VI gestikulere (*v2*)
gesture ['dʒɛstjəʳ] S (**a**) (= *movement*) (hånd)bevegelse *m* ❑ *She made an angry gesture with her fist.* Hun gjorde en sint bevegelse med knyttneven.
(**b**) (= *symbol, token*) gestus *m*, gest *m* ❑ *The demonstration is a gesture of defiance.* Demonstrasjonen er en trassig gest(us).
▸ **as a gesture of friendship** som en vennskapelig gest(us)

KEYWORD

get [gɛt] (*pt, pp* **got**) (*US*) (*pp* **gotten**) [1] VI (**a**) (= *become, be (+ adj)*) bli
▸ **to get old/tired/cold/dirty** bli* gammel/trøtt/kald/skitten
▸ **to get drunk** bli* full, drikke* seg full
(**b**) (*in passive*) bli
▸ **to get killed** bli* drept
▸ **to get paid** få* betalt
▸ **to get bored** kjede (*v1*) seg
(**c**) (= *go*) ▸ **to get to/from** komme* (seg) til/fra
▸ **how did you get here?** hvordan kom du (deg) hit?
(**d**) (= *begin*) ▸ **to get to know sb** bli* kjent med noen
▸ **I'm getting to like him** jeg begynner å like ham
▸ **to get going** *or* **started** komme* i gang
[2] MOD H-VERB ▸ **to have got to do sth** måtte* gjøre* noe, være* nødt til å gjøre* noe
▸ **I've got to tell the police** jeg må varsle *or* er nødt til å varsle politiet
[3] VT (**a**) (= *cause to be/become*) ▸ **to get sb/sth ready** få* noe/noen ferdig
▸ **to get sb drunk/into trouble** få* noen full/inn i vanskeligheter
(**b**) ▸ **to get sth done** (*do oneself*) få* gjort noe; (*have done*) få* noe gjort

▸ **to get the washing/dishes done** få* tatt klesvasken/oppvasken
▸ **to get one's hair cut** få* klipt håret, klippe (*v1 or v2x*) seg
▸ **to get the car going** *or* **to go** få* bilen til å gå
▸ **to get sb to do sth** få* noen til å gjøre* noe
(**c**) (= *obtain: money, permission*) få, skaffe (*v1*); (*+results*) få; (*+job, flat*) få* (seg)
▸ **he got a job in London** han fikk (seg) jobb i London; (= *fetch: person, doctor, object*) få* tak i
▸ **to get sth for sb** skaffe (*v1*) noe til noen
❑ *Can I get you a drink?* Kan jeg skaffe deg noe å drikke?
(**d**) (= *receive: present, letter, reputation, prize, price*) få ❑ *What did you get for your birthday?* Hva fikk du til fødselsdagen din? *How much did you get for the painting?* Hvor mye fikk du for maleriet?
(**e**) (= *catch*) få/ta tak i
▸ **to get sb by the arm/throat** ta* tak i armen/halsen til noen
▸ **get him!** ta* ham!
(**f**) (= *hit: target etc*) treffe* ❑ *The bullet got him in the leg.* Kulen traff ham i beinet.
(**g**) (= *take, move*) få ❑ *We must get him to hospital.* Vi må få* ham til sykehus. *Do you think we'll get it through the door?* Tror du vi vil få* den gjennom døren?
▸ **I'll get you there somehow** jeg skal få* deg dit på en eller annen måte
▸ **to get sth to sb** hente (*v1*) noe til noen
(**h**) (= *catch, take: plane, bus etc*) ta ❑ *Where do I get the train to Birmingham?* Hvor kan jeg ta* toget til Birmingham?
(**i**) (*sl: understand: joke etc*) skjønne (*v2x*), ta* (*sl*) ❑ *I get it!* Nå skjønner jeg!, Nå tok jeg den!
▸ **do you get it?** skjønner du det?
(**j**) (= *hear*) få* tak i, oppfatte (*v1*) ❑ *I didn't get your name.* Jeg fikk ikke tak i navnet ditt.. Jeg oppfattet ikke navnet ditt.
(**k**) (= *have, possess*) ▸ **to have got** ha ❑ *How many have you got?* Hvor mange har du?

► **get about** VI (*person+*) komme* seg rundt *or* omkring ❑ *I can't get about as much as I used to.* Jeg kan ikke komme meg så mye rundt *or* omkring som jeg gjorde før.; (*news, rumour+*) komme* ut

► **get across** VT (*+message, meaning*) formidle (*v1*) ❑ *We managed to get our message across to them.* Vi klarte å formidle meldingen vår til dem.

► **get along** VI (= *be friends*) komme* overens ❑ *I used to get along really well with my boss.* Jeg kom riktig godt overens med sjefen min.; (= *depart*) komme* seg av gårde *I'd better be getting along soon.* Det er best jeg kommer meg av gårde snart

► **get around** = **get round**

► **get at** VT FUS (= *attack, criticize*) være* etter ❑ *You're always getting at me.* Du er alltid etter meg.; (= *reach*) nå (*v4*) (ned/opp *etc*) til *The goats bent down to get at the short grass.* Geitene bøyde seg for å nå ned til det korte gresset.; (= *mean*) ▸ **what are you getting at?** hva er det du vil fram til?

► **get away** VI (= *leave*) komme* seg vekk ❑ *I was so bored, I couldn't wait to get away.* Jeg kjedet meg slik, jeg kunne* ikke vente til jeg kunne* komme meg vekk.; (*on holiday*) komme* seg ut *or* bort *Any chance of your getting away this summer?* Er det noen sjanse for at du kommer deg ut *or* bort i sommer?; (= *escape*) komme* seg unna, slippe* unna *They got away through the old woman's garden.* De kom seg *or* slapp unna gjennom hagen til den gamle damen.

► **get away with** VT FUS slippe* ustraffet fra ❑ *Nobody gets away with tearing my coat.* Ingen slipper ustraffet fra å rive opp frakken min.
▸ **he'll never get away with it!** det kommer han seg aldri unna med!

► **get back** [1] VI (= *return*) komme* tilbake ❑ *It was very late when we got back.* Det var svært seint da vi kom tilbake.; (= *retreat*) komme* seg unna *Get back!* Kom deg/dere unna!
[2] VT (= *regain*) få* tilbake ❑ *All he wanted was to get his girlfriend back.* Det eneste han ville* var å få* tilbake kjæresten sin.

► **get back at** (*sl*) VT FUS ▸ **to get back at sb (for sth)** ta* igjen med noen (for noe)

► **to get back to** VT FUS (= *return to*) komme* tilbake til ❑ *Things would soon get back to normal.* Ting ville* snart komme tilbake til det vanlige.; (= *contact again*) ringe (*v2*)/skrive* *etc* tilbake til *Let me get back to you on that.* La meg ringe/skrive tilbake til deg om det.
▸ **to get back to sleep** sovne (*v1*) igjen

► **get by** VI (= *pass*) komme* forbi ❑ *Excuse me, can I get by?* Unnskyld, kan jeg komme forbi?; (= *manage*) greie (*v3*) seg, klare (*v2*) seg *He had managed to get by without much reading.* Han hadde greid *or* klart seg uten å kunne* lese noe særlig.
▸ **I can get by in Dutch** jeg klarer meg på nederlandsk

► **get down** [1] VI komme* ned; (*into lying position, onto floor*) legge* seg ned ❑ *They got down on their hands and knees.* Det la seg ned på alle fire.
[2] VT (= *depress: person*) få* til å føle seg deppa ❑ *The work was getting her down.* Arbeidet fikk henne til å føle seg deppa.; (= *write*) få* ned på papir *Get everything down in writing first.* Få alt ned på papiret først.

► **get down to** VT FUS (*+work*) komme* i gang med
▸ **to get down to business** (*fig*) komme* i gang (*med det man egentlig skal gjøre*)

► **get in** [1] VI (*be elected+ : candidate, party*) bli* valgt (inn) ❑ *She got in with a majority of 5,000 votes.* Hun ble valgt (inn) med et flertall på 5 000 stemmer.; (*train+*) komme* inn; (= *arrive home*) komme* inn *or* hjem
[2] VT (= *bring in: harvest*) få* i hus; (*+shopping, supplies*) få* i hus ❑ *We'll have to get in some supplies for the weekend.* Vi må få* i hus noe varer for helgen.

► **get into** VT FUS (*+conversation, argument, fight*) komme* i; (*+vehicle*) gå/komme* inn i; (*+clothes*) komme* inn i ❑ *I can't get into this dress any more.* Jeg kommer ikke inn i denne kjolen lenger.
▸ **to get into bed** legge* seg

▸ **to get into the habit of doing sth** komme* inn i vanen med å gjøre* noe

▸ **get off** 1 VI (*from train etc*) gå* av; (= *escape*) unnslippe*, slippe* unna ❑ *He got off with a 50-pound fine.* Han unnslapp *or* slapp unna med en bot på 50 pund.
2 VT (= *remove: clothes*) få* av seg ❑ *Get your shirt off...* Få av deg skjorta...; (+*stain*) få* av; (= *have free*) ▸ **we get 3 days off at Christmas** vi får 3 dager fri i julen
3 VT FUS (= *leave: train, bus*) gå* av
▸ **to get off to a good start** (*fig*) begynne (*v2x*) bra

▸ **get on** 1 VI (= *be friends*) komme* godt ut av det med hverandre ❑ *We never really got on together.* Vi kom aldri særlig godt ut av det med hverandre.
2 VT FUS (+*bus, train*) gå* på
▸ **how are you getting on?** hvordan går det med deg?
▸ **time is getting on** tiden går

▸ **get on to** (*BRIT*) VT FUS (+*subject, topic*) komme* inn på ❑ *We got on to the subject of exams.* Vi kom inn på temaet eksamener.; (= *contact: person*) ta* kontakt med *I'll get on to her right away.* Jeg skal ta* kontakt med henne med en gang.

▸ **get on with** VT FUS (+*person*) komme* godt overens med ❑ *I've never been able to get on with him.* Jeg har aldri klart å komme særlig godt overens med ham.; (+*meeting, work etc*) gå* *or* komme* videre med *Perhaps we can get on with the meeting now.* Kanskje vi kan gå* *or* komme videre med møtet nå.

▸ **get out** 1 VI (*of place*) komme* seg vekk *or* bort ❑ *I hate New York, I'm going to get out.* Jeg hater New York, jeg skal se å komme meg vekk *or* bort.; (*of vehicle*) gå* ut; (*news etc*+) komme* ut *The news got out in the end.* Nyheten kom ut til slutt
2 VT (= *take out: book, object etc*) ta* fram ❑ *After a few drinks he would get his clarinet out.* Etter et par drinker pleide han å ta* fram klarinetten sin.; (= *remove: stain*) få* vekk *or* bort *You'll never get that stain out.* Du vil aldri få* vekk *or* bort den flekken.

▸ **get out of** 1 VT FUS (+*money: bank etc*) ta* ut av; (= *avoid: duty etc*) (få) slippe* ❑ *He'll do anything to get out of washing up.* Han vil gjøre* hva som helst for å (få) slippe å vaske opp.
2 VT (= *extract: confession etc*) få* ut av ❑ *We finally got the name out of him.* Vi fikk til slutt navnet ut av ham.; (= *derive: pleasure, benefit*) ha* av *I get a lot of pleasure out of driving.* Jeg har stor glede av å kjøre.

▸ **get over** 1 VT FUS (+*illness*) komme* seg etter; (= *communicate: idea etc*) få* fram
2 VT ▸ **to get it over with** (= *finish*) bli* ferdig med det

▸ **get round** VT FUS (+*law, rule*) omgå*; (+*person*) få* til å gi* etter ❑ *She could always get round him in the end.* Hun kunne* alltid få* ham til å gi* etter til slutt.

▸ **get round to** VT FUS få* somlet seg til ❑ *I never got round to taking my driving test.* Jeg fikk aldri somlet meg til å ta* sertifikat.

▸ **get through** 1 VI (*TEL*) komme* (i)gjennom
2 VT FUS (= *finish: work, book*) komme* (seg) gjennom ❑ *It's difficult to get through this much work in such a short time.* Det er vanskelig å komme seg gjennom så mye arbeid på så kort tid.

▸ **get through to** VT FUS (*TEL*) komme* gjennom til; (= *communicate with*) få* til å forstå

▸ **get together** 1 VI (*people*+) komme* sammen
2 VT (+*people*) samle (*v1*) (sammen); (+*project, plan etc*) sette* opp
▸ **to get it together** (*sl*) holde* orden på ting

▸ **get up** 1 VI (= *rise: from chair*) reise (*v2*) seg opp, komme* seg opp; (*out of bed*) stå* opp
2 VT ▸ **to get up enthusiasm for sth** skape (*v2*) entusiasme for noe

▸ **get up to** VT FUS (+*prank etc*) stelle (*v2x*) i stand ❑ *He got up to all sorts of things during his schooldays.* Han stelte i stand alt mulig rart da han gikk på skolen.

getaway ['gɛtəweɪ] S ▸ **to make a** *or* **one's getaway** flykte (*v1*)

getaway car S fluktbil *m*

get-together ['gɛttəgeðəʳ] S sammenkomst *m* ❑ *We're having a little get-together to celebrate...* Vi skal ha* en liten sammenkomst for å feire...

get-up ['gɛtʌp] (*sl*) S (= *outfit*) utstyr *nt*, habitt *m*

get-well card [gɛt'wɛl-] S *kort med ønske om god bedring*

geyser ['giːzəʳ] S (*GEOG*) geysir *m*; (*BRIT: water heater*) varmtvannsbereder *m*

Ghana ['gɑːnə] S Ghana

Ghanaian [gɑː'neɪən] 1 ADJ ghanesisk
2 S (*person*) ghaneser *m*

ghastly ['gɑːstlɪ] ADJ (**a**) (= *horrible: person, behaviour, situation, building*) grufull, redselsfull, fæl ❑ *...those ghastly people.* ...de grufulle *or* redselsfulle *or* fæle menneskene. *...ghastly office blocks.* ...grufulle *or* redselsfulle *or* fæle kontorbygg.
(**b**) (= *pale: complexion etc*) redselsfull ❑ *The great fangs gleamed a ghastly white.* De svære hoggtennene glimtet i et redselsfullt hvitt.
▸ **you look ghastly!** du ser (helt) forferdelig ut!

gherkin ['gəːkɪn] S sylteagurk *m*

ghetto ['gɛtəu] S ghetto *m*

ghetto blaster [-'blɑːstəʳ] (*sl*) S ghettoblaster *m* (*kraftig, bærbar kassettspiller*)

ghost [gəust] 1 S spøkelse *nt*, gjenferd *nt* ❑ *I don't believe in ghosts.* Jeg tror ikke på spøkelser *or* gjenferd.
2 VT (+*book*) være* ghostwriter for ❑ *...a famous play, and even that was ghosted.* ...et berømt skuespill, og selv det var blitt skrevet av en ghostwriter.
▸ **to give up the ghost** (*fig*) gi* opp ånden
▸ **ghost story** spøkelseshistorie *m*

ghost town S spøkelsesby *m*

ghostwriter ['gəustraɪtəʳ] S ghostwriter *m*, *en som skriver på vegne av en annen, mer berømt person*

ghoul [guːl] S *ond ånd som spiser lik*

ghoulish ['guːlɪʃ] ADJ (*tastes etc*) makaber ❑ *...their ghoulish desire for grisly details.* ...deres makabre sans for nifse detaljer.

GHQ (*MIL*) S FK (= **general headquarters**) overkommando *m*

GI (*US: sl*) S FK (= **government issue**) menig soldat *m*, infanterist *m*

giant ['dʒaɪənt] 1 S (**a**) (*in myths, children's stories*) kjempe *m*
(**b**) (*fig: large company*) gigant *m* ❑ *...the electronics giant, Hitachi.* ...elektronikkgiganten, Hitachi.
2 ADJ (= *enormous*) kjempestor, kjempesvær ❑ *...giant Christmas trees.* ...kjempestore *or* kjempesvære juletrær.
▸ **giant (size) packet** kjempestor pakke

giant killer S (*fig*) *en som nedkjemper overmakten*

gibber ['dʒɪbəʳ] VI bable (*v1*), stotre (*v1*)

gibberish ['dʒɪbərɪʃ] S vrøvl *nt*, tøv *nt* ❑ *He was talking gibberish.* Han snakket vrøvl *or* tøv.. Han vrøvlet.

gibe [dʒaɪb] 1 S fornærmelse *m*, sjikane *m*
2 VI ▸ **to gibe at** sjikanere (*v2*), fornærme (*v1*)

giblets ['dʒɪblɪts] SPL innmat *m* (*av fugl*)

Gibraltar [dʒɪ'brɔːltəʳ] S Gibraltar

giddiness ['gɪdɪnɪs] S svimmelhet *c*, ørhet *c*

giddy ['gɪdɪ] ADJ (**a**) (= *dizzy*) ▸ **to be** *or* **feel giddy** være* *or* føle (*v2*) seg svimmel ❑ *He had a headache and felt giddy.* Han hadde hodepine og følte seg svimmel.
(**b**) (*fig: height*) svimlende ❑ *...the giddy heights of responsibility.* ...ansvarets svimlende høyder.
▸ **giddy with excitement** ør av spenning

gift [gɪft] S (**a**) (= *present*) gave *m*, presang *m*
(**b**) (*MERK*: ***free gift***) (gratis)gave *m* ❑ *...the free gift inside a cereal packet.* ...gratisgaven inni en pakke med frokostblanding.
(**c**) (= *ability*) evne *m* ❑ *Rudolf had the gift of being liked by everyone he met.* Rudolf hadde evnen til å bli* likt av alle han møtte.
▸ **to have a gift for sth** ha* (et) talent for noe ❑ *John has a real gift for casual conversation.* John har et virkelig talent for uformell samtale.

gifted ['gɪftɪd] ADJ (*actor, sportsman, child*) begavet, talentfull

gift token S gavekort *nt*

gift voucher S = **gift token**

gig [gɪg] (*sl: MUS*) S spillejobb *m*

gigabyte ['dʒɪgəbaɪt] S gigabyte *m*

gigantic [dʒaɪ'gæntɪk] ADJ kjempemessig, gigantisk

giggle ['gɪgl] 1 VI fnise (*v2*), knise (*v2*) ❑ *The absurd sound made her giggle.* Den absurde lyden fikk henne til å fnise *or* knise.
2 S fnis *nt*, knis *nt*
▸ **a fit of the giggles** et fniseanfall *or* kniseanfall
▸ **to do sth for a giggle** gjøre* noe for moro skyld

GIGO ['gaɪgəu] (*DATA: sl*) FK (= **garbage in, garbage out**) søppel inn, søppel ut

gild [gɪld] VT forgylle (*v2x*)
▸ **to gild the lily** gjøre* for mye ut av det

gill [dʒɪl] S (*measure*) *en kvart pint*

gills [gɪlz] SPL (*of fish*) gjeller *pl*

gilt [gɪlt] 1 ADJ (*frame, jewellery*) forgylt ❑ *...paintings in gilt frames.* ...malerier i forgylte rammer.
2 S forgylling *c* ❑ *The gilt had been chipped.* Forgyllingen hadde fått skår.
▸ **gilts** SPL (*MERK*) gullkantede verdipapirer

gilt-edged ['gɪltɛdʒd] (*MERK*) ADJ (*stocks, securities*) gullkantet

gimlet ['gɪmlɪt] S spikerbor *nt*

gimmick ['gɪmɪk] S (*sales, electoral*) gimmick *m*, knep *nt*

gin [dʒɪn] S gin *m*

ginger ['dʒɪndʒəʳ] 1 S (*spice*) ingefær *m*
2 ADJ (*hair, moustache*) rødblond, rødbrun; (*cat*) rødbrun

ginger ale S ingefærøl *nt*

ginger beer S ingefærøl *nt* (*kan være* svakt alkoholholdig*)

gingerbread ['dʒɪndʒəbrɛd] S (*cake*) ≈ krydderkake *c*; (*biscuit*) ≈ ingefærnøtt *c*

ginger group (*BRIT*) S pressgruppe *c*

gingerly ['dʒɪndʒəlɪ] ADV varsomt ❑ *They walked gingerly over the rotten floorboards.* De gikk varsomt over de råtne gulvplankene.

gingham ['gɪŋəm] S gingham *m* (*smårutete/stripete bomullsstoff*)

ginseng ['dʒɪnsɛŋ] S ginseng *m*

gipsy ['dʒɪpsɪ] S sigøyner *m*

gipsy caravan S sigøynervogn *c*

giraffe [dʒɪ'rɑːf] S sjiraff *m* (*var.* giraff)

girder ['gəːdəʳ] S (*steel/iron*) stålbjelke/jernbjelke *m*

girdle ['gəːdl] 1 S (= *corset*) hofteholder *m*
2 VT (= *surround, encircle*) omgi* ❑ *...the rings which girdle Saturn's surface.* ...ringene som omgir Saturns overflate.

girl [gəːl] S jente *c*, pike *m* ❑ *...a girls' school.* ...en pikeskole. *...a girl of nineteen.* ...en jente *or* pike på nitten. *She has two girls and a boy.* Hun har to jenter *or* piker og en gutt.
▸ **this is my little girl** dette er den lille jenta mi
▸ **an English girl** en engelsk jente *or* pike

girlfriend ['gəːlfrɛnd] S (**a**) (*of girl*) venninne *c* ❑ *She went to the movies with some girlfriends.* Hun gikk på kino sammen med noen venninner.
(**b**) (*of boy*) venninne *c*, kjæreste *m* ❑ *His girlfriend has walked out on him.* Venninnen *or* kjæresten hans har gått fra ham.

Girl Guide S jentespeider *m*, pikespeider *m*

girlish ['gəːlɪʃ] ADJ jentete, pikeaktig

Girl Scout (*US*) S jentespeider *m*, pikespeider *m*

Giro ['dʒaɪrəu] S ▸ **the National Giro** (*BRIT*) ≈ Postgiro

giro ['dʒaɪrəu] S (= *bank giro*) bankgiro *m*; (= *post office giro*) postgiro *m*; (*BRIT: welfare cheque*) trygd *c*

girth [gəːθ] S (= *circumference*) omkrets *m*, omfang *nt*; (*of horse*) bukgjord *m*, salgjord *m*

gist [dʒɪst] S ▸ **the gist (of sth)** hovedtrekk *pl* (i noe) ❑ *Can you give me the gist of it?* Kan du gi* meg hovedtrekkene i den?

KEYWORD

give [gɪv] (*pt* **gave**, *pt* **given**) 1 VT (**a**) (= *hand over*) ▸ **to give sb sth, give sth to sb** gi* noen noe, gi* noe til noen ❑ *I gave David the book/I gave the book to David.* Jeg gav David boken/Jeg gav boken til David *Give it to him/Give him it.* Gi den til ham/Gi ham den.
(**b**) (*used with noun to replace a verb*) ▸ **to give a sigh/cry/push** sukke (*v1*)/rope (*v2*)/dytte (*v1*)

▸ **to give a shrug** trekke* på skuldrene
▸ **to give a lecture** holde* tale/forelesning
(**c**) (*with abstract nouns: news, advice, message, opportunity, surprise, job, honour, right, time, one's life, attention etc*) gi ❑ *The sun gives warmth and light.* Solen gir varme og lys. *You'll need to give me more time.* Du vil måtte* gi* meg mer tid. *She gave it all her attention.* Hun gav det all sin oppmerksomhet.
▸ **to give the right/wrong answer** gi* riktig/galt svar
▸ **I gave him the chance to deny it** jeg gav ham muligheten til å benekte det
(**d**) (*= organize*) ▸ **to give a party/dinner** *etc* invitere (*v2*) til selskap/middag *etc*
2 VI (**a**) (*also* ***give way****: break, collapse*) gi* etter ❑ *His legs gave beneath him.* Beina gav etter under ham. *The roof/floor gave as I stepped on it.* Taket/gulvet gav etter da jeg tro på det.
(**b**) (*= stretch: fabric*) strekke* seg ❑ *It doesn't matter if the shoes are a bit tight, they'll give.* Det gjør ikke noe om skoene er litt trange, de vider seg ut *or* går seg til.

▸ **give away** VT (*+money, opportunity*) gi* bort; (*= betray: secret, information, oneself, person*) røpe (*v1 or v2*) ❑ *He said one thing that immediately gave him away.* Han sa en ting som straks røpet ham.; (*+bride*) føre (*v2*) opp kirkegulvet
▸ **give back** VT (*+money, book etc*) levere (*v2*) tilbake
▸ **give in** VI (*= yield*) gi* etter ❑ *We mustn't give in to threats.* Vi må ikke gi* etter for trusler.
2 VT (*+essay etc*) levere (*v2*) inn
▸ **give off** VT (*+heat, smoke*) avgi* ❑ *...the heat given off by the fire.* ...varmen som blir avgitt av ilden.
▸ **give out** 1 VT (*= distribute: prizes, books, drinks etc*) dele (*v2*) ut
2 VI (*= be exhausted: supplies*) ta* slutt ❑ *Turn all the taps on until the water gives out.* Skru opp alle kranene til vannet tar slutt.; (*= fail*) gå *The fuse in a plug will give out occasionally.* Sikringen i en plugg vil gå* av og til.
▸ **give up** 1 VI (*= surrender*) gi* seg
2 VT (*+boyfriend*) gjøre* det slutt med; (*+job, habit*) slutte (*v1*) med; (*+idea, hope*) oppgi*, gi* opp
▸ **to give up smoking** slutte (*v1*) å røyke
▸ **to give o.s. up** melde (*v2*) seg selv
▸ **give way** VI (*= yield: person*) vike*; (*= break, collapse: rope, ladder*) ryke*; (*BRIT: BIL*) vike*

give-and-take ['gɪvənd'teɪk] s gi* og ta, gjensidighet *c* ❑ *There has to be a bit of give-and-take.* Det må være* litt gi* og ta* *or* gjensidighet.
giveaway ['gɪvəweɪ] (*sl*) s ▸ **her expression was a giveaway** uttrykket hennes røpet henne
▸ **giveaway prices** gi-bort-priser
given ['gɪvn] 1 PP *of* **give**
2 ADJ (*= fixed: time, amount*) avtalt, fastsatt, gitt ❑ *At the given moment we all cheered.* På det avtalte *or* fastsatte *or* gitte tidspunktet ropte vi alle sammen.
3 KONJ ▸ **given the circumstances...** etter omstendighetene...
▸ **given that** gitt at

glacial ['gleɪsɪəl] ADJ (**a**) (*GEOG*) bre-, is- ❑ *...a glacial landscape.* ...et brelandskap.
(**b**) (*fig: person, response, stare*) iskald
glacier ['glæsɪəʳ] s (is)bre *m*, jøkel *m*
glad [glæd] ADJ glad
▸ **to be glad about sth/that** være* glad for noe/for at
▸ **I was glad of his help** jeg var glad for hjelpen hans
gladden ['glædn] VT (*sight, situation+ : person, heart*) glede (*v1*) ❑ *...it gladdened him to be home.* ...det gledet ham å være* hjemme. *It gladdened his heart to see her well again.* Det gledet hans hjerte å se at hun var frisk igjen.
glade [gleɪd] s glenne *c*, lysning *m*
gladioli [glædɪ'əulaɪ] SPL gladioler *pl*
gladly ['glædlɪ] ADV gjerne, gladelig ❑ *I would gladly admit to the murder myself.* Jeg ville* gjerne *or* gladelig tilstå mordet selv.
glamorous ['glæmərəs] ADJ glamorøs
glamour ['glæməʳ] s glamour *m*
glance [glɑːns] 1 s kikk *m*, blikk *nt* ❑ *...with a cursory glance at what I had written.* ...med en flyktig kikk *or* et flyktig blikk på de jeg hadde skrevet.
2 VI ▸ **to glance at** titte (*v1*) på, kikke (*v1*) på ❑ *Jacqueline glanced at her watch.* Jacqueline tittet *or* kikket på klokka sin.
▸ **glance off** VT FUS prelle (*v1*) av ❑ *The ball glanced off his foot into the net.* Ballen stusset foten hans og gikk inn i nettet.
glancing ['glɑːnsɪŋ] ADJ (*blow*) fra skrå vinkel ❑ *The glass hit him a glancing blow on the forehead.* Glasset traff ham på pannen med et slag fra skrå vinkel.
gland [glænd] s kjertel *m* ❑ *...the thyroid gland.* ...skjoldbruskkjertelen.
glandular ['glændjuləʳ] ADJ ▸ **glandular fever** (*BRIT*) kjertelfeber *m*
glare [glɛəʳ] 1 s (**a**) (*of anger*) olmt *or* fiendtlig blikk *nt* ❑ *...a glare of hostility.* ...et fiendtlig blikk
(**b**) (*of light*) blendende *or* skjærende lys *nt* ❑ *...the glare of the sun.* ...det blendende lyset fra sola.
(**c**) (*of publicity*) søkelys *nt* ❑ *...away from the glare of publicity.* ...vekk fra offentlighetens søkelys.
2 VI (*light+*) skjære* ❑ *A harsh thin light glared through the windows.* En skarp, tynn lysstråle skar gjennom vinduene.
▸ **to glare at** glo (*v4*) olmt på ❑ *They stopped arguing and glared at each other.* De sluttet å krangle og glodde olmt på hverandre.
glaring ['glɛərɪŋ] ADJ (*mistake*) skrikende, grell ❑ *...the glaring weakness of those arguments.* ...den skrikende *or* grelle svakheten i de argumentene.
glasnost ['glæznɔst] s glasnost *m*
glass [glɑːs] s glass *nt* ❑ *He swept away the broken glass.* Han feide bort det knuste glasset. *I put down my glass.* Jeg satte ned glasset mitt. *We'll just have one glass and go.* Vi tar bare et glass, og så går vi.
▸ **glasses** SPL (*= spectacles*) briller
glass-blowing ['glɑːsbləuɪŋ] s glassblåsing *c*
glass ceiling s (*fig*) kjønnsbarriere *c*
glass fibre s glassfiber *m*

glasshouse ['glɑːshaus] s drivhus *nt*
glassware ['glɑːswɛəʳ] s glass *nt*, glassartikler *pl*
glassy ['glɑːsɪ] ADJ *(eyes, stare)* glassaktig
Glaswegian [glæs'wiːdʒən] 1 ADJ fra Glasgow, Glasgow-
2 s *person fra Glasgow*
glaze [gleɪz] 1 VT *(+door, window)* sette* glass i; *(+pottery)* glassere *(v2)*
2 s *(on pottery)* glasur *m*
glazed [gleɪzd] ADJ **(a)** *(eyes)* glassaktig ❑ ***His eyes took on a slightly glazed, distant look.*** Øynene hans fikk et noe glassaktig, fjernt uttrykk.
(b) *(pottery, tiles)* glassert ❑ ***...glazed clay pots.*** ...glasserte leirkrukker.
glazier ['gleɪzɪəʳ] s glassmester *m*
gleam [gliːm] 1 VI **(a)** *(light, eyes+)* stråle *(v2)*, skinne *(v2x)*
(b) *(polished surface+)* skinne *(v2x)* ❑ ***The polished wood gleamed in the dim light.*** Det polerte treet skinte i det svake lyset.
2 s ▸ **a gleam of hope** et glimt av håp
gleaming ['gliːmɪŋ] ADJ glinsende, skinnende ❑ ***...the gleaming brass on the altar.*** ...den glinsende *or* skinnende messingen på alteret.
glean [gliːn] VT *(+information)* skrape *(v1 or v2)* sammen
glee [gliː] s fryd *m* ❑ ***...the glee with which the media report calamities.*** ...fryden som media rapporterer viderverdigheter på.
gleeful ['gliːful] ADJ frydefull
glen [glɛn] s juv *nt*, gjel *nt*
glib [glɪb] ADJ *(person)* glatt; *(promise, response)* lettvint
glibly ['glɪblɪ] ADV *(talk, answer)* lettvint, glatt
glide [glaɪd] 1 VI **(a)** *(snake, dancer, boat etc+)* gli* ❑ ***The snake glides smoothly towards its prey.*** Slangen glir glatt mot byttet sitt.
(b) *(birds, aeroplanes+)* sveve *(v3)*, seile *(v2)* ❑ ***An owl was gliding silently over the fields.*** En ugle svevde *or* seilte stille over markene.
2 s glideflukt *m* ❑ ***He descended in a steep glide.*** Han gikk ned i en steil glideflukt.
glider ['glaɪdəʳ] *(AVIAT)* s glidefly *nt*, seilfly *nt*
gliding ['glaɪdɪŋ] *(AVIAT)* s glideflyging *c*, seilflyging *c*
glimmer ['glɪməʳ] 1 s **(a)** *(of light)* glimt *nt*, gløtt *nt* ❑ ***...glimmers of light.*** ...glimt *or* gløtt av lys.. ...lysglimt *or* lysgløtt.
(b) *(fig)* ▸ **a glimmer of interest/hope** en antydning til interesse/håp
2 VI *(dawn, light+)* glimte *(v1)* ❑ ***Dawn glimmered through the blinds.*** Morgengryet glimtet gjennom persiennene.
glimpse [glɪmps] 1 s skimt *nt*, glimt *nt* ❑ ***...the fleeting glimpse of a figure hurrying by.*** ...det flytende skimtet *or* glimtet av en skikkelse som hastet forbi.
2 VT skimte *(v1)* ❑ ***...a village they had glimpsed through the trees.*** ...en landsby de hadde skimtet gjennom trærne.
▸ **to catch a glimpse (of)** få* et glimt (av), få* (så vidt) øye på
glint [glɪnt] 1 VI *(light, eyes, surface+)* glimte *(v1)*, glitre *(v1)* ❑ ***His spectacles glinted in the sunlight.*** Brillene hans glimtet *or* glitret i sollyset.
2 s glimt *nt* ❑ ***There was no glint of humour in the man's eyes.*** Det var ikke noe glimt av humor i mannens øyne.
glisten ['glɪsn] VI glinse *(v1)*
glitter ['glɪtəʳ] 1 VI *(light, eyes, surface+)* glitre *(v1)* ❑ ***Her jewellery glittered under the spotlight.*** Smykkene hennes glitret i rampelyset.
2 s glitring *c* ❑ ***...the glitter of the sea.*** ...glitringen fra sjøen.
glittering ['glɪtərɪŋ] ADJ **(a)** (= *sparkling*) glitrende, funklende ❑ ***...glittering Christmas trees.*** ...glitrende *or* funklende juletrær. ***...his glittering eyes...*** de glitrende *or* funklende øynene hans...
(b) *(career)* glitrende, strålende
glitz [glɪts] *(sl)* s glitter *nt* og stas *m*, fjas *nt*
gloat [gləut] VI ▸ **to gloat (over)** fryde *(v1)* seg (over), være* skadefro (over), gotte *(v1)* seg (over) ❑ ***They were gloating over my bankruptcy.*** De frydet *or* gottet seg *or* var skadefro over konkursen min.
global ['gləubl] ADJ **(a)** (= *worldwide*) global, verdensomspennende ❑ ***...protests on a global scale.*** ...protester i global målestokk *or* i verdensmålestokk.
(b) (= *overall*) global ❑ ***...a global picture of their progress.*** ...et globalt bilde av framgangen deres.
global warming s jordoppvarming *c*
globe [gləub] s **(a)** (= *world*) klode *m* ❑ ***...television pictures seen all over the globe.*** ...tv-bilder som blir sett over hele kloden.
(b) *(model of world)* globus *m* ❑ ***...maps, charts, and globes.*** ...kart og globuser.
(c) *(shape)* kule *c* ❑ ***...the orange globe of the sun.*** ...den orange kulen som er sola.
globetrotter ['gləubtrɔtəʳ] s globetrotter *m*
globule ['glɔbjuːl] s (liten) dråpe *m* ❑ ***...tiny globules of gold.*** ...bitte små dråper av gull.
gloom [gluːm] s **(a)** (= *dark*) mørke *nt* ❑ ***He peered through the gloom at the dim figure.*** Han tittet gjennom mørket på den uklare skikkelsen.
(b) (= *sadness*) dysterhet *c* ❑ ***He viewed the future with gloom.*** Han så på framtiden med dysterhet.
gloomily ['gluːmɪlɪ] ADV dystert
gloomy ['gluːmɪ] ADJ dyster ❑ ***...the hallways were mysterious and gloomy.*** ...gangene var mystiske og dystre. ***He looked gloomy again.*** Han så dyster ut igjen.
glorification [glɔːrɪfɪ'keɪʃən] s glorifisering *c*, forherligelse *m*
glorify ['glɔːrɪfaɪ] VT lovprise *(v2)*, forherlige *(v1)*
glorious ['glɔːrɪəs] ADJ *(sunshine, flowers, weather)* praktfull; *(victory, future)* strålende
glory ['glɔːrɪ] 1 s **(a)** (= *prestige*) heder *m*, ære *m* ❑ ***The warriors valued glory above life itself.*** Krigerne verdsatte heder framfor livet selv.
(b) (= *splendour*) prakt *m* ❑ ***...the glories of Venice.*** ...Venezias prakt.
2 VI ▸ **to glory in** nyte* i fulle drag ❑ ***They were glorying in this new-found freedom.*** De nøt denne nyfunne friheten i fulle drag.
glory hole *(sl)* s roterom *nt*
Glos *(BRIT: POST)* FK = **Gloucestershire**
gloss [glɔs] s **(a)** (= *shine*) glans *m* ❑ ***The wood has a high gloss.*** Treet har høy glans.
(b) *(also **gloss paint**)* blank maling *c*

► **gloss over** VT FUS (*+error, problem*) glatte (*v1*) over, dekke (*v1 or v2x*) over ❑ *Truffaut glosses over such contradictions.* Truffaut glatter *or* dekker over slike motsigelser.

glossary ['glɔsərɪ] s ordliste *c*, glossar *nt*

glossy ['glɔsɪ] 1 ADJ (*hair, photograph*) blank ❑ *She had glossy brown hair.* Hun hadde blankt brunt hår.
2 S ► **glossy (magazine)** (kulørt) ukeblad *nt*

glove [glʌv] s hanske *m*

glove compartment s hanskerom *nt*

glow [gləu] 1 VI gløde (*v1*) ❑ *A cluster of stars glowed above us.* En vrimmel av stjerner glødet over oss. *Their faces were glowing in the light of the camp fire.* Ansiktene deres glødet i lyset fra leirbålet.
2 s glød *m* ❑ *The glow increased and the branch took fire.* Gløden vokste og greinen tok fyr. *This brought a glow to her cheeks...* Dette gav henne glød i kinnene...

glower ['glauəʳ] VI ► **to glower (at sb)** glo (*v4*) olmt (på noen), stirre (*v1*) olmt (på noen)

glowing ['gləuɪŋ] ADJ (**a**) (*fire*) glødende, ulmende (**b**) (*fig: complexion, report, description*) glødende ❑ *...such glowing reports.* ...slike glødende beretninger.

glow-worm ['gləuwəːm] s sankthansorm *m*

glucose ['gluːkəus] s glukose *m*

glue [gluː] 1 S (= *adhesive*) lim *nt*, klister *nt* ❑ *...stuck on with glue.* ...limt *or* klistret fast.
2 VT ► **to glue sth onto sth/into place** *etc* lime (*v2*) *or* klistre (*v1*) noe fast til noe/på plass *etc*

glue-sniffing ['gluːsnɪfɪŋ] s limsniffing *c*

glum [glʌm] ADJ traurig, begredelig

glut [glʌt] 1 S (*of oil, goods etc*) overflod *m* ❑ *The oil glut has forced price cuts.* Overfloden på olje har tvunget fram priskutt.
2 VT ► **to be glutted (with)** (*market, economy etc+*) være* overfylt *or* sprengt (av) ❑ *The market may be glutted.* Markedet kan være* overfylt *or* sprengt.

glutinous ['gluːtɪnəs] ADJ klisset(e)

glutton ['glʌtn] s storeter *m*, slukhals *m*
► **a glutton for work/punishment** et arbeidsjern/en selvplager

gluttonous ['glʌtənəs] ADJ (*person, habits*) forsluken, grådig

gluttony ['glʌtənɪ] s fråtsing *c*, forslukenhet *c*

glycerin(e) ['glɪsəriːn] s glyserin *m*

gm FK = **gram**

GMAT (*US*) S FK (= **Graduate Management Admissions Test**) *adgangseksamen*

GMB (*BRIT*) S FK (= **General Municipal and Boilermakers (Union)**) *fagforening*

GMT FK (= **Greenwich Mean Time**) Greenwich middeltid

gnarled [nɑːld] ADJ (*tree, hand*) knudret(e)

gnash [næʃ] VT ► **to gnash one's teeth** skjære* tenner

gnat [næt] s mygg *m*

gnaw [nɔː] VT (**a**) (*+bone*) gnage (*v3*) (på)
(**b**) (*fig*) ► **to gnaw at**
(**c**) (*desires, doubts etc+*) nage (*v1*), plage (*v1*) ❑ *These desires gnaw away at us constantly.* Disse ønskene nager *or* plager oss ustoppelig.

gnome [nəum] s gnom *m*

GNP S FK = **gross national product**

KEYWORD

go [gəu] (*pt* **went**, *pp* **gone**, *pl* **goes**) 1 VI (**a**) (= *travel, move: vehicle*) kjøre (*v2*); (*person+ : on foot*) gå; (*in vehicle*) reise (*v2*), kjøre (*v2*)
► **a car went by** en bil kjørte forbi
► **she went into the kitchen** hun gikk inn på kjøkkenet
► **shall we go by car or train?** skal vi reise *or* kjøre med bil eller tog?
(**b**) (= *depart: person*) gå, dra*; (*vehicle+*) gå
► **"I must go," she said** "Jeg må gå," sa hun
► **he has gone to Aberdeen** han har reist *or* dratt til Aberdeen
► **they came at 8 and went at 9** de kom klokken 8 og gikk *or* drog klokken 9
► **our plane went at 6 pm** flyet vårt gikk klokken 18
(**c**) (= *attend*) ► **to go to** gå* på/i
► **to go to university** gå* på universitetet
► **to go to a dancing class/dancing classes** gå* på danseskole
► **to go to the local church** gå* i den lokale kirken
(**d**) (= *take part in an activity*) gå
► **to go for a walk** gå* tur
► **to go dancing** gå* ut og danse
(**e**) (= *work: piece of equipment*) gå ❑ *Is your watch going?* Går klokken din? *The tape recorder was still going.* Båndspilleren gikk fremdeles.
► **the bell went just then** klokka ringte akkurat da
(**f**) (= *become*) ► **to go pale/blue** bli* blek/blå
(**g**) (= *be sold*) ► **to go for 10 pounds** gå* for 10 pund
(**h**) (= *be about to, intend to*) ► **we're going to leave in an hour** vi kommer til å dra om en time
► **are you going to come?** kommer du?
(**i**) (*time, event, activity+*) gå ❑ *The time went very slowly.* tiden gikk veldig langsomt.
► **how did it go?** hvordan gikk det?
► **the job is to go to someone else** jobben vil gå* til en annen
(**j**) (= *break etc*) ► **the fuse went** sikringen gikk
► **the leg of the chair went** stolbenet brakk
(**k**) (= *be placed*) ► **where does this cup go?** hvor skal denne koppen stå?
► **the milk goes in the fridge** melken skal stå i kjøleskapet
2 S (**a**) (= *try*) ► **to have a go (at)** gjøre* et forsøk (på) ❑ *I'll have a go at mending it.* Jeg skal gjøre* et forsøk på å reparere den.
(**b**) (= *turn*) tur *m*
► **whose go is it?** hvem sin tur er det?
(**c**) (= *movement*) ► **to be on the go** være* i full fart, henge* i

► **go about** 1 VI (*rumour+*) gå ❑ *There's a rumour going about that you're leaving.* Det går et rykte om at du skal slutte.
2 VT FUS (= *tackle: task*) gjøre ► **how do I go about this?** hvordan gjør jeg dette?
► **to go about one's business** holde* på med sitt

► **go after** VT FUS (= *pursue: person*) følge* etter;

(*+job, record etc*) være* ute etter

► **go against** VT FUS (= *be unfavourable to*) gå* i mot ❑ *When things go against me, I get angry.* Når ting går meg i mot, blir jeg sint.; (= *disregard: advice, wishes etc*) trosse (*v1*)

► **go ahead** VI (*person+*) gå* foran ❑ *You go ahead, I'll follow.* Gå foran du, så kommer jeg etter.; (*event+*) gå *The march went ahead as planned.* Marsjen gikk som planlagt.; (= *continue (with sth)*) ▸ **to go ahead (with)** sette* i gang (med), gå* i gang (med) *They went ahead with the march.* De satte *or* gikk i gang med marsjen. ▸ **go ahead!** (*inviting*) værsågod!; (*encouraging*) kom igjen! ❑ *"Do you want to hear my idea?" "Go ahead."* "Vil du høre på ideen min?" "Kom igjen."

► **go along** VI ▸ **to go along (to)** gå* bort (til) ❑ *I went along to the classroom.* Jeg gikk bort til klasserommet.

► **go along with** VT FUS (= *agree with: plan, idea, decision*) være* med på; (*+person*) være* enig med; (= *accompany*) gå* sammen med

► **go away** VI (= *go home*) dra* hjem; (= *travel*) reise (*v2*) bort *or* vekk

► **go back** VI (= *return*) dra* tilbake

► **go back on** VT FUS (*+promise*) gå* tilbake på

► **go by** VI (*years, time+*) gå
2 VT FUS (*+rule etc*) gå* etter, følge* ❑ *Don't go by what he says.* Ikke gå* etter det han sier.

► **go down** VT FUS (*+stairs, ladder*) gå* ned
2 VI (*person, sun, price, level, ship+*) gå* ned
▸ **the speech went down well** talen ble godt mottatt

► **go for** VT FUS (= *fetch*) gå* etter ❑ *I'll just go for the papers.* Jeg skal akkurat gå* etter avisene.; (= *be attracted by*) være* glad i *Children go for the brightly-coloured packets.* Barn liker pakkene med sterke farger. *I don't exactly go for the bright green paint!* Jeg liker ikke akkurat så godt den knallgrønne malingen!; (= *attack*) gå* løs på *Your dog went for me!* Hunden din gikk løs på meg!; (= *apply to*) gjelde* for *That goes for me too.* Det gjelder for meg også.

► **go in** VI (= *enter*) gå* inn

► **go in for** VT FUS (*+competition*) gå* inn for; (*like*) ▸ **he doesn't go in for compliments** an er ingen tilhenger av komplimenter

► **go into** VT FUS (= *enter, investigate*) gå* inn i ❑ *...as one goes more deeply into a subject.* ...etter som man går dypere inn i emnet.; (*+career*) slå* inn på *Ever thought of going into journalism?* Har du noen gang tenkt på å slå inn på journalistikk?

► **go off** 1 VI (= *leave*) dra* av gårde ❑ *He had gone off to work.* Han hadde dratt av gårde på arbeid.; (*food+*) bli* dårlig; (*bomb, gun+*) gå* av; (*event+*) gå* av stabelen *The wedding went off without a hitch.* Bryllupet gikk av stabelen uten problemer. *The party went off well.* Det gikk bra med selskapet.; (*lights etc+*) bli* slått av
2 VT FUS (*sl: person, place, idea etc*) bli* lei av ❑ *I've really gone off him since he became famous.* Jeg har virkelig blitt lei av ham etter at han ble berømt.
▸ **to go off to sleep** sovne (*v1*)

► **go on** 1 VI (= *continue*) gå* videre, fortsette* ❑ *I went on up the hill.* Jeg gikk videre *or* fortsatte opp bakken.; (= *happen*) forekomme* *A lot of cheating goes on in exams.* Det forekommer en masse juks ved eksamener.; (*lights+*) bli* slått på
2 VT FUS (= *be guided by: evidence etc*) gå* etter ❑ *There isn't much to go on, I'm afraid.* Det er ikke mye å gå* etter, er jeg redd.
▸ **to go on doing sth** fortsette* å gjøre* noe
▸ **what's going on here?** hva er det som foregår *or* skjer her?

► **go on at** (*sl*) VT FUS (= *nag*) mase (*v2*) på

► **go on with** VT FUS fortsette* med ❑ *They can't go on with the examinations because everyone's sick.* De kan ikke fortsette med eksamen fordi alle er syke.

► **go out** VI (*person+*) gå* ut; (*couple+*) være* sammen ❑ *They went out for 3 years.* De var sammen i 3 år.; (*fire, light+*) slukne (*v1*)
▸ **to go out of** gå* ut av
▸ **are you going out tonight?** skal du ut i kveld?

► **go over** 1 VI gå* bort ❑ *Go over and help him.* Gå bort og hjelp ham.
2 VT (= *check*) gå* over ❑ *He helped me go over my accounts.* Han hjalp meg med å gå* over regnskapene mine.
▸ **to go over sth (in one's mind)** gå* igjennom *or* over noe (i tankene)

► **go round** VI (= *circulate: news, rumour*) gå; (= *revolve*) gå* rundt ❑ *The tape is still going round.* Båndet går fremdeles rundt.; (= *visit*) ▸ **to go round (to sb's)** stikke* innom (noen); (= *suffice*) ▸ **there was never enough food to go round** det var aldri nok mat til alle

► **go through** VT FUS (= *undergo, search through*) gå* gjennom, gjennomgå* ❑ *Not all girls go through this stage.* Ikke alle jenter går gjennom *or* gjennomgår dette stadiet. *He went through her papers.* Han gikk gjennom *or* gjennomgikk papirene hennes.; (*describe: list, book, story*) gå* gjennom *Could you go through the names again?* Kunne du gå* gjennom navnene igjen?; (= *perform*) gå* gjennom *They watched Pat going through her exercises.* De så på Pat som gikk gjennom øvelsene sine.

► **go through with** VT FUS (*+plan, crime*) gjennomføre (*v2*)
▸ **I couldn't go through with it** jeg kunne* ikke gjennomføre det

► **go under** VI (= *sink: person*) gå* under; (*fig: business, project*) gå* dukken

► **go up** VI (*person, price, level+*) gå* opp ❑ *She went up to her bedroom.* Hun gikk opp på soverommet sitt.
▸ **to go up in flames** gå* opp i flammer

► **go with** VT FUS (*suit*) passe (*v1*) til ❑ *That tie doesn't go with your shirt.* Det slipset passer ikke til skjorten din.; (= *go out with: socially*) gå* ut med; (*regularly, as a couple*) være* sammen med, ha* følge med *She's been going with him for 4 years now.* Hun har vært sammen med *or* hatt følge med ham i 4 år nå.

► **go without** VT FUS (*+food, treats*) gå/være uten

goad [gəud] VT (+*person*) ▸ **to goad sb (into doing sth)** drive* noen (til å gjøre* noe)
▸ **goad on** VT FUS (+*person*) drive* videre, anspore (*v1*)
go-ahead ['gəuəhɛd] 1 ADJ (*person, firm*) fremadstormende, driftig ❑ *...his go-ahead young secretary.* ...hans fremadstormende *or* driftige unge sekretær.
2 S (*for project*) klarsignal *nt*, grønt lys *nt* ❑ *You have the go-ahead from the Prime Minister.* Du har klarsignal *or* grønt lys fra statsministeren.
▸ **to give sb the go-ahead** gi* noen klarsignal *or* grønt lys
goal [gəul] S (*gen*) mål *nt* ❑ *They beat us by four goals to three.* De slo oss med fire mot tre mål. *The ball missed the goal by a few inches.* Ballen bommet på målet med et par tommer. *They had at last achieved their goal.* De hadde endelig nådd målet sitt.
▸ **to score a goal** score (*v1*) mål
goal difference S målforskjell *m*
goalie ['gəulɪ] (*sl*) S keeper *m*
goalkeeper ['gəulki:pəʳ] S målvakt *c*, keeper *m*
goalpost ['gəulpəust] S (mål)stolpe *m*
goat [gəut] S geit *f*
gobble ['gɔbl] VT (*also* **gobble down, gobble up**) sluke (*v2*), hive* innpå
go-between ['gəubɪtwi:n] S mellommann *m irreg* ❑ *He was there to act as a go-between.* Han var der og kunne* opptre som mellommann.
Gobi Desert ['gəubɪ-] S ▸ **the Gobi Desert** Gobiørkenen
goblet ['gɔblɪt] S stetteglass *nt*, pokal *m*
goblin ['gɔblɪn] S (slem) nisse *m*, (slem) vette *m*
go-cart ['gəukɑ:t] S go-cart *m*
God [gɔd] 1 S Gud
2 INTERJ (å) gud, herregud ❑ *God, he looks awful.* Herregud *or* Å gud, han ser fæl ut.
see also **god**
god [gɔd] S (**a**) (*MYT, REL*) gud *m* ❑ *...punished by the gods.* ...straffet av gudene.
(**b**) (*fig*) idol *nt* ❑ *...my uncles were my gods.* ...onklene mine var idolene mine.
see also **God**
god-awful [gɔd'ɔ:fəl] (*sl*) ADJ jævlig (*sl*)
godchild ['gɔdtʃaɪld] S fadderbarn *nt*
goddamn(ed) ['gɔddæm(d)] (*US : sl*) ADJ fordømt
goddaughter ['gɔddɔ:təʳ] S fadderbarn *nt*, guddatter *c*
goddess ['gɔdɪs] S (*MYT, REL, fig*) gudinne *c* ❑ *...screen goddesses like Marilyn Monroe.* ...filmgudinner som Marilyn Monroe.
godfather ['gɔdfɑ:ðəʳ] S fadder *m*, gudfar *m irreg*
God-fearing ['gɔdfɪərɪŋ] ADJ gudfryktig
godforsaken ['gɔdfəseɪkən] ADJ (*place, spot*) gudsforlatt
godmother ['gɔdmʌðəʳ] S fadder *m*, gudmor *c*
godparent ['gɔdpɛərənt] S fadder *m*
godsend ['gɔdsɛnd] S (= *blessing*) Guds gave *m*, *noe som kommer som sendt fra himmelen* ❑ *The extra twenty-five dollars was a godsend.* De ekstra tjuefem dollarene var en Guds gave *or* kom som sendt fra himmelen.
godson ['gɔdsʌn] S fadderbarn *nt*
goes [gəuz] VB *see* **go**
gofer ['gəufəʳ] (*sl*) S visergutt *m*
go-getter ['gəugɛtəʳ] S ambisiøs og foretaksom person *m*
goggle ['gɔgl] VI (*sl*) ▸ **to goggle at** glo (*v4*) (på), glane (*v2*) (på)
goggles ['gɔglz] SPL (*for skiing*) skibriller *pl*; (*for motorcycling*) kjørebriller *pl*
going ['gəuɪŋ] 1 S ▸ **the going** (= *conditions*) forhold *pl* ❑ *When the going gets tough, we run back to our parents.* Når forholdene blir tøffe, løper vi hjem til foreldrene våre.
2 ADJ ▸ **the going rate** den vanlige *or* gjeldende satsen
▸ **it was slow going** det gikk sakte *or* langsomt
going-over [gəuɪŋ'əuvəʳ] (*sl*) S (= *check*) ▸ **to give sth a good going-over** gi* noe et grundig ettersyn; (= *beating*) ▸ **to give sb a good going-over** gi* noen en grundig overhaling
goings-on ['gəuɪŋz'ɔn] (*sl*) SPL hendelser *pl* ❑ *...an amusing story about the goings-on at Harry's Bar.* ...en underholdende historie om hendelsene på Harrys Bar.
go-kart ['gəukɑ:t] S = **go-cart**
gold [gəuld] 1 S gull *nt* ❑ *...a rate for the dollar against gold.* ...en kurs for dollar mot gull. *He won the gold at Amsterdam in 1928.* Han vant gull i Amsterdam i 1928.
2 ADJ gull-
golden ['gəuldən] ADJ (**a**) (= *made of gold*) gull-, av gull ❑ *...a tiny golden cross.* ...et bitte lite gullkors.
(**b**) (*in colour*) gyllen
(**c**) (*fig : opportunity, future*) gyllen ❑ *We feel sure your future here is golden.* Vi er sikre på at du har en gyllen framtid her.
golden age S gullalder *m* ❑ *...the golden age of jazz.* ...jazzens gullalder.
golden goal S golden goal *m*
golden handshake (*BRIT*) S gyllen fallskjerm *m*
golden rule S gyllen regel *m*
goldfish ['gəuldfɪʃ] S gullfisk *m*
gold leaf S bladgull *nt*
gold medal S gullmedalje *m*
goldmine ['gəuldmaɪn] S (*also fig*) gullgruve *c* ❑ *The business turned out to be a real goldmine.* Forretningen viste seg å være* en virkelig gullgruve.
gold-plated ['gəuld'pleɪtɪd] ADJ forgylt, gullbelagt
goldsmith ['gəuldsmɪθ] S gullsmed *m*
gold standard S ▸ **the gold standard** gullstandarden
golf [gɔlf] S golf *m* ❑ *We played golf at least twice a week.* Vi spilte golf minst to ganger i uka.
golf ball S (*SPORT*) golfball *m*; (*on typewriter*) kulehode *nt*
golf club S (*organization*) golfklubb *m*; (*stick*) golfkølle *c*
golf course S golfbane *m*
golfer ['gɔlfəʳ] S golfspiller *m*
golfing ['gɔlfɪŋ] 1 S golfspilling *m*
2 SAMMENS golf-
▸ **he does a lot of golfing** han spiller mye golf
gondola ['gɔndələ] S gondol *m*
gondolier [gɔndə'lɪəʳ] S gondolier *m*, gondolfører *m*

gone [gɔn] 1 PP *of* **go**
2 ADJ omme, forbi ❑ *The days are gone when...* De dagene er omme *or* forbi da...
goner ['gɔnəʳ] (*sl*) S ▸ **to be a goner** være* dau
gong [gɔŋ] S gongong *m*, gong *m*
good [gud] 1 ADJ (**a**) (= *pleasant, satisfactory, high quality*) god, bra, fin ❑ *They had a good time.* De hadde det fint *or* bra. *His marks were good.* Karakterene hans var gode *or* bra *or* fine. *She speaks good English.* Hun snakker godt *or* bra engelsk.
(**b**) (= *desirable, acceptable*) bra ❑ *They were taught to share, and that can only be good.* De ble lært opp til å dele med seg, og det kan bare være* bra.
(**c**) (= *kind, well-behaved*) snill ❑ *He's always been good to me.* Han har alltid vært snill mot meg. *Were the kids good?* Var barna snille?
(**d**) (= *morally*) god ❑ *There was no trace of evil in her – she was good.* Det var ikke fnugg av ondskap i henne – hun var god.
2 S (**a**) (= *virtue, morality*) gode *nt* ❑ *To him "success" was the highest moral good.* For ham var suksess det høyeste moralske gode.
(**b**) (= *benefit*) ▸ **for the good of** til beste for ❑ *Casey should quit for the good of the agency.* Casey burde slutte til beste for byrået.
▸ **goods** SPL (*MERK*) varer *pl* ❑ *...a wide range of electrical goods.* ...et bredt spekter av elektriske varer.
▸ **good!** fint!, bra!
▸ **to be good at sth/at doing sth** være* flink til noe/til å gjøre* noe
▸ **to be good for** (= *useful*) være* bra *or* fin til ❑ *It is also good for cleaning paint brushes.* Det er også bra *or* fint til å gjøre* rent malerkoster.
▸ **it's good for you** du har godt av det; (= *healthy*) du har godt av det, det er sunt (for deg)
▸ **it's a good thing you were there** det var bra du var der
▸ **she is good with children/her hands** hun er flink med barna/med hendene
▸ **to feel good** føle (*v2*) seg vel, ha* det bra *or* fint
▸ **it's good to see you** det er godt *or* fint å se deg
▸ **he's up to no good** han pønsker på noe, han har ondt i sinne
▸ **for the common good** til felles beste
▸ **would you be good enough to ...?** kunne* du være* så snill å ...?
▸ **that's very good of you** det er veldig snilt av deg
▸ **is this any good?** (**a**) (= *will it do?*) går det bra med dette? ❑ *I haven't got a proper bottle opener, but will this do?* Jeg har ikke noen skikkelig opptrekker, men går det bra med dette?
(**b**) (= *what's it like?*) er denne noe tess *or* noe bra?
▸ **a good deal (of)** en god del
▸ **a good many** en hel del
▸ **take a good look** se nøye etter
▸ **a good while ago** for en god stund siden
▸ **to make good** (+*damage, loss*) gjøre* opp for, gjøre* godt igjen
▸ **it's no good complaining** det nytter ikke å klage, det er ingen vits i å klage
▸ **for good** (= *forever*) for godt ❑ *The theatre closed down for good.* Teateret stenger for godt.
▸ **good morning/afternoon!** god morgen/dag!
▸ **good evening!** god kveld!, god aften! (*fml*)
▸ **good night!** god natt!
▸ **goods and chattels** ≈ innbo og løsøre
goodbye [gud'baɪ] INTERJ adjø, morna, ha* det (bra)
▸ **to say goodbye** si* adjø, si ha* det, ta* farvel *or* avskjed
good-for-nothing ['gudfənʌθɪŋ] ADJ udugelig ❑ *...his good-for-nothing son.* ...den udugelige sønnen hans.
Good Friday S Langfredag *m*
good-humoured ['gud'hju:məd] ADJ godmodig
good-looking ['gud'lukɪŋ] ADJ pen
good-natured ['gud'neɪtʃəd] ADJ (*person, pet*) godlynt; (*discussion*) vennlig
goodness ['gudnɪs] S (*of person*) godhet *c* ❑ *Is this how you repay my goodness?* Er dette måten du svarer på godheten min på?
▸ **for goodness sake!** for guds skyld
▸ **goodness gracious!** gode gud *or* gode fred!, å du gode!
▸ **thank goodness!** gudskjelov!
▸ **out of the goodness of his heart** fra hans hjerte
goods train (*BRIT*) S godstog *nt*
goodwill [gud'wɪl] S (**a**) (*of person*) velvilje *m* ❑ *He beamed with goodwill.* Han strålte av velvilje.
(**b**) (*MERK*) goodwill *m*
goody-goody ['gudɪgudɪ] (*sl, neds*) S smisk *m*, dydsmønster *nt*
gooey ['gu:ɪ] (*sl*) ADJ klissete
goose [gu:s] (*pl* **geese**) S gås *c irreg*
gooseberry ['guzbərɪ] S stikkelsbær *nt*
▸ **to play gooseberry** (*BRIT*) være* femte hjul på vogna ❑ *I'd hate to play gooseberry to you and your boyfriend.* Jeg vil ikke være* femte hjul på vogna for deg og kjæresten.
gooseflesh ['gu:sflɛʃ] S = **goose pimples**
goose pimples SPL gåsehud *m*
goose step (*MIL*) S hanemarsj *m*
GOP (*US: POL: sl*) S FK (= **Grand Old Party**) Det republikanske parti
gopher ['gəufəʳ] (*ZOOL*) S jordekorn *n*
gore [gɔ:ʳ] 1 VT (*bull, buffalo+*) stange (*v1*)
2 S (= *blood*) blod *nt* (og gørr)
gorge [gɔ:dʒ] 1 S kløft *c*, skar *nt*
2 VT ▸ **to gorge o.s. (on)** meske (*v1*) seg (med)
gorgeous ['gɔ:dʒəs] ADJ (*necklace, dress, weather*) (kjempe)flott, skjønn, nydelig; (*person*) skjønn, nydelig
gorilla [gə'rɪlə] S gorilla *m*
gormless ['gɔ:mlɪs] (*BRIT: sl*) S tåpelig, tomset(e) (*sl*)
gorse [gɔ:s] S gulltorn *m*
gory ['gɔ:rɪ] ADJ (*details, situation*) blodig, bloddryppende
go-slow ['gəu'sləu] (*BRIT*) S gå-sakte-aksjon *m* ❑ *The union threatened a go-slow.* Fagforeningen truet med en gå-sakte-aksjon.
gospel ['gɔspl] S evangelium *nt irreg* ❑ *...the Gospel according to St Mark.* ...Markusevangeliet. *They continue to preach*

their gospel of self-reliance. De fortsetter å preke sitt selvtillitsevangelium.

gossamer ['gɔsəməʳ] s (= *cobweb*) spindelvev *nt*; (= *light fabric*) flortynt stoff *nt*

gossip ['gɔsɪp] 1 s (**a**) (= *rumours*) sladder *nt or m* ❑ *They enjoy spreading gossip about their colleagues.* De nyter å spre sladder om kollegene sine.
(**b**) (= *chat*) sladrerunde *m* ❑ *What he really enjoys is a good gossip.* Det han virkelig liker, er en skikkelig sladrerunde.
(**c**) (*person*) sladrebøtte *c* ❑ *Isn't he a bit of a gossip himself?* Er han ikke litt av en sladrebøtte selv?
2 VI (= *chat*) sladre (*v1*), skravle (*v1*) ❑ *I mustn't stay gossiping with you.* Jeg må ikke sitte og sladre *or* skravle med deg.
▸ **a piece of gossip** litt sladder

gossip column s sladrespalte *m*

got [gɔt] PRET, PP *of* **get**

Gothic ['gɔθɪk] ADJ gotisk ❑ *...carved Gothic doorways.* ...utskårne gotiske portaler.

gotten ['gɔtn] (*US*) PP *of* **get**

gouge [gaudʒ] VT (*also* ***gouge out***: *hole etc*) slå* ❑ *You've gouged a hole in the wall...* Du har slått et hull i veggen...
▸ **to gouge sb's eyes out** presse (*v1*) ut øynene på noen

gourd [guəd] s (*fruit, plant*) gresskar *nt*

gourmet ['guəmeɪ] s gourmet *m*

gout [gaut] s gikt *c*

govern ['gʌvən] VT (*gen, LING*) styre (*v2*) ❑ *...a State, governed by a single party.* ...en stat, styrt av ett eneste parti. *There are strict rules governing the killing of kangaroos.* Det er strenge regler som styrer slaktingen av kenguruer.

governess ['gʌvənɪs] s guvernante *c*

governing ['gʌvənɪŋ] ADJ styrende

governing body s styrende organ *nt*

government ['gʌvnmənt] 1 s regjering *c* ❑ *...no previous experience of government.* ...ingen tidligere regjeringserfaring. *...the government of Mexico.* ...regjeringen i Mexico.
2 SAMMENS statlig ❑ *...his government grant.* ...hans statlige stipendiet.
▸ **local government** lokalt selvstyre *nt*

governmental [gʌvn'mentl] ADJ regjerings-

government housing (*US*) s sosialboliger *pl*

government stock s statsaksjer *pl*

governor ['gʌvənəʳ] s (**a**) (*of state, colony*) guvernør *m* ❑ *...the Governor of New York.* ...guvernøren i New York.
(**b**) (*of bank, school, hospital*) styremedlem *nt* ❑ *...the Board of Governors.* ...styret.
(**c**) (*BRIT: of prison*) fengselsdirektør *m*

Govt FK = **government**

gown [gaun] s (*dress*) (lang) kjole *m*; (*BRIT: of teacher, judge*) kappe *c*

GP S FK = **general practitioner**

GPMU (*BRIT*) S FK (= **Graphical Media and Paper Union**) *fagforening*

GPO S FK (*BRIT: formerly*) (= **General Post Office**) ≈ postverket; (*US*) (= **Government Printing Office**) ≈ Statens trykning

gr. (*MERK*) FK = **gross**

grab [græb] 1 VT (**a**) (= *seize*) gripe* ❑ *I grabbed her by the shoulders.* Jeg grep henne i skuldrene.
(**b**) (+*food, sleep*) få* seg ❑ *He hoped to grab a few hours sleep.* Han håpet å få* seg et par timers søvn.
(**c**) (+*chance, opportunity*) gripe* ❑ *Why didn't you grab the chance to go to New York?* Hvorfor grep du ikke sjansen til å dra til New York?
2 VI ▸ **to grab at** slå* kloa i, grafse (*v1*) til seg ❑ *She fell on her knees to grab at the money.* Hun falt ned på knærne for å slå kloa i *or* grafse til seg pengene.

grace [greɪs] 1 s (**a**) (*REL*) nåde *m* ❑ *...divine grace.* ...guddommelig nåde.
(**b**) (= *gracefulness*) ynde *m*, gratie *m* ❑ *She moved with an extraordinary grace.* Hun beveget seg med en usedvanlig ynde *or* gratie.
2 VT (**a**) (= *honour*) smykke (*v1*) (med sitt nærvær), beære (*v1*) med sitt nærvær ❑ *He had been invited to grace a function at the college.* Han hadde blitt invitert til å smykke *or* beære en tilstelning ved skolen med sitt nærvær.
(**b**) (= *adorn*) smykke (*v1*), pryde (*v1*) ❑ *...plants that grace our conservatories.* ...planter som smykker *or* pryder vinterhagene våre.
▸ **5 days' grace** 5 dagers frist
▸ **with (a) good/bad grace** med gode/sure miner
▸ **his saving grace** det som redder ham, et forsonende trekk ved ham
▸ **to say grace** be* bordbønn

graceful ['greɪsful] ADJ (**a**) (*person, style etc*) grasiøs, elegant
(**b**) (*refusal*) taktfull, høflig ❑ *There is no graceful way of refusing.* Det er ikke noen taktfull *or* høflig måte å nekte på.

gracious ['greɪʃəs] 1 ADJ (**a**) (*person*) elskverdig
(**b**) (*when granting favour etc*) forekommende
(**c**) (*smile*) elskverdig, forekommende
(**d**) (*living etc*) herskapelig, fornem ❑ *...the last remnants of a more gracious era.* ...de siste rester av en mer herskapelig *or* fornem æra.
2 INTERJ ▸ **(good) gracious!** (du) slette tid!, du store all verden!, (du) store min!

gradation [grə'deɪʃən] s gradvis overgang *m*

grade [greɪd] 1 s (**a**) (*MERK: quality*) kvalitet *m* ❑ *...different grades of paper.* ...forskjellige papirkvaliteter.
(**b**) (*in hierarchy*) lag *nt*, kategori *m* ❑ *...different grades of staff.* ...ulike lag *or* kategorier av ansatte.
(**c**) (*SKOL: mark*) karakter *m* ❑ *I got grade B.* Jeg fikk (karakteren) B.. Jeg fikk B i karakter.
(**d**) (*US: school class*) klasse *m* ❑ *She had entered the sixth grade...* Hun hadde begynt i sjette klasse...
(**e**) (*US: gradient*) oppoverbakke *m* ❑ *On a steep grade...* I en bratt oppoverbakke...
2 VT (= *rank, class*) sortere (*v2*) ❑ *...the way wheat was graded.* ...hvordan hvete ble sortert.
▸ **to make the grade** (*fig*) klare (*v2*) seg fint ❑ *You'll make the grade, don't worry.* Du kommer til å klare deg fint, ikke vær redd.

grade crossing (*US*) s jernbaneovergang *m*

grade school (*US*) s ≈ barneskole *m*
gradient ['greɪdɪənt] s (**a**) (*of road, slope*) stigningsforhold *nt*, hellingsgrad *m* ❑ *...a gradient of 1 in 5.* ...et stigningsforhold *or* en hellingsgrad på 1:5.
(**b**) (*GEOM*) kurve *m* ❑ *...a stable temperature gradient.* ...en stabil temperaturkurve *or* stabile temperaturforhold.
gradual ['grædjuəl] ADJ (*change, evolution*) gradvis
gradually ['grædjuəlɪ] ADV gradvis
graduate [*N* 'grædjuɪt, *VB* 'grædjueɪt] 1 s (*of university*) *en som er universitetsutdannet*; (*US: of high school*) avgangselev *m* (*fra videregående skole*)
2 VI (*from university*) avslutte (*v1*) universitetsutdanning; (*US: from high school*) ta* avsluttende eksamen (*på videregående skole*)
graduated pension s progressiv pensjon *m*
graduation [grædju'eɪʃən] s (*ceremony*) eksamensfest *m*, avslutningsseremoni *m* (*på videregående skole, høyskole eller universitet*)
graffiti [grə'fi:tɪ] s, SPL graffiti *m uncount*
graffiti artist s graffitikunstner *m*
graft [grɑ:ft] 1 s (**a**) (*AGR, MED*) transplantasjon *m* ❑ *...skin grafts on her thighs.* ...hudtransplantasjoner på lårene.
(**b**) (*BRIT: sl: hard work*) slit *nt*, sjauing *c* ❑ *...the hard graft of the working men.* ...det harde slitet *or* den harde sjauinga til arbeidskarene.
(**c**) (*US: bribery*) bestikkelse *m*
2 VT ▸ **to graft (onto)** (**a**) (*AGR, MED*) transplantere (*v2*) (til) ❑ *...the new veins grafted to his heart.* ...de nye årene som ble transplantert til hjertet hans.
(**b**) (*fig*) innpode (*v1*) (i) ❑ *...modern structures grafted on to ancient cultures.* ...moderne strukturer som er innpodet i gamle kulturer.
grain [greɪn] s (**a**) korn *nt* ❑ *...a hen pecking around for grains of corn.* ...en høne som hakket rundt etter maiskorn. *We had money and surplus grain.* Vi hadde penger og overskudd på korn.
(**b**) (*of sand, salt*) korn *nt* ❑ *Each grain of sand is different.* Hvert sandkorn er forskjellig.
(**c**) (*of wood*) mønster *nt* i veden
▸ **it goes against the grain** det er naturstridig
gram [græm] s gram *nt*
▸ **500 grams of flour** 500 gram mel
grammar ['græmə^r^] s (**a**) (*LING*) grammatikk *m* ❑ *Is there enough grammar taught in schools?* Er det nok grammatikkundervisning på skolene?
(**b**) (*book*) grammatikk *m* ❑ *...an old French grammar.* ...en gammel fransk grammatikk.
grammar school (*BRIT*) s *ungdomsskole og gymnas med vekt på teoretiske fag*
grammatical [grə'mætɪkl] ADJ grammatisk
gramme [græm] s = **gram**
gramophone ['græməfəun] (*BRIT: gam*) s grammofon *m*
granary ['grænərɪ] s kornlager *nt*, kornkammer *nt*
▸ **granary bread** *or* **loaf**® granarybrød *nt*
grand [grænd] 1 ADJ (**a**) (*= splendid, impressive*) storslagen, praktfull ❑ *...the grand country house she lived in.* ...den storslagne *or* praktfulle herregården hun bodde i.
(**b**) (*sl: wonderful*) flott, kjempefint ❑ *Oh that's grand.* Å, det er flott *or* kjempefint.
(**c**) (*gesture etc*) stor ❑ *...on a really grand scale.* ...på en virkelig stor skala.
2 s (*sl: thousand*) tusing *m* (*sl*) ❑ *We still need another couple of grand.* Vi trenger fremdeles et par tusinger til.
grandchild ['græntʃaɪld] (*pl* **grandchildren**) s barnebarn *nt*
granddad ['grændæd] (*sl*) s bestefar *m irreg*
granddaughter ['grændɔ:tə^r^] s barnebarn *nt*, datterdatter/sønnedatter *c irreg*
grandeur ['grændjə^r^] s storslagenhet *c*, prakt *m*
grandfather ['grændfɑ:ðə^r^] s bestefar *m irreg*; (*on father's side*) farfar *m irreg*; (*on mother's side*) morfar *m irreg*
grandiose ['grændɪəus] (*neds*) ADJ (*scheme, building*) (for) storslagen, overdådig
grand jury (*US*) s storjury *m* (*som skal avgjøre om det skal reises tiltale*)
grandma ['grænmɑ:] (*sl*) s bestemor *c irreg*
grandmother ['grænmʌðə^r^] s bestemor *c irreg*; (*on father's side*) farmor *c irreg*; (*on mother's side*) mormor *c irreg*
grandpa ['grænpɑ:] (*sl*) s = **granddad**
grandparents ['grændpɛərənts] SPL besteforeldre
grand piano s flygel *nt*
Grand Prix ['grɑ̃:'pri:] s Grand Prix
grandson ['grænsʌn] s barnebarn *nt*, dattersønn/sønnesønn *m*
grandstand ['grændstænd] s (sitte)tribune *m*
grand total s total *m*, samlet sum *m* ❑ *...a grand total of £50.* ...en samlet sum *or* en total på 50 pund.
granite ['grænɪt] s granitt *m*
granny ['grænɪ] (*sl*) s bestemor *c irreg*
grant [grɑ:nt] 1 VT (**a**) (*+money*) bevilge (*v1*) ❑ *...to grant each family £25,000.* ...å bevilge 25 000 pund til hver familie.
(**b**) (*+a request, visa etc*) innvilge (*v1*) ❑ *He was finally granted an exit visa.* Han fikk til slutt innvilget utreisevisum.
(**c**) (*= admit*) innrømme (*v1 or v2x*) ❑ *That joy ride, I grant you, was a silly stunt.* Den heisaturen skal jeg innrømme var et dumt påfunn.
2 s (**a**) (*SKOL*) stipend *nt* ❑ *...student grants.* ...studentstipender.
(**b**) (*ADMIN: subsidy*) støtte *m*, tilskudd *nt* ❑ *They get a grant from the council.* De får støtte *or* et tilskudd fra kommunen.
▸ **to take sb/sth for granted** ta* noen/noe for gitt
▸ **to grant that** innrømme (*v1 or v2x*) at ❑ *But I grant that this has its awkward moments.* Men jeg innrømmer at dette har sine beklemmende øyeblikk.
granulated sugar ['grænjuleɪtɪd-] s grov farin *m*
granule ['grænju:l] s (*of coffee, salt*) korn *nt*
grape [greɪp] s drue *m*
▸ **a bunch of grapes** en drueklase
grapefruit ['greɪpfru:t] (*pl* **grapefruit** *or* **grapefruits**) s grapefrukt *m*
grapevine ['greɪpvaɪn] s vinranke *m*, vinstokk *m*
▸ **I heard it on the grapevine** (*fig*) jeg fikk greie på det via jungeltelegrafen
graph [grɑ:f] s kurve *m*, diagram *nt*

graphic ['græfɪk] ADJ (**a**) (*account, description*) malende, livaktig ❑ *...his graphic stories of persecution.* ...hans malende *or* livaktige historier om forfølgelser.
(**b**) (*art, design*) grafisk ❑ *The graphic work owes a good deal to Goya.* Det grafiske arbeidet står i stor gjeld til Goya.
see also **graphics**

graphic designer s grafisk formgiver *m*, grafisk designer *m*

graphic equalizer [-iːkwəlaɪzəʳ] s grafisk equalizer *m*

graphics ['græfɪks] 1 s (*art*) grafikk *m* ❑ *...to study graphics.* ...å studere grafikk.
2 SPL (= *drawings*) grafikk *m uncount* ❑ *...computer generated graphics.* ...computergrafikk.

graphite ['græfaɪt] s grafitt *m*

graph paper s millimeterpapir *nt*

grapple ['græpl] VI ▸ **to grapple with sb/sth** (*also fig: person, problem*) slåss* med noen/noe, kjempe (*v1*) med noen/noe

grasp [grɑːsp] 1 VT (**a**) (= *hold, seize*) gripe* (fatt i), ta* tak i ❑ *Edward grasped Castle's arm.* Edward grep (fatt i) *or* tok tak i Castles arm.
(**b**) (= *understand*) få* tak i *or* på, oppfatte (*v1*) ❑ *The concepts were difficult to grasp.* Begrepene var vanskelige å få* tak i *or* på *or* å oppfatte.
2 s (**a**) (= *grip*) grep *nt* ❑ *The animal had a powerful grasp.* Dyret hadde et kraftig grep.
(**b**) (= *understanding*) grep *nt*, tak *nt* NB *His grasp of complicated concepts...* Grepet *or* taket han har på kompliserte begreper...
▸ **it slipped from my grasp** det glapp unna meg, jeg mistet grepet *or* taket på det
▸ **to have sth within one's grasp** ha* noe innenfor sin rekkevidde
▸ **to have a good grasp of sth** (*fig*) ha* et godt grep *or* tak på noe

▸ **grasp at** VT FUS (**a**) (*+rope etc*) gripe* etter
(**b**) (*fig: opportunity*) gripe*

grasping ['grɑːspɪŋ] ADJ (= *money-grabbing*) grisk, grådig

grass [grɑːs] s (**a**) (*BOT*) gress *nt* (*var.* gras) ❑ *...long grass.* ...høyt gress. *Keep off the grass.* Trå ikke på gresset.
(**b**) (*BRIT: sl: informer*) tyster *m*

grasshopper ['grɑːshɔpəʳ] s gresshoppe *c* (*var.* grashoppe)

grass-roots ['grɑːsruːts] ADJ (*level, opinion*) grasrot- ❑ *...grass-roots support for the new party.* ...grasrotstøtte til det nye partiet.

grass snake s snok *m*, buorm *m*

grassy ['grɑːsɪ] ADJ (*bank, slope*) gress-, gressbevokst

grate [greɪt] 1 s (*for fire*) peis *m* ❑ *A fire was burning in the grate.* Det brant en ild på peisen.
2 VI ▸ **to grate (on)** (**a**) (*metal, chalk+*) skurre (*v1*) (på), gnisse (*v1*) (på) ❑ *...her shoes grating on the steps.* ...skoene hennes som skurret *or* gnisset på trappetrinnene.
(**b**) (*fig: noise, behaviour*) skurre (*v1*) (for) ❑ *That shrill laugh grated on her.* Den høye latteren skurret for henne.
3 VT (*KULIN*) rive* ❑ *...grated cheese.* ...revet ost.

grateful ['greɪtful] ADJ takknemlig ❑ *I am so grateful to you for coming.* Jeg er så takknemlig til dere for at dere kom.
▸ **our grateful thanks to all those who helped** vår dypeste takknemlighet til alle som hjalp til

gratefully ['greɪtfəlɪ] ADV takknemlig

grater ['greɪtəʳ] (*KULIN*) s rivjern *nt*

gratification [grætɪfɪ'keɪʃən] s tilfredsstillelse *m*

gratify ['grætɪfaɪ] VT (**a**) (= *please: person*) gjøre* tilfreds, glede (*v1*) ❑ *I was gratified to find that...* Jeg var tilfreds over å oppdage at...
(**b**) (= *satisfy: whim, desire*) tilfredsstille (*v2x*) ❑ *Was she merely gratifying her own appetite?* Prøvde hun bare å tilfredsstille sin egen appetitt?

gratifying ['grætɪfaɪɪŋ] ADJ tilfredsstillende, gledelig ❑ *The new plan may be gratifying to the President.* Den nye planen kan være* tilfredsstillende *or* gledelig for presidenten.

grating ['greɪtɪŋ] 1 s (= *iron bars*) gitter(verk) *nt*
2 ADJ (*noise*) skurrende, skjærende

gratitude ['grætɪtjuːd] s takknemlighet *c* NB *...my gratitude to the BBC.* ...min takknemlighet overfor BBC.

gratuitous [grə'tjuːɪtəs] ADJ (*violence, cruelty*) umotivert, meningsløs

gratuity [grə'tjuːɪtɪ] s driks *m uncount*, tips *nt uncount*

grave [greɪv] 1 s grav *c*
2 ADJ alvorlig ❑ *She returned, looking even graver.* Hun kom tilbake og så enda alvorligere ut.

gravedigger ['greɪvdɪgəʳ] s graver *m*

gravel ['grævl] s grus *m uncount*

gravely ['greɪvlɪ] ADV alvorlig
▸ **gravely ill** alvorlig syk

gravestone ['greɪvstəun] s gravste(i)n *m*, gravstøtte *c*

graveyard ['greɪvjɑːd] s kirkegård *m*, gravlund *m*

gravitate ['grævɪteɪt] VI ▸ **to gravitate (toward** *or* **towards)** bli* trukket mot, bli* tiltrukket av ❑ *People gravitate toward cheaper foods.* Folk blir trukket mot *or* tiltrukket av billigere matvarer.

gravity ['grævɪtɪ] s (**a**) (*FYS*) tyngde *m* ❑ *...the law of gravity.* ...tyngdeloven.
(**b**) (= *seriousness*) alvor *nt* ❑ *...the gravity of the financial position.* ...alvoret i den økonomiske situasjonen.

gravy ['greɪvɪ] s (brun) saus *m*, sjy *m*

gravy boat s sausenebb *nt*

gravy train (*sl*) s ▸ **to ride the gravy train** være* midt i smørøyet

gray [greɪ] (*US*) ADJ = **grey**

graze [greɪz] 1 VI (*animal+*) gresse (*v1*), beite (*v1*) ❑ *The horses graze peacefully.* Hestene gresset *or* beitet fredelig.
2 VT (**a**) (= *scrape*) skrubbe (*v1*) (opp) ❑ *I grazed my legs as he pulled me up.* Jeg skrubbet (opp) bena mine da han drog meg opp.
(**b**) (= *touch lightly*) streife (*v1*) ❑ *Something hard grazed the back of his head.* Noe hardt streifet bakhodet hans.
3 s skrubbsår *nt*

grazing ['greɪzɪŋ] s (= *pasture*) beitemark *c*, beiteområde *nt* ❑ *...the lack of good grazing.*

...mangelen på gode beitemarker *or* beiteområder.

grease [gri:s] 1 s (**a**) (*lubricant*) smøreolje *c*, gris *m* (**b**) (= *fat*) fett *nt* ❑ *Try cooking oil or grease.* Prøv matolje eller fett.
2 VT smøre* ❑ *Clean and grease the valve thoroughly.* Rens og smør ventilen grundig. *Grease two ovenproof dishes.* Smør to ildfaste former.

grease gun s fettpresse *c*, smørepistol *m*

greasepaint ['gri:speɪnt] s teatersminke *m*

greaseproof paper ['gri:spru:f-] (*BRIT*) s matpapir *nt*, smørpapir *nt*

greasy ['gri:sɪ] ADJ (**a**) (*food, tools, skin, hair*) fet (*var.* feit) fettet(e) ❑ *...greasy hamburgers.* ...fete *or* fettete hamburgere. *...her fat greasy hand.* ...den tykke, fete *or* fettede hånda hennes.
(**b**) (*clothes*) fettet(e), fettflekket(e) ❑ *...an old man in a greasy suit.* ...en gammel mann i en fettet(e) or fettflekket(e) dress.
(**c**) (*BRIT: road, surface*) glatt, sleip ❑ *He slipped on the greasy road.* Han gled på den glatte *or* sleipe veien.

great [greɪt] ADJ (**a**) (= *large: area, amount*) stor, svær, diger ❑ *...a great black cloud of smoke.* ...en stor *or* svær *or* diger svart røyksky.
(**b**) (= *intense: heat, pain*) sterk
(**c**) (= *important, famous: city, man*) stor ❑ *...the great cities of the Rhineland.* ...de store byen i Rhinland.
(**d**) (= *terrific*) flott, glimrende, kjempegod ❑ *It's a great idea.* Det er en flott *or* glimrende *or* kjempegod idé.
▸ **they're great friends** de er kjempegode venner
▸ **we had a great time** vi hadde det kjempefint, vi hadde det helt topp
▸ **it was great!** det var topp!
▸ **the great thing is that...** det som er så bra *or* fint er at...

Great Barrier Reef s ▸ **the Great Barrier Reef** Store barriererev

Great Britain s Storbritannia

greater ['greɪtəʳ] ADJ stor-
▸ **Greater Manchester** Stor-Manchester, Manchester med omland

great-grandchild [greɪt'græntʃaɪld] (*pl* **great-grandchildren**) s oldebarn *nt*

great-grandfather [greɪt'grænfɑ:ðəʳ] s oldefar *m irreg*

great-grandmother [greɪt'grænmʌðəʳ] s oldemor *c irreg*

Great Lakes SPL ▸ **the Great Lakes** De store sjøer

greatly ['greɪtlɪ] ADV (*surprised, amused, influenced etc*) grundig, svært, høyst

greatness ['greɪtnɪs] s storhet *c*, betydning *m* ❑ *...Boltzmann's greatness as a physicist.* ...Bolzmanns storhet *or* betydning som fysiker.

Grecian ['gri:ʃən] ADJ gresk

Greece [gri:s] s Hellas

greed [gri:d] s (**a**) (*also* ***greediness***) grådighet *c*, griskhet *c*
(**b**) (*for power, wealth*) begjær *nt* ❑ *Murder's a form of greed for power.* Mord er en form for maktbegjær.

greedily ['gri:dɪlɪ] ADV grådig, grisk, begjærlig

greedy ['gri:dɪ] ADJ (**a**) (*for food*) grådig
(**b**) (*for goods, money*) grådig, grisk ❑ *People got richer and also greedier.* Folk blir rikere og samtidig grådigere *or* griskere.
(**c**) (*for power, wealth*) ▸ **greedy for** sulten på ❑ *Marsha is greedy for everything Megan has.* Marsha er sulten på alt som Megan har.

Greek [gri:k] 1 ADJ gresk
2 s (**a**) (*person*) greker *m*
(**b**) (*LING*) gresk
▸ **ancient/modern Greek** gammelgresk/ moderne gresk

green [gri:n] 1 ADJ (**a**) (*colour, fig: inexperienced*) grønn ❑ *...green eyes.* ...grønne øyne. *He was very green, he thought he could do it easily.* Han var svært grønn, han trodde han kunne* gjøre* det enkelt.
(**b**) (*POL*) grønn, miljø- ❑ *...green activists.* ...miljøaktivister.
2 s (**a**) (*colour*) grønt, grønnfarge *m* ❑ *...a deep green.* ...dypgrønt *or* en dyp grønnfarge.
(**b**) (= *stretch of grass*) gressplen *m*, grøntareale *nt* ❑ *Between the road and the river is a strip of green.* Mellom veien og elva er det en stripe med gress(plen) *or* grøntareale.
(**c**) (*on golf course*) green *m*
(**d**) (*also* ***village green***) ≈ bypark *m* ❑ *The villagers fought to save their green.* Befolkningen i landsbyen kjempet for å berge byparken sin.
▸ **greens** SPL (= *vegetables*) grønnsaker *pl*, grønt *inv, no art* ❑ *...eat freshly cooked greens.* ...spis friske kokte grønnsaker.
▸ **the Greens** (*POL*) De grønne
▸ **to have green fingers** *or* (*US*) **a green thumb** (*fig*) ha* grønne fingre
▸ **to give sb the green light** gi* noen grønt lys

green belt s (*round town*) friarealer *pl*, grønt belte *nt*

green card s (*BIL*) internasjonal bilforsikring *c*; (*US: ADMIN*) arbeidstillatelse *m*

greenery ['gri:nərɪ] s grønt *inv, no art*

greenfly ['gri:nflaɪ] (*BRIT*) s bladlus *c*

greengage ['gri:ngeɪdʒ] s reineclaude *m* (*plommesort*)

greengrocer ['gri:ngrəusəʳ] (*BRIT*) s grønnsakshandler *m*

greenhouse ['gri:nhaus] s drivhus *nt*

greenhouse effect s ▸ **the greenhouse effect** drivhuseffekten

greenhouse gas s drivhusgass *m*

greenish ['gri:nɪʃ] ADJ grønnlig, grønnaktig

Greenland ['gri:nlənd] s Grønland

Greenlander ['gri:nləndəʳ] s grønlender *m*

Green Party s ▸ **the Green Party** de grønne

green pepper s grønn paprika *m*

greet [gri:t] VT (**a**) (*+person*) hilse (*v2*) på ❑ *He hurried to greet his guests.* Han skyndte seg å hilse på gjestene sine.
(**b**) (= *receive: news*) motta* ❑ *The announcement was greeted with surprise.* Kunngjøringen ble mottatt med overraskelse.

greeting ['gri:tɪŋ] s hilsen *m*

▸ **Christmas/birthday greetings** julehilsener/ fødselsdagshilsener
▸ **Season's greetings** ≈ god *or* gledelig jul
greetings card s gratulasjonskort *nt*
gregarious [grə'gɛərɪəs] ADJ sosial, selskapelig anlagt
grenade [grə'neɪd] s (*also* ***hand grenade***) (hånd)granat *m*
grew [gruː] PRET *of* **grow**
grey [greɪ], **gray** (*US*) ADJ grå ❑ *...a grey flannel suit.* ...en grå flannelsdress. *...a grey April afternoon.* ...en grå aprilettermiddag.
▸ **to go grey** (*person+*) få* grått hår, bli* gråhåret *or* grå i håret
grey-haired [greɪ'hɛəd] ADJ gråhåret
greyhound ['greɪhaund] s greyhound *m*, engelsk mynde *m*
grid [grɪd] s (**a**) (*pattern*) nett *nt*, nettverk *nt* ❑ *...the grid of small streets.* ...nettet *or* nettverket av smågater.
(**b**) (*ELEK: network*) (elektrisitets)nett *nt* ❑ *...electricity from the national grid.* ...strøm fra det statlige (elektrisitets)nettet.
griddle [grɪdl] s takke *c*
gridiron ['grɪdaɪən] s grillrist *c*
gridlock ['grɪdlɔk] 1 s (*især US: on road*) trafikkork *m*; (= *stalemate*) fastlåst situasjon *m*
2 VT ▸ **to be gridlocked** (*roads*) være* blokkert; (*talks etc*) stå* i stampe
grief [griːf] s sorg *m* ❑ *We were struck dumb with horror.* Vi ble stumme av avsky.
▸ **to come to grief** (**a**) (*plan+*) havarere (*v2*) NB *Good ideas often come to grief.* Det går ofte galt med gode ideer., Gode ideer havarerer ofte.
(**b**) (*person+*) gå* galt *or* dårlig, få* en sørgelig slutt
▸ **he came to grief** det gikk galt *or* dålig med ham ❑ *I ran away once but came to grief.* Jeg stakk av en gang, men det gikk galt *or* dårlig *or* det fikk en sørgelig slutt.
▸ **good grief!** det må jeg si!, milde måne!
grievance ['griːvəns] s (**a**) (= *complaint*) forurettelse *m* ❑ *Colin never harboured a grievance for long.* Colin bar aldri på en forurettelse lenge.
(**b**) (= *cause for complaint*) ankepunkt *nt*, grunn *m* til klage ❑ *The complainant has a genuine grievance.* Klageren har et virkelig ankepunkt *or* en virkelig grunn til klage.
grieve [griːv] 1 VI sørge (*v1*)
2 VT gjøre* vondt, gjøre* bedrøvet ❑ *It grieves me to say this...* Det gjør meg vondt *or* bedrøvet å si dette...
▸ **to grieve for** sørge (*v1*) over
grievous ['griːvəs] ADJ (**a**) (*mistake, shock, injury*) svært alvorlig ❑ *...grievous internal wounds.* ...svært alvorlige indre skader.
(**b**) (*situation*) prekær, svært alvorlig ❑ *The economic position was grievous.* Den økonomiske situasjonen var prekær *or* svært alvorlig.
▸ **grievous bodily harm** (*JUR*) grov legemsbeskadigelse *m*
grill [grɪl] 1 s (**a**) (*on cooker*) grill *m* ❑ *Place the pepper under a hot grill.* Plasser paprikaen under en varm grill.
(**b**) (*also* ***mixed grill***) blandet grillrett *m*
2 VT (*BRIT: food, fig: interrogate*) grille (*v1*) ❑ *I usually grill or fry beef.* Vanligvis enten griller eller steker jeg oksekjøtt. *She had to grill him about her mother's illness.* Hun måtte* grille ham om sykdommen til moren hennes.
grille [grɪl] s (**a**) (*on window, counter etc*) gitter *nt* ❑ *...she glowered through the grille.* ...hun glodde gjennom gitteret.
(**b**) (*BIL*) grill *m* ❑ *...the radiator grille.* ...radiatorgrillen.
grill(room) ['grɪl(rum)] s grill(restaurant) *m*
grim [grɪm] ADJ (**a**) (*situation*) uhyggelig ❑ *...the grim aftermath of World War I.* ...de uhyggelige etterdønningene etter første verdenskrig.
(**b**) (*place*) heslig, dyster ❑ *...its grim walls.* ...de heslige *or* dystre veggene.
(**c**) (*expression, face*) morsk ❑ *Her lips were pulled into a grim line.* Leppene hennes var strammet til en morsk strek.
grimace [grɪ'meɪs] 1 s grimase *m*
2 VI skjære* en grimase
grime [graɪm] s skitt *m*
grimy ['graɪmɪ] ADJ (*stairs, room, hands etc*) skitten
grin [grɪn] 1 s glis *nt*, bredt smil *nt*
2 VI ▸ **to grin (at)** glise (*v2*) (til), smile (*v2*) bredt (til)
grind [graɪnd] (*pt, pp* **ground**) 1 VT (**a**) (= *crush*) knuse (*v2*)
(**b**) (*+coffee, pepper etc*) male (*v2*), kverne (*v1*) ❑ *Grind a bit of pepper over each...* Mal *or* kvern litt pepper over hver...
(**c**) (*US: meat*) kverne (*v1*)
(**d**) (= *make sharp: knife*) slipe (*v2*), kvesse (*v1*) ❑ *...a knife being ground on a wheel.* ...en kniv som ble slipt *or* kvesset på et hjul.
(**e**) (= *polish: gem, lens*) slipe (*v2*)
2 VI (*car gears+*) skurre (*v1*) ❑ *...with much grinding of gears.* ...med mye skurring i girene.
3 s (= *work*) slit *nt* ❑ *...the long grind of revision.* ...det langvarige slitet med revidering.
▸ **to grind one's teeth** skjære* tenner
▸ **to grind to a halt** (**a**) (*vehicle+*) stoppe (*v1*) opp, stanse (*v1*) opp
(**b**) (*talks, scheme+*) gå* i stå
(**c**) (*work, production+*) gå* i stå, stoppe (*v1*) *or* stanse (*v1*) opp
▸ **the daily grind** (*sl*) den daglige dont, tredemøllen
grinder ['graɪndəʳ] s (*machine*) kvern *c*
grindstone ['graɪndstəun] s ▸ **to keep one's nose to the grindstone** stå* på
grip [grɪp] 1 s (**a**) (= *hold*) grep *nt*, tak *nt* ❑ *I tightened my grip on the handrail.* Jeg strammet grepet *or* taket om rekkverket.
(**b**) (= *control, grasp*) grep *nt* ❑ *He took a firm grip on the management of the paper.* Han tok et fast grep på ledelsen av avisen.
(**c**) (*of tyre, shoe*) (vei)grep *nt* ❑ *These new tyres give a much better grip.* Disse nye dekkene gir et mye bedre (vei)grep.
(**d**) (= *handle*) håndtak *nt*
(**e**) (= *holdall*) bag *m* ❑ *...a canvas grip.* ...en lerretsbag.
2 VT (**a**) (*+object*) gripe* tak i ❑ *He gripped the*

lectern with both hands. Han grep tak i talerstolen med begge hender.
(**b**) (*+audience, attention*) gripe* ❑ *I'm not a golfer myself but I'm gripped by it.* Jeg er ikke golfspiller selv, men jeg er grepet av sporten.
▸ **to come to grips with** (*+problem, difficulty*) få* taket på
▸ **to grip the road** (*car+*) ha* et fast veigrep
▸ **to lose one's grip** (*fig*) miste (*v1*) grepet

gripe [graɪp] (*sl*) 1 S (= *complaint*) plage *m* ❑ *They get together to discuss their gripes.* De kommer sammen for å diskutere plagene sine.
2 VI syte (*v2*) ❑ *He's always griping about something or other.* Han syter alltid for ett eller annet.
▸ **the gripes** mageknip *nt sg* ❑ *I've got the gripes.* Jeg har mageknip.

gripping ['grɪpɪŋ] ADJ (*story, film*) fengslende

grisly ['grɪzlɪ] ADJ (*death, murder*) fæl, grusom

grist [grɪst] S ▸ **it's all grist to the mill** ≈ alle monner drar

gristle ['grɪsl] S brusk *m*

grit [grɪt] 1 S (**a**) (= *sand, stone*) strøsand *m uncount*, grus *m uncount*
(**b**) (= *determination, courage*) pågangsmot *nt* ❑ *I admire his grit.* Jeg beundrer pågangsmotet hans.
2 VT (*+road*) strø (*v4*), gruse (*v1*)
▸ **grits** SPL (*US: KULIN*) maisgryn *pl*
▸ **to grit one's teeth** bite* tennene sammen
▸ **I've got a piece of grit in my eye** jeg har fått (et) rusk i øyet

grizzle ['grɪzl] (*BRIT*) VI sutre (*v1*)

grizzly ['grɪzlɪ] S (*also* ***grizzly bear***) grizzlybjørn *m*

groan [grəun] 1 S stønn *nt*
2 VI (**a**) (*person+*) stønne (*v1*) ❑ *The girl groaned in pain.* Jenta stønnet av smerte. *His pupils groaned at his appalling jokes.* Elevene hans stønnet over de håpløse vitsene hans.
(**b**) (*tree, floorboard etc+*) knake (*v1 or v2*) ❑ *The wind roared, and the trees groaned.* Vinden brølte, og det knakte i trærne.

grocer ['grəusəʳ] S kolonialhandler *m*

groceries ['grəusərɪz] SPL dagligvarer *pl*

grocer's (shop) S kolonial *m*, daglivarehandel *m*, dagligvareforretning *m*

grog [grɔg] S *whisky, rom etc med vann*, drink *m*

groggy ['grɔgɪ] ADJ groggy, ørsken

groin [grɔɪn] S skritt *nt*

groom [gru:m] 1 S (**a**) (*for horse*) hestepasser *m*, stallkar *m*
(**b**) (*also* ***bridegroom***) brudgom *m*
2 VT (*+horse*) strigle (*v1*)
▸ **to groom sb for** (*+job*) trene (*v2*) opp noen til
▸ **well-groomed** (*person*) velpleid

groove [gru:v] S (*in record etc*) rille *c*

grope [grəup] VI ▸ **to grope for** famle (*v1*) etter ❑ *I groped for the timetable I had in my pocket.* Jeg famlet etter rutetabellen jeg hadde i lommen. *She groped for the right words.* Hun famlet etter de riktige ordene.

grosgrain ['grəugreɪn] S *tykk, ribbet silke eller rayon*

gross [grəus] 1 ADJ (**a**) (= *flagrant: neglect, injustice*) grov ❑ *...gross inequalities in wealth.* ...grove ulikheter i rikdom.
(**b**) (= *vulgar: behaviour, building, speech*) vulgær ❑ *He felt he had said something gross, indecent.* Han følte at han hadde sagt noe vulgært, usømmelig.
(**c**) (*MERK: income, weight*) brutto ❑ *Its gross weight is 100g.* Bruttovekten dens er 100 g.
2 S UBØY (= *twelve dozen*) gross *nt* ❑ *...five gross of pencils.* ...fem gross blyanter.
3 VT ▸ **to gross 500,000 pounds** ha* en bruttoinntekt på 500 000 pund, tjene (*v2*) 500 000 pund brutto

gross domestic product S brutto nasjonalprodukt *nt*

grossly ['grəuslɪ] ADV (*unfair, exaggerated*) grovt, betydelig

gross national product S brutto nasjonalprodukt *nt*

grotesque [grə'tɛsk] ADJ grotesk ❑ *The idea was simply grotesque.* Ideen var rett og slett grotesk. *He was rather grotesque to look at.* Han var ganske grotesk å se på.

grotto ['grɔtəu] S grotte *c*

grotty ['grɔtɪ] (*sl*) ADJ snusket(e), tarvelig

grouch [grautʃ] (*sl*) 1 VI surmule (*v2*) ❑ *He is always grouching about his children.* Han surmuler alltid om ungene sine.
2 S (*person*) grinebiter *m*, surpomp *m*

ground [graund] 1 PRET, PP *of* **grind**
2 S (**a**) (= *earth, soil*) bakke *m* ❑ *The ground was very wet and marshy.* Bakken var svært våt og myrlendt.
(**b**) (= *land*) jord *c* ❑ *...a rocky piece of ground.* ...et steinete jordstykke.
(**c**) (*area: burial ground, fishing grounds*) plass *m* ❑ *They have their own burial ground.* De har sin egen gravplass.
(**d**) (= *floor*) gulv *nt* (*var.* golv) ❑ *He picked his coat up from the ground.* Han tok opp frakken sin fra gulvet.
(**e**) (*SPORT*) bane *m*, plass *m* ❑ *football grounds* fotballbaner. fotballplasser
(**f**) (*US: ELEK*) jordledning *m*
3 VT (**a**) (*+plane*) gi* startforbud *or* flyforbud ❑ *The US Air Force grounded its planes in the Gulf.* Det amerikanske flyvåpenet gav flyene sine startforbud *or* flyforbud i Golfen.
(**b**) (*US: ELEK*) jorde (*v1*)
(**c**) (*sl: keep in*) gi* husarrest
4 ADJ (*coffee etc*) malt
5 VI (*ship+*) grunnstøte (*v2*), gå* på grunn
▸ **grounds** SPL (**a**) (*of coffee etc*) grut *m uncount*
(**b**) (= *reasons*) grunner ❑ *You have no real grounds for complaint.* Du har ingen virkelige grunner til å klage.
(**c**) (= *gardens etc*) grunn *m* ❑ *These are private grounds.* Dette er privat grunn.
▸ **on the ground** på bakken
▸ **to the ground** i bakken, ned på bakken
▸ **below ground** under jorda, under bakken
▸ **to gain/lose ground** vinne*/tape (*v2*) terreng
▸ **common ground** et punkt man kan enes om
▸ **on the grounds that** på grunn av at

ground cloth (*US*) S liggeunderlag *nt*

ground control S bakkekontroll *m*

ground floor (*BRIT*) S første etasje *m*

grounding ['graundɪŋ] s (= *foundation*) grunnlag *nt* ❑ *They received a good grounding in literacy.* De fikk et godt grunnlag i å lese og skrive.
groundless ['graundlɪs] ADJ (= *fears, suspicions*) grunnløs
groundnut ['graundnʌt] s jordnøtt *c*
ground rent (*BRIT*) s grunnleie *c*, tomteleie *c*
ground rule s grunnregel *m*
groundsheet ['graundʃi:t] (*BRIT*) s liggeunderlag *nt*
groundskeeper ['graundzki:pəʳ] (*US*) s = **groundsman**
groundsman ['graundzmən] (*SPORT*) s oppsynsmann *m irreg* (*ved idrettsplass etc*)
ground staff (*SPORT*) s banemannskap *nt*
groundswell ['graundswɛl] s (*of opinion*) bølge *m* ❑ *...the groundswell of opinion against reform.* ...opinionsbølgen mot reformene.
ground-to-air ['graundtə'ɛəʳ-] ADJ (*MIL*) ▸ **ground-to-air missile** bakke-til-luft-rakett *m*
groundwork ['graundwə:k] s (= *preparation*) grunnarbeid *nt*, forarbeid *nt*
group [gru:p] 1 s gruppe *c* ❑ *...a small group of my schoolmates.* ...en liten gruppe av skolekameratene mine. *...the group's American tour.* ...gruppens Amerikaturné. *...the second biggest newspaper group...* den nest største avisgruppen...
2 VT (**a**) (*also* ***group together***) gruppere (*v2*)
(**b**) (*several groupings*) gruppere (*v2*), dele (*v2*) inn (i grupper) ❑ *...280 members grouped into 11 branches.* ...280 medlemmer delt inn *or* gruppert i 11 underavdelinger.
3 VI (*also* ***group together***) danne (*v1*) en gruppe/grupper, gruppere (*v2*) seg ❑ *They encouraged consumers to group together.* De oppmuntret forbrukere til å danne grupper *or* til å gruppere seg.
groupie ['gru:pɪ] (*sl*) s groupie *m*
group therapy s gruppeterapi *m*
grouse [graus] 1 S UBØY (*bird*) rype *c*; (= *complaint*) ▸ **one of their grouses** en av de tingene de syter over
2 VI (= *complain*) syte (*v2*)
grove [grəuv] s lund *m*, treklynge *c*
grovel ['grɔvl] VI (**a**) (= *be humble*) krype*, legge* seg flat ❑ *They are going to make you grovel.* De kommer til å få* deg til å krype *or* legge deg flat.
(**b**) (= *crawl*) krabbe (*v1*) ❑ *He was grovelling under his desk for a pencil.* Han krabbet rundt under bordet etter en blyant.
grow [grəu] (*pt* **grew**, *pp* **grown**) 1 VI (**a**) (*plant, tree+*) vokse (*v2*), gro (*v4*) ❑ *An oak tree grew at the edge of the lane.* Det vokste *or* grodde et eiketre i veikanten.
(**b**) (*person, animal+*) vokse (*v2*) ❑ *Babies who are small at birth grow faster.* Babyer som er små ved fødselen, vokser fortere.
(**c**) (= *increase*) vokse (*v2*), øke (*v2*) ❑ *Their influence is steadily growing.* Innflytelsen deres er stadig voksende *or* økende.
2 VT (**a**) (*+roses, vegetables*) dyrke (*v1*)
(**b**) (*+beard*) la vokse, anlegge*
(**c**) (*+ ADJ*) ▸ **to grow rich/weak/tired of waiting** bli* rik/svak/trett av å vente
▸ **to grow out of/from** (= *develop*) vokse (*v2*) ut av ❑ *My own idea grew out of seeing this film.* Min egen idé vokste ut av denne filmen.
see also **phrasal verb**
▸ **grow apart** VI (*fig*) vokse (*v2*) fra hverandre
▸ **grow away from** VT FUS (*fig*) vokse (*v2*) fra
▸ **grow on** VT FUS ▸ **that painting is growing on me** det maleriet vinner seg etter hvert, jeg liker det maleriet bedre og bedre
▸ **grow out of** VT FUS *see also* **above** vokse (*v2*) fra ❑ *She had soon grown out of her uniform.* Hun hadde snart vokst fra uniformen sin. *I've grown out of my taste for the bizarre.* Jeg har vokst fra sansen for det bisarre.
▸ **grow up** VI (**a**) (*child+*) vokse (*v2*) opp ❑ *I had grown up in the district.* Jeg hadde vokst opp i området.
(**b**) (= *develop : idea, friendship*) vokse (*v2*) fram ❑ *The idea has grown up that science cannot be wrong.* Det har vokst fram en idé om at vitenskapen ikke kan ta* feil.
grower ['grəuəʳ] (*BOT, AGR*) s dyrker *m*
growing ['grəuɪŋ] ADJ (**a**) (*fear, awareness, number*) voksende, økende
(**b**) (*child*) som vokser
▸ **growing pains** (**a**) (*MED*) voksesmerter *pl*
(**b**) (*fig*) startvansker *pl* ❑ *...a company's growing pains.* ...startvanskene til et firma.
growl [graul] VI (*dog+*) knurre (*v1*); (*person+*) snerre (*v1*)
grown [grəun] PP *of* **grow**
grown-up [grəun'ʌp] s voksen *m decl as adj*
growth [grəuθ] s (**a**) (*gen*) vekst *m* ❑ *Science-based industries are key points of growth.* Industri som er basert på vitenskap er sentrale vekstområder. *...clearings amid last year's growths.* ...lysninger blant fjorårets vekster. *They stunt plant growth...* De hemmer plantevekst...
(**b**) (*MED*) svulst *m* ❑ *...new growths after an unsuccessful operation.* ...nye svulster etter en mislykket operasjon.
growth rate s vekst *m* ❑ *Its economic growth rate is second only to Japan's.* Dets økonomiske vekst er den største nest etter Japans.
grub [grʌb] 1 s (= *larva*) larve *c*; (*sl: food*) mat *m*
2 VI ▸ **to grub about/around (for)** rote (*v1*) rundt (etter)
grubby ['grʌbɪ] ADJ (**a**) (= *dirty : person, clothes*) litt skitten
(**b**) (*fig : sordid*) skitten ❑ *...the grubbier aspects of political life.* ...de mer skitne aspektene ved det politiske liv.
grudge [grʌdʒ] 1 s horn *nt* i siden, nag *nt* ❑ *...someone with a grudge against him.* ...noen med et horn i siden til ham.. ...noen som bar nag til ham.
2 VT ▸ **to grudge sb sth** ikke unne (*v2x*) noen noe
▸ **to bear sb a grudge** ha* et horn i siden til noen, bære* nag til noen
grudging ['grʌdʒɪŋ] ADJ (*respect, acceptance*) motvillig, motstrebende
grudgingly ['grʌdʒɪŋlɪ] ADV motvillig, motstrebende ❑ *"Okay," he said grudgingly, "I suppose I was to blame."* "Ok," sa han motvillig

or motstrebende, "jeg antar at det var min skyld".
gruelling ['gruəlɪŋ], **grueling** (*US*) ADJ (*experience*) oppslitende
gruesome ['gru:səm] ADJ (*tale, scene*) fæl, uhyggelig, grusom
gruff [grʌf] ADJ (*voice, manner*) morsk, brysk
grumble ['grʌmbl] VI sutre (*v1*), jamre (*v1*) (seg)
grumpy ['grʌmpɪ] ADJ grinete, gretten
grunge [grʌndʒ] (*sl*) s grønsj *m*
grungy ['grʌndʒɪ] ADJ grungy
grunt [grʌnt] 1 VI (*pig, person+*) grynte (*v1*)
2 s grynt *nt*
G-string ['dʒi:strɪŋ] s (*garment*) g-streng *m*
GSUSA S FK (= **Girl Scouts of the United States of America**) *jentespeidere*
GT (*BIL*) FK (= **gran turismo**) *sportsbil*
GU (*US: POST*) FK = **Guam**
guarantee [gærən'ti:] 1 s garanti *m* ❑ *They want some guarantee that an enquiry will be held.* De ønsker en form for garanti for at det vil bli* holdt en granskning. *...covered by the manufacturer's guarantee.* ...dekket av fabrikantens garanti.
2 VT garantere (*v2*) ❑ *Equality does not guarantee happiness in love.* Likhet garanterer ikke lykke i kjærlighet. *It's guaranteed for six months.* Den er garantert for seks måneder.. Den har en seks måneders garanti.
▸ **he can't guarantee (that) he'll come** han kan ikke garantere at han kommer
guarantor [gærən'tɔ:ʳ] s garantist *m*
guard [gɑ:d] 1 s (**a**) (*one person*) vakt *c*, vaktpost *m* ❑ *Another guard was standing by the fence.* Enda en vakt *or* vaktpost stod ved gjerdet.
(**b**) (*squad*) vakt *c*, bevoktning *m* ❑ *...an armed guard.* ...bevæpnet vakt *or* bevoktning.
(**c**) (*BRIT: JERNB*) konduktør *m* ❑ *The guard blew his whistle.* Konduktøren blåste i fløyta.
(**d**) (*on machine*) sikkerhetsskjerm *m*, beskyttelsesplate *c* ❑ *When the guard is taken off...* Når sikkerhetsskjermen *or* beskyttelsesplaten blir tatt av...
(**e**) (*also* ***fireguard***) gnistfanger *m* ❑ *"Put a guard on the fire," she warned.* "Sett en gnistfanger på peisen," sa hun advarende.
2 VT (**a**) (= *protect: secret*) vokte (*v1*) (på)
(**b**) (*+place, house, person*) (be)vokte (*v1*)
(**c**) (*+prisoner*) bevokte (*v1*) ❑ *She was guarded night and day.* Hun ble bevoktet natt og dag.
▸ **to be on one's guard** være* på vakt
▸ **to lower one's guard** bli* mindre oppmerksom
▸ **guard against** VT FUS (*+disease, damage etc*) være* på vakt mot *or* for
guard dog s vakthund *m*
guarded ['gɑ:dɪd] ADJ (*statement, reply*) vaktsom
guardian ['gɑ:dɪən] s (**a**) (*JUR: of minor*) formynder *m*, verge *m* ❑ *He became his niece's legal guardian.* Han ble formynder *or* verge for sin niese.
(**b**) (= *defender*) vokter *m* ❑ *Women are the natural guardians of morality.* Kvinner er de naturlige vokterne av moralen.
guard-rail ['gɑ:dreɪl] s rekkverk *nt*
guard's van (*BRIT: JERNB*) s konduktørvogn *c*
Guatemala [gwɑ:tɪ'mɑ:lə] s Guatemala
Guatemalan [gwɑ:tɪ'mɑ:lən] ADJ guatemalansk
Guernsey ['gə:nzɪ] s Guernsey
guerrilla [gə'rɪlə] s gerilja *m*
guerrilla warfare s geriljakrig *m*
guess [gɛs] 1 VT (**a**) (= *estimate: number, distance etc*) gjette (*v1*) (seg til) ❑ *We can only guess how many...* Vi kan bare gjette (oss til) hvor mange...
(**b**) (*+correct answer*) gjette (*v1*) ❑ *I had guessed the identity of her lover.* Jeg hadde gjettet hvem elskeren hennes var.
(**c**) (= *think*) tro (*v4*) ❑ *I guess I got the news a day late.* Jeg tror jeg fikk nyheten en dag for sent.
2 VI gjette (*v1*) ❑ *How did you guess?* Hvordan gjettet du det?
3 s gjetning *m*
▸ **I guess so** jeg antar det, antakelig
▸ **I guess you're right** du har vel rett
▸ **to keep sb guessing** holde* noen i det uvisse
▸ **my guess is that...** jeg tror at..., jeg vil tippe at...
▸ **to take** *or* **have a guess** forsøke (*v2*) å gjette
▸ **I'll give you three guesses** gjett tre ganger
▸ **guess at** VT (**a**) (*+answer*) gjette (*v1*)
(**b**) (*+number*) gjette (*v1*) seg til ❑ *We can only guess at the number...* Vi kan bare gjette oss til tallet...
guesstimate ['gɛstɪmɪt] s løselig anslag *nt*
guesswork ['gɛswə:k] s gjetning *m* ❑ *This is pure guesswork at this stage, of course.* Dette er ren gjetning på dette stadiet, selvfølgelig.
▸ **I got the answer by guesswork** jeg fant svaret ved ren gjetning
guest [gɛst] s gjest *m* ❑ *He ushered his guest inside.* Han viste gjesten inn. NB *...hotel guests...* hotellgjester...
▸ **be my guest** (*sl*) vær så god
guesthouse ['gɛsthaus] s gjestgiveri *nt*
guest room s gjesterom *nt*, gjesteværelse *nt*
guff [gʌf] (*sl*) s vås *n*
guffaw [gʌ'fɔ:] 1 VI skoggerle*, gapskratte (*v1*)
2 s skoggerlatter *m*, gapskratt *nt*
guidance ['gaɪdəns] s (= *advice*) veiledning *m*, rettledning *m* ❑ *...guidance from an expert in this field.* ...veiledning *or* rettledning fra en ekspert på dette området.
▸ **under the guidance of** under ledelse av
▸ **vocational guidance** yrkesveiledning *m*, yrkesrettledning *m*
▸ **marriage guidance** ekteskapsrådgivning *m*
guide [gaɪd] 1 s (**a**) (*person: in museum*) guide *m*, omviser *m*
(**b**) (*for tour*) guide *m*, reiseleder *m* ❑ *Tour guides must be at least seventeen.* Reiseledere *or* Guider må være* minst sytten år.
(**c**) (= *mountain guide*) fjellfører *m*, veiviser *m* ❑ *They hired Sherpas to act as guides.* De hyrte inn sherpaer som skulle* være* fjellførere *or* veivisere.
(**d**) (*book*) innføring *c*, håndbok *c* ❑ *This book is a practical guide to healthy living.* Denne boka er en praktisk innføring *or* håndbok i et sunt levesett.
(**e**) (*BRIT: **girl guide***) speider *m*

2 VT (**a**) (*round city, museum etc*) guide (*v1*), vise (*v2*) rundt ❑ *A young woman guided us round the museum.* En ung kvinne guidet *or* viste oss rundt i museet.
(**b**) (= *lead*) føre (*v2*), lede (*v1*) ❑ *He took her arm and guided her through the doorway.* Han tok armen hennes og førte *or* ledet henne gjennom døråpningen.
(**c**) (= *direct*) lede (*v1*) ❑ *They used the stars to guide them.* De brukte stjernene til å lede seg.
▸ **to be guided by sb/sth** bli* styrt av noen/noe ❑ *We will always be guided by changes in public opinion.* Vi vil alltid bli* styrt av forandringer i folkeopinionen.
guidebook ['gaɪdbuk] s reisehåndbok *c*, guidebok *c*
guided missile s (fjern)styrt rakett *m*
guide dog s førerhund *m*
guidelines ['gaɪdlaɪnz] SPL retningslinjer
guild [gɪld] s laug *nt*, gilde *nt*
guildhall ['gɪldhɔːl] (*BRIT*) s laugshus *nt*, gildehus *nt*
guile [gaɪl] s list *m*, sluhet *c*
guileless ['gaɪllɪs] ADJ rettskaffen, redelig
guillotine ['gɪlətiːn] s (*for execution*) giljotin *m*; (*for paper*) (papir)skjærer *m*, skjæremaskin *m*
guilt [gɪlt] s (**a**) (= *remorse*) skyldbevissthet *m*, skyldfølelse *m* ❑ *I had agonizing feelings of guilt.* Jeg hadde uutholdelige følelser av skyldbevissthet.
(**b**) (= *culpability*) skyld *m* ❑ *...a public admission of his guilt.* ...en offentlig innrømmelse av sin skyld.
guilty ['gɪltɪ] ADJ (**a**) (= *to blame*) ▸ **guilty (of)** skyldig (i) ❑ *He was guilty of an important misjudgment.* Han var skyldig i *or* hadde gjort seg skyld i en viktig feilbedømmelse.
(**b**) (*expression*) skyldbetynget ❑ *...a guilty grin.* ...et skyldbetynget smil.
▸ **guilty secret** hemmelig last *m*
▸ **to plead guilty/not guilty** erklære (*v2*) seg skyldig/nekte (*v1*) seg skyldig
▸ **to feel guilty about doing sth** føle (*v2*) seg skyldbetynget over å gjøre* noe, føle (*v2*) at man gjør noe galt når man gjør noe
Guinea ['gɪnɪ] s ▸ **Republic of Guinea** Guinea
guinea ['gɪnɪ] (*BRIT: old*) s guinea *m*
guinea pig ['gɪnɪ-] s (**a**) (*animal*) marsvin *nt*
(**b**) (*fig: person*) prøvekanin *m*, prøveklut *m* ❑ *I'm using students as guinea pigs for my poetry.* Jeg bruker studenter som prøvekaniner *or* prøvekluter for lyrikken min.
guise [gaɪz] s ▸ **in** *or* **under the guise of** maskert som ❑ *...propaganda in the guise of information.* ...propaganda maskert som informasjon.
guitar [gɪ'tɑːʳ] s gitar *m*
guitarist [gɪ'tɑːrɪst] s gitarist *m*
gulch [gʌltʃ] (*US*) s kløft *c* (*med elveleie*)
gulf [gʌlf] s (**a**) (= *bay*) golf *m* (*var:* gulf) ❑ *...the Gulf of Mexico.* ...Mexicogolfen.
(**b**) (= *abyss*) avgrunn *m*
(**c**) (*fig: difference*) kløft *c*, avgrunn *m* ❑ *The gulf between the cultures...* Kløften *or* avgrunnen mellom kulturene...
▸ **the (Persian) Gulf** Persiagolfen
Gulf States SPL ▸ **the Gulf States** Golfstatene
Gulf Stream s ▸ **the Gulf Stream** Golfstrømmen
gull [gʌl] s måke *c*
gullet ['gʌlɪt] s spiserør *nt*
gullibility [gʌlɪ'bɪlɪtɪ] s godtroenhet *c*
gullible ['gʌlɪbl] ADJ godtroende, troskyldig
gully ['gʌlɪ] s ravine *m*, regnkløft *c*
gulp [gʌlp] 1 VT (**a**) (*also* ***gulp down****: food*) sluke (*v2*), jafse (*v1*) i seg
(**b**) (*+drink*) helle (*v2x*) i seg
2 VI (*from nerves, excitement*) gispe (*v1*)
▸ **at** *or* **in one gulp** (**a**) (*food*) i en jafs
(**b**) (*drink*) i ett drag
gum [gʌm] 1 s (**a**) (*ANAT*) gom(me) *m* ❑ *...her toothless gums.* ...de tannløse gommene hennes.
(**b**) (= *glue*) (gummi)lim *nt*
(**c**) (*also* ***gumdrop****: sweet*) fruktkaramell *m* ❑ *She sucked a gum...* Hun sugde på en fruktkaramell...
(**d**) (*also* ***chewing gum***) tyggegummi *m* ❑ *He chews gum...* Han tygger tyggegummi...
2 VT ▸ **to gum together** klistre (*v1*) sammen, klebe (*v1*) sammen
▸ **gum up** VT ▸ **to gum up the works** (*sl*) ødelegge* (hele) opplegget (*sl*)
gumboots ['gʌmbuːts] (*BRIT*) SPL gummistøvler
gumption ['gʌmpʃən] (*sl*) s omløp *nt* i hodet ❑ *I'd never have had the gumption to do what he had done.* Jeg hadde aldri hatt nok omløp i hodet til å gjøre* det han hadde gjort.
gum tree s ▸ **to be up a gum tree** (*fig: sl*) sitte* i klisteret
gun [gʌn] 1 s (**a**) (*small*) revolver *m*, pistol *m*
(**b**) (= *rifle, airgun*) gevær *nt*
(**c**) (= *cannon*) kanon *m*
2 VT (*also* ***gun down***) skyte* (ned)
▸ **to stick to one's guns** (*fig*) stå* på sitt
gunboat ['gʌnbəut] s kanonbåt *m*
gun dog s jakthund *m*
gunfire ['gʌnfaɪəʳ] s geværild *m*, kanonild *m*
gunk [gʌŋk] (*sl*) s kliss *nt* (*sl*), griseri *nt* (*sl*)
gunman ['gʌnmən] *irreg* s revolvermann *m irreg*, *bevæpnet raner etc*
gunner ['gʌnəʳ] (*MIL*) s (*in army*) artillerist *m*; (*in navy*) kanoner *m*; (*in air force*) (akter)skytter *m*
gunpoint ['gʌnpɔɪnt] s ▸ **at gunpoint** under trusel om å skyte NB *He held the men at gunpoint.* Han truet mennene med våpen.
gunpowder ['gʌnpaudəʳ] s krutt *nt*
gunrunner ['gʌnrʌnəʳ] s våpensmugler *m*
gunrunning ['gʌnrʌnɪŋ] s våpensmugling *c*
gunshot ['gʌnʃɔt] s *see* **gun** pistolskudd/geværskudd/kanonskudd *nt*
gunsmith ['gʌnsmɪθ] s børsemaker *m*
gurgle ['gəːgl] VI (**a**) (*baby+*) gurgle (*v1*) ❑ *Kicking and gurgling, the baby...* Babyen, sparkende og gurglende,...
(**b**) (*water+*) klukke (*v1*) ❑ *...water gurgled between the rocks.* ...vannet klukket mellom steinene.
guru ['guruː] s (*REL, also fig*) guru *m* ❑ *She has become the guru of many a modern mother.* Hun har blitt guru for mange moderne mødre.
gush [gʌʃ] 1 VI (**a**) (*blood, tears, oil+*) fosse (*v1*) ut, strømme (*v1*) ut *or* fram ❑ *Blood gushed from the wounds.* Det fosset *or* strømmet blod ut fra

sårene.
(**b**) (*person+*) si* overstrømmende ❑ *"Amanda!" he gushed. "How good to see you again."* "Amanda!" sa han overstrømmende. "Så hyggelig å se deg igjen."
2 s (*of water etc*) strøm *m* (*som plutselig veller fram*)

gushing ['gʌʃɪŋ] ADJ (*fig*) overstrømmende

gusset ['gʌsɪt] s kile *m* ❑ *...nylon briefs with a cotton gusset.* ...nylontruser med en bomullskile.

gust [gʌst] s gufs *nt*

gusto ['gʌstəu] s ▸ **with gusto** med iver og glød

gusty ['gʌstɪ] ADJ (*wind*) som kommer i byger; (*day*) blåsende

gut [gʌt] **1** s (**a**) (= *intestine*) tarm *m*
(**b**) (*MUS, SPORT*: ***catgut***) (tarm)streng *m*
2 VT (**a**) (*+poultry*) ta* innmaten ut av
(**b**) (*+fish*) sløye (*v1*)
(**c**) (*+building*) ▸ **gutted by fire** utbrent
▸ **guts** SPL (**a**) (*of person, animal*) innvoller
(**b**) (*sl*: *courage*) (pågangs)mot *nt* ❑ *It takes more guts for a woman to resign than for a man.* Det kreves mer mot av en kvinne enn av en mann å si opp.
▸ **to hate sb's guts** hate (*v1*) noen dypt og inderlig

gut reaction s instinktiv *or* umiddelbar reaksjon *m*

gutsy ['gʌtsɪ] (*sl*) ADJ (*vivid*) energisk; (*courageous*) fandenivoldsk

gutted ['gʌtɪd] (*sl*) ADJ (= *disappointed*) helt knust

gutter ['gʌtə^r] s (**a**) (*in street*) rennestein *m* ❑ *The motorbike lay on its side in the gutter.* Motorsykkelen lå på siden i rennesteinen.
(**b**) (*of roof*) takrenne *c* ❑ *...just above the gutter where the tiles were loose.* ...rett over takrennen hvor taksteinene var løse.

gutter press s skandalepresse *m*

guttural ['gʌtərl] ADJ guttural

guy [gaɪ] s (**a**) (*sl*: *man*) fyr *m*, kar *m* ❑ *He's a nice guy.* Han er en hyggelig fyr *or* kar.
(**b**) (*also* ***guyrope***) (telt)bardun *m*
(**c**) (*also* ***Guy Fawkes***) *en dukke som skal forestille Guy Fawkes, og som blir brent på bål 5. november*

Guyana [gaɪ'ænə] s Guyana

Guy Fawkes' Night

Guy Fawkes' Night, *også kalt* **bonfire night** *feires til minne om det mislykkede komplottet (*the Gunpowder Plot*) mot James I og regjeringen hans den femte november 1605. En av opprørerne, Guy Fawkes, ble overrasket i kjelleren i parlamentet mens han prøvde å stifte brann. Før den femte november hvert år lager barn dukker som skal forestille Guy Fawkes og ber forbipasserende om* a penny for the guy *(en penny for dukken), som de bruker til å kjøpe seg fyrverkeri for. Mange tenner fremdeles bål i hagen hvor de brenner Guy-dukken.*

---

guzzle ['gʌzl] VT (*+drink*) helle (*v2x*) i seg, tylle (*v1*) i seg; (*+food*) sluke (*v2*), hive* i seg

gym [dʒɪm] s (**a**) (*also* ***gymnasium***) gymsal *m*
(**b**) (*also* ***gymnastics***) gym *m* ❑ *We did an hour of gym.* Vi hadde en time med gym.

gymkhana [dʒɪm'kɑːnə] s ridestevne *nt*, rytterstevne *nt*

gymnasium [dʒɪm'neɪzɪəm] s gymnastikksal *m*

gymnast ['dʒɪmnæst] s turner *m*

gymnastics [dʒɪm'næstɪks] s gymnastikk *m*; (*in competitions*) turn *m*

gym shoes SPL turnsko *pl*

gym slip (*BRIT*) s skoleforkle *nt*

gynaecologist [gaɪnɪ'kɔlədʒɪst], **gynecologist** (*US*) s gynekolog *m*

gynaecology [gaɪnɪ'kɔlədʒɪ], **gynecology** (*US*) s gynekologi *m*

gypsy ['dʒɪpsɪ] s = **gipsy**

gyrate [dʒaɪ'reɪt] VI rotere (*v2*), dreie (*v3*) rundt sin egen akse

gyroscope ['dʒaɪərəskəup] s gyroskop *nt*

H

H, h [eɪtʃ] s (*letter*) H, h *m*
▸ **H for Harry ,** *(US)* **H for How** H for Harald
habeas corpus ['heɪbɪəs'kɔːpəs] s *lov som beskytter en mot fengsling uten å bli* stilt for retten*
haberdashery [hæbə'dæʃərɪ] (*BRIT*) s sysaker *pl*
habit ['hæbɪt] s (**a**) (= *custom, practice*) vane *m*
❑ *Her father had a habit of clearing his throat...* Faren hennes hadde en vane med *or* hadde for vane å kremte...
(**b**) (= *addiction*) avhengighet *c* ❑ *...those who want to kick the marijuana habit.*...de som ønsker å bli* kvitt marihuanaavhengighet.
(**c**) (*REL : costume*) drakt *c* ❑ *...the religious habit...* den religiøse drakten...
▸ **to get out of/into the habit of doing sth** venne (*v2x*) seg til/venne seg av med å gjøre* noe
▸ **to be in the habit of doing sth, to have a habit of doing sth** ha* for vane å gjøre* noe, ha* en vane med å gjøre* noe
habitable ['hæbɪtəbl] *ADJ* beboelig
habitat ['hæbɪtæt] s tilholdssted *nt*, omgivelser *pl*
❑ *...elephants in their natural habitat.* ...elefanter på sitt naturlige tilholdssted *or* i sine naturlige omgivelser.
habitation [hæbɪ'teɪʃən] s (= *house etc*) bolig *nt*
▸ **fit for human habitation** egnet som bolig for mennesker
habitual [hə'bɪtjuəl] *ADJ* (**a**) (*action*) sedvanlig
❑ *...with his habitual guilty grin.* ...med sitt sedvanlige skyldbevisste smil.
(**b**) (*drinker, liar*) vane- ❑ *...types of habitual criminals.* ...typer vaneforbrytere.
habitually [hə'bɪtjuəlɪ] *ADV* vanligvis, som oftest
hack [hæk] 1 *VT* (= *cut, slice*) hakke (*v1*) ❑ *They were hacked to death.* De ble hakket i hjel.
2 s (**a**) (*neds : writer*) penneknekt *m*
(**b**) (*horse*) leiehest *m*
3 *VI* (*DATA*) hacke (*v1*), drive* med datasnoking
❑ *Their son stays up late hacking.* Sønnen deres er oppe sent og driver med datasnoking *or* hacking.
▸ **hack into** *VT FUS* (*DATA : system*) bryte* seg inn i
❑ *...they wanted to hack into Langley's top secret program.* ...de ville* bryte seg inn i Langleys topphemmelige program.
hacker ['hækəʳ] (*DATA*) s datasnok *m*
hackles ['hæklz] *SPL* ▸ **to make sb's hackles rise** (*fig*) få* noen til å reise bust
hackney cab ['hæknɪ-] s drosje *m* (*tradisjonell engelsk, sort*)
hackneyed ['hæknɪd] *ADJ* (*phrase*) forslitt
hacksaw ['hæksɔː] s baufil *m*
had [hæd] *PRET, PP of* **have**
haddock ['hædək] (*pl* **haddock** *or* **haddocks**) s hyse *c*, kolje *c*
▸ **smoked haddock** røkt kolje *or* hyse
hadn't ['hædnt] = **had not**
haematology [hiːmə'tɔlədʒɪ], **hematology** (*US*) s hematologi *m*
haemoglobin ['hiːmə'gləubɪn], **hemoglobin** (*US*) s hemoglobin *nt*
haemophilia ['hiːmə'fɪlɪə], **hemophilia** (*US*) s hemofili *m*
haemorrhage ['hɛmərɪdʒ], **hemorrhage** (*US*) s (kraftig) blødning *m*
haemorrhoids ['hɛmərɔɪdz], **hemorrhoids** (*US*) *SPL* hemoroider
hag [hæg] s (**a**) (= *ugly woman*) kjerring *f* ❑ *...some old hag of an actress.* ...en gammel kjerring av en skuespillerinne.
(**b**) (= *nasty woman*) hurpe *f* ❑ *She can be a real old hag at times.* Hun kan være* en skikkelig gammel hurpe til tider.
(**c**) (= *witch*) heks *c*
haggard ['hægəd] *ADJ* (*face, look*) herjet
haggis ['hægɪs] s *skotsk rett laget av saue- eller kalveinnmat som kokes sammen med havremel og krydder i en dyremage*
haggle ['hægl] *VI* (**a**) (= *bargain : buyer*) kjøpslå*, prute (*v1*)
(**b**) (*seller+*) kjøpslå*
▸ **to haggle over** kjøpslå* om ❑ *They spent half an hour haggling over the price.* De brukte en halvtime på å kjøpslå om prisen.
haggling ['hæglɪŋ] s pruting *c*, kjøpslåing *c*
Hague [heɪg] s ▸ **The Hague** Haag
hail [heɪl] 1 s (**a**) (= *frozen rain*) hagl *nt*
(**b**) (*of criticism*) storm *m*, uvær *nt*
(**c**) (*of objects*) regn *nt* ❑ *...a hail of bullets.* ...et kuleregn.
2 *VT* (**a**) (= *call : person*) rope (*v2*) på ❑ *A voice hailed him from the steps.* En stemme ropte på ham fra trappen.
(**b**) (= *flag down : taxi*) praie (*v1*)
(**c**) (= *acclaim*) ▸ **to hail sb/sth as** motta* noen/noe som ❑ *The discovery was hailed as the scientific sensation of the century.* Oppdagelsen ble mottatt som århundrets vitenskapelige sensasjon.
3 *VI* (**a**) (*weather*) hagle (*v1*) ❑ *It hailed all afternoon.* Det haglet hele ettermiddagen.
(**b**) (= *come from*) ▸ **he hails from Scotland** han kommer fra Skottland
hailstone ['heɪlstəun] s hagl *nt*
hailstorm ['heɪlstɔːm] s haglbyge *m*
hair [hɛəʳ] s (**a**) (*of person, animal*) hår *nt*
(**b**) (*single strand on head*) hår *nt*, hårstrå *nt* ❑ *I combed my hair.* Jeg gredde håret. *She had her first grey hair at twenty-five.* Hun fikk sitt første grå hår da hun var tjuefem år. *...black hairs on the back of his hands.* ...sort hår på håndbakene. *The adult beetle has silken hairs.* En voksen bille har silkeaktige hår.
▸ **to do one's hair** stelle (*v2x*) håret (sitt), ordne (*v1*) håret (sitt)
▸ **by a hair's breadth** (*fig*) med en hårsbredd
❑ *The bus missed my bike by a hair's breadth.*

Bussen var en hårsbredd unna sykkelen min.
hairbrush ['hɛəbrʌʃ] s hårbørste *m*
haircut ['hɛəkʌt] s (**a**) (*action*) ▸ **to have a haircut** klippe (*v1 or v2x*) *or* få* klippet håret (**b**) (*style*) sveis *m*, frisyre *m* ❑ *The girls had short, neat haircuts.* Jentene hadde korte, velstelte frisyrer *or* sveiser.
hairdo ['hɛədu:] s frisyre *m*, hårfasong *m*
hairdresser ['hɛədrɛsəʳ] s frisør *m*, friserdame *c* (*woman*)
hairdresser's ['hɛədrɛsəz] s (*shop*) frisersalong *m* (*var:* frisørsalong)
hair dryer s hårtørrer *m*
-haired [hɛəd] SUFF ▸ **fair-/long-haired** lys-/langhåret
hair-grip ['hɛəgrɪp] s hårspenne *c*
hairline ['hɛəlaɪn] s hårfeste *nt* NB *His hairline was receding.* Hårfestet hans kom stadig høyere opp.
hairline fracture s hårfint brudd *nt*
hairnet ['hɛənɛt] s hårnett *nt*
hair oil s hårolje *m*
hairpiece ['hɛəpi:s] s tupé *m*
hairpin ['hɛəpɪn] s hårnål *c*
hairpin bend, hairpin curve (*US*) s hårnålssving *m*
hair-raising ['hɛəreɪzɪŋ] ADJ (*experience, tale*) hårreisende, nervepirrende
hair remover s (*cream*) hårfjerner *m*
hair slide s (hår)spenne *c*
hair spray s hårspray *m*
hairstyle ['hɛəstaɪl] s hårfasong *m*, frisyre *m*
hairy ['hɛərɪ] ADJ (**a**) (*person, arms*) håret(e) (**b**) (*animal*) lodden, med pels (**c**) (*sl: situation*) guffen ❑ *It got a little hairy driving round those mountain roads.* Det ble litt guffent da vi kjørte rundt på de fjellveiene.
Haiti ['heɪtɪ] s Haiti
hake [heɪk] (*pl* **hake or hakes**) s lysing *m* (*fisk*)
halcyon ['hælsɪən] ADJ lykkelig, frydefull ❑ *...the halcyon days of his late teens.* ...de lykkelige *or* frydefulle dagene i slutten av tenårene hans.
hale [heɪl] ADJ ▸ **hale and hearty** rask og rørig
half [hɑ:f] (*pl* **halves**) 1 s (**a**) (*of amount, object*) halvdel *m*, halvpart *m* ❑ *...the two halves of the brain.* ...de to hjernehalvdelene.
(**b**) (*of beer etc*) *halv pint*, glass *nt* ❑ *...a half of lager.* ...et glass pils.
(**c**) (*JERNB, bus*) ≈ barnebillett *m* ❑ *Half to Oxford Street, please.* Et barn *or* en barnebillett til Oxford Street, takk.
(**d**) (*SPORT*) ▸ **first/second half** første/annen omgang *m*
2 ADJ (*bottle, fare, pay etc*) halv ❑ *You only get half pay...* Du får bare halv lønn...
3 ADV (*empty, closed, open, asleep*) halv- ❑ *...a half-built mansion.* ...et halvferdig herskapshus.
▸ **two and a half** to og en halv
▸ **half-an-hour** en halvtime, en halv time
▸ **half a dozen** et halvt dusin
▸ **half a pound** et halvt pund
▸ **a week and a half** en og en halv uke, halvannen uke
▸ **half (of it)** halvparten, halvdelen ❑ *"Would you like this last cake?" "Just half, thanks."* "Vil du ha* denne siste kaken?" "Bare halvparten *or* halvdelen, takk."
▸ **half (of)** halvparten (av), halvdelen (av) ❑ *She had to sell half her furniture.* Hun måtte* selge halvparten *or* halvdelen av møblene sine.
▸ **half as much** halvparten så mye
▸ **to cut sth in half** dele (*v2*) noe i to
▸ **half past three** halv fire
▸ **half four/five** (*sl*) halv fem/seks
▸ **half empty/closed** halvtom/halvlukket
▸ **to go halves (with sb)** dele (*v2*) likt (med noen)
▸ **she never does things by halves** hun gjør aldri noe halvt *or* halvveis
▸ **he's too clever by half** han er altfor smart
half-baked ['hɑ:f'beɪkt] ADJ (*idea, scheme*) lite gjennomtenkt
half board s halv pensjon *m*
half-breed ['hɑ:fbri:d] s = **half-caste**
half-brother ['hɑ:fbrʌðəʳ] s halvbror *m irreg*
half-caste ['hɑ:fkɑ:st] (*neds*) s *person av blandingsrase*
half day s halv (arbeids)dag *m*
half-hearted ['hɑ:f'hɑ:tɪd] ADJ halvhjertet
half-hour [hɑ:f'auəʳ] s halvtime *m* (*var:* halv time)
half-life ['hɑ:flaɪf] (*TEKN*) s halveringstid *c* ❑ *...a half-life of 200 years.* ...en halveringstid på 200 år.
half-mast ['hɑ:f'mɑ:st] ADV ▸ **to fly at half-mast** (*flag+*) flagge (*v1*) på halv stang
halfpenny ['heɪpnɪ] (*BRIT: old*) s halv penny
half-price ['hɑ:f'praɪs] 1 ADJ halvpris- ❑ *...it ran on half-price electricity.* ...den gikk på halvprisstrøm.
2 ADV til halv pris ❑ *...began to sell their wares half-price* ...begynte å selge varene sine til halv pris.
half-sister ['hɑ:fsɪstəʳ] s halvsøster *c*
half-term [hɑ:f'tə:m] (*BRIT*) s *ferie midt i en termin*, høstferie/vinterferie *m* ❑ *...before half-term.* ...før høst-/vinterferien.
half-timbered [hɑ:f'tɪmbəd] ADJ (*building*) bindingsverks-
half-time [hɑ:f'taɪm] (*SPORT*) s halvtid *c*, pause *m*
halfway ['hɑ:f'weɪ] ADV (**a**) (*between two points*) halvveis, midtveis ❑ *She was halfway up the stairs.* Hun var halvveis opp trappen.
(**b**) (*in period of time*) ▸ **halfway through** halvveis i, midtveis i ❑ *He usually fell asleep halfway through the programme.* Han sovnet vanligvis halvveis i programmet.
▸ **to meet sb halfway** (*fig*) møte (*v2*) noen på halvveien *or* på midten ❑ *...they eventually agreed to meet us halfway.* ...de gikk til slutt med på å møte oss på halvveien *or* midten.
halfway house s (*fig: compromise*) mellomting *m* ▸ **this compromise is a halfway house between...** dette kompromisset er en mellomting mellom...
halfwit ['hɑ:fwɪt] s åndssvak *m*; (*fig: sl*) tomsing *m*
half-yearly [hɑ:f'jɪəlɪ] ADJ halvårlig, halvårs- ❑ *The half-yearly results...* Halvårsresultatene...
halibut ['hælɪbət] s UBØY kveite *c*, hellefisk *m*
halitosis [hælɪ'təusɪs] s halitose *m*, dårlig ånde *m*
hall [hɔ:l] s (**a**) (= *entrance way*) gang *m*, entré *m*

(**b**) (= *mansion*) herregård *m*
▸ **to live in hall** (*BRIT: students*) ≈ bo (*v4*) på studentby/studenthjem
▸ **town hall, city hall** rådhus *nt*
▸ **village hall** ≈ Folkets Hus *no art* ❑ *...in the village hall.* ...i Folkets Hus.

hallmark ['hɔːlmɑːk] s (**a**) (*on metal*) stempel *nt*
(**b**) (*of writer, artist etc*) kjennemerke *nt*, kjennetegn *nt* ❑ *...the kind of subtlety that was the hallmark of Elgar.* ...den slags finurlighet som var Elgars kjennemerke *or* kjennetegn.

hallo [hə'ləu] INTERJ = **hello**

hall of residence (*BRIT*) (*pl* **halls of residence**) s ≈ studenthjem *nt*

hallowed ['hæləud] ADJ (**a**) (*REL: ground*) hellig
(**b**) (*fig: respected, revered*) ærverdig, fornem ❑ *...those hallowed offices on State Street.* ...disse ærverdige *or* fornemme kontorene i State Street.

Hallowe'en [hæləu'iːn] s allehelgensaften *m*

> **Hallowe'en** *(31. oktober, natt til allehelgensdag) er spøkelsenes og heksenes natt. Særlig i USA og Skottland (i mindre grad i England) pleier barn å kle seg ut på denne kvelden og gå fra hus til hus og be om små gaver eller godterier.*

hallucination [həluːsɪ'neɪʃən] s hallusinasjon *m*

hallucinogenic [həluːsɪnəu'dʒɛnɪk] 1 ADJ hallusinogen
2 s hallusinogen *n*

hallway ['hɔːlweɪ] s gang *m*, entré *m*

halo ['heɪləu] s (*REL*) glorie *m*; (*around object, planet*) (lys)ring *m*

halt [hɔːlt] 1 s (= *stop*) stans *m*, stopp *m*
2 VTI (*+person, progress, activity, growth etc*) stanse (*v1*)
▸ **to come to a halt** stanse (*v1*)
▸ **to call a halt to sth** få* en slutt på noe, sette* en stopper for noe ❑ *Surely it is time to call a halt to these practices?* Det må vel være* på tide å få* en slutt på *or* sette en stopper for disse skikkene?

halter ['hɔːltə^r^] s (*for horse*) grime *m*

halterneck ['hɔːltənɛk] ADJ (*dress*) med stropp rundt halsen

halve [hɑːv] VT (**a**) (= *reduce*) halvere (*v2*) ❑ *This could halve rail fares.* Dette kunne* halvere billettprisene på tog.
(**b**) (= *divide*) dele (*v2*) i to ❑ *Halve the avocado pears and...* Del avocadoene i to og...

halves [hɑːvz] PL *of* **half**

ham [hæm] s (**a**) (*meat*) skinke *c*
(**b**) (*sl: RADIO*) radioamatør *m*
(**c**) (*sl: actor*) kjøtthue *nt* (*sl*), *dårlig skuespiller* ❑ *Who put that awful ham in the leading role?* Hvem gav hovedrollen til det kjøtthuet?

Hamburg ['hæmbəːg] s Hamburg

hamburger ['hæmbəːgə^r^] s hamburger *m*

ham-fisted ['hæm'fɪstɪd], **ham-handed** (*US*) ADJ klønet(e), med ti tommeltotter

hamlet ['hæmlɪt] s liten landsby *m*, grend *c*

hammer ['hæmə^r^] 1 s hammer *m*
2 VT (**a**) (*+nail*) hamre (*v1*) ❑ *...hammer it in.* ...hamre den inn.
(**b**) (*fig: criticize severely*) sable (*v1*) ned ❑ *He was hammered by the critics.* Han ble sablet ned av kritikkerne.
3 VI (*on door, table etc*) hamre (*v1*) ❑ *They used to hammer on our door late at night.* De pleide å hamre på døra vår sent om kvelden.
▸ **to hammer an idea into sb** hamre (*v1*) *or* banke (*v1*) en idé inn i hodet på noen
▸ **to hammer a message across** banke (*v1*) inn en melding

▸ **hammer out** VT (**a**) (*+dent, bend in metal*) hamre (*v1*) ut, banke (*v1*) ut
(**b**) (*fig: solution, agreement*) diskutere (*v2*) seg fram til ❑ *...unless we sit down together and hammer out an agreement.* ...med mindre vi setter oss ned sammen og diskuterer oss fram til en avtale.

hammock ['hæmək] s (henge)køye *c*

hamper ['hæmpə^r^] 1 VT (*+person, movement, effort*) hemme (*v1*)
2 s ▸ **a picnic hamper** en piknikkurv

hamster ['hæmstə^r^] s hamster *m*

hamstring ['hæmstrɪŋ] 1 s hase(sene) *m*
2 VT (*fig: person, activities*) lamme (*v1*)

hand [hænd] 1 s (**a**) (*ANAT*) hånd *c* (*var.* hand)
(**b**) (*of clock*) viser *m* ❑ *...the hour hand.* ...timeviseren.
(**c**) (= *handwriting*) håndskrift *c* ❑ *I recognised Stephen's untidy hand.* Jeg kjente igjen den uryddige håndskriften til Stephen.
(**d**) (= *worker*) arbeider *m* ❑ *...farm hands.* ...gårdsarbeidere *or* gårdsgutter.
(**e**) (*of cards*) kort *pl* (på hånden) ❑ *I've had some lousy hands tonight.* Jeg har hatt noe elendige kort i kveld.
(**f**) (= *measurement: of horse*) ≈ 4 tommer ❑ *It was a small horse, only fourteen hands.* Det var en liten hest, bare 56 tommer høy.
2 VT (= *pass, give*) rekke* ❑ *Could you hand me that piece of wood?* Kunne du rekke meg det trestykket?
▸ **to give** *or* **lend sb a hand** hjelpe* noen ❑ *I wonder if you could give me a hand to get my raincoat on?* Jeg lurer på om du kunne* hjelpe meg med å få* på regnfrakken?
▸ **at hand** for hånden ❑ *...a book that happened to lie at hand...* en bok som tilfeldigvis var for hånden...
▸ **by hand** (**a**) (*deliver mail*) med bud
(**b**) (*make, sew, etc*) for hånd
▸ **time in hand** tid å gå* på, tid til overs ❑ *He arrived with half an hour in hand...* Han kom med en halvtimes margin...
▸ **the job in hand** jobben som vi holder på med ❑ *Let's get on with the job in hand.* La oss fortsette med den jobben vi holder på med.
▸ **we have the matter in hand** (**a**) (*under control*) vi har saken under kontroll
(**b**) (*in progress*) vi arbeider med saken
▸ **to be on hand** (*person, services etc+*) være* for hånden
▸ **out of hand** ADV (*reject etc*) uten videre ❑ *...to dismiss it out of hand.* ...å avvise det uten videre.
▸ **to have sth to hand** (*+information, book etc*) ha* noe for hånden ❑ *Sorry, I haven't got my address book to hand.* Beklager, jeg har ikke

adresseboka min for hånden.
▸ **on the one hand ..., on the other hand...** på den ene side ..., på den annen side...
▸ **to force sb's hand** legge* press på noen
▸ **to give sb a free hand** gi* noen frie hender ❑ *The team gave me a free hand in all editorial matters.* Teamet gav meg frie hender i alle redaksjonelle saker.
▸ **to change hands** (= *be sold etc*) skifte (*v1*) eier ❑ *Properties are changing hands very rapidly in Selly Oak.* Eiendommer skifter eier svært raskt i Selly Oak.
▸ **hands-on experience** egen erfaring
▸ **"hands off!"** "ligg unna!"
▸ **hand down** VT (*+knowledge, possessions*) overlevere (*v2*) ❑ *...handed down from father to son.* ...overlevert fra far til sønn.
▸ **hand in** VT (*+essay, work*) levere (*v2*) (inn)
▸ **hand out** VT (*+object, information, punishment*) dele (*v2*) ut
▸ **hand over** VT (*+thing, money, responsibility*) overlevere (*v2*)
▸ **hand round** VT (*+food etc*) sende (*v2*) rundt

handbag ['hændbæg] s håndveske *c*
hand baggage s håndbagasje *m*
handball ['hændbɔːl] s håndball *c*
handbasin ['hændbeɪsn] s håndvask *m*
handbook ['hændbuk] s håndbok *c*
handbrake ['hændbreɪk] s (*on bicycle*) håndbrems *m*; (*in car*) håndbrekk *nt*
h & c (*BRIT*) FK (= **hot and cold (water)**) varmt og kaldt (vann)
hand cream s håndkrem *m*
handcuff ['hændkʌf] VT sette* håndjern på
handcuffs ['hændkʌfs] SPL håndjern *pl*
handful ['hændful] s (*of soil, stones, people*) håndfull *m* ❑ *The firm employs only a handful of workers.* Firmaet har bare en håndfull ansatte.
hand-held ['hænd'hɛld] ADJ (*camera etc*) hånd-
handicap ['hændɪkæp] [1] s (**a**) (= *disability*) handikap *nt*, funksjonshemming *c* ❑ *...people with a handicap.* ...folk med (et) handikap *or* (en) funksjonshemming.
(**b**) (= *disadvantage, SPORT*) handikap *nt* ❑ *His chief handicap is that he comes from a broken home.* Det største handikappet hans er at han kommer fra et oppløst hjem. *The final race was a handicap for 3-year-olds.* I det siste løpet stilte treåringene med handikap. *He's a good golfer, about a seven handicap.* Han er en god golfspiller, omkring sju i handikap.
[2] VT (= *hamper*) hemme (*v1*) ❑ *...severely handicapped their performance in the race.* ...hemmet prestasjonene deres i løpet alvorlig.
▸ **mentally/physically handicapped** psykisk/fysisk handikappet
handicraft ['hændɪkrɑːft] s (**a**) (*activity: pottery*) forming *c*
(**b**) (*sewing*) håndarbeid *nt uncount*
▸ **handicrafts** PL (*objects*) kunsthåndverk *nt uncount* ❑ *Handicrafts were produced by families...* Det ble produsert kunsthåndverk av familier...
handiwork ['hændɪwəːk] s arbeid *nt*
handkerchief ['hæŋkətʃɪf] s lommetørkle *nt*
handle ['hændl] [1] s (**a**) (*of door, window, drawer, knife, brush*) håndtak *nt*
(**b**) (*of cup*) hank *m*
(**c**) (*of axe*) skaft *nt*
(**d**) (*for winding*) hendel *m*
(**e**) (*in CB radio: name*) navn *nt*
[2] VT (**a**) (= *touch: object, ornament etc*) håndtere (*v2*), behandle (*v1*) ❑ *The child handled the ornaments carefully.* Barnet håndterte *or* behandlet pyntegjenstandene forsiktig.
(**b**) (= *deal with: problem, responsibility etc*) ta* seg av, ta* hånd om, håndtere (*v2*) ❑ *I decided to let Eddie handle the situation.* Jeg bestemte meg for å la Eddie ta* seg av *or* ta* hånd om *or* håndtere situasjonen.
(**c**) (*+people*) ta* seg av, håndtere (*v2*) ❑ *She was very good at handling angry customers.* Hun var veldig flink til å ta* seg av *or* håndtere sinte kunder.
▸ **"handle with care"** "forsiktig"
▸ **to fly off the handle** gå* av skaftet, fly* i flint
▸ **to get a handle on a problem** (*sl*) få* tak på et problem ❑ *I just couldn't get a handle on it.* Jeg klarte bare ikke å få* tak på det.
handlebar(s) ['hændlbɑː(z)] S(PL) styre *nt sg* (*på sykkel*)
handling ['hændlɪŋ] s (*of plant, animal, issue etc*) håndtering *m*; (*of person, tool, machine, problem, matter*) behandling *m*
handling charges SPL ekspedisjonsgebyrer
hand luggage s håndbagasje *m*
handmade ['hænd'meɪd] ADJ (*clothes*) håndsydd; (*jewellery, pottery etc*) håndlaget
handout ['hændaut] s (**a**) (= *money, clothing, food*) almisse *m* ❑ *...he lives off handouts from his parents...* han lever av almisser fra foreldrene sine...
(**b**) (= *publicity leaflet*) løpeseddel *m*, flyveblad *nt*
(**c**) (= *summary: at lecture, meeting etc*) støtteark *nt*, handout *m*
handover ['hændəuvəʳ] s overlevering *m*
hand-picked ['hænd'pɪkt] ADJ (*fruit, staff etc*) håndplukket
handrail ['hændreɪl] s rekkverk *nt*
handset ['hændsɛt] s rør *nt*
handshake ['hændʃeɪk] s håndtrykk *nt* ❑ *...with a handshake.* ...med et håndtrykk.
handsome ['hænsəm] ADJ (**a**) (*man*) kjekk, pen
(**b**) (*woman, building*) flott, stilig
(**c**) (*fig: profit, return*) pen ❑ *They made a handsome profit...* De fikk en pen fortjeneste...
hands-on ['hændz'ɔn] ADJ (*training, experience etc*) praktisk
handstand ['hændstænd] s ▸ **to do a handstand** stå* på hendene
hand-to-mouth ['hændtə'mauθ] ADJ, ADV fra hånd til munn
handwriting ['hændraɪtɪŋ] s håndskrift *c*
handwritten ['hændrɪtn] ADJ håndskrevet
handy ['hændɪ] ADJ (**a**) (= *useful*) praktisk ❑ *An electric kettle is very handy.* En elektrisk vannkjele er veldig praktisk.
(**b**) (= *skilful*) hendig ❑ *He's pretty handy with a hammer.* Han er ganske hendig med en hammer.

(**c**) (= *close at hand*) i hendig *or* grei avstand ❑ *The shops are very handy...* Butikkene ligger greit *or* hendig til...
▸ **to come in handy** komme* til nytte ❑ *...you never know when it might come in handy.* ...du vet aldri når den kan komme til nytte.

handyman ['hændımæn] *irreg* s altmuligmann *m irreg*

hang [hæŋ] (*pt, pp* **hung**) 1 VT (**a**) (*+painting etc*) henge (*v2*) opp
(**b**) (*+head*) henge* med ❑ *She hung her head in shame.* Hun hang med hodet i skam.
(**c**) (*+criminal*) (*pt, pp* **hanged**) henge (*v2*) ❑ *Rebecca Smith was hanged in 1849.* Rebecca Smith ble hengt i 1849.
2 VI (*painting, coat, hair, curtain etc+*) henge*
▸ **to get the hang of sth** (*sl*) få* taket på noe ❑ *Once you have got the hang of it...* Når du har fått taket på det...

▸ **hang about** VI (= *loiter*) henge* rundt, gå/sitte* og henge*

▸ **hang around** VI = **hang about**

▸ **hang back** VI (= *hesitate*) nøle (*v2*)

▸ **hang on** 1 VI (= *wait*) vente (*v1*) ❑ *Hang on a minute.* Vent et øyeblikk.
2 VT FUS (= *depend on*) avhenge* av ❑ *Everything hangs on tomorrow's crucial match.* Alt avhenger av den avgjørende kampen i morgen.

▸ **to hang onto** VT FUS (**a**) (= *grasp*) holde* fast i ❑ *She hung onto the keys...* Hun holdt fast i nøklene...
(**b**) (= *keep*) gjemme (*v2x*) på ❑ *There's no point in hanging onto old letters.* Det er ingen vits i å gjemme på gamle brev.

▸ **hang out** 1 VT (*+washing*) henge (*v2*) ut ❑ *Mrs Poulter was hanging out her washing.* Fru Poulter hengte ut klesvasken sin.
2 VI (**a**) (*washing+*) henge* ute ❑ *The sheets are hanging out to dry.* Laknene henger ute til tørk.
(**b**) (*sl: live*) holde* til ❑ *Where do you guys hang out?* Hvor er det dere holder til?

▸ **hang together** VI (*argument etc+*) henge* sammen ❑ *The script hangs together nicely...* Manuset henger godt sammen...

▸ **hang up** 1 VI (*TEL*) legge* på (røret)
2 VT (*+coat, painting, washing etc*) henge (*v2*) opp ❑ *Howard hangs up his scarf on the hook...* Howard henger opp skjerfet sitt på knaggen...
▸ **to hang up on sb** legge* på (røret) ❑ *He didn't answer. He just hung up on me.* Han svarte meg ikke. Han bare la på (røret).

hangar ['hæŋəʳ] s hangar *m*

hangdog ['hæŋdɔg] ADJ (*look, expression*) skyldbetynget

hanger ['hæŋəʳ] s (*for clothes*) (kles)henger *m*

hanger-on [hæŋər'ɔn] (*pl* **hangers-on**) s snylter *m*, snik *m*

hang-glider ['hæŋglaıdəʳ] s hangglider *m*

hang-gliding ['hæŋglaıdıŋ] s hanggliding *m*

hanging ['hæŋıŋ] s (**a**) (= *execution*) hengning *m*
(**b**) (*for wall*) oppheng *nt* ❑ *...a Chinese silk hanging...* et kinesisk silkeoppheng...

hanging basket s kurvampel *m*

hangman ['hæŋmən] *irreg* s bøddel *m* (*som foretar hengning*)

hangover ['hæŋəuvəʳ] s (**a**) (*after drinking*) tømmermenn *pl*, bakrus *m*
(**b**) (*from past*) levning *m* ❑ *...a hangover from more primitive times.* ...en levning fra mer primitive tider.

hang-up ['hæŋʌp] s hang-up *m*, nevrose *m* ❑ *...a hang-up about flying.* ...en hang-up om *or* nevrotisk forhold til flyging.

hank [hæŋk] s bunt *m*

hanker ['hæŋkəʳ] VI ▸ **to hanker after** trakte (*v1*) etter

hankie, hanky ['hæŋkı] s (*sl*) lommetørkle *nt*

Hants [hænts] (*BRIT: POST*) FK = **Hampshire**

haphazard [hæp'hæzəd] ADJ (*system, arrangement*) tilfeldig, planløs

hapless ['hæplıs] ADJ (*victim etc*) ulykksalig

happen ['hæpən] VI (= *occur: event etc*) skje (*v4*), hende (*v2*)
▸ **to happen to do sth** tilfeldigvis gjøre* noe ❑ *If you happen to see Jane...* Hvis du tilfeldigvis ser Jane...
▸ **as it happens** faktisk, tilfeldigvis ❑ *As it happens, I've got my things with me here.* Faktisk *or* tilfeldigvis har jeg sakene med meg her.
▸ **what's happening?** hva er det som skjer *or* hender?
▸ **she happened to be free** hun var tilfeldigvis ledig
▸ **if anything happens to him/it...** hvis det skjer *or* hender noe med ham/det...

▸ **happen (up)on** VT FUS tilfeldigvis komme* over ❑ *I happened on a delightful little shop...* Jeg kom tilfeldigvis over en nydelig liten butikk...

happening ['hæpnıŋ] s (= *incident*) hendelse *m*, episode *m*

happily ['hæpılı] ADV (**a**) (= *luckily*) heldigvis ❑ *Happily, everyone remained calm.* Heldigvis forholdt alle seg rolige.
(**b**) (= *cheerfully*) glad og fornøyd, lykkelig ❑ *We laughed and chatted happily together.* Vi lo og pratet glad og fornøyd *or* lykkelig med hverandre.

happiness ['hæpınıs] s lykke *c*

happy ['hæpı] ADJ (**a**) (*person, time, place*) lykkelig ❑ *Did she have a happy childhood?* Hadde hun en lykkelig barndom?
(**b**) (= *pleased*) ▸ **I was happy to hear that...** jeg var glad for å høre at...
(**c**) (= *convenient: coincidence*) lykkelig, heldig ❑ *By a happy coincidence...* Ved et lykkelig *or* heldig sammentreff...
▸ **to be happy with** være* fornøyd med ❑ *She wasn't happy with his work...* Hun var ikke fornøyd med arbeidet hans...
▸ **to be happy to do sth** (= *willing*) med glede gjøre* noe ❑ *We'll be happy to help...* Vi vil med glede hjelpe til...
▸ **happy birthday!** ≈ gratulerer med dagen!

happy-go-lucky ['hæpıgəu'lʌkı] ADJ som tar livet lett, sorgløs

happy hour s happy hour *m*, *periode på dagen med lave priser på drikkevarer*

harangue [hə'ræŋ] VT lekse (*v1*) opp for

harass ['hærəs] VT trakassere (*v2*), mobbe (*v1*)

harassed ['hærəst] ADJ stresset, oppkavet
harassment ['hærəsmənt] s trakassering *c*
▸ **sexual harassment** seksuell trakassering
harbour ['hɑːbəʳ], **harbor** (*US*) [1] s havn *c*
[2] VT (**a**) (*+hope, fear etc*) nære (*v2*)
(**b**) (*+criminal, fugitive*) skjule (*v2*), holde* skjult
▸ **to harbour a grudge against sb** bære* nag til noen
harbo(u)r dues SPL havneavgift *m sg*
harbo(u)r master s havnefogd *m*
hard [hɑːd] [1] ADJ (**a**) (*surface, object*) hard
(**b**) (*question, problem*) vanskelig
(**c**) (*work*) hard
(**d**) (*life, time*) hard, vanskelig ❑ *We have been through hard times together.* Vi har vært gjennom harde *or* vanskelige tider sammen.
(**e**) (*person*) hard ❑ *She's very hard, has no pity for anyone.* Hun er veldig hard, har ikke medfølelse med noen.
(**f**) (*= certain: facts*) hard
(**g**) (*evidence*) fast ❑ *We have no hard evidence to indicate that he is the culprit.* Vi har ingen faste bevis på at han er den skyldige.
(**h**) (*drink*) sterk
(**i**) (*drugs*) hard, tung
[2] ADV (**a**) (*work*) hardt ❑ *I've been working hard all day long.* Jeg har arbeidet hardt hele dagen.
(**b**) (*think, try*) alt man kan [NB] *...if you tried a bit harder.* ...hvis du prøvde litt mer.
▸ **to look hard at** (**a**) (*+child, object*) stirre (*v1*) strengt på
(**b**) (*+problem*) se* nøye på
▸ **hard luck!** uflaks!
▸ **no hard feelings!** jeg er ikke sur *or* bitter på deg!
▸ **to be hard of hearing** høre (*v2*) dårlig
▸ **to feel hard done by** føle (*v2*) seg urettferdig behandlet
▸ **I find it hard to believe that...** jeg har vondt for å tro at...
hard-and-fast ['hɑːdən'fɑːst] ADJ fast ❑ *There isn't any hard-and-fast rule about the use of hyphens in English.* Det er ingen fast regel om bruken av bindestrek på engelsk.
hardback ['hɑːdbæk] s (*also* ***hardback book***) innbundet bok *c*, bok *c* med stive permer
hardboard ['hɑːdbɔːd] s hard trefiberplate *c*
hard-boiled egg ['hɑːd'bɔɪld-] s hardkokt egg *nt*
hard cash s kontant betaling *c* [NB] *I'd prefer to be paid in hard cash.* Jeg ville* foretrekke kontant betaling.
hard copy s utskrift *c*
hard core s (*of group*) hard kjerne *m*
hard-core ['hɑːd'kɔːʳ] ADJ hard
hard court s grusbane *m*
hard disk s harddisk *m*
harden ['hɑːdn] [1] VT (**a**) (*+wax, glue, steel*) få* til å stivne *or* størkne ❑ *...in order to harden the wax.* ...for å få* voksen til å stivne *or* størkne.
(**b**) (*+attitude, person*) herde (*v1*), hardne (*v1*)
[2] VI (*wax, glue, steel+*) stivne (*v1*), størkne (*v1*)
❑ *The glue hardens in an hour.* Limet stivner *or* størkner på en time.
hardened ['hɑːdnd] ADJ (*criminal*) forherdet
▸ **to get** *or* **become hardened to sth** bli* herdet mot noe ❑ *...journalists get hardened to the suffering.* ...journalister blir herdet mot lidelsen.
hardening ['hɑːdnɪŋ] s (*of attitude*) ▸ **...and result in a hardening of Allied opposition** ...og resultere i at motstanden fra de allierte ville* bli* hardere
hard graft s ▸ **by sheer hard graft** ved hjelp av beinhardt arbeid
hard-headed ['hɑːd'hɛdɪd] ADJ (*businessman*) hardbarket
hard-hearted ['hɑːd'hɑːtɪd] ADJ hardhjertet
hard-hitting ['hɑːd'hɪtɪŋ] ADJ (*fig: speech, journalist etc*) hardtslående
hard labour s (*punishment*) straffarbeid *nt* ❑ *...six months hard labour.* ...seks måneders straffarbeid.
hardliner [hɑːd'laɪnəʳ] (*POL*) s *tilhenger av en hard linje*
hard-luck story ['hɑːdlʌk-] s lidelseshistorie *c*
hardly ['hɑːdlɪ] ADV (**a**) (*= only just*) knapt ❑ *I liked Sam, though I hardly knew him.* Jeg likte Sam, selv om jeg knapt kjente ham.
(**b**) (*not quite*) neppe ❑ *He can hardly afford it.* Han har neppe råd til det.
(**c**) (*= no sooner*) ikke før ❑ *Hardly had he uttered the words when...* Ikke før hadde han uttalt ordene, så.... Han hadde knapt uttalt ordene før...
▸ **hardly ever/anywhere** nesten aldri/nesten ingen steder, knapt noen gang/noen steder
▸ **it's hardly likely** det er neppe sannsynlig, det er ikke særlig sannsynlig
▸ **I can hardly believe it** jeg kan nesten ikke *or* knapt tro det
hard-nosed [hɑːd'nəuzd] ADJ tøff
hard-pressed [hɑːd'prɛst] ADJ ▸ **to be hard-pressed** ha* problemer
▸ **hard-pressed for money** ha* pengeproblemer
hard sell s aggressiv salgstaktikk *m*
hardship ['hɑːdʃɪp] s vanskelighet *c*, vanske *m*
hard shoulder (*BRIT: BIL*) s (vei)skulder *m*
hard up (*sl*) ADJ blakk, i pengeknipe
hardware ['hɑːdwɛəʳ] s (*= ironmongery*) jernvarer *pl*; (*DATA*) maskinvare *m*; (*MIL*) krigsmateriell *nt*
hardware shop s jernvarehandel *m*
hard-wearing [hɑːd'wɛərɪŋ] ADJ (*clothes, shoes*) slitesterk
hard-won [hɑːd'wʌn] ADJ hardt tilkjempet
hard-working [hɑːd'wəːkɪŋ] ADJ (*employee, student*) arbeidsom, flittig
hardy ['hɑːdɪ] ADJ (*animals, people, plant*) hardfør
hare [hɛəʳ] s hare *m*
hare-brained ['hɛəbreɪnd] ADJ (*scheme, idea*) tåpelig, tomset(e)
harelip ['hɛəlɪp] s hareskår *nt*
harem [hɑː'riːm] s harem *nt*
hark back [hɑːk-] VT FUS ▸ **to hark back to** (*= talk about*) mimre (*v1*) tilbake til; (*= resemble*) minne (*v1 or v2x*) om
harm [hɑːm] [1] s skade *m* ❑ *Much harm has been done to...* Det har blitt gjort mye skade på...
[2] VT skade (*v1*)
▸ **to mean no harm** ikke mene (*v2*) noe vondt

▸ **out of harm's way** i sikkerhet
▸ **there's no harm in trying** det skader ikke å prøve
harmful ['hɑːmful] ADJ (*effect, toxin, influence*) skadelig
harmless ['hɑːmlɪs] ADJ (*animal, bacterium*) harmløs, uskadelig; (*person, joke, pleasure, activity*) harmløs
harmonic [hɑː'mɔnɪk] ADJ harmonisk
harmonica [hɑː'mɔnɪkə] S munnspill *nt*, (munn)harmonika *m*
harmonics [hɑː'mɔnɪks] SPL harmonikk *m sg*
harmonious [hɑː'məunɪəs] ADJ (*sound, pattern, discussion, relationship*) harmonisk
harmonium [hɑː'məunɪəm] S harmonium *nt irreg*, husorgel *nt*
harmonize, **harmonise** ['hɑːmənaɪz] VI ▸ **to harmonize (with)** harmonisere (*v2*) (med)
harmony ['hɑːmənɪ] S (= *MUS, agreement, accord*) harmoni *m*
▸ **in harmony** (**a**) (*work, live+*) i harmoni
(**b**) (*sing+*) flerstemt
harness ['hɑːnɪs] 1 S (**a**) (*for horse*) seletøy *nt*
(**b**) (*for child*) (barne)sele *m*
(**c**) (*also* ***safety harness***) (sikkerhets)sele *m*
2 VT (**a**) (*+resources, energy etc*) utnytte (*v1*)
❑ *Techniques harnessing the energy of the sun...* Teknikker for å utnytte energi fra sola...
(**b**) (*+horse, dog*) spenne (*v2x*) for NB *...a dog harnessed to a sledge.* ...en hund som er spent for en slede.
harp [hɑːp] 1 S harpe *c*
2 VI ▸ **to harp on (about)** (*pej*) gnåle (*v2*) (om)
harpist ['hɑːpɪst] S harpist *m*
harpoon [hɑː'puːn] S harpun *m*
harpsichord ['hɑːpsɪkɔːd] S cembalo *m*
harried ['hærɪd] ADJ (*expression, person*) stresset, bebyrdet
harrow ['hærəu] S harv *c*
harrowing ['hærəuɪŋ] ADJ (*film, experience*) opprivende
harry ['hærɪ] VT plage (*v1*)
harsh [hɑːʃ] ADJ (**a**) (*judge, criticism*) hard, skarp, streng ❑ *...had harsh words to say...* hadde skarpe *or* harde *or* strenge ord å si...
(**b**) (*life, winter*) barsk, hard
(**c**) (*sound, light*) skarp
harshly ['hɑːʃlɪ] ADV strengt, hardt
harshness ['hɑːʃnɪs] S (**a**) (*of judge, criticism*) strenghet *c*
(**b**) (*of life, winter*) strenghet *c*, besvær *m* ❑ *...the harshness of their nomadic life.* ...besværet ved nomadelivet deres.
(**c**) (*of sound, light*) skarphet *c* ❑ *There's a harshness to the music...* Det er en skarphet i musikken...
harvest ['hɑːvɪst] 1 S (**a**) (*also* ***harvest time***) høst *m*, innhøsting *c* ❑ *...the rice wouldn't last until the harvest.* ...risen ville* ikke vare helt til høsten *or* innhøstingen.
(**b**) (= *crop*) høst *m*, avling *c* ❑ *A bumper harvest is expected this year.* Det ventes en rekordstor høst *or* avling i år.
2 VT (*+barley, fruit etc*) høste (*v1*) (inn) ❑ *We harvested what we could...* Vi høstet (inn) det vi kunne...
harvester ['hɑːvɪstəʳ] S (*also* ***combine harvester***) skurtresker *m*
has [hæz] VB *see* **have**
has-been ['hæzbiːn] (*sl*) S ▸ **he's/she's a has-been** hun/han er en glemt *or* fordums storhet
hash [hæʃ] S (**a**) (*KULIN*) ≈ pytt *m* i panne
(**b**) (*drug*) hasj *m*
▸ **to make a hash of sth** (= *mess*) lage (*v1 or v3*) en suppe utav noe
hashish ['hæʃɪʃ] S hasj *m*
hasn't ['hæznt] = **has not**
hassle ['hæsl] (*sl*) 1 S (= *bother*) styr *nt*, mas *nt*
❑ *...a real hassle...* et ordentlig styr *or* mas...
2 VT (*+person*) mase (*v2*) på, stresse (*v1*)
haste [heɪst] S hastverk *nt*
▸ **in haste** i (all) hast
▸ **to make haste (to)** skynde (*v2*) seg (å)
hasten ['heɪsn] 1 VT framskynde (*v1*)
2 VI skynde (*v2*) seg
▸ **to hasten to do sth** skynde (*v2*) seg (med) å gjøre* noe
▸ **I hasten to add...** jeg må skynde meg å tilføye...
hastily ['heɪstɪlɪ] ADV (**a**) (= *hurriedly*) raskt, hastig
❑ *Philip hastily changed the subject.* Philip skiftet raskt *or* hastig tema.
(**b**) (= *rashly*) forhastet ❑ *If they hadn't acted so hastily, we wouldn't be in this mess.* Hvis de ikke hadde handlet så forhastet, ville* vi ikke ha* alt dette rotet.
hasty ['heɪstɪ] ADJ (**a**) (= *hurried*) rask, hastig ❑ *...a hasty departure.* ...en rask *or* hastig avgang.
(**b**) (= *rash*) forhastet ❑ *Don't be hasty. It's not so easy to find another job.* Ikke forhast deg. Det er ikke så lett å finne en annen jobb.
hat [hæt] S hatt *m*
▸ **to keep sth under one's hat** (*fig*) holde* tett om noe, holde* noe for seg selv
hatbox ['hætbɔks] S hatteeske *m*
hatch [hætʃ] 1 S (**a**) (*NAUT*: ***hatchway***) (dekks)luke *c* ❑ *...disappeared down the hatch.* ...forsvant ned under dekksluka.
(**b**) (*also* ***service hatch***) (serverings)luke *c*
2 VI (*bird, egg+*) bli* klekket ut, klekkes (*v5, no past tense*) (ut)
3 VT (**a**) (*+egg, chicken etc*) klekke (*v1*) ut, ruge (*v1*) ut
(**b**) (*+plot*) klekke (*v1*) ut
hatchback ['hætʃbæk] S (*car*) kombibil *m*; (*door*) bakluke *c*
hatchet ['hætʃɪt] S (= *axe*) (hånd)øks *c*
▸ **to bury the hatchet** (*fig*) begrave (*v3*) stridsøksen
hatchet job (*sl*) ADJ ▸ **to do a hatchet job on sb** sable (*v1*) ned noen
hatchet man (*sl*) S (*fig*) bøddel *m*
hate [heɪt] 1 VT (*+person, thing, situation*) hate (*v1*)
2 S hat *nt* ❑ *...full of hate.* ...full av hat.
▸ **to hate to do/doing** hate (*v1*) å gjøre, ikke kunne* fordra å gjøre
▸ **I hate to trouble you, but...** jeg beklager så mye at jeg plager deg, men...
hateful ['heɪtful] ADJ vemmelig, avskyelig

hatred ['heɪtrɪd] s hat *nt* ❑ *She felt hatred towards his sister...* Hun følte hat mot søsteren hans...
hat trick (*SPORT*) s hat trick *nt*
haughty ['hɔːtɪ] ADJ (*air, attitude*) hovmodig
haul [hɔːl] 1 VT (**a**) (= *pull*) hale (*v2*) ❑ *They hauled the pilot clear of the wreckage.* De halte piloten ut av vraket.
(**b**) (*vehicle+*) slepe (*v2*), dra*
(**c**) (*ship+*) slepe (*v2*)
2 s (**a**) (*of stolen goods etc*) fangst *m*, varp *nt* ❑ *They have made some spectacular hauls.* De har gjort noen fantastiske fangster *or* varp.
(**b**) (*of fish*) fangst *m*
▸ **to haul oneself out of sth** heise (*v2*) *or* hale (*v2*) seg ut av noe
haulage ['hɔːlɪdʒ] s (*business*) (lastebil)transport *m*
haulage contractor (*BRIT*) s (*firm*) lastebilfirma *nt*, transportfirma *nt*; (*person*) lastebileier *m*
hauler ['hɔːlə^r] (*US*) s innehaver *m* av transportfirma
haulier ['hɔːlɪə^r] (*BRIT*) s innehaver *m* av transportfirma
haunch [hɔːntʃ] s (**a**) bakdel *m*
(**b**) (*of meat*) bakpart *m*
▸ **on one's haunches** på huk NB *He squatted down on his haunches.* Han satte seg på huk.
haunt [hɔːnt] 1 VT (**a**) (*ghost, spirit+*) hjemsøke (*v2*)
(**b**) (*fig : problem, memory, fear*) forfølge*, hjemsøke (*v2*)
2 s (*of crooks, childhood etc*) tilholdssted *nt* ❑ *This bar is famous as a haunt of criminals.* Denne baren er berømt som et tilholdssted for kriminelle.
haunted ['hɔːntɪd] ADJ (**a**) (*building etc*) ▸ **a haunted house** et hus som det spøker i
(**b**) (*expression*) jaget ❑ *Her face took on a haunted quality.* Ansiktet hennes fikk et jaget drag.
haunting ['hɔːntɪŋ] ADJ (*sight, music*) uforglemmelig, som man ikke kan få* ut av tankene
Havana [hə'vænə] s Havanna

KEYWORD

have [hæv] (*pt, pp* **had**) 1 H-VERB (**a**) (*gen*) ha
▸ **to have arrived/gone/eaten/slept** ha* kommet/gått/spist/sovet
▸ **has he told you?** har han fortalt deg det?
▸ **having finished** *or* **when he had finished, he left** da han hadde avsluttet, gikk han
(**b**) (*in tag questions*) ▸ **you've done it, haven't you?** du har gjort det, ikke sant?
▸ **he hasn't done it, has he?** han har ikke gjort det, har han vel?
(**c**) (*in short answers and questions*) ▸ **no I haven't!** nei, det har jeg ikke!
▸ **so have I** ja, det har jeg også
▸ **I've been there before, have you?** jeg har vært der før, har du?
2 MOD H-VERB (= *be obliged*) ▸ **to have (got) to do sth** måtte* gjøre* noe, være* nødt til å gjøre* noe
▸ **she has (got) to do it** hun må gjøre* *or* er nødt til å gjøre* det
▸ **this has (got) to be a mistake** dette må være* *or* er nødt til å være* feil
3 VT (**a**) (= *possess*) ha
▸ **he has (got) blue eyes/dark hair** han har blå øyne/mørkt hår
▸ **do you have** *or* **have you got a car/phone?** har du bil/telefon?
(**b**) (*referring to meals etc*) spise (*v2*)
▸ **to have breakfast/lunch/dinner** spise (*v2*) frokost/lunsj/middag
▸ **to have a drink/a cigarette** ta* en drink/en sigarett
(**c**) (= *receive, obtain etc*) få ❑ *May I have your address?* Kan jeg få* adressen din? *You can have it for 5 pounds.* Du kan få* den for 5 pund.
▸ **to have a baby** få* barn
(**d**) (= *allow*) ha* noe av
▸ **I won't have it/this nonsense!** jeg vil ikke ha* noe av det/dette tullet!
▸ **we can't have that** vi kan ikke ha* noe av det
(**e**) ▸ **to have sth done** få* gjort noe
▸ **to have a house built** få* bygd et hus
▸ **to have one's hair cut** klippe (*v1 or v2x*) håret
▸ **to have sb doing sth** få* noen til å gjøre* noe ❑ *He soon had them all laughing.* Han fikk snart alle til å le.
(**f**) (= *experience, suffer*) ▸ **to have a cold/flu** være* forkjølet/ha influensa
▸ **she had her bag stolen/her arm broken** hun fikk vesken sin stjålet/hun brakk armen
▸ **to have an operation** ha* en operasjon, bli* operert
(**g**) (+ *noun : take, hold etc*) ▸ **to have a swim/walk/bath/rest** ta* seg en svømmetur/en spasertur/et bad/en hvil
▸ **to have a look** ta* en titt
▸ **to have a meeting/party** ha* møte/selskap
▸ **to have a try** prøve (*v3*)
(**h**) (*sl : dupe*) lure (*v2*) ❑ *You've been had!* Du har blitt lurt!
▸ **have in** (*sl*) VT ▸ **to have it in for sb** ha* noe imot noen
▸ **have on** VT (*+clothes, money*) ha* på seg ❑ *She had on a green dress.* Hun hadde på seg en grønn kjole. *I don't have any money on me.* Jeg har ikke noen penger på meg.; (*BRIT : sl : tease*) tulle (*v1*) med *You're having me on!* Du tuller med meg!; (*+activity*) ▸ **have you** *or* **do you have anything on tomorrow?** har du noe å gjøre* i morgen?, har du noe fore i morgen?
▸ **have out** VT ▸ **to have it out with sb** si* fra til noen (*ta* opp et problem*)

haven ['heɪvn] s tilfluktssted *nt* ❑ *...a safe haven...* et trygt tilfluktssted...
▸ **a haven of calm** en fredet plett
haven't ['hævnt] = **have not**
haversack ['hævəsæk] s skulderveske *c*
haves [hævz] (*sl*) SPL ▸ **the haves and have-nots** de rike og de fattige
havoc ['hævək] s (= *chaos*) herjinger *pl* ❑ *After the havoc of the war...* Etter krigens herjinger...
▸ **to play havoc with** forårsake (*v1*) skader *or* ødeleggelser på
Hawaii [hə'waiː] s Hawaii
Hawaiian [hə'waɪjən] 1 ADJ hawaiisk
2 s (*person*) hawaier *m*; (*LING*) hawaiisk

hawk [hɔːk] s hauk *m*
hawker ['hɔːkəʳ] s dørselger *m*, kremmer *m*
hawkish ['hɔːkɪʃ] ADJ (*person, approach*) krigersk
hawthorn ['hɔːθɔːn] s hagtorn *m*
hay [heɪ] s høy *nt*
hay fever s høysnue *m*
haystack ['heɪstæk] s høystakk *m*
▸ **it's like looking for a needle in a haystack** det er som å se etter *or* lete etter nål i høystakk
haywire ['heɪwaɪəʳ] (*sl*) ADJ ▸ **to go haywire** (*machine+*) løpe* løpsk, gå* i spinn; (*plans etc+*) gå* ad undas, skjære* seg
hazard ['hæzəd] 1 s (= *danger*) fare *m* ❑ *...a natural hazard, like an earthquake.* ...en naturlig fare, som et jordskjelv.
2 VT (= *risk*) våge (*v1*) ❑ *I will hazard a guess that it is Howard.* Jeg våger å gjette at det er Howard.
▸ **to be a health/fire hazard** være* en helse-/brannfare, være* helse-/brannfarlig
hazardous ['hæzədəs] ADJ hasardiøs, farlig
hazard pay (*US*) s risikotillegg *nt*
hazard (warning) lights SPL nødlys *pl*
haze [heɪz] s (*of heat, smoke, dust*) dis *m*
hazel ['heɪzl] 1 s hassel *m*, hasseltre *nt*
2 ADJ (*eyes*) grønnbrun, nøttebrun
hazelnut ['heɪzlnʌt] s hasselnøtt *c*
hazy ['heɪzɪ] ADJ (**a**) (*sky, view*) disig
(**b**) (*idea, memory*) uklar, vag ❑ *My memory's a little hazy on this.* Hukommelsen min er litt uklar *or* vag på dette feltet.
▸ **I'm rather hazy about the details** jeg er ikke helt klar over detaljene
H-bomb ['eɪtʃbɔm] s hydrogenbombe *m*
HE FK (= **His (or Her) Excellency**) Hans (eller Hennes) Eksellense; = **high explosive**
he [hiː] PRON han
▸ **he-bear** *etc* hannbjørn *etc*
head [hɛd] 1 s (**a**) (*ANAT, mind, intellect*) hode *nt*
❑ *...good at doing sums in his head.* ...god til å regne i hodet.
(**b**) (*of table*) (øverste) bordende *m*
(**c**) (*of queue*) ▸ **at the head of the queue** først i køen
(**d**) (*of company, organization*) sjef *m*, leder *m*
(**e**) (*of school*) rektor *m*
(**f**) (*of list*) topp *m*
(**g**) (*on coin*) krone *m*
(**h**) (*on tape recorder, computer etc*) hode *nt*
2 VT (**a**) (*+list, group*) toppe (*v1*) ❑ *The list of cities is headed by London.* Listen over byer toppes av London.
(**b**) (*+group, company*) lede (*v1*) ❑ *The firm is headed by John Murray.* Firmaet ledes *or* blir ledet av John Murray.
(**c**) (*FOTB*) heade (*v1*)
▸ **head first** (**a**) (*dive*) med hodet først
(**b**) (*fall*) på hodet
▸ **head over heels** (*fall*) hodestups
▸ **head over heels in love** stormforelsket
▸ **£10 a** *or* **per head** 10 pund pr hode
▸ **to sit at the head of the table** sitte* øverst ved bordet
▸ **to have a head for business** være* flink med *or* i forretninger
▸ **to have no head for heights** ikke tåle (*v2*) høyder
▸ **to come to a head** (*fig: situation etc*) toppe (*v1*) seg ❑ *Things are really coming to a head now...* Tingene topper seg virkelig nå...
▸ **let's put our heads together** la oss stikke hodene sammen
▸ **off the top of my head** på stående fot
▸ **he's off his head!** (*sl*) han er (gått) fra vettet *or* forstanden!
▸ **on your own head be it!** det blir på (ditt) eget ansvar!
▸ **to bite** *or* **snap sb's head off** bite* hodet av en
▸ **it went to my head** (*alcohol, success+*) det gikk til hodet på meg
▸ **to keep one's head** bevare (*v2*) fatningen
▸ **to lose one's head** miste (*v1*) hodet *or* fatningen
▸ **heads (or tails)** krone (eller mynt)
▸ **I can't make head nor tail of this** jeg skjønner ikke bæret *or* meteren av dette
▸ **head for** VT FUS (*+place*) ha* kurs mot *or* for
▸ **to be heading** *or* **headed for disaster** gå* *or* styre (*v2*) mot stupet
▸ **head off** VT (*+threat, danger*) avverge (*v1*)
headache ['hɛdeɪk] s (*also fig*) hodepine *m* ❑ *...a big headache for the government.* ...litt av en hodepine for regjeringen.
▸ **to have a headache** ha* hodepine, ha* vondt i hodet
headband ['hɛdbænd] s pannebånd *n*
headboard ['hɛdbɔːd] s gavl *m*
head cold s snue *m*
headdress ['hɛddrɛs] (*BRIT*) s hodepryd *m*
headed notepaper s skrivepapir med brevhode *n*
header ['hɛdəʳ] (*BRIT: FOTB*) s heading *m*
headgear ['hɛdgɪəʳ] s hodeplagg *nt*
head-hunt ['hɛdhʌnt] VT headhunte (*v1*)
head-hunter ['hɛdhʌntəʳ] s head-hunter *m*
heading ['hɛdɪŋ] s (*of chapter, article*) overskrift *c*
headlamp ['hɛdlæmp] (*BRIT*) s = **headlight**
headland ['hɛdlənd] s nes *nt*, odde *m*
headlight ['hɛdlaɪt] s frontlys *nt*, hovedlys *nt*
headline ['hɛdlaɪn] (*PRESS, TV*) s overskrift *c*
▸ **it was headline news** det var i overskriftene, det var forsidestoff
headlong ['hɛdlɔŋ] ADV (*fall, run, rush*) hodekulls ❑ *...ran headlong through the forest.* ...sprang hodekulls gjennom skogen. *Don't rush headlong into buying new furniture.* Ikke gi* deg hodekulls i kast med å kjøpe nye møbler.
headmaster [hɛd'mɑːstəʳ] s rektor *m* (*mann*), overlærer *m*
headmistress [hɛd'mɪstrɪs] s rektor *m* (*kvinne*), overlærerinne *c*
head office s hovedkontor *nt*
head of state (*pl* **heads of state**) s statsoverhode *nt*
head-on ['hɛd'ɔn] ADJ (*collision*) front-(mot-front-); (*confrontation*) direkte
headphones ['hɛdfəunz] SPL hodetelefoner
headquarters ['hɛdkwɔːtəz] SPL hovedkvarter *nt sg*
headrest ['hɛdrɛst] s nakkestøtte *c*, hodestøtte *c*
headroom ['hɛdrum] s (**a**) (*in car*) innvendig

takhøyde *m* ❑ *There's not very much headroom.* Det er ikke så stor innvendig takhøyde.
(**b**) (*under bridge*) ▸ **"Max. Headroom: 3.4 metres"** "Max. høyde: 3,4 meter"

headscarf ['hɛdskɑːf] s hodetørkle *nt*, skaut *nt*

headset ['hɛdsɛt] s = **headphones**

head start s ▸ **to give sb a head start** (**a**) (*in race*) gi* noen (et) forsprang
(**b**) (*fig*) gi* noen et fortrinn ❑ *...a head start in getting a good job.* ...et fortrinn for å få* en god jobb.

headstone ['hɛdstəun] s gravstein *m*, gravstøtte *c*

headstrong ['hɛdstrɔŋ] ADJ viljesterk, egenrådig

head waiter s hovmester *m*

headway ['hɛdweɪ] s ▸ **to make headway** gjøre* framskritt ❑ *I'm not making much headway with "War and Peace".* Jeg gjør ikke særlig framskritt med "Krig og fred".

headwind ['hɛdwɪnd] s motvind *m*

heady ['hɛdɪ] ADJ (*experience, time, drink, atmosphere*) berusende ❑ *...the heady days of the sixties.* ...de berusende sekstiårene. *...a heady mixture of champagne and brandy.* ...en berusende blanding av champagne og konjakk.

heal [hiːl] 1 VT (*+injury, patient*) helbrede (*v1*), lege (*v1*) ❑ *This ointment should heal the cut in no time.* Denne salven skulle* helbrede *or* lege kuttet på kort tid.
2 VI (*injury+*) gro (*v4*), leges (*v25*) ❑ *His leg needs support while the bone is healing.* Beinet hans trenger støtte mens det gror *or* leges.

health [hɛlθ] s helse *c* ❑ *Her health has never been very good.* Helsen hennes har aldri vært god. *He was restored to health by...* Han fikk tilbake helsen ved hjelp av...

health care s helsetjeneste *m*

health centre (*BRIT*) s legesenter *m*

health food s helsekost *m*

health food shop s helsekostbutikk *m*

health hazard s helserisiko *m*, helsefare *m*

Health Service (*BRIT*) s ▸ **the (National) Health Service** *det offentlige helsevesenet*

health visitor (*BRIT*) s *sosialarbeider med medisinsk utdannelse*

healthy ['hɛlθɪ] ADJ (*person*) sunn (og frisk); (*appetite, air, walk, economy, profit*) sunn

heap [hiːp] 1 s haug *m*
2 VT ▸ **to heap (up)** (*+stones, sand etc*) legge* i haug
▸ **to heap sth with** (*+plate, sink etc*) fylle (*v2x*) noe til randen av, lesse (*v1*) noe ned med
▸ **to heap sth on** legge* noe i en haug på ❑ *We sat on cushions heaped on the floor.* Vi satt på puter som lå i en haug på gulvet.
▸ **heaps (of)** (*sl*) haugevis (av) (*sl*) ❑ *We've got heaps of time.* Vi har haugevis av tid.
▸ **to heap favours/praises/gifts** *etc* **on sb** overøse (*v2*) noen med tjenester/ros/gaver *etc*

hear [hɪəʳ] (*pt, pp* **heard**) VT (**a**) (*+sound, news, concert*) høre (*v2*) ❑ *He heard a distant voice shouting.* Han hørte en stemme som ropte langt borte. *I heard the news on the radio...* Jeg hørte nyhetene på radioen... *We went to hear the Berlin Philharmonic...* Vi gikk for å høre Berlinfilharmonikerne...
(**b**) (*JUR : case*) behandle (*v1*) ❑ *The case will be heard next month.* Saken vil bli* behandlet i neste måned.
▸ **to hear about** (*+event, person*) høre (*v2*) om ❑ *Have you heard about the plan to ban cars...?* Har du hørt om planen om å forby biler...?
▸ **to hear from sb** høre (*v2*) fra noen ❑ *They'll be delighted to hear from you again.* De vil bli* henrykt over å høre fra deg igjen.
▸ **I've never heard of that book** jeg har aldri hørt om den boka
▸ **I wouldn't hear of it!** jeg vil ikke høre snakk om det!
▸ **to hear sb out** høre (*v2*) på det noen har å si ❑ *Before you start protesting, just hear me out!* Før du begynner å protestere, bare hør på det jeg har å si!

heard [həːd] PRET, PP *of* **hear**

hearing ['hɪərɪŋ] s (**a**) (*sense*) hørsel *m* ❑ *Her hearing was almost gone.* Hørselen hennes var nesten borte.
(**b**) (*JUR*) rettssak *m* ❑ *On the third day of the hearing...* På den tredje dagen av rettssaken...
▸ **within sb's hearing** innen(for) noens hørevidde ❑ *She began to grumble within his hearing.* Hun begynte å beklage seg innen(for) hans hørevidde.
▸ **to give sb a (fair) hearing** (*BRIT*) gi* noen anledning til å uttale seg, gi* noen anledning til å bli* hørt

hearing aid s høreapparat *nt*

hearsay ['hɪəseɪ] s rykter *pl* ❑ *...that was all hearsay.* ...det var bare rykter.
▸ **by hearsay** etter det folk sier

hearse [həːs] s begravelsesbil *m*, likbil *m*

heart [hɑːt] s (**a**) (*gen*) hjerte *nt* ❑ *These sweets were in the shapes of hearts.* Disse sukkertøyene var hjerteformede.
(**b**) (*of lettuce*) blader *pl* i midten
▸ **hearts** SPL (*KORT*) hjerter
▸ **to lose/take heart** (= *courage*) miste (*v1*) motet/fatte (*v1*) mot
▸ **at heart** (= *basically*) i bunn og grunn, dypest sett ❑ *He was at heart a kindly and reasonable man.* Han var i bunn og grunn *or* dypest sett en snill og fornuftig mann.
▸ **by heart** (*learn, know*) utenat
▸ **to have a soft/hard heart** være* bløthjertet/hardhjertet
▸ **my heart went out to them.** mine innerste tanker var hos dem.
▸ **to have a weak heart** ha* dårlig hjerte
▸ **to set one's heart on sth** kaste (*v1*) sine øyne på noe
▸ **to set one's heart on doing sth** være* oppsatt på å gjøre* noe
▸ **the heart of the matter** sakens kjerne

heartache ['hɑːteɪk] s hjertesorg *m*

heart attack s hjerteanfall *nt*

heartbeat ['hɑːtbiːt] s hjerteslag *nt*

heartbreak ['hɑːtbreɪk] s hjertesorg *m*

heartbreaking ['hɑːtbreɪkɪŋ] ADJ hjerteskjærende

heartbroken ['hɑːtbrəukən] ADJ sønderknust

heartburn ['hɑːtbəːn] s halsbrann *m*

-hearted ['hɑːtɪd] SUFF -hjertet ❑ *goodhearted/*

hardhearted godhjertet/hardhjertet
heartening ['hɑːtnɪŋ] ADJ oppmuntrende
heart failure s hjertesvikt *m*
heartfelt ['hɑːtfɛlt] ADJ (*prayer, wish*) dyptfølt, av hjertet
hearth [hɑːθ] s peis *m*, grue *c*
heartily ['hɑːtɪlɪ] ADV (**a**) (*laugh, welcome*) hjertelig (**b**) (*dislike, support*) av hjertet (**c**) (*glad*) hjertens ❑ *I'm heartily glad of it.* Jeg er hjertens glad for det. (**d**) (*eat*) med god appetitt
heartland ['hɑːtlænd] s ▸ **Britain's industrial heartland** de sentrale industriområdene i Storbritannia
heartless ['hɑːtlɪs] ADJ (*person, attitude*) hjerteløs
heartstrings ['hɑːtstrɪŋz] SPL ▸ **to tug at sb's heartstrings** røre (*v2*) ved noens dypere følelser
heart-throb ['hɑːtθrɔb] (*sl*) s storsjarmør *m*
heart-to-heart ['hɑːt'tə'hɑːt] [1] s fortrolig samtale *m* ❑ *I had quite a heart-to-heart with her last night.* Jeg hadde litt av en fortrolig samtale med henne i går kveld. [2] ADJ (*talk etc*) fortrolig
heart transplant s hjertetransplantasjon *m*
heartwarming ['hɑːtwɔːmɪŋ] ADJ som gjør en varm om hjertet
hearty ['hɑːtɪ] ADJ (*person, laugh, welcome, dislike, support*) hjertelig; (*appetite*) kraftig
heat [hiːt] [1] s (**a**) (= *warmth*) varme *m* (**b**) (= *excitement*) hete *m* ❑ *...in the heat of the moment.* ...i øyeblikkets *or* kampens hete. (**c**) (*SPORT*) heat *nt* (**d**) (*ZOOL*) ▸ **in** *or (BRIT)* **on heat** med løpetid, som har løpetid [2] VT (*+water, food, room*) varme (*v1*) (opp)
▸ **heat up** [1] VI (*water, room+*) bli* oppvarmet *or* varmet opp ❑ *The room quickly heated up...* Rommet ble fort varmet opp *or* oppvarmet... [2] VT (*+food*) varme (*v1*) opp ❑ *...heat up the leftovers.* ...varme opp restene.
heated ['hiːtɪd] ADJ (*pool, room etc*) oppvarmet; (*argument*) opphetet
heater ['hiːtə^r] s (= *electric, gas*) ovn *m*; (*in car*) varmeapparat *nt*
heath [hiːθ] s hede *m*, mo *m*
heathen ['hiːðn] s hedning *m*
heather ['hɛðə^r] s lyng *m*
heating ['hiːtɪŋ] s (**a**) (*process*) oppvarming *c*, fyring *c* ❑ *The rent was £40 a week including heating.* Leien var på 40 pund i uka inkludert fyring *or* oppvarming. (**b**) (*system, equipment*) fyring *c*, varme *m* ❑ *Try turning down the heating.* Prøv å skru ned fyringen *or* varmen.
heat-resistant ['hiːtrɪzɪstənt] ADJ varmefast
heat-seeking ['hiːtsiːkɪŋ] ADJ varmesøkende
heatstroke ['hiːtstrəuk] s heteslag *nt*
heatwave ['hiːtweɪv] s hetebølge *m*
heave [hiːv] [1] VT (**a**) (= *pull, push*) hale (*v2*) (**b**) (= *lift*) heise (*v2*) [2] VI (**a**) (*chest+*) hive* på seg (**b**) (= *retch*) brekke* seg [3] s rykk *nt* ❑ *It took only one heave.* Det gikk på et rykk.
▸ **to heave a sigh** trekke* et sukk
▸ **heave to** (*pt, pp* **hove**) (*NAUT*) VI legge* bi, dreie (*v3*) bi
heaven ['hɛvn] s (**a**) (*REL*) himmelen *m def* (**b**) (*fig : place, experience*) himmelriket *nt def* ❑ *The cottage is just heaven.* Hytta er rene himmelriket.
▸ **to go to heaven** komme* til himmelen
▸ **thank heaven!** gudskjelov!
▸ **heaven forbid!** måtte* Gud forby det!
▸ **for heaven's sake!** (**a**) (*pleading*) for Guds skyld! (**b**) (*protesting*) for Guds skyld!, i himmelens navn!
heavenly ['hɛvnlɪ] ADJ himmelsk ❑ *...earthly crime and heavenly punishment.* ...jordisk forbrytelse og himmelsk straff. *...a heavenly day on the beach.* ...en himmelsk dag på stranda.
heaven-sent [hɛvn'sɛnt] ADJ (*opportunity etc*) som sendt fra himmelen
heavily ['hɛvɪlɪ] ADV (**a**) (*land, fall, sleep, sigh*) tungt (**b**) (*drink, smoke*) tett (**c**) (*depend, rely*) sterkt ❑ *Hong Kong's prosperity relies heavily on foreign businesses.* Hong Kongs rikdom er sterkt avhengig av utenlandske foretak. (**d**) (*say*) tungt ❑ *"I don't understand you," he said heavily.* "Jeg forstår deg ikke," sa han tungt.
heavy ['hɛvɪ] ADJ (**a**) (*person, load, object, food, meal, responsibility, breathing, sleep, work, air*) tung ❑ *How heavy are you?* Hvor tung er du? *A heavy responsibility rests on us.* Det hviler et tungt ansvar på oss. *...the sound of heavy breathing...* lyden av tung pusting... *I cannot do heavy work in the fields.* Jeg kan ikke utføre tungt arbeid på åkrene. *The air was heavy, damp and hot.* Luften var tung, fuktig og varm. (**b**) (*rain, snow, blow, fall*) kraftig ❑ *...there was heavy snow.* ...det var kraftige snøfall. *A heavy blow with a club knocked him senseless.* Et kraftig slag med en klubbe slo ham i svime. (**c**) (*schedule, week*) tettpakket ❑ *My timetable is very heavy this term.* Timeplanen min er veldig tettpakket dette semesteret. (**d**) (*casualties*) stor ❑ *There would be heavy casualties.* Det ville* bli* store tap av liv.
▸ **with a heavy heart** med tungt hjerte
▸ **to be a heavy drinker/smoker** drikke* tett/ være en storrøyker
▸ **it's heavy going** (*food, book+*) det er tungt fordøyelig
heavy cream (*US*) s kremfløte *m*
heavy duty ADJ (*equipment, clothing etc*) slitesterk, kraftig
heavy goods vehicle s (tungt) lastekjøretøy *nt*
heavy-handed ['hɛvɪ'hændɪd] ADJ (*fig*) hardhendt, tøff
heavy industry s tungindustri *m*
heavy metal s (*MUS*) heavy metall *m*
heavyset ['hɛvɪ'sɛt] (*især US*) ADJ grovbygd
heavyweight ['hɛvɪweɪt] (*BOKSING*) s tungvekter *m*
Hebrew ['hiːbruː] [1] ADJ hebraisk [2] s hebraisk
Hebrides ['hɛbrɪdiːz] SPL ▸ **the Hebrides** Hebridene
heck [hɛk] (*sl*) [1] INTERJ ▸ **oh heck!** pokker! (*sl*) [2] s ▸ **a heck of a lot** jævlig mye

heckle ['hɛkl] VT avbryte* med tilrop
heckler ['hɛklə^r] s møteplager *m*
hectare ['hɛktɑːʳ] (*BRIT*) s hektar *m*
hectic ['hɛktɪk] ADJ hektisk
hector ['hɛktə^r] VT hundse (*v1*)
he'd [hiːd] = **he wouldhe had**
hedge [hɛdʒ] 1 s hekk *m*
2 VI unnslå* seg ❑ *Politicians are known for hedging on promises.* Politikere er kjent for å unnslå seg når det gjelder løfter.
▸ **to hedge one's bets** gardere (*v2*) seg
▸ **as a hedge against inflation** som et vern mot inflasjon, for å gardere seg mot inflasjon
▸ **hedge in** VT omslutte (*v1*), omgi* (på alle kanter) ❑ *We feel hedged in by fear.* Vi føler oss omsluttet av frykt *or* omgitt av frykt på alle kanter.
hedgehog ['hɛdʒhɔg] s pinnsvin *nt*
hedgerow ['hɛdʒrəu] s hekk *m*, rad *m* med trær
hedonism ['hiːdənɪzəm] s hedonisme *m*
heed [hiːd] 1 VT (*also* ***take heed of***) ta* hensyn til
2 s ▸ **to pay (no) heed to, take (no) heed of** (ikke) ta* hensyn til
heedless ['hiːdlɪs] ADJ ▸ **heedless (of)** uten hensyn (til)
heel [hiːl] 1 s hæl *m*
2 VT (*+shoe*) sette* hæl på ❑ *I'd like to have these shoes soled and heeled.* Jeg vil gjerne ha* nye såler og hæler på disse skoene.
▸ **to bring to heel** (**a**) (*+dog*) få* til å gå* ved foten
(**b**) (*fig: person*) tvinge* til å adlyde
▸ **to take to one's heels** legge* beina på nakken
hefty ['hɛftɪ] ADJ (*parcel etc*) svær, kjempestor; (*person*) kraftig, bastant; (*profit*) kjempestor, drabelig
heifer ['hɛfə^r] s kvige *c*
height [haɪt] s (**a**) (*gen, high ground*) høyde *m* ❑ *100 metres in height.* En høyde på 100 meter. *The plane began to lose height...* Flyet begynte å miste høyde... *fierce fighting on the heights above the bay.* ...voldsomme kamper på høydene over bukta.
(**b**) (*fig: of powers, season*) høyde *m*, topp *m*
(**c**) (*of luxury, good taste etc*) topp *m* ❑ *...a writer at the height of his powers.* ...en forfatter på høyden *or* toppen av sin kraft. *It would be considered the height of arrogance.* Det ville* bli* sett på som toppen av arroganse.
▸ **what height are you?** hvor høy er du?
▸ **of average height** av middels høyde
▸ **to be afraid of heights** ha* høydeskrekk
▸ **it's the height of fashion** det er topp mote *or* moderne
▸ **at the height of the tourist season** på høyden *or* toppen av turistsesongen
heighten ['haɪtn] VT (*+fears, uncertainty*) forsterke (*v1*), øke (*v2*)
heinous ['heɪnəs] ADJ avskyelig, vederstyggelig
heir [ɛə^r] s (*to throne, fortune*) arving *m*
heir apparent s rettsmessig arving *m*
heiress ['ɛərɛs] s arving *m* (*kvinne*)
heirloom ['ɛəluːm] s arvestykke *nt*
heist [haɪst] (*US: sl*) s ran *nt*
held [hɛld] PRET, PP *of* **hold**

helicopter ['hɛlɪkɔptə^r] s helikopter *nt*
heliport ['hɛlɪpɔːt] s helikopterflyplass *m*, heliport *m*
helium ['hiːlɪəm] s helium *nt*
hell [hɛl] s helvete *nt*
▸ **hell!** (*sl*) fader! (*sl*), fanken! (*sl*)
▸ **a hell of a...** (*sl*) en helvetes..., en pokkers...
▸ **to go to hell** (*REL*) komme* til helvete
▸ **it was hell** det var et helvete
he'll [hiːl] = **he willhe shall**
hellbent [hɛl'bɛnt] ADJ ▸ **hellbent (on)** fast bestemt (på)
hellish ['hɛlɪʃ] (*sl*) ADJ (*traffic, weather, life etc*) jævlig (*sl*)
hello [hə'ləu] INTERJ (**a**) (*as greeting*) hallo, hei ❑ *Hallo there, Richard...* Hallo *or* Hei, Richard...
(**b**) (*to attract attention*) hallo ❑ *"Hello, can I come in?"* "Hallo, kan jeg komme inn?"
(**c**) (*expressing surprise*) heisann ❑ *"Hello!" Charlie said. "What's this?"* "Heisann!" sa Charlie. "Hva er dette?"
helm [hɛlm] s ror *nt*
▸ **at the helm** (*fig: in control*) ved roret
helmet ['hɛlmɪt] s hjelm *m*
helmsman ['hɛlmzmən] s rormann *m irreg*, styrmann *m irreg*
help [hɛlp] 1 s (**a**) (*= assistance, aid*) hjelp *m* ❑ *She needs help to get up the stairs.* Hun trenger hjelp for å komme opp trappen.
(**b**) (*= charwoman*) daghjelp *m* ❑ *...a mother's help.* ...en husmorvikar *or* daghjelp.
2 VT (*+person, situation*) hjelpe*
▸ **to help sb to do sth** hjelpe* noen med å gjøre* noe ❑ *I helped him fix it.* Jeg hjalp ham med å reparere den.
▸ **with the help of** (**a**) (*+person*) med hjelp fra (**b**) (*+tool etc*) ved hjelp av
▸ **to be of help to sb** være* til hjelp for noen
▸ **help!** hjelp!
▸ **can I help you?** (*in shop*)værsågod
▸ **help yourself** værsågod forsyn deg
▸ **he can't help it** han kan ikke noe for det
▸ **it can't be helped** det får ikke hjelpe
▸ **I can't help thinking/admiring...** jeg kan ikke la være* å tro/beundre...
helper ['hɛlpə^r] s (*= assistant*) (med)hjelper *m*
helpful ['hɛlpful] ADJ (*person*) hjelpsom; (*advice, suggestion*) nyttig, til hjelp
helping ['hɛlpɪŋ] s porsjon *m*
helping hand s ▸ **to give** *or* **lend sb a helping hand** gi* noen en hjelpende hånd
helpless ['hɛlplɪs] ADJ (**a**) (*= defenceless*) hjelpeløs ❑ *...a chick, blind and helpless.* ...en fugleunge, blind og hjelpeløs.
(**b**) (*= incapable*) ▸ **he was helpless to resist** han var ute av stand til å gjøre* motstand
helplessly ['hɛlplɪslɪ] ADV hjelpeløst
helpline ['hɛlplaɪn] s (*for emergencies*) nødnummer *n*; (*for information*) informasjonstjeneste *m*
Helsinki ['hɛlsɪŋkɪ] s Helsinki, Helsingfors
helter-skelter ['hɛltə'skɛltə^r] (*BRIT*) s rutsjebane *m* (*som går i spiral*)
hem [hɛm] 1 s (*of skirt, dress*) fald *m*
2 VT (*+skirt, dress etc*) legge* opp, falde (*v1*) (opp)
▸ **hem in** VT omringe (*v1*)
▸ **to feel hemmed in** (*fig*) føle (*v2*) seg innestengt

hematology ['hi:mə'tɒlədʒɪ] (*US*) s = **haematology**
hemisphere ['hɛmɪsfɪəʳ] s halvkule *c*, hemisfære *m*
hemlock ['hɛmlɔk] s skarntyde(gift) *m*
hemoglobin ['hi:mə'gləubɪn] (*US*) s = **haemoglobin**
hemophilia ['hi:mə'fɪlɪə] (*US*) s = **haemophilia**
hemorrhage ['hɛmərɪdʒ] (*US*) s = **haemorrhage**
hemorrhoids ['hɛmərɔɪdz] (*US*) SPL = **haemorrhoids**
hemp [hɛmp] s hamp *m*
hen [hɛn] s (**a**) (= *female chicken*) høne *c* (**b**) (= *female bird*) hunn *m* ❑ *...a hen pheasant.* ...en fasanhunn.
hence [hɛns] ADV (= *therefore*) derfor, således ❑ *The computer has become cheaper and hence more available.* Datamaskinen har blitt billigere og derfor *or* således mer tilgjengelig.
▸ **2 years hence** 2 år fra nå/da av
henceforth [hɛns'fɔ:θ] ADV heretter, fra nå av
henchman ['hɛntʃmən] (*neds*) *irreg* s (*of gangster, tyrant*) håndlanger *m*, løpegutt *m*
henna ['hɛnə] s henna *m*
hen party (*sl*) s dameselskap *nt*, jentefest *m*
henpecked ['hɛnpɛkt] ADJ ▸ **a henpecked husband** en tøffelhelt
hepatitis [hɛpə'taɪtɪs] s hepatitt *m*
her [hə:ʳ] [1] PRON henne ❑ *They gave her the job.* De gav henne jobben. *"Not her again," said Peter.* "Ikke henne igjen," sa Peter.
[2] ADJ (**a**) (*not same person as subject of sentence*) hennes ❑ *I looked at her and her face was very red.* Jeg så på henne og ansiktet hennes *or* hennes ansikt var svært rødt.
(**b**) (*same person as subject of sentence*) sin *c*, si *f*, sitt *nt*, sine *pl* ❑ *She looked at her husband.* Hun så på mannen sin *or* sin mann.
see also **me, my**
herald ['hɛrəld] [1] s forvarsel *nt*, forløper *m* ❑ *The festival was the herald of a new age.* Festivalen var et forvarsel om *or* en forløper for en ny tidsalder.
[2] VT (*+event, action*) innvarsle (*v1*), være* et forvarsel om
heraldic [hɛ'rældɪk] ADJ heraldisk
heraldry ['hɛrəldrɪ] s heraldikk *m*
herb [hə:b] s urt *m*
herbaceous [hə:'beɪʃəs] ADJ (*border*) staude-; (*plant*) urte-, urteaktig
herbal ['hə:bl] ADJ (*medicine, remedy*) urte-
▸ **herbal tea** urtete *m*
herbicide ['hə:bɪsaɪd] s ugressmiddel *nt*
herd [hə:d] [1] s flokk *m*
[2] VT (**a**) (= *drive: animals, people*) gjete (*v2*) ❑ *...men herding cattle.* ...menn som gjette kyr.
(**b**) (*also* **herd up**) drive* sammen ❑ *Walter herded up his goats as quickly as he could.* Walter drev sammen geitene sine så fort han kunne.
here [hɪəʳ] ADV (**a**) (= *in this place*) ▸ **it's here** det er her
(**b**) (= *to this place*) ▸ **come here** kom hit
(**c**) (= *from this place*) ▸ **she left here yesterday** hun dro herfra i går
(**d**) (= *beside me, her etc*) ▸ **I have it here** jeg har den her
(**e**) (= *at this point*) ▸ **here he stopped reading** her sluttet han å lese
▸ **"here!"** (= *present*) "ja!", "her!"
▸ **here is/are** her er
▸ **here you are** (*giving*) værsågod
▸ **here we are!** (**a**) (*finding sth*) her er det!
(**b**) (*arriving*) her er vi!, vi er framme!
▸ **here she is!** her er hun!
▸ **here's my sister** her er søsteren min
▸ **here she comes** her kommer hun
▸ **here and there** her og der
▸ **"here's to ..."** (*toast*) "skål for..."
hereabouts ['hɪərə'bauts] ADV her omkring, her i nærheten
hereafter [hɪər'ɑ:ftəʳ] [1] ADV heretter
[2] s (*REL*) ▸ **the hereafter** det hinsidige
hereby [hɪə'baɪ] (*fml*) ADV herved, hermed ❑ *I hereby resign.* Herved *or* hermed går jeg av.
hereditary [hɪ'rɛdɪtrɪ] ADJ (*disease, title*) arvelig
heredity [hɪ'rɛdɪtɪ] s arvelighet *c*
heresy ['hɛrəsɪ] s (**a**) (= *opposing belief*) vranglære *c* ❑ *In fashion today's vogue is often tomorrow's heresy.* I moteverdenen er dagens rådende stil ofte morgendagens vranglære.
(**b**) (*REL*) vranglære *c*, kjetteri *nt*
heretic ['hɛrətɪk] s kjetter *m*
heretical [hɪ'rɛtɪkl] ADJ kjettersk ❑ *...heretical opinions.* ...kjetterske meninger.
herewith [hɪə'wɪð] (*fml*) ADV hermed, herved ❑ *I herewith return your cheque.* Hermed *or* Herved returnerer jeg sjekken Deres.
heritage ['hɛrɪtɪdʒ] [1] s (kultur)arv *m*
[2] SAMMENS (*centre, trail*) fortids-
▸ **our national heritage** vår nasjonale (kultur)arv
hermetically [hə:'mɛtɪklɪ] ADV ▸ **hermetically sealed** hermetisk lukket
hermit ['hə:mɪt] s eremitt *m*, eneboer *m*
hernia ['hə:nɪə] s brokk *m or nt*
hero ['hɪərəu] (*pl* **heroes**) s helt *m* ❑ *...one of the heroes of the Battle of Britain.* ...en av heltene i slaget om Storbritannia. *I thought Mel Gibson was your hero.* Jeg trodde Mel Gibson var helten din.
heroic [hɪ'rəuɪk] ADJ (*struggle, sacrifice, person, figure*) heroisk, heltemodig
heroin ['hɛrəuɪn] s heroin *m or nt*
heroin addict s heroinavhengig *m decl as adj*, heroinmisbruker *m*
heroine ['hɛrəuɪn] s heltinne *c*
heroism ['hɛrəuɪzəm] s heltemot *nt*
heron ['hɛrən] s hegre *c*
hero worship s heltedyrkelse *m*
herring ['hɛrɪŋ] s sild *c*
hers [hə:z] PRON (**a**) hennes
(**b**) (*same person as subject of sentence*) sin(e), sitt
see also **his**
▸ **a friend of hers** en av vennene hennes
▸ **this is hers** denne er hennes
see also **mine**
herself [hə:'sɛlf] PRON (**a**) (*reflexive*) seg (selv) ❑ *Barbara stared at herself in the mirror.* Barbara stirret på seg selv i speilet.
(**b**) (*emphatic*) selv ❑ *Sally herself came back.* Sally kom selv tilbake.

(**c**) (*after preposition*) henne ❑ *...a woman like herself...* en kvinne som henne...
▸ **by herself** alene, på egen hånd
see also **oneself**
Herts [hɑːts] (*BRIT: POST*) FK = **Hertfordshire**
he's [hiːz] = **he is**/**he has**
hesitant ['hɛzɪtənt] ADJ (*smile, reaction*) nølende
▸ **to be hesitant about doing sth** nøle (*v2*) med å gjøre* noe
hesitate ['hɛzɪteɪt] VI (**a**) (= *pause: in speech, action*) nøle (*v2*) ❑ *She hesitated, not knowing which way to go.* Hun nølte, for hun visste ikke hvilken vei hun skulle* gå.
(**b**) (= *be unwilling*) ▸ **to hesitate to do sth** nøle (*v2*) med å gjøre* noe, betenke (*v2*) seg på å gjøre* noe ❑ *I would hesitate to say precisely what a fantasy is.* Jeg ville* nøle med *or* betenke meg på å si akkurat hva en fantasi er.
▸ **don't hesitate to...** ikke nøl med å...
▸ **"do not hesitate to contact us for further information"** "kontakt oss gjerne igjen for ytterligere informasjon"
hesitation [hɛzɪ'teɪʃən] s nøling *c* ❑ *"Well, no," Karen said, with some hesitation.* "Vel, nei," sa Karen, etter noe nøling *or* litt nølende. *After some hesitation he agreed to...* Etter en del nøling gikk han med på å...
▸ **I have no hesitation in saying (that)...** jeg har ingen betenkeligheter med å si (at)...
hessian ['hɛsɪən] s strie *c*
heterogenous [hɛtə'rɔdʒɪnəs] ADJ uensartet, sammensatt, heterogen
heterosexual ['hɛtərəu'sɛksjuəl] 1 ADJ heterofil, heteroseksuell
2 s heterofil *m decl as adj*, heteroseksuell *m decl as adj*
het up [hɛt-] (*sl*) ADJ ▸ **to get het up (about)** bli* opphisset (over)
HEW (*US*) s FK (= **Department of Health, Education and Welfare**) *sosialdepartement*
hew [hjuː] (*pp* **hewed** *or* **hewn**) VT (*+stone, wood*) hogge (*v3x*) (*var.* hugge)
hex [hɛks] (*US*) 1 s heks *c*
2 VT forhekse (*v1*)
hexagon ['hɛksəgən] s sekskant *m*
hexagonal [hɛk'sægənl] ADJ sekskantet
hey [heɪ] INTERJ (**a**) (*to attract attention*) hei ❑ *Hey, Ben!* Hei, Ben!
(**b**) (*showing surprise, interest, annoyance*) stopp en halv ❑ *Hey! What do you mean?* Stopp en halv! Hva mener du?
heyday ['heɪdeɪ] s ▸ **the heyday of** glansperioden til
HF s FK (= **high frequency**) høyfrekvens
HGV (*BRIT*) s FK (= **heavy goods vehicle**) lastebil *m*
HI (*US: POST*) FK = **Hawaii**
hi [haɪ] INTERJ hei
hiatus [haɪ'eɪtəs] s opphold *nt*, intervall *nt*
hibernate ['haɪbəneɪt] VI ligge* i dvale
hibernation [haɪbə'neɪʃən] s dvale *m*
hiccough ['hɪkʌp] 1 VI hikke (*v1*)
2 s (*fig*) forvikling *c* ❑ *We managed to get there without a single hiccough.* Vi klarte å komme oss dit uten en eneste forvikling.
hiccoughs ['hɪkʌps] SPL hikke *m*
▸ **to have (the) hiccoughs** ha* hikke, hikke (*v1*)
hiccup ['hɪkʌp] VI = **hiccough**
hiccups ['hɪkʌps] SPL = **hiccoughs**
hick [hɪk] (*US: sl*) s bondeknøl *m*
hid [hɪd] PRET *of* **hide**
hidden ['hɪdn] 1 PP *of* **hide**
2 ADJ ▸ **there are no hidden extras** det er ingen skjulte reserver
▸ **hidden agenda** skjult motiv *nt*
hide [haɪd] (*pt* **hid**, *pp* **hidden**) 1 s (**a**) (= *skin*) (dyre)hud *m* ❑ *The medicine man is wrapped up in a buffalo hide.* Medisinmannen er inntullet i en bøffelhud.
(**b**) (*of bird-watcher etc*) gjemmested *nt*, skjulested *nt*
2 VT ▸ **to hide sth (from sb)** (**a**) (*+object, person*) gjemme (*v2x*) noe (for noen)
(**b**) (*+feeling, information, sun, view*) skjule (*v2*) noe (for noen)
3 VI ▸ **to hide (from sb)** gjemme (*v2x*) seg (for noen)
hide-and-seek ['haɪdən'siːk] s gjemsel *m*
hideaway ['haɪdəweɪ] s skjulested *nt*, tilfluktssted *nt*
hideous ['hɪdɪəs] ADJ (*painting, face, conditions, mistake*) skrekkelig, fæl
hideously ['hɪdɪəslɪ] ADV (*ugly*) skrekkelig, fælt; (*difficult*) skrekkelig
hideout ['haɪdaut] s gjemmested *nt*
hiding ['haɪdɪŋ] s (= *beating*) omgang *m* juling ❑ *...or else we'd get a good hiding.* ...ellers ville* vi få* en god omgang juling.
▸ **to be in hiding** være* i dekning *or* i skjul
hiding place s (*for person*) gjemmested *nt*; (*for money etc*) gjemmested *nt*, skjulested *nt*
hierarchy ['haɪərɑːkɪ] s (**a**) (= *system of ranks*) hierarki *nt*, rangordning *m* ❑ *...the hierarchy of the Church.* ...hierarkiet *or* rangordningen i Kirken.
(**b**) (= *people in power*) ledelse *nt* ❑ *The university hierarchy decided to ignore the situation.* Universitetsledelsen besluttet å ignorere situasjonen.
hieroglyphic [haɪərə'glɪfɪk] ADJ hieroglyfisk; (= *unreadable*) uleselig
hieroglyphics [haɪərə'glɪfɪks] SPL hieroglyfer
hi-fi ['haɪfaɪ] 1 s hi-fi *m*, stereoanlegg *nt*
2 ADJ (*equipment, system*) hi-fi-, stereo-
higgledy-piggledy ['hɪgldɪ'pɪgldɪ] ADJ, ADV hulter til bulter
high [haɪ] 1 ADJ (**a**) (*object, speed, number, quality, price, temperature, voice, note, position, risk*) høy ❑ *...the high walls of the prison.* ...de høye murene rundt fengselet. *...a high proportion...* en høy andel... *of a high calibre.* ...av høy kvalitet.
(**b**) (*wind*) sterk
(**c**) (*person in authority*) høytstående ❑ *I have consulted a very high legal authority.* Jeg har konsultert en høytstående juridisk autoritet.
(**d**) (*principles*) høyverdig
(**e**) (*opinion*) bra ❑ *We have a very high opinion of you.* Vi har en svært bra oppfatning av deg.
(**f**) (*sl: person: on drugs*) høy
(**g**) (*on drink*) beruset
(**h**) (*KULIN: meat, game*) vellagret

(**i**) (*cheese*) som lukter overmodent
2 ADV (*climb, aim etc*) høyt ❑ *"We must aim high," said the chairman.* "Vi må sikte høyt," sa formannen.
3 s høydepunkt *nt* NB *Exports have reached a new high.* Eksporten har nådd et nytt høydepunkt.
▸ **it is 20 m high** den er 20 m høy
▸ **high in the air** høyt opp(e) i luften
▸ **to pay a high price for sth** betale (*v2*) en høy pris for noe
▸ **it's high time you learned how to do it** det er på høy tid at du lærer hvordan du skal gjøre* det
highball ['haɪbɔːl] (*US*) s pjolter *m*
highboy ['haɪbɔɪ] (*US*) s *høy kommode i to deler oppå hverandre*
highbrow ['haɪbrau] ADJ intellektuell
high chair s (høy) barnestol *m*
high-class ['haɪ'klɑːs] ADJ (*neighbourhood, hotel*) eksklusiv
High Court s ▸ **the High Court** ≈ Lagmannsretten
higher ['haɪəʳ] 1 ADJ (**a**) (*gen*) høyere ❑ *...higher than...* høyere enn... *a higher diploma.* ...et diplom for fullført høyere utdanning.
(**b**) (*species*) høyerestående ❑ *...humans and higher primates.* ...mennesker og høyerestående primater.
2 ADV høyere
higher education s høyere utdanning *c*
highfalutin [haɪfə'luːtɪn] (*sl*) ADJ (*behaviour, ideas*) pretensiøs
high finance s høyfinans *m*
high-flier, **high-flyer** [haɪ'flaɪəʳ] s *dyktig og ambisiøs person*
high-flying [haɪ'flaɪɪŋ] ADJ dyktig og ambisiøs, fremadstormende
high-handed [haɪ'hændɪd] ADJ (*person, behaviour*) suveren, overlegen
high-heeled [haɪ'hiːld] ADJ høyhælt
high heels SPL (*shoes*) høyhælte sko *pl*
highjack ['haɪdʒæk] 1 VT (*+plane, bus*) kapre (*v1*)
2 s (*also* ***hijacking***) kapring *c*
high jump s høydehopp *nt*
▸ **you'll be for the high jump** (*fig*) du kommer til å sitte fint i det
Highlands ['haɪləndz] SPL ▸ **the Highlands** Det skotske høyland
high-level ['haɪlɛvl] ADJ (*talks etc*) på høyt nivå, på et høyt plan
▸ **high-level language** (*DATA*) høynivåspråk *nt*
highlight ['haɪlaɪt] 1 s (*fig: of event*) høydepunkt *nt* ❑ *The visit provided the real highlight of the morning.* Besøket stod for det virkelige høydepunktet den formiddagen.
2 VT (*+problem, need*) sette* søkelyset på, framheve (*v1*) ❑ *The survey highlighted the needs of women.* Undersøkelsen satte søkelyset på *or* framhevet behovene til kvinner.
▸ **highlights** SPL (*in hair*) striper ❑ *...blonde highlights...* lyse striper...
highlighter ['haɪlaɪtəʳ] s (*pen*) markørpenn *m*
highly ['haɪlɪ] ADV (**a**) (*paid*) høyt
(**b**) (*critical, confidential*) ytterst, i høy grad
▸ **to speak/think highly of** snakke (*v1*) rosende om/ha en positiv oppfatning om
highly strung ADJ overspent
High Mass s høymesse *c* (*i katolsk kirke*)
highness ['haɪnɪs] s ▸ **Her (*or* His) Highness** Hennes (*or* Hans) Kongelige Høyhet
high-pitched [haɪ'pɪtʃt] ADJ (*voice, tone, whine*) høy
high point s høydepunkt *n*
high-powered ['haɪ'pauəd] ADJ (*rifle, microscope*) kraftig; (*fig: job, course*) dynamisk; (*businessman*) betydningsfull
high-pressure ['haɪprɛʃəʳ] ADJ (*gas*) høytrykks-
high-rise ['haɪraɪz] 1 ADJ (*building*) høy-; (*flats etc*) høyblokk-
2 s høyblokk *c*
high school s (*BRIT: for 11-18 year-olds*) ≈ ungdomsskole *m*/videregående skole *m*; (*US: for 14-18 year-olds*) ≈ videregående skole *m*

> **High school** *er et skoleslag som bygger på barnetrinnet. I USA har man* **junior high school**, *som tilsvarer ungdomsskolen, og* **senior high school**, *som tilsvarer videregående skole. I Storbritannia brukes betegnelsen* high school *av og til om* **secondary school**; *se også* **elementary school**

high season (*BRIT*) s ▸ **the high season** høysesongen
high spirits SPL strålende humør *nt sg*
▸ **to be in high spirits** være* i (et) strålende humør
high street (*BRIT*) s hovedgate *c*
high tide s høyvann *nt*, flo *c*
▸ **at high tide** ved flo *or* høyvann
highway ['haɪweɪ] s (*US: between towns, states*) ≈ hovedvei *m*, landevei *m*; (*= public road*) offentlig vei *m*
Highway Code (*BRIT*) s ▸ **the Highway Code** ≈ trafikkreglene *pl* (*samlet i en bok*)
highwayman ['haɪweɪmən] *irreg* s landeveisrøver *m*
hijack ['haɪdʒæk] 1 VT (*+plane, bus*) kapre (*v1*); (*+talks*) kuppe (*v1*)
2 s (*also* ***hijacking***) kapring *c*
hijacker ['haɪdʒækəʳ] s kaprer *m*
hike [haɪk] 1 VI gå* (på) fottur
2 s (**a**) (*walk*) fottur *m* ❑ *We're going on a four mile hike to the lake.* Vi skal på en fottur på fire miles til innsjøen.
(**b**) (*sl: in prices etc*) oppgang *m*, økning *m* ❑ *...a 300 per cent hike in bread prices.* ...en 300 prosents oppgang *or* økning i brødprisene.
▸ **hike up** VT (*sl: trousers etc*) heise (*v2*) opp
hiker ['haɪkəʳ] s fotturist *m*
hiking ['haɪkɪŋ] s fotturer *pl*
hilarious [hɪ'lɛərɪəs] ADJ urkomisk, kostelig
hilarity [hɪ'lærɪtɪ] s (stor) munterhet *m*
hill [hɪl] s (**a**) (*small*) høyde *m*, høydedrag *nt*
(**b**) (*high*) ås *m*
(**c**) (*= slope*) bakke *m* ❑ *I started to walk up the hill...* Jeg begynte å gå* oppover bakken...
hillbilly ['hɪlbɪlɪ] (*US: neds*) s ≈ knøl *m* (*sl*)
hillock ['hɪlək] s haug *m*
hillside ['hɪlsaɪd] s li *c*, åsside *c*
hill start s bakkestart *m*

hilltop ['hɪltɔp] s bakketopp *m*
hilly ['hɪlɪ] ADJ bakket(e), kupert
hilt [hɪlt] s håndtak *nt*, skjefte *nt*
▸ **to the hilt** (*fig: support*) helt og fullstendig
him [hɪm] PRON ham, han ❑ *...ring him back...* ring tilbake til ham *or* han... *I gave him the bag.* Jeg gav ham *or* han vesken. *Not him again!* Ikke ham *or* han igjen!
see also **me**
Himalayas [hɪmə'leɪəz] SPL ▸ **the Himalayas** Himalaya *sg*
himself [hɪm'sɛlf] PRON (**a**) (*reflexive*) seg (selv) ❑ *Peter introduced himself.* Peter presenterte seg.
(**b**) (*emphatic*) selv ❑ *Brown himself became...* Brown selv ble...
(**c**) (*after prep*) ham ❑ *It was easy for a man like himself...* Det var lett for en mann som ham...
▸ **by himself** alene, på egen hånd
see also **oneself**
hind [haɪnd] 1 ADJ (*legs, quarters*) bak-
2 s (= *female deer*) hind *m*
hinder ['hɪndə^r] VT hindre (*v1*)
▸ **to hinder sb from doing sth** hindre (*v1*) noen i å gjøre* noe
hindquarters ['haɪnd'kwɔːtəz] SPL bakpart *m sg*
hindrance ['hɪndrəns] s hinder *nt*, hindring *c* ❑ *...more of a hindrance than an asset.* ...mer av et hinder *or* en hindring enn en ressurs. *...without hindrance.* ...uten noe hinder *or* noen hindring.
hindsight ['haɪndsaɪt] s ▸ **with hindsight** i ettertid, ved å være* etterpåklok
Hindu ['hɪnduː] ADJ hinduistisk, hindu-
hinge [hɪndʒ] 1 s (*on door*) hengsel *m*
2 VI ▸ **to hinge on** (*fig*) avhenge* av
hint [hɪnt] 1 s (**a**) (= *suggestion*) hint *nt* ❑ *All right, I can take a hint.* Ålreit, jeg tar et hint.
(**b**) (= *advice*) tips *nt*, vink *nt* ❑ *The magazine had the usual hints on cookery.* Ukebladet hadde de vanlige tipsene om matlaging.
(**c**) (= *sign, glimmer*) antydning *m* ❑ *...a tiny hint of a smile.* ...en ørliten antydning til et smil.
2 VT ▸ **to hint that** antyde (*v1*) at, ymte (*v1*) om at ❑ *I tried to hint that I deserved an increase in salary.* Jeg prøvde å ymte om at *or* antyde at jeg fortjente lønnsforhøyelse.
3 VI ▸ **to hint at** antyde (*v1*) ❑ *Harold hinted at what she had already guessed.* Harold antydet det som hun allerede hadde gjettet.
▸ **to drop a hint** gi* et hint *or* en hentydning
▸ **give me a hint** (= *clue*) gi* meg et hint *or* et vink
▸ **white with a hint of pink** hvitt med en antydning *or* en anelse av rosa
hip [hɪp] s (*ANAT*) hofte *c*; (*BOT*) nype *m*
hip flask s lommelerke *c*
hip-hop ['hɪphɔp] s hip-hop *m*
hippie ['hɪpɪ] s hippie *m*
hippo ['hɪpəu] s flodhest *m*
hip pocket s baklomme *c*
hippopotamus [hɪpə'pɔtəməs] (*pl* **hippopotamuses** *or* **hippopotami**) s flodhest *m*
hippy ['hɪpɪ] s = **hippie**
hire ['haɪə^r] 1 VT (**a**) (*BRIT: car, equipment, hall*) leie (*v3*)
(**b**) (*+worker*) leie (*v3*) inn, ansette*
2 s (*BRIT: of car, hall etc*) leie *c* ❑ *Hire of a van costs...* Leie av en varebil koster...
▸ **for hire** (**a**) (*taxi*) ledig
(**b**) (*boat*) til leie
▸ **on hire** leid
▸ **hire out** VT leie (*v3*) ut
hire(d) car (*BRIT*) s leiebil *m*
hire purchase (*BRIT*) s avbetaling *c*
▸ **to buy sth on hire purchase** kjøpe (*v2*) noe på avbetaling
his [hɪz] 1 PRON (**a**) hans
(**b**) (*same person as subject of sentence*) sin(e), sitt
2 ADJ (**a**) (*not same person as subject of sentence*) hans ❑ *I looked at him and his face was very red.* Jeg så på ham og ansiktet hans *or* hans ansiktet var svært rødt.
(**b**) (*same person as subject of sentence*) sin *c*, si *f*, sitt *nt*, sine *pl* ❑ *He looked at his daughter.* Han så på datteren sin *or* på sin datter.
see also **my, mine**
hiss [hɪs] 1 VI (**a**) (*snake, gas+*) visle (*v1*), hvese (*v2*)
(**b**) (*fat in pan etc+*) frese (*v2*)
(**c**) (*person, audience+*) pipe* (*ved å lage høylydte 's'-lyder*) ❑ *The audience hissed at the play with great gusto.* Publikum pep ut stykket av all sin kraft.
2 s (**a**) (*of snake, gas, fat*) visling *c*, hvesing *c*
(**b**) (*of fat*) fresing *c*
(**c**) (*of person*) hvesing *c* ❑ *...a menacing hiss.* ...en truende hvesing.
(**d**) (*of audience*) ≈ utpiping *c*
histogram ['hɪstəgræm] s histogram *nt*
historian [hɪ'stɔːrɪən] s historiker *m*
historic [hɪ'stɔrɪk] ADJ (*change, agreement, achievement*) historisk
historical [hɪ'stɔrɪkl] ADJ (*event, person, novel, film*) historisk
history ['hɪstərɪ] s historie *c* ❑ *...one of the most dramatic moments in Polish history.* ...et av de mest dramatiske øyeblikkene i polsk historie. *I adored history and hated geography.* Jeg elsket historie og hatet geografi. *...a college with a tremendous sporting history.* ...en høyskole med en anselig idrettshistorie.
▸ **there's a long history of illness in his family** det har vært mye sykdom langt tilbake i familien hans
▸ **medical history** (*of patient*) sykehistorie *m*
hit [hɪt] (*pt, pp* **hit**) 1 VT (**a**) (= *strike: person, thing*) slå* ❑ *He hit me on the head.* Han slo meg i hodet.
(**b**) (= *reach: target, collide with*) treffe* ❑ *He hit the bull's eye...* Han traff blinken... *The truck had hit a wall.* Lastebilen hadde truffet en vegg.
(**c**) (= *affect: person, services, event etc*) ramme (*v1*) ❑ *Workers will be hit hard by the rise in prices.* Arbeidere vil bli* hardt rammet av prisøkningen.
2 s (**a**) (= *knock*) slag *nt* ❑ *He gave me a hit on the head.* Han gav meg et slag i hodet.
(**b**) (= *success: play, film, song*) hit *m*, suksess *m*, slager *m* ❑ *...a tremendous hit.* ...en drabelig hit *or* suksess *or* slager.
▸ **to hit it off with sb** komme* godt utav det

med noen
▸ **to hit the headlines** havne (*v1*) på førstesiden(e), bli* førstesidestoff
▸ **to hit the road** (*sl*) dra* i vei *or* av gårde
▸ **to hit the roof** (*sl*) fly* i taket (*sl*)
▸ **hit back** VI ▸ **to hit back at sb** slå* noen igjen
▸ **hit out at** VT FUS slå* etter, rette (*v1*) et slag mot; (*fig*) gå* løs på ❑ *The Prime Minister hit out at her colleagues.* Statsministeren gikk løs på kollegene sine.
▸ **hit (up)on** VT FUS (*+answer, solution*) komme* på ❑ *Twelve years after hitting upon his formula, he was a millionaire.* Tolv år etter at han hadde kommet på formelen sin, var han millionær.

hit-and-miss ['hɪtən'mɪs] ADJ = **hit-or-miss**

hit-and-run driver ['hɪtən'rʌn-] S *bilfører som stikker av etter en kollisjon*

hitch [hɪtʃ] 1 VT (**a**) (= *fasten*) hekte (*v1*) ❑ *Each wagon was hitched on to the one in front.* Hver vogn var hektet fast til den foran.
(**b**) (*also* ***hitch up****: trousers, skirt*) heise (*v2*) opp ❑ *She hitched her skirt around her waist...* Hun heiste opp skjørtet rundt livet...
2 S (= *difficulty*) (lite) problem *nt* ❑ *...without a hitch.* ...uten et eneste problem.
▸ **to hitch a lift** haike (*v1*)
▸ **technical hitch** teknisk problem
▸ **hitch up** VT (*+horse, cart*) spenne (*v2x*) for *see also* **hitch**

hitch-hike ['hɪtʃhaɪk] VI haike (*v1*)

hitch-hiker ['hɪtʃhaɪkəʳ] S haiker *m*

hi-tech ['haɪ'tɛk] ADJ høyteknologisk

hitherto [hɪðə'tuː] ADV hittil

hit list S dødsliste *c*; (*fig*) ▸ **a hit list of schools to be closed down** en oversikt over skoler som skal legges ned

hitman ['hɪtmæn] *irreg* S leiemorder *m*

hit man (*sl*) S leiemorder *m*

hit-or-miss ['hɪtə'mɪs] ADJ prøve-og-feile- ❑ *We are working on a rather hit-or-miss basis...* Vi jobber etter prøve-og-feile-metoden...
▸ **it's hit-or-miss whether** det er tilfeldig om

hit parade (*gam*) S hitliste *c*

HIV S FK (= **human immunodeficiency virus**) hiv (*var.* HIV)
▸ **HIV-negative** hiv-negativ
▸ **HIV-positive** hiv-positiv

hive [haɪv] S (**a**) (*of bees*) bikube *m*
(**b**) (*fig: of activity*) maurtue *c* ❑ *Calcutta is a hive of industry and trade.* Calcutta er en maurtue av industri og handel.
▸ **hive off** (*sl*) VT overføre (*v2*) ❑ *...a proposal to hive off London Transport to the private sector.* ...et forslag om å overføre London Transport til den private sektor.

hl FK (= **hectolitre**) hl *m* (= *hektoliter*)

HM FK (= **His (or Her) Majesty**) HM (= *Hans (eller Hennes) Majestet*)

HMG (*BRIT*) FK (= **His (or Her) Majesty's Government**) *den britiske regjeringen*

HMI (*BRIT: SKOL*) S FK (= **His (or Her) Majesty's Inspector**) *skoleinspektør*

HMO (*US*) S FK (= **health maintenance organization**) *omfattende (frivillig) sykeforsikring*

HMS (*BRIT*) FK (= **His (or Her) Majesty's Ship**) ≈ KNM (= *Den konglige norske marine*)

HMSO (*BRIT*) S FK (= **His (or Her) Majesty's Stationery Office**) ≈ Statens trykning *m*

HNC (*BRIT*) S FK (= **Higher National Certificate**) *eksamen i tekniske fag etter et toårig deltidskurs*

HND (*BRIT*) S FK (= **Higher National Diploma**) *høyere eksamen i tekniske fag etter et toårig heltidskurs*

hoard [hɔːd] 1 S forråd *nt*
2 VT hamstre (*v1*) (opp)

hoarding ['hɔːdɪŋ] (*BRIT*) S reklametavle *c*

hoarfrost ['hɔːfrɔst] S rim *nt*, rimfrost *m*

hoarse [hɔːs] ADJ hes

hoax [həuks] S lureri *nt*

hob [hɔb] S (koke)plate *c*

hobble ['hɔbl] VI halte (*v1*)

hobby ['hɔbɪ] S hobby *m*

hobby-horse ['hɔbɪhɔːs] S (*fig: favourite topic*) kjepphest *m* ❑ *...a personal hobby-horse of mine.* ...en av mine personlige kjepphester.

hobnob ['hɔbnɔb] VT ▸ **to hobnob (with)** henge* sammen (med)

hobo ['həubəu] (*US*) S (= *tramp*) landstryker *m*

hock [hɔk] S (**a**) (*BRIT: wine*) rhinskvin *m*
(**b**) (*of animal*) hase *m*
(**c**) (*KULIN*) be(i)n *nt*
(**d**) (*sl*) ▸ **to be in hock**
(**e**) (*person+*) ha* gjeld ❑ *He had got in hock to the bank.* Han hadde satt seg i gjeld til banken.
(**f**) (*property+*) være* pantsatt ❑ *His holding was in hock to the banks.* Eiendommen hans var pantsatt til bankene.

hockey ['hɔkɪ] S hockey *m*

hocus-pocus ['həukəs'pəukəs] S (**a**) (= *trickery*) hokuspokus *nt*, fiksfakserier *pl* ❑ *There's been a bit of hocus-pocus going on here.* Det har skjedd en del hokuspokus *or* fiksfakserier her.
(**b**) (*words: of magician*) hokuspokus *nt*
(**c**) (= *jargon*) fiksfakseri *nt* ❑ *He muttered some hocus-pocus over the rabbit.* Han mumlet noe hokuspokus over kaninen. *I find your question rhetorical hocus-pocus.* Jeg syns spørsmålet ditt er retorisk fiksfakseri.

hod [hɔd] S (*for bricks etc*) bærebrett *n*

hodgepodge ['hɔdʒpɔdʒ] (*US*) S = **hotchpotch**

hoe [həu] 1 S ugresshakke *c*
2 VT hakke (*v1*) i

hog [hɔg] 1 S galt *m*
2 VT (*fig: road, telephone etc*) legge* beslag på
▸ **to go the whole hog** løpe* linjen ut

Hogmanay [hɔgmə'neɪ] (*SCOT*) S nyttårsaften

hoist [hɔɪst] 1 S heiseapparat *nt*
2 VT heise (*v2*) ❑ *He hoisted the rope over the branch.* Han heiste tauet over greinen. *The American flag was hoisted.* Det amerikanske flagget ble heist.

hold [həuld] (*pt, pp* **held**) 1 VT (**a**) (*+bag, umbrella, sb's hand etc*) holde* ❑ *I held it tight to my chest.* Jeg holdt det tett inntil brystet.
(**b**) (= *contain: room, box etc*) romme (*v1*) ❑ *...big enough to hold eighteen gallons.* ...et kar som var stort nok til å romme atten gallons.
(**c**) (= *have: power, qualification, opinion*) (inne)ha* ❑ *You need to hold a work permit.* Du må (inne)ha arbeidstillatelse.

(**d**) (*+meeting, conversation*) holde* ❑ *I won't be able to hold a conversation with him.* Jeg kommer ikke til å klare å holde en samtale med ham.
(**e**) (*= detain: prisoner, hostage*) holde* ❑ *I was held overnight in a cell.* Jeg ble holdt natten over i en celle.
[2] VI (**a**) (*= withstand pressure, remain valid*) holde* ❑ *The glue held.* Limet holdt. *Your argument doesn't hold.* Argumentet ditt holder ikke.
(**b**) (*TEL*) vente (*v1*) ❑ *The line's engaged: will you hold?* Linjen er opptatt: vil du vente?
(**c**) (*offer, invitation+*) gjelde*, stå* ❑ *Will you tell her the offer still holds?* Vil du si til henne at tilbudet fremdeles gjelder *or* står?
(**d**) (*= continue: luck, weather*) holde* seg ❑ *If my luck continues to hold...* Hvis flaksen min fortsetter å holde seg... *While colder than usual, the weather held.* Selv om det var kaldere enn vanlig, holdt været seg.
[3] S (**a**) (*= grasp*) grep *nt*, tak *nt*
(**b**) (*of ship, plane*) lasterom *nt*
▸ **to hold sb responsible/liable** *etc* holde* noen ansvarlig *etc*
▸ **to hold one's head up** holde* hodet oppe; (*fig*) gå* med hevet hode
▸ **to have a hold over sb** ha* tak på noen
▸ **to get hold of** (*fig*) få* tak i
▸ **to get (a) hold of o.s.** ta* seg sammen
▸ **hold the line!** (*TEL*) ikke legg på!
▸ **to hold one's own** (*fig*) holde* stand
▸ **to catch** *or* **get (a) hold of** få* tak i *or* på
▸ **to hold firm** *or* **fast** holde* seg fast; (*fig*) stå* fast
▸ **he holds the view that...** han er av den oppfatning *or* mening at...
▸ **I don't hold with...** jeg er ingen tilhenger av...
▸ **hold it!** vent!, stopp en halv!
▸ **hold still** *or* **hold steady** vær/sitt/stå *etc* stille *or* rolig

▸ **hold back** VT holde* tilbake ❑ *If she is ambitious, don't try to hold her back.* Hvis hun er ambisiøs, ikke prøv å holde henne tilbake. *I want the truth with nothing held back.* Jeg vil høre sannheten, uten at noe er holdt tilbake.

▸ **hold down** VT (**a**) (*+person*) holde* nede
(**b**) (*+job: manage to do*) klare (*v2*) å ha
(**c**) (*manage to keep*) beholde*, holde* på

▸ **hold forth** VI prate (*v1*) i vei, drive* på ❑ *...holding forth on his favourite subject.* ...og pratet i vei *or* drev på om yndlingstemaet sitt.

▸ **hold off** [1] VT (*+enemy*) holde* unna
[2] VI (*rain+*) holde* seg unna

▸ **hold on** VI (**a**) (*= hang on*) holde* seg fast ❑ *I couldn't put up my umbrella and hold on at the same time.* Jeg kunne* ikke slå opp paraplyen min og holde meg fast samtidig.
(**b**) (*= wait*) vente (*v1*) ❑ *Hold on a moment, please.* Vennligst vent et øyeblikk.
▸ **hold on!** (*TEL*) et øyeblikk!

▸ **hold on to** VT FUS (**a**) (*for support*) holde* seg fast i ❑ *He has to hold on to something to steady himself.* Han må holde seg fast i noe for å støtte seg opp.
(**b**) (*= keep*) oppbevare (*v2*) ❑ *Will you hold on to this for me for a couple of days?* Vil du oppbevare denne for meg i et par dager?

▸ **hold out** [1] VT (**a**) (*+one's hand*) holde* fram
(**b**) (*+hope, prospect*) ha ❑ *Science may hold out some prospect of feeding the hungry.* Vitenskapen kan ha* noen utsikter til at man kan gi* de sultne mat.
[2] VI (*= resist*) stå* på ❑ *Women everywhere are holding out for more freedom.* Kvinner i alle land står på for å få* mer frihet.

▸ **hold over** VT (*+meeting etc*) utsette*

▸ **hold up** VT (**a**) (*= raise*) holde* opp ❑ *The man held up the rifle.* Mannen holdt opp riflen.
(**b**) (*= support*) holde* oppe ❑ *These books hold the bed up.* Disse bøkene holder senga oppe.
(**c**) (*= delay*) oppholde* ❑ *These slogans held up the procession.* Disse slagordene oppholdt opptoget.
(**d**) (*= rob*) rane (*v1 or v2*) ❑ *He held me up at the point of a gun.* Han rante meg og truet meg med pistol.

holdall ['həuldɔːl] (*BRIT*) S bag *m*

holder ['həuldəʳ] S (**a**) (*= container*) holder *m* ❑ *...the lamp in its holder.* ...lampen i holderen.
(**b**) (*of ticket, licence, title etc*) innehaver *m* ❑ *...the licence number and the name of the holder.* ...lisensnummer og navn på innehaveren.
(**c**) (*of record*) innehaver *m*, holder *m* ❑ *...the world record holder.* ...verdensrekordholderen.. ...innehaveren av verdensrekorden.

holding ['həuldɪŋ] [1] S (**a**) (*= share*) andel *m*, aksjer *pl* ❑ *...the government holding in British Gas.* ...statens andel *or* aksjer i British Gas.
(**b**) (*= small farm*) småbruk *nt* ❑ *...holdings below 5 hectares.* ...småbruker på mindre enn 5 hektar.
[2] ADJ (*operation, tactic*) forhalings- ❑ *...a holding operation.* ...en forhalingsmanøver.

holding company S holdingselskap *nt*

hold-up ['həuldʌp] S (**a**) (*= robbery*) ran *nt* ❑ *...wounded in hold-ups.* ...såret i ran.
(**b**) (*= delay*) forsinkelse *m*, heft *nt* ❑ *He may be delayed by a hold-up in the department.* Han kan bli* oppholdt av en forsinkelse *or* et heft i departementet.
(**c**) (*BRIT: in traffic*) forsinkelse *m* ❑ *...hold-ups on the M6.* ...forsinkelser på M6-motorveien.

hole [həul] [1] S (*also fig: place*) hull *nt* ❑ *...dig a deep hole...* grav et dypt hull... *socks with holes in them.* ...sokker med hull i. *Why don't you leave this awful hole?* Hvorfor drar du ikke vekk fra dette forferdelige hullet?
[2] VT (*+ship, building etc*) gjennomhulle (*v1*)
▸ **hole in the heart** hull i hjerteskilleveggen
▸ **to pick holes (in)** (*fig*) finne* hull (i)

▸ **hole up** VI gå* i dekning ❑ *The men were holed up on the top floor.* Mennene var i dekning *or* hadde gått i dekning i øverste etasje.

holiday ['hɔlɪdeɪ] S (**a**) (*BRIT: vacation*) ferie *m* ❑ *I went to Marrakesh for a holiday.* Jeg drog til Marrakesh på ferie.
(**b**) (*= public holiday*) fridag *m* ❑ *New Year's Day is a national holiday.* Første nyttårsdag er en nasjonal fridag.
▸ **on holiday** på ferie
▸ **tomorrow is a holiday** i morgen er det en

fridag
holiday camp (*BRIT*) s ferieleir *m*
holidaymaker ['hɔlɪdɪmeɪkə^r] (*BRIT*) s ferieturist *m*, feriegjest *m*
holiday pay s ferielønn *m*, feriepenger *pl*
holiday resort s feriested *nt*
holiday season s feriesesong *m*
holiness ['həulɪnɪs] s hellighet *c*
holistic [həu'lɪstɪk] ADJ holistisk
Holland ['hɔlənd] s Holland
holler ['hɔlə^r] (*sl*) 1 VI brøle (*v2*)
2 s brøl *n*
hollow ['hɔləu] 1 ADJ (*gen: object, tree, cheeks, laugh, doctrine*) hul ❑ *...hollow claims that you don't intend to act on.* ...hule *or* tomme krav som du ikke har tenkt å gjøre* noe med. *...a hollow clang* ...et hult drønn
2 s (*in ground*) søkk *nt*, fordypning *m*
3 VT ▸ **to hollow out** hule (*v2*) ut
holly ['hɔlɪ] s kristtorn *m*
hollyhock ['hɔlɪhɔk] s vinterstokkrose *m*
holocaust ['hɔləkɔ:st] s holocaust *m*, masseødeleggelse *m*
▸ **the Holocaust** Holocaust *no art*
hologram ['hɔləgræm] s hologram *nt*
hols [hɔlz] (*sl*) SPL ferie *m*
holster ['həulstə^r] s hylster *nt*
holy ['həulɪ] ADJ hellig ❑ *...holy pictures...* hellige bilder...
Holy Communion s den hellige nattverd
Holy Father s ▸ **the Holy Father** Den hellige fa(de)r
Holy Ghost s ▸ **the Holy Ghost** Den hellige ånd
Holy Land s ▸ **the Holy Land** Det hellige land
holy orders SPL ▸ **to take holy orders** bli* ordinert, la seg ordinere
Holy Spirit s ▸ **the Holy Spirit** Den hellige ånd
homage ['hɔmɪdʒ] s hyllest *m*
▸ **to pay homage to** hylle (*v1*)
home [həum] 1 s (**a**) (*= house, institution*) hjem *nt* ❑ *...in his own home.* ...i sitt eget hjem. *...a home for old ladies.* ...et hjem for gamle damer.
(**b**) (*more general: country*) hjemland *nt*
(**c**) (*= area*) hjemsted *nt* ❑ *Jack dreamed of home from his prisoner-of-war camp.* Jack drømte om hjemlandet/hjemstedet (sitt) fra fangeleiren.
2 SAMMENS hjemme- ❑ *...home employment offered to housewives.* ...hjemmearbeid som tilbys husmødre. *...an expanding home market.* ...et ekspanderende hjemmemarked. *...a home game.* ...en hjemmekamp. *...a home win on Saturday.* ...en hjemmeseier på lørdag.
3 ADV (**a**) (*in one's house: be, stay*) hjemme ❑ *I want to stay home tonight.* Jeg vil bli* hjemme i kveld.
(**b**) (*to one's house: go, come, travel*) hjem ❑ *I want to go home.* Jeg vil hjem.
(**c**) (*= right in: nail etc*) helt inn ❑ *Push the magazine into the butt of the gun, and press home.* Dytt magasinet inn i geværkolben og press det helt inn.
▸ **at home** hjemme ❑ *...he stayed at home...* han ble hjemme... *I felt at home at once...* Jeg følte meg hjemme med en gang...
▸ **make yourself at home** føl deg som hjemme, lat som (om) du er hjemme
▸ **to make one's home somewhere** slå* seg ned et sted, skape (*v2*) seg et hjem et sted
▸ **the home of free enterprise/jazz** *etc* arnestedet for fritt næringsliv/jazz *etc*
▸ **home and dry** i mål
▸ **a home from home** et annet hjem, et hjem hjemmefra
▸ **to bring sth home to sb** få* noen til å innse noe
▸ **home in on** VT FUS (*missile+*) rette (*v1*) seg inn mot, sikte (*v1*) mot ❑ *It can home in on the target with pinpoint accuracy.* Den kan rette seg inn *or* sikte mot målet med pinlig nøyaktighet.
home address s hjemmeadresse *m*
home-brew [həum'bru:] s hjemmebrygg *nt*
homecoming ['həumkʌmɪŋ] s hjemkomst *m*
home computer s hjemme-pc *m*
Home Counties SPL *grevskapene rundt London*
home economics s heimkunnskap *m*, husstell *nt*
home-grown ['həumgrəun] ADJ hjemmedyrket, hjemmeavlet
homeland ['həumlænd] s hjemland *nt*
homeless ['həumlɪs] ADJ hjemløs
home loan s boliglån *nt*
homely ['həumlɪ] ADJ enkel
home-made [həum'meɪd] ADJ (*bread*) hjemmebakt; (*object*) hjemmelaget
Home Office (*BRIT*) s ▸ **the Home Office** Innenriksdepartementet (*med ansvar for politiet, immigrasjon, kringkasting*), Justisdepartementet
homeopathy [həumɪ'ɔpəθɪ] (*US*) s = **homoeopathy**
home page (*DATA*) s hjemmeside *c*
home rule (*POL*) s selvstyre *nt*
Home Secretary (*BRIT*) s ▸ **the Home Secretary** innenriksministeren
homesick ['həumsɪk] ADJ ▸ **to be homesick (for)** lengte (*v1*) hjem (til) ❑ *...made her homesick for her parents' farm.* ...fikk henne til å lengte hjem til foreldrenes gård.
homestead ['həumstɛd] s (*farm*) gård *m* (*var:* gard) gårdsbruk *nt*
home town s hjemby *m*
home truth s sannhetsord *n*
▸ **to tell sb some home truths** si noen noen sannhetsord
homeward ['həumwəd] ADJ (*journey*) hjem-
homeward(s) ['həumwəd(z)] ADV hjemover
homework ['həumwə:k] (*SKOL*) s lekser *pl* ❑ *He never did any homework...* Han gjorde aldri lekser...
homicidal [hɔmɪ'saɪdl] ADJ morderisk
homicide ['hɔmɪsaɪd] (*US*) s mord *nt*, drap *nt*
homily ['hɔmɪlɪ] s preken *m*
homing ['həumɪŋ] ADJ (*device, missile*) målsøkende
▸ **homing pigeon** brevdue *c*
homoeopath ['həumɪəupæθ], **homeopath** (*US*) s homøopat *m*
homoeopathy [həumɪ'ɔpəθɪ], **homeopathy** (*US*) s homøopati *m*
homogeneous [hɔməu'dʒi:nɪəs] ADJ homogen, ensartet
homogenized [hə'mɔdʒənaɪzd] ADJ homogenisert
homosexual [hɔməu'sɛksjuəl] 1 ADJ homoseksuell, homofil

2 s (*man, woman*) homoseksuell *m decl as adj*, homofil *m decl as adj*
Hon. FK = **honourable, honorary**
Honduras [hɔn'djuərəs] s Honduras
hone [həun] VT slipe (*v2*)
honest ['ɔnɪst] ADJ (**a**) (= *truthful*) ærlig, oppriktig ❑ *...you're honest about why you want the money.* ...du er ærlig *or* oppriktig om hvorfor du vil ha* pengene.
(**b**) (= *trustworthy*) ærlig, hederlig ❑ *Not all scientists are as honest as Pasteur.* Ikke alle vitenskapsmenn er like ærlige *or* hederlige som Pasteur.
(**c**) (= *sincere*) ærlig ❑ *Offstage she is direct, honest...* Utenfor scenen er hun direkte, ærlig...
▸ **to be honest,...** ærlig *or* oppriktig talt,...
▸ **to be quite honest with you...** for å være* helt ærlig...
honestly ['ɔnɪstlɪ] ADV (**a**) (= *facing the truth*) på ærlig vis ❑ *They must be conscious of this and face it honestly.* De må være* bevisste på dette og møte det på ærlig vis.
(**b**) (= *truthfully*) ærlig ❑ *Philip had answered them honestly.* Philip hadde svart dem ærlig.
(**c**) (= *to be honest*) ærlig *or* oppriktig talt ❑ *Honestly, I don't know what I'd do without her.* Ærlig *or* Oppriktig talt vet jeg ikke hva jeg skulle* gjort uten henne.
honesty ['ɔnɪstɪ] s ærlighet *c*, oppriktighet *c*
honey ['hʌnɪ] s honning *m*; (*sl : darling*) jenta mi/gutten min
honeycomb ['hʌnɪkəum] s (*in beehive*) vokskake *c*, bikake *c*; (*pattern*) *mønster av sekskantede figurer*
honeymoon ['hʌnɪmu:n] s bryllupsreise *m*
honeysuckle ['hʌnɪsʌkl] s kaprifol(ium) *m*
Hong Kong ['hɔŋ'kɔŋ] s Hong Kong
honk [hɔŋk] VTI tute (*v1*)
Honolulu [hɔnə'lu:lu:] s Honolulu
honor ['ɔnəʳ] (*US*) VT, S = **honour**
honorary ['ɔnərərɪ] ADJ (**a**) (= *unpaid : job, secretary*) honorær
(**b**) (*title, degree*) æres- ❑ *...an honorary fellowship.* ...et æresprofessorat.
honour ['ɔnəʳ], **honor** (*US*) 1 VT (**a**) (*+hero, author*) hedre (*v1*), ære (*v1*)
(**b**) (*+commitment, promise*) overholde*
2 s (**a**) (= *pride, self-respect*) ære *m*, stolthet *c* ❑ *...family honour.* ...familiens ære *or* stolthet.
(**b**) (= *tribute, distinction*) æresbevisning *m*, hedersbevisning *m* ❑ *It was a richly deserved honour.* Det var en velfortjent æresbevisning *or* hedersbevisning.
▸ **in honour of** til ære for
▸ **I have the honour of introducing...** jeg har gleden av å presentere...
▸ **I am /feel honoured** jeg føler meg beæret
hono(u)rable ['ɔnərəbl] ADJ (*person, action, defeat*) hederlig
▸ **to do the honourable thing** gjøre* det som er/var hederlig
hono(u)r-bound ['ɔnə'baund] ADJ ▸ **to be honour-bound to do** ha* en moralsk forpliktelse til å gjøre
hono(u)rs degree s *grad som i omfang tilsvarer cand.mag., men med sterkere grad av spesialisering innen et fag* NB *...a first class honours degree in French.* ...en laudabel cand.mag.-grad i fransk.
honours list s *listen over de som tildeles britiske utmerkelser*

> **Honours list** *er listen over titler og utmerkelser som monarken tildeler visse borgere av Storbritannia og Samveldet. Denne listen blir utarbeidet av statsministeren, og utkommer to ganger i året, ved nyttår, og ved monarkens offisielle fødselsdag. De som får æren av å stå på denne listen kan være folk som har utmerket seg i forretningslivet, i sport, i media eller i det militære, men også 'vanlige' borgere som f. eks har gjort en innsats innen humanitært arbeid.*

Hons. (*UNIV*) FK = **hono(u)rs degree**
hood [hud] s (*of coat, of cooker*) hette *c*; (*BIL : BRIT*) kalesje *m*; (*US*) panser *nt*
hooded ['hudɪd] ADJ (*jacket, robber*) med hette (på hodet)
hoodlum ['hu:dləm] s bølle *m*
hoodwink ['hudwɪŋk] VT narre (*v1*), lure (*v2*)
hoof [hu:f] (*pl* **hooves**) s hov *m*
hook [huk] 1 s (**a**) (*for coats, curtains etc*) knagg *m*
(**b**) (*on garment*) hekte *c* ❑ *Can you do this hook up for me?* Kan du feste denne hekten for meg?
(**c**) (*for fishing*) krok *m*
2 VT (**a**) (= *fasten*) hekte (*v1*)
(**b**) (*+fish*) få* på kroken
▸ **by hook or by crook** på et eller annet vis
▸ **to be hooked (on)** (**a**) (*sl : drugs*) være* hektet (på) (*sl*)
(**b**) (*a person*) være* betatt (av)
▸ **hook up** VT (*RADIO, TV etc*) koble (*v1*) til
hook and eye (*pl* **hooks and eyes**) s hekte *c* (og malje *m*)
hooligan ['hu:lɪgən] s pøbel *m*, ramp *m*
hooliganism ['hu:lɪgənɪzəm] s pøbelopptøyer *pl*
hoop [hu:p] s (*toy*) trillehjul *nt*; (*of barrel*) tønnebånd *nt*; (*in croquet*) bøyle *m*
hooray [hu:'reɪ] INTERJ = **hurrah**
hoot [hu:t] 1 VI (**a**) (*horn, owl+*) tute (*v1*)
(**b**) (*siren+*) ule (*v2*), tute (*v1*)
(**c**) (= *laugh, jeer*) hyle (*v2*)
2 VT (*+horn*) tute (*v1*) med *or* i
3 s (**a**) (*of horn*) tut *nt no pl*, tuting *c*
(**b**) (*of owl*) tuting *c*
(**c**) (*of laughter, scorn*) hyl *nt* ❑ *...a hoot of laughter.* ...et hyl av latter.
▸ **to hoot with laughter** hyle (*v2*) av latter
hooter ['hu:təʳ] s (*BRIT : BIL*) (bil)horn *nt*; (*NAUT, INDUST*) sirene *c*
hoover® ['hu:vəʳ] (*BRIT*) 1 s støvsuger *m*
2 VT støvsuge (*v3*)
hooves [hu:vz] SPL *of* **hoof**
hop [hɔp] 1 VI (**a**) (*on one foot*) hinke (*v1*)
(**b**) (*bird+*) hoppe (*v1*)
2 s (**a**) (= *one-footed jump*) hink *nt* ❑ *...in short hops.* ...med korte hink.
(**b**) (*of bird*) hopp *nt* ❑ *...a bird so heavy that it could make only short hops.* ...en fugl som var så tung at den bare kunne* ta* korte hopp.
hope [həup] 1 VT ▸ **to hope that/to do** håpe (*v1*)

at/å gjøre
[2] VI håpe (*v1*)
[3] s håp *nt* ❑ *She never completely gave up hope.* Hun gav aldri helt opp håpet. *...the hopes and dreams of reformers.* ...håpene og drømmene til reformatorene.
▸ **I hope so/not** jeg håper det/jeg håper ikke det
▸ **to hope for the best** håpe (*v1*) på det beste
▸ **to have no hope of sth/doing sth** ikke ha* noe håp om noe/om å gjøre* noe
▸ **in the hope of/that** i håp om/om at

hopeful ['həʊpful] ADJ (**a**) (*person*) forhåpningsfull ❑ *Ever hopeful, he never abandoned the cinema.* Han var alltid forhåpningsfull og forlot aldri filmen.
(**b**) (*situation*) lovende ❑ *...astonishing and hopeful results.* ...forbløffende og lovende resultater.
▸ **I'm hopeful that she'll manage** jeg har godt håp om at hun vil klare seg

hopefully ['həʊpfulɪ] ADV (**a**) (= *expectantly*) forhåpningsfullt, håpefullt ❑ *He smiled hopefully in their direction.* Han smilte håpefullt *or* forhåpningsfullt i deres retning.
(**b**) (= *one hopes*) forhåpentligvis ❑ *...we have two possibilities, hopefully a third.* ...vi har to muligheter, og forhåpentligvis en tredje.

hopeless ['həʊplɪs] ADJ (*gen: grief, situation, future, person*) håpløs ❑ *...hopeless grief and pity.* ...håpløs sorg og medynk. *I proved to be hopeless as a teacher.* Det viste seg at jeg var håpløs som lærer.

hopper ['hɒpəʳ] s fylletrakt *c*

hops [hɒps] SPL humle *m*

horde [hɔːd] s horde *m* ❑ *...hordes of screaming children.* ...horder av skrikende barn.

horizon [hə'raɪzn] s horisont *m* [NB] *...the smoke on the horizon.* ...røyken i horisonten.

horizontal [hɒrɪ'zɒntl] ADJ horisontal, vannrett ❑ *...horizontal stripes.* ...horisontale *or* vannrette striper.

hormone ['hɔːməun] s hormon *nt*

hormone replacement therapy s hormonbehandling *c*

horn [hɔːn] s (**a**) (*of animal, substance*) horn *nt* ❑ *...the horns of a bull.* ...hornene til en okse. *...spoons made from horn.* ...skjeer som er lagd av horn.
(**b**) (*also* ***French horn***) valthorn *nt*
(**c**) (*BIL*) horn *nt*

horned [hɔːnd] ADJ (*animal*) med horn

hornet ['hɔːnɪt] s geitehams *m*

horn-rimmed ['hɔːn'rɪmd] ADJ ▸ **horn-rimmed spectacles** hornbriller *pl*

horny ['hɔːnɪ] (*sl*) ADJ (= *aroused*) kåt

horoscope ['hɒrəskəup] s horoskop *nt*

horrendous [hə'rendəs] ADJ (*crime, error*) grusom, forferdelig

horrible ['hɒrɪbl] ADJ fryktelig, forferdelig ❑ *...a horrible meal.* ...et fryktelig *or* forferdelig måltid. *...an imaginary torture, but all the more horrible.* ...en innbilt tortur, men desto mer fryktelig *or* forferdelig.

horrid ['hɒrɪd] ADJ (*person, place, thing*) fæl

horrific [hɒ'rɪfɪk] ADJ gruoppvekkende

horrify ['hɒrɪfaɪ] VT forferde (*v1*), forskrekke (*v1*) ❑ *I was horrified by the work I had to do.* Jeg ble forferdet *or* forskrekket over arbeidet jeg måtte* gjøre.

horrifying ['hɒrɪfaɪɪŋ] ADJ skremmende, forskrekkelig

horror ['hɒrəʳ] s (**a**) (= *alarm*) skrekk *m* ❑ *The boys shrank away in horror.* Guttene trakk seg unna i skrekk.
(**b**) (= *abhorrence*) avsky *m* ❑ *Despite a horror of violence...* Til tross for en avsky mot vold...
(**c**) (*of battle, warfare*) gru *m* ❑ *...the blood and horror of the battle.* ...blodet og gruen i slaget.

horror film s skrekkfilm *m*

horror-stricken ['hɒrəstrɪkn] ADJ = **horror-struck**

horror-struck ['hɒrəstrʌk] ADJ skrekkslagen, redselsslagen

hors d'oeuvre [ɔː'dəːvrə] s forrett *m*

horse [hɔːs] s hest *m*

horseback ['hɔːsbæk] ADV ▸ **to ride horseback** ri* (*på hest*)
▸ **on horseback** på hesteryggen, til hest

horse box s tilhenger *m* for hestetransport

horse chestnut s hestekastanje *m*

horse-drawn ['hɔːsdrɔːn] ADJ trukket av hest

horsefly ['hɔːsflaɪ] s klegg *m*

horseman ['hɔːsmən] *irreg* s rytter *m*

horsemanship ['hɔːsmənʃɪp] s rideferdighet *c*

horseplay ['hɔːspleɪ] s knuffing *c*, småslåssing *c*

horsepower ['hɔːspauəʳ] s hestekraft *c irreg*

horse-racing ['hɔːsreɪsɪŋ] s hesteveddeløp *nt*

horseradish ['hɔːsrædɪʃ] s pepperrot *c*

horseshoe ['hɔːsʃuː] s hestesko *m*

horse show s rytterstevne *nt*

horse-trading ['hɔːstreɪdɪŋ] s (*fig*) hestehandel *m* ❑ *...the horse-trading over timetables.* ...det at det drives hestehandel med timeplanen.

horse trials SPL = **horse show**

horsewhip ['hɔːswɪp] [1] s ridepisk *m*
[2] VT piske (*v1*)

horsewoman ['hɔːswumən] *irreg* s rytterske *m*

horsey ['hɔːsɪ] ADJ (= *interested in horses*) hesteinteressert; (*face, appearance*) hesteaktig, heste-

horticulture ['hɔːtɪkʌltʃəʳ] s hagebruk *nt*

hose [həuz] s (*also* ***hosepipe***) slange *m*; (*also* ***garden hose***) hageslange *m*
▸ **hose down** VT spyle (*v2*) (ned) (*med slange*)

hosiery ['həuzɪərɪ] s (= *tights etc*) strømper *pl*; (*department in shop*) strømper *pl*, strømpeavdeling *c*

hospice ['hɒspɪs] s hjem *nt* for døende

hospitable ['hɒspɪtəbl] ADJ (*person, behaviour*) gjestfri; (*climate*) gjestmild

hospital ['hɒspɪtl] s sykehus *nt*
▸ **in hospital, (*US*) in the hospital** på sykehus(et)

hospitality [hɒspɪ'tælɪtɪ] s gjestfrihet *c*

hospitalize ['hɒspɪtəlaɪz] VT legge* inn på sykehus

host [həust] [1] s (**a**) (*at party, dinner etc*) vert *m*
(**b**) (*TV, RADIO*) programleder *m* ❑ *Our host tonight is Jane Porter.* Programlederen vår i kveld er Jane Porter.
(**c**) (*REL*) hostie *m*, nattverdbrød *nt*
[2] ADJ (*country, organization, community*) verts- ❑ *...his host country had supplied him with*

accommodation. ...vertslandet hans hadde skaffet ham bolig.
3 VT (**a**) (*+TV programme*) være* programleder for ❑ *He has been hosting the show for two years.* Han har vært programleder for showet i to år.
(**b**) (*+event, conference*) være* vertskap for, arrangere (*v2*)
▸ **a (whole) host of** en (hel) hærskare med

hostage ['hɔstɪdʒ] s gissel *nt*
▸ **to be taken/held hostage** bli* tatt/holdt som gissel

hostel ['hɔstl] s (*for homeless etc*) herberge *nt*, hospits *nt*; (*also* **youth hostel**) vandrerhjem *nt*, ungdomsherberge *nt*

hostelling ['hɔstlɪŋ] s ▸ **to go (youth) hostelling** *reise på ferie og bo på vandrerhjem*

hostess ['həustɪs] s (*at party, dinner etc*) vertinne *c*; (*BRIT: air hostess*) flyvertinne *c*; (*TV, RADIO*) programleder *m*; (*in night-club*) nattklubbvertinne *c*

hostile ['hɔstaɪl] ADJ (**a**) (*person, attitude, mood*) fiendtlig, fiendtligsinnet
(**b**) (*conditions, weather, environment*) ugjestmild
▸ **hostile to** *or* **towards** fiendtlig innstilt til ❑ *...a new government that is hostile to us.* ...en ny regjering som er fiendtlig innstilt til oss.

hostility [hɔ'stɪlɪtɪ] s fiendtlighet *c*
▸ **hostilities** SPL (*= fighting*) fiendtligheter, kamphandlinger ❑ *...a cessation of hostilities.* ...et opphør av fiendtlighetene *or* kamphandlingene.

hot [hɔt] ADJ (**a**) (*+person, body, object, weather, oven*) varm
(**b**) (*= spicy: food*) sterkt krydret ❑ *...hot curries.* ...sterkt krydrede karriretter.
(**c**) (*temper*) hissig
▸ **he's/it's not so hot on...** (*sl*) han/det er ikke så sterk på *or* i... ❑ *The book is good on methodology but not so hot on linguistic theory.* Boka er god på metodologi, men ikke så sterk på *or* i lingvistisk teori.

▸ **hot up** (*BRIT: sl*) 1 VI (**a**) (*situation+*) tilspisse (*v1*) seg ❑ *Events in the Middle East were hotting up...* Tingene begynte å tilspisse seg i Midtøsten...
(**b**) (*party+*) livne (*v1*) til, friskne (*v1*) til
2 VT (**a**) (*+pace*) kjøre (*v2*) opp ❑ *Now they really began to hot up the pace.* Nå begynte de virkelig å kjøre opp tempoet.
(**b**) (*+engine*) trimme (*v1*)

hot air s (*= speech, claim, promise etc*) tomme ord *pl*

hot-air balloon [hɔt'ɛəʳ-] s varmluftsballong *m*

hotbed ['hɔtbɛd] s (*fig*) vepsebol *nt* ❑ *The universities are hotbeds of intrigue.* Universitetene er rene vepsebol for intriger.

hot-blooded [hɔt'blʌdɪd] ADJ (*person*) varmblodig, lidenskapelig

hotchpotch ['hɔtʃpɔtʃ] (*BRIT*) s sammensurium *nt irreg* ❑ *...a hotchpotch of uncoordinated schemes.* ...et sammensurium av uorganiserte planer.

hot dog s pølse *c* i *or* med brød, hot-dog *m*

hotel [həu'tel] s hotell *nt*
▸ **at the hotel** på hotellet
▸ **at the Grand Hotel** på Grand Hotel
▸ **to stay at a hotel** bo (*v4*) på hotell

hotelier [həu'tɛlɪəʳ] s (*owner*) hotelleier *m*; (*manager*) hotelldirektør *m*

hotel industry s hotellbransje *m*

hotel room s hotellrom *nt*

hot flush s hetetokter *pl*

hotfoot ['hɔtfut] ADV sporenstreks

hothead ['hɔthɛd] s oppfarende person *m*

hot-headed [hɔt'hɛdɪd] ADJ ubetenksom, impulsiv

hothouse ['hɔthaus] s drivhus *nt*, veksthus *nt*

hot line s direkte (telefon)linje *c*

hotly ['hɔtlɪ] ADV (*speak, contest, deny*) heftig

hotplate ['hɔtpleɪt] s (*on cooker*) (koke)plate *c*

hotpot ['hɔtpɔt] (*BRIT: KULIN*) s ovnsrett *m*

hot potato (*fig: sl*) s varm potet *m*
▸ **to drop sb like a hot potato** behandle (*v1*) noe som en varm potet

hot seat s (*fig*) ▸ **to be in the hot seat** sitte* ved roret

hot spot (*POL*) s urolig område *nt*, urosentrum *nt irreg*

hot spring s varm kilde *m*

hot stuff (*sl*) s (*activity*) ▸ **skateboarding is hot stuff** det er veldig in å stå på rullebrett; (*person*) ▸ **she's hot stuff** hun er rålekker

hot-tempered ['hɔt'tɛmpəd] ADJ hissig

hot-water bottle [hɔt'wɔːtəʳ-] s varmeflaske *c*

hot-wire (*sl*) VT (*+car*) tyvkoble (*v1*)

hound [haund] 1 VT jage (*v1 or v3*) ❑ *He was hounded by the press.* Han ble jaget av pressen.
2 s jakthund *m*

hour ['auəʳ] s (**a**) (*= sixty minutes*) time *m* ❑ *It takes three hours.* Det tar tre timer.
(**b**) (*= time*) klokkeslett *nt*, tidspunkt *nt* ❑ *...what hour of the day?* ...hvilket klokkeslett?
▸ **between the hours of eleven and twelve** mellom klokka elleve og tolv
▸ **for three hours** i tre timer
▸ **(at) 60 kilometres an hour** (i) 60 km i timen
▸ **to pay sb by the hour** gi* noen timebetaling, betale (*v2*) noen på timebasis
▸ **lunch hour** lunsjpause *m*

hourly ['auəlɪ] 1 ADV (**a**) (*= each hour*) hver time ❑ *We shall be meeting hourly until six.* Vi kommer til å møtes hver time fram til klokka seks.
(**b**) (*= soon*) hvert øyeblikk ❑ *He was hourly expecting attack by enemy forces.* Han ventet angrep fra fiendestyrker hvert øyeblikk.
2 ADJ ▸ **there's an hourly (bus/train** *etc***) service** det går en buss/et tog *etc* hver time ❑ *The town is served by an hourly bus service.* Byen har en buss som går hver time.
▸ **we are paid an hourly rate** vi blir timebetalt, vi får lønn på timebasis.

house [*N* haus, *VB* hauz] 1 s (**a**) (*= home, household, dynasty, POL*) hus *nt* ❑ *He has a house in Pimlico.* Han har et hus i Pimlico. *He's the head of the house.* Han er sjefen i huset. *...the Speaker of the lower house.* ...Presidenten i underhuset. *...a royal house.* ...et kongehus.
(**b**) (*= company*) ▸ **fashion house** motehus *nt*
▸ **publishing house** forlag *nt*
(**c**) (*TEAT*) sal *m* ❑ *The house fell silent as the curtain rose.* Det ble stille i salen da teppet gikk opp.
2 VT (**a**) (*+person*) huse (*v1*), skaffe (*v1*) bolig ❑ *Too*

many married couples are waiting to be housed. Altfor mange ektepar venter på å bli* skaffet bolig.
(**b**) (*+collection*) huse (*v1*) ❑ *This is the building which houses the library.* Dette er bygningen som huser biblioteket.
▸ **at/to my house** hjemme hos meg/hjem til meg
▸ **the House (of Commons)** (*BRIT*) Underhuset
▸ **the House (of Representatives)** (*US*) Representantenes hus
▸ **on the house** (*fig*) på huset, på husets regning ❑ *Try some – it's on the house.* Prøv litt – det går på huset(s regning) *or* vi spanderer.

house arrest s husarrest *m*
▸ **he was placed under house arrest** han ble satt i husarrest

houseboat ['hausbəut] s husbåt *m*

housebound ['hausbaund] ADJ ute av stand til å komme seg ut

housebreaking ['hausbreɪkɪŋ] s innbrudd *nt* (*i privatboliger*) ❑ *...on charges of housebreaking.* ...anklaget for innbrudd.

house-broken ['hausbrəukn] (*US*) ADJ = **house-trained**

housecoat ['hauskəut] s morgenkjole *m*

household ['haushəuld] s (**a**) (*people*) husstand *m* ❑ *...part of a huge household.* ...del av en stor husstand.
(**b**) (*= home*) husholdning *m* ❑ *My daughter managed the entire household...* Datteren min tok seg av hele husholdningen...
▸ **household name** velkjent navn

householder ['haushəuldəʳ] s *eier av/leietaker i en bolig*

house-hunting ['haushʌntɪŋ] s husjakt *c*
▸ **to go househunting** gå* på husjakt

housekeeper ['hauski:pəʳ] s husholderske *m*

housekeeping ['hauski:pɪŋ] s (*work*) husarbeid *nt*; (*money*) husholdningspenger *pl*

houseman ['hausmən] (*BRIT*) *irreg* s ≈ turnuskandidat *m*

House of Lords/Commons/Representatives

Parlamentet i Storbritannia er inndelt i to kamre: – **House of Lords** *(Overhuset) ledes av* the Lord Chancellor, *og består av fremtredende medlemmer av presteskapet, og adelsmenn som enten har arvet titlene sine eller fått dem av monarken (i sistnevnte tilfelle kan tittelen være arvelig eller personlig til den som har blitt tildelt den). Overhuset kan endre visse lovforslag fra Underhuset, men det har ikke myndighet til å motsette seg lovforslag som vedrører økonomi.Overhuset tjener også som Høyesterett i England og Wales. –* **House of Commons** *(Underhuset) ledes av* **the Speaker**, *og består av over 600 medlemmer (MP'er) som er direkte valgt ved allmenn stemmerett. Alle disse mottar lønn for arbeidet i Underhuset, og møter ca 175 dager i året. I USA består nasjonalforsamlingen,* **Congress** *av* **the Senate** *og* **the House of Representatives**. *Sistnevnte består av 435 medlemmer. Antall representanter fra hver stat står i forhold til folketallet i denne staten. De blir valgt for to år om gangen ved allmenn stemmerett, og har sete på* **Capitol**, *i Washington DC.*

---

house owner s huseier *m*

house party s house party *n*; (*people*) house party-gjester *pl*

house plant ['hausplɑ:nt] s stueplante *c*

house-proud

houseproud ['hauspraud] ADJ ▸ **to be houseproud** ha* mye husmoræere

house-to-house ['haustə'haus] ADJ (*enquiries etc*) dør-til-dør-

house-train ['haustreɪn] VT (*+animal*) gjøre* renslig

house-trained

housetrained ['haustreɪnd] (*BRIT*) ADJ stueren

house-warming (party) ['hauswɔ:mɪŋ-] s innvielsesfest *m*

housewife ['hauswaɪf] *irreg* s husmor *c irreg*

housework ['hauswə:k] s husarbeid *nt*

housing ['hauzɪŋ] [1] s (**a**) (*= houses*) boliger *pl*, boligforhold *pl* ❑ *...bad housing and poverty in the city.* ...dårlige boliger *or* boligforhold i byen.
(**b**) (*provision*) det å skaffe boliger ❑ *She's very active in fields such as housing.* Hun er veldig aktiv på slike områder som det å skaffe boliger.
[2] SAMMENS (*problem, shortage*) bolig-

housing association s ≈ boligbyggerlag *nt*

housing benefit s ≈ bostøtte *c*

housing conditions SPL boligforhold *pl*

housing development (*BRIT*) s boligkompleks *nt*, boligområde *nt*

housing estate s boligkompleks *nt*, boligområde *nt*

hovel ['hɔvl] s skur *nt*

hover ['hɔvəʳ] VI (**a**) (*bird, insect+*) stå* stille i luften, sveve (*v3*) (i luften)
(**b**) (*person+*) stå* og trippe (*v1*)
▸ **to hover round sb** trippe (*v1*) rundt noen

hovercraft ['hɔvəkrɑ:ft] s hovercraft *m*, svevebåt *m*

hoverport ['hɔvəpɔ:t] s brygge *f* for hovercraft

KEYWORD

how [hau] [1] ADV (**a**) (*= in what way*) hvordan
▸ **how did you do it?** hvordan gjorde du det?
▸ **I know how you did it** jeg vet hvordan du gjorde det
▸ **to know how to do sth** vite hvordan man gjør noe
▸ **how was the film?** hvordan var filmen?
▸ **how are you?** hvordan har du/dere det?
(**b**) (*= to what degree*) hvor
▸ **how much milk/many people?** hvor mye melk/mange mennesker?
▸ **how long have you ...?** hvor lenge har du ...?
▸ **how old are you?** hvor gammel er du?
▸ **how tall is he?** hvor høy er han?
▸ **how lovely/awful!** så flott/fryktelig!

---

however [hau'ɛvəʳ] [1] KONJ imidlertid ❑ *However, it was not to be.* Imidlertid skulle* ikke det skje.
[2] ADV (**a**) (*with adj*) uansett hvor ❑ *However strong the temptation,...* Uansett hvor sterk fristelsen er, *or* Hvor sterk fristelsen enn er,.... Uansett hvor sterk fristelsen er, *or* Hvor sterk fristelsen enn er, ...
(**b**) (*in questions*) hvordan i all verden ❑ *However did you find me?* Hvordan i all verden fant du meg?

howl [haul] [1] VI (**a**) (*animal, wind+*) ule (*v2*), hyle

(*v2*)
(**b**) (*baby, person+*) hyle (*v2*)
2 s (**a**) (*of animal*) ul *nt*, hyl *nt* ❑ *...the howls of the wolves.* ...ulene *or* hylene fra ulvene.
(**b**) (*of baby, person*) hyl *nt* ❑ *He gave a howl of pain.* Han gav fra seg et hyl av smerte.

howler ['haulər] (*sl*) s (*mistake*) brøler *m* (*sl*)
HP (*BRIT*) s FK = **hire purchase**
h.p. (*BIL*) FK = **horsepower**
HQ FK = **headquarters**
HR (*US: POL*) s FK (= **House of Representatives**) Representantenes hus
HRH (*BRIT*) FK (= **His (or Her) Royal Highness**) HKH (= *Hans (eller Hennes) Kongelige Høyhet*)
hr(s) FK = **hour(s)**
HRT s FK (= **hormone replacement therapy**) østrogenbehandling *c*
HS (*US*) FK = **high school**
HST (*US*) FK (= **Hawaiian Standard Time**) *normaltid i tidssonen som dekker bl.a. Hawai*
hub [hʌb] s (**a**) (*of wheel*) nav *nt*
(**b**) (*fig: centre*) sentrum *nt*, midtpunkt *nt* ❑ *The village hall was the social hub of the district.* Folkets hus var det sosiale midtpunktet *or* sentrum i distriktet.
hubbub ['hʌbʌb] s skrik *nt* og skrål *nt* ❑ *There was an increasing hubbub from the room below.* Det var et stadig stigende skrik og skrål fra rommet nedenunder.
hubcap ['hʌbkæp] s hjulkapsel *m*
HUD (*US*) s FK (= **Department of Housing and Urban Development**) *departement*
huddle ['hʌdl] **1** VI ▸ **to huddle together** krype* (tett) sammen
2 s ▸ **in a huddle** i en klynge
hue [hju:] s tone *m*, skjær *nt*
hue and cry s ramaskrik *nt* ❑ *...there is bound to be a hue and cry.* ...det er nødt til å bli* ramaskrik.
huff [hʌf] **1** s ▸ **in a huff** fornærmet, forurettet
2 VI ▸ **to huff and puff** puste (*v1*) og pese (*v2*)
huffy ['hʌfɪ] (*sl*) ADJ fornærmet
hug [hʌg] **1** VT (**a**) (*+person*) klemme (*v2x*)
(**b**) (*+thing*) tviholde* på ❑ *...a basket which she hugged tight on her lap.* ...en kurv som hun tviholdt på fanget sitt.
2 s klem *m* ❑ *He greeted his mother with a hug.* Han hilste på moren sin med en klem.
▸ **to give sb a hug** gi* noen en klem
huge [hju:dʒ] ADJ enorm, svær, kjempestor
hugely ['hju:dʒlɪ] ADV (*expensive, enjoyable*) enormt, uhorvelig
hulk [hʌlk] s (*ship*) holk *m*; (*person, building etc*) koloss *m*
hulking ['hʌlkɪŋ] ADJ ▸ **hulking great** kolossal
hull [hʌl] **1** s (*of ship*) skrog *nt*; (*of nuts, strawberries etc*) hams *m*
2 VT (*+fruit: tune, song*)*v1* [*ved å ta av hamsen*]
hullaballoo ['hʌləbə'lu:] (*sl*) s bråk *nt*, rabalder *nt*
▸ **to make a hullabaloo** lage bråk *or* rabalder
hullo [hə'ləu] = **hello**
hum [hʌm] **1** VT (*+tune, song*) nynne (*v1*)
2 VI (**a**) (*person+*) = **hello** nynne (*v1*) ❑ *I began to hum a bit...* Jeg begynte å nynne litt...
(**b**) (*machine+*) dure (*v2*) ❑ *Air conditioners tend to hum.* Lufteanlegg har lett for å dure.
(**c**) (*insect+*) surre (*v1*)
3 s (**a**) (*of traffic, machines*) dur *m*
(**b**) (*of voices, insects*) surr *nt* ❑ *...the low hum of conversation.* ...det lave surret av prating.
human ['hju:mən] **1** ADJ (**a**) (*existence, body*) menneskelig, menneskets ❑ *...the purpose of human existence.* ...meningen med menneskelig eksistens *or* menneskets eksistens.
(**b**) (*weakness, emotion*) menneskelig ❑ *...human error.* ...menneskelige feil.
2 s (*also* ***human being***) menneske *nt*
▸ **the human race** menneskeheten
humane [hju:'meɪn] ADJ (*treatment, slaughter*) human
humanism ['hju:mənɪzəm] s humanisme *m*
humanitarian [hju:mænɪ'tɛərɪən] ADJ (*aid, principles*) humanitær
humanity [hju:'mænɪtɪ] s (**a**) (= *mankind*) menneskeheten *def* ❑ *...a crime against humanity.* ...en forbrytelse mot menneskeheten.
(**b**) (*condition*) menneskeverd *nt* ❑ *They denied them their humanity.* De fornektet dem menneskeverdet deres.
(**c**) (= *humaneness, kindness*) medmenneskelighet *c* ❑ *...a deep sense of humanity.* ...en sterk sans for medmenneskelighet.
▸ **the humanities** (*SKOL*) SPL humaniora *pl*, humanistiske fag *pl*
humanly ['hju:mənlɪ] ADV (*possible*) menneskelig
humanoid ['hju:mənɔɪd] **1** ADJ menneskeliknende
2 s robot *m*
human rights SPL menneskerettigheter
humble ['hʌmbl] **1** ADJ (**a**) (= *modest*) ydmyk
(**b**) (= *lowly: background*) beskjeden ❑ *...men from very humble backgrounds.* ...menn fra svært beskjedne kår.
2 VT ydmyke (*v1*)
humbly ['hʌmblɪ] ADV ydmykt
humbug ['hʌmbʌg] s (**a**) (*of statement, writing*) humbug *m*, bløff *m* ❑ *...parliamentary humbug.* ...parlamentarisk humbug *or* bløff.
(**b**) (*BRIT: sweet*) *svartog hvitstripete peppermyntedrops*
humdrum ['hʌmdrʌm] ADJ grå, hverdagslig
humid ['hju:mɪd] ADJ (*atmosphere, climate*) fuktig
humidifier [hju:'mɪdɪfaɪər] s luftfukter *m*
humidity [hju:'mɪdɪtɪ] s fuktighet *c*
humiliate [hju:'mɪlɪeɪt] VT ydmyke (*v1*)
humiliating [hju:'mɪlɪeɪtɪŋ] ADJ nedverdigende, ydmykende
humiliation [hju:mɪlɪ'eɪʃən] s ydmykelse *m* ❑ *...an anger born of humiliation.* ...et sinne som kom av ydmykelse. *Taylor's humiliations...* Ydmykelsene av Taylor...
humility [hju:'mɪlɪtɪ] s ydmykhet *c*
humor ['hju:mər] (*US*) s = **humour**
humorist ['hju:mərɪst] s humorist *m*
humorous ['hju:mərəs] ADJ humoristisk
humour ['hju:mər], **humor** (*US*) **1** s (**a**) (= *funny aspect*) komikk *m*, humor *m* ❑ *...the humour of the remark.* ...komikken *or* humoren i bemerkningen.
(**b**) (= *mood*) humør *nt* ❑ *...with good humour.* ...med godt humør.

2 VT (*+person*) føye (*v3*), behage (*v1*) ❑ *He had bought it to humour Julie.* Han hadde kjøpt den for å føye *or* behage Julie.
▸ **sense of humour** sans *m* for humor
▸ **to be in good/bad humour** være* i godt/dårlig humør

humo(u)rless ['hju:məlɪs] ADJ humørløs

hump [hʌmp] S (*in ground*) kul *m*; (*to restrict speed*) fartsdump *c*; (*of camel, person*) pukkel *m*

humpbacked ['hʌmpbækt] ADJ ▸ **humpbacked bridge** *liten, sterkt buet bro*

humus ['hju:məs] S humus *m*

hunch [hʌntʃ] S forutanelse *m*
▸ **I have a hunch that...** jeg har en følelse av at..., jeg har en følelse av at ...

hunchback ['hʌntʃbæk] S *pukkelrygget person*

hunched [hʌntʃt] ADJ (*person, shoulders*) lut

hundred ['hʌndrəd] TALLORD (**a**) hundre
(**b**) (*before n*) ▸ **a** *or* **one hundred books/people/dollars** hundre *or* ett hundre bøker/mennesker/dollar
▸ **hundreds of** hundrevis av
▸ **I'm a hundred per cent sure** jeg er hundre prosent sikker

hundredth ['hʌndrədθ] 1 ADJ hundrede
2 S ▸ **a hundredth** en hundredel *m*

hundredweight ['hʌndrɪdweɪt] S (*BRIT*) *50,8 kg*; (*US*) *45,3 kg*

hung [hʌŋ] PRET, PP *of* **hang**

Hungarian [hʌŋ'gɛərɪən] 1 ADJ ungarsk
2 S (*person*) ungarer *m*; (*LING*) ungarsk

Hungary ['hʌŋgərɪ] S Ungarn

hunger ['hʌŋgə^r] 1 S sult *m* ❑ *His stomach started to growl with hunger.* Magen hans begynte å skrike av sult. *...families dying of hunger.* ...familier som døde av sult.
2 VI ▸ **to hunger for** hungre (*v1*) etter

hunger strike S sultestreik *m* ❑ *...on hunger strike.* ...i sultestreik.

hung over (*sl*) ADJ i bakrus

hungrily ['hʌŋgrəlɪ] ADV sultent; (*fig*) grådig

hungry ['hʌŋgrɪ] ADJ sulten
▸ **hungry for** (= *keen, avid*) sulten på
▸ **to go hungry** gå* sulten, gå* og sulte

hung up (*sl*) ADJ ▸ **to be hung up about** ha* et anstrengt forhold til

hunk [hʌŋk] S (*of bread etc*) blings *m*; (*sl: man*) skikkelig mannfolk *nt* (*sl*)

hunt [hʌnt] 1 VT (**a**) (*for food, game*) jakte (*v1*) på
(**b**) (*+criminal, fugitive*) jakte (*v1*) på, oppspore (*v1*)
2 VI (*SPORT*) jakte (*v1*), gå* på jakt ❑ *They hunt every weekend.* De jakter *or* går på jakt hver helg.
3 S (**a**) (*for food, game*) jakt *c*
(**b**) (= *group of huntsmen*) jaktlag *nt* ❑ *...a member of the local hunt.* ...et medlem av det lokale jaktlaget.
(**c**) (= *search*) leting *c* ❑ *The hunt for the missing child.* Letingen etter det savnede barnet.
▸ **to hunt for** lete (*v2*) etter

▸ **hunt down** VT oppspore (*v1*)

hunter ['hʌntə^r] S jeger *m*

hunting ['hʌntɪŋ] S jakt *c* ❑ *...a hunting expedition.* ...en jaktekspedisjon.

huntsman ['hʌntsmən] S *irreg* jeger *m*

hurdle ['hə:dl] S hinder *nt*

hurl [hə:l] VT (**a**) (*+object*) slenge (*v2*)
(**b**) (*+insult, abuse*) slynge (*v1*) ❑ *Abuse was hurled at the police.* Det ble slynget ukvemsord mot politiet.

hurling ['hə:lɪŋ] S (*SPORT*) hurling *m*

hurly-burly ['hə:lɪ'bə:lɪ] S ståk *nt*

hurrah [hu'rɑ:] INTERJ hurra

hurray [hu'reɪ] INTERJ = **hurrah**

hurricane ['hʌrɪkən] S orkan *m*

hurried ['hʌrɪd] ADJ hastig, rask ❑ *...a hurried glance.* ...et hastig *or* raskt blikk.

hurriedly ['hʌrɪdlɪ] ADV i all hast, raskt

hurry ['hʌrɪ] 1 S hastverk *nt*, travelhet *c* ❑ *In the middle of all this hurry...* Midt i alt dette hastverket *or* all denne travelheten...
2 VI skynde (*v2*) seg ❑ *We'll have to hurry.* Vi må skynde oss.
3 VT (**a**) (*+person*) skynde (*v2*) på ❑ *You're always hurrying me!* Du skynder alltid på meg!
(**b**) (*+work*) forhaste (*v1*) seg med ❑ *You've obviously hurried your work.* Du har tydeligvis forhastet deg med arbeidet ditt.
▸ **to be in a hurry** ha* hastverk, ha* det travelt
▸ **to do sth in a hurry** gjøre* noe i all hast
▸ **to hurry in/out** haste (*v1*) inn/ut
▸ **they hurried to help him** de ilte til for å hjelpe ham
▸ **to hurry home** skynde (*v2*) seg hjem
▸ **there's no hurry** det er ingen hast
▸ **what's the hurry?** hva er det som haster slik?

▸ **hurry along** VI skynde (*v2*) seg av gårde

▸ **hurry away, hurry off** VI skynde (*v2*) seg vekk

▸ **hurry up** 1 VT skynde (*v2*) på, få* opp farten på ❑ *Try to hurry them up a bit.* Prøv å skynde litt på dem.. Prøv å få* opp farten på dem litt.
2 VI skynde (*v2*) seg, få* opp farten ❑ *Tell him to hurry up.* Få ham til å skynde seg *or* få* opp farten.

hurt [hə:t] (*pt, pp* **hurt**) 1 VT (**a**) (= *cause pain to*) gjøre* vondt ❑ *Did I hurt you?* Gjorde jeg deg vondt?
(**b**) (= *injure*) skade (*v1*) ❑ *How did you hurt your finger?* Hvordan skadet du fingeren din?
(**c**) (*fig*) såre (*v1*) NB *He didn't want to hurt her feelings.* Han ville* ikke såre henne.
2 VI (= *be painful*) gjøre* vondt ❑ *My leg was beginning to hurt.* Beinet mitt begynte å gjøre* vondt.
3 ADJ skadet ❑ *Margaret, are you hurt?* Margaret, er du skadet?

hurtful ['hə:tful] ADJ sårende

hurtle ['hə:tl] VI fare*
▸ **to hurtle past** fare* forbi
▸ **the plane hurtled down the runway** flyet for bortover rullebanen

husband ['hʌzbənd] 1 S mann *m irreg*, ektemann *m irreg* (*fml*)
2 VT (*+resources*) husholdere (*v2*) med

hush [hʌʃ] 1 S stillhet *c*, taushet *c* ❑ *An expectant hush fell on the gathering.* Det falt en forventningsfull stillhet over forsamlingen.
2 VI være* stille
▸ **hush!** hysj!

▸ **hush up** VT (*+scandal etc*) dysse (*v1*) ned

hushed [hʌʃt] ADJ (*place*) stille; (*voice*) dempet, lav(mælt)
hush-hush [hʌʃ'hʌʃ] (*sl*) ADJ hysj-hysj ❑ *...it was all very hush-hush.* ...alt var veldig hysjhysj.
husk [hʌsk] s skall *nt*
husky ['hʌskɪ] 1 ADJ hes
2 s husky *m*, polarhund *m*
hustings ['hʌstɪŋz] (*BRIT: POL*) SPL valgkamp *m sg* ❑ *Politicians everywhere are taking to the hustings.* Politikere overalt deltar i valgkampen.
hustle ['hʌsl] 1 VT føyse (*v1*)
2 s ▸ **hustle and bustle** travelhet *c*, livlighet *c*, liv og røre *no def form* ❑ *...the hustle and bustle of Marseilles.* ...travelheten *or* livligheten i Marseille.
hut [hʌt] s (*house*) hytte *c*; (= *shed*) bu *c*
hutch [hʌtʃ] s bur *nt*
hyacinth ['haɪəsɪnθ] s hyasint *m*, svibel *m*
hybrid ['haɪbrɪd] 1 s (**a**) (*plant, animal*) krysning *m* (**b**) (*fig: mixture*) krysning *m*, mellomting *m* ❑ *He looks like a hybrid of Tintin and Popeye.* Han ser ut som en krysning *or* en mellomting mellom Tintin og Popeye.
2 ADJ (*plant, animal, systems*) hybrid
hydrant ['haɪdrənt] s (*also* ***fire hydrant***) brannhydrant *m*
hydraulic [haɪ'drɔːlɪk] ADJ (*pressure, system*) hydraulisk
hydraulics [haɪ'drɔːlɪks] s hydraulikk *m*
hydrochloric ['haɪdrəu'klɔrɪk] ADJ ▸ **hydrochloric acid** saltsyre *c*
hydro-electric ['haɪdrəuɪ'lɛktrɪk] ADJ vannkraft- ▸ **hydro-electric power** vannkraft *c*
hydrofoil ['haɪdrəfɔɪl] s hydrofoil *m*
hydrogen ['haɪdrədʒən] s hydrogen *nt*
hydrogen bomb s hydrogenbombe *c*
hydrophobia ['haɪdrə'fəubɪə] s rabies *m*, hundegalskap *m*
hydroplane ['haɪdrəpleɪn] 1 s hydroplan *nt*
2 VI plane (*v1*)
hyena [haɪ'iːnə] s hyene *m*
hygiene ['haɪdʒiːn] s hygiene *m*
hygienic [haɪ'dʒiːnɪk] ADJ hygienisk
hymn [hɪm] s salme *m*
hype [haɪp] (*sl*) 1 s blest *m* ❑ *There's a lot of hype surrounding the book.* Det er en masse blest omkring boka.
2 VT blåsse (*v1*) opp ❑ *The group was hyped to the skies...* Gruppen ble blåst opp i skyene...
hyperactive ['haɪpər'æktɪv] ADJ hyperaktiv
hypermarket ['haɪpəmɑːkɪt] s stormarked *nt*
hypertension ['haɪpə'tɛnʃən] s for høyt blodtrykk *nt*, hypertensjon *m*
hypertext ['haɪpətɛkst] (*DATA*) s hypertekst *m*
hyphen ['haɪfn] s bindestrek *m*
hyphenated ['haɪfəneɪtɪd] ADJ (skrevet) med bindestrek
hypnosis [hɪp'nəusɪs] s hypnose *m* ❑ *...under hypnosis.* ...under hypnose.
hypnotherapy [hɪpnəu'θɛrəpɪ] s søvnterapi *m*
hypnotic [hɪp'nɔtɪk] ADJ (*rhythms, trance*) hypnotisk
hypnotism ['hɪpnətɪzəm] s hypnotisme *m*
hypnotist ['hɪpnətɪst] s hypnotisør *m*
hypnotize ['hɪpnətaɪz] VT hypnotisere (*v2*)
hypoallergenic ['haɪpəuælə'dʒɛnɪk] ADJ ≈ allergitestet
hypochondriac [haɪpə'kɔndrɪæk] s hypokonder *m*
hypocrisy [hɪ'pɔkrɪsɪ] s hykleri *nt*
hypocrite ['hɪpəkrɪt] s hykler *m*
hypocritical [hɪpə'krɪtɪkl] ADJ (*person, behaviour*) hyklersk
hypodermic [haɪpə'dəːmɪk] s (injeksjons)sprøyte *c*
hypotenuse [haɪ'pɔtɪnjuːz] s hypotenus *m*
hypothermia [haɪpə'θəːmɪə] s hypotermi *m*
hypothesis [haɪ'pɔθɪsɪs] (*pl* **hypotheses**) s hypotese *m*
hypothetical [haɪpəu'θɛtɪkl] ADJ (*question, situation*) hypotetisk
hysterectomy [hɪstə'rɛktəmɪ] s hysterektomi *m*, fjerning *c* av livmoren
hysteria [hɪ'stɪərɪə] s hysteri *nt* ❑ *...a growing climate of hysteria.* ...en stadig økende hysteri.
hysterical [hɪ'stɛrɪkl] ADJ (**a**) (*person, rage, laughter*) hysterisk
(**b**) (*sl: hilarious: situation*) hysterisk *or* vanvittig morsom ❑ *You should have seen him, it was hysterical!* Du skulle* ha* sett ham, det var hysterisk *or* vanvittig morsomt!
▸ **to become hysterical** bli* hysterisk
hysterically [hɪ'stɛrɪklɪ] ADV (*laugh, weep etc*) hysterisk
▸ **hysterically funny** hysterisk morsom
hysterics [hɪ'stɛrɪks] (*sl*) SPL ▸ **to be in/have hysterics** (**a**) (= *panic, be angry*) være* hysterisk (**b**) (= *laugh loudly*) holde* på å le seg i hjel ❑ *The audience were in hysterics.* Publikum holdt på å le seg i hjel.
Hz FK (= **hertz**) Hz

I

I, i [aɪ] S (*letter*) I, i *m*
▸ **I for Isaac,** *(US)* **I for Item** I for Ivar
I [aɪ] 1 PRON jeg
2 FK = **island, isle**
IA (*US: POST*) FK = **Iowa**
IAEA S FK = **International Atomic Energy Agency**
IBA (*BRIT*) S FK (= **Independent Broadcasting Authority**) *kontrollorgan for private radio- og fjernsynsstasjoner*
Iberian [aɪ'bɪərɪən] ADJ ▸ **the Iberian Peninsula** Den iberiske halvøy
IBEW (*US*) S FK (= **International Brotherhood of Electrical Workers**) *fagforening*
ib(id) ['ɪb(ɪd)] FK (= *from the same source*) (= **ibidem**) ib., ibid., sammesteds
i/c (*BRIT*) FK = **in charge**
ICBM S FK (= **intercontinental ballistic missile**) interkontinental ballistisk rakett *m*
ICC S FK (= **International Chamber of Commerce**); (*US* = **Interstate Commerce Commission**) *organ som regulerer interstatlig handel i USA*
ice [aɪs] 1 S is *m* ❑ *...ice on the roads...* is på veiene... *a gin and tonic with ice...* en gin og tonic med is.... *He bought ices for the children.* Han kjøpte is til barna.
2 VT (*+cake*) glassere (*v2*) (*var.* glasere) ❑ *Have you iced your Christmas cake yet?* Har du glassert julekaken din enda?
3 VI (*also* ***ice over, ice up***) ise (*v1*)
▸ **to put sth on ice** (*fig*) legge* noe på is
Ice Age S istid *c*
ice axe S isøks *c*
iceberg ['aɪsbəːg] S isfjell *nt*
▸ **the tip of the iceberg** (*fig*) toppen av isfjellet
icebox ['aɪsbɔks] S (*US: fridge*) kjøleskap *nt*; (*BRIT: compartment*) isboks *m*; (= *insulated box*) kjøleboks *m*
icebreaker ['aɪsbreɪkə^r] S (*ship*) isbryter *m*; (*fig: remark etc*) bemerkning *m* som bryter isen
ice bucket S isbøtte *c*
icecap ['aɪskæp] S iskalott *m*
ice-cold ['aɪs'kəuld] ADJ iskald
ice cream S is(krem) *m* ❑ *...there was vanilla ice cream.* ...det var vaniljeis(krem). *They spent all their pocket money on ice creams.* De brukte alle lommepengene sine på is(krem).
ice-cream soda ['aɪskriːm-] S iskremsoda *m*
ice cube S isbit *m*
iced [aɪst] ADJ (*cake*) glassert; (*tea*) is-; (*beer*) isavkjølt
ice hockey S ishockey *m*
Iceland ['aɪslənd] S Island
Icelander ['aɪsləndə^r] S islending *m*
Icelandic [aɪs'lændɪk] ADJ, S islandsk
ice lolly (*BRIT*) S fruktis *m*, saftis *m*
ice pick S ishakke *c*
ice rink S skøytebane *m*
ice-skate ['aɪsskeɪt] 1 S skøyte *c*
2 VI gå* på skøyter
ice-skating ['aɪsskeɪtɪŋ] S (*gen*) det å gå* på skøyter; (= *speed-skating*) skøyteløp *nt*; (= *figure skating*) kunstløp *nt*
icicle ['aɪsɪkl] S istapp *m*
icing ['aɪsɪŋ] S (*KULIN*) glasur *m*; (*AVIAT etc*) ising *c*
icing sugar (*BRIT*) S flormelis *m*
ICJ S FK = **International Court of Justice**
icon ['aɪkɔn] (*REL, DATA*) S ikon *m*
ICR (*US*) S FK (= **Institute for Cancer Research**) *kreftforskningsinstitutt*
ICU (*MED*) S FK (= **intensive care unit**) intensivavdeling *c*
icy ['aɪsɪ] ADJ (*air, water, temperature*) iskald; (*road*) iset(e)
ID (*US: POST*) FK = **Idaho**
I'd [aɪd] = **I would, I had**
ID card S = **identity card**
IDD (*BRIT: TEL*) S FK (= **international direct dialling**) *telefontjeneste*
idea [aɪ'dɪə] S (**a**) (= *scheme*) idé *m* ❑ *If you agree to the idea, we'll start straight away.* Hvis du er med på ideen, starter vi med en gang.
(**b**) (= *opinion*) oppfatning *c*, forestilling *c* ❑ *People had some odd ideas about village children.* Folk hadde noen merkelige oppfatninger *or* forestillinger om landsbybarn.
(**c**) (= *notion*) anelse *m* ❑ *Have you any idea how much it would cost?* Har du noen anelse om hva det ville* koste?
(**d**) (= *objective*) mening *c*, hensikt *m* ❑ *The idea is to try and avoid further expense.* Meningen *or* Hensikten er å prøve å unngå flere utgifter.
▸ **good idea!** god idé!
▸ **to have a good idea of** ha* god peiling på (*sl*)
▸ **I haven't the least** *or* **faintest idea** jeg har ikke den minste anelse
▸ **that's not my idea of fun** det er ikke det jeg forbinder med moro
ideal [aɪ'dɪəl] 1 S ideal *nt* ❑ *...the ideal of female beauty.* ...idealet for kvinnelig skjønnhet.
2 ADJ ideell
idealist [aɪ'dɪəlɪst] S idealist *m*
ideally [aɪ'dɪəlɪ] ADV (*with adj*) perfekt; (= *preferably*) ideelt sett, aller helst
identical [aɪ'dɛntɪkl] ADJ identisk, nøyaktig lik
identification [aɪdɛntɪfɪ'keɪʃən] S (**a**) (= *locating*) identfikasjon *m* ❑ *...the identification of requirements and resources.* ...det å finne fram til behov og ressurser.
(**b**) (*of person, dead body*) identifisering *c*
▸ **(means of) identification** legitimasjon *m*
❑ *Have you any means of identification?* Har du legitimasjon?
identify [aɪ'dɛntɪfaɪ] VT identifisere (*v2*)
▸ **to identify sb/sth with** assosiere (*v2*) noen/noe med
Identikit® [aɪ'dɛntɪkɪt] S ▸ **Identikit (picture)**

tegning *nt* (*etter beskrivelse, av mistenkt e.l.*)
identity [aɪ'dɛntɪtɪ] s identitet *m* NB *I had guessed the identity of her lover.* Jeg hadde gjettet hvem elskeren hennes var. ❑ *...our identity as black people.* ...vår identitet som sorte.
identity card s legitimasjonskort *nt*
identity papers SPL identifikasjonspapirer *nt pl*
identity parade (*BRIT*) s konfrontasjon *m* (*for å identifisere mistenkt*)
ideological [aɪdɪə'lɔdʒɪkl] ADJ ideologisk
ideology [aɪdɪ'ɔlədʒɪ] s ideologi *m*
idiocy ['ɪdɪəsɪ] s idioti *nt*
idiom ['ɪdɪəm] s (**a**) (= *style*) stil *m* ❑ *...a church in the idiom of the thirteenth century.* ...en kirke i tolvhundretalls-stil.
(**b**) (*LING*) (fast) uttrykk *nt*
idiomatic [ɪdɪə'mætɪk] ADJ idiomatisk
idiosyncrasy [ɪdɪəu'sɪŋkrəsɪ] s særegenhet *m*
idiosyncratic [ɪdɪəusɪŋ'krætɪk] ADJ idiosynkratisk, særegen
idiot ['ɪdɪət] s idiot *m*
idiotic [ɪdɪ'ɔtɪk] ADJ idiotisk
idle ['aɪdl] 1 ADJ (**a**) (= *inactive*) uvirksom, ubeskjeftiget ❑ *A healthy child cannot be idle...* Et sunt barn kan ikke være* uvirksomt *or* ubeskjeftiget...
(**b**) (= *lazy*) doven ❑ *Women thought men idle good-for-nothings.* Kvinnene mente at menn var dovne og udugelige.
(**c**) (*question, conversation, pleasure*) innholdsløs
(**d**) (*machinery, factory*) uvirksom
(**e**) (*worker*) ▸ **to be idle** gå* ledig
2 VI (*machine, engine+*) gå* på tomgang
▸ **to lie idle** være* ute av drift
▸ **idle away** VT ▸ **to idle away the time** gå* og slenge, sitte* og henge
idleness ['aɪdlnɪs] s (= *inactivity*) lediggang *m*; (= *laziness*) dovenskap *m*
idler ['aɪdlə^r] s dagdriver *m*
idle time (*MERK*) s dødtid *m*
idly ['aɪdlɪ] ADV (**a**) (*sit around*) uvirksomt ❑ *...those who sit idly by while you slave over a hot stove.* ...de som sitter uvirksomt og ser på mens du slaver over grytene.
(**b**) (*glance*) formålsløst
idol ['aɪdl] s (= *hero*) idol *nt*; (*REL*) avgud *m*
idolize ['aɪdəlaɪz] VT forgude (*v1*)
idyllic [ɪ'dɪlɪk] ADJ idyllisk
i.e. FK (= *that is*) (= **id est**) dvs (= *det vil si*)

KEYWORD

if [ɪf] 1 KONJ (**a**) (*conditional use*) hvis, dersom, om ❑ *I'll go if you come with me.* Jeg skal gå* hvis *or* dersom *or* om du blir med meg. *If anyone comes in...* Hvis *or* dersom *or* om noen kommer inn...
▸ **if necessary** om nødvendig
▸ **if I were you** hvis jeg var deg
(**b**) (= *whenever*) hvis ❑ *If we are in Scotland, we always go to see her.* Hvis vi er i Skottland, drar vi alltid og besøker henne.
(**c**) (= *although*) ▸ **(even) if** (selv) om, om (så) ❑ *I am determined to finish it, (even) if it takes all week.* Jeg er fast bestemt på å bli* ferdig med det, (selv) om det tar hele uka *or* om det (så) tar hele uka.
(**d**) (= *whether*) om ❑ *I don't know if he is here.* Jeg vet ikke om han er her. *Ask him if he can come.* Spør ham om han kan komme.
▸ **if so** hvis *or* dersom *or* om det er slik
▸ **if not** hvis ikke
▸ **if only (I could ...)** hvis *or* om bare (jeg kunne* ...)
see also **as**

iffy ['ɪfɪ] (*sl*) ADJ usikker
▸ **he was a bit iffy about it** han var ikke helt sikker på det
igloo ['ɪglu:] s igloo *m*
ignite [ɪg'naɪt] 1 VT antenne (*v2x*)
2 VI antenne (*v2x*), ta* fyr
ignition [ɪg'nɪʃən] s tenning *c* ❑ *...electronic ignition.* ...elektronisk tenning.
▸ **to switch on/off the ignition** skru (*v4*) av/på tenningen
ignition key s tenningsnøkkel *m*
ignoble [ɪg'nəubl] ADJ skjendig
ignominious [ɪgnə'mɪnɪəs] ADJ vanærende
ignoramus [ɪgnə'reɪməs] s ignorant *m*
ignorance ['ɪgnərəns] s uvitenhet *m* ❑ *Her ignorance of foreign policy...* Hennes uvitenhet om utenrikspolitikk...
▸ **to keep sb in ignorance of sth** la noen sveve i uvitenhet om noe
ignorant ['ɪgnərənt] ADJ ▸ **ignorant (of)** uvitende (om)
ignore [ɪg'nɔ:^r] VT (**a**) (= *pay no attention to: person, advice, event*) overse*, ignorere (*v2*) ❑ *I went on talking and ignored his tears.* Jeg fortsatte å snakke og overså *or* ignorerte tårene hans.
(**b**) (= *fail to take into account: fact*) overse* ❑ *These proposals tend to ignore the court's existing power.* Disse forslagene har en tendens til å overse den makt retten har.
ikon ['aɪkɔn] s = **icon**
IL (*US: POST*) FK = **Illinois**
ILA (*US*) s FK (= **International Longshore Association**) *fagforening*
I'll [aɪl] = **I will, I shall**
ill [ɪl] 1 ADJ (**a**) (= *sick*) syk, dårlig ❑ *I feel ill.* Jeg føler meg syk *or* dårlig.
(**b**) (= *harmful: effects*) skade- ❑ *Did you suffer any ill effects...?* Opplevde du noen skadevirkninger...?
2 s (**a**) (= *evil*) det onde ❑ *Good is inextricably mixed with ill.* Det gode er uløselig knyttet til det onde.
(**b**) (= *trouble*) ▸ **...the necessary ills of old age.** ...de plager som hører alderdommen til.
3 ADV ▸ **to speak/think ill (of sb)** snakke (*v1*)/tenke (*v2*) stygt (om noen)
▸ **to be taken ill** bli* syk
ill-advised [ɪləd'vaɪzd] ADJ (*decision, person*) uklok ❑ *I think he was ill-advised to...* Jeg synes det var uklokt av ham å...
ill-at-ease [ɪlət'i:z] ADJ ▸ **to be ill-at-ease (with sb)** føle (*v2*) seg lite vel (sammen med noen)
ill-considered [ɪlkən'sɪdəd] ADJ uoverveid
ill-disposed [ɪldɪs'pəuzd] ADJ ▸ **to be ill-disposed toward sb/sth** være* uvennlig

stemt overfor noen/noe

illegal [ɪ'li:gl] ADJ (*activity, organization, practice etc*) ulovlig; (*immigrant*) illegal

illegally [ɪ'li:gəlɪ] ADV ulovlig ❑ *...illegally parked cars.* ...ulovlig parkerte biler.

illegible [ɪ'lɛdʒɪbl] ADJ uleselig

illegitimate [ɪlɪ'dʒɪtɪmət] ADJ (*child*) uekte, født utenfor ekteskap; (*activity*) uberettiget, ulovlig

ill-fated [ɪl'feɪtɪd] ADJ ulykksalig

ill feeling S uvilje *c*

ill-gotten ['ɪlgɔtn] ADJ ▸ **ill-gotten gains** penger *pl* som er ervervet på uærlig vis

ill health S dårlig helse *c*

illicit [ɪ'lɪsɪt] ADJ (= *unlawful: sale, substance*) ulovlig; (*affair*) ryggesløs, dulgt

ill-informed [ɪlɪn'fɔ:md] ADJ (*judgement*) basert på dårlig informasjon; (*person*) dårlig informert

illiterate [ɪ'lɪtərət] ADJ (*person*) som ikke kan lese og skrive; (*letter*) klossete og full av feil

ill-mannered [ɪl'mænəd] ADJ (*rude: child etc*) uoppdragen

illness ['ɪlnɪs] S (= *disease*) sykdom *m*; (= *period of illness*) ▸ **during her illness** mens hun var syk

illogical [ɪ'lɔdʒɪkl] ADJ (*fear, reaction, argument*) ulogisk

ill-suited [ɪl'su:tɪd] ADJ ▸ **an ill-suited couple** et par som passer dårlig til hverandre
▸ **he is ill-suited to the job** han passer dårlig til jobben

ill-timed [ɪl'taɪmd] ADJ ubeleilig

ill-treat [ɪl'tri:t] VT mishandle (*v1*)

ill-treatment [ɪl'tri:tmənt] S mishandling *c*

illuminate [ɪ'lu:mɪneɪt] VT (*+room, street, building*) belyse (*v2*)
▸ **illuminated sign** lysskilt *nt*

illuminating [ɪ'lu:mɪneɪtɪŋ] ADJ (*report, book etc*) opplysende

illumination [ɪlu:mɪ'neɪʃən] S (**a**) (= *lighting*) belysning *m*
(**b**) (= *light shed*) lys *nt* ❑ *The dusty bulb gave barely adequate illumination.* Den støvete pæra gav knapt nok tilstrekkelig lys.
▸ **illuminations** SPL lysdekorasjoner, illuminasjon *m sg*

illusion [ɪ'lu:ʒən] S (**a**) (= *false idea, belief*) falsk forestilling *c*, illusjon *m* ❑ *We have an illusion of freedom.* Vi har en illusjon *or* falsk forestilling om frihet.
(**b**) (= *trick*) tryllekunst *m* (*basert på synsbedrag*)
▸ **to be under the illusion that...** være* offer for den illusjon at...
▸ **optical illusion** synsbedrag *nt*

illusive [ɪ'lu:sɪv] ADJ = **illusory**

illusory [ɪ'lu:sərɪ] ADJ (*hopes, prospects*) illusorisk

illustrate ['ɪləstreɪt] VT (*+point, argument, book, talk*) illustrere (*v2*)

illustration [ɪlə'streɪʃən] S (= *example, picture*) illustrasjon *m*; (= *act of illustrating*) ▸ **(the) illustration of a difficult idea...** det å illustrere en vanskelig idé...

illustrator ['ɪləstreɪtəʳ] S illustratør *m*, tegner *m*

illustrious [ɪ'lʌstrɪəs] ADJ (*career*) strålende, lysende; (*predecessor*) hederskront

ill will S uvilje *m* ❑ *...he felt no ill will toward me.* ...han følte ikke noen uvilje mot meg.

ILO S FK = **International Labour Organization**

ILWU (*US*) S FK (= **International Longshoremen's and Warehousemen's Union**) *fagforening*

I'm [aɪm] = **I am**

image ['ɪmɪdʒ] S (**a**) (= *picture*) bilde *nt* ❑ *He was a painter who produced convincing images of life in America.* Han var en maler som lagde overbevisende bilder av livet i Amerika.
(**b**) (= *reflection*) (speil)bilde *nt* ❑ *...his image in the mirror.* ...speilbildet hans.
(**c**) (= *public face*) image *m*
▸ **to project an** *or* **the image of** framstå* som ❑ *He projected the image of a thoughtful statesman.* Han framstod som en omtenksom statsmann.

imagery ['ɪmɪdʒərɪ] S billedbruk *m* (*var.* bildebruk)

imaginable [ɪ'mædʒɪnəbl] ADJ tenkelig ❑ *We've tried every imaginable solution.* Vi har prøvd enhver tenkelig løsning.
▸ **the prettiest hair imaginable** det nydeligste hår noen kunne* tenke seg, det nydeligste hår som tenkes kan *or* kunne

imaginary [ɪ'mædʒɪnərɪ] ADJ (*danger*) innbilt; (*being*) fantasi-

imagination [ɪmædʒɪ'neɪʃən] S (**a**) (= *inventiveness*) fantasi *m* ❑ *He has a marvellous imagination.* Han har en fabelaktig fantasi.
(**b**) (= *memory*) tankene *pl def* ❑ *I can still see her in my imagination.* Jeg kan fortsatt se henne for meg i tankene.
(**c**) (= *illusion*) innbilning *m* ❑ *Of course it was all imagination.* Selvfølgelig var det ren innbilning.
▸ **it's just your imagination** det er bare noe du innbiller deg

imaginative [ɪ'mædʒɪnətɪv] ADJ (*person*) fantasifull, oppfinnsom; (*solution*) fantasifull

imagine [ɪ'mædʒɪn] VT (**a**) (= *visualise*) tenke (*v2*) seg, forestille (*v2x*) seg ❑ *It is hard to imagine a greater threat to world peace.* Det er vanskelig å tenke seg *or* forestille seg en større trussel mot verdensfreden.
(**b**) (= *dream*) innbille (*v2x*) seg ❑ *You must have imagined it.* Det må være* noe du har innbilt deg.
(**c**) (= *suppose*) anta*, kunne* tenke seg ❑ *I imagine he wants to hold your hand.* Jeg antar *or* kan tenke meg at han vil holde deg i hånden.

imbalance [ɪm'bæləns] S ubalanse *m*

imbecile ['ɪmbəsi:l] S sinke *m*, idiot *m*

imbue [ɪm'bju:] VT ▸ **to imbue sb/sth with** fylle (*v2x*) noen/noe med

IMF S FK (= **International Monetary Fund**) Det internasjonale valutafond

imitate ['ɪmɪteɪt] VT (**a**) (= *copy*) etterligne (*v1*) ❑ *The party will lose its identity if it tries to imitate the Socialists.* Partiet vil miste sin identitet hvis det prøver å etterligne Sosialistene.
(**b**) (= *mimic*) imitere (*v2*) ❑ *He could imitate her brilliantly.* Han var helt glimrende til å imitere henne.

imitation [ɪmɪ'teɪʃən] S etterligning *m* ❑ *You can learn by imitation.* Man kan lære ved å etterligne *or* imitere andre. *Computers so far are just bad imitations of our brains.* Datamaskiner er så langt bare dårlige etterligninger av hjernen vår.

imitator [ˈɪmɪteɪtəʳ] s imitator *m*
immaculate [ɪˈmækjulət] ADJ (**a**) (*room, appearance, piece of work*) plettfri
(**b**) (*REL*) ubesmittet ❑ *...the Immaculate Conception.* ...den ubesmittede unnfangelse.
immaterial [ɪməˈtɪərɪəl] ADJ uvesentlig
immature [ɪməˈtjuəʳ] ADJ (*fruit, organism, cheese, person*) umoden
immaturity [ɪməˈtjuərɪtɪ] s umodenhet *m*
immeasurable [ɪˈmɛʒrəbl] ADJ *som ikke kan måles*
immediacy [ɪˈmiːdɪəsɪ] s umiddelbarhet *m* ❑ *It is the immediacy of events which makes television so popular.* Det er begivenhetenes umiddelbarhet som gjør fjernsynet så populært.
immediate [ɪˈmiːdɪət] ADJ (*reaction, answer, need*) umiddelbar; (*= nearest : neighbourhood, family*) nærmeste
immediately [ɪˈmiːdɪətlɪ] ADV (**a**) (*= at once*) øyeblikkelig, straks ❑ *She finished her cigarette, then lit another one immediately.* Hun gjorde seg ferdig med sigaretten, og tente så øyeblikkelig *or* straks en ny.
(**b**) (*= directly*) direkte ❑ *The countries most immediately threatened...* De landene som er mest direkte truet...
▸ **immediately next to** rett ved siden av, like ved siden av
immense [ɪˈmɛns] ADJ umåtelig stor, enorm
immensely [ɪˈmɛnslɪ] ADV utrolig, forferdelig
immensity [ɪˈmɛnsɪtɪ] s enormt omfang *nt*
immerse [ɪˈməːs] VT senke (*v1*) ned
▸ **to immerse sth in water** *etc* legge* noe i vann *etc*
▸ **to be immersed in** (*fig : work, thought etc*) være* fordypet i
immersion heater [ɪˈməːʃən-] (*BRIT*) s varmekolbe *m*
immigrant [ˈɪmɪgrənt] s innvandrer *m*, immigrant *m*
immigration [ɪmɪˈgreɪʃən] 1 s (**a**) (*process*) innvandring *c*, immigrasjon *m* ❑ *...stricter controls on immigration.* ...strengere kontroll med innvandring *or* immigrasjon.
(**b**) (*= control section : at airport etc*) fremmedkontrollen *m def*
2 SAMMENS (**a**) (*authorities, laws etc*) immigrasjons-
(**b**) (*officer*) fremmedpoliti-
imminent [ˈɪmɪnənt] ADJ umiddelbart forestående
immobile [ɪˈməubaɪl] ADJ urørlig, ubevegelig
immobilize [ɪˈməubɪlaɪz] VT (*+person*) få* til å stå/ligge *etc* stille; (*+machine*) få* til å stoppe
immobilizer [ɪˈməubɪlaɪzəʳ] (*BIL*) s startsperre *c*
immoderate [ɪˈmɔdərət] ADJ (*person*) ikke moderat, ikke måteholden; (*opinion*) ekstrem; (*reaction*) overdreven; (*demand*) ubeskjeden
immodest [ɪˈmɔdɪst] ADJ (*= indecent*) usømmelig, uanstendig; (*= arrogant*) ubeskjeden
immoral [ɪˈmɔrl] ADJ (*person, behaviour, idea*) umoralsk
immorality [ɪmɔˈrælɪtɪ] s umoral *m*, umoralskhet *m*
immortal [ɪˈmɔːtl] ADJ (*god*) udødelig; (*poetry, fame*) udødelig, uforgjengelig
immortality [ɪmɔːˈtælɪtɪ] s udødelighet *m* ❑ *He achieved immortality by having a street named after him.* Han oppnådde å bli* udødeliggjort ved å få* en gate oppkalt etter seg.
immortalize [ɪˈmɔːtlaɪz] VT (*+hero, event*) udødeliggjøre*
immovable [ɪˈmuːvəbl] ADJ (*object*) ubevegelig, urokkelig; (*ideas, opinion*) urokkelig
immune [ɪˈmjuːn] ADJ ▸ **immune (to)** (*+disease, flattery, criticism, attack*) immun (mot)
immune system s immunsystem *n*
immunity [ɪˈmjuːnɪtɪ] s (*to disease, of diplomat, from prosecution*) immunitet *m*
immunization [ɪmjunaɪˈzeɪʃən] s immunisering *c*
immunize [ˈɪmjunaɪz] VT ▸ **to immunize (against)** immunisere (*v2*) (mot)
imp [ɪmp] s (*= elf*) smådjevel *m*; (*child*) trollunge *m*
impact [ˈɪmpækt] 1 s (**a**) (*of bullet*) anslag *nt*
(**b**) (*of law, measure*) innvirkning *m*
2 VTI ▸ **to impact (on sb/sth)** påvirke (*v1*) noen/noe
▸ **(up)on impact** (**a**) (*car crash*) i kollisjonen, i sammenstøtet
(**b**) (*of bullet*) ved anslag
impair [ɪmˈpɛəʳ] VT svekke (*v1*)
impale [ɪmˈpeɪl] VT spidde (*v1*)
impart [ɪmˈpɑːt] VT (*+information*) meddele (*v2*); (*+flavour etc*) avgi*
impartial [ɪmˈpɑːʃl] ADJ (*judge, observer*) upartisk
impartiality [ɪmpɑːʃɪˈælɪtɪ] s upartiskhet *m*
impassable [ɪmˈpɑːsəbl] ADJ (*river, road*) uframkommelig
impasse [æmˈpɑːs] s dødpunkt *nt*
impassive [ɪmˈpæsɪv] ADJ (*face, expression*) uttrykksløs
impatience [ɪmˈpeɪʃəns] s utålmodighet *m* ❑ *Chris watched me with some impatience.* Chris så på meg med en viss utålmodighet. *Rothermere was awaiting the outcome with impatience.* Rothermere ventet utålmodig på resultatet.
impatient [ɪmˈpeɪʃənt] ADJ utålmodig ❑ *He was very impatient with students who could not follow him.* Han var veldig utålmodig med studenter som ikke klarte å følge med. *Philip was impatient to inspect his place of work.* Philip var utålmodig etter å inspisere sin nye arbeidsplass.
impatiently [ɪmˈpeɪʃəntlɪ] ADV utålmodig ❑ *Omoro stood waiting impatiently.* Omoro sto utålmodig og ventet.
impeach [ɪmˈpiːtʃ] VT (*+public official*) anklage (*v1 or v3*) for embetsforbrytelse; (*+minister, president*) stille (*v2x*) for riksrett
impeachment [ɪmˈpiːtʃmənt] (*JUR*) s (*+of public official*) *det å anklage for embetsforbrytelse*; (*+of minister, president*) riksrettssak *c*
impeccable [ɪmˈpɛkəbl] ADJ uklanderlig, feilfri
impecunious [ɪmpɪˈkjuːnɪəs] (*fml*) ADJ ubemidlet
impede [ɪmˈpiːd] VT hindre (*v1*), vanskeliggjøre*
impediment [ɪmˈpɛdɪmənt] s (**a**) (*to growth, movement*) hinder *nt* ❑ *The new taxes were a major impediment to economic growth.* De nye skattene var til stort hinder for økonomisk vekst.
(**b**) (*also* ***speech impediment***) talefeil *m*
impel [ɪmˈpɛl] VT (*= force*) ▸ **to impel sb to do** tvinge* noen til å gjøre
impending [ɪmˈpɛndɪŋ] ADJ (*arrival*) forestående; (*catastrophe*) overhengende, som truer

impenetrable [ɪm'pɛnɪtrəbl] ADJ (*wall, jungle*) ugjennomtrengelig; (*fig: law, text*) helt uforståelig
imperative [ɪm'pɛrətɪv] 1 ADJ absolutt nødvendig, absolutt påkrevd
2 S (*LING*) imperativ *m*
▸ **in the imperative** i imperativ
imperceptible [ɪmpə'sɛptɪbl] ADJ (*change, movement, difference*) umerkelig
imperfect [ɪm'pə:fɪkt] 1 ADJ ufullkommen
2 S (*LING: **imperfect tense***) imperfektum *m*
▸ **in the imperfect** i imperfektum
imperfection [ɪmpə:'fɛkʃən] S (**a**) (*not being perfect*) ufullkommenhet *c*
(**b**) (*often pl: failing, blemish*) feil *nt* ❑ *There are no imperfections in this china.* Det er ingen (skjønnhets)feil med dette porselenet.
imperial [ɪm'pɪərɪəl] ADJ (*history*) imperie-; (*power*) keiser-; (*BRIT: measure*) britisk (standard-)
imperialism [ɪm'pɪərɪəlɪzəm] S imperialisme *m*
imperil [ɪm'pɛrɪl] VT utsette* for fare
imperious [ɪm'pɪərɪəs] ADJ bydende, befalende
impersonal [ɪm'pə:sənl] ADJ upersonlig
impersonate [ɪm'pə:səneɪt] VT (**a**) (*+another person, police officer etc*) utgi* seg for ❑ *...arrested for impersonating an officer.* ...arrestert for å ha* utgitt seg for en politimann.
(**b**) (*TEAT*) etterligne (*v1*), imitere (*v2*) ❑ *He can impersonate most well-known politicians...* Han kan etterligne *or* imitere de fleste kjente politikere...
impersonation [ɪmpə:sə'neɪʃən] S (*TEAT*) parodi *m*, etterligning *c*; (*JUR*) ▸ **arrested for impersonation of a police officer** arrestert for å ha* utgitt seg for å være* politimann
impertinent [ɪm'pə:tɪnənt] ADJ (*pupil, question*) nesevis, uforskammet
imperturbable [ɪmpə'tə:bəbl] ADJ uanfektet
impervious [ɪm'pə:vɪəs] ADJ ▸ **impervious (to)** uimottagelig (for) ❑ *He was impervious to the charm and eloquence of Fletcher.* Han var uimottagelig for Fletchers sjarm og veltalenhet.
impetuous [ɪm'pɛtjuəs] ADJ (*person+*) framfusende (og ubesindig); (*action+*) overilt
impetus ['ɪmpətəs] S (= *momentum: of flight, runner*) framdrift *m*; (*fig: driving force*) ▸ **this might provide fresh impetus for peace talks** dette kan kanskje sette ny fart i fredsforhandlingene
impinge [ɪm'pɪndʒ] ▸ **to impinge on** VT FUS (*+person*) virke (*v1*) inn på; (*+rights*) krenke (*v1*)
impish ['ɪmpɪʃ] ADJ ertete
implacable [ɪm'plækəbl] ADJ uforsonlig
implant [ɪm'plɑ:nt] VT (*MED*) implantere (*v2*); (*fig: idea, principle*) innpode (*v1*)
implausible [ɪm'plɔ:zɪbl] ADJ usannsynlig
implement [*N* 'ɪmplɪmənt, *VB* 'ɪmplɪmɛnt] 1 S redskap *m or nt*
2 VT realisere (*v2*), iverksette*
implicate ['ɪmplɪkeɪt] VT (*in crime, error*) assosiere (*v2*) med, forbinde* med
▸ **to be implicated in sth** være* assosiert med *or* implisert i noe
implication [ɪmplɪ'keɪʃən] S (**a**) (= *inference*) implikasjon *m* ❑ *These principles have many implications for the ordering of society.* Disse prinsippene har mange implikasjoner for organiseringen av samfunnet.
(**b**) (= *involvement*) ▸ **the implication of the government in the scandal** det at regjeringens ble assosiert *or* forbundet med skandalen
▸ **by implication** dermed ❑ *Many MPs are saying her policies have failed and, by implication, so has she.* Mange parlamentsmedlemmer sier at politikken hennes var mislykket, og dermed at hun selv var det.
implicit [ɪm'plɪsɪt] ADJ (= *implied: threat, meaning etc*) underforstått, implisitt; (= *unquestioning: belief, trust*) ubetinget
implicitly [ɪm'plɪsɪtlɪ] ADV underforstått; (*condone, accept*) stilltiende, underforstått
implore [ɪm'plɔ:ʳ] VT (*+forgiveness etc*) be* innstendig om, trygle (*v1*) om
▸ **I implore you,...** jeg ber deg innstendig,...
▸ **to implore sb for sth** bønnfalle* noen om noe, trygle noen om noe
▸ **to implore sb to do sth** bønnfalle *or* trygle noen om å gjøre* noe
imply [ɪm'plaɪ] VT (*person+ : hint*) antyde (*v1*); (*fact+ : mean*) innebære*, medføre (*v2*)
impolite [ɪmpə'laɪt] ADJ uhøflig
imponderable [ɪm'pɔndərəbl] 1 ADJ ubestemmelig, umålbar
2 S umålbar størrelse *m* ❑ *...such imponderables as power and knowledge.* ...slike umålbare størrelser som makt og kunnskap.
import [*VB* ɪm'pɔ:t, *N* 'ɪmpɔ:t] 1 VT importere (*v2*)
2 S (**a**) (*article*) import *m sg* ❑ *They blamed the closure on cheap imports.* De la skylden for nedleggingen på billige importvarer.
(**b**) (= *importation*) import *m* ❑ *The import of cotton goods...* Importen av bomullsvarer...
3 SAMMENS (*duty, licence etc*) import-
importance [ɪm'pɔ:tns] S (**a**) (= *significance*) betydning *c*, viktighet *c* ❑ *...Stonehenge's historic importance.* ...den historiske betydningen til Stonehenge.
(**b**) (= *influence*) betydning *c*
▸ **of importance** betydningsfull
▸ **to be of great/little importance** være* av stor/liten betydning, være* svært *or* lite viktig
important [ɪm'pɔ:tənt] ADJ (**a**) (*decision, difference, fact etc*) viktig ❑ *That is a very important point that you've raised.* Det er et svært viktig punkt du har tatt opp.
(**b**) (*person*) betydningsfull
▸ **it's not important** det er ikke så viktig
importantly [ɪm'pɔ:təntlɪ] ADV betydelig
▸ **but more importantly...** men noe som er enda viktigere...
importation [ɪmpɔ:'teɪʃən] S import *m*, innførsel *m*
imported [ɪm'pɔ:tɪd] ADJ importert
importer [ɪm'pɔ:təʳ] S importør *m*
impose [ɪm'pəuz] 1 VT (*+sanctions, restrictions*) pålegge*
2 VI ▸ **to impose on sb** trenge (*v2*) seg på noen
imposing [ɪm'pəuzɪŋ] ADJ (*building, person, manner*) imponerende
imposition [ɪmpə'zɪʃən] S (**a**) (*of tax*) utskriving *c*

(**b**) (*of law, measure*) ▸ **...the imposition of a wages freeze.** ...bestemmelsen om lønnstopp.
▸ **to be an imposition** være* et urimelig krav ❑ *It really did seem an imposition to ask him to go...* Det virket sannelig som et urimelig krav å be ham om å gå...
impossibility [ɪmpɔsə'bɪlɪtɪ] s umulighet *c* NB *...the impossibility of change.* ...umuligheten av forandring.
impossible [ɪm'pɔsɪbl] ADJ (*task, demand, situation etc*) umulig; (*person*) helt umulig
impossibly [ɪm'pɔsɪblɪ] ADJ (*rude, difficult etc*) utrolig, usannsynlig
imposter [ɪm'pɔstəʳ] s = **impostor**
impostor [ɪm'pɔstəʳ] s bedrager *m* (*som utgir seg for å være* en annen*)
impotence ['ɪmpətns] s (= *powerlessness*) maktesløshet *c*, kraftløshet *c*; (*sexual*) impotens *m*
impotent ['ɪmpətnt] ADJ (= *powerless : rage*) avmektig; (*person, group*) maktesløs, kraftløs; (*sexually*) impotent
impound [ɪm'paund] VT (*+belongings, passport*) beslaglegge*
impoverished [ɪm'pɔvərɪʃt] ADJ (*country, person etc*) utarmet
impracticable [ɪm'præktɪkəbl] ADJ (*idea, solution*) ugjennomførlig
impractical [ɪm'præktɪkl] ADJ (*plan*) ugjennomførlig; (*person*) upraktisk
imprecise [ɪmprɪ'saɪs] ADJ upresis
impregnable [ɪm'prɛgnəbl] ADJ (**a**) (*castle, fortress*) uinntakelig
(**b**) (*person, group*) uangripelig
▸ **impregnable to attack/criticism** uimottakelig for angrep/kritikk
impregnate ['ɪmprɛgneɪt] VT impregnere (*v2*)
impresario [ɪmprɪ'sɑːrɪəu] s impresario *m*
impress [ɪm'prɛs] VT (**a**) (*+person*) imponere (*v2*) ❑ *I was hoping to impress my new boss with my diligence.* Jeg hadde håpet å imponere min nye sjef med min flid.
(**b**) (= *imprint*) prege (*v1*) inn ❑ *...impressed in a slab of limestone.* ...preget inn i en kalksteinsblokk.
▸ **to impress sth on sb** innprente (*v1*) noen noe
impression [ɪm'prɛʃən] s (**a**) (*of place, situation, person*) inntrykk *nt* ❑ *The immediate impression given by the room is one of 1950s Hollywood.* Det umiddelbare inntrykket som rommet gir er det av 1950-tallets Hollywood. *...my personal impressions of China.* ...mine personlige inntrykk fra Kina. *...I had created quite a good impression.* ...jeg hadde gjort et ganske godt inntrykk.
(**b**) (*of stamp, seal, foot*) avtrykk *nt* NB *...the impression of a hoof.* ...et avtrykk av en hov.
(**c**) (= *imitation*) parodi *m* ❑ *Have you seen her impressions of the TV newscasters?* Har du sett henne imitere nyhetsoppleserne på TV?
▸ **to make a good/bad impression on sb** gjøre* et godt/dårlig inntrykk på noen
▸ **to be under the impression that...** ha* inntrykk av at...
impressionable [ɪm'prɛʃnəbl] ADJ påvirkelig
impressionist [ɪm'prɛʃənɪst] s (*KUNST*) impresjonist *m*; (*entertainer*) imitator *m*
impressive [ɪm'prɛsɪv] ADJ (*reputation, collection*) imponerende
imprint ['ɪmprɪnt] s (**a**) (= *impression : of hand, foot etc*) avtrykk *nt*
(**b**) (*fig*) preg *nt* ❑ *The past decades have left their imprint on all of us.* De siste tiårene har satt sitt preg på oss alle.
(**c**) (*of book*) forlagsangivelse *m*, forlagsmerke *nt*
imprinted [ɪm'prɪntɪd] ADJ ▸ **imprinted on** innprentet i ❑ *Your face is imprinted on the memory of every cop in France.* Ansiktet ditt er innprentet i hukommelsen til enhver politimann i Frankrike.
imprison [ɪm'prɪzn] VT fengsle (*v1*)
imprisonment [ɪm'prɪznmənt] s (**a**) (= *putting into prison*) fengsling *c*
(**b**) (= *period*) fengselsstraff *m*
▸ **life imprisonment** livsvarig fengsel *inv, no art*
improbable [ɪm'prɔbəbl] ADJ (*outcome, explanation, story*) usannsynlig
impromptu [ɪm'prɔmptjuː] ADJ improvisert, på sparket
improper [ɪm'prɔpəʳ] ADJ (= *unsuitable : conduct, procedure, laughter etc*) upassende; (= *dishonest : activities*) uærlig
impropriety [ɪmprə'praɪətɪ] s usømmelighet *c* NB *...the impropriety of publicly reading private letters.* ...det usømmelige ved å lese opp privatbrev i full offentlighet.
improve [ɪm'pruːv] 1 VT (= *make better*) forbedre (*v1*)
2 VI (**a**) (= *get better : weather, pupil, performance*) (for)bedre (*v1*) seg ❑ *The weather improved later in the day.* Været (for)bedret seg senere på dagen.
(**b**) (*patient, health+*) bli* bedre ❑ *She may improve with medical treatment.* Hun kan bli* bedre med medisinsk behandling.
▸ **improve (up)on sth** VT FUS (**a**) (*person+*) forbedre (*v1*) ❑ *It's hard to improve on your first draft.* Det er vanskelig å forbedre ens eget førsteutkast.
(**b**) (*+work, technique, achievement etc*) være* bedre enn noe ❑ *I found that the film improved on the book.* Jeg syntes filmen var bedre enn boka.
improvement [ɪm'pruːvmənt] s ▸ **improvement (in)** (*+person, thing*) forbedring *c* (i) ❑ *There was no improvement immediately after the operation.* De var ingen forbedring umiddelbart etter operasjonen.
▸ **to make improvements to sth** forbedre (*v1*) noe
improvisation [ɪmprəvaɪ'zeɪʃən] s improvisasjon *m*
improvise ['ɪmprəvaɪz] 1 VT (*+meal, bed etc*) *få* i stand eller lage på sparket* ❑ *The sisters helped me improvise a curtain in front of the toilet.* Søstrene hjalp meg med å få* opp et slags forheng foran toalettet.
2 VI ▸ **to improvise (on)** (*THEAT, MUS*) improvisere (*v2*) (over)
imprudence [ɪm'pruːdns] s ubetenksomhet *c*
imprudent [ɪm'pruːdnt] ADJ (= *unwise*) uklok, ubetenksom

▸ **it would be imprudent of you to insult him** det ville* være* uklokt *or* ubetenksomt av deg å fornærme ham.

impudent ['ɪmpjudnt] ADJ (*child, remark*) uforskammet

impugn [ɪm'pjuːn] (*fml*) VT bestride*, dra* i tvil

impulse ['ɪmpʌls] S (**a**) (= *urge*) impuls *m*, innskytelse *m* NB *I had a sudden impulse to walk out.* Jeg fikk plutselig en impuls til å *or* den innskytelsen å gå* ut.
(**b**) (*ELEK*) impuls *m*
▸ **to act on impulse** handle impulsivt, handle på impuls

impulse buy S impulskjøp *nt*

impulsive [ɪm'pʌlsɪv] ADJ (*purchase, gesture, person*) impulsiv

impunity [ɪm'pjuːnɪtɪ] S ▸ **with impunity** ustraffet

impure [ɪm'pjuəʳ] ADJ (*substance, thoughts*) uren

impurity [ɪm'pjuərɪtɪ] S (= *foreign substance*) urenhet *m* ❑ *There are traces of impurities in the gold.* Det er spor av urenheter i gullet.

IN (*US: POST*) FK = **Indiana**

KEYWORD

in [ɪn] 1 PREP (**a**) (*indicating place, position*) i
▸ **in the house/garden/box** i huset/hagen/esken
▸ **I have it in my hand** jeg har det i hånden
▸ **in town/the country** i byen/på landet
▸ **in school** på skolen
▸ **in here/there** her (inne)/der (inne)
(**b**) (*with place names: of town, country*) i; (*of village, region*) på/i; (*of island*) på
▸ **in London/England** i London/England
▸ **in Hampton/Wiltshire** i Hampton/Wiltshire
▸ **in Iceland** på Island
(**c**) (*indicating time: during*) i/om
▸ **in 1988/May** i 1988/mai
▸ **in spring/summer** om våren/sommeren
▸ **in the afternoon** om ettermiddagen
(**d**) (*point in time: past*) på; (*future*) om
▸ **I did it in 3 hours/days** jeg gjorde det på tre timer/dager
▸ **I'll see you in 2 weeks** *or* **in 2 weeks' time** jeg ser deg om 2 uker *or* om 2 ukers tid
(**e**) (*indicating manner, style etc*) med/på
▸ **in a loud/soft voice** med høy/lav stemme
▸ **in pencil/ink** med blyant/blekk
▸ **the boy in the blue shirt** gutten med *or* i den blå skjorta
(**f**) (*with languages*) på
▸ **in English/French** på engelsk/fransk
(**g**) (*surroundings, circumstances*) i
▸ **in the sun/rain/shade** i solen/regnet/skyggen
▸ **a change/rise in** en forandring/økning i
(**h**) (*mood, state*) i
▸ **in tears** i tårer
▸ **in anger/despair** i sinne/desperasjon
▸ **in good condition** i god stand
▸ **in luxury** i luksus
(**i**) (*with ratios, numbers*) av/for hver
▸ **1 in 10 people** 1 av 10 mennesker
▸ **20 pence in the pound** 20 pence for hvert pund
▸ **they lined up in twos** de stilte seg opp to og to
(**j**) (*referring to authors, people, works*) hos/i
▸ **the disease is common in children** sykdommen er vanlig hos barn
▸ **in (the works of) Dickens** i arbeidene til Dickens, hos Dickens
▸ **she has it in her to succeed** hun har det i seg at hun skal lykkes
▸ **they have a good leader in him** de har en god leder i ham
(**k**) (*indicating profession etc*) i
▸ **to be in teaching/publishing** være* i skolen/forlagsbransjen
(**l**) (*with present participle*) ved
▸ **in saying this** ved å si dette
▸ **in doing things this way** ved å gjøre* tingene på denne måten
2 ADV (**a**) (*at home, work, in dock, arrived*) ▸ **to be in** være* inne ❑ *The train isn't in yet.* Toget er ikke inne ennå.
(**b**) (*in fashion*) ▸ **to be in** være* in ❑ *Miniskirts are in again this year.* Miniskjørt er in *or* moderne igjen i år.
▸ **to ask sb in** be* noen inn
▸ **to run/limp** *etc* **in** løpe*/halte (*v1*) *etc* inn
3 S ▸ **the ins and outs** (*of proposal, situation etc*) detaljene, enkelthetene

in. FK = **inch**

inability [ɪnə'bɪlɪtɪ] S ▸ **inability (to do)** manglende evne *m* (til å gjøre) ❑ *We were frustrated by our inability to help her.* Vi var frustrerte over vår manglende evne til å hjelpe henne.

inaccessible [ɪnək'sɛsɪbl] ADJ (*place*) utilgjengelig; (*fig: text, music*) vanskelig tilgjengelig

inaccuracy [ɪn'ækjurəsɪ] S unøyaktighet *m* ❑ *...the inaccuracy of my estimates.* ...unøyaktigheten av mine beregninger. *There are many inaccuracies in details.* Det er mange unøyaktigheter *or* småfeil når det gjelder detaljer.

inaccurate [ɪn'ækjurət] ADJ (*account, answer*) unøyaktig, feilaktig; (*person*) unøyaktig

inaction [ɪn'ækʃən] S uvirksomhet *m* ❑ *...an excuse for government inaction.* ...en unnskyldning for regjeringens uvirksomhet.

inactive [ɪn'æktɪv] ADJ (*person, animal, volcano*) uvirksom

inactivity [ɪnæk'tɪvɪtɪ] S uvirksomhet *m* ❑ *...a time of inactivity.* ...en tid med uvirksomhet.

inadequacy [ɪn'ædɪkwəsɪ] S (**a**) (*of preparations etc*) utilstrekkelighet *m*, mangelfullhet *m*
(**b**) (*of person*) utilstrekkelighet *m* ❑ *...their own inadequacies.* ...sine egne utilstrekkeligheter *or* feil og mangler.

inadequate [ɪn'ædɪkwət] ADJ (*income, amount, reply, person*) utilstrekkelig

inadmissible [ɪnəd'mɪsəbl] ADJ (*behaviour*) uakseptabel, som ikke kan godtas; (*evidence*) ugyldig, som ikke kan godtas

inadvertently [ɪnəd'vəːtntlɪ] ADV (= *unintentionally*) uforvarende, av vanvare

inadvisable [ɪnəd'vaɪzəbl] ADJ utilrådelig

inane [ɪ'neɪn] ADJ (*smile, remark*) tåpelig, åndsforlatt

inanimate [ɪn'ænɪmət] ADJ livløs, død

inapplicable [ɪn'æplɪkəbl] ADJ uanvendelig ▸ **inapplicable to** som ikke kan brukes om ❑ *The phrase seemed inapplicable to the tall young man.* Uttrykket syntes ikke å kunne* brukes om den høye unge mannen.

inappropriate [ɪnə'prəuprɪət] ADJ (*= unsuitable: object, tool etc*) som ikke passer; (*= improper: word, expression*) upassende

inapt [ɪn'æpt] ADJ upassende, uheldig, malplassert

inarticulate [ɪnɑː'tɪkjulət] ADJ (*person*) som har vanskelig for å uttrykke seg; (*speech*) uartikulert

inasmuch as [ɪnəz'mʌtʃ-] KONJ (**a**) (= *in that*) idet, forsåvidt som ❑ *The outcome was important inasmuch as it showed...* Resultatet var viktig idet *or* forsåvidt som det viste...
(**b**) (= *insofar as*) så langt som ❑ *...inasmuch as he is able.* ...så langt han kan.

inattention [ɪnə'tɛnʃən] s uoppmerksomhet *m*

inattentive [ɪnə'tɛntɪv] ADJ (*person*) uoppmerksom

inaudible [ɪn'ɔːdɪbl] ADJ (*voice, comment*) uhørlig

inaugural [ɪ'nɔːgjurəl] ADJ (*speech, meeting*) åpnings-

inaugurate [ɪ'nɔːgjureɪt] VT (*+president, official*) innsette*; (*+system, measure*) innvie (*v1*); (*+festival*) åpne (*v1*) (*høytidelig*)

inauguration [ɪnɔːgju'reɪʃən] s innsettelse *m* ❑ *We are only a month away from the inauguration of a new President.* Det er bare noen måneder til en ny president skal innsettes.

inauspicious [ɪnɔː'spɪʃəs] ADJ lite lovende

in-between [ɪnbɪ'twiːn] ADJ mellom- ❑ *He's at the in-between stage, neither a child nor an adult.* Han er på et mellomstadium, verken barn eller voksen.

inborn [ɪn'bɔːn] ADJ medfødt

inbred [ɪn'brɛd] ADJ (**a**) (*quality*) medfødt ❑ *This kind of fear is something that's inbred in us.* Denne slags frykt er noe vi er født med.
(**b**) (*family*) innavlet *predicative* ❑ *...the inbred royal family.* ...kongefamilien, med all dens innavl.

inbreeding [ɪn'briːdɪŋ] s innavl *m*

inbuilt ['ɪnbɪlt] ADJ (*quality, feeling etc*) iboende

Inc. FK = **incorporated**

Inca ['ɪŋkə] 1 ADJ (*also* ***Incan***) inka-
2 s (*person*) inka(indianer) *m*

incalculable [ɪn'kælkjuləbl] ADJ (*effect, loss*) uoverskuelig

incapable [ɪn'keɪpəbl] ADJ ▸ **to be incapable of sth/doing sth** være* ute av stand til noe/til å gjøre* noe ❑ *He is incapable of understanding.* Han er ute av stand til å forstå.

incapacitate [ɪnkə'pæsɪteɪt] VT ▸ **to incapacitate sb** sette* noen ut av spill

incapacity [ɪnkə'pæsɪtɪ] s (**a**) (= *weakness*) uførhet *m*
(**b**) (= *inability*) manglende evne *m* ❑ *...her incapacity to forgive herself.* ...hennes manglende evne til å tilgi seg selv.

incarcerate [ɪn'kɑːsəreɪt] VT innesperre (*v1*)

incarnate [ɪn'kɑːnɪt] ADJ personifisert ▸ **evil incarnate** den personifiserte ondskap, ondskapen selv

incarnation [ɪnkɑː'neɪʃən] s (*REL*) legemliggjørelse *m*; (*fig*) ▸ **the incarnation of beauty/evil** det levende uttrykk for skjønnhet/ondskap, skjønnheten/ondskapen selv

incendiary [ɪn'sɛndɪərɪ] ADJ (*device, bomb*) brann-

incense [*N* 'ɪnsɛns, *VB* ɪn'sɛns] 1 s røkelse *m*
2 VT (= *anger*) gjøre* rasende

incentive [ɪn'sɛntɪv] 1 s spore *m* ❑ *He had no incentive to continue...* Det fantes ingenting som ansporet ham til fortsette...
2 SAMMENS (*scheme, bonus etc*) *som skal spore til større ytelse*

inception [ɪn'sɛpʃən] s (*of institution, activity etc*) begynnelse *m* ▸ **from/since its inception** helt fra første stund, helt siden den/det ble startet

incessant [ɪn'sɛsnt] ADJ ustanselig, uopphørlig

incessantly [ɪn'sɛsntlɪ] ADV ustanselig, uopphørlig

incest ['ɪnsɛst] s incest *m*

inch [ɪntʃ] s tomme *m* ❑ *A standard bed is 6 feet 3 inches long.* En vanlig seng er 6 fot og 3 tommer lang.
▸ **he didn't give an inch** (*fig*) han firte ikke en tomme

▸ **inch forward** VI krype* framover

incidence ['ɪnsɪdns] s utbredelse *m*, forekomst *m* ❑ *There is a high incidence of heart disease among middle-aged men.* Det er stor utbredelse *or* høy forekomst av hjertesykdommer blant middelaldrende menn.

incident ['ɪnsɪdnt] s hendelse *m*

incidental [ɪnsɪ'dɛntl] ADJ ▸ **incidental to** som følger med ❑ *These extra duties are incidental to the job.* Disse tilleggsoppgavene følger med jobben.
▸ **incidental expenses** diverse utgifter

incidentally [ɪnsɪ'dɛntəlɪ] ADV forresten, forøvrig

incidental music (*MUS*) s scenemusikk *m*; (*TV, FILM*) (film)musikk *m*

incident room s operasjonssentral *m*

incinerate [ɪn'sɪnəreɪt] VT brenne (*v2x*) opp

incinerator [ɪn'sɪnəreɪtə^r] s forbrenningsovn *m*

incipient [ɪn'sɪpɪənt] ADJ begynnende

incision [ɪn'sɪʒən] s (inn)snitt *nt*

incisive [ɪn'saɪsɪv] ADJ (*comment, criticism*) skarpsindig

incisor [ɪn'saɪzə^r] s fortann *c*

incite [ɪn'saɪt] VT (**a**) (*+rioters*) hisse (*v1*) opp ❑ *They claimed we were inciting people against the Government.* De hevdet at de hisset folk opp mot regjeringen.
(**b**) (*+violence, hatred*) oppfordre (*v1*) til, tilskynde (*v1 or v2*) til

incl. FK = **including, inclusive (of)**

inclement [ɪn'klɛmənt] ADJ ▸ **inclement weather** uvær *nt*

inclination [ɪnklɪ'neɪʃən] s (**a**) (= *tendency*) tilbøyelighet *m*, tendens *m* ❑ *There was a natural inclination to identify them as the enemy.* Det var en naturlig tilbøyelighet *or* tendens til å se på dem som fienden.
(**b**) (= *disposition, desire*) tilbøyelighet *m* (og lyst) ❑ *People decide on their aims in life according to their inclinations.* Folk setter seg mål i livet i samsvar med sine tilbøyeligheter og lyster.

incline [*N* 'ɪnklaɪn, *VB* ɪn'klaɪn] 1 s (= *slope*) helling *c* ❑ *...down the steep incline.* ...nedover den bratte hellinga.

[2] VT (*+head*) bøye (*v3*)
[3] VI (*surface+*) helle (*v2x*), skråne (*v1 or v2*) ❑ *The table inclined at an angle of 30 degrees.* Bordet helte *or* skrånet med en vinkel på 30 grader.
▸ **to be inclined to** (= *tend to*) ha* (en) tilbøyelighet til å, ha* lett for å
▸ **to be well inclined towards sb** være* positivt innstilt overfor noen

include [ɪn'klu:d] VT inkludere (*v2*)
▸ **service is not included** service er ikke inkludert
▸ **included in the price** inkludert i prisen

including [ɪn'klu:dɪŋ] PREP (**a**) inkludert ❑ *...from 250 pounds a week, including food.* ...fra 250 pund i uka inkludert mat.
(**b**) (*among those mentioned*) deriblant ❑ *Nine persons were injured, including two wounded by gunfire.* Ni personer ble skadet, deriblant to som ble såret under geværild.
▸ **up to and including** opp til og med
▸ **including service charge** inklusive service

inclusion [ɪn'klu:ʒən] S *det å ta* med* ❑ *He criticized my inclusion of courses involving radical ideas.* Han kritiserte meg for å ta* med kurs som dreide seg om radikale ideer.

inclusive [ɪn'klu:sɪv] ADJ ▸ **it's a fully inclusive price** denne prisen inkluderer alt
▸ **inclusive of** inklusive
▸ **Monday to Friday inclusive** mandag til og med fredag

incognito [ɪnkɔg'ni:təu] ADV inkognito

incoherent [ɪnkəu'hɪərənt] ADJ (*argument, speech*) usammenhengende; (*person*) som snakker usammenhengende

income ['ɪnkʌm] S inntekt *c* ❑ *...on a low income...* med lav inntekt...
▸ **gross/net income** brutto/netto inntekt
▸ **income and expenditure account** regnskap *nt* over inntekter og utgifter
▸ **income bracket** inntektsgruppe *c*, inntektsklasse *m*

income support S ≈ dagpenger *pl*

income tax S inntektsskatt *m*
▸ **income tax inspector** skatteinspektør *m*
▸ **income tax return** selvangivelse *m*

incoming ['ɪnkʌmɪŋ] ADJ (**a**) (*flight, passenger*) ankommende ❑ *...the incoming passengers at London Airport.* ...passasjerer som ankommer til London lufthavn.
(**b**) (*call, mail*) inngående ❑ *I throw incoming mail in a basket.* Jeg kaster inngående post i en kurv.
(**c**) (*government, official*) tiltredende
(**d**) (*tide*) stigende
(**e**) (*wave*) innkommende

incommunicado ['ɪnkəmjunɪ'kɑ:dəu] ADJ ▸ **to hold sb incommunicado** holde* noen avskåret fra kontakt med omverdenen

incomparable [ɪn'kɔmpərəbl] ADJ uforlignelig, enestående

incompatible [ɪnkəm'pætɪbl] ADJ uforenlig

incompetence [ɪn'kɔmpɪtns] S inkompetanse *m*, udugelighet *c*

incompetent [ɪn'kɔmpɪtnt] ADJ (*person, job*) inkompetent, udugelig

incomplete [ɪnkəm'pli:t] ADJ (= *unfinished: book, painting etc*) uferdig; (= *partial: success, achievement*) ufullstendig

incomprehensible [ɪnkɔmprɪ'hɛnsɪbl] ADJ ubegripelig, uforståelig

inconceivable [ɪnkən'si:vəbl] ADJ utenkelig
▸ **it is inconceivable that...** det er utenkelig at...

inconclusive [ɪnkən'klu:sɪv] ADJ (*experiment, evidence, result*) som ikke er avgjørende grunnlag for slutninger; (*argument, discussion*) resultatløs, som ikke kommer fram til noe

incongruous [ɪn'kɔŋgruəs] ADJ (= *strange: figure*) som stikker seg ut; (= *inappropriate: remark, act*) upassende

inconsequential [ɪnkɔnsɪ'kwɛnʃl] ADJ betydningløs, ubetydelig

inconsiderable [ɪnkən'sɪdərəbl] ADJ ▸ **not inconsiderable** ikke ubetydelig

inconsiderate [ɪnkən'sɪdərət] ADJ (*person, action*) lite hensynsfull

inconsistency [ɪnkən'sɪstənsɪ] S inkonsekvens *m*

inconsistent [ɪnkən'sɪstnt] ADJ (**a**) (*behaviour, action, person, work*) inkonsekvent
(**b**) (*statement*) selvmotsigende
▸ **inconsistent with** uforenlig med

inconsolable [ɪnkən'səuləbl] ADJ (*person, grief etc*) utrøstelig

inconspicuous [ɪnkən'spɪkjuəs] ADJ (*person, colour, building etc*) lite iøynefallende
▸ **to make o.s. inconspicuous** gjøre* seg ubemerket

incontinence [ɪn'kɔntɪnəns] S inkontinens *m*

incontinent [ɪn'kɔntɪnənt] ADJ inkontinent

inconvenience [ɪnkən'vi:njəns] [1] S (**a**) (= *problem*) ▸ **inconvenience (of)** ulempe *c* (med *or* ved)
(**b**) (= *trouble*) bry *nt*, besvær *nt* ❑ *She hated causing inconvenience.* Hun hatet å skape bry *or* besvær (for noen).
[2] VT uleilige (*v1*), skape (*v2*) bry for ❑ *All the residents have been inconvenienced by the road works.* Alle beboerne har blitt uleiliget på grunn av veiarbeidet *or* Veiarbeidet har skapt bry for alle beboerne.
▸ **don't inconvenience yourself** ikke gjør deg noen umak

inconvenient [ɪnkən'vi:njənt] ADJ (**a**) (*time, moment*) som passer dårlig
(**b**) (*place*) upraktisk ❑ *You live quite a long way out. Don't you find it a bit inconvenient?* Du bor ganske langt unna. Synes du ikke det blir litt upraktisk?
▸ **that's very inconvenient for me** det passer svært dårlig for meg

incorporate [ɪn'kɔ:pəreɪt] VT (**a**) (= *include: work, features*) innarbeide (*v1*) ❑ *Safety features have been incorporated in the design.* Sikkerhetsforanstaltninger er innarbeidet i planen.
(**b**) (= *contain*) omfatte (*v1*) ❑ *His coat of arms incorporates three apple trees.* Våpenskjoldet hans omfatter tre epletrær.

incorporated company (*US*) S korporasjon *m*

incorrect [ɪnkə'rɛkt] ADJ (**a**) (*information, answer*) uriktig, ukorrekt ❑ *The predictions were proved to be incorrect.* Forutsigelsene viste seg å være*

uriktige *or* ukorrekte.
(**b**) (*behaviour, attitude*) ukorrekt
incorrigible [ɪn'kɔrɪdʒɪbl] ADJ uforbederlig
incorruptible [ɪnkə'rʌptɪbl] ADJ ubestikkelig
increase [*N* 'ɪnkriːs, *VB* ɪn'kriːs] 1 S (= *rise*)
▸ **increase (in/of)** økning *m* (i/på) ❑ *They demanded a sharp increase in wages.* De forlangte en kraftig lønnsøkning.
2 VI (= *rise: price, level, productivity etc*) stige*, øke (*v2*) ❑ *Crime has increased by three per cent.* Kriminaliteten har steget *or* økt med tre prosent.
3 VT (**a**) (= *make greater: price*) forhøye (*v1 or v3*), høyne (*v1*)
(**b**) (+*knowledge, frequency etc*) øke (*v2*) ❑ *Police checks on banks were increased in frequency.* Hyppigheten ble økt når det gjaldt politikontroller av bankene.
▸ **an increase of 5%** en økning *or* stigning på 5 %
▸ **to be on the increase** være* (stadig) økende *or* stigende
▸ **to increase by 3%/£4** stige* *or* øke (*v2*) med 3 %/£4
increasing [ɪn'kriːsɪŋ] ADJ (*number, use*) økende, stigende
increasingly [ɪn'kriːsɪŋlɪ] ADV (**a**) (*with adj*) stadig mer, stadig + *compar* ❑ *It was becoming increasingly hard to find jobs for everyone.* Det ble stadig vanskeligere å finne jobber til alle.
(**b**) (= *with verb*) stadig oftere ❑ *Men increasingly find that women are taking their jobs.* Menn opplever stadig oftere at kvinner tar jobbene deres.
incredible [ɪn'krɛdɪbl] ADJ utrolig ❑ *...this incredible suggestion.* ...dette utrolige forslaget. *They get an incredible amount of money.* De får utrolig mye penger. *It was an incredible experience.* Det var en utrolig opplevelse.
incredulity [ɪnkrɪ'djuːlɪtɪ] S vantro *m*
incredulous [ɪn'krɛdjuləs] ADJ (*tone, expression*) vantro
increment ['ɪnkrɪmənt] S tillegg *nt*
incriminate [ɪn'krɪmɪneɪt] VT kompromittere (*v2*)
incriminating [ɪn'krɪmɪneɪtɪŋ] ADJ (*evidence*) fellende
incrusted [ɪn'krʌstɪd] VT = **encrusted**
incubate ['ɪnkjubeɪt] 1 VT (+*egg*) ruge (*v1*) på
2 VI (**a**) (*eggs*+) ruges (*v5, no past tense*) ut ❑ *The eggs need nine or ten days to incubate.* Eggene trenger ni eller ti dager for å ruges ut.
(**b**) (*illness*+) ▸ **a cold takes three days to incubate** en forkjølelse har en inkubasjonstid på tre dager
incubation [ɪnkju'beɪʃən] S (**a**) (*of eggs*) ruging *c*
(**b**) (*of illness*) inkubasjon *m* ❑ *...a long period of incubation.* ...en lang inkubasjonsperiode.
incubation period S (*of illness*) inkubasjonstid *c*, inkubasjonsperiode *m*
incubator ['ɪnkjubeɪtəʳ] S (*for babies*) kuvøse *m*
inculcate ['ɪnkʌlkeɪt] (*fml*) VT ▸ **to inculcate sth in sb** innprente (*v1*) noe i noen, innpode (*v1*) noe i noen ❑ *He tried to inculcate a respect for all living things in the boy.* Han prøvde å innprente *or* innpode i gutten en respekt for alt levende.
incumbent [ɪn'kʌmbənt] 1 S innehaver *m* (*av embete*)
2 ADJ ▸ **it is incumbent on him to...** det er hans plikt å...
incur [ɪn'kəːʳ] VT (**a**) (+*expenses, loss, debt*) pådra* seg, utsettes *no past tense* for ❑ *...any loss you may incur.* ...alle tap du eventuelt vil pådra deg *or* utsettes for.
(**b**) (+*disapproval, anger*) bli* gjenstand for ❑ *He incurred his wife's wrath by smoking in public.* Han ble gjenstand for sin kones vrede ved å røyke på offentlig sted.
incurable [ɪn'kjuərəbl] ADJ uhelbredelig
incursion [ɪn'kəːʃən] S (plutselig) invasjon *m* ❑ *...their incursion into Yugoslavia.* ...deres (plutselige) invasjon av Jugoslavia.
indebted [ɪn'dɛtɪd] ADJ ▸ **to be indebted to sb** stå* i gjeld til noen
indecency [ɪn'diːsnsɪ] S uanstendighet *c*, usømmelighet *c*
indecent [ɪn'diːsnt] ADJ (**a**) (*film, book, behaviour*) uanstendig, usømmelig
(**b**) (*haste*) utilbørlig ❑ *She remarried with indecent haste.* Hun var utilbørlig rask til å gifte seg igjen.
indecent assault (*BRIT*) S seksuelt overgrep *nt*
indecent exposure S blotting *c*
indecipherable [ɪndɪ'saɪfərəbl] ADJ (*writing*) uleselig, (som er) umulig å tyde; (*expression, glance etc*) (som er) umulig å tyde
indecision [ɪndɪ'sɪʒən] S ubeslutsomhet *c*
indecisive [ɪndɪ'saɪsɪv] ADJ ubeslutsom
indeed [ɪn'diːd] ADV (**a**) (= *certainly*) sannelig, ganske visst ❑ *Boon had indeed arrived.* Boon var sannelig *or* ganske visst kommet.
(**b**) (*as a reply*) det skal være* visst, javisst ❑ *"I did indeed."* "Det skal være* visst at jeg gjorde.". "Javisst gjorde jeg det."
(**c**) (= *furthermore*) ja også ❑ *I'm happy, indeed anxious, that...* Jeg er glad for, ja også ivrig etter, at...
▸ **yes indeed!** javisst!, det skal være* visst!
indefatigable [ɪndɪ'fætɪgəbl] ADJ utrettelig
indefensible [ɪndɪ'fɛnsɪbl] ADJ uforsvarlig
indefinable [ɪndɪ'faɪnəbl] ADJ udefinerbar
indefinite [ɪn'dɛfɪnɪt] ADJ (**a**) (*answer, view*) svevende
(**b**) (*period, number, LING*) ubestemt ❑ *The union gave notice of indefinite strike.* Fagforeningen varslet streik på ubestemt tid.
indefinite article S ubestemt artikkel *m*
indefinitely [ɪn'dɛfɪnɪtlɪ] ADV (*continue, wait*) på ubestemt tid
indelible [ɪn'dɛlɪbl] ADJ (*mark, stain*) uutslettelig; (*pen, ink*) merke-, vannfast
indelicate [ɪn'dɛlɪkɪt] ADJ (**a**) (= *tactless*) ufin, taktløs ❑ *...a rather indelicate remark.* ...en heller ufin *or* taktløs bemerkning.
(**b**) (= *not polite*) uhøflig, taktløs ❑ *He felt it would be indelicate to make a fuss about it.* Han følte at det ville* være* uhøflig *or* taktløst å gjøre* noe vesen av det.
indemnify [ɪn'dɛmnɪfaɪ] VT (+*sb's losses*) erstatte (*v1*)
indemnity [ɪn'dɛmnɪtɪ] S (= *insurance*) forsikring *c*;

(= *compensation*) erstatning *c*

indent [ɪn'dɛnt] VT (*+text*) lage (*v1 or v3*) innrykk i

indentation [ɪndɛn'teɪʃən] S (**a**) (*TYP*) innrykk *nt* (**b**) (*in surface*) søkk *nt* ❑ *Her high heels made little indentations in the carpet.* De høye hælene hennes lagde små søkk i teppet.

independence [ɪndɪ'pɛndns] S (**a**) (*of country*) uavhengighet *c*, selvstendighet *c* ❑ *African territories eventually obtained their independence.* Afrikanske territorier fikk til slutt sin uavhengighet *or* selvstendighet.
(**b**) (*of person, thinking*) selvstendighet *c* ❑ *She shows great independence of mind.* Hun viser stor intellektuell selvstendighet.. Hun viser stor evne til selvstendig tenkning.

Independence Day

Independence Day *er nasjonaldagen i USA, den fjerde juli. Den er til minne om uavhengighetserklæringen som ble skrevet i 1776 av Thomas Jefferson, og som proklamerte at de 13 amerikanske koloniene brøt forbindelsen med Storbritannia.*

---

independent [ɪndɪ'pɛndnt] ADJ (**a**) (*country*) selvstendig, uavhengig ❑ *...Bulgaria was effectively independent.* ...Bulgaria var virkelig et selvstendig *or* uavhengig land.
(**b**) (*person, thought, business*) selvstendig ❑ *Their children are quite independent.* Barna deres er ganske selvstendige. *Many independent businesses find it hard to grow.* Mange selvstendige forretningsforetak finner det vanskelig å vokse.
(**c**) (*school, broadcasting company*) privat
(**d**) (*inquiry*) uavhengig ❑ *Two independent studies came to the same conclusions.* To uavhengige undersøkelser kom til de samme konklusjonene.

independently [ɪndɪ'pɛndntlɪ] ADV på egen hånd ❑ *Similar customs have developed independently in other areas.* Lignende skikker har utviklet seg på egen hånd i andre områder.
▸ **independently (of each other)** (**a**) (*reach conclusion, develop*) hver for seg, uavhengig av hverandre
(**b**) (*operate, function*) uavhengig av hverandre

in-depth ['ɪndɛpθ] ADJ dybde-

indescribable [ɪndɪs'kraɪbəbl] ADJ ubeskrivelig

indestructible [ɪndɪs'trʌktəbl] ADJ (*object, friendship etc*) som ikke kan ødelegges

indeterminate [ɪndɪ'tɜːmɪnɪt] ADJ (*nature*) ubestemmelig; (*number*) ubestemt

index ['ɪndɛks] (*pl* **indexes**) S (**a**) (*in book*) register *nt sg*
(**b**) (*in library etc*) kartotek *nt*
(**c**) (*pl indices: ratio, sign*) mål *nt* ❑ *The town does badly by most indices of deprivation.* Byen kommer dårlig ut etter de fleste mål på sosial nød.

index card S kartotekkort *nt*, indekskort *nt*

indexed ['ɪndɛkst] (*US*) S = **index-linked**

index finger S pekefinger *m*

index-linked ['ɪndɛks'lɪŋkt] ADJ (*income, payment*) indeksregulert

India ['ɪndɪə] S India

Indian ['ɪndɪən] **1** ADJ indisk
2 S (**a**) (*from India*) inder *m*
(**b**) (*native American*) indianer *m*
▸ **Red Indian** indianer *m*

Indian Ocean S ▸ **the Indian Ocean** Det indiske hav

Indian Summer S Indian summer *m no pl*

India rubber S viskelær *nt*

indicate ['ɪndɪkeɪt] **1** VT (**a**) (= *show*) tyde (*v1*) på, indikere (*v2*) ❑ *Evidence indicates that the experiments failed.* Bevisene tyder på *or* indikerer at eksperimentene slo feil.
(**b**) (= *point to*) (an)vise (*v2*) ❑ *She sat down in the armchair that Mrs Jones indicated.* Hun satte seg i den lenestolen som fru Jones (an)viste henne.
(**c**) (= *mention*) antyde (*v1*) ❑ *He has indicated the outlines of his plan to the police.* Han har antydet de grove linjene i planen sin overfor politiet.
2 VI (**a**) (*BRIT: BIL*) ▸ **to indicate left/right**
(**b**) (*with light*) blinke (*v1*) til venstre/høyre
(**c**) (*with arm*) gi* tegn til venstre/høyre

indication [ɪndɪ'keɪʃən] S tegn *nt*, indikasjon *m*

indicative [ɪn'dɪkətɪv] **1** ADJ ▸ **indicative of** et tegn på ❑ *It's indicative of the change in Rachel that...* Det er et tegn på forandringen hos Rachel at...
2 S (*LING*) indikativ *m*
▸ **in the indicative** i indikativ

indicator ['ɪndɪkeɪtə[r]] S (**a**) (*on equipment: dial, light etc*) måler *m*
(**b**) (*BIL*) blinklys *nt*
▸ **an indicator of** et tegn på

indices ['ɪndɪsiːz] SPL *of* **index**

indict [ɪn'daɪt] VT reise (*v2*) tiltale mot
▸ **to be indicted for sth** bli* tiltalt for noe

indictable [ɪn'daɪtəbl] ADJ (*offence*) kriminell, som man kan bli* tiltalt for

indictment [ɪn'daɪtmənt] S (**a**) (= *denunciation*) sterk kritikk *m* ❑ *He sees the present level of unemployment as an indictment of Government policies.* Han ser dagens arbeidsledighetsnivå som en sterk kritikk mot regjeringens politikk.
(**b**) (= *charge*) (det å reise) tiltale *m* ❑ *There was little likelihood of an indictment.* Det var liten sannsynlighet for at det ville* bli* reist tiltale.

indifference [ɪn'dɪfrəns] S likegyldighet *c*, likegladhet *c*

indifferent [ɪn'dɪfrənt] ADJ (**a**) (= *uninterested: attitude*) likegyldig, likeglad ❑ *Her eyes assumed a weary, indifferent look.* Øynene hennes fikk et trett, likegyldig *or* likeglad uttrykk.
(**b**) (= *mediocre: quality*) middelmådig ❑ *She was an indifferent actor.* Hun var en middelmådig skuespiller.

indigenous [ɪn'dɪdʒɪnəs] ADJ (*wildlife, population*) innfødt, opprinnelig

indigestible [ɪndɪ'dʒɛstɪbl] ADJ ufordøyelig

indigestion [ɪndɪ'dʒɛstʃən] S dårlig fordøyelse *m*, fordøyelsesbesvær *nt*

indignant [ɪn'dɪgnənt] ADJ ▸ **indignant (at sth/ with sb)** indignert (over noe/på noen), oppbrakt (over noe/noen)

indignation [ɪndɪg'neɪʃən] S indignasjon *m*, oppbrakthet *c*

indignity [ɪn'dɪgnɪtɪ] s nedverdigelse *c*, ydmykelse *m* ❑ *He recalled the indignity of being handcuffed and searched.* Han husket nedverdigelsen *or* ydmykelsen ved å bli* påsatt håndjern og ransaket.
indigo ['ɪndɪgəu] s (*colour*) indigo
indirect [ɪndɪ'rɛkt] ADJ (*way, manner, route, answer, effect*) indirekte
indirectly [ɪndɪ'rɛktlɪ] ADV indirekte
indiscreet [ɪndɪs'kri:t] ADJ (*person, behaviour, comment*) indiskret, taktløs
indiscretion [ɪndɪs'krɛʃən] s taktløshet *c*, indiskresjon *m*
indiscriminate [ɪndɪs'krɪmɪnət] ADJ (**a**) (*attack, bombing, killing*) vilkårlig
(**b**) (*taste, audience*) ukritisk ❑ *TV watchers are indiscriminate in their viewing habits.* Tv-tittere er ukritiske i sine seervaner.
indispensable [ɪndɪs'pɛnsəbl] ADJ (*tool, person*) uunnværlig
indisposed [ɪndɪs'pəuzd] ADJ utilpass, indisponert
indisputable [ɪndɪs'pju:təbl] ADJ ubestridelig, udiskutabel
indistinct [ɪndɪs'tɪŋkt] ADJ (**a**) (*image, memory*) utydelig, uklar ❑ *The shadow made her features indistinct.* Skyggen gjorde trekkene hennes utydelige *or* uklare.
(**b**) (*noise*) utydelig ❑ *Her reply was indistinct.* Svaret hennes var utydelig.
indistinguishable [ɪndɪs'tɪŋgwɪʃəbl] ADJ ▸ **indistinguishable from** som ikke kan skjelnes fra
individual [ɪndɪ'vɪdjuəl] 1 s (= *single person*) (enkelt)menneske *nt*, individ *nt*
2 ADJ (**a**) (= *personal*) personlig, individuell ❑ *...individual liberty.* ...personlig *or* individuell frihet.
(**b**) (= *single*) enkelt ❑ *We can identify each individual whale by its song.* Vi kan identifisere hver enkelt hval på sangen.
(**c**) (= *unique*) individuell, særpreget ❑ *She has in her something peculiar and individual.* Hun har i seg noe merkelig og individuelt *or* særpreget.
▸ **he is an unpleasant/interesting individual** han er ubehagelig/interessant menneske
individualist [ɪndɪ'vɪdjuəlɪst] s individualist *m*
individuality [ɪndɪvɪdju'ælɪtɪ] s individualitet *m*, særegenhet *c*
individually [ɪndɪ'vɪdjuəlɪ] ADV (**a**) (*people*) enkeltvis, individuelt, hver for seg ❑ *The children work individually.* Barna arbeider enkeltvis *or* individuelt *or* hver for seg.
(**b**) (*things*) enkeltvis, hver for seg ❑ *Each fruit should be wrapped individually.* Hver frukt skal pakkes inn enkeltvis *or* hver for seg.
indivisible [ɪndɪ'vɪzɪbl] ADJ udelelig
Indo-China ['ɪndəu'tʃaɪnə] s Indokina
indoctrinate [ɪn'dɔktrɪneɪt] VT indoktrinere (*v2*)
indoctrination [ɪndɔktrɪ'neɪʃən] s indoktrinering *c*
indolence ['ɪndələns] s latskap *m*, indolens *m* (*fml*)
indolent ['ɪndələnt] ADJ lat, indolent (*fml*)
Indonesia [ɪndə'ni:zɪə] s Indonesia
Indonesian [ɪndə'ni:zɪən] 1 ADJ indonesisk
2 s (*person*) indoneser *m*; (*LING*) indonesisk
indoor ['ɪndɔ:ʳ] ADJ (*plant*) inne-; (*swimming pool, games, sport*) innendørs
indoors [ɪn'dɔ:z] ADV inne, innendørs
indubitable [ɪn'dju:bɪtəbl] ADJ utvilsom, umiskjennelig
indubitably [ɪn'dju:bɪtəblɪ] ADV utvilsomt
induce [ɪn'dju:s] VT (**a**) (*gen*) framkalle (*v2x*) ❑ *Failure induces a sense of inferiority.* Nederlag framkaller en følelse av mindreverdighet.
(**b**) (*+birth*) sette* igang ❑ *Labour will have to be induced...* Fødselen vil måtte* settes i gang...
▸ **to induce sb to do sth** få* noen til å gjøre* noe
inducement [ɪn'dju:smənt] s (**a**) (= *incentive*) spore *m* ❑ *This measure is a significant inducement to growth.* Dette tiltaket er en spore til vekst.
(**b**) (*neds : bribe*) smøring *c* ❑ *Beware of any inducement or threat.* Vær på vakt overfor smøring eller trusler.
induct [ɪn'dʌkt] VT (**a**) innsette* ❑ *I was inducted into a disorganized department.* Jeg ble innsatt i en uorganisert avdeling.
(**b**) (*US : MIL*) innkalle (*v2x*) ❑ *Her son refused to be inducted into the Army.* Sønnen nektet å ta* imot innkallelsen til hæren.
induction [ɪn'dʌkʃən] s ▸ **she had an induction** de satte igang fødselen for henne
induction course (*BRIT*) s innføringskurs *nt*
indulge [ɪn'dʌldʒ] VT (**a**) (*+desire, whim*) hengi* seg til ❑ *Jack had spent three weeks indulging his passion for chocolate.* Jack hadde hengitt seg til sin lidenskapelige sjokolademani i tre hele uker.
(**b**) (*+person, child*) føye (*v3*) (hele tiden) ❑ *It pleased me to indulge her.* Det gledet meg å føye henne.
▸ **indulge in** VT FUS (*+vice, hobby*) hengi* seg til
indulgence [ɪn'dʌldʒəns] s (**a**) (= *leniency*) ettergivenhet *c* ❑ *He was brought up with great indulgence.* Han vokste opp med svært ettergivende foreldre.
(**b**) (*pleasure*) ▸ **smoking was his one indulgence** røyking var den eneste luksus han unte seg
indulgent [ɪn'dʌldʒənt] ADJ (*parent, smile*) overbærende
industrial [ɪn'dʌstrɪəl] ADJ (*accident*) arbeids-; (*production*) industriell; (*city*) industri-
industrial action s protestaksjon *m* (*på arbeidsplassen*)
industrial design s industriell formgivning *m*
industrial estate (*BRIT*) s industriområde *nt*
industrialist [ɪn'dʌstrɪəlɪst] s industrieier *m*
industrialize [ɪn'dʌstrɪəlaɪz] VT (*+country, society*) industrialisere (*v2*)
industrial park (*US*) s = **industrial estate**
industrial relations SPL samarbeidsforhold *pl* mellom ledelsen og de ansatte
industrial tribunal (*BRIT*) s arbeidsrett *m*
industrial unrest (*BRIT*) s strid *m* mellom ledelsen og de ansatte
industrious [ɪn'dʌstrɪəs] ADJ (*student, person*) arbeidsom, flittig
industry ['ɪndəstrɪ] s (**a**) (= *manufacturing*) industrien *m def* ❑ *Industry is making increasing use of robots.* Industrien bruker roboter i

økende grad.
(**b**) (*oil industry, textile industry etc*) industri *m* ❑ *India has one of the world's largest film industries.* India har en av verdens største filmindustrier.
(**c**) (= *diligence*) flid *m* ❑ *...the old virtues of industry and frugality.* ...de gamle dydene flid og nøysomhet.

inebriated [ɪ'ni:brɪeɪtɪd] (*fml*) ADJ beruset
inedible [ɪn'ɛdɪbl] ADJ uspiselig ❑ *The food was mostly inedible.* Maten var nesten uspiselig. *...inedible mushrooms.* ...uspiselig sopp.
ineffective [ɪnɪ'fɛktɪv] ADJ (*policy*) virkningsløs, ineffektiv; (*person, government*) ineffektiv
ineffectual [ɪnɪ'fɛktʃuəl] ADJ = **ineffective**
inefficiency [ɪnɪ'fɪʃənsɪ] s ineffektivitet *m*
inefficient [ɪnɪ'fɪʃənt] ADJ (*person, machine, system*) ineffektiv
inelegant [ɪn'ɛlɪgənt] ADJ uelegant
ineligible [ɪn'ɛlɪdʒɪbl] ADJ (*candidate*) ikke valgbar ▸ **to be ineligible for sth** ikke kunne* komme i betraktning for noe
inept [ɪ'nɛpt] ADJ udugelig
ineptitude [ɪ'nɛptɪtju:d] s udugelighet *c*
inequality [ɪnɪ'kwɔlɪtɪ] s (**a**) (*in society*) forskjellsbehandling *c* ❑ *Inequality remains a major barrier to ethnic minorities.* Forskjellsbehandling er fortsatt en av de største barrierene for etniske minoriteter.
(**b**) (*of amount, share*) ulik *m* størrelse ❑ *The main reason lies in the inequality of the segments.* Hovedgrunnen ligger i segmentenes ulike tykkelse.
inequitable [ɪn'ɛkwɪtəbl] ADJ urettferdig
inert [ɪ'nə:t] ADJ (**a**) (= *immobile*) urørlig ❑ *Posy lay inert.* Posy lå urørlig.
(**b**) (*gas*) inert, nøytral-
inertia [ɪ'nə:ʃə] s treghet *m*
inertia-reel seat belt [ɪ'nə:ʃə'ri:l-] s rullesele *m* (*i bil*)
inescapable [ɪnɪ'skeɪpəbl] ADJ (*conclusion*) ufrakommelig, uunngåelig; (*impression*) uunngåelig
inessential [ɪnɪ'sɛnʃl] ADJ uvesentlig, uviktig
inessentials [ɪnɪ'sɛnʃlz] SPL uvesentlige ting, uviktige ting
inestimable [ɪn'ɛstɪməbl] ADJ (*cost, value etc*) uvurderlig
inevitability [ɪnɛvɪtə'bɪlɪtɪ] s uunngåelighet *m* ▸ **the inevitability of change** forandringens uunngåelighet ▸ **it is an inevitability** det er noe som er uunngåelig
inevitable [ɪn'ɛvɪtəbl] ADJ (*outcome, result*) uunngåelig
inevitably [ɪn'ɛvɪtəblɪ] ADV (**a**) (*at beginning of sentence*) ▸ **Inevitably...** Der er/var ikke til å unngå at... ❑ *Inevitably, a shouting match ensued between us.* Det var ikke til å unngå at en høyrøstet krangel oppsto mellom oss.
(**b**) (*with verb*) ▸ **...will inevitably be destroyed** ...vil nødvendigvis bli* ødelagt
inexact [ɪnɪg'zækt] ADJ unøyaktig, upresis
inexcusable [ɪnɪks'kju:zəbl] ADJ utilgivelig
inexhaustible [ɪnɪg'zɔ:stɪbl] ADJ uuttømmelig
inexorable [ɪn'ɛksərəbl] ADJ (*progress*) ustoppelig; (*decline*) ubønnhørlig
inexpensive [ɪnɪk'spɛnsɪv] ADJ rimelig
inexperience [ɪnɪk'spɪərɪəns] s uerfarenhet *c*
inexperienced [ɪnɪk'spɪərɪənst] ADJ uerfaren ▸ **to be inexperienced in sth** være* uerfaren med noe
inexplicable [ɪnɪk'splɪkəbl] ADJ uforklarlig
inexpressible [ɪnɪk'sprɛsɪbl] ADJ uutsigelig
inextricable [ɪnɪk'strɪkəbl] ADJ (*union, knot, tangle, links*) uløselig
inextricably [ɪnɪk'strɪkəblɪ] ADV (*entangled, linked*) uløselig
infallibility [ɪnfælə'bɪlɪtɪ] s ufeilbarlighet *m*
infallible [ɪn'fælɪbl] ADJ ufeilbarlig
infamous ['ɪnfəməs] ADJ (*crime, person*) beryktet
infamy ['ɪnfəmɪ] s ▸ **his infamy** det at han var/er beryktet
infancy ['ɪnfənsɪ] s (**a**) (*of person*) spebarnsalder *m* ❑ *He died in infancy.* Han døde som spebarn.
(**b**) (*of movement, firm*) sped barndom *m* ❑ *This research is only in its infancy.* Denne forskningen er ennå bare i sin spede barndom.
infant ['ɪnfənt] [1] s (**a**) (= *baby*) spebarn *nt* ❑ *My infant for once lay quiet in his cot.* Spebarnet mitt lå for en gangs skyld stille i sengen sin.
(**b**) (= *young child*) barn *nt* ❑ *...an infant under the age of two.* ...et barn under to år.
[2] SAMMENS (**a**) (*mortality*) spebarns-
(**b**) (*food, seat etc*) barne-
infantile ['ɪnfəntaɪl] ADJ (**a**) (*disease*) barne- ❑ *...infantile paralysis.* ...barnelammelse.
(**b**) (*foolish*) barnslig
infantry ['ɪnfəntrɪ] s infanteri *nt*
infantryman ['ɪnfəntrɪmən] *irreg* s infanterist *m*
infant school (*BRIT*) s ≈ førskole *m* (*for barn fra 5-7 år*)
infatuated [ɪn'fætjueɪtɪd] ADJ ▸ **infatuated with** fullstendig betatt av, forgapet i
infatuation [ɪnfætju'eɪʃən] s (= *passion*) blind forelskelse *m*
infect [ɪn'fɛkt] VT (**a**) (*+food*) infisere (*v2*) ❑ *You can catch cholera from food infected by handling.* Du kan få* kolera fra mat som er infisert ved berøring.
(**b**) (*+animal, person*) smitte (*v1*)
(**c**) (*fig: vice, enthusiasm*) smitte (*v1*) over på ❑ *Pessimism had a way of infecting everyone.* Pessimismen hadde det med å smitte over på alle og enhver.
▸ **to become infected** (*wound+*) bli* infisert
infection [ɪn'fɛkʃən] s (**a**) (= *disease*) infeksjon *m* ❑ *Her infections were cleared up with antibiotics.* Infeksjonene hennes ble leget med antibiotika.
(**b**) (= *contagion*) smitte *m* ❑ *There is little risk of infection...* Det er liten fare for å bli* smittet...
infectious [ɪn'fɛkʃəs] ADJ (**a**) (*person, animal*) smittefarlig
(**b**) (*disease*) smittsom ❑ *Influenza is highly infectious.* Influensa er svært smittsomt.
(**c**) (*fig: enthusiasm, laughter, accent*) smittende ❑ *The Glasgow dialect is very infectious.* Glasgow-dialekten har lett for å smitte over.
infer [ɪn'fə:ʳ] VT (= *imply*) antyde (*v1*) ❑ *I do not want to infer by this criticism that...* Jeg vil ikke antyde med denne kritikken at...

▸ **to infer that** (= *deduce*) slutte (*v1*) at, trekke* den slutningen at

inference ['ɪnfərəns] S (**a**) (= *deduction*) slutning *m* ❑ *The inferences drawn from the data have led to major changes.* Slutningene som ble trukket på grunnlag av dataene har ført til store endringer.
(**b**) (= *implication*) ▸ **the inference was that...** man kunne* slutte seg av dette at...

inferior [ɪn'fɪərɪəʳ] 1 ADJ (**a**) (*in rank*) underordnet ❑ *Mary does not rebel against her inferior status.* Mary gjør ikke opprør mot sin underordnede status.
(**b**) (*in worth: person, work*) mindreverdig
(**c**) (*goods*) dårligere ❑ *It was a cheap and inferior product.* Det var et billig og dårligere produkt.
(**d**) (*number*) lavere
2 S (**a**) (*in hierarchy*) underordnet *m decl as adj*
(**b**) (*socially*) mindreverdig *m decl as adj*, underlegen *m decl as adj*
▸ **to feel inferior (to)** føle seg mindreverdig (i forhold til)

inferiority [ɪnfɪərɪ'ɔrətɪ] S (**a**) (*in rank*) underlegenhet *m*
(**b**) (*in worth*) mindreverdighet *m* ❑ *She has imagined feelings of inferiority.* Hun har innbilte følelser av mindreverdighet.
(**c**) (*in quality*) dårligere kvalitet *m*
(**d**) (*in quantity*) underlegenhet *c*

inferiority complex S mindreverdighetskompleks *nt*

infernal [ɪn'fəːnl] ADJ (*racket, temper*) infernalsk

inferno [ɪn'fəːnəu] S inferno *nt*

infertile [ɪn'fəːtaɪl] ADJ (*soil, person, animal*) ufruktbar

infertility [ɪnfəː'tɪlɪtɪ] S ufruktbarhet *m*

infested [ɪn'fɛstɪd] ADJ ▸ **infested (with)** (*plant, animal+*) befengt (med), angrepet (av); (*house, area+*) angrepet (av), hjemsøkt (av)

infidelity [ɪnfɪ'dɛlɪtɪ] S utroskap *m*

in-fighting ['ɪnfaɪtɪŋ] S intern strid *m*

infiltrate ['ɪnfɪltreɪt] VT infiltrere (*v2*)

infinite ['ɪnfɪnɪt] ADJ uendelig ❑ *...an infinite variety of professions.* ...uendelig mange forskjellige yrker. *...the infinite reaches of space.* ...verdensrommets uendelighet. *...an infinite amount of time.* ...uendelig lang tid

infinitely ['ɪnfɪnɪtlɪ] ADV (*with adj: kind, patient*) uendelig; (*with compar: better, longer*) uendelig mye

infinitesimal [ɪnfɪnɪ'tɛsɪməl] ADJ uendelig liten

infinitive [ɪn'fɪnɪtɪv] (*LING*) S infinitiv *m*
▸ **in the infinitive** i infinitiv

infinity [ɪn'fɪnɪtɪ] S (**a**) (= *infinite number*) uendelighet *m* ❑ *Out there is an infinity of worlds.* Der ute finnes det en uendelighet av verdener.
(**b**) (= *infinite point*) uendelig *no gender, no art* NB *The camera is focused at infinity.* Kameraet er innstilt på uendelig. NB *It is impossible to count up to infinity.* Det er umulig å telle til uendelig.

infirm [ɪn'fəːm] ADJ svakelig

infirmary [ɪn'fəːmərɪ] S sykehus *nt*

infirmity [ɪn'fəːmɪtɪ] S svakhet *c*, sykdom *m*

inflame [ɪn'fleɪm] VT hisse (*v1*) opp

inflamed [ɪn'fleɪmd] ADJ betent

inflammable [ɪn'flæməbl] ADJ lett antennelig, brannfarlig

inflammation [ɪnflə'meɪʃən] S betennelse *m*

inflammatory [ɪn'flæmətərɪ] ADJ opphissende, provoserende

inflatable [ɪn'fleɪtəbl] ADJ (*life jacket, dinghy, doll*) oppblåsbar

inflate [ɪn'fleɪt] VT (*+tyre*) pumpe (*v1*) opp; (*+balloon*) blåse (*v2*) opp; (*+price*) drive* opp; (*fig: expectation*) høyne (*v1*), blåse (*v2*) opp; (*+position, ideas*) blåse (*v2*) opp

inflated [ɪn'fleɪtɪd] ADJ (*price*) kunstig høy; (*opinion, idea*) oppblåst

inflation [ɪn'fleɪʃən] S inflasjon *m*

inflationary [ɪn'fleɪʃənərɪ] ADJ (*demand*) inflasjonsskapende; (*spiral*) inflasjons-

inflexible [ɪn'flɛksɪbl] ADJ (**a**) (*rule, timetable*) ikke fleksibel ❑ *Nursery schools have inflexible hours.* Barnehager har åpningstider som ikke er fleksible.
(**b**) (*person*) urokkelig ❑ *He was inflexible in his defence of Hugh.* Han var urokkelig i sitt forsvar av Hugh.
(**c**) (*object, material*) ubøyelig

inflict [ɪn'flɪkt] VT ▸ **to inflict sth on sb** påføre (*v2*) noen noe

infliction [ɪn'flɪkʃən] S ▸ **the infliction of pain** det å påføre noen smerte

in-flight ['ɪnflaɪt] ADJ (*film, entertainment*) under flyturen

inflow ['ɪnfləu] S tilstrømning *m* ❑ *...the inflow of cheap raw materials.* ...tilstrømningen av billige råvarer.

influence ['ɪnfluəns] 1 S (**a**) (= *power*) innflytelse *m* ❑ *...people in positions of influence.* ...mennesker i stillinger med innflytelse.
(**b**) (*effect*) innflytelse *m*, påvirkning *c* ❑ *She had a great influence on the family.* Hun hadde stor innflytelse *or* påvirkning på familien.
2 VT (*+person, situation, choice etc*) påvirke (*v1*) ❑ *I didn't want him to influence me in my choice.* Jeg ville* ikke at han skulle* påvirke meg i valget mitt.
▸ **under the influence of alcohol** påvirket av alkohol

influential [ɪnflu'ɛnʃl] ADJ (*politician, critic*) innflytelsesrik

influenza [ɪnflu'ɛnzə] S influensa *m*

influx ['ɪnflʌks] S (*of refugees, funds*) tilstrømning *m*

inform [ɪn'fɔːm] 1 VT ▸ **to inform sb of sth** (= *tell*) informere (*v2*) noen om noe, opplyse (*v2*) noen om noe, underrette (*v1*) noen om noe
2 VI ▸ **to inform on sb** (*to police, authorities*) angi* noen

informal [ɪn'fɔːml] ADJ (*clothes, party, manner, discussion, language, visit, meeting, announcement*) uformell

informality [ɪnfɔː'mælɪtɪ] S ▸ **the informality of a discussion/party/meeting** *etc* det uformelle ved en diskusjon/fest/et møte *etc*
▸ **their friendly informality** deres vennlige uformelle måte å være* på

informally [ɪn'fɔːməlɪ] ADV (*speak, act, dress, agree*) uformelt

informant [ɪn'fɔːmənt] S kilde *m*, informant *m*

information [ɪnfə'meɪʃən] s (**a**) (= *facts*) informasjon *m*, opplysninger *pl* ❑ *I'd like some information about trains, please.* Jeg skulle* gjerne hatt noe informasjon *or* noen opplysninger om togtider.
(**b**) (= *knowledge*) informasjon *m* ❑ *He had a wealth of information on local history.* Han hadde rikelig med informasjon om lokalhistorie.
▸ **to get information on** skaffe (*v1*) informasjon *or* opplysninger om
▸ **a piece of information** en opplysning *m*
▸ **for your information** til opplysning *or* til orientering
information bureau s opplysningsbyrå *nt*
information office s opplysningskontor *nt*
information processing s databehandling *c*, informasjonsbehandling *c*
information retrieval s informasjonssøking *c*
information science s informatikk *m*
information superhighway [-su:pə'haɪweɪ] s informasjonsmotorvei *m*
information technology s informasjonsteknologi *m*
informative [ɪn'fɔ:mətɪv] ADJ (*report*) informativ; (*comment*) informativ, opplysende
informed [ɪn'fɔ:md] ADJ informert
▸ **to be well/better informed** være* velinformert/bedre informert
▸ **an informed guess/opinion** en opplyst gjetning/mening
informer [ɪn'fɔ:mə^r] s angiver *m*
infra-red [ɪnfrə'rɛd] ADJ infrarød
infrastructure ['ɪnfrəstrʌktʃə^r] s infrastruktur *m*
infrequent [ɪn'fri:kwənt] ADJ sjelden
infringe [ɪn'frɪndʒ] 1 VT overtre*
2 VI ▸ **to infringe on** krenke (*v1*)
infringement [ɪn'frɪndʒmənt] s (**a**) (*of law, rule*) overtredelse *m* ❑ *...small infringements of prison discipline.* ...små overtredelser av fengselsdisiplinen.
(**b**) (*of rights*) krenkelse *m*, inngrep *nt* ❑ *...an infringement of his civil liberties.* ...en krenkelse av *or* inngrep i hans borgerrettigheter.
infuriate [ɪn'fjuərɪeɪt] VT gjøre* rasende
infuriating [ɪn'fjuərɪeɪtɪŋ] ADJ (*habit, noise*) til å bli* rasende over *after noun*
infuse [ɪn'fju:z] 1 VT (*+tea, medicine, herbs*) la trekke
2 VI trekke*
▸ **to infuse sb with hope** (*fig*) fylle (*v2x*) noen med håp
infusion [ɪn'fju:ʒən] s uttrekk *nt*
ingenious [ɪn'dʒi:njəs] ADJ (*idea, solution*) genial
ingenuity [ɪndʒɪ'nju:ɪtɪ] s oppfinnsomhet *m*
ingenuous [ɪn'dʒɛnjuəs] ADJ troskyldig
ingot ['ɪŋgət] s barre *m*
ingrained [ɪn'greɪnd] ADJ (*habit, belief*) inngrodd, rotfestet
ingratiate [ɪn'greɪʃɪeɪt] VT ▸ **to ingratiate o.s. with** innynde (*v1*) seg hos, innsmigre (*v1*) seg hos
ingratiating [ɪn'greɪʃɪeɪtɪŋ] ADJ (*smile, speech*) innsmigrende; (*person*) smiskete
ingratitude [ɪn'grætɪtju:d] s utakknemlighet *c*
ingredient [ɪn'gri:dɪənt] s (**a**) (*of food*) ingrediens *m*
(**b**) (*of situation*) bestanddel *m*, ingrediens *m* ❑ *Travel is an essential ingredient in your career.* Reising er en vesentlig bestanddel *or* ingrediens i din karriere.
ingrowing ['ɪngrəuɪŋ] ADJ (*toenail*) inngrodd
inhabit [ɪn'hæbɪt] VT (*+town, country*) bebo (*v4*), bo (*v4*) i
inhabitant [ɪn'hæbɪtnt] s (*of town, country*) innbygger *m*; (*of street, house*) beboer *m*
inhale [ɪn'heɪl] 1 VT (*+smoke, gas etc*) puste (*v1*) inn, innånde (*v1*)
2 VI (= *breathe in*) puste (*v1*) inn; (*when smoking*) inhalere (*v2*)
inhaler [ɪn'heɪlə^r] s inhalator *m*
inherent [ɪn'hɪərənt] ADJ (*qualities*) medfødt
▸ **inherent in** *or* **to** som hører naturlig med til
inherently [ɪn'hɪərəntlɪ] ADV (*easy, difficult*) ifølge sakens natur, per definisjon; (*lazy*) medfødt
inherit [ɪn'hɛrɪt] VT (**a**) (*+property, money, characteristic, quality*) arve (*v1*)
(**b**) (*+position, situation*) ta* over ❑ *They inherited a weak economy.* De tok over en svak økonomi.
▸ **inherited** (*+characteristic, disease*) nedarvet
❑ *This kind of brain damage may be inherited.* Denne typen hjerneskade kan være* nedarvet.
inheritance [ɪn'hɛrɪtəns] s arv *m* ❑ *...the cultural inheritance.* ...den kulturelle arven.
inhibit [ɪn'hɪbɪt] VT (**a**) (= *restrain*) forhindre (*v1*)
❑ *He seems to have been inhibited in his work.* Han ser ut til å ha* blitt forhindret i arbeidet.
(**b**) (*+growth, development*) hemme (*v1*) ❑ *The drugs fed to animals inhibit their development.* Medikamentene som dyrene får, hemmer dem i utviklingen.
inhibited [ɪn'hɪbɪtɪd] ADJ hemmet
inhibiting [ɪn'hɪbɪtɪŋ] ADJ (*situation, factor*) hemmende
inhibition [ɪnhɪ'bɪʃən] s hemning *m usu pl* ❑ *The child is free from inhibitions.* Barnet har ingen hemninger. *...without inhibition.* ...uten hemninger.
inhospitable [ɪnhɔs'pɪtəbl] ADJ (*person*) ugjestfri, ugjestmild; (*place, climate*) ublid, barsk
in-house ['ɪn'haus] ADJ, ADV intern-
inhuman [ɪn'hju:mən] ADJ (*behaviour, appearance*) umenneskelig
inhumane [ɪnhju:'meɪn] ADJ (*weapon, treatment, behaviour*) umenneskelig, inhuman
inimitable [ɪ'nɪmɪtəbl] ADJ (*tone, style*) uforlignelig
iniquitous [ɪ'nɪkwɪtəs] (*fml*) ADJ grovt urettferdig, skammelig urettferdig
iniquity [ɪ'nɪkwɪtɪ] (*fml*) s grov *or* skammelig urettferdighet *m uncount* ❑ *...to put an end to such iniquities.* ...for å få* slutt for slik grov *or* skammelig urettferdighet.
initial [ɪ'nɪʃl] 1 ADJ (*stage, reaction*) første
2 s (*letter*) forbokstav *m*, initial *m* ❑ *Now can I have your initial, Mrs Jones?* Kan De si meg initialen *or* forbokstaven i fornavnet Deres, fru Jones?
3 VT (*+document*) undertegne (*v1*) med forbokstaver *or* initialer
▸ **initials** SPL (*of name*) forbokstaver, initialer
initialize [ɪ'nɪʃəlaɪz] (*DATA*) VT initialisere (*v2*)
initially [ɪ'nɪʃəlɪ] ADV (**a**) (= *at first*) i begynnelsen,

til å begynne med ❑ *George's response was initially adamant.* Georges reaksjon var i begynnelsen *or* til å begynne med steil.
(**b**) (= *originally*) opprinnelig ❑ *Feathers initially developed from insect scales.* Fjær utviklet seg opprinnelig fra insektskjell.

initiate [ɪ'nɪʃɪeɪt] VT (**a**) (*+talks, process*) innlede (*v1*) ❑ *We should initiate talks with the unions.* Vi burde innlede samtaler med fagforeningene.
(**b**) (*+person: to skill*) innvie (*v1*), sette* inn ❑ *Pat wanted to initiate his son into fishing.* Pat ville* innvie sønnen sin *or* sette sønnen sin inn i kunsten å fiske.
(**c**) (*+new member*) innvie (*v1*) ❑ *She was initiated into the secret society.* Hun ble innviet i den hemmelige foreningen.
▸ **to initiate proceedings against sb** (*JUR*) anlegge* sak mot noen

initiation [ɪnɪʃɪ'eɪʃən] s (**a**) (= *beginning*) innledning *m* ❑ *...the initiation of a new revolutionary practice.* ...innledningen til en ny revolusjonær praksis.
(**b**) (*into secret etc*) innvielse *m* ❑ *...an initiation ceremony.* ...en innvielsesseremoni.

initiative [ɪ'nɪʃətɪv] s (**a**) (= *idea, measure*) initiativ *nt* ❑ *The headmaster welcomed the initiative.* Rektor satte pris på initiativet.
(**b**) (*quality*) initiativ *nt*, tiltak *nt* ❑ *Initiative, inventiveness and independence are vital.* Initiativ *or* tiltak, oppfinnsomhet og uavhengighet er svært viktig.
▸ **to take the initiative** ta* initiativet

inject [ɪn'dʒɛkt] VT (*+drugs, poison*) sette* en sprøyte med
▸ **to inject sb with sth** gi* noen en sprøyte med noe
▸ **to inject money into** sprøyte (*v1*) inn penger i

injection [ɪn'dʒɛkʃən] s (**a**) (*MED*) sprøyte *c*
(**b**) (*fig: of money*) innsprøyting *c* ❑ *...massive injections of money.* ...massive pengeinnsprøytinger.
▸ **to give/have an injection** sette*/få en sprøyte

injudicious [ɪndʒu'dɪʃəs] ADJ (*person, action*) uklok

injunction [ɪn'dʒʌŋkʃən] (*JUR*) s rettslig påbud *nt*

injure ['ɪndʒə^r] VT (**a**) (*+part of the body*) skade (*v1*)
(**b**) (= *person*) skade (*v1*), såre (*v1*)
(**c**) (*fig: feelings, self-esteem*) såre (*v1*)
(**d**) (*+reputation*) skade (*v1*)
▸ **to injure o.s.** skade seg

injured ['ɪndʒəd] ADJ (**a**) (*part of body*) skadd
(**b**) (*person*) skadd, såret ❑ *She was not badly injured...* Hun var ikke alvorlig skadd *or* såret...
(**c**) (*fig: tone, feelings, pride*) såret
▸ **the injured party** (*JUR*) den forurettede part

injurious [ɪn'dʒuərɪəs] ADJ ▸ **injurious to** (*+health*) skadelig for; (*+career, economy, situation*) ødeleggende for

injury ['ɪndʒərɪ] s skade *m*
▸ **to escape without injury** slippe* fra det uten skader

injury time s tilleggstid *c* (*pga skader*)

injustice [ɪn'dʒʌstɪs] s urettferdighet *c*
▸ **you do me an injustice** du gjør meg urett

ink [ɪŋk] s (*in pen*) blekk *nt*; (*in printing*) trykksverte *m*

ink-jet printer ['ɪŋkdʒɛt-] s blekkstråleskriver *m*

inkling ['ɪŋklɪŋ] s ▸ **to have an inkling of** ha* en anelse *m* om ❑ *He had no inkling of the cause of the delay.* Han hadde ingen anelse om årsaken til forsinkelsen.

inkpad ['ɪŋkpæd] s stempelpute *c*

inky ['ɪŋkɪ] ADJ (**a**) (*blackness, sky*) blekksvart
(**b**) (*object*) tilsmurt med blekk ❑ *...inky fingers.* ...fingre tilsmurt med blekk.

inlaid ['ɪnleɪd] ADJ (*with gems, wood etc*) innlagt

inland [*ADJ* 'ɪnlənd, *ADV* ɪn'lænd] **1** ADJ (*port, sea, waterway*) som ligger inne i landet
2 ADV (*travel*) inn i landet ❑ *If I get more than ten miles inland, I feel claustrophobic.* Hvis jeg kommer lenger enn ti miles inn i landet, får jeg klaustrofobi.

Inland Revenue (*BRIT*) s ≈ skattedirektoratet

in-laws ['ɪnlɔːz] SPL svigerfamilie *m sg*

inlet ['ɪnlɛt] (*GEOG*) s vik *c*

inlet pipe s innløpsrør *nt*

inmate ['ɪnmeɪt] s (*of prison*) innsatt *m decl as adj*; (*of asylum*) pasient *m*

inmost ['ɪnməust] ADJ (*thoughts, feelings*) innerst

inn [ɪn] s vertshus *nt*, kro *c*

innards ['ɪnədz] (*sl*) SPL innvoller

innate [ɪ'neɪt] ADJ (*skill, quality, characteristic*) medfødt

inner ['ɪnə^r] ADJ (*office, courtyard, calm, feelings*) indre

inner city s bykjerne *m*

innermost ['ɪnəməust] ADJ = **inmost**

inner tube s slange *m* (*i dekk*)

innings ['ɪnɪŋz] s (*in cricket*) inneperiode *m*
▸ **he's had a good innings** (*fig*) han har levd et langt og rikt liv

innocence ['ɪnəsns] s uskyld *m*, uskyldighet *c* ❑ *He protested his innocence.* Han hevdet sin uskyld *or* uskyldighet. *He had a peculiar air of childlike innocence.* Han hadde et merkelig mine av barnslig uskyld *or* uskyldighet.

innocent ['ɪnəsnt] ADJ uskyldig ❑ *Terrorism kills innocent people.* Terrorismen dreper uskyldige mennesker. *It was an innocent question.* Det var et uskyldig spørsmål.
▸ **to be innocent of a crime** ikke ha* begått en forbrytelse

innocuous [ɪ'nɔkjuəs] ADJ (*substance*) harmløs, uskadelig; (*remarks*) harmløs

innovation [ɪnəu'veɪʃən] s ▸ **an innovation** noe nytt; (*method*) en ny metode; (*invention*) en ny oppfinnelse, en nyskaping

innuendo [ɪnju'ɛndəu] (*pl* **innuendoes**) s (= *insinuation*) insinuasjon *m*, hentydning *m*

innumerable [ɪ'njuːmrəbl] ADJ utallig

inoculate [ɪ'nɔkjuleɪt] VT ▸ **to inoculate sb against sth** inokulere (*v2*) noen mot noe

inoculation [ɪnɔkju'leɪʃən] s inokulasjon *m*

inoffensive [ɪnə'fɛnsɪv] ADJ harmløs og fredelig

inopportune [ɪn'ɔpətjuːn] ADJ ubeleilig, uheldig

inordinate [ɪ'nɔːdɪnət] ADJ (**a**) (*pleasure, thirst etc*) umåtelig
(**b**) (*amount*) umåtelig, uforholdsmessig ❑ *...an inordinate length of time...* umåtelig *or* uforholdsmessig lang tid...

inordinately [ɪ'nɔːdɪnətlɪ] ADV (*proud*) umåtelig; (*long, large etc*) umåtelig, uforholdsmessig

inorganic [ɪnɔːˈgænɪk] ADJ uorganisk
in-patient [ˈɪnpeɪʃənt] S innlagt pasient *m*, sykehuspasient *m*
input [ˈɪnput] S (= *of resources*) tilførsel *m*; (DATA) input *m*, inndata *m or nt*
inquest [ˈɪnkwɛst] S (*on sb's death*) rettsmedisinsk undersøkelse *m*
inquire [ɪnˈkwaɪəʳ] 1 VI (= *ask*) spørre*, forhøre (*v2*) seg
2 VT (= *ask*) spørre* om ❑ *I enquired the way to the bus station.* Jeg spurte om veien til busstasjonen.
▸ **to inquire about** spørre* om, forhøre (*v2*) seg om
▸ **to inquire when/where/whether** spørre* når/hvor/om
▶ **inquire after** VT FUS ▸ **to enquire after sb/sb's health** spørre* hvordan det står til med noen
▶ **inquire into** VT FUS (*+death, circumstances*) etterforske (*v1*), granske (*v1*)
inquiring [ɪnˈkwaɪərɪŋ] ADJ ▸ **to have an inquiring mind** være* vitebegjærlig
inquiry [ɪnˈkwaɪərɪ] S (**a**) (= *question*) forespørsel *m*
(**b**) (*about advertisement*) henvendelse *m* ❑ *We had 500 inquiries.* Vi fikk 500 henvendelser.
(**c**) (= *investigation*) undersøkelse *m*, gransking *c* ❑ *...a court of inquiry.* ...en undersøkelseskommisjon *or* granskingskommisjon. *Opposition MPs have called for an inquiry.* Opposisjonens parlamentsmedlemmer har bedt om at saken granskes *or* blir undersøkt.
▸ **public inquiry** høring *c*
▸ **to hold an inquiry into sth** foreta* en gransking av noe
inquiry desk (BRIT) S informasjonsskranke *m*
inquiry office (BRIT) S informasjonskontor *nt*
inquisition [ɪnkwɪˈzɪʃən] S (= *interrogation*) (grundig) utspørring *c*; (REL) ▸ **the Inquisition** inkvisisjonen
inquisitive [ɪnˈkwɪzɪtɪv] ADJ spørrelysten
inroads [ˈɪnrəudz] SPL ▸ **to make inroads into** (*+savings, supplies*) gjøre* innhogg i (*var.* innhugg)
ins FK = **inches**
insane [ɪnˈseɪn] ADJ (**a**) (MED) sinnssyk ❑ *Pugin died insane at the age of forty.* Pugin var sinnssyk da han døde førti år gammel.
(**b**) (= *foolish, crazy*) sinnssyk, vanvittig ❑ *This idea is totally insane.* Denne ideen er fullstendig sinnsyk *or* vanvittig.
insanitary [ɪnˈsænɪtərɪ] ADJ helsefarlig, uhygienisk
insanity [ɪnˈsænɪtɪ] S (**a**) (MED) sinnssykdom *m* ❑ *He saw the beginnings of insanity in her.* Han så begynnende sinnssykdom i henne.
(**b**) (*of idea etc*) galskap *m*, vanvidd *nt* ❑ *I had to laugh at the insanity of it all.* Jeg måtte* le av galskapen *or* vanviddet i det hele.
insatiable [ɪnˈseɪʃəbl] ADJ (*greed, appetite*) umettelig
inscribe [ɪnˈskraɪb] VT ▸ **to inscribe sth on/in** (**a**) (*+stone, wood*) risse (*v1*) noe inn i
(**b**) (*+metal*) inngravere (*v2*) noe i
▸ **to inscribe (with)** (**a**) (*+jewellery*) gravere (*v2*) (med)
(**b**) (*+banner*) påskrive* (med) NB *He inscribed the book with his name.* Han skrev navnet sitt inn i boka.
inscription [ɪnˈskrɪpʃən] S (*on gravestone, memorial etc*) inskripsjon *m*; (*in book*) dedikasjon *m*
inscrutable [ɪnˈskruːtəbl] ADJ (*comment, expression*) utgrunnelig
insect [ˈɪnsɛkt] S insekt *nt*
insect bite S insektstikk *nt*
insecticide [ɪnˈsɛktɪsaɪd] S insektdrepende middel *nt*, insektgift *c*
insect repellent S insektmiddel *nt*
insecure [ɪnsɪˈkjuəʳ] ADJ (**a**) (*person*) utrygg, usikker ❑ *We often feel insecure.* Vi føler oss ofre utrygge *or* usikre.
(**b**) (*structure, job*) usikker ❑ *Insecure employment...* Usikre arbeidsplasser...
insecurity [ɪnsɪˈkjuərɪtɪ] S (*of job, finances, person*) usikkerhet *c* NB *She's faced with a high degree of job insecurity.* Jobben hennes er høyst usikker.
insemination [ɪnsɛmɪˈneɪʃən] S ▸ **artificial insemination** kunstig sædoverføring *c*, kunstig inseminasjon *m*
insensible [ɪnˈsɛnsɪbl] ADJ (**a**) (= *unconscious*) bevisstløs ❑ *Simpson first used chloroform to render patients insensible.* Simpson brukte først kloroform for å gjøre* pasientene bevisstløse.
(**b**) (= *unaffected*) ▸ **to be insensible to**
(**c**) (*+pain, cold*) være* ufølsom overfor
(**d**) (*+shame, charm*) være* uberørt av ❑ *They were insensible to the shame brought upon them.* De var uberørte av skammen han hadde bragt over dem.
(**e**) (= *unaware*) ▸ **to be insensible of** ikke ense* ❑ *She seemed insensible of the honour done to her.* Hun så ikke ut til å ense den æren som ble vist henne.
insensitive [ɪnˈsɛnsɪtɪv] ADJ ufølsom, følelsesløs
insensitivity [ɪnsɛnsɪˈtɪvɪtɪ] S ufølsomhet *c*, følelsesløshet *c*
inseparable [ɪnˈsɛprəbl] ADJ (*ideas, elements, friends*) uatskillelig ❑ *Culture is inseparable from class.* Kultur er uatskillelig fra klasse.
insert [VT ɪnˈsəːt, N ˈɪnsəːt] 1 VT (**a**) (*+coin into slot*) legge* på
(**b**) (*+object: between two things*) legge* inn, stikke* inn
(**c**) (*into sth*) sette* inn, stikke* inn ❑ *I inserted the paper between the pages of the book.* Jeg stakk inn *or* la inn papiret mellom sidene i boka. *He inserted the wooden peg into the hole.* Han stakk *or* satte trepluggen inn i hullet.
(**d**) (*+word into text*) sette* inn
2 S (**a**) (*in shoe etc*) innlegg *nt*
(**b**) (*in newspaper*) bilag *nt*
insertion [ɪnˈsəːʃən] S ▸ **the insertion of a needle/a word (into sth)** *det å sette en nål/et ord inn (i noe)* ❑ *Insertion of the needle is completely painless.* Det er fullstendig smertefritt når nålen settes inn.
in-service [ˈɪnˈsəːvɪs] ADJ ▸ **in-service training/course** opplæring *c* i tjenesten
inshore [ˈɪnˈʃɔːʳ] 1 ADJ (*fishing, waters*) kyst-
2 ADV (**a**) (*be*) inne ved kysten ❑ *These fish are not found close inshore.* Denne fisken er ikke å finne nært inne ved kysten
(**b**) (*move*) innover mot land ❑ *We moved the bait*

inshore. Vi flyttet agnet innover mot land

inside [ɪn'saɪd] 1 s innside *c*
2 ADJ (**a**) (*pocket*) inner-
(**b**) (= *indoors*) innendørs *after noun* ❑ *He reached into his inside jacket pocket.* Han tok hånden til innerlommen i jakken sin.
3 ADV (**a**) (*go*) inn ❑ *...invited him inside.* ...inviterte ham inn.
(**b**) (*be*) inni
(**c**) (*indoors*) inne ❑ *I sat inside and waited.* Jeg satt inne og ventet.
4 PREP (**a**) (+*location*) inni ❑ *Fires started inside the buildings.* Det brøt ut brann inni bygningene.
(**b**) (+*time*) innen ❑ *Inside three hours, we were back again.* Innen tre timer var vi tilbake.
▸ **insides** SPL (**a**) (*sl: of animal*) innvoller *m pl*
(**b**) (*of person*) mage *m sg*
▸ **inside lane** (*BIL*) indre fil *c*

inside information s inside information *m*, underhåndsopplysninger *pl*

inside lane (*BIL*) s indre fil *c*

inside leg (*BRIT*) s benlengde *m* på innsiden av benet

inside out ADV (**a**) (*be*) vrang ❑ *Your jumper's inside out.* Genseren din er vrang.
(**b**) (*know*) ut og inn ❑ *He knows Chicago inside out.* Han kjenner Chicago ut og inn.
▸ **to turn sth inside out** vrenge (*v2*) noe

insider [ɪn'saɪdəʳ] s insider *m*, *person som tilhører de innvidde*

insider dealing s (*FIN*) innsidehandel *m*

insider dealing *or* **trading** s innsidehandel *m*

insider trading s = **insider dealing**

inside story s sladderhistorie *m* (som bare er kjent av de innvidde)

insidious [ɪn'sɪdɪəs] ADJ (*effect, power*) snikende

insight ['ɪnsaɪt] s innsikt *m* ❑ *...a flash of insight.* ...et øyeblikks innsikt.
▸ **to gain an insight into** få* innsikt i, få* et innblikk i

insignia [ɪn'sɪgnɪə] s UBØY (verdighets)merke *nt*, insignier *pl*

insignificant [ɪnsɪg'nɪfɪknt] ADJ (*extent, importance*) ubetydelig

insincere [ɪnsɪn'sɪəʳ] ADJ uoppriktig

insincerity [ɪnsɪn'sɛrɪtɪ] s uoppriktighet *c*

insinuate [ɪn'sɪnjueɪt] VT insinuere (*v2*)

insinuation [ɪnsɪnju'eɪʃən] s insinuasjon *m*

insipid [ɪn'sɪpɪd] ADJ (*person*) treg og kjedelig; (*colour*) blass; (*food, drink*) tam

insist [ɪn'sɪst] VI insistere (*v2*)
▸ **to insist on** forlange (*v2*)
▸ **to insist that** (**a**) (= *demand*) insistere (*v2*) på at
(**b**) (= *claim*) holde* fast på at, fastholde* at ❑ *Others will insist that all is well.* Andre vil holde fast på at *or* fastholde at alt er i orden.

insistence [ɪn'sɪstəns] s ▸ **his insistence on his innocence** det at han holdt fast på at *or* fastholdt at han var uskyldig

insistent [ɪn'sɪstənt] ADJ (*person, noise, action*) iherdig ❑ *...the phone's insistent ringing.* ...telefonens iherdige ringing.
▸ **to be insistent that** insistere (*v2*) på at

in so far as ADV for så vidt som

insole ['ɪnsəul] s binnsåle *m*

insolence ['ɪnsələns] s uforskammethet *c*

insolent ['ɪnsələnt] ADJ (*attitude, remark*) uforskammet

insoluble [ɪn'sɔljubl] ADJ uløselig

insolvency [ɪn'sɔlvənsɪ] s insolvens *m*, betalingsudyktighet *m*

insolvent [ɪn'sɔlvənt] ADJ insolvent, betalingsudyktig

insomnia [ɪn'sɔmnɪə] s søvnløshet *c*

insomniac [ɪn'sɔmnɪæk] s person *m* med søvnproblemer, søvnløs *m decl as adj*

inspect [ɪn'spɛkt] VT (**a**) (= *examine*) undersøke (*v2*) ❑ *She inspected his fingers for signs of smoking.* Hun undersøkte fingeren hans for å se om de viste tegn på røyking.
(**b**) (+*premises, equipment, troops*) inspisere (*v2*)

inspection [ɪn'spɛkʃən] s (**a**) (= *examination*) undersøkelse *m* ❑ *Closer inspection revealed plant life among the rocks.* Nærmere undersøkelse viste at det var planteliv rundt steinene.
(**b**) (*of premises, equipment, troops*) inspeksjon *m*

inspector [ɪn'spɛktəʳ] s (*ADMIN*) inspektør *m*; (*BRIT: on buses, trains*) kontrollør *m*; (*BRIT: POLITI*) ≈ politimester *m*

inspiration [ɪnspə'reɪʃən] s (**a**) (= *encouragement*) inspirasjon *m* ❑ *Nationalists in colonial countries drew inspiration from outside.* Nasjonalister i kolonilandene hentet inspirasjon utenfra.
(**b**) (= *influence, source*) inspirasjonskilde *m* ❑ *China was the inspiration for new ideological growth.* Kina var inspirasjonskilde for ny ideologisk vekst.
(**c**) (= *idea*) lys idé *m* ❑ *I had an inspiration.* Jeg fikk en lys idé.

inspire [ɪn'spaɪəʳ] VT (+*workers, troops*) inspirere (*v2*); (+*confidence, hope, respect etc*) inngi*

inspired [ɪn'spaɪəd] ADJ inspirert
▸ **in an inspired moment** i et øyeblikks inspirasjon

inspiring [ɪn'spaɪərɪŋ] ADJ inspirerende

inst. (*BRIT: MERK*) FK (= **instant**) d.m. (= *denne måned*)

instability [ɪnstə'bɪlɪtɪ] s ustabilitet *m* ❑ *...political instability...* politisk ustabilitet...

install [ɪn'stɔːl] VT (+*machine, device*) innstallere (*v2*); (+*official, president*) innsette*

installation [ɪnstə'leɪʃən] s (**a**) (*of machine, equipment*) installasjon *m*
(**b**) (= *equipment*) anlegg *nt* ❑ *...missile installations.* ...rakettanlegg.

installment plan (*US*) s avbetalingssystem *nt*

instalment [ɪn'stɔːlmənt], **installment** (*US*) s (**a**) (*of payment*) avdrag *nt* ❑ *You can pay in monthly instalments.* Du kan betale i månedlige avdrag.
(**b**) (*of story*) del *m*
(**c**) (*of TV serial*) episode *m*, del *m* ❑ *We await the next gripping instalment.* Vi venter i spenning på neste nervepirrende episode *or* del i serien.
▸ **in instalments** (*pay, receive*) i avdrag

instance ['ɪnstəns] s eksempel *nt* ❑ *There are numerous instances of angry scenes.* Det er tallrike eksempler på sinte scener.
▸ **for instance** for eksempel

▸ **in that instance** i det tilfellet
▸ **in many instances** i mange tilfeller
▸ **in the first instance** til å begynne med, i første instans

instant ['ɪnstənt] 1 s øyeblikk *nt*
2 ADJ (**a**) (*reaction, success*) øyeblikkelig, umiddelbar
(**b**) (*coffee*) pulver-
(**c**) (*soup*) pose-
(**d**) (*other foods*) ferdiglaget
▸ **for an instant** et øyeblikk

instantaneous [ɪnstən'teɪnɪəs] ADJ øyeblikkelig, momentan, umiddelbar

instantly ['ɪnstəntlɪ] ADV momentant, umiddelbart NB *He was killed instantly.* Han ble drept momentant.

instant replay (*TV*) s reprise *m* (*på enkelthandling, ofte i sakte film*)

instead [ɪn'stɛd] ADV i stedet, isteden
▸ **instead of** i stedet for, istedenfor ❑ *I'm tired of sleeping in the mud instead of a nice, warm bed.* Jeg er lei av å sove i gjørma i stedet for *or* istedenfor en god, varm seng.

instep ['ɪnstɛp] s vrist *c* (*var.* rist)

instigate ['ɪnstɪgeɪt] VT (*+rebellion*) forårsake (*v1*); (*+talks*) innlede (*v1*)

instigation [ɪnstɪ'geɪʃən] s tilskyndelse *m*
▸ **at sb's instigation** etter tilskyndelse av noen

instil [ɪn'stɪl] VT ▸ **to instil sth into** (*+confidence, fear etc*) framkalle (*v2x*) noe i, innpode (*v1*) noe i

instinct ['ɪnstɪŋkt] s instinkt *nt* ❑ *My first instinct was to resign.* Mitt første instinkt var at jeg burde si opp.

instinctive [ɪn'stɪŋktɪv] ADJ instinktiv

instinctively [ɪn'stɪŋktɪvlɪ] ADV instinktivt

institute ['ɪnstɪtju:t] 1 s institutt *nt* ❑ *I visited a number of research institutes.* Jeg besøkte en rekke forskningsinstitutter.
2 VT (**a**) (*+system*) innføre (*v2*), opprette (*v1*) ❑ *...when the scheme was instituted...* da dette systemet ble innført *or* opprettet...
(**b**) (*+rule*) innføre (*v2*)
(**c**) (*+course of action, inquiry*) iverksette*, sette* i gang
▸ **to institute proceedings against sb** reise (*v2*) tiltale mot noen

institution [ɪnstɪ'tju:ʃən] s (**a**) (*of system etc*) opprettelse *m*, innføring *c* ❑ *The institution of life peerages...* Innføringen *or* opprettelsen av livsvarige adelstitler...
(**b**) (*= custom, tradition, organization, home*) institusjon *m* ❑ *...the institution of marriage...* ekteskapet som institusjon... *This university accepts lower grades than other institutions.* Dette universitetet godtar lavere karakterer enn andre institusjoner. *...a mental institution.* ...en institusjon for sinnslidende.

institutional [ɪnstɪ'tju:ʃənl] ADJ formell ❑ *He had no institutional education.* Han hadde ingen formell utdannelse.
▸ **to be in institutional care** bo (*v4*) på institusjon

instruct [ɪn'strʌkt] VT ▸ **to instruct sb in sth** (**a**) (*= teach*) undervise (*v2*) noen i noe
(**b**) (*practical skill*) instruere (*v2*) noen i noe ❑ *He instructed her in the arts of lovemaking.* Han instruerte henne i elskovskunsten.
▸ **to instruct sb to do sth** gi* noen instruks *or* pålegg *or* beskjed om å gjøre* noe ❑ *I've been instructed to take you to London.* Jeg har fått instruks *or* pålegg *or* beskjed om å ta* deg med til London.

instruction [ɪn'strʌkʃən] 1 s (**a**) (*theoretical*) undervisning *c*
(**b**) (*in practical skill*) instruksjon *m*
2 SAMMENS (*book, manual, leaflet etc*) instruksjons-
▸ **instructions** SPL instrukser, ordrer ❑ *These are my instructions and I must carry them out.* Dette er de instruksene *or* ordrene jeg har fått, og de må jeg følge.
▸ **instructions (for use)** bruksanvisning *m sg* ❑ *Read the instructions before you switch on the engine.* Les bruksanvisningen før du slår på motoren.

instructive [ɪn'strʌktɪv] ADJ (*lesson*) lærerik; (*response*) opplysende

instructor [ɪn'strʌktəʳ] s (*= teacher*) lærer *m*; (*for skiing, driving etc*) instruktør *m*, lærer *m*

instrument ['ɪnstrumənt] s (**a**) (*= tool, device*) instrument *nt*
(**b**) (*bigger*) redskap *m* ❑ *...surgical instruments.* ...kirurgiske instrumenter.
(**c**) (*MUS*) instrument *nt*

instrumental [ɪnstru'mɛntl] ADJ (*MUS*) instrumental
▸ **to be instrumental in doing sth** spille (*v2x*) en avgjørende rolle når det gjelder å gjøre* noe

instrumentalist [ɪnstru'mɛntəlɪst] s instrumentalist *m*

instrument panel s instrumentbord *nt*; (*in car*) dashbord *nt*

insubordination [ɪnsəbɔ:dɪ'neɪʃən] s oppsetsighet *m*

insufferable [ɪn'sʌfrəbl] ADJ (*arrogance, laziness*) uutholdelig; (*person*) utålelig

insufficient [ɪnsə'fɪʃənt] ADJ utilstrekkelig

insufficiently [ɪnsə'fɪʃəntlɪ] ADV utilstrekkelig

insular ['ɪnsjuləʳ] ADJ (*outlook*) øyboer-; (*person*) sneversynt, som er seg selv nok

insulate ['ɪnsjuleɪt] VT (*against cold, sound, electricity, influences*) isolere (*v2*) ❑ *No country can insulate itself from the affairs of others.* Ikke noe land kan isolere seg fra det som skjer i andre land.

insulating tape s isolasjonstape *m*, isolasjonsbånd *nt*

insulation [ɪnsju'leɪʃən] s (**a**) (*of person, group*) isolasjon *m*
(**b**) (*against cold etc: action*) isolering *c*
(**c**) (*material*) isolasjon *m* ❑ *...a long roll of roof insulation.* ...en lang rull med takisolasjon.

insulator ['ɪnsjuleɪtəʳ] s isolator *m*

insulin ['ɪnsjulɪn] s insulin *nt*

insult [*N* 'ɪnsʌlt, *VB* ɪn'sʌlt] 1 s (*offence*) fornærmelse *m* ❑ *It was an insult to the audience's intelligence.* Det var en fornærmelse mot publikums intelligens.
2 VT (*offend*) fornærme (*v1*), krenke (*v1*) ❑ *He feels deeply insulted.* Han føler deg dypt fornærmet *or* krenket.

insulting [ɪn'sʌltɪŋ] ADJ (*attitude, language*)

fornærmende
insuperable [ɪn'sju:prəbl] ADJ (*obstacle, problem*) uoverkommelig, uovervinnelig
insurance [ɪn'ʃuərəns] S (*of property, car, life etc*) forsikring *c*
▸ **fire/life insurance** brann-/livsforsikring
▸ **to take out insurance (against)** tegne forsikring (mot)
insurance agent S forsikringsagent *m*
insurance broker S forsikringsmegler *m*
insurance certificate S forsikringsbevis *nt*
insurance policy S forsikringspolise *m*
insurance premium S forsikringspremie *m*
insure [ɪn'ʃuəʳ] VT ▸ **to insure against** (**a**) (*using insurance*) forsikre (*v1*) mot
(**b**) (*against drought etc*) sikre (*v1*) seg mot
▸ **to be insured for £5,000** være* forsikret for 5 000 pund
insured [ɪn'ʃuəd] S ▸ **the insured** forsikringstakeren, den forsikrede
insurer [ɪn'ʃuərəʳ] S forsikringsgiver *m*, assurandør *m*
insurgent [ɪn'sə:dʒənt] 1 ADJ opprørs- ❑ *...politically insurgent groups.* ...politiske opprørsgrupper.
2 S opprører *m*
insurmountable [ɪnsə'mauntəbl] ADJ (*problem, barrier etc*) uoverstigelig, uoverkommelig
insurrection [ɪnsə'rɛkʃən] S opprør *nt*
intact [ɪn'tækt] ADJ intakt, i behold
intake ['ɪnteɪk] S (*of food, air etc*) inntak *nt*; (*BRIT: SKOL*) ▸ **an intake of 200 a year** et opptak på 200 i året
intangible [ɪn'tændʒɪbl] ADJ (*quality, idea, benefit*) uhåndgripelig
integer ['ɪntɪdʒəʳ] S helt tall *nt*
integral ['ɪntɪgrəl] ADJ (*feature, element*) vesentlig
integrate ['ɪntɪgreɪt] 1 VT integrere (*v2*) ❑ *...to integrate me into the group.* ...for å integrere meg i gruppen. *The two regional railway systems were integrated.* De to regionale jernbanenettene ble integrert.
2 VI (*groups, individuals+*) bli* integrert ❑ *Local organizations help the individual integrate into the community.* Lokale organisasjoner hjelper den enkelte å bli* integrert i samfunnet.
integrated circuit S integrert krets *m*
integration [ɪntɪ'greɪʃən] S integrering *c* ❑ *...the integration of immigrants into British society.* ...integreringen av innvandrere i det britiske samfunnet.
▸ **racial integration** opphevelse *m* av raseskillet
integrity [ɪn'tɛgrɪtɪ] S (*of person*) integritet *m*, rettskaffenhet *m*; (*of culture, group*) integritet *m*; (*of text*) helhet *c*
intellect ['ɪntəlɛkt] S intellekt *nt*
intellectual [ɪntə'lɛktjuəl] 1 ADJ intellektuell
2 S intellektuell *m decl as adj*
intelligence [ɪn'tɛlɪdʒəns] S (**a**) (= *brains*) intelligens *m* ❑ *...a person of average intelligence.* ...en person med gjennomsnittlig intelligens.
(**b**) (*MIL etc: service*) etterretningstjeneste *m*
(**c**) (*information*) etterretning *c*
intelligence quotient S intelligenskvotient *m*
intelligence service S etterretningstjeneste *m*
intelligence test S intelligenstest *m*
intelligent [ɪn'tɛlɪdʒənt] ADJ (*person, decision, machine*) intelligent
intelligently [ɪn'tɛlɪdʒəntlɪ] ADV på en intelligent måte
intelligentsia [ɪntɛlɪ'dʒɛntsɪə] S ▸ **the intelligentsia** intelligentsiaen, de intellektuelle
intelligible [ɪn'tɛlɪdʒɪbl] ADJ forståelig
intemperate [ɪn'tɛmpərət] ADJ ubehersket
intend [ɪn'tɛnd] VT (*+gift etc*) ▸ **to intend sth for sb** beregne (*v1*) noe på noen, tiltenke (*v2*) noen noe ❑ *The man had drunk what had been intended for me.* Mannen hadde drukket noe som var beregnet på *or* tiltenkt meg.
▸ **to intend to do sth** (= *mean, plan*) ha* til hensikt å gjøre* noe, akte (*v1*) å gjøre* noe ❑ *This is my job and I intend to do it.* Dette er min jobb og jeg har til hensikt *or* akter å gjøre* den.
intended [ɪn'tɛndɪd] ADJ (*effect, victim, insult*) beregnet; (*journey*) planlagt
intense [ɪn'tɛns] ADJ (*heat, effort, anger, joy*) intens, voldsom; (*person*) intens
intensely [ɪn'tɛnslɪ] ADV (= *extremely*) intenst, voldsomt
intensify [ɪn'tɛnsɪfaɪ] VT intensivere (*v2*), forsterke (*v1*)
intensity [ɪn'tɛnsɪtɪ] S intensitet *m*
intensive [ɪn'tɛnsɪv] ADJ intensiv
intensive care S ▸ **to be in intensive care** være* på intensivavdeling (*på sykehus*), være* under intensiv overvåkning
intensive care unit S intensivavdeling *c*
intent [ɪn'tɛnt] 1 S formål *nt*, intensjon *m* ❑ *They signed a declaration of intent.* De underskrev en formålsavtale *or* intensjonavtale.
2 ADJ spent oppmerksom ❑ *He gazed at their intent faces.* Han stirret på deres spente, oppmerksomme ansikter.
▸ **intent on sth** oppslukt av noe
▸ **to be intent on doing sth** være* oppsatt på å gjøre* noe, være* fast bestemt på å gjøre* noe
▸ **to all intents and purposes** i alt vesentlig
intention [ɪn'tɛnʃən] S hensikt *m*, intensjon *m* ❑ *She had no intention of spending the rest of her life...* Hun hadde ingen intensjoner om å tilbringe resten av livet.... Hun hadde overhodet ikke til hensikt å tilbringe resten av livet...
▸ **with the best (of) intentions** med de beste hensikter
intentional [ɪn'tɛnʃənl] ADJ bevisst, tilsiktet
intentionally [ɪn'tɛnʃnəlɪ] ADV med vilje, med hensikt
intently [ɪn'tɛntlɪ] ADV (*listen, watch*) ufravendt, spent oppmerksomt
inter [ɪn'tə:ʳ] VT gravlegge*
interact [ɪntər'ækt] VI ▸ **to interact with** (*people+*) ha* samkvem med, være* i samspill med; (*ideas+*) gripe* inn i
interaction [ɪntər'ækʃən] S (*of people, things, ideas*) samspill *nt* ❑ *There is a need for more interaction between staff and children.* Det er behov for større samspill mellom barn og ansatte.
interactive [ɪntər'æktɪv] ADJ interaktiv
intercede [ɪntə'si:d] VI ▸ **to intercede (with sb/**

on behalf of sb) gå* i forbønn (hos noen/for noen)

intercept [ɪntə'sɛpt] VT (*+person, car*) sperre (*v1*) veien for; (*+message*) fange (*v1*) opp; (*+attack, supplies*) avskjære*

interception [ɪntə'sɛpʃən] S (*of message*) oppfanging *c*; (*of attack, supplies*) avskjæring *c*

interchange ['ɪntətʃeɪndʒ] S (*= exchange*) utveksling *m*; (*on motorway*) trafikkmaskin *m*

interchangeable [ɪntə'tʃeɪndʒəbl] ADJ (*terms*) som kan brukes om hverandre; (*ideas*) som dekker hverandre; (*things*) som kan brukes om hverandre

intercity [ɪntə'sɪtɪ] ADJ ▸ **intercity train** intercity tog *nt*

intercom ['ɪntəkɔm] S intercom *m*

interconnect [ɪntəkə'nɛkt] VI ha* forbindelse med hverandre

intercontinental ['ɪntəkɔntɪ'nɛntl] ADJ (*flight, missile*) interkontinental

intercourse ['ɪntəkɔːs] S (**a**) (*sexual*) samleie *nt*, seksuell omgang *m* ❑ *Intercourse may mean a baby in nine months' time.* Samleie *or* seksuell omgang kan resultere i en baby om ni måneder.
(**b**) (*social: communication*) samvær *nt*, samkvem *nt*

interdependence [ɪntədɪ'pɛndəns] S gjensidig avhengighet *c* ❑ *...the interdependence of economies.* ...den gjensidige avhengigheten mellom økonomiske situasjoner.

interdependent [ɪntədɪ'pɛndənt] ADJ gjensidig avhengig

interest ['ɪntrɪst] [1] S (**a**) (*gen*) interesse *m* ❑ *...people who have taken an active interest in the project.* ...folk som aktivt er interessert i prosjektet. *...two consuming interests: rowing and polo.* ...to altoppslukende interesser: roing og polo. *They would protect the interests of their members.* De ville* beskytte medlemmenes interesser.
(**b**) (*MERK: in a company*) økonomisk andel *m*
(**c**) (*on loan, savings: rate*) rente *c*
(**d**) (*= amount paid*) renter *pl*
[2] VT interessere (*v2*)
▸ **compound interest** rente *c* og rentes rente
▸ **simple interest** enkel rente *c* (*uten rentes rente*)
▸ **a controlling interest** (*MERK*) aksjemajoritet *m*
▸ **his main interest is...** hovedinteressen hans er...

interested ['ɪntrɪstɪd] ADJ (*party, group etc*) involvert
▸ **to be interested (in sth/doing sth)** være* interessert (i noe/å gjøre* noe)

interest-free ['ɪntrɪst'friː] [1] ADJ (*loan*) rentefri
[2] ADV (*lend*) rentefritt

interesting ['ɪntrɪstɪŋ] ADJ interessant

interest rate S rente *c*, rentefot *m*

interface ['ɪntəfeɪs] [1] S (**a**) (*DATA*) grensesnitt *nt*
(**b**) (*= area of contact*) grenseområde *nt* ❑ *...the interface between technology and design.* ...grenseområdet mellom teknologi og design.
[2] VI (*= communicate*) ▸ **to interface with** samspille (*v2x*) med

interfere [ɪntə'fɪəʳ] VI ▸ **to interfere in** (*+quarrel, other people's business*) blande (*v1*) seg (opp) i, legge* seg opp i
▸ **to interfere with** (**a**) (*+object*) tukle (*v1*) med ❑ *Don't interfere with my camera!* Ikke tukle med kameraet mitt!
(**b**) (*+plans, career, duty, decision*) være* til hinder for, komme* i veien for
▸ **don't interfere** ikke bland deg inn, ikke forstyrr

interference [ɪntə'fɪərəns] S (*in sb's affairs etc*) innblanding *c*; (*RADIO, TV*) interferens *m*

interfering [ɪntə'fɪərɪŋ] ADJ (*person*) som blander seg (opp) i ting

interim ['ɪntərɪm] [1] ADJ (**a**) (*agreement*) midlertidig
(**b**) (*government*) interims-
[2] S ▸ **in the interim** i mellomtiden
▸ **interim arrangement** overgangsordning *c*

interim dividend S foreløpig utbytte *nt*

interior [ɪn'tɪərɪəʳ] [1] S (**a**) (*of building, car, box etc*) innside *m*
(**b**) (*of country*) ▸ **the interior** det indre ❑ *The interior of the island consists largely of swamps.* Det indre av øya består for det meste av myr.
[2] ADJ (**a**) (*door, window, room etc*) innvendig
(**b**) (*POL: minister, department*) innenriks-

interior decorator S maler *m* og tapetserer *m*

interior designer S interiørarkitekt *m*, innendørsarkitekt *m*

interjection [ɪntə'dʒɛkʃən] S (*= interruption*) avbrytelse *m*; (*LING*) interjeksjon *m*, utropsord *nt*

interlock [ɪntə'lɔk] VI være* knyttet tett sammen ❑ *All the units interlock with one another.* Alle enhetene er knyttet tett og fast sammen.

interloper ['ɪntələupəʳ] S inntrenger *m*

interlude ['ɪntəluːd] S (*= break*) pause *m*; (*MUS*) mellomspill *nt*

intermarry [ɪntə'mærɪ] VI (*within family*) gifte (*v1*) seg innbyrdes; (*between races*) gifte (*v1*) seg på tvers av raseskille

intermediary [ɪntə'miːdɪərɪ] S mellommann *m*

intermediate [ɪntə'miːdɪət] ADJ (*stage*) mellom-; (*student*) på mellomtrinnet

interment [ɪn'təːmənt] S gravleggelse *m*

interminable [ɪn'təːmɪnəbl] ADJ (*process, delay*) uendelig, endeløs

intermission [ɪntə'mɪʃən] S (*= break, pause*) pause *m*; (*TEAT, FILM*) pause *m*

intermittent [ɪntə'mɪtnt] ADJ (*noise*) periodisk tilbakevendende
▸ **intermittent periods of rain/depression** periodiske regnbyger/depresjoner

intermittently [ɪntə'mɪtntlɪ] ADV periodisk, innimellom

intern [*VB* ɪn'təːn, *N* 'ɪntəːn] [1] VT internere (*v2*)
[2] S (*US: houseman*) ≈ turnuskandidat *m* (*ved sykehus*)

internal [ɪn'təːnl] ADJ (**a**) (*pipes, layout etc*) innvendig
(**b**) (*bleeding, injury*) indre
(**c**) (*security, politics*) innenriks-
(**d**) (*dispute, reform, memo, structure*) intern ❑ *An authoritarian leadership stifled internal debate.* Et autoritært styre kvalte all intern debatt.

internally [ɪn'təːnəlɪ] ADV ▸ **"not to be taken internally"** "må ikke tas inn"

Internal Revenue Service (*US*) S ▸ **the Internal Revenue Service** ≈ skattedirektoratet

international [ɪntə'næʃənl] [1] ADJ (*trade,*

agreement etc) internasjonal
2 s (*BRIT: match*) landskamp *m*
International Atomic Energy Agency s ▸ **the International Atomic Energy Agency** Det internasjonale rådet for atomkraft
International Chamber of Commerce s ▸ **the International Chamber of Commerce** Det internasjonale handelskammer
International Court of Justice s ▸ **the International Court of Justice** Den internasjonale domstol
international date line s internasjonal datolinje *c*
International Labour Organization s ▸ **the International Labour Organization** Internasjonale LO
internationally [ɪntəˈnæʃnəlɪ] ADV internasjonalt
International Monetary Fund s ▸ **the International Monetary Fund** Det internasjonale valutafond
international relations SPL internasjonale forbindelser
internecine [ɪntəˈniːsaɪn] ADJ gjensidig ødeleggende
internee [ɪntəːˈniː] s internert *m decl as adj*
Internet® [ˈɪntənɛt] s ▸ **the Internet** [ˈɪntənɛt] Internett
▸ **to browse/surf the Internet** surfe (*v2*) på Internett
internment [ɪnˈtəːnmənt] s internering *c*
interplay [ˈɪntəpleɪ] s samspill *nt*
Interpol [ˈɪntəpɔl] s Interpol
interpret [ɪnˈtəːprɪt] 1 VT (= *translate*) tolke (*v1*); (= *explain, understand: coded message*) tyde (*v1*); (+*behaviour, statement*) tolke (*v1*)
2 VI tolke (*v1*)
interpretation [ɪntəːprɪˈteɪʃən] s tolkning *m*
interpreter [ɪnˈtəːprɪtəʳ] s tolk *m*
interpreting [ɪnˈtəːprɪtɪŋ] s tolking *c*
interrelated [ɪntərɪˈleɪtɪd] ADJ (som er) forbundet med hverandre
interrogate [ɪnˈtɛrəugeɪt] VT forhøre (*v2*)
interrogation [ɪntɛrəuˈgeɪʃən] s forhør *nt*
❑ *...modern methods of interrogation.* ...moderne forhørsmetoder.
interrogative [ɪntəˈrɔgətɪv] ADJ interrogativ, spørre-
interrogator [ɪnˈtɛrəgeɪtəʳ] s forhørsleder *m*
interrupt [ɪntəˈrʌpt] VTI avbryte* ❑ *Sorry to interrupt but...* Beklager at jeg må avbryte, men...
interruption [ɪntəˈrʌpʃən] s avbrytelse *m* ❑ *We should be safe from interruption.* Vi er nok trygge mot avbrytelser. *She hates interruptions.* Hun hater å bli* avbrutt.
intersect [ɪntəˈsɛkt] 1 VI krysse (*v1*) hverandre
2 VT krysse (*v1*); (*MAT*) skjære*
intersection [ɪntəˈsɛkʃən] s (**a**) (*of roads*) kryss *nt*
❑ *The city lies at the intersection of three motorways.* Byen ligger der tre motorveier krysser hverandre.
(**b**) (*MAT*) skjæringspunkt *nt*
intersperse [ɪntəˈspəːs] VT ▸ **shops interspersed with offices** butikker med kontorer innimellom
intertwine [ɪntəˈtwaɪn] VI (*arms, scarves etc*+) flette (*v1*) seg sammen; (*snakes*+) sno (*v4*) seg sammen
interval [ˈɪntəvl] s (**a**) (= *break, pause*) mellomrom *nt*
(**b**) (*MUS*) intervall *nt*
▸ **sunny intervals** perioder med sol
▸ **at intervals** fra tid til annen
▸ **at regular/short intervals** med jevne/korte mellomrom
▸ **at six-month intervals** med seks måneders mellomrom
intervene [ɪntəˈviːn] VI (**a**) (*person*+ *: in situation*) gripe* inn
(**b**) (*in speech*) blande (*v1*) seg inn ❑ *He intervened on behalf of his friend.* Han grep inn på vegne av sin venn. *"It won't do, George," said Howard, intervening.* "Det holder ikke, George," blandet Howard seg inn.
(**c**) (*event*+) komme* imellom ❑ *Neither bill became law because the general election intervened.* Ingen av lovforslagene gikk igjennom fordi valget kom imellom.
(**d**) (*time*+) gå* i mellomtiden ❑ *Ten years had intervened since she had last seen Joe.* Ti år hadde gått siden hun sist hadde sett Joe.
intervening [ɪntəˈviːnɪŋ] ADJ (*period, years*) mellomliggende
intervention [ɪntəˈvɛnʃən] s (**a**) (*of person*) innblanding *c*
(**b**) (*MIL*) intervensjon *m* ❑ *...armed intervention...* væpnet intervensjon...
interview [ˈɪntəvjuː] 1 s intervju *nt* ❑ *I had an interview for a job.* Jeg var på et intervju om en jobb. *...he gave a series of interviews on television.* ...han gav en serie med intervjuer på tv.
2 VT intervjue (*v1*)
▸ **to interview sb for a job** intervjue (*v1*) noen angående en jobb
interviewee [ɪntəvjuˈiː] s (*for job*) *person som er innkalt til intervju*; (*TV etc*) intervjuobjekt *nt*
interviewer [ˈɪntəvjuəʳ] s intervjuer *m*
intestate [ɪnˈtɛsteɪt] ADV uten å ha* satt opp testamente
intestinal [ɪnˈtɛstɪnl] ADJ *som hører til tarmene*; tarm-
intestine [ɪnˈtɛstɪn] s tarm *m*
intimacy [ˈɪntɪməsɪ] s (**a**) (*mental*) fortrolighet *m*, intimitet *m* ❑ *...the intimacy between mother and daughter.* ...fortroligheten *or* intimiteten mellom mor og datter.
(**b**) (*physical*) nærhet *m*, intimitet *m* ❑ *...we experience the intimacy of physical love...* vi opplever nærheten *or* intimiteten ved elskov...
intimate [*ADJ* ˈɪntɪmət, *VB* ˈɪntɪmeɪt] 1 ADJ (**a**) (*relationship: friendly*) fortrolig
(**b**) (*sexual*) intim ❑ *Jean was her dearest and most intimate friend.* Jean var hennes kjæreste og mest fortrolige venn. *He had been having intimate relations with her quite unknown to his wife.* Han hadde hatt intime forbindelser med henne som var helt ukjent for hans kone.
(**c**) (*conversation*) fortrolig
(**d**) (*matter*) personlig
(**e**) (*detail, restaurant, atmosphere*) intim NB *We enjoyed an intimate meal together.* Vi spiste

sammen i en hyggelig, intim atmosfære.
(**f**) (*knowledge*) inngående ❑ ***...with an intimate knowledge of the station.*** ...med inngående kjennskap til stasjonen.
2 VT (= *hint at*) antyde (*v1*), tilkjennegi*
▸ **to intimate that...** antyde at...

intimately ['ɪntɪmətlɪ] ADV (**a**) (*sexually*) intimt ❑ ***They behave very intimately when they are alone.*** De er veldig intime når de er alene.
(**b**) (= *confidingly*) fortrolig ❑ ***Sylvia and Chris talked intimately about their hopes and fears.*** Sylvia og Chris snakket fortrolig om sine håp og bekymringer.
(**c**) (= *in detail*) inngående ❑ ***He knew the contents of all three files intimately.*** Han hadde inngående kjennskap til innholdet i alle tre mappene.
▸ **to be intimately acquainted** kjenne (*v2x*) hverandre meget godt
▸ **to be intimately acquainted with sth** ha* inngående kjennskap til noe

intimation [ɪntɪ'meɪʃən] s antydning *m*, varsel *nt* ❑ ***For the first time I felt some intimation of danger.*** For første gang følte jeg en antydning om *or* et varsel om fare.

intimidate [ɪn'tɪmɪdeɪt] VT (= *frighten*) skremme (*v2x*) (*med truende oppførsel*)

intimidation [ɪntɪmɪ'deɪʃən] s trusler *pl* (og truende oppførsel)

KEYWORD

into ['ɪntu] **1** PREP (**a**) (*indicating motion or direction*) inn i
▸ **into the house/garden/car/fire/wall** inn i huset/hagen/bilen/peisen/veggen
▸ **go into town** dra* inn i *or* til byen
▸ **she poured tea into the cup** hun skjenket te (opp) i koppen
(**b**) (*with abstract nouns*) ▸ **research into cancer** forskning på kreft
▸ **he worked late into the night** han arbeidet til langt på natt
▸ **she burst into tears** hun brast i gråt
▸ **it broke into pieces** det gikk i stykker
▸ **they got into trouble** de kom i vanskeligheter
▸ **shocked into silence** skremt til stillhet
▸ **translated into Norwegian** oversatt til norsk

intolerable [ɪn'tɔlərəbl] ADJ (*behaviour, situation, burden, pressure*) uutholdelig

intolerance [ɪn'tɔlərns] s intoleranse *m*

intolerant [ɪn'tɔlərnt] ADJ ▸ **intolerant (of)** intolerant (overfor)

intonation [ɪntəu'neɪʃən] s (*of voice, speech, MUS*) intonasjon *m*

intoxicated [ɪn'tɔksɪkeɪtɪd] ADJ beruset

intoxication [ɪntɔksɪ'keɪʃən] s rus *m* ❑ ***They were in a state of intoxication.*** De var temmelig berusede.

intractable [ɪn'træktəbl] ADJ (*person*) umedgjørlig; (*problem, issue, situation*) vrien

intransigence [ɪn'trænsɪdʒəns] s steilhet *m*, hardnakkethet *m*

intransigent [ɪn'trænsɪdʒənt] ADJ (*person, attitude*) steil, hardnakket

intransitive [ɪn'trænsɪtɪv] ADJ intransitiv

intrauterine device ['ɪntrə'ju:tərаɪn-] s spiral *m* (*prevensjonsmiddel*)

intravenous [ɪntrə'vi:nəs] ADJ (*injection, drip*) intravenøs

in-tray ['ɪntreɪ] s hylle *c* for inngående post

intrepid [ɪn'trɛpɪd] ADJ (*adventurer, explorer*) fryktløs, djerv

intricacy ['ɪntrɪkəsɪ] s innviklethet *m uncount* ❑ ***The intricacies of American politics...*** Innvikletheten i amerikansk politikk...

intricate ['ɪntrɪkət] ADJ innviklet

intrigue [ɪn'tri:g] **1** s intrige *m*
2 VT fascinere (*v2*)

intriguing [ɪn'tri:gɪŋ] ADJ fascinerende

intrinsic [ɪn'trɪnsɪk] ADJ (*quality, nature*) iboende, indre

introduce [ɪntrə'dju:s] VT (**a**) (= *start using: tool, machinery*) ta* i bruk
(**b**) (*+new idea, measure, technology*) innføre (*v2*), bringe* inn
(**c**) (*+speaker, TV show etc*) introdusere (*v2*) ❑ ***It's my great pleasure to introduce tonight's speaker...*** Det er en stor glede for meg å introdusere kveldens taler...
▸ **to introduce sb (to sb)** presentere (*v2*) noen (for noen)
▸ **to introduce sb to sth** gjøre* noen kjent med noe ❑ ***It was my wife who introduced me to yoga.*** Det var min kone som gjorde meg kjent med yoga.
▸ **may I introduce ...?** kan jeg få* presentere ...?

introduction [ɪntrə'dʌkʃən] s (**a**) (= *bringing in: of new idea, measure etc*) innføring *c*
(**b**) (*of tool, machinery*) det å ta* i bruk ❑ ***The Government saw the introduction of new technology as vital.*** Regjeringen så det som absolutt nødvendig å ta* i bruk ny teknologi.
(**c**) (*of person*) presentasjon *m*
(**d**) (*in book*) innledning *m*, introduksjon *m* ❑ ***...at the beginning of this introduction.*** ...i begynnelsen av denne innledningen *or* introduksjonen.
▸ **China's introduction to British ballet** Kinas (første) møte med britisk ballett
▸ **letter of introduction** introduksjonsbrev *nt*, introduksjonsskriv *nt*

introductory [ɪntrə'dʌktərɪ] ADJ (*offer, lesson*) introduksjons-
▸ **introductory remarks** innledende kommentarer
▸ **introductory offer** introduksjonstilbud *nt*

introspection [ɪntrəu'spɛkʃən] s selvbetraktning *m*, introspeksjon *m*

introspective [ɪntrəu'spɛktɪv] ADJ (*person, mood*) selvbetraktende, introspektiv

introvert ['ɪntrəuvə:t] **1** s innadvendt person *m*
2 ADJ (*also* ***introverted***) innadvendt

intrude [ɪn'tru:d] VI trenge (*v2*) seg inn
▸ **to intrude on** (**a**) (*+conversation, grief, party etc: person*) trenge (*v2*) seg på i
(**b**) (*thing+*) forstyrre (*v1*) ❑ ***Nothing was allowed to intrude on their evening ritual.*** Ingenting skulle* få* lov til å forstyrre kveldsritualet deres.
▸ **am I intruding?** forstyrrer jeg?

intruder [ɪn'tru:dəʳ] s inntrenger *m*

intrusion [ɪn'truːʒən] s forstyrrelse *m*
▸ **it was an unthinkable intrusion into...** det var utenkelig at noen skulle* trenge seg inn i ...på den måten
intrusive [ɪn'truːsɪv] ADJ (*presence, sound*) forstyrrende
intuition [ɪntjuː'ɪʃən] s intuisjon *m uncount*
intuitive [ɪn'tjuːɪtɪv] ADJ intuitiv
inundate ['ɪnʌndeɪt] VT ▸ **to inundate with** (*+calls, letters etc*) oversvømme (*v2x*) med, drukne (*v1*) i
inured [ɪn'juəd] ADJ ▸ **inured to** herdet mot
invade [ɪn'veɪd] VT invadere (*v2*) ❑ *If his country was invaded by a foreign enemy...* Hvis landet hans ble invadert av en utenlandsk hær... *On Saturday they invaded the shopping area.* På lørdag invaderte de shoppingområdet.
invader [ɪn'veɪdəʳ] s inntrenger *m*
invalid [*N* 'ɪnvəlɪd, *ADJ* ɪn'vælɪd] 1 s invalid *or* ufør person *m*
2 ADJ (*= not valid*) ugyldig
invalidate [ɪn'vælɪdeɪt] VT gjøre* ugyldig
invaluable [ɪn'væljuəbl] ADJ (*person, thing*) uvurderlig
invariable [ɪn'vɛərɪəbl] ADJ (*amount, result, routine*) uforanderlig, konstant
invariably [ɪn'vɛərɪəblɪ] ADV bestandig, alltid
invasion [ɪn'veɪʒən] s invasjon *m* ❑ *...the Roman invasion of England.* ...den romerske invasjonen av England. *The local merchants regard this annual invasion as a blessing.* De lokale kjøpmennene betrakter denne årlige invasjonen som en velsignelse.
▸ **an invasion of privacy** en krenkelse av privatlivets fred
invective [ɪn'vɛktɪv] s skjellsord *ntpl*
inveigle [ɪn'viːgl] VT ▸ **to inveigle sb into (doing) sth** lure (*v2*) noen til (å gjøre) noe
invent [ɪn'vɛnt] VT (**a**) (*+machine*) finne* opp (**b**) (*+game, phrase, lie, excuse*) finne* på ❑ *He would have to invent some alibi.* Han ville* måtte* finne på et alibi.
invention [ɪn'vɛnʃən] s (**a**) (*machine, system*) oppfinnelse *m* ❑ *Writing was the most revolutionary of all human inventions.* Skriftsystemet var den mest revolusjonerende av alle menneskelige oppfinnelser.
(**b**) (*= untrue story*) oppdiktet historie *m* ❑ *The whole thing was an invention of a newspaper.* Det hele var en historie som en avis hadde diktet opp.
(**c**) (*= act of inventing: of machine, system*) ▸ **before the invention of the transistor** før transistoren ble funnet opp
inventive [ɪn'vɛntɪv] ADJ oppfinnsom
inventiveness [ɪn'vɛntɪvnɪs] s oppfinnsomhet *c*
inventor [ɪn'vɛntəʳ] s oppfinner *m*
inventory ['ɪnvəntrɪ] s inventarliste *c*, inventarfortegnelse *m*
inventory control s lagerkontroll *m*
inverse [ɪn'vəːs] ADJ omvendt ❑ *There seems to be an inverse relationship between...* Det ser ut til å være* et omvendt forhold mellom...
▸ **in inverse proportion (to)** omvendt proporsjonalt (med)
invert [ɪn'vəːt] VT snu (*v4*) opp ned
invertebrate [ɪn'vəːtɪbrət] s virvelløst dyr *nt*
inverted commas (*BRIT*) SPL anførselstegn *pl*, gåseøyne *pl* ❑ *...in inverted commas.* ...i anførselstegn *or* gåseøyne.
invest [ɪn'vɛst] 1 VT (*+money, time, energy*) investere (*v2*)
2 VI ▸ **invest in** investere (*v2*) i
▸ **to invest sb with sth** utstyre (*v2*) noen med ❑ *The law invests the shareholders with legal rights.* Loven utstyrer andelshaverne med juridiske rettigheter.
▸ **by the powers invested in me** i kraft av mitt embete
investigate [ɪn'vɛstɪgeɪt] VT (*+accident, crime*) etterforske (*v1*), granske (*v1*); (*+person*) granske (*v1*)
investigation [ɪnvɛstɪ'geɪʃən] s etterforskning *m*
investigative [ɪn'vɛstɪgeɪtɪv] ADJ ▸ **investigative journalism** undersøkende journalistikk *m*
investigator [ɪn'vɛstɪgeɪtəʳ] s (*of events, situations, people*) etterforsker *m*
▸ **private investigator** privat etterforsker *m*, privatdetektiv *m*
investiture [ɪn'vɛstɪtʃəʳ] s (*of chancellor*) innsettelse *m*; (*of prince*) ≈ kroning *m*
investment [ɪn'vɛstmənt] s investering *c* ❑ *We aim to encourage investment.* Vi sikter mot å oppmuntre til investering. *...a better return on the investment.* ...en større avkastning på investeringen.
investment income s inntekt *m* fra investering
investment trust s investeringsselskap *nt*
investor [ɪn'vɛstəʳ] s investor *m*
inveterate [ɪn'vɛtərət] ADJ (*liar, cheat etc*) inngrodd, uhelbredelig
invidious [ɪn'vɪdɪəs] ADJ (*= unpleasant: position, task, job*) utakknemlig; (*= unfair: comparison, decision*) urettferdig
invigilator [ɪn'vɪdʒɪleɪtəʳ] s eksamensinspektør *m*
invigorating [ɪn'vɪgəreɪtɪŋ] ADJ (*air, experience etc*) oppfriskende
invincible [ɪn'vɪnsɪbl] ADJ (*army, team*) uslåelig; (*belief, conviction*) urokkelig
inviolate [ɪn'vaɪələt] (*fml*) ADJ (*truth*) ukrenkelig; (*home*) uinntakelig
invisible [ɪn'vɪzɪbl] ADJ usynlig ❑ *...invisible to the naked eye.* ...usynlige for det blotte øye.
invisible mending s kunststopping *c*
invitation [ɪnvɪ'teɪʃən] s invitasjon *m*, innbydelse *m* ❑ *I accepted the invitation.* Jeg tok imot invitasjonen *or* innbydelsen. *The invitation is addressed to your husband.* Invitasjonen *or* Innbydelsen er adressert til mannen din.
▸ **by invitation only** bare for spesielt inviterte
▸ **at sb's invitation** etter invitasjon fra noen
invite [ɪn'vaɪt] VT (**a**) (*to party, meal, meeting etc*) invitere (*v2*) ❑ *I asked him to invite her to the party.* Jeg ba ham om å invitere henne i selskapet.
(**b**) (*= encourage: discussion, criticism*) oppfordre (*v1*) til ❑ *He stopped speaking and invited discussion.* Han stoppet å snakke og oppfordret til diskusjon.
▸ **to invite sb to do** oppfordre (*v1*) noen til å gjøre

▸ **to invite sb to dinner** invitere *or* be noen til middag
▸ **invite out** VT invitere (*v2*) ut, be* ut
inviting [ɪnˈvaɪtɪŋ] ADJ innbydende
invoice [ˈɪnvɔɪs] 1 s faktura *m*
2 VT (*+goods, person*) fakturere (*v2*)
▸ **to invoice sb for goods** fakturere (*v2*) noen for varer, sende (*v2*) noen faktura for varer
❑ *Have they invoiced us for the stationery yet?* Har de sendt oss faktura for kontorartiklene enda?
invoke [ɪnˈvəuk] VT (*+law, principle*) påkalle (*v2x*); (*+feelings, memories etc*) kalle (*v2x*) fram
involuntary [ɪnˈvɔləntrɪ] ADJ ufrivillig
involve [ɪnˈvɔlv] VT (**a**) (= *entail*) innebære*, medføre (*v2*) ❑ *The job seemed to involve an enormous amount of work.* Jobben så ut til å innebære *or* medføre en enorm arbeidsmengde.
(**b**) (= *concern, affect*) vedrøre (*v2*), gjelde*
❑ *Workers are never told about things which involve them.* Arbeiderne blir aldri fortalt om ting som vedrører *or* gjelder dem.
▸ **to involve sb (in sth)** involvere (*v2*) noen (i noe), trekke* inn noen (i noe) ❑ *Did you have to involve me in this?* Måtte du involvere *or* trekke inn meg i dette?
involved [ɪnˈvɔlvd] ADJ (**a**) (= *complicated*) komplisert ❑ *We had long, involved discussions.* Vi hadde lange, kompliserte diskusjoner.
(**b**) (= *required: in task, situation etc*) ▸ **there's quite a lot of work involved** det er ganske mye arbeid forbundet med dette, det dreier seg om ganske mye arbeid
▸ **to be involved in** (**a**) (= *take part in: activity etc*) være* med på ❑ *More women should be involved in decision-making.* Flere kvinner burde være* med på å ta* avgjørelsene.
(**b**) (= *be engrossed in*) være* engasjert i ❑ *I was deeply involved in my work.* Jeg var sterkt engasjert i arbeidet mitt.
▸ **to feel involved in sth** føle (*v2*) at man er med på noe
▸ **to become involved with sb** (*emotionally*) få* et forhold til noen
involvement [ɪnˈvɔlvmənt] s engasjement *m*
❑ *...parental involvement in schools.* ...foreldrenes engasjement i skolene.
...emotional involvement... følelsesmessig engasjement...
invulnerable [ɪnˈvʌlnərəbl] ADJ (*person*) usårlig; (*ship, building etc*) som ikke kan skades
inward [ˈɪnwəd] ADJ (**a**) (*thought, feeling*) innerste
(**b**) (*movement*) inn(over)gående ❑ *...the inward flood of foreign capital.* ...den inn(over)gående strømmen av utenlandsk kapital.
inwardly [ˈɪnwədlɪ] ADV innerst inne, i sitt stille sinn ❑ *I remained inwardly unconvinced.* Innerst inne *or* I mitt stille sinn var jeg fortsatt ikke blitt overbevist.
inward(s) [ˈɪnwəd(z)] ADV (*move, face*) innover
I/O (*DATA*) FK (= **input/output**) I/U (= *inn/ut*)
IOC S FK (= **International Olympic Committee**) Den internasjonale olympiske komité
iodine [ˈaɪəudiːn] s jod *m or nt*
IOM (*BRIT: POST*) FK = **Isle of Man**
ion [ˈaɪən] s ion *nt*
Ionian Sea [aɪˈəunɪən-] s ▸ **the Ionian Sea** Det joniske hav
iota [aɪˈəutə] s ▸ **not one iota** ikke det minste fnugg, ikke en døyt ❑ *I don't feel one iota of guilt.* Jeg føler ikke det minste fnugg av skyld.. Jeg føler meg ikke en døyt skyldig.
IOU S FK (= **I owe you**) gjeldsbrev *nt*
IOW (*BRIT: POST*) FK = **Isle of Wight**
IPA S FK (= **International Phonetic Alphabet**) det internasjonale fonetiske alfabet
IQ S FK (= **intelligence quotient**) IK *m* (= *intelligenskvotient*)
IRA S FK (= **Irish Republican Army**) Den irske republikanske hær; (*US*) (= **individual retirement account**) *pensjonsforsikring*
Iran [ɪˈrɑːn] s Iran
Iranian [ɪˈreɪnɪən] 1 ADJ iransk
2 s (*person*) iraner *m*; (*LING*) iransk
Iraq [ɪˈrɑːk] s Irak
Iraqi [ɪˈrɑːkɪ] 1 ADJ irakisk
2 s (*person*) iraker *m*; (*LING*) irakisk
irascible [ɪˈræsɪbl] ADJ hissig, oppfarende
irate [aɪˈreɪt] ADJ (*person, letter etc*) sint
Ireland [ˈaɪələnd] s Irland
▸ **the Republic of Ireland** Den irske republikk
iris [ˈaɪrɪs] (*pl* **irises**) s (*in eye*) regnbuehinne *c*, iris *m inv*; (*plant, flower*) iris *m*, sverdlilje *m*
Irish [ˈaɪrɪʃ] 1 ADJ irsk
2 SPL ▸ **the Irish** irene
Irishman [ˈaɪrɪʃmən] *irreg* s irlender *m*
Irish Sea s ▸ **the Irish Sea** Irskesjøen
Irishwoman [ˈaɪrɪʃwumən] *irreg* s irlender *m*, ire *m*
irk [əːk] VT forarge (*v1*)
irksome [ˈəːksəm] ADJ irriterende, forargerlig
IRN S FK (= **Independent Radio News**) *nyhetstjeneste for private radiostasjoner*
IRO (*US*) S FK (= **International Refugee Organization**) *flykningeorganisasjon*
iron [ˈaɪən] 1 s (**a**) (*metal*) jern *nt*
(**b**) (*for clothes*) strykejern *nt*
2 SAMMENS (**a**) (*bar, railings*) jern-
(**b**) (*fig: will*) jern-, av stål
(**c**) (*discipline*) jern- ❑ *He was able to enforce his iron will.* Han var i stand til å få* igjennom sin jernvilje *or* vilje av stål.
3 VT (*+clothes*) stryke*
▸ **irons** SPL (= *chains*) lenker
▸ **to clap sb in irons** legge* noen i lenker *or* jern
▸ **iron out** VT (*fig: problems*) rydde (*v1*) av veien
Iron Curtain s ▸ **the Iron Curtain** jernteppet
iron foundry s jernstøperi *nt*
ironic(al) [aɪˈrɔnɪk(l)] ADJ ironisk ❑ *It is ironic that...* De er ironisk at...
ironically [aɪˈrɔnɪklɪ] ADV (*with verb*) ironisk
▸ **ironically (enough), he was...** ironisk nok var han...
ironing [ˈaɪənɪŋ] s (**a**) (*activity*) stryking *c* ❑ *I've got my ironing to do.* Jeg må ta* meg av strykingen.
(**b**) (*clothes*) stryketøy *nt* ❑ *She took up the pile of ironing...* Hun tok opp haugen med stryketøy...
ironing board s strykebrett *nt*
iron lung s jernlunge *m*
ironmonger [ˈaɪənmʌŋgəʳ] (*BRIT*) s jernvarehandler *m*, isenkramhandler *m*

ironmonger's (shop) S jernvarehandel *m*, isenkramhandel *m*
iron ore S jernmalm *m*
ironworks ['aɪənwɜːks] S jernverk *nt*
irony ['aɪrənɪ] S ironi *m* ❑ *She spoke without irony.* Hun snakket uten ironi. *By a curious irony, both of her husbands died of the same rare illness.* Ved en skjebnens ironi døde begge ektemennene hennes av den samme sjeldne sykdommen.
irrational [ɪ'ræʃənl] ADJ irrasjonell
irreconcilable [ɪrɛkən'saɪləbl] ADJ (*ideas, views*) uforenlig (*var:* uforenelig) (*conflict*) uforsonlig
irredeemable [ɪrɪ'diːməbl] ADJ (*fault, character*) uforbederlig
irrefutable [ɪrɪ'fjuːtəbl] ADJ (*fact, argument*) ugjendrivelig
irregular [ɪ'rɛgjuləʳ] ADJ (**a**) (*surface, pattern, action, event*) uregelmessig ❑ *...a dress with an irregular hem line.* ...en kjole med en uregelmessig skjørtefald. *I breathed in deep irregular gasps.* Jeg pustet i dype uregelmessige gisp.
(**b**) (*behaviour*) ureglementert ❑ *She led a somewhat irregular private life.* Hun førte et noe ureglementert privatliv.
(**c**) (*LING: verb, noun, adjective*) uregelmessig
irregularity [ɪrɛgju'lærɪtɪ] S (**a**) (*of surface, pattern, action, event*) uregelmessighet *m* ❑ *Minor irregularities in the components...* Mindre uregelmessigheter i komponentene... *irregularities of heart rate.* ...uregelmessigheter i hjerteslagene.
(**b**) (= *anomaly*) noe som ikke stemmer/stemte ❑ *There was some irregularity in the man's papers.* Det var noe som ikke stemte i mannens papirer.
irrelevance [ɪ'rɛləvəns] S irrelevans *m no pl* NB *The Commonwealth is an irrelevance: we are a Pacific country.* Det britiske samveldet er irrelevant: vi er et Stillehavsland.
irrelevant [ɪ'rɛləvənt] ADJ irrelevant
irreligious [ɪrɪ'lɪdʒəs] ADJ irreligiøs
irreparable [ɪ'rɛprəbl] ADJ (*harm, damage*) uopprettelig
irreplaceable [ɪrɪ'pleɪsəbl] ADJ uerstattelig
irrepressible [ɪrɪ'prɛsəbl] ADJ (*person, good humour, enthusiasm*) ukuelig
irreproachable [ɪrɪ'prəutʃəbl] ADJ (*behaviour, character*) uklanderlig
irresistible [ɪrɪ'zɪstɪbl] ADJ (**a**) (*urge, desire, person, characteristic, object*) uimotståelig ❑ *I was overcome by an irresistible desire to break into song.* Jeg ble grepet av en uimotståelig trang til å bryte ut i sang. *He found her wit irresistible.* Han syntes viddet hennes var uimotståelig.
(**b**) (*force*) uovervinnelig
irresolute [ɪ'rɛzəluːt] ADJ (*by nature*) ubesluttsom; (*in particular situation*) tvilrådig
irrespective [ɪrɪ'spɛktɪv] ADV uansett
▸ **irrespective of** uansett ❑ *They will close the premises irrespective of who is running them.* De vil stenge lokalet uansett hvem som driver det.
irresponsible [ɪrɪ'spɔnsɪbl] ADJ (*person, action*) uansvarlig
irretrievable [ɪrɪ'triːvəbl] ADJ (*loss*) ugjenkallelig; (*damage*) uopprettelig
irreverent [ɪ'rɛvərnt] ADJ (*person, behaviour, comment*) uærbødig
irrevocable [ɪ'rɛvəkəbl] ADJ (*action, decision*) ugjenkallelig
irrigate ['ɪrɪgeɪt] VT irrigere (*v2*)
irrigation [ɪrɪ'geɪʃən] S irrigasjon *m*, kunstig vanning *c*
irritable ['ɪrɪtəbl] ADJ irritabel
irritant ['ɪrɪtənt] S irritament *nt*
irritate ['ɪrɪteɪt] VT (= *annoy, MED*) irritere (*v2*) ❑ *...to avoid irritating the skin.* ...for å unngå irritert hud.
irritating ['ɪrɪteɪtɪŋ] ADJ (*person, sound etc*) irriterende
irritation [ɪrɪ'teɪʃən] S (**a**) (= *feeling of annoyance, MED*) irritasjon *m* ❑ *Dennis knew better than to show his irritation.* Dennis var klok nok til ikke å vise sin irritasjon. *...eye irritation.* ...irritasjon på øyet.
(**b**) (= *annoying thing*) ergrelse *m* ❑ *...the irritations of everyday life.* ...dagliglivets ergrelser.
IRS (*US*) S FK = **Internal Revenue Service**
is [ɪz] VB *see* **be**
ISBN S FK (= **International Standard Book Number**) ISBN *nt*
Islam ['ɪzlɑːm] S islam
Islamic [ɪz'læmɪk] ADJ islamsk, islamittisk; (*country*) muslimsk, muhammedansk
island ['aɪlənd] S øy *f*; (*BIL*) trafikkøy *f*
islander ['aɪləndəʳ] S øyboer *m*
isle [aɪl] S øy *f*
isn't ['ɪznt] = **is not**
isobar ['aɪsəubɑːʳ] S isobar *m*, liketrykkslinje *c*
isolate ['aɪsəleɪt] VT (**a**) (*physically, socially: person, animal*) isolere (*v2*) ❑ *...people are isolated from each other.* ...menneskene blir isolert fra hverandre. *David had to be isolated for whooping cough.* David måtte* isoleres på grunn av kikhoste.
(**b**) (*+substance*) skille (*v2x*) ❑ *They isolated the acid from the fungus.* De skilte syren fra soppen.
isolated ['aɪsəleɪtɪd] ADJ (**a**) (*place, person*) isolert ❑ *His house was very isolated.* Huset hans var veldig isolert. *I had become isolated and defensive.* Jeg hadde blitt isolert og kommet i forsvarsposisjon.
(**b**) (*incident*) isolert, enkeltstående ❑ *This is what happened in several isolated cases.* Dette skjedde i flere isolerte *or* enkeltstående tilfeller.
isolation [aɪsə'leɪʃən] S isolasjon *m* ❑ *...the isolation and alienation of city life.* ...bylivets isolasjon og fremmedgjøring.
isolationism [aɪsə'leɪʃənɪzəm] S isolasjonisme *m*
isotope ['aɪsəutəup] S isotop *m*
Israel ['ɪzreɪl] S Israel
Israeli [ɪz'reɪlɪ] 1 ADJ israelsk
2 S (*person*) israeler *m*
issue ['ɪʃjuː] 1 S (**a**) (= *problem, subject*) sak *m*, spørsmål *nt* ❑ *People should let their MPs know where they stand on this issue.* Folk burde la parlamentsrepresentantene sine vite hvor de står i denne saken *or* i dette spørsmålet. *That's just not the issue.* Det er bare ikke det som er saken *or* spørsmålet.

(**b**) (*of magazine, newspaper*) utgave *m* ❑ *We sell 2,000 copies per issue.* Vi selger 2 000 eksemplarer av hver utgave.
(**c**) (*gam: offspring*) etterkommere *pl* ❑ *He died without issue.* Han døde uten etterkommere.
2 VT (**a**) (*+statement*) sende (*v2*) ut
(**b**) (*+rations, equipment, documents*) utstede (*v2*)
3 VI ▸ **to issue (from)** strømme (*v1*) ut (fra) ❑ *There were caves, with streams issuing from them.* Det var grotter, som det strømmet bekker ut fra.
▸ **to be at issue** være* spørsmålet ❑ *It was the content of literacy studies that was at issue.* Det var innholdet i studiene av lesekyndighet som var spørsmålet.
▸ **to avoid the issue** vri (*v4 or irreg*) seg unna
▸ **to confuse** *or* **cloud the issue** skape (*v2*) forvirring i saken
▸ **to issue sth to sb** utlevere (*v2*) noe til noen
▸ **to issue sb with sth** utstyre (*v2*) noen med noe ❑ *We were issued with a set of instructions.* Vi fikk utlevert *or* ble utstyrt med et sett instruksjoner.
▸ **to take issue with sb (over)** innlate* seg i diskusjon med noen (om)
▸ **to make an issue of sth** gjøre* mye vesen ut av noe

Istanbul [ɪstæn'buːl] s Istanbul
isthmus ['ɪsməs] s eid *nt*
IT S FK = **Information Technology**

KEYWORD

it [ɪt] 1 PRON (**a**) (*specific*) den *c*, det *nt*
▸ **where's my book? – it's on the table** den er på bordet
▸ **I spoke to him about it** jeg snakket med ham om det
▸ **did you go to it?** (*party, concert etc*) gikk du dit?
(**b**) (*impersonal*) det
▸ **it's raining/cold** det regner/det er kaldt
▸ **it's Friday** det er fredag
▸ **it's 6 o'clock/the 10th of August** klokken er 6/ det er 10. august
▸ **it's 10 miles/2 hours on the train** det er 10 miles/to timer med tog
▸ **who is it? it's me** hvem er det? det er meg

ITA (*BRIT*) S FK (= **initial teaching alphabet**) *delvis fonetisk alfabet*
Italian [ɪ'tæljən] 1 ADJ italiensk
2 S (*person*) italiener *m*; (*LING*) italiensk
italics [ɪ'tælɪks] SPL kursiv *m sg*, skråskrift *c sg* ❑ *My comments are in italics.* Kommentarene mine står i kursiv *or* med skråskrift.
Italy ['ɪtəlɪ] s Italia
itch [ɪtʃ] 1 S (= *irritation*) kløe *m*
2 VI klø (*v4*) ❑ *We scratch because we itch.* Vi klør oss fordi det klør. *My toes are itching like mad.* Tærne mine klør noe vanvittig.
▸ **to be itching to do sth** klø (*v4*) etter å gjøre* noe
itchy ['ɪtʃɪ] ADJ ▸ **my back is itchy** ryggen min klør
▸ **to have itchy feet** (*fig*) ha* reiselyst
it'd ['ɪtd] = **it would, it had**
item ['aɪtəm] s (**a**) (= *one thing: on list, agenda*) punkt *nt*
(**b**) (*on bill*) post *m*
(**c**) (*in collection*) ting *m*
(**d**) (*object*) artikkel *m* ❑ *This tax cut is the most crucial item left on our agenda.* Denne skatteletten er det viktigste punktet på dagsordenen. *...a list of household items.* ...en liste over husholdningsartikler.
(**e**) (*also* **news item**) artikkel *m* ❑ *...an item in the Sacramento Reporter.* ...en artikkel i Sacramento Reporter.
▸ **items of clothing** klesplagg *nt*
itemize ['aɪtəmaɪz] VT (*+bill*) spesifisere (*v2*); (= *list*) opptegne (*v1*) punktvis
itemized bill s spesifisert regning *c*
itinerant [ɪ'tɪnərənt] ADJ (*labourer, salesman, priest etc*) omreisende
itinerary [aɪ'tɪnərərɪ] s reiserute *c*
it'll ['ɪtl] = **it will, it shall**
ITN (*BRIT: TV*) S FK (= **Independent Television News**) *nyhetstjeneste for private fjernsynsselskap*
its [ɪts] 1 ADJ sin *c*, si *f*, sitt *nt*, sine *pl* ❑ *The creature lifted its head.* Skapningen løftet på hodet (sitt).
2 PRON si/sin/sitt/sine ❑ *We have our traditions and France has its.* Vi har våre tradisjoner og Frankrike har sine.
it's [ɪts] = **it is, it has**
itself [ɪt'sɛlf] PRON (**a**) (*reflexive*) seg ❑ *Britain must bring itself up to date.* Storbritannia må oppdatere seg.
(**b**) (*emphatic*) selve *before noun* ❑ *The town itself was so small that...* Selve byen var så liten at...
ITV (*BRIT: TV*) S FK (= **Independent Television**) *fjernsynsselskap*

ITV
ITV *er en britisk, reklamefinansiert tv-kanal. Nyheter, debatt- og dokumentarprogrammer utgjør ca en tredjedel av programtilbudet til* ITV; *resten deles mellom sport, filmer, serier, spill, osv. Selvstendige tv-selskaper står for regionale og lokale sendinger på kanalen.*

IUD S FK (= **intra-uterine device**) spiral *m*
I've [aɪv] = **I have**
ivory ['aɪvərɪ] s (*substance*) elfenbein *nt*; (*colour*) elfenbeinshvit
Ivory Coast S ▸ **the Ivory Coast** Elfenbeinskysten
ivory tower s (*fig*) elfenbeinstårn *nt*
▸ **to live in an ivory tower** leve (*v3*) i sitt elfenbeinstårn
ivy ['aɪvɪ] s eføy *m*
Ivy League (*US: SKOL*) s *de 8 universiteter som har høyest status i USA*

Ivy League *er en betegnelse for de åtte mest prestisjetunge universitetene i det nordøstlige USA, som henspeiler på eføyen* (**ivy**) *som vokser oppover veggene på dem. De arrangerer sportskonkurranser seg i mellom. Navnene på disse universitetene er: Brown, Columbia, Cornell, Dartmouth College, Harvard, Princeton, universitetet i Pennsylvania og Yale.*

J

J, j [dʒeɪ] s (*letter*) J, j *m*
▸ **J for Jack,** *(US)* **J for Jig** J for Johan
JA s FK = **judge advocate**
J/A FK = **joint account**
jab [dʒæb] 1 VT (**a**) (*+person*) stikke* ❑ *She nearly jabbed him in the eye with her pencil.* Hun stakk ham nesten i øyet med blyanten sin.
(**b**) (*+finger, stick etc*) dytte (*v1*) til ❑ *He jabbed his finger at me.* Han dyttet til meg med fingeren sin.
2 s (**a**) (*sl: injection*) stikk *nt* (*av sprøyte*)
(**b**) (= *poke*) dytt *m*, puff *m or nt* ❑ *He gave it a sharp jab.* Han ga det en hard dytt *or* puff.
▸ **to jab at** dytte (*v1*) til
▸ **to jab sth into sth** stikke* noe inn i noe ❑ *She jabbed her knitting needles into a ball of wool...* Hun stakk strikkepinnene inn i et ullnøste...
jack [dʒæk] s (**a**) (*BIL*) jekk *m*
(**b**) (*in bowls*) *den lille hvite ballen*
(**c**) (*KORT*) knekt *m*
▸ **jack in** (*sl*) VT kutte (*v1*) ut ❑ *You might as well jack it in then and there.* Du kunne* like godt kutte det ut der og da.
▸ **jack up** VT (*BIL*) jekke (*v1*) opp
jackal ['dʒækl] s sjakal *m*
jackass ['dʒækæs] (*sl*) s (= *fool*) dust *m*, fjols *nt*
jackdaw ['dʒækdɔ:] s kaie *c*
jacket ['dʒækɪt] s (**a**) (*garment*) jakke *c*
(**b**) (*of book*) (løst) omslag *nt*
▸ **potatoes in their jackets, jacket potatoes** poteter med skrell *or* skall
jack-in-the-box ['dʒækɪnðəbɔks] s troll *nt* i eske
jackknife ['dʒæknaɪf] 1 VI (*lorry+*) få* sleng på (til)henger (*slik at trekkvogn og (til)henger blir stående i vinkel*)
2 s (stor) follekniv *m*
jack-of-all-trades ['dʒækəv'ɔ:ltreɪdz] s altmuligmann *m*
jackpot ['dʒækpɔt] s jekkpott *m*, storgevinst *m*
▸ **to hit the jackpot** (*fig*) ha* kjempeflaks
jacuzzi [dʒə'ku:zɪ] s boblebad *nt*
jade [dʒeɪd] s jade *m*
jaded ['dʒeɪdɪd] ADJ (*+person*) (lut)lei NB *...jaded housewives who'd like to try something exciting.* ...husmødre som har gått (lut)lei og ønsker å prøve noe spennende.
JAG s FK (= **Judge Advocate General**) generaladvokat *m*
jagged ['dʒægɪd] ADJ (*outline, edge, rocks*) tagget(e)
jaguar ['dʒægjuəʳ] s jaguar *m*
jail [dʒeɪl] 1 s fengsel *nt*
2 VT fengsle (*v1*), sette* i fengsel
▸ **in jail** i fengsel
▸ **to go to jail** komme* i fengsel ❑ *He went to jail for dangerous driving...* Han kom i fengsel for uforsvarlig kjøring...
jailbird ['dʒeɪlbə:d] s fengselsfugl *m*
jailbreak ['dʒeɪlbreɪk] s fengselsflukt *m*
jalopy [dʒə'lɔpɪ] (*sl*) s (*BIL*) kjerre *f* (*bil*)
jam [dʒæm] 1 s (**a**) (*food*) syltetøy *nt* ❑ *...raspberry and blackcurrant jam...* bringebær- og solbærsyltetøy...
(**b**) (*also* ***traffic jam***) trafikkork *m* ❑ *...these terrific jams half a mile long.* ...disse fantastiske kilometerlange trafikkorkene.
(**c**) (*sl: difficulty*) klemme *c* ❑ *He finds himself in exactly the same jam as his brother was in ten years ago.* Han befinner seg i nøyaktig den samme klemma som broren var i for ti år siden.
2 VT (**a**) (*+passage, road etc*) blokkere (*v2*) ❑ *Crowds jammed the streets and traffic came to a standstill.* En folkemasse blokkerte gatene og trafikken stoppet helt opp. *The roads are always jammed before the match.* Veiene er alltid blokkerte før kampen.
(**b**) (*+mechanism, drawer etc*) sette* fast ❑ *Grit has jammed the lever arm...* Sand har satt fast momentarmen...
(**c**) (*RADIO*) jamme (*v1*) ❑ *The authorities were able to jam this wavelength.* Myndighetene var i stand til å jamme denne bølgelengden.
3 VI (**a**) (= *get stuck: drawer*) sette* seg fast
(**b**) (*mechanism, gun+*) låse (*v2*) seg ❑ *The machines jammed and broke down.* Maskinene låste seg og brøt sammen.
(**c**) (*MUS*) jamme (*v1*) ❑ *...while Paul, George, and Ringo jammed on piano, guitar, and a champagne bucket.* ...mens Paul, George og Ringo jammet på piano, gitar og en champagnekjøler.
▸ **to be in a jam** (*sl*) være* i knipe
▸ **to get sb out of a jam** (*sl*) få* noen ut av en knipe ❑ *...a man who he had helped out of a financial jam.* ...en mann som han hadde hjulpet ut av en økonomisk knipe.
▸ **the switchboard was jammed** sentralbordet ble sprengt
▸ **to jam sth into sth** (= *cram, stuff*) proppe *or* stappe noe inn i noe
Jamaica [dʒə'meɪkə] s Jamaica
Jamaican [dʒə'meɪkən] 1 ADJ jamaicansk (*var:* jamaikansk)
2 s (*person*) jamaicaner *m* (*var:* jamaikaner)
jamb [dʒæm] s (*of door*) dørstolpe *m*; (*of window*) vindusstolpe *m*
jamboree [dʒæmbə'ri:] s jamboree *m*
jam-packed [dʒæm'pækt] ADJ ▸ **jam-packed (with)** stappfull (med), fullstappet (med)
jam session s jam session *m*
Jan. FK = **January**
jangle ['dʒæŋgl] VI (**a**) (*keys, bracelets+*) klirre (*v1*)
(**b**) (*crockery, saucepans+*) skramle (*v1*)
▸ **my nerves were jangling** nervene mine var frynsete
janitor ['dʒænɪtəʳ] s vaktmester *m*
January ['dʒænjuərɪ] s januar *see also* **July**
Japan [dʒə'pæn] s Japan

Japanese [dʒæpəˈniːz] 1 ADJ japansk
2 S UBØY (**a**) (*person*) japaner *m* ❑ ***A group of Japanese...*** En gruppe japanere...
(**b**) (*LING*) japansk

jar [dʒɑːʳ] 1 S (**a**) (*stone, earthenware*) krukke *c*
(**b**) (*glass*) (syltetøy)glass *nt*
2 VI (*sound+*) ▸ **to jar (on sb** *or* **on sb's nerves)** gå* noen på nervene ❑ ***The harsh, metallic sound jarred on her....*** Den skjærende, metalliske lyden gikk henne på nervene...
3 VT (**a**) (= *shake, knock*) riste (*v1*) ❑ ***He braked suddenly, jarring his bones.*** Han bremset plutselig opp så beina i kroppen ristet.
(**b**) (*fig*) ryste (*v1*) ❑ ***This thought jarred me...*** Denne tanken rystet meg...

jargon [ˈdʒɑːgən] S sjargong *m*

jarring [ˈdʒɑːrɪŋ] ADJ (*sound, colour*) skrikende

Jas. FK = **James**

jasmine [ˈdʒæzmɪn] S sjasmin *m*

jaundice [ˈdʒɔːndɪs] S gulsott *c*

jaundiced [ˈdʒɔːndɪst] ADJ kynisk ❑ ***He takes a rather jaundiced view of societies and clubs.*** Han inntar et heller kynisk syn på foreninger og klubber.

jaunt [dʒɔːnt] S tur *m*, utflukt *c* ❑ ***How was your jaunt to the seaside?*** Hvordan var den turen *or* utflukten din til kysten?

jaunty [ˈdʒɔːntɪ] ADJ (*attitude, tone*) frisk; (*step*) lystig

Java [ˈdʒɑːvə] S Java

javelin [ˈdʒævlɪn] S spyd *nt*

jaw [dʒɔː] S kjeve *m* NB ***His jaw dropped in surprise.*** Han fikk fullstendig hakaslepp. ❑ ***The panther held a snake in its jaws...*** Panteren holdt en slange i kjevene...

jawbone [ˈdʒɔːbəun] S kjevebein *nt*

jay [dʒeɪ] S nøtteskrike *c*

jaywalker [ˈdʒeɪwɔːkəʳ] S rågjenger *m*

jazz [dʒæz] S jazz *m*
▸ **all that jazz** (*sl*) alt det der ❑ ***...psychotherapy and all that jazz.*** ...psykoterapi og alt det der.
▸ **jazz up** VT (*sl: taste, party, one's image*) sprite (*v1*) opp

jazz band S jazzband *nt*

JCS (*US*) S FK (= **Joint Chiefs of Staff**) Den sentrale sjefsnemnd, *militær rådgivningsgruppe for den amerikanske presidenten*

JD (*US*) S FK (= **Doctor of Laws**) ≈ dr.jur. (= *doctor juris*) (= **Justice Department**) ▸ **the JD** ≈ JD (= *Politi- og justisdepartementet*)

jealous [ˈdʒɛləs] ADJ ▸ **jealous (of)** (**a**) (= *possessive: husband etc*) sjalu (på grunn av) ❑ ***He was jealous of his wife and suspected her of adultery.*** Han var sjalu på grunn av konen sin og mistenkte henne for utroskap.
(**b**) (= *envious: person, look*) misunnelig (på grunn av) ❑ ***They may feel jealous of your success.*** Det kan hende de er misunnelige på grunn av suksessen din.

jealously [ˈdʒɛləslɪ] ADV (**a**) (= *enviously*) misunnelig ❑ ***He sat high up in the stand, jealously watching them.*** Han satt høyt oppe på tribunen og så misunnelig på dem.
(**b**) (= *possessively*) ▸ **they jealously guard their independence** de hegner om sin uavhengighet

jealousy [ˈdʒɛləsɪ] S sjalusi *m* ❑ ***...jealousy of our brothers and sisters.*** ...sjalusi overfor brødrene og søstrene våre.

jeans [dʒiːnz] SPL jeans *m sg*

jeep® [dʒiːp] S jeep *m*

jeer [dʒɪəʳ] VI ▸ **to jeer (at)** (= *mock, scoff*) håne (*v2*), spotte (*v1*) ❑ ***They jeered at him for mollycoddling his little brother...*** De hånte *or* spottet ham fordi han dullet med lillebroren sin...
▸ **jeers** SPL hånlige tilrop *pl*

jeering [ˈdʒɪərɪŋ] 1 ADJ hånlig, spottende
2 S hånlige tilrop *pl*, spottende tilrop *pl*

jelly [ˈdʒɛlɪ] S (*KULIN*) gelé *m*; (*US: jam*) syltetøy *nt*

jellyfish [ˈdʒɛlɪfɪʃ] S manet *m*

jeopardize [ˈdʒɛpədaɪz] VT (*+job, relationship, outcome*) sette* i fare, sette* på spill

jeopardy [ˈdʒɛpədɪ] S ▸ **to be in jeopardy** være* i fare, være* truet

jerk [dʒəːk] 1 S (**a**) (= *jolt, wrench*) rykk *nt* ❑ ***He gave the root a mighty jerk...*** Han rykket hardt i roten... ***The man pulled the girl back from the road with a jerk...*** Mannen trakk jenta vekk fra veien med et rykk...
(**b**) (*sl: idiot*) tulling *m*
2 VT (= *pull*) rykke (*v1*) (hardt) ❑ ***I jerked the fishing rod back and lost the fish.*** Jeg rykket fiskestangen hardt bakover og mistet fisken. ***He jerked his head around to stare at the man...*** Han snudde brått på hodet for å stirre på mannen...
3 VI ▸ **the bus jerked to a halt** bussen stanset med et rykk

jerkin [ˈdʒəːkɪn] S jakke *c* (*uten ermer*)

jerky [ˈdʒəːkɪ] ADJ (*movements*) rykk(e)vis

jerry-built [ˈdʒɛrɪbɪlt] ADJ sjuskete bygd

jerry can [ˈdʒɛrɪ-] S jerrykanne *c*

Jersey [ˈdʒəːzɪ] S Jersey

jersey [ˈdʒəːzɪ] S (= *pullover*) genser *m*; (*fabric*) jersey *m*

Jerusalem [dʒəˈruːsləm] S Jerusalem *m*

jest [dʒɛst] S vittighet *c*
▸ **in jest** i *or* for spøk ❑ ***It was said half in jest.*** Det ble sagt halvt i *or* for spøk.

jester [ˈdʒɛstəʳ] S narr *m* ❑ ***...the medieval Court Jester.*** ...middelalderens hoffnarr.

Jesus [ˈdʒiːzəs] S Jesus
▸ **Jesus Christ** Jesus Kristus

jet [dʒɛt] S (**a**) (*of gas, liquid*) stråle *m* ❑ ***...a jet of water...*** en vannstråle...
(**b**) (*AVIAT*) jetfly *nt*, jet *m*
(**c**) (*stone*) gagat *m*, jett *m*
▸ **jet off** VI jette (*v1*) avgårde

jet-black [ˈdʒɛtˈblæk] ADJ kullsvart

jet engine S jetmotor *m*

jet lag S jetlag *m* ❑ ***...weary passengers suffering from jet lag.*** ...slitne passasjerer som lider av jetlag.

jet-propelled [ˈdʒɛtprəˈpɛld] ADJ (*engine, plane*) jetdrevet, reaksjonsdrevet

jetsam [ˈdʒɛtsəm] S drivgods *nt*

jet-setter [ˈdʒɛtsɛtəʳ] S ▸ **to be a jet-setter** tilhøre (*v2*) jetsettet

jettison [ˈdʒɛtɪsn] VT (*+fuel, cargo*) kaste (*v1*) ut; (*fig: idea, chance*) forkaste (*v1*)

jetty [ˈdʒɛtɪ] S brygge *c*

Jew [dʒuː] s jøde *m*
jewel ['dʒuːəl] s (**a**) (*= gem, fig*) juvel *m*
(**b**) (*fig*) juvel *m* ❑ *...the jewel of the Gardens, the Albert Memorial...* parkens juvel, Albert Memorial...
(**c**) (*in watch*) stein *m* (*var.* sten)
jeweller ['dʒuːələʳ], **jeweler** (*US*) s gullsmed *m*, juveler *m*
jeweller's (shop) s gullsmedbutikk *m*, gullsmedforretning *c*
jewellery ['dʒuːəlrɪ], **jewelry** (*US*) s smykker *pl*
▸ **jewellery box** smykkeskrin *nt*
Jewess ['dʒuːɪs] s jødinne *c*
Jewish ['dʒuːɪʃ] ADJ jødisk
JFK S FK = **John Fitzgerald Kennedy**
jib [dʒɪb] 1 s (**a**) (*NAUT*) klyver *m*
(**b**) (*of crane*) jibb *m*, arm *m*
2 VI (*horse+*) slå* seg vrang
▸ **to jib at doing sth** være* uvillig til å gjøre* noe
jibe [dʒaɪb] s = **gibe**
jiffy ['dʒɪfɪ] (*sl*) s ▸ **in a jiffy** i løpet av null komma null (*sl*)
jig [dʒɪg] s gigg *m*
jigsaw ['dʒɪgsɔː] s (**a**) (*also* ***jigsaw puzzle****: also fig*) puslespill *nt* ❑ *...perhaps, we can fit together a few pieces of the jigsaw.* ...kanskje kan vi sette sammen noen av bitene i puslespillet.
(**b**) (*tool*) løvsag *c*
jilt [dʒɪlt] VT forsmå (*v4*)
jingle ['dʒɪŋgl] 1 s (*for advert*) reklamelåt *c*
2 VI (*bells, bracelets+*) ringle (*v1*)
jingoism ['dʒɪŋgəuɪzəm] s jingoisme *m*
jinx [dʒɪŋks] (*sl*) 1 s forbannelse *m* ❑ *There's a jinx on it...* Det hviler en forbannelse over den *or* det...
2 VT ▸ **to be jinxed** være* forhekset
jitters ['dʒɪtəz] (*sl*) SPL ▸ **to get the jitters** få* den store skjelven (*sl*)
jittery ['dʒɪtərɪ] (*sl*) ADJ shaky (*sl*)
jiujitsu [dʒuː'dʒɪtsuː] s jiu-jitsu *m*
job [dʒɔb] s (**a**) (*= post*) jobb *m*, stilling *c* ❑ *Gladys finally got a good job as a secretary...* Gladys fikk endelig en fin jobb *or* stilling som sekretær...
(**b**) (*work carried out*) jobb *m*
(**c**) (*= single task*) oppgave *c* ❑ *We managed to finish the entire job in under three months...* Vi klarte å fullføre hele jobben på under tre måneder... *There are always plenty of jobs to be done...* Det er alltid nok av oppgaver som skulle* vært gjort...
▸ **it's a good job that...** det var bra *or* et hell at...
▸ **it's not my job** (*= duty, function*) det er ikke min jobb
▸ **I had a job finding it** jeg hadde et svare strev med å finne den
▸ **a part-time/full-time job** en deltids-/heltidsjobb
▸ **he's only doing his job** han gjør bare jobben sin
▸ **just the job** (*sl: ideal*) akkurat tingen
jobber ['dʒɔbəʳ] (*BRIT: FIN*) s jobber *m*, spekulant *m*
jobbing ['dʒɔbɪŋ] (*BRIT*) ADJ (*builder, plumber etc*) som tar tilfeldig arbeid
job centre (*BRIT*) s arbeidsformidling *c*
job creation scheme s sysselsettingstiltak *nt*
job description s arbeidsbeskrivelse *m*
❑ *"Making coffee is not in my job description," she said.* "Det står ingenting i min arbeidsbeskrivelse om at jeg skal lage kaffe," sa hun.
jobless ['dʒɔblɪs] 1 ADJ uten arbeid
2 SPL ▸ **the jobless** de uten arbeid
job lot s vareparti *nt* (*billig og lav kvalitet*) ❑ *...he bought his first job lot of 50 books for 30 kroner.* ...han kjøpte sitt første vareparti på 50 bøker for 30 kroner.
job satisfaction s ▸ **to get job satisfaction** ha* en meningsfull jobb ❑ *It's poorly paid, of course, but it gives me more job satisfaction than I had.* Det er naturligvis dårlig betalt, men det er mer menigsfylt enn jobben jeg hadde.
job security s sikkerhet *c* i jobben
job seeker's allowance (*BRIT*) s *dagpenger pl*
job share s jobbdeling *c*
▸ **he has a job share** han deler jobben med noen
job sharing s jobbdeling *c*
Jock [dʒɔk] (*sl*) s skotte *m*
jockey ['dʒɔkɪ] 1 s jockey *m*
2 VI ▸ **to jockey for position** (*rivals, competitors+*) prøve (*v3*) å manøvrere seg inn i en fordelaktig stilling
jocular ['dʒɔkjuləʳ] ADJ (*person, remark*) skøyeraktig, spøkefull
jog [dʒɔg] 1 VT (*+elbow*) skumpe (*v1*) borti, dulte (*v1*) borti
2 VI (*= run*) jogge (*v1*)
▸ **to jog sb's memory** hjelpe* på noens hukommelse
jogger ['dʒɔgəʳ] s jogger *m*
jogging ['dʒɔgɪŋ] s jogging *c*
john [dʒɔn] (*US: sl*) s (*toilet*) do *m*
▸ **to the john** på do
join [dʒɔɪn] 1 VT (**a**) (*+queue*) stille (*v2x*) seg i
❑ *They joined the queue for coffee...* De stilte seg i kaffekøen...
(**b**) (*+club, organization*) melde (*v2*) seg inn i
(**c**) (*+army, navy etc*) gå* inn i
(**d**) (*= put together: things, places*) forbinde*
❑ *Draw a straight line joining these two points...* Tegn en rett linje som forbinder disse to punktene... *The High Street is joined to Market Street by an arcade...* High Street er forbundet med Market Street ved hjelp av en arkade...
(**e**) (*= meet: person*) møte (*v2*) ❑ *She flew out to join him...* Hun fløy ut for å møte ham...
(**f**) (*+road*) komme* inn på ❑ *This road joins the motorway at junction 16...* Denne veien kommer inn på motorveien ved veikryss nummer 16...
(**g**) (*+river*) løpe* sammen med ❑ *The Missouri joins the Mississippi at St Louis.* Missouri løper sammen med Mississippi ved St. Louis.
2 VI (*roads, rivers+*) møtes (*v25*) ❑ *The two streams join and form a river.* De to bekkene møtes og danner en elv.
3 s skjøt *m* ❑ *...that you could hardly see the join.* ...at du knapt kunne* se skjøten.
▸ **to join forces (with)** (*fig*) slå* seg sammen (med), gjøre* felles sak (med)

▸ **will you join us for dinner?** vil du spise middag (sammen) med oss?
▸ **I'll join you later** jeg kommer (til deg) senere
▸ **join in** 1 VI ta* del, bli* med ❑ *When other games are played, he tries to join in.* Når andre spill blir spilt, prøver han å ta* del *or* bli* med.
2 VT FUS (*+work, discussion etc*) ta* del i ❑ *Parents should join in these discussions...* Foreldre skulle* ta* del i disse diskusjonene...
▸ **join up** VI (**a**) (= *meet*) møtes (*v25*) (for å være* sammen)
(**b**) (*MIL*) gå* inn i militæret
joiner ['dʒɔɪnəʳ] (*BRIT*) s (bygnings)snekker *m*
joinery ['dʒɔɪnərɪ] (*BRIT*) s snekkerarbeid *nt*
joint [dʒɔɪnt] 1 s (**a**) (*TEKN: in woodwork, pipe etc*) skjøt *m* ❑ *Cracks appeared at the joints between...* Sprekker kom til syne i skjøtene mellom...
(**b**) (*ANAT*) ledd *nt* ❑ *...the joints of the fingers.* ...fingerleddene.
(**c**) (*BRIT: KULIN: of beef, lamb*) steik *c* (*var.* stek)
(**d**) (*sl: place*) bule *c* ❑ *He was employed in a tiny little jazz joint.* Han var ansatt i en knøttliten jazzbule.
(**e**) (*sl: of cannabis*) joint *m* ❑ *...two youngsters smoking a joint in the park.* ...to ungdommer som tok en joint i parken.
2 ADJ (**a**) (*owners*) ▸ **They are joint owners of the bar** De eier baren sammen
(**b**) (*effort, task*) felles ❑ *The presentation was a joint effort.* Presentasjonen var en felles anstrengelse.
joint account s felles konto *m*, a metakonto *m*
jointly ['dʒɔɪntlɪ] ADJ i fellesskap, sammen
joint ownership s sameie *nt*
joint-stock company ['dʒɔɪntstɔk-] s aksjeselskap *nt*
joint venture s samarbeidsforetak *nt*
joist [dʒɔɪst] s bjelke *m*
joke [dʒəuk] 1 s (**a**) (= *gag*) vits *m* ❑ *I tried to tell somebody that joke and they didn't get it.* Jeg prøvde å fortelle noen den vitsen, men de forstod den ikke.
(**b**) (*also* ***practical joke***) pek *nt*, puss *nt*
2 VI spøke (*v2*) ❑ *They never joked about sex in front of the children...* De spøkte aldri om sex med barna til stede... *Don't worry, I was only joking...* Ta det helt med ro, jeg bare spøkte...
▸ **to play a joke on somebody** spille (*v2x*) noen et puss, gjøre* noen et pek
▸ **you must be joking!** (*sl*) nå tuller du!
joker ['dʒəukəʳ] (*KORT*) s joker *m*
joking ['dʒəukɪŋ] s spøk *m*, vitsing *c* ❑ *Behind all the joking, he's actually a very serious person.* Bak all spøken *or* vitsingen er han faktisk en veldig alvorlig person.
jokingly ['dʒəukɪŋlɪ] ADV spøkefullt, i en spøkefull tone
jollity ['dʒɔlɪtɪ] s lystighet *c*
jolly ['dʒɔlɪ] 1 ADJ (**a**) (= *merry: person, laugh*) lystig, munter
(**b**) (= *enjoyable*) hyggelig ❑ *At Christmas we have an awfully jolly time...* I julen har vi det forferdelig hyggelig...
2 ADV (*BRIT: sl*) innmari (*sl*) ❑ *...a jolly good service...* en innmari god service...
3 VT (*BRIT*) ▸ **to jolly sb along** stadig oppmuntre (*v1*) noen
▸ **jolly good!** kjempebra!, supert!
jolt [dʒəult] 1 s (**a**) (= *jerk*) rykk *nt* ❑ *I came down slowly at first, but then with a jolt.* Jeg falt langsomt først, men så med et rykk.
(**b**) (= *shock*) støkk *m* ❑ *The aim of the detention centre is to give kids a jolt.* Målet med ungdomshjemmet er å gi* ungene en støkk.
2 VT (**a**) (*physically*) riste (*v1*)
(**b**) (*emotionally*) ryste (*v1*)
Jordan ['dʒɔ:dən] s (*country*) Jordan
▸ **the (river) Jordan** Jordan
Jordanian [dʒɔ:'deɪnɪən] 1 ADJ jordansk
2 s jordaner *m*
joss stick [dʒɔs-] s røkelsespinne *m*
jostle ['dʒɔsl] 1 VT puffe (*v1*) til, skumpe (*v1*) borti ❑ *Pedestrians jostled them on the pavement...* Fotgjengere puffet til *or* skumpet borti dem på fortauet...
2 VI ▸ **to jostle for attention** kjempe (*v1*) om oppmerksomhet
jot [dʒɔt] s ▸ **not a jot** ikke en døyt, ikke det grann
▸ **jot down** VT rable (*v1*) ned
jotter ['dʒɔtəʳ] (*BRIT*) s notisbok *c*, notisblokk *c*
journal ['dʒə:nl] s (**a**) (*magazine*) tidsskrift *nt*, magasin *nt*
(**b**) (= *diary*) journal *m* ❑ *...he had been keeping a journal of his travels...* han hadde ført journal over reisene sine...
journalese [dʒə:nə'li:z] (*neds*) s avisspråk *nt*
journalism ['dʒə:nəlɪzəm] s (**a**) (= *reporting, editing*) journalistikk *m*
(**b**) (= *profession*) journalistyrke *nt* ❑ *Have you ever thought of going into journalism?* Har du noensinne tenkt å gå* inn i journalistyrket?
journalist ['dʒə:nəlɪst] s journalist *m* ❑ *She worked as a journalist on The Times.* Hun arbeidet som journalist i The Times.
journey ['dʒə:nɪ] 1 s reise *c*
2 VI reise (*v2*)
▸ **a 5-hour/6-kilometer journey** en 5-timers/ 6-kilometers reise
▸ **a journey of several hundred miles** en reise på flere hundre mil
▸ **return journey** hjemreise *c*
jovial ['dʒəuvɪəl] ADJ (*person, air*) jovial
jowls [dʒaulz] SPL kjaker *c*
joy [dʒɔɪ] s glede *c*, fryd *m* (*liter*) ❑ *She shouted with joy...* Hun skrek av glede *or* fryd...
joyful ['dʒɔɪful] ADJ (*reunion*) gledefylt; (*news*) gledelig; (*mood, laugh*) glad; (*scene*) gledes-; (*person*) gledesstrålende
joyrider ['dʒɔɪraɪdəʳ] s bilbrukstyv *m*
joystick ['dʒɔɪstɪk] s (*AVIAT, DATA*) styrespak *m*
JP S FK = **Justice of the Peace**
Jr. FK (*in names*) = **junior**
JTPA (*US*) S FK (= **Job Training Partnership Act**) *statlig program for yrkesfaglig utdannelse*
jubilant ['dʒu:bɪlnt] ADJ (*person*) jublende; (*cries*) jubel-
jubilation [dʒu:bɪ'leɪʃən] s jubel *m* ❑ *There was a general air of jubilation.* Det var et generelt jubelpreg i lufta.

jubilee ['dʒu:bɪli:] s jubileum *nt*
▸ **silver jubilee** tjuefemårsjubileum
▸ **golden jubilee** femtiårsjubileum

judge [dʒʌdʒ] 1 s (**a**) (*JUR, in competition*) dommer *m* (**b**) (*fig: expert*) kjenner *m* ❑ *Nick, a perfect judge of such matters,...* Nick, den perfekte kjenner når det gjelder sånt,...
2 VT (**a**) (*+competition, exhibits etc*) være* dommer ved, dømme (*v2x*) i
(**b**) (*= estimate, consider, evaluate*) bedømme (*v2x*) ❑ *It's impossible to judge her age...* Det er umulig å bedømme alderen hennes... *I don't mind being judged on my performance...* Jeg synes det er greit at jeg blir dømt utfra hvordan jeg ter meg... *The operation must be judged a failure...* Operasjonen må bedømmes som en fiasko...
3 VI ta* stilling ❑ *...without knowing all the facts I can't really judge.* ...uten å ha* kjennskap til alle fakta kan jeg faktisk ikke ta* stilling.
▸ **she's a good judge of character** hun er en fin menneskekjenner
▸ **I'll be the judge of that** la meg avgjøre det
▸ **judging** *or* **to judge by his expression** etter uttrykket hans å dømme
▸ **as far as I can judge** så langt som jeg kan bedømme
▸ **I judged it necessary to inform him** jeg fant det nødvendig å informere ham

judge advocate s *offiser som leder rettsforhandlingene ved krigsrett*

judg(e)ment ['dʒʌdʒmənt] s (**a**) (*JUR*) dom *m* ❑ *The final judgement will probably be made in court...* Den endelige dommen vil sannsynligvis bli* avsagt i rettssalen... *Mr Justice Dillon gave his judgement...* Dommer Dillon avsa dommen...
(**b**) (*= view, opinion*) vurdering *c* ❑ *I shall make my own judgement on this matter....* Jeg skal gjøre* min egen vurdering i denne saken...
(**c**) (*= discernment*) vurderingsevne *c*, dømmekraft *c* ❑ *My father did not permit me to question his judgement...* Faren min tillot ikke at jeg stilte spørsmål ved vurderingsevnen *or* dømmekraften hans...
(**d**) (*REL*) straff *c* ❑ *War is a judgement on us all for our sins.* Krig er en straff for oss alle for våre synder.
▸ **in my judgement** etter mitt skjønn
▸ **to pass judgement (on)** felle (*v2x*) dom (over)
▸ **an error of judgement** en feilvurdering

judicial [dʒu:'dɪʃl] ADJ rettslig, juridisk ❑ *Lord Denning was appointed to conduct a judicial inquiry...* Lord Denning ble utpekt til å lede en rettslig gransking... *I would like to go through proper judicial procedures.* Jeg ønsker å gå* gjennom de rette rettslige *or* juridiske prosedyrer.
▸ **judicial review** rettslig gransking *c*

judiciary [dʒu:'dɪʃɪərɪ] s ▸ **the judiciary** domstolene *def pl*

judicious [dʒu:'dɪʃəs] ADJ (*action, decision*) skjønnsom

judo ['dʒu:dəu] s judo *m*

jug [dʒʌg] s mugge *c* ❑ *...a big white jug of beer...* en stor hvit mugge med øl... *Stand the flowers in half a jug of water.* Sett blomstene i en mugge halvfull med vann.

jugged hare (*BRIT*) s harestuing *c*

juggernaut ['dʒʌgənɔ:t] (*BRIT*) s vogntog *nt*

juggle ['dʒʌgl] 1 VI sjonglere (*v2*)
2 VT (*fig*) sjonglere (*v2*) med ❑ *Both of them juggle their working hours to be with the children...* De sjonglerte begge med arbeidstiden sin for å kunne* være* sammen med barna...
▸ **to juggle with sth** (*also fig*) sjonglere (*v2*) med noe

juggler ['dʒʌglə^r] s sjonglør *m*

Jugoslav *etc* ['ju:gəu'slɑ:v] = **Yugoslav** *etc*

jugular ['dʒʌgjulə^r] s (*ANAT*: ***jugular vein***) halsvene *c*
▸ **to go for the jugular** (*fig*) angripe det mest sårbare punktet

juice [dʒu:s] s (**a**) (*drink*) jus *m* (*var:* juice) ❑ *...two tall glasses of pineapple juice...* to glass ananasjus *or* ananasjuice...
(**b**) (*of fruit, plant*) saft *c* ❑ *...a little lemon juice...* litt sitronsaft...
(**c**) (*of meat*) sjy *m*, kraft *c* ❑ *...spooning the juices over the top of the lamb.* ...og øse sjyen *or* kraften over lammet.
(**d**) (*sl: petrol*) bensin *m* ❑ *We've run out of juice.* Vi har gått tom for bensin.

juicy ['dʒu:sɪ] ADJ (*fruit, meat*) saftig; (*sl: scandalous*) saftig, pikant

jukebox ['dʒu:kbɔks] s jukeboks *m*

Jul. FK = **July**

July [dʒu:'laɪ] s juli
▸ **the first of July** første juli
▸ **(on) the eleventh of July** den ellevte juli
▸ **in the month of July** i juli måned
▸ **at the beginning/end of July** i begynnelsen/slutten av juli
▸ **in the middle of July** i midten av juli
▸ **during July** i løpet av juli
▸ **in July of next year** i juli neste år
▸ **each** *or* **every July** hver juli
▸ **July was wet this year** juli var våt i år

jumble ['dʒʌmbl] 1 s (**a**) (*= muddle*) virvar *nt*
(**b**) (*BRIT: items for sale*) lopper *pl* ❑ *...collecting jumble for the local church fete.* ...samle lopper for den lokale kirkefesten.
2 VT (*also* ***jumble up***) rote (*v1*) sammen, blande (*v1*) sammen

jumble sale (*BRIT*) s loppemarked *nt*

jumbo ['dʒʌmbəu] 1 s (*also* ***jumbo jet***) jumbojet *m*
2 ADJ (*also* ***jumbo-sized***) kjempe- ❑ *...a jumbo packet of soap powder.* ...en kjempepakning med såpepulver.

jump [dʒʌmp] 1 VI (**a**) (*into air*) hoppe (*v1*) ❑ *Ralph jumped to his feet...* Ralph kom seg på beina i en fart... *The horse jumps over a small stream...* Hesten hopper over en liten bekk...
(**b**) (*with fear, surprise*) skvette*, støkke* ❑ *A sudden noise made Brody jump.* En plutselig lyd fikk Brody til å skvette *or* støkke.
(**c**) (*increase*) øke (*v2*) plutselig ❑ *The population jumped to nearly 10,000...* Befolkningen økte plutselig til neste 10 000...
2 VT (*+fence, stream*) hoppe (*v1*) over

3 s (**a**) (= *leap*) sprang *nt*, hopp *nt*
(**b**) (*increase*) hopp *nt* ❑ *...a massive jump in expenditure.* ...et omfattende hopp i utgiftene.
▸ **to jump the queue** (*BRIT*) snike* i køen
▸ **jump at** VT FUS (*+chance, offer*) hoppe (*v1*) på, gripe* begjærlig
▸ **jump down** VI hoppe (*v1*) ned
▸ **jump up** VI sprette* opp, springe* opp
jumped-up ['dʒʌmptʌp] (*BRIT: neds*) ADJ høy på pæra ❑ *...a jumped-up office boy.* ...et kontorbud som er høy på pæra.
jumper ['dʒʌmpəʳ] s (**a**) (*BRIT: pullover*) genser *m*, jumper *m*
(**b**) (*US: pinafore*) forklekjole *m*
(**c**) (*person, animal*) hopper *m* ❑ *This monkey is the most magnificent jumper of all.* Denne apekatten er den mest praktfulle hopperen av dem alle sammen.
jumper cables (*US*) SPL = **jump leads**
jump leads (*BRIT*) SPL startkabler *m*
jump-start ['dʒʌmpstɑːt] VT (*BIL: engine*) skyve* i gang
jump suit s kjeledress *m*
jumpy ['dʒʌmpɪ] ADJ (= *nervous*) skvetten
Jun. FK = **June**
junction ['dʒʌŋkʃən] (*BRIT*) s (**a**) (*of roads*) kryss *nt* ❑ *...at the junction of Pall Mall and St James's Street...* i krysset mellom Pall Mall og St James's Street...
(**b**) (*JERNB*) knutepunkt *nt*
junction box (*ELEK*) s koplingsboks *m*
juncture ['dʒʌŋktʃəʳ] s ▸ **at this juncture** på dette tidspunkt
June [dʒuːn] s juni *see also* **July**
jungle ['dʒʌŋgl] s (*also fig*) jungel *m* ❑ *...the Amazon jungle...* Amazonasjungelen... *it's a jungle in which the weakest have little hope of surviving.* ...det er en jungel hvor de svakeste har lite håp om å overleve.
junior ['dʒuːnɪəʳ] 1 ADJ (= *subordinate*) underordnet ❑ *...I was one of the most junior members of the school staff...* jeg var nederst på rangstigen blant de ansatte ved skolen... *We could give the job to somebody more junior...* Vi kunne* gi* jobben til en underordnet person...
2 s (**a**) (= *subordinate*) underordnet *m decl as adj* ❑ *They chided their juniors...* De skjente på sine underordnede... *the office junior.* ...yngstemann/yngstedame på kontoret.
(**b**) (*BRIT: SKOL*) ≈ småskoleelev *m* (*mellom 7 og 11 år*) ❑ *The juniors have a different uniform from the infants.* Småskoleelevene har en annerledes uniform enn de aller yngste elevene.
▸ **he's my junior by 2 years, he's 2 years my junior** han er to år yngre enn meg
▸ **he's junior to me** (= *subordinate*) han har en lavere stilling enn meg
▸ **Douglas Fairbanks Junior** Douglas Fairbanks junior
junior executive s juniorsjef *m*, nestsjef *m*
junior high school (*US*) s ≈ ungdomsskole *m*
junior minister (*BRIT*) s *minister for et av de mindre viktige departementene*
junior partner s yngre kompanjong *m* ❑ *...a junior partner in a law firm.* ...en yngre kompanjong i et advokatfirma.
junior school (*BRIT*) s ≈ småskole *m* (*for elever i alderen 7 til 11*)
juniper ['dʒuːnɪpəʳ] s einer *m*
juniper berry s einebær *nt*
junk [dʒʌŋk] 1 s (**a**) (= *rubbish*) skrot *nt* ❑ *He filled up the passageway with so much junk...* Han fylte opp korridoren med så mye skrot...
(**b**) (= *cheap goods*) skrap *nt* ❑ *...the local junk dealer.* ...den lokale skraphandleren.
(**c**) (*ship*) djunke *m*
2 VT (*sl*) kassere (*v2*), kaste (*v1*) på skraphaugen
junk bond s *obligasjon med lav verdi eller høy risiko*
junket ['dʒʌŋkɪt] s (*KULIN*) *slags søt dessert av melk og osteløype*, melkering *c*
junk food s gatekjøkkenmat *m* ❑ *...junk food like hamburgers and hot dogs.* ...gatekjøkkenmat som hamburgere og pølser.
junkie ['dʒʌŋkɪ] (*sl*) s narkoman *m decl as adj*, stoffmisbruker *m*
junk mail s reklame *m* (*du ikke har bedt om som kommer i posten*) ❑ *...there was so much junk mail on the mat.* ...det var så mye reklame på matten.
junk shop s skraphandel *m*
Junr FK (*in names*) = **junior**
junta ['dʒʌntə] s junta *m*
Jupiter ['dʒuːpɪtəʳ] s Jupiter *m*
jurisdiction [dʒuərɪs'dɪkʃən] s jurisdiksjon *m*, myndighetsområde *c* ❑ *...the jurisdiction of the juvenile courts.* ...ungdomsrettens jurisdiksjon *or* myndighetsområde.
▸ **to have jurisdiction over** ha* myndighet til
▸ **it falls** *or* **comes within/outside my jurisdiction** det hører/hører ikke under mitt myndighetsområde
jurisprudence [dʒuərɪs'pruːdəns] s jurisprudens *m*, rettsvitenskap *m*
juror ['dʒuərəʳ] s jurymedlem *nt*, lagrettsmedlem *nt*
jury ['dʒuərɪ] s jury *m*, lagrette *m* ❑ *...the twelve people on the jury...* de tolv i juryen *or* lagretten... *the right to trial by jury...* retten til å bli* prøvd for en jury *or* lagretten...
jury box s *juryens (eller lagrettens) plass i rettssalen*
juryman ['dʒuərɪmən] *irreg* s = **juror**
just [dʒʌst] 1 ADJ (**a**) (*decision, punishment, reward*) rettferdig, berettiget ❑ *...the just reward for hard work...* den rettferdige *or* berettige belønningen for hardt arbeid...
(**b**) (*society, cause, person*) rettferdig
2 ADV (**a**) (= *exactly*) akkurat, nettopp ❑ *I've been waiting for just such an occasion...* Jeg har ventet på akkurat *or* nettopp en slik anledning... *That's just what I wanted to hear.* Det er akkurat *or* nettopp det jeg ønsket å høre. *He knew just the place.* Han visste akkurat stedet. *Rattlesnake is just like chicken, only tougher...* Klapperslanger er akkurat som kylling, bare seigere...
(**b**) (= *merely*) bare ❑ *It's just a story.* Det er bare en fortelling. *Stop feeling obliged to do things just because others expect them from you.* Slutt med å føle deg forpliktet til å gjøre* ting bare fordi andre forventer dem av deg. *That's just*

one aspect... Det er bare en side...
▸ **he's just left/done it** han har nettopp *or* akkurat dratt/gjort det
▸ **just as I expected** akkurat *or* nettopp som jeg ventet
▸ **just right** akkurat passe
▸ **just now** (**a**) (= *a moment ago*) nettopp nå ❑ *She was here just now...* Hun var her nettopp nå...
(**b**) (= *at the present time*) akkurat nå ❑ *She's in Greece just now.* Hun er i Hellas akkurat nå.
▸ **we were just going** vi skulle* akkurat til å gå
▸ **I was just about to phone** jeg skulle* akkurat til å ringe
▸ **she's just as clever as you** hun er akkurat like flink som deg
▸ **it's just as well (that)...** det er like bra (at)...
▸ **just as he was leaving** akkurat da han skulle* dra
▸ **just before/after** like *or* rett før/etter
▸ **just enough** akkurat nok
▸ **just here** akkurat her
▸ **he just missed** (**a**) (*tried to hit and failed*) han bommet så vidt ❑ *He needed a bullseye to win, but just missed and came second.* Han trengte et blinkskudd for å vinne, men bommet så vidt og kom på andre plass.
(**b**) (*action was an accident*) han unngikk så vidt å treffe ❑ *The brick smashed the window and just missed a baby in a pram.* Mursteinen knuste vinduet og unngikk så vidt å treffe en baby i en barnevogn.
▸ **it's just me** det er bare meg
▸ **just listen** (bare) hør
▸ **just ask someone the way** bare spør noen om veien
▸ **not just now** ikke akkurat nå
▸ **just a minute!, just one moment!** (**a**) (*asking someone to wait*) (bare) et øyeblikk!, et øyeblikk bare!
(**b**) (*interrupting*) vent litt!

justice ['dʒʌstɪs] s (**a**) (*JUR: system*) rettssystem *nt* ❑ *...the British system of justice...* det britiske rettssystem...
(**b**) (= *legitimacy: of cause, complaint*) berettigelse *m* ❑ *They believe in the justice of their cause...* De tror at saken har sin berettigelse... *We were the only two there who might with any justice be called working-class.* Vi var de eneste to der som med en viss berettigelse kunne* bli* kalt arbeiderklasse.
(**c**) (= *fairness*) rettferdighet *m* ❑ *The concept of justice is very basic...* Rettferdighetsbegrepet er svært grunnleggende... *a strong sense of justice...* sterk rettferdighetssans...
(**d**) (*US: judge*) dommer *m* ❑ *...a Supreme Court justice.* ...en høyesterettsdommer.
▸ **Lord Chief Justice** (*BRIT: JUR*) *rettspresident i Queen's Bench Division of the High Court*
▸ **to do justice to sth** yte (*v1 or v2*) noe rettferdighet
▸ **she didn't do herself justice** hun ytte ikke sitt beste, hun gjorde ikke så godt hun kunne
▸ **to bring sb to justice** stille (*v2x*) noen for retten

Justice of the Peace s lekdommer *m* i byrett

justifiable [dʒʌstɪ'faɪəbl] ADJ (*claim, statement*) berettiget; (*interpretation*) forsvarlig

justifiably [dʒʌstɪ'faɪəblɪ] ADV ▸ **he was justifiably angry** han var sint – og det med rette

justification [dʒʌstɪfɪ'keɪʃən] s (**a**) (= *reason*) berettigelse *m* NB *There was no justification for higher interest rates...* Det var ingenting som kunne* rettferdiggjøre *or* berettige høyere rentesatser... ❑ *It could be said, with some justification, that...* Det kunne* sies med en viss berettigelse at...
(**b**) (*TYP*) rette marger *pl*, rett høyremarg *m*

justify ['dʒʌstɪfaɪ] VT (**a**) (*+action, decision*) rettferdiggjøre*
(**b**) (*TYP: text*) lage (*v1 or v3*) rette marger i, lage (*v1 or v3*) rett høyremarg i
▸ **he is justified in doing it** det er riktig av ham å gjøre* det

justly ['dʒʌstlɪ] ADV (**a**) (= *fairly*) rettferdig ❑ *I believe that I have acted justly.* Jeg tror at jeg har handlet rettferdig.
(**b**) (= *deservedly*) med rette, med god grunn ❑ *Elvis Presley can justly be called the King of Rock and Roll.* Elvis Presley kan med rette *or* god grunn kalles rockekongen.

jut [dʒʌt] VI (*also* ***jut out***) stikke* ut

jute [dʒu:t] s jute *m*

juvenile ['dʒu:vənaɪl] 1 ADJ (**a**) (*court, crime, offender*) ungdoms-
(**b**) (*humour, mentality, person*) barnslig ❑ *Don't be so juvenile!...* Ikke vær så barnslig!...
2 s (*JUR*) ungdom *m* ❑ *17% of all crime was committed by juveniles.* 17 % av alle forbrytelsene ble begått av ungdommer.

juvenile delinquency s ungdomskriminalitet *m*

juvenile delinquent s ungdomsforbryter *m*

juxtapose ['dʒʌkstəpəuz] VT (*+things, ideas*) sammenstille (*v2x*)

juxtaposition ['dʒʌkstəpə'zɪʃən] s sammenstilling *c*

K

K, k [keɪ] s (*letter*) K, k *m*
▸ **K for King** K for Karin
K [keɪ] FK (= **one thousand**) k; (*DATA*) (*BRIT: in titles*) (= **kilobyte**),**Knight**
kaftan ['kæftæn] s kaftan *m*
Kalahari Desert [kælə'hɑːrɪ-] s ▸ **the Kalahari Desert** Kalahariørkenen
kale [keɪl] s grønnkål *m*
kaleidoscope [kə'laɪdəskəup] s (*toy*) kaleidoskop *nt*
kamikaze ['kæmɪ'kɑːzɪ] ADJ (*mission etc*) kamikaze-, selvmords-
Kampala [kæm'pɑːlə] s Kampala *m*
Kampuchea [kæmpu'tʃɪə] s Kambodsja *nt*
Kampuchean [kæmpu'tʃɪən] ADJ kambodsjansk
kangaroo [kæŋgə'ruː] s kenguru *m*
kaput [kə'put] (*sl*) ADJ ▸ **to be kaput** være* kaputt
karaoke [kɑːrə'əukɪ] s karaoke *m*
karate [kə'rɑːtɪ] s karate *m*
Kashmir [kæʃ'mɪəʳ] s Kashmir *nt*
kayak ['kaɪæk] s kajakk *m*
KC (*BRIT: JUR*) s FK (= **King's Counsel**) *tittel*
kcal, k.cal s FK = **kilocalorie**
kd (*US: MERK*) FK (= **knocked down**) demontert, atskilt
kebab [kə'bæb] s kebab *m*
keel [kiːl] s kjøl *m*
▸ **on an even keel** (*fig*) på rett kjøl ❑ *He took lots of different medicines which kept him on an even keel...* Han tok masse forskjellige medisiner som holdt ham på rett kjøl... *Most governments are able to keep their economies on an even keel.* De fleste regjeringer er i stand til å holde økonomien på rett kjøl.
▸ **keel over** VI (**a**) (*NAUT*) kantre (*v1*), kullseile (*v2*)
(**b**) (*person+*) falle* overende ❑ *The others had either keeled over or were laughing hysterically.* De andre hadde enten falt overende eller lo hysterisk.
keen [kiːn] ADJ (**a**) (= *enthusiastic*) ivrig ❑ *He was not a keen gardener...* Han var ikke en ivrig gartner... *a keen, enthusiastic lad...* en ivrig, entusiastisk fyr...
(**b**) (= *intense: interest, desire*) sterk, stor ❑ *He took a keen interest in domestic affairs...* Han hadde stor *or* sterk interesse for innenrikssaker...
(**c**) (= *acute: eye, intelligence*) skarp ❑ *...it takes a keen eye to spot them...* det må et skarpt øye til for å få* øye på dem... *people with very keen powers of observation.* ...folk med veldig skarpe observasjonsevner.
(**d**) (= *fierce: competition*) skarp ❑ *The competition for the first prize was keen.* Konkurransen om førsteplassen var skarp.
(**e**) (= *sharp: edge, blade*) skarp
▸ **to be keen to do** *or* **on doing sth** (= *eager, anxious*) være* ivrig etter å gjøre* noe ❑ *Her solicitor was much keener to talk to her than she was to talk to him.* Advokaten hennes var mye ivrigere etter å snakke med henne enn hun var etter å snakke med ham. *I'm never very keen on keeping a car for more than a year.* Jeg er aldri særlig ivrig etter å beholde en bil i mer enn et år.
▸ **to be keen on sth/sb** være* interessert i noe/noen ❑ *Molly was very keen on the music master.* Molly var svært interessert i musikklæreren. *Boys are just as keen on cooking as girls are.* Gutter er akkurat like interessert i å lage mat som jenter er.
keenly ['kiːnlɪ] ADV (**a**) (*interested*) levende, sterkt ❑ *I was still keenly interested in outdoor activities...* Jeg var ennå levende *or* sterkt interessert i utendørsaktiviteter...
(**b**) (*feel*) sterkt, intenst ❑ *He felt the pain in his side keenly.* Han følte smerten i siden sterkt *or* intenst.
(**c**) (*watch*) ivrig ❑ *She was watching keenly.* Hun tittet ivrig.
keenness ['kiːnnɪs] s (= *eagerness*) iver *m* ❑ *What she lacks in ability she makes up for in keenness.* Det hun mangler av evner tar hun igjen i iver.
▸ **keenness to do** iver etter å gjøre ❑ *...she showed a great keenness to participate.* ...hun viste en stor iver etter å delta.
keep [kiːp] (*pt* **kept**)*pp* **1** VT (**a**) (= *retain: receipt, money, job etc*) beholde* ❑ *Make sure you always keep your receipts.* Pass på at du alltid beholder kvitteringene. *She would probably not be able to keep her job...* Hun ville* antagelig ikke være* i stand til å beholde jobben...
(**b**) (= *preserve, store: belongings*) oppbevare (*v2*) ❑ *...the basement of the building, where the rubbish is kept...* bygningens kjeller, hvor avfallet er oppbevart... *Keep your card in a safe place.* Oppbevar kortet ditt på et trygt sted.
(**c**) (= *detain: person*) oppholde*, beholde* ❑ *They kept her in hospital overnight.* De beholdt henne på sykehuset over natten. *What kept you?* Hva oppholdt deg? *Am I keeping you from your party?* Oppholder jeg deg fra selskapet ditt?
(**d**) (= *run, look after: shop etc*) drive* ❑ *She kept a sweetshop.* Hun drev en godteributikk.
(**e**) (*+chickens, bees etc*) ha, holde* ❑ *It would be nice to keep bees.* Det ville* være* fint å ha* *or* holde bier.
(**f**) (*+accounts, diary*) føre (*v2*)
(**g**) (= *support: family etc*) underholde* NB *He gets four pounds a week to keep himself...* Han får fire pund i uka til underhold...
(**h**) (= *fulfil: promise*) holde* ❑ *I always keep my promises...* Jeg holder alltid mine løfter...
2 VI (**a**) (= *stay*) holde* seg NB *...to keep warm.* ...å holde seg varm. ❑ *He kept out of trouble until his friend was released from jail.* Han holdt seg unna trøbbel til vennen hans ble løslatt fra fengselet. NB *Keep to the path.* Hold deg til stien.

(**b**) (= *last : food*) holde* seg ❑ ***Fish doesn't keep very well...*** Fisk holder seg ikke så godt...

[3] s (**a**) (*expenses*) underhold *nt* ❑ ***The grant includes 19 pounds for your keep.*** Stipendiet inkluderer 19 pund til underhold.

(**b**) (*of castle*) (hoved)tårn *nt* ❑ ***...a four-sided medieval keep.*** ...et firkantet middelaldersk tårn.

▸ **to keep doing sth** (**a**) (*repeatedly*) fortsette* å gjøre* noe, stadig gjøre* noe ❑ ***I keep making the same mistake...*** Jeg fortsetter å gjøre* *or* gjør stadig den samme feilen... ***Since I read it, I keep thinking about it...*** Jeg har fortsatt med å tenke *or* har stadig tenkt på det etter at jeg leste det...

(**b**) (*continuously*) fortsette* å gjøre* noe ❑ ***Keep walking until you come to the bridge.*** Forsett å gå* til du kommer til broa. ***You just have to keep trying, that's all.*** Du må bare fortsette å prøve, det er alt.

▸ **to keep sb happy** få* noen til å være* fornøyd ❑ ***He bought her a new fur coat to keep her happy.*** Han kjøpte en ny pelskåpe til henne for at hun skulle* være* fornøyd.

▸ **to keep sb in luxury** holde* noen med luksus

▸ **to keep a place tidy** holde* et sted ryddig ❑ ***Try and keep the kitchen tidy while I'm gone.*** Forsøk å holde kjøkkenet ryddig mens jeg er borte.

▸ **to keep sb waiting** la noen vente ❑ ***Sorry to have kept you waiting.*** Beklager at du måtte* vente.. Beklager at jeg lot deg vente.

▸ **to keep an appointment** holde* en avtale ❑ ***I'm afraid I won't be able to keep my appointment for this afternoon.*** Jeg er redd jeg ikke vil være* i stand til å holde avtalen min i kveld.

▸ **to keep a record of sth** registrere (*v2*) noe ❑ ***We keep a record of the noise levels produced by the machines...*** Vi registrerer støynivået som lages av maskinene...

▸ **to keep sth to o.s.** holde* noe for seg selv ❑ ***I'm throwing a party for her but keep it to yourself, it's meant to be a surprise.*** Jeg arrangerer en fest for henne, men hold det for deg selv, det er ment som en overraskelse.

▸ **to keep sth (back) from sb** holde* noe tilbake for noen ❑ ***He seemed to be keeping something from me.*** Det virket som om han holdt noe tilbake for meg.

▸ **to keep sb from doing sth/sth from happening** forhindre (*v1*) noen fra å gjøre* noe/ noe fra å skje ❑ ***Can't you keep your dog from messing on my front path?*** Kan du ikke forhindre at hunden din griser til oppkjørselen min?

▸ **to keep time** (*clock+*) gå* presist ❑ ***This watch doesn't keep very good time, I'm taking it back.*** Denne klokka går ikke særlig presist *or* er ikke pålitelig, jeg leverer den tilbake.

▸ **How are you keeping?** (*sl*) Hvordan har du det? ❑ ***Nice to see you again. How have you been keeping?*** Hyggelig å treffe deg igjen. Hvordan har du hatt det?

▶ **keep away** [1] VT ▸ **to keep sth/sb away from sth/sb** holde* noe/noen borte fra *or* unna noe/ noen ❑ ***Keep animals away from the kitchen...*** Hold dyr borte fra kjøkkenet *or* unna kjøkkenet...

[2] VI ▸ **to keep away (from)** holde* seg borte (fra) *or* unna ❑ ***He lacked the power to keep away.*** Han hadde ikke kraft til å holde seg borte *or* unna. ***They kept away from the forest...*** De holdt seg borte fra skogen *or* unna skogen...

▶ **keep back** [1] VT (**a**) (*+crowds, tears, money*) holde* tilbake *or* igjen ❑ ***The police had difficulty keeping the crowds back.*** Politiet hadde vanskeligheter med å holde menneskemengden tilbake *or* igjen.

(**b**) (*+paint, ingredients*) legge* av, spare (*v2*) ❑ ***Remember to keep back enough cream to make the topping.*** Husk å spare nok krem til pynten.

(**c**) (*+information*) holde* tilbake ❑ ***You can't write an autobiography without keeping something back.*** Du kan ikke skrive en selvbiografi uten å holde noe tilbake.

[2] VI holde* seg tilbake ❑ ***Keep back or I'll shoot.*** Hold dere der dere er, eller så skyter jeg.

▶ **keep down** [1] VT (**a**) (= *control : prices, spending*) holde* nede ❑ ***The French too are very concerned to try and keep costs down.*** Franskmennene er også svært opptatt av å prøve å holde kostnadene nede.

(**b**) (= *retain : food*) holde* på ❑ ***I can't keep anything down, not even water.*** Jeg kan ikke holde på noe, ikke engang vann.

[2] VI (*person+*) bli* liggende, holde* seg nede ❑ ***Keep down!*** Bli liggende *or* Hold deg nede!

▶ **keep in** VT (**a**) (*+invalid, child*) holde* inne

(**b**) (*as punishment at school*) *be noen om å sitte igjen* [NB] ***John was kept in at school one day last week.*** John satt igjen på skolen en dag i forrige uke.

▶ **keep in with** VT holde* seg inne med ❑ ***Now he is getting old he wishes he had kept in with his family.*** Nå som han blir gammel skulle* han ønske at han hadde holdt seg inne med familien.

▶ **keep off** [1] VT holde* vekk (fra) *or* unna ❑ ***In Scotland you have no right to keep people off your land.*** I Skottland har du ikke noen rett til å holde folk vekk fra *or* unna eiendommen din. ***...a bamboo shelter to keep the rain off.*** ...et bambustak for å holde regnet vekk *or* unna.

[2] VI (*rain+*) holde* seg unna ❑ ***Luckily the rain kept off.*** Heldigvis holdt regnet seg unna.

▸ **"keep off the grass"** "trå ikke på gresset"

▸ **"keep your hands off"** "ikke rør"

▶ **keep on** VI (= *continue*) ▸ **to keep on doing** fortsette* å gjøre ❑ ***They kept on walking for a while in silence...*** De fortsatte å gå* en stund uten å si noe...

▸ **to keep on (about sth)** mase (*v2*) (om noe) ❑ ***She kept on about the stupid car.*** Hun maste om den dumme bilen.

▶ **keep out** VT (*+intruder etc*) holde* vekk, holde* unna ❑ ***...a guard dog to keep out intruders...*** en vakthund for å holde inntrengere vekk *or* unna...

▸ **"keep out"** "ingen adgang"

▶ **keep up** [1] VT (**a**) (*gen*) holde* oppe ❑ ***It's important to keep up the standard.*** Det er viktig

å holde standarden oppe. *I ought never to have kept you up so late.* Jeg skulle* aldri ha* holdt deg oppe så lenge.
(**b**) (*+payments*) ▸ **He was unable to keep up the payments...** Han var ikke i stand til å holde betalingsfristene.
2 VI ▸ **to keep up (with)** (**a**) (*= match : pace*) henge* med, holde* tritt (med) ❑ *They will have to get off the highway because they can't keep up.* De må kjøre av hovedveien fordi de ikke kan henge med *or* holde tritt. *I started to run a bit so that she had to hurry to keep up with me...* Jeg begynte å løpe et stykke slik at hun måtte* skynde seg for å henge med *or* holde tritt med meg...
(**b**) (*+level*) holde* tritt (med) ❑ *Supply could never have kept up with consumption...* Forsyningene kunne* aldri ha* holdt tritt med forbruket... *Pensions were increased to keep up with the rise in prices.* Pensjonene ble økt for å holde tritt med prisstigningen.

keeper ['ki:pəʳ] s (*in zoo*) dyrepasser *m*; (*in park*) vakt *m*

keep fit s mosjon *m*
▸ **keep fit classes** mosjonskurs

keeping ['ki:pɪŋ] s (*= care*) besittelse *m*, varetekt *m* ❑ *He entrusted the book to my keeping.* Han betrodde meg å la boka være* i min besittelse *or* varetekt.
▸ **in keeping with** (**a**) (*suitable to*) i stil med ❑ *White socks and brown shoes were not quite in keeping with her beautiful satin evening dress.* Hvite sokker og brune sko sto ikke helt i stil med hennes aftenkjole av sateng.
(**b**) (*= in accordance with*) i overensstemmelse med ❑ *In keeping with the government policy of non-interference, they refused to take any action.* I overensstemmelse med regjeringens politikk om ikke å blande seg inn, nektet de å gå* til aksjon.
▸ **out of keeping with** som ikke passer med, som står dårlig i stil med ❑ *Her costume was quite out of keeping with the character she was supposed to be playing.* Antrekket hennes passet ikke i det hele tatt *or* stod dårlig i stil med rollen som hun skulle* spille.

keeps [ki:ps] s ▸ **for keeps** (*sl*) for å bli ❑ *I came back to the United States for keeps.* Jeg drog tilbake til USA for å bli.

keepsake ['ki:pseɪk] s suvenir *m*

keg [kɛg] s (*= barrel*) fat *nt*, liten tønne *c*

kennel ['kɛnl] s hundehus *nt*

kennels ['kɛnlz] s (*establishment*) kennel *m*
▸ **at a kennels** i en kennel

Kenya ['kɛnjə] s Kenya *nt*

Kenyan ['kɛnjən] 1 ADJ kenyansk
2 s kenyaner *m*

kept [kɛpt] PRET, PP *of* **keep**

kerb [kə:b] (*BRIT*) s fortauskant *m* ❑ *The taxi pulled into the kerb...* Taxien kjørte inn til fortauskanten... *She stepped off the kerb.* Hun gikk ned fra fortauskanten.

kerb crawler (*sl*) s horekunde *m* (*som bruker bil*)

kernel ['kə:nl] s (*also fig*) kjerne *m* ❑ *There is a kernel of truth in what you say.* Det er en kjerne av sannhet i det du sier.

kerosene ['kɛrəsi:n] (*US*) s parafin *m*

kestrel ['kɛstrəl] s tårnfalk *m*

ketchup ['kɛtʃəp] s ketchup *m*

kettle ['kɛtl] s (vann)kjele *m* ❑ *They put the kettle on to make a cup of tea.* De satte på kjelen for å lage en kopp te. NB *The kettle's boiling.* Vannet koker.

kettledrum ['kɛtldrʌm] s pauke *m*

key [ki:] 1 s (**a**) (*for lock, mechanism, fig: solution*) nøkkel *m* ❑ *He locked the bag and put the key in his pocket...* Han låste bagen og la nøkkelen i lomma... *a front door key...* en nøkkel til inngangsdøra... *the key to the mystery.* ...nøkkelen til mysteriet.
(**b**) (*MUS : scale*) toneart *m* ❑ *...a startling change of key...* et forbløffende skifte av toneart...
(**c**) (*of piano, organ*) tangent *m* ❑ *She ran her fingers lightly over the keys of the piano.* Hun lot fingrene løpe lett over tangentene på pianoet.
(**d**) (*of computer, typewriter*) tast *m* ❑ *...and banged viciously at the keys of the typewriter...* og slo voldsomt på skrivemaskintastene...
2 ADJ (*issue, factor etc*) nøkkel- ❑ *Unemployment was a key issue during the last election campaign...* Arbeidsledighet var en nøkkelsak under den siste valgkampen... *Confidence, we know, is the key factor in any successful career.* Tillit er, som vi vet, nøkkelfaktoren i enhver suksessrik karriere.
3 VT (*also* ***key in***) taste (*v1*) inn ❑ *To extract information you key in the word you require.* For å få* ut informasjon må du taste inn ordet du søker.
▸ **to be in the key of D** ha* tonearten D

keyboard ['ki:bɔ:d] s (**a**) (*of computer, typewriter*) tastatur *nt* ❑ *Type L I S T on the keyboard and the instructions are displayed.* Skriv L I S T E på tastaturet og instruksjonene vil komme opp på skjermen.
(**b**) (*of piano, organ*) tangenter *mpl*, klaviatur *nt* ❑ *She reached out her hands to the keyboard and began to play.* Hun tok hendene opp til tangentene *or* klaviaturet og begynte å spille.
▸ **keyboard(s)** S(PL) tangentinstrumenter *ntpl*, keyboard(s) *nt(pl)* ❑ *...and Colin Browne (keyboards and guitar).* ...og Colin Browne (tangentinstrumenter *or* keyboard(s) og gitar).

keyboarder ['ki:bɔ:dəʳ] s puncher *m*

keyed up ADJ (*person*) anspent, tense ❑ *She always gets very keyed up before an exam.* Hun blir alltid veldig anspent *or* tense før en eksamen.

keyhole ['ki:həul] s nøkkelhull *nt* ❑ *She slid the key into the keyhole...* Hun stakk nøkkelen inn i nøkkelhullet...

keyhole surgery s kikkhullskirurgi *m*

keynote ['ki:nəut] s (**a**) (*of speech*) hovedtema *nt*
(**b**) (*= principle idea*) grunnprinsipp *nt* ❑ *The keynote for Labour policy, he saw, was planning.* Grunnprinsippet for Arbeiderpartiets politikk var, som han skjønte, planlegging.
(**c**) (*MUS*) grunntone *m*

keypad ['ki:pæd] (*DATA, ELEK*) s tastegruppe *m*

key ring s nøkkelring *m*

keystroke ['ki:strəuk] (*DATA*) s tastetrykk *nt*
kg FK = **kilogram**
KGB (*POL*) S FK (*formerly*) ▸ **the KGB** KGB
khaki ['kɑ:kɪ] s kaki *m* ❑ *The boys looked smart in khaki...* Guttene så flotte ut i kaki...
kHz FK (= **kilohertz**) kHz
kibbutz [kɪ'buts] s kibbutz *m*
kick [kɪk] 1 VT (**a**) (*+person, table, ball*) sparke (*v1*) ❑ *He protested violently, and threatened to kick me.* Han protesterte voldsomt og truet med å sparke meg. *Nobody could kick a ball as hard as Charlton could.* Ingen kunne* sparke en ball så hardt som Charlton kunne.
(**b**) (*sl*) ▸ **to kick the habit** slutte (*v1*) ❑ *Smokers are being encouraged to kick the habit...* Røykere blir oppfordret til å slutte...
2 VI (*horse+*) sparke (*v1*) ❑ *That old mare kicks like a mule.* Den gamle merra sparker som muldyr.
3 S (**a**) (*of person, animal*) spark *nt* ❑ *A heavy kick in the ribs left him gasping for breath...* Et hardt spark i ribbeina førte til at han gispet etter luft... *He gave him a good kick...* Han gav ham et skikkelig spark...
(**b**) (*of ball*) spark *nt*, pasning *m* ❑ *Robson headed in from Hoddle's kick.* Robson nikket in på Hoddles pasning.
(**c**) (*of rifle*) rekyl *m* ❑ *A .303 has quite a kick.* En .303 har litt av en rekyl.
(**d**) (= *thrill*) ▸ **to get a kick out of sth** synes (*v25*) noe er fantastisk spennende *or* morsomt
▸ **to do sth for kicks** (*sl*) gjøre* noe for moro skyld ❑ *I don't know why she does all these dangerous sports. For kicks, probably.* Jeg vet ikke hvorfor hun driver med alle disse farlige sportsgrenene. For moro skyld, antakeligvis.
▸ **I could kick myself** (**a**) (*sl*) Jeg er så ergerlig *or* irritert på meg selv
(**b**) (*after stupid statement*) Jeg kunne* bite av meg tunga. ❑ *I called her Mary instead of Margaret. I could have kicked myself.* Jeg kalte henne Mary istedenfor Margaret. Jeg kunne* ha* bitt av meg tunga *or* Jeg var så ergerlig *or* irritert på meg selv.
▸ **kick around** (*sl*) 1 VI ligge* slengt ❑ *His old bike has been kicking around among the bushes for days.* Den gamle sykkelen hans hadde ligget slengt i buskene i flere dager.
2 VT (*+ideas*) jobbe (*v1*) med, tumle (*v1*) med ❑ *They called in their writers and asked them to kick around some ideas.* De tilkalte skribentene sine og ba dem om å jobbe *or* tumle med noen ideer.
▸ **kick in** (*sl*) VI (= *take effect*) tre* i kraft
▸ **kick off** (*SPORT*) VI starte (*v1*) (kampen) ❑ *The teams kicked off late because of crowd trouble.* Lagene startet kampen sent på grunn av problemer med menneskemengden.
kick-off ['kɪkɔf] (*SPORT*) s avspark *nt* ❑ *The kick-off's at 3 o'clock...* Avspark er *or* kampen begynner klokka 3...
kick start (*BIL*) s (*also* ***kick starter***) kickstart *m*
kid [kɪd] 1 s (**a**) (*sl: child*) barn *nt*, unge *m* ❑ *It was good to see Lennie and Helen and the kids again...* Det var godt å se Lennie og Helen og barna *or* ungene igjen... *I can remember the strange feelings I had when I was a kid...* Jeg husker de rare følelsene jeg hadde da jeg var barn...
(**b**) (*goat*) kje *nt*, geitekilling *m*
(**c**) (*leather*) glacé *m*
2 VI (*sl*) tulle (*v1*) ❑ *"I passed the exam." "You're kidding."* "Jeg stod". "Nå tuller du". *I'm not kidding, I really did see a UFO.* Jeg tuller ikke, jeg så virkelig en UFO.
▸ **kid brother/sister** (*sl*) lillebror/lillesøster, yngre bror/søster ❑ *As a lad I had to take my kid brother to school every day.* Som gutt måtte* jeg følge lillebroren *or* den yngre broren min på skolen hver dag.
kid gloves SPL ▸ **to treat sb with kid gloves** ta* på noen med silkehansker
kidnap ['kɪdnæp] VT kidnappe (*v1*) ❑ *His plan is to kidnap the President of the United States...* Planen hans er å kidnappe USAs president...
kidnapper ['kɪdnæpə^r] s kidnapper *m* ❑ *I had given up all hope of tracing her kidnapper.* Jeg hadde gitt opp alt håp om å spore opp kidnapperen hennes.
kidnapping ['kɪdnæpɪŋ] s kidnapping *m* ❑ *She is charged with murder, kidnapping, and criminal conspiracy...* Hun er anklaget for mord, kidnapping og kriminell sammensvergelse... *a thriller based on the kidnapping of a royal child...* en spenningsroman basert på kidnappingen av et kongelig barn...
kidney ['kɪdnɪ] s (*ANAT, KULIN*) nyre *m* ❑ *...permanent damage to the liver and kidneys...* permanent skade på leveren og nyrene... *There were grilled kidneys for Sunday breakfast...* Det var grillede nyrer til frokost på søndag...
kidney bean s hagebønne *m*
kidney machine s dialyseapparat *nt* ❑ *She's been on a kidney machine for years.* Hun har hatt gått til dialyse i årevis.
Kilimanjaro [kɪlɪmən'dʒɑ:rəu] s ▸ **Mount Kilimanjaro** Kilimanjaro *nt*
kill [kɪl] 1 VT (**a**) (*+person, animal, plant*) drepe (*v2*) ❑ *Her mother was killed in a car crash...* Moren hennes ble drept i en bilulykke... *The sun had killed most of the plants...* Sola hadde drept de fleste av plantene... *She killed him with a hammer...* Hun drepte ham med en hammer...
(**b**) (*fig: rumour, conversation*) stoppe (*v1*) ❑ *With this tactless remark he killed the conversation.* Med denne taktløse bemerkningen stoppet han samtalen.
(**c**) (*sl: lights, motor*) kvele* ❑ *He stopped the car suddenly, killing the motor.* Han bråstoppet bilen og kvalte motoren.
(**d**) (*+pain*) stoppe (*v1*), døyve (*v1 or v3*) ❑ *I'll give you something to kill the pain...* Jeg skal gi* deg noe som kan stoppe eller døyve smerten...
2 s bytte *nt* ❑ *The female lions make the majority of kills.* Løvinnene skaffer de fleste byttene.
▸ **to kill time** slå i hjel tiden ❑ *He spent long hours keeping out of the way, killing time.* Han tilbragte mange timer for seg selv mens han slo i hjel tiden.
▸ **to kill o.s. to do sth** (*sl: fig*) streve (*v3*) for å

gjøre* noe ❑ *He didn't exactly kill himself to get here on time.* Han strevde ikke akkurat for å rekke fram hit i tide.

▸ **to kill o.s. laughing** *or* **with laughter** (*sl: fig*) le* seg i hjel ❑ *They're sitting killing themselves with laughter.* De sitter og ler seg i hjel.

▸ **my back's killing me** (*sl: fig*) ryggen min tar drepen på meg

▸ **to be in at the kill** (*fig*) være* med til siste slutt ❑ *I got the story from Fred, who was apparently in at the kill.* Jeg hørte historien fra Fred, som tydeligvis var med til siste slutt.

▸ **kill off** VT drepe (*v2*) (**a**) (*+whole species*) utrydde (*v1*) ❑ *The bacteria had been killed off.* Bakterien hadde blitt drept/utryddet.

(**b**) (*fig*) avlive (*v1*) ❑ *This discovery killed off one of the last surviving romances about the place.* Oppdagelsen avlivet en av de siste overlevende romantiske mytene om stedet.

killer ['kɪləʳ] s (**a**) (= *murderer*) morder *m*

(**b**) (*male*) drapsmann *m* ❑ *He became a ruthless killer.* Han ble en hensynsløs morder *or* drapsmann.

(**c**) (*disease etc*) dødsårsak *m* ❑ *Heart disease is the major killer of our time.* Hjertesykdommer er den største dødsårsaken i vår tid. *Chickenpox is no longer a killer.* Vannkopper er ikke dødelig lenger.

killer instinct s (*lit*) drapsinstinkt *nt*; (*fig*) beinhard vilje *m* til å lykkes

killing ['kɪlɪŋ] s drap *nt* ❑ *The killings were random, gruesome, and baffling.* Drapene var tilfeldige, grusomme og uforståelige.

▸ **to make a killing** (*sl*) få* seg en rask kjempegevinst ❑ *Atkins was able to make a killing by buying up all the shares.* Atkins klarte å få* seg en rask kjempegevinst ved å kjøpe opp alle aksjene.

killjoy ['kɪldʒɔɪ] s gledesdreper *m*, hengehode *nt* ❑ *Don't be such a killjoy!* Ikke vær en slik gledesdreper *or* et slikt hengehode!

kiln [kɪln] s brenneovn *m* ❑ *The house had been built with bricks from his own kiln.* Huset var bygd med murstein fra hans egen brenneovn.

kilo ['kiːləu] s kilo *nt*

▸ **a kilo of strawberries** et kilo (med) jordbær

kilobyte ['kiːləubaɪt] (*DATA*) s kilobyte *m*

kilocalorie ['kɪləukælərɪ] s kilokalori *m*

kilogram(me) ['kɪləugræm] s kilogram *nt*

▸ **a 815 kilogram spacecraft** et romfartøy på 815 kilogram

kilohertz ['kɪləuhəːts] s UBØY kilohertz *m*

▸ **a ten kilohertz sound** en lyd på ti kilohertz

kilometre ['kɪləmiːtəʳ], **kilometer** (*US*) s kilometer *m*

▸ **a 75 kilometre tunnel** en tunnel på 75 kilometer, en 75 kilometers tunnel

kilowatt ['kɪləuwɔt] s kilowatt *m*

▸ **one kilowatt of power** en kilowatts kraft

▸ **a one kilowatt fire** en ovn på en kilowatt

kilt [kɪlt] s kilt *m*

kilter ['kɪltəʳ] s ▸ **out of kilter** i uorden, forvirret ❑ *...everything was upside down and out of kilter.* ...alt var opp ned og i uorden. *A seizure is just a surge of electrical energy going through your brain which throws it out of kilter.* Et anfall er bare en bølge av elektrisk energi som går gjennom hjernen og som gjør den forvirret.

kimono [kɪ'məunəu] s kimono *m*

kin [kɪn] s *see* **kith, next**

kind [kaɪnd] [1] ADJ (*person, action, smile, voice*) snill, vennlig ❑ *I find them all extremely kind and helpful...* Jeg synes de alle er ekstremt snille *or* vennlige og hjelpsomme... *Thank you, Mrs Oliver. You've been very kind...* Tusen takk, fru Oliver. Du har vært veldig snill *or* vennlig... *"Take care," he said in a kind voice.* "Ta vare på deg selv," sa han med en vennlig *or* snill stemme.

[2] s (= *type, sort*) type *m*, slag *nt* ❑ *...processes of an entirely new kind.* ...prosesser av en helt ny type *or* et helt nytt slag. *He had a seizure of some kind.* Han fikk et anfall av en eller annen type *or* et eller annet slag. NB *These thoughts weren't the kind he could ever share with anyone...* Disse tankene var ikke av den typen *or* det slaget som han kunne* dele med noen... *relief work, emergency, floods, that kind of thing.* ...hjelpearbeide, unntakstilstand, flom, den slags *or* type ting.

▸ **would you be kind enough to ...?, would you be so kind as to ...?** vil du være* så snill *or* vennlig å ...? ❑ *Before you go to bed, would you be kind enough to close the window?* Før du legger deg, vil du være* så snill *or* vennlig å lukke vinduet?

▸ **it's very kind of you (to do)** det er veldig snilt av deg (å gjøre) ❑ *It was very kind of you to come.* Det var veldig snilt av deg å komme.

▸ **in kind** (*MERK*) i naturytelser ❑ *I'll be getting paid in kind she's giving me bed and breakfast.* Jeg får betalt i naturytelser hun gir meg losji og frokost.

▸ **a kind of...** et *or* en slags..., en type... ❑ *I'm a kind of anarchist, I suppose...* Jeg er en slags *or* type anarkist, antar jeg...

▸ **what kind of ...?** hva slags ...? ❑ *Was he carrying a weapon and, if so, what kind of weapon?* Bar han våpen og, i så fall, hva slags *or* hvilken type våpen?

▸ **all kinds of...** alle slags... ❑ *It will give you an opportunity to meet all kinds of people...* Det vil gi* deg en mulighet til å møte alle slags *or* typer mennesker...

▸ **to be two of a kind** være* to av samme legning ❑ *They're two of a kind, I wouldn't trust either of them.* De er to alen av samme stykke, jeg ville* ikke stole på noen av dem.

kindergarten ['kɪndəgɑːtn] s førskole *m*

kind-hearted [kaɪnd'hɑːtɪd] ADJ godhjertet

kindle ['kɪndl] VT (**a**) (= *light: fire*) tenne (*v2x*) ❑ *A great fire was kindled and everyone rejoiced.* Det ble tent opp et stort bål og alle jublet.

(**b**) (= *arouse: emotion*) vekke (*v1 or v2x*) ❑ *...the aspirations kindled in us in early childhood.* ...aspirasjonene ble vekket i oss tidlig i barndommen.

kindling ['kɪndlɪŋ] s opptenningsved *m*

kindly ['kaɪndlɪ] [1] ADJ (*person, tone, interest*) vennlig, snill ❑ *...a kindly uncle who we only*

ever saw at Christmas. ...en vennlig *or* snill onkel som vi bare så til jul. *The students were watching her with kindly interest.* Studentene betraktet henne med vennlig interesse.
2 ADV (*smile, behave*) vennlig ❑ *"You're not to blame yourself, Smithy," Rick said kindly.* "Du må ikke legge skylden på deg selv, Smithy," sa Rick vennlig. *It gives people pain if they are not treated very kindly...* Folk blir bedrøvet hvis de ikke blir behandlet vennlig...
▸ **(will you) kindly...** vil du være* så vennlig å... ❑ *Will you kindly stop shouting at me.* Vil du være* så vennlig å slutte å skrike til meg.
▸ **he didn't take kindly to...** han tok det ikke vennlig opp å... ❑ *He didn't take kindly to being scolded by his own son.* Han tok det ikke vennlig opp å bli* utskjelt av sønnen sin.

kindness ['kaındnıs] s (**a**) (*quality*) vennlighet *m* ❑ *He treated his labourers with kindness and understanding.* Han behandlet arbeiderne sine med vennlighet og forståelse. NB *Thank you very much indeed for coming to see me. I appreciate your kindness.* Tusen takk for at du kom og besøkte meg. Jeg setter pris på at du gjorde det.
(**b**) (*act*) tjeneste *m* ❑ *She thanked them both many times for all their kindnesses.* Hun takket dem begge flere ganger for de hadde gjort alt for ham.

kindred ['kındrıd] ADJ ▸ **kindred spirit** åndsfrende *m* ❑ *He told her they were kindred spirits and were fated to fall in love.* Han fortalte henne at de var åndsfrender og skjebnebestemte til å forelske seg. *When I saw his work for the first time I recognized a kindred spirit.* Da jeg så arbeidet hans for første gang skjønte jeg at han var en åndsfrende.

kinetic [kı'nɛtık] ADJ (*energy*) kinetisk, bevegelses-; (*art*) kinetisk

king [kıŋ] s (**a**) (*monarch*) konge *m*
(**b**) (*KORT, SJAKK*) konge *m*
▸ **the king of the jungle/rock 'n' roll** jungelens konge/rockekongen

kingdom ['kıŋdəm] s kongedømme *nt* ❑ *They have no real kingdoms to rule, or lands to conquer.* De har ingen virkelige kongedømmer å styre, eller land å erobre.

kingfisher ['kıŋfıʃəʳ] s isfugl *m*

kingpin ['kıŋpın] s (**a**) (*TEKN*) kingbolt *m*
(**b**) (*fig : person*) krumtapp *m* ❑ *He's the kingpin of the whole team.* Han er krumtappen på hele laget.

king-size(d) ['kıŋsaız(d)] ADJ (**a**) (*gen*) ekstra stor ❑ *...a king-size bed...* en ekstra stor seng...
(**b**) (*cigarette*) ekstra lang, king-size

kink [kıŋk] s (**a**) (*in rope, hair*) floke *m* ❑ *I'm trying to get the kinks out of my hair.* Jeg prøver å få* flokene ut av håret mitt.
(**b**) (*fig*) særhet *m* ❑ *He got to know their individual habits, kinks, and procedures.* Han ble kjent med deres individuelle vaner, særheter, og framgangsmåter.

kinky ['kıŋkı] (*sl, neds*) ADJ pervers ❑ *I've heard he's a bit kinky.* Jeg har hørt at han er litt pervers. *...kinky rubber underwear.* ...perverst undertøy i gummi.

kinship ['kınʃıp] s slektskap *nt* ❑ *Their ties of kinship mean a lot to them.* Deres slektskapsbånd betyr mye for dem. *He felt a deep kinship with the other students.* Han følte et dypt slektskap med de andre studentene.

kinsman ['kınzmən] *irreg* s (mannlig) slektning *m* ❑ *...the descendants of a distant kinsman named McCaslin.* ...etterkommerne etter en fjern slektning som het McCaslin.

kinswoman ['kınzwumən] *irreg* s (kvinnelig) slektning *m*

kiosk ['ki:ɔsk] s (**a**) (*shop*) kiosk *m* ❑ *We were eating hamburgers at an all-night kiosk.* Vi spiste hamburgere på en nattåpen kiosk.
(**b**) (*BRIT : TEL*) telefonkiosk *m* ❑ *I went into a kiosk to call Helen.* Jeg gikk inn i en telefonkiosk for å ringe Helen.
(**c**) (*also* ***newspaper kiosk***) aviskiosk *m*

kipper ['kıpəʳ] s røykesild *m*

kiss [kıs] 1 s kyss *nt* ❑ *Give me a kiss...* Gi meg et kyss... *They long for a mother's goodnight kiss.* De lengter etter en mors godnattkyss.
2 VT kysse (*v1*) ❑ *He bent down and kissed his wife lightly on the cheek.* Hun lente seg ned og kysset sin kone lett på kinnet. *She had always wanted to kiss the Pope's ring.* Hun hadde alltid hatt lyst til å kysse pavens ring.
3 VI kysse (*v1*) (hverandre) ❑ *They stopped under the tree and kissed...* De stoppet under trærne og kysset (hverandre)...
▸ **to kiss sb goodbye** kysse noen (til) farvel
▸ **to kiss sb goodnight** kysse noen godnatt, gi* noen godnattkyss

kissagram ['kısəgræm] s kyssogram *nt* (*en utkledd person som er bestilt for å kysse hovedpersonen i et selskap*)

kiss of life (*BRIT*) s ▸ **the kiss of life** munn mot munn (metoden) ❑ *She pulled him out of the lake and gave him the kiss of life.* Hun dro ham opp fra innsjøen og ga ham munn mot munn.

kit [kıt] s (**a**) (*clothes etc, MIL*) utstyr *nt* ❑ *Have you brought your squash kit?* Har du kjøpt squashutstyr? *I looked around before leaving the track to ensure that no clothing or kit had been left behind.* Jeg så meg rundt før jeg forlot banen for å forsikre meg om at det ikke lå igjen noe klær eller utstyr. *The soldiers prepared their kit for inspection.* Soldatene gjorde klart utstyret deres for inspeksjon.
(**b**) (= *set of tools etc*) sett *nt* ❑ *Make use of the small tool kits and instruction booklets supplied.* Bruk de små verktøysettene og instruksjonsbøkene som er lagt ved.
(**c**) (*for assembly*) byggesett *nt* ❑ *...people who build their cars from kits.* ...mennesker som bygger bilene sine fra byggesett.
▸ **a first-aid kit** førstehjelpsutstyr

kitbag ['kıtbæg] s pakksekk *m*

kitchen ['kıtʃın] s kjøkken *nt*

kitchen garden s kjøkkenhage *m*

kitchen sink s kjøkkenvask *m*

kitchen unit (*BRIT*) s kjøkkeninnredningsenhet *m*

kitchenware ['kıtʃınwɛəʳ] s kjøkkentøy *nt*

kite [kaıt] s (*toy*) drage *m*; (*ZOOL*) glente *m*

kith [kɪθ] s ▸ **kith and kin** slekt *c* og familie *m*, slektninger *mpl* ❑ *His loyalty, he said, was first of all to his own kith and kin.* Lojaliteten hans, sa han, lå først og fremst hos hans egen slekt og familie *or* egne slektninger.

▸ **kit out** (*BRIT*) VT (**a**) (*+person*) utstyre (*v2*) ❑ *I was supposed to get kitted out on Tuesday...* Jeg skulle* få* utstyret på tirsdag...
(**b**) (*+ship*) utstyre (*v2*), innrede (*v1*) ❑ *Their interiors are kitted out more like submarines than spaceships.* Innvendig er de utstyrt *or* innredet mer som ubåter enn romskip.

kitten ['kɪtn] s kattunge *m*, pusekatt *m*

kitty ['kɪtɪ] s (= *pool of money*) kasse *c* ❑ *After we paid the phone bill there was nothing left in the kitty...* Etter at vi hadde betalt telefonregningen var det ingenting igjen i kassa...

kiwi (fruit) ['ki:wi:-] s kiwi *m*

KKK (*US*) s FK (= **Ku Klux Klan**) ▸ **the KKK** KKK

Kleenex® ['kli:nɛks] s papirlommetørkle *nt*

kleptomaniac [klɛptəu'meɪnɪæk] s (*PSYK*) kleptoman *m*

km FK = **kilometre**

km/h FK = **kilometres per hour**

knack [næk] s ▸ **to have the knack of doing sth** ha* talent for å gjøre* noe, ha* evne til å gjøre* noe ❑ *Some of the village boys had the knack of imitating her voice...* Noen av landsbyguttene hadde talent for *or* evne til å etterligne stemmen hennes...
▸ **there's a knack to doing this** det er et knep *or* triks for å gjøre* dette

knackered ['nækəd] (*BRIT: sl*) ADJ gåen (*sl*)

knapsack ['næpsæk] s ryggsekk *m*, ransel *m*

knead [ni:d] VT (*+dough, clay*) kna (*v4*), elte (*v1*)

knee [ni:] s kne *nt*
▸ **on one's knee** på kneet, på fanget
VI ▸ **to knee sb in the groin** kjøre (*v2*) kneet opp i skrittet på noen
▸ **to fall to one's knees** gå* *or* falle* ned på knærne
▸ **to get up off one's knees** reise (*v2*) seg opp fra knestående

kneecap ['ni:kæp] s kneskål *m*

kneecapping ['ni:kæpɪŋ] s *det å skyte noen i kneskåla*

knee-deep ['ni:'di:p] ADV ▸ **the water was knee-deep** vannet gikk opp til knærne
▸ **knee-deep in mud** til knærne *or* til knes i søle

knee-jerk reaction ['ni:dʒə:k-] s (*fig*) refleksbevegelse *m*

kneel [ni:l] (*pt* **knelt**)*pp* VI (*also* ***kneel down***) knele (*v2*) ❑ *He kneels beside the girl...* Han kneler ved siden av jenta... *Lottie knelt down to pray.* Lottie knelte for å be.
▸ **to be kneeling** ligge* på kne

kneepad ['ni:pæd] s knebeskytter *m*

knell [nɛl] s ▸ **death knell** dødsvarsel *nt*, dødsklokker *mpl* ❑ *...a manifesto which sounded the death knell of the laissez faire system.* ...et manifest som ringte med dødsklokka *or* varslet døden for det frie markedssystemet.

knelt [nɛlt] PRET, PP *of* **kneel**

knew [nju:] PRET *of* **know**

knickers ['nɪkəz] (*BRIT*) SPL (dame)truse *m*, (dame)underbukse *m*

knick-knacks ['nɪknæks] SPL krimskrams *nt*, småting *mpl* ❑ *...attractive little knick-knacks.* ...flotte småting *or* flott krimskrams.

knife [naɪf] (*pl* **knives**) 1 s kniv *m* ❑ *The knives and forks...* Knivene og gaflene... *a huge long knife stuck into his belt...* en stor, lang kniv stukket ned i beltet...
2 VT (= *stab*) knivstikke*, dolke (*v1*) ❑ *Rausenberger had been knifed and robbed near his home.* Rausenberger hadde blitt knivstukket og ranet i nærheten av hjemmet sitt.
▸ **knife, fork and spoon** kniv, skje og gaffel

knife edge s ▸ **to be balanced on a knife edge** balansere (*v2*) på kniveggen

knight [naɪt] 1 s (**a**) (*HIST*) ridder *m* ❑ *...tales of chivalrous knights and their brave deeds.* ...historier om galante riddere og deres modige bragder.
(**b**) (*SJAKK*) springer *m*
2 VT slå* til ridder ❑ *He was knighted by Queen Anne in 1705.* Han ble slått til ridder av dronning Anne i 1705.

knighthood ['naɪthud] (*BRIT*) s ▸ **to be given a knighthood** bli* utnevnt til *or* slått til ridder

knit [nɪt] 1 VTI (*with wool*) strikke (*v1*) ❑ *I'm knitting a scarf for my grandson.* Jeg strikker et skjerf til barnebarnet mitt. *The old lady sat in her doorway and knitted...* Den gamle damen satt i døråpningen og strikket...
2 VI (*bones+*) gro (*v4*) sammen ❑ *The bones should knit in a couple of weeks.* Beina skulle* gro sammen i løpet av et par uker.
▸ **to knit one's brows** rynke (*v1*) på øyenbrynene ❑ *He sat there knitting his brows and twisting his napkin.* Han satt der og rynket på øyenbrynene og fiklet med servietten.

knitted ['nɪtɪd] ADJ (*garment*) strikket ❑ *...a knitted shawl.* ...et strikket sjal.

knitting ['nɪtɪŋ] s (**a**) (*activity*) strikking *c*
(**b**) (*garment*) strikketøy *nt* ❑ *She picked up her knitting.* Hun tok opp strikketøyet sitt.

knitting machine s strikkemaskin *m*

knitting needle s strikkepinne *m*

knitting pattern s strikkemønster *nt*, strikkeoppskrift *m*

knitwear ['nɪtwɛəʳ] s strikkevarer *mpl*

knives [naɪvz] SPL *of* **knife**

knob [nɔb] s (**a**) (*handle: of door*) dørknott *m* ❑ *He turned the knob and...* Han vred på dørknotten og...
(**b**) (*of stick, umbrella*) håndtak *nt* ❑ *...capped with a glass knob...* utstyrt med et glasshåndtak...
(**c**) (*on radio, TV etc*) knapp *m* ❑ *...by turning the knob at the bottom.* ...ved å skru på den nederste knappen.
▸ **a knob of butter** (*BRIT*) en smørklatt ❑ *...mashed potatoes with a knob of butter on top.* ...potetstappe med en smørklatt på toppen.

knobbly ['nɔblɪ], **knobby** (*US*) ADJ (*stick, wrist, potato*) knudret(e); (*knees*) stor

knock [nɔk] 1 VT (**a**) (= *strike*) slå* ❑ *Rudolph had seen him knock Thomas unconscious with one blow of his fist.* Rudolph hadde sett ham slå

Thomas bevisstløs med et knyttneveslag. *Dad knocked him to the floor.* Far slo ham i gulvet. *He knocked the drink out of my hand.* Han slo drinken ut av hånden min. *We knocked holes in the tin with a hammer...* Vi slo hull på boksen med en hammer...
(**b**) (*sl: criticize*) rakke (*v1*) ned på ❑ *It's a good job, don't knock it.* Det er en bra jobb, ikke rakk ned på den.
2 VI (**a**) (*at door etc*) banke (*v1*) på ❑ *He didn't even knock as he burst inside.* Han banket ikke en gang på da han føk inn. *At quarter to four someone knocked on the window...* Kvart på fire banket noen på vinduet...
(**b**) (*engine+*) ha* motorbank ❑ *You can use a lower grade oil if your engine doesn't knock.* Du kan bruke en dårligere olje hvis ikke motoren har motorbank.
3 S (**a**) (= *blow, bump*) slag *nt* ❑ *Knocks and jars can cause weaknesses in the spine.* Slag og støt kan føre til svakheter på ryggraden.
(**b**) (*on door*) bank *nt* NB *There was a knock at the door...* Det banket på døra...
▸ **to knock at the door** banke (*v1*) på døra ❑ *He was carrying a lantern and knocking at the door of a cottage...* Han holdt en lanterne mens han banket på en hyttedør...
▸ **to knock a nail into sth** slå* en spiker i noe ❑ *He knocked a nail into the wall to hang the picture on.* Han slo en spiker i veggen for å henge bildet på.
▸ **to knock some sense into sb** banke (*v1*) litt fornuft inn i noen ❑ *Bring the boy to me, I'll soon knock some sense into him.* Ta med gutten til meg, så skal jeg snart få* banket litt fornuft inn i ham.

► **knock about** (*sl*) 1 VT (= *hit*) mishandle (*v1*) ❑ *He did not like the thought of a woman being knocked about.* Han likte ikke tanken på at en dame skulle* bli* mishandlet.
2 VI ▸ **knock about with** drive* omkring med ❑ *He's knocking about with a gang from the next village...* Han driver omkring med en gjeng fra nabolandsbyen...

► **knock around** VT, VI = **knock about**

► **knock back** (*sl*) VT (*+drink*) helle (*v2x*) i seg ❑ *He was knocking back the vodka as if it was lemonade.* Han helte i seg vodkaen som om det var limonade.

► **knock down** VT (**a**) (*BIL: person*) kjøre (*v2*) ned ❑ *A bus came screeching to a stop, practically knocking him down.* En buss stoppet med skrikende bremser og kjørte ham praktisk talt ned.
(**b**) (*+building, wall etc*) rive* ned ❑ *I'd knock the wall down between the front room and dining room.* Jeg ville* rive ned veggen mellom hallen og spisestua.
(**c**) (= *reduce: price*) slå* av (på) ❑ *They knocked the price down because it was faulty.* De slo av (på) prisen fordi det var fabrikasjonsfeil.

► **knock off** 1 VI (**a**) (*sl: finish work*) gå*
(**b**) (*in evening*) ta* kvelden ❑ *What time do you knock off?* Når tar du kvelden?
2 VT (**a**) (*from price*) slå* av ❑ *He said he'd knock 5 pounds off the price.* Han sa han skulle* slå av 5 pund på prisen.
(**b**) (*sl: steal*) rappe (*v1*) (*sl*) ❑ *He was planning to knock off a few videos, but the boss found out...* Han planla å rappe noen videoer, men sjefen fikk vite det...
(**c**) (= *murder*) kverke (*v1*) (*sl*), ekspedere (*v2*) (*sl*) ❑ *I think he had one of his elderly relatives knocked off...* Jeg tror at en eldre slektning av ham ble ekspedert...
▸ **knock it off!** (*sl*) kutt ut! (*sl*) ❑ *Knock it off, I'm trying to concentrate.* Kutt ut, jeg prøver å konsentrere meg.

► **knock out** VT (**a**) (*person+*) slå* bevisstløs ❑ *The old man hit him so hard that he knocked him out...* Den gamle mannen slo ham så hardt at han ble bevisstløs...
(**b**) (*drug+*) gjøre* bevisstløs, slå* ut ❑ *The tablet knocked her out for four solid hours.* Tabletten gjorde henne bevisstløs *or* slo henne ut i hele fire timer.
(**c**) (*BOKSING*) slå* ut på knockout
(**d**) (= *defeat: in game, competition*) slå* ut ❑ *Connors just avoided being knocked out in the second round.* Connors unngikk så vidt å bli* slått ut i andre runde.

► **knock over** VT (**a**) (*+person*) rive* overende
(**b**) (*+object*) velte (*v1*) ❑ *She rushed out of the room, knocking over the lamp.* Hun veltet en lampe da hun fortet seg ut av rommet.
(**c**) (*BIL*) kjøre (*v2*) over ❑ *I got knocked over by a car when I was six.* Jeg ble overkjørt av en bil da jeg var seks.

knockdown ['nɔkdaun] ADJ (*price*) kjempebillig
▸ **I got it at a knockdown price.** Jeg fikk det kjempebillig.

knocker ['nɔkə^r] S (*on door*) dørhammer *m*

knock-for-knock ['nɔkfə'nɔk] (*BRIT*) ADJ
▸ **knock-for-knock agreement** *forsikringsavtale hvor hvert forsikringsselskap betaler sin egen kundes skade*

knocking ['nɔkıŋ] S banking *m* ❑ *There was a loud knocking from the other side of the wall.* Det var en høy banking fra den andre siden av veggen.

knock-kneed [nɔk'niːd] ADJ kalvbeint

knockout ['nɔkaut] 1 S (*BOKSING*) knockout *m*
2 ADJ (*competition etc*) ≈ cup- ❑ *...knockout competitions like the FA Cup.* ...cupmesterskap som FA-cupen.
▸ **Davies won by a knockout.** Davies vant på knockout.

knock-up ['nɔkʌp] (*TENNIS*) S ▸ **to have a knock-up** slå* noen baller, varme (*v1*) opp ❑ *Let's have a knock-up before we start.* La oss slå noen baller *or* varme opp før vi begynner.

knot [nɔt] 1 S (**a**) (*in rope, ribbon etc*) knute *m*
(**b**) (*in wood*) kvist *m* ❑ *Look for knots in the planks.* Se etter kvist i plankene.
(**c**) (*NAUT*) knop *m* ❑ *Our speed is fifteen knots.* Hastigheten vår er femten knop.
2 VT binde*, knyte* ❑ *She knotted the ends of the rope...* Hun bandt *or* knøt sammen endene på tauet...
▸ **to tie a knot (in)** lage (*v1 or v3*) *or* knyte* en

knute (på)

knotty ['nɔtɪ] ADJ (*problem, question*) vrien

know [nəu] (*pt* **knew**, *pp* **known**) VT (**a**) (*+facts, dates etc*) vite*, kjenne (*v2x*) (til) ❑ *I don't know her address...* Jeg vet ikke *or* kjenner ikke adressen hennes... *I knew that she had recently graduated from law school.* Jeg kjente til *or* visste at hun nylig var ferdig med jus-studiet. *We don't know how children acquire language.* Vi kjenner ikke til *or* vet ikke hvordan barn lærer språk. *We had been there before so we knew what to expect...* Vi hadde vært der før, så vi visste hva vi kunne* vente...
(**b**) (*+language*) kunne* ❑ *I didn't know Czech well enough.* Jeg kunne* ikke tsjekkisk godt nok. *Shanti knew a few words of English...* Shanti kunne* noen få* ord på engelsk...
(**c**) (= *be acquainted with: person, place, subject*) kjenne (*v2x*) ❑ *He knew David at university.* Han kjente David fra universitetet. *He knew London well...* Han kjente London godt... *Do you know the poem "Kubla Khan"?* Kjenner du diktet "Kubla Khan"?
(**d**) (= *recognize*) kjenne (*v2x*) igjen, (i)gjenkjenne (*v2x*) ❑ *He knew a good bargain when he saw one.* Han kjente igjen *or* gjenkjente et godt kjøp når han kom over et.
(**e**) (= *understand*) skjønne (*v2x*) ❑ *I knew at once that something was wrong...* Jeg skjønte med én gang at noe var galt...
▸ **to know how to swim** kunne* svømme
▸ **to know about** *or* **of sth/sb** vite* om noe/noen ❑ *Claud knew about the killing...* Claud visste om drapet... *Many people did not even know of their existence.* Mange mennesker visste ikke en gang at de eksisterte.
▸ **to get to know sb** bli* kjent med noen ❑ *He's quite nice once you get to know him.* Han er ganske hyggelig bare du blir kjent med ham.
▸ **I don't know him** jeg kjenner ham ikke
▸ **to know right from wrong** vite* hva som er rett og galt
▸ **as far as I know** så vidt jeg vet ❑ *As far as I know, he still lives there.* Så vidt jeg vet bor han der fortsatt.
▸ **yes, I know** ja, jeg vet det
▸ **I don't know** jeg vet ikke

know-all ['nəuɔ:l] (*BRIT: sl, neds*) s bedreviter *m*, synser *m* ❑ *He's a right know-all.* Han er en riktig bedreviter *or* synser.

know-how ['nəuhau] s ekspertise *m*, (sak)kunnskap *m*, know-how *m*

knowing ['nəuɪŋ] ADJ (*look*) megetsigende ❑ *This is usually greeted with deep sighs and knowing looks...* Dette blir vanligvis møtt med dype sukk og megetsigende blikk...

knowingly ['nəuɪŋlɪ] ADV (**a**) (= *intentionally*) bevisst, med vitende og vilje ❑ *He knowingly broke the law, he's got no excuse.* Han brøt loven bevisst *or* med vitende og vilje, han har ingen unnskyldning.
(**b**) (*smile, look*) megetsigende ❑ *The girls laughed at the joke and looked knowingly at each other.* Jentene lo av spøken og så megetsigende på hverandre.

know-it-all ['nəuɪtɔ:l] (*US*) s = **know-all**

knowledge ['nɔlɪdʒ] s (**a**) (= *understanding, awareness*) kunnskap *m*, kjennskap *m* ❑ *He has a detailed knowledge of international law.* Han hadde detaljert kjennskap til *or* kunnskap om internasjonal rett.
(**b**) (= *learning, things learnt*) kunnskap *m*, viten *m* ❑ *...advances in scientific knowledge...* framgang i vitenskapelig kunnskap... *All knowledge comes to us through our senses...* All kunnskap *or* viten blir tilegnet gjennom sansene våre...
▸ **to have no knowledge of** ikke vite* noe om ❑ *I have no knowledge of his present whereabouts.* Jeg vet ikke noe om hva han gjør nå.
▸ **not to my knowledge** ikke så vidt jeg vet ❑ *"Does he have a regular job?" "Not to my knowledge."* "Har han fast jobb?" "Ikke så vidt jeg vet."
▸ **without my knowledge** uten at jeg vet/visste det
▸ **to have a working knowledge of French** klare (*v2*) seg på fransk
▸ **it is common knowledge that...** det er allment kjent at... ❑ *It's common knowledge that all politicians are liars.* Det er allment kjent at alle politikere er løgnere.

knowledgeable ['nɔlɪdʒəbl] ADJ kunnskapsrik ❑ *He's very knowledgeable about wines.* Han er kunnskapsrik om *or* vet mye om viner.

known [nəun] [1] PP *of* **know**
[2] ADJ (*thief, facts*) kjent ❑ *He was a known criminal...* Han var en kjent forbryter... *There's no known cure for a cold...* Det er ikke noe kjent botemiddel for forkjølelse... *A report will be made as soon as all the relevant facts are known.* En rapport vil bli* skrevet så snart alle de relevante fakta er kjent.

knuckle ['nʌkl] s knoke *c*
▸ **knuckle down** (*sl*) VI gå* igang
▸ **to knuckle down to work** gå* igang med arbeidet
▸ **knuckle under** (*sl*) VI gi* etter

knuckle-duster ['nʌkldʌstəʳ] s slåsshanske *m*

KO [1] S FK (= **knockout**) KO (*var.* k.o.)
[2] VT knocke (*v1*)

koala [kəu'ɑ:lə] s (*also* ***koala bear***) koala *m*

kook [ku:k] (*US: sl*) s tulling *m*, skrulling *m*

Koran [kɔ'rɑ:n] s ▸ **the Koran** Koranen

Korea [kə'rɪə] s Korea *nt*
▸ **North/South Korea** Nord-Korea/Sør-Korea

Korean [kə'rɪən] [1] ADJ koreansk
[2] s (*person*) koreaner *m*; (*LING*) koreansk *nt*

kosher ['kəuʃəʳ] ADJ koscher

kowtow ['kau'tau] VI ▸ **to kowtow to sb** krype* for noen ❑ *Don't kowtow to him, he won't respect you for it.* Ikke kryp for ham, han vil ikke respektere deg for det.

Kremlin ['krɛmlɪn] s ▸ **the Kremlin** Kreml *nt*

KS (*US: POST*) FK = **Kansas**

Kt (*BRIT*) FK (*in titles*) = **Knight**

Kuala Lumpur ['kwɑ:lə'lumpuəʳ] s Kuala Lumpur *m*

kudos ['kju:dɔs] s prestisje *m* ❑ *He gained a lot of kudos when he was chosen to play Hamlet.* Han

fikk mye mer prestisje da han ble valgt til å spille Hamlet.
Kurd [kəːd] s kurder *m*
Kuwait [ku'weɪt] s Kuwait *nt*
Kuwaiti [ku'weɪtɪ] 1 ADJ kuwaitisk, kuwaitsk 2 s kuwaiter *m*
kW FK = **kilowatt**
KY (*US: POST*) FK = **Kentucky**

L

L, l [ɛl] s (*letter*) L, l *m*
▸ **L for Lucy, (*US*) L for Love** L for Ludvig
L [ɛl] FK (*BRIT: BIL*) (= **learner**) ≈ SKOLE (*merke på biler hvor fører er under opplæring*); = **lake, large, left**
l. FK = **litre**
LA (*US*) 1 s FK (= **Los Angeles**)
2 FK (*POST*) = **Louisiana**
lab [læb] s FK = **laboratory**
label [ˈleɪbl] 1 s (**a**) (*on suitcase, clothing etc*) merkelapp *m*
(**b**) (*on bottle, tin etc*) etikett *m*
(**c**) (= *brand: of record*) plateselskap *nt* ❑ *The LP is on the A M label.* LP'en er utgitt på plateselskapet A M.
2 VT (**a**) (+*object*) merke (*v1*), sette* merkelapp på ❑ *I've just spent a whole day labelling the items.* Jeg har akkurat brukt en hel dag på å merke *or* sette merkelapp på tingene.
(**b**) (*fig: person*) betegne (*v1*) ❑ *Men who do this are often labelled as "workshy".* Menn som gjør slikt bli* ofte betegnet som "arbeidssky".
labor *etc* [ˈleɪbəʳ] (*US*) s = **labour** *etc*
laboratory [ləˈbɔrətərɪ] s laboratorium *nt*
Labor Day (*US*) s *arbeidernes fridag i USA, første mandag i september*
laborious [ləˈbɔːrɪəs] ADJ besværlig, møysommelig
labor union (*US*) s fagforening *c*
labour [ˈleɪbəʳ], **labor** (*US*) 1 s (**a**) (= *hard work*) (hardt) arbeid *nt*, slit *nt* ❑ *...the culmination of fifteen months' labour.* ...høydepunktet etter femten måneders (hardt) arbeid *or* slit.
(**b**) (= *work force*) arbeidskraft *c* ❑ *...a shortage of skilled labour in some industries.* ...en mangel på faglært arbeidskraft i noen bransjer.
(**c**) (= *work done by work force*) arbeid *nt* ❑ *They are threatening a withdrawal of labour.* De truer med å legge ned arbeidet.
(**d**) (*MED*) (fødsels)veer *pl*
2 VI ▸ **to labour (at sth)** streve (*v3*) (med noe), slite* (med noe)
3 VT ▸ **to labour a point** tvære (*v1*) ut et poeng
▸ **to be in labour** (*MED*) ha* veer
▸ **Labour, the Labour Party** (*BRIT*) ≈ Arbeiderpartiet
▸ **hard labour** straffarbeid *nt*
labo(u)r camp s arbeidsleir *m*
labo(u)r dispute s *konflikt mellom ledelsen og de ansatte*
labo(u)red [ˈleɪbəd] ADJ (**a**) (*breathing, movement*) anstrengt
(**b**) (*style*) omstendelig ❑ *...the laboured writing of a seven-year-old.* ...den omstendelige skriften til en sjuåring.
labo(u)rer [ˈleɪbərəʳ] s arbeider *m*
▸ **farm labourer** gårdsarbeider *m*
labo(u)r force s arbeidsstyrke *m*
labo(u)r intensive ADJ (*industry, method, task*) arbeidsintensiv
labo(u)r market s arbeidsmarked *nt*
labo(u)r pains SPL (fødsels)veer
labo(u)r relations SPL forholdet *def* mellom ledelsen og de ansatte
labo(u)r-saving [ˈleɪbəseɪvɪŋ] ADJ (*device, gadget, method*) arbeidsbesparende
laburnum [ləˈbəːnəm] s gullregn *m*
labyrinth [ˈlæbɪrɪnθ] s labyrint *m*
lace [leɪs] 1 s (**a**) (*fabric*) blonder *pl*, kniplinger *pl* ❑ *The tablecloth was edged with lace.* Duken var kantet med blonder *or* kniplinger.
(**b**) (*of shoe etc*) lisse *c* ❑ *...and tied the laces of his shoes.* ...og knyttet skolissene sine.
2 VT (**a**) (*also* ***lace up****: shoe etc*) snøre (*v2*) ❑ *Her fingers were too cold to lace the tent flap.* Fingrene hennes var for kalde til å snøre (sammen) teltklaffen.
(**b**) (+*drink*) sprite (*v1*) opp ❑ *She laced her coffee with brandy.* Hun spritet opp kaffen med konjakk.
lacemaking [ˈleɪsmeɪkɪŋ] s blondeveving *c*
lacerate [ˈlæsəreɪt] VT rive* opp
laceration [læsəˈreɪʃən] s dypt kutt *nt*
lace-up [ˈleɪsʌp] ADJ (*shoes etc*) snøre-
lack [læk] 1 s (= *absence*) ▸ **lack (of)** mangel *m* (på) ❑ *I hated the lack of privacy in the dormitory.* Jeg hatet mangelen på privatliv på sovesalen.
2 VT mangle (*v1*)
▸ **through** *or* **for lack of** på grunn av mangel på
▸ **to be lacking** mangle (*v1*) ❑ *"What is lacking in this case," he concluded, "is a corpse."* "Det som mangler i denne saken", konkluderte han, "er et lik."
▸ **to be lacking in** (+*intelligence, generosity etc*) mangle (*v1*)
lackadaisical [lækəˈdeɪzɪkl] ADJ slapp og likegyldig
lackey [ˈlækɪ] (*neds*) s lakei *m*
lacklustre [ˈlæklʌstəʳ], **lackluster** (*US*) ADJ glansløs
laconic [ləˈkɔnɪk] ADJ lakonisk
lacquer [ˈlækəʳ] s lakk *m*
lacrosse [ləˈkrɔs] s lacrosse *no art*
lacy [ˈleɪsɪ] ADJ (*dress, nightdress, tights etc*) blonde-; (*flowers, pattern*) kniplingsaktig
lad [læd] s gutt *m*
ladder [ˈlædəʳ] 1 s (**a**) (*metal, wood, rope*) stige *m*
(**b**) (*BRIT: in tights*) ▸ **you have a ladder in your tights** strømpene dine har begynt å rakne
(**c**) (*fig: in society, organization etc*) rangstige *m* ❑ *Joining the golf club takes you up the social ladder.* Det å bli* med i golfklubben får deg oppover på den sosiale rangstigen.
2 VTI (*BRIT: tights*) rakne (*v1*)
laden [ˈleɪdn] ADJ ▸ **laden (with)** nedlesset (med), fullastet (med) NB *The trees were laden with fruit.* Trærne bugnet av frukt.
▸ **fully laden** (*truck, ship*) fullastet
ladle [ˈleɪdl] 1 s øse *c*
2 VT (+*soup, stew etc*) øse (*v2*) opp

▸ **ladle out** VT (*fig: advice, money etc*) øse (*v2*) ut ❑ *...the knowledge that is ladled out daily in schools.* ...kunnskapen som blir øst ut daglig i skolene.

lady ['leɪdɪ] s (**a**) (= *woman*) dame *c* ❑ *...a rich American lady.* ...en rik amerikansk dame. *A lady never crosses her legs.* En dame sitter aldri med bena i kors.
(**b**) (*BRIT: title*) lady ❑ *She was one of Lady Keeble's greatest friends.* Hun var en av Lady Keebles beste venner.
▸ **ladies and gentlemen...** mine damer og herrer...
▸ **young lady** ung dame
▸ **the ladies' (room)** dametoalettet

ladybird ['leɪdɪbɜːd] s marihøne *c*

ladybug ['leɪdɪbʌg] (*US*) s = **ladybird**

lady-in-waiting ['leɪdɪɪn'weɪtɪŋ] s hoffdame *c*

ladykiller ['leɪdɪkɪləʳ] s kvinnebedårer *m*

ladylike ['leɪdɪlaɪk] ADJ ladylike, elegant og dannet

ladyship ['leɪdɪʃɪp] s ▸ **your ladyship** Deres Nåde

lag [læg] 1 s ▸ **time lag** tidsintervall *nt*; (= *delay*) forsinkelse *m*
2 VI (*also* ***lag behind***) bli* liggende etter, sakke (*v1*) akterut ❑ *He set off briskly, Kate lagging behind.* Han satte av sted i raskt tempo så Kate ble liggende etter *or* sakket akterut.
3 VT (*+pipes, tank etc*) varmeisolere (*v2*)
▸ **old lag** (*sl: prisoner*) fengselsfugl *m*

lager ['lɑːgəʳ] s ≈ pils *m*

lager lout (*BRIT: sl*) s ølbølle *m*

lagging ['lægɪŋ] s isolasjonsmateriale *nt*

lagoon [lə'guːn] s lagune *m*

laid [leɪd] PRET, PP *of* **lay**

laid-back [leɪd'bæk] (*sl*) ADJ (*person, approach, atmosphere*) avslappet

laid up ADJ ▸ **he was laid up (with flu)** (han hadde influensa og) han måtte* holde sengen

lain [leɪn] PP *of* **lie**

lair [lɛəʳ] s (*of bear etc*) hi *nt*; (*of smaller animal*) hule *c*

laissez-faire [lɛseɪ'fɛəʳ] s laissez-faire *m*, fri markedsøkonomi *m*

laity ['leɪətɪ] s OR SPL lekfolk *nt sg or pl* (*var:* legfolk) ❑ *...the Catholic laity.* ...katolske lekfolk *or* det katolske lekfolket.

lake [leɪk] s (inn)sjø *m*; (*smaller*) vann *nt*

Lake District s ▸ **the Lake District** Lake District

lamb [læm] s (*animal, its meat*) lam *nt* ❑ *We had roast lamb for dinner.* Vi hadde lammestek til middag.

lambada [læm'bɑːdə] s lambada *m*

lamb chop s lammekotelett *m*

lambskin ['læmskɪn] s lammeskinn *nt*

lambswool ['læmzwul] s lammeull *c*

lame [leɪm] ADJ (*person, animal*) halt; (*weak: excuse, argument*) tam, spak

lame duck s håpløs stakkar *m*

lamely ['leɪmlɪ] ADV (*explain, apologise, say*) på en ynkelig og patetisk måte

lament [lə'mɛnt] 1 s klagesang *m*
2 VT (*+sb's death*) sørge (*v1*) over; (*complain about*) beklage (*v1*) seg over

lamentable ['læməntəbl] ADJ (*condition, situation etc*) beklagelig, sørgelig

laminated ['læmɪneɪtɪd] ADJ laminert

lamp [læmp] s lampe *c*

lamplight ['læmplaɪt] s ▸ **by lamplight** i lampelys

lampoon [læm'puːn] 1 s (*written*) satirisk skrift *nt*; (*poem, song*) nidvise *c*
2 VT satirisere (*v2*) over

lamppost ['læmppəust] (*BRIT*) s lyktestolpe *m*

lampshade ['læmpʃeɪd] s lampeskjerm *m*

lance [lɑːns] 1 s lanse *m*
2 VT (*MED*) stikke* hull på

lance corporal (*BRIT*) s visekorporal *m*

lancet ['lɑːnsɪt] s lansett *m*

Lancs (*BRIT: POST*) FK = **Lancashire**

land [lænd] 1 s (**a**) (= *area of open ground*) jord *c*, landområde *nt* ❑ *It's good agricultural land.* Jorda *or* landområdet egner seg godt til jordbruk.
(**b**) (= *property, estate*) jordeiendom *m*, landeiendom *m* ❑ *The wife lost her lands.* Kona mistet jordeiendommene *or* landeiendommene sine.
(**c**) (*as opposed to sea, country, nation*) land *nt* ❑ *We turned away from land and headed out to sea.* Vi snudde vekk fra land og satte ut til sjøs. *...in a foreign land.* ...i et fremmed land.
2 VI (**a**) (*from ship*) gå* i land
(**b**) (*plane, passengers+*) lande (*v1*)
(**c**) (*fig: arrive unexpectedly*) dumpe (*v1*) ned ❑ *The report landed on his desk.* Rapporten dumpet ned på skrivebordet hans.
3 VT (**a**) (*+passengers*) landsette*
(**b**) (*+fish*) losse (*v1*) ❑ *The catch was landed at Grimsby.* Fangsten ble losset i Grimsby.
▸ **to own land** være* jordeier *or* landeier
▸ **to go/travel by land** reise (*v2*) over land
▸ **to land on one's feet** (*fig*) lande (*v1*) på føttene
▸ **to land sb with sth** (*sl*) dytte (*v1*) noe på noen ❑ *You landed us with that awful Hector.* Du dyttet på oss den der forferdelige Hector.

▸ **land up** VI ▸ **to land up in/at** havne (*v1*) i/på

landed gentry s landadel *m*

landfill site ['lændfɪl-] s søppelfylling *c*

landing ['lændɪŋ] s (**a**) (*on stairs*) avsats *m*
(**b**) (*AVIAT*) landing *c* ❑ *We had to make an emergency landing.* Vi måtte* foreta en nødlanding.

landing card s landingskort *nt*

landing craft s UBØY landgangsfartøy *nt*

landing gear s understell *nt* (*opptrekkbart, på fly*)

landing stage s brygge *c*

landing strip s rullebane *m*

landlady ['lændleɪdɪ] s (*of rented house, flat*) huseier *m* (*kvinnelig*); (*of rented room*) hybelvertinne *c*; (*of pub*) krovertinne *c*

landlocked ['lændlɔkt] ADJ (*country*) *som er omgitt av land*

landlord ['lændlɔːd] s (*of rented house, flat*) huseier *m* (*mannlig*); (*of rented room*) hybelvert *m*; (*of pub*) krovert *m*, vertshusholder *m*

landmark ['lændmɑːk] s (**a**) (*building, hill etc*) landemerke *nt*
(**b**) (*fig*) milepæl *m* ❑ *The discovery of penicillin was a landmark in medicine.* Oppdagelsen av penicillin var en milepæl for legevitenskapen.

landowner ['lændəunəʳ] s grunneier *m*

landscape ['lændskeɪp] 1 s (= *view, ART*) landskap *nt* ❑ *...the beauty of the Welsh landscape.* ...skjønnheten i det walisiske landskapet. *She painted landscapes.* Hun malte landskaper.
2 VT (*+park, garden*) anlegge*, utforme (*v1*)
landscape architect s landskapsarkitekt *m*, hagearkitekt *m*
landscape gardener s anleggsgartner *m*
landscape painting s landskapsmaleri *nt*
landslide ['lændslaɪd] s (**a**) jordskred *nt*, leirras *nt* (*clay soil*) ❑ *The slightest noise might set off a landslide.* Den minste lyd kunne* sette igang et jordskred/leirras.
(**b**) (*fig: electoral*) valgskred *nt* ❑ *Benn lost his seat in the landslide of 1931.* Benn mistet plassen sin i valgskredet i 1931.
lane [leɪn] s (**a**) (*in country*) smal vei *m*
(**b**) (*in town*) smal gate *c*
(**c**) (*BIL*) (kjøre)felt *nt*, (kjøre)fil *c* ❑ *He changed lanes to make a left turn.* Han skiftet (kjøre)felt *or* kjøre(fil) for å svinge til venstre.
(**d**) (*of race course, swimming pool*) bane *m*
▸ **shipping lane** seilingsrute *c*
language ['læŋgwɪdʒ] s språk *nt* ❑ *I can speak six languages.* Jeg kan (snakke) seks språk. *...how children acquire language.* ...hvordan barn lærer språk. *...the language of sociology.* ...sosiologiens fagspråk. *Congreve's language is wonderful.* Congreves språk er fantastisk.
▸ **bad language** stygt språk *nt*
language laboratory s språklaboratorium *nt irreg*
languid ['læŋgwɪd] ADJ (*person*) indolent; (*movement*) doven
languish ['læŋgwɪʃ] VI (**a**) (*person+ : in jail*) vansmekte (*v1*)
(**b**) (*project, case+*) (nesten) stagnere (*v2*) ❑ *The case languished for four years.* Saken stod nesten stille i fire år.
lank [læŋk] ADJ glatt og fett
lanky ['læŋkɪ] ADJ hengslete
lanolin(e) ['lænəlɪn] s lanolin *m*
lantern ['læntən] s lykt *c* (*med stearinlys eller paraffin*)
lap [læp] 1 s (**a**) (*of person*) fang *nt* ❑ *The child was asleep in her lap.* Barnet sov i fanget hennes.
(**b**) (*in race*) runde *m* ❑ *...six laps of the track.* ...seks runder på banen.
2 VT (*+milk etc: drink*) lepje (*v1*) i seg, slikke (*v1*) opp
3 VI (*water+*) skvulpe (*v1*)
▸ **lap up** VT (**a**) (*+milk etc*) lepje (*v1*) i seg, slikke (*v1*) opp
(**b**) (*fig: flattery, news story*) sluke (*v2*) rått ❑ *...but millions of readers lapped it up.* ...men millioner av lesere slukte det rått.
La Paz [læ'pæz] s La Paz
lapel [lə'pɛl] s jakkeslag *nt*
Lapland ['læplænd] s Lappland
Lapp [læp] 1 ADJ samisk
2 s (*person*) same *m*; (*LING*) samisk
lapse [læps] 1 s (**a**) (= *bad behaviour*) feiltrinn *nt* ❑ *...the unfortunate lapses of your colleagues.* ...de uheldige feiltrinnene til kollegene dine.
(**b**) (*of memory, concentration*) svikt *m* ❑ *...lapses of memory.* ...hukommelsessvikt.
(**c**) (*of time*) forløp *nt* ❑ *He was not conscious of the time lapse.* Han var ikke klar over hvor lang tid som hadde forløpt.
2 VI (**a**) (*law+*) bortfalle*
(**b**) (*contract, membership+*) utløpe*
(**c**) (*passport+*) bli* foreldet
▸ **to lapse into bad habits** henfalle* til dårlige vaner
laptop ['læptɔp] (*DATA*) 1 s bærbar *m*
2 ADJ bærbar
laptop (computer) ['læptɔp-] s (liten) bærbar PC *m*
larceny ['lɑ:sənɪ] s tyveri *nt*
larch [lɑ:tʃ] s lerketre *nt*
lard [lɑ:d] s svinefett *nt* (*til matlaging*)
larder ['lɑ:dəʳ] s spiskammer *nt*
large [lɑ:dʒ] ADJ stor
▸ **to make larger** forstørre (*v1*)
▸ **a large number of people** svært mange mennesker
▸ **on a large scale** i stor stil
▸ **at large** (**a**) (= *as a whole*) i sin helhet, i det store og hele ❑ *...the world at large.* ...verden i sin helhet *or* i det store og hele.
(**b**) (= *at liberty*) på frifot ❑ *There were three convicts still at large.* Det var tre straffanger som fremdeles var på frifot.
▸ **by and large** i det store og hele
largely ['lɑ:dʒlɪ] ADV (= *mostly*) stort sett ❑ *The evidence shows the figures to be largely correct.* Bevisene viser at tallene stort sett er riktige.
▸ **largely because (of)** hovedsaklig på grunn av ❑ *We were there largely because of the girls.* Vi var der hovedsaklig på grunn av jentene.
large-scale ['lɑ:dʒ'skeɪl] ADJ (**a**) (*action, event*) omfattende, større ❑ *...large-scale forest fires.* ...omfattende *or* større skogbranner.
(**b**) (*map, diagram*) i stor målestokk
largesse [lɑ:'ʒɛs] s rundhåndethet *m*
lark [lɑ:k] s (**a**) (*bird*) lerke *c*
(**b**) (*sl: joke*) ▸ **it was only a lark** det var bare på tull
▸ **for a lark** for moro skyld ❑ *For a lark, she walked in and asked his name.* For moro skyld gikk hun inn og spurte hva han het.
▸ **lark about** VI fly* rundt og more seg
larva ['lɑ:və] (*pl* **larvae**) s larve *c*
laryngitis [lærɪn'dʒaɪtɪs] s halsbetennelse *m*, halskatarr *m* (*i stupehodet, med angrep på stemmebåndene*)
larynx ['lærɪŋks] s strupehode *nt*
lasagne [lə'zænjə] s lasagne *m*
lascivious [lə'sɪvɪəs] ADJ (*person, conduct*) sexlysten
laser ['leɪzəʳ] s laser *m*
laser beam s laserstråle *m*
laser printer s laserprinter *m*
lash [læʃ] 1 s (**a**) (*also* **eyelash**) øye(n)vipp(e) *m*
(**b**) (= *blow of whip*) piskeslag *nt* ❑ *...a public flogging of thirty-nine lashes.* ...offentlig pisking med trettini piskeslag.
2 VT piske (*v1*); (= *tie*) ▸ **to lash to/together** surre (*v1*) fast til/sammen med

▸ **lash down** 1 VT spenne (*v2x*) fast
2 VI (*rain+*) piske (*v1*) ned
▸ **lash out** VI ▸ **to lash out (at sb)** (= *hit*) lange (*v1*) ut et slag/spark (mot noen)
▸ **to lash out at** *or* **against sb** (= *criticize*) gå* voldsomt til angrep på noen
lashing ['læʃɪŋ] S ▸ **lashings of** (*BRIT: sl*) masser av
lass [læs] (*BRIT*) S (= *girl*) jentunge *m*; (= *young woman*) ungjente *c*
lasso [læ'suː] 1 S lasso *m*
2 VT fange (*v1*) med lasso
last [lɑːst] 1 ADJ (**a**) (= *latest, most recent, remaining*) siste ❑ *Thanks for your last letter.* Takk for det siste brevet ditt. *...the last traces of make-up.* ...de siste rester av sminke.
(**b**) (*with names of days, months*) sist NB *last June/ Monday* sist juni/mandag
(**c**) (= *final: bus, hope, one in series etc*) siste *sometimes used without def art* NB *He missed the last bus home.* Han rakk ikke siste buss hjem *or* den siste bussen hjem. ❑ *...the last classroom along that passage.* ...det siste klasserommet i den korridoren.
2 ADV (**a**) (= *most recently*) sist ❑ *They last saw their homeland nine years ago.* De så hjemlandet sitt sist for ni år siden.. Siste gang de så hjemlandet sitt var for ni år siden.
(**b**) (= *finally*) til slutt, sist ❑ *He added the milk last.* Han tilsatte melken til slutt *or* sist.
3 VI (**a**) (= *continue*) vare (*v2*) ❑ *His speech lasted for fourteen minutes.* Talen hans varte i fjorten minutter.
(**b**) (= *stay fresh*) holde* seg ❑ *A fresh pepper lasts about three weeks.* Frisk paprika holder seg i ca tre uker.
(**c**) (*money, commodity+*) holde* ❑ *The curry lasted for two nights.* Karriretten holdt til to kvelder.
▸ **last week** forrige uke
▸ **last night** (**a**) (*before midnight*) i går kveld
(**b**) (*after midnight*) i natt
▸ **last year** i fjor
▸ **at last** endelig
▸ **last but one** nest sist
▸ **(the) last time** (**a**) (*ever*) (den) siste gang(en)
(**b**) (*previous*) forrige gang, sist(e) gang ❑ *Last time I was here...* Sist(e) *or* forrige gang jeg var her...
▸ **it lasts (for) 2 hours** det varer i 2 timer
last-ditch ['lɑːst'dɪtʃ] ADJ ▸ **a last-ditch attempt** et siste fortvilet forsøk
lasting ['lɑːstɪŋ] ADJ (*friendship, solution*) varig
lastly ['lɑːstlɪ] ADV til slutt ❑ *And lastly, what do we mean by "acceptable"?* Og til slutt, hva mener vi med "akseptabel"?
last-minute ['lɑːstmɪnɪt] ADJ (*decision, appeal etc*) i siste øyeblikk
latch [lætʃ] S klinke *c*
▸ **on the latch** lukket men ikke låst
▸ **latch on to** VT FUS (**a**) (*+person*) henge (*v2*) seg på ❑ *She wondered why Lindy had latched on to her.* Hun lurte på hvorfor Lindy hadde hengt seg på henne.
(**b**) (*+idea*) gripe* fatt i ❑ *The press latched on to the strategy.* Pressen grep fatt i strategien.
latchkey ['lætʃkiː] S entrénøkkel *m*
latchkey child S nøkkelbarn *nt*
late [leɪt] 1 ADJ (**a**) (*gen*) sein (*var.* sen) NB *...in the late afternoon.* ...seint på ettermiddagen. NB *I apologize for my late arrival.* Jeg beklager at jeg kommer så seint.
(**b**) (= *deceased*) ▸ **the late Mr X** avdøde Mr X
2 ADV (**a**) (= *far on in time, process, work etc*) seint (*var.* sent) ❑ *She had stayed up late.* Hun hadde sittet oppe seint.
(**b**) (= *behind time, schedule*) (for) seint (*var.* sent) ❑ *Etta arrived late.* Etta kom (for) seint.
(**c**) (= *recently*) ▸ **late of** som inntil nylig bodde i/på ❑ *...Jane Smith, late of Bristol.* ...Jane Smith, som inntil nylig bodde i Bristol.
▸ **to be 10 minutes late** komme* 10 minutter for seint
▸ **to work late** arbeide (*v1*) seint
▸ **late in life** i sein alder
▸ **of late** (= *recently*) i det siste
▸ **in late May** i slutten av mai
latecomer ['leɪtkʌməʳ] S ▸ **one of the latecomers** en av dem som kom seint
lately ['leɪtlɪ] ADV (= *recently*) i det siste
lateness ['leɪtnɪs] S ▸ **due to the lateness of the train** på grunn av at toget var forsinket
▸ **I'm tired of your constant lateness** jeg er lei av at du alltid kommer for seint
latent ['leɪtnt] ADJ (*energy, skill, ability*) latent
later ['leɪtəʳ] 1 ADJ seinere (*var.* senere) ❑ *...at a later date.* ...på et seinere tidspunkt. *...in later editions.* ...i seinere utgaver.
2 ADV ▸ **later (on)** seinere (*var.* senere)
lateral ['lætərəl] ADJ (**a**) (*movement*) til siden
(**b**) (*section, part*) side-, lateral
▸ **lateral thinking** kreativ problemløsning *c*
latest ['leɪtɪst] ADJ (*novel, film, news, fashion*) siste
▸ **at the latest** seinest (*var.* senest)
latex ['leɪtɛks] S lateks *m*
lathe [leɪð] S dreiebenk *m*
lather ['lɑːðəʳ] 1 S skum *nt*
2 VT dekke (*v1 or v2x*) med skum ❑ *Lather the carpet with a sponge.* Bruk en svamp og dekk teppet med skum.
Latin ['lætɪn] 1 S (*LING*) latin; (*person*) søreuropeer *m* (*fra Frankrike, Italia eller Spania*)
2 ADJ søreuropeisk
Latin America S Latin-Amerika
Latin American 1 ADJ latin-amerikansk
2 S (*person*) latin-amerikaner *m*
Latino [læ'tiːnəu] (*US*) 1 ADJ latinamerikansk
2 S *person av latinamerikansk herkomst som bor i USA*
latitude ['lætɪtjuːd] S (**a**) (*GEOG*) breddegrad *m* ❑ *We are at the precise latitude of Corfu.* Vi befinner oss ved nøyaktig samme breddegrad som Korfu.
(**b**) (*fig: freedom*) (handle)frihet *m* ❑ *She was given considerable latitude in how she spent the money.* Hun fikk betydelig (handle)frihet når det gjaldt hvordan hun skulle* bruke pengene.
latrine [lə'triːn] S latrine *c*
latter ['lætəʳ] 1 ADJ (**a**) (*gen*) siste ❑ *...in these latter years.* ...disse siste årene.
(**b**) (*of two*) siste, andre ❑ *By the latter half of July...* Innen siste halvdel av juli... *I prefer the*

latter version to the former. Jeg foretrekker den siste *or* andre versjonen framfor den første.
2 s ▸ **the latter** sistnevnte *m decl as adj* ❏ *The latter were Melanie's flatmates.* De sistnevnte delte Melanie leilighet med.

latter-day ['lætədeɪ] ADJ moderne

latterly ['lætəlɪ] ADV den siste tiden

lattice ['lætɪs] s (*pattern, structure*) sprinkelverk *nt*

lattice window s *blyvindu med små rombeformede ruter*

Latvia ['lætvɪə] s Latvia

Latvian ['lætvɪən] ADJ latvisk

laudable ['lɔːdəbl] ADJ (*conduct, motives etc*) prisverdig, rosverdig

laudatory ['lɔːdətrɪ] ADJ (*speech, comments*) rosende

laugh [lɑːf] 1 s latter *m*
2 VI le*
▸ **for a laugh** for moro skyld

▸ **laugh at** VT FUS le* av

▸ **laugh off** VT (*+criticism, problem*) le* bort, slå* bort i spøk

laughable ['lɑːfəbl] ADJ (*attempt, quality etc*) til å le av, latterlig

laughing gas s lystgass *m*, lattergass *m*

laughing matter s ▸ **this is no laughing matter** dette er ikke noe å le av

laughing stock s ▸ **to be the laughing stock of** være* til latter for

laughter ['lɑːftəʳ] s latter *m*

launch [lɔːntʃ] 1 s (**a**) (*of rocket, missile, satellite*) utskyting *c*, oppsending *c*
(**b**) (*of product, publication*) lansering *c*
(**c**) (= *motorboat*) stor motorbåt *m*
2 VT (**a**) (*+ship*) sjøsette*
(**b**) (*+rocket, missile, satellite*) skyte* ut, sende (*v2*) opp
(**c**) (*fig: start*) sette* i verk ❏ *The government launched a literacy campaign.* Regjeringen satte i verk en kampanje mot analfabetismen.
(**d**) (*+product, publication, fashion*) lansere (*v2*)

▸ **launch into** VT FUS (*+speech, activity*) kaste (*v1*) seg inn i

▸ **launch out** VI ▸ **to launch out into** (*+new activity, job*) sette* i gang med

launching ['lɔːntʃɪŋ] s (*of ship*) sjøsettelse *m*; (*of rocket, missile, satellite*) utskyting *c*, oppsending *c*; (*of plane*) oppsending *c*; (*fig: start*) *det å sette i gang* NB *...the launching of a catastrophic war.* ...det å sette i gang en katastrofal krig.; (*of product, publication*) lansering *c*

launch(ing) pad s utskytingsrampe *c*

launder ['lɔːndəʳ] VT (*+clothes, sheets*) vaske (*v1*) (og stryke*); (*+money*) hvitvaske (*v1*)

laundrette [lɔːn'drɛt] (*BRIT*) s selvbetjeningsvaskeri *nt*

Laundromat® ['lɔːndrəmæt] (*US*) s selvbetjeningsvaskeri *nt*

laundry ['lɔːndrɪ] s (**a**) (*dirty*) skittentøy *nt*, klesvask *m*
(**b**) (*clean*) klesvask *m*
(**c**) (*business*) vaskeri *nt*
(**d**) (*room*) vaskeri *nt*, vaskerom *nt*
▸ **to do the laundry** vaske (*v1*) klær, ta* (seg av) klesvasken

laureate ['lɔːrɪət] ADJ *see* **poet laureate**

laurel ['lɔrl] s laurbærtre *nt*
▸ **to rest on one's laurels** hvile (*v2*) på sine laurbær

Lausanne [ləu'zæn] s Lausanne

lava ['lɑːvə] s lava *m*

lavatory ['lævətərɪ] s wc *m*, toalett *nt*

lavatory paper s toalettpapir *nt*

lavender ['lævəndəʳ] s lavendel *m*

lavish ['lævɪʃ] 1 ADJ (**a**) (*amount*) overdådig
(**b**) (*meal, hospitality*) generøs
(**c**) (*surroundings, décor*) praktfull
2 VT ▸ **to lavish sth on sb** (**a**) (*+gifts, compliments*) overøse (*v2*) noen med noe
(**b**) (*+attention*) bruke (*v2*) mye av noe på noen ❏ *The media lavish a lot of attention on them.* Media vier dem mye oppmerksomhet.
▸ **lavish with** (*+gifts etc*) generøs med, rundhåndet med

lavishly ['lævɪʃlɪ] ADV (**a**) (= *generously*) raust ❏ *...lavishly entertained...* tok raust imot...
(**b**) (= *sumptuously*) overdådig ❏ *...lavishly restored.* ...overdådig restaurert.

law [lɔː] s (**a**) (*social, natural, scientific*) lov *m* ❏ *Respect for the law...* Respekt for loven... *The laws that govern the behaviour of light...* Lovene som styrer lysets atferd...
(**b**) (*specific type: criminal/company law etc*) rett *m* ❏ *She's an expert on constitutional law.* Hun er ekspert på statsrett.
(**c**) (= *profession*) advokatyrket *def* ❏ *I was planning a career in law.* Jeg planla en karriere som advokat.
(**d**) (*subject of study*) jus *m* ❏ *A degree in law...* En utdannelse innen jus...
▸ **against the law** mot loven
▸ **to go to law** gå* rettens vei
▸ **to break the law** bryte* loven

law-abiding ['lɔːəbaɪdɪŋ] ADJ lovlydig

law and order s lov og orden

lawbreaker ['lɔːbreɪkəʳ] s lovbryter *m*

law court s tinghus *nt*

lawful ['lɔːful] ADJ lovlig

lawfully ['lɔːfəlɪ] ADV lovlig

lawless ['lɔːlɪs] ADJ lovløs

Law Lord (*BRIT*) s *dommer med sete i Overhuset*

lawn [lɔːn] s (gress)plen *m*

lawnmower ['lɔːnməuəʳ] s gressklipper *m*

lawn tennis s lawn tennis *m*

law school (*US: SKOL*) s ≈ juridisk fakultet *nt*
▸ **to go to law school** studere (*v2*) jus

law student s jusstudent *m*

lawsuit ['lɔːsuːt] s rettsak *m*, søksmål *nt*

lawyer ['lɔːjəʳ] s ≈ advokat *m*, jurist *m*

lax [læks] ADJ (*behaviour, standards*) slapp, løs

laxative ['læksətɪv] s avføringsmiddel *nt*

laxity ['læksɪtɪ] s (**a**) (= *slackness*) slapphet *m* ❏ *...the laxity of certain laws.* ...hvor slappe visse lover var.
(**b**) (*moral*) løssluppenhet *m*, lettferdighet *m* ❏ *...the moral laxity of people.* ...folks moralske løssluppenhet *or* lettferdighet.

lay [leɪ] (*pt, pp* **laid**) 1 PRET *of* **lie**
2 ADJ (**a**) (*REL*) lek- (*var:* leg-) ❏ *...a lay preacher...* en lekpredikant...
(**b**) (= *not expert*) ufaglært ❏ *...accessible to the*

lay person. ...tilgjengelige for de ufaglærte.
3 VT (**a**) (= *person, object, carpet, cable, plans, trap, egg*) legge* ❑ *The cards are laid face up on the table.* Kortene legges på bordet med forsiden opp.
(**b**) (*+table*) dekke (*v1 or v2x*) ❑ *The table was laid for lunch.* Bordet var dekket til lunsj.
▸ **to lay facts/proposals before sb** legge* fram fakta/forslag for noen
▸ **to lay one's hands on sth** få* fatt i noe, få* tak i noe
▸ **to get laid** (*sl!*) få* seg et nummer (*sl!*)
► **lay aside** VT legge* til side, legge* vekk
► **lay by** VT legge* til side
► **lay down** VT (**a**) (*+object*) legge* fra seg ❑ *I laid down the pen...* Jeg la fra meg pennen...
(**b**) (*+rules, laws etc*) fastsette* ❑ *...the conditions laid down by the Department of Health.* ...betingelsene som var fastsatt av Helsedirektoratet.
▸ **to lay down the law** være* den som bestemmer
▸ **to lay down one's life** ofre (*v1*) sitt liv
► **lay in** VT (*+supply*) sikre (*v1*) seg
► **lay into** VT FUS (= *attack*) gå* løs på
► **lay off** VT (*+workers*) avskjedige (*v1*), permittere (*v2*)
► **lay on** VT (**a**) (*+meal, entertainment etc*) sørge (*v1*) for (*i rikt monn*) ❑ *Mrs Kaul had laid on dinner.* Fru Kaul sørget for middagen.
(**b**) (*+water, gas*) legge* inn
► **lay out** VT (**a**) (= *spread out: things*) legge* utover ❑ *Clothes were laid out on the ground.* Klær var lagt utover på bakken.
(**b**) (*sl: spend*) bruke (*v2*) ❑ *I laid out hundreds on the new house.* Jeg brukte hundrevis av pund på det nye huset.
► **lay up** VT ▸ **to be laid up** (*with illness*) være* sengeliggende ❑ *He was laid up with a cold.* Han var forkjølet og sengeliggende.
layabout ['leɪəbaut] (*sl, neds*) s dovenpels *m*, lathans *m*
lay-by ['leɪbaɪ] (*BRIT*) s parkeringsfelt *nt*
lay days (*NAUT*) SPL liggedager
layer ['leɪəʳ] s lag *nt* ❑ *A fine layer of dust...* Et tynt lag med støv...
layette [leɪ'et] s (komplett) sett *nt* med babyklær
layman ['leɪmən] *irreg* s lekmann *m* (*var.* legmann)
lay-off ['leɪɔf] s avskjedigelse *m*, permittering *c*
layout ['leɪaut] s (**a**) (*of garden*) anlegg *nt*
(**b**) (*of building*) planløsning *m* ❑ *...the airport layout...* flyplassens planløsning...
(**c**) (*of piece of writing etc*) layout *m*, oppsett *nt* ❑ *...the poor layout of the report.* ...rapportens dårlige layout *or* oppsett.
laze [leɪz] VI (*also* ***laze about***) dovne (*v1*) seg
laziness ['leɪzɪnɪs] s latskap *m*, dovenskap *m*
lazy ['leɪzɪ] ADJ (*person*) lat, doven; (*movement, action*) doven
LB (*CAN*) FK = **Labrador**
lb. FK (= **pound (weight)**) lb *nt* (= *pund*)
lbw (*SPORT*) FK = **leg before wicket**
LC (*US*) S FK (= **Library of Congress**) *USAs nasjonalbibliotek*
lc (*TYP*) FK = **lower case**
L/C FK (= **letter of credit**) kredittbrev *nt*
LCD S FK = **liquid crystal display**
Ld (*BRIT*) FK (*in titles*) = **lord**
LDS S FK (*BRIT*) (= **Licentiate in Dental Surgery**) *akademisk tittel*; (= **Latter-day Saints**) Jesu Kristi Kirke av Siste Dagers Hellige
LEA (*BRIT*) S FK (= **Local Education Authority**) *organ som administrerer skoler og undervisning på lokalplan*
lead[1] [li:d] (*pt, pp* **led**) 1 s (**a**) (= *front position: SPORT*) ledelse *m*, forsprang *nt* ❑ *New Zealand went into an early lead.* New Zealand gikk tidlig opp i ledelsen.. New Zealand fikk tidlig et forsprang.
(**b**) (*fig: in society, action*) ledelse *m* ❑ *Other feminists won't mind us taking a lead.* Andre feminister vil ikke ha* noe i mot at vi tar ledelsen.
(**c**) (= *piece of information, clue*) spor *nt* ❑ *The police were following up several leads.* Politiet fulgte opp flere spor.
(**d**) (*in play, film*) hovedrolle *m* ❑ *...to play the lead in their new film.* ...spille hovedrollen i deres nye film.
(**e**) (*for dog*) bånd *nt* ❑ *I kept the dog on a tight lead.* Jeg holdt hunden stramt i bånd.
(**f**) (*ELEK*) ledning *m*
2 VT (**a**) (= *be at the head of, also of orchestra*) lede (*v1*) ❑ *He led a demonstration through the city.* Han ledet et demonstrasjonstog gjennom bykjernen. *The Labour Party was led by Wilson.* Arbeiderpartiet ble ledet av Wilson.
(**b**) (= *guide*) føre (*v2*) ❑ *Morris led Ellen to a cabinet...* Morris førte Ellen til et kabinett...
(**c**) (= *start: activity*) gå* i spissen for ❑ *The middle class led the move towards independence.* Den middelklassen gikk i spissen for utviklingen i retning av uavhengighet.
3 VI (**a**) (*road, pipe, wire etc+*) føre (*v2*) ❑ *A path leads straight to Stonehenge.* En sti fører direkte til Stonehenge.
(**b**) (*SPORT*) lede (*v1*) ❑ *Spurs lead by four goals to two.* Spurs leder 4-2.
▸ **to be in the lead** ha* ledelsen ❑ *He was in the lead and did not lose it.* Han hadde ledelsen og mistet den ikke. *A poll put Labour 1% in the lead.* En spørreundersøkelse ga Labour en ledelse på 1 %.
▸ **to take the lead** ta* ledelsen
▸ **to lead the way** føre (*v2*) an
▸ **to lead sb astray** føre (*v2*) noen på avveier
▸ **to lead sb to believe that...** få* noen til å tro at...
▸ **to lead sb to do sth** få* noen til å gjøre* noe
► **lead away** VT føre (*v2*) med seg
► **lead back** VT føre (*v2*) med seg tilbake
► **lead off** 1 VI (**a**) (*in game, conversation, meeting etc*) åpne (*v1*)
(**b**) (*road+*) gå* ut ❑ *A side street led off from the road.* En sidegate gikk ut fra gata.
2 VT FUS (*+road, corridor*) ha* inngang fra ❑ *Three rooms lead off the courtyard.* Tre rom hadde inngang fra bakgården.
► **lead on** VT (**a**) (= *tease*) leke (*v2*) med
(**b**) (= *deceive*) ▸ **he doesn't mean it, he's just**

leading us on han mener det ikke, han bare prøver å narre oss til å tro det
▸ **lead to** VT FUS føre (*v2*) til
▸ **lead up to** VT FUS (**a**) (*+events*) lede (*v1*) opp til ❑ *...the events that led up to her death.* ...begivenhetene som ledet fram til hennes død.
(**b**) (*in conversation*) legge* opp til ❑ *...you've been leading up to this question.* ...du har prøvd å legge opp til dette spørsmålet.

lead² [lɛd] s (*metal, in pencil*) bly *nt*

leaded [ˈlɛdɪd] ADJ (*window, glass*) blyinnfattet; (*petrol*) blyholdig, blytilsatt

leaden [ˈlɛdn] ADJ (*sky, sea*) blygrå; (*fig: movements*) blytung

leader [ˈliːdəʳ] s (**a**) (*of group, organization; newspaper article*) leder *m*
(**b**) (*SPORT*) *den som leder* ❑ *The leader after the first lap was Brown.* Den som ledet etter første runde var Brown.
▸ **the Leader of the House** (*BRIT*) *regjeringsmedlem med spesielt ansvar i lovsaker*

leadership [ˈliːdəʃɪp] s (**a**) (*group, individual*) ledelse *m*, lederskap *nt* ❑ *...the gap between the leadership and the members.* ...kløften mellom ledelsen *or* lederskapet og medlemmene.
(**b**) (*position*) ledelse *m* ❑ *...the election of Wilson to the leadership.* ...valget av Wilson som leder.
(**c**) (*quality*) lederegenskaper *pl* ❑ *This is a task calling for leadership.* Dette er en oppgave som krever lederegenskaper.

lead-free [ˈlɛdfriː] ADJ blyfri

leading [ˈliːdɪŋ] ADJ (**a**) (*= most important: person, thing*) ledende ❑ *...leading politicians.* ...ledende politikere.
(**b**) (*role*) hoved-
(**c**) (*= first, front*) forrest ❑ *The leading car was full of security men.* Den forreste bilen var full av sikkerhetsfolk.

leading lady (*TEAT*) s primadonna *m*, (kvinnelig) hovedrolleinnehaver *m*

leading light s lederskikkelse *m* ❑ *He is one of the leading lights of the new generation.* Han er en av lederskikkelsene i den nye generasjonen .

leading man *irreg* (*TEAT*) s (mannlig) hovedrolleinnehaver *m*

leading question s ledende spørsmål *nt*

lead poisoning [lɛd-] s blyforgiftning *c*

lead singer [liːd-] s forgrunnsfigur *m* (*vokalist*)

lead time [liːd-] (*MERK*) s ekspedisjonstid *m*

lead-up [ˈliːdʌp] s (rosende) introduksjon *m*

leaf [liːf] (*pl* **leaves**) s (**a**) (*of tree, plant*) blad *nt*
(**b**) (*of table*) klaff *m*
▸ **to turn over a new leaf** begynne (*v2x*) et nytt og bedre liv
▸ **to take a leaf out of sb's book** følge* noens eksempel
▸ **to leaf through** VT FUS (*+book, magazine*) bla (*v4*) i

leaflet [ˈliːflɪt] s (*= booklet*) brosjyre *m*; (*= publicity sheet*) løpeseddel *m*, flygeblad *nt*

leafy [ˈliːfɪ] ADJ (**a**) (*tree, branch*) bladrik, løvrik
(**b**) (*lane*) med mange grønne trær
▸ **leafy suburb** grønn forstad *m irreg*

league [liːg] s (**a**) (*= group of people, clubs, countries*) forbund *nt* ❑ *...the League of Nations.* ...Folkeforbundet.
(**b**) (*SPORT*) liga *m*
▸ **to be in league with sb** være* i forbund med noen, stå* i ledtog med noen

leak [liːk] [1] s (*of liquid, hole, of information*) lekkasje *m*
[2] VTI lekke (*v1*) ❑ *...the roof leaked.* ...taket lekket. *The story was leaked to the media.* Historien ble lekket til media.
▸ **leak out** VI (*liquid, news, information+*) lekke (*v1*) ut

leakage [ˈliːkɪdʒ] s lekkasje *m*

leaky [ˈliːkɪ] ADJ (*roof, container*) lekk

lean [liːn] (*pt, pp* **leaned** *or* **leant**) [1] ADJ (*person, meat, period of time*) mager
[2] VT ▸ **to lean sth on sth** lene (*v2*) noe mot noe, stille (*v2x*) noe mot noe
[3] VI (*= slope*) helle (*v2x*)
▸ **to lean against** lene (*v2*) seg mot
▸ **to lean on** (**a**) (*for support*) støtte (*v1*) seg til
(**b**) (*threaten*) presse (*v1*)
▸ **to lean forward/back** lene (*v2*) seg forover/tilbake
▸ **to lean towards** (*+idea, belief etc*) helle (*v2x*) mot
▸ **lean out** VI lene (*v2*) seg ut
▸ **lean over** VI lene (*v2*) seg framover/bakover/til siden; (*over railings etc*) lene (*v2*) seg over

leaning [ˈliːnɪŋ] [1] s sympati *m* ❑ *She occasionally showed a leaning towards communism.* Hun viste av og til sympati med kommunismen.
[2] ADJ ▸ **the leaning Tower of Pisa** det skjeve tårn i Pisa

leant [lɛnt] PRET, PP *of* **lean**

lean-to [ˈliːntuː] s halvtaksskur *nt*

leap [liːp] (*pt, pp* **leaped** *or* **leapt**) [1] s (**a**) (*= jump*) sprang *nt* ❑ *She made a leap for the sofa.* Hun gjorde et sprang mot sofaen.
(**b**) (*in price, number etc*) hopp *nt* ❑ *He blamed the leap in prices...* Han ga prishoppet skylden...
[2] VI (**a**) (*= jump*) hoppe (*v1*) ❑ *...he leapt up onto the sill.* ...han hoppet opp på vindusbrettet. *She leapt into a taxi...* Hun hoppet inn i en drosje...
(**b**) (*price, number etc+*) gå* plutselig opp ❑ *The shares leapt 10p to 988p.* Aksjene gikk plutselig opp med 10p til 988p.
▸ **to take a leap of faith** ta* en sjanse ❑ *It will require courage, perhaps a leap of faith...* Det vil kreve mot, kanskje litt sjansespill...
▸ **leap at** VT FUS (*+offer, opportunity*) gripe* (begjærlig)
▸ **leap up** VI (*person+*) hoppe (*v1*) opp

leapfrog [ˈliːpfrɔg] s ▸ **to play leapfrog** hoppe (*v1*) bukk

leapt [lɛpt] PRET, PP *of* **leap**

leap year s skuddår *nt*

learn [ləːn] (*pt, pp* **learned** *or* **learnt**) [1] VT (**a**) (*+skill, how to do sth*) lære (*v2*)
(**b**) (*through study, effort*) lære (*v2*) (seg) ❑ *Children learn foreign languages very easily.* Barn lærer (seg) fremmedspråk svært lett.
(**c**) (*+news, fact*) få* vite ❑ *When I learned the terrible news...* Da jeg fikk vite den forferdelige nyheten...
[2] VI lære (*v2*)
▸ **to learn about sth** (*= study*) lære (*v2*) om noe

▸ **to learn about** *or* **of sth** (*+news, information*) få* vite noe
▸ **to learn that...** (= *hear*) få* vite at...
learned ['lə:nɪd] ADJ (*person, book, paper*) lærd
learner ['lə:nəʳ] (*BRIT*) S (*also* ***learner driver***) øvelseskjører *m*
learning ['lə:nɪŋ] S lærdom *m*
learnt [lə:nt] PRET, PP *of* **learn**
lease [li:s] 1 S (**a**) (*on building, object*) leieavtale *m*, leiekontrakt *m*
(**b**) (*on land*) forpaktningskontrakt *m*
2 VT (*also* ***lease out***) leie (*v3*) ut
▸ **to lease sth to sb** (**a**) (*+building, object*) leie (*v3*) ut noe til noen
(**b**) (*+land*) forpakte (*v1*) bort noe til noen
▸ **on lease (to)** på utleie (til)
▸ **lease back** VT leie (*v3*) ut (*til selger*)
leaseback ['li:sbæk] S *finansieringsform der kjøper leier ut eiendommen til selger*
leasehold ['li:shəuld] 1 S (*building*) leid eiendom *m*; (*land*) forpaktet eiendom *m*
2 ADJ (*building*) leid; (*land*) forpaktet
leash [li:ʃ] S (hunde)bånd *nt*
least [li:st] 1 ADJ ▸ **the least** (+ *noun*) (det/den) minst(e) ❑ *...the area where there is the least success.* ...det området hvor det er minst suksess. *I don't find the least difficulty in...* Jeg har ikke den minste vanskelighet med...
2 ADV (**a**) (+ *verb*) minst ❑ *He came when I least expected it.* Han kom da jeg minst ventet det.
(**b**) (+ *adjective*) ▸ **the least** (det/den) minst(e) ❑ *The least interesting of all his theories...* Den minst interessante av alle teoriene hans...
▸ **at least** (**a**) (*in expressions of quantity, comparisons*) minst ❑ *I must have slept twelve hours at least.* Jeg må ha* sovet i minst tolv timer.
(**b**) (= *still, or rather*) i hvert fall ❑ *It looks laborious but at least it is not dangerous.* Det ser strevsomt ut men det er i hvert fall ikke farlig. *I spotted her; at least I thought I did.* Jeg fikk øye på henne; i hvert fall trodde jeg at jeg gjorde det.
(**c**) (= *at the very minimum*) i det minste ❑ *You could at least have written.* Du kunne* i det minste ha* skrevet.
▸ **not in the least** ikke det minste, ikke på noen måte
▸ **it was the least I could do** det var det minste jeg kunne* gjøre
leather ['lɛðəʳ] S lær *nt*
leather goods SPL lærvarer
leave [li:v] (*pt, pp* **left**) 1 VT (**a**) (*+place*) forlate*
(**b**) (*permanently: school etc*) gå* ut av ❑ *They left the house after tea.* De forlot huset etter middag. *What do you want to do when you leave school?* Hva vil du gjøre* når du går ut av skolen?
(**c**) (*+person*) etterlate*
(**d**) (*permanently: wife etc*) forlate* ❑ *I left Rita in a bar.* Jeg etterlot Rita på en bar. *My husband left me for another woman.* Mannen min forlot meg til fordel for en annen kvinne.
(**e**) (*+mark, stain*) etterlate*, sette* ❑ *Coffee leaves a stain.* Kaffe etterlater *or* setter flekker.
(**f**) (*+thing: accidentally*) glemme (*v2x*) igjen
(**g**) (*deliberately*) legge* igjen, sette* igjen ❑ *I had left my raincoat in the restaurant.* Jeg hadde glemt igjen regnfrakken min på restauranten. *I left my pack behind and took only my water bottle.* Jeg satte igjen ryggsekken min og tok bare med meg vannflaska.
(**h**) (*+message*) legge* igjen ❑ *Can I leave a message for Jim?* Kan jeg legge igjen en beskjed til Jim?
(**i**) (*+food*) la være* igjen ❑ *Leave some of the stew for the boys.* La noe av gryteretten være* igjen til guttene.
(**j**) (*+space, time etc*) ▸ **leave me some space/ ten minutes** la meg få* litt plass/ti minutter
2 VI (**a**) (= *go away*) reise (*v2*), dra* ❑ *My plan was to leave for the seaside.* Planen min var å reise *or* dra til sjøen.
(**b**) (*permanently*) reise (*v2*) sin vei, dra* sin vei ❑ *All they want to do is leave at 16 and get a job.* Alt de vil er å reise *or* dra sin vei når de er 16 og få* seg en jobb.
(**c**) (*bus, train+*) gå ❑ *My train leaves at 11.30.* Toget mitt går klokka 11.30.
3 S (**a**) (= *maternity etc leave*) permisjon *m* ❑ *...your entitlement to sick leave.* ...retten din til sykepermisjon.
(**b**) (= *holiday*) ferie *m* ❑ *How much leave do you get?* Hvor mye ferie får du?
▸ **to leave sth to sb** (**a**) (*+money, property etc*) etterlate* noe til noen
(**b**) (*+task*) overlate* noe til noen ❑ *Leave the washing up to me.* Overlat oppvasken til meg.
▸ **to leave sb with sth** (*+responsibility, possession*) etterlate* noen med noe
▸ **to be left with sth** sitte* igjen med noe ❑ *They were left with nothing.* De satt igjen uten noen ting.
▸ **to be left** være* igjen ❑ *There was only ten minutes left.* Det var igjen bare ti minutter.
▸ **to be left over** (*food, drink etc+*) være* igjen
▸ **to take one's leave of sb** ta* farvel med noen, ta* avskjed med noen
▸ **on leave** på permisjon
▸ **leave behind** VT (**a**) (*+person, place*) reise (*v2*) fra
(**b**) (*+object: accidentally*) gå* fra
▸ **leave off** 1 VT (**a**) (*+cover, lid*) la være* å sette på ❑ *She left the saucepan lid off...* Hun lot være* å sette på lokket på kjelen...
(**b**) (*+heating, light*) la være* av ❑ *We left the heating off while we were away.* Vi lot ovnen være* av mens vi var borte.
2 VI (*sl: stop*) kutte (*v1*) ut (*sl*), holde* opp ❑ *Just leave off, will you!* Så kutt ut, da!, Så hold opp, da!
▸ **leave on** VT (*+light, heating*) la stå på ❑ *She went out and left the lights on.* Hun gikk ut og lot lyset stå på.
▸ **leave out** VT (= *omit*) utelate* ❑ *One or two scenes in the play were left out.* En eller to scener i stykket ble utelatt.
leave of absence S permisjon *m*
leaves [li:vz] SPL *of* **leaf**
Lebanese [lɛbə'ni:z] 1 ADJ libanesisk
2 S UBØY (*person*) libaneser *m*

Lebanon ['lɛbənən] s Libanon
lecherous ['lɛtʃərəs] (*neds*) ADJ siklende
▸ **a lecherous old man** en gammel gris
lectern ['lɛktə:n] s talerstol *m*
lecture ['lɛktʃə^r] 1 s (**a**) (= *talk*) foredrag *nt* ❑ *I went to a lecture he gave...* Jeg gikk på et foredrag han ga...
(**b**) (*UNIV*) forelesning *m* ❑ *...a series of lectures on literature.* ...en serie med forelesninger om litteratur.
2 VI ▸ **to lecture (on)** forelese (*v2*) (over)
3 VT (= *scold*) ▸ **to lecture sb on** *or* **about sth** holde* moralpreken for noen om noe
▸ **to give a lecture on** (**a**) (*UNIV*) holde* en forelesning om
(**b**) (*at club, society*) holde* foredrag om
lecture hall s auditorium *nt irreg*, forelesningssal *m*
lecturer ['lɛktʃərə^r] s (*speaker*) foredragsholder *m*; (*UNIV*) foreleser *m*; (*grade: at college*) høgskolelektor *m*; (*at university*) universitetslektor *m*
LED (*ELEK*) s FK (= **light-emitting diode**) LED *m*
led [lɛd] PRET, PP *of* **lead**[1]
ledge [lɛdʒ] s (**a**) (*of mountain*) (klippe)avsats *m*, hylle *c*
(**b**) (*on wall*) hylle *c*
▸ **window ledge** vinduspost *m*
ledger ['lɛdʒə^r] s hovedbok *c*, regnskapsbok *c*
lee [li:] s le *nt*, ly *nt* ❑ *...in the lee of the rock.* ...i le *or* ly av klippen.
leech [li:tʃ] s (blod)igle *m*; (*fig: person*) blodsuger *m*
leek [li:k] s purre *m*
leer [lɪə^r] VI ▸ **to leer at sb** (*lecherously*) kaste (*v1*) lystne blikk på noen
leeward ['li:wəd] 1 ADJ på lesiden ❑ *...the leeward rail.* ...rekkverket på lesiden.
2 ADV ▸ **(to) leeward** mot le ❑ *The ship rolled leeward.* Skipet rullet mot le.
leeway ['li:weɪ] s (*fig*) ▸ **to have some leeway** ha* noenlunde fritt spillerom ▸ **there's a lot of leeway to make up** det er mye å ta* igjen
left [lɛft] 1 PRET, PP *of* **leave**
2 ADJ (**a**) (= *remaining*) igjen ❑ *The cat eats any food that's left.* Katten spiser den maten som er igjen.
(**b**) (*of direction, position*) venstre ❑ *...over his left eye.* ...over det venstre øyet.
3 s (*direction, side, position*) venstreside *m* ❑ *...a light coming from the left.* ...et lys som kommer fra venstre.
4 ADV (*turn, look etc*) til venstre ❑ *She came forward looking neither right nor left.* Hun kom framover og så seg verken til høyre eller venstre.
▸ **on the left** på venstre hånd
▸ **to the left** til venstre
▸ **the Left** (*POL*) venstresiden
left-hand drive ['lɛfthænd-] ADJ med venstreratt
left-handed [lɛft'hændɪd] ADJ venstrehendt, keivhendt
left-hand side s venstreside *m*
leftie ['lɛftɪ] (*sl*) s venstreorientert *m*
leftist ['lɛftɪst] 1 s venstreorientert *m decl as adj*, venstreradikaler *m*
2 ADJ (*ideals, groups*) venstreorientert
left-luggage (office) [lɛft'lʌgɪdʒ-] (*BRIT*) s (reisegods)oppbevaring *c*
leftovers ['lɛftəuvəz] SPL rester
left-wing ['lɛft'wɪŋ] (*POL*) ADJ venstreorientert
left-winger ['lɛft'wɪŋgə^r] s *person som står på venstresiden*
lefty ['lɛftɪ] s = **leftie**
leg [lɛg] s (**a**) (*of person, animal, bird, table, chair, pants, shorts*) bein *nt* (*var:* ben) ❑ *...the legs of my shorts.* ...(bukse)benet på shortsen min.
(**b**) (*KULIN: of lamb, pork, chicken*) lår *nt* ❑ *She was roasting a leg of lamb in the oven.* Hun stekte et lammelår i ovnen.
▸ **1st/2nd/final leg** (*of contest, journey*) første/annen/siste etappe *m*
▸ **to stretch one's legs** strekke på beina
legacy ['lɛgəsɪ] s (**a**) (*in will*) testamentarisk gave *m*
(**b**) (*of event, historical period*) ▸ **the legacy of** arven (fra) ❑ *...the legacy of Colonialism.* ...arven fra kolonitiden.
legal ['li:gl] ADJ (**a**) (*system*) retts-
(**b**) (*requirement*) juridisk, rettslig
(**c**) (= *allowed by law*) lovlig
▸ **to take legal action/proceedings against sb** anlegge* sak mot noen
legal adviser s juridisk rådgiver *m*
legal holiday (*US*) s offentlig fridag *m*
legality [lɪ'gælɪtɪ] s lovlighet *m*
legalize ['li:gəlaɪz] VT legalisere (*v2*)
legally ['li:gəlɪ] ADV (**a**) (= *with regard to the law*) juridisk sett ❑ *Divorce could be made less legally complicated.* Skilsmisse burde gjøres mindre komplisert juridisk sett.
(**b**) (= *in accordance with the law*) juridisk sett, i juridisk forstand ❑ *We are not legally married.* Vi er ikke gift juridisk sett *or* i juridisk forstand.
▸ **legally binding** juridisk bindende
legal tender s lovlig betalingsmiddel *nt*
legation [lɪ'geɪʃən] s legasjon *m*
legend ['lɛdʒənd] s legende *m* ❑ *...the legend of King Arthur.* ...legenden om Kong Arthur.
...legends in their own time. ...levende legender.
legendary ['lɛdʒəndərɪ] ADJ legendarisk ❑ *...the legendary king who turned back the Danes.* ...den legendariske kongen som slo tilbake danskene. *...one of his many legendary acts of courage.* ...en av hans mange legendariske heltedåder.
-legged ['lɛgɪd] SUFF -beint (*var:* -bent)
leggings ['lɛgɪŋz] SPL (= *overtrousers*) overtrekksbukse *c sg*; (*fashion garment*) tights *m or pl*; (*baby's*) sparkebukse *c sg*
leggy ['lɛgɪ] ADJ langbent
legibility [lɛdʒɪ'bɪlɪtɪ] s leselighet *m*
legible ['lɛdʒəbl] ADJ leselig
legibly ['lɛdʒəblɪ] ADV leselig
legion ['li:dʒən] 1 s legion *m*
2 ADJ (= *numerous*) utallig, legio (*fml*) ❑ *Stories about him are legion.* Beretningene om ham er utallige *or* legio.
legionnaire [li:dʒə'nɛə^r] s legionær *m*
legionnaire's disease s legionærsyke *m*
legislate ['lɛdʒɪsleɪt] VI lage (*v1 or v3*) lover/en lov ❑ *Parliament must legislate against fox-hunting.* Parlamentet må lage en lov som forbyr revejakt.

legislation [lɛdʒɪs'leɪʃən] s lovgivning *m* ❑ *...legislation to govern industrial relations.* ...lovgivning som skulle* regulere arbeidslivet.
legislative ['lɛdʒɪslətɪv] ADJ (**a**) (*assembly, power*) lovgivende
(**b**) (*reform, work*) lovgivnings- ❑ *...further legislative reforms.* ...ytterligere lovgivningsreformer.
legislator ['lɛdʒɪsleɪtə^r] s lovgiver *m*
legislature ['lɛdʒɪslətʃə^r] s lovgivende myndighet *m*
legitimacy [lɪ'dʒɪtɪməsɪ] s (**a**) (= *validity*) berettigelse *m*, rimelighet *m* ❑ *...the legitimacy of our complaint.* ...berettigelsen *or* rimeligheten av vår klage.
(**b**) (= *legality*) lovlighet *m* ❑ *They challenge the very legitimacy of the government.* De bestrider selve lovligheten av regjeringens eksistens.
legitimate [lɪ'dʒɪtɪmət] ADJ (= *reasonable: reason*) berettiget; (*excuse*) gyldig; (= *legal*) lovlig
legitimize [lɪ'dʒɪtɪmaɪz] VT legitimere (*v2*)
legless ['lɛglɪs] (*sl*) ADJ (= *drunk*) svingstang (*sl*)
legroom ['lɛgru:m] s (*in car, plane etc*) plass *m* til beina, beinplass *m*
Leics (*BRIT: POST*) FK = **Leicestershire**
leisure ['lɛʒə^r] s (= *period of time*) fritid *c* ❑ *...everybody wants more leisure.* ...alle vil ha* mer fritid.
▸ **at leisure** (= *when one wishes*) i ro og mak når det passer en selv ❑ *Now I can read at leisure.* Nå kan jeg lese i ro og mak når det passer meg.
leisure centre s fritidssenter *nt*
leisurely ['lɛʒəlɪ] ADJ (*pace, walk*) bedagelig, makelig
leisure suit s fritidsdress *m*
lemon ['lɛmən] [1] s sitron *m*
[2] ADJ (*colour*) sitrongul
lemonade [lɛmə'neɪd] s sitronbrus *m*, limonade *m*
lemon cheese s = **lemon curd**
lemon curd s sitronkrem *m* (*til kakefyll eller pålegg*)
lemon juice s sitronsaft *c*
lemon squeezer s sitronpresse *c*
lemon tea s sitronte *m*
lend [lɛnd] (*pt, pp* **lent**) VT ▸ **to lend sth to sb** (*+money, thing*) låne (*v2*) (bort) noe til noen ❑ *Will Bob lend you his car?* Vil Bob låne deg bilen sin?
▸ **it lends itself to...** det innbyr til... ❑ *problems which do not lend themselves to simple solutions.* ...problemer som ikke innbyr til enkle løsninger.
▸ **to lend sb a hand (with sth)** gi* noen en hjelpende hånd (med noe)
lender ['lɛndə^r] s utlåner *m*
lending library s utlånsbibliotek *nt*
length [lɛŋθ] s (**a**) (= *measurement, distance*) lengde *m* ❑ *It grows to a length of 3m.* Den vokser til en lengde på 3m. *I swam 50 lengths today!* Jeg svømte 50 lengder i dag!
(**b**) (= *piece: of wood, string, cloth etc*) stykke *nt*
(**c**) (= *amount of time*) ▸ **the length of a visit** hvor lang tid et besøk tar *or* varer
▸ **to travel the length of the island** *etc* reise (*v2*) langs hele øya *etc*
▸ **2 metres in length** 2 meter lang
▸ **at length** (**a**) (= *at last*) omsider, langt om lenge ❑ *"What kind of thing?" asked Basson at length.* "Hva slags ting?" spurte Basson omsider *or* langt om lenge.
(**b**) (= *for a long time*) lenge ❑ *He spoke at some length about the press.* Han snakket ganske lenge om pressen.
▸ **to fall full-length** falle* så lang man er
▸ **to lie full-length** ligge* utstrakt
▸ **to go to great lengths to do sth** strekke* seg langt for å gjøre* noe
lengthen ['lɛŋθən] [1] VT forlenge (*v1*)
[2] VI bli* lengre ❑ *The waiting lists are lengthening.* Ventelistene blir lengre (og lengre).
lengthways ['lɛŋθweɪz] ADV (*slice, fold, lay*) på langs
lengthy ['lɛŋθɪ] ADJ (*meeting, explanation, text*) lengre, langtrukken
leniency ['li:nɪənsɪ] s overbærenhet *m*, mildhet *m*
lenient ['li:nɪənt] ADJ (*person, attitude*) overbærende, mild
leniently ['li:nɪəntlɪ] ADV overbærende, mildt
lens [lɛnz] s (*of spectacles*) linse *c*, glass *nt*; (*of telescope, camera*) linse *c*
Lent [lɛnt] s faste *m*, fastetid *c*
lent [lɛnt] PRET, PP *of* **lend**
lentil ['lɛntɪl] s linse *m* (*frø*)
Leo ['li:əu] s Løven *m def*
▸ **to be Leo** være* Løve, være* født i Løvens tegn
leopard ['lɛpəd] s leopard *m*
leotard ['li:ətɑ:d] s trikot *m* (*uten bein*), gymdrakt *m*
leper ['lɛpə^r] s spedalsk *m decl as adj*
leper colony s koloni *m* for spedalske
leprosy ['lɛprəsɪ] s spedalskhet *m*, lepra *m*
lesbian ['lɛzbɪən] [1] ADJ lesbisk
[2] s lesbisk kvinne *c*
lesion ['li:ʒən] s lesjon *m*
Lesotho [lɪ'su:tu:] s Lesotho
less [lɛs] [1] ADJ, PRON (*in size, degree, amount*) mindre ❑ *A shower uses less water than a bath.* En dusj bruker mindre vann enn et badekar. *I've got less than you.* Jeg har mindre enn deg.
[2] ADV (**a**) (*do sth*) mindre
(**b**) (*like sth*) dårligere ❑ *I liked it considerably less than before.* Jeg likte det betydelig dårligere enn før.
[3] PREP ▸ **less tax/10% discount** minus skatt/10 % rabatt
▸ **less than half** mindre enn halvparten
▸ **less than ever** mindre enn noen gang
▸ **less and less** mindre og mindre
▸ **the less he works, the less he achieves** jo mindre han jobber, desto *or* jo mindre oppnår han
▸ **the Prime Minister, no less** ingen ringere enn statsministeren
lessee [lɛ'si:] s leietaker *m*
lessen ['lɛsn] [1] VI bli* mindre
[2] VT minske (*v1*) ❑ *This lessens the risk of infection.* Det minsker risikoen for infeksjon.
lesser ['lɛsə^r] ADJ mindre
▸ **to a lesser extent** i mindre grad
lesson ['lɛsn] s (**a**) (*in history, dancing etc*) time *m* ❑ *...a history lesson.* ...en historietime.
(**b**) (= *example, warning*) lekse *nt* ❑ *...a lesson he would do well to heed.* ...en lekse han ville* gjøre* klokt i å merke seg.

▸ **to teach sb a lesson** (*fig*) gi* noen en lærepenge, lære (*v2*) noen en lekse
lessor ['lɛsɔːʳ] s utleier *m*
lest [lɛst] KONJ for at ...ikke + *clause*, for ikke å + *infin* NB *I had to grab the rail lest I slipped off.* Jeg måtte* gripe tak i rekkverket for at jeg ikke skulle* gli av *or* for ikke å gli av.
let [lɛt] (*pt, pp* **let**) VT (**a**) (= *allow*) la ❏ *They sit back and let me do the work.* De setter seg bare ned og lar meg gjøre* jobben.
(**b**) (*BRIT: lease*) leie (*v3*) ut ❏ *I'm letting my flat...* Jeg leier ut leiligheten min...
▸ **to let sb do sth** la noen gjøre* noe ❏ *My parents wouldn't let me go out with boys.* Foreldrene mine ville* ikke la meg gå* ut med gutter.
▸ **to let sb know sth** la noen få* vite noe
▸ **let's go/see** *etc* la oss gå/se *etc*
▸ **"to let"** "til leie"
▸ **to let go** 1 VI (= *release one's grip*) slippe* (taket) 2 VT (= *release: person, animal*) slippe* løs
▸ **to let go of** (= *stop holding*) slippe*
▸ **to let o.s. go** (**a**) (= *relax*) la følelsene få* fritt utløp
(**b**) (= *neglect o.s.*) la seg selv forfalle
▸ **let down** VT (**a**) (+*tyre*) slippe* luften ut av
(**b**) (= *fail: person*) svikte (*v1*) ❏ *Charlie's never let me down yet.* Charlie har aldri sviktet meg hittil.
(**c**) (+*dress, hem etc*) legge* ned
▸ **to let one's hair down** (*fig*) slå* ut håret
▸ **let in** VT slippe* inn ❏ *My boots had been letting in water.* Støvlene mine hadde sluppet inn vann. *Go and let them in.* Gå og slipp dem inn.
▸ **let off** VT (**a**) (+*culprit*) la slippe (unna) ❏ *He let me off with a reprimand.* Han lot meg slippe (unna) med en skjennepreken.
(**b**) (= *excuse*) ▸ **to let sb off sth** la noen slippe noe ❏ *He thinks he should be let off housework.* Han mener at han burde få* slippe husarbeid.
(**c**) (+*firework, gun, bomb*) fyre (*v2*) av
▸ **to let off steam** (*sl*) avreagere (*v2*)
▸ **let on** VI ▸ **don't let on that...** ikke la noen få* vite at... ❏ *Don't let on that we went to that dance.* Ikke la noen få* vite at vi gikk på den dansefesten.
▸ **let out** VT (**a**) (+*person, dog, water, air, breath*) slippe* ut
(**b**) (+*cry*) utstøte (*v2*) ❏ *She let out a terrible shriek.* Hun utstøtte et fryktelig skrik.
(**c**) (+*house, room*) leie (*v3*) ut
▸ **let up** VI (**a**) (= *cease*) gi* seg ❏ *We thought that the rain would let up soon.* Vi trodde regnet ville* gi* seg snart.
(**b**) (= *diminish*) avta* ❏ *Day followed day and still the heat did not let up.* Dag etter dag gikk uten at heten avtok.
letdown ['lɛtdaun] s skuffelse *m*
lethal ['liːθl] ADJ dødelig
lethargic [lɛ'θɑːdʒɪk] ADJ sløv, dorsk
lethargy ['lɛθədʒɪ] s sløvhet *m*, dorskhet *m*
letter ['lɛtəʳ] s (**a**) (*correspondence*) brev *nt* ❏ *Did you get my last letter?* Fikk du det siste brevet mitt?
(**b**) (*of alphabet*) bokstav *m* ❏ *...the sign "Books" in large letters.* ...et skilt der det stod "Bøker" med store bokstaver.
▸ **small/capital letter** liten/stor bokstav
letter bomb s brevbombe *c*
letterbox ['lɛtəbɔks] (*BRIT*) s postkasse *c*
letterhead ['lɛtəhɛd] s brevhode *nt*
lettering ['lɛtərɪŋ] s skrift *c*
letter of credit s remburs *m*
letter-opener ['lɛtə'əupnəʳ] s brevåpner *m*
letterpress ['lɛtəprɛs] s boktrykk *m*, høytrykk *m* (*var.* høgtrykk)
letters patent SPL patentbrev *nt sg*
lettuce ['lɛtɪs] s salat *m* (*grønnsak*)
let-up ['lɛtʌp] s ▸ **is there any let-up in the storm/violence?** er stormen/voldsomhetene i ferd med å stilne av?
leukaemia [luː'kiːmɪə], **leukemia** (*US*) s leukemi *m*, blodkreft *m*
level ['lɛvl] 1 ADJ jevn, flat
2 ADV ▸ **to draw level with** (+*person, vehicle*) komme* opp på siden av
3 s (**a**) (= *height, standard*) nivå *nt* ❏ *Check the oil level of your car.* Sjekk oljestanden *or* oljenivået på bilen din. *The general level of training was not high.* Det generelle nivået på opplæring var ikke særlig høyt. NB *The level of the lake continues to rise.* Vannstanden i innsjøen fortsetter å stige.
(**b**) (*also* **spirit level**) vater(pass) *nt*
4 VT (+*building, forest etc*) jevne (*v1*) med jorda
5 VI ▸ **to level with sb** (*sl*) legge* kortene på bordet overfor noen
▸ **to do one's level best** gjøre* sitt aller beste
▸ **'A' levels** (*BRIT*) ≈ eksamen fra videregående skole
▸ **'O' levels** (*BRIT*) ≈ ungdomsskoleeksamen
▸ **on the level** (= *honest*) hederlig
▸ **to level a gun at sb** rette (*v1*) en pistol mot noen, sikte (*v1*) på noen med en pistol
▸ **to level an accusation/a criticism at** *or* **against sb** rette (*v1*) en beskyldning/kritikk mot noen
▸ **level off** VI (*prices, growth etc*+) jevne (*v1*) seg ut
▸ **level out** VI = **level off**
level crossing (*BRIT*) s jernbaneovergang *m*, planovergang *m*
level-headed [lɛvl'hɛdɪd] ADJ sindig, rolig og fornuftig
levelling ['lɛvlɪŋ] s (*of standards*) utjevning *c*
level playing field s ▸ **to compete on a level playing field** konkurrere (*v2*) på like fot
lever ['liːvəʳ] 1 s (**a**) (*to operate machine*) spak *m* ❏ *Howard pushes the gear lever in.* Howard dytter girspaken inn.
(**b**) (= *bar to move sth*) brekkstang *c*, spett *nt* ❏ *He leaned on the lever and the rock groaned.* Han lente seg på brekkstanga *or* spettet og det knaket i steinen.
(**c**) (*fig*) brekkstang *c* ❏ *Strikes may be used as a political lever.* Streik kan brukes som politisk brekkstang.
2 VT ▸ **to lever up** heise (*v2*) opp ❏ *She levered herself up by using Lionel's shoulder.* Hun heiste seg opp ved hjelp av Lionels skulder.
leverage ['liːvərɪdʒ] s (*using bar, lever*) vektstangvirkning *m*; (*fig: influence*) påvirkningskraft *c*

levity ['lɛvɪtɪ] s munterhet *m*; (*neds*) letthet *m*
levy ['lɛvɪ] 1 s avgift *m*
2 VT skrive* ut
lewd [lu:d] ADJ slibrig
lexicographer [lɛksɪ'kɔgrəfəʳ] s leksikograf *m*
lexicography [lɛksɪ'kɔgrəfɪ] s leksikografi *m*
LGV (*BRIT*) S FK (= **large goods vehicle**) trailer *m*
LI (*US*) FK = **Long Island**
liability [laɪə'bɪlətɪ] s (**a**) (= *burden*) belastning *m* ❑ *My car's a real liability.* Bilen min er virkelig en belastning.
(**b**) (= *responsibility*) ansvar *nt* ❑ *There are limitations to the contractors' liability.* Leverandørens ansvar er begrenset.
▸ **liabilities** SPL (*MERK*) passiva *pl* ❑ *...assets and liabilities.* ...aktiva og passiva.
liable ['laɪəbl] ADJ (**a**) (= *likely to*) ▸ **to be liable to sth/to do sth**
(**b**) (*person+*) ha* lett for å gjøre* noe ❑ *Was he liable to sea-sickness?* Hadde han lett for å bli* sjøsyk?
(**c**) (*thing+*) risikere (*v2*) å gjøre* noe ❑ *The houses are liable to collapse.* Husene risikerer å ramle sammen.
(**d**) (= *responsible*) ▸ **liable (for)** ansvarlig (for) ❑ *He's liable for the debt.* Han er ansvarlig for gjelden.
liaise [li:'eɪz] VI ▸ **to liaise (with)** (*initiate contact*) ta* kontakt (med); (*maintain contact*) holde* kontakt (med)
liaison [li:'eɪzɔn] s (**a**) (= *communication*) kontakt *m* ❑ *Liaison with academic staff is very important.* Det er veldig viktig å ha* kontakt med akademisk personale.
(**b**) (= *relationship*) forhold *nt* ❑ *...his liaison with Miss Keeler.* ...forholdet hans til frøken Keeler.
liar ['laɪəʳ] s løgner *m*, løgnhals *m*
libel ['laɪbl] 1 s injurie *m*, ærekrenkelse *m*
2 VT injuriere (*v2*)
libellous ['laɪbləs], **libelous** (*US*) ADJ injurierende
liberal ['lɪbərl] 1 ADJ (**a**) (= *tolerant*) frisinnet, liberal ❑ *I hope I'm as liberal as your father was.* Jeg håper jeg er like frisinnet *or* liberal som faren din var.
(**b**) (= *generous: offer*) generøs
(**c**) (*use*) utstrakt
(**d**) (*amount*) rikelig NB *...a liberal provision of guns.* ...rikelige forsyninger med våpen.
2 s (**a**) (= *tolerant person*) liberaler *m* ❑ *...a pair of enlightened liberals.* ...et par opplyste liberalere.
(**b**) (*POL*) ▸ **the Liberals** de Liberale NB *He's a Liberal.* Han er liberal.
▸ **liberal with** (= *generous*) raus med, generøs med
Liberal Democrat s liberaldemokrat *m*
liberalize ['lɪbərəlaɪz] VT liberalisere (*v2*)
liberally ['lɪbrəlɪ] ADV i rikelige mengder NB *He buttered the bread liberally.* Han smurte rikelig med smør på brødet.
liberal-minded ['lɪbərl'maɪndɪd] ADJ frisinnet, frilynt
liberate ['lɪbəreɪt] VT (*+people, country: from poverty, oppression etc*) frigjøre*; (*+hostage, prisoner*) befri (*v4*)
liberation [lɪbə'reɪʃən] s (*of country, group*) frigjøring *c* ❑ *...wars of national liberation.* ...nasjonale frigjøringskriger. NB *...the women's liberation movement.* ...kvinnefrigjøringsbevegelsen.
liberation theology s frigjøringsteologi *m*
Liberia [laɪ'bɪərɪə] s Liberia
Liberian [laɪ'bɪərɪən] 1 ADJ liberisk
2 s (*person*) liberier *m*
liberty ['lɪbətɪ] s frihet *m* ❑ *The emphasis was on individual liberty.* Det var lagt vekt på individuell frihet. *...that fundamental aspect of imprisonment, the loss of liberty.* ...det fundamentale aspektet ved fengsling, frihetsberøvelsen.
▸ **to be at liberty** (*criminal+*) være* på frihet
▸ **to be at liberty to do sth** være* fri til å gjøre* noe
▸ **to take the liberty of doing sth** ta* seg den frihet å gjøre* noe
libido [lɪ'bi:dəu] s libido *m inv*, seksualdrift *c*
Libra ['li:brə] s Vekten *m def*
▸ **to be Libra** være* Vekt, være* født i Vektens tegn
librarian [laɪ'brɛərɪən] s bibliotekar *m*
library ['laɪbrərɪ] s (**a**) (*public, private*) bibliotek *nt* ❑ *Some public libraries have good reference sections.* Noen offentlige bibliotek har gode referanseavdelinger. *He's waiting for you, Sir, in the library.* Han venter på Dem, Sir, i biblioteket.
(**b**) (= *private collection*) samling *c* ❑ *...a splendid library of Mozart's music.* ...en flott samling med Mozarts musikk.
library book s biblioteksbok *c*
libretto [lɪ'brɛtəu] s libretto *m*
Libya ['lɪbɪə] s Libya
Libyan ['lɪbɪən] 1 ADJ libysk
2 s (*person*) libyer *m*
lice [laɪs] SPL *of* **louse**
licence ['laɪsns], **license** (*US*) s (**a**) (= *official document*) (offentlig) tillatelse *m*
(**b**) (*MERK*) tillatelse *m*, bevilling *c*
(**c**) (= *excessive freedom*) tøylesløshet *m* ❑ *...a world of licence and corruption.* ...en verden av tøylesløshet og korrupsjon.
▸ **(driving) licence** førerkort *nt*, sertifikat *nt*
▸ **fishing licence** fiskekort *nt*
▸ **import licence** importlisens *m*
▸ **television licence** TV-lisens *m*
▸ **under licence** på lisens
license ['laɪsns] 1 s (*US*) = **licence**
2 VT (**a**) (*+car*) registere (*v2*)
(**b**) (*+person, organization, activity*) gi* tillatelse til ❑ *They are licensed to carry firearms.* De har tillatelse til å bære våpen.
licensed ['laɪsnst] ADJ (*car etc*) registrert; (*to sell alcohol*) som har skjenkerett
licensee [laɪsən'si:] s *innehaver av tillatelse, lisens ol*
license plate (*US*) s nummerskilt *nt*
licensing hours ['laɪsnsɪŋ] (*BRIT*) SPL åpningstid *c sg* (*for salg av alkohol*)
licentious [laɪ'sɛnʃəs] ADJ tøylesløs
lichen ['laɪkən] s lav *m or nt*
lick [lɪk] 1 VT (**a**) (*+stamp, fingers etc*) slikke (*v1*)
(**b**) (*sl: defeat*) gi* juling (*sl*) ❑ *Why go to Athens to watch your team get licked?* Hvorfor reise til

Aten for å se laget ditt få* juling?
2 s slikk *m* ❑ *That ice cream costs a dollar a lick.* Den iskremen koster en dollar per slikk.
▸ **a lick of paint** et strøk maling
▸ **to lick one's lips** (*also fig*) slikke seg om munnen ❑ *He was licking his lips at the prospect of revenge.* Han slikket seg om munnen ved tanken på hevn.

licorice ['lɪkərɪs] (*US*) s = **liquorice**

lid [lɪd] s (**a**) (*of box, case, pan*) lokk *nt*
(**b**) (= *eyelid*) øyelokk *nt* ❑ *She looked round from under half-closed lids.* Hun så seg rundt med halvlukkede øyne.
▸ **to take the lid off sth** (*fig: disclose*) avsløre (*v2*) noe

lido ['laɪdəu] (*BRIT*) s (= *pool*) svømmebasseng *nt*; (= *beach*) strand *c*

lie [laɪ] (*pt* **lay**, *pp* **lain**) 1 VI (**a**) (*gen*) ligge* ❑ *Judy was lying flat on the bed.* Judy lå rett ut på senga. *The bridge lies beyond the docks.* Broa ligger bortenfor havna. *Several dictionaries lay on a shelf.* Det lå en rekke ordbøker på ei hylle. *The causes of this lie deep in the history of society.* Grunnene til dette ligger langt tilbake i samfunnets historie. *France and Britain lie third and fourth respectively.* Frankrike og Storbritannia ligger henholdsvis på tredje og fjerdeplass.
(**b**) (= *tell lies: pt, pp lied*) lyve* ❑ *Rudolph was sure that Thomas was lying.* Rudolph var sikker på at Thomas løy.
2 s løgn *m* ❑ *He dismissed their claims as lies.* Han avfeide påstandene deres som løgner.
▸ **to tell lies** lyve*
▸ **to lie low** (*fig*) ligge* lavt i terrenget

▸ **lie about** VI (**a**) (*things+*) ligge* og slenge* ❑ *...an old boot which some fool had left lying about.* ...en gammel støvel som en eller annen idiot hadde latt ligge og slenge.
(**b**) (*people+*) ligge* ❑ *They were lying about all round the room.* De lå rundt omkring i rommet.

▸ **lie around** VI = **lie about**

▸ **lie back** VI legge* seg ned ❑ *Now lie back and relax.* Legg deg nå ned og slapp av.
▸ **to lie back and enjoy sth** (*fig*) slappe (*v1*) av og nyte* noe

Liechtenstein ['lɪktənstaɪn] s Liechtenstein

lie detector s løgndetektor *m*

lie-down ['laɪdaun] (*BRIT*) s ▸ **to have a lie-down** ligge* og hvile (*v2*)

lie-in ['laɪɪn] (*BRIT*) s ▸ **to have a lie-in** sove* lenge (*om morgenen*)

lieu [luː] ▸ **in lieu of** PREP i stedet for (*var.* istedenfor)

Lieut. (*MIL*) FK = **lieutenant**

lieutenant [lɛf'tɛnənt, (*US*)luː'tɛn nt] s løytnant *m*

lieutenant colonel s oberstløytnant *m*

life [laɪf] (*pl* **lives**) s (**a**) (= *existence*) liv *nt* ❑ *...her last hours of life.* ...de to siste timene i hennes liv. *Is there life on Jupiter?* Finnes det liv på Jupiter? *She had risked her life to save mine.* Hun hadde risikert sitt eget liv for å redde mitt. *People spend their lives worrying about money.* Folk bruker livet sitt på å bekymre seg om penger.
(**b**) (= *events, experience, activities*) livet *def* ❑ *Life had not been kind to her.* Livet hadde ikke fart pent med henne.
▸ **true to life** virkelighetsnær, realistisk
▸ **to paint from life** male (*v2*) etter virkeligheten
▸ **to be sent to prison for life** bli* sendt i fengsel på livstid
▸ **to come to life** (*fig: person, party etc*) livne (*v1*) til

life annuity s livrente *c*

life assurance (*BRIT*) s = **life insurance**

lifebelt ['laɪfbɛlt] (*BRIT*) s livbøye *nt*, redningsbøye *nt*

lifeblood ['laɪfblʌd] s (*fig*) livsnerve *m*
❑ *Self-confidence is the lifeblood of democracy.* Selvtillit er selve livsnerven i demokratiet.

lifeboat ['laɪfbəut] s livbåt *m*

lifebuoy ['laɪfbɔɪ] s livbøye *m*

life expectancy s gjennomsnittlig levetid *c*
❑ *Women have a longer life expectancy than men.* Kvinner har lengre gjennomsnittlig levetid enn menn.

lifeguard ['laɪfgɑːd] s badevakt *m*, livredder *m*

life imprisonment s fengsel *m* på livstid, livsvarig fengsel *m*

life insurance s livsforsikring *c*

life jacket s redningsvest *m*

lifeless ['laɪflɪs] ADJ livløs ❑ *...the lifeless body...* den livløse kroppen... *The characters in the novel are lifeless.* Personene i romanen er livløse.

lifelike ['laɪflaɪk] ADJ (*model, dummy, robot etc*) livaktig; (*painting, performance, character*) virkelighetsnær

lifeline ['laɪflaɪn] s (**a**) (*fig: means of surviving*) redning *m* ❑ *The Mackinnon household became my lifeline.* Familien Mackinnon ble min redning.
(**b**) (*rope*) livline *c*

lifelong ['laɪflɔŋ] ADJ (*friend, ambition etc*) som er der hele livet; (*friendship*) livslang

life preserver (*US*) s = **lifebelt, life jacket**

lifer ['laɪfəʳ] (*sl*) s livstidsfange *m*

life raft s redningsflåte *m*

life-saver ['laɪfseɪvəʳ] s livredder *m*

life sciences SPL biologiske fag *pl*

life sentence s livstidsdom *m*

life-size(d) ['laɪfsaɪz(d)] ADJ (*painting, model*) i full størrelse

life span s (**a**) (*of person, animal, plant*) levetid *c*
❑ *A fox's natural life span...* En revs naturlige levetid...
(**b**) (*fig: of product, organization, idea*) varighet *c*
❑ *This job had a planned life span of five years.* Denne jobben hadde en planlagt varighet på fem år.

life style ['laɪfstaɪl] s livsstil *m*

life support system s *komplett system av hjerte-lungemaskin og intravenøs næringstilførsel*

lifetime ['laɪftaɪm] s levetid *c* ❑ *I've seen a lot of changes in my lifetime.* Jeg har opplevd en mengde forandringer i min levetid. *...during the lifetime of this parliament.* ...i løpet av denne nasjonalforsamlingens levetid.
▸ **the chance of a lifetime** sitt livs sjanse

lift [lɪft] 1 VT (**a**) (= *raise: thing, part of body*) løfte

(*v1*) ❑ *He lifted the glass to his mouth.* Han løftet glasset til munnen.
(**b**) (= *end: ban etc*) oppheve (*v1*) ❑ *He lifted the ban on the People's Party.* Han opphevet forbudet mot Peoples Party.
(**c**) (= *copy*) stjele* ❑ *Most of the article was lifted from a woman's magazine.* Det meste av artikkelen var stjålet fra et dameblad.
(**d**) (*sl: steal*) rappe (*v1*) ❑ *Uncle Harold had lifted the morning's receipts.* Onkel Harold hadde rappet morgenens inntekter.
2 VI (*fog+*) letne (*v1*) ❑ *Around midday, the fog lifted.* Midt på dagen letnet tåka.
3 S (*BRIT: machine*) heis *m* ❑ *I took the lift...* Jeg tok heisen...
▸ **to give sb a lift** (*BRIT*) gi* noen skyss
▸ **lift off** VI (*rocket+*) ta* av
▸ **lift up** VT løfte (*v1*) opp

lift-off ['lɪftɔf] s utskytning *m*

ligament ['lɪgəmənt] s leddbånd *m*, sene *m*, ligament *nt*

light [laɪt] (*pt, pp* **lit**) 1 s (**a**) (*gen*) lys *nt* ❑ *...a flash of white light...* et glimt av hvitt lys... *He put out the light.* Han slukket lyset. *People drove with their lights on.* Folk kjørte med lysene på.
(**b**) (*for cigarette etc*) ▸ **have you got a light?** har du fyr?
2 VT (**a**) (*+candle, cigarette, fire*) tenne (*v2x*) ❑ *She stopped and lit a match.* Hun stoppet og tente en fyrstikk.
(**b**) (*+room*) belyse (*v2*) ❑ *The corridors are lit only by artificial light.* Korridorene har bare kunstig belysning.
3 ADJ (**a**) (= *pale, bright*) lys NB *...a light blue shirt.* ...en lyseblå *or* lys blå skjorte ❑ *The bedroom was big and light...* Rommet var stort og lyst...
(**b**) (= *not heavy: object, rain, traffic, movement, action, book, play, music*) lett ❑ *We need a light metal, like aluminium.* Vi trenger et lettmetall, som aluminium. *...light entertainment and comedy.* ...lett underholdning og komedie.
(**c**) (= *not strenuous: work*) lettere ❑ *The children help with light housework.* Barna hjelper til med lettere husarbeid.
4 ADV (*travel*) med lite bagasje
▸ **lights** SPL (*BIL*) (trafikk)lys *nt sg* ❑ *The lights were against us all the way.* Vi hadde rødt lys hele veien.
▸ **to turn the light on/off** skru (*v4*) av/på lyset
▸ **to come to light** komme* fram i lyset ❑ *It has come to light that he was lying.* Det har kommet fram i lyset at han løyet.
▸ **to cast/shed/throw light on** (*fig*) kaste (*v1*) lys over ❑ *This casts light on an old problem.* Dette kaster lys over et gammelt problem.
▸ **in the light of** (*+discussions, new evidence etc*) i lys av
▸ **to make light of sth** (*fig*) ta* lett på noe
▸ **light up** VTI lyse (*v2*) opp ❑ *His face lit up at the sight of Cynthia.* Ansiktet hans lyste opp ved synet av Cynthia. *The fire lit up the sky.* Ilden lyste opp himmelen.

light bulb s lyspære *c*

lighten ['laɪtn] 1 VT (*+a load*) lette (*v1*)
2 VI (= *become less dark*) lysne (*v1*)

lighter ['laɪtəʳ] s (*also* ***cigarette lighter***) lighter *m*, sigarettenner *m*

light-fingered [laɪt'fɪŋgəd] (*sl*) ADJ langfingret

light-headed [laɪt'hɛdɪd] ADJ (**a**) (= *dizzy*) ør i hodet ❑ *I was light-headed; I had not slept and I was very hungry.* Jeg var ør i hodet; jeg hadde ikke sovet og jeg var svært sulten.
(**b**) (= *excited*) ør ❑ *He felt light-headed and free.* Han følte seg ør og fri.

light-hearted [laɪt'hɑːtɪd] ADJ (**a**) (*person*) munter og sorgløs ❑ *He was in a light-hearted mood.* Han var i et muntert og sorgløst humør.
(**b**) (*question, remark etc*) lite alvorlig ❑ *...a slightly more light-hearted question.* ...et noe mindre alvorlig spørsmål.

lighthouse ['laɪthaus] s fyrtårn *nt*

lighting ['laɪtɪŋ] s belysning *m*

lighting-up time [laɪtɪŋ'ʌp-] (*BIL*) s *tidspunkt når biler må ha* kjørelys tent*

lightly ['laɪtlɪ] ADV lett ❑ *He kissed his wife lightly on the cheek.* Han kysset sin kone lett på kinnet. *He said sorry as lightly as possible.* Han sa unnskyld i en så lett tone som mulig.
▸ **to get off lightly** slippe* lett fra det

light meter s lysmåler *m*

lightness ['laɪtnɪs] s (*in weight*) letthet *m*

lightning ['laɪtnɪŋ] 1 s lyn *nt*
2 ADJ ▸ **with lightning speed** lynraskt

lightning conductor s lynavleder *m*

lightning rod (*US*) s lynavleder *m*

light pen s lyspenn *m*

lightship ['laɪtʃɪp] s fyrskip *nt*

lightweight ['laɪtweɪt] 1 ADJ lett
2 s (*BOKSING*) lettvekter *m*

light year s lysår *nt*

like [laɪk] 1 VT like (*v2*) ❑ *There's nothing I like about town life.* Det er ingenting jeg liker ved bylivet. *Do you like her?* Liker du henne?
2 PREP (**a**) (= *the same as*) maken til, lik ❑ *I saw a dog like ours on the beach.* Jeg så en hund maken til *or* lik vår egen på stranda.
(**b**) (*in similes, such as*) som ❑ *The lake was like a bright blue mirror.* Innsjøen var som et skinnende blått speil. *You only get them in big countries, like India.* Du finner dem bare i store land, som (for eksempel) India.
3 s ▸ **his likes and dislikes** hans sympatier og antipatier
▸ **I would like, I'd like** jeg vil gjerne ha
▸ **would you like a coffee?** vil du ha* en kopp kaffe?
▸ **if you like** hvis *or* om du vil
▸ **something like that** noe sånt
▸ **what's he/the weather like?** hvordan er han/ været?
▸ **to look like** (**a**) (*+person*) ligne (*v1*) (på)
(**b**) (*+thing*) se* ut som
▸ **to sound like** høres (*v25*) ut som
▸ **to taste like** smake (*v2*) som
▸ **what does it look/sound/taste like?** hvordan ser det ut/høres det ut/smaker det?
▸ **I feel like a drink** jeg har lyst på noe å drikke
▸ **there's nothing like...** ingenting er som...
▸ **that's just like him** det er akkurat likt ham
▸ **do it like this** gjør det sånn *or* slik

▸ **and the like** og lignende, og den slags
likeable ['laɪkəbl] ADJ sympatisk
likelihood ['laɪklɪhud] S sannsynlighet *m*
▸ **there is every likelihood that...** enhver sannsynlighet taler for at...
▸ **in all likelihood** etter all sannsynlighet
likely ['laɪklɪ] ADJ sannsynlig
▸ **to be likely to do** sannsynligvis komme* til å gjøre
▸ **not likely!** (*sl*) ikke tale om!
like-minded ['laɪk'maɪndɪd] ADJ likesinnet
liken ['laɪkən] VT ▸ **to liken sth to sth** sammenligne (*v1*) noe med noe
likeness ['laɪknɪs] S likhet *m* ❑ *...two dogs that bore a likeness to his aunt.* ...to hunder som hadde en viss likhet med hans tante.
▸ **that's a good likeness** (*photo, portrait*) det ligner
likewise ['laɪkwaɪz] ADV (= *similarly*) likedan, likeså ❑ *In Spain there was a special way of doing it, likewise in Italy.* I Spania var det en spesiell måte å gjøre* det på, og likedan *or* likeså i Italia.
▸ **to do likewise** gjøre* likeså, gjøre* det samme
liking ['laɪkɪŋ] S ▸ **liking for sb/sth** sans *m* for noen/noe, det å like noen/noe
▸ **to be to sb's liking** behage (*v1*) noen ❑ *Was the temperature to their liking?* Behaget temperaturen dem?
▸ **to take a liking to sb** fatte (*v1*) sympati for noen, få* sans for noen
lilac ['laɪlək] 1 S syrin *m*
2 ADJ (*colour*) lilla
Lilo® ['laɪləu] S luftmadrass *m*
lilt [lɪlt] S (*of voice*) syngende tonefall *nt*
lilting ['lɪltɪŋ] ADJ (*accent*) syngende
lily ['lɪlɪ] S lilje *m*
lily of the valley S liljekonvall *m*
Lima ['liːmə] S Lima
limb [lɪm] S (**a**) (*ANAT*) *arm eller bein* NB *He was very tall with long limbs.* Han var svært høy med lange armer og bein.
(**b**) (*of tree*) grein *c*, gren *m*
▸ **to go out on a limb** (*fig*) være* på kollisjonskurs med gjengs oppfatning
limber up ['lɪmbəʳ-] VI varme (*v1*) opp
limbo ['lɪmbəu] S ▸ **to be in limbo** (*fig*) sveve (*v3*) i uvisshet
lime [laɪm] S (*fruit*) limettsitron *m*; (*tree*) lind *m*; (*also* ***lime juice***) limejuice *m* (*var.* limejus) (*for soil*) kalk *m*; (*rock*) kalkstein *m*
limelight ['laɪmlaɪt] S ▸ **to be in the limelight** være* i rampelyset
limerick ['lɪmərɪk] S limerick *m*
limestone ['laɪmstəun] S kalkstein *m*
limit ['lɪmɪt] 1 VT begrense (*v1*)
2 S (**a**) (*gen*) grense *m* ❑ *Marsha's tolerance reached its limit.* Grensen var nådd for Marshas toleranse. *...the southern limit of the area.* ...områdets søndre grense.
(**b**) (= *restriction*) ▸ **limit (on)**
(**c**) (*on time, money etc*) grense *m* (for) ❑ *There was a limit on what we could buy.* Det var en grense for hva vi kunne* kjøpe.
▸ **within limits** innenfor visse grenser
limitation [lɪmɪ'teɪʃən] S innskrenkning *m*
▸ **limitations** SPL (= *shortcomings*) begrensning *m sg* ❑ *It's important to know your own limitations.* Det er viktig å kjenne sin egen begrensning.
limited ['lɪmɪtɪd] ADJ begrenset
▸ **to be limited to** begrense (*v1*) seg til
limited edition S *utgave som er trykket i begrenset opplag*
limited (liability) company (*BRIT*) S aksjeselskap *nt*
limitless ['lɪmɪtlɪs] ADJ ubegrenset, grenseløs
limousine ['lɪməziːn] S limousin *m*
limp [lɪmp] 1 S ▸ **to have a limp** halte (*v1*), være* halt
2 VI (*person, animal+*) halte (*v1*)
3 ADJ (*limb, material etc*) slapp
limpet ['lɪmpɪt] S albu(e)skjell *nt*
limpid ['lɪmpɪd] ADJ (*air, water*) krystallklar
limply ['lɪmplɪ] ADJ slapt
linchpin, lynchpin ['lɪntʃpɪn] S krumtapp *m* ❑ *He was the linchpin of Callaghan's government.* Han var krumtappen i Callaghans regjering.
Lincs (*BRIT: POST*) FK = **Lincolnshire**
line [laɪn] 1 S (**a**) (*gen, TEL, in writing, poetry*) linje *c* ❑ *The pen moved on down to the next line.* Pennen flyttet seg ned til neste linje. *The article was cut down to two or three lines.* Artikkelen ble skåret ned til to-tre linjer. *The line was dead.* Linjen var død.
(**b**) (= *wrinkle*) rynke *c* ❑ *...a hand covered with fine dry lines.* ...en hånd dekket med fine tørre rynker.
(**c**) (= *row: of people*) kø *m*
(**d**) (*of things*) rekke *c*, rad *m* ❑ *At the Church, I joined the line and went inside.* Ved kirken stilte jeg meg i køen og ble med inn. *...long lines of poplar trees on the avenue.* ...lange rekker *or* rader med poppeltrær langs avenyen.
(**e**) (= *rope*) snor *c* ❑ *...washing hanging on a line.* ...vask som hang på en snor.
(**f**) (*for fishing*) snøre *nt*
(**g**) (= *wire*) ledning *m*
(**h**) (= *railway track*) spor *nt*, linje *c*
(**i**) (= *bus, coach, train route*) rute *c*
(**j**) (= *underground, tram*) bane *m* ❑ *They had taken the wrong line on the London Tube.* De hadde tatt feil bane på undergrunnen i London.
(**k**) (= *attitude, policy*) linje *c* ❑ *...the official line of the Labour Party.* ...Arbeiderpartiets offisielle linje.
(**l**) (= *business, work*) bransje *m* ❑ *The best job you can get in our line...* Den beste jobben du kan få* i vår bransje...
(**m**) (*MERK: of product*) serie *m* ❑ *...a new line of computer printers.* ...en ny serie dataprintere.
2 VT (**a**) (*+stand in rows along: people, trees*) stå* langs ❑ *Crowds lined the processional route.* Folk stod i mengder langs opptogets rute.
(**b**) (= *put lining in: clothing*) fôre (*v1*)
(**c**) (*+container*) bekle (*v4*)
▸ **to line sth with** fôre (*v1*)/bekle (*v4*) noe med ❑ *Line the cupboards and drawers with paper.* Bekle skapene og skuffene med papir.
▸ **hold the line please!** (*TEL*) et øyeblikk!
▸ **to stand in line** stå* i kø

▸ **in line with** (= *according to*) i tråd med
▸ **to be in line for sth** stå* for tur til noe
▸ **to bring sth into line with sth** innrette (*v1*) noe etter noe
▸ **on the right lines** på rett spor
▸ **to draw the line at doing** sette* grensen ved å gjøre

▸ **line up** 1 VI stille (*v2x*) seg opp (på rekke *or* rad) ❑ *The children lined up in the shade of the roof.* Barna stilte seg opp (på rekke *or* rad) under skyggen av taket.
2 VT (**a**) (*+people, objects*) stille (*v2x*) opp ❑ *They were lined up against a wall and shot.* De ble stilt opp mot en vegg og skutt.
(**b**) (= *organize*) ordne (*v1*) med ❑ *...a formal party was lined up.* ...det var ordnet med et formelt selskap. *I had lined up a wonderful cast.* Jeg hadde ordnet med et fantastisk ensemble.
▸ **to have sb/sth lined up** ha* ordnet med noen/noe ❑ *Who have you got lined up for tonight's show?* Hvem har du fått til å stille opp i kveldens forestilling?

linear ['lɪnɪəʳ] ADJ (*process, sequence*) lineær; (*shape, form*) linje-, lineær

lined [laɪnd] ADJ (*face*) rynket(e); (*paper*) linjert; (*skirt, jacket*) stripet(e)

lineman ['laɪnmən] (*US*) (*irreg* **man**) s linjemann *m*

linen ['lɪnɪn] s (**a**) (*cloth*) lin *nt*
(**b**) (= *tablecloths, sheets etc*) lintøy *nt* ❑ *...bed linen.* ...sengetøy.

line printer (*DATA*) s linjeskriver *m*

liner ['laɪnəʳ] s (*ship*) linjeskip *nt*; (*also* **bin liner**) søppelpose *m* (*til å ha* i søppelkasse*)

linesman ['laɪnzmən] *irreg* (*SPORT*) s linjemann *m*, linjedommer *m*

line-up ['laɪnʌp] s (**a**) (*US: queue*) kø *m*
(**b**) (*SPORT*) *spillere som er tatt ut til å være* med på et lag* ❑ *...the England line-up for their match against Poland.* ...de som var tatt ut til å spille på det engelske landslaget i kampen mot Polen.
(**c**) (*at concert, festival*) artister *pl* ❑ *Heading the line-up is Elton John.* Hovedattraksjonen blant artistene er Elton John.
(**d**) (= *identity parade*) oppstilling *c* (*av mistenkte*) ❑ *She picked him out of a line-up.* Hun plukket ham ut fra en oppstilling.

linger ['lɪŋgəʳ] VI (*smell, tradition, feelings+*) henge* igjen (lenge); (*person+*) bli* værende

lingerie ['lænʒəriː] s dameundertøy *nt*

lingering ['lɪŋgərɪŋ] ADJ (*sense, feeling, doubt*) dvelende

lingo ['lɪŋgəu] (*pl* **lingoes**) (*sl*) s (*foreign*) språk *nt*; (*jargon*) sjargong *m*

linguist ['lɪŋgwɪst] s (*good at languages*) *person som er flink i fremmedspråk*; (*language expert*) lingvist *m*; (*language student*) språkstudent *m*

linguistic [lɪŋ'gwɪstɪk] ADJ språklig, lingvistisk

linguistics [lɪŋ'gwɪstɪks] s lingvistikk *m*, språkvitenskap *m*

liniment ['lɪnɪmənt] s flytende salve *c*

lining ['laɪnɪŋ] s (*cloth*) fôr *nt*; (*ANAT, TEKN*) belegg *nt* (*på innsiden av noe*)

link [lɪŋk] 1 s (**a**) (= *relationship*) forbindelse *m*, forhold *nt* ❑ *...the close link between love and fear.* ...den nære forbindelsen *or* det nære forholdet mellom kjærlighet og frykt.
(**b**) (= *communication*) forbindelse *m* ❑ *We now have closer links with overseas universities.* Vi har nå nærmere forbindelser med utenlandske universiteter. *A telephone link between Washington and Moscow...* En telefonforbindelse mellom Washington og Moskva...
(**c**) (*of a chain*) ledd *nt*
2 VT (= *join*) forbinde* ❑ *...a canal linking the Pacific and Atlantic oceans.* ...en kanal som forbinder Stillehavet og Atlanterhavet.
▸ **links** SSING (*GOLF*) golfbane *m*
▸ **rail link** jernbaneforbindelse *m*

▸ **link up** VT (*+machines, systems*) koble (*v1*) sammen

link-up ['lɪŋkʌp] s (**a**) (*gen*) forbindelse *m* ❑ *The link-up with Euro Disney...* Forbindelsen med Euro-Disney... NB *In a live link-up from Leeds, he said...* I en direkteoverføring fra Leeds, sa han...
(**b**) (*of spaceships*) sammenkobling *c*

lino ['laɪnəu] s linoleum *m*

linoleum [lɪ'nəulɪəm] s linoleum *m*

linseed oil ['lɪnsiːd-] s linfrøolje *c*, linolje *c*

lint [lɪnt] s sårbandasje *m*

lintel ['lɪntl] s overligger *m*

lion ['laɪən] s løve *m*

lion cub s løveunge *m*

lioness ['laɪənɪs] s løvinne *c*

lip [lɪp] s (**a**) (*on face*) leppe *c*
(**b**) (*of cup etc*) rand *m*
(**c**) (*sl: insolence*) frekkheter *pl* ❑ *I don't want to hear any more lip from you!* Jeg vil ikke høre flere frekkheter fra deg!

liposuction ['lɪpəusʌkʃən] s fettsuging *c*

lip-read ['lɪpriːd] VI lese (*v2*) på leppene

lip salve [-sælv] s leppepomade *m*

lip service (*neds*) s ▸ **to pay lip service to sth** støtte (*v1*) noe med ord men ikke med handling

lipstick ['lɪpstɪk] s leppestift *m*

liquefy ['lɪkwɪfaɪ] 1 VT (*+gas*) kondensere (*v2*); (*+solid substance*) smelte (*v1*)
2 VI (*+gas*) bli* kondensert; (*+solid substance*) smelte (*v1*)

liqueur [lɪ'kjuəʳ] s likør *m*

liquid ['lɪkwɪd] 1 ADJ flytende
2 s væske *m*

liquid assets SPL likvide midler

liquidate ['lɪkwɪdeɪt] VT (*+opponents, rivals, company*) likvidere (*v2*)

liquidation [lɪkwɪ'deɪʃən] s likvidasjon *m*

liquidation sale (*US*) s opphørssalg *nt*

liquidator ['lɪkwɪdeɪtəʳ] s likvidator *m*

liquid crystal display s flytekrystalldisplay *m or nt*

liquidity [lɪ'kwɪdɪtɪ] s likviditet *m*

liquidize ['lɪkwɪdaɪz] VT mose (*v2*)

liquidizer ['lɪkwɪdaɪzəʳ] s hurtigmixer *m*

liquor ['lɪkəʳ] s brennevin *nt* ❑ *I never touch hard liquor.* Jeg rører aldri brennevin.

liquorice ['lɪkərɪs] (*BRIT*) s lakris *m*

liquor store (*US*) s vinutsalg *nt*

Lisbon ['lɪzbən] s Lisboa

lisp [lɪsp] 1 s lesping *c*
2 VI lespe (*v1*)

▸ **to have a lisp** lespe (*v1*)
lissom(e) ['lɪsəm] ADJ smekker
list [lɪst] [1] s liste *c*
[2] VT (**a**) (*document, label+*) inneholde* en liste over ❑ *...a label listing its contents.* ...en merkelapp der det stod hva den innholdt.
(**b**) (*DATA*) liste (*v1*) opp
(**c**) (= *make a list of*) skrive* opp, føre (*v2*) opp, lage (*v1 or v3*) en liste over ❑ *Let's list the points we've made so far.* La oss skrive opp *or* føre opp *or* lage en liste over det vi har kommet fram til så langt.
(**d**) (= *record*) oppføre (*v2*) ❑ *The death was officially listed as drowning.* Dødsfallet var offisielt oppført som drukning.
[3] VI (*ship+*) ha* slagside
listed building (*BRIT*) s ≈ fredet bygning *m*
listed company s børsnotert selskap *nt*
listen ['lɪsn] VI (**a**) (*gen*) lytte (*v1*)
(**b**) (*to someone speaking*) høre (*v2*) etter ❑ *Paul, are you listening?* Paul, hører du etter?
▸ **to listen to sb** høre (*v2*) på noen
▸ **to listen to sth** høre (*v2*) på noe, lytte (*v1*) til noe
▸ **listen!** (**a**) (*to a sound*) hør!
(**b**) (= *pay attention to me*) hør her!
▸ **to listen (out) for** lytte (*v1*) etter
listener ['lɪsnəʳ] s tilhører *m*; (*RADIO*) lytter *m*
listeria [lɪs'tɪərɪə] s listeria *m*
listing ['lɪstɪŋ] s (= *entry in directory etc*) oppføring *c* ❑ *She checked the directory and found a listing for E. Howard.* Hun så etter i katalogen og fant oppført E. Howard.
listless ['lɪstlɪs] ADJ sløv, slapp
listlessly ['lɪstlɪslɪ] ADV sløvt, slapt
list price s listepris *m*
lit [lɪt] PRET, PP *of* **light**
litany ['lɪtənɪ] s (**a**) (*REL*) litani *nt*
(**b**) (= *list*) lang regle *c* ❑ *...a litany of complaints.* ...en lang regle med klager.
liter ['liːtəʳ] (*US*) s = **litre**
literacy ['lɪtərəsɪ] s det å kunne* lese og skrive
literacy campaign s kampanje *m* mot analfabetisme
literal ['lɪtərəl] ADJ (*sense, meaning*) bokstavelig; (*translation*) ordrett
literally ['lɪtrəlɪ] ADV (**a**) (= *in fact*) bokstavelig talt ❑ *They were literally starving to death.* De var bokstavelig talt i ferd med å sulte i hjel.
(**b**) (*for emphasis*) i bokstavelig forstand ❑ *We've had literally thousands of letters.* Vi har bokstavelig talt fått tusenvis av brev.
literary ['lɪtərərɪ] ADJ litterær
literate ['lɪtərət] ADJ (**a**) (= *able to read etc*) ▸ **to be literate** kunne* lese og skrive ❑ *Only half the children in this class are literate.* Bare halvparten av barna i denne klassen kan lese (og skrive).
(**b**) (= *educated*) velutdannet ❑ *...the children of highly literate parents.* ...barn av svært velutdannede foreldre.
literature ['lɪtrɪtʃəʳ] s litteratur *m* ❑ *...a degree in English Literature.* ...en høyere utdannelse innenfor engelsk litteratur. *The party spent a fortune on campaign literature.* Partiet brukte en formue på kampanjelitteratur.
lithe [laɪð] ADJ myk og smidig
lithograph ['lɪθəgrɑːf] s litografi *m*
lithography [lɪ'θɔgrəfɪ] s litografi *nt* (*prosess*)
Lithuania [lɪθju'eɪnɪə] s Litauen
Lithuanian [lɪθju'eɪnɪən] ADJ litauisk
litigation [lɪtɪ'geɪʃən] s rettstvist *m*
litigious [lɪ'tɪdʒəs] ADJ ivrig etter å saksøke
litmus ['lɪtməs] s ▸ **litmus paper** lakmuspapir *nt*
▸ **litmus test** (*fig*) prøvestein *m*
litre ['liːtəʳ], **liter** (*US*) s liter *m*
litter ['lɪtəʳ] s (**a**) (= *rubbish*) søppel *nt* ❑ *People have always dropped litter.* Folk har alltid kastet søppel.
(**b**) (= *young animals*) kull *nt* ❑ *...a litter of six.* ...et kull på seks.
litter bin (*BRIT*) s søppelkasse *c*
litterbug ['lɪtəbʌg] s (*in countryside*) natursvin *nt*; (*on streets etc*) forsøpler *m*
littered ['lɪtəd] ADJ ▸ **littered with** full av ❑ *His desk was littered with papers.* Skrivebordet hans var fullt av papirer.
litter lout s = **litterbug**
little ['lɪtl] [1] ADJ (**a**) (*gen*) liten* ❑ *...a little table with a glass top.* ...et lite bord med glassplate. *...two little girls.* ...to små jenter. *...a little while longer.* ...en liten stund til. *I had very little money left.* Jeg hadde veldig lite penger igjen.
(**b**) (= *younger: brother, sister*) lille- ❑ *She was bringing her little brother Kevin with her.* Hun hadde med seg lillebroren Kevin.
[2] ADV lite ❑ *We tried to influence them as little as possible.* Vi prøvde å påvirke dem så lite som mulig.
▸ **a little** (= *amount*) litt ❑ *Try to persuade her to eat a little.* Prøv å overtale henne til å spise litt.
▸ **a little bit** litt, littegrann
▸ **little by little** litt etter litt
little finger s lillefinger *m*
little-known ['lɪtl'nəun] ADJ forholdsvis ukjent
liturgy ['lɪtədʒɪ] s liturgi *m*
live [*VI* lɪv, *ADJ* laɪv] [1] VI (**a**) (= *reside: in house, town, country*) bo (*v4*) ❑ *I used to live in Grange Road.* Før bodde jeg i Grange Road.
(**b**) (= *lead one's life, be alive*) leve (*v3*) ❑ *...people who live in poverty.* ...folk som lever i fattigdom. *We need water to live.* Vi trenger vann for å leve.
[2] ADJ (**a**) (*animal, plant*) levende ❑ *...transport live animals.* ...transportere levende dyr.
(**b**) (*TV, RADIO*) direkte-overført ❑ *...live pictures of a man walking on the moon.* ...direkte-overførte bilder av en mann som går på månen.
(**c**) (*performance*) live- ❑ *Their live show was brilliant.* Live-showet deres var supert.
(**d**) (*ELEK*) strømførende ❑ *He touched a live wire and got a nasty shock.* Han tok på en strømførende ledning og fikk et vemmelig sjokk.
(**e**) (*bullet*) skarp ❑ *...live ammunition.* ...skarp ammunisjon.
▸ **to live with sb** (= *cohabit*) bo (*v4*) sammen med noen
▸ **live down** VT (*+defeat, error, failure*) få* folk til å glemme ❑ *If you were beaten, you'd never live it down.* Hvis du ble slått, ville* du aldri få* folk til å glemme det.
▸ **live for** VT (*+work, pleasure*) leve (*v3*) for

▸ **live in** VI (**a**) (*student+*) bo (*v4*) på skolen
(**b**) (*servant+*) ha* kost og losji
▸ **live off** VT FUS (**a**) (*+land, fish etc*) leve (*v3*) av *or* på
(**b**) (*+one's parents etc*) leve (*v3*) på
▸ **live on** VT FUS (*+food, salary*) leve (*v3*) av
▸ **live out** 1 VI (**a**) (*BRIT: student*) bo (*v4*) for seg selv (*dvs ikke på skolen*)
(**b**) (*servant+*) bo (*v4*) hjemme
2 VT ▸ **to live out one's days** *or* **life** leve (*v3*) sine dager *or* livet ut ❑ *He lived out the remaining 56 years of his life in London.* De siste 56 årene av sitt liv levde han ut i London.
▸ **live together** VI (= *cohabit*) bo (*v4*) *or* leve (*v3*) sammen
▸ **live up** VT ▸ **to live it up** (*sl*) slå* seg løs
▸ **live up to** VT FUS (*+expectations, performance*) leve (*v3*) opp til
live-in ['lɪvɪn] ADJ (*+cook, maid*) som bor i huset
▸ **her live-in lover** samboeren hennes
livelihood ['laɪvlɪhud] s levebrød *nt* ❑ *...their fear of losing their livelihood.* ...redselen for å miste levebrødet sitt.
liveliness ['laɪvlɪnɪs] s livlighet *m*
lively ['laɪvlɪ] ADJ (**a**) (*person, place, event, book*) livlig ❑ *Things are a little livelier in July.* Det er litt mer liv her i juli.
(**b**) (*interest, admiration*) levende ❑ *She took a lively interest in everything.* Hun fattet en levende interesse for alt.
liven up ['laɪvn-] 1 VT (*+person, discussion, evening*) få* (litt) liv i, live (*v1*) opp
2 VI (*person+*) livne (*v1*) til; (*discussion, evening etc+*) bli* livligere
liver ['lɪvəʳ] s lever *m*
Liverpudlian [lɪvə'pʌdlɪən] ADJ fra Liverpool
livery ['lɪvərɪ] s livré *m*
lives [laɪvz] SPL *of* **life**
livestock ['laɪvstɔk] s buskap *m*
live wire (*sl*) s ▸ **she's a real live wire** hun er usedvanlig livlig
livid ['lɪvɪd] ADJ (*colour*) blygrå; (*sl: furious*) rasende
living ['lɪvɪŋ] 1 ADJ (**a**) (*author, writer*) nålevende
(**b**) (*animal*) levende
(**c**) (*relative*) i live ❑ *I have no living relatives.* Jeg har ingen slektninger som er i live.
2 s ▸ **to earn** *or* **make a living** tjene (*v2*) til livets opphold ❑ *...to earn my living as an artist.* ...å tjene til livets opphold som kunstner.
▸ **within living memory** i manns minne
▸ **the cost of living** levekostnadene *pl*
living conditions SPL levevilkår *pl*, livsvilkår *pl*
living expenses SPL levekostnader
living room s stue *c*
living standards SPL levestandard *m sg*
living wage s lønn *c* man kan leve av
lizard ['lɪzəd] s øgle *c*
llama ['lɑːmə] s lama *m*
LLB S FK (= **Bachelor of Laws**) lavere universitetsgrad i jus
LLD S FK (= **Doctor of Laws**) ≈ dr.jur. (= *doctor juris*)
LMT (*US*) FK (= **Local Mean Time**) lokal tid
load [ləud] 1 s (**a**) (= *thing carried: of person, animal*) bør *c*
(**b**) (*of vehicle*) last *c*
(**c**) (= *weight*) vekt *c* ❑ *The load on the walls was too great...* Vekten på veggene var for stor...
(**d**) (*ELEK, TEKN*) ladning *m*
2 VT (**a**) (*also* ***load up****: vehicle, ship etc*) laste (*v1*) på *or* opp, lesse (*v1*) opp ❑ *They came to load the van.* De kom for å laste på *or* laste opp *or* lesse opp bilen.
(**b**) (*DATA: program, data*) legge* inn
(**c**) (*+gun*) lade (*v1 or v3*), la*
(**d**) (*+camera*) sette* film i
(**e**) (*+tape recorder*) sette* inn kassett i
▸ **a load of rubbish** (*sl*) noe tøv
▸ **loads of** *or* **a load of** (*fig*) masser av, en masse, massevis av ❑ *He had loads of charm.* Han har masser av *or* en masse sjarm *or* massevis av sjarm
loaded ['ləudɪd] ADJ (**a**) (*gun*) ladd (*var.* ladet)
(**b**) (*vehicle*) ferdiglastet
(**c**) (*sl: rich*) stinn av gryn (*sl*)
▸ **a loaded question** en spørsmålsfelle
▸ **loaded dice** falske terninger
loading bay s lasteplass *m*
loaf [ləuf] (*pl* **loaves**) 1 s ▸ **a loaf (of bread)** et brød
2 VI (*also* ***loaf about, loaf around***) gå* og slenge*
▸ **use your loaf!** (*sl*) bruk hodet!
loam [ləum] s matjord *c*
loan [ləun] 1 s (= *sum of money*) lån *nt* ❑ *...a bank loan.* ...et banklån.
2 VT (*also* ***loan out***) låne (*v2*) bort ❑ *He never loaned his car to anybody.* Han lånte aldri bort bilen sin til noen.
▸ **on loan** (= *borrowed*) på lån
loan account s lånekonto *m*
loan capital s lånekapital *m*
loan shark (*sl*) s lånehai *m*
loath, loth [ləuθ] ADJ ▸ **to be loath to do sth** ha* liten lyst til å gjøre* noe, nødig ville* gjøre* noe
loathe [ləuð] VT avsky (*v4*), ikke kunne* fordra
loathing ['ləuðɪŋ] s avsky *m*, vemmelse *m* ❑ *He remembered his school days with loathing...* Han husket skoledagene med avsky *or* vemmelse...
loathsome ['ləuðsəm] ADJ avskyelig, motbydelig
loaves [ləuvz] SPL *of* **loaf**
lob [lɔb] VT (*+ball*) kaste (*v1*) (*i høy bue*)
lobby ['lɔbɪ] 1 s (**a**) (*of building*) lobby *m*, vestibyle *m*
(**b**) (*POL: pressure group*) lobby *m* ❑ *The anti-nuclear lobby...* Anti-kjernekraft-lobbyen...
2 VT (*+MP, councillor*) drive* lobbyvirksomhet overfor, forsøke (*v2*) å påvirke
lobbyist ['lɔbɪɪst] s *en som driver lobbyvirksomhet*; korridorpolitiker *m*
lobe [ləub] s (*of ear*) (øre)flipp *m*
lobster ['lɔbstəʳ] s hummer *m*
lobster pot s hummerteine *c*
local ['ləukl] 1 ADJ (**a**) (*council*) kommune-
(**b**) (*paper*) lokal-
(**c**) (*police station, library*) nærmeste
2 s (*pub*) lokal pub *m* ❑ *Why don't we go to the local?* Hvorfor ikke gå* på den lokale puben?
▸ **the locals** SPL (= *people*) lokalbefolkningen *sg*
local anaesthetic s lokalbedøvelse *m*
local authority s ≈ kommune *nt*
local call (*TEL*) s lokalsamtale *m* ❑ *...to make a*

local call? ...ta en lokalsamtale?
locale [ləu'kɑːl] s sted *n*
local government s ≈ kommunestyre *nt*
locality [ləu'kælɪtɪ] s lokalitet *m*
localize ['ləukəlaɪz] VT lokalisere (*v2*) ❑ *I can't localize the trouble.* Jeg kan ikke lokalisere problemet.
locally ['ləukəlɪ] ADV (**a**) (*opposed to nationally*) lokalt ❑ *Should housing policy be decided nationally or locally?* Bør boligpolitikken avgjøres nasjonalt eller lokalt?
(**b**) (= *nearby*) på stedet ❑ *Everything was bought locally.* Alt ble kjøpt på stedet.
locate [ləu'keɪt] VT (*+person, thing*) lokalisere (*v2*)
▸ **to be located** (**a**) (= *situated : building, object*) ligge*
(**b**) (*person+*) holde* til ❑ *The house was located in the heart of the city.* Huset lå i hjertet av byen.
location [ləu'keɪʃən] s sted *nt*
▸ **on location** på stedet ❑ *It was filmed on location in Ireland.* Den ble filmet på stedet i Irland.
loch [lɔx] s (*freshwater*) (skotsk) innsjø *m*; (*seawater*) ≈ fjord *m*
lock [lɔk] 1 s (**a**) (*of door, drawer, suitcase*) lås *m*
(**b**) (*on canal*) sluse *c*
(**c**) (*of hair*) lokk *m*
2 VT (*+door, drawer, suitcase, screen*) låse (*v2*)
3 VI (*door, jaw, knee, mechanism etc+*) låse (*v2*) seg ❑ *The battery locked into place.* Batteriet låste seg på plass. *...the wheels locked and the car span out of control.* ...hjulene låste seg og bilen spant ut av kontroll.
▸ **lock, stock and barrel** rubb og stubb, rubb og rake, hver smitt og smule
▶ **lock away** VT (**a**) (*+valuables*) låse (*v2*) ned
(**b**) (*+criminal*) sperre (*v1*) inne
▶ **lock in** VT låse (*v2*) inne
▶ **lock out** VT (**a**) (*+person : accidentally*) låse (*v2*) ute ❑ *I found that I'd locked myself out.* Jeg oppdaget at jeg hadde låst meg ute.
(**b**) (*deliberately*) stenge (*v2*) ute ❑ *He locked me out...* Han stengte meg ute...
(**c**) (*INDUST*) utestenge (*v2*) ❑ *Workers were locked out in industrial disputes.* Arbeidere ble utestengt (ved lock-out) i konflikter med ledelsen.
▶ **lock up** 1 VT (**a**) (*+house*) låse (*v2*)
(**b**) (*+criminal, mental patient*) låse (*v2*) inne
2 VI låse (*v2*) ❑ *Don't forget to lock up when you leave.* Ikke glem å låse når du går.
locker ['lɔkəʳ] s (*in school, railway station etc*) (låsbart) skap *nt*
locker room s (*in sports club etc*) garderobe *m* (*med låsbare skap*)
locket ['lɔkɪt] s medaljong *m*
lockjaw ['lɔkdʒɔː] s krampe *c* i kjeven, trismus *m*
lockout ['lɔkaut] s lockout *m*
locksmith ['lɔksmɪθ] s låsesmed *m*
lockup ['lɔkʌp] s (*US : sl : jail*) kasjott *m*; (*garage*) leid garasje *m*
locomotive [ləukə'məutɪv] s lokomotiv *nt*
locum ['ləukəm] s vikar *m* (*for lege eller prest*)
locust ['ləukəst] s gresshoppe *c* (*skadedyr*)
lodge [lɔdʒ] 1 s (**a**) (= *small house*) portnerbolig *m* ❑ *We passed the lodge and drove up to the house.* Vi passerte portnerboligen og kjørte opp til huset.
(**b**) (= *hunting lodge*) (jakt)hytte *c* ❑ *...a shooting lodge in Scotland...* en skytterhytte i Skottland...
(**c**) (*freemasons*) losje *m*
2 VI (**a**) (*person+*) ▸ **to lodge (with)** bo (*v4*) (hos) (*midlertidig*)
(**b**) (*bullet, object+*) bli* sittende
3 VT (*+complaint, protest etc*) levere (*v2*) ❑ *...to lodge a formal complaint.* ...levere en formell klage.
lodger ['lɔdʒəʳ] s losjerende *m decl as adj*
lodging ['lɔdʒɪŋ] s losji *nt* ❑ *...a night's lodging.* ...losji for natten.
▸ **lodgings** PL ▸ **to live in lodgings** bo (*v4*) på leide værelser
lodging house s herberge *nt*, pensjonat *nt*
loft [lɔft] s loft *nt*
lofty ['lɔftɪ] ADJ (= *noble : ideal, aim*) høyverdig; (= *self-important : manner*) hovmodig; (= *high : position*) skyhøy
log [lɔg] 1 s (**a**) (*wood : whole trunk*) tømmerstokk *m*
(**b**) (*for fire*) (ved)kubbe *m*
(**c**) (= *written report*) logg *m*
(**d**) (*MAT*) log
2 VT (*+event, fact*) føre (*v2*) opp ❑ *The death must be logged.* Dødsfallet må føres opp.
▸ **log cabin** tømmerhytte *c*
▶ **log in, log on** (*DATA*) VI logge (*v1*) (seg) inn
▶ **log into** (*DATA*) VT FUS logge (*v1*) (seg) inn på
▶ **log out, log off** (*DATA*) VI logge (*v1*) (seg) ut
logarithm ['lɔgərɪðm] s logaritme *m*
logbook ['lɔgbuk] s loggbok *c*
log fire s bål *nt*
logger ['lɔgəʳ] s (= *lumberjack*) tømmerhugger *m*
loggerheads ['lɔgəhɛdz] SPL ▸ **to be at loggerheads** være* på kant med hverandre
logic ['lɔdʒɪk] s logikk *m* ❑ *...the laws of logic.* ...logikkens lover. *...his perverted logic.* ...hans forvrengte logikk.
logical ['lɔdʒɪkl] ADJ logisk ❑ *There is only one logical conclusion.* Det finnes bare én logisk konklusjon. *Wouldn't it have been more logical to ...?* Ville det ikke vært mer logisk å...?
logically ['lɔdʒɪkəlɪ] ADV logisk ❑ *Everything has to be logically analysed.* Alt må analyseres logisk. *It follows logically that...* Den logiske følgen av dette er at...
logistics [lɔ'dʒɪstɪks] s logistikk *m*
log jam s (*fig*) blokkering *c*
▸ **to break the log jam** skaffe (*v1*) klar bane
logo ['ləugəu] s logo *m*
loin [lɔɪn] s (*of meat*) ≈ mørbrad *m*
▸ **loins** SPL (*gam, BIBLE*) lender
loincloth ['lɔɪnklɔθ] s lendeklede *nt*
loiter ['lɔɪtəʳ] VI henge* rundt
loll [lɔl] VI (*also* ***loll about***) sitte*/ligge* henslengt; (*head, tongue+*) henge*
lollipop ['lɔlɪpɔp] s kjærlighet *m* på pinne
lollipop lady (*BRIT*) s *dame med stoppskilt som hjelper skolebarn å krysse gaten*
lollipop man (*BRIT*) *irreg* s *mann med stoppskilt som hjelper skolebarn å krysse gaten*

lollipop men/ladies

Lollipop men/ladies *er ansatt for å hjelpe skolebarn til å krysse gaten før og etter skoletid. De kjennes lett igjen på de lange, hvite frakkene sine, og de bruker et rundt skilt med skaft for å få bilene til å stoppe. De har fått dette navnet fordi den runde formen på skiltet minner om en kjærlighet på pinne (=* **lollipop***).*

lollop [ˈlɔləp] VI bykse (*v1*) omkring
lolly [ˈlɔlɪ] (*sl*) s (= *lollipop*) kjærlighet på pinne *m*; (= *money*) gryn *pl*
London [ˈlʌndən] s London
Londoner [ˈlʌndənəʳ] s londoner *m*
lone [ləun] ADJ (*person, thing*) enslig
loneliness [ˈləunlɪnɪs] s ensomhet *c*
lonely [ˈləunlɪ] ADJ (*person, situation, place*) ensom ❑ *...a lonely childhood.* ...en ensom barndom. *...lonely country roads.* ...ensomme landeveier.
lonely hearts ADJ ▸ **lonely hearts ad** kontaktannonse *c* ▸ **the lonely hearts column** kontaktspalte *m*
lone parent s eneforsørger *m*
loner [ˈləunəʳ] s einstøing *m*
long [lɔŋ] 1 ADJ lang
2 ADV lenge ❑ *Have you been here long?* Har du vært her lenge?
3 VI ▸ **to long for sth** lengte (*v1*) etter noe ❑ *They longed for open spaces.* De lengtet etter åpne plasser.
▸ **don't be long!** ikke bli* lenge!
▸ **how long is the street?** hvor lang er gata?
▸ **how long is the lesson?** hvor lenge varer timen?
▸ **6 metres long** 6 meter lang
▸ **6 months long** 6 måneder lang
▸ **all night long** hele natta (lang)
▸ **in the long run** i det lange løp
▸ **so** *or* **as long as** så lenge
▸ **he no longer comes** han kommer ikke (hit) lenger
▸ **long ago** for lenge siden
▸ **long before/after** lenge før/etter ❑ *Not long after our arrival...* Ikke lenge etter at vi kom...
▸ **before long** snart ❑ *Before long we were all safely back home.* Snart var vi alle trygt hjemme igjen.
▸ **it won't take long** det tar ikke lang tid
▸ **at long last** langt om lenge
▸ **the long and the short of it is that...** i korte trekk dreier det seg om at...
long-distance [lɔŋˈdɪstəns] ADJ (**a**) (*bus*) fjern-
(**b**) (*flight*) lang
(**c**) (*race*) langdistanse-
(**d**) (*phone call*) riks-
▸ **long-distance travel** lange reiser *pl*
longevity [lɔnˈdʒɛvɪtɪ] s lang levetid *c*
long-haired [ˈlɔŋˈhɛəd] ADJ (*person, animal*) langhåret
longhand [ˈlɔŋhænd] s ▸ **in longhand** med vanlig skrift
longing [ˈlɔŋɪŋ] s ▸ **longing (for)** lengsel *m* (etter) ❑ *...their secret longings.* ...sine hemmelige lengsler.
longingly [ˈlɔŋɪŋlɪ] ADV (*think, look*) lengselsfullt
longitude [ˈlɔŋgɪtjuːd] s lengdegrad *m*
long johns [-dʒɔnz] SPL lange underbukser
long jump s lengdesprang *nt*
long-life [ˈlɔŋlaɪf] ADJ (*milk*) med lang holdbarhet; (*batteries*) med lang levetid
long-lost [ˈlɔŋlɔst] ADJ (*relative, friend*) som har vært lenge savnet
long-playing record [ˈlɔŋpleɪɪŋ-] s LP-plate *c*
long-range [ˈlɔŋˈreɪndʒ] ADJ (*plan, forecast*) langtids-; (*missile*) langtrekkende
longshoreman [ˈlɔŋʃɔːmən] (*US*) *irreg* s bryggesjauer *m*, havnearbeider *m*
long-sighted [ˈlɔŋˈsaɪtɪd] ADJ langsynt
long-standing [ˈlɔŋˈstændɪŋ] ADJ som har vart lenge
long-suffering [lɔŋˈsʌfərɪŋ] ADJ utholdende
long-term [ˈlɔŋtəːm] ADJ (*project, solution etc*) langsiktig
long wave s langbølge *m*
long-winded [lɔŋˈwɪndɪd] ADJ (*speech, text*) langtekkelig
loo [luː] (*BRIT: sl*) s do *m* (*sl*)
loofah [ˈluːfə] s frottérsvamp *m*
look [luk] 1 VI (**a**) (*gen*) se* ❑ *She turned to look out of the back window.* Hun snudde seg for å se ut av bakvinduet.
(**b**) (= *seem, appear*) se* ut ❑ *He looked scared.* Han så redd ut.
2 s (**a**) (= *glance*) blikk *nt* ❑ *Don't give me such severe looks.* Ikke send meg slike strenge blikk.
(**b**) (= *appearance, expression*) uttrykk *nt* ❑ *...with an unhappy look on his face.* ...med et ulykkelig uttrykk i ansiktet
(**c**) (*fashion*) look *m* ❑ *...the punk look.* ...punk-look'en.
▸ **looks** SPL (**a**) (*man's*) godt utseende *nt*
(**b**) (*woman's*) skjønnhet *c* ❑ *She had lost her looks...* Hun har mistet sin skjønnhet...
▸ **to have a look (at)** ta* en titt (på) ❑ *Did you have a look at the shop?* Fikk du tatt en titt på butikken?
▸ **to have a look at** (= *study, consider*) se* på ❑ *I've had a look at your essay and I think it's very good.* Jeg har sett på stilen din og jeg synes den er veldig god.
▸ **to have a look for sth** se* etter noe
▸ **to look south/(out) onto the sea** (*building etc+*) ha* utsikt mot sør/over havet, vende (*v2*) mot sør/mot havet
▸ **look (here)!** (*expressing annoyance*) hør (nå) her!
▸ **look!** (*expressing surprise*) se (der)!
▸ **to look like sb** ligne (*v1*) på noen
▸ **look like sth** se* ut som noe ❑ *The animal looks like a large hedgehog.* Dyret ser ut som et stort pinnsvin.
▸ **it looks like him** det ser ut som det er ham
▸ **it looks like rain** det ser ut til å bli* regn
▸ **it looks about 4 metres long** det ser ut som den er ca 4 meter lang
▸ **it looks all right to me** jeg synes det ser OK ut
▸ **to look ahead** se* framover ❑ *You'll need to look ahead four or five years.* Du blir nødt til å se framover fire-fem år.
▸ **look after** VT FUS (*+child, baby, affairs*) ta* seg av
▸ **look at** VT FUS (**a**) (*gen*) se* på ❑ *They looked at*

each other. De så på hverandre. *Let's look at the implications of this.* La oss se på konsekvensene av dette.
(**b**) (= *read quickly*) kikke (*v1*) på ❑ *I looked at the paper while I waited.* Jeg kikket på avisen mens jeg ventet.
▸ **look back** VI se* tilbake
▸ **to look back at sth/sb** se* tilbake på noe/noen
▸ **to look back on** se* tilbake på
▸ **look down on** VT FUS (*fig*) se* ned på ❑ *The farm labourer used to be looked down on.* Gårdsarbeideren pleide å bli* sett ned på.
▸ **look for** VT FUS (*+person, thing*) se* etter, lete (*v2*) etter ❑ *I've been looking for you all over.* Jeg har sett *or* lett etter deg overalt.
▸ **look forward to** VT FUS glede (*v1*) seg til, se* fram til ❑ *I'm really looking forward to going on holiday.* Jeg gleder meg virkelig til *or* ser virkelig fram til å dra på ferie.
▸ **we look forward to hearing from you** vi gleder oss til *or* ser fram til å høre fra deg
▸ **look in** VI ▸ **to look in on sb** stikke* innom (hos) noen
▸ **look into** VT FUS (= *investigate*) undersøke (*v2*)
▸ **look on** VI se* på ❑ *His parents looked on with a triumphant smile...* Foreldrene hans så på med triumferende smil...
▸ **look out** VI (= *beware*) passe (*v1*) på ❑ *"Look out, there's something coming."* "Pass på, det kommer noe."
▸ **look out for** VT FUS (**a**) (= *be careful*) se* opp for
(**b**) (= *seek*) se* etter ❑ *If you are choosing a red wine, look out for Chianti.* Hvis du skal velge en rødvin, se etter Chianti.
▸ **look over** VT (**a**) (*+essay, article, person*) se* over ❑ *Joe looked the actors over...* Joe så over skuespillerne...
(**b**) (*+town, building*) se* seg om i ❑ *Could we look over the house please?* Kan vi få* se oss om i huset?
▸ **look round** VI (= *turn round*) se* etter ❑ *...when I looked round, there was nobody there.* ...da jeg så etter var det ingen der.
▸ **look through** VT FUS (= *examine*) se* gjennom ❑ *I always looked through my work carefully.* Jeg så alltid nøye gjennom alle mine skriftlige arbeider.
▸ **look to** VT FUS (= *rely on*) vente (*v1*) hjelp fra, vende (*v2*) seg til ❑ *Many people would be looking to us for leadership.* Mange ventet hjelp fra *or* vendte seg til oss når det gjaldt ledelse.
▸ **look up** [1] VI (**a**) (= *raise eyes*) se* opp ❑ *...without even looking up from his book.* ...uten en gang å se opp fra boka.
(**b**) (*situation+*) gå* bedre ❑ *Things are looking up.* Det går bedre nå.
[2] VT (*+piece of information*) slå* opp ❑ *He looked up the meaning of the word "apotheosis".* Han slo opp betydningen av ordet "apotheosis".
▸ **look up to** VT FUS (*+hero, idol*) se* opp til ❑ *She looks up to her father.* Hun ser opp til faren sin.

lookalike ['lukəlaɪk] S ▸ **a Sean Connery lookalike** en som ligner på Sean Connery

look-in ['lukɪn] S ▸ **to get a look-in** (*sl*) slippe* til ❑ *James talks so much that no-one else gets a look-in.* James snakker så mye at ingen andre slipper til.

lookout ['lukaut] S (**a**) (= *tower etc*) utsiktspost *m*
(**b**) (= *person*) utkikksmann *m*
▸ **to be on the lookout for sth** være* på utkikk etter noe

LOOM (*US*) S FK (= **Loyal Order of Moose**) *filantropisk broderorganisasjon*

loom [lu:m] [1] VI (**a**) (*also* ***loom up***: *object, shape*) komme* til syne (*gradvis og truende*) ❑ *...they loom above you like icebergs.* ...de reiser seg over deg som truende isfjell.
(**b**) (*event+*) nærme (*v1*) seg faretruende ❑ *Exams are looming for many students.* Eksamen nærmer seg faretruende for mange studenter.
[2] S vev(stol) *m*

loony ['lu:nɪ] (*sl*) [1] ADJ idiotisk, sprø
[2] S galning *m* (*sl*), gærning *m* (*sl*)

loop [lu:p] [1] S (*in string, ribbon etc*) løkke *c*; (*DATA*) sløyfe *c*
[2] VT ▸ **to loop sth around sth** vikle (*v1*) noe rundt noe

loophole ['lu:phəul] S smutthull *nt* ❑ *...a loophole in the tax laws.* ...et smutthull i skattereglene.

loose [lu:s] [1] ADJ (**a**) (= *not firmly fixed*) løs ❑ *The doorknob is loose and rattles.* Dørhåndtaket er løst og skramler. *Her long hair was loose about her shoulders.* Det lange håret hang løst rundt skuldrene hennes. *A loose grouping of "radicals"...* En løs gruppering av "radikale"...
(**b**) (*clothes*) vid, løstsittende
(**c**) (= *not accurate: definition, translation*) unøyaktig
(**d**) (= *promiscuous: life, morals*) utsvevende
(**e**) (*person*) løsaktig
[2] S ▸ **to be on the loose** (*prisoner, maniac+*) være* løs
[3] VT (**a**) (= *free: animal, prisoner*) slippe* løs ❑ *The wolves were loosed.* Ulvene ble sluppet løs.
(**b**) (*+emotion, behaviour*) ▸ **to be loosed** løsne (*v1*)

loose change S småpenger *pl*

loose chippings SPL løse steiner

loose end S ▸ **I'm at a loose end** *or (US)* **at loose ends** jeg har sluppet opp for noe å gjøre
▸ **to tie up loose ends** samle (*v1*) opp løse tråder ❑ *There are lots of loose ends to tie up in this case.* Det er massevis av løse tråder å samle opp i denne saken.

loose-fitting ['lu:sfɪtɪŋ] ADJ løstsittende

loose-leaf ['lu:sli:f] ADJ løsblad-

loosely ['lu:slɪ] ADV løst

loosen ['lu:sn] VT (**a**) (*+fixed thing*) løsne (*v1*) ❑ *...loosen the two screws.* ...løsne de to skruene.
(**b**) (*+clothing, belt etc*) løsne (*v1*) på ❑ *He loosened his tie.* Han løsnet på slipset.
▸ **loosen up** VI (**a**) (*before game*) myke (*v1*) opp musklene ❑ *She swung her arms to loosen up.* Hun svingte armene for å myke opp musklene.
(**b**) (= *relax*) mykne (*v1*) opp ❑ *I was tense at first, but I soon loosened up.* Jeg var anspent først, men jeg myknet snart opp.

loot [lu:t] [1] S (*sl*) bytte *nt*
[2] VT (*+shops, homes*) plyndre (*v1*), robbe (*v1*)

looter ['lu:təʳ] S plyndrer *m*

looting ['lu:tɪŋ] S plyndring *c*

lop off [lɔp-] VT kappe (*v1*) av
lopsided ['lɔp'saɪdɪd] ADJ skjev
lord [lɔːd] S (*BRIT*) lord *m*
▸ **Lord Smith** Lord Smith
▸ **the Lord** (*REL*) Herren
▸ **my Lord** (**a**) (*to bishop, noble*) ≈ Deres Eksellense, Deres Nåde
(**b**) (*judge*) herr dommer
▸ **good Lord!** gode Gud!, du godeste!
▸ **the (House of) Lords** (*BRIT*) Overhuset
lordly ['lɔːdlɪ] ADJ hovmodig
lordship ['lɔːdʃɪp] S ▸ **your Lordship** ≈ Deres Eksellense, Deres Nåde
lore [lɔːʳ] S tradisjonsmessig overført historie *m*
lorry ['lɔrɪ] (*BRIT*) S lastebil *m*
lorry driver (*BRIT*) S lastebilsjåfør *m*
lose [luːz] (*pt, pp* **lost**) [1] VT (**a**) (*+object, job, friend, relative, patience, confidence, voice, sight*) miste (*v1*) ❑ *You haven't lost the ticket, have you?* Du har vel ikke mistet billetten? *I might even lose my job.* Det kan til og med hende jeg mister jobben. *He had just lost his wife.* Han hadde akkurat mistet sin kone. [NB] *He lost the use of his legs.* Han mistet evnen til å gå.
(**b**) (*= waste: time*) kaste (*v1*) bort
(**c**) (*+opportunity*) gå* glipp av
(**d**) (*+money, game, election*) tape (*v2*) ❑ *At one time the company was losing a million pounds a week.* På ett tidspunkt tapte selskapet en million pund i uken.
(**e**) (*+pursuers*) riste (*v1*) av seg
[2] VI (*in competition, argument*) tape (*v2*) ❑ *It was such fun playing, it didn't matter that we lost.* De var så morsomt å spille at det ikke gjorde noe om vi tapte.
▸ **to lose (time)** (*clock+*) saktne (*v1*) (seg) ❑ *My watch loses about five minutes a day.* Klokka min saktner ca fem minutter om dagen.
▸ **to lose no time in doing** gå* straks i gang med å gjøre ❑ *Bill lost no time in telling everyone about his idea.* Bill gikk straks i gang med å fortelle alle om ideen.
▸ **to lose weight** gå* ned i vekt ❑ *He has lost a lot of weight since his illness...* Han hadde gått mye ned i vekt siden han ble syk...
▸ **to lose sight of sth** miste (*v1*) noe av syne ❑ *We lost sight of the train behind some trees.* Vi mistet toget av syne bak noen trær. *We've lost sight of our moral values.* Vi har mistet våre moralske verdier av syne.
loser ['luːzəʳ] S taper *m* ❑ *The losers are eliminated...* Taperne blir strøket... *You're a loser, Bill.* Du er en taper, Bill.
▸ **to be a good/bad loser** være* en god/dårlig taper
loss [lɔs] S tap *nt* ❑ *Death usually results from loss of fluids.* Døden inntreffer vanligvis som følge av væsketap. *The loss was registered at the consulate.* Tapet ble registrert ved konsulatet. *...the loss of my daughter.* ...tapet av min datter.
▸ **to make a loss** tape (*v2*) ❑ *They made a loss of £10,000 last year.* De tapte 10 000 pund i fjor.
▸ **to sell sth at a loss** selge* noe med tap
▸ **heavy losses** (*MIL*) store tap
▸ **to cut one's losses** *oppgi noe for å begrense eventuelt tap* ❑ *After waiting for an hour, I decided to cut my losses and go home.* Etter å ha* ventet en time bestemte jeg meg for at det fikk være* nok og gikk hjem.
▸ **to be at a loss (as to...)** være* i villrede (når det gjelder/gjaldt...) ❑ *I was at a complete loss as to how I could...* Jeg var fullstendig i villrede når det gjaldt hvordan jeg skulle...
loss leader S lokketilbud *nt* (*som ofte selges med tap*)
lost [lɔst] [1] PRET, PP *of* **lose**
[2] ADJ (**a**) (*person, animal*) bortkommen
(**b**) (*object*) ▸ **someone's lost umbrella** en paraply som noen har/hadde mistet
▸ **to be lost** (**a**) (*on foot*) ha* gått seg bort *or* vill
(**b**) (*driving*) ha* kjørt seg vill
▸ **to get lost** (**a**) (*= lose one's way: on foot*) gå* seg bort *or* vill
(**b**) (*driving*) kjøre (*v2*) seg vill
▸ **get lost!** (*sl: go away*) forsvinn!
▸ **lost in thought** i dype tanker
▸ **to be lost for words** være* helt målløs
lost and found (*US*) S = **lost property**
lost cause S håpløs sak *c* ❑ *...a champion of lost causes.* ...en mester i håpløse saker.
lost property S (*things*) hittegods *nt*; (*office*) hittegodskontor *nt*
lot [lɔt] S (**a**) (*= set: of papers, books, cards etc*) bunke *m* ❑ *...two lots of pamphlets...* to bunker med brosjyrer...
(**b**) (*at auctions*) nummer *nt* ❑ *Lot No 359 was 11 original sketches.* Nummer 359 var 11 originaltegninger.
(**c**) (*= destiny*) kår *ntpl* ❑ *...to improve their lot.* ...å forbedre sine kår.
▸ **a lot** (**a**) (*= many*) mange ❑ *Have one of mine, I've got a lot.* Ta en av mine, jeg har mange.
(**b**) (*= much*) mye ❑ *We still owe quite a lot.* Vi skylder fortsatt ganske mye.
▸ **I read a lot** jeg leser mye
▸ **this happens a lot** dette hender ofte
▸ **a lot of** (**a**) (*= many*) mange ❑ *...a lot of people* ...mange folk
(**b**) (*= much*) mye ❑ *I drink a lot of coffee.* Jeg drikker mye kaffe.
▸ **lots of** (*+things, people*) mange, massevis av ❑ *...a big house with lots of windows.* ...et stort hus med mange *or* massevis av vinduer.
▸ **the lot** (*= everything*) alt sammen ❑ *She's taken the lot!* Hun har tatt alt sammen!
▸ **to draw lots** trekke lodd
lotion ['ləuʃən] S krem *m*
▸ **body lotion** body lotion *m*
lottery ['lɔtərɪ] S lotteri *nt*
loud [laud] [1] ADJ (**a**) (*noise, voice, laugh*) høy
(**b**) (*clothes*) grell, skrikende
[2] ADV høyt ❑ *He spoke loud enough for us to hear him.* Han snakket høyt nok til at vi hørte ham.
▸ **out loud** (*read, laugh, pray etc*) høyt
▸ **to be loud in one's condemnation of sth** fordømme (*v2x*) noe i sterke ordelag
loudhailer [laud'heɪləʳ] (*BRIT*) S ropert *m*
loudly ['laudlɪ] ADV høyt
loud-mouthed ['laudmauθt] ADJ brautende

loudspeaker [laud'spiːkəʳ] s høyttaler *m*
lounge [laundʒ] s (**a**) (*in house, hotel*) salong *m* (**b**) (*at airport, station*) hall *m* ❑ *...the departure lounge.* ...avgangshallen. (**c**) (*BRIT:* ***lounge bar***) salongbar *m*
▸ **lounge about** VI (**a**) (*lie*) ligge* og slenge* (**b**) (*sit*) sitte* og slenge* ❑ *People were lounging about, apparently with nothing to do.* Folk satt og slang, øyensynlig uten noe å gjøre.
▸ **lounge around** VI = **lounge about**
lounge suit (*BRIT*) s dress *m*
louse [laus] (*pl* **lice**) s (*insect*) lus *c*
▸ **louse up** (*sl*) VT forkludre (*v1*) ❑ *It could louse up your divorce petition.* Det kunne* forkludre skilsmissebegjæringen din.
lousy ['lauzɪ] (*sl*) ADJ (**a**) (= *bad quality, ill*) elendig (**b**) (= *despicable*) råtten ❑ *That was a really lousy thing to do.* Det var virkelig råttent gjort.
▸ **to feel lousy** (= *ill*) føle (*v2*) seg elendig
lout [laut] s lømmel *m*
louvre ['luːvəʳ], **louver** (*US*) s (*door*) sjalusidør *c*; (*window*) sjalusivindu *nt*
lovable ['lʌvəbl] ADJ elskelig
love [lʌv] 1 s ▸ **love (for sb)** kjærlighet *c* (til noen) ❑ *You are not marrying for love.* Du gifter deg ikke av kjærlighet. ▸ **love of** *or* **for sth** (*for music, rugby, animals etc*) kjærlighet *c* til noe *...a man with a genuine love of literature.* ...en mann med ekte kjærlighet til litteratur.
2 VT (*+person, thing, food, activity*) elske (*v1*) ❑ *They had not ceased to love each other.* De hadde ikke sluttet å elske hverandre. *We both love dancing.* Begge elsker å danse.
▸ **"love (from) Anne"** "(kjærlig) hilsen Anne"
▸ **I'd love to come** jeg vil svært gjerne komme
▸ **to be in love with** være* forelsket i
▸ **to fall in love wih** forelske (*v1*) seg i
▸ **to make love** elske (*v1*)
▸ **love at first sight** kjærlighet ved første blikk
▸ **to send one's love to sb** hilse (*v2*) til noen ❑ *They send you their love.* Jeg skal hilse fra dem.
▸ **"15 love"** (*TENNIS*) "15 null"
love affair s kjærlighetsforhold *nt*
love child s kjærlighetsbarn *nt*
loved ones ['lʌvdwʌnz] SPL nære og kjære *pl decl as adj*
love-hate relationship ['lʌvheɪt-] s hat-kjærlighet-forhold *nt*
love letter s kjærlighetsbrev *nt*
love life s kjærlighetsliv *nt*
lovely ['lʌvlɪ] ADJ (= *beautiful: place, person etc*) nydelig; (= *delightful: holiday, meal*) herlig, deilig; (*person*) herlig
lover ['lʌvəʳ] s (**a**) (= *sexual partner*) elsker *m* ❑ *...Jenny and I were lovers.* ...Jenny og jeg var elskere. (**b**) (= *person in love*) elskende *m decl as adj* ❑ *...young lovers.* ...unge elskende. (**c**) (*of art, music etc*) ▸ **a lover of art/music, an art/music lover** en kunst-/musikkelsker
lovesick ['lʌvsɪk] ADJ elskovssyk
love song s kjærlighetssang *m*
loving ['lʌvɪŋ] ADJ (*person, actions*) kjærlig
low [ləu] 1 ADJ (**a**) (*table, wall, income, temperature, price, standard*) lav (**b**) (*bow, curtsey*) dyp (**c**) (*quality*) dårlig (**d**) (*sound: deep*) lav, dyp (**e**) (= *quiet*) lav ❑ *...a long low note on the cor anglais.* ...en lang lav *or* dyp tone på engelskhornet. *There was a low murmur of conversation in the hall.* Det hørtes et lavt brus av samtale i hallen. (**f**) (= *depressed: person*) dypt nede
2 ADV (*sing, fly*) lavt
3 s (*meteorological*) lavtrykk *nt* ❑ *There is a low lying over northern Europe.* Det ligger et lavtrykk over nord-Europa.
▸ **to be/run low on** (*+supplies etc*) begynne (*v2x*) å slippe opp for
▸ **to reach a new** *or* **all-time low** (*morale, relations, profits+*) nå (*v4*) en ny bunnrekord
low-alcohol ['ləu'ælkəhɔl] ADJ lett (*med lavt alkoholinnhold*)
lowbrow ['ləubrau] ADJ ikke intellektuell
low-calorie ['ləu'kælərɪ] ADJ lett-, lavkalori-
low-cut ['ləukʌt] ADJ (*dress*) dypt utringet
lowdown ['ləudaun] s (*sl*) ▸ **he gave me the lowdown on it** han ga meg alle opplysninger om saken
lower [ləuəʳ] 1 ADJ (**a**) (= *bottom: of 2 things*) nedre (**b**) (= *less important: person, thing*) lavere ❑ *...at the lower levels of the party.* ...i de lavere delene av partiet.
2 VT (**a**) (= *move downwards: object*) senke (*v1*) ❑ *He lowered his glass...* Han senket glasset... (**b**) (= *reduce: rate, level, price etc*) senke (*v1*), sette* ned (**c**) (*+voice*) senke (*v1*) (**d**) (*+eyes*) slå* ned
▸ **lower lip** underleppe *c*
▸ **lower case** (*TYP*) små bokstaver *pl*
low-fat ['ləu'fæt] ADJ lett-
low-key ['ləu'kiː] ADJ lavmælt
lowlands ['ləuləndz] SPL ▸ **the lowlands** lavlandet
low-level language ['ləulɛvl-] s maskinorientert språk *nt*
lowly ['ləulɪ] ADJ (*position*) underordnet; (*origin*) beskjeden
low-lying [ləu'laɪɪŋ] ADJ lavtliggende
low-paid [ləu'peɪd] ADJ lavtlønnet
low-rise ['ləuraɪz] ADJ lav
low-tech ['ləutɛk] ADJ lavteknologisk
loyal ['lɔɪəl] ADJ (*friend, support etc*) lojal, trofast
loyalist ['lɔɪəlɪst] s *tilhenger av sittende regjering el statsoverhode*
loyalty ['lɔɪəltɪ] s lojalitet *m*
lozenge ['lɔzɪndʒ] s (*tablet*) sugetablett *m*; (*shape*) rombe *m*
LP s FK = **long-playing record**
L-plates ['ɛlpleɪts] (*BRIT*) SPL *skilt på bil som markerer øvelseskjøring*

L-plates *er firkantede skilt med en rød 'L' på som man setter foran og bakpå en bil for å vise at man ennå ikke har førerkort. Før førerprøven er bestått, har den som øvelseskjører en midlertidig kjøretillatelse, og har bare lov til å kjøre med en erfaren sjåfør ved siden av* *seg. Det er forbudt å øvelseskjøre på motorveier, selv med ledsager.*

LPN (*US*) S FK = **Licensed Practical Nurse**
LRAM (*BRIT*) S FK (= **Licentiate of the Royal Academy of Music**) *akademisk tittel*
LSAT (*US*) S FK (= **Law School Admissions Test**) *eksamen som må avlegges før man kan begynne å studere jus*
LSD S FK (= **lysergic acid diethylamide**) LSD; (*BRIT*) (= **pounds, shillings and pence**) *det gamle (til 1971) pengesystemet i Storbritannia*
LSE (*BRIT*) S FK (= **London School of Economics**) *høyskole*
LT (*ELEK*) FK (= **low tension**) lavspenning *c*
Lt (*MIL*) FK = **lieutenant**
Ltd (*MERK*) FK = **limited company**
lubricant ['lu:brɪkənt] S smøremiddel *nt*
lubricate ['lu:brɪkeɪt] VT smøre*
lucid ['lu:sɪd] ADJ (*writing, speech, person, mind*) klar
lucidity [lu:'sɪdɪtɪ] S klarhet *m* ❑ *He expresses himself with exceptional lucidity.* Han uttrykker seg usedvanlig klart.
luck [lʌk] S (**a**) (*chance*) tilfeldighet *m*, slump *m* ❑ *Of course it's all luck.* Selvfølgelig er det bare tilfeldigheter *or* slump.
(**b**) (= *good fortune*) flaks *m*, hell *nt* ❑ *I couldn't believe my luck.* Jeg hadde utrolig flaks *or* hell.
▸ **good luck** lykke *m* ❑ *Silver brings good luck.* Sølv bringer lykke.
▸ **good luck!** lykke til!
▸ **bad luck** ulykke *c* ❑ *It's bad luck to tell.* Det bringer ulykke å fortelle det videre.
▸ **bad** *or* **hard** *or* **tough luck!** (**a**) (*showing sympathy*) det var uflaks!
(**b**) (*showing no sympathy*) synd for deg/dere!
▸ **to be in luck** være* heldig, ha* hellet med seg
▸ **to be out of luck** være* uheldig, ikke ha* hellet med seg
luckily ['lʌkɪlɪ] ADV heldigvis
luckless ['lʌklɪs] ADJ uheldig
lucky ['lʌkɪ] ADJ (**a**) (*person, situation, event*) heldig ❑ *I'm lucky in having an excellent teacher.* Jeg er heldig som har en glimrende lærer. *This is going to be one of my lucky days.* Dette blir en av mine lykkedager.
(**b**) (*object*) lykke-, lykkebringende ❑ *...a lucky charm.* ...en lykkeamulett.. ...en lykkebringende amulett.
▸ **to have a lucky escape** være* heldig og slippe unna
▸ **to be lucky at cards** ha* hell i kortspill
lucrative ['lu:krətɪv] ADJ innbringende, lønnsom, lukrativ
ludicrous ['lu:dɪkrəs] ADJ (*idea, situation, price etc*) latterlig
ludo® ['lu:dəu] S ludo *m*
lug [lʌg] (*sl*) VT (*+heavy object, suitcase etc*) slepe (*v2*) ❑ *She lugged the suitcase out into the hallway.* Hun slepte kofferten ut i gangen.
luggage ['lʌgɪdʒ] S bagasje *m*
luggage car (*US*) S bagasjevogn *c*
luggage rack S (*on car*) takgrind *c*; (*in train*) bagasjehylle *c*
luggage van S bagasjevogn *c*
lugubrious [lu'gu:brɪəs] ADJ luguber
lukewarm ['lu:kwɔ:m] ADJ (*liquid*) lunken; (*fig: person, reaction etc*) lunken, halvhjertet
lull [lʌl] 1 S (*in conversation, fighting etc*) opphold *nt* ❑ *After a lull of several weeks, there has been a resumption of bombing.* Etter et opphold på flere uker hadde bombingen tatt til igjen.
2 VT ▸ **to lull sb (to sleep)** bysse (*v1*) noen (i søvn)
▸ **to be lulled into a false sense of security** lulle (*v1*) seg inn i en falsk trygghetsfølelse
lullaby ['lʌləbaɪ] S vuggesang *m* (*var.* voggesang)
lumbago [lʌm'beɪgəu] S lumbago *m*
lumber ['lʌmbə^r] 1 S (*wood*) tømmer *nt*; (= *junk*) (gammelt) skrap *nt*
2 VI ▸ **to lumber about/along** *etc* klampe (*v1*) rundt/avsted *etc*
3 VT ▸ **to be/get lumbered with sth** være/bli belemret med noe
lumberjack ['lʌmbədʒæk] S tømmerhugger *m* (*var.* tømmerhogger)
lumberyard ['lʌmbəja:d] (*US*) S trelasttomt *c*
luminous ['lu:mɪnəs] ADJ (*bright*) lysende; (*glowing in the dark*) selvlysende
lump [lʌmp] 1 S (**a**) (*of clay, butter etc*) klump *m*
(**b**) (*on body*) kul *m* ❑ *...a report recommending women to examine their breasts for lumps.* ...en rapport som anbefaler kvinner å lete etter kuler i brystene.
(**c**) (*of sugar*) sukkerbit *m* ❑ *"Black coffee, two lumps, please."* "Kaffe uten melk, med to sukkerbiter, takk."
2 VT ▸ **to lump together** (**a**) (*+things, places*) slå* sammen
(**b**) (*+people*) sette* i samme bås ❑ *Don't lump me and Dave together.* Ikke sett meg og David i samme bås.
▸ **lump sum** engangsbeløp *nt* ❑ *There's another lump sum due when I'm 35.* Det kommer et engangsbeløp til når jeg blir 35.
lumpy ['lʌmpɪ] ADJ (*sauce, bed*) klumpete
lunacy ['lu:nəsɪ] S galskap *m*
lunar ['lu:nə^r] ADJ (*landscape, module, landing etc*) måne-
lunatic ['lu:nətɪk] 1 ADJ (*behaviour*) sinnssyk, vanvittig
2 S (= *foolish person*) galning *m*, idiot *m* ❑ *The man's an absolute lunatic.* Mannen er sprøyte gal *or* komplett idiot.
lunch [lʌntʃ] 1 S lunsj *m* ❑ *What did you have for lunch?* Hva spiste du til lunsj? *...from breakfast till lunch.* ...fra frokost til lunsj.
2 VI spise (*v2*) lunsj ❑ *We lunched at the Savoy.* Vi spiste lunsj på Savoy.
lunch break S lunsjpause *c*
▸ **to be on one's lunch break** ha* lunsjpause
luncheon ['lʌntʃən] S (formell) lunsj *m*
luncheon meat S *blanding av kjøtt og gryn på boks*
luncheon voucher (*BRIT*) S lunsjkupong *m*
lunch hour S lunsjpause *c*
lunchtime ['lʌntʃtaɪm] S lunsjtid *c*
lung [lʌŋ] S lunge *m*
lunge [lʌndʒ] VI kaste (*v1*) seg forover
▸ **to lunge at** gjøre* et utfall mot ❑ *She lunged*

at me with a kitchen knife. Hun gjorde et utfall mot ham med kjøkkenkniven.

lupin ['luːpɪn] S lupin *m*

lurch [lɜːtʃ] 1 VI (**a**) (*vehicle+ : forwards*) rykke (*v1*) (**b**) (*sideways*) krenge (*v1*) ❑ *The van lurched to the left, narrowly missing a pedestrian.* Bilen krenget til venstre og unngikk så vidt en fotgjenger.
(**c**) (*person+*) tumle (*v1*)
2 S (**a**) (*of vehicle : forwards*) rykk *nt*
(**b**) (*sideways*) krenging *c*
(**c**) (*of person*) tumling *c*
▸ **to leave sb in the lurch** la noen i stikken

lure [luəʳ] 1 S (= *attraction*) tiltrekning *m* ❑ *Keep him away from the lure of other women.* Hold ham unna tiltrekningen til andre kvinner.
2 VT (= *entice, tempt*) lokke (*v1*) ❑ *Why else had he come, if not to lure me away?* Hvorfor hadde han ellers kommet hvis ikke det var for å lokke meg vekk?

lurid ['luərɪd] ADJ (*colour, clothes, description etc*) grell

lurk [lɜːk] VI (**a**) (*animal, person+*) (stå* og) lure (*v2*), stå* på lur ❑ *...the photographers lurking outside.* ...fotografene som (stod og) lurte *or* sto på lur utenfor.
(**b**) (*danger, suspicion+*) lure (*v2*) ❑ *Danger lurked round every corner.* Farer lurte rundt hvert hjørne.

luscious ['lʌʃəs] ADJ (*person, thing, food*) lekker

lush [lʌʃ] ADJ (*fields, gardens*) frodig; (*restaurant, way of life etc*) luksuriøs

lust [lʌst] (*neds*) S (**a**) (*sexual*) begjær *nt*, lystenhet *m*
(**b**) (*for money, power etc*) begjær *nt* ❑ *...the lust for power.* ...maktbegjær.
▸ **lust after** VT FUS (**a**) (*sexually*) begjære (*v2*) ❑ *She lusted after other men.* Hun begjærte andre menn.
(**b**) (*riches etc*) tørste (*v1*) etter ❑ *They lusted after the gold of El Dorado.* De tørstet etter gullet i Eldorado.
▸ **lust for** VT FUS = **lust after**

lustful ['lʌstful] ADJ lysten

lustre ['lʌstəʳ], **luster** (*US*) S glans *m*

lusty ['lʌstɪ] ADJ sunn og kraftig

lute [luːt] S lutt *m*

Luxembourg ['lʌksəmbɜːg] S Luxembourg (*var.* Luxemburg)

luxuriant [lʌg'zjuərɪənt] ADJ (*plants, trees, gardens, hair*) frodig

luxuriate [lʌg'zjuərɪeɪt] VI ▸ **to luxuriate in a feeling** nyte* en følelse i fulle drag ▸ **to luxuriate in the bath** ligge* i badekaret og nyte* livet i fulle drag

luxurious [lʌg'zjuərɪəs] ADJ luksuriøs

luxury ['lʌkʃərɪ] 1 S (**a**) (*no pl : great comfort*) luksus *m* ❑ *...a life of ease and luxury.* ...et liv i komfort og luksus.
(**b**) (= *expensive extra*) luksusting *m* ❑ *Her mother provided her with little luxuries.* Moren henne skaffet henne små luksusting.
(**c**) (= *infrequent pleasure*) luksus *m uncount* ❑ *It's a luxury for me to be able to sleep late.* Det er luksus for meg å kunne* sove lenge.
2 SAMMENS (*hotel, car etc*) luksus-

LV S FK = **luncheon voucher**

LW (*RADIO*) FK = **long wave**

Lycra® ['laɪkrə] S lycra *m*

lying ['laɪɪŋ] 1 S (= *telling lies*) løgn *m*, det å lyve ❑ *For all of these children, lying is a way of life.* For alle disse barna er løgn *or* det å lyve en livsstil.
2 ADJ løgnaktig

lynch [lɪntʃ] VT lynsje (*v1*)

lynx [lɪŋks] S gaupe *c*

lyric ['lɪrɪk] ADJ lyrisk

lyrical ['lɪrɪkl] ADJ (= *poetic*) lyrisk; (*fig : praise, comment*) helt lyrisk

lyricism ['lɪrɪsɪzəm] S lyrisk stil *m*

lyrics ['lɪrɪks] SPL (sang)tekst *m*

M

M, m [ɛm] s (*letter*) M, m *m*
▸ **M for Mary,** *(US)* **M for Mike** M for Martin
M [ɛm] 1 s FK (*BRIT*) (= **motorway**) motorvei *m*
2 FK = **medium**
m. FK = **metre, mile, million**
MA 1 s FK (= **Master of Arts**) *høyere universitetsgrad i humaniora*, cand. philol.; (= **military academy**) krigsskole *m*
2 FK (*US: POST*) = **Massachusetts**
mac [mæk] (*BRIT*) s regnfrakk *m*
macabre [mə'kɑːbrə] ADJ makaber
macaroni [mækə'rəunɪ] s makaroni *m*
macaroon [mækə'ruːn] s makron *m*
mace [meɪs] s (*spice*) muskatblomme *m*; (*weapon*) stridskølle *c*; (*ceremonial*) embetsstav *m*
machinations [mækɪ'neɪʃənz] SPL renkespill *nt sg* ❑ *He could no longer endure the machinations of his colleagues.* Han kunne* ikke lenger holde ut renkespillet til kollegene sine.
machine [mə'ʃiːn] 1 s (**a**) (*piece of equipment*) maskin *m* ❑ *Unfortunately the machine is beyond repair.* Dessverre kan ikke maskinen repareres.
(**b**) (*fig: party machine, war machine etc*) apparat *nt* ❑ *...their propaganda machine.* ...propagandaapparatet deres.
2 VT (**a**) (*TEKN*) maskinbearbeide (*v1*) ❑ *The work of machining a part is very slow.* Arbeidet med å maskinbearbeide en del er svært langsomt.
(**b**) (*+dress etc*) sy (*v4*) på maskin ❑ *I machined the cuffs, but the collar was done by hand.* Jeg sydde mansjettene på maskin, men kragen ble sydd for hånd.
machine code s instruksjonskode *m*
machine gun s maskingevær *nt*
machine language s maskinspråk *nt*
machine-readable [mə'ʃiːnriːdəbl] ADJ maskinleselig, maskinlesbar
machinery [mə'ʃiːnərɪ] s (**a**) (*equipment*) maskineri *nt*, maskiner *pl* ❑ *Machinery is being introduced to save labour.* Det blir innført maskineri *or* maskiner for å spare arbeidskraft.
(**b**) (*fig: of government*) maskineri *nt*, apparat *nt* ❑ *...the state machinery.* ...statsmaskineriet *or* statsapparatet.
machine shop s maskinverksted *nt*
machine tool s maskinverktøy *nt*
machine washable ADJ som kan maskinvaskes
machinist [mə'ʃiːnɪst] s maskinarbeider *m*
macho ['mætʃəu] ADJ (*man, attitude*) macho
mackerel ['mækrl] s UBØY makrell *m*
mackintosh ['mækɪntɔʃ] (*BRIT*) s regnfrakk *m*
macro... ['mækrəu] PREF makro...
macrobiotic [mækrəubaɪ'ɔtɪk] ADJ makrobiotisk
macro-economics ['mækrəuiːkə'nɔmɪks] SPL makroøkonomi *m*
mad [mæd] ADJ (**a**) (= *insane*) gal ❑ *They considered her utterly mad.* De så på henne som fullstendig gal. *They think I am mad to live there.* De syns jeg er gal som vil bo der.
(**b**) (= *angry*) ▸ **mad (at)** sint (på) ❑ *They're mad at me for getting them up so early.* De er sinte på meg for at jeg vekket dem så tidlig.
▸ **to be mad about** (*person, football etc+*) være* gal etter ❑ *For years he's been mad about opera.* I flere år har han vært gal etter opera *or* har han vært operagal.
▸ **to go mad** (**a**) (= *insane*) bli* gal
(**b**) (= *angry*) bli* sint
madam ['mædəm] s frue *c*
▸ **yes, madam** ja, frue
▸ **Madam Chairman** formann
madcap ['mædkæp] ADJ (*+idea, trick*) vill
mad cow disease s kugalskap *m*
madden ['mædn] VT gjøre* rasende
maddening ['mædnɪŋ] ADJ (*person, situation, noise etc*) fryktelig irriterende
made [meɪd] PRET, PP *of* **make**
Madeira [mə'dɪərə] s Madeira; (*wine*) madeira *m*
made-to-measure ['meɪdtə'mɛʒə'] (*BRIT*) ADJ sydd etter mål
madhouse ['mædhaus] s (*also fig*) galehus *nt*
madly ['mædlɪ] ADV (= *frantically*) som en gal ❑ *We began rushing around madly in the dark.* Vi begynte å løpe rundt som gale i mørket.
▸ **madly in love** stormforelsket
madman ['mædmən] *irreg* s galning *m*
madness ['mædnɪs] s galskap *m* ❑ *...the terrible madness that overtook the king.* ...den fryktelige galskapen som rammet kongen. *It is madness for them to remain unarmed.* Det er galskap for dem å fortsatt være* ubevæpnet.
Madrid [mə'drɪd] s Madrid
Mafia ['mæfɪə] s ▸ **the Mafia** mafiaen
mag [mæg] (*BRIT: sl*) s FK = **magazine**
magazine [mægə'ziːn] s (**a**) (*PRESS*) blad *nt* ❑ *I got the recipe from a woman's magazine.* Jeg fikk oppskriften fra et dameblad.
(**b**) (*RADIO, TV*) magasin *nt* ❑ *A nightly news magazine on BBC television.* Et nyhetsmagasin som går hver kveld på BBC tv.
(**c**) (*store, of firearm*) magasin *nt* ❑ *Push the magazine into the butt.* Dytt magasinet inn i kolben.
maggot ['mægət] s mark *m*
magic ['mædʒɪk] 1 s (**a**) (= *supernatural power*) trolldom *m*, magi *m* ❑ *Do you believe in magic?* Tror du på trolldom *or* magi?
(**b**) (= *conjuring*) tryllekunster *pl* ❑ *He did magic at the children's party.* Han gjorde tryllekunster i barneselskapet.
2 ADJ (**a**) (*powers, ritual*) magisk, trylle- ❑ *There is no magic formula.* Det fins ikke noen magisk formel *or* trylleformel.
(**b**) (*fig: place, moment, experience*) magisk ❑ *That was a truly magic moment.* Det var sannelig et magisk øyeblikk.
magical ['mædʒɪkl] ADJ (*powers, ritual, experience, evening*) magisk

magician [mə'dʒɪʃən] s (**a**) (= *wizard*) trollmann *m irreg* ❑ *Arthur is associated with Merlin, a magician.* Arthur er forbundet med Merlin, en trollmann.
(**b**) (= *conjurer*) tryllekunstner *m* ❑ *...stage magicians.* ...tryllekunstnere på scenen.
magistrate ['mædʒɪstreɪt] s ≈ forhørsdommer *m*
magnanimous [mæg'nænɪməs] ADJ (*person, gesture*) storsinnet
magnate ['mægneɪt] s magnat *m*
magnesium [mæg'ni:zɪəm] s magnesium *nt*
magnet ['mægnɪt] s magnet *m*
magnetic [mæg'nɛtɪk] ADJ magnetisk ❑ *The magnetic field...* Det magnetiske feltet *or* magnetfeltet... *He has the most magnetic personality...* Han har den mest magnetiske personligheten...
magnetic disk s magnetplate *c*
magnetic tape s magnetbånd *nt*
magnetism ['mægnɪtɪzəm] s magnetisme *m*
magnification [mægnɪfɪ'keɪʃən] s forstørrelse *m*
magnificence [mæg'nɪfɪsns] s prakt *m*, herlighet *c*
magnificent [mæg'nɪfɪsnt] ADJ (*book, painting, work, performance, building, robes*) praktfull ❑ *The town is renowned for its magnificent Abbey.* Byen er navngjeten for sin praktfulle klosterkirke.
magnify ['mægnɪfaɪ] VT (**a**) (+*object*) forstørre (*v1*)
(**b**) (+*sound*) forsterke (*v1*)
(**c**) (*fig: exaggerate*) forstørre (*v1*), forsterke (*v1*) ❑ *Their problems are magnified by poverty.* Problemene deres blir forstørret *or* forsterket av fattigdom.
magnifying glass s forstørrelsesglass *nt*
magnitude ['mægnɪtju:d] s (*of number, star*) størrelse *m*; (*of problem, effect*) betydning *m*, rekkevidde *m*
magnolia [mæg'nəulɪə] s magnolia *m*
magpie ['mægpaɪ] s skjære *c*
mahogany [mə'hɔgənɪ] [1] s mahogni *m*
[2] SAMMENS mahogni-
maid [meɪd] s hushjelp *m*
▸ **old maid** (= *spinster*) peppermø *m*
maiden ['meɪdn] [1] ADJ (**a**) (*aunt etc*) ugift
(**b**) (*speech, voyage*) jomfru- ❑ *She was terrified of making her maiden speech.* Hun var skrekkslagen for å holde jomfrutalen sin.
[2] s (*litter, gam: girl*) jomfru *c*, (ung)mø *m*
maiden name s pikenavn *nt* ❑ *My maiden name was Byers.* Pikenavnet mitt var Byers.
mail [meɪl] [1] s post *m* ❑ *Your reply must have been lost in the mail.* Svaret ditt må ha* kommet bort i posten. *Minnie was sorting mail...* Minnie sorterte posten...
[2] VT poste (*v1*)
▸ **by mail** med post(en)
mailbox ['meɪlbɔks] s (*also DATA*) postkasse *c*
mailing list s forsendelsesliste *c*, distribusjonsliste *c*
mailman ['meɪlmæn] (*US*) *irreg* s postmann *m irreg*
mail order [1] s (*system*) postordre *m* ❑ *The record is available by mail order.* Platen kan kjøpes på postordre.
[2] SAMMENS ▸ **mail-order** (*firm, catalogue, business*) postordre-
mailshot ['meɪlʃɔt] (*BRIT*) s masseforsendelse *m*
mail train s posttog *nt*
mail truck (*US: BIL*) s postbil *m*
mail van (*BRIT*) s (*BIL*) postbil *m*; (*JERNB*) postvogn *c*
maim [meɪm] VT lemleste (*v1*)
main [meɪn] [1] ADJ hoved- ❑ *The main point is that...* Hovedpoenget er at... *the main entrance.* ...hovedinngangen.
[2] s (= *pipe*) hovedledning *m* ❑ *...a gas main.* ...en hovedgassledning.
▸ **the mains** SPL (**a**) (*gas*) hovedgassledningen
(**b**) (*water*) hovedvannledningen
(**c**) (*ELEK*) lysnettet, elnettet ❑ *The radio at home plugs into the mains.* Radioen hjemme kan plugges inn i lysnettet *or* elnettet.
▸ **in the main** (= *in general*) i det store og hele
main course s hovedrett *m*
mainframe ['meɪnfreɪm] s prosessorenhet *m*
mainland ['meɪnlənd] s ▸ **the mainland** fastlandet ❑ *The motorboat was waiting to ferry him back to the mainland.* Motorbåten ventet for å ta* ham med tilbake til fastlandet.
mainline ['meɪnlaɪn] [1] ADJ (*station*) som ligger på en hovedlinje
[2] VT (*drugs slang: inject*) pumpe (*v1*), skyte*
[3] VI (*drugs slang: inject*) sette* sprøyter
main line (*JERNB*) s hovedlinje *c* ❑ *Weybridge is on the main line.* Weybridge ligger på hovedlinjen.
mainly ['meɪnlɪ] ADV for det meste, hovedsakelig ❑ *...a queue of people, mainly children and old men.* ...en kø av mennesker, for det meste *or* hovedsakelig barn og gamle menn.
main road s hovedvei *m*
mainstay ['meɪnsteɪ] s grunnstamme *m*
mainstream ['meɪnstri:m] [1] s hovedstrøm *m*
[2] ADJ (*cinema, politics etc*) mainstream, (mest) alminnelig
maintain [meɪn'teɪn] VT (**a**) (+*contact*) holde*, opprettholde*
(**b**) (+*friendship, system*) opprettholde*, beholde*
(**c**) (+*momentum, output*) opprettholde* ❑ *Busby maintained a cracking pace.* Busby opprettholdt et forrykende tempo.
(**d**) (+*oneself, dependants*) underholde*
(**e**) (+*building, equipment*) vedlikeholde*
(**f**) (+*belief, opinion, a fact*) hevde (*v1*), fastholde* ❑ *He maintained his innocence throughout the trial.* Han hevdet *or* fastholdt sin uskyld gjennom hele rettssaken.
▸ **to maintain that...** hevde (*v1*) at...
maintenance ['meɪntənəns] s (**a**) (*of building, equipment*) vedlikehold *nt*
(**b**) (*of pace, system, policy*) opprettholdelse *m*
(**c**) (= *alimony*) underholdsbidrag *nt* ❑ *...to ensure payment of child maintenance.* ...til å sikre at det blir betalt barnebidrag.
maintenance contract s serviceavtale *m*
maintenance order s *kjennelse om underholdsbidrag*
maisonette [meɪzə'nɛt] (*BRIT*) s leilighet *c* (*i et toetasjes hus*)
maize [meɪz] s mais *m*
Maj. (*MIL*) FK = **major**
majestic [mə'dʒɛstɪk] ADJ majestetisk
majesty ['mædʒɪstɪ] s (*title*) ▸ **Your Majesty** Deres

Majestet; (= *splendour*) ▸ **the majesty of** det majestetiske ved

major ['meɪdʒəʳ] 1 s major *m*
2 ADJ (**a**) (= *important, significant*) vesentlig, hoved- ❑ *Jones played a major part in improving the paper.* Jones spilte en vesentlig rolle *or* en hovedrolle i forbedringen av avisen.
(**b**) (*MUS: key*) dur ❑ *They're both in D major.* Begge går i D-dur.
3 VI (*US: SKOL*) ▸ **to major in** ≈ ta* hovedfag i ❑ *I decided to major in French.* Jeg bestemte meg for å ta* hovedfag i fransk *or* ta* fransk som hovedfag.
▸ **a major operation** (*MED, fig*) en større operasjon

Majorca [mə'jɔːkə] s Mallorca

major general s generalmajor *m*

majority [mə'dʒɔrɪtɪ] 1 s (**a**) (= *larger group: of people, things*) flertall *nt*, majoritet *m* ❑ *The majority of people...* Flertallet *or* majoriteten av folk...
(**b**) (= *margin: of votes*) ▸ **a majority (of)** et flertall (på), en majoritet (på) ❑ *Benn was returned by a majority of 15,479.* Benn ble valgt med et flertall *or* en majoritet på 15 479.
2 SAMMENS (*verdict, holding*) flertalls-, majoritets-
▸ **(the age of) majority** myndighetsalder *m*

make [meɪk] (*pt, pp* **made**) 1 VT (**a**) (+*object, clothes, cake, goods, noise*) lage (*v1 or v3*) ❑ *Sheila makes all her own clothes.* Sheila lager alle klærne sine selv. *We made a terrible racket...* Vi lagde et fryktelig bråk.... *The firm makes a wide range of electrical goods.* Firmaet lager et bredt spekter av elektriske artikler.
(**b**) (+*speech*) holde*
(**c**) (+*remark*) komme* med ❑ *May I make a suggestion?* Kan jeg komme med et forslag?
(**d**) (+*mistake*) gjøre ❑ *You are making a terrible mistake.* Du gjør en forferdelig feil.
(**e**) (= *cause to be*) ▸ **to make sb sad** gjøre* noen trist
(**f**) (= *force*) ▸ **to make sb do sth** få* noen til å gjøre* noe
(**g**) (= *earn: money*) tjene (*v2*) ❑ *He was making ninety dollars a week.* Han tjente nitti dollar i uka.
(**h**) (= *equal*) ▸ **2 and 2 make 4** 2 og 2 er 4
2 s (= *brand*) merke *nt* ❑ *...what make of car...* hvilket bilmerke...
▸ **to make the bed** re (*v4*) (opp) sengen
▸ **to make a fool of sb** få* noen til å se tåpelig *or* latterlig ut
▸ **to make a profit/loss** gå* med fortjeneste/tap
▸ **to make it** (**a**) (= *arrive*) rekke* det ❑ *We'll make it with a minute or two to spare.* Vi vil rekke det med ett eller to minutters margin.
(**b**) (= *succeed*) lykkes (*v25x*) ❑ *He failed to make it as a pilot.* Han lyktes ikke som flyver.
▸ **what time do you make it?** hvor mye er klokka din?
▸ **to make good** 1 VI (= *succeed*) gjøre* det bra ❑ *He had made good and gone to the States.* Han hadde gjort det bra og dratt til Statene. 2 VT (**a**) (+*threat, promise*) gjøre* alvor av ❑ *He made good his earlier threat.* Han gjorde alvor av trusselen han hadde kommet med tidligere.
(**b**) (+*damage, loss*) bøte (*v2*) på ❑ *Three years was a short time in which to make good the deficiencies.* Tre år var kort tid til å bøte på manglene.
▸ **to make do with** klare (*v2*) *or* greie (*v3*) seg med ❑ *We'll just have to make do with ten players.* Vi må simpelthen klare *or* greie oss med ti spillere.

► **make for** VT FUS (+*place*) sette* kursen mot ❑ *Let's make for the top of the hill.* La oss sette kursen mot toppen av bakken.

► **make off** VI (= *escape*) stikke* av gårde ❑ *Otto made off with the last of the brandy.* Otto stakk av gårde med resten av konjakken.

► **make out** VT (**a**) (= *decipher*) tyde (*v1*) ❑ *He could just make out the number plate of the car.* Han kunne* såvidt tyde nummerskiltet på bilen.
(**b**) (= *understand*) oppfatte (*v1*) ❑ *It's difficult to make out what he says.* Det er vanskelig å oppfatte hva han sier.
(**c**) (= *see*) sjelne (*v1*) ❑ *I could just make out the outlines of the house.* Jeg kunne* såvidt sjelne konturene av huset.
(**d**) (= *write: cheque*) skrive* ut ❑ *I made a cheque out for £300.* Jeg skrev ut en sjekk på 300 pund.
(**e**) (= *pretend*) late* som om ❑ *He opened a drawer and made out to be looking for something in it.* Han åpnet en skuff og lot som om han så etter noe i den.
(**f**) (= *claim, imply*) ▸ **to make sb out to be rich/talented** skulle* ha* det til at noen er rik/talentfull NB *He's not as hard as people make out.* Han er ikke så hard som folk skal ha* det til.
▸ **to make out a case for sth** argumentere (*v2*) for noe

► **make over** VT (= *assign*) ▸ **to make over (to)** overdra* (til) ❑ *The land was made over to the Council.* Tomten ble overdratt til kommunen.

► **make up** 1 VT (**a**) (= *constitute*) utgjøre* ❑ *Women make up two-fifths of the British labour force.* Kvinner utgjør to femtedeler av den britiske arbeidsstokken.
(**b**) (+*story, excuse*) finne* på ❑ *He was very good at making up excuses.* Han var veldig flink til å finne på unnskyldninger.
(**c**) (+*bed, parcel*) gjøre* i stand ❑ *Let me make up a parcel for you.* La meg gjøre* i stand en pakke til deg.
2 VI (**a**) (*after quarrel*) bli* venner igjen
(**b**) (*with cosmetics*) sminke (*v1*)
▸ **to make up one's mind** bestemme (*v2x*) seg ❑ *I can't make up my mind which book to have.* Jeg kan ikke bestemme meg for hvilken bok jeg vil ha.
▸ **to be made up of** bestå* av

► **make up for** VT FUS (**a**) (+*deficiency*) ta* igjen ❑ *Whatever they may lack in materials they make up for in bright ideas.* Hva de enn måtte* mangle av materialer, tar de igjen på gode ideer.
(**b**) (+*loss, disappointment*) gjøre* godt igjen ❑ *I'm sorry I broke your vase – I'll make up for it.* Jeg er lei for at jeg ødela vasen din – jeg skal gjøre* det godt igjen.

make-believe ['meɪkbɪliːv] s fantasi *m* ❑ *...what's*

real and what's make-believe. ...det som er ekte og det som er fantasi.
▸ **a world of make-believe** en fantasiverden
maker ['meɪkəʳ] s (**a**) (*of programme, film etc*) skaper *m* ❑ *...film maker Iain Johnstone.* ...filmskaperen Iain Johnstone.
(**b**) (= *manufacturer*) produsent *m*, fabrikant *m* ❑ *The maker's label...* Produsentens *or* fabrikantens merke...
makeshift ['meɪkʃɪft] ADJ (= *temporary*) provisorisk
make-up ['meɪkʌp] s (= *cosmetics*) sminke *m*, make-up *m*
make-up bag s sminkeveske *c*; (*small*) sminkepung *m*
make-up remover s sminkefjerner *m*
making ['meɪkɪŋ] s (*fig*) ▸ **in the making** in spe ❑ *She's obviously a linguist in the making.* Hun er opplagt en lingvist in spe.
▸ **to have (all) the makings of** (**a**) (*situation, project+*) vise (*v2*) alle tegn til å bli, ha* alt som skal til for å bli
(**b**) (*person+*) ha* forutsetninger for å bli ❑ *The group had all the makings of a new intelligentsia.* Gruppen hadde alle forutsetninger for å bli* en ny intelligensia.
maladjusted [mælə'dʒʌstɪd] ADJ (*child*) mistilpasset, med tilpasningsvansker
maladroit [mælə'drɔɪt] ADJ (*behaviour, comment*) klosset(e), ubehjelpelig
malaise [mæ'leɪz] s ubehag *nt*
malaria [mə'lεərɪə] s malaria *m*
Malawi [mə'lɑːwɪ] s Malawi
Malay [mə'leɪ] 1 ADJ malayisk
2 s (*person*) malay *m*; (LING) malayisk
Malaya [mə'leɪə] s Malaya
Malayan [mə'leɪən] ADJ, s = **Malay**
Malaysia [mə'leɪzɪə] s Malaysia
Malaysian [mə'leɪzɪən] 1 ADJ malaysisk
2 s (*person*) malaysier *m*
Maldives ['mɔːldaɪvz] SPL ▸ **the Maldives** Maldivene
male [meɪl] 1 s (**a**) (*animal*) hann *m* ❑ *The males establish a territory.* Hannene etablerer et territorium.
(**b**) (= *man*) mannfolk *nt* ❑ *...the average American male.* ...det gjennomsnittlige amerikanske mannfolket.
2 ADJ (**a**) (*sex*) han-
(**b**) (*attitude, role*) manns- ❑ *Women now share some of the traditional male roles.* Kvinner tar nå del i noen av de tradisjonelle mannsrollene.
(**c**) (*person, child*) av hankjønn ❑ *Your boss is almost certainly there because he is male.* Sjefen din er nesten helt sikkert der fordi han er av hankjønn.
▸ **male plug** støpsel *nt*
male chauvinist s mannssjåvinist *m*
male nurse s (mannlig) sykepleier *m*
malevolence [mə'lεvələns] s ondsinnethet *c*, ondskapsfullhet *c*
malevolent [mə'lεvələnt] ADJ (*person, intention*) ondsinnet, ondskapsfull
malfunction [mæl'fʌŋkʃən] 1 s maskinfeil *m*
2 VI fungere (*v2*) dårlig
malice ['mælɪs] s ondskapsfullhet *c*
malicious [mə'lɪʃəs] ADJ (*person, gossip*) ondskapsfull
malign [mə'laɪn] 1 VT injuriere (*v2*)
2 ADJ (*influence, interpretation*) ondsinnet
malignant [mə'lɪgnənt] ADJ (MED) ondartet; (*behaviour, intention*) ondsinnet
malingerer [mə'lɪŋgərəʳ] s *en som spiller syk for å slippe å gå* på arbeid*
mall [mɔːl] s (*also* ***shopping mall***) butikksenter *nt*, kjøpesenter *nt* (*overbygd handlegate*)
malleable ['mælɪəbl] ADJ (**a**) (*substance*) som lar seg forme ❑ *The clay is solid but malleable.* Leiren er fast, men lar seg forme.
(**b**) (*fig : person*) lett påvirkelig ❑ *He was kind and malleable.* Han var snill og lett påvirkelig.
mallet ['mælɪt] s (tre)klubbe *c*
malnutrition [mælnjuː'trɪʃən] s feilernæring *c*
malpractice [mæl'præktɪs] s brudd *nt* på yrkesetikk
malt [mɔːlt] s (*grain*) malt *m*; (*also* ***malt whisky***) maltwhisky *m*
Malta ['mɔːltə] s Malta
Maltese [mɔːl'tiːz] 1 ADJ maltesisk
2 s UBØY (*person*) malteser *m*; (LING) maltesisk
maltreat [mæl'triːt] VT (*+child, animal*) mishandle (*v1*)
mammal ['mæml] s pattedyr *nt*
mammogram ['mæməgræm] s mammografi *n*
mammoth ['mæməθ] 1 s mammut *m*
2 ADJ (= *enormous*) mammut-
man [mæn] (*pl* **men**) 1 s (**a**) (= *adult male*) mann *m irreg*
(**b**) (= *mankind*) mennesket *nt def*, menneskeheten *m def* ❑ *...the most dangerous substance known to man.* ...det farligste stoffet som mennesket *or* menneskeheten kjenner til.
(**c**) (*in boardgame*) brikke *c*
2 VT (*+machine, ship, post, gun, telephone*) bemanne (*v1*)
▸ **man and wife** mann og kone
▸ **Man the lifeboats!** Bemann livbåtene!
manage ['mænɪdʒ] 1 VT (**a**) (*+business, shop, organization*) lede (*v1*) ❑ *It seems to be better managed than other car firms.* Det ser ut til å være* bedre ledet enn andre bilfirmaer.
(**b**) (= *control : ship, person etc*) styre (*v2*) ❑ *I could not manage my boots, and tripped over my laces.* Jeg kunne* ikke styre støvlene mine, og snublet i lissene.
(**c**) (= *achieve*) ▸ **he managed a smile** han fikk til et smil
2 VI (**a**) (= *succeed*) klare (*v2*) seg, greie (*v3*) seg ❑ *Can you manage now, or shall I help you?* Klarer *or* greier du deg nå, eller skal jeg hjelpe deg?
(**b**) (= *get by financially*) klare (*v2*) seg ❑ *I don't want charity. I can manage.* Jeg vil ikke ha* veldedighet. Jeg klarer meg.
▸ **to manage to do sth** klare (*v2*) å gjøre* noe, greie (*v3*) å gjøre* noe
▸ **to manage without sb/sth** klare (*v2*) *or* greie (*v3*) seg uten noen/noe
manageable ['mænɪdʒəbl] ADJ (*task, number*) overkommelig
management ['mænɪdʒmənt] s ledelse *m* ❑ *It's a*

question of good management. Det er et spørsmål om god ledelse. *...management and unions must come together.* ...ledelsen og fagforeningene må komme sammen.
▸ **under new management** under ny ledelse
management accounting s driftsbokførsel *m*
management consultant s konsulent *m* (*som arbeider med bedriftsledelse*)
manager ['mænɪdʒəʳ] s (**a**) (*of business, unit*) leder *m*, sjef *m*
(**b**) (*of pop star, sportsman, team*) manager *m*
▸ **sales manager** salgssjef *m*
manageress [mænɪdʒə'rɛs] s leder *m*, sjef *m* (*kvinnelig*)
managerial [mænɪ'dʒɪərɪəl] ADJ (**a**) (*role, skills*) sjefs-, leder- ❑ *She was promoted into a managerial job.* Hun ble forfremmet til en sjefsjobb *or* lederjobb.
(**b**) (*decisions*) sjefs- ❑ *...the right to make managerial decisions.* ...retten til å ta* sjefsavgjørelser.
(**c**) (*staff*) i ledende stillinger ❑ *...managerial staff.* ...folk i ledende stillinger.
managing director s administrerende direktør *m*
Mancunian [mæŋ'kjuːnɪən] s *person fra Manchester*
mandarin ['mændərɪn] s (**a**) mandarin *m*
(**b**) (*fig*) byråkrat *m* ❑ *...the mandarins in the Foreign Office.* ...byråkratene i Utenriksdepartementet.
mandate ['mændeɪt] s (**a**) (= *authority*) mandat *nt*
(**b**) (= *task*) oppdrag *nt* ❑ *Peter's mandate was to find the best investment.* Peters oppdrag var å finne den beste investeringen.
mandatory ['mændətərɪ] ADJ påbudt, obligatorisk
mandolin(e) ['mændəlɪn] s mandolin *m*
mane [meɪn] s (*of horse*) man *m*; (*of lion*) manke *m*
maneuver [mə'nuːvəʳ] (*US*) = **manoeuvre**
manfully ['mænfəlɪ] ADV tappert, heltemodig
manganese [mæŋgə'niːz] s mangan *nt*
mangetout ['mɔnʒ'tuː] (*BRIT*) s sukkerert *c*
mangle ['mæŋgl] s rulle *c*
mangled ADJ forvridd ❑ *A body was pulled out of the mangled wreckage...* Det ble trukket ut et lik av det forvridde vraket...
mango ['mæŋgəu] (*pl* **mangoes**) s mango *m*
mangrove ['mæŋgrəuv] s mangrove *m*
mangy ['meɪndʒɪ] ADJ skabbet(e)
manhandle ['mænhændl] VT (**a**) (= *mistreat*) mishandle (*v1*) ❑ *We were spat on and manhandled.* Vi ble spyttet på og mishandlet.
(**b**) (= *move by hand*) flytte (*v1*) med håndkraft ❑ *Together they manhandled the drum close to the plane.* Sammen flyttet de trommen inntil flyet med håndkraft.
manhole ['mænhəul] s kumlokk *nt*
manhood ['mænhud] s (**a**) (*age*) manndomsalder *m* ❑ *...to reach manhood...* å bli* (en) voksen mann...
(**b**) (*state*) (det) å være* mann ❑ *...the dubious rewards of manhood.* ...de tvilsomme gevinstene ved å være* man.
(**c**) (= *masculinity*) manndom *m* ❑ *...as a test of his manhood.* ...som en prøve på manndommen hans.
▸ **in his early manhood** da han var en ung mann
man-hour ['mænauəʳ] s arbeidstime *m*
manhunt ['mænhʌnt] s mannejakt *c*
mania ['meɪnɪə] s (**a**) (= *craze*) mani *m* ❑ *...her mania for romance.* ...den manien hennes etter romanser.
(**b**) (*illness*) vanvidd *nt*, mani *m* ❑ *...persecution mania.* ...forfølgelsesvanvidd.
maniac ['meɪnɪæk] s (**a**) (= *lunatic*) galning *m* ❑ *She was attacked by a maniac.* Hun ble angrepet av en galning.
(**b**) (*fig*) ▸ **to be a baseball/Beatles maniac** ha* baseballdilla/ha dilla på Beatles
manic ['mænɪk] ADJ manisk
manic-depressive ['mænɪkdɪ'prɛsɪv] 1 s manisk-depressiv *m decl as adj*
2 ADJ manisk-depressiv
manicure ['mænɪkjuəʳ] 1 s manikyr *m*
2 VT manikyrere (*v2*)
manicure set s manikyrsett *nt*
manifest ['mænɪfɛst] 1 VT manifestere (*v2*)
2 ADJ tydelig, åpenbar
3 s (*AVIAT, NAUT*) manifest *nt*
manifestation [mænɪfɛs'teɪʃən] s manifestasjon *m*
manifesto [mænɪ'fɛstəu] s manifest *nt*
manifold ['mænɪfəuld] 1 ADJ mangfoldig
2 s (*BIL etc*) ▸ **exhaust manifold** eksosmanifold *m*, eksosforgreiningsrør *nt*
Manila [mə'nɪlə] s Manila
manila [mə'nɪlə] ADJ ▸ **manila envelope** manilakonvolutt *m*
manipulate [mə'nɪpjuleɪt] VT (**a**) (*+people*) manipulere (*v2*) ❑ *Small children sometimes manipulate grown-ups.* Små barn manipulerer ofte de voksne.
(**b**) (*+system, situation*) manipulere (*v2*) (med) ❑ *It is easy to manipulate such a situation.* Det er lett å manipulere (med) en slik situasjon.
manipulation [mənɪpju'leɪʃən] s (*of situation, people*) manipulasjon *m*, manipulering *c*; (*MED*) manipulasjon *m*
mankind [mæn'kaɪnd] s menneskeheten *m def*, menneskeslekten *c def*
manliness ['mænlɪnɪs] s mandighet *c*
manly ['mænlɪ] ADJ mandig
man-made ['mæn'meɪd] ADJ (*environment, fibre*) kunstig (framstilt)
manna ['mænə] s manna *m* ❑ *...like manna from heaven.* ...som manna fra himmelen.
mannequin ['mænɪkɪn] s (= *dummy*) utstillingsfigur *m*, utstillingsdukke *c*; (= *fashion model*) mannekeng *m*
manner ['mænəʳ] s (**a**) (= *way*) måte *m* ❑ *They filed the report in a routine manner.* De arkiverte rapporten på rutinemessig måte.
(**b**) (= *behaviour*) væremåte *m*, måte *m* å være* på ❑ *The judge had been impressed by his manner.* Dommeren hadde blitt imponert av væremåten hans *or* måten hans å være* på.
(**c**) (= *type, sort*) ▸ **all manner of ideas/things** all slags ideer/ting
▸ **manners** SPL (= *conduct*) manerer ❑ *She had beautiful manners.* Hun hadde nydelige manerer.
▸ **bad manners** dårlige manerer

mannerism ['mænərɪzəm] s manér *m*
mannerly ['mænəlɪ] ADJ dannet
manoeuvrable [mə'nu:vrəbl], **maneuverable** (*US*) ADJ manøvrerbar
manoeuvre [mə'nu:vəʳ], **maneuver** (*US*) 1 VTI manøvrere (*v2*) ❑ *I manoeuvred the suitcases into the car.* Jeg manøvrerte koffertene inn i bilen. *John had been manoeuvred into an untenable position.* John hadde blitt manøvrert inn i en uutholdelig posisjon. *...and manoeuvred out of the parking space.* ...og manøvrerte ut av parkeringsplassen.
2 s (= *skilful move*) manøver *m* ❑ *Suddenly, by a brilliant manoeuvre, he reversed the situation.* Plutselig, med en briljant manøver, snudde han situasjonen.
▸ **manoeuvres** SPL (*MIL*) manøver *m sg* ❑ *...on manoeuvres.* ...på manøver.
▸ **to manoeuvre sb into doing sth** manøvrere (*v2*) noen til å gjøre* noe
manor ['mænəʳ] s (*also* ***manor house***) herregård *m*
manpower ['mænpauəʳ] s arbeidskraft *c* NB *We've not got the manpower to...* Vi har ikke nok arbeidskraft til å...
manservant ['mænsə:vənt] (*pl* **menservants**) s tjener *m*
mansion ['mænʃən] s herskapshus *nt*
manslaughter ['mænslɔ:təʳ] s uoverlagt drap *nt*
mantelpiece ['mæntlpi:s] s kaminhylle *c*
mantle ['mæntl] s (= *covering*) teppe *nt*, dekke *nt* ❑ *The earth bore a thick green mantle of vegetation.* Bakken hadde et tykt, grønt teppe *or* dekke av vegetasjon.
man-to-man ['mæntə'mæn] ADJ, ADV mellom menn
manual ['mænjuəl] 1 ADJ (*work, worker*) kropps-, manuell; (*controls*) manuell
2 s (*book*) håndbok *c*, manual *m*
manufacture [mænju'fæktʃəʳ] 1 VT framstille (*v2x*), produsere (*v2*)
2 s framstilling *c*, produksjon *m*
manufactured goods SPL fabrikkvarer, fabrikkproduserte varer
manufacturer [mænju'fæktʃərəʳ] s produsent *m*, fabrikant *m*
manufacturing [mænju'fæktʃərɪŋ] s fabrikasjon *m*, framstilling *c*, produksjon *m*
manure [mə'njuəʳ] s (natur)gjødsel *c*
manuscript ['mænjuskrɪpt] s manuskript *nt*
many ['mɛnɪ] ADJ, PRON mange ❑ *Many people...* Mange mennesker... *Some are lucky enough to find jobs, but many are forced to beg.* Noen er så heldige å finne jobber, men mange blir nødt til å tigge.
▸ **a great many** svært *or* veldig mange
▸ **how many?** hvor mange?
▸ **too many difficulties** for mange vanskeligheter
▸ **twice as many** dobbelt så mange
▸ **many a time** mang en gang, rett som det er/var ❑ *That's happened many a time to me.* Det skjedde meg mang en gang *or* rett som det var.
Maori ['maurɪ] 1 ADJ maori-
2 s maori *m*
map [mæp] 1 s kart *nt*
2 VT kartlegge*
▸ **map out** VT (**a**) (+*plan, task, holiday, essay*) planlegge* ❑ *They met and mapped out their task.* De møttes og planla oppdraget sitt.
(**b**) (+*career*) stake (*v1*) ut ❑ *Her future is already mapped out.* Framtiden hennes er allerede staket ut.
maple ['meɪpl] 1 s lønn *m*
2 SAMMENS lønne-
mar [mɑ:ʳ] VT (**a**) (+*appearance*) skjemme (*v2x*) ❑ *Graffiti marred the sides of buildings.* Graffiti skjemmet sideveggene på husene.
(**b**) (+*day, event*) spolere (*v2*) ❑ *A series of ugly incidents marred the protest.* En rekke stygge hendelser spolerte protesten.
Mar. FK = **March**
marathon ['mærəθən] 1 s maratonløp *nt*, maraton *m*
2 ADJ ▸ **a marathon session** et maratonmøte
marathon runner s maratonløper *m*
marauder [mə'rɔ:dəʳ] s (= *robber, killer*) (landeveis)røver *m*; (*animal*) rovdyr *nt* (*som streifer omkring*)
marble ['mɑ:bl] s (**a**) (*stone*) marmor *m*
(**b**) (*toy*) klinkekule *c*
▸ **marbles** SSING (*game*) (klinke)kuler *pl* ❑ *The little boys are playing marbles.* Småguttene spiller (klinke)kuler.
March [mɑ:tʃ] s mars *see also* **July**
march [mɑ:tʃ] 1 VI marsjere (*v2*) ❑ *The army marched through Norway.* Hæren marsjerte gjennom Norge. *She marched back to the kitchen.* Hun marsjerte tilbake til kjøkkenet.
2 s (**a**) (*MIL*) marsj *m*
(**b**) (= *demonstration*) (demonstrasjons)tog *nt* ❑ *She'd been on a few marches.* Hun hadde vært med på en del (demonstrasjons)tog.
marcher ['mɑ:tʃəʳ] s (= *demonstrator*) demonstrant *m* (*som går i tog*)
marching orders SPL ▸ **to give sb his marching orders** gi* noen marsjordre
march past s forbimarsj *m*, defilering *c*
mare [mɛəʳ] s hoppe *c*, merr *c*
margarine [mɑ:dʒə'ri:n] s margarin *m*
marge [mɑ:dʒ] (*BRIT: sl*) s FK = **margarine**
margin ['mɑ:dʒɪn] s (**a**) (= *difference: of votes, for safety etc*) margin *m* ❑ *They won by the small margin of five seats.* De vant med den knappe marginen på fem plasser. *I hope they will allow a margin for error.* Jeg håper de vil gi* en viss feilmargin.
(**b**) (*also* ***profit margin***) fortjenstmargin *m* ❑ *...an unusually high margin.* ...en usedvanlig høy fortjenstmargin.
(**c**) (*on page*) marg *m* ❑ *...a tick in the margin...* en hake i margen...
(**d**) (= *edge: of area, group*) utkant *m* ❑ *We came to the margin of the wood.* Vi kom til utkanten av skogen.
marginal ['mɑ:dʒɪnl] ADJ marginal
marginally ['mɑ:dʒɪnəlɪ] ADV marginalt
marginal (seat) s usikker/utsatt plass *m*
marigold ['mærɪgəuld] s ringblomst *m*
marijuana [mærɪ'wɑ:nə] s marihuana *m*
marina [mə'ri:nə] s marina *m*
marinade [*N* mærɪ'neɪd, *VT* 'mærɪneɪd] 1 s

marinade *m*
[2] VT marinere (*v2*)
marinate ['mærɪneɪt] VT marinere (*v2*)
marine [mə'ri:n] [1] ADJ (*life*) i havet; (*plant*) sjø-, hav-; (*biology*) marin-; (*engineer, engineering*) skips-
[2] S marinesoldat *m*
marine insurance S sjøforsikring *c*
marital ['mærɪtl] ADJ (**a**) (*problem*) ekteskaps-, ekteskapelig
(**b**) (*relations, sex*) ekteskapelig
▸ **marital status** sivilstand *m*
maritime ['mærɪtaɪm] ADJ (*nation, museum*) sjøfarts-, maritim
▸ **maritime law** sjørett *m*
marjoram ['mɑ:dʒərəm] S merian *m*
mark [mɑ:k] [1] S (**a**) (*gen*) merke *nt* ❑ *The page was covered with little marks.* Siden var full av små merker. *The snow bore the marks of heavy boot prints.* Snøen hadde merker etter tunge støvlespor.
(**b**) (= *stain*) merke *nt*, flekk *m* ❑ *This is good for grease marks.* Denne er bra for fettflekker.
(**c**) (= *sign : of friendship, respect etc*) tegn *nt* ❑ *They removed their hats as a mark of respect.* De tok av seg hatten som et tegn på respekt.
(**d**) (*BRIT : SKOL : grade, score*) karakter *m*
(**e**) (= *level, point*) ▸ **the halfway mark** halvveis
(**f**) (*currency*) mark *m*
(**g**) (*BRIT : model*) ▸ **Mark 2/3** modell 2/3
[2] VT (**a**) (= *make a mark on*) merke (*v1*) ❑ *He had the right to read reports marked Top Secret.* Han hadde rett til å lese rapporter merket topp hemmelig.
(**b**) (= *damage*) sette* merker på [NB] *The sofa was badly marked by cigarette burns.* Sofaen hadde stygge merker etter sigarettglør.
(**c**) (= *stain*) sette* flekker på ❑ *Vinegar and salt can mark cutlery.* Eddik og salt kan sette flekker på bestikk.
(**d**) (= *indicate : place, time, price*) markere (*v2*), vise (*v2*) ❑ *...burned clay marks the position of several Roman furnaces.* ...brent leire markerer *or* viser plasseringen av flere romerske ildsteder.
(**e**) (= *commemorate : event*) markere (*v2*) ❑ *...a rally to mark the opening of the congress.* ...et massemøte for å markere åpningen av kongressen.
(**f**) (= *characterize*) kjennetegne (*v1*), prege (*v1*) ❑ *His cricket has always been marked by determination.* Cricketspillet hans har alltid vært kjennetegnet *or* preget av besluttsomhet.
(**g**) (*BRIT : SKOL*) rette (*v1*) (*og sette karakter på*) ❑ *He was marking a student's essay.* Han rettet oppgaven til en student.
(**h**) (*SPORT : player*) markere (*v2*)
▸ **punctuation marks** skilletegn *pl*
▸ **to mark time** (**a**) (*MIL*) marsjere (*v2*) på stedet (**b**) (*fig*) stå* på stedet hvil ❑ *I've been marking time since I left school.* Jeg har stått på stedet hvil siden jeg sluttet på skolen.
▸ **to be quick off the mark (in doing sth)** være* rask i vendingen (med å gjøre* noe)
▸ **to be up to the mark** holde* mål
▸ **mark down** VT (*+prices, goods*) sette* ned
▸ **mark off** VT (= *tick off*) hake (*v1*) av, merke (*v1*) av
▸ **mark out** VT (**a**) (*+area, road*) merke (*v1*) opp ❑ *Football pitches are marked out with white paint.* Fotballbaner er merket opp med hvit maling.
(**b**) (*+person*) utmerke (*v1*) ❑ *There was a stillness about Ralph that marked him out.* Det var en ro over Ralph som utmerket ham.
▸ **mark up** VT (*+price, goods*) sette* opp
marked [mɑ:kt] ADJ (= *obvious*) markert, påtakelig
markedly ['mɑ:kɪdlɪ] ADV markert, utpreget ❑ *...markedly different from...* markert *or* utpreget forskjellig fra... *Individuals differ markedly.* Individer er markert *or* utpreget forskjellige.
marker ['mɑ:kə^r] S (**a**) (= *sign*) markør *m*, merke *nt* ❑ *The post served as a boundary marker.* Stolpen fungerte som en grensemarkør *or* et grensemerke.
(**b**) (= *bookmark*) bokmerke (*v1*)
(**c**) (*also* ***marker pen***) merkepenn *m*
market ['mɑ:kɪt] [1] S (**a**) (*in town, village*) torg *nt* (*var:* torv) marked *nt*
(**b**) (*MERK : demand*) marked *nt* ❑ *...the declining vehicle market.* ...det dalende markedet for kjøretøyer.
[2] VT (**a**) (= *sell*) selge* ❑ *The felt-tip pen was first marketed by a Japanese firm.* Tusjpenner ble først solgt av et japansk firma.
(**b**) (= *promote*) markedsføre (*v2*) ❑ *No wonder sales are poor, they don't market them properly...* Det er ikke noe rart at salget går dårlig, de markedsfører dem ikke skikkelig...
▸ **to be on the market** være* på markedet
▸ **on the open market** på det åpne marked
▸ **to play the market** spekulere (*v2*) på børsen
marketable ['mɑ:kɪtəbl] ADJ (*commodity, product, idea*) salgbar
market analysis S markedsanalyse *m*
market day S markedsdag *m*, torgdag *m*
market demand S markedsbehov *nt*
market economy S markedsøkonomi *m*
market forces SPL markedskrefter
market garden (*BRIT*) S handelsgartneri *nt*
marketing ['mɑ:kɪtɪŋ] S markedsføring *c*
marketing manager S markedssjef *m*, sjef *m* for markedsføringsavdelingen
marketplace ['mɑ:kɪtpleɪs] S (**a**) (*area, site*) torg *nt* (*var:* torv) ❑ *...in every marketplace.* ...på hvert eneste torg.
(**b**) (*MERK*) marked *nt* ❑ *Their products must compete in the international marketplace.* Produktene deres må konkurrere på det internasjonale markedet.
market price S markedspris *m*
market research S markedsundersøkelser *pl*
market value S markedsverdi *m*
marking ['mɑ:kɪŋ] S (**a**) (*on animal*) tegning *m* ❑ *...white markings on its head.* ...hvite tegninger på hodet.
(**b**) (*on road*) merking *c* ❑ *Road markings...* Veimerkinger...
marksman ['mɑ:ksmən] *irreg* S skarpskytter *m*
marksmanship ['mɑ:ksmənʃɪp] S skytterferdighet *c*
mark-up ['mɑ:kʌp] S (= *margin*) avanse *m* ❑ *There's an enormous mark-up on convenience*

foods. Det er en enorm avanse på ferdigmat. ...*a mark-up of 100%.* ...en avanse på 100 %.
marmalade ['mɑːməleɪd] s marmelade *m*
maroon [mə'ruːn] 1 ADJ mørk rødlilla
2 VT ▸ **to be marooned** (**a**) (= *stranded*) være* strandet
(**b**) (*fig*) være* overlatt til seg selv ❑ *I had been marooned on the outer fringes of the party.* Jeg var blitt overlatt til meg selv i ytterkanten av selskapet.
marquee [mɑː'kiː] s stort telt *nt* (*til fester etc*)
marquess ['mɑːkwɪs] s marki *m*
marquis ['mɑːkwɪs] s marki *m*
Marrakech, **Marrakesh** [mærə'kɛʃ] s Marrakesh
marriage ['mærɪdʒ] s (**a**) (*relationship*) ekteskap *nt* ❑ *It has been a happy marriage.* Det har vært et lykkelig ekteskap. *I never wanted marriage.* Jeg ønsket meg aldri ekteskap.
(**b**) (= *wedding*) bryllup *nt* ❑ *I was one of her bridesmaids at the marriage.* Jeg var en av brudepikene hennes i bryllupet.
marriage bureau s ekteskapsbyrå *nt*
marriage certificate s vielsesattest *m*
marriage guidance, **marriage counseling** (*US*) s ekteskapsrådgivning *m*
married ['mærɪd] ADJ (**a**) (*man, woman*) gift ❑ *...married with two children.* ...gift og med to barn.
(**b**) (*life, love*) ekteskapelig ❑ *...their early married life.* ...begynnelsen på deres ekteskapelige liv.
▸ **to get married** gifte (*v1*) seg
marrow ['mærəu] s (**a**) (*vegetable*) marggresskar *nt*
(**b**) (= *bone marrow*) marg *m* ❑ *He was given a bone marrow transplant.* Han fikk en beinmargstransplantasjon.
marry ['mærɪ] 1 VT (**a**) (*man, woman+*) gifte (*v1*) seg med ❑ *I wanted to marry him.* Jeg ønsket å gifte meg med ham.
(**b**) (*father, priest etc+*) vie (*v1*) ❑ *You'll have to ask the vicar if he'll marry you in church.* Du må spørre soknepresten om han vil vie dere i kirken.
2 VI (= *get married*) gifte (*v1*) seg ❑ *They are in love and wish to marry.* De er forelsket og vil gjerne gifte seg.
Mars [mɑːz] s Mars
Marseilles [mɑː'seɪlz] s Marseilles
marsh [mɑːʃ] s myr *c*, sump *m*
marshal ['mɑːʃl] 1 s (**a**) (*MIL*: ***field marshal***) (felt)marskalk *m*
(**b**) (*official: at sports meeting etc*) marskalk *m*
(**c**) (*US: of police*) ≈ politimester *m*
(**d**) (*of fire department*) brannsjef *m*
2 VT (**a**) (*+thoughts, support*) samle (*v1*) ❑ *He tried to marshal support for the scheme.* Han prøvde å samle støtte for planen.
(**b**) (*+soldiers*) stille (*v2x*) opp
marshalling yard s skiftetomt *c*
marshmallow [mɑːʃ'mæləu] s (= *plant*) legestokkrose *c*; (*sweet*) marshmallow *m*
marshy ['mɑːʃɪ] ADJ myrlendt, sumpaktig
marsupial [mɑː'suːpɪəl] s pungdyr *nt*
martial ['mɑːʃl] ADJ militær(-)
martial arts SPL kampsport *m sg*
martial law s militær unntakstilstand *m*
Martian ['mɑːʃən] s marsboer *m*
martin ['mɑːtɪn] s (*also* ***house martin***) taksvale *m*
martyr ['mɑːtəʳ] 1 s martyr *m*
2 VT gjøre* til martyr
martyrdom ['mɑːtədəm] s martyrdød *m*
marvel ['mɑːvl] 1 s underverk *nt*
2 VI ▸ **to marvel (at)** undre (*v1*) seg (over)
marvellous ['mɑːvləs], **marvelous** (*US*) ADJ strålende, vidunderlig
Marxism ['mɑːksɪzəm] s marxisme *m*
Marxist ['mɑːksɪst] 1 ADJ marxistisk
2 s marxist *m*
marzipan ['mɑːzɪpæn] s marsipan *m*
mascara [mæs'kɑːrə] s mascara *m*, øyensverte *m*
mascot ['mæskət] s maskot *m*
masculine ['mæskjulɪn] ADJ (**a**) (= *male*) maskulin ❑ *...masculine pride.* ...maskulin stolthet. *The system makes boys effeminate and girls masculine.* Systemet gjør gutter feminine og jenter maskuline.
(**b**) (*LING*) hankjønns-
masculinity [mæskju'lɪnɪtɪ] s maskulinitet *m*, mandighet *c*
MASH [mæʃ] (*US*) s FK (= **mobile army surgical hospital**) feltsykehus *nt*
mash [mæʃ] VT mose (*v2*)
mashed potatoes SPL potetmos *m sg*, potetstappe *c sg*
mask [mɑːsk] 1 s maske *c*
2 VT (**a**) (= *cover: face*) skjule (*v2*) ❑ *Her eyes were masked by sunglasses.* Øynene hennes var skjult av solbriller.
(**b**) (= *hide: feelings*) maskere (*v2*) ❑ *Our opponents mask their antagonism behind sweet words.* Motstanderne våre maskerer den fiendtlige innstillingen sin bak milde ord.
▸ **gas mask** ansiktsmaske *c*
▸ **surgical mask** munnbind *nt*
▸ **a masked man** en maskert mann
masking tape s maskeringstape *m*
masochism ['mæsəukɪzəm] s masochisme *m*
masochist ['mæsəukɪst] s masochist *m*
mason ['meɪsn] s (*also* ***stone mason***) steinmurer *m*; (*also* ***freemason***) frimurer *m*
masonic [mə'sɔnɪk] ADJ frimurer-
masonry ['meɪsnrɪ] s steinmur *m*
masquerade [mæskə'reɪd] 1 VI ▸ **to masquerade as** gi* seg ut for (å være)
2 s (*fig: pretence*) maskerade *m*
mass [mæs] 1 s (**a**) (= *large number or amount*) masse *m*, mengde *m* ❑ *...a mass of papers...* en masse *or* mengde papirer... *There is a mass of detail to be worked out.* Det er en masse *or* mengde detaljer å gre ut.
(**b**) (*of air, liquid, land, PHYSICS*) masse *m* ❑ *...the great land mass of Asia.* ...de store landmassene i Asisa. *The velocity depends on the mass of the object.* Hastigheten er avhengig av massen til legemet.
(**c**) (*REL*) ▸ **Mass** messe *c*
2 SAMMENS (*communication, unemployment, killings etc*) masse-
3 VI (*troops, protesters+*) samle (*v1*) seg i store mengder
▸ **the masses** SPL massene ❑ *...opera for the masses.* ...opera for massene.

▸ **to go to Mass** gå* på *or* til messe
▸ **masses of food/people** (*sl*) massevis av *or* masser av *or* en masse mat/mennesker
▸ **on a mass scale** i stor skala *or* målestokk

massacre ['mæsəkəʳ] 1 s massakre *m*
2 VT massakrere (*v2*)

massage ['mæsɑːʒ] 1 s massasje *m*
2 VT massere (*v2*)
▸ **to give sb a massage** gi* noen massasje

masseur [mæ'sɜːʳ] s massør *m*

masseuse [mæ'sɜːz] s massøse *c*

massive ['mæsɪv] ADJ (**a**) (*furniture, door, person*) massiv ❑ *He opened the massive front doors.* Han åpnet de massive inngangsdørene.
(**b**) (*support, changes, increase*) kolossal ❑ *These village boys are going to see massive changes.* Disse landsbyguttene kommer til å oppleve kolossale forandringer.

mass market s bredt lag *nt* av befolkningen
▸ **a mass market product** et produkt for det brede lag av befolkningen

mass media s UBØY ▸ **the mass media** massemedia *pl indef*, massemediene

mass meeting s massemøte *nt*

mass-produce ['mæsprə'djuːs] VT masseprodusere (*v2*)

mass production s masseproduksjon *m* ❑ *Soon the car will go into mass production...* Snart vil bilen bli* satt i masseproduksjon...

mast [mɑːst] s mast *c* ❑ *...a television mast.* ...en fjernsynsmast.

mastectomy [mæs'tɛktəmɪ] s mastektomi *m*

master ['mɑːstəʳ] 1 s (**a**) (*of servant, slave, animal, of situation*) herre *m* ❑ *George looked at his master rather doubtfully.* George så ganske mistroisk på herren sin. *This was before man was total master of his environment.* Dette var før mennesket var fullstendig herre over omgivelsene sine.
(**b**) (*= teacher: in secondary school*) lærer *m*
(**c**) (*= title for boys*) master, unge herr
(**d**) (*KUNST, MUS, of craft etc*) mester *m* ❑ *He should apprentice himself to a master.* Han burde skaffe seg lærlingeplass hos en mester.
2 SAMMENS (*baker, craftsman etc*) -mester *m* NB *...a master plumber.* ...en rørleggermester.
3 VT (**a**) (*= overcome: difficulty, feeling*) overvinne* ❑ *Confrontations must be mastered as they arise.* Konfrontasjoner må overvinnes etterhvert som de oppstår.
(**b**) (*= learn: skills, language*) mestre (*v1*), beherske (*v1*) ❑ *I mastered the local dialect.* Jeg mestret *or* behersket den lokale dialekten.
(**c**) (*= understand*) mestre (*v1*) ❑ *...to master the intricacies of physics.* ...for å mestre fysikkens irrganger.
▸ **Master's degree** ≈ embedseksamen *m* av høyere grad

master class s mesterklasse *m*

masterful ['mɑːstəful] ADJ myndig

master key s universalnøkkel *m*, hovednøkkel *m*

masterly ['mɑːstəlɪ] ADJ (*performance*) mesterlig

mastermind ['mɑːstəmaɪnd] 1 s hjerne *m* (*bak et foretagende*)
2 VT (*+robbery etc*) være* hjernen bak

Master of Arts s (*degree*) *embetseksamen av høyere grad innen humaniora*, cand. philol.-grad *m*; (*person*) ≈ cand. philol. *m*

Master of Ceremonies s seremonimester *m*

Master of Science s (*degree*) *embetseksamen av høyere grad innen matematisk-naturvitenskapelige fag*, cand. scient.-grad *m*; (*person*) ≈ cand. scient. *m*

masterpiece ['mɑːstəpiːs] s mesterverk *nt*

master plan s utspekulert plan *m*

> **Master's degree**
> *En* **Master's degree** *er en grad som vanligvis tas etter en* **Bachelor's degree**, *selv om noen universiteter tildeler en Master's i stedet for en Bachelor's. Studiet består enten i å følge kurs, eller å skrive en oppgave på grunnlag av egen forskning, eller en kombinasjon. De vanligste Mastergradene er* **MA** *(Master of Arts) og* **MSc** *(Master of Science), som består av kurs pluss oppgave, og* **MLitt** *(Master of Letters) og* **MPhil** *(Master of Philosophy), som bare bygger på en hovedoppgave; se også* **Bachelor's degree, doctorate**

masterstroke ['mɑːstəstrəuk] s genistrek *m* ❑ *Phoning your mother was a masterstroke.* Det var en genistrek å ringe til moren din.

mastery ['mɑːstərɪ] s beherskelse *m*, mestring *c*

mastiff ['mæstɪf] s (engelsk) mastiff *m*

masturbate ['mæstəbeɪt] VI masturbere (*v2*), onanere (*v2*)

masturbation [mæstə'beɪʃən] s masturbering *c*, onani *m*

mat [mæt] 1 s matte *c*; (*also* ***table mat***) brikke *c*
2 ADJ = **matt**

match [mætʃ] 1 s (**a**) (*= game: of football, tennis etc*) kamp *m* ❑ *Are you going to the match?* Skal du gå* på kampen?
(**b**) (*for lighting fire, cigarette*) fyrstikk(e) *c*
(**c**) (*= equivalent*) ▸ **to be a good/perfect match**
(**d**) (*people, objects+*) passe (*v1*) godt/perfekt sammen *or* til hverandre
(**e**) (*colours, clothes+*) matche (*v1*) nesten/helt
2 VT (**a**) (*= go well with*) matche (*v1*) med ❑ *The lampshades matched the curtains.* Lampeskjermene matchet med gardinene.
(**b**) (*= equal*) konkurrere (*v2*) med ❑ *She walked at a pace that Morris could hardly match.* Hun gikk i et tempo som Morris knapt kunne* konkurrere med.
(**c**) (*= correspond to*) passe (*v1*) til ❑ *The windmill blades will be adjustable to match wind speeds.* Bladene på vindmøllen vil kunne* justeres for å passe til vindhastighetene.
(**d**) (*also* ***match up****: single object*) finne* noe som passer til
(**e**) (*+two things*) sette* sammen ❑ *Can you match the tops up with the bottoms?* Kan du sette sammen overdelene og buksene?
3 VI (*colours, materials+*) passe (*v1*) til
▸ **to be** *or* **make a good match** (*couple+*) passe (*v1*) godt sammen
▸ **to be no match for** ikke kunne* måle seg med ❑ *A machine gun is no match for a tank.* Et maskingevær kan ikke måle seg med en tanks.
▸ **with shoes/handbag to match** med

matchende sko/veske ❑ *...a yellow sari with yellow shoes to match.* ...en gul sari med matchende gule sko.

▸ **match up to** VI svare (*v2*) til

matchbox ['mætʃbɔks] S fyrstikkeske *c*

matching ['mætʃɪŋ] ADJ matchende

matchless ['mætʃlɪs] ADJ (*skill, knowledge, honesty*) makeløs

mate [meɪt] 1 S (**a**) (*sl: friend*) kamerat *m* ❑ *He found himself separated from his mates.* Han oppdaget at han var kommet bort fra kameratene sine.
(**b**) (*animal*) make *m* ❑ *Camels hate leaving their mates.* Kameler hater å forlate makene sine.
(**c**) (= *assistant*) hjelpemann *m irreg* ❑ *He got a job as a plumber's mate.* Han fikk seg jobb som hjelpemann for en rørlegger.
(**d**) (*in merchant navy*) styrmann *m irreg*
2 VI (*animals+*) parre (*v1*) seg ❑ *The majority of amphibians mate in water.* De fleste amfibier parrer seg i vann.

material [mə'tɪərɪəl] 1 S (**a**) (= *substance, information, data*) materiale *nt* ❑ *...a cheap abundant material...* et billig og rikelig materiale... *background material.* ...bakgrunnsmateriale.
(**b**) (= *cloth*) stoff *nt* ❑ *...a metre of material...* en meter stoff... *The traditional materials, cotton and wool...* De tradisjonelle stoffene, bomull og ull...
2 ADJ (**a**) (*possessions, existence*) materiell ❑ *...the material comforts of life.* ...de materielle godene i livet.
(**b**) (= *relevant: evidence*) av betydning ❑ *An individual may not withhold material evidence.* En person kan ikke holde tilbake bevis av betydning.
▸ **materials** SPL (= *equipment*) materiell *nt sg* ❑ *...writing materials.* ...skrivemateriell.

materialistic [mətɪərɪə'lɪstɪk] ADJ (*person, society*) materialistisk

materialize [mə'tɪərɪəlaɪz] VI bli* til virkelighet, materialisere (*v2*) seg

maternal [mə'tə:nl] ADJ mors-, moderlig

maternity [mə'tə:nɪtɪ] 1 S morskap *nt*, det å være* mor
2 SAMMENS ▸ **maternity hospital/ward** fødeklinikk *m*/fødeavdeling *c* ▸ **maternity care** barselpleie *c*

maternity benefit S ≈ fødselspenger *pl*

maternity dress S omstendighetskjole *m*

maternity hospital S fødeklinikk *m*, fødselsklinikk *m*

maternity leave S barselpermisjon *m*, svangerskapspermisjon *m*

matey ['meɪtɪ] (*BRIT: sl*) ADJ kameratslig

math [mæθ] (*US*) S matte *m*

mathematical [mæθə'mætɪkl] ADJ (*formula, mind*) matematisk

mathematician [mæθəmə'tɪʃən] S matematiker *m*

mathematics [mæθə'mætɪks] S matematikk *m*

maths [mæθs], **math** (*US*) S matte *m*

matinée ['mætɪneɪ] S matiné *m*

mating ['meɪtɪŋ] S paring *c*

mating call S paringsrop *nt*

mating season S paringstid *c*

matriarchal [meɪtrɪ'ɑ:kl] ADJ (*society, system*) matriarkalsk

matrices ['meɪtrɪsi:z] SPL *of* **matrix**

matriculation [mətrɪkju'leɪʃən] S immatrikulering *c*

matrimonial [mætrɪ'məunɪəl] ADJ ekteskaps-

matrimony ['mætrɪmənɪ] S ekteskap *nt*, ektestand *m*

matrix ['meɪtrɪks] (*pl* **matrices**) S (*cultural, social etc*) støpeform *c*; (= *MATH, COMPUT*) matrise *m*

matron ['meɪtrən] S (*in hospital*) ≈ oversykepleier *m*; (*in school*) ≈ husmor *c*

matronly ['meɪtrənlɪ] ADJ (*woman, figure*) matroneaktig, matrone-

matt, mat [mæt] ADJ (*finish, surface, paint*) matt

matted ['mætɪd] ADJ (*hair*) sammenfiltret; (*sweater etc*) tovet

matter ['mætə[r]] 1 S (**a**) (= *event, situation, problem*) sak *m* ❑ *Will you report the matter?* Vil du rapportere saken?
(**b**) (*FYS*) materie *m* ❑ *An atom is the smallest indivisible particle of matter.* Et atom er den minste udelelige partikkelen i materien.
(**c**) (= *substance, material*) stoff *nt*, substans *m*
(**d**) (*MED*) materie *m* ❑ *...vegetable matter.* ...vegetabilske stoffer *or* substans(er).
2 VI (= *be important: family, job etc*) bety (*v4*) noe, telle (*v2x or irreg*) ❑ *Your happiness is the only thing that matters.* Det eneste som betyr noe *or* teller, er at du er lykkelig.
▸ **matters** SPL (= *affairs, situation*) forholdene *pl def*, situasjonen *m def* ❑ *The murder will not help matters.* Mordet vil ikke hjelpe på forholdene *or* situasjonen.
▸ **it doesn't matter, no matter** det gjør ikke noe, det spiller ingen rolle
▸ **what's the matter?** hva er det som er i veien?
▸ **no matter what** uansett (hva)
▸ **that's another matter** det er en annen sak
▸ **as a matter of course** som en (ren) selvfølge
▸ **as a matter of fact** faktisk
▸ **it's a matter of habit** det er en vanesak
▸ **printed matter** trykksak *m*
▸ **reading matter** (*BRIT*) lesestoff *nt*

matter-of-fact ['mætərəv'fækt] ADJ (tørr og) saklig

matting ['mætɪŋ] S gulvmatte *c*
▸ **rush matting** gulvmatte av siv

mattress ['mætrɪs] S madrass *m*

mature [mə'tjuə[r]] 1 ADJ (*person, wine, cheese*) moden
2 VI (**a**) (= *develop: style, cheese, wine*) modne (*v1*) ❑ *Her style had not yet matured.* Stilen hennes hadde ennå ikke modnet.
(**b**) (= *grow up*) bli* moden ❑ *Girls mature about the end of their twelfth year.* Jenter blir modne mot slutten av sitt tolvte leveår.
(**c**) (*MERK*) forfalle* (til betaling) ❑ *The market value will rise as the stock matures.* Markedsverdien vil øke etter hvert som lageret forfaller (til betaling).

mature student S voksen student *m*

maturity [mə'tjuərɪtɪ] S (**a**) (= *adulthood*) voksen alder *m* ❑ *Only half of the young birds reach maturity.* Bare halvparten av fugleungene når

voksen alder.
(**b**) (= *wisdom*) modenhet *c* ❑ *...you lacked maturity.* ...du manglet modenhet.
maudlin ['mɔːdlɪn] ADJ vemodig, melankolsk
maul [mɔːl] VT skamklore (*v2*)
Mauritania [mɔːrɪ'teɪnɪə] S Mauretania
Mauritius [mə'rɪʃəs] S Mauritius
mausoleum [mɔːsə'lɪəm] S mausoleum *nt irreg*
mauve [məuv] ADJ lys fiolett
maverick ['mævrɪk] S (*fig*) einstøing *m*, særling *m*
mawkish ['mɔːkɪʃ] ADJ tilgjort og sentimental
max. FK = **maximum**
maxim ['mæksɪm] S maksime *m*, leveregel *m*
maxima ['mæksɪmə] SPL *of* **maximum**
maximize ['mæksɪmaɪz] VT (*+profits, chances*) maksimere (*v2*), gjøre* maksimal
maximum ['mæksɪməm] (*pl* **maxima** *or* **maximums**) 1 ADJ (*efficiency, speed, dose*) maksimal
2 S maksimum *nt* ❑ *...a maximum of six months.* ...et maksimum på seks måneder.
May [meɪ] S mai *see also* **July**
may [meɪ] (*conditional* **might**) VI (**a**) (*gen*) kunne*
(**b**) (*indicating possibility*) ▸ **he may come** han kan komme, han kommer kanskje
(**c**) (= *be allowed to*) ▸ **may I smoke?** kan jeg røyke?, får jeg (lov til å) røyke?
(**d**) (*wishes*) ▸ **may God bless you!** måtte* Gud velsigne deg!
▸ **he might be there** han kan (kanskje) være* der
▸ **you might like to try** kanskje du vil prøve
▸ **you may as well go** du kan like gjerne gå
maybe ['meɪbiː] ADV kanskje
▸ **maybe not** kanskje ikke
May Day S første mai
Mayday ['meɪdeɪ] S mayday
mayhem ['meɪhɛm] S kaos *nt*
mayonnaise [meɪə'neɪz] S majones *m*
mayor [mɛəʳ] S borgermester *m*
mayoress ['mɛərɛs] S borgermesterfrue *c*
maypole ['meɪpəul] S maistang *m*
maze [meɪz] S (**a**) (= *labyrinth, puzzle*) labyrint *m*
(**b**) (*fig: of thoughts, ideas*) virvar *nt* ❑ *He lost himself in a maze of thoughts.* Han fortapte seg i et virvar av tanker.
MB FK (*DATA*) = **megabyte**; (*CAN*) = **Manitoba**
MBA S FK (= **Master of Business Administration**) *høyskolekandidat i handels- og bedriftsfag*
MBBS (*BRIT*) S FK (= **Bachelor of Medicine and Surgery**) *lavere universitetsgrad i medisin og kirurgi*
MBChB (*BRIT*) S FK (= **Bachelor of Medicine and Surgery**) *lavere universitetsgrad i medisin og kirurgi*
MBE (*BRIT*) S FK (= **Member of the Order of the British Empire**) *tittel*
MC S FK = **Master of Ceremonies**
MCAT (*US*) S FK (= **Medical College Admissions Test**) *eksamen som må avlegges før man kan begynne å studere medisin*
MCP (*BRIT: sl*) S FK = **male chauvinist pig**
MD 1 S FK (= **Doctor of Medicine**) ≈ dr.med. (= *doctor medicinae*) (*MERK*) (= **managing director**)
2 FK (*US: POST*) = **Maryland**
MDT (*US*) FK (= **Mountain Daylight Time**) *sommertid i tidssonen som dekker bl.a. Rocky Mountains*
ME 1 S FK (*US*) (= **medical examiner**) *rettsmedisiner eller annen person som er autorisert til å foreta obduksjoner*; (*MED*) (= **myalgic encephalomyelitis**) ≈ fibromyalgi *m*
2 FK (*US: POST*) = **Maine**
me [miː] PRON meg
▸ **it's me** det er meg
▸ **he gave me the money, he gave the money to me** han gav meg pengene, han gav pengene til meg
meadow ['mɛdəu] S eng *c*
meagre ['miːgəʳ], **meager** (*US*) ADJ mager, skral
meal [miːl] S (**a**) (= *food*) måltid *nt* ❑ *They enjoyed their meals together.* De nøt måltidene sine sammen. *We always had three good meals a day.* Vi spiste alltid tre gode måltider om dagen.
(**b**) (= *flour*) sammalt *or* grovmalt mel *nt*
▸ **to go out for a meal** gå* ut og spise
▸ **to make a meal of sth** (*fig*) gjøre* en masse *or* altfor mye utav noe
meals on wheels SSING *varme måltider bragt hjem til gamle*
mealtime ['miːltaɪm] S måltid *nt*, spisetid *c*
mealy-mouthed ['miːlɪmauðd] ADJ unnvikende, *som pakker inn sannheten*
mean [miːn] (*pt, pp* **meant**) 1 ADJ (**a**) (*with money*) gjerrig ❑ *Don't be mean with the tip.* Ikke vær gjerrig med driksen.
(**b**) (= *unkind: person, trick*) lumpen, sjofel ❑ *She apologized for being so mean to him.* Hun unnskyldte seg for at hun var så lumpen *or* sjofel mot ham.
(**c**) (*US: sl: animal*) farlig
(**d**) (= *shabby: street, lodgings*) ussel ❑ *We lived in the meanest hovel.* Vi bodde i den usleste rønna.
(**e**) (= *average*) middels, gjennomsnittlig ❑ *What is the mean height?* Hva er den middels *or* gjennomsnittlige høyden?
2 VT (**a**) (= *signify*) bety (*v4*) ❑ *What does "imperialism" mean?* Hva betyr "imperialsm"?
(**b**) (= *refer to*) mene (*v2*) ❑ *I thought you meant her.* Jeg trodde du mente henne.
(**c**) (= *intend*) ▸ **to mean to do sth** ha* tenkt å gjøre* noe, mene (*v2*) å gjøre* noe ❑ *I meant to ring you but I'm afraid I forgot.* Jeg hadde tenkt *or* jeg mente å ringe til deg, men jeg glemte det visst.
3 S (= *average*) middeltall *nt* ❑ *What you do first is to calculate the mean.* Det første du gjør, er å regne ut middeltallet.
▸ **means** SSING (**a**) (= *way*) måte *m* ❑ *Scientists are devising a means of storing this type of power.* Vitenskapsmenn finner fram til en måte å lagre denne typen kraft på.
(**b**) (= *money*) (økonomiske) midler *pl* ❑ *Bessie has good taste, and the means to gratify it.* Bessie har god smak, og midler til å gjennomføre den.
▸ **by means of** ved hjelp av
▸ **by all means!** for all del!

▸ **to be meant for sth** være* beregnet på noen/noe
▸ **they were meant for each other** de var som skapt for hverandre
meander [mɪ'ændəʳ] VI (*river+*) bukte (*v1*) seg; (*person+*) vandre (*v1*) omkring
meaning ['mi:nɪŋ] S (**a**) (*of word, gesture, book*) betydning *m* ❑ *The word "guide" is used with various meanings.* Ordet "guide" blir brukt med ulike betydninger.
(**b**) (= *purpose, value*) mening *m* ❑ *We yearn for meaning in our lives.* Vi lengter etter mening i livene våre.
meaningful ['mi:nɪŋful] ADJ (*result, explanation, relationship, occasion*) meningsfylt; (*glance, remark*) megetsigende
meaningless ['mi:nɪŋlɪs] ADJ meningsløs
meanness ['mi:nnɪs] S (**a**) (*with money*) gjerrighet *c* ❑ *...excessive economy bordering on meanness.* ...overdreven sparsommelighet som grenser til gjerrighet.
(**b**) (= *unkindness*) sjofelhet *c*, lumpenhet *c* ❑ *There was pure meanness in his voice.* Det var ren og skjær sjofelhet *or* lumpenhet i stemmen hans.
(**c**) (= *shabbiness*) usselhet *c* ❑ *What struck her was the meanness of the place.* Det som slo henne, var usselheten ved stedet.
means test S behovsprøving *c*
means-tested ['mi:nztɛstɪd] ADJ behovsprøvd
meant [mɛnt] PRET, PP *of* **mean**
meantime ['mi:ntaɪm] ADV (*also* ***in the meantime***) i mellomtiden
meanwhile ['mi:nwaɪl] ADV i mellomtiden
measles ['mi:zlz] SSING meslinger *pl*
measly ['mi:zlɪ] (*sl*) ADJ (*amount*) ussel, skarve
measurable ['mɛʒərəbl] ADJ (= *noticeable*) merkbar; (= *that can be measured*) målbar
measure ['mɛʒəʳ] [1] VT måle (*v2*) ❑ *He measured the diameter of the artery.* Han målte diameteren til arterien. *The giant crab measures over three metres.* Kjempekrabben måler over tre meter.
[2] S (**a**) (*ruler, amount measured: of whisky, achievement*) mål *nt* ❑ *...a yard measure.* ...et yardmål. *...a generous measure of cognac.* ...et rikelig mål med konjakk. *The exam is just a measure of how you're getting on.* Eksamen er bare et mål på hvordan du ligger an.
(**b**) (*action*) tiltak *nt* ❑ *...a war-time measure to let mothers work.* ...et tiltak under krigen for at mødre skulle* kunne* arbeide.
▸ **some measure of** en viss grad av ❑ *Everyone is entitled to some measure of protection.* Alle har rett til en viss grad av beskyttelse.
▸ **a litre measure** et litermål
▸ **to take measures to do sth** iverksette* tiltak for å gjøre* noe
▸ **measure up** VI ▸ **to measure up (to)** nå (*v4*) opp (til) ❑ *He failed to measure up to her high standards.* Han klarte ikke å nå opp til de høye kravene hennes.
measured ['mɛʒəd] ADJ (*tone*) avmålt; (*step*) taktfast
measurement ['mɛʒəmənt] S mål *nt*
▸ **chest/hip measurement** bryst-/hoftemål
measurements ['mɛʒəmənts] SPL (= *size*) mål *pl*
▸ **to take sb's measurements** ta* målene til noen
meat [mi:t] S kjøtt *nt*
▸ **cold meats** (*BRIT*) oppskjær *nt uncount*
▸ **crab meat** krabbekjøtt *nt*
meatball ['mi:tbɔ:l] S kjøttbolle *m*
meat pie S kjøttpai *m*
meaty ['mi:tɪ] ADJ (*meal, dish*) kjøttrik; (*book etc*) fyldig; (*person+*) stor og kraftig
Mecca ['mɛkə] S Mekka *nt* ❑ *...a Mecca for film makers.* ...et Mekka for filmskapere.
mechanic [mɪ'kænɪk] S mekaniker *m*
mechanical [mɪ'kænɪkl] ADJ mekanisk
mechanical engineer S maskiningeniør *m*
mechanical engineering S maskinteknikk *m*
mechanics [mɪ'kænɪks] [1] S mekanikk *m* ❑ *...a practical science based on mechanics.* ...en praktisk vitenskap som bygger på mekanikk.
[2] SPL (= *workings*) mekanikk *m sg* ❑ *...the mechanics of reading.* ...mekanikken bak det å lese.
mechanism ['mɛkənɪzəm] S mekanisme *m* ❑ *...a disc welded on to the mechanism.* ...en plate sveiset til mekanismen. *There's no mechanism for changing the decision.* Det fins ingen mekanisme for å gjøre* om beslutningen.
mechanization [mɛkənaɪ'zeɪʃən] S mekanisering *c*
mechanize ['mɛkənaɪz] VTI mekanisere (*v2*) ❑ *...the stimulus to mechanize production.* ...stimulansen til å mekanisere produksjonen.
MEd S FK (= **Master of Education**) *høyere universitetsgrad i pedagogikk*
medal ['mɛdl] S medalje *m*
medallion [mɪ'dælɪən] S medaljong *m*
medallist ['mɛdlɪst], **medalist** (*US*) (*SPORT*) S medaljevinner *m*
meddle ['mɛdl] VI ▸ **to meddle in** *or* **with** blande (*v1*) seg borti
meddlesome ['mɛdlsəm] ADJ (*person, behaviour, nature*) geskjeftig, som blander seg opp i andres saker
media ['mi:dɪə] SPL ▸ **the media** mediene ❑ *The news media...* Nyhetsmediene...
media circus S mediesirkus *n*
mediaeval [mɛdɪ'i:vl] ADJ = **medieval**
median ['mi:dɪən] (*US*) S (*also* ***median strip***) midtrabatt *m*
mediate ['mi:dɪeɪt] VI mekle (*v1*) (*var:* megle)
mediation [mi:dɪ'eɪʃən] S mekling *c* (*var:* megling)
mediator ['mi:dɪeɪtəʳ] S mekler *m* (*var:* megler)
Medicaid ['mɛdɪkeɪd] (*US*) S *det offentlige helsevesenet i USA, mest brukt blant lavere inntektsgrupper*
medical ['mɛdɪkl] [1] ADJ (*treatment, care*) medisinsk
[2] S (= *examination*) legeundersøkelse *m*
medical certificate S legeattest *m*
medical examiner (*US*) S ≈ rettsmedisiner *m*
medical student S medisin(er)student *m*
Medicare ['mɛdɪkɛəʳ] (*US*) S *delvis offentlig finansiert sykeforsikring for folk over 65 år*
medicated ['mɛdɪkeɪtɪd] ADJ (*ointment*) medisinsk, preparert til medisinsk bruk; (*shampoo, talcum powder*) spesial- (*virksom mot hår-/hudproblemer*)

medication [mɛdɪ'keɪʃən] s medisin *m* ▸ **under medication** under medisinsk behandling
medicinal [mɛ'dɪsɪnl] ADJ (**a**) (*substance, herb*) medisinsk, medisin-
(**b**) (*qualities, purpose*) medisinsk ❑ *...the medicinal qualities of a plant.* ...de medisinske egenskapene til en plante.
medicine ['mɛdsɪn] s (*science, drug*) medisin *m* ❑ *Geriatrics is the least popular branch of medicine.* Geriatri er den minst populære grenen av medisin. *...a medicine for his cold.* ...en medisin mot forkjølelsen hans.
medicine ball s medisinball *m*
medicine chest s medisinskap *nt*
medicine man s medisinmann *m irreg*
medieval [mɛdɪ'iːvl] ADJ middelaldersk, middelalder-
mediocre [miːdɪ'əukə'] ADJ middelmådig
mediocrity [miːdɪ'ɔkrɪtɪ] s middelmådighet *c*
meditate ['mɛdɪteɪt] VI meditere (*v2*) ❑ *Spend some time meditating on the problem.* Bruk litt tid på å meditere over problemet. *He used to meditate for ten minutes a day.* Han pleide å meditere ti minutter hver dag.
meditation [mɛdɪ'teɪʃən] s (**a**) (= *thinking*) dype tanker *pl* NB *Miss Clare was deep in meditation.* Frøken Clare satt i dype tanker.
(**b**) (*REL*) meditasjon *m* ❑ *She spent a night in prayer and meditation.* Hun tilbrakte en natt i bønn og meditasjon.
Mediterranean [mɛdɪtə'reɪnɪən] ADJ middelhavs- ▸ **the Mediterranean (Sea)** Middelhavet
medium ['miːdɪəm] (*pl* **media** *or* **mediums**) 1 ADJ (**a**) (= *average: size, colour*) middels ❑ *...a man of medium height.* ...en mann av middels høyde.
(**b**) (*MERK: size*) medium
2 s (= *means, substance, spiritualist*) medium *nt irreg* ❑ *English is the medium of instruction.* Engelsk er mediet for opplæring *or* er opplæringsspråket. *Air is a medium for sound.* Luft er et medium for lyd.
▸ **(to strike) a happy medium** (finne*) den gylne middelvei
medium-dry ['miːdɪəm'draɪ] ADJ (*wine, sherry*) halvtørr
medium-sized ['miːdɪəm'saɪzd] ADJ (*object*) middels stor, mellomstor; (*clothes, person*) middels stor
medium wave s mellombølge *m*
medley ['mɛdlɪ] s (**a**) (= *mixture*) mosaikk *m* ❑ *The skyline was a medley of great and small domes.* Horisonten var en mosaikk av store og små kupler.
(**b**) (*MUS*) potpurri *nt* ❑ *...a medley of forties favourites...* et potpurri av populære låter fra førtiårene...
meek [miːk] ADJ ydmyk, spak
meet [miːt] (*pt, pp* **met**) 1 VT (**a**) (*gen*) møte (*v2*) ❑ *Meet me under the clock.* Møt meg under klokka. *Dan came to the airport to meet me.* Dan kom til flyplassen for å møte meg. *Arsenal meet Liverpool in the next round of the Cup.* Arsenal møter Liverpool i neste runde av cupen. *This is the challenge. How are we to meet it?* Dette er utfordringen. Hvordan skal vi møte den? *...where the Atlantic meets the Indian Ocean.* ...der hvor Atlanterhavet møter Det indiske hav.
(**b**) (*accidentally, for the first time*) møte (*v2*), treffe* ❑ *I met her while I was out shopping.* Jeg møtte *or* traff henne mens jeg var ute og handlet. *I met a Swedish girl on the train...* Jeg møtte *or* traff en svensk jente på toget...
(**c**) (*+need, condition*) tilfredsstille (*v2x*) ❑ *Certain standards must be met.* Visse krav må være* tilfredsstilt.
(**d**) (*+expenses, bill*) dekke (*v1 or v2x*) ❑ *Certain expenses are met for all committee members.* Visse utgifter blir dekket for alle komitemedlemmer.
2 VI (**a**) (*accidentally, for the first time*) treffe* *or* møte (*v2*) hverandre, møtes (*v25*), treffes *no past tense* ❑ *They met while jogging in Hyde Park.* De traff *or* møtte hverandre *or* møttes mens de jogget i Hyde Park. *I don't think we've met, have we?* Jeg tror nok ikke vi har truffet *or* møtt hverandre *or* møttes.
(**b**) (*by arrangement*) møte (*v2*) hverandre, møtes (*v25*) ❑ *They met every day.* De møtte hverandre *or* møttes hver dag.
(**c**) (*for talks, discussion*) møtes (*v25*) ❑ *Most committees meet four times a year.* De fleste komitéer møtes fire ganger i året.
(**d**) (= *join: lines, roads*) møtes (*v25*) ❑ *Parallel lines never meet.* Parallelle linjer møtes aldri.
3 s (**a**) (*BRIT: in hunting*) samling *c*
(**b**) (*US: SPORT*) stevne (*v1*) ❑ *...a track meet.* ...et løpsstevne.
▸ **pleased to meet you!** ≈ gleder meg!
▸ **meet up** VI møtes (*v25*)
▸ **to meet up with sb** møte (*v2*) noen
▸ **meet with** VT FUS (*+difficulty, success*) møte (*v2*) ❑ *Strikes met with little success.* Streikene møtte liten suksess.
meeting ['miːtɪŋ] s (**a**) (*gen*) møte *nt* ❑ *There is a different chairman at each meeting.* Det er forskjellig ordstyrer på hvert møte. *A meeting of physicists...* Et møte med fysikere... *He remembers his first meeting with Alice.* Han husker sitt første møte med Alice. *...the board meeting.* ...styremøtet. *...for a meeting with the president.* ...for å ha* møte med presidenten.
(**b**) (*SPORT: rally*) stevne *nt* ❑ *Kenya is to host a major athletics meeting.* Kenya skal være* vertskap for et større idrettsstevne.
▸ **she's at a meeting** hun er i *or* på (et) møte
▸ **to call a meeting** sammenkalle (*v2x*) *or* innkalle (*v2x*) til (et) møte
meeting place s møtested *nt*
mega ['mɛgə] (*sl*) ADJ mega (*sl*)
megabyte ['mɛgəbaɪt] s megabyte *m*
megalomania [mɛgələ'meɪnɪə] s stormannsgalskap *nt*
megaphone ['mɛgəfəun] s megafon *m*, ropert *m*
megawatt ['mɛgəwɔt] s megawatt *m*
melancholy ['mɛlənkəlɪ] 1 s melankoli *m*, tungsindighet *c*
2 ADJ melankolsk, tungsindig
mellow ['mɛləu] 1 ADJ (**a**) (*sound*) dempet og

behagelig
(**b**) (*light, colour*) mettet, dempet og behagelig
(**c**) (*stone, building*) neddempet i fargen
(**d**) (*person*) mildnet
(**e**) (*wine*) (som virker) moden, rund
2 VI mildne (*v1*) ❑ *He mellowed considerably as he got older.* Han mildnet betraktelig ettersom han ble eldre.
melodious [mɪ'ləudɪəs] ADJ melodiøs
melodrama ['mɛləudrɑːmə] s melodrama *nt*
melodramatic [mɛlədrə'mætɪk] ADJ (*behaviour, person, situation*) melodramatisk
melody ['mɛlədɪ] s melodi *m*
melon ['mɛlən] s melon *m*
melt [mɛlt] VTI (*metal, snow, heart+*) smelte (*v1*) ❑ *Melt two ounces of butter in a saucepan.* Smelt to unser smør i en kjele. *My heart melted as he told his tragic tale.* Hjertet mitt smeltet da han fortalte den tragiske historien sin.
▸ **melt away** VI smelte (*v1*) vekk *or* bort
▸ **melt down** VT (*in order to rework*) smelte (*v1*) om ❑ *Railings were melted down for cannon.* Jernrekkverk ble smeltet om til kanoner.
meltdown ['mɛltdaun] s nedsmelting *c*
melting point s smeltepunkt *nt*
melting pot s (*fig: mixture*) smeltedigel *m* ❑ *...a melting pot of races.* ...en smeltedigel av ulike raser.
▸ **to be in the melting pot** være* i støpeskjeen
member ['mɛmbəʳ] 1 s (**a**) (*of group, family, club*) medlem *nt* ❑ *...older members of the family.* ...eldre familiemedlemmer. *He was a member of an exclusive club.* Han var medlem av en eksklusiv klubb.
(**b**) (= *limb*) lem *nt*
2 SAMMENS ▸ **member country/state** medlems-
▸ **Member of Parliament** parlamentsmedlem *nt*
membership ['mɛmbəʃɪp] s (**a**) (*of club etc*) medlemskap *nt* ❑ *...his membership of the party.* ...medlemskapet hans i partiet. *The criteria for membership are not strict.* Kriteriene for medlemskap er ikke strenge.
(**b**) (= *members*) medlemsmasse *m* ❑ *...20 people elected from the membership.* ...20 mennesker valgt fra medlemsmassen.
(**c**) (= *number of members*) medlemstall *nt*, medlemsmasse *m* ❑ *Membership declined to half a million.* Medlemstallet *or* medlemsmassen gikk ned til en halv million.
membership card s medlemskort *nt*
membrane ['mɛmbreɪn] s membran *m*
memento [mə'mɛntəu] s minne *nt*, suvenir *m*
memo ['mɛməu] s notat *nt*
memoir ['mɛmwɑːʳ] s biografi *m*
memoirs ['mɛmwɑːz] SPL memoarer
memo pad s notatblokk *c*, notisblokk *c*
memorable ['mɛmərəbl] ADJ (*occasion, visit, speech*) minneverdig
memorandum [mɛmə'rændəm] (*pl* **memoranda**) s notat *nt*
memorial [mɪ'mɔːrɪəl] 1 s minnesmerke *nt*
2 ADJ (*service, prize*) minne-
Memorial Day (*US*) s *minnedag for falne soldater*

Memorial Day *er en offentlig høytidsdag i USA til minne om amerikanske soldater som er falt i krig. I de fleste stater faller denne dagen på den siste mandagen i mai.*

memorize ['mɛməraɪz] VT lære (*v2*) (seg) utenat, memorere (*v2*)
memory ['mɛmərɪ] s (**a**) (= *ability to remember*) hukommelse *m* ❑ *The accuracy of their memory is astounding.* Nøyaktigheten i hukommelsen deres er forbløffende.
(**b**) (= *things one remembers*) minner *pl* ❑ *My memory of my childhood is a happy one.* Jeg husker barndommen min som lykkelig.. Jeg har gode barndomsminner.
(**c**) (= *instance of remembering*) minne *nt* ❑ *She smiles at the memory.* Hun smiler ved minnet.
(**d**) (DATA) minne *nt* ❑ *A 64k memory can store 65,536 bytes.* Et minne på 64k kan lagre 65 536 bytes.
▸ **in memory of** til minne om
▸ **to have a good/bad memory** ha* god/dårlig hukommelse
▸ **loss of memory** hukommelsestap *nt*
men [mɛn] SPL *of* **man**
menace ['mɛnɪs] 1 s (**a**) (= *threat*) ▸ **menace (to)** trussel *m* (for) ❑ *...a menace to democracy.* ...en trussel for demokratiet.
(**b**) (= *nuisance*) ▸ **to be a menace** være* en pest og en plage ❑ *Rooks are a menace and there are far too many of them.* Kråker er en pest og en plage, og det er altfor mange av dem.
2 VT true (*v1*) ❑ *...the formidable threat that menaces Europe.* ...den formidable faren som truer Europa.
▸ **a public menace** (**a**) (= *threat*) en offentlig trussel
(**b**) (= *nuisance*) en plage for allmennheten
menacing ['mɛnɪsɪŋ] ADJ (*person, gesture*) truende
menagerie [mɪ'nædʒərɪ] s menasjeri *nt*
mend [mɛnd] 1 VT reparere (*v2*)
2 s ▸ **to be on the mend** være* på bedringens vei
▸ **to mend one's ways** forbedre (*v1*) seg
mending ['mɛndɪŋ] s (**a**) (= *repairing*) reparasjonsarbeid *nt*, reparasjoner *pl* ❑ *I've got a lot of mending to do.* Jeg har en masse reparasjonsarbeid *or* reparasjoner å gjøre.
(**b**) (= *clothes*) klær *pl* som trenger stopping/lapping ❑ *...his mother's basket of mending.* ...stoppekurven til moren hans.
menial ['miːnɪəl] ADJ simpel, mindreverdig
meningitis [mɛnɪn'dʒaɪtɪs] s meningitt *m*, hjernehinnebetennelse *m*
menopause ['mɛnəupɔːz] s ▸ **the menopause** overgangsalderen *m*
menservants ['mɛnsəːvənts] SPL *of* **manservant**
men's room (*US*) s herretoalett *nt*
menstrual ['mɛnstruəl] ADJ (*cycle, periods*) menstruasjons-, menstruell
menstruate ['mɛnstrueɪt] VI menstruere (*v2*)
menstruation [mɛnstru'eɪʃən] s menstruasjon *m*
menswear ['mɛnzwɛəʳ] s herreklær *pl*
mental ['mɛntl] ADJ (**a**) (*ability, effort*) mental
(**b**) (*illness, health*) mental, psykisk
(**c**) (*calculation, arithmetic*) hode- ❑ *I'm going to*

ask you to do some mental arithmetic. Jeg kommer til å be deg utføre noe hoderegning.
mental hospital s mentalsykehus *nt*
mentality [mɛn'tælɪtɪ] s mentalitet *m*
mentally ['mɛntlɪ] ADV ▸ **to be mentally handicapped** være* psykisk utviklingshemmet
menthol ['mɛnθɔl] s mentol *m*
mention ['mɛnʃən] 1 s (= *reference*) omtale *m* ❑ *The first mention of the discovery...* Den første omtalen av oppdagelsen.... Oppdagelsen ble nevnt for første gang...
2 VT (= *speak of*) nevne (*v2*) ❑ *Penny decided not to mention her cold.* Penny bestemte seg for ikke å nevne forkjølelsen sin.
▸ **don't mention it!** ingen årsak!
▸ **to mention that...** nevne (*v2*) at...
▸ **not to mention...** for ikke å snakke om...
mentor ['mɛntɔːʳ] s mentor *m*, veileder *m*
menu ['mɛnjuː] s (*in restaurant, COMPUT*) meny *m* ❑ *They do a set menu at £9.50.* De har en fast meny til ni pund og femti pence.
menu-driven ['mɛnjuːdrɪvn] ADJ menystyrt
MEP (*BRIT*) S FK (= **Member of the European Parliament**) *medlem av Europa-parlamentet*
mercantile ['məːkəntaɪl] ADJ (*class, society*) merkantil, handels-; (*law*) merkantil
mercenary ['məːsɪnərɪ] 1 ADJ pengegrisk, drevet av pengebegjær
2 s leiesoldat *m*
merchandise ['məːtʃəndaɪz] s handelsvarer *pl*
merchandiser ['məːtʃəndaɪzəʳ] s merchandiser *m*, *en som arbeiter med buttikstilling av produkter for et bestemt firma*
merchant ['məːtʃənt] s forhandler *m*, grossist *m*
▸ **timber/wine merchant** tømmer-/vinhandler
merchant bank s handelsbank *m*
merchantman ['məːtʃəntmən] *irreg* s handelsskip *nt*
merchant navy, **merchant marine** (*US*) s handelsflåte *m*
merciful ['məːsɪful] ADJ (**a**) (*person*) nådig, barmhjertig
(**b**) (*release*) barmhjertig ❑ *Death came as a merciful release.* Døden kom som en barmhjertig befrielse.
mercifully ['məːsɪflɪ] ADV (= *fortunately*) heldigvis, gudskjelov
merciless ['məːsɪlɪs] ADJ (*person, regime*) nådeløs, ubarmhjertig
mercurial [məː'kjuərɪəl] ADJ uberegnelig, uforutsigbar ❑ *He was as mercurial as the weather.* Han var like uberegnelig *or* uforutsigbar som været.
mercury ['məːkjurɪ] s kvikksølv *nt*
mercy ['məːsɪ] s nåde *m*, barmhjertighet *c*
▸ **to have mercy on sb** være* nådig *or* barmhjertig mot noen, se* i nåde til noen
▸ **to be at the mercy of sb** være* prisgitt noen
mercy killing s barmhjertighetsdrap *nt*
mere [mɪəʳ] ADJ (**a**) (*emphasizing insignificance*) ▸ **a mere child/trifle** bare *or* kun et barn/en bagatell
(**b**) (*emphasizing significance*) ▸ **his mere presence irritates her** hans blotte nærvær irriterer henne
▸ **by mere chance** ved en ren tilfeldighet
merely ['mɪəlɪ] ADV bare, kun ❑ *January was merely a month away.* Det var bare *or* kun en måned til januar.
merge [məːdʒ] 1 VT (**a**) (= *combine*) slå* sammen ❑ *Holborn was merged with two other boroughs.* Holborn var slått sammen med to andre valgkretser.
(**b**) (*DATA: files*) samsortere (*v2*)
2 VI (**a**) (*companies*) fusjonere (*v2*) ❑ *They advised them to merge with another company.* De rådet ham til å fusjonere med en annen bedrift.
(**b**) (*colours, sounds, shapes+*) blande (*v1*) seg ❑ *The voices merged with one another.* Stemmene blandet seg med hverandre.
(**c**) (*roads+*) løpe* sammen
merger ['məːdʒəʳ] s fusjonering *c*, sammenslåing *c*
meridian [mə'rɪdɪən] s meridian *m*
meringue [mə'ræŋ] s marengs *m*
merit ['mɛrɪt] 1 s (**a**) (= *worth, value*) verdi *m* ❑ *Have they got artistic merit?* Har de noen kunstnerisk verdi?
(**b**) (= *advantage*) fortrinn *nt* ❑ *...the relative merits of cinema and drama.* ...de relative fortrinnene til film og drama.
2 VT fortjene (*v2*) ❑ *This experiment merits closer examination.* Dette eksperimentet fortjener nærmere undersøkelser.
meritocracy [mɛrɪ'tɔkrəsɪ] s meritokrati *nt*, elitestyre *nt*
mermaid ['məːmeɪd] s havfrue *c*
merrily ['mɛrɪlɪ] ADV muntert, lystig
merriment ['mɛrɪmənt] s munterhet *c*, lystighet *c*
merry ['mɛrɪ] ADJ (*person, mood, music*) munter, lystig
▸ **Merry Christmas!** god jul!, gledelig jul!
merry-go-round ['mɛrɪgəuraund] s karusell *m*
mesh [mɛʃ] s (= *net*) nett *nt*, garn *nt*
▸ **wire mesh** trådduk *m*
mesmerize ['mɛzməraɪz] VT forhekse (*v1*)
mess [mɛs] s (**a**) (= *muddle: in room*) rot *nt* NB *I know the place is a mess...* Jeg vet at det bare er rot her...
(**b**) (= *situation*) *rotete/kaotisk situasjon* NB *My life is such a mess.* Livet mitt er så rotete *or* kaotisk.
(**c**) (= *dirt*) søl *nt* ❑ *Keep an old tea towel to mop up any mess.* Ha et gammelt glasshåndkle for å tørke opp søl.
(**d**) (*MIL*) messe *c* ❑ *...the officers' mess.* ...offisersmessen.
▸ **to be in a mess** (**a**) (*hair, room+*) være* i uorden ❑ *Her hair was in a terrible mess.* Håret hennes var i fryktelig uorden.
(**b**) (*one's life, the economy+*) være* i et uføre ❑ *The US economy is now in a mess.* Den amerikanske økonomien er i et uføre.
▸ **to get o.s. in a mess** rote (*v1*) seg inn i en knipe *or* et uføre ❑ *It seemed a way out from the mess I'd got myself into.* Det så ut til å være* en vei ut av knipen *or* det uføret jeg hadde rotet meg inn i.
▸ **mess about** (*sl*) VI surre (*v1*) (vekk tiden)
▸ **mess about with** (*sl*) VT FUS leke (*v2*) seg med
▸ **mess around** (*sl*) VI = **mess about**
▸ **mess around with** (*sl*) VT FUS = **mess about**

with
▸ **mess up** VT (**a**) (= *spoil: hair*) buste (*v1*) til (**b**) (*+plans, system*) rote (*v1*) til, forkludre (*v1*) ❑ *That will mess up the whole analysis.* Det vil rote til *or* forkludre hele analysen.
(**c**) (= *make dirty*) søle (*v2*) til, skitne (*v1*) til ❑ *I was used to him messing up the kitchen.* Jeg var vant til at han sølte *or* skitnet til (i) kjøkkenet.
message ['mɛsɪdʒ] S (**a**) beskjed *nt*
(**b**) (= *meaning: of play, book etc*) budskap *nt* ❑ *The play's message is that right always triumphs.* Budskapet til stykket er at retten alltid seirer.
▸ **to leave (sb) a message** legge* igjen (en) beskjed (til noen)
▸ **to get the message** (*sl: fig*) ta* *or* skjønne (*v2x*) poenget
messenger ['mɛsɪndʒəʳ] S bud *nt*
Messiah [mɪ'saɪə] (*REL*) S ▸ **the Messiah** Messias
Messrs ['mɛsəz] FK (*on letters*) (= **messieurs**) herrene, Firma
messy ['mɛsɪ] ADJ (= *dirty*) sølet(e); (= *untidy: handwriting*) kludret(e); (*person, place*) rotet(e), uordentlig
Met [mɛt] 1 S FK (*also* ***Metropolitan Opera***) *operahus i New York*
2 ADJ FK (*also* ***meteorological***) ▸ **the Met Office** ≈ Værvarslinga
met [mɛt] 1 PRET, PP *of* **meet**
2 ADJ FK
metabolism [mɛ'tæbəlɪzəm] S metabolisme *m*, stoffskifte *nt*
metal ['mɛtl] S metall *nt*
metalled ['mɛtld] ADJ (*road, highway*) grus-
metallic [mɪ'tælɪk] ADJ (**a**) (= *made of metal*) metall- ❑ *I put on the green metallic helmet.* Jeg tok på meg den grønne metallhjelmen.
(**b**) (*sound, colour*) metallisk, metallaktig ❑ *I heard the metallic click of a door handle.* Jeg hørte det metalliske *or* metallaktige klikket fra et dørhåndtak.
(**c**) (*paint*) metallic
metallurgy [mɛ'tælədʒɪ] S metallurgi *m*
metalwork ['mɛtlwəːk] S metallarbeid *nt*
metamorphosis [mɛtə'mɔːfəsɪs] (*pl* **metamorphoses**) S metamorfose *m*
metaphor ['mɛtəfəʳ] S metafor *m*
metaphorical [mɛtə'fɔrɪkl] ADJ metaforisk
metaphysics [mɛtə'fɪzɪks] S metafysikk *m*
mete [miːt] VT ▸ **to mete out** (*+punishment, justice*) tildele (*v2*)
meteor ['miːtɪəʳ] S meteor *m*
meteoric [miːtɪ'ɔrɪk] ADJ (*fig*) kometaktig ❑ *He enjoyed a meteoric rise to power.* Han hadde en kometaktig karriere.
meteorite ['miːtɪəraɪt] S meteoritt *m*
meteorological [miːtɪərə'lɔdʒɪkl] ADJ (*conditions, office, service*) meteorologisk
meteorology [miːtɪə'rɔlədʒɪ] S meteorologi *m*
meter ['miːtəʳ] S (*instrument*) måler *m*; (*also* ***parking meter***) parkometer *nt*; (*US: unit*) meter *m*
methane ['miːθeɪn] S metan *nt*
method ['mɛθəd] S metode *m* ❑ *...a special method for teaching languages.* ...en spesiell undervisningsmetode for språk.
▸ **method of payment** betalingsmåte *m*
methodical [mɪ'θɔdɪkl] ADJ metodisk
Methodist ['mɛθədɪst] S metodist *m*
methodology [mɛθə'dɔlədʒɪ] S metodologi *m*
meths [mɛθs] (*BRIT*) S denaturert sprit *m*
methylated spirit ['mɛθɪleɪtɪd-] (*BRIT*) S denaturert sprit *m*
meticulous [mɪ'tɪkjuləs] ADJ (*person, care, detail*) omhyggelig, pinlig
metre ['miːtəʳ], **meter** (*US*) S (*unit*) meter *m*
metric ['mɛtrɪk] ADJ (*system*) metrisk
▸ **to go metric** gå* over til det metersystemet
metrical ['mɛtrɪkl] ADJ metrisk
metrication [mɛtrɪ'keɪʃən] S overgang *m* til metersystemet
metric system S metersystem *nt*
metric ton S tonn *nt* (*1000 kg*)
metronome ['mɛtrənəum] S metronom *m*
metropolis [mɪ'trɔpəlɪs] S metropol *m*, storby *m*
metropolitan [mɛtrə'pɔlɪtn] ADJ storby-
Metropolitan Police (*BRIT*) S ▸ **the Metropolitan Police** *politiet i London*
mettle ['mɛtl] S ▸ **to be on one's mettle** være* beredt til å gjøre* sitt beste
mew [mjuː] VI mjaue (*v1*)
mews [mjuːz] (*BRIT*) S ▸ **mews flat** *leilighet i en mews, dvs et hus som opprinnelig ble bygd som stall*
Mexican ['mɛksɪkən] 1 ADJ meksikansk (*var.* mexicansk)
2 S (*person*) meksikaner *m* (*var.* mexicaner)
Mexico ['mɛksɪkəu] S Mexico
Mexico City S Mexico by (*var.* Mexico City)
mezzanine ['mɛtsəniːn] S messaninetasje *m*
MFA (*US*) S FK (= **Master of Fine Arts**) *høyere universitetsgrad i kunstneriske fag*
mfr FK = **manufacture, manufacturer**
mg FK = **milligram**
Mgr FK (= **Monseigneur, Monsignor**) *biskops tittel innen den katolske kirke*; (*MERK*) = **manager**
MHR (*US*) S FK (= **Member of the House of Representatives**) *medlem av Representantenes hus*
MHz FK (= **megahertz**) MHz
MI (*US: POST*) FK = **Michigan**
MI5 (*BRIT*) S FK (= **Military Intelligence 5**) *gren av den britiske etterretningstjenesten som driver med kontraspionasje*
MI6 (*BRIT*) S FK (= **Military Intelligence 6**) *gren av den britiske etterretningstjenesten*
MIA (*MIL*) FK (= **missing in action**) savnet under kampforhold
miaow [miː'au] VI mjaue (*v1*)
mice [maɪs] SPL *of* **mouse**
micro... ['maɪkrəu] PREF mikro...
microbe ['maɪkrəub] S mikrobe *m*
microbiology [maɪkrəbaɪ'ɔlədʒɪ] S mikrobiologi *m*
microchip ['maɪkrəutʃɪp] S mikrobrikke *c*
micro(computer) ['maɪkrəu(kəm'pjuːtəʳ)] S mikrodatamaskin *m*
microcosm ['maɪkrəukɔzəm] S mikrokosmos *nt*
microeconomics ['maɪkrəuiːkə'nɔmɪks] S mikroøkonomi *m*
microelectronics ['maɪkrəuɪlɛk'trɔnɪks] S mikroelektronikk *m*
microfiche ['maɪkrəufiːʃ] S mikrofiche *m*

microfilm ['maɪkrəufɪlm] s mikrofilm *m*
microlight ['maɪkrəulaɪt] s mikrofly *nt*
micrometer [maɪ'krɔmɪtəʳ] s mikrometer *m*
microphone ['maɪkrəfəun] s mikrofon *m*
microprocessor ['maɪkrəu'prəusɛsəʳ] s mikroprosessor *m*
microscope ['maɪkrəskəup] s mikroskop *nt*
▸ **under the microscope** under mikroskopet
microscopic [maɪkrə'skɔpɪk] ADJ (*creature, script*) mikroskopisk
microwave ['maɪkrəuweɪv] 1 s (*also* ***microwave oven***) mikrobølgeovn *m*
2 VT koke (*v2*) i mikrobølgeovn
mid- [mɪd] ADJ ▸ **in mid-May** i midten av mai
▸ **in mid-afternoon** midt på ettermiddagen
▸ **in mid-air** i luften
▸ **he's in his mid-thirties** han er midt i trettiårene
midday [mɪd'deɪ] s klokka tolv
▸ **at midday** klokka tolv
middle ['mɪdl] 1 s (**a**) (= *centre*) midte *m* ❑ *...with a cross in the middle.* ...med et kryss i midten. *...the middle of December.* ...midten av desember.
(**b**) (= *midriff*) midje *m*
2 ADJ (**a**) (*place, position*) midterst ❑ *She was the middle child of the three.* Hun var det midterste *or* mellomste barnet av de tre.
(**b**) (= *moderate: course*) mellom- ❑ *Between Fascism or revolution there is a middle course.* Mellom fascisme og revolusjon er det en mellomvei.
▸ **in the middle of the night** midt på natten
▸ **I'm in the middle of reading it** jeg holder (akkurat) på (med) å lese den
middle age s middelalder *m*
middle-aged [mɪdl'eɪdʒd] ADJ middelaldrende
Middle Ages SPL ▸ **the Middle Ages** middelalderen
middle-class [mɪdl'klɑːs] ADJ middelklasse-
middle class(es) S(PL) ▸ **the middle class(es)** middelklassen *sg*
Middle East s ▸ **the Middle East** Midtøsten
middleman ['mɪdlmæn] *irreg* s mellommann *m irreg*
middle management s ledelse *m* i mellomsjiktet
middle name s mellomnavn *nt*
middle-of-the-road ['mɪdləvðə'rəud] ADJ (*politician*) som har et mellomstandpunkt; (*music*) alminnelig
middleweight ['mɪdlweɪt] (*BOKSING*) s mellomvekter *m*
middling ['mɪdlɪŋ] ADJ (*ability, condition*) middels, gjennomsnittlig
Middx (*formerly: BRIT: POST*) FK = **Middlesex**
midge [mɪdʒ] s knott *m*
midget ['mɪdʒɪt] s dverg *m*
midi system ['mɪdɪ-] s midi-system *nt*
Midlands ['mɪdləndz] (*BRIT*) SPL ▸ **the Midlands** *område i Midt-England*
midnight ['mɪdnaɪt] 1 s midnatt *c*
2 SAMMENS (*party, feast*) natt-, midnatts-
▸ **at midnight** ved midnatt
midriff ['mɪdrɪf] s mage *m* (*over midjen*)
midst [mɪdst] s ▸ **in the midst of** (**a**) (*+crowd, group*) midt i ❑ *...in the midst of a group of his friends.* ...midt i en gruppe av vennene hans.
(**b**) (*+situation, event*) midt i *or* under ❑ *In the midst of the scandal...* Midt i *or* under skandalen...
▸ **to be in the midst of doing sth** holde* (akkurat) på med å gjøre* noe
midsummer [mɪd'sʌməʳ] s midtsommer *m*
▸ **Midsummer('s) Day** Sankthansdagen
midway [mɪd'weɪ] 1 ADJ ▸ **the midway point** halvveis, midtveis
2 ADV ▸ **midway (between/through)** halvveis *or* midtveis (mellom/gjennom) ❑ *St Germain is midway between Cherbourg and Granville.* St Germain er halvveis *or* midtveis mellom Cherbourg og Granville. *Garfield visited the studio midway through filming.* Garfield besøkte studioet halvveis *or* midtveis i filmingen.
midweek [mɪd'wiːk] ADV, ADJ midt i uken ❑ *The Councils meet midweek.* Rådene møtes midt i uken. *...a midweek performance.* ...en forestilling midt i uken.
midwife ['mɪdwaɪf] (*pl* **midwives**) s jordmor *c irreg*
midwifery ['mɪdwɪfərɪ] s fødselshjelp *m*
midwinter [mɪd'wɪntəʳ] s ▸ **in midwinter** midtvinters, midt på vinteren
miffed [mɪft] (*sl*) ADJ ▸ **to be miffed (at)** være* snurt (for)
might [maɪt] 1 VB *see* **may**
2 s (= *power*) makt *c*, kraft *c*
▸ **with all one's might** av all sin makt *or* kraft
mighty ['maɪtɪ] ADJ mektig
migraine ['miːgreɪn] s migrene *m*
migrant ['maɪgrənt] ADJ, s ▸ **migrant (bird)** trekkfugl *m* ▸ **migrant (worker)** fremmedarbeider *m*
migrate [maɪ'greɪt] VI (**a**) (*bird+*) trekke* ❑ *Every spring they migrate towards the coast.* Hver vår trekker de mot kysten.
(**b**) (*person+*) flytte (*v1*), trekke* ❑ *Millions migrated to the cities.* Millioner flyttet til *or* trakk mot byene.
migration [maɪ'greɪʃən] s (*of birds*) trekk *nt*; (*of people*) (ut)flytting *c*
mike [maɪk] (*sl*) s mikrofon *m*
Milan [mɪ'læn] s Milano
mild [maɪld] ADJ (**a**) (*person, climate, illness, soap, cheese, reproach*) mild ❑ *...my loving wife's mild nature.* ...min kjærlige hustrus milde vesen. *The weather was mild for December.* Været var mildt til å være* i desember. *McKinnon's tone of reproof was mild.* McKinnons irettesettende tone var mild.
(**b**) (*interest*) moderat ❑ *It was of mild academic interest only.* Det var bare av moderat akademisk interesse.
mildew ['mɪldjuː] s meldugg *m*, mugg *m*
mildly ['maɪldlɪ] ADV (**a**) (*say*) mildt ❑ *"No need to shout," he said mildly.* "Ingen grunn til å skrike," sa han mildt.
(**b**) (= *slight*) lettere ❑ *It was mildly amusing.* Det var lettere komisk.
▸ **to put it mildly** for å si det mildt
mildness ['maɪldnɪs] s mildhet *c* ❑ *...the mildness of the attack.* ...mildheten i angrepet. *...when*

tested against other soaps for mildness. ...når dens mildhet blir testet mot andre såper.
mile [maɪl] s (*unit*) engelsk mil *c*, mile *m*
▸ **to do 30 miles per gallon** ≈ bruke (*v2*) 0,8 liter på milen
mileage ['maɪlɪdʒ] s (**a**) (= *number of miles*) kjørelengde *m* ❑ *...the approximate mileage for the complete journey.* ...den omtrentelige kjørelengden for hele reisen.
(**b**) (*fig*) ▸ **to get a lot of mileage out of sth** leve (*v3*) høyt på noe ❑ *He'll get a lot of mileage out of that story.* Han kommer til å leve høyt på den historien.
mileage allowance s bensingodtgjørelse *m*
mileometer [maɪ'lɔmɪtəʳ] s ≈ kilometerteller *m*
milestone ['maɪlstəun] s (**a**) milestein *m*
(**b**) (*fig*) milepæl *m* ❑ *...a milestone in the history of broadcasting.* ...en milepæl i kringkastingens historie.
milieu ['miːljəː] s miljø *nt* (*sosialt*)
militant ['mɪlɪtnt] 1 ADJ militant
2 s militant person *m*
militarism ['mɪlɪtərɪzəm] s militarisme *m*
militaristic [mɪlɪtə'rɪstɪk] ADJ militaristisk
military ['mɪlɪtərɪ] 1 ADJ militær
2 s ▸ **the military** det militære
military police s militærpoliti *nt*
military service s militærtjeneste *m*
militate ['mɪlɪteɪt] VI ▸ **to militate against** motvirke (*v1*)
militia [mɪ'lɪʃə] s milits *m*
milk [mɪlk] 1 s melk *c*
2 VT (**a**) (*+cow, goat*) melke (*v1*)
(**b**) (*fig: situation, person*) melke (*v1*), tappe (*v1*) ❑ *They'll milk it for all it's worth.* De kommer til å melke *or* tappe det for alt det har.
milk chocolate s melkesjokolade *m*
milk float (*BRIT*) s melkebil *m* (*liten, elektrisk bil som kjøres av melkemannen*)
milking ['mɪlkɪŋ] s melking *c*
▸ **to do the milking** ta* seg av melkingen
milkman ['mɪlkmən] *irreg* s melkemann *m irreg*
milkshake ['mɪlkʃeɪk] s milkshake *m*
milk tooth s melketann *c*
milk truck (*US*) s = **milk float**
milky ['mɪlkɪ] ADJ (*colour*) melkehvit; (*drink*) med mye melk
Milky Way s ▸ **the Milky Way** Melkeveien
mill [mɪl] 1 s (= *windmill etc: for grain*) mølle *c*; (*for coffee, pepper*) kvern *c*; (= *factory*) ▸ **steel/woollen mill** stålverk *nt*/spinneri *nt*
2 VT (= *grind: grain, flour*) kverne (*v1*), male (*v2*)
3 VI (*also* **mill about**: *people, crowd*) myldre (*v1*) omkring
millennium [mɪ'lɛnɪəm] (*pl* **millenniums** *or* **millennia**) s årtusen *nt*, millenium *nt irreg*
miller ['mɪləʳ] s møller *m*
millet ['mɪlɪt] s hirse *m*
milli... ['mɪlɪ] PREF milli...
milligram(me) ['mɪlɪgræm] s milligram *nt*
millilitre ['mɪlɪliːtəʳ], **milliliter** (*US*) s milliliter *m*
millimetre ['mɪlɪmiːtəʳ], **millimeter** (*US*) s millimeter *m*
millinery ['mɪlɪnərɪ] s damehatter *pl* (*laget av en hattemaker/modist*)
million ['mɪljən] s million *m*
▸ **a million times** en million ganger
▸ **millions of people** flere millioner mennesker
millionaire [mɪljə'nɛəʳ] s millionær *m*
millionairess [mɪljə'nɛərɪs] s millionøse *m*
millipede ['mɪlɪpiːd] s tusenbein *nt*
millstone ['mɪlstəun] s (*fig*) møllestein *m* ❑ *The debt was a millstone round the man's neck.* Gjelden var en møllestein om halsen på mannen.
millwheel ['mɪlwiːl] s møllehjul *nt*
milometer [maɪ'lɔmɪtəʳ] s = **mileometer**
mime [maɪm] 1 s (**a**) (*activity, performance*) pantomime *m*, miming *c* ❑ *I had been conversing with him in mime.* Jeg hadde konversert med ham ved hjelp av pantomime *or* miming. *In a brilliant mime...* I en glimrende (panto)mime...
(**b**) (*actor*) mimiker *m*
2 VT mime (*v1*) ❑ *"Dinner," I said, and mimed cutting meat.* "Middag," sa jeg, og mimet at jeg skar opp kjøtt.
mimic ['mɪmɪk] 1 s imitator *m*
2 VT (= *imitate*) etterlikne (*v1*); (*for amusement*) etterlikne (*v1*), etterape (*v2*)
mimicry ['mɪmɪkrɪ] s etterlikning *m*, imitasjon *m*
Min. (*BRIT: POL*) FK = **ministry**
min. FK = **minute, minimum**
minaret [mɪnə'rɛt] s minaret *m*
mince [mɪns] 1 s (*BRIT: KULIN*) karbonadedeig *m*, finhakket kjøtt *m*
2 VT (*+meat*) male (*v2*)
3 VI (*in walking*) trippe (*v1*)
▸ **he does not mince (his) words** han pakker ikke inn noe, han legger ikke noe papp i mellom
mincemeat ['mɪnsmiːt] s (**a**) (*fruit*) *kompottaktig masse av rosiner, korinter etc som brukes som fyll i pai*
(**b**) (*meat*) kjøttdeig *m*
▸ **to make mincemeat of sb** lage (*v1 or v3*) hakkemat av noen
mince pie s *liten pai fylt med "mincemeat"*
mincer ['mɪnsəʳ] s kjøttkvern *c*
mincing ['mɪnsɪŋ] ADJ (*walk*) trippende; (*voice*) affektert
mind [maɪnd] 1 s (**a**) (= *thoughts*) tanker *pl*, hode *nt* ❑ *He couldn't get her reply out of his mind.* Han kunne* ikke få* svaret hennes ut av hodet *or* tankene.
(**b**) (= *intellect*) tanke *m*, tenkeevne *m*, sinn *nt* (*fml*) ❑ *The study of logic trains the mind.* Studiet av logikk trener opp tanken *or* tenkeevnen. *You must be strong in mind and body...* Du må være* sterk i sinn og kropp...
(**c**) (*person*) hjerne *m* ❑ *...a team of the brightest minds available...* et team med de skarpeste hjernene som var å få* tak i...
2 VT (**a**) (= *attend to, look after, be careful of*) passe (*v1*) ❑ *My mother is minding the office.* Moren min passer kontoret. *Mind your head!* Pass hodet!
(**b**) (= *object to*) ha* noe imot ❑ *I don't mind walking.* Jeg har ikke noe imot å gå.
▸ **to have a suspicious/scientific mind** være* mistenksomt/vitenskapelig anlagt
▸ **to my mind** (= *in my opinion*) etter min

mening, slik jeg ser det
▸ **to be out of one's mind** være* fra vettet
▸ **it is on my mind** jeg kan ikke få* det ut av tankene
▸ **to keep** *or* **bear sth in mind** huske (*v1*) på noe, ha* noe i tankene
▸ **to have it in mind to do sth** ha* tenkt å gjøre* noe
▸ **to have sb/sth in mind** ha* noen/noe i tankene
▸ **to be in two minds about sth** være* i tvil om noe, være* i villrede om noe
▸ **to make up one's mind** bestemme (*v2x*) seg
▸ **to change one's mind** ombestemme (*v2x*) seg
▸ **it slipped my mind** det kom bort for meg
▸ **to bring** *or* **call sth to mind** minne (*v1 or v2x*) om noe, kalle (*v2x*) på *or* vekke* minner om noe
▸ **I don't mind** det er det samme (for meg)
▸ **do you mind if ...?** har du noe imot at ...?
▸ **mind you,...** (**a**) (= *by contrast*) vel å merke ❑ *I've never tried. Mind you, I'm willing to have a go.* Jeg har aldri forsøkt. Vel å merke er jeg villig til å prøve meg.
(**b**) (= *admittedly*) men ...jo ❑ *...so we got back on time. Mind you, there was a fair wind blowing.* ...så vi kom tilbake tidsnok. Men det blåste jo ganske bra.
▸ **never mind!** (**a**) (= *it makes no odds*) det gjør ikke noe!, blås i det!
(**b**) (= *don't worry*) det er ikke så farlig
▸ **"mind the step"** "se opp for trinnet"

mind-boggling ['maɪndbɔglɪŋ] (*sl*) ADJ ufattelig

-minded ['maɪndɪd] ADJ ▸ **fair-minded** rettsindig
▸ **an industrially-minded nation** en nasjon som er innstilt på industri

minder ['maɪndəʳ] s (*also* ***child minder***) dagmamma *m*, barnevakt *c*; (*sl: bodyguard*) livvakt *c*

mindful ['maɪndful] ADJ ▸ **mindful of** oppmerksom på, klar over

mindless ['maɪndlɪs] ADJ (*violence*) meningsløs; (= *boring: work*) åndløst

KEYWORD

mine¹ [maɪn] [1] PRON min *c*, mitt *nt*, mine *pl*
▸ **that book is mine** den boken er min
▸ **these cases are mine** disse eskene er mine
▸ **this is mine** dette er mitt
▸ **a friend of mine** en venn av meg

mine² [maɪn] [1] s (= *coal mine, gold mine*) gruve *c*; (*bomb*) mine *m*
[2] VT (+*coal*) bryte*; (+*ship, beach*) minelegge*

mine detector s minedetektor *m*

minefield ['maɪnfi:ld] s (*area, also fig*) minefelt *nt* ❑ *This could be a political minefield.* Dette kan være* et politisk minefelt.

miner ['maɪnəʳ] s gruvearbeider *m*

mineral ['mɪnərəl] [1] ADJ (*deposit, resources*) mineral-
[2] s mineral *nt*
▸ **minerals** SPL (*BRIT: soft drinks*) mineralvann *nt*, brus *m*

mineralogy [mɪnə'rælədʒɪ] s mineralogi *m*

mineral water s mineralvann *nt* (*kildevann*)

minesweeper ['maɪnswi:pəʳ] s minesveiper *m*

mingle ['mɪŋgl] VI ▸ **to mingle (with)** blande (*v1*) seg (med) ❑ *His cries mingled with theirs.* Ropene hans blandet seg med deres. *Get out and mingle a bit.* Kom deg ut og bland deg litt med andre.

mingy ['mɪndʒɪ] (*sl*) ADJ (**a**) (*person*) gjerrig, knuslet(e) ❑ *She's rather mingy about food.* Hun er ganske gjerrig på *or* knuslete med maten.
(**b**) (*amount*) lusen, knuslet(e)

mini... ['mɪnɪ] PREF mini...

miniature ['mɪnətʃəʳ] [1] ADJ miniatyr-, i miniatyr
[2] s miniatyr *m*

minibar ['mɪnɪbɑ:ʳ] s minibar *m*

minibus ['mɪnɪbʌs] s minibuss *m*

minicab ['mɪnɪkæb] s drosje *m* (*småbil, ikke stor, svart, engelsk type*)

minicomputer ['mɪnɪkəm'pju:təʳ] s minidatamaskin *m*

minim ['mɪnɪm] s halvnote *m*

minima ['mɪnɪmə] SPL *of* **minimum**

minimal ['mɪnɪml] ADJ (*amount, cost, knowledge*) minimal

minimalist ['mɪnɪməlɪst] ADJ minimalistisk

minimize ['mɪnɪmaɪz] VT (**a**) (= *reduce: risks, disease*) minimalisere (*v2*) ❑ *Our aim must be to minimize the risks.* Målet vårt må være* å minimalisere risikoen.
(**b**) (= *play down: role, weakness*) bagatellisere (*v2*) ❑ *I have no wish to minimize his achievement.* Jeg har ikke noe ønske om å bagatellisere det han har oppnådd.

minimum ['mɪnɪməm] (*pl* **minima**) [1] s minimum *nt* ❑ *Two hundred's the bare minimum.* To hundre er det absolutte minimum.
[2] ADJ minimums-, minste- ❑ *You'll need a minimum deposit of 20,000 dollars.* Du vil trenge et minimumsinskudd *or* minsteinnskudd på 20 000 dollar.
▸ **to reduce to a minimum** redusere (*v2*) til et minimum
▸ **minimum wage** minstelønn, minimumslønn

minimum lending rate s laveste utlånsrente *c*

mining ['maɪnɪŋ] [1] s gruvedrift *c*
[2] SAMMENS gruve- ❑ *...a small mining town.* ...en liten gruveby.

minion ['mɪnjən] (*neds*) s lakei *m*

miniseries ['mɪnɪsɪəri:z] s miniserie *m*

miniskirt ['mɪnɪskə:t] s miniskjørt *nt*

minister ['mɪnɪstəʳ] [1] s (*BRIT: POL*) minister *m*; (*REL*) prest *m* (*protestantisk*)
[2] VI ▸ **to minister to** (+*people, needs*) dra* omsorg for

ministerial [mɪnɪs'tɪərɪəl] (*BRIT: POL*) ADJ minister-, ministeriell

ministry ['mɪnɪstrɪ] s (*BRIT: POL*) ≈ departement *nt*
▸ **to join the ministry** (*REL*) bli* prest

Ministry of Defence (*BRIT: MIL, POL*) s ≈ Forsvarsdepartementet

mink [mɪŋk] (*pl* **minks** *or* **mink**) s mink *m*

mink coat s minkkåpe *c*

minnow ['mɪnəu] s ørekyte *c*

minor ['maɪnəʳ] [1] ADJ (**a**) (*repairs, injuries, planet*) mindre
(**b**) (*poet*) ganske ubetydelig
(**c**) (*MUS*) moll ❑ *...Chopin's Scherzo in B flat minor.* ...Chopins Scherzo i b-moll.

2 s (*JUR*) mindreårig *m decl as adj*, umyndig *m decl as adj*
Minorca [mɪ'nɔːkə] s Menorca
minority [maɪ'nɔrɪtɪ] s minoritet *m*
▸ **to be in a minority** være* i mindretall
minster ['mɪnstəʳ] s katedral *m*, dom *m*
minstrel ['mɪnstrəl] s trubadur *m*
mint [mɪnt] 1 s (**a**) (*herb, plant*) mynte *m*
(**b**) (*sweet*) peppermyntesukkertøy *nt*
2 VT (*+coins*) prege (*v1*)
▸ **the (Royal) Mint,** *(US)* **the (US) Mint** ≈ Den kongelige mynt
▸ **in mint condition** (så god) som ny
mint sauce s myntesaus *m*
minuet [mɪnju'ɛt] s menuett *m*
minus ['maɪnəs] 1 s (*also* ***minus sign***) minus *nt*
2 PREP ▸ **12 minus 6 equals 6** 12 minus 6 er 6
▸ **minus 24 C** minus 24 C, 24 kuldegrader *or* minusgrader
minuscule ['mɪnəskjuːl] ADJ meget liten, bitteliten
minute[1] [maɪ'njuːt] ADJ (**a**) (*search*) meget omhyggelig
(**b**) (*detail*) ørliten
▸ **in minute detail** i *or* til minste detalj
minute[2] ['mɪnɪt] s (**a**) (*unit*) minutt *nt* ❑ *Davis was ten minutes late.* Davis kom ti minutter for seint.
(**b**) (*fig: short time*) øyeblikk *nt* ❑ *Will you excuse me if I sit down for a minute?* Kan jeg sette meg ned i et øyeblikk?
▸ **minutes** SPL (*of meeting*) referat *nt*
▸ **it is 5 (minutes) past 3** den er fem (minutter) over tre
▸ **wait a minute, just a minute** et øyeblikk
▸ **up-to-the-minute** (**a**) (*news*) rykende fersk
(**b**) (*machine, technology*) aller nyest
▸ **at the last minute** i siste øyeblikk
minute book s (møte)protokoll *m*
minute hand s minuttviser *m*
minutely [maɪ'njuːtlɪ] ADV (**a**) (= *in detail*) meget omhyggelig ❑ *She began examining it minutely.* Hun begynte å undersøke den meget omhyggelig.
(**b**) (= *by a small amount*) ørlite (grann) ❑ *His fingers trembled minutely.* Fingrene hans skalv ørlite (grann).
minutiae [mɪ'njuːʃiiː] SPL detaljer, bagateller
miracle ['mɪrəkl] s under *nt*, mirakel *nt*
miraculous [mɪ'rækjuləs] ADJ mirakuløs
mirage ['mɪrɑːʒ] s luftspeiling *c*
mire ['maɪəʳ] s hengemyr *c*
mirror ['mɪrəʳ] 1 s speil *nt* ❑ *She stared at herself in the mirror.* Hun stirret på seg selv i speilet. *He checked his mirror then reversed...* Han sjekket speilet, og rygget...
2 VT (*fig*) gjenspeile (*v1 or v2*) ❑ *The inequalities between the sexes were mirrored in life.* Ulikhetene mellom kjønnene ble gjenspeilet i livet.
mirror image s speilbilde *nt*
mirth [məːθ] s munterhet *c*
misadventure [mɪsəd'vɛntʃəʳ] s ulykke *c*, ulykkestilfelle *nt*
▸ **death by misadventure** (*BRIT: JUR*) dødsfall *nt* som skyldes en ulykke
misanthropist [mɪ'zænθrəpɪst] s misantrop *m*
misapply [mɪsə'plaɪ] VT (*+term, rule*) anvende (*v2*) galt
misapprehension ['mɪsæprɪ'hɛnʃən] s villfarelse *m*
▸ **to be (labouring) under a misapprehension** sveve (*v3*) i villfarelse
misappropriate [mɪsə'prəuprɪeɪt] VT underslå*
misappropriation ['mɪsəprəuprɪ'eɪʃən] s underslag *nt*
misbehave [mɪsbɪ'heɪv] VI oppføre (*v2*) seg dårlig, være* uskikkelig
misbehaviour [mɪsbɪ'heɪvjəʳ], **misbehavior** (*US*) s dårlig oppførsel *m*
misc. FK = **miscellaneous**
miscalculate [mɪs'kælkjuleɪt] VT feilberegne (*v1*)
miscalculation ['mɪskælkju'leɪʃən] s feilberegning *m*
miscarriage ['mɪskærɪdʒ] s (*MED*) (spontan)abort *m*
▸ **to have a miscarriage** abortere (*v2*)
▸ **miscarriage of justice** justismord *nt* ❑ *He was convinced there had been a miscarriage of justice.* Han var overbevist om at det hadde skjedd et justismord.
miscarry [mɪs'kærɪ] VI (**a**) (*MED*) abortere (*v2*)
(**b**) (= *fail: plans*) slå* feil ❑ *Our scheme had miscarried.* Planen vår hadde slått feil.
miscellaneous [mɪsɪ'leɪnɪəs] ADJ (**a**) (*people, objects*) diverse, ulike, ymse ❑ *...miscellaneous enemies of authority.* ...diverse *or* ulike *or* ymse motstandere av autoritet.
(**b**) (*subjects, items, expenses*) diverse
mischance [mɪs'tʃɑːns] s uhell *nt* ❑ *...the merest mischance.* ...det reneste uhell.
mischief ['mɪstʃɪf] s (**a**) (= *naughtiness: of child*) ugagn *nt* ❑ *She stirred up mischief among the pupils.* Hun fikk elevene til å gjøre* ugagn.
(**b**) (= *playfulness, fun*) skøyeraktighet *c*, ertelyst *m* ❑ *There was about him an air of mischief.* Det var en viss ertelyst *or* skøyeraktighet over ham.
(**c**) (= *maliciousness*) fanteri *nt* ❑ *...the mischief that goes on in politics...* det fanteriet som foregår i politikken...
(**d**) (= *harm*) skade *m* ❑ *I always try to get the parents to undo the mischief.* Jeg prøver alltid å få* foreldrene til å gjøre* skaden god igjen.
▸ **to get into mischief** komme* på gale veier
▸ **to be up to mischief** pønske (*v1*) på noe
▸ **to do sb a mischief** skade (*v1*) noen
mischievous ['mɪstʃɪvəs] ADJ (= *naughty*) uskikkelig; (= *playful*) skøyeraktig, ertelysten
misconception ['mɪskən'sɛpʃən] s misforståelse *m*, feiloppfatning *c* ❑ *It is a common misconception that gentlemen prefer blondes.* Det er en vanlig misforståelse *or* feiloppfatning at herrer foretrekker blondiner.
misconduct [mɪs'kɔndʌkt] s dårlig oppførsel *m*
▸ **professional misconduct** brudd *nt* på yrkesetikk
misconstrue [mɪskən'struː] VT (*+situation, comment etc*) feiltolke (*v1*), oppfatte (*v1*) galt
miscount [mɪs'kaunt] VTI telle (*v2x or irreg*) feil
misdemeanour [mɪsdɪ'miːnəʳ], **misdemeanor** (*US*) s (mindre) forseelse *m*, ugagn *nt uncount*
misdirect [mɪsdɪ'rɛkt] VT (*+person*) feildirigere (*v2*); (*+talent*) lede (*v1*) på villspor

miser ['maɪzə^r] s gjerrigknark *m*, gnier *m*
miserable ['mɪzərəbl] ADJ (**a**) (*expression*) ulykkelig, bedrøvelig
(**b**) (*person*) nedfor
(**c**) (*conditions*) begredelig, bedrøvelig, miserabel
(**d**) (*weather*) ufyselig
(**e**) (*offer, donation*) ynkelig ❑ *...a miserable seven pounds.* ...ynkelige sju pund.
(**f**) (*failure*) bedrøvelig, ynkelig ❑ *The play was a miserable failure.* Stykket var en bedrøvelig *or* ynkelig fiasko.
miserably ['mɪzərəblɪ] ADV (**a**) (*live*) i elendighet
(**b**) (*fail*) sørgelig
(**c**) (*smile, speak*) bedrøvelig, nedslått
(**d**) (*small*) ynkelig ❑ *There was one miserably small piece left.* Det var en ynkelig liten bit igjen.
miserly ['maɪzəlɪ] ADJ (**a**) (*person*) gjerrig
(**b**) (*amount*) ussel ❑ *She was left with a miserly amount of compensation.* Hun stod igjen med et usselt beløp i kompensasjon.
misery ['mɪzərɪ] s (**a**) (= *unhappiness*) ulykkelighet *c*, misère *m*
(**b**) (= *wretchedness*) elendighet *c* ❑ *...the misery of the people in India.* ...elendigheten som folk i India levde under.
(**c**) (*sl: person*) sutrekopp *m* (*sl*) ❑ *She's a real misery.* Hun er en ordentlig sutrekopp.
misfire [mɪs'faɪə^r] VI (*plan+*) slå* feil; (*car engine+*) fuske (*v1*)
misfit ['mɪsfɪt] s (*person*) mistilpasset person *m*
misfortune [mɪs'fɔ:tʃən] s uhell *nt*
misgiving [mɪs'gɪvɪŋ] s bange anelser *pl*
▸ **to have misgivings** *or* **to be filled with misgiving (about sth)** ha* bange anelser (om noe)
misguided [mɪs'gaɪdɪd] ADJ (*opinion, view*) forfeilet
mishandle [mɪs'hændl] VT (*+problem, situation*) håndtere (*v2*) dårlig
mishap ['mɪshæp] s (lite) uhell *nt*
mishear [mɪs'hɪə^r] (*irreg* **hear**) [1] VT oppfatte (*v1*) galt
[2] VI høre (*v2*) feil
misheard [mɪs'hə:d] PRET, PP *of* **mishear**
mishmash ['mɪʃmæʃ] (*sl*) s sammensurium *nt irreg*
misinform [mɪsɪn'fɔ:m] VT feilinformere (*v2*)
misinterpret [mɪsɪn'tə:prɪt] VT (*+gesture, comment, situation*) feiltolke (*v1*)
misinterpretation ['mɪsɪntə:prɪ'teɪʃən] s feiltolkning *m* ❑ *The new version was less open to misinterpretation.* Den nye versjonen gav mindre rom for feiltolkning.
misjudge [mɪs'dʒʌdʒ] VT (*+person, situation, action*) feilbedømme (*v2x*)
mislay [mɪs'leɪ] *irreg* VT forlegge*
mislead [mɪs'li:d] (*irreg* **lead**) VT villede (*v1*)
misleading [mɪs'li:dɪŋ] ADJ (*information*) villedende
misled [mɪs'lɛd] PRET, PP *of* **mislead**
mismanage [mɪs'mænɪdʒ] VT administrere (*v2*) dårlig
mismanagement [mɪs'mænɪdʒmənt] s dårlig ledelse *m or* administrasjon *m*
mismatch ['mɪsmætʃ] s (**a**) (*in style etc*) stilbrudd *nt* ❑ *Grunge is a deliberate mismatch of materials and colours...* Grønsj er et bevisst stilbrudd av materialer og farger...
(**b**) (*gap*) avstand *m* ❑ *The mismatch between fantasy and reality...* Avstanden mellom fantasi og virkelighet...
misnomer [mɪs'nəumə^r] s misvisende benevnelse *m* ❑ *The very term "positive discrimination" is a misnomer.* Selve uttrykket "positiv diskriminering" er en misvisende benevnelse.
misogynist [mɪ'sɔdʒɪnɪst] s kvinnehater *m*
misplaced [mɪs'pleɪst] ADJ (= *misguided: fear, trust etc*) malplassert; (= *wrongly positioned*) feilplassert
misprint ['mɪsprɪnt] s trykkfeil *m*
mispronounce [mɪsprə'nauns] VT uttale (*v2*) feil
misquote ['mɪs'kwəut] VT (*+person, comment*) feilsitere (*v2*)
misread [mɪs'ri:d] *irreg* VT lese (*v2*) feil
misrepresent [mɪsrɛprɪ'zɛnt] VT (*+views*) framstille (*v2x*) galt; (*+person*) ▸ **to misrepresent sb** gi* et feil inntrykk av noen *or* av noens meninger
Miss [mɪs] s frøken *m*
▸ **Dear Miss Smith** Kjære frøken Smith
miss [mɪs] [1] VT (**a**) (*+train, bus, flight*) ikke rekke*
(**b**) (*+target*) bomme (*v1*) på
(**c**) (= *feel loss of: person, money etc*) savne (*v1*) ❑ *Did you miss me?* Savnet du meg? *He did not miss his wallet until he was on the plane.* Han savnet ikke lommeboka sin før han var på flyet.
(**d**) (*+chance, opportunity, class, meeting*) gå* glipp av ❑ *It was a good opportunity which it would be a pity to miss.* Det var en fin mulighet som det ville* være* synd å gå* glipp av.
[2] VI bomme (*v1*) ❑ *She threw her plate at his head and missed.* Hun kastet tallerkenen sin mot hodet hans og bommet. *...a rifle shot that had missed.* ...et geværskudd som hadde bommet.
[3] s bom *m* ❑ *We had a few misses in the first raid.* Vi hadde en del bommer i det første angrepet.
▸ **you can't miss it** (**a**) (= *can't go wrong*) du kan ikke ta* feil
(**b**) (= *can't fail to see*) du kan ikke unngå å legge merke til det
▸ **the bus just missed the wall** bussen unngikk muren såvidt
▸ **you're missing the point** du har ikke skjønt poenget
▸ **miss out** (*BRIT*) VT (**a**) (*on purpose*) hoppe (*v1*) over
(**b**) (= *forget*) glemme (*v2x*) ut, hoppe (*v1*) over ❑ *It's easy to miss out a comma when you're writing quickly.* Det er lett å hoppe over *or* glemme ut et komma når du skriver fort.
▸ **miss out on** VT FUS gå* glipp av ❑ *You may miss out on the latest gossip.* Du kan gå* glipp av den siste sladderen.
missal ['mɪsl] s messebok *c* (*katolsk*)
misshapen [mɪs'ʃeɪpən] ADJ vanskapt, misdannet
missile ['mɪsaɪl] s (**a**) (*MIL*) rakett *m* ❑ *...nuclear missiles.* ...atomraketter.
(**b**) (= *object thrown*) kastevåpen *nt* ❑ *Demonstrators attacked the police using sticks and other missiles.* Demonstranter angrep politiet med stokker og andre kastevåpen.
missile base s rakettbase *m*

missing ['mɪsɪŋ] ADJ (**a**) (*person*) savnet ❑ *...Larry Brown, missing and presumed dead.* ...Larry Brown, savnet og antatt død.
(**b**) (*object, tooth, wheel*) borte ❑ *Some of her jewellery was missing.* Noen av smykkene hennes var borte *or* vekk. *Half his front teeth are missing.* Halvparten av fortennene hans er borte.
(**c**) (*MIL*) forsvunnet, savnet ❑ *...missing in action.* ...forsvunnet *or* savnet i krigen.
▸ **to be missing** (**a**) (*person+*) være* savnet (**b**) (*object+*) mangle (*v1*)
▸ **to go missing** bli* borte, forsvinne*
▸ **missing person** savnet *m decl as adj*

mission ['mɪʃən] s (**a**) (= *task*) oppdrag *nt* ❑ *He flew back to Rome, his mission a failure.* Han fløy tilbake til Roma. Oppdraget hans hadde vært mislykket.
(**b**) (= *official representatives*) delegasjon *m* ❑ *...the Ugandan mission.* ...den ugandiske delegasjonen.
(**c**) (*MIL*) misjon *m*
(**d**) (*REL : activity*) misjon *m uncount*
(**e**) (= *building*) misjonsstasjon *m*
▸ **on a mission to a place** på oppdrag til et sted ❑ *He has been on confidential missions to Berlin.* Han har vært på hemmelige oppdrag til Berlin.

missionary ['mɪʃənrɪ] s misjonær *m*

mission statement (*POL*) s programerklæring *c*

missive ['mɪsɪv] (*fml*) s epistel *m*

misspell ['mɪs'spɛl] (*irreg* **spell**) VT stave (*v1*) feil (*var.* feilstave)

misspent ['mɪs'spɛnt] ADJ ▸ **his misspent youth** den forspilte ungdommen hans

mist [mɪst] 1 s (*light*) dis *m*; (*heavy*) tåke *c*, skodde *c*
2 VI (*also* **mist over** *: eyes*) bli* sløret; (*BRIT* : **mist over, mist up** *: windows*) dogge (*v1*) til (*var.* dugge til)

mistake [[ ]] (*irreg* **take**) 1 s (= *error*) feil *m* ❑ *I said there must be some mistake.* Jeg sa det måtte* være* en feil et sted.
2 VT ta* feil av ❑ *He thought he had mistaken the address.* Han trodde at han hadde tatt feil av adressen.
▸ **by mistake** ved en feiltakelse
▸ **to make a mistake (about sb/sth)** gjøre* en feil (overfor noen/i *or* med noe)
▸ **to mistake A for B** ta* A for (å være) B, forveksle (*v1*) A med B ❑ *He was often mistaken for his brother.* Han ble ofte tatt for (å være) broren sin.. Han ble ofte forvekslet med broren sin.
▸ **there can be no mistaking his intentions** hensiktene hans er ikke til å ta* feil av

mistaken [mɪs'teɪkən] 1 PP *of* **mistake**
2 ADJ (*idea, belief etc*) feilaktig
▸ **to be mistaken** ta* feil ❑ *How could she have been mistaken about a thing like this?* Hvordan kunne* hun ta* feil på en slik sak som dette?

mistaken identity s forveksling *c* (*av personer*) ❑ *...a case of mistaken identity.* ...et tilfelle av forveksling.

mistakenly [mɪs'teɪkənlɪ] ADV (*believe, think etc*) feilaktig

mister ['mɪstəʳ] s (*sl*) *not translated* ❑ *Is that a walrus, mister?* Er det en hvalross?
see **Mr**

mistletoe ['mɪsltəu] s misteltein *m*

mistook [mɪs'tuk] PRET *of* **mistake**

mistranslation [mɪstræns'leɪʃən] s gal *or* feil oversettelse *m*

mistreat [mɪs'triːt] VT (*+person, animal*) mishandle (*v1*)

mistress ['mɪstrɪs] s (**a**) (= *lover*) elskerinne *c*
(**b**) (*of house, servant*) herskerinne *c*, frue *c* (i huset) ❑ *She was only carrying out her mistress's orders.* Hun bare utførte ordrene fra herskerinnen sin *or* fruen (i huset).
(**c**) (*BRIT : in secondary school*) lærerinne *c* ❑ *...Mademoiselle Girand, the French mistress.* ...Mademoiselle Girand, fransklærerinnen.
▸ **the mistress of the situation** den som behersker *or* mestrer situasjonen

mistrust [mɪs'trʌst] 1 VT mistro (*v4*)
2 s ▸ **mistrust (of)** mistro *c* (til)

mistrustful [mɪs'trʌstful] ADJ ▸ **mistrustful (of)** mistroisk (til *or* overfor)

misty ['mɪstɪ] ADJ (*day etc*) disig; (*glasses, windows*) dugget(e) (*var.* dogget(e))

misty-eyed ['mɪstɪ'aɪd] ADJ (*fig*) blank i øynene ❑ *...women who go misty-eyed at the thought of babies.* ...kvinner som blir blanke i øynene ved tanken på småbarn.

misunderstand [mɪsʌndə'stænd] *irreg* VTI misforstå*

misunderstanding ['mɪsʌndə'stændɪŋ] s (**a**) (= *failure to understand*) misforståelse *m* ❑ *The criticism seems to rest on a misunderstanding.* Kritikken ser ut til å komme av en misforståelse.
(**b**) (= *disagreement*) uoverensstemmelse *m* ❑ *They usually sort out their misunderstandings.* De ordner vanligvis opp i uoverensstemmelsene sine.

misunderstood [mɪsʌndə'stud] 1 PRET, PP *of* **misunderstand**
2 ADJ misforstått

misuse [*N* mɪs'juːs, *VB* mɪs'juːz] 1 s (*of power, funds*) misbruk *nt* ❑ *It represents a gross misuse of power.* Det representerer en grov misbruk av makt. *...the misuse of company assets.* ...misbruket av bedriftens midler.
2 VT (*+power, word*) misbruke (*v2*) ❑ *He wanted to prevent science from being misused.* Han ville* forhindre at vitenskapen ble misbrukt. *Fitness is one of the most misused words in the English language.* "Fitness" er et av de mest misbrukte ordene i det engelske språket.

MIT (*US*) s FK = **Massachusetts Institute of Technology**

mite [maɪt] s (**a**) (= *small quantity*) liten smule *m* ❑ *Anybody with a mite of common sense...* Enhver med en liten smule sunt vett...
(**b**) (*BRIT : small child*) tass *m* ❑ *The poor little mite!* Den stakkars lille tassen!

miter ['maɪtəʳ] (*US*) s = **mitre**

mitigate ['mɪtɪgeɪt] VT mildne (*v1*), dempe (*v1*)
▸ **mitigating circumstances** formildende omstendigheter

mitigation [mɪtɪ'geɪʃən] s formildende omstendighet *c* ❑ *In mitigation, she could offer evidence of a deprived childhood.* Som formildende omstendighet *or* I formildende retning, kunne* hun vise til en vanskelig barndom.

mitre ['maɪtəʳ], **miter** (*US*) s (*of bishop*) bispelue *c*; (*in carpentry*) gjæring *c*

mitt(en) ['mɪt(n)] s vott *m*

mix [mɪks] 1 VT (**a**) (*+drink, sauce, cement*) blande (*v1*) ❑ *She mixed Clarissa a drink.* Hun blandet en drink til Clarissa.
(**b**) (*+cake*) røre (*v2*) sammen
(**c**) (*+liquids,*) mikse (*v1*), blande (*v1*) (sammen)
(**d**) (*+ingredients, colours*) blande (*v1*) sammen
2 VI (= *people*) ▸ **to mix (with)** blande (*v1*) seg (med), omgås *no past tense* ❑ *They no longer mix freely with foreigners.* De blander seg ikke lenger med *or* omgås ikke lenger utlendinger som de vil.
3 s blanding *c* ❑ *...a broad mix of subjects...* en bred blanding av fag... *a packet of cement mix.* ...en pakke sementblanding.
▸ **to be mixed up** (= *person*) være* forvirret
▸ **to mix sth with sth** blande (*v1*) noe med noe
▸ **to mix business with pleasure** blande forretninger og fornøyelser
▸ **cake mix** kakemiks *m*

▸ **mix in** VT blande (*v1*) i ❑ *Mix in the salmon and serve.* Bland i laksen og server.

▸ **mix up** VT (**a**) (*+people*) forveksle (*v1*), blande (*v1*) ❑ *People mix us up.* Folk forveksler *or* blander oss.
(**b**) (*+things*) blande (*v1*) sammen ❑ *I have somehow mixed up two events.* Jeg har på en eller annen måte blandet sammen to hendelser.
▸ **to be mixed up** (= *confused*) være* forvirret
▸ **to be mixed up in sth** bli/være innblandet i noe

mixed [mɪkst] ADJ blandet
▸ **mixed marriage** blandingsekteskap *nt*

mixed-ability ['mɪkstə'bɪlɪtɪ] ADJ (*+group etc*) integrert

mixed bag s (*of things, problems*) variert utvalg *nt*; (*of people*) blandet selskap *nt*

mixed blessing s ▸ **it's a mixed blessing** det er en blandet velsignelse

mixed doubles SPL mixed double *m sg*

mixed economy s blandingsøkonomi *m*

mixed grill (*BRIT: KULIN*) s blandet grillrett *m*

mixed-up [mɪkst'ʌp] ADJ (= *confused*) forvirret

mixer ['mɪksəʳ] s (**a**) (*for food*) mikser *m*, miksmaster *m*
(**b**) (*drink*) blandevann *nt*
▸ **to be a good mixer** (*person*) være* flink til å snakke med folk

mixer tap s blandebatteri *nt*

mixture ['mɪkstʃəʳ] s (**a**) (= *combination, also CULIN*) blanding *c* ❑ *...you could hear an amazing mixture of languages.* ...du kunne* høre en forunderlig blanding av språk.
(**b**) (*MED: for cough etc*) mikstur *n* ❑ *Her cough mixture...* Hostemiksturen hennes...

mix-up ['mɪksʌp] s (= *confusion*) rot *nt* ❑ *Due to some administrative mix-up...* På grunn av administrativt rot...

MK (*BRIT: TEKN*) FK = **mark**

mk (*FIN*) FK = **mark**

mkt FK = **market**

MLitt s FK (= **Master of Literature, Master of Letters**) *høyere universitetsgrad i litteraturvitenskap og klassikk*

MLR (*BRIT*) s FK (= **minimum lending rate**) laveste utlånsrente *c*

mm FK = **millimetre**

MN FK (*BRIT*) (*US: POST*) (= **Merchant Navy**),**Minnesota**

MO 1 s FK (= **medical officer**) lege *m*
2 FK (*US: POST*) = **Missouri**

m.o. FK = **money order**

moan [məun] 1 s stønn *nt*
2 VI (**a**) (= *groan*) stønne (*v1*) ❑ *He lay on his back moaning, holding his broken arm...* Han lå på ryggen og stønnet og holdt på den brukne armen sin...
(**b**) (= *wail*) ▸ **to moan (that)** jamre (*v1*) (om at) ❑ *"What am I going to do?", she moaned.* "Hva skal jeg gjøre?", jamret hun.
(**c**) (*sl: complain*) ▸ **to moan (about)** jamre (*v1*) seg (over) ❑ *You're always moaning about money...* Du jamrer deg alltid over penger...

moat [məut] s vollgrav *c*

mob [mɔb] 1 s (**a**) (= *crowd: disorderly*) masse *m* ❑ *The police faced a mob throwing bricks...* Politiet møtte en masse som kastet mursteiner...
(**b**) (*orderly*) gjeng *m* ❑ *I spent the afternoon with Weston and his mob.* Jeg tilbrakte ettermiddagen sammen med Weston og gjengen hans.
2 VT (*+person*) renne (*v2x*) ned (*var.* nedrenne) ❑ *Pop stars are often mobbed by their fans.* Popstjerner blir ofte nedrent av fansen sin.
▸ **the Mob** mafiaen

mobile ['məubaɪl] 1 ADJ (**a**) (= *able to move*) som kan bevege seg ❑ *The old man isn't mobile yet.* Den gamle mannen kan ikke bevege seg ennå.
(**b**) (= *workforce, society, population*) mobil
2 s (= *hanging ornament/toy*) uro *m*
▸ **applicants must be mobile** søkere må være* villige til å flytte

mobile home s (stor) campingvogn *c* (*som brukes som bolig*)

mobile phone s mobiltelefon *m*

mobility [məu'bɪlɪtɪ] s (**a**) flyttbarhet *c*, mobilitet *m* ❑ *With the car, people achieved a mobility never before imagined.* Med bilen fikk folk en flyttbarhet *or* mobilitet som de tidligere ikke kunne* tenke seg.
(**b**) (*of applicant etc*) mobilitet *m* ❑ *...social mobility.* ...sosial mobilitet.

mobility allowance s ≈ drosjegodtgjørelse *m* (*for funksjonshemmede*)

mobilize ['məubɪlaɪz] VTI (*+friends, work force, country, army*) mobilisere (*v2*)

moccasin ['mɔkəsɪn] s mokkasin *m*

mock [mɔk] 1 VT gjøre* narr av ❑ *He had mocked her modest ambitions.* Han hadde gjort narr av de beskjedne ambisjonene hennes.
2 ADJ (**a**) (= *fake*) imitert
(**b**) (*battle*) øvelses-

▸ **mock exam(s)** tentamen *m sg*
mockery ['mɔkərı] s hån *m*, spott *m* ❑ *There was a tone of mockery in his voice.* Det var en hånlig *or* spottende tone i stemmen hans.
▸ **to make a mockery of** være* en hån mot ❑ *...it will make a mockery of parliamentary democracy.* ...det vil være* en hån mot det parlamentariske demokratiet.
mocking ['mɔkıŋ] ADJ hånlig, spottende
mockingbird ['mɔkıŋbə:d] s spottefugl *m*
mock-up ['mɔkʌp] s modell *m*
MOD (*BRIT*) s FK (= **Ministry of Defence**) ≈ FO (= *Forsvarsdepartementet*)
mod cons ['mɔd'kɔnz] (*BRIT*) SPL (*also* ***modern conveniences***) moderne komfort *m sg*, moderne bekvemmeligheter *pl*
mode [məud] s (*DATA*) modus *m*; (= *form*) ▸ **a mode of** en form for
model ['mɔdl] [1] s (**a**) modell *m* ❑ *...scale models of well-known ships.* ...skalamodeller av berømte skip. *She was one of Rossetti's favourite models.* Hun var en av Rossettis yndlingsmodeller.
(**b**) (= *example*) forbilde *nt*, mønster *nt* ❑ *This clause was a model of lucidity.* Denne klausulen var et forbilde *or* mønster på klarhet.
[2] ADJ (**a**) (= *excellent: teacher, mother, farm etc*) forbilledlig, mønstergyldig
(**b**) (= *small scale*) ▸ **model railway/theatre** modelljernbane *m*/modell *m* av et teater
[3] VT (**a**) (+*clothes*) være* *or* stå* modell for
(**b**) (*with clay etc*) modellere (*v2*)
[4] VI (*for designer, photographer etc*) stå* modell
▸ **to model o.s. on** ta* etter ❑ *The children have their parents on which to model themselves.* Barna har foreldrene sine som de kan ta* etter.
modeller ['mɔdləʳ], **modeler** (*US*) s modellør *m*
model railway s modelljernbane *m*
modem ['məudɛm] s modem *nt*
moderate [*ADJ* 'mɔdərət, *VB* 'mɔdəreıt] [1] ADJ (**a**) (*views, people, amount*) moderat
(**b**) (*change*) moderat, beskjeden ❑ *...moderate enlargement of the heart.* ...en moderat *or* beskjeden forstørring av hjertet.
[2] s moderat *m decl as adj* ❑ *The struggle was decided in favor of the moderates.* Kampen ble avgjort til fordel for de moderate.
[3] VI (*storm, wind etc+*) mildne (*v1*)
[4] VT (**a**) (+*tone*) moderere (*v2*), mildne (*v1*)
(**b**) (+*demands*) moderere (*v2*)
moderately ['mɔdərətlı] ADV (**a**) (*act*) med måte ❑ *...he drank moderately.* ...han drakk med måte.
(**b**) (*expensive, difficult, pleased*) ganske, relativt
▸ **moderately priced** rimelig i pris
moderation [mɔdə'reıʃən] s måtehold *nt*, moderasjon *m*
▸ **in moderation** med måte
moderator ['mɔdəreıtəʳ] s (*church rank*) *presbyteriansk prest med forsete i visse forsamlinger*
modern ['mɔdən] ADJ moderne ❑ *...the modern world.* ...den moderne verden.
▸ **modern languages** moderne språk
modernization [mɔdənaı'zeıʃən] s modernisering *c*
modernize ['mɔdənaız] VT (+*system, factory, kitchen*) modernisere (*v2*)
modest ['mɔdıst] ADJ (*person, house, budget*) beskjeden ❑ *...a modest flat.* ...en beskjeden leilighet. *He's got several medals but he's too modest to wear them.* Han har flere medaljer, men har er for beskjeden til å ha* dem på seg.
modestly ['mɔdıstlı] ADV (*say, behave*) beskjedent; (*live*) beskjedent, nøkternt; (*spend, gamble*) i beskjeden grad
modesty ['mɔdıstı] s beskjedenhet *c*
modicum ['mɔdıkəm] s ▸ **a modicum of** et minstemål av
modification [mɔdıfı'keıʃən] s (**a**) (*to machine*) justering *c*, forandring *c*
(**b**) (*to policy etc*) modifisering *c*, modifikasjon *m*
▸ **to make modifications to** modifisere (*v2*)
modify ['mɔdıfaı] VT (+*machine*) justere (*v2*); (+*policy etc*) modifisere (*v2*), forandre (*v1*) på
modish ['məudıʃ] ADJ fasjonalbel
Mods [mɔdz] (*BRIT: SKOL*) s FK (= **(Honour) Moderations**) *benevnelse på høyere universitetsgrad oppnådd ved Oxford*
modular ['mɔdjuləʳ] ADJ modul-
modulate ['mɔdjuleıt] VT (+*voice*) modulere (*v2*); (+*process, activity*) moderere (*v2*)
modulation [mɔdju'leıʃən] s (**a**) (= *modification*) modifikasjon *m*
(**b**) (*of tone, RADIO*) modulasjon *m* ❑ *...frequency modulation.* ...frekvensmodulasjon.
module ['mɔdju:l] s (= *unit, component*) modul *m*
▸ **lunar module** månelandingsfartøy *nt*
modus operandi ['məudəsɔpə'rændi:] s modus operandi *m*, arbeidsmetode *m*
Mogadishu [mɔgə'dıʃu:] s Mogadishu
mogul ['məugl] s (*fig*) magnat *m* ❑ *...a movie mogul.* ...en filmmagnat.
MOH (*BRIT*) s FK = **Medical Officer of Health**
mohair ['məuhɛəʳ] s mohair *m or nt*
Mohammed [mə'hæmɛd] s Muhammed
moist [mɔıst] ADJ fuktig
moisten ['mɔısn] VT fukte (*v1*)
moisture ['mɔıstʃəʳ] s fuktighet *c*, fukt *m*; (*on glass*) dogg *m* (*var.* dugg)
moisturize ['mɔıstʃəraız] VT (+*skin*) fukte (*v1*)
moisturizer ['mɔıstʃəraızəʳ] s (*cream, lotion*) fuktighetskrem *m*
molar ['məuləʳ] s jeksel *m*
molasses [mə'læsız] s melasse *m*
mold [məuld] (*US*) s, VT = **mould**
Moldova [mɔl'dəuvə] s Moldova
mole [məul] s (**a**) (*on skin*) føflekk *m*
(**b**) (= *animal, spy*) moldvarp *m* (*var.* muldvarp) ❑ *...a mole in the Cabinet.* ...en moldvarp i regjeringen.
molecular [məu'lɛkjuləʳ] ADJ (*biology*) molekylær-; (*level*) molekyl-
molecule ['mɔlıkju:l] s molekyl *nt*
molehill ['məulhıl] s moldvarphaug *m*
molest [mə'lɛst] VT (= *assault sexually*) antaste (*v1*), forulempe (*v1*); (= *harass*) forulempe (*v1*)
mollusc ['mɔləsk] s bløtdyr *nt*
mollycoddle ['mɔlıkɔdl] VT sy (*v4*) puter under armene på
Molotov cocktail ['mɔlətɔf-] s molotovcocktail *m*

molt [məult] (*US*) VI = **moult**
molten ['məultən] ADJ (*metal, glass, rock*) smeltet
mom [mɔm] (*US*) s mamma *m*
moment ['məumənt] s (**a**) (*in time*) øyeblikk *nt* (**b**) (= *importance*) viktighet *c* ❑ *...a matter of the greatest moment.* ...et anliggende av største viktighet.
▸ **for a moment** i et øyeblikk
▸ **for the moment** for øyeblikket
▸ **at the moment** for øyeblikket, på det nåværende tidspunkt
▸ **at that moment** i det øyeblikket, på det tidspunktet
▸ **in a moment** om et øyeblikk
▸ **"one moment please"** "et øyeblikk"
momentarily ['məuməntrılı] ADV (**a**) (= *temporarily*) i et øyeblikk ❑ *I had momentarily forgotten.* Jeg hadde glemt det i et øyeblikk.
(**b**) (*US: very soon*) hvert øyeblikk, straks ❑ *He is about to leave momentarily.* Han skal dra hvert øyeblikk *or* straks.
momentary ['məuməntərı] ADJ (*pause, glimpse*) øyeblikks, forbigående
momentous [məu'mɛntəs] ADJ (*occasion, decision*) betydningsfull, skjellsettende
momentum [məu'mɛntəm] s (**a**) (*FYS*) moment *nt* (**b**) (*fig: of events, movement, change*) økende fart *m* ❑ *...the momentum of change in this century.* ...den økende farten på forandringene i dette århundret.
▸ **to gather momentum** skyte* fart
mommy ['mɔmı] (*US*) s = **mummy**
Mon. FK = **Monday**
Monaco ['mɔnəkəu] s Monaco
monarch ['mɔnək] s monark *m*
monarchist ['mɔnəkıst] s monarkist *m*
monarchy ['mɔnəkı] s (**a**) (*system*) monarki *nt* ❑ *France was an absolute monarchy.* Frankrike var et absolutt monarki.
(**b**) (= *royal family*) ▸ **the Monarchy** kongehuset
monastery ['mɔnəstərı] s (munke)kloster *nt*
monastic [mə'næstık] ADJ (**a**) (*REL*) kloster- ❑ *...monastic buildings.* ...klosterbygninger.
(**b**) (*fig: tastes*) enkel, nøktern
(**c**) (*life*) munke- ❑ *...my austere, monastic life.* ...det nøkterne munkelivet mitt.
Monday ['mʌndı] s mandag *m* *see also* **Tuesday**
Monegasque [mɔnə'gæsk] 1 ADJ monegassisk 2 s (*person*) monegasser *m*
monetarist ['mʌnıtərıst] 1 s monetarist *m* 2 ADJ (*policy, government etc*) monetaristisk
monetary ['mʌnıtərı] ADJ (*system, policy, control*) monetær
money ['mʌnı] s penger *pl* ❑ *Do you have any money on you?* Har du noe(n) penger på deg? *I spent all my money on the house.* Jeg brukte (opp) alle pengene mine på huset. *They might not accept English money.* Det kan hende de ikke tar engelske penger.
▸ **to make money** (*person, business+*) tjene (*v2*) penger ❑ *He made good money when he worked.* Han tjente gode penger når han arbeidet.
▸ **danger money** (*BRIT*) ≈ risikotillegg *nt*
moneyed ['mʌnıd] (*fml*) ADJ (*person, family*) bemidlet
moneylender ['mʌnılɛndəʳ] s pengeutlåner *m*
moneymaker ['mʌnımeıkəʳ] s ▸ **this will be a real moneymaker** dette kommer til å bli* svært innbringende
moneymaking ['mʌnımeıkıŋ] ADJ overskudds-, som går med fortjeneste
money market s pengemarked *nt* ❑ *They use that money to put into the money markets at a profit.* De bruker de pengene til å investere i pengemarkeder med fortjeneste.
money order s postanvisning *m*
money-spinner ['mʌnıspınəʳ] (*sl*) s (*person, idea, business*) melkeku *c* (*sl*) ❑ *This will be a real money-spinner* Dette kommer til å bli* svært innbringende
money supply s tilgang *m* på penger
Mongol ['mɔŋgəl] s mongol *m;* (*LING*) mongolsk
mongol ['mɔŋgəl] (*offensive: MED*) s mongoloid *m decl as adj*
Mongolia [mɔŋ'gəulıə] s Mongolia
Mongolian [mɔŋ'gəulıən] 1 ADJ mongolsk 2 s (*person*) mongol *m;* (*LING*) mongolsk
mongoose ['mɔŋgu:s] s mungo *m*
mongrel ['mʌŋgrəl] s (*dog*) bastard *m*, blandingshund *m*
monitor ['mɔnıtəʳ] 1 s (*machine, screen*) monitor *m* 2 VT (**a**) (*+broadcasts*) følge* (nøye) med i ❑ *They were getting news by monitoring BBC broadcasts.* De fikk nyheter ved å følge (nøye) med i sendinger fra BBC.
(**b**) (*+heartbeat, pulse*) overvåke (*v1*)
(**c**) (*+progress*) overvåke (*v1*), observere (*v2*) (nøye)
monk [mʌŋk] s munk *m*
monkey ['mʌŋkı] s ape *m* (*med hale*), apekatt *m*
monkey business (*sl*) s ugler *pl* i mosen, noe muffens ❑ *I knew there had been some monkey business going on.* Jeg visste at det hadde vært noen ugler i mosen *or* noe muffens.
monkey nut (*BRIT*) s jordnøtt *c*, peanøtt *c*
monkey tricks SPL = **monkey business**
monkey wrench s skiftenøkkel *m*
mono ['mɔnəu] ADJ mono-
monochrome ['mɔnəkrəum] ADJ svart-hvitt
monogamous [mə'nɔgəməs] ADJ monogam
monogamy [mɔ'nɔgəmı] s monogami *n*
monogram ['mɔnəgræm] s monogram *nt*
monolith ['mɔnəlıθ] s monolitt *m*
monolithic [mɔnə'lıθık] ADJ monolittisk
monologue ['mɔnəlɔg] s monolog *m*
monoplane ['mɔnəpleın] s monoplan *nt*
monopolize [mə'nɔpəlaız] VT (**a**) (*+trade, business etc*) monopolisere (*v2*)
(**b**) (*+person, conversation*) monopolisere (*v2*), legge* beslag på ❑ *She monopolizes every conversation.* Hun monopoliserer *or* legger beslag på enhver samtale.
monopoly [mə'nɔpəlı] s monopol *nt*
▸ **to have a monopoly on** ha* monopol på
monorail ['mɔnəureıl] s enskinnet jernbane *m*
monosodium glutamate [mɔnə'səudıəm'glu:təmeıt] s natriumglutamat *nt*
monosyllabic [mɔnəsı'læbık] ADJ (**a**) (*word*) enstavelses-
(**b**) (*reply*) med enstavelsesord

(**c**) (*person*) ordknapp ❑ *She appeared aloof and monosyllabic.* Hun virket fjern og ordknapp.
monosyllable ['mɔnəsɪləbl] s enstavelsesord *nt*
monotone ['mɔnətəun] s ▸ **to speak in a monotone** snakke (*v1*) monotont
monotonous [mə'nɔtənəs] ADJ (*life, job etc*) monoton, ensformig; (*voice, tune*) monoton
monotony [mə'nɔtənɪ] s (*of life, job etc*) monotoni *m*, ensformighet *c*; (*of voice, tune*) monotoni *m*
monsoon [mɔn'su:n] s monsun *m*
monster ['mɔnstəʳ] s (**a**) (*ill-formed animal, plant*) monster *nt* ❑ *Is it possible to create monsters by genetic engineering?* Er det mulig å skape monstre ved hjelp av genteknologi?
(**b**) (*threatening, frightening*) monster *nt*, uhyre *nt* ❑ *...a great yellow monster of a bulldozer.* ...et stort, gult monster *or* uhyre av en bulldoser. *...Dracula, Frankenstein, and every horrible monster.* ...Dracula, Frankenstein, og alle fryktelige uhyrer *or* monstre. *...the monsters that ruled Hollywood.* ...de uhyrene *or* monstrene som styrte Hollywood.
monstrosity [mɔn'strɔsɪtɪ] s monstrum *nt irreg*
monstrous ['mɔnstrəs] ADJ (**a**) (= *huge*) uhyrlig, diger ❑ *...a fleet of monstrous vehicles.* ...en flåte av uhyrlige *or* digre kjøretøyer.
(**b**) (= *ugly*) avskyelig ❑ *...monstrous shapes.* ...avskyelige former.
(**c**) (= *outrageous*) uhyrlig ❑ *The court's judgement was absolutely monstrous.* Rettens dom var aldeles uhyrlig.
montage [mɔn'tɑ:ʒ] s montasje *m*
Mont Blanc [m[~ɔ] blɑ̃] s Mont Blanc
Montenegro [mɔntə'ni:grəu] s Montenegro
month [mʌnθ] s måned *m*
▸ **every month** hver måned
▸ **300 dollars a month** 300 dollar i måneden
▸ **the month of May/June** mai/juni
▸ **during/in the month of May** i mai (måned)
monthly ['mʌnθlɪ] 1 ADJ (**a**) (*ticket, magazine*) måneds-
(**b**) (*payment*) måneds-, månedlig
(**c**) (*meeting*) månedlig
2 ADV månedlig, pr måned ❑ *Most of our staff are paid monthly.* De fleste av våre ansatte blir betalt månedlig *or* pr måned.
▸ **twice monthly** to ganger i måneden, to ganger pr måned
Montreal [mɔntrɪ'ɔ:l] s Montreal
monument ['mɔnjumənt] s (**a**) (= *memorial*) monument *nt*, minnesmerke *nt* ❑ *Across the grass is the monument to FD Roosevelt.* Tvers over plenen er monumentet *or* minnesmerket over FD Roosevelt.
(**b**) (= *historical building*) monument *nt* ❑ *The house was designated a national monument.* Huset ble erklært som nasjonalmonument.
monumental [mɔnju'mentl] ADJ (**a**) (= *large, important*) monumental ❑ *...the monumental facade of the Royal School.* ...den monumentale fasaden til den kongelige skolen. *...Wedderburn's monumental work...* Wedderburns monumentale verk...
(**b**) (= *terrific: storm, row*) kolossal ❑ *That night there was a monumental hailstorm.* Den natten var det et kolossalt haglevær.
moo [mu:] VI si* mø
mood [mu:d] s (**a**) (*of person*) humør *nt* ❑ *At midday, my mood began to change.* Ved middagstider begynte humøret mitt å forandre seg.
(**b**) (*of crowd, group*) stemning *m* ❑ *The mood of this week's meeting...* Stemningen på denne ukens møte...
▸ **to be in a good/bad mood** være* i godt/dårlig humør
▸ **to be in the mood for** være* i humør til
moodily ['mu:dɪlɪ] ADV furtent
moody ['mu:dɪ] ADJ (**a**) (= *variable*) humørsyk, lunefull ❑ *He was generally moody and unpredictable.* Han var som regel humørsyk *or* lunefull og uberegnelig.
(**b**) (= *sullen*) furten ❑ *He's only moody because things aren't working out at home.* Han er bare furten fordi ting ikke fungerer hjemme hos ham.
moon [mu:n] s måne *m*
moonlight ['mu:nlaɪt] 1 s måneskinn *nt*, månelys *nt*
2 VI (*sl: work*) jobbe (*v1*) på si (*uten lov fra hovedarbeidsgiver*) ❑ *She moonlighted as a waitress.* Hun jobbet på si som servitør.
moonlighting ['mu:nlaɪtɪŋ] (*sl*) s *det å jobbe på si, uten lov fra hovedarbeidsgiver* NB *She informed on her neighbour for moonlighting.* Hun angav naboen sin for å jobbe på si.
moonlit ['mu:nlɪt] ADJ ▸ **a moonlit night** en månelys kveld
moonshot ['mu:nʃɔt] s oppskyting *c* av månerakett
moony ['mu:nɪ] ADJ (*look etc*) fjern
moor [muəʳ] 1 s hei *c*, mo *m*
2 VT (+*ship*) fortøye (*v3*)
3 VI fortøye (*v3*)
mooring ['muərɪŋ] s fortøyning *m*
▸ **moorings** SPL (= *chains*) fortøyning *m sg*
Moorish ['muərɪʃ] ADJ maurisk
moorland ['muələnd] s heiområde *nt*
moose [mu:s] s UBØY elg *m*
moot [mu:t] 1 VT ▸ **to be mooted** bli* antydet
2 ADJ ▸ **this is a moot point** dette kan diskuteres
mop [mɔp] 1 s (**a**) (*for floor*) mopp *m*
(**b**) (*for dishes*) oppvaskkost *m*
(**c**) (*of hair*) manke *m* ❑ *...a coarse mop of black hair.* ...en stri, svart hårmanke.
2 VT (**a**) (+*floor*) vaske (*v1*) (*med mopp*)
(**b**) (+*brow, liquid, sweat*) tørke (*v1*) ❑ *He mopped the sweat from his face.* Han tørket svetten fra ansiktet.
▸ **mop up** VT (+*liquid*) tørke (*v1*) opp
mope [məup] VI henge* med nebbet
▸ **mope about** VI gå* og henge med nebbet
▸ **mope around** VI = **mope about**
moped ['məupɛd] s moped *m*
moquette [mɔ'kɛt] s mokett *m*
MOR (*MUS*) ADJ FK = **middle-of-the-road**
moral ['mɔrl] 1 ADJ moralsk ❑ *...moral standards.* ...det moralske nivået. *It is our moral duty to stay.* Det er vår moralske plikt å bli. *Why do you have to be so moral?* Hvorfor må du være* så moralsk?

2 s (*of story etc*) moral *m*
▸ **morals** SPL (= *principles, values*) moral *m* ❑ *Films like this are a danger to public morals.* Slike filmer er en fare for den offentlige moral.
▸ **moral support** moralsk støtte *c*

morale [mɔ'rɑːl] s moral *m*

morality [mə'rælɪtɪ] s (**a**) (= *good behaviour*) moral *m* ❑ *Sexual morality...* Seksualmoral.... Sedelighet...
(**b**) (= *system of morals*) moralsystem *nt* ❑ *Conflicts must arise between the two moralities.* Det må oppstå konflikter mellom de to moralsystemene.
(**c**) (= *correctness, acceptability*) moral *m, de moralske sidene ved noe* ❑ *We talked about the morality of fox-hunting.* Vi snakket om moralen i *or* de moralske sidene ved revejakt.

moralize ['mɔrəlaɪz] VI ▸ **to moralize (about)** moralisere (*v2*) (over)

morally ['mɔrəlɪ] ADV moralsk ❑ *I hold you morally responsible for her death.* Jeg holder deg moralsk ansvarlig for at hun døde. *I try to live morally.* Jeg prøver å leve moralsk.

moral victory s moralsk seier *m*

morass [mə'ræs] s (**a**) sump *m*, hengemyr *c*
(**b**) (*fig*) hengemyr *c* ❑ *They are bogged down in a morass of paperwork.* De sitter fast i en hengemyr av papirarbeid.

moratorium [mɔrə'tɔːrɪəm] s moratorium *nt irreg*, midlertidig stans *m* ❑ *...the moratorium on the building of new warships.* ...moratoriet for *or* den midlertidige stansen i byggingen av nye krigsskip.

Moravia [mə'reɪvɪə] s Morava

morbid ['mɔːbɪd] ADJ (**a**) (*imagination, obsession, interest*) sykelig, morbid
(**b**) (*comments, behaviour*) morbid ❑ *It's morbid to dwell on cemeteries and such like.* Det er morbid å oppholde seg på kirkegårder og slikt.

KEYWORD

more [mɔːʳ] 1 ADJ (**a**) (= *greater: in number*) flere; (*in quantity*) mer
▸ **more people/work** flere folk/mer arbeid
▸ **more money** mer *or* flere penger
▸ **I have more money than you** jeg har mer *or* flere penger enn du *or* deg
▸ **I have more wine than beer** jeg har mer vin enn øl
(**b**) (= *additional: in number*) flere; (*in quantity*) mer
▸ **(some) more tea?** (noe) mer te?
▸ **is there any more wine?** er det noe mer vin?
▸ **are there any more cakes?** er det noen flere kaker?
▸ **I have no more** *or* **I don't have any more milk/pencils** jeg har ikke mer melk/ikke flere blyanter
▸ **a few more weeks** noen uker til
2 PRON (**a**) (= *greater: in number*) flere; (*in quantity*)
▸ **mer**
▸ **more than 10** mer *or* flere enn 10
▸ **it cost more than we expected** det kostet mer enn vi trodde
(**b**) (= *additional: in number*) flere; (*in quantity*) mer
▸ **is there/are there any more?** er det noe mer/noen flere?
▸ **there's/there are no more** det er ikke mer/flere
▸ **a little more** litt mer/flere
▸ **many/much more** mange flere/mye mer
3 ADV (*to form comparative with adjs, advs*) mer, *or using comparative of adj, adv*
▸ **more dangerous/difficult/economically** *etc* **(than)** mer risikabel/vanskelig/økonomisk *etc* (enn)
▸ **more easily/quickly (than)** lettere/raskere (enn)
▸ **more and more** mer og mer ❑ *They grew more and more excited.* De ble mer og mer spent. *He grew to like her more and more.* Han begynte å like henne bedre og bedre.. Han likte henne stadig bedre.
▸ **more or less** (*+adj, adv*) mer eller mindre; (*at end of sentence*) sånn omtrent ❑ *The job's more or less finished.* Jobben er mer eller mindre ferdig. *It should cost $500, more or less.* Den skulle* koste 500 dollar, sånn omtrent.
▸ **more than ever** mer/flere enn noensinne
▸ **more beautiful than ever** nydeligere enn noensinne
▸ **he loved her more than ever** han elsket henne mer enn noensinne
▸ **more quickly than ever** raskere enn noensinne

moreover [mɔː'rəuvəʳ] ADV dessuten

morgue [mɔːg] s likhus *nt*

MORI ['mɔːrɪ] (*BRIT*) S FK (= **Market Opinion Research Institute**) *meningsmålingsinstitutt*

moribund ['mɔrɪbʌnd] ADJ døende

Mormon ['mɔːmən] s mormoner *m*

morning ['mɔːnɪŋ] 1 s (**a**) (*early*) morgen *m*
(**b**) (*late*) formiddag *m* ❑ *The next morning I got up early...* Den neste morgenen stod jeg opp tidlig... *She died in the early hours of this morning.* Hun døde tidlig i morges *or* i de tidlige morgentimene.
2 SAMMENS (*paper, sun, walk*) morgen-
▸ **in the morning** om morgenen/formiddagen
▸ **7 o'clock in the morning** klokka 7 om morgenen
▸ **this morning** i morges/i formiddag

morning-after pill ['mɔːnɪŋ'ɑːftə-] s angrepille *c*

morning sickness s morgenkvalme *m*

Moroccan [mə'rɔkən] 1 ADJ marokkansk
2 s (*person*) marokkaner *m*

Morocco [mə'rɔkəu] s Marokko

moron ['mɔːrɔn] (*sl*) s sinke *c* (*sl*), idiot *m*

moronic [mə'rɔnɪk] (*sl*) ADJ (*person, behaviour*) idiotisk, sinnssvak

morose [mə'rəus] ADJ (*person, behaviour*) mutt

morphine ['mɔːfiːn] s morfin *m*

morris dancing ['mɔrɪs-] s morrisdans *m, engelsk folkedans*

Morse [mɔːs] s (*also* ***Morse code***) morse *m*

morsel ['mɔːsl] s (liten) bit *m*, smule *m*

mortal ['mɔːtl] 1 ADJ (**a**) (*man, wound*) dødelig ❑ *Remember that you are mortal.* Husk at du er dødelig.
(**b**) (*danger*) livs- ❑ *All of a sudden we were in mortal danger.* Plutselig var vi i livsfare.
(**c**) (*sin, enemy*) døds- ❑ *To be a mortal sin, the*

offence has to be serious. For å være* en dødssynd, må overtredelsen være* alvorlig.
(**d**) (*combat*) på liv og død ❑ *They were locked in mortal combat.* De var fastlåst i en kamp på liv og død.
2 s dødelig *m decl as adj* ❑ *...ordinary mortals.* ...vanlige dødelige.
▸ **mortal remains** jordiske levninger
mortality [mɔː'tælɪtɪ] s dødelighet *c* ❑ *...a sense of mortality.* ...en følelse av dødelighet. *Infant mortality...* Barnedødeligheten...
mortality rate s dødelighet *c*, dødsrate *m*
mortar ['mɔːtəʳ] s (**a**) (*MIL*) morter *m*
(**b**) (*CONSTR*) mørtel *m*
(**c**) (*KULIN*) morter *m* ❑ *...a mortar and pestle.* ...en morter og en støter.
mortgage ['mɔːgɪdʒ] 1 s boliglån *nt*
2 VT belåne (*v2*)
▸ **to take out a mortgage** ta* opp boliglån
mortgage company (*US*) s finansselskap *nt* (*som gir boliglån*)
mortgagee [mɔːgə'dʒiː] s panthaver *m*, långiver *m*
mortgagor ['mɔːgədʒəʳ] s låntaker *m*
mortician [mɔː'tɪʃən] (*US*) s *innehaver av begravelsesbyrå*
mortified ['mɔːtɪfaɪd] ADJ ▸ **to be mortified** være* (sterkt) beskjemmet
mortify ['mɔːtɪfaɪ] VT gjøre* (sterkt) beskjemmet
mortise lock ['mɔːtɪs-] s innstikklås *m*
mortuary ['mɔːtjuərɪ] s bårehus *nt*, likhus *nt*
mosaic [məu'zeɪɪk] s mosaikk *m*
Moscow ['mɔskəu] s Moskva
Moslem ['mɔzləm] ADJ, S = **Muslim**
mosque [mɔsk] s moské *m*
mosquito [mɔs'kiːtəu] (*pl* **mosquitoes**) s mygg *m*
mosquito net s myggnetting *m*
moss [mɔs] s mose *m*
mossy ['mɔsɪ] ADJ (*bank, steps*) mosegrodd

KEYWORD

most [məust] 1 ADJ (**a**) (*= almost all : in number*) de fleste; (*in quantity*) det meste
▸ **most people** de fleste (mennesker)
▸ **most men/dogs** de fleste menn/hunder
▸ **most milk is tested here** mesteparten av *or* det meste av melken blir testet her
(**b**) (*= greatest*) ▸ **(the) most** (*in number*) flest; (*in quantity*) mest
▸ **who has (the) most money?** hvem har mest *or* flest penger?
▸ **the most pleasure** mest glede
2 PRON (*= greatest number*) de fleste; (*= greatest quantity*) det meste
▸ **most of it/them** det meste av det/de fleste av dem
▸ **I saw the most** jeg så det meste, jeg så mesteparten
▸ **to make the most of sth** gjøre* det beste ut av noe, utnytte (*v1*) noe så godt man kan ❑ *The good weather won't last, so you'd better make the most of it.* Finværet kommer ikke til å vare, så du bør helst gjøre* det beste ut av det *or* du bør helst utnytte det så godt du kan.
▸ **at the (very) most** høyst, toppen, i høyden ❑ *I only have 20 minutes at the most.* Jeg har bare høyst *or* toppen *or* i høyden 20 minutter.
3 ADV (**a**) (*superlative : + verb : spend, eat, work etc*) mest; (+ *adj*) ▸ **the most intelligent/expensive** de(n) mest intelligente/kostbare; (+ *adv*) ▸ **the most intelligently/expensively** det mest intelligent/kostbart
(**b**) (*= very*) svært, meget, høyst
▸ **a most interesting book** en høyst *or* svært *or* meget interessant bok

mostly ['məustlɪ] ADV for det meste, hovedsakelig
MOT (*BRIT*) S FK (= **Ministry of Transport**) ▸ **MOT (test)** *(årlig) obligatorisk kontroll av motorkjøretøyer*
motel [məu'tɛl] s motell *nt*
moth [mɔθ] s møll *m*
mothball ['mɔθbɔːl] 1 s møllkule *c*
2 VT (+*plans*) skrinlegge*
moth-eaten ['mɔθiːtn] (*neds*) ADJ møllspist
mother ['mʌðəʳ] 1 s mor *c irreg*
2 VT (**a**) (*= act as mother to*) stelle (*v2x*) med (som mor) ❑ *Monkeys who were badly mothered became bad mothers themselves.* Apekatter som fikk dårlig stell av mødrene sine som små, ble selv dårlige mødre.
(**b**) (*= pamper, protect*) stelle (*v2x*) med (*moderlig*) ❑ *She mothers all her lodgers.* Hun steller med alle leieboerne sine.
▸ **mother country** fedreland *nt*
▸ **mother company** moderselskap *nt*
▸ **don't mother me!** du er ikke moren min!
mother board ['mʌðəbɔːd] (*DATA*) s hovedkort *nt*
motherfucker ['mʌðəfʌkəʳ] (*US : sl!*) s jævel *m* (*sl!*)
motherhood ['mʌðəhud] s *det å være* mor*; (*= role as mother*) morsrolle *c*
mother-in-law ['mʌðərɪnlɔː] s svigermor *c irreg*
motherly ['mʌðəlɪ] ADJ moderlig
mother-of-pearl ['mʌðərəv'pəːl] s perlemor *c uncount*
mother's help s ≈ husmorvikar *m*
mother-to-be ['mʌðətə'biː] s vordende mor *c irreg*
mother tongue s morsmål *nt*
mothproof ['mɔθpruːf] ADJ (*fabric*) møllsikker
motif [məu'tiːf] s (*= design, theme*) motiv *nt* ❑ *There were white curtains with red motifs on them.* Det var hvite gardiner med røde motiver på. *A motif that runs through the play is Hedda's hair.* Et motiv som går igjen i hele stykket, er Heddas hår.
motion ['məuʃən] 1 s (**a**) (*= movement, gesture*) bevegelse *m* ❑ *The bed swayed with the motion of the ship.* Sengen gynget med bevegelsen i skipet. *With a quick motion of her hands...* Med en rask håndbevegelse...
(**b**) (*proposal*) framlegg *nt* ❑ *He proposed the motion that...* Han gjorde framlegg om at...
(**c**) (*BRIT : **bowel motion***) avføring *c*
2 VT, VI ▸ **to motion (to) sb to do sth** gjøre* tegn til noen om å gjøre* noe ❑ *Boylan motioned to Rudolph to sit down.* Boylan gjorde tegn til Rudolph om å sette seg.
▸ **to be in motion** være* i bevegelse
▸ **to set in motion** sette* i bevegelse
▸ **to go through the motions (of doing sth)** (*fig*) late* som om (man gjør noe)
motionless ['məuʃənlɪs] ADJ ubevegelig

motion picture s film *m*
motivate ['məutɪveɪt] VT (*+person, act, decision*) motivere (*v2*) ❑ *My trip was motivated by a desire to leave home.* Turen min var motivert ut fra et ønske om å dra hjemmefra.
motivated ['məutɪveɪtɪd] ADJ motivert ❑ *...highly motivated people.* ...svært motiverte folk.
▸ **motivated by** motivert *or* drevet av ❑ *...groups motivated by envy and the lust for power.* ...grupper som er motivert *or* drevet av misunnelse og maktbegjær.
motivation [məutɪ'veɪʃən] s motivasjon *m*
motive ['məutɪv] 1 s motiv *nt* ❑ *I urge you to question his motives.* Jeg ber deg innstendig om å sette spørsmålstegn ved motivene hans.
2 ADJ (*power, force*) driv- ❑ *Electricity is just one form of motive power.* Elektrisitet er bare en form for drivkraft.
▸ **from the best (of) motives** ut fra de aller beste motiver, med de beste hensikter
motley ['mɔtlɪ] ADJ (*collection, crew*) broket
motor ['məutəʳ] 1 s (**a**) (*of machine, vehicle*) motor *m*
(**b**) (*BRIT: sl: car*) kjerre *f* (*sl*) ❑ *That's a smashing new motor you've got.* Det var ei stilig ny kjerre du har fått deg.
2 SAMMENS (*industry, trade*) bil- ❑ *...the decline of the motor industry.* ...nedgangen i bilindustrien.
motorbike ['məutəbaɪk] s motorsykkel *m*
motorboat ['məutəbəut] s motorbåt *m*
motorcade ['məutəkeɪd] s bilkortesje *c*
motorcar ['məutəkɑ:] (*BRIT*) s automobil *m*
motorcoach ['məutəkəutʃ] (*BRIT*) s (tur)buss *m*
motorcycle ['məutəsaɪkl] s motorsykkel *m*
motorcycle racing s motorsykkelløp *nt*
motorcyclist ['məutəsaɪklɪst] s motorsyklist *m*
motoring ['məutərɪŋ] (*BRIT*) 1 s bilisme *m*
2 SAMMENS (*offence, accident*) trafikk-; (*holiday*) bil-
motorist ['məutərɪst] s bilist *m*
motorized ['məutəraɪzd] ADJ (*transport, vehicle, troops*) motorisert
motor oil s motorolje *c*
motor racing (*BRIT*) s billøp *nt*
motor scooter s scooter *m*
motor vehicle s motorkjøretøy *nt*
motorway ['məutəweɪ] (*BRIT*) s motorvei *m*
mottled ['mɔtld] ADJ spettet(e)
motto ['mɔtəu] (*pl* **mottoes**) s motto *nt*, valgspråk *nt*
mould [məuld], **mold** (*US*) 1 s (**a**) (*for jelly, metal*) form *c*
(**b**) (*= mildew*) mugg *nt*
2 VT forme (*v1*) ❑ *...clay moulded into ships.* ...leire som var formet til skip. *Television plays a dominant role in moulding public opinion.* Tv spiller en sentral rolle i å forme folkets meninger.
mo(u)lder ['məuldəʳ] VI morkne (*v1*)
mo(u)lding ['məuldɪŋ] s profillist *c*, profilert list *c*
mo(u)ldy ['məuldɪ] ADJ muggen
moult [məult], **molt** (*US*) VI (*animal+*) røyte (*v1*); (*bird+*) felle (*v2x*) fjær
mound [maund] s (**a**) (*of earth*) voll *m* ❑ *...a circular mound of earth.* ...en buet jordvoll.
(**b**) (*of blankets, leaves etc*) haug *m*, dynge *c* ❑ *...under a mound of blankets.* ...under en haug *or* dynge med tepper.
mount [maunt] 1 s (**a**) (*= mountain in proper names*) ▸ **Mount Carmel** Karmelfjellet
(**b**) (*= horse*) ganger *m*
(**c**) (*for picture, photograph etc*) kartong *m*
2 VT (**a**) (*+horse*) bestige*
(**b**) (*+exhibition, display*) arrangere (*v2*)
(**c**) (*+attack, campaign*) iverksette*
(**d**) (*+jewel, picture*) montere (*v2*) ❑ *The sword was mounted in a mahogany case.* Sverdet var montert i en mahognikasse.
(**e**) (*+stamp*) sette* inn (i album)
(**f**) (*+staircase*) stige* opp ❑ *She mounted the last flight to the sixth floor.* Hun gikk opp den siste trappen til sjette etasje.
3 VI (**a**) (*= increase: inflation, tension, problems*) vokse (*v1*), øke (*v2*) ❑ *Social problems are mounting.* Sosiale problemer vokser *or* øker.
(**b**) (*= get on a horse*) stige* opp på hesten
▸ **mount up** VI (*bills, costs, savings+*) samle (*v1*) seg opp ❑ *Put a little by each week. You'll be surprised how it mounts up.* Legg til side litt hver uke. Du vil bli* overrasket over hvordan det samler seg opp.
mountain ['mauntɪn] 1 s fjell *nt*
2 SAMMENS (*road, stream*) fjell-
▸ **a mountain of** (*+papers, work*) et lass *or* et berg med
▸ **to make a mountain out of a molehill** gjøre* en spurv til en elefant, gjøre* en fjær til fem høns
mountain bike s offroadsykkel *m*
mountaineer [mauntɪ'nɪəʳ] s fjellklatrer *m*
mountaineering [mauntɪ'nɪərɪŋ] s fjellklatring *c*
▸ **to go mountaineering** klatre (*v1*) i fjell
mountainous ['mauntɪnəs] ADJ (*country*) fjell-; (*area*) fjellendt
mountain range s fjellkjede *m*
mountain rescue team s fjellredningslag *nt*
mountainside ['mauntɪnsaɪd] s fjellside *c*
mounted ['mauntɪd] ADJ (*police, soldiers*) ridende
Mount Everest s Mount Everest
mourn [mɔ:n] VTI ▸ **to mourn (for)** sørge (*v1*) (over)
mourner ['mɔ:nəʳ] s sørgende *m decl as adj*
mournful ['mɔ:nful] ADJ sorgfylt, sorgtung
mourning ['mɔ:nɪŋ] s sorg *m*
▸ **to be in mourning** ha* *or* bære* sorg
mouse [maus] (*pl* **mice**) s (*animal, COMPUT, coward*) mus *c* ❑ *What did I marry, a man or a mouse?* Hvem giftet jeg meg med, en mann eller en mus?
mousetrap ['maustræp] s musefelle *c*
moussaka [mu'sɑ:kə] s moussaka *m*
mousse [mu:s] s (*KULIN*) mousse *m*, fromasj *m*; (*cosmetic*) skum *nt*
moustache [məs'tɑ:ʃ], **mustache** (*US*) s bart *m*
mousy ['mausɪ] ADJ (*hair*) musebrun, musegrå
mouth [mauθ] (*pl* **mouths**) s (*of person, animal*) munn *m*; (*of cave, hole, bottle*) åpning *m*; (*of river*) munning *m*
mouthful ['mauθful] s munnfull *m* ❑ *He took another mouthful of whisky.* Han tok en munnfull *or* slurk til med whisky.

mouth organ s munnspill *nt*
mouthpiece ['mauθpi:s] s (*of musical instrument*) munnstykke *nt*; (= *spokesman*) talerør *nt*
mouth-to-mouth ['mauθtə'mauθ] ADJ
▸ **mouth-to-mouth resuscitation** munn-mot-munn-metoden
mouthwash ['mauθwɔʃ] s munnvann *nt*
mouth-watering ['mauθwɔ:tərɪŋ] ADJ (*food, menu etc*) som får tennene til å løpe i vann
movable ['mu:vəbl] ADJ flyttbar ❑ *The room is divided by movable screens.* Rommet er delt opp med flyttbare skjermbrett.
▸ **movable feast** bevegelig høytid *c*; (*fig*) ▸ **the marketing meeting is a movable feast** markedsmøtet har ingen fast tid eller sted
move [mu:v] 1 s (**a**) (= *movement*) bevegelse *m* ❑ *One move and we'll start shooting.* En bevegelse, og vi begynner å skyte.
(**b**) (*in game: change of position*) trekk *nt* ❑ *That was a clever move.* Det var et lurt trekk.
(**c**) (= *turn to play*) tur *m* (til å flytte) ❑ *Whose move is it?* Hvem er det sin tur (til å flytte)?
(**d**) (*from house*) flytting *c* ❑ *I wrecked a good stereo on my last move.* Jeg ødela et bra stereoanlegg i den siste flyttingen min.
(**e**) (*from job*) forflytning *m* ❑ *Frequent moves at the top levels...* Hyppige forflytninger i toppsjiktene...
2 VT (**a**) (= *change position of: furniture, car, curtains, in game*) flytte (*v1*) ❑ *Workmen were moving a heavy wardrobe into a bedroom.* Noen arbeidere flyttet et tungt klesskap inn på et soverom. *He finally moved his King.* Han flyttet endelig kongen sin.
(**b**) (*emotionally*) bevege (*v1*), røre (*v2*) ❑ *The whole incident had moved her profoundly.* Hele hendelsen hadde beveget *or* rørt henne dypt.
(**c**) (*+resolution etc*) ▸ **to move that** gjøre* framlegg om at ❑ *She moved that the meeting be adjourned.* Hun gjorde framlegg om at møtet skulle* heves.
3 VI (**a**) (*person, animal, traffic+*) bevege (*v1*) seg, røre (*v2*) (på) seg ❑ *I was so scared I couldn't move.* Jeg var så redd at jeg ikke kunne* bevege *or* røre meg. *The line of cars did not move.* Bilkøen beveget *or* rørte seg ikke *or* rørte ikke på seg.
(**b**) (*in game; move house*) flytte (*v1*) ❑ *It's your turn to move.* Det er din tur til å flytte. *Last year my parents moved.* I fjor flyttet foreldrene mine.
(**c**) (= *develop: situation, events*) gå ❑ *Events now moved swiftly.* Nå gikk tingene raskt.
▸ **to move towards** bevege (*v1*) seg mot
▸ **to move sb to do sth** få* noen til å gjøre* noe ❑ *What has moved the President to take this step?* Hva har fått presidenten til å ta* dette skrittet?
▸ **a move to** *or* **towards independence/democracy** *etc* en overgang til uavhengighet/demokrati *etc*
▸ **to get a move on** få* opp farten ❑ *Get a move on, you two.* Få opp farten, dere to.
▸ **move about** VI (**a**) (= *change position*) bevege (*v1*) seg omkring ❑ *He thought he heard Sue moving about.* Han syntes han hørte Sue bevege seg omkring.
(**b**) (= *travel*) dra* rundt ❑ *She moved about from place to place.* Hun drog rundt fra sted til sted.
(**c**) (= *change residence, job*) flytte (*v1*) på seg ❑ *I've moved about a bit.* Jeg har flyttet en del på meg.
▸ **move along** VI bevege (*v1*) seg bortover *or* videre
▸ **move around** VI = **move about**
▸ **move away** VI (= *change residence*) flytte (*v1*) ❑ *They retired from farming and moved away.* De sluttet med å drive gårdsbruk og flyttet.
▸ **move back** VI (**a**) (= *return*) flytte (*v1*) tilbake (**b**) (*backwards*) flytte (*v1*) bakover
▸ **move forward** VI bevege (*v1*) seg forover *or* framover
▸ **move in** VI (**a**) (*to a house*) flytte (*v1*) inn ❑ *We had moved in at the height of the summer.* Vi hadde flyttet inn midt på sommeren.
(**b**) (*+police, soldiers*) rykke (*v1*) inn ❑ *The troops moved in to stop the riot.* Troppene rykket inn for å stanse opprøret.
▸ **move off** VI (*car+*) kjøre (*v2*) av sted *or* av gårde
▸ **move on** 1 VI (= *leave*) dra* videre, komme* seg videre ❑ *After three weeks in Hong Kong, we moved on to Japan.* Etter tre uker i Hong Kong, drog vi *or* kom vi oss videre til Japan.
2 VT (*+onlookers*) jage (*v1 or v3*) vekk
▸ **move out** VI (*of house*) flytte (*v1*) ut
▸ **move over** VI flytte (*v1*) (på) seg ❑ *Move over a bit, will you?* Flytt deg litt *or* flytt litt på deg, er du snill.
▸ **move up** VI flytte (*v1*) opp
moveable ['mu:vəbl] ADJ = **movable**
movement ['mu:vmənt] s (**a**) (*action, gesture, shift, political group*) bevegelse *m* ❑ *He heard movement in the hut.* Han hørte bevegelse i hytta. *Tom lit a cigarette with quick, jerky movements.* Tom tente en sigarett med raske, rykkvise bevegelser. *There was a movement towards a revival of conscription.* Det var en bevegelse mot gjeninnføring av verneplikt. *...the Trade Union Movement.* ...fagbevegelsen.
(**b**) (= *travel*) reising *c* ❑ *Movement of immigrants is severely restricted.* Det er strenge restriksjoner på reising for innvandrere.
(**c**) (= *transportation: of goods etc*) transport *m* ❑ *...the movement of oil cargoes.* ...transporten av oljelaster.
(**d**) (MUS) sats *m* ❑ *There is an immensely long first movement.* Det er en veldig lang første sats.
(**e**) (MED) ▸ **(bowel) movement** avføring *c* ❑ *...he had had a bowel movement that day.* ...han hadde hatt avføring den dagen.
mover ['mu:vəʳ] s (*of proposal*) forslagsstiller *m*
movie ['mu:vɪ] s film *m*
▸ **to go to the movies** gå* på kino
movie camera s (smal)filmkamera *nt*
moviegoer ['mu:vɪgəuəʳ] (US) s kinogjenger *m*
moving ['mu:vɪŋ] ADJ (**a**) (= *emotional*) rørende ❑ *My visit was a moving experience.* Besøket mitt var en rørende opplevelse.
(**b**) (= *that moves*) bevegelig ❑ *...a machine with no moving parts.* ...en maskin uten noen bevegelige deler.
(**c**) (= *instigating*) ▸ **the moving spirit/force behind sth** ildsjelen/drivkraften bak noe

mow [məu] (*pt* **mowed**, *pp* **mowed** *or* **mown**) VT (*+grass*) slå*, klippe (*v1 or v2x*); (*+corn*) slå*
▸ **mow down** VT (= *kill*) meie (*v1*) ned
mower ['məuə^r] S (*also* ***lawnmower***) gressklipper *m*
Mozambique [məuzəm'bi:k] S Mosambik
MP S FK (= **Member of Parliament**) parlamentsmedlem *nt*; (= **Military Police**) MP *nt*; (CAN) (= **Mounted Police**) ridende politi *nt*
mpg S FK = **miles per gallon**
mph FK = **miles per hour**
MPhil S FK (= **Master of Philosophy**) *høyere universitetsgrad*
MPS (*BRIT*) S FK (= **Member of the Pharmaceutical Society**) *tittel*
Mr ['mɪstə^r], **Mr.** (*US*) S ▸ **Mr Smith** herr Smith
MRC (*BRIT*) S FK (= **Medical Research Council**) *forskningsråd*
MRCP (*BRIT*) S FK (= **Member of the Royal College of Physicians**) *tittel*
MRCS (*BRIT*) S FK (= **Member of the Royal College of Surgeons**) *tittel*
MRCVS (*BRIT*) S FK (= **Member of the Royal College of Veterinary Surgeons**) *tittel*
Mrs ['mɪsɪz], **Mrs.** (*US*) S ▸ **Mrs Smith** fru Smith
MS [1] S FK = **multiple sclerosis**; (*US* = **Master of Science**) *høyere universitetsgrad i realfag*, cand. real., cand. scient.
[2] FK (*US: POST*) = **Mississippi**
Ms [z], **Ms.** (*US*) S (= = *Miss or Mrs*) ▸ **Ms Smith** fr. Smith
MS. S FK = **manuscript**
MSA (*US*) S FK (= **Master of Science in Agriculture**) *høyskolekandidat i jordbruksfag*
MSc S FK (= **Master of Science**) *høyere universitetsgrad i realfag*, cand. real., cand. scient.
MSG S FK (= **monosodium glutamate**) monosodiumglutamat *nt*
MST (*US*) FK (= **Mountain Standard Time**) *normaltid i tidssonen som dekker bl.a. Rocky Mountains*
MSW (*US*) S FK = **Master of Social Work**
MT [1] S FK (*DATA, LING*) (= **machine translation**) maskinoversettelse *m*
[2] FK (*US: POST*) = **Montana**
Mt (*GEOG*) FK = **mount**
MTV (*US*) S FK (= **music television**) *musikkanal på TV*

KEYWORD

much [mʌtʃ] [1] ADJ, PRON (*time, money, effort*) mye
▸ **we haven't got much time/money** vi har ikke mye tid/penger
▸ **how much?** hvor mye?
▸ **how much is it?** hvor mye koster den?
▸ **so much** så mye
▸ **as much as** (*as expected, as one can etc*) så mye som; (*as sb else*) like mye som ❑ *He got as much as he had expected.* Han fikk så mye som han hadde tenkt. *I have as much money as you.* Jeg har like mye penger som deg.
[2] ADV (**a**) (= *greatly, a great deal*) ▸ **thank you very much** tusen takk
▸ **we are very much looking forward to it** vi ser veldig fram til det
▸ **as much as** (*as expected, as one can etc*) så mye som; (*as sb else*) like mye som ❑ *I read as much as possible.* Jeg leser så mye som mulig. *He is as much a part of the community as you.* Han er like mye en del av fellesskapet som deg.
(**b**) (= *by far*) mye
▸ **much better** mye bedre
▸ **it's much the biggest** det er det langt største
(**c**) (= *almost*) omtrent ❑ *The view is much as it was 10 years ago.* Utsikten er omtrent som den var for 10 år siden.
▸ **the 2 books are much the same** de 2 bøkene er omtrent like
▸ **how are you feeling? much the same** hvordan føler du deg? omtrent som før

muck [mʌk] S (= *dirt*) møkk *f* ❑ *There was muck everywhere.* Det var møkk overalt.
▸ **muck about** (*sl*) [1] VT (*+person*) herse (*v1*) rundt med
[2] VI (**a**) (= *fool about*) tulle (*v1*) rundt, tøyse (*v1*) omkring
(**b**) (*talk foolishly*) tulle (*v1*), tøyse (*v1*)
▸ **to muck about with sth** fingre (*v1*) med noe
▸ **muck around** VI = **muck about**
▸ **muck in** (*BRIT: sl*) VI ta* i et tak ❑ *If we all muck in, we'll have the job done in no time.* Hvis vi tar i et tak alle sammen, får vi jobben gjort på et øyeblikk.
▸ **muck out** VT måke (*v2*) (møkk) i
▸ **muck up** (*sl*) VT tulle (*v1*) til ❑ *I've mucked up my driving test.* Jeg har tullet til førerprøven min.
muckraking ['mʌkreɪkɪŋ] (*sl*) [1] S (*fig*) skittkasting *c*
[2] ADJ ▸ **muckraking reporters** skandalereportere
mucky ['mʌkɪ] ADJ (*boots, field*) møkkete
mucus ['mju:kəs] S slim *nt*
mud [mʌd] S søle *c*
muddle ['mʌdl] [1] S (**a**) (*in things, affairs*) rot *nt* ❑ *No one could sort out the muddle of her finances.* Ingen klarte å ordne opp i rotet i økonomien hennes.
(**b**) (= *mental confusion*) forvirring *c*
[2] VT (**a**) (*+person*) forvirre (*v1*) ❑ *Don't muddle her with too many suggestions.* Ikke forvirr henne med for mange forslag.
(**b**) (*+things*) rote (*v1*) til, lage (*v1 or v3*) rot i ❑ *I wish you wouldn't muddle my books.* Jeg skulle* ønske du ikke ville* rote til *or* lage rot i bøkene mine.
(**c**) (*+names*) blande (*v1*) sammen
▸ **to be in a muddle** (**a**) (*mentally*) være* forvirret
(**b**) (*things+*) være* i et eneste rot
▸ **to get in a muddle** (**a**) (*while explaining etc*) bli* forvirret
(**b**) (*things+*) rote (*v1*) seg til
▸ **muddle along** VI = **muddle through**
▸ **muddle through** VI (= *get by*) klare (*v2*) seg (som best man kan) ❑ *The children are left to muddle through on their own.* Barna er overlatt til å klare seg som best de kan på egen hånd.
▸ **muddle up** VT = **muddle**
muddle-headed [mʌdl'hɛdɪd] ADJ omtåket, svimet(e)
muddy ['mʌdɪ] ADJ (*floor, field*) sølet(e)
mud flap S skvettlapp *m*
mud flats SPL mudderbanke *m sg*

mudguard ['mʌdgɑːd] s skvettlapp *m*
mudpack ['mʌdpæk] s mudpack *m* (*ansiktsmaske*)
mud-slinging ['mʌdslɪŋɪŋ] s (*fig*) skittkasting *c* ❑ *There was a lot of mud-slinging behind the scenes.* Det var en hel del skittkasting bak kulissene.
muesli ['mjuːzlɪ] s müsli *m*
muffin ['mʌfɪn] s (*BRIT*) ≈ tebrød *nt*; (*US*) (amerikansk) muffin(s) *m(sg)* (*spises varm, med smør på*)
muffle ['mʌfl] VT (+*sound*) dempe (*v1*); (*against cold*) pakke (*v1*) inn
muffled ['mʌfld] ADJ (*sound*) dempet; (*against cold*) innpakket
muffler ['mʌflə^r] s (*US : BIL*) lyddemper *m*; (*scarf*) skjerf *nt*
mufti ['mʌftɪ] s ▸ **in mufti** i sivil
mug [mʌg] 1 s (**a**) (= *cup*) krus *nt*
(**b**) (*for beer*) krus *nt*, seidel *nt*
(**c**) (*sl : face*) tryne *nt* (*sl*)
(**d**) (= *fool*) dumming *m* (*sl*), dust *m* (*sl*) ❑ *Keep your ugly mug out of this.* Hold det stygge trynet ditt unna dette. *He's no mug.* Han er ingen dumming *or* dust.
2 VT (= *assault*) overfalle* og rane (*v1*) ❑ *My brother was mugged in town last week.* Broren min ble slått ned og ranet i byen i forrige uke.
▸ **it's a mug's game** (*BRIT*) det er rent idiotarbeid
▸ **mug up** (*BRIT : sl*) VT (*also* **mug up on**) pugge (*v1*)
mugger ['mʌgə^r] s ransmann *m irreg* (*som gjør overfall*)
mugging ['mʌgɪŋ] s overfall *nt* ❑ *Mugging, even in broad daylight, was not uncommon.* Overfall, selv på lyse dagen, var ikke uvanlig.
muggins ['mʌgɪnz] (*BRIT : sl*) s jeg min tosk ❑ *...and muggins does all the work.* ...og jeg min tosk blir sittende igjen med alt arbeidet.
muggy ['mʌgɪ] ADJ (*weather, day*) (varm og) klam
mug shot (*sl*) s bilde *nt* (*av ansikt*)
mulatto [mjuː'lætəu] (*pl* **mulattoes**) s mulatt *m*
mulberry ['mʌlbrɪ] s (*fruit*) morbær *nt*; (*tree*) morbærtre *nt*
mule [mjuːl] s muldyr *nt*
mulled [mʌld] ADJ ▸ **mulled wine** ≈ gløgg *m*
mullioned ['mʌlɪənd] ADJ (*windows*) med sprosser
mull over [mʌl-] VT gruble (*v1*) over
multi... ['mʌltɪ] PREF multi...
multiaccess ['mʌltɪ'æksɛs] (*DATA*) ADJ med flerbrukertilgang
multicoloured ['mʌltɪkʌləd], **multicolored** (*US*) ADJ mangefarget, flerfarget
multifarious [mʌltɪ'fɛərɪəs] ADJ mangeartet
multilateral [mʌltɪ'lætərl] ADJ multilateral
multilevel ['mʌltɪlɛvl] (*US*) ADJ = **multi-storey**
multimedia (*DATA*) ADJ multimedia- ❑ *...interactive multimedia products...* interaktive multimedia-produkter...
multimillionaire [mʌltɪmɪljə'nɛə^r] s multimillionær *m*
multinational [mʌltɪ'næʃənl] 1 ADJ multinasjonal
2 s multinasjonalt selskap *nt*
multiple ['mʌltɪpl] 1 ADJ (**a**) (*injuries, interests, causes*) mangfoldig
(**b**) (*collision*) med flere biler innblandet ❑ *There have been several multiple collisions this winter.* Det har vært flere kollisjoner med flere biler innblandet denne vinteren.
2 s (*MAT*) multiplum *nt* ❑ *24 is a multiple of 8.* 24 er et multiplum av 8.
multiple-choice ['mʌltɪpltʃɔɪs] ADJ (*exam*) flervalgs-
multiple sclerosis s multippel sklerose *m*
multiplex ['mʌltɪplɛks] s ▸ **multiplex transmitter** multiplekser *m*
▸ **multiplex cinema** kino *m* med flere saler
multiplication [mʌltɪplɪ'keɪʃən] s (**a**) (*MAT*) multiplikasjon *m*
(**b**) (= *increase*) flerdobling *c* ❑ *The result has been a huge multiplication of people...* Resultatet har blitt en enorm flerdobling av mennesker...
multiplication table s multiplikasjonstabell *m*
multiplicity [mʌltɪ'plɪsɪtɪ] s ▸ **a multiplicity of** et mangfold av
multiply ['mʌltɪplaɪ] 1 VT (*MAT*) ▸ **to multiply (by)** multiplisere (*v2*) (med), gange (*v1*) (med) NB *Multiply six by three.* Multipliser *or* gang seks med tre.
2 VI (= *increase*) bli* flere og flere ❑ *The creatures began to multiply very rapidly.* Skapningene begynte å bli* flere og flere *or* å formere seg svært raskt.
multiracial [mʌltɪ'reɪʃl] ADJ (*school, society*) flerkulturell
multi-storey ['mʌltɪ'stɔːrɪ] (*BRIT*) ADJ (*building, car park*) med flere etasjer, fleretasjers
multitude ['mʌltɪtjuːd] s (= *crowd*) mengde *m*
▸ **a multitude of** en mengde
mum [mʌm] (*BRIT : sl*) 1 s mamma *m*
2 ADJ ▸ **to keep mum** holde* tett
▸ **mum's the word** ≈ dette blir mellom oss
mumble ['mʌmbl] 1 VT mumle (*v1*)
2 VI mumle (*v1*)
mumbo jumbo ['mʌmbəu-] s (= *nonsense*) humbug *nt*
mummify ['mʌmɪfaɪ] VT mumifisere (*v2*)
mummy ['mʌmɪ] s (*BRIT : mother*) mamma *m*; (= *embalmed body*) mumie *m*
mumps [mʌmps] s kusma *m*
munch [mʌntʃ] 1 VT gumle (*v1*) (på)
2 VI gumle (*v1*)
mundane [mʌn'deɪn] ADJ hverdagslig
Munich ['mjuːnɪk] s München
municipal [mjuː'nɪsɪpl] ADJ ≈ kommunal
municipality [mjuːnɪsɪ'pælɪtɪ] s ≈ kommune *m*
munitions [mjuː'nɪʃənz] SPL våpen *pl* og ammunisjon *m uncount*
mural ['mjuərl] s veggmaleri *nt*
murder ['məːdə^r] 1 s (= *killing*) mord *nt*
2 VT (**a**) (= *kill*) myrde (*v1*)
(**b**) (= *spoil : piece of music, language*) radbrekke*
▸ **to commit murder** begå* mord
murderer ['məːdərə^r] s morder *m*
murderess ['məːdərɪs] s morder *m* (*kvinne*)
murderous ['məːdərəs] ADJ (*person, attack*) morderisk ❑ *...murderous tendencies.* ...morderiske tendenser.
murk [məːk] s (tett) mørke *nt* ❑ *Through the murk...* Gjennom mørket...
murky ['məːkɪ] ADJ (*street, night*) mørk og dyster; (*water*) (mørk og) grumset(e)

murmur ['mɜːmə^r] 1 s (**a**) (*of voices*) mumling *c* ❑ *There was a low murmur of conversation in the other room.* Det var en lav mumling av samtale i det andre rommet.
(**b**) (*of wind, waves*) sus *nt* ❑ *...the faint murmur of water far away.* ...det fjerne suset av vann langt borte.
2 VTI mumle (*v1*)
▸ **heart murmur** hjertemislyd *m*
MusB(ac) S FK (= **Bachelor of Music**) *lavere universitetsgrad i musikk*
muscle ['mʌsl] s (**a**) (ANAT) muskel *m*
(**b**) (*fig: strength*) styrke *m* ❑ *The campaign lacked muscle.* Kampanjen manglet styrke.
▸ **muscle in** VI trenge (*v2*) seg inn
muscular ['mʌskjulə^r] ADJ (*pain*) muskel-; (*person, build*) muskuløs
MusD(oc) S FK (= **Doctor of Music**) *doktorgrad i musikk*
muse [mjuːz] 1 VI (= *think*) fundere (*v2*), grunne (*v1*)
2 s (MYT) muse *m*
museum [mjuː'zɪəm] s museum *nt irreg*
mush [mʌʃ] s (**a**) (*substance*) guffe *f* (*sl*) ❑ *He stirred the thick mush.* Han rørte i den tjukke guffa.
(**b**) (= *sentimentality*) kliss *nt* ❑ *The film's not bad, but the ending is pure mush.* Filmen er ikke så verst, men slutten er rent kliss.
mushroom ['mʌʃrum] 1 s sopp *m*
2 VI (*fig: town*) bre (*v4*) seg (raskt); (*organization+*) gripe* om seg
mushy ['mʌʃɪ] ADJ bløt
▸ **mushy peas** bløte erter
music ['mjuːzɪk] s (**a**) musikk *m* ❑ *...dance music.* ...dansemusikk.
(**b**) (= *written music, sheet music*) noter *pl* ❑ *We can't play without the music!* Vi kan ikke spille uten noter!
musical ['mjuːzɪkl] 1 ADJ (*career, skills*) musikk-; (*person*) musikalsk; (*sound, tune, bell*) melodiøs
2 s (*show, film*) musikal *m* (*var.* musical)
music(al) box s spilledåse *m*
musical chairs s stol-leken *m*
musical instrument s musikkinstrument *nt*
music centre s stereoanlegg *nt*
music hall s (= *vaudeville*) varieté *m*
musician [mjuː'zɪʃən] s musiker *m*
music stand s notestativ *nt*
musk [mʌsk] s moskus *m*, musk *m*
musket ['mʌskɪt] s muskett *m*
muskrat ['mʌskræt] s moskusrotte *c*, bisamrotte *c*
musk rose s moskusrose *c*
Muslim ['mʌzlɪm] 1 ADJ muslimsk
2 s muslim *m*
muslin ['mʌzlɪn] s (bommuls)musselin *m*
musquash ['mʌskwɔʃ] s moskusrotte *c*, bisamrotte *c*; (*fur*) bisam *m*
mussel ['mʌsl] s musling *m*
must [mʌst] 1 s (= *necessity*) ▸ **it's a must!** det er helt nødvendig ❑ *Rubber gloves are a must if your skin is sensitive.* Gummihansker er helt nødvendige hvis du har ømfintlig hud.
2 H-VERB måtte* (**a**) (*necessity, obligation*) ▸ **I must do it** jeg må gjøre* det
(**b**) (*probability*) ▸ **he must be there by now** han må være* der nå
(**c**) (*suggestion, invitation*) ▸ **you must come and see me soon** du må komme og besøke meg snart
mustache ['mʌstæʃ] (*US*) s = **moustache**
mustard ['mʌstəd] s sennep *m*
mustard gas s sennepsgass *m*
muster ['mʌstə^r] 1 VT (**a**) (*also* ***muster up****: support, energy*) mønstre (*v1*), oppdrive*
(**b**) (*+strength, courage*) oppdrive* ❑ *He needed all the authority that he could muster.* Han trengte all den autoriteten han kunne* oppdrive.
(**c**) (*+troops, members*) mønstre (*v1*)
2 s ▸ **to pass muster** nå (*v4*) opp, være* bra nok
mustiness ['mʌstɪnɪs] s muggen lukt *c*
mustn't ['mʌsnt] = **must not**
musty ['mʌstɪ] ADJ (*smell*) muggen (og fuktig); (*building*) innestengt
mutant ['mjuːtənt] s mutant *m*
mutate [mjuː'teɪt] VI (*plant, animal+*) mutere (*v2*)
mutation [mjuː'teɪʃən] s mutasjon *m*
mute [mjuːt] 1 ADJ (= *silent*) stum ❑ *Fanny clasped her hands in mute protest.* Fanny slo hendene sammen i stum protest.
2 s (MUS) sordin *m*
muted ['mjuːtɪd] ADJ (*colour, sound, reaction, criticism*) dempet; (MUS) med sordin *m*
mutilate ['mjuːtɪleɪt] VT (*+person, body*) lemleste (*v1*); (*+thing*) beskadige (*v1*)
mutilation [mjuːtɪ'leɪʃən] s lemlestelse *m*
mutinous ['mjuːtɪnəs] ADJ (*troops, attitude*) opprørsk
mutiny ['mjuːtɪnɪ] 1 s mytteri *nt*
2 VI gjøre* mytteri
mutter ['mʌtə^r] VTI (= *speak quietly*) mumle (*v1*)
mutton ['mʌtn] s fårekjøtt *nt*
mutual ['mjuːtʃuəl] ADJ (**a**) (*feeling, attraction*) gjensidig ❑ *...the feeling was mutual.* ...følelsen var gjensidig.
(**b**) (*benefit, interest*) felles ❑ *They had discovered a mutual interest in football.* De hadde oppdaget en felles interesse for fotball.
mutually ['mjuːtʃuəlɪ] ADV gjensidig
▸ **mutually exclusive** som utelukker hverandre gjensidig ❑ *There is no reason why these two functions should be mutually exclusive.* Det er ingen grunn til at disse to funksjonene skulle* utelukke hverandre gjensidig.
Muzak® ['mjuːzæk] s musak *m*
muzzle ['mʌzl] 1 s (**a**) (= *mouth: of dog*) snute *c*
(**b**) (*of gun*) munning *m*
(**c**) (= *guard: for dog*) munnkurv *m* ❑ *Pit bulls have to wear a muzzle.* Pitbullterriere må ha* munnkurv på seg.
2 VT (**a**) (*+dog*) sette* munnkurv på ❑ *All dogs are supposed to be muzzled in the streets.* Alle hunder skal ha* munnkurv på seg på gaten.
(**b**) (*fig: press, person*) gi* munnkurv ❑ *They had pretty well muzzled the press.* De hadde så å si gitt pressen munnkurv.
MV FK (= **motor vessel**) MS *nt* (= *motorskip*)
MVP (*US: SPORT*) S FK (= **most valuable player**) (kampens/årets/sesongens) beste spiller *m*
MW (*RADIO*) FK = **medium wave**

KEYWORD

my [maɪ] 1 ADJ min *c*, mi *f*, mitt *nt*, mine *pl*
▸ **my car/house/books** bilen min/huset mitt/bøkene mine, min bil/mitt hus/mine bøker
▸ **my mother** moren min, mora mi, min mor
▸ **I've washed my hair/cut my finger** jeg har vaket håret/skåret meg i fingeren

myopic [maɪ'ɔpɪk] ADJ (**a**) (*MED*) nærsynt
(**b**) (*fig*) sneversynt ❑ *This is a somewhat myopic view.* Dette er en ganske sneversynt oppfatning.

myriad ['mɪrɪəd] s myriade *m* ❑ *...a myriad of tiny yellow flowers.* ...en myriade av bittesmå gule blomster.

myrrh [məː'] s myrra *m*

myself [maɪ'sɛlf] PRON (**a**) (*reflexive*) meg (selv) ❑ *I kicked myself.* Jeg sparket meg selv. *I hurt myself.* Jeg skadet meg.
(**b**) (*emphatic*) selv, på egen hånd ❑ *I dealt with it myself.* Jeg ordnet med det selv *or* på egen hånd.
(**c**) (*after prep*) meg selv ❑ *I said to myself...* Jeg sa til meg selv...
▸ **by myself** på egen hånd
see also **oneself**

mysterious [mɪs'tɪərɪəs] ADJ mystisk, gåtefull

mysteriously [mɪs'tɪərɪəslɪ] ADV (*disappear, die*) gåtefullt, på mystisk vis; (*smile*) gåtefullt

mystery ['mɪstərɪ] 1 s (**a**) (= *puzzle*) mysterium *nt irreg* ❑ *These two deaths have remained a mystery.* Disse to dødsfallene har forblitt et mysterium.
(**b**) (= *strangeness: of place, person*) *noe gåtefullt,* mystikk *m* ❑ *I was in love with the mystery of him.* Jeg var forelsket i det gåtefulle *or* mystikken ved ham.
2 SAMMENS ▸ **a mystery person/tour/voice** en gåtefull person/reise/stemme

mystery story s ≈ spenningsfortelling *c*

mystic ['mɪstɪk] s mystiker *m*

mystic(al) ['mɪstɪk(l)] ADJ (*experience, cult, rite*) mystisk

mystify ['mɪstɪfaɪ] VT forundre (*v1*)

mystique [mɪs'tiːk] s mystikk *m*

myth [mɪθ] s (**a**) (= *legend, story*) myte *m*, sagn *nt*
(**b**) (= *fallacy*) myte *m* ❑ *...the myth of love at first sight.* ...myten om kjærlighet ved første blikk.

mythical ['mɪθɪkl] ADJ (**a**) (*beast, monster*) mytisk, sagn-
(**b**) (*jobs, opportunities etc*) utopisk ❑ *...the mythical opportunities there.* ...de utopiske mulighetene der.

mythological [mɪθə'lɔdʒɪkl] ADJ mytologisk

mythology [mɪ'θɔlədʒɪ] s mytologi *m*

N

N, n [ɛn] s (*letter*) N, n *m*
▸ **N for Nellie,** (*US*) **N for Nan** ≈ N for Nils
N [ɛn] FK = **north**
NA (*US*) s FK (= **Narcotics Anonymous**) anonyme narkomane *pl decl as adj*
n/a FK (= **not applicable**) i/r (= *ikke relevant*)
NAACP (*US*) s FK (= **National Association for the Advancement of Colored People**) *menneskerettighetsorganisasjon*
NAAFI ['næfɪ] (*BRIT*) s FK (= **Navy, Army Air Force Institute**) *organisasjon som driver kantiner og butikker for militært personell,* Forsvarets kantiner *pl*
nadir ['neɪdɪəʳ] s (*fig*) lavpunkt *nt*, bunnivå *nt*; (*ASTRONOMY*) nadir *nt*
NAFTA ['næftə] s FK (= **North American Free Trade Agreement**) *den nord-amerikanske frihandelsavtalen*
nag [næg] 1 VT (= *scold*) mase (*v2*) på, hakke (*v1*) på
2 VI mase (*v2*) ❑ *She's always nagging, he never gets a moment's peace.* Hun maser alltid, han får aldri et øyeblikks fred.
3 s (**a**) (*neds: horse*) øk *nt*, gamp *m*
(**b**) (*person*) kjeftesmelle *f* ❑ *She's an awful nag* Hun er en forferdelig kjeftesmelle
▸ **to nag at sb** (*doubt, worry+*) plage (*v1*) noen
nagging ['nægɪŋ] ADJ (*doubt, suspicion*) nagende; (*pain*) murrende
nail [neɪl] 1 s (**a**) (*on finger, toe*) negl *m*
(**b**) (*metal*) spiker *m*
2 VT (**a**) (*sl: thief*) ta
(**b**) (*+crime*) avsløre (*v2*)
(**c**) (*attach*) ▸ **to nail sth to sth** spikre (*v1*) noe til noe
▸ **to nail sb down (to sth)** få* noen til å forplikte seg (til noe) ❑ *Nail him down to a price before you accept.* Få han til å forplikte seg på en pris før du aksepterer.
nailbrush ['neɪlbrʌʃ] s neglebørste *m*
nailfile ['neɪlfaɪl] s neglefil *c*
nail polish s neglelakk *m*
nail polish remover s neglelakkfjerner *m*
nail scissors SPL neglesaks *c sg*
nail varnish (*BRIT*) s = **nail polish**
Nairobi [naɪ'rəubɪ] s Nairobi
naïve [naɪ'i:v] ADJ (*person, ideas*) naiv, troskyldig
naïveté [naɪ'i:vteɪ] s = **naivety**
naivety [naɪ'i:vtɪ] s troskyldighet *c*, naivitet *m*
naked ['neɪkɪd] ADJ (**a**) (*person, body*) naken
(**b**) (*flame, light*) naken, bar
▸ **with the naked eye** med det blotte øye
▸ **to the naked eye** for det blotte øye
nakedness ['neɪkɪdnɪs] s nakenhet *c*
name [neɪm] 1 s (**a**) (*of person, animal, place, illness*) navn *nt* ❑ *I can't remember his name.* Jeg kan ikke huske navnet hans.
(**b**) (= *reputation*) navn *nt*, ry *nt* ❑ *Our shop had quite a name for making these belts...* Butikken vår hadde litt av et navn *or* ry på seg for å lage disse beltene...
2 VT (**a**) (*+child, ship*) kalle (*v2x*), gi* navn ❑ *She had wanted to name the baby Colleen...* Hun hadde villet kalle barnet Colleen *or* gi* barnet navnet Colleen... NB *I name this ship "Ark Royal"* Jeg døper dette skipet (til) "Ark Royal"
(**b**) (= *identify: accomplice, criminal*) navngi*, oppgi* navnet på ❑ *...a Minister whom he did not venture to name...* en minister som han ikke dristet seg til å navngi *or* oppgi navnet på...
(**c**) (= *specify: price, date etc*) oppgi* ❑ *Name the place, we'll be there...* Oppgi stedet, så kommer vi... *He named a price he thought would scare me off.* Han oppgav en pris han trodde ville* skremme meg vekk.
▸ **by name** ved navn ❑ *...refer to them by name...* omtaler dem ved navn...
▸ **in the name of sb** i noens navn ❑ *The room was reserved in the name of Peters...* Rommet var reservert i Peters' navn...
▸ **in the name of sth** i noes navn ❑ *...those who, in the name of religious conviction, devote their lives to terrorism.* ...de som, i den religiøse overbevisningens navn, vier sitt liv til terrorisme.
▸ **what's your name?** hva heter du?, hva er navnet ditt?
▸ **my name is Peter** jeg heter Peter, navnet mitt er Peter
▸ **to give one's name and address** (*to police etc*) oppgi* navn og adresse
▸ **to make a name for o.s.** skape (*v2*) seg et navn ❑ *George Eliot had already made a name for herself as a writer* George Eliot hadde allerede skapt et seg et navn som forfatter
▸ **to give sb a bad name** gi* noen et dårlig ry
▸ **to call sb names** skjelle (*v2x*) noen ut (*med ukvemsord*)
▸ **to be named after sb/sth** være* oppkalt etter noen/noe
name-dropping ['neɪmdrɔpɪŋ] s *det å slå om seg med fine bekjentskaper* ❑ *He thinks all that name-dropping will make him seem more interesting.* Han tror at hvis han slenger om seg med fine bekjentskaper, så vil det få* han til å virke mer interessant.
nameless ['neɪmlɪs] ADJ (*person, bureaucrat, emotion*) navnløs ❑ *He felt a nameless terror...* Han følte en navnløs frykt...
▸ **who/which shall remain nameless** hvis navn ikke skal nevnes
namely ['neɪmlɪ] ADV nemlig ❑ *...three famous physicists, namely Simon, Kurte and Mendelsohn...* tre berømte fysikere, nemlig Simon, Kurte og Mendelsohn...
nameplate ['neɪmpleɪt] s (*on door etc*) navneskilt *nt*
namesake ['neɪmseɪk] s (*male*) navnebror *m irreg*;

(*female*) navnesøster *c*
nan bread [nɑːn-] s nan-brød *nt*
nanny ['nænɪ] s (= *child carer*) dagmamma *c*
nanny goat s geit *f*
nap [næp] 1 s (**a**) (= *sleep*) lur *m*, blund *m*
(**b**) (*of fabric*) lo *f* ❑ *Raise the nap of the material with a brush.* Børste opp loa på stoffet.
2 VI ▸ **to be caught napping** (*fig*) bli* tatt på senga
▸ **to have a nap** ta* (seg) en lur *or* blund
NAPA (*US*) S FK (= **National Association of Performing Artists**) *fagforening*
napalm ['neɪpɑːm] s napalm *m*
nape [neɪp] s ▸ **the nape of the neck** nakken
napkin ['næpkɪn] s (*also* ***table napkin***) serviett *m*
Naples ['neɪplz] s Napoli
Napoleonic [nəpəulɪ'ɔnɪk] ADJ napoleansk
nappy ['næpɪ] (*BRIT*) s bleie *c*
nappy liner (*BRIT*) s bleieinnlegg *nt*
nappy rash s bleieutslett *nt*
narcissistic [nɑːsɪ'sɪstɪk] ADJ narsistisk (*var:* narsissistisk)
narcissus [nɑː'sɪsəs] (*pl* **narcissi**) s (*BOT*) narsiss *m*
narcotic [nɑː'kɔtɪk] 1 ADJ (*+drug, effects*) narkotisk
2 s (*MED*) narkotikum *nt irreg*, narkotisk stoff *nt*
▸ **narcotics** SPL (= *drugs*) narkotika *m sg*
▸ **narcotic addiction** avhengighet *c* av narkotika
narked [nɑːkt] (*BRIT: sl*) ADJ irritert ❑ *I can't deny I was a bit narked at what he said.* Jeg kan ikke benekte at jeg var litt irritert over det han sa.
narrate [nə'reɪt] VT (*+story*) fortelle*, berette (*v1*); (*+film, programme*) lese (*v2*) kommentarer til
narration [nə'reɪʃən] s (*in film, programme*) kommentar *m* ❑ *...a narration to a slide show.* ...en kommentar til et lysbildeshow.
narrative ['nærətɪv] s (= *story*) fortelling *c*, beretning *m* ❑ *...the narrative of their exciting journey.* ...fortellingen *or* beretningen om den spennende reisen deres.
narrator [nə'reɪtəʳ] s (= *story-teller*) forteller *m*; (= *commentator*) kommentator *m*
narrow ['nærəu] 1 ADJ (**a**) (*road, ledge etc*) smal ❑ *We turned left off the main road into a narrow lane...* Vi svingte til venstre av hovedveien og inn på en smal vei...
(**b**) (*space*) trang
(**c**) (*majority, victory, defeat*) knepen, knapp ❑ *It was a narrow victory, by only five votes...* Det var en knepen *or* knapp seier, kun fem stemmers overvekt...
(**d**) (*ideas, view, sense*) snever ❑ *...in the narrower sense of the word...* i ordets snevreste betydning...
2 VI (**a**) (*road, river+*) smalne (*v1*), bli* smalere
(**b**) (*gap, difference+*) bli* mindre ❑ *The gap between the rich and the poor is probably narrowing...* Forskjellen mellom rik og fattig blir antakelig mindre...
3 VT (**a**) (*+gap, difference*) minske (*v1*), gjøre* mindre ❑ *We have moved much closer, narrowed our differences.* Vi har kommet nærmere hverandre, minsket våre meningsforskjeller *or* gjort våre meningsforskjeller mindre.
(**b**) (*+eyes*) knipe* sammen ❑ *Kitty narrowed her eyes...* Kitty knep øynene sammen...
▸ **to have a narrow escape** slippe* unna med nød og neppe
▸ **to narrow sth down (to sth)** (*+choice, possibility*) begrense (*v1*) noe (til noe) ❑ *They narrowed the choice down to about a dozen sites.* De begrenset valgmulighetene til rundt et dusin tomter.
narrow gauge ['nærəugeɪdʒ] (*JERNB*) ADJ smalsporet
narrowly ['nærəulɪ] ADV (*avoid, escape*) så vidt ❑ *Adams only narrowly escaped with his life...* Adams unnslapp så vidt med livet i behold...
▸ **to narrowly miss sth** (**a**) (*+tree, cyclist etc*) unngå* noe så vidt
(**b**) (*+target*) bomme (*v1*) så vidt på noe
narrow-minded [nærəu'maɪndɪd] ADJ (*person*) trangsynt; (*attitude*) sneversynt
NAS (*US*) S FK (= **National Academy of Sciences**) *vitenskapsakademi*
NASA ['næsə] (*US*) S FK (= **National Aeronautics and Space Administration**) NASA
nasal ['neɪzl] ADJ (*ANAT: cavity, congestion, membrane*) nese-; (*voice*) nasal
Nassau ['næsɔː] s (*in Bahamas*) Nassau
nastily ['nɑːstɪlɪ] ADV (*say, act*) på en vemmelig *or* ekkel måte, på en ekkel måte ❑ *Gareth interrupted, though not nastily.* Gareth avbrøt, men ikke på en vemmelig måte *or* ekkel måte.
nastiness ['nɑːstɪnɪs] s ▸ **the nastiness of the smell** hvor vemmelig *or* ekkel lukten var
nasturtium [nəs'təːʃəm] s sumpkarse *c*
nasty ['nɑːstɪ] ADJ (**a**) (*remark, person, smell*) ekkel, vemmelig ❑ *He's always making nasty remarks about her hairstyle.* Han kommer alltid med ekle *or* vemmelige bemerkninger om frisyren hennes. *Why must she be so nasty to me?* Hvorfor må hun være* så ekkel *or* vemmelig mot meg?
(**b**) (*wound, accident, shock*) stygg ❑ *A nasty bruise...* Et stygt blåmerke... *Rats carry very nasty diseases.* Rotter fører med seg svært stygge sykdommer.
(**c**) (*problem, question*) kinkig
(**d**) (*weather, temper*) forferdelig ❑ *He's got a nasty temper.* Han har et forferdelig temperament.
▸ **to turn nasty** (*person+*) bli* ekkel *or* vemmelig
▸ **a nasty business** en stygg affære ❑ *It's a nasty business getting divorced...* Det er en stygg affære å bli* skilt...
NAS/UWT (*BRIT*) S FK (= **National Association of Schoolmasters/Union of Women Teachers**) *fagforening*
nation ['neɪʃən] s nasjon *m*
national ['næʃənl] 1 ADJ (**a**) (*monument, interest, characteristic*) nasjonal ❑ *Common sense is certainly a national characteristic...* Sunn fornuft er virkelig et nasjonalt kjennetegn...
(**b**) (*newspaper*) riks-, landsdekkende ❑ *It made the headlines in the national newspapers...* Det kom på førstesiden i riksavisene *or* i de landsdekkende avisene...
2 s statsborger *m* ❑ *...foreign nationals...* utenlandske statsborgere...
national anthem s nasjonalsang *m*,

nasjonalhymne *m*
National Curriculum s ≈ mønsterplan *m*
national debt s statsgjeld *c*
national dress s nasjonaldrakt *c*
National Guard (*US*) s ≈ nasjonalgarde *m*
National Health Service (*BRIT*) s ≈ offentlig helsevesen *nt* (*inkluderer tannlegebehandling*)
National Insurance (*BRIT*) s ≈ folketrygd *m*
nationalism ['næʃnəlɪzəm] s nasjonalisme *m*
nationalist ['næʃnəlɪst] 1 ADJ nasjonalistisk
2 s nasjonalist *m* ❑ *...Scottish Nationalists...* skotske nasjonalister...
nationality [næʃə'nælɪtɪ] s nasjonalitet *m*, statsborgerskap *nt* ❑ *...scientists of different nationalities.* ...vitenskapsmenn av ulike nasjonaliteter. *...to have dual nationality...* ha* dobbelt statsborgerskap...
nationalization [næʃnəlaɪ'zeɪʃən] s nasjonalisering *c*
nationalize ['næʃnəlaɪz] VT (*+industry, coal, railways*) nasjonalisere (*v2*)
National Lottery s ▸ **the National Lottery** nasjonallotteriet
nationally ['næʃnəlɪ] ADV nasjonalt ❑ *Should housing policy be decided nationally or locally?* Bør boligpolitikk avgjøres nasjonalt eller lokalt?
national park s nasjonalpark *m*
national press s riksaviser *cpl*, riksdekkende aviser *cpl*
National Security Council (*US*) s *det nasjonale sikkerhetsrådet til USAs president*
national service (*MIL*) s militærtjeneste *m*, verneplikt *c*
National Trust (*BRIT*) s ▸ **the National Trust** *organisasjon som bevarer verneverdige hus etc.*

> **National Trust** *er en frittstående ukommersiell organisasjon som har som mål å bevare og skape interesse for bygninger og andre severdigheter i Storbritannia på grunnlag av historisk verdi eller naturskjønnhet.*

nationwide ['neɪʃənwaɪd] 1 ADJ (*tour, campaign, search*) landsomfattende
2 ADV (*lecture, campaign*) over hele landet
native ['neɪtɪv] 1 s innfødt *m decl as adj*
2 ADJ (**a**) (= *indigenous : population, inhabitant*) innfødt ❑ *...native Britons...* innfødte briter...
(**b**) (= *of one's birth : country*) moder-
(**c**) (*language*) mors- ❑ *...to her native country Russia* ...til sitt moderland Russland. *She had spoken in her native language...* Hun hadde snakket på morsmålet sitt...
(**d**) (= *innate : quality, ability*) medfødt ❑ *This is not due to any native physical superiority...* Dette skyldes ikke noen medfødt fysisk overlegenhet...
▸ **native to** som er naturlig hjemmehørende i, som hører naturlig hjemme i ❑ *These are the only lilies native to Great Britain.* Dette er de eneste liljene som er naturlig hjemmehørende i *or* hører naturlig hjemme i Storbritannia.
Native American 1 ADJ indiansk
2 s amerikansk indianer *m*
native speaker s ▸ **native speaker of English** person *m* som har engelsk som morsmål
Nativity [nə'tɪvɪtɪ] s ▸ **the Nativity** Jesu fødsel
nativity play s julespill *nt*
NATO ['neɪtəʊ] s FK (= **North Atlantic Treaty Organization**) NATO (*var:* Nato)
natter ['nætəʳ] (*BRIT*) 1 VI skravle (*v1*) ❑ *Sometimes she would natter to Johnny for hours on end...* Av og til kunne* hun skravle med Johnny i timevis...
2 s ▸ **to have a natter** slå* av en prat ❑ *They enjoyed having a natter over the garden fence.* De satte pris på å slå av en prat over hagegjerdet.
natural ['nætʃrəl] ADJ (**a**) (= *normal, instinctive, innate*) naturlig ❑ *It is natural for trade unions to adopt an aggressive posture...* Det er naturlig for fagforeninger å innta en aggressiv holdning... *your own natural inclinations.* ...dine naturlige tilbøyeligheter. *...a natural aptitude for lateral thinking.* ...en naturlig egnethet for lateral tenking. *...walking slowly, in a relaxed, natural manner...* gå* sakte på en avslappet, naturlig måte...
(**b**) (= *occurring in nature : disaster, materials*) natur- NB *...a shop selling natural foods.* ...en butikk som selger helsekost. ❑ *...protection from many natural disasters...* beskyttelse mot mange naturkatastrofer... *natural materials.* ...naturstoffer.
(**c**) (= *born : performer, musician, hostess etc*) født ❑ *She was a natural organizer and hostess.* Hun var den fødte organisator og vertinne.
(**d**) (*MUS*) uten fortegn
▸ **to die of natural causes** dø* av naturlige årsaker, dø* en naturlig død
natural childbirth s naturlig barnefødsel *m*
natural gas s naturgass *m*
natural history s flora og fauna *m*
▸ **the natural history of England** Englands flora og fauna
naturalist ['nætʃrəlɪst] s naturalist *m*
naturalize ['nætʃrəlaɪz] VT ▸ **to become naturalized** (*person+*) få* innfødsrett, få* statsborgerskap
naturally ['nætʃrəlɪ] ADV (**a**) (*behave, happen*) naturlig ❑ *Pocket calculators are an invention which sprang naturally out of the discovery of logarithms.* Lommekalkulatorer er en oppfinnelse som sprang naturlig ut av oppdagelsen av logaritmer. *...rocks that do not occur naturally...* steiner som ikke forekommer naturlig...
(**b**) (*cheerful, clever*) av natur ❑ *...people who are naturally brilliant...* mennesker som er strålende av natur...
(**c**) (*talented, blonde*) naturlig ❑ *She was naturally blonde.* Hun var naturlig blond.
(**d**) (= *of course*) naturligvis ❑ *Dena was crying, so naturally Hannah was upset...* Dena gråt, så Hannah var naturligvis opprørt...
naturalness ['nætʃrəlnɪs] s (*of behaviour*) naturlighet *c* ❑ *I was impressed by their friendliness, ease and naturalness...* Jeg var imponert over deres vennlighet, utvungenhet og naturlighet...
natural resources SPL naturressurser *mpl*
natural selection s naturlig utvalg *nt*

natural wastage s naturlig avgang *m*

nature ['neɪtʃəʳ] s (**a**) (*also* ***Nature***) naturen *m def* ❑ *...the diversity of nature...* naturens mangfold...
(**b**) (= *kind, sort*) natur *m* ❑ *These problems are political in nature.* Disse problemene er politiske i sin natur
(**c**) (= *character*) natur *m* ❑ *It is the nature of fire to burn...* Det ligger i ildens natur å brenne... *It was not in her nature to tell lies...* Det lå ikke i hennes natur å lyve...
▸ **by nature** av natur ❑ *I am an optimist by nature...* Jeg er optimist av natur...
▸ **or something of that nature** eller noe lignende
▸ **by its (very) nature** i sin natur ❑ *Trade unions are by their nature conservative bodies.* Fagforeninger er i sin natur konservative organisasjoner.
▸ **documents of a confidential nature** dokumenter av konfidensiell natur *or* art

-natured ['neɪtʃəd] SUFF (*e.g.*) ▸ **ill-natured** sur, gretten, grinet(e)

nature reserve (*BRIT*) s naturreservat *nt*

nature trail s natursti *m*

naturist ['neɪtʃərɪst] s naturist *m*

naught [nɔ:t] s = **nought**

naughtiness ['nɔ:tɪnɪs] s uskikkelighet *c*

naughty ['nɔ:tɪ] ADJ (*child*) uskikkelig, slem; (*story, film*) frekk; (*words*) stygg

nausea ['nɔ:sɪə] s kvalme *m*

nauseate ['nɔ:sɪeɪt] VT (*also fig*) gjøre* kvalm ❑ *The thought of food nauseated him.* Tanken på mat gjorde ham kvalm.

nauseating ['nɔ:sɪeɪtɪŋ] ADJ (**a**) (*smell, sight*) kvalmende, motbydelig
(**b**) (*fig*) kvalmende ❑ *He went on at nauseating length about his new job.* Han snakket og snakket kvalmende lenge om jobben sin.

nauseous ['nɔ:sɪəs] ADJ (*smell, taste, feeling*) kvalmende
▸ **to feel nauseous** føle (*v2*) seg kvalm

nautical ['nɔ:tɪkl] ADJ (*uniform*) sjømanns-; (*man*) sjøfarende

nautical mile s sjømil *c*

naval ['neɪvl] ADJ (**a**) (*uniform, forces*) marine-
(**b**) (*battle*) sjø-
▸ **naval academy** sjøkrigsskole *m*

naval officer s marineoffiser *m*, sjøoffiser *m*

nave [neɪv] s skip *nt*

navel ['neɪvl] s navle *m*

navigable ['nævɪgəbl] ADJ (*river, canal, waters*) framkommelig, farbar

navigate ['nævɪgeɪt] [1] VT (*+river, path*) ta* seg fram på
[2] VI (**a**) (*NAUT, AVIAT*) navigere (*v2*) ❑ *Some birds navigate by the stars...* Noen fugler navigerer etter stjernene...
(**b**) (*BIL*) lese (*v2*) kart ❑ *We didn't talk because Andy had to navigate.* Vi snakket ikke sammen fordi Andy måtte* lese kart.

navigation [nævɪ'geɪʃən] s navigasjon *m* ❑ *...useful developments in navigation...* nyttige framskritt innen navigasjon...

navigator ['nævɪgeɪtəʳ] s (*NAUT, AVIAT*) navigatør *m*; (*BIL*) kartleser *m*

navvy ['nævɪ] (*BRIT*) s anleggsarbeider *m*

navy ['neɪvɪ] s marine *m* ❑ *My father's in the Navy...* Faren min er i marinen...
▸ **the Department of the Navy** (*US*) ≈ marinedepartementet

navy(-blue) ['neɪvɪ('blu:)] ADJ marineblå

Nazareth ['næzərɪθ] s Nasaret

Nazi ['nɑ:tsɪ] s nazist *m*

NB FK (= **nota bene**) NB, merk vel, bemerk; (*CAN*) = **New Brunswick**

NBA (*US*) s FK (= **National Basketball Association**) *basketballforbundet*; (= **National Boxing Association**) *bokseforbundet*

NBC (*US*) s FK (= **National Broadcasting Company**) *amerikansk, nasjonalt fjernsynsselskap*

NBS (*US*) s FK (= **National Bureau of Standards**) *standardiseringsorganisasjon*

NC FK (*MERK etc*) (= **no charge**) gratis; (*US: POST*) = **North Carolina**

NCC s FK (*BRIT*) (= **Nature Conservancy Council**) *miljøorganisasjon*; (*US*) (= **National Council of Churches**) *sammenslutning, av forskjellige kirkegrupper, som fremmer og koordinerer religiøs og sosial virksomhet*

NCCL (*BRIT*) s FK (= **National Council for Civil Liberties**) *borgerrettighetsorganisasjon*

NCO (*MIL*) s FK = **non-commissioned officer**

ND (*US: POST*) FK = **North Dakota**

NE (*US: POST*) FK = **New England, Nebraska**

NEA (*US*) s FK (= **National Education Association**) *organisasjon som slåss for en bedre offentlig skole*

neap [ni:p] s (*also* ***neap tide***) nippflo *c*

Neapolitan [nɪə'pɔlɪtən] [1] ADJ napolitansk
[2] s napolitaner *m*

near [nɪəʳ] [1] ADJ (**a**) (*in space*) nær, nærme ❑ *My office is quite near.* Kontoret mitt er ganske nær(me). *The nearest shops...* De nær(m)este butikkene...
(**b**) (*in time*) nær ❑ *Christmas is quite near now.* Julen er ganske nær forestående.
(**c**) (*relative*) nær ❑ *He's one of my nearest relatives.* Han er en av mine nærmeste slektninger.
(**d**) (*almost: darkness, tragedy*) nesten(-) ❑ *...standing on a dock in near darkness...* stående på kaien nesten i mørke... *Very often tragedies or near tragedies occurred...* Veldig ofte skjedde det tragedier eller nestentragedier...
[2] ADV (**a**) (= *almost: disastrous, perfect, impossible*) nesten ❑ *...Cambodia and its near catastrophic economic troubles.* ...Kambodsja og dets nesten katastrofale økonomiske vanskeligheter.
(**b**) (*in space, time*) ▸ **to come, draw** *etc* **near** nærme (*v1*) seg ❑ *No birds or animals came near.* Ingen fugler eller dyr nærmet seg. *As the wedding day drew near, Vita felt no qualms...* Da bryllupsdagen nærmet seg, hadde Vita ingen betenkeligheter... *as ten o'clock rolls nearer.* ...da klokka nærmer seg 10.
[3] PREP ▸ **near (to)** (**a**) (*in space*) nær, nærme ❑ *I stood very near to them...* Jeg stod veldig nær(me) dem... *He pulled her nearer to him.* Han trakk henne nær(m)ere inntil seg.
(**b**) (*in time, situation*) nær ❑ *...near the beginning*

of the play... nær begynnelsen av stykket... NB *on or near October sixteenth...* den sekstende oktober eller deromkring... *Most views were fairly near the truth...* De fleste synspunktene var ganske nær sannheten... *Her father was angry, her mother near tears...* Faren hennes var sint, moren hennes tårene nær... *She seemed very near to falling down.* Hun så ut til å være* veldig nær ved å falle ned.
(**c**) (*in intimacy*) nær, innpå ❑ *None of us could really get near her...* Ingen av oss greide å komme virkelig nær *or* innpå henne...
4 VT nærme (*v1*) seg ❑ *...as they neared the harbour...* da de nærmet seg havnen... *a writer, nearing 80...* en forfatter, som nærmet seg 80... *The crisis neared a critical point last week...* Krisen nærmet seg et kritisk punkt i forrige uke...
▸ **near here/there** her/der i nærheten
▸ **25,000 pounds or nearest offer** (*BRIT*) 25 000 pund eller nærmeste bud
▸ **in the near future** i nær framtid, i nærmeste framtid
▸ **the building is nearing completion** bygningen nærmer seg fullførelse

nearby [nɪə'baɪ] ADJ, ADV i nærheten, like ved ❑ *...he tossed it into some nearby bushes.* ...han kastet den inn blant noen busker i nærheten *or* like ved. *...there was a river nearby.* ...det fantes en elv i nærheten *or* like ved.

Near East S ▸ **the Near East** det Nære Østen

nearer ['nɪərəʳ] ADJ, ADV KOMPAR *of* **near**

nearest ['nɪərəst] ADJ, ADV SUP *of* **near**

nearly ['nɪəlɪ] ADV nesten ❑ *I think about it nearly all the time...* Jeg tenker på det nesten hele tiden... *She was nearly as tall as he was...* Hun var nesten like høy som han var... *It was nearly dark...* Det var nesten mørkt...
▸ **I nearly fell** jeg falt nesten, jeg holdt på å falle
▸ **it's not nearly big enough** den er ikke på langt nær stor nok
▸ **she was nearly crying** hun gråt nesten, hun var på gråten

near miss S (**a**) (= *accident avoided*) nestenulykke *m* ❑ *Most near misses are caused by pilot error.* De fleste nestenulykkene er forårsaket av pilotfeil.
(**b**) (= *shot just off target*) nestentreff *nt* ❑ *He had two direct hits and three near misses.* Han hadde to blinker og tre nestentreff.

nearness ['nɪənɪs] S (*of person, place*) nærhet *c* ❑ *...factors like local costs and nearness to London.* ...faktorer som lokale utgifter og nærhet til London.

nearside ['nɪəsaɪd] (*BIL*) S (*in Britain*) venstre side *c*; (*elsewhere*) høyre side *c*

near-sighted [nɪə'saɪtɪd] ADJ nærsynt

neat [niːt] ADJ (**a**) (= *tidy: office, desk*) ryddig, ordentlig
(**b**) (*handwriting*) sirlig
(**c**) (*person, clothes*) ordentlig
(**d**) (= *simple, effective: plan, solution, description*) fiks
(**e**) (= *undiluted: spirits*) ren, bar
▸ **I drink it neat** jeg drikker den ren *or* bar

neatly ['niːtlɪ] ADV (**a**) (= *tidily*) pent, ordentlig ❑ *...and hung his jacket neatly on the back of a chair.* ...og hengte jakken sin pent *or* ordentlig over stolen.
(**b**) (= *conveniently*) hendig ❑ *It comes all neatly wrapped up in its own little bag.* Alt leveres hendig pakket inn i en egen liten pose.

neatness ['niːtnɪs] S (**a**) (= *tidiness: of person*) orden *m*, sirlighet *c*
(**b**) (*of place*) velstelthet *c*, sirlighet *c*
(**c**) (*of clothes*) netthet *c*
(**d**) (*of solution, plan*) snedighet *c* ❑ *The neatness of the solution appealed to him.* Snedigheten *or* det snedige ved løsningen appellerte til ham.

nebulous ['nɛbjuləs] ADJ (*concept, proposal*) tåket(e)

necessarily ['nɛsɪsrɪlɪ] ADV (= *inevitably*) nødvendigvis ❑ *Decisions were necessarily slow.* Beslutninger tok nødvendigvis lang tid.
▸ **not necessarily** ikke nødvendigvis ❑ *Fleas and bedbugs are not necessarily associated with dirt...* Lopper og sengelus er ikke nødvendigvis forbundet med skitt...

necessary ['nɛsɪsrɪ] ADJ (**a**) (= *required: skill, quality, item*) nødvendig ❑ *...the colours and patterns necessary for perfect camouflage...* de fargene og mønstrene som er nødvendige for perfekt kamuflasje... *I don't want to stay longer than necessary.* Jeg blir ikke lenger enn nødvendig.
(**b**) (= *inevitable*) ▸ **there is no necessary connection between...** det er ikke nødvendigvis noen sammenheng mellom...
▸ **if necessary** om nødvendig ❑ *Make a soft dough, using a little more water if necessary...* Lag en myk deig, bruk litt mer vann om nødvendig...
▸ **it is necessary to/that** det er nødvendig å/at ❑ *It is necessary to examine this claim before we proceed any further.* Det er nødvendig å undersøke dette kravet før vi går videre.

necessitate [nɪ'sɛsɪteɪt] VT (*+measures, action*) nødvendiggjøre*, gjøre* nødvendig ❑ *It would indeed necessitate strong measures.* Det ville* virkelig nødvendiggjøre kraftige tiltak *or* gjøre* kraftige tiltak nødvendige.

necessity [nɪ'sɛsɪtɪ] S nødvendighet *c* ❑ *For many families relocation is a necessity...* For mange familier er omplassering en nødvendighet... NB *There was no necessity to devise anything at all...* Det var ikke nødvendig å tenke ut noe i det hele tatt... *It was supplied with all the necessities of life...* Den var utstyrt med alle livets nødvendigheter...
▸ **of necessity** nødvendigvis ❑ *The account given here is of necessity extremely brief...* Redegjørelsen som er gitt her, er nødvendigvis ekstremt kort...
▸ **out of necessity** av nødvendighet ❑ *She went to work not out of choice but necessity.* Hun gikk på arbeidet, ikke av eget valg, men av nødvendighet.

neck [nɛk] 1 S (*gen*) hals *m*
2 VI (*sl*) kline (*v2*) (*sl*) ❑ *...teenagers necking in the back row of the cinema.* ...ungdommer som kliner på bakerste rad på kinoen.
▸ **neck and neck** side om side ❑ *They were neck and neck right up to the finishing line.* De lå side om side helt inn til målstreken.

▸ **to stick one's neck out** (*sl*) stikke* hodet fram

necklace ['nɛklɪs] s halskjede *nt*, halssmykke *nt*

neckline ['nɛklaɪn] s utringning *c*

necktie ['nɛktaɪ] (*især US*) s slips *nt*

nectar ['nɛktəʳ] s nektar *m*

nectarine ['nɛktərɪn] s nektarin *m*

NEDC (*BRIT*) S FK (= **National Economic Development Council**) *organ for økonomisk og sosial utvikling*

Neddy (*BRIT: sl*) S FK = **NEDC**

née [neɪ] PREP ▸ **née Scott** født Scott

need [ni:d] 1 s (**a**) (= *demand, requirement*) behov *nt* ❏ *Their need for money is rising fast...* Deres behov for penger stiger raskt... *He had not even been able to satisfy her simple needs...* Han hadde ikke engang vært i stand til å tilfredsstille hennes enkleste behov... *the needs of industry.* ...industriens behov.
(**b**) (= *necessity*) trang *m*, behov *nt* ❏ *She felt no need to speak.* Hun følte ikke noen trang til *or* noe behov for å snakke.
(**c**) (= *poverty*) nød *m* ❏ *...a new world in which the problem of need had been solved.* ...en ny verden der nøden var blitt avskaffet.
2 VT (**a**) (*gen*) trenge (*v2*) ❏ *...you need glasses.* ...du trenger briller. *Do you need a new telephone?* Trenger du en ny telefon? *...the shed needs a good clean out...* skuret trenger en ordentlig rengjøring...
(**b**) (*+qualifications, help*) trenge (*v2*), behøve (*v3*) ❏ *You don't need a degree in mathematics to run a computer...* Du trenger *or* behøver ikke en universitetsgrad i matematikk for å operere en datamaskin...
▸ **I need to do it** jeg må gjøre* det ❏ *A number of points need to be made...* Det er en rekke ting som må tas opp... *you might need to visit a specialist.* ...du må kanskje oppsøke en spesialist.
▸ **you don't need to go, you needn't go** du trenger *or* behøver ikke (å) gå ❏ *It needn't cost very much...* Det behøver *or* trenger ikke å koste særlig mye...
▸ **a signature is needed** det kreves *or* trengs en underskrift, en underskrift er nødvendig
▸ **in need** (= *poor*) trengende ❏ *He sent her cheques when she was in need.* Han sendte henne sjekker da hun var trengende.
▸ **to be in need of** (*+help, improvement, a holiday*) trenge (*v2*), ha* behov for ❏ *...children in need of help.* ...barn som trenger hjelp *or* har behov for hjelp.
▸ **10 pounds will meet my immediate needs** 10 pund vil dekke mine umiddelbare behov
▸ **(there's) no need** (= *it's not necessary*) (det) trengs ikke
▸ **there's no need to...** (= *please don't*) det er ikke nødvendig å...
▸ **he had no need to...** han trengte *or* behøvde ikke (å)...

needle ['ni:dl] 1 s (**a**) (*for sewing*) nål *c* ❏ *I can't even thread a needle...* Jeg greier ikke engang å tre i en nål...
(**b**) (*for knitting*) strikkepinne *m*
(**c**) (*for injections*) sprøytespiss *m*, kanyle *m*
(**d**) (*on record player*) stift *m*
2 VT (*fig: sl*) erte (*v1*) ❏ *She was needling me about Doris...* Hun ertet meg om Doris...

needless ['ni:dlɪs] ADJ (*risk, bother, bloodshed*) unødvendig ❏ *The result was needless slaughter...* Resultatet ble unødvendig nedslakting...
▸ **needless to say** det sier seg selv (at), selvsagt ❏ *This new social awareness will, needless to say, bring big changes.* Det sier seg selv at denne nye sosiale bevisstheten vil frambringe store forandringer.. Selvsagt vil denne nye sosiale bevisstheten frambringe store forandringer.

needlessly ['ni:dlɪslɪ] ADV unødvendig, unødig

needlework ['ni:dlwə:k] s (**a**) (*object*) håndarbeid *nt*, sytøy *nt* ❏ *...the basket in which she kept her needlework.* ...kurven som hun oppbevarte håndarbeidet *or* sytøyet i.
(**b**) (*activity*) håndarbeid *nt* ❏ *Often such girls spend much time doing needlework.* Ofte tilbringer slike jenter mye tid med håndarbeid.

needn't ['ni:dnt] = **need not**

needy ['ni:dɪ] 1 ADJ trengende, nødlidende
2 SPL ▸ **the needy** de trengende, de nødlidende

negation [nɪ'geɪʃən] s (= *denial*) *det å nekte* ❏ *...the negation by the authorities of the rights of its citizens.* ...det at myndighetene nekter innbyggerne rettighetene deres.

negative ['nɛgətɪv] 1 ADJ (*gen, ELEK*) negativ ❏ *We expected to receive a negative answer.* Vi ventet å få* et negativt svar. *...a negative charge.* ...en negativ ladning.
2 s (**a**) (*FOTO*) negativ *m or nt*
(**b**) (*LING*) nektelse *m*
▸ **to answer in the negative** svare (*v2*) benektende, gi* et negativt svar

negative equity s *forskjell mellom synkende verdi på boligeiendom og boliglån*

neglect [nɪ'glɛkt] 1 VT (**a**) (*gen*) forsømme (*v2x*) ❏ *...the peasant farmer who mistreats the soil or neglects his crops.* ...bonden som behandler jorda dårlig eller forsømmer avlingen sin. *I feel I'm neglecting my duty.* Jeg føler at jeg forsømmer min plikt.
(**b**) (*+writer, artist*) overse*, neglisjere (*v2*) ❏ *...George Stubbs, so long neglected as being a mere horse-painter...* George Stubbs, så lenge oversett *or* neglisjert som en som kun maler hester...
2 s forsømmelse *m*, vanskjøtsel *m* ❏ *It was the mother's neglect of her infant that caused its death...* Det var morens forsømmelse *or* vanskjøtsel av barnet som var årsaken til at det døde... *estates suffering from neglect...* boligstrøk som lider under forsømmelse *or* vanskjøtsel...

neglected [nɪ'glɛktɪd] ADJ (*animal, child, garden*) forsømt, vanskjøttet; (*writer, artist*) oversett, neglisjert

neglectful [nɪ'glɛktful] ADJ likegyldig, forsømmelig ❏ *...a neglectful father.* ...en likegyldig *or* forsømmelig far.
▸ **to be neglectful of** forsømme (*v2x*) ❏ *...he was neglectful of his duties...* han forsømte

pliktene sine...

negligee ['nɛglɪʒeɪ] s neglisjé *m or nt*

negligence ['nɛglɪdʒəns] s (= *carelessness*) forsømmelse *m* ❑ *...dismissed for negligence...* avsatt på grunn av forsømmelse...

negligent ['nɛglɪdʒənt] ADJ (**a**) (= *neglectful: person*) forsømmelig ❑ *...he had been negligent in his duty...* han hadde vært forsømmelig med hensyn til pliktene sine...
(**b**) (= *casual: attitude, air*) nonchalant ❑ *...the negligent air with which he wore it.* ...den nonchalante måten som han bar den på.

negligently ['nɛglɪdʒəntlɪ] ADV (**a**) (*behave, act*) skjødesløst ❑ *They may act foolishly or negligently.* Det kan være* de vil oppføre seg dumt eller skjødesløst.
(**b**) (= *casually*) nonchalant ❑ *...leaning negligently against the table.* ...lente seg nonchalant mot bordet.

negligible ['nɛglɪdʒɪbl] ADJ (*effect, difference*) ubetydelig

negotiable [nɪ'gəʊʃɪəbl] ADJ (**a**) (*salary, contract*) mulig å forhandle om
(**b**) (*path, river*) farbar, framkommelig
▸ **not negotiable** (*on cheque etc*) ikke omsettelig, *som ikke kan løses inn mot kontanter*

negotiate [nɪ'gəʊʃɪeɪt] 1 VI forhandle (*v1*) ❑ *Paul is already negotiating for a job...* Paul forhandler allerede om en jobb...
2 VT (**a**) (*+treaty, contract*) forhandle (*v1*) fram ❑ *...he negotiated an agreement with several African countries* ...han forhandlet fram en avtale med flere afrikanske land
(**b**) (*+price, reduction*) forhandle (*v1*) seg fram til
(**c**) (*+obstacle, hill, bend*) passere (*v2*) ❑ *Taxi-drivers refused to negotiate the potholes in the roads...* Drosjesjåføren nektet å passere slaghullene i veiene...
▸ **to negotiate with sb (for sth)** forhandle (*v1*) med noen (om noe)

negotiating table s forhandlingsbord *nt*

negotiation [nɪgəʊʃɪ'eɪʃən] s (= *bargaining*) forhandling *c* ❑ *The settlement was achieved by peaceful negotiation.* Avtalen ble oppnådd ved fredelig forhandling.
▸ **negotiations** SPL (= *discussions*) forhandlinger *c* ❑ *...their negotiations with the Government...* forhandlingene deres med regjeringen...
▸ **under negotiation** til forhandling ❑ *The treaty is still under negotiation.* Avtalen er forsatt til forhandling.

negotiator [nɪ'gəʊʃɪeɪtə^r] s forhandler *m*

Negress ['ni:grɪs] s negresse *c*

Negro ['ni:grəʊ] (*pl* **Negroes**) 1 ADJ (*boy*) neger-; (*features*) negroid; (*music, arts*) svart
2 s neger *m*

neigh [neɪ] VI knegge (*v1*), vrinske (*v1*)

neighbour ['neɪbə^r], **neighbor** (*US*) s nabo *m*

neighbourhood ['neɪbəhud] s (**a**) (*place*) nabolag *nt*, strøk *nt* ❑ *She'd just moved into the neighbourhood...* Hun hadde nettopp flyttet inn i nabolaget *or* til strøket...
(**b**) (*people*) nabolag *nt* ❑ *The neighbourhood was shocked.* Nabolaget var sjokkert.
▸ **in the neighbourhood of** i nærheten av ❑ *He paid in the neighbourhood of 10 thousand pounds for that car.* Han betalte i nærheten av 10 tusen pund for den bilen.

neighbourhood watch s nabohjelp *m*

neighbouring ['neɪbərɪŋ] ADJ (*town, state*) nabo-

neighbourly ['neɪbəlɪ] ADJ (*person, attitude*) nabovennlig

neither ['naɪðə^r] 1 KONJ ▸ **I didn't move and neither did John** Jeg rørte meg ikke og det gjorde ikke John heller
2 PRON (**a**) (*person*) ingen ❑ *Neither of us was having any luck.* Ingen av oss hadde noe flaks.
(**b**) (*thing, solution etc*) ingen av delene ❑ *"Does that mean yes or no?" "Neither."* "Betyr det ja eller nei?" "Ingen av delene."
3 ADV ▸ **neither...nor...** verken...eller... ❑ *neither good nor bad.* ...verken god eller dårlig. *He spoke neither English nor French.* Han snakket verken engelsk eller fransk.
▸ **neither story is true** ingen av historiene er sanne
▸ **neither is true** ingen er sanne, verken det ene eller det andre er sant
▸ **neither do I/have I** (det gjør/har) ikke jeg heller ❑ *"I don't normally drink at lunch." "Neither do I."* "Jeg drikker normalt ikke ved lunsjtider." "(Det gjør) ikke jeg heller."

neo... ['ni:əu] PREF neo-, ny-

neolithic [ni:əu'lɪθɪk] ADV neolittisk

neologism [nɪ'ɔlədʒɪzəm] s neologisme *m*

neon ['ni:ɔn] s neon *nt*

neon light s neonlys *nt*

neon sign s neonskilt *nt*

Nepal [nɪ'pɔ:l] s Nepal

nephew ['nɛvju:] s nevø *m*

nepotism ['nɛpətɪzəm] s nepotisme *m*

nerd [nə:d] (*sl*) s nerd *m*

nerve [nə:v] s (**a**) (*ANAT*) nerve *m*
(**b**) (= *courage*) mot *nt* ❑ *Nobody had the nerve to remind him that...* Ingen hadde mot til å minne ham på at... *Finally she got up enough nerve to ask me...* Til slutt hadde hun fått opp nok mot til å be meg...
(**c**) (= *impudence*) frekkhet *c* ❑ *He had the nerve to say...* Han var frekk nok til å si...
▸ **nerves** SPL nerver *m* ❑ *...he had been in a state of nerves.* ...han hadde vært bare nerver. *Your nerves will not stand much more of this...* Nervene dine tåler ikke mer av dette... *Her authority was based on inner calm and strong nerves.* Autoriteten hennes var basert på en indre ro og sterke nerver.
▸ **what a nerve!** for en frekkhet!
▸ **he gets on my nerves** han går meg på nervene
▸ **to lose one's nerve** miste (*v1*) motet

nerve centre s (*fig: of organization*) nervesenter *nt irreg*

nerve gas s nervegass *m*

nerve-racking ['nə:vrækɪŋ] ADJ (*interview, situation, period*) nerveslitende

nervous ['nə:vəs] ADJ (*gen, MED*) nervøs
▸ **nervous of/about** nervøs for ❑ *He's nervous of thieves in that little shop of his.* Han er nervøs for tyver i den lille butikken sin.

nervous breakdown s nervesammenbrudd *nt*, nervøst sammenbrudd *nt*
nervously ['nɜːvəslɪ] ADV nervøst
nervousness ['nɜːvəsnɪs] s nervøsitet *m*
nervous system s nervesystem *nt*
nervous wreck (*sl*) s nervevrak *nt*
▸ **to be a nervous wreck** være* nervevrak
nervy ['nɜːvɪ] (*sl*) ADJ (*BRIT: tense*) nervøs; (*US: cheeky*) frekk
nest [nɛst] 1 s (**a**) (*of bird*) rede *nt*
(**b**) (*of wasp*) bol *nt*
2 VI bygge (*v3x*) rede
▸ **nest of tables** settbord *pl*
nest egg s sparepenger *pl*, spareskilling *m* ❑ *They squandered their little nest-egg.* De sløste bort sparepengene sine *or* spareskillingen sin.
nestle ['nɛsl] VI ▸ **to nestle together** sette* seg (tett) inntil *or* smyge* seg inntil hverandre
▸ **a little house nestling in the hills** et lite hus som lå trygt mellom åsene
nestling ['nɛstlɪŋ] s (*bird*) dunungе *m*, fugleunge *m* (*som ennå ikke har lært å fly*)
Net [nɛt] (*sl: DATA*) s ▸ **the Net** Internett
net [nɛt] 1 s (**a**) (*gen, SPORT, fig*) nett *nt* ❑ *You'd better put a net over your strawberries...* Du gjør lurt i å legge nett over jordbærene dine... *It was only when he had the trout in the net that he looked up...* Det var først da han hadde ørreten i nettet at han så opp... *a butterfly net.* ...et sommerfuglnett. *The police are determined not to let him slip through the net again.* Politiet er fast bestemt på ikke å la han slippe gjennom nettet en gang til.
(**b**) (*fabric*) nettingstoff *nt* ❑ *The bride wore a veil of white net...* Bruden bar et slør av hvitt nettingstoff...
2 ADJ (**a**) (*assets, income, profit etc*) netto- ❑ *That gave him a net profit of just over 23%...* Det ga han en nettofortjeneste på like over 23 %...
(**b**) (*weight*) netto- ❑ *The net weight is 250g...* Nettovekten er 250 gram...
(**c**) (*result, effect*) slutt-, netto- ❑ *The net result...* Sluttresultatet *or* nettoresultatet...
3 VT (**a**) (*+fish, butterfly*) fange (*v1*) (*i nett eller garn*) ❑ *At last he managed to net the fish.* Til slutt greide han å fange fisken.
(**b**) (*+sum of money*) få* en nettofortjeneste på ❑ *The company began netting 3 billion a year.* Selskapet begynte å få* en nettofortjeneste på 3 milliarder i året.
(**c**) (*+deal, fortune*) skaffe (*v1*) seg ❑ *He was netting his third and largest fortune.* Han var i ferd med å skaffe seg sin tredje og største formue.
▸ **net of tax** etter at skatten er trukket fra
▸ **he earns 40,000 pounds net per year** han tjener 40 000 pund netto per år
▸ **it weighs 250g net** den *or* det veier 250 gram netto
netball ['nɛtbɔːl] s nettball *m* (*type kurvball som særlig spilles av jenter*)
net curtains SPL nettinggardiner *cpl or ntpl*
Netherlands ['nɛðələndz] SPL ▸ **the Netherlands** Nederland *nt sg*
nett [nɛt] ADJ = **net**
netting ['nɛtɪŋ] s netting *m* ❑ *The dog scratched impatiently at the netting...* Hunden skrapte utålmodig på nettingen...
nettle ['nɛtl] s nesle *c*
▸ **to grasp the nettle** (*fig*) ≈ ta* tyren ved hornene
network ['nɛtwɜːk] 1 s (*gen, also TV, RADIO, COMPUT*) nett *nt*, nettverk *nt* ❑ *...the network of back streets in the Latin Quarter.* ...nettet *or* nettverket av bakgater i Latinerkvarteret. *...a national television network.* ...et nasjonalt tv-nett *or* tv-nettverk.
2 VT (**a**) (*RADIO, TV*) sende (*v2*) (ut på nettet) ❑ *...decisions about which programmes were to be networked.* ...beslutninger om hvilke program som skulle* sendes (ut på nettet).
(**b**) (*DATA*) kople (*v1*) till (et) nettverk
neuralgia [njuə'rældʒə] s nevralgi *m* (*var:* neuralgi)
neurological [njuərə'lɔdʒɪkl] ADJ nevrologisk
neurotic [njuə'rɔtɪk] 1 ADJ nevrotisk (*var:* neurotisk) ❑ *...neurotic about his career.* ...nevrotisk i forhold til karrieren sin.
2 s nevrotiker *m* (*var:* neurotiker)
neuter ['njuːtə^r] 1 ADJ (*LING*) intetkjønns-, nøytrums-
2 VT (*+male*) kastrere (*v2*); (*+female*) sterilisere (*v2*)
neutral ['njuːtrəl] 1 ADJ (**a**) (*gen*) nøytral ❑ *...neutral and friendly governments...* nøytrale og vennligsinnede regjeringer... *I undertake to preserve a strictly neutral position during this debate.* Jeg lover å innta en strengt nøytral holdning i denne debatten. *...a pale, neutral colour...* en blek, nøytral farge...
(**b**) (*ELEK: wire*) null-
2 s (*BIL*) ▸ **in neutral** i fri
neutrality [njuː'trælɪtɪ] s nøytralitet *m* ❑ *...a tradition of political neutrality.* ...en tradisjon for politisk nøytralitet.
neutralize ['njuːtrəlaɪz] VT nøytralisere (*v2*)
neutron ['njuːtrɔn] s nøytron *nt*
neutron bomb s nøytronbombe *c*
never ['nɛvə^r] ADV (**a**) (*= not at any time*) aldri ❑ *I never eat breakfast on Sundays...* Jeg spiser aldri frokost om søndagene... *Bringing up children in an inner city is never easy.* Å oppdra unger midt i byen er aldri lett.
(**b**) (*not*) ikke ❑ *It never happened.* Det hendte ikke. *Good gracious! I never knew that.* Gode Gud! Det viste jeg da ikke.
▸ **never in my life** aldri i livet ❑ *Never in my life have I seen anyone drink as much as you.* Aldri i livet har jeg sett noen drikke så mye som deg.
▸ **never again** aldri igjen ❑ *The holiday was awful. Never again!* Ferien var forferdelig. Aldri mer!
▸ **well I never!** jeg har aldri sett/hørt på maken!
see also **mind**
never-ending [nɛvər'ɛndɪŋ] ADJ endeløs, evinnelig
nevertheless [nɛvəðə'lɛs] ADV ikke desto mindre, likevel
new [njuː] ADJ (*gen*) ny ❑ *...smart new houses...* elegante nye hus... *The new system...* Det nye systemet... *a new job...* en ny jobb... *We've got a new boss.* Vi har fått en ny sjef. *New evidence has come to light...* Nye beviser har kommet for en dag...

▸ **as good as new** så god som ny
▸ **to be new to sb** (*name, place, experience+*) være* ny *or* ukjent for noen ❑ *...a part of England completely new to him...* en del av England som er fullstendig ny *or* ukjent for han...
New Age s New Age
New Age Traveller (*BRIT*) s hippienomade *m*
newborn ['nju:bɔ:n] ADJ nyfødt
newcomer ['nju:kʌməʳ] s nykomling *m*, nykommer *m*
new-fangled ['nju:'fæŋgld] (*neds*) ADJ (*idea, gadget etc*) nymotens
new-found ['nju:faund] ADJ (*enthusiasm, confidence*) nyoppdaget
Newfoundland ['nju:fənlənd] s Newfoundland
New Guinea s Ny-Guinea
newly ['nju:lɪ] ADV (*formed, discovered, acquired*) nylig
newly-weds ['nju:lɪwɛdz] SPL nygifte *pl decl as adj*
new moon s nymåne *m*
newness ['nju:nɪs] s (**a**) (*of job, surroundings etc*) ny *nt decl as adj* ❑ *He's still excited because of the newness of the position.* Han er fortsatt opprømt over det nye ved stillingen.
(**b**) (*of product, clothes etc*) nyhet *c*
New Orleans [-'ɔ:li:ənz] s New Orleans
news [nju:z] s nyhet *m* ❑ *News travels pretty fast...* Nyheter sprer seg ganske raskt... *after receiving the news of my acceptance...* etter å ha* mottatt nyheten om at jeg aksepterte...
▸ **a piece of news** en nyhet
▸ **the news** (*RADIO, TV*) nyhetene ❑ *Have you listened to the news today?...* Har du hørt nyhetene i dag?... *It was on the news at 9.30.* Det var på nyhetene kl 9.30.
▸ **good/bad news** gode/dårlige nyheter ❑ *I've got some good news for you...* Jeg har noen gode nyheter til deg...
news agency s nyhetsbyrå *nt*
newsagent ['nju:zeɪdʒənt] (*BRIT*) s avisselger *m*
newsagent's [n] ≈ aviskiosk *m*
news bulletin s nyhetsbulletin *m*, nyhetsmelding *c*
newscaster ['nju:zkɑ:stəʳ] s nyhetsoppleser *m*
newsdealer ['nju:zdi:ləʳ] (*US*) s = **newsagent**
newsflash ['nju:zflæʃ] s (kort) nyhetsmelding *c*
newsletter ['nju:zlɛtəʳ] s meldingsblad *nt*
newspaper ['nju:zpeɪpəʳ] s avis *c*
▸ **daily newspaper** dagsavis
▸ **weekly newspaper** ukeavis
newsprint ['nju:zprɪnt] s avispapir *nt*
newsreader ['nju:zri:dəʳ] s = **newscaster**
newsreel ['nju:zri:l] s filmavis *m*
newsroom ['nju:zru:m] s nyhetsredaksjon *m*
news stand ['nju:zstænd] s (liten) aviskiosk *m*
newsworthy ['nju:zwə:ðɪ] ADJ ▸ **to be newsworthy** ha* nyhetsverdi
newt [nju:t] s salamander *m*
new town (*BRIT*) s *nyanlagt by*
New Year s nyttår *nt*, nyår *nt*
▸ **Happy New Year!** Godt Nyttår!
▸ **to wish sb a happy new year** ønske (*v1*) noen et godt nyttår
New Year's Day s første nyttårsdag *m*
New Year's Eve s nyttårsaften *m*

New York [-'jɔ:k] s New York; (*also* ***New York State***) staten *def* New York
New Zealand [-'zi:lənd] 1 s Ny-Zealand (*var.* New Zealand)
2 ADJ nyzealandsk (*var.* newzealandsk)
New Zealander [-'zi:ləndəʳ] s nyzealender *m* (*var.* newzealender) nyzealending *m* (*var.* newzealending)
next [nɛkst] 1 ADJ (**a**) (*in space*) tilstøtende, ved siden av ❑ *...in the next room...* i det tilstøtende rommet *or* rommet ved siden av... *He whispered the words to the next man...* Han hvisket ordene til mannen ved siden av...
(**b**) (*in time*) neste ❑ *The next five years...* De neste fem årene... *at the next election. ...*ved neste valg. *My next question...* Det neste spørsmålet mitt...
2 ADV etterpå, deretter, dernest ❑ *The audience does not know what is going to happen next...* Publikum vet ikke hva som kommer til å skje etterpå *or* deretter *or* dernest...; (= *afterwards*) etterpå *Next, we did the Merchant of Venice...* Etterpå spilte vi Kjøpmannen i Venedig... NB *Write your name at the top of the page; next write your address.* Skriv navnet ditt øverst på siden; skriv så adressen din.
▸ **the next day** neste dag, dagen etter
▸ **next time** neste gang ❑ *Next time, don't be in such a hurry.* Ikke ha* det så travelt neste gang.
▸ **next year** neste år
▸ **next to** ved siden av ❑ *She went and sat next to him...* Hun gikk og satte seg ved siden av ham...
▸ **next to nothing** (*cost, do, know*) nesten ingenting
▸ **next please!** (*at doctor's etc*) værsågod neste!
▸ **who's next?** hvem er nestemann?
▸ **"turn to the next page"** "bla om til neste side"
▸ **the week after next** om to uker ❑ *This was where he had to go the week after next...* Dette var stedet han måtte* dra til om to uker...
▸ **when do we meet next?** når treffes vi neste gang?
▸ **the next on the right/left** første til høyre/ venstre ❑ *Take the next on the right, then the second on the left...* Ta første til høyre, så andre til venstre...
▸ **the next best** den *or* det nest beste
▸ **the next thing I knew** før jeg visste ordet av det ❑ *The next thing I knew, I was in hospital...* Før jeg visste ordet av det, lå jeg på sykehus...
next door 1 ADV (like) ved siden av ❑ *She lived next door to the Wilsons...* Hun bodde (like) ved siden av familien Wilson... *I'm going next door...* Jeg går inn til naboen ved siden av...
2 ADJ (**a**) (*neighbour*) nærmest
(**b**) (*house*) nabo-
next of kin s nærmeste pårørende *m decl as adj*
NF (*BRIT : POL*) 1 S FK (= **National Front**) *høyreekstrem organisasjon/høyreekstremt parti*
2 FK (*CAN*) = **Newfoundland**
NFL (*US*) S FK (= **National Football League**) *den profesjonelle fotballserien i USA*
NG (*US*) FK = **National Guard**
NGO (*US*) S FK (= **non-governmental**

organization) ikke-statlig organisasjon *m*
NH (*US: POST*) FK = **New Hampshire**
NHL (*US*) S FK (= **National Hockey League**) *den profesjonelle ishockeyserien i USA*
NHS (*BRIT*) S FK = **National Health Service**
NI FK = **Northern Ireland**; (*BRIT*) = **National Insurance**
Niagara Falls [naɪ'ægərə-] SPL Niagarafossen *def*
nib [nɪb] S pennesplitt *m*, pennespiss *m*
nibble ['nɪbl] 1 VT (**a**) (*eat*) småspise (*v2*) på, gnage (*v3*) på ❑ *Just nibble a piece of bread...* Bare småspise på *or* gnage på en brødskive...
(**b**) (= *bite*) småbite* ❑ *She nibbled my ear lobe playfully.* Hun småbet meg lekent i øreflippen.
2 VI ▸ **to nibble at** pirke (*v1*) i ❑ *She nibbled at her food.* Hun pirket i maten.
Nicaragua [nɪkə'rægjuə] S Nicaragua
Nicaraguan [nɪkə'rægjuən] 1 ADJ nicaraguansk
2 S nicaraguaner *m*
Nice [ni:s] S Nice
nice [naɪs] ADJ (**a**) (= *likeable*) hyggelig ❑ *He was a terribly nice man...* Han var en forferdelig hyggelig mann...
(**b**) (= *friendly*) ▸ **nice (to)** hyggelig (mot) ❑ *Promise me you'll be nice to her when she comes back...* Lov meg at du er hyggelig mot henne når hun kommer tilbake...
(**c**) (= *kind*) pen ❑ *It's nice of you to say that...* Det er pent av deg å si det... *He said some very nice things about my poetry.* Han sa noen svært pene ting om diktene mine.
(**d**) (= *pleasant: holiday, weather etc*) fin
(**e**) (*taste*) god ❑ *It would be nice to keep bees...* Det ville* være* fint å holde bier... *This is the nicest thing that has ever happened to me...* Dette er det fineste som noen gang har skjedd meg... *Did you have a nice time at the party?* Hadde du det fint i selskapet? *It doesn't taste very nice.* Det smaker ikke særlig godt.
(**f**) (= *attractive: person, picture, clothes etc*) fin, pen ❑ *How nice you look...* Så fin *or* pen du er...
nicely ['naɪslɪ] ADV (**a**) (= *attractively*) pent, fint ❑ *She dresses very nicely.* Hun kler seg så pent *or* fint.
(**b**) (= *politely*) pent ❑ *...if you ask nicely...* hvis du spør pent...
(**c**) (= *satisfactorily*) fint ❑ *He thought he could manage quite nicely without them.* Han trodde han kunne* greie seg fint uten dem.
▸ **that will do nicely** det greier seg fint
niceties ['naɪsɪtɪz] SPL ▸ **the niceties** finessene ❑ *Can we cut the niceties and get quickly to the point?...* Kan vi hoppe over finessene og komme raskt til poenget?... *the niceties of etiquette...* etikettens finesser...
niche [ni:ʃ] S nisje *c*
nick [nɪk] 1 S (**a**) (= *scratch: on face etc*) (lite) kutt *nt*
(**b**) (*in metal, wood etc*) (lite) hakk *nt*
2 VT (**a**) (*BRIT: sl: steal*) rappe (*v1*), kvarte (*v1*)
(**b**) (= *arrest*) hekte (*v1*)
(**c**) (= *cut*) kutte (*v1*)
▸ **in good nick** (*BRIT: sl*) i god stand
▸ **in the nick** (*BRIT: sl: in prison*) i buret
▸ **in the nick of time** i grevens tid, i siste liten
nickel ['nɪkl] S (*metal*) nikkel *nt*; (*US*) femcentstykke *nt*
nickname ['nɪkneɪm] 1 S oppnavn *nt*, klengenavn *nt*, økenavn *nt*
2 VT gi* klengenavn, kalle (*v2x*) for
Nicosia [nɪkə'si:ə] S Nikosia
nicotine ['nɪkəti:n] S nikotin *m*
niece [ni:s] S niese *c*
nifty ['nɪftɪ] (*sl*) ADJ (*attractive: car, jacket*) smart; (*effective: gadget, tool*) hendig
Niger ['naɪdʒə^r] S (*country, river*) Niger
Nigeria [naɪ'dʒɪərɪə] S Nigeria
Nigerian [naɪ'dʒɪərɪən] 1 ADJ nigeriansk
2 S nigerianer *m*
niggardly ['nɪgədlɪ] ADJ (*person*) gjerrig, gnieraktig; (*allowance, amount*) knuslet(e)
nigger [nɪgə^r] (*highly offensive*) S nigger *m*, svarting *m*
niggle ['nɪgl] 1 VT (= *bother*) irritere (*v2*) litt ❑ *It's been niggling me all week...* Det har irritert meg litt hele uken...
2 VI (= *find fault*) pirke (*v1*), komme med smålig kritikk
niggling ['nɪglɪŋ] ADJ gnagende
night [naɪt] S (**a**) (= *period of darkness*) natt *c irreg* ❑ *Night is falling.* Natten faller på. *The night was very still...* Natten var veldig stille... *We walked for six days and six nights...* Vi gikk i seks dager og seks netter...
(**b**) (= *evening*) kveld *m* ❑ *I was out that night...* Jeg var ute den kvelden... *I went on Saturday night...* Jeg drog lørdag kveld... *on the night of 13th of August.* ...om kvelden den 13. august.
▸ **the night before last** i går natt
▸ **at night** om natten ❑ *...if you can't sleep at night.* ...hvis du ikke får sove om natten.
▸ **by night** om natten
▸ **nine o'clock at night** klokka ni om kvelden
▸ **in the night** om natten ❑ *He woke in the night with a dreadful pain...* Han våknet om natten med en forferdelig smerte...
▸ **during the night** i løpet av natten
▸ **night and day** natt og dag ❑ *They were being guarded night and day.* De ble bevoktet natt og dag.
nightcap ['naɪtkæp] S (*drink*) kveldsdrink *m*, godnattdrink *m*
nightclub ['naɪtklʌb] S nattklubb *m*
nightdress ['naɪtdrɛs] S nattkjole *m*
nightfall ['naɪtfɔ:l] S mørkets frambrudd *nt*, skumring *c*
nightgown ['naɪtgaun] S = **nightdress**
nightie ['naɪtɪ] S = **nightdress**
nightingale ['naɪtɪŋgeɪl] S nattergal *m*
nightlife ['naɪtlaɪf] S natteliv *nt*
nightly ['naɪtlɪ] 1 ADJ kvelds-, natt- ❑ *I was watching the nightly television news...* Jeg så kveldsnyhetene på tv...
2 ADV hver kveld/natt ❑ *My mother prayed nightly that...* Moren min bad hver kveld *or* natt om at...
nightmare ['naɪtmɛə^r] S mareritt *nt* ❑ *He rushed to her room when she had nightmares...* Han sprang inn på rommet hennes når hun hadde mareritt... *The first day was a nightmare...* Den første dagen var et mareritt...

nightmare scenario s skrekkvisjon *m*
night porter s nattportier *m*
night safe s nattsafe *m*
night school s kveldsskole *m*
nightshade ['naɪtʃeɪd] s ▸ **deadly nightshade** belladonna *m*
night shift s nattskift *nt*
night-time ['naɪttaɪm] s natt *c*, nattetid *c*
night watchman *irreg* s nattevakt *m*
nihilism ['naɪɪlɪzəm] s nihilisme *m*
nil [nɪl] s null *m or nt*
Nile [naɪl] s ▸ **the Nile** Nilen
nimble ['nɪmbl] ADJ (*person, fingers, movements*) rask; (*mind*) kvikk, våken
nine [naɪn] TALLORD ni
nineteen ['naɪn'ti:n] TALLORD nitten
nineteenth [naɪn'ti:nθ] TALLORD nittende
ninety ['naɪntɪ] TALLORD nitti
ninth [naɪnθ] TALLORD niende
nip [nɪp] 1 VT (*bite*) bite* lett
2 s (**a**) (*bite*) lite bitt *nt*
(**b**) (*drink*) knert *m*, (liten) dram *m* ❑ *...a nip of whisky* ...en knert *or* (liten) dram med whisky
▸ **to nip out/down/up** (*BRIT: sl*) stikke* ut/ned/opp, svippe (*v1*) ut/ned/opp ❑ *I'll just nip out and post these letters...* Jeg stikker *or* svipper bare ut og poster disse brevene...
▸ **to nip into a shop** (*BRIT: sl*) stikke* inn i *or* innom en butikk
nipple ['nɪpl] (*ANAT*) s brystvorte *c*
nippy ['nɪpɪ] (*BRIT*) ADJ (**a**) (= *quick: person*) kvikk (**b**) (*car*) sprek ❑ *You'll catch him if you're nippy.* Du når han igjen dersom du er kvikk.
(**c**) (= *cold*) frisk
nit [nɪt] s (*in hair*) luseegg *nt*; (*sl: idiot*) dumming *m*
nit-picking ['nɪtpɪkɪŋ] (*sl*) s *det å henge seg opp i småting eller detaljer*
nitrogen ['naɪtrədʒən] s nitrogen *m*
nitroglycerin(e) ['naɪtrəu'glɪsəri:n] s nitroglyserin *m*
nitty-gritty ['nɪtɪ'grɪtɪ] (*sl*) s ▸ **to get down to the nitty-gritty** komme* til saken
nitwit ['nɪtwɪt] (*sl*) s noksagt *m*
NJ (*US: POST*) FK = **New Jersey**
NLF s FK (= **National Liberation Front**) *frigjøringsorganisasjon*
NLQ (*DATA, TYP*) FK = **near letter quality**
NLRB (*US*) s FK (= **National Labor Relations Board**) *uavhengig statlig organ som ser til at føderale arbeidsmiljølover følges*
NM (*US: POST*) FK = **New Mexico**

KEYWORD

no [nəu] (*pl* **noes**) 1 ADV (*opposite of "yes"*) nei
▸ **no thank you** nei takk
2 ADJ (= *not any*) ingen *c and pl*, ikke noe *nt*
▸ **I have no milk/books/bread** jeg har ingen melk/ingen bøker/ikke noe brød
▸ **I've no time** jeg har ikke tid
▸ **no other man** ingen annen *or* ikke noen annen mann
▸ **"no entry"** "ingen adgang"
▸ **"no smoking"** "røyking forbudt"
3 s nei *nt*
▸ **there were 20 noes and one "don't know"** det var 20 nei og ett "vet ikke"
▸ **I won't take no for an answer** jeg vil ikke ta* nei for et svar

no. FK = **number**
nobble [nɔbl] (*BRIT: sl*) VT (*+bribe*) kjøpe (*v2*); (= *buttonhole*) huke (*v1 or v2*) tak i; (*in racing: horse, dog*) dope (*v1*)
Nobel Prize [nəu'bɛl-] s Nobelpris *m*
nobility [nəu'bɪlɪtɪ] s (**a**) (= *aristocracy*) adel *m*, adelskap *nt*
(**b**) (*quality*) edelhet *m* ❑ *He followed his principles with nobility.* Han fulgte sine prinsipper med edelhet.
noble ['nəubl] ADJ (**a**) (= *admirable: person, character*) edel ❑ *...some of the greatest and noblest men in our history.* ...noen av de største og edleste menn i vår historie.
(**b**) (= *aristocratic: family, birth*) adelig ❑ *...the sons of noble families.* ...sønnene av adelige familier.
(**c**) (= *impressive: appearance, monument*) edel, fin ❑ *...an old man with a noble head...* en gammel mann med et fint hode...
nobleman ['nəublmən] *irreg* s adelsmann *m irreg*
nobly ['nəublɪ] ADV (*behave, act*) edelt
nobody ['nəubədɪ] 1 PRON ingen
2 s ▸ **he's a nobody** han er et null
no-claims bonus [nəu'kleɪmz-] s bonus *m* (*for skadefri kjøring*)
nocturnal [nɔk'tə:nl] ADJ (*tour, visit*) nattlig; (*animal*) natt-
nod [nɔd] 1 VI (*gen, fig*) nikke (*v1*) ❑ *"Is it true?" She nodded...* "Er det sant?" Hun nikket... *I nodded to them and sat down...* Jeg nikket til dem og satte meg ned... *"Ask him," said Ringbaum, nodding towards Philip...* "Spør ham," sa Ringbaum og nikket i Philips retning... *daffodils nodding in the breeze* ...påskeliljer som nikket i brisen
2 VT ▸ **to nod one's head** nikke (*v1*) med hodet
3 s nikk *m or nt* ❑ *...he gave him an encouraging nod...* han gav ham et oppmuntrende nikk... *she said with a nod of her head.* ...sa hun og nikket.
▸ **they nodded their agreement** de nikket samtykkende *or* som tegn på at de var enige
▸ **nod off** VI duppe (*v1*) av
no-fly zone [nəu'flaɪ-] s flyfri sone *c*
no-go area [nəu'gəu-] s forbudt område *n*
noise [nɔɪz] s (**a**) (= *sound*) lyd *m* ❑ *A sudden noise made Brody jump...* En plutselig lyd fikk Brody til å skvette...
(**b**) (= *din*) støy *m*, larm *m*, bråk *nt* ❑ *Try not to make so much noise...* Prøv ikke å lage så mye støy *or* larm *or* bråk...
noiseless ['nɔɪzlɪs] ADJ (*machine, footsteps*) lydløs
noisily ['nɔɪzɪlɪ] ADV støyende
noisy ['nɔɪzɪ] ADJ støyende, larmende, bråket(e) ❑ *The audience was large and noisy...* Det var et stort og støyende *or* larmende *or* bråket(e) publikum... *Canton was hot and noisy...* Canton var varm og støyende *or* bråket(e)...
nomad ['nəumæd] s nomade *m*
nomadic [nəu'mædɪk] ADJ (*tribes, life*) nomadisk, nomade-
no-man's-land ['nəumænzlænd] s

ingenmannsland *nt*

nominal ['nɔmɪnl] ADJ (*leader, leadership*) i navnet, nominell; (*sum, value, price*) nominell

nominate ['nɔmɪneɪt] VT (**a**) (= *propose*) innstille (*v2x*) ❑ *I've been nominated for a senior lectureship...* Jeg har blitt innstilt til en førsteamanuensisstilling...
(**b**) (= *propose*) nominere (*v2*) ❑ *...nominated for an Oscar.* ...nomimert til Oscar.
(**c**) (= *appoint*) utnevne (*v2*) ❑ *Committee members are nominated by the local authority...* Komiteen blir utnevnt av de lokale myndighetene...

nomination [nɔmɪ'neɪʃən] S (**a**) (= *proposal*) innstilling *c* ❑ *...a list of nominations for senior lectureships.* ...en innstillingsliste til førsteamanuensisstillinger.
(**b**) (= *appointment*) utnevnelse *m* ❑ *...Judge O'Connor's nomination to the Supreme Court.* ...dommer O'Connors utnevnelse til Høyesterett.

nominee [nɔmɪ'niː] S kandidat *m* (*som er innstilt eller nominert*)

non... [nɔn] PREF ikke-, u-, -fri

nonalcoholic [nɔnælkə'hɔlɪk] ADJ alkoholfri

nonaligned [nɔnə'laɪnd] ADJ alliansefri

nonbreakable [nɔn'breɪkəbl] ADJ uknuselig

nonce word ['nɔns-] S ord *nt* laget for anledningen

nonchalant ['nɔnʃələnt] ADJ (*person, manner*) nonsjalant, overlegen

noncommissioned officer [nɔnkə'mɪʃənd-] S underbefal *nt*

noncommittal [nɔnkə'mɪtl] ADJ (*person*) forbeholden; (*answer*) uforpliktende, forbeholden

nonconformist [nɔnkən'fɔːmɪst] [1] S nonkonformist *m*, dissenter *m*; (*BRIT: REL*) nonkonformist *m*
[2] ADJ (*ideas, attitudes*) ikke-konformistisk; (*BRIT: REL*) nonkonformist-

noncooperation ['nɔnkəuɔpə'reɪʃən] S mangel *m* på samarbeidsvilje

nondescript ['nɔndɪskrɪpt] ADJ (*person, clothes, colour*) ubestemmelig, av den typen man ikke legger merke til

none [nʌn] PRON (**a**) (= *not one*) ikke noen, ingen ❑ *I have answered every single question. My opponent has answered none.* Jeg har svart på hvert eneste spørsmål. Motstanderen min har ikke svart på noen. *None of the telephones...* Ingen av *or* ikke noen av telefonene... *None of my friends...* Ingen *or* ikke noen av vennene mine...
(**b**) (= *not any*) ikke noe(n) ❑ *She showed none of the arrogance I had learned to expect.* Hun viste ikke noe av den arrogansen som jeg hadde lært å vente meg.
▸ **none of us** ingen av oss ❑ *None of us understood the play...* Ingen av oss forstod stykket...
▸ **I've none left** (**a**) (*not any*) Jeg har ikke noe igjen ❑ *She's drunk all my coffee – I've none left.* Hun har drukket all kaffen min – jeg har ikke noe igjen.
(**b**) (*not one*) Jeg har ingen *or* ikke noen igjen ❑ *She's eaten all my biscuits – I've none left.* Hun har spist alle kjeksene mine – jeg har ingen *or* ikke noen igjen.
▸ **none at all** (**a**) (*not any*) ikke noe i det hele tatt ❑ *"How much coffee is left?" "None at all."* "Hvor mye kaffe er det igjen?" "Ikke noe i det hele tatt."
(**b**) (*not one*) ingen *or* ikke noen i det hele tatt ❑ *"Did you have any problems?" "None at all."* "Hadde du noen problemer?" "Ingen *or* ikke noen i det hele tatt."
▸ **I was none the wiser** jeg var like klok ❑ *She explained the theory in detail, but afterwards I was still none the wiser.* Hun forklarte teorien i detalj, men etterpå var jeg fremdeles like klok.
▸ **she would have none of it** hun ville* ikke vite noe av det
▸ **It was none other than X** Det var ingen annen enn X

nonentity [nɔ'nɛntɪtɪ] S ubetydelighet *m*

nonessential [nɔnɪ'sɛnʃl] [1] ADJ (*items, travel*) unødvendig
[2] S ▸ **nonessentials** uvesentlige ting *pl*

nonetheless ['nʌnðə'lɛs] ADV likevel, ikke desto mindre

nonevent [nɔnɪ'vɛnt] S skuffelse *m*

nonexistent [nɔnɪg'zɪstənt] ADJ ikke-eksisterende

nonfiction [nɔn'fɪkʃən] [1] S sakprosa *m*
[2] ADJ (*book, prize*) sakprosa-

nonflammable [nɔn'flæməbl] ADJ ikke-brennbar

nonintervention ['nɔnɪntə'vɛnʃən] S ikke-intervensjon *m*, ikke-innblanding *c*

no-no ['nəunəu] S ▸ **it's a no-no** (*sl*) kommer ikke på tale

non obst. FK (= *notwithstanding*) (= **non obstante**) på tross av, trass i

no-nonsense [nəu'nɔnsəns] ADJ (*approach, look*) real

nonpayment [nɔn'peɪmənt] S manglende innbetaling *c* ❑ *...nonpayment of poll tax.* ...manglende innbetaling av koppskatt.

nonplussed [nɔn'plʌst] ADJ rådvill

non-profit-making ['nɔn'prɔfɪtmeɪkɪŋ] ADJ (*organization*) med allmennyttig formål, *som ikke er beregnet å skulle* gi* fortjeneste*

nonsense ['nɔnsəns] S tull *nt*, nonsens *nt*
▸ **nonsense!** vrøvl!, sludder!, tull og tøys!
▸ **it is nonsense to say that...** det er tøys å si at..., det er tull å si at...
▸ **to make (a) nonsense of sth** få* noe til å virke tullete *or* tøvete ❑ *The rest of his policies made a nonsense of his call for moderation...* Resten av politikken hans fikk kravene om moderasjon til å virke tøvete *or* tullete...

nonsensical [nɔn'sɛnsɪkl] ADJ (*idea, action etc*) meningsløs

nonshrink [nɔn'ʃrɪŋk] (*BRIT*) ADJ krympefri

nonsmoker ['nɔn'sməukə^r] S ikke-røyker *m*

nonsmoking ['nɔn'sməukɪŋ] ADJ (*compartment*) for ikke-røykere

nonstarter [nɔn'stɑːtə^r] S (*fig*) ▸ **it's a nonstarter** det er dømt til å mislykkes

nonstick ['nɔn'stɪk] ADJ (*pan, surface*) klebefri

nonstop ['nɔn'stɔp] [1] ADJ (*conversation*) uavbrutt; (*flight*) uten mellomlanding
[2] ADV (*speak*) uten stans, uavbrutt; (*fly*) uten mellomlanding, nonstop

nontaxable [nɔn'tæksəbl] ADJ (*revenue, income*) ikke skattbar
non-U [nɔn'ju:] (*BRIT: sl*) ADJ *som ikke hører til overklassen*
non-white ['nɔn'waɪt] 1 ADJ (*person*) ikke-hvit 2 s ikke-hvit *m decl as adj*
noodles ['nu:dlz] SPL nudler *m*
nook [nuk] s ▸ **every nook and cranny** alle kriker og kroker
noon [nu:n] s ▸ **at noon** klokka 12 (på dagen) ▸ **it was noon** det var midt på dagen, klokka var 12
no-one ['nəuwʌn] PRON = **nobody**
noose [nu:s] s løkke *c*
nor [nɔ:ʳ] 1 KONJ = **neither**
2 ADV *see* **neither**
Norf (*BRIT: POST*) FK = **Norfolk**
norm [nɔ:m] s norm *c*
▸ **to be the norm** være* normen ❑ *In Russia, working wives have been the norm...* I Russland har utearbeidende koner vært normen...
normal ['nɔ:məl] 1 ADJ normal ❑ *...a fairly normal life...* et noenlunde normalt liv... *In normal circumstances...* Under normale omstendigheter... *Traffic was normal for an August weekend...* Trafikken var normal for en helg i august... *a perfectly normal baby...* en helt normal baby...
2 s ▸ **to return to normal** komme tilbake til det normale
normality [nɔ:'mælɪtɪ] s normale forhold *pl*, normal tilstand *m*; (*MED*) normalitet *m*
normally ['nɔ:məlɪ] ADV (**a**) (= *usually*) normalt (sett), vanligvis ❑ *I don't normally drink at lunch...* Jeg drikker normalt (sett) *or* vanligvis ikke til lunsj...
(**b**) (*act, behave*) normalt ❑ *The important thing is that she's eating normally.* Det som er viktig, er at hun spiser normalt.
Normandy ['nɔ:məndɪ] s Normandie
north [nɔ:θ] 1 s nord *m* ❑ *People from the north...* Folk nordfra...
2 ADJ nord-, norlig ❑ *...in north London...* i Nord-London... *the north face of the Eiger...* nordsiden av Eiger...
3 ADV nordover, mot nord ❑ *They were heading north...* De dro nordover *or* mot nord...
▸ **north of** nord for ❑ *It's 150 miles or so north of Salisbury...* Det er sånn omtrent 150 miles nord for Salisbury...
▸ **in the north** nordpå ❑ *We, who live in the north,...* Vi som bor nordpå... *Norwegian airfields in the far north...* norske flyplasser langt mot nord...
▸ **to the north** mot nord ❑ *The land to the north and east was low-lying...* Landet mot nord og øst var lavtliggende...
▸ **the north of England** Nord-England
North Africa s Nord-Afrika
North African 1 ADJ nordafrikansk
2 s nordafrikaner *m*
North America s Nord-Amerika
North American 1 ADJ nordamerikansk
2 s nordamerikaner *m*
Northants (*BRIT: POST*) FK = **Northamptonshire**
northbound ['nɔ:θbaund] ADJ nordgående
Northd (*BRIT: POST*) FK = **Northumberland**
north-east [nɔ:θ'i:st] 1 s nordøst *m* ❑ *Our route lay somewhere to the north-east...* Ruten vår lå et eller annet sted i nordøst... *the north-east of England...* nordøst i England...
2 ADJ nordøstlig ❑ *...the north-east entrance...* den nordøstlige inngangen... *in north-east Brazil...* i det nordøstlige Brasil...
3 ADV nordøstover, mot nordøst ❑ *It had turned away north-east...* Det hadde vendt nordøstover *or* mot nordøst...
▸ **north-east of** nordøst for
northerly ['nɔ:ðəlɪ] ADJ (*point, direction, wind*) nordlig
northern ['nɔ:ðən] ADJ nordlig, nordre, nord-
Northern Ireland s Nord-Irland
North Korea s Nord-Korea
North Pole s ▸ **the North Pole** Nordpolen
North Sea s ▸ **the North Sea** Nordsjøen
North Sea oil s nordsjøolje *c*
northward(s) ['nɔ:θwəd(z)] ADV mot nord, nordover
north-west [nɔ:θ'wɛst] 1 s nordvest *m* ❑ *The lake curves to the north-west.* Innsjøen svinger mot nordvest. *...in the north-west...* i nordvest...
2 ADJ nordvestlig ❑ *...the north-west frontier of India...* Indias nordvestlige grenseområde...
3 ADV nordvestover, mot nordvest ❑ *We headed north-west towards the hills.* Vi dro mot nordvest *or* nordvestover mot åsene.
▸ **north-west of** nordvest for ❑ *Some 300 miles north-west of Kampala,...* Omtrent 300 miles nordvest for Kampala,...
Norway ['nɔ:weɪ] s Norge
Norwegian [nɔ:'wi:dʒən] 1 ADJ norsk
2 s (*person*) nordmann *m irreg*; (*LING*) norsk *m*
nos. FK = **numbers**
nose [nəuz] 1 s (**a**) (*ANAT, sense of smell*) nese *c* ❑ *My nose is itching...* Jeg klør på/i nesen... *Johnny punched me on the nose.* Johnny slo til meg på nesen. *His nose told him that he was getting near the cow shed.* Nesen hans fortalte ham at han nærmet seg fjøset.
(**b**) (*of aircraft, car*) nese *c*, front *m*
2 VI (*also* ***nose one's way***) føle (*v2*) seg fram ❑ *A police car came nosing silently along the street...* En politibil følte seg stille fram bortover gaten...
▸ **to follow one's nose** fortsette* rett fram (etter nesen) ❑ *Turn left at the lights, then follow your nose.* Ta til venstre ved trafikklyset, og fortsett så rett fram (etter nesen).
▸ **to get up one's nose** (*sl*) irritere (*v2*) vettet av noen
▸ **to have a (good) nose for sth** ha* nese for noe ❑ *Reporters need to have a good nose for a story.* Reportere må ha* nese for en god historie.
▸ **to keep one's nose clean** (*sl*) holde* seg unna bråk
▸ **to look down one's nose at sb/sth** (*sl*) se* ned på noen/noe ❑ *I think he looks down his nose at my work.* Jeg tror han ser ned på arbeidet mitt.
▸ **to pay through the nose (for sth)** (*sl*) betale (*v2*) i dyre dommer (for noe)

▸ **to rub sb's nose in sth** (*sl*) gi* noen noe inn med teskjeer ❑ *There's no need to rub my nose in the fact that she's so much more attractive than I am.* Det er ikke nødvendig å gi* meg det inn med teskjeer at hun er så mye mer tiltrekkende enn jeg er.
▸ **to turn one's nose up at sth** (*sl*) rynke (*v1*) på nesen av noe ❑ *She turned her nose up at the meal I had cooked.* Hun rynket på nesen av maten jeg hadde laget.
▸ **under sb's nose** rett for nesen på noen ❑ *Cheating was going on under the teacher's nose...* Fusking foregikk rett for nesen på læreren...

▸ **nose about** VI snuse (*v2*) omkring
▸ **nose around** VI = **nose about**

nosebleed ['nəuzbliːd] s neseblod *nt*, neseblødning *m*
▸ **to have a nosebleed** blø (*v4*) neseblod

nose dive 1 s (*of plane: deliberate*) stup *nt*; (*involuntary*) styrt *m*
2 VI (*plane+*) stupe (*v2*); (*career, reputation+*) havarere (*v2*)

nose drops SPL nesedråper *m*

nosey ['nəuzɪ] (*sl*) ADJ = **nosy**

nostalgia [nɔs'tældʒɪə] s nostalgi *m*

nostalgic [nɔs'tældʒɪk] ADJ (*person, experience*) nostalgisk

nostril ['nɔstrɪl] s nesebor *nt*

nosy ['nəuzɪ] (*sl*) ADJ nysgjerrig

KEYWORD

not [nɔt] 1 ADV ikke
▸ **he is not** *or* **isn't here** han er ikke her
▸ **you must not** *or* **you mustn't do that** du må ikke gjøre* det
▸ **it's too late, isn't it?** det er for sent, ikke sant *or* er det ikke?
▸ **he asked me not to do it** han bad meg om ikke å gjøre* det
▸ **not that I don't like him...** det er ikke det at jeg ikke liker ham...
▸ **not yet/now** ikke ennå/nå
see also **all, only**

notable ['nəutəbl] ADJ (*achievement, exception*) bemerkelsesverdig

notably ['nəutəblɪ] ADV (= *particularly*) især, særlig; (= *markedly*) i påfallende grad, merkbart, påtakelig

notary ['nəutərɪ] s (*also* ***notary public***) notarius publicus *m indecl*

notation [nəu'teɪʃən] s (*MAT*) tallsystem *nt*; (*MUS*) noter *pl*, notesystem *nt*

notch [nɔtʃ] s (**a**) (*in wood, blade, saw*) hakk *nt*, innsnitt *nt*, skår *nt*
(**b**) (*fig*) hakk *nt* ❑ *His latest work is several notches above anything he has produced before.* Det siste arbeidet hans er mange hakk bedre enn noe han har produsert tidligere.

▸ **notch up** VT (*+victory*) notere (*v2*) seg for

note [nəut] 1 s (**a**) (*of lecturer, student, secretary etc*) notat *nt* ❑ *...people speaking from notes...* folk som snakker utfra notater...
(**b**) (*in book etc*) note *m* ❑ *Consult the notes at the end of the book...* Konferer med notene bakerst i boka...
(**c**) (*letter*) lapp *m*, kort brev *nt* ❑ *She left a note saying...* Hun etterlot seg en lapp *or* et kort brev som fortalte at...
(**d**) (= *banknote*) seddel *m* ❑ *He handed me a pound note...* Han gav meg en pundseddel...
(**e**) (*MUS: sound*) tone *m*
(**f**) (*printed, written*) note *m* ❑ *He played a few notes on the piano...* Han spilte noen få* toner på pianoet... *Not one of them could read a note of music.* Ikke en eneste av dem kunne* lese en eneste note.
(**g**) (*fig: hint, tone*) undertone *m*, anstrøk *nt* ❑ *There was a note of triumph in her voice...* Det var en undertone *or* et anstrøk av triumf i stemmen hennes...
2 VT (**a**) (= *observe*) legge* merke til, merke (*v1*) seg, notere (*v2*) seg ❑ *Note that the report does not carry any form of official recommendation.* Legg merke til *or* merk deg *or* noter deg at rapporten ikke har noen form for offisiell tilråding.
(**b**) (= *point out*) bemerke (*v1*) ❑ *Wages have, as already noted, a dual function in the economy...* Lønningene har, som allerede bemerket, en dobbel funksjon i økonomien...
(**c**) (*also* ***note down***) notere (*v2*) ❑ *He noted the exact time and place on the sketch.* Han noterte nøyaktig tid og sted på skissen.
▸ **of note** betydningsfull ❑ *...an artist of some note...* en ganske betydningsfull kunstner... *little of note...* lite av betydning...
▸ **to make a note of sth** merke (*v1*) seg noe, notere (*v2*) seg noe ❑ *I'll make a note of that...* Jeg skal merke meg *or* notere meg det...
▸ **to take notes** ta* notater
▸ **to take note of sth** merke (*v1*) seg noe ❑ *...he had taken note of everything I had said...* han hadde merket seg alt jeg hadde sagt...

notebook ['nəutbuk] s notisbok *c*; (*for shorthand*) stenografiblokk *c*; (*DATA*) notebook *m*

notecase ['nəutkeɪs] (*BRIT*) s lommebok *c*

noted ['nəutɪd] ADJ (= *famous*) kjent, berømt ❑ *...a noted American writer...* en kjent *or* berømt amerikansk forfatter... *a Scottish family noted for its intellect...* en skotsk familie kjent *or* berømt for sitt intellekt...

notepad ['nəutpæd] s notatblokk *c*, notisblokk *c*

notepaper ['nəutpeɪpə^{r}] s brevpapir *nt*

noteworthy ['nəutwəːðɪ] ADJ (*fact, event*) bemerkelsesverdig

nothing ['nʌθɪŋ] PRON (**a**) (= *not anything*) ikke noe, ingenting ❑ *She shook the bottle; nothing came out...* Hun ristet flasken; ikke noe *or* ingenting kom ut... *The man nodded but said nothing...* Mannen nikket, men sa ikke noe *or* ingenting... *There's nothing to worry about...* Det er ikke noe *or* ingenting å bekymre seg om... *He meant nothing to her now...* Han betydde ikke noe *or* ingenting for henne nå...
(**b**) (= *something unimportant*) ingenting ❑ *A fight started over nothing...* En slåsskamp begynte for ingenting... *a long phone call about nothing.* ...en lang telefonsamtale om ingenting.
▸ **nothing new/worse** *etc* ikke noe nytt/verre *etc* ❑ *There is nothing new about this technique...*

Det er ikke noe nytt med denne teknikken... *Personally, I can think of nothing more unpleasant...* Personlig kan jeg ikke tenke meg noe mer ubehagelig...
▸ **nothing much** ikke noe større, fint lite
▸ **nothing else** ikke noe annet ❑ *I had nothing else to do...* Jeg hadde ikke noe annet å gjøre...
▸ **for nothing** (**a**) (= *free*) gratis ❑ *You're always expecting something for nothing.* Du venter alltid å få* ting gratis.
(**b**) (= *in vain*) til ingen nytte ❑ *It is hard to believe that they died for nothing...* Det er vanskelig å tro at de døde til ingen nytte...
▸ **nothing at all** ikke noe som helst *or* ikke noe i det hele tatt ❑ *"What did you say?" "Nothing at all."* "Hva sa du?" "Ikke noe som helst *or* ikke noe i det hele tatt."

notice ['nəutɪs] 1 s (**a**) (= *announcement*) notis *m*, oppslag *nt* ❑ *There was a large notice which said...* Det var et stort oppslag som sa...
(**b**) (= *warning*) varsel *m* ❑ *...if she'd had a bit more notice...* hvis hun hadde fått litt lengre varsel...
(**c**) (*dismissal*) oppsigelse *m* ❑ *...she had been given two weeks' notice.* ...hun hadde fått to ukers oppsigelse.
(**d**) (*BRIT: review: of play etc*) omtale *m* ❑ *It had had encouraging notices.* Det hadde fått oppmuntrende omtale.
2 VT (= *observe*) legge* merke til ❑ *I suddenly noticed a fat man sitting in the front row...* Jeg la plutselig merke til en tykk mann som satt på første rad... *I've noticed that computers never go wrong in my favour...* Jeg har lagt merke til at datamaskiner aldri gjør feil til min fordel...
▸ **to bring sth to sb's notice** gjøre* noen oppmerksom på noe ❑ *...the things that were brought to my notice by Mrs Oliver...* tingene som fru Oliver gjorde meg oppmerksom på...
▸ **to take no notice of** ikke bry (*v4*) seg om
▸ **to escape sb's notice** unndra* seg *or* unngå* noens oppmerksomhet ❑ *This has not escaped the notice of the police force.* Dette har ikke unndratt seg *or* unngått politistyrkens oppmerksomhet.
▸ **it has come to my notice that...** jeg har fått kjennskap til at...
▸ **to give sb notice of sth** varsle (*v1*) noen om noe ❑ *The union was to give the management 28 days' notice of strikes.* Fagforeningen skulle* varsle ledelsen om streik 28 dager på forhånd.
▸ **without notice** uten (for)varsel ❑ *We reserve the right to eject without notice any objectionable person.* Vi forbeholder oss retten til å kaste ut enhver person som blir ubehagelig uten (for)varsel.
▸ **advance notice** forhåndsvarsel
▸ **at short/a moment's notice** på kort/et øyeblikks varsel
▸ **until further notice** inntil videre ❑ *The beaches are closed until further notice.* Strendene er stengt inntil videre.
▸ **to hand in one's notice** levere (*v2*) sin avskjedssøknad, si* opp ❑ *I handed in my notice last week...* Jeg leverte avskjedssøknaden min *or* sa opp forrige uke...
▸ **to be given one's notice** bli* sagt opp *or* oppsagt

noticeable ['nəutɪsəbl] ADJ (*effect*) merkbar, synlig; (*mark*) synlig

noticeboard ['nəutɪsbɔːd] (*BRIT*) s oppslagstavle *c*

notification [nəutɪfɪ'keɪʃən] s melding *c* ❑ *I've received no notification of any changes...* Jeg har ikke fått noen melding om forandringer...

notify ['nəutɪfaɪ] VT ▸ **to notify sb (of sth)** meddele (*v2*) noen (noe)

notion ['nəuʃən] s (= *idea*) forestilling *c*, oppfatning *m* ❑ *The notion that the earth is flat was rejected long ago...* Forestillingen om *or* oppfatningen av at jorda er flat, ble forkastet for lenge siden...
▸ **notions** (*US*) SPL (= *haberdashery*) kortevarer *c*

notoriety [nəutə'raɪətɪ] s beryktethet *m*

notorious [nəu'tɔːrɪəs] ADJ (*criminal, liar*) notorisk, beryktet; (*place*) beryktet

notoriously [nəu'tɔːrɪəslɪ] ADV (*unreliable, bad*) notorisk

Notts (*BRIT: POST*) FK = **Nottinghamshire**

notwithstanding [nɔtwɪθ'stændɪŋ] 1 ADV ikke desto mindre, likevel
2 PREP til tross for, trass i

nougat ['nuːgɑː] s nugat *m* (*var.* nougat)

nought [nɔːt] s null *m*

noun [naun] s substantiv *nt*

nourish ['nʌrɪʃ] VT (= *feed*) fø (*v4*), ernære (*v2*); (*fig: foster*) fostre (*v1*), nære (*v2*)

nourishing ['nʌrɪʃɪŋ] ADJ næringsrik, nærende

nourishment ['nʌrɪʃmənt] s næring *c*

Nov. FK = **November**

Nova Scotia ['nəuvə'skəuʃə] s Nova Scotia

novel ['nɔvl] 1 s roman *m*
2 ADJ (= *new, fresh: idea, approach*) helt ny

novelist ['nɔvəlɪst] s romanforfatter *m*

novelty ['nɔvəltɪ] s (= *newness*) *noe som er helt nytt og uvant*; (*object*) nyhetsartikkel *m*

November [nəu'vɛmbəʳ] s november *see also* **July**

novice ['nɔvɪs] s (= *beginner*) nybegynner *m*; (*REL: female*) novise *c*; (*male*) novise *m*

NOW [nau] (*US*) s FK (= **National Organization for Women**) *kvinneorganisasjon*

now [nau] 1 ADV nå ❑ *It is now just after one o'clock...* Klokken er nå litt over ett... *I'm going home now...* Jeg drar hjem nå... *Now is the time to find out...* Nå er tiden inne til å finne ut... *I was hoping to see you tomorrow. That won't be possible now...* Jeg håpet å få* møte dere i morgen. Det blir ikke mulig nå...
2 KONJ ▸ **now (that)** nå som, nå når *+ present tense* ❑ *Now that she's found him, she'll never let him go...* Nå som hun har funnet ham, vil hun aldri la ham gå...
▸ **right now** akkurat nå ❑ *What if a shark came along right now?* Hva om en hai kom akkurat nå?
▸ **by now** nå, på denne tiden ❑ *By now he'll be home and in bed.* Nå *or* på denne tiden vil han være* hjemme og i seng.
▸ **just now** (**a**) (= *a while ago*) nå nettopp ❑ *I saw her just now...* Jeg så henne nå nettopp...
(**b**) (= *at the moment*) akkurat nå

▸ **that's the fashion just now...** det er moten akkurat nå...
▸ **(every) now and then, (every) now and again** nå og da, en gang iblant ❑ *(Every) now and again my method appears to work...* Nå og da *or* en gang iblant ser det ut til at metoden min virker...
▸ **from now on** fra nå av
▸ **in 3 days from now** om 3 dager fra nå
▸ **between now and Monday** mellom nå og mandag
▸ **that's all for now** det er alt foreløpig
▸ **any day now** hvilken dag som helst nå
▸ **now then** nå ❑ *Now then, who's for a cup of tea?* Nå, hvem vil ha* en kopp te?

nowadays ['nauədeɪz] ADV nå til dags, nå for tiden

nowhere ['nəuwɛəʳ] ADV ingen steder, ikke noen steder, ikke noe sted ❑ *There was nowhere to hide...* Det var ikke noen *or* ingen steder å gjemme seg...
▸ **nowhere in particular** ikke noe spesielt sted
▸ **nowhere else** ingen andre steder ❑ *She had absolutely nowhere else to go...* Hun hadde absolutt ingen andre steder å dra...

no-win situation [nəu'wɪn-] s situasjon *m* hvor man er nødt til å tape

noxious ['nɔkʃəs] ADJ (*gas, fumes*) skadelig, giftig; (*smell*) fæl

nozzle ['nɔzl] s (*of hose*) strålerør *nt*, strålespiss *m*; (*of fire extinguisher, vacuum cleaner etc*) munnstykke *nt*

NP (*JUR*) s FK = **notary public**

NS (*CAN*) FK = **Nova Scotia**

NSC (*US*) s FK (= **National Security Council**) *organ som holder presidenten orientert om saker som vedrører den nasjonale sikkerheten*

NSF (*US*) s FK (= **National Science Foundation**) *forskningsråd*

NSPCC (*BRIT*) s FK (= **National Society for the Prevention of Cruelty to Children**) *frivillig organisasjon som undersøker og rapporterer mishandling og forsømmelse av barn*

NSW (*AUSTRALIA*) FK = **New South Wales**

NT (*BIBEL*) s FK (= **New Testament**) NT (= *Det nye testamentet*)

nth [ɛnθ] (*sl*) ADJ ▸ **to the nth degree** i n.te grad, i n-te grad

nuance ['nju:ɑ̃:ns] s nyanse *m*

nubile ['nju:baɪl] ADJ gifteferdig

nuclear ['nju:klɪəʳ] ADJ (*fission, power, reactor*) kjerne-, atom-; (*physics*) kjerne-; (*weapon, war*) kjernefysisk, atom-; (*industry*) atom-

nuclear disarmament s kjernefysisk nedrustning *c*

nuclear family s kjernefamilie *m*

nuclear-free zone ['nju:klɪə'fri:-] s atomvåpenfri sone *c*

nuclei ['nju:klɪaɪ] SPL *of* **nucleus**

nucleus ['nju:klɪəs] (*pl* **nuclei**) s (*of atom, cell*) kjerne *c*; (*fig: of group*) kjerne *c*, grunnstamme *m*

NUCPS (*BRIT*) s FK (= **National Union of Civil and Public Servants**) *fagforening*

nude [nju:d] 1 ADJ naken
2 s (**a**) (*KUNST: picture*) akt *c*
(**b**) (*sculpture*) naken skulptur *m*
▸ **in the nude** naken

nudge [nʌdʒ] VT (*+person*) dulte (*v1*) til ❑ *The girls grinned and nudged each other.* Jentene flirte og dultet til hverandre.

nudist ['nju:dɪst] s nudist *m*, naturist *m*

nudist colony s nakenkoloni *m*

nudity ['nju:dɪtɪ] s nakenhet *m*

nugget ['nʌgɪt] s (*of gold*) klump *m*; (*fig: of information*) godbit *m*

nuisance ['nju:sns] s (**a**) (*situation*) plage *m* ❑ *It's such a nuisance that you live so far away...* Det er en sann plage at du bor så langt borte...
(**b**) (*thing*) plage *m* ❑ *This broken strap is a real nuisance.* Denne ødelagte stroppen er en sann plage.
(**c**) (*person*) plage(ånd) *m* ❑ *I'm sorry to have been such a nuisance.* Jeg er lei for at jeg har vært slik en plage.
▸ **it's a nuisance** det er ergelig
▸ **he's a nuisance** han er en plage, han er en plageånd, han er en pest og en plage
▸ **what a nuisance!** så irriterende!

NUJ (*BRIT*) s FK (= **National Union of Journalists**) *fagforening*

null [nʌl] ADJ ▸ **null and void** (*contract, agreement*) ugyldig

nullify ['nʌlɪfaɪ] VT (*+advantage, power*) oppheve (*v1*); (*+claim, law*) gjøre* ugyldig

NUM (*BRIT*) s FK (= **National Union of Mineworkers**) *fagforening*

numb [nʌm] 1 ADJ (*with cold etc*) nummen, følelsesløs; (*fig: with fear etc*) lammet
2 VT (*+fingers, pain*) gjøre* følelsesløs *or* nummen; (*fig: mind*) virke (*v1*) sløvende på

number ['nʌmbəʳ] 1 s (**a**) (*MAT*) tall *nt* ❑ *Multiply that number by five...* Multipliser det tallet med fem... *861 is a three-figure number.* 861 er et tresifret tall.
(**b**) (= *quantity*) antall *nt* ❑ *A surprising number of men never marry...* Et overraskende antall menn gifter seg aldri... *cities with large numbers of children...* byer med et stort antall barn... *They were produced in vast numbers.* De ble produsert i store antall.
(**c**) (*of house, bank account, bus etc*) nummer *nt* ❑ *Do you know what your bank account number is?* Kan du bankkontonummeret ditt? *...the house numbers...* husnumrene...
2 VT (**a**) (*+pages etc*) nummerere (*v2*) ❑ *...because I haven't numbered the pages* ...fordi jeg ikke har nummerert sidene
(**b**) (= *amount to*) telle (*v2x or irreg*), utgjøre* ❑ *The force numbered almost a quarter of a million men.* Styrken talte *or* utgjorde nesten en kvart million mann.
▸ **to be numbered among** bli* regnet med blant ❑ *She can be numbered among the great musicians of our time.* Hun kan bli* regnet med blant de store musikerne i vår tid.
▸ **a number of** (= *several*) en (hel) del, en (hel) rekke ❑ *A number of people disagreed.* En (hel) del *or* (hel) rekke mennesker var uenige.
▸ **any number of** en hel rekke ❑ *It could be due to any number of reasons.* Det kunne* skyldes en hel rekke årsaker.

▸ **wrong number** (*TEL*) feil nummer
number plate (*BRIT*) s (*BIL*) nummerskilt *nt*
Number Ten (*BRIT*) s (= *10 Downing Street*) ≈ statsministerboligen *def*
numbness ['nʌmnɪs] s (**a**) (*due to cold*) nummenhet *m*, følelsesløshet *m* ❑ ***She was fighting off the numbness of frostbite.*** Hun prøvde å få* bukt med nummenheten *or* følelsesløsheten som forfrysningen gav.
(**b**) (*fig: due to fear, shock*) lammelse *m* ❑ ***...the numbness I felt when I heard that President Kennedy had been assassinated.*** ...den samme lammelsen som jeg følte da president Kennedy ble myrdet.
numeral ['nju:mərəl] s tall *nt*, tallord *nt*
numerate ['nju:mərɪt] (*BRIT*) ADJ ▸ **to be numerate** kunne* regne, ha* evnen til å forstå tall, ha* tallforståelse
numerical [nju:'mɛrɪkl] ADJ (*value, order*) tall-, numerisk
numerous ['nju:mərəs] ADJ tallrik
nun [nʌn] s nonne *c*
nunnery ['nʌnərɪ] s nonnekloster *nt*
nuptial ['nʌpʃəl] ADJ (*ceremony, rite*) bryllups-; (*bliss*) ekteskapelig
nurse [nə:s] 1 s (**a**) (*in hospital*) sykepleier *m*
(**b**) (*also* ***nursemaid***) barnepleier *m* ❑ ***...a children's nurse.*** ...en barnepleier.
2 VT (**a**) (*+patient, cold, toothache etc*) pleie (*v1 or v3*) ❑ ***She discovered that he was ill and stayed to nurse him...*** Hun oppdaget at han var syk og ble værende for å pleie ham... ***Do you want to go to bed and nurse that tooth?*** Vil du legge deg og pleie den tannen?
(**b**) (*+baby: hold*) holde*
(**c**) (= *feed*) amme (*v1*) ❑ ***Can I nurse the baby for a bit?*** Kan jeg få* holde babyen litt? ***Mothers now have six weeks off from work to nurse their new-born babies.*** Mødre har nå seks ukers fri fra jobben for å amme sine nyfødte spedbarn.
(**d**) (*fig: desire*) nære (*v2*) ❑ ***Mr Wilson had long nursed a desire to build his own yacht...*** Mr Wilson hadde lenge nært et ønske om å bygge sin egen yacht...
nursery ['nə:sərɪ] s (*institution*) daghjem *nt*; (*room*) barneværelse *nt*, barnerom *nt*; (*for plants*) planteskole *m*
nursery rhyme s barnerim *nt*
nursery school s barnehage *m* (*for barn mellom 3 og 5*)
nursery slope (*BRIT*) s begynnerbakke *m*
nursing ['nə:sɪŋ] s (*profession*) sykepleieryrket *nt def*, sykepleie *m*; (*care*) stell *nt*, pleie *m*
nursing home s privat pleiehjem *nt*
nursing mother s mor *c irreg* som ammer
nurture ['nə:tʃə[r]] VT (*+child*) oppfostre (*v1*); (*+plant*) stelle (*v2x*); (*fig: ideas, creativity*) fostre (*v1*)
NUS (*BRIT*) S FK (= **National Union of Students**) *forening som ivaretar studentenes utdanningsmessige, sosiale og generelle interesser*, NSU (= *Norsk Studentunion*)
NUT (*BRIT*) S FK (= **National Union of Teachers**) *fagforening*
nut [nʌt] s (*BOT*) nøtt *c*; (*TEKN*) mutter *m*; (*sl: lunatic*) galning *m*
nutcase ['nʌtkeɪs] (*sl*) s galning *m*
nutcrackers ['nʌtkrækəz] SPL nøtteknekker *m sg*
nutmeg ['nʌtmɛg] s muskat *m*, muskatnøtt *c*
nutrient ['nju:trɪənt] s næringsmiddel *nt*
nutrition [nju:'trɪʃən] s (**a**) (= *diet*) ernæring *c* ❑ ***Because of his poor nutrition, he has grown weaker and weaker...*** På grunn av den dårlige ernæringen har han blitt svakere og svakere...
(**b**) (= *nourishment*) næring *c* ❑ ***...a high nutrition content.*** ...et høyt næringsinnhold.
nutritionist [nju:'trɪʃənɪst] s ernæringsfysiolog *m*, ernæringsekspert *m*
nutritious [nju:'trɪʃəs] ADJ nærende, næringsrik
nuts [nʌts] (*sl*) ADJ klin sprø (*sl*)
nutshell ['nʌtʃɛl] s nøtteskall *nt*
▸ **in a nutshell** (*fig*) i et nøtteskall
nutty ['nʌtɪ] ADJ (*flavour*) nøtteaktig; (= *containing nuts*) med nøtter; (*sl: idea etc*) sprø
nuzzle ['nʌzl] VI ▸ **to nuzzle up to** (*animal+*) gni (*v4 or irreg*) nesen *or* snuten *or* mulen mot; (*child+*) gni (*v4 or irreg*) seg inntil
NV (*US: POST*) FK = **Nevada**
NVQ (*BRIT*) S FK (= **national vocational qualification**) *yrkesutdanning uten avsluttende eksamen*
NWT (*CAN*) FK = **Northwest Territories**
NY (*US: POST*) FK = **New York**
NYC (*US: POST*) FK = **New York City**
nylon ['naɪlɔn] 1 s nylon *m*
2 ADJ nylon- ❑ ***...a nylon shirt.*** ...en nylonskjorte.
▸ **nylons** SPL (= *stockings*) nylonstrømper
nymph [nɪmf] s nymfe *c*
nymphomaniac ['nɪmfəu'meɪnɪæk] s nymfoman *m decl as adj*
NYSE (*US*) S FK (= **New York Stock Exchange**) *børsen i New York*
NZ FK = **New Zealand**

O

O, o [əu] s (**a**) (*letter*) O, o *m*
(**b**) (*US: SKOL: = outstanding*) toppkarakter *m*
(**c**) (*TEL etc: number*) null *nt*
▸ **O for Olive,** *(US)* **O for oboe** O for Olivia
oaf [əuf] s fjols *nt*
oak [əuk] 1 s eik *c* ❑ *...a table of polished oak.* ...et polert eikebord.
2 ADJ (*furniture, door*) eike-
▸ **oak tree** eiketre *nt*
OAP (*BRIT*) S FK = **old age pensioner**
oar [ɔːʳ] s (**a**) åre *c*
(**b**) (*= oarsman*) roer *m*
▸ **to put** *or* **shove one's oar in** (*sl: fig*) legge* seg opp i det/i ting
oarsman ['ɔːzmən] (*irreg* **man**) s roer *m*
OAS S FK (= **Organization of American States**) OAS
oasis [əu'eɪsɪs] (*pl* **oases**) s oase *m*
oath [əuθ] s (**a**) (*= promise*) ed *m* ❑ *...an oath of allegiance.* ...en troskapsed.
(**b**) (*= swear word*) bannord *nt*, ed *m* ❑ *...a torrent of French oaths.* ...en strøm av franske bannord *or* eder.
▸ **on** *(BRIT)* *or* **under oath** under ed ❑ *Witnesses sometimes lie on oath.* Det hender at vitner lyver under ed. *I was a doctor and under oath to save life.* Jeg var doktor og forpliktet under ed til å redde liv.
▸ **to take the oath** (*JUR*) avlegge* ed
oatmeal ['əutmiːl] s havremel *nt*; (*colour*) grågul
oats [əuts] s havre *m*
OAU S FK (= **Organization of African Unity**) OAU
obdurate ['ɔbdjurɪt] ADJ (*person, leadership*) hardnakket, ubøyelig
OBE (*BRIT*) S FK (= **Order of the British Empire**) *orden*
obedience [ə'biːdɪəns] s lydighet *c* ❑ *...obedience to the elders...* lydighet overfor de eldre...
▸ **in obedience to** i lydighet til ❑ *He did it in obedience to her wishes...* Han gjorde det i lydighet til hennes ønsker...
obedient [ə'biːdɪənt] ADJ (*child, dog etc*) lydig
▸ **to be obedient to sb/sth** være* lydig mot noen/noe ❑ *We sat down, obedient to the wishes of Oliver.* Vi satte oss ned, lydig mot Olivers ønsker.
obelisk ['ɔbɪlɪsk] s obelisk *m*
obese [əu'biːs] ADJ svært overvektig
obesity [əu'biːsɪtɪ] s sterk fedme *m*; (*= medical condition*) fettsyke *m*
obey [ə'beɪ] 1 VT (**a**) (*+person, orders*) adlyde*, lystre (*v1*) ❑ *They obeyed me without question...* De adlød *or* lystret meg uten videre...
(**b**) (*+instructions, law, regulations*) følge* ❑ *Be careful to obey the manufacturer's washing instructions.* Vær nøye med å følge fabrikantens vaskeinstruksjoner. *Those who choose not to obey the law...* De som velger å ikke følge loven...
2 VI (ad)lyde*, lystre (*v1*)
obituary [ə'bɪtjuərɪ] s nekrolog *m*
object [*N* 'ɔbdʒɪkt, *VB* əb'dʒɛkt] 1 s (**a**) (*= thing*) gjenstand *m* ❑ *...the shabby, black object he was carrying...* den medtatte svarte gjenstanden som han bar... *a solid object...* en fast legeme...
(**b**) (*= aim, purpose*) formål *nt*, hensikt *m* ❑ *...the object of Haldane's visit.* ...formålet *or* hensikten med Haldanes besøk. *What's the object of doing that?* Hva er hensikten *or* formålet med å gjøre* det?
(**c**) (*of affection, desires, ridicule*) gjenstand *m* ❑ *...young Eileen, the object of his desires.* ...unge Eileen, gjenstand for hans lengsler.
(**d**) (*LING*) objekt *nt*
2 VI innvende (*v2*), komme* med innvendinger ❑ *The men objected and the women supported their protest...* Mennene kom med innvendinger, og kvinnene støttet protesten deres...
▸ **to object to** være* imot ❑ *We object to the selection of Armstrong...* Vi er imot valget av Armstrong...
▸ **money's no object** penger er ikke noe problem
▸ **he objected that...** han innvendte at... ❑ *You may object that the system makes boys effeminate...* Du kan innvende at systemet gjør gutter feminine...
▸ **I object!** jeg protesterer!
▸ **do you object to my smoking?** har du noe imot at jeg røyker?
objection [əb'dʒɛkʃən] s innvending *c*, innsigelse *m* ❑ *Simpson met every objection with sound arguments.* Simpson møtte hver innvending *or* innsigelse med fornuftige argumenter.
▸ **objection to** innvending *c* mot ❑ *I've no objection to anybody coming into my lesson.* Jeg har ikke noen innvending mot at noen kommer inn i timen min.
▸ **if you have no objection** hvis du ikke har noen innvending, hvis du ikke har noe imot det
▸ **to raise** *or* **voice an objection** komme* med en innvending ❑ *They raised objections to Seagram's bid...* De kom med innvendinger mot Seagrams tilbud...
objectionable [əb'dʒɛkʃənəbl] ADJ (*person*) frastøtende; (*language, conduct*) upassende, støtende
objective [əb'dʒɛktɪv] 1 ADJ objektiv ❑ *...an objective view of their situation.* ...et objektivt syn på situasjonen deres.
2 s (*= aim, purpose*) mål *nt* ❑ *...political objectives...* politiske mål... *we shall never achieve our objectives.* ...vi kommer aldri til å nå våre mål.
objectively [əb'dʒɛktɪvlɪ] ADV objektivt ❑ *It was desirable to view these things objectively.* Det var ønskelig å se på disse tingene objektivt.

objectivity [ɔbdʒɪk'tɪvɪtɪ] s objektivitet *m*
object lesson s ▸ **an object lesson in** en tydelig demonstrasjon av
objector [əb'dʒɛktə^r] s protestant *m*
obligation [ɔblɪ'geɪʃən] s forpliktelse *m*, plikt *m*
▸ **to have an obligation to do sth** ha* plikt *or* en forpliktelse til å gjøre* noe ❑ *The city does indeed have an obligation to keep the schools open...* Byen har virkelig plikt *or* en forpliktelse til å holde skolene åpne...
▸ **to be under an obligation to sb/to do sth** ha* en forpliktelse overfor noen/være forpliktet til å gjøre* noe ❑ *We are under no obligation to give him what he wants.* Vi er slett ikke forpliktet til å gi* ham det han ønsker.
▸ **"no obligation to buy"** "ingen kjøpeplikt"
obligatory [ə'blɪgətərɪ] ADJ obligatorisk ❑ *...attendance at seminars is obligatory.* ...deltagelse på seminarer er obligatorisk.
oblige [ə'blaɪdʒ] VT (**a**) (= *do a favour to*) gjøre* en tjeneste ❑ *A girl reporter obliged Hearst by "fainting" in the main street.* En kvinnelig journalist gjorde Hearst en tjeneste ved å "besvime" i hovedgata.
(**b**) (= *compel*) ▸ **to oblige sb to do sth** forplikte (*v1*) *or* tvinge* noen å gjøre* noe ❑ *I felt obliged to invite him into the parlour.* Jeg følte meg forpliktet *or* tvunget til å invitere ham inn i finstua.
▸ **to be obliged to sb for sth** (= *grateful*) være* takknemlig for noe, stå* i takknemlighetsgjeld til noen for noe ❑ *I'm obliged to you for all the trouble you've taken.* Jeg er takknemlig for alt du har gjort.
▸ **anything to oblige!** (*sl*) bare hyggelig! ❑ *"Thanks a lot." "Anything to oblige!"* "Tusen takk." "Bare hyggelig!"
obliging [ə'blaɪdʒɪŋ] ADJ forekommende, imøtekommende
oblique [ə'bli:k] [1] ADJ (**a**) (*line, angle*) skrå
(**b**) (*reference, compliment*) indirekte ❑ *Alexander took this as an oblique reference to his own affairs.* Alexander tok dette som en indirekte hentydning til sine egne anliggender.
[2] s (*BRIT*: ***oblique stroke***) skråstrek *m*
▸ **at an oblique angle** på skrå
obliterate [ə'blɪtəreɪt] VT (*+village, field*) utslette (*v1*), tilintetgjøre*; (*fig: memory, error*) fjerne (*v1*), slette (*v1*)
oblivion [ə'blɪvɪən] s bevisstløshet *m*, sanseløshet *m* ❑ *Alcohol provides some people with instant oblivion.* Alkohol gjør noen mennesker bevisstløse *or* sanseløse med en gang.
▸ **to sink into oblivion** gå* i glemmeboka ❑ *...once-great names that have since been consigned to oblivion.* ...navn som en gang var store og som siden har gått i glemmeboka.
oblivious [ə'blɪvɪəs] ADJ ▸ **oblivious of** *or* **to** uvitende om ❑ *She seemed oblivious of the attention she was drawing to herself.* Hun syntes å være* uvitende om oppmerksomheten hun tiltrakk seg.
oblong ['ɔblɔŋ] [1] ADJ avlang
[2] s avlang figur *m*
obnoxious [əb'nɔkʃəs] ADJ (*behaviour, person, smell*) motbydelig, vemmelig
o.b.o. (*US*) FK (*in classified adds*) (= **or best offer**) høystb. (= *høystbydende*)
oboe ['əubəu] s obo *m*
obscene [əb'si:n] ADJ (**a**) (*gesture, remark*) obskøn ❑ *...obscene telephone calls...* obskøne telefonsamtaler...
(**b**) (*fig: wealth, income etc*) uanstendig ❑ *...the obscene gap between city and rural incomes.* ...den uanstendige forskjellen mellom inntekter i byer og i distriktene.
obscenity [əb'sɛnɪtɪ] s obskønitet *m* ❑ *Existing laws on obscenity...* Eksisterende lover om obskønitet... *They started yelling abuse and obscenities at the police.* De begynte å slenge skjellsord og obskøniteter etter politiet.
obscure [əb'skjuə^r] [1] ADJ (**a**) (= *little known: place, author etc*) lite kjent, obskur ❑ *...a book so obscure I can't even remember the name.* ...en bok som er så lite kjent *or* obskur at jeg ikke engang kan huske navnet.
(**b**) (= *difficult to understand*) obskur, uklar ❑ *...obscure points of theology or semantics...* obskure *or* uklare punkter innen teologi eller semantikk...
[2] VT (**a**) (= *obstruct: view, sun etc*) skjule (*v2*) ❑ *Some areas were obscured by patches of fog...* Noen områder ble skjult av tåkedotter...
(**b**) (= *conceal: truth, meaning etc*) tilsløre (*v2*) ❑ *The central issue must not be allowed to obscure the wider political issues.* Det sentrale spørsmålet må ikke få* tilsløre de mer generelle politiske spørsmålene.
obscurity [əb'skjuərɪtɪ] s (**a**) (*of person, book, reputation*) obskuritet *m* ❑ *He has risen from obscurity to international fame...* Han har steget fra en ukjent *or* lite kjent tilværelse til internasjonal berømmelse...
(**b**) (*of reference, remark*) uklarhet *m* ❑ *He didn't mind the obscurity of the reference.* Han brydde seg ikke om uklarheten i referansen.
obsequious [əb'si:kwɪəs] ADJ underdanig; (*stronger*) krypende
observable [əb'zə:vəbl] ADJ (**a**) (*event, fact*) synlig ❑ *It is observable in almost all countries in the world.* Det er synlig i nesten alle land i verden.
(**b**) (*change, improvement*) merkbar ❑ *...with no observable improvement.* ...uten noen merkbar forbedring.
observance [əb'zə:vəns] s (**a**) (*of law*) overholdelse *m*
(**b**) (*custom*) skikk *m*
▸ **religious observances** religiøse skikker
observant [əb'zə:vənt] ADJ oppmerksom
observation [ɔbzə'veɪʃən] s (**a**) (= *remark*) bemerkning *m*
(**b**) (= *act of observing*) observasjon *m*, iakttakelse *m* ❑ *...our observation of others...* vår observasjon *or* iakttakelse av andre... *keen powers of observation.* ...svært gode observasjonsevner *or* iakttakelsesevner.
(**c**) (*MED*) observasjon *m* ❑ *He has been taken into hospital for observation.* Han har blitt lagt inn på sykehus til observasjon.
▸ **to make an observation** komme* med en

bemerkning ❑ *I wish to make a few general observations about your work...* Jeg ønsker å komme med noen få* generelle bemerkninger til arbeidet ditt...
▸ **she's under observation** hun er under observasjon
observation post s utkikkspost *m*
observatory [əb'zə:vətrɪ] s observatorium *nt*
observe [əb'zə:v] VT (**a**) (= *watch*) observere (*v2*), iaktta* ❑ *The team spent months observing the way mothers take care of their babies.* Gruppen tilbragte måneder med å observere *or* iaktta måten mødre tar hånd om spedbarna sine på.
(**b**) (= *notice*) merke (*v1*) ❑ *It was difficult to observe any change in his expression.* Det var vanskelig å merke noe forandring i ansiktsuttrykket hans.
(**c**) (= *comment*) bemerke (*v1*) ❑ *"People aren't interested in this," observed Wilson...* "Folk er ikke interessert i dette," bemerket Wilson...
(**d**) (= *abide by: rule, convention*) overholde*, følge* ❑ *...the conventions had been observed.* ...konvensjonene hadde blitt fulgt *or* overholdt.
observer [əb'zə:vəʳ] s observatør *m*, iakttaker *m* ❑ *A casual observer may get the wrong impression.* En tilfeldig observatør *or* iakttaker kan få* et galt inntrykk.
obsess [əb'sɛs] VT plage (*v1*) ❑ *The image of Madeleine obsessed him.* Bildet av Madeleine plaget ham.
▸ **to be obsessed by** *or* **with sb/sth** være* besatt av noen/noe ❑ *He became absolutely obsessed with the girl...* Han ble helt besatt av piken...
obsession [əb'sɛʃən] s besettelse *m*
obsessive [əb'sɛsɪv] ADJ (**a**) (*person*) (som) besatt ❑ *He's a bit obsessive about his books.* Han er litt som besatt av bøkene sine.
(**b**) (*interest, hatred, tidiness*) tvangslignende ❑ *...an obsessive interest in death.* ...en tvangslignende interesse for døden.
obsolescence [ɔbsə'lɛsns] s foreldelse *m*, *det å bli* foreldet*
▸ **built-in** *or* **planned obsolescence** (*MERK*) *det at et produkt er lagd slik at det skal foreldes eller bli* umoderne*
obsolete ['ɔbsəli:t] ADJ (*machine, word, skill etc*) foreldet
obstacle ['ɔbstəkl] s (*also fig*) hindring *c* ❑ *Bats can sense obstacles in their path...* Flaggermus kan merke hindringer i sin vei... *The bureaucratic obstacles seemed insurmountable.* De byråkratiske hindringer syntes å være* uoverstigelige.
obstacle race s hinderløype *c*
obstetrician [ɔbstə'trɪʃən] s fødselslege *m*
obstetrics [ɔb'stɛtrɪks] s obstetrikk *m*, fødselsvitenskap *m*
obstinacy ['ɔbstɪnəsɪ] s stahet *m*
obstinate ['ɔbstɪnɪt] ADJ (*person*) sta, stri; (*resistance, refusal*) hardnakket; (*cough, cold*) gjenstridig
obstruct [əb'strʌkt] VT (**a**) (= *block: road, path*) blokkere (*v2*) ❑ *The crash obstructed the road for several hours.* Kollisjonen blokkerte veien i flere timer.
(**b**) (+*traffic*) hindre (*v1*) ❑ *...the charge was "obstructing pedestrian traffic"* ...tiltalen var "hindring av fotgjengertrafikk"
(**c**) (*fig: hinder*) forhindre (*v1*) ❑ *It is a crime for the President to obstruct justice.* Det er en forbrytelse at presidenten forhindrer rettferdighet.
obstruction [əb'strʌkʃən] s (**a**) (*object*) hindring *m*, blokkering *m* ❑ *...an obstruction in the windpipe.* ...en blokkering *or* hindring i luftrøret.
(**b**) (*of plan, law*) hindring *m* ❑ *...those who want to stamp out corruption face obstruction from politicians.* ...de som vil stoppe korrupsjon kan bli* hindret av politikere.
obstructive [əb'strʌktɪv] ADJ (*person, behaviour*) som hindrer
obtain [əb'teɪn] [1] VT (= *get: article, information, degree etc*) få ❑ *She obtained her degree in 1951...* Hun fikk graden i 1951... *These books can be obtained from the library.* Disse bøkene kan fås på biblioteket.
[2] VI (*fml: exist, be the case*) gjelde* ❑ *That unfortunately is the situation that obtains today.* Det er uheldigvis situasjonen som gjelder i dag.
obtainable [əb'teɪnəbl] ADJ som kan fås (tak i) ❑ *Some early editions are simply not obtainable.* Noen tidlige utgaver er ganske enkelt ikke mulige å få* tak i.
obtrusive [əb'tru:sɪv] ADJ påtrengende ❑ *Equally obtrusive was the graffiti...* Like påtrengende var graffitien...
obtuse [əb'tju:s] ADJ (*person, remark*) sløv; (*GEOM*) stump
obverse ['ɔbvə:s] s (*of situation, argument*) motsatt fall *nt*
obviate ['ɔbvɪeɪt] VT (+*need*) unngå*; (+*problem etc*) komme* i forkjøpet
obvious ['ɔbvɪəs] ADJ åpenbar, opplagt ❑ *It was painfully obvious that...* Det var pinlig åpenbart *or* opplagt at... *For obvious reasons...* Av åpenbare *or* opplagte årsaker... *Curzon was the obvious choice...* Curzon var det åpenbare *or* opplagte valget... *You shouldn't tell such obvious lies.* Du skulle* ikke fortelle slike opplagte løgner.
obviously ['ɔbvɪəslɪ] ADV åpenbart ❑ *He was obviously pleased to see her.* Han var åpenbart glad for å se henne. *Obviously I don't need to say how important this is.* Jeg trenger åpenbart ikke å si hvor viktig dette er.
▸ **obviously!** klart det!, selvsagt! ❑ *"Are you happy about your pay rise?" "Obviously!"* "Er du glad for lønnsforhøyelsen din?" "Klart det! *or* selvsagt!"
▸ **obviously not** tydeligvis ikke ❑ *"Are they rich?" "Obviously not."* "Er de rike?" "Tydeligvis ikke."
▸ **he was obviously not drunk** han var tydeligvis ikke full
▸ **he was not obviously drunk** han var ikke åpenbart full
OCAS S FK (= **Organization of Central American States**) OCAS (= *Organisasjonen av*

sentral-amerikanske stater)

occasion [ə'keɪʒən] 1 s (**a**) (= *point in time*) tilfelle *nt* ❑ *There are occasions when you must not refuse...* Det finnes tilfeller hvor du ikke må avslå...
(**b**) (= *event, celebration etc*) begivenhet *m* ❑ *...an important social occasion.* ...en viktig sosial begivenhet.
(**c**) (= *opportunity*) anledning *m* ❑ *...nature study was an occasion for lazy walks...* naturstudier var en anledning til avslappende spaserturer...
2 VT (*fml: cause*) forårsake (*v1*) ❑ *...deaths occasioned by police activity...* dødsfall forårsaket av politiets handlinger...
▸ **on occasion** ved noen anledninger, leilighetsvis
▸ **on that occasion** ved den anledningen
▸ **to rise to the occasion** vokse (*v2*) med oppgaven ❑ *He had risen to the occasion with an insight that surprised us all.* Han hadde vokst med oppgaven og viste en innsikt som overrasket oss alle.

occasional [ə'keɪʒənl] ADJ (**a**) (*thing, event*) som skjer av og til, som skjer en gang imellom *or* iblant ❑ *...an occasional trip as far as Aberdeen...* en reise så langt som Aberdeen en gang imellom *or* av og til... *Apart from the occasional article, he hadn't published anything...* Bortsett fra en artikkel en gang imellom *or* av og til, har han ikke gitt ut noenting...
(**b**) (*met by chance*) ▸ **architects, planners, and the occasional sociologist** arkitekter, planleggere, og av og til *or* og iblant en sosiolog

occasionally [ə'keɪʒənəlɪ] ADV iblant, en gang imellom *or* iblant ❑ *Friends visit them occasionally...* Venner besøker dem iblant *or* en gang imellom... *He was arrogant and occasionally callous.* Han var arrogant og (en gang) iblant ufølsom.
▸ **very occasionally** en sjelden gang

occasional table s ≈ salongbord *nt*

occult [ɔ'kʌlt] 1 s ▸ **the occult** det okkulte
2 ADJ (*subject, powers*) okkult

occupancy ['ɔkjupənsɪ] s (*of room, building*) *det å ta* i besittelse eller det å bebo*

occupant ['ɔkjupənt] s (**a**) (*long-term: of house*) beboer *m*
(**b**) (*short-term*) ▸ **the occupants of a car/room** *etc* de som er (*or* sitter *etc*) i en bil/et rom *etc* ❑ *...a bus in which all the occupants have seats facing the front...* en buss hvor alle passasjerene har setene vendt forover...

occupation [ɔkju'peɪʃən] s (**a**) (= *job*) yrke *nt* ❑ *...a poorly paid occupation...* et dårlig betalt yrke...
(**b**) (= *pastime*) beskjeftigelse *m* ❑ *Riding was her favourite occupation...* Ridning var hennes favorittbeskjeftigelse...
(**c**) (*of building, country etc*) okkupasjon *m* ❑ *...the French occupation of North Africa...* den franske okkupasjonen av Nord-Afrika... *an attempted occupation of the Iranian embassy...* et forsøk på okkupasjon av den iranske ambassade...

occupational guidance (*BRIT*) s yrkesveiledning *c*

occupational hazard s yrkesrisiko *m*

occupational pension scheme s pensjonsplan *m*

occupational therapy s arbeidsterapi *m*

occupier ['ɔkjupaɪəʳ] s beboer *m*
▸ **"to the occupier"** "til beboeren"

occupy ['ɔkjupaɪ] VT (**a**) (= *inhabit: house*) bebo (*v4*) ❑ *Houses occupied by the aged must be centrally heated...* Hus som er bebodd av eldre må ha* sentralfyring...
(**b**) (*+office*) ha ❑ *They occupy neighbouring offices.* De har kontorer ved siden av.
(**c**) (= *take: seat, place etc*) (opp)ta* ❑ *The third chair was occupied by an actress...* Den tredje stolen var tatt av en skuespillerinne... *his usual corner was occupied.* ...hjørnet der han pleier å sitte var opptatt.
(**d**) (= *have/take possession of: building, country etc*) okkupere (*v2*)
(**e**) (*+attention*) oppta* ❑ *He needed something to occupy his attention.* Han trengte noe som kunne* oppta oppmerksomheten hans.
(**f**) (*+time*) bruke (*v2*) ❑ *How do you occupy your time?* Hvordan bruker du tiden?
(**g**) (*+position, post*) (inne)ha* ❑ *...workers occupying key positions...* arbeidere som (inne)har nøkkelposisjoner...
(**h**) (*+space*) ▸ **the farm occupies 4 hectares** gården er på 4 hektar ❑ *The fourth wall is occupied by a blackboard.* Den fjerde veggen er dekket av en tavle.
▸ **to occupy o.s. (in** *or* **with sth/doing sth)** (= *to be busy*) beskjeftige (*v1*) seg (med noe/med å gjøre* noe) ❑ *They were occupying themselves in growing their own food...* De beskjeftiget seg med å dyrke sin egen mat...
▸ **to be occupied in** *or* **with sth/doing sth** være* opptatt med noe/med å gjøre* noe ❑ *The Prime Minister was occupied with matters of state.* Statsministeren var opptatt med statsanliggender.

occur [ə'kɜːʳ] VI (**a**) (*event, mistake+*) skje (*v4*) ❑ *The attack occurred about six days ago...* Angrepet skjedde for omtrent seks dager siden... *Mistakes are bound to occur...* Det er helt uunngåelig at det skjer feil...
(**b**) (*accident+*) skje (*v4*), hende (*v2*) ❑ *...the chances of an accident occurring...* sjansene for at det skal skje *or* hende en ulykke...
(**c**) (*phenomenon+*) forekomme* ❑ *The phrase occurs often in the Bible...* Frasen forekommer ofte i Bibelen... *Racism occurs in all institutions.* Rasisme forekommer i alle institusjoner.
▸ **to occur to sb** falle* noen inn ❑ *As soon as that thought occurred to him...* Så snart den tanken falt ham inn... *It never occurred to me to ask...* Det falt meg aldri inn å spørre... *It hadn't occurred to her that he might...* Det hadde ikke falt henne inn at han kunne...

occurrence [ə'kʌrəns] s (**a**) (= *event*) hendelse *m*, begivenhet *m* ❑ *...weeks before the tragic occurrence...* uker før den tragiske hendelsen *or* begivenheten...
(**b**) (= *incidence*) forekomst *m* ❑ *...the occurrence*

of physical violence... forekomsten av fysisk vold...

ocean ['əʊʃən] s (verdens)hav *nt* ❑ *I went down to the ocean and took a swim...* Jeg gikk ned til havet og tok en svømmetur... *the seas and oceans of the world...* verdens sjøer og hav...
▸ **oceans of** (*sl*) (et) hav av ❑ *...oceans of beef, turkey, and chicken.* ...et hav av oksekjøtt, kalkun og kylling.

ocean bed s havbunn *m*

ocean-going ['əʊʃəngəʊɪŋ] ADJ havgående

Oceania [əʊʃɪ'eɪnɪə] s Sydhavsøyene *pl*

ocean liner s (stort) passasjerskip *nt*

ochre ['əʊkəʳ], **ocher** (*US*) ADJ oker

o'clock [ə'klɔk] ADV ▸ **it is 5 o'clock** klokka *or* klokka er 5; (*in reply*) den *or* klokka *or* klokka er 5

OCR (*DATA*) S FK = **optical character recognition, optical character reader**

Oct. FK = **October**

octagonal [ɔk'tægənl] ADJ ogtagonal, åttekantet

octane ['ɔkteɪn] s oktan *nt*
▸ **high-octane petrol** *or (US)* **gas** høyoktanbensin *m*

octave ['ɔktɪv] s oktav *m*

October [ɔk'təʊbəʳ] s oktober *m see also* **July**

octogenarian ['ɔktəʊdʒɪ'nɛərɪən] s åttiåring *m*

octopus ['ɔktəpəs] s oktopus *m*, (åttearmet) blekksprut *m*

odd [ɔd] ADJ (**a**) (= *strange*) merkelig, pussig ❑ *We thought she was rather odd.* Vi syntes hun var ganske merkelig *or* pussig. *The odd thing was that...* Det merkelige *or* pussige var at...
(**b**) (= *not paired: sock, glove, shoe etc*) ulike ❑ *You can't go out wearing odd socks.* Du kan ikke gå* ut med ulike sokker.
(**c**) (= *spare*) ▸ **an odd bit of paper** noe papir NB *You can add the odd vegetable, and onions...* Du kan tilsette en eller annen grønnsak, og løk...
(**d**) (= *occasional*) tilfeldig, en og annen ❑ *I usually write odd notes in the back of my diary...* Vanligvis skriver jeg tilfeldige notater *or* et og annet notat bak i dagboken min... *We had the odd sunny day...* Vi hadde en tilfeldig dag med sol *or* en og annen dag med sol...
▸ **an odd number** et oddetall ❑ *3, 15, and 179 are all odd numbers...* 3, 15 og 179 er alle oddetall...
▸ **60-odd** cirka 60 ❑ *We first met twenty odd years ago.* Vi møttes første gang for cirka tjue år siden.
▸ **at odd times** i ledige stunder
▸ **to be the odd one out** være* den som skiller seg ut ❑ *I was the odd one out; all my friends were in couples.* Jeg var den som skilte meg ut; alle vennene mine var par.

oddball ['ɔdbɔːl] (*sl*) s original *m*, raring *m*

oddity ['ɔdɪtɪ] s (*person, thing*) raritet *m* ❑ *A career woman is still regarded as something of an oddity.* En karrierekvinne blir ennå betraktet som litt av en raritet. *...a shop devoted to oddities: rubber fruit, explosive cigars...* en butikk som har spesialisert seg på rariteter: gummifrukt, sigarer som eksploderer...

odd-job man [ɔd'dʒɔb-] s altmuligmann *m*

odd jobs SPL forskjellige småjobber *pl*

oddly ['ɔdlɪ] ADV (*behave, dress*) merkelig, pussig *see also* **enough**

oddments ['ɔdmənts] (*MERK*) SPL rester *pl*

odds [ɔdz] SPL (**a**) (*in betting*) odds *pl* NB *...at those odds.* ...med den oddsen.
(**b**) (*fig*) sjanser *pl* ❑ *...an assessment of the military odds...* en beregning av de militære sjansene... *The odds are that it will rain tomorrow.* Det er sjanser for at det vil bli* regn i morgen.
▸ **the odds are in favour of/against his coming** det er store sjanser for at han kommer/ikke kommer
▸ **to succeed against all the odds** lykkes (*v25x*) mot alle odds ❑ *She manages to sustain her optimism against all the odds...* Han klarer å beholde sin optimisme mot alle odds...
▸ **it makes no odds** det spiller ingen rolle ❑ *Whatever he did, it made no odds to her.* Hva han enn gjorde, spilte det ingen rolle for henne.
▸ **to be at odds (with)** (**a**) (= *in disagreement*) være* svært uenig (med) ❑ *She is at odds with her boss...* Hun er svært uenig med sjefen sin...
(**b**) (= *at variance*) ikke stemme (*v2x*) overens med ❑ *The glossy cover was totally at odds with its dull content.* Den skinnende forsiden stemte overhodet ikke overens med dens kjedelige innhold.

odds and ends SPL småting *pl*

odds-on [ɔdz'ɔn] 1 ADJ ▸ **the odds-on favourite** en klar favoritt
2 ADV ▸ **it's odds-on that she'll win** hun er en klar favoritt

ode [əud] s ode *m*

odious ['əudɪəs] ADJ (*person, behaviour etc*) motbydelig

odometer [ɔ'dɔmɪtəʳ] (*US*) s ≈ kilometerteller *m*

odour ['əudəʳ], **odor** (*US*) s odør *m*, lukt *c*

odo(u)rless ['əudəlɪs] ADJ luktfri

OECD S FK (= **Organization for Economic Cooperation and Development**) OECD

oesophagus [iː'sɔfəgəs], **esophagus** (*US*) s spiserør *nt*

oestrogen ['iːstrəudʒən], **estrogen** (*US*) s østrogen *nt*

KEYWORD

of [ɔv, əv] 1 PREP (**a**) (*gen*) ▸ **the history of France** Frankrikes historie
▸ **a friend of ours** en venn av oss
▸ **a boy of 10** en gutt på 10
▸ **that was kind of you** det var snilt av deg
▸ **a man of great ability** en man med store evner
▸ **the city of New York** byen New York
▸ **south of Oslo** sør for Oslo
(**b**) (*expressing quantity, amount, dates etc*)
▸ **a kilo of flour** en kilo mel
▸ **a cup of tea/vase of flowers** en kopp te/en blomstervase
▸ **how much of this do you need?** hvor mye av dette trenger du?
▸ **there were 3 of them/us** det var 3 av dem/oss
▸ **the number of road accidents** tallet på

trafikkulykker
▸ **the 5th of July** (den) femte *or* 5. juli
▸ **the winter of 1987** vinteren i 1987
(**c**) (= *made of*) av, i
▸ **a bracelet of solid gold** et armbånd i *or* av rent gull
▸ **a statue of marble** en statue av marmor
▸ **made of wood** laget av tre

KEYWORD

off [ɔf] [1] ADV (**a**) (*referring to distance, time*) unna
▸ **it's a long way/3 km off** det er langt/3 km unna
▸ **the game is 3 days off** kampen er tre dager unna
(**b**) (*departure*) av gårde
▸ **to go off to Paris/Italy** dra av gårde til Paris/ Italia
▸ **I must be off** jeg må dra (av gårde)
(**c**) (*removal*) av
▸ **to take off one's hat/coat/clothes** ta* av hatten/frakken/klærne
▸ **the button came off** knappen falt av
▸ **10% off** 10 % avslag
(**d**) (= *not at work*) ▸ **to be off** (= *holiday*) ha* fri (= *sick*) være* borte ▸ **to have a day off** (*holiday*) ta* en dag fri (*sick*) være* borte *or* hjemme fra jobben en dag fordi man er syk
[2] ADJ (**a**) (*machine, light, engine*) av (*water, gas, tap*) stengt
▸ **to turn the water/gas off** skru (*v4*) av vannet/ gassen
(**b**) (*meeting, match, agreement*) avlyst
(**c**) (BRIT: *milk, cheese, meat etc*) dårlig
(**d**) ▸ **on the off chance** i tilfelle
(**e**) ▸ **to have an off day** ikke ha* dagen
[3] PREP (**a**) (*motion, removal etc*) ▸ **to fall off a cliff** å falle ned fra en klippe
▸ **the button came off my coat** jeg misten en knapp i kåpen min
▸ **to take a picture off the wall** ta* ned et bilde fra veggen
(**b**) (= *distant from*) ▸ **it's just off the motorway** det er rett ved motorveien
▸ **5 km off the main road** 5 km fra *or* unna hovedveien
▸ **an island off the coast** en øy utenfor kysten
(**c**) (*distaste*) ▸ **to be off meat/beer** *etc* ikke spise (*v2*) kjøtt/drikke* øl *etc*
▸ **I've gone off it** jeg har blitt lei av det

offal [ˈɔfl] s innmat *m*
off-beat [ˈɔfbiːt] ADJ (*clothes, ideas*) spesiell
off-centre [ɔfˈsɛntəʳ], **off-center** (*US*) [1] ADJ dårlig sentrert ❑ *The light fitting was a little off-centre.* Lysarmaturet var litt dårlig sentrert.
[2] ADV til siden for senteret ❑ *The assembly can be mounted slightly off-centre.* Elementet kan monteres litt til siden for senteret.
off-colour [ˈɔfˈkʌləʳ] (*BRIT*) ADJ (= *ill*) uopplagt, uvel
▸ **to feel off-colour** føle (*v2*) seg uvel
offence [əˈfɛns], **offense** (*US*) s (**a**) (= *crime*) forbrytelse *m* ❑ *...a criminal offence...* en forbrytelse... *They were arrested for drug offences...* De ble arrestert for narkotikaforbrytelser...
(**b**) (= *insult*) krenkelse *m* ❑ *The chapel was called, to avoid offence, the Contemplation Centre...* For å unngå at noen ble krenket, ble kapellet kalt Contemplation Centre...
▸ **to commit an offence** gjøre* noe ulovlig
▸ **to take offence (at)** bli* fornærmet (på) ❑ *He was always so quick to take offence.* Han ble alltid så fort fornærmet.
▸ **to give offence (to)** fornærme (*v1*) ❑ *The play is liable to give offence to many people.* Skuespillet kan lett fornærme mange mennesker.
▸ **no offence** det er ikke ille ment ❑ *No offence, but there's a terrible smell in here.* Det er ikke ille ment, men det er en forferdelig lukt her.
offend [əˈfɛnd] VT fornærme (*v1*), støte (*v2*) ❑ *She was terribly afraid of offending anyone...* Hun var svært redd for å fornærme *or* støte noen...
▸ **to offend against** (+*law, rule*) bryte* med, stride* mot ❑ *This would offend against the principle of fairness.* Dette ville* bryte med *or* stride mot rettferdighetsprinsippet.
offender [əˈfɛndəʳ] s lovbryter *m*
offending [əˈfɛndɪŋ] ADJ (*item etc*) problematisk
offense [əˈfɛns] (*US*) s = **offence**
offensive [əˈfɛnsɪv] [1] ADJ (**a**) (*remark, behaviour*)
▸ **offensive (to)** støtende (for), krenkende (for) ❑ *The advertisements were highly offensive to women...* Reklamen var høyst støtende *or* krenkende for kvinner...
(**b**) (*smell etc*) motbydelig
(**c**) (*weapon*) angreps-, offensiv ❑ *...possession of an offensive weapon.* ...besittelse av et offensivt våpen *or* angrepsvåpen.
[2] s (*MIL*) offensiv *m* ❑ *...a two-week military offensive...* en to ukers militæroffensiv...
offer [ˈɔfəʳ] [1] s (*gen*) tilbud *nt* NB *She accepted the offer of a cigarette...* Hun tok imot tilbudet om en sigarett... NB *an offer of 5 pounds.* ...et tilbud på 5 pund. NB *...special offers.* ...spesialtilbud.
[2] VT (*gen*) tilby* ❑ *Meadows offered her his chair...* Meadows tilbød henne plassen sin... *I was offered a place at Harvard University.* Jeg ble tilbudt en studieplass på Harvard University. *They offered Rayos 2,000 pesos an acre.* De tilbød Rayos 2 000 pesetos per "acre". *Do you have any advice to offer parents?* Har du noe råd å gi* *or* tilby foreldre? NB *May I offer my congratulations...* Kan jeg få* gratulere...
▸ **to make an offer for sth** gi* et tilbud på noe ❑ *I'll make you one final offer...* Jeg vil gi* deg et siste tilbud...
▸ **to offer sth to sb** tilby* noe til noen
▸ **to offer to do sth** tilby* (seg) å gjøre* noe ❑ *He offered to take a group of us to Paris...* Han tilbød seg å ta* med seg en gruppe av oss til Paris...
▸ **on offer** (**a**) (*MERK: available*) (som er) tilbudt, som tilbys ❑ *The high rates of interest on offer...* De høye innskuddsrentene som er tilbudt *or* som tilbys...
(**b**) (= *cheaper*) på tilbud ❑ *...on offer for a limited period.* ...på tilbud i et begrenset tidsrom.

offering ['ɔfərɪŋ] (*REL*) s offergave *c* ❑ *...small offerings of food...* litt mat som offergaver...
off-hand [ɔf'hænd] 1 ADJ (*behaviour etc*) skjødesløs, nonchalant ❑ *He became increasingly off-hand with her...* Han ble mer og mer skjødesløs *or* nonchalant overfor henne...
2 ADV (= *immediately*) på sparket, på stående fot ❑ *Off-hand, I can think of three examples.* Sånn på sparket *or* på stående fot kan jeg komme på tre eksempler.
▸ **I can't tell you off-hand** det kan jeg ikke si deg på sparket *or* på stående fot
office ['ɔfɪs] s (**a**) (*room, workplace*) kontor *nt* ❑ *He called me into his office...* Han kalte meg inn på kontoret sitt... *You didn't go to the office today?* Du drog ikke på kontoret idag? *The whole office knows that...* Hele kontoret vet at...
(**b**) (= *job, position*) stilling *m* ❑ *The office of JP is an honorary one...* Stillingen som JP er en ærestittel...
▸ **doctor's office** (*US*) legekontor *nt*
▸ **to take office** tiltre* ❑ *The new Government took office.* Den nye regjeringen tiltrådte.
▸ **in office** (*government, minister*) i embetet
▸ **through his good offices** ved hjelp av hans gode tjenester ❑ *Through the good offices of an American journalist...* Ved hjelp av de gode tjenestene fra en amerikansk journalist...
▸ **the Office of Fair Trading** (*BRIT*) ≈ Prisdirektoratet
office block, **office building** (*US*) s kontorbygning *m*
office boy s kontorbud *nt*
office holder s (*of club etc*) funksjonær *m*
office hours SPL (**a**) (*MERK*) kontortid *m sg* ❑ *...during office hours.* ...i kontortiden. *...outside office hours.* ...utenom kontortiden.
(**b**) (*US: MED*) konsultasjonstid *m sg*
office manager s kontorsjef *m*
officer ['ɔfɪsə^r] s (**a**) (*MIL etc*) offiser *m* ❑ *...a retired army officer...* en pensjonert offiser i hæren...
(**b**) (*POLITI*) (politi)betjent *m*
(**c**) (*of organization*) funksjonær *m* ❑ *...a Careers Officer...* en yrkesveileder... *a regional officer of the Transport Union...* en distriktsfunksjonær i transportforbundet...
office work s kontorarbeid *nt*
office worker s kontorarbeider *m*
official [ə'fɪʃl] 1 ADJ offisiell ❑ *The official figures for the year...* De offisielle tallene for året... *the Prime Minister's official residence...* statsministerens offisielle residens... *the official opening of the new bridge.* ...den offisielle åpningen av broa.
2 s (**a**) (*in government*) embetsmann *m*
(**b**) (*trade union etc*) tjenestemann *m*
officialdom [ə'fɪʃldəm] (*neds*) s byråkrati *nt*
officially [ə'fɪʃəlɪ] ADV offisielt, formelt ❑ *They were not officially engaged...* De var ikke offisielt *or* formelt forlovet...
official receiver s bobestyrer *m*
officiate [ə'fɪʃɪeɪt] VI forrette (*v1*) ❑ *Who officiated at your wedding?* Hvem forrettet ved bryllupet deres?
officious [ə'fɪʃəs] ADJ (*person, behaviour*) geskjeftig, foretaksom
offing ['ɔfɪŋ] s ▸ **in the offing** på trappene, nært forestående
off-key [ɔf'kiː] ADJ falsk
off-licence ['ɔflaɪsns] (*BRIT*) s *butikk som selger alkoholholdige varer*

> *En* **off-licence** *er en butikk hvor man selger alkohol til tider da pubene er stengt. Det selges også gjerne alkoholfrie drikkevarer, sigaretter, potetgull, godterier osv på samme sted.*

off-limits [ɔf'lɪmɪts] ADJ utenfor rekkevidde ❑ *The Eastern Zone was now off-limits to me.* Den østlige sone var nå utenfor rekkevidde for meg.
off-line [ɔf'laɪn] (*DATA*) ADJ, ADV frakoblet
off-load ['ɔfləud] VT ▸ **to off-load sth (onto sb)** lesse (*v1*) noe over (på noen) ❑ *I'm trying to offload some of my work onto him.* Jeg prøver å lesse noe av arbeidet mitt over på ham.
off-peak ['ɔf'piːk] ADJ (*heating, electricity*) som er billigere på bestemte tider av døgnet; (*train, ticket*) rabatt-
off-putting ['ɔfputɪŋ] (*BRIT*) ADJ (*remark, behaviour*) frastøtende
off-road ['ɔfrəud] ADJ (*driving, vehicle*) offroad
off-season ['ɔf'siːzn] ADJ, ADV utenfor sesongen
offset ['ɔfsɛt] *irreg* VT ▸ **to offset sth (against sth)** utjevne (*v1*) noe (med noe) ❑ *...their wage increases would be offset by higher prices.* ...lønnsforhøyelsene ville* bli* utjevnet av høyere priser.
offshoot ['ɔfʃuːt] s (*of organization etc*) gren *m*
offshore [ɔf'ʃɔː^r] ADJ (*breeze*) utenfor kysten, til havs; (*oil rig, fishing*) utenfor kysten, til havs, offshore
offside ['ɔf'saɪd] 1 ADJ (**a**) (*SPORT*) offside ❑ *...the player was adjudged to be offside.* ...spilleren ble dømt offside.
(**b**) (*BIL*) på førersiden ❑ *...the offside wheel.* ...hjulet på førersiden.
2 s ▸ **the offside** (*BIL*) førersiden *c*
offspring ['ɔfsprɪŋ] s UBØY avkom *nt*, etterkommere *pl*
offstage [ɔf'steɪdʒ] ADV bak *or* utenfor scenen
off-the-cuff [ɔfðə'kʌf] ADJ (*remark*) på sparket, improvisert
off-the-job [ɔfðə'dʒɔb] ADJ ▸ **off-the-job training** opplæring *c* i fritiden
off-the-peg ['ɔfðə'pɛg], **off-the-rack** (*US*) ADV rett fra hylla ❑ *...bought a dress off the peg at C&A...* kjøpte en kjole rett fra hylla på C&A...
off-the-record ['ɔfðə'rɛkɔːd] 1 ADJ som ikke må siteres, uoffisiell ❑ *The minister's remarks were strictly off-the-record.* Statsrådens kommentarer måtte* ikke siteres *or* var helt uoffisielle.
2 ADV i all fortrolighet ❑ *Off-the-record, I agree with you.* I all fortrolighet så er jeg enig med deg.
off-white ['ɔfwaɪt] ADJ gulhvit, off-white
Ofgas ['ɔfgæs] s *instans som ivaretar forbrukernes interesser overfor gass-selskaper*
Oflot ['ɔflɔt] (*BRIT*) s *offentlig instans som styrer det nasjonale lotteriet*
Ofsted ['ɔfstɛd] (*BRIT*) s *offentlig instans som holder oppsyn med det offentlige*

utdanningssystemet
Oftel ['ɔftɛl] s *instans som ivaretar forbrukernes interesser overfor teleselkaper*
often ['ɔfn] ADV ofte ❑ *Women are often very successful in advertising.* Kvinner har ofte stor suksess i reklamebransjen. *She didn't write very often...* Hun skrev ikke særlig ofte... *It's not often you meet someone who...* Det er ikke særlig ofte du treffer noen som... *John came as often as he could.* John kom så ofte han kunne.
▸ **how often do you go?** hvor ofte går du?
▸ **more often than not** som regel
▸ **as often as not** ganske ofte ❑ *These paintings as often as not end up in America.* Disse maleriene ender ganske ofte opp i Amerika.
▸ **every so often** nå og da
Ofwat ['ɔfwɔt] (BRIT) s *instans som ivaretar forbrukernes interesser overfor vannverk*
ogle ['əugl] VT øyenflørte (*v1*)
ogre ['əugə^r] s uhyre *nt*
OH (*US: POST*) FK = **Ohio**
oh [əu] INTERJ å ❑ *Oh well, never mind...* Vel, vel, det spiller ingen rolle... *"I have a flat in London." "Oh yes, whereabouts?"* "Jeg har en leilighet i London." "Å ja *or* javel, hvor da?" *"How's your brother then?" "Oh he's fine."* "Hvordan går det så med broren din?" "Å, han har det bra."
ohm [əum] s ohm *m*
OHMS (BRIT) FK (= **On His (or Her) Majesty's Service**) *poststempel på portofrie tjenestesaker*
OHP s (= *machine*) (= **overhead projector**) overhead *m*; (= *transparency*) overhead *m*, transparent *m*
oil [ɔɪl] 1 s (*gen*) olje *c* ❑ *...cooking oil.* ...matolje. *...olive oil.* ...olivenolje. *...fuels such as coal or oil...* brensel som kull eller olje...
2 VT (*+engine, gun, machine*) smøre*, olje (*v1*)
oilcan ['ɔɪlkæn] s oljekanne *m*, smørekanne *m*
oil change s oljeskift *nt*
oilcloth ['ɔɪlklɔθ] s oljelerret *nt*, voksduk *m*
oilfield ['ɔɪlfiːld] s oljefelt *nt*
oil filter s oljefilter *nt*
oil-fired ['ɔɪlfaɪəd] ADJ (*boiler, central heating*) oljefyrt
oil gauge s oljestandsviser *m*
oil painting s oljemaleri *nt*
oil refinery s oljeraffineri *nt*
oil rig s oljerigg *m*
oilskins ['ɔɪlskɪnz] SPL oljehyre *nt*
oil slick s oljeflak *nt*
oil tanker s (*ship*) oljetanker *m*; (*truck*) tankbil *m*
oil well s oljebrønn *m*, oljekilde *m*
oily ['ɔɪlɪ] ADJ (*rag, substance, food*) fet
ointment ['ɔɪntmənt] s salve *m*
OK (*US: POST*) FK = **Oklahoma**
O.K., okay (*sl*) 1 INTERJ (**a**) (*showing/asking for agreement*) OK (*var.* ok) greit ❑ *"I'll be back at one." "O.K., I'll see you then."* "Jeg er tilbake kl ett." "OK *or* greit, vi sees da." *I'll be back in fifteen minutes. O.K.?* Jeg er tilbake om femten minutter. OK *or* greit?
(**b**) (= *granted*) OK (*var.* ok) javel ❑ *"What do you know about life in England?" "O.K., so I wasn't born here, but I've spent a lot of time here."* "Hva vet du om livet i England?" "OK *or* javel, så er jeg ikke født her, men jeg har tilbragt mye tid her."
2 ADJ OK (*var.* ok) ❑ *The film was O.K.* Filmen var OK. *I'll be going, if that's O.K.* så drar jeg, hvis det er ok.
3 VT (= *approve*) godkjenne (*v2x*) ❑ *The bank refused to O.K. his overdraft.* Banken nektet å godkjenne at han overtrakk kontoen.
4 s ▸ **to give sb/sth the O.K.** gi* noen/noe klarsignal ❑ *The doctor's given him the O.K. to play on Saturday.* Legen har gitt ham klarsignal til å spille på lørdag.
▸ **is it O.K.?** er det OK? ❑ *Is the cheese O.K., d'you think?* Er osten OK tror du?
▸ **are you O.K.?** har du det bra? ❑ *You're looking a bit unhappy. Are you O.K.?* Du ser litt ulykkelig ut. Har du det bra?
▸ **are you O.K. for money?** har du OK med penger?
▸ **it's O.K. with** *or* **by me** det er OK *or* greit for meg ❑ *Choose whichever one you like, it's O.K. by me.* Velg akkurat den du vil, det er OK *or* greit for meg.
okay ['əu'keɪ] = **O.K.**
old [əuld] ADJ (**a**) (*gen*) gammel ❑ *...a little old lady...* en liten gammel dame... *She was a couple of years older than me.* Hun var et par år eldre enn meg. *...an old building...* en gammel bygning... *There's an old saying that...* Det er et gammelt ordtak som sier at... *Pete's an old friend of mine...* Pete er en gammel venn av meg...
(**b**) (= *former: school, job, home etc*) tidligere, gammel ❑ *...my old school.* ...min tidligere *or* gamle skole. *...his old job at the publishing company...* hans tidligere *or* gamle jobb i forlaget...
▸ **how old are you?** hvor gammel er du?
▸ **he's 10 years old** han er 10 år gammel
▸ **older brother** eldre bror
▸ **any old thing will do** en hvilken som helst ting vil gjøre* nytten
old age s alderdom *m*
old age pension s alderspensjon *m*, alderstrygd *m*
old age pensioner (BRIT) s (alders)pensjonist *m*, alderstrygdet *m*
old-fashioned ['əuld'fæʃnd] ADJ gammeldags ❑ *I am very old-fashioned.* Jeg er veldig gammeldags *...a charming old-fashioned custom...* en sjarmerende gammeldags tradisjon...
old hand s ▸ **he's an old hand at that sort of thing** han er en dreven *or* erfaren kar med den slags ting
old hat ADJ ▸ **to be old hat** være* avleggs
old maid s gammel jomfru *m*, peppermø(y) *c*
old people's home s aldershjem *nt*, gamlehjem *nt*
old-style ['əuldstaɪl] ADJ gammeldags
old-time dancing ['əuldtaɪm-] s gammeldags dansing *m*
old-timer [əuld'taɪmə^r] (*især US*) s (*in firm etc*) veteran *m*
▸ **well, old-timer?** vel, gammer'n?

old wives' tale s kjerringråd *nt*
oleander [əulɪ'ændəʳ] s oleander *m*
O level (*BRIT*) s (*formerly*) ≈ ungdomsskoleeksamen *m*
olive ['ɔlɪv] 1 s (**a**) (*fruit*) oliven *m*
(**b**) (*tree*) oliventre *nt*
2 ADJ (*also* ***olive-green***) olivenfarget, olivengrønn
▸ **to offer an olive branch to sb** (*fig*) be* om godt vær
olive oil s olivenolje *m*
Olympic [əu'lɪmpɪk] ADJ olympisk ❑ *...to Olympic standard...* på olympisk nivå...
▸ **the Olympics** Olympiaden, OL *pl*
Olympic Games SPL ▸ **the Olympic Games, the Olympics** de Olympiske leker, OL *pl*
OM (*BRIT*) S FK (= **Order of Merit**) *orden*
Oman [əu'mɑːn] s Oman
OMB (*US*) S FK (= **Office of Management and Budget**) *regjeringsorgan som utarbeider budsjetter og hjelper presidenten med å vurdere effektiviteten i statsapparatet*
ombudsman ['ɔmbudzmən] s ombudsmann *m*, ombud *nt*
omelette ['ɔmlɪt], **omelet** (*US*) s omelett *m*
▸ **ham/cheese omelette** omelett med skinke/ost
omen ['əumən] s omen *nt*
ominous ['ɔmɪnəs] ADJ (*silence, warning*) illevarslende; (*clouds, smoke*) truende
omission [əu'mɪʃən] s utelatelse *m* ❑ *The reports were full of omissions.* Rapportene var fulle av utelatelser.
omit [əu'mɪt] 1 VT utelate* ❑ *He omitted any mention of the war.* Han utelot referanser til krigen. *Due to an oversight, they were omitted from the study.* På grunn av en forglemmelse var de utelatt i undersøkelsen.
2 VI ▸ **to omit to do sth** unnlate* å gjøre* noe ❑ *He omitted to say whether...* Han unnlot å si om...
omnivorous [ɔm'nɪvrəs] ADJ (*animal, person*) altetende
ON (*CAN*) FK = **Ontario**

KEYWORD

on [ɔn] 1 PREP (**a**) (*indicating position*) på
▸ **on the table/wall** på bordet/veggen
▸ **on the left** til venstre, på venstre side
▸ **the house is on the main road** huset ligger på hovedveien
(**b**) (*indicating means, method, condition etc*) ▸ **on foot** til fots
▸ **on the train/bus** (*be, sit*) på toget/bussen; (*travel, go*) med tog/buss
▸ **on the telephone/radio/television** på *or* i telefon(en)/radio(en)/TV
▸ **she's on the telephone** (*has a phone*) hun har telefon; (*speaking now*) hun er *or* sitter i telefonen
▸ **to be on drugs** gå* på stoff
▸ **to be on holiday/business** være* på ferie/forretningsreise
(**c**) (*referring to time*)
▸ **on Friday** på fredag
▸ **on Fridays** på fredager
▸ **a week on Friday** en uke på fredag
▸ **on June 20th** den 20. juni
▸ **on arrival** ved ankomsten
▸ **on seeing this** når man ser/hun så *etc* dette
(**d**) (= *about, concerning*) om
▸ **information on train services** informasjon om togavganger
▸ **a book on physics** en bok om fysikk
2 ADV (**a**) (*clothes*) på
▸ **to have one's coat on** ha* frakken på
▸ **what's she got on?** hva har hun på seg?
▸ **she put her boots on** hun tok på seg støvlene
(**b**) (*covering, lid etc*) på
▸ **screw the lid on tightly** skru lokket hardt på
(**c**) (= *further, continuously*) videre
▸ **to walk/read on** gå/lese (*v2*) videre
3 ADJ (**a**) (*machine, radio, TV, light, tap etc*) på
(**b**) (= *happening*)
▸ **is the meeting still on?** skal det fremdeles være* møte?
▸ **there's a good film on at the cinema** det er en god film på kino
(**c**) ▸ **that's not on!** (*sl*) det går ikke!

ONC (*BRIT*) S FK (= **Ordinary National Certificate**) *lavere teknisk utdannelse (to år på deltid)*
once [wʌns] 1 ADV (**a**) (= *on one occasion*) en gang ❑ *Even if you only do it once...* Selv om du bare gjør det en gang... *more than once.* ...mer enn en gang.
(**b**) (= *formerly*) tidligere, en gang ❑ *Texas was once ruled by Mexico...* Texas ble tidligere *or* en gang styrt av Mexico...
(**c**) (= *a long time ago*) en gang ❑ *I knew him once.* Jeg kjente ham en gang.
2 KONJ (= *as soon as*) så snart ❑ *Once inside her flat, she opened the letter.* Så snart hun kom inn i leiligheten, åpnet hun brevet.
▸ **at once** (**a**) (= *immediately*) med en gang ❑ *I knew at once that something was wrong.* Jeg visste med en gang at noe var galt.
(**b**) (= *simultaneously*) på en gang ❑ *Everybody is talking at once.* Alle snakker på en gang.
▸ **once a week** en gang i uka
▸ **once more** *or* **again** en gang til ❑ *She wanted to see him once more before she died.* Hun ønsket å treffe ham en gang til før hun døde. *If you do that once again, I'll scream!* Hvis du gjør det en gang til, skriker jeg!
▸ **once and for all** en gang for alle ❑ *They had to be defeated once and for all...* De måtte* beseires en gang for alle...
▸ **once upon a time** det var en gang *or* engang
▸ **once in a while** en gang iblant, av og til
▸ **all at once** (= *suddenly*) plutselig ❑ *All at once she felt afraid...* Plutselig følte hun seg redd...
▸ **for once** for en gangs skyld ❑ *Just for once I am completely lost.* For en gangs skyld har jeg mistet tråden helt.
▸ **once or twice** (= *a few times*) et par ganger ❑ *She had been to London once or twice before.* Hun hadde vært i London et par ganger før.
oncoming ['ɔnkʌmɪŋ] ADJ (*traffic*) møtende
OND (*BRIT*) S FK (= **Ordinary National Diploma**) *høyere tekniske utdannelse (to år på full tid)*

KEYWORD

one [wʌn] 1 TALLORD en *c*, ett *nt*
▸ **one hundred and fifty** (ett)hundre og femti
▸ **two coffees, not one** to kaffe, ikke en
▸ **one day** en dag
▸ **one by one** en og en
2 ADJ (**a**) (= *sole*) enest ❑ *That is my one worry.* Det er min eneste bekymring.
▸ **the one man who** den eneste mannen som
(**b**) (= *same*) en
▸ **they came in the one car** de kom i den ene bilen
▸ **they all belong to the one family** de tilhører alle den ene familien
3 PRON (**a**) en *c*, et *nt*
▸ **I've already got one/a red one** jeg har allerede en/en rød
▸ **this one** denne *c*, dette *nt*
▸ **that one** den *c*, det *nt*
▸ **one another** hverandre
(**b**) (*impersonal*) en, man
▸ **one never knows** en *or* man vet aldri
▸ **to cut one's finger** skjære* seg i fingeren

one-day excursion ['wʌndeɪ-] (*US*) s dagstur *m*
One-hundred share index ['wʌnhʌndrəd-] s *aksjeindeks på London-børsen*
one-man ['wʌn'mæn] ADJ (*business, show*) enmanns-
one-man band s enmannsorkester *nt*
one-off [wʌn'ɔf] (*BRIT: sl*) s engangsforeteelse *m*, enkelttilfelle *nt* ❑ *They'll never beat us again, it was a one-off.* De vil aldri slå oss igjen, det var en engangsforeteelse *or* et enkelttilfelle.
one-parent family ['wʌnpɛərənt-] s familie *m* med aleneforelder
one-piece ['wʌnpi:s] ADJ ▸ **one-piece swimsuit** (hel) badedrakt *m*
onerous ['ɔnərəs] ADJ (*task, duty*) byrdefull; (*responsibility*) tung, tyngende

KEYWORD

oneself [wʌn'sɛlf] 1 PRON (**a**) (*reflexive, after prep*) seg (selv)
▸ **to hurt oneself** skade (*v1*) seg
▸ **to keep sth for oneself** holde* noe for seg selv
▸ **to talk to oneself** snakke (*v1*) med seg selv
(**b**) (*emphatic*) en *or* man selv ❑ *Others might find odd what one finds normal oneself.* Andre kan syns at noe er rart som man selv syns er normalt.

one-shot ['wʌnʃɔt] (*US*) s = **one-off**
one-sided [wʌn'saɪdɪd] ADJ ensidig ❑ *...a one-sided account of the affair.* ...en ensidig beskrivelse av saken. *They accused us of being one-sided.* De beskyldte oss for å være* ensidige. *The match was a bit one-sided.* Kampen var litt ensidig
one-time ['wʌntaɪm] ADJ forhenværende, tidligere ❑ *...Fred Dunn, a one-time worker in...* Fred Dunn, en forhenværende *or* tidligere arbeider i...
one-to-one ['wʌntəwʌn] ADJ (*relationship, tuition*) en til en
one-upmanship [wʌn'ʌpmənʃɪp] s ▸ **the art of one-upmanship** kunsten å overgå andre
one-way ['wʌnweɪ] ADJ (*street*) enveiskjørt; (*traffic, ticket, trip*) enveis-
ongoing ['ɔngəuɪŋ] ADJ (*project, situation etc*) pågående ❑ *...an ongoing economic crisis...* en pågående økonomisk krise...
onion ['ʌnjən] s løk *m*
on-line ['ɔnlaɪn] (*DATA*) 1 ADJ (*printer, database*) direktekoblet, on-line; (= *switched on*) tilkoblet
2 ADV direkte, on-line
onlooker ['ɔnlukə^r] s tilskuer *m*
only ['əunlɪ] 1 ADV bare ❑ *I'm only interested in finding out...* Jeg er bare interessert i å finne ut... *He read only paperbacks...* Han leste bare pocketbøker... *I was only kidding...* Jeg bare spøkte... *He's only a boy...* Han er bare en gutt...
2 ADJ (= *sole, single*) eneste ❑ *...the only survivor...* den eneste overlevende... *I was the only one smoking...* Jeg var den eneste som røykte...
3 KONJ (= *but*) (men) bare ❑ *Rattlesnake is just like chicken, only tougher...* Klapperslange er akkurat som kylling, (men) bare seigere... *We'll wait for you. Only hurry up!* Vi vil vente på deg. (Men) bare skynd deg!
▸ **an only child** et enebarn
▸ **I only took one** jeg tok bare en
▸ **I saw her only yesterday** jeg så henne så sent som *or* senest i går
▸ **I'd be only too pleased to help** jeg ville* bare være* mer enn glad for å kunne* hjelpe
▸ **I would come, only I'm too busy** jeg ville* ha* kommet, men jeg har det bare for travelt
▸ **not only ...but (also)...** ikke bare ...men (også)... ❑ *Chimps not only use tools but make them...* Sjimpanser bruker ikke bare verktøy, men lager dem...
ono (*BRIT*) FK (*in classified ads*) (= **or nearest offer**) eller nærmeste bud
onset ['ɔnsɛt] s (*of war, winter, illness*) begynnelse *m*
onshore ['ɔnʃɔ:^r] ADJ (*wind*) pålands-
onslaught ['ɔnslɔ:t] s stormangrep *nt*
onstage [ɔn'steɪdʒ] ADJ, ADV på scenen
on-the-job ['ɔnðə'dʒɔb] ADJ ▸ **on-the-job training** opplæring *c* på jobben
onto ['ɔntu] PREP = **on to**
onus ['əunəs] s plikt *m* NB *The onus of proof must lie with them.* Det må være* deres plikt å komme med bevis.
onward(s) ['ɔnwəd(z)] 1 ADV (*move, travel*) videre ❑ *...from China to India, and onwards to East Africa.* ...fra Kina til India, og videre til Øst-Afrika. *The world was moving onward...* Verden gikk videre...
2 ADJ *som er rettet framover* ❑ *...this onward march of the Labour movement.* ...denne frammarsjen for arbeiderbevegelsen.
▸ **from that time onward(s)** fra den tiden og videre, fra den tiden og framover
onyx ['ɔnɪks] s onyks *m*
oops [ups] INTERJ oppsann
ooze [u:z] VI (*mud, water, slime, blood+*) sive (*v1*), tyte* ❑ *The yolk oozes out...* Eggeplommen tyter *or* siver ut...
opacity [əu'pæsɪtɪ] s ugjennomsiktighet *m*
opal ['əupl] s opal *m*

opaque [əu'peɪk] ADJ ugjennomsiktig
OPEC ['əupɛk] S FK (= **Organization of Petroleum-Exporting Countries**) OPEC
open ['əupn] 1 ADJ (**a**) (*gen*) åpen ❑ *He climbed through the open window.* Han klatret gjennom det åpne vinduet. *Angelica looked at me with her mouth open.* Angelica så på meg med åpen munn. *The bank won't be open for another half-hour.* Banken vil ikke være* åpen før om en halvtime. *...across open country...* over åpent terreng... *Judy had an open and trusting nature...* Judy hadde et åpent og tillitsfullt vesen... *an open friendly smile.* ...et åpent, vennlig smil. *I like to keep an open mind on that subject.* Jeg liker å bevare et åpent sinn når det gjelder det emnet. *...the Women's Open Golf Championship.* ...kvinnenes åpne golfmesterskap. *I've got an open ticket.* Jeg har en åpen billett.
(**b**) (= *available: opportunity, vacancy*) tilgjengelig ❑ *...the vacancy is no longer open.* ...stillingen ikke lenger er tilgjengelig.
2 VT (**a**) (*gen*) åpne (*v1*)
(**b**) (*+door, window*) lukke (*v1*) opp, åpne (*v1*)
(**c**) (*+book*) slå* opp, åpne (*v1*)
3 VI (**a**) (*door, eyes, mouth+*) åpne (*v1*) seg
(**b**) (*shop, bank etc+*) åpne (*v1*)
(**c**) (*book, debate etc+*) begynne (*v2x*), åpne (*v1*)
(**d**) (*film, play+*) ha* premiere
(**e**) (*flower+*) springe* ut, åpne (*v1*) seg
▸ **an open question** et åpent spørsmål
▸ **open warfare** åpen krig *m*
▸ **an open fire** en peis
▸ **in the open (air)** ute, i friluft; (*sleep*) under åpen himmel
▸ **the open sea** det åpne havet
▸ **to have an open mind on sth** ha* et åpnet sinn angående noe
▸ **to be open to** (**a**) (*+suggestions, ideas*) være* åpen for ❑ *We are open to suggestions.* Vi er åpne for forslag.
(**b**) (*+criticism, misunderstanding*) invitere (*v2*) til ❑ *Such a description is open to misunderstanding.* En slik beskrivelse inviterer til misforståelse.
▸ **to be open to the public** være* åpen for publikum
▸ **open on to** VT FUS (*room, door+*) vende (*v2*) ut mot
▸ **open up** VI (**a**) (= *unlock*) låse (*v2*) opp, lukke (*v1*) opp ❑ *Open up! It's snowing out here.* Lås opp! *or* Lukk opp! Det snør her ute.
(**b**) (= *confide*) betro (*v4*) seg ❑ *She was disappointed that he hadn't opened up.* Hun var skuffet over at han ikke hadde betrodd seg til henne.
open-air [əupn'ɛəʳ] ADJ (*concert, swimming pool*) utendørs-
open-and-shut ['əupnən'ʃʌt] ADJ ▸ **an open-and-shut case** en opplagt sak, *en sak som er avgjort på forhånd*
open day S åpen dag *m*
open-ended [əupn'ɛndɪd] ADJ (*question, discussion*) som ikke har noen løsning
opener ['əupnəʳ] S (*for cans, bottles*) åpner *m*
open-heart [əupn'hɑːt] ADJ ▸ **open-heart surgery** åpen hjerteoperasjoner *pl;* (*single operation*) en åpen hjerteoperasjon
opening ['əupnɪŋ] 1 ADJ (*remarks, stages, scene, ceremony etc*) innledende, innlednings-, åpnings- ❑ *...the opening stages of the fighting...* de innledende fasene *or* innledningsfasene *or* åpningsfasene av slåssingen...
2 S (**a**) (= *gap, hole*) åpning *m*
(**b**) (*of play, book etc*) begynnelse *m*, innledning *m*
(**c**) (*of new building, bridge etc*) åpning *m*
(**d**) (= *opportunity*) åpning *m* ❑ *There were openings in the police force...* Det var noen åpninger i politiet...
opening hours SPL åpningstid *m sg* ❑ *Banks often have very short opening hours.* Banker har ofte veldig korte åpningstider.
opening night S premierekveld *m*
open learning S *videreutdanning på deltid*
openly ['əupnlɪ] ADV (*speak, cry, act, admit*) åpent, åpenlyst
open-minded [əupn'maɪndɪd] ADJ (*person, approach*) fordomsfri
open-necked ['əupnnɛkt] ADJ åpen i halsen
openness ['əupnnɪs] S åpenhet *m*, oppriktighet *m*
open-plan ['əupn'plæn] ADJ (*office*) *med åpen løsning*
open prison S åpen anstalt *m*
open sandwich S smørbrød *nt*
open shop S *en ordning som innebærer at en bedrift kan ha* både organisert og uorganisert arbeidskraft*
Open University (*BRIT*) S ▸ **the Open University** Det åpne universitetet, *Britisk institusjon for høyere utdanning som baserer seg på brevundervisning, samt radio og TV*

> **Open University** *ble grunnlagt i 1969. Denne formen for undervisning best år i kurs (visse sendetider i radio og TV er avsatt til formålet), hjemmearbeid som studenten kan sende til læreren sin, og et obligatorisk sommerkurs ved et universitet. Man må ta et visst antall kursenheter i løpet av en bestemt periode, og bestå et visst antall av dem for å oppnå en grad.*

open verdict S uavgjort kjennelse *m*
opera ['ɔpərə] S opera *m* ❑ *...a Wagner opera.* ...en Wagner-opera. *Are you interested in opera?* Er du interessert i opera?
opera glasses SPL teaterkikkert *m sg*
opera house S opera *m*, operahus *nt*
opera singer S operasanger *m*, operasangerinne *c*
operate ['ɔpəreɪt] 1 VT (*+machine, vehicle etc*) betjene (*v2*), bruke (*v2*) ❑ *...how to operate the safety equipment...* hvordan man skal betjene *or* bruke sikkerhetsutstyret...
2 VI (**a**) (*machine, vehicle, law, forces+*) fungere (*v2*) ❑ *Calculators operate on the same principle.* Kalkulatorer fungerer etter de samme prinsippene. *Laws of the same kind operate in nature...* Samme type lover fungerer i naturen...
(**b**) (*company, organization+*) operere (*v2*), drive*
(**c**) (*MED*) operere (*v2*) ❑ *They operated but it was too late...* De opererte, men det var for sent...
▸ **to operate on sb** operere (*v2*) noen ❑ *He has*

been operated on three times. Han har vært operert tre ganger.
operatic [ɔpəˈrætɪk] ADJ (*aria etc*) opera-; (*style*) opera-aktig
operating room (*US*) s operasjonssal *m*
operating system (*DATA*) s operativsystem *nt*
operating table s operasjonsbord *nt*
operating theatre s operasjonsstue *c*
operation [ɔpəˈreɪʃən] s (**a**) (*activity, MED, MIL, POLICE*) operasjon *m* ❑ *Removing the stains was a major operation.* Å ta* bort flekkene var en betydelig operasjon. *Her mother was about to undergo a major operation...* Moren hennes skulle* akkurat gjennomgå en større operasjon...
(**b**) (*of machine, vehicle etc*) betjening *m*, bruk *m* ❑ *The operation of the machine demands a high degree of skill.* Betjeningen *or* bruken av maskinen krever en høy grad av dyktighet.
(**c**) (*MERK*) virksomhet *m uncount* ❑ *Learn about the company's overseas operations...* Lær om selskapets virksomhet i andre verdensdeler...
▸ **to be in operation** (*law, regulation, scheme+*) være* i funksjon, bli* brukt
▸ **to have an operation** (*MED*) ta* en operasjon ❑ *I had an operation on my spine.* Jeg ble operert i ryggsøylen.
▸ **to perform an operation** (*MED*) foreta* en operasjon
operational [ɔpəˈreɪʃənl] ADJ (*machine, vehicle etc*) operativ
operative [ˈɔpərətɪv] 1 ADJ (*law, measure, system*) operativ, som gjelder ❑ *The scheme was fully operative by 1975...* Systemet var fullt operativt *or* gjaldt for fullt i 1975...
2 s (*in factory*) arbeider *m* ❑ *...each operative on a production line...* hver arbeider langs samlebåndet...
▸ **being the operative word** ...er stikkordet
operator [ˈɔpəreɪtə^r] s (**a**) (*TEL*) sentralbordbetjent *m*, sentralborddame *c* (*female*)
(**b**) (*DATA*) operatør *m* ❑ *...computer operators...* dataoperatører...
(**c**) (*of machine*) maskinfører *m*
operetta [ɔpəˈrɛtə] s operette *m*, syngespill *nt*
ophthalmic [ɔfˈθælmɪk] ADJ øye(n)-
ophthalmic optician s optiker *m*
ophthalmologist [ɔfθælˈmɔlədʒɪst] s oftalmolog *m*, øyenlege *m*
opinion [əˈpɪnjən] s mening *m* ❑ *...eager to express their opinions...* ivrig etter å uttrykke sine meninger... *a difference of opinion.* ...en meningsforskjell.
▸ **in my opinion** etter min mening ❑ *In my opinion, you should wait.* Etter min mening burde du vente.
▸ **to have a good** *or* **high opinion of sb** sette* noen høyt
▸ **to have a good** *or* **high opinion of o.s.** ha* positivt *or* godt selvbilde
▸ **to be of the opinion that...** mene (*v2*) at...
▸ **to get a second opinion** (*MED etc*) få* en annens syn på *or* mening om saken ❑ *My doctor asked a specialist for a second opinion on my X-rays.* Doktoren min spurte en spesialist for å få* hans mening om *or* hans syn på røntgenbildene mine.
opinionated [əˈpɪnjəneɪtɪd] (*neds*) ADJ påståelig
opinion poll s meningsmåling *c*, opinionsundersøkelse *m*
opium [ˈəupɪəm] s opium *m*
opponent [əˈpəunənt] s (= *also SPORT*) motstander *m* ❑ *...opponents of apartheid...* motstandere av apartheid... *He beat his opponent three sets to love...* Han slo motstanderen sin tre null i sett...
opportune [ˈɔpətjuːn] ADJ (*moment*) passende, beleilig ❑ *...at an opportune moment for me.* ...på et passende *or* beleilig tidspunkt for meg.
opportunism [ɔpəˈtjuːnɪsəm] s opportunisme *m*
opportunist [ɔpəˈtjuːnɪst] s opportunist *m*
opportunity [ɔpəˈtjuːnɪtɪ] s (**a**) (= *chance*) anledning *m*, leilighet *m* ❑ *It will give you an opportunity to meet...* Det vil gi* deg en anledning *or* leilighet til å møte...
(**b**) (= *prospects*) muligheter *pl* ❑ *...their lack of opportunity.* ...deres mangel på muligheter. *...equal opportunities for women...* like muligheter for kvinner...
▸ **at the first opportunity** ved første anledning *or* leilighet
▸ **to take the opportunity of doing sth** benytte (*v1*) muligheten *or* anledningen til å gjøre* noe ❑ *I took the opportunity of visiting Jack.* Jeg benyttet muligheten *or* anledningen til å besøke Jack.
oppose [əˈpəuz] VT (*+wish, opinion, plan*) sette* seg imot
▸ **to be opposed to sth** være* imot noe ❑ *He was opposed to the development of nuclear weapons...* Han var imot utviklingen av atomvåpen...
▸ **as opposed to** i motsetning til ❑ *He was wearing a suit as opposed to his usual sports jacket.* Han hadde på seg en dress, i motsetning til den vanlige fritidsjakka.
opposing [əˈpəuzɪŋ] ADJ (**a**) (*side, team*) motsatt ❑ *Parents and children are on opposing sides of most arguments...* Foreldre og barn har motsatt syn i de fleste diskusjoner...
(**b**) (*ideas, tendencies*) motstridende ❑ *...diametrically opposing points of view.* ...diametralt motstridende meninger.
opposite [ˈɔpəzɪt] 1 ADJ (*gen*) motsatt ❑ *She burst in through the opposite door.* Hun braste inn gjennom døra på motsatt side. *I live in the house opposite.* Jeg bor i huset på motsatt side. *...at opposite ends of the couch...* på motsatte ender av sofaen... *in the opposite direction...* i motsatt retning... *had the opposite effect...* hadde troligvis motsatt effekt...
2 ADV (*live, work, sit*) på motsatt side, (rett) overfor
3 PREP (**a**) (= *in front of*) overfor, midt imot ❑ *The hotel is opposite a railway station...* Hotellet ligger overfor en jernbanestasjon *or* midt imot en jernbanestasjon...
(**b**) (= *next to : on list, form etc*) ved siden av ❑ *Opposite his own name was a small tick...* Ved siden av navnet hans var det et lite merke...
4 s ▸ **the opposite** (*say, think, do etc*) det motsatte ❑ *He says one thing and does the*

opposite. Han sier en ting og gjør det motsatte. NB *My brother is just the opposite...* Broren min er akkurat motsatt...
▸ **the opposite sex** det motsatte kjønn
▸ **"see opposite page"** "se motsatt *or* motstående side"
opposite number s *person med en tilsvarende stilling*
opposition [ɔpəˈzɪʃən] s (**a**) (= *resistance*) motstand *m* ❑ *It was only built after much opposition from the planners...* Det ble først bygd etter mye motstand fra planleggerne...
(**b**) (*FOTB, RUGBY etc*) motstandere *pl* ❑ *...the opposition's defence.* ...motstandernes forsvar.
▸ **the Opposition** (*POL*) opposisjonen ❑ *...the leader of the Opposition...* lederen for opposisjonen...
oppress [əˈprɛs] VT undertrykke (*v2x*)
oppressed [əˈprɛst] ADJ undertrykt
oppression [əˈprɛʃən] s undertrykkelse *m* ❑ *...the oppression of the weak.* ...undertrykkelsen av de svake.
oppressive [əˈprɛsɪv] ADJ (**a**) (*weather, heat*) trykkende ❑ *The atmosphere became oppressive...* Atmosfæren ble trykkende...
(**b**) (*régime*) undertrykkende ❑ *...the present oppressive system.* ...det nåværende undertrykkende systemet.
opprobrium [əˈprəubrɪəm] (*fml*) s forakt *m*, vanære *m*
opt [ɔpt] VI ▸ **to opt for** velge*
▸ **to opt to do sth** velge* å gjøre* noe
▸ **opt out (of)** VI trekke* seg (fra *or* ut av) ❑ *More schools are choosing to opt out.* Flere skoler velger å trekke seg. *...the latest hospital to opt out of local authority control.* ...det seneste sykehuset som trakk seg fra de lokale myndigheters kontroll.
optical [ˈɔptɪkl] ADJ (*instrument, device etc*) optisk
optical character reader s optisk (tegn)leser *m*
optical character recognition s optisk (tegn)lesing *m*
optical illusion s optisk bedrag *nt*, synsbedrag *nt*
optician [ɔpˈtɪʃən] s optiker *m*
optics [ˈɔptɪks] s optikk *m*
optimism [ˈɔptɪmɪzəm] s optimisme *m* ❑ *There was an air of optimism...* Det var en stemning av optimisme *or* en tydelig optimistisk stemning...
optimist [ˈɔptɪmɪst] s optimist *m*
optimistic [ɔptɪˈmɪstɪk] ADJ optimistisk
optimum [ˈɔptɪməm] ADJ (*conditions, number, size*) optimal ❑ *...the optimum rate of economic growth...* den optimale raten av økonomisk vekst...
option [ˈɔpʃən] s (**a**) (= *choice*) alternativ *nt*, valgmulighet *m* ❑ *He had, I would say, two options...* Han hadde, vil jeg si, to valgmuligheter *or* alternativ... *the option of another referendum.* ...alternativet med enda en folkeavstemning. *That is their only option.* Det er den eneste valgmuligheten *or* det eneste alternativet de har.
(**b**) (*SKOL*) særemne *nt* ❑ *I did a special option in phonetics.* Jeg tok et eget særemne i fonetikk.
(**c**) (*MERK*) opsjon *m* ❑ *...an option to buy 2.5 million shares...* en opsjon på å kjøpe 2,5 millioner aksjer...
▸ **to keep one's options open** holde* mulighetene åpne
▸ **to have no other option** ikke ha* noe valg ❑ *...mothers who have no option but to work...* mødre som ikke har noe annet valg enn å jobbe...
optional [ˈɔpʃənl] ADJ valgfri, frivillig ❑ *French is optional at this school...* Fransk er valgfritt *or* frivillig på denne skolen...
▸ **optional extras** (*MERK*) ekstrautstyr *nt*
opulence [ˈɔpjuləns] s rikdom *m*, overflod *m*
opulent [ˈɔpjulənt] ADJ (*person, society etc*) (styrt)rik, (søkk)rik
OR (*US: POST*) FK = **Oregon**
or [ɔːʳ] KONJ (**a**) (*linking alternatives*) eller NB *...up or down* ...opp eller ned ❑ *...tea or coffee?* ...te eller kaffe? *Are you going with your parents or by yourself?* Reiser du sammen med foreldrene dine eller på egen hånd?
(**b**) (*linking numbers*) ▸ **fifty or sixty people** femti-seksti mennesker
(**c**) (= *otherwise*) ellers NB *Don't put anything plastic in the oven or it will melt.* Ikke putt noe av plast i ovnen, ellers smelter det.
(**d**) (*qualifying previous statement*) eller NB *He's paying the rent, or at least contributing to it...* Han betaler leien, eller i det minste bidrar til den...
▸ **he hasn't seen or heard anything** han har verken sett eller hørt noe
▸ **or else** (= *otherwise*) ellers ❑ *You've got to be very careful or else you'll miss the turnoff.* Du må være* veldig forsiktig, ellers misser du avkjøringen.
oracle [ˈɔrəkl] s orakel *nt*
oral [ˈɔːrəl] 1 ADJ (**a**) (= *spoken: test, report*) muntlig ❑ *...an oral test in German.* ...en muntlig prøve i tysk.
(**b**) (*MED: vaccine, medicine, contraceptive*) som svelges ❑ *...the oral contraceptive pill.* ...p-pillen.
2 s (= *spoken examination*) muntlig (eksamen) *m*
▸ **oral sex** oralsex *m*, munnsex *m*
orange [ˈɔrɪndʒ] 1 s (*fruit*) appelsin *m*
2 ADJ (*colour*) oransje
orangeade [ɔrɪndʒˈeɪd] s *saft eller brus med appelsinsmak*
oration [ɔːˈreɪʃən] s tale *m*, orasjon *m*
orator [ˈɔrətəʳ] s orator *m*, taler *m*
oratorio [ɔrəˈtɔːrɪəu] s oratorium *nt*
orb [ɔːb] s kule *c*; (= *planet*) klode *m*
orbit [ˈɔːbɪt] 1 s (*of planet, satellite etc*) bane *m* ❑ *...the orbit of the planet Mercury...* banen til planeten Merkur...
2 VT (*+earth, moon etc*) gå* i bane rundt, kretse (*v1*) rundt ❑ *...takes 238 years to orbit the sun.* ...bruker 238 år på å kretse *or* gå* i bane rundt sola.
▸ **to put a satellite into orbit** sette* en satellitt i bane
orbital motorway [ˈɔːbɪtəl-] s ringvei *m*
orchard [ˈɔːtʃəd] s (frukt)hage *m*
▸ **apple orchard** eplehage *m*
orchestra [ˈɔːkɪstrə] s orkester *nt*

orchestral [ɔːˈkɛstrəl] ADJ *(piece, work, musicians)* orkester-

orchestrate [ˈɔːkɪstreɪt] VT *(+plan, campaign, event etc)* orkestrere *(v2)*, regissere *(v2)* ❑ *He orchestrated the entire evening.* Han orkestrerte *or* regisserte hele kvelden.

orchid [ˈɔːkɪd] s orkidé *m*

ordain [ɔːˈdeɪn] VT (**a**) *(REL)* ordinere *(v2)* (**b**) *(= decree)* bestemme *(v2x)* ❑ *He ordained that music was not to be played after 9 p.m.* Han bestemte at det ikke skulle* spilles musikk etter kl 21.

ordeal [ɔːˈdiːl] s prøvelse *m* ❑ *Their ordeal finally ended at 9 a.m.* Deres prøvelsene var endelig slutt kl 9 om morgenen

order [ˈɔːdəʳ] 1 s (**a**) *(= command)* ordre *m* ❑ *Quickly he gave his orders...* Raskt gav han ordrene... *He had received orders that morning to continue with the work...* Han hadde fått ordre den morgenen om å fortsette med arbeidet... *to carry out this order...* for å utføre denne ordren... (**b**) *(from shop, company etc)* bestilling *c*, ordre *m* ❑ *...overseas orders.* ...bestillinger *or* ordrer fra utlandet. (**c**) *(in restaurant)* bestilling *c* ❑ *A waiter came to take their order...* En kelner kom for å ta* imot bestillingen deres... (**d**) *(= sequence)* rekkefølge *m* ❑ *Decide in what order the rooms will be cleaned...* Bestem i hvilken rekkefølge rommene skal gjøres rene... *He had to name all the US presidents in their correct order.* Han måtte* nevne alle de amerikanske presidentene i riktig rekkefølge. (**e**) *(organization)* orden *m* ❑ *...it would create some order in our lives...* det ville* skape litt orden i livene våre... *Some semblance of order...* Noe i retning av orden... (**f**) *(REL)* orden *m* ❑ *...the Order of St Benedict.* ...benediktinerordenen
2 VT (**a**) *(= command)* beordre *(v1)*, kommandere *(v2)* ❑ *Sherman ordered an investigation...* Sherman beordret en granskning... *"Sit down!" he ordered.* "Sitt ned!" kommanderte han. *He ordered me out of the building.* Han beordret meg ut av bygningen.. Han kommanderte meg til å forlate bygningen. (**b**) *(MERK: from shop, company etc, in restaurant)* bestille *(v2x)* ❑ *She ordered an extra delivery of coal...* Hun bestilte en ekstra kulleveranse... *Davis had ordered another whisky...* Davis hadde bestilt en whisky til... (**c**) *(= arrange)* ordne *(v1)* ❑ *He was ordering the notes for his speech.* Han ordnet notatene til talen sin.
▸ **in order** *(= permitted, correct)* i orden ❑ *...your papers seem to be in order.* ...papirene Deres ser ut til å være* i orden.
▸ **in (working) order** i stand ❑ *...cars in good working order.* ...biler som var i god stand.
▸ **in order to do** for å gjøre ❑ *He had to hurry in order to reach London...* Han måtte* skynde seg for å nå London... *in order not to spread the dirt...* for ikke å spre skitten...
▸ **in order that** slik at ❑ *They are learning English in order that they can study in England.* De lærer engelsk slik at de kan *or* for å kunne* studere i England.
▸ **in order of size** etter størrelsen
▸ **on order** *(MERK)* i bestilling *or* ordre ❑ *I've got a sewing machine on order.* Jeg har en symaskin i bestilling *or* ordre.
▸ **out of order** (**a**) *(= not working)* i ustand ❑ *The phone was out of order, so he couldn't ring.* Telefonen var i ustand, så han kunne* ikke ringe. (**b**) *(= in the wrong sequence)* i feil rekkefølge ❑ *The pages are all out of order.* Alle sidene er i feil rekkefølge. (**c**) *(in meeting)* ikke i tråd med riktig saksgang ❑ *The resolution was ruled out of order...* Resolusjonen ble avvist på grunn av uriktig saksgang...
▸ **to place an order for sth with sb** bestille *(v2x)* noe fra *or* hos noen
▸ **made to order** laget på bestilling
▸ **to be under orders to do sth** ha* ordre om å gjøre* noe ❑ *He was under orders to shoot the prisoner.* Han hadde ordre om å skyte fangen.
▸ **to take orders** ta* imot ordre ❑ *I'm not taking orders from you or anyone else!* Jeg tar ikke imot ordre fra deg eller noen annen!
▸ **to the order of** *(cheque)* pålydende ❑ *...a cheque to the order of five thousand pounds.* ...en sjekk pålydende fem tusen pund.
▸ **of** *or* **in the order of** *(= about)* omkring, omtrent ❑ *Wind speeds were in the order of 160 km per hour.* Vindens hastighet var på omkring *or* omtrent 160 km i timen.
▸ **to order sb to do sth** gi* noen ordre *or* beskjed om å gjøre* noe, beordre *(v1)* noen til å gjøre* noe ❑ *He ordered me to fetch the books...* Han gav meg ordre *or* beskjed om å hente bøkene.... Han beordret meg til å hente bøkene... *She was ordered to keep away from my cell...* Hun ble beordret til *or* fikk beskjed *or* ordre om å holde seg unna cellen min...

▸ **order around** VT *(also* ***order about****)* kommandere *(v2)* ❑ *It was intolerable that they could order her around.* Det var utålelig at de kunne* kommandere henne.

order book *(MERK)* s ordrebok *c*

order form *(MERK)* s bestillingsskjema *nt*, ordreblankett *m*

orderly [ˈɔːdəlɪ] 1 s (**a**) *(MIL)* ordonnans *m* (**b**) *(MED)* portør *m*, sykepasser *m*
2 ADJ *(= well-organized: manner, sequence, system)* velordnet, ordentlig ❑ *...a system of orderly government...* et system med et velordnet styre... *in an orderly way.* ...på en ordentlig måte.

order number *(MERK)* s ordrenummer *nt*, bestillingsnummer *nt*

ordinal [ˈɔːdɪnl] ADJ ▸ **ordinal number** ordenstall *nt*

ordinarily [ˈɔːdnrɪlɪ] ADV vanligvis, til vanlig ❑ *...this room was ordinarily used by the doctor.* ...dette rommet ble vanligvis *or* til vanlig brukt av doktoren.

ordinary [ˈɔːdnrɪ] ADJ (**a**) *(= everyday)* vanlig, alminnelig ❑ *What do ordinary people think?* Hva mener vanlige *or* alminnelige folk?

Ordinary grass seed won't grow there. Vanlig *or* alminnelig gressfrø vil ikke spire der.
(**b**) (*neds: mediocre*) alminnelig ❑ *She is likeable enough, but very ordinary.* Hun er hyggelig nok, men svært alminnelig.
▸ **out of the ordinary** utenom det vanlige ❑ *I'd like something a little out of the ordinary.* Jeg vil gjerne ha* noe litt utenom det vanlige.

> *En* **ordinary degree** *er en grad som er på nivået under* **honours degree**, *og som man vanligvis oppnår etter tre års universitetsstudier. Den kan også tildeles ved stryk til* honours degree.

ordinary seaman (*BRIT*) s lettmatros *m*, jungmann *m*; (*NAUT*) menig *m decl as adj*
ordinary shares SPL ordinære aksjer *m*, stamaksjer *m*
ordination [ɔ:dɪ'neɪʃən] s ordinasjon *m* ❑ *...the ordination of women.* ...ordinasjon av kvinner.
ordnance ['ɔ:dnəns] 1 s artilleri *nt*
2 ADJ (*factory, supplies*) våpen-
Ordnance Survey (*BRIT*) s ≈ Statens kartverk *nt* ❑ *...an Ordnance Survey map* ...et kart fra Statens kartverk
ore [ɔ:ʳ] s malm *m or nt*, erts *m*
organ ['ɔ:gən] s (*ANAT*) organ *nt*; (*MUS*) orgel *nt*
organic [ɔ:'gænɪk] ADJ organisk
organism ['ɔ:gənɪzəm] s organisme *m*
organist ['ɔ:gənɪst] s organist *m*
organization [ɔ:gənaɪ'zeɪʃən] s (**a**) (*business, club, society*) organisasjon *m* ❑ *...a profitable organisation...* en innbringende organisasjon... *the World Health Organisation.* ...Verdens helseorganisasjon.
(**b**) (= *planning*) organisering *c* ❑ *There's a complete lack of organization!* Det er fullstendig mangel på organisering!
organization chart s organisasjonsoversikt *m*
organize ['ɔ:gənaɪz] VT organisere (*v2*) ❑ *He was organizing the search for survivors...* Han organiserte letingen etter overlevende... *the meeting was badly organized.* ...møtet var dårlig organisert.
▸ **to get organized** komme* i orden ❑ *Come on, get organized, we have to leave in 10 minutes.* Kom igjen, kom i orden, vi må dra om 10 minutter.
organized crime s organisert kriminalitet *m*
organized labour s organisert arbeidskraft *m*
organizer ['ɔ:gənaɪzəʳ] s arrangør *m*
orgasm ['ɔ:gæzəm] s orgasme *m*
▸ **to have an orgasm** få* orgasme
orgy ['ɔ:dʒɪ] s orgie *m* ❑ *...sexual orgies...* sexorgier... *a drunken orgy.* ...en fylleorgie.
▸ **an orgy of destruction** en orgie i ødeleggelse ❑ *The mob went on an orgy of destruction...* Pøbelen dro på en orgie i ødeleggelse...
Orient ['ɔ:rɪənt] s ▸ **the Orient** Orienten *m def*
orient ['ɔ:rɪənt] VT ▸ **to orient o.s.** orientere (*v2*) seg
▸ **to be oriented towards** være* orientert *or* rettet mot
oriental [ɔ:rɪ'ɛntl] ADJ orientalsk
orientate ['ɔ:rɪənteɪt] VT ▸ **to orientate o.s.** orientere (*v2*) seg ❑ *I tried to orientate myself on the map...* Jeg prøvde å orientere meg på kartet... *Her son was still trying to orientate himself in his new school.* Sønnen hennes prøvde fremdeles å orientere seg på den nye skolen sin.
▸ **to be orientated towards** være* orientert mot
orientation [ɔ:rɪən'teɪʃən] s legning *m*
orifice ['ɔrɪfɪs] s åpning *c*
origin ['ɔrɪdʒɪn] s opprinnelse *m*, opphav *nt* ❑ *The unrest has its origins in economic problems...* Urolighetene har sin opprinnelse *or* sitt opphav i økonomiske problemer... *the origins of the word "jazz"...* opprinnelsen *or* opphavet til ordet "jazz"... *a woman of Pakistani origin...* en kvinne av pakistansk opprinnelse *or* opphav... *your working-class origins...* din opprinnelse *or* ditt opphav i arbeiderklassen...
▸ **country of origin** hjemland *nt*
▸ **of recent origin** av nyere dato ❑ *It may be of more recent origin...* Den kan være* av nyere dato...
original [ə'rɪdʒɪnl] 1 ADJ (**a**) (= *first: idea, occupation, condition*) opprinnelig ❑ *They will restore the house to its original state...* De vil restaurere huset til dets opprinnelige stand... *Of the original twenty...* Av de opprinnelige tjue... *in answer to your original question.* ...som svar på ditt opprinnelige spørsmål.
(**b**) (= *genuine, imaginative: work of art, document, thinker, artist, idea*) original ❑ *...an original Gordon Craig sketch...* en original Gordon Craig-skisse... *the award for Best Original Play.* ...prisen for beste originale skuespill. *...a daring and original idea...* en vågal og original idé... *a most original guitar player.* ...en svært original gitarist.
2 s (= *not a copy: of painting, document etc*) original *m* ❑ *The original is in the British Museum...* Originalen er i British Museum...
originality [ərɪdʒɪ'nælɪtɪ] s (*of artist, idea etc*) originalitet *m* ❑ *...a sculptor of great originality...* en skulptør som viser stor originalitet...
originally [ə'rɪdʒɪnəlɪ] ADV opprinnelig ❑ *I stayed longer than I originally intended...* Jeg ble lenger enn jeg opprinnelig hadde tenkt...
originate [ə'rɪdʒɪneɪt] VI ▸ **to originate in** (*idea, custom etc+*) oppstå* i ❑ *The bullfight originated in Spain...* Tyrefektingen oppstod i Spania... *These beliefs originated in the 19th century...* Disse synsmåtene oppstod i det nittende århundre...
▸ **to originate with** *or* **from** stamme (*v1*) fra, skrive* seg fra ❑ *The idea originates with the woman who wrote the music.* Ideen stammer *or* skriver seg fra kvinnen som skrev musikken.
originator [ə'rɪdʒɪneɪtəʳ] s (*of idea, custom*) opphavsmann *m irreg*, opphavsperson *m*, opphavskvinne *c* (*woman*) ❑ *The originator of the idea...* Opphavsmannen/opphavskvinnen til ideen...
Orkneys ['ɔ:knɪz] SPL ▸ **the Orkneys** (*also* ***the Orkney Islands***) Orknøyene
ornament ['ɔ:nəmənt] s (**a**) (*object*) pyntegjenstand *m*, prydgjenstand *m* ❑ *...the ornaments on the mantlepiece...*

pyntegjenstandene *or* prydgjenstandene på kaminhyllen...
(**b**) (= *decoration*) utsmykning *m*, ornamenter *pl* ❏ *...a building constructed without ornament.* ...en bygning uten noen utsmykning *or* ornamenter.
ornamental [ɔːnəˈmɛntl] ADJ (*pond*) kunstig; (*garden*) pryd-
ornamentation [ɔːnəmɛnˈteɪʃən] S ornamentikk *m*
ornate [ɔːˈneɪt] ADJ (*necklace, design, style*) (rikt) utsmykket
ornithologist [ɔːnɪˈθɔlədʒɪst] S ornitolog *m*
ornithology [ɔːnɪˈθɔlədʒɪ] S ornitologi *m*
orphan [ˈɔːfn] 1 S foreldreløs *m decl as adj*
2 VT ▸ **to be orphaned** bli* foreldreløs
orphanage [ˈɔːfənɪdʒ] S barnehjem *nt* (*for foreldreløse barn*)
orthodontist [ɔːθəˈdɔntɪst] S reguleringstannlege *m*
orthodox [ˈɔːθədɔks] ADJ (*REL, gen*) ortodoks ❏ *...orthodox Christianinty...* ortodoks kristendom... *Orthodox Jews.* ...ortodokse jøder.
▸ **orthodox medicine** skolemedisin *m*
orthodoxy [ˈɔːθədɔksɪ] S ortodoksi *m* ❏ *...the prevailing orthodoxy on this problem...* den herskende ortodoksien i dette problemet...
orthopaedic [ɔːθəˈpiːdɪk], **orthopedic** (*US*) ADJ ortopedisk
OS FK (*BRIT*) = **Ordnance Survey**; (*NAUT*) = **ordinary seaman**; (*size*) = **outsize**
O/S (*MERK*) FK (= **out of stock**) utsolgt fra lager
Oscar [ˈɔskəʳ] S Oscar *m*
oscillate [ˈɔsɪleɪt] VI (**a**) (*ELEK, FYS*) oscillere (*v2*)
(**b**) (*fig: mood, person, ideas*) svinge (*v2*), skifte (*v1*) ❏ *He oscillates between conservatism and radicalism...* Han svinger *or* skifter mellom konservatisme og radikalisme...
OSHA (*US*) S FK (= **Occupational Safety and Health Administration**) *organ som overvåker og undersøker arbeidsmiljøet,* Direktoratet for arbeidstilsynet
Oslo [ˈɔzləu] S Oslo
ostensible [ɔsˈtɛnsɪbl] ADJ (*purpose, cause, reason*) angivelig, påstått ❏ *...the ostensible purpose of his excursion...* den angivelige *or* påståtte hensikten med ekskursjonen hans...
ostensibly [ɔsˈtɛnsɪblɪ] ADV øyensynlig, angivelig
ostentation [ɔstɛnˈteɪʃən] S *det å vise seg* NB *More than two telephones is pure ostentation...* Mer enn to telefoner er bare å vise seg... ❏ *my distaste for any ostentation.* ...min avsmak for alle forsøk på å vise seg.
ostentatious [ɔstɛnˈteɪʃəs] ADJ (**a**) (*building, car etc*) prangende ❏ *...a magnificent and ostentatious palace...* et storslått og prangende slott...
(**b**) (*person*) brautende ❏ *We Americans are lavish, generous, and ostentatious...* Vi amerikanere er rundhåndede, generøse og brautende...
osteopath [ˈɔstɪəpæθ] S osteopat *m*
ostracize [ˈɔstrəsaɪz] VT utstøte (*v2*), fryse* ut
ostrich [ˈɔstrɪtʃ] S struts *m*
OT (*BIBEL*) FK (= **Old Testament**) GT (= *Gamle Testamentet*)
OTB (*US*) S FK (= **off-track betting**) *spill på hest o.l. utenom selve veddeløpsbanen*
OTE (*MERK*) FK = **on-target earnings**
other [ˈʌðəʳ] 1 ADJ (**a**) (*not this one: person, thing, way, side, end, direction*) annen *c sg indef*, annet *nt sg indef*, andre *pl, sg def* ❏ *There were some other people in the compartment...* Det var noen andre mennesker i kupéen... *most other European countries...* de fleste andre europeiske land... *the other members of the class.* ...de andre medlemmene av klassen. *...the other end of the room...* den andre enden av rommet... *the other half of the cake.* ...den andre halvparten av kaken.
(**b**) (= *additional*) til *after noun* NB *May I make one other point?* Kan jeg komme med ett poeng til?
2 PRON ▸ **the other (one)** den *or* det andre ❏ *He had his papers in one hand, his hat in the other...* Han hadde papirene sine i den ene hånden, og hatten i den andre... *two daughters, one a baby, the other a girl of twelve.* ...to døtre, den ene baby, den andre en jente på tolv.
▸ **others** (= *people, things*) andre ❏ *He and two others were sentenced to death...* Han og to andre ble dømt til døden... *Some projects are shorter than others.* Noen prosjekter er mer kortvarige enn andre.
▸ **the others** (= *people, things*) de andre ❏ *I shall wait until the others come back.* Jeg skal vente helt til de andre kommer tilbake.
▸ **other than** (noen) annen enn *c sg*, (noe) annet enn *nt sg*, (noen) andre enn *pl* ❏ *...anyone other than Derek...* noen annen enn Derek... *They did it for no other reason than sheer frustration...* De gjorde det ikke av noen annen grunn enn ren frustrasjon... *There's no choice other than to...* Det er ikke noen annen mulighet enn å...
▸ **the other day** her om dagen ❏ *I saw Davis the other day...* Jeg så Davis her om dagen...
▸ **some actor or other** en eller annen skuespiller
▸ **somebody or other** en eller annen
▸ **none other than** ikke noe annet/noen annen enn ❏ *The car was none other than Roberta's.* Bilen var ikke noen annen enn Robertas.
otherwise [ˈʌðəwaɪz] ADV (**a**) (= *differently: think*) noe annet
(**b**) (*act*) annerledes ❏ *I had no reason to think otherwise...* Jeg hadde ingen grunn til å mene noe annet... *The man was incapable of acting otherwise...* Mannen var ute av stand til å oppføre seg annerledes...
(**c**) (= *apart from that*) ellers, for øvrig ❏ *The cement is slightly cracked but otherwise in good order...* Sementen er litt sprukken, men ellers *or* for øvrig i god stand...
(**d**) (= *if not*) ellers ❏ *It's perfectly harmless, otherwise I wouldn't have done it...* Det er fullstendig ufarlig, ellers ville* jeg ikke ha* gjort det... *an otherwise good piece of work* ...et ellers bra arbeid
▸ **otherwise known as** ellers kjent som
OTT (*sl*) FK (= **over the top**) over alle grenser
otter [ˈɔtəʳ] S oter *m*
OU (*BRIT*) S FK = **Open University**
ouch [autʃ] INTERJ au ❏ *Ouch! That hurt!* Au! Det

gjorde vondt!

ought [ɔːt] (*pt* **ought**) H-VERB burde*
▸ **I ought to do it** jeg burde gjøre* det
▸ **this ought to have been corrected** dette burde ha* blitt rettet
▸ **he ought to win** han bør *or* burde vinne
▸ **you ought to go and see it** du bør *or* burde gå* og se det

ounce [auns] s (**a**) (*unit of weight*) unse *m, 28,349 gram*
(**b**) (*fig: small amount*) grann *nt* ❑ *...using every ounce of strength he possessed...* brukte hvert grann han eide av styrke...

our ['auəʳ] ADJ vår *see also* **my**

ours [auəz] PRON vår *decl as adj see also* **mine**[1]

ourselves [auə'sɛlvz] PRON PL (**a**) (*reflexive, after prep*) oss (selv) ❑ *We find ourselves without any real choice...* Vi befinner oss i en situasjon uten noe reelt valg... *We almost made ourselves ill...* Vi holdt på å gjøre* oss (selv) syke... *With the exception of ourselves, everyone spoke Spanish.* Med unntak av oss selv, snakket alle spansk.
(**b**) (*emphatic*) selv ❑ *In teaching, we ourselves have to do a lot of learning.* Når vi underviser, må vi selv lære en masse.
▸ **(all) by ourselves** (helt) på egen hånd
see also **oneself**

oust [aust] VT tvinge* bort, drive* bort ❑ *...the coup which ousted the President...* kuppet som drev *or* tvang bort presidenten... *He was ousted from his job...* Han ble drevet *or* tvunget vekk fra jobben sin...

out[1] [aut] VT (*sl: expose as homosexual*) oute (*v1*)

KEYWORD

out[2] [aut] 1 ADV (**a**) (= *not in: be, stand*) ute; (*go, move*) ut
▸ **they're out in the garden/rain** de er ute i hagen/regnet
▸ **out here/there** her ute/der ute
▸ **to go/come out** gå/komme* ut
▸ **to come out** (*homosexual+*) stå* fram
▸ **(to speak) out loud** snakke (*v1*) høyt
(**b**) (= *not at home, absent*) ute ❑ *Mr Green is out at the moment.* Mr Green er ute for øyeblikket.
▸ **to have a day/night out** få* seg en dag/kveld ute
(**c**) (*indicating distance*) unna
▸ **the boat was 10 km out** båten var 10 km unna
▸ **3 days out from Plymouth** 3 dager unna Plymouth
(**d**) (*SPORT*) ute/ut
▸ **the ball is/has gone out** ballen er ute/har gått ut
▸ **out!** ut!
2 ADJ (**a**) ▸ **to be out** (*unconscious*) være* borte; (*out of game*) være* ute; (*out of fashion*) være* ute av moten; (*flowers+*) ha* sprunget ut; (*news, secret, book+*) være* ute; (*fire, light, gas+*) være* slukket; (*time+*) være* omme ❑ *Before the week was out...* Før uken var omme...
(**b**) (= *intending*) ▸ **to be out to do sth** være* ute etter å gjøre* noe
(**c**) (= *mistaken*) ▸ **to be out in one's calculations** ha* regnet feil
▸ **you're way out there!** du er helt på jordet!

outage ['autɪdʒ] s (*US*) strømbrudd *nt*

out-and-out ['autəndaut] ADJ (*liar, thief etc*) vaskeekte, tvers i gjennom ❑ *He's an out-and-out villain...* Han er en kjeltring tvers i gjennom.... Han er en vaskeekte kjeltring...

outback ['autbæk] s (*in Australia*) ▸ **the outback** ≈ villmarken *c* ❑ *...in the outback.* ...i villmarken.

outbid [aut'bɪd] VT overby* ❑ *We'll be outbid at every auction...* Vi vil bli* overbudt på hver eneste auksjon...

outboard ['autbɔːd] s (*also* ***outboard motor***) påhengsmotor *m*

outbound ['autbaund] ADJ (*ship*) på tur ut

outbreak ['autbreɪk] s (*of war, disease, violence etc*) utbrudd *nt* ❑ *...the outbreak of the Second World War...* utbruddet av den annen verdenskrig... *a severe outbreak of food poisoning.* ...et alvorlig utbrudd av matforgiftning.

outbuilding ['autbɪldɪŋ] s uthus *nt*

outburst ['autbəːst] s utbrudd *nt*

outcast ['autkɑːst] s utskudd *nt*

outclass [aut'klɑːs] VT utklasse (*v1*)

outcome ['autkʌm] s utfall *nt*, resultat *nt* ❑ *...the outcome of the election.* ...utfallet *or* resultatet av valget.

outcrop ['autkrɔp] s (*of rock*) frambrudd *nt*

outcry ['autkraɪ] s ramaskrik *nt* ❑ *There was a public outcry about this...* Det var allment ramaskrik over dette...

outdated [aut'deɪtɪd] ADJ (*custom, idea*) foreldet, avleggs

outdo [aut'duː] *irreg* VT (**a**) (*do better than*) gjøre* det bedre enn ❑ *...a heavy person can outdo a lighter one in certain jobs.* ...en tung person kan gjøre* det bedre enn en lettere i enkelte jobber.
(**b**) (*surpass*) overgå* ❑ *The Smiths bought a Rover. Not to be outdone, the Joneses bought a BMW.* Familien Smith kjøpte en Rover. For ikke å bli* overgått, kjøpte familien Jones en BMW.

outdoor [aut'dɔːʳ] ADJ (**a**) (= *open-air*) utendørs ❑ *It was outdoor work, and fairly healthy...* Det var utendørs arbeide, og temmelig sunt...
(**b**) (*clothes*) ytter- ❑ *He was in his outdoor clothes.* Han var påkledd i yttertøy.
(**c**) (*person*) frilufts- ❑ *"I like it here," he said. "I'm an outdoor man.* "Jeg liker meg her," sa han. "Jeg er et friluftsmenneske." *She's definitely the outdoor type.* Hun er avgjort et friluftsmenneske.

outdoors [aut'dɔːz] ADV utendørs, ute ❑ *Children should be outdoors several hours a day.* Barn burde være* ute(ndørs) i flere timer hver dag.

outer ['autəʳ] ADJ (**a**) (= *exterior: door, wall etc*) ytter- ❑ *The building's outer walls and doors...* Alle bygningens yttervegger og ytterdører...
(**b**) (*wrapping*) ytterste ❑ *...peel off the outer plastic cover...* skrell av det ytterste plastdekket...
▸ **outer suburbs** drabantbyer
▸ **the outer office** (det) ytre kontor(et) ❑ *He sits in the outer office.* Han sitter på det ytre kontoret *or* på ytre kontor.

outer space s verdensrommet *nt def*, det ytre rom *nt def* ❑ *...a creature from outer space.* ...en

skapning fra verdensrommet *or* det ytre rom.
outfit ['autfɪt] s (**a**) (= *set of clothes*) antrekk *nt* ❑ *He was dressed in a white outfit...* Han var kledd i et hvitt antrekk... *sports outfits.* ...sportsantrekk.
(**b**) (*sl: firm*) firma *nt* ❑ *I joined this outfit hoping to get abroad...* Jeg begynte i dette firmaet i håp om å få* dra utenlands...
outfitter's ['autfɪtəz] (*BRIT*) s herreekvipering *m*
outgoing ['autgəuɪŋ] ADJ (**a**) (= *extrovert*) utadvendt ❑ *Adler was an outgoing, sociable kind of man.* Adler var en utadvendt, sosial type.
(**b**) (= *retiring: president, mayor etc*) avtroppende
(**c**) (*mail etc*) utgående
outgoings ['autgəuɪŋz] (*BRIT*) SPL utgifter *m*
outgrow [aut'grəu] *irreg* VT (*gen*) vokse (*v2*) fra ❑ *You're going to outgrow these shoes very soon.* Du kommer til å vokse fra disse skoene ganske snart. *She had now outgrown her juvenile sense of humour.* Hun hadde nå vokst fra den barnslige sansen for humor.
outhouse ['authaus] s uthus *nt*
outing ['autɪŋ] s tur *m*, utflukt *m* ❑ *...a family outing.* ...en familietur *or* familieutflukt. *...a school outing.* ...en skoletur *or* skoleutflukt.
outlandish [aut'lændɪʃ] ADJ (*ideas, behaviour, clothes*) underlig, aparte
outlast [aut'lɑːst] VT (**a**) vare (*v2*) lenger enn
(**b**) (*living+*) leve (*v3*) lenger enn ❑ *Even those leafless beech trees would outlast him.* Selv de bladløse bøketrærne ville* vare *or* leve lenger enn ham.
outlaw ['autlɔː] 1 s fredløs *m decl as adj*
2 VT (**a**) (*+person*) erklære (*v2*) fredløs
(**b**) (*+activity, organization*) forby* ❑ *The use of poison gas was outlawed.* Bruk av giftgass ble forbudt.
outlay ['autleɪ] s (= *expenditure*) utlegg *nt* ❑ *...an initial outlay of 3m pounds.* ...et utlegg i starten på 3m pund.
outlet ['autlɛt] s (**a**) (= *hole, pipe*) avløp *nt* ❑ *Clean the sink outlet...* Rens avløpet i oppvaskkummen...
(**b**) (*US: ELEK*) stikkontakt *m*
(**c**) (*MERK: **retail outlet***) utsalg *nt*
(**d**) (*fig: for grief, anger etc*) utløp *nt* ❑ *...outlets for political expression.* ...utløp for politiske ytringer.
outline ['autlaɪn] 1 s (**a**) (= *contour: of object, person, house etc*) kontur *m*, omriss *nt* ❑ *...the outline of a house against the sky...* konturen *or* omrisset av et hus mot himmelen...
(**b**) (= *brief explanation: of plan, subject*) oversikt *m* ❑ *...a brief outline of European art...* en kort oversikt over europeisk kunst...
(**c**) (*of idea*) konturer *pl* ❑ *...the outline of an idea.* ...konturene av en idé.
(**d**) (= *rough sketch*) skisse *m* ❑ *...an outline drawing.* ...en skissetegning.
2 VT (*fig: theory, plan, argument etc*) skissere (*v2*) ❑ *He listened as I outlined my reasons...* Han hørte på mens jeg skisserte mine grunner...
outlive [aut'lɪv] VT (= *survive: person, war, era*) overleve (*v3*) ❑ *Olivia had outlived Pepita by 18 years.* Olivia hadde overlevd Pepita med 18 år.
outlook ['autluk] s (**a**) (= *view, attitude*) (livs)syn *nt*, holdning *c* ❑ *My whole outlook on life had changed...* Hele mitt livssyn *or* Hele min livsholdning hadde forandret seg... *They are European in outlook...* De er europeiske i holdningene sine *or* i livssyn... *Their outlooks are so similar.* De har så like syn *or* holdninger.
(**b**) (= *prospects*) utsikter *pl* ❑ *The economic outlook is bright...* De økonomiske utsiktene er lyse...
(**c**) (*for weather*) (vær)utsikt *m* ❑ *...the outlook for the weekend.* ...værutsikten for helgen.
outlying ['autlaɪɪŋ] ADJ (*area, town, districts etc*) avsides(liggende)
outmanoeuvre [autmə'nuːvəʳ], **outmaneuver** (*US*) VT utmanøvrere (*v2*)
outmoded [aut'məudɪd] ADJ (*technique, theory, view*) avleggs, umoderne
outnumber [aut'nʌmbəʳ] VT være* flere enn ❑ *Nationally men outnumber women...* På landsbasis er det flere menn enn kvinner... *They are outnumbered by the Social Democrats...* De er færre enn sosialdemokratene...
▸ **they outnumbered us by 5 to 1** de var fem ganger så mange som oss
out of bounds ADJ ▸ **to be out of bounds** være* forbudt område
out-of-date [autəv'deɪt] ADJ (*passport, ticket etc*) utløpt; (*dictionary*) foreldet; (*clothes*) gammeldags; (*idea*) foreldet, gammeldags
out-of-doors [autəv'dɔːz] ADV (*play, stay etc*) utendørs ❑ *We sat out-of-doors beneath the trees.* Vi satt utendørs under trærne.
out-of-the-way ['autəvðə'weɪ] ADJ (**a**) (= *remote: place*) utenfor allfarvei, avsides(liggende)
(**b**) (= *not well-known: pub, restaurant etc*) (som ligger) utenfor allfarvei ❑ *Tim took her to funny out-of-the-way pubs.* Tim tok henne med til rare puber som lå utenfor allfarvei.
out-of-work ['autəvwəːk] ADJ arbeidsledig, arbeidsløs ❑ *...an out-of-work actress.* ...en arbeidsledig *or* arbeidsløs skuespillerinne.
outpatient ['autpeɪʃənt] s dagpasient *m*
outpost ['autpəust] s (*MIL*) forpost *m*; (*MERK*) utpost *m*
output ['autput] 1 s (**a**) (= *production: of factory, mine, writer etc*) produksjon *m* ❑ *The party maintains a constant output of pamphlets...* Partiet opprettholder en jevn produksjon av pamfletter... *the literary output of the post-war period...* etterkrigstidens litterære produksjon... *agricultural output.* ...jordbruksproduksjonen.
(**b**) (*DATA: process*) utmating *c*
(**c**) (*result*) utdata *nt or m or pl*, output *m* ❑ *There's something wrong with this output.* Det er noe galt med disse utdataene *or* denne outputen.
2 VT (**a**) (*DATA: program, computer*) mate (*v1*) ut
(**b**) (*person+*) kjøre (*v2*) ut ❑ *The program will output it into a file.* Programmet vil mate det ut i en fil.
outrage ['autreɪdʒ] 1 s (**a**) (= *scandal*) skandale *m* ❑ *This latest exhibition is an outrage against all civilised standards.* Denne siste utstillingen er en fornærmelse *or* krenkelse mot enhver sivilisert standard.
(**b**) (= *atrocity*) voldshandling *c* ❑ *...bomb*

outrages in the north of the city. ...bombeangrep i nordlige bydeler.
(**c**) (= *anger*) raseri *nt*, opprør *nt* ❑ *...a sense of outrage.* ...en følelse av raseri.
2 VT (= *shock, anger*) opprøre (*v2*), forferde (*v1*) ❑ *...were outraged by the news...* ble forferdet *or* opprørt over nyheten...
outrageous [aut'reɪdʒəs] ADJ (*clothes, remark, incident etc*) opprørende ❑ *She used to say some outrageous things.* Hun sa ofte en del opprørende ting. *He's cutting spending on education. Outrageous!* Han skjærer ned på penger til utdanning. Opprørende!
outrider ['autraɪdəʳ] S (*on motorcycle*) motorsyklist *m* i eskortetjeneste NB *Eight police outriders...* Åtte motorsyklister fra politiet...
outright [*ADV* aut'raɪt, *ADJ* 'autraɪt] 1 ADV (**a**) (= *absolutely*) fullstendig ❑ *The government has banned it outright...* Regjeringen har bannlyst det fullstendig...
(**b**) (*immediately*) på flekken, øyeblikkelig ❑ *He bought his house outright, didn't even bother with a mortgage.* Han kjøpte huset på flekken *or* øyeblikkelig, brydde seg ikke en gang om å ordne med lån.
(**c**) (= *openly: ask, deny, refuse*) rett ut ❑ *If I ask outright I get nowhere.* Hvis jeg spør rett ut, kommer jeg ikke noen vei.
2 ADJ (**a**) (= *absolute: winner, victory*) klar
(**b**) (= *open: refusal, denial, hostility*) direkte ❑ *It was an outright refusal...* Det var et direkte avslag...
outrun [aut'rʌn] *irreg* VT løpe* fra
outset ['autsɛt] S (= *start*) begynnelse *m*, start *m*
▸ **from the outset** fra begynnelsen (av), fra starten (av) ❑ *The police had expected trouble from the outset...* Politiet hadde ventet seg vanskeligheter fra starten av *or* begynnelsen av...
▸ **at the outset** i begynnelsen, i starten
outshine [aut'ʃaɪn] *irreg* VT (*fig*) overgå* ❑ *He felt sure he could outshine them all.* Han var sikker på at han kunne* overgå dem alle.
outside [aut'saɪd] 1 S (**a**) (= *exterior: of container*) utside *c*, ytterside *c* ❑ *...the outside of the bottle...* utsiden *or* yttersiden av flasken...
(**b**) (*of building*) yttervegg *m* ❑ *...houses whose outsides were falling to pieces...* hus hvor ytterveggene holdt på å falle sammen...
2 ADJ (**a**) (*wall*) ytter- ❑ *...a shed that stood against the outside wall.* ...et skur som sto mot ytterveggen.
(**b**) (*lavatory*) ute- ❑ *We only had an outside lavatory.* Vi hadde bare utedo.
3 ADV (**a**) (*to be, wait*) ute ❑ *It was dark outside...* Det var mørkt ute...
(**b**) (*to go*) ut ❑ *Let's go outside...* La oss gå* ut...
4 PREP (**a**) (= *not inside*) utenfor ❑ *Wait outside the door.* Vent utenfor døren. *You're wearing your shirt outside your jeans.* Du har skjorten utenfor olabuksene dine.
(**b**) (= *not included in: office hours, organization*) utenfor, utenom ❑ *You'll have to do it outside office hours.* Du må gjøre* det utenom *or* utenfor kontortiden.
(**c**) (= *beyond: country, city*) utenfor ❑ *Nobody outside California...* Ingen utenfor California...
▸ **an outside chance** en ørliten sjanse *or* mulighet ❑ *There's an outside chance that we'll arrive....* Det er en ørliten sjanse *or* mulighet for at vi kommer... *He's got an outside chance of winning.* Han har en ørliten sjanse for *or* mulighet til å vinne
▸ **at the outside** (**a**) (= *at the most*) toppen, maksimalt ❑ *I'd have said 23 km at the outside...* Jeg ville* si toppen *or* maksimalt 23 km...
(**b**) (= *at the latest*) senest ❑ *We should be there by four at the outside.* Vi bør være* der senest fire.
outside broadcast S (*RADIO, TV*) *program som er tatt opp utenfor studio*; (*in the open air*) utendørsopptak *nt*
outside lane S (*BIL: in Britain*) høyrefelt *nt*, høyrefil *m*; (*in US, Europe*) venstrefelt *nt*, venstrefil *m*
outside line S (*TEL*) linje *c* ut ❑ *I can't get an outside line.* Jeg får ikke linje ut.
outsider [aut'saɪdəʳ] S (**a**) (= *stranger*) utenforstående *m decl as adj* ❑ *To an outsider this looks like an idyllic life.* For en utenforstående ser dette ut som et idyllisk liv.
(**b**) (= *odd man out*) outsider *m* ❑ *They feel like outsiders.* De følte seg som outsidere.. De følte seg utenfor.
(**c**) (*in race etc*) outsider *m* ❑ *The race was won by an outsider.* Løpet ble vunnet av en outsider.
outsize ['autsaɪz] ADJ (*clothes*) diger (*om klær for de spesielt store*)
outskirts ['autskəːts] SPL (*of city, town*) utkant *m sg*
▸ **on the outskirts** i utkanten ❑ *The garage was on the outskirts of town...* Verkstedet var i utkanten av byen...
outsmart [aut'smɑːt] VT overliste (*v1*), lure (*v2*)
outspoken [aut'spəukən] ADJ (*person, critic*) frittalende, åpenhjertig; (*statement*) åpenhjertig, oppriktig
outspread [aut'sprɛd] ADJ (**a**) (*wings*) utspent ❑ *...perched on a crag, its wings outspread...* vaglet opp på en knaus med utspente vinger...
(**b**) (*arms*) utstrakt ❑ *...with arms outspread.* ...med utstrakte armer.
outstanding [aut'stændɪŋ] ADJ (**a**) (= *exceptional: actress, work, success*) fremragende
(**b**) (= *remaining: debt*) utestående ❑ *There is fifty pounds outstanding, I believe...* Det er femti pund utestående, tror jeg... *3 million pounds in outstanding fines.* ...3 millioner pund i utestående bøter.
(**c**) (*work, problem*) gjenstående ❑ *There are some problems still outstanding.* Det er fremdeles noen gjenstående problemer.
(**d**) (*account*) ubetalt
outstay [aut'steɪ] VT ▸ **to outstay one's welcome** bli* (værende) for lenge
outstretched [aut'strɛtʃt] ADJ (**a**) (*hand, arms*) utstrakt ❑ *...and balanced himself with outstretched arms...* og balanserte med utstrakte armer...
(**b**) (*wings*) utspent ❑ *They stand on the rocks, wings outstretched.* De står på steinene med utspente vinger.
outstrip [aut'strɪp] VT (**a**) (= *surpass: competitors*)

overgå* ❑ *His newspaper outstripped its rivals in circulation.* Avisen hans overgikk rivalene i opplagstall.
(**b**) (*+supply*) overstige*, overgå* ❑ *Demand outstripped supply.* Etterspørslen overgikk *or* oversteg tilbudet.

out tray s kurv *m* (for utgående post)

outvote [aut'vəut] VT (*+person, proposal*) nedstemme (*v2x*) ❑ *...outvoted by 8 votes to 6.* ...nedstemt med 8 mot 6 stemmer.

outward ['autwəd] ADJ (**a**) (*sign, appearances*) ytre ❑ *The symptoms are the outward signs of the disease.* Symptomene er de ytre tegnene på sykdommen.
(**b**) (*journey*) ut- ❑ *We met on the outward journey.* Vi møttes på utreisen.

outwardly ['autwədlɪ] ADV (**a**) (= *on the surface*) utvendig, på overflaten ❑ *...outwardly he remains composed...* utvendig *or* på overflaten bevarer han fatningen...
(**b**) (= *superficially*) på overflate ❑ *Outwardly they have much in common...* På overflaten har de mye til felles...

outward(s) ['autwəd(z)] ADV utover ❑ *He swam outwards into the bay...* Han svømte utover inn i bukten... *The door opened outwards...* Døren gikk utover...

outweigh [aut'weɪ] VT (*+disadvantages, risks etc*) oppveie (*v3*) ❑ *The advantages far outweigh the disadvantages.* Fordelene oppveier klart ulempene.

outwit [aut'wɪt] VT overliste (*v1*)

ova ['əuvə] SPL *of* **ovum**

oval ['əuvl] 1 ADJ (*table, mirror, face*) oval
2 S oval *m*

Oval Office (*US*) S ▸ **the Oval Office** det ovale kontor

Oval Office *er den amerikanske presidentens eget kontor i Det hvite hus. Det har navnet på grunn av sin ovale form. I utvidet betydning kan uttrykket betegne selve presidentembetet.*

---

ovarian [əu'vɛərɪən] ADJ eggstokk-
▸ **ovarian cyst** cyste *m* på eggstokken

ovary ['əuvərɪ] s ovarium *nt irreg*

ovation [əu'veɪʃən] s ovasjon *m* ❑ *She received a tremendous ovation...* Hun fikk en kolossal ovasjon...

oven ['ʌvn] s (stek)ovn *m* (*var.* (steik)ovn)

ovenproof ['ʌvnpruːf] ADJ (*dish etc*) ildfast

oven-ready ['ʌvnrɛdɪ] ADJ (*chicken, chips etc*) ovnsklar

ovenware ['ʌvnwɛəʳ] s ildfaste former *pl*

KEYWORD

over ['əuvəʳ] 1 ADV (**a**) (= *across: walk, jump, fly etc*) over
▸ **to cross over to the other side of the road** krysse (*v1*) over til den andre siden av veien
▸ **to ask sb over** (= *to one's house*) be* noen hjem
(**b**) (*indicating movement from upright: use verb according to context*) ▸ **to fall/knock/turn** *etc* **over** falle/velte/snu *etc*
(**c**) (= *finished: game, life, relationship etc*) over, slutt
(**d**) (= *excessively: clever, rich, fat etc*) altfor
▸ **not over intelligent** ikke særlig intelligent
(**e**) (= *remaining: money, food etc*) igjen
▸ **there are 3 over** det er 3 igjen
▸ **is there any cake (left) over?** er det noe kake igjen?
(**f**) ▸ **all over** (*everywhere*) overalt
▸ **over and over (again)** (= *repeatedly*) om og om igjen
2 PREP (**a**) (= *on top of, above*) over ❑ *There's a canopy over the bed.* Det er en baldakin over senga.
▸ **to spread a sheet over sth** bre (*v4*) ut et laken over noe
(**b**) (= *on the other side of*) over
▸ **the pub over the road** puben over gaten
▸ **he jumped over the wall** han hoppet over gjerdet
(**c**) (= *more than*) over
▸ **over 200 people came** over 200 mennesker kom
▸ **to be over and above** komme* i tillegg (til)
(**d**) (= *during*) i løpet av
▸ **over the last few years/the winter** i løpet av de siste fem årene/vinteren
▸ **let's discuss it over dinner** la oss diskuterer det ved middagen; (*invitation to dinner*) la oss diskuterer det over en middag

---

over... ['əuvəʳ] PREF over-, altfor ❑ *...an overconfident young man...* en altfor selvsikker ung mann... *The plan was overambitious...* Planen var overambisiøs *or* altfor ambisiøs... *overripe fruit...* overmoden frukt...

overact [əuvər'ækt] VI overspille (*v2x*)

overall [*ADJ, N* 'əuvərɔːl, *ADV* əuvər'ɔːl] 1 ADJ (**a**) (= *total: length, cost etc*) total ❑ *The overall cost is less than we expected.* Den totale kostnaden er mindre enn vi ventet.
(**b**) (= *general: impression, view*) generell
2 ADV alt i alt ❑ *What will it cost overall?* Hva vil det koste alt i alt? *Overall, imports account for half of our stock.* Alt i alt utgjør importerte varer halvparten av lageret vårt.
3 S (*BRIT: woman's, child's, painter's*) overall *m*, kjeledress *m*
▸ **overalls** SPL (*protective clothing*) kjeledress *m*, overall *m*

overall majority s rent flertall *nt*

overanxious [əuvər'æŋkʃəs] ADJ overnervøs

overawe [əuvər'ɔː] VT ▸ **to be overawed (by)** bli* overveldet (av)

overbalance [əuvə'bæləns] VI miste (*v1*) balansen

overbearing [əuvə'bɛərɪŋ] ADJ (*person, behaviour, manner*) ovenfra og ned, nedlatende

overboard ['əuvəbɔːd] ADV over bord ❑ *Gardner might have fallen overboard...* Gardner kan ha* falt over bord...
▸ **to go overboard** (*fig*) gå* (litt) for langt ❑ *Now listen, you're going a bit overboard.* Hør her, du går litt for langt.

overbook [əuvə'buk] VT (*+holiday, show etc*) overbooke (*v1*)

overcame [əuvə'keɪm] PRET *of* **overcome**

overcapitalize [əuvə'kæpɪtəlaɪz] VT

overkapitalisere (*v2*)
overcast ['əuvəkɑ:st] ADJ (*day, sky*) overskyet
overcharge [əuvə'tʃɑ:dʒ] VTI ta* (seg) for mye betalt (av) ❑ *The taxi driver tried to overcharge her.* Drosjesjåføren prøvde å ta* for mye betalt av henne.
overcoat ['əuvəkəut] s ytterfrakk *m*
overcome [əuvə'kʌm] *irreg* 1 VT (*+difficulty, problem, fear*) overvinne*, overkomme* ❑ *We tried to overcome their objections to the plan.* Vi prøvde å overvinne *or* overkomme innvendingene de hadde mot planen.
2 ADJ (*emotionally*) overveldet ❑ *I was overcome by a sense of failure...* Jeg ble overveldet av en følelse av nederlag...
▸ **to be overcome by smoke/gas** bli* overmannet av røk/gass
▸ **to be overcome with grief** bli* overveldet av sorg
overconfident [əuvə'kɔnfɪdənt] ADJ altfor selvsikker
overcrowded [əuvə'kraudɪd] ADJ (*room, city, prison*) overbefolket
overcrowding [əuvə'kraudɪŋ] s overbefolkning *m* ❑ *There is serious overcrowding in our prisons.* Det er stor overbefolkning i *or* overbelastning på fengslene våre.
overdo [əuvə'du:] *irreg* VT overdrive* ❑ *He had to be careful not to overdo the praise.* Han måtte* være* forsiktig og ikke overdrive rosen. *Don't overdo these exercises.* Ikke overdriv disse øvelsene.
▸ **to overdo it** overdrive* ❑ *I've been overdoing it lately at work.* Jeg har overdrevet på jobben i det siste. *Wish them good luck, but don't overdo it.* Ønsk dem lykke til, men ikke overdriv.
overdose ['əuvədəus] 1 s overdose *m* ❑ *Alice took an overdose...* Alice tok en overdose... *a massive overdose of sleeping pills.* ...en massiv overdose med sovetabletter.
2 VI ▸ **to overdose on heroin** to en overdose (med) heroin
overdraft ['əuvədrɑ:ft] s overtrekk *nt*
overdrawn [əuvə'drɔ:n] ADJ (**a**) (*account*) overtrukket ❑ *...interest charged on overdrawn accounts.* ...rente som blir belastet overtrukne kontoer.
(**b**) (*person*) som har overtrukket kontoen ❑ *I'm overdrawn this month...* Jeg har overtrukket kontoen denne måneden...
overdrive ['əuvədraɪv] s (*BIL*) overgir *nt*
overdue [əuvə'dju:] ADJ (**a**) (= *late: person, bus, train*) over tiden, forsinket ❑ *They're half an hour overdue.* De er en halv time forsinket *or* over tiden.
(**b**) (= *needed: change, reform etc*) som lenge har vært påkrevd ❑ *Reform of these laws is overdue.* Reformering av disse lovene har lenge vært påkrevd., Disse lovene skulle* *or* burde vært endret for lenge siden
(**c**) (*bill, library book*) forfalt ❑ *The rent was three weeks overdue.* Husleien var forfalt for tre uker siden.
▸ **that change was long overdue** den forandringen hadde vært påkrevd i lang tid

overemphasis [əuvər'ɛmfəsɪs] s
▸ **overemphasis on** overdreven vekt *m* på
overestimate [əuvər'ɛstɪmeɪt] VT overvurdere (*v2*) ❑ *We greatly overestimated the time this would take.* Vi overvurderte fullstendig hvor lang tid dette ville* ta. *Obviously I overestimated your sense of humour.* Jeg overvurderte tydeligvis din sans for humor.
overexcited [əuvərɪk'saɪtɪd] ADJ overivrig, eksaltert
overexertion [əuvərɪg'zə:ʃən] s overanstrengelse *m*
overexpose [əuvərɪk'spəuz] VT overeksponere (*v2*)
overflow [əuvə'fləu] 1 VI (*river+*) gå* *or* flyte* over breddene; (*sink, bath, jar etc+*) flyte* over, renne* over
2 s (*also* ***overflow pipe***) overløpsrør *nt*
overgenerous [əuvə'dʒɛnərəs] ADJ (*person*) altfor gavmild *or* generøs; (*offer*) altfor generøs
overgrown [əuvə'grəun] ADJ (*garden*) overgrodd
▸ **an overgrown schoolboy** (*fig*) en forvokst skolegutt
overhang ['əuvə'hæŋ] *irreg* 1 VTI henge* utover ❑ *His balcony overhung a large cage...* Balkongen hans hang utover et stort bur... *the shadow of an overhanging rock...* skyggen av en klippe som hang utover...
2 s framspring *nt*, utspring *nt*
overhaul [*VB* əuvə'hɔ:l, *N* 'əuvəhɔ:l] 1 VT (*+engine, equipment, car etc*) overhale (*v2*)
2 s (*of engine, equipment, car etc*) overhaling *c*
overhead [*ADV* əuvə'hɛd, *ADJ, N* 'əuvəhɛd] 1 ADV (**a**) (= *above*) ovenpå ❑ *Feet were pounding on the deck overhead...* Føtter dunket på dekket ovenpå...
(**b**) (= *in the sky*) høyt oppe, (høyt) over oss (*or dem etc*) ❑ *Seagulls were circling overhead...* Måker sirklet rundt høyt oppe *or* over oss...
2 ADJ (**a**) (*light, lighting*) over- ❑ *The guard switched on an overhead light.* Vakten slo på et overlys.
(**b**) (*cables, wires, railway*) luft-
3 s (*US*) = **overheads**
▸ **overheads** SPL (*expenses*) administrasjonsomkostninger, administrasjonsutgifter, generalomkostninger ❑ *...reduce expenditure on overheads...* redusere utgiftene *or* omkostningene til administrasjon...
overhear [əuvə'hɪə^r] *irreg* VT overhøre (*v2*) ❑ *Judy overheard him telling the children...* Judy overhørte ham mens han fortalte barna...
overheat [əuvə'hi:t] VI (*engine+*) overopphete (*v1*), gå* varm
overjoyed [əuvə'dʒɔɪd] ADJ overlykkelig, overbegeistret, henrykt NB *Francis was overjoyed to see him...* Francis ble overlykkelig *or* overbegeistret *or* henrykt over å se ham...
▸ **to be overjoyed (at)** bli* *or* være* overbegeistret (for), bli* overlykkelig (over)
overkill ['əuvəkɪl] s (*fig*) ▸ **it would be overkill** det ville* være* en stor overdrivelse
overland ['əuvəlænd] 1 ADJ (*journey*) over land *after noun*
2 ADV (*travel*) over land, til lands
overlap [əuvə'læp] VI (*also fig*) overlappe (*v1*) (hverandre) ❑ *The circles overlap...* Sirklene

overlapper hverandre... *It's not directly underneath, but overlaps slightly...* Den er ikke rett under, men overlapper noe... *The two theories obviously overlap...* De to teoriene overlapper visst hverandre...

overleaf [əuvə'li:f] ADV på neste side ❑ *Some of the animals are illustrated overleaf.* Noen av dyrene er illustrert på neste side.

overload [əuvə'ləud] VT (*ELEK, gen, fig*) overbelaste (*v1*) ❑ *The aircraft was dangerously overloaded...* Flyet var farlig overbelastet... *Medical services were overloaded with casualties...* Helsetjenesten var overbelastet med ulykkestilfeller...

overlook [əuvə'luk] VT (**a**) (= *have view over*) ha* utsikt over *or* mot ❑ *...buildings overlooked the square...* bygninger hadde utsikt mot plassen... (**b**) (= *fail to notice*) overse* ❑ *They overlook the risks involved...* De overser den risken det innebar... *overlooked the fact that...* overså det faktum at...
(**c**) (= *excuse, forgive*) overse*, se* gjennom fingrene med ❑ *I decided to overlook his unkindness.* Jeg bestemte meg for å overse *or* for å se gjennom fingrene med uvennligheten hans.

overlord ['əuvəlɔ:d] s overherre *m*; (*feudal*) lensherre *m*

overmanning [əuvə'mænɪŋ] s overbemanning *c*

overnight [*ADV* əuvə'naɪt, *ADJ* 'əuvənaɪt] 1 ADV (**a**) (= *during the whole night: sleep, stay*) over natten, natten over ❑ *Don't leave your bike around here overnight.* Ikke sett sykkelen din her over natten.
(**b**) (= *by night: travel*) om natten
(**c**) (*fig: suddenly*) over natten, fra den ene dagen til den andre ❑ *...go out of fashion overnight.* ...gå av moten fra den ene dagen til den andre *or* over natten.
2 ADJ (*bag, clothes*) overnattings- ❑ *...a little overnight bag.* ...en liten overnattingsbag.
▸ **overnight stop** *or* **stay** overnatting *c*
▸ **to stay overnight** overnatte (*v1*)

overpass ['əuvəpɑ:s] s (*især US*) bro *c*, bru *f* (*over motorvei etc*)

overpay [əuvə'peɪ] VT ▸ **to overpay sb by 50 pounds** betale (*v2*) noen 50 pund for mye

overplay [əuvə'pleɪ] VT (+*problem, factor*) overbetone (*v2*)
▸ **to overplay one's hand** spenne (*v2x*) buen for høyt

overpower [əuvə'pauə'] VT (**a**) (+*person*) overmanne (*v1*) ❑ *The bank robber was overpowered by two cashiers.* Bankraneren ble overmannet av to funksjonærer.
(**b**) (*emotion, anger, smell etc+ : person*) overvelde (*v1*) ❑ *The smell of decaying meat overpowered us.* Lukten av råtnende kjøtt overveldet oss.

overpowering [əuvə'pauərɪŋ] ADJ overveldende ❑ *...the overpowering scent of English garden flowers.* ...den overveldende duften av engelske hageblomster. *...an overpowering feeling of failure.* ...en overveldende følelse av nederlag.

overproduction ['əuvəprə'dʌkʃən] s overproduksjon *m*

overrate [əuvə'reɪt] VT (+*person, film, book*) overvurdere (*v2*) ❑ *I think he's overrated as an actor.* Jeg syns han er overvurdert som skuespiller.

overreach [əuvə'ri:tʃ] VT ▸ **to overreach o.s.** spenne (*v2x*) buen for høyt, gape (*v2*) over for mye

overreact [əuvəri:'ækt] VI overreagere (*v2*)

override [əuvə'raɪd] *irreg* VT (+*order, objection, decision*) oppheve (*v1*), tilsidesette*

overriding [əuvə'raɪdɪŋ] ADJ (**a**) (*importance*) altoverskyggende, altoverveiende ❑ *...a question of overriding importance.* ...et spørsmål av altoverskyggende *or* altoverveiende betydning.
(**b**) (*factor, consideration*) altoverskyggende ❑ *The overriding need is...* Det altoverskyggende behovet er...

overrule [əuvə'ru:l] VT (+*decision, claim, person*) oppheve (*v1*), underkjenne (*v2x*); (*JUR*) erklære (*v2*) ugyldig

overrun [əuvə'rʌn] *irreg* 1 VT (+*country, continent*) oversvømme (*v2x*)
2 VI (*meeting etc+*) vare (*v2*) over tiden ❑ *The meeting overran by an hour.* Møtet varte en time over tiden.
▸ **overrun with tourists** oversvømt av turister

overseas [əuvə'si:z] 1 ADV (**a**) (*to a place abroad*) utenlands, til utlandet ❑ *4 million Americans travel overseas each year.* 4 millioner amerikanere reiser utenlands *or* til utlandet hvert år.
(**b**) (*in a place abroad*) i utlandet ❑ *...are investing large sums overseas...* investerer store summer i utlandet...
2 ADJ (*market, trade, student, visitor*) utenlandsk ❑ *...a vast overseas market for...* et stort utenlandsk marked for...

oversee [əuvə'si:] VT overvåke (*v1*)

overseer ['əuvəsɪə'] s (*in factory*) oppsynsmann *m irreg*

overshadow [əuvə'ʃædəu] VT (**a**) (= *throw shadow over: place, building etc*) kaste (*v1*) skygge over NB *...Irun, overshadowed by the Pyrenees.* ...Irun, i skyggen av Pyreneene.
(**b**) (*fig*) overskygge (*v1*) ❑ *She was overshadowed by the more talkative members...* Hun ble overskygget av de mer snakkesalige medlemmene...

overshoot [əuvə'ʃu:t] *irreg* VT (*plane, train, car etc+*) kjøre (*v2*) forbi ❑ *The plane overshot the runway.* Flyet kjørte forbi rullebanen.

oversight ['əuvəsaɪt] s forsømmelse *m*, uaktsomhet *m*, forglemmelse *m* ❑ *...a gross oversight on your part.* ...grov uaktsomhet *or* en grov forsømmelse *or* forglemmelse fra din side.
▸ **due to an oversight** på grunn av en forglemmelse

oversimplify [əuvə'sɪmplɪfaɪ] VT overforenkle (*v1*) ❑ *We must be careful not to oversimplify the issue...* Vi må være* forsiktige så vi ikke overforenkler saken...

oversleep [əuvə'sli:p] *irreg* VI forsove* seg

overspend [əuvə'spɛnd] *irreg* VI overskride* budsjettet, bruke (*v2*) for mye
▸ **we have overspent by 5,000 dollars** vi har brukt 5 000 dollar for mye, vi har overskredet budsjettet med 5 000 dollar

overspill ['əuvəspɪl] s (= *excess population*)

overskuddsbefolkning *c*, *den overskytende delen av befolkningen i et overbefolket område*
overstaffed [əuvə'stɑːft] ADJ overbemannet
overstate [əuvə'steɪt] VT (**a**) (*+problem, importance*) overdrive*, overvurdere (*v2*) ❑ *It is impossible to overstate the importance...* Det er umulig å overdrive *or* overvurdere betydningen...
(**b**) (*+case*) overdrive* ❑ *I don't want to overstate the case...* Jeg vil ikke overdrive saken...
overstatement [əuvə'steɪtmənt] S overdrivelse *m* ❑ *...something of an overstatement.* ...litt av en overdrivelse.
overstay [əuvə'steɪ] VT *see* **outstay**
overstep [əuvə'stɛp] VT ▸ **to overstep the mark** gå* over streken
overstock [əuvə'stɔk] VT overfylle (*v2x*)
overstretched [əuvə'strɛtʃt] ADJ (*person, resources*) tøyd til ytegrensen
overstrike [*N* 'əuvəstraɪk, *VT* əuvə'straɪk] *irreg* 1 S (*on printer*) overstrykning *c*
2 VT stryke* over
oversubscribed [əuvəsəb'skraɪbd] ADJ (*shares*) overtegnet ❑ *...heavily oversubscribed.* ...betydelig overtegnet.
overt [əu'vəːt] ADJ åpen, utilslørt ❑ *...overt hostility.* ...åpent *or* utilslørt fiendskap.
overtake [əuvə'teɪk] *irreg* 1 VT (**a**) (*BIL*) kjøre (*v2*) forbi ❑ *...the truck that had overtaken us.* ...lastebilen som hadde kjørt forbi oss.
(**b**) (*event, change+ : person, place*) ramme (*v1*) ❑ *...all the changes that have overtaken Shetland recently.* ...alle forandringene som nylig har rammet Shetland.
(**c**) (*emotion, weakness+ : person*) overvelde (*v1*) ❑ *Utter weariness overtook me an hour later.* En kolossal tretthet overveldet meg en time senere.
2 VI (*BIL*) kjøre (*v2*) forbi ❑ *It's dangerous to overtake on a bend.* Det er farlig å kjøre forbi i en sving.
overtaking [əuvə'teɪkɪŋ] S (*BIL*) forbikjøring *c* ❑ *Overtaking on a bend is dangerous.* Forbikjøring i en sving er farlig.
overtax [əuvə'tæks] VT (**a**) (*ØKON*) overbeskatte (*v1*)
(**b**) (*+strength, patience*) trekke* for store veksler på ❑ *They overtax their strength...* De trekker for store veksler på sin egen styrke...
▸ **to overtax o.s.** overanstrenge (*v2*) seg
overthrow [əuvə'θrəu] *irreg* VT (*+government, leader*) styrte (*v1*)
overtime ['əuvətaɪm] S overtid *c*
▸ **to do** *or* **work overtime** jobbe (*v1*) overtid
overtime ban S overtidsnekt *m*
overtones ['əuvətəunz] SPL (*fig*) undertoner ❑ *There were overtones of blackmail in his threat.* Det var undertoner av utpressing i trusselen hans.
overture ['əuvətʃuəʳ] S (*MUS, fig*) ouverture *m* ❑ *...overtures of friendship...* ouverturen til et vennskap...
overturn [əuvə'təːn] 1 VT (*+car, chair, government, system*) velte (*v1*); (*fig : decision, ruling*) sette* til side, tilsidesette*
2 VI (*car, train etc+*) velte (*v1*), gå* rundt; (*boat+*) kantre (*v1*), gå* rundt
overview ['əuvəvjuː] S oversikt *m*
overweight [əuvə'weɪt] ADJ (*person*) overvektig
overwhelm [əuvə'wɛlm] VT (**a**) (*= defeat : opponent, enemy etc*) overmanne (*v1*), innta* ❑ *Their mission was to overwhelm the garrison.* Oppdraget deres var å overmanne *or* innta garnisonen.
(**b**) (*= affect deeply : feelings, emotions*) overvelde (*v1*) ❑ *He was overwhelmed by her love...* Han ble overveldet av kjærligheten hennes... *The horror of it all had overwhelmed me.* Uhyggen ved det hadde overveldet meg.
overwhelming [əuvə'wɛlmɪŋ] ADJ (*gen*) overveldende ❑ *An overwhelming majority of people...* Et overveldende flertall av befolkningen... *an overwhelming sense of powerlessness.* ...en overveldende følelse av kraftløshet.
overwhelmingly [əuvə'wɛlmɪŋlɪ] ADV (**a**) (*vote, decide, reject*) med (et) overveldende flertall ❑ *The meeting voted overwhelmingly in favour of the proposal.* Møtet stemte for forslaget med (et) overveldende flertall.
(**b**) (*appreciative, generous etc*) overveldende ❑ *They had been overwhelmingly appreciative.* De hadde vært overveldende positive.
(**c**) (*opposed*) ▸ **they were overwhelmingly opposed to the idea** et overveldende flertall var i mot ideen
overwork [əuvə'wəːk] 1 S overanstrengelse *m* ❑ *Signs of overwork...* Tegn på overanstrengelse...
2 VT (**a**) (*+person*) presse (*v1*) for hardt ❑ *I hope you're not overworking that poor boy.* Jeg håper du ikke presser den stakkars gutten for hardt.
(**b**) (*+cliché etc*) slite* (ut) ❑ *"Crisis" has become one of the most overworked words...* "Krise" har blitt et av de mest forslitte ordene...
3 VI (*person+*) overanstrenge (*v2*) seg ❑ *He wanted to make sure they didn't overwork.* Han ville* forsikre seg om at de ikke overanstrengte seg.
overwrite [əuvə'raɪt] (*DATA*) VT overskrive*
overwrought [əuvə'rɔːt] ADJ (*person*) overanstrengt
ovulate ['ɔvjuleɪt] VI ovulere (*v2*)
ovulation [ɔvju'leɪʃən] S eggløsning *m*, ovulasjon *m*
ovum ['əuvəm] (*pl* **ova**) S ovum *nt irreg*, egg *nt*
owe [əu] VT (*+money, gratitude, explanation*) skylde (*v2*)
▸ **to owe sb sth** skylde (*v2*) noen noe ❑ *You owe me a fiver...* Du skylder meg en femmer... *We owe you our thanks, Dr Marlowe...* Vi skylder å takke deg, dr Marlowe... *He owes me no explanation.* Han skylder meg ikke noen forklaring. *Alfred owed everything to him.* Alfred skyldte ham alt.
owing to PREP på grunn av ❑ *I missed my flight owing to a traffic hold-up.* Jeg kom for sent til flyavgangen på grunn av en trafikkstans.
owl [aul] S ugle *c*
own [əun] 1 VT (*+house, land, car etc*) eie (*v3*)
2 VI (*BRIT : fml*) ▸ **to own to sth** innrømme (*v1 or v2x*) noe, erkjenne (*v2x*) noe ❑ *She owned to having had doubts at first.* Hun innrømte *or* erkjente at hun hadde hatt sine tvil i begynnelsen.

[3] ADJ (*house, work, style etc*) egen *c sg*, eget *nt sg*, egne *pl* ❑ *...she'd killed her own children...* hun hadde drept sine egne barn... *My own view is that...* Mitt eget syn er at... *Each city has its own peculiarities...* Hver by har sine egne særegenheter...
▸ **a room of my own** mitt eget rom
▸ **to get one's own back** ta* igjen, hevne (*v1*) seg ❑ *Just you wait, I'll get my own back on you!* Bare vent, jeg skal nok hevne meg på deg *or* ta* igjen!
▸ **on one's own** (**a**) (= *alone*) for seg selv ❑ *She lived on her own...* Hun bodde for seg selv... *He would sit in a corner on his own...* Han satt alltid i et hjørne for seg selv...
(**b**) (= *without help*) på egen hånd ❑ *We can't solve this problem on our own...* Vi kan ikke løse dette problemet på egen hånd...
▸ **to come into one's own** (få) vise (*v2*) hva man duger til
▸ **own up** VI tilstå* ❑ *Come on, own up! Who did it?...* Kom igjen, tilstå! Hvem gjorde det?...
▸ **own up to** VT innrømme (*v1 or v2x*), tilstå* ❑ *No-one owned up to taking the money.* Ingen innrømte å ha* tatt pengene.. Ingen innrømte *or* tilsto at de hadde tatt pengene.

own brand (*MERK*) s eget merke *nt* ❑ *...Sainsbury's own-brand biscuits.* ...Sainsburys egenproduserte kjeks.

owner ['əunəʳ] s (*of car, shop, pet etc*) eier *m*

owner-occupier ['əunər'ɔkjupaɪəʳ] s selveier *m*

ownership ['əunəʃɪp] s (= *possession*) eie *nt*, eiendomsrett *m* ❑ *...the desire for home ownership is still strong.* ...det er fremdeles et sterkt ønske om å eie sitt eget hus. *...proof of ownership.* ...bevis på at man har eiendomsrett.
▸ **under new ownership** under nye eiere

own goal s (*also fig*) selvmål *nt*

ox [ɔks] (*pl* **oxen**) s okse *m*

> **Oxbridge**
> **Oxbridge** *er et navn som er laget av ordene Ox(ford) og (Cam)bridge, og brukes for å snakke om de to universitetene som en enhet, siden de er de to britiske universitetene som har mest prestisje, og er mest kjent i utlandet.*

Oxfam ['ɔksfæm] s (*also* ***Oxford Committee for Famine Relief***) *hjelpeorganisasjon*

oxide ['ɔksaɪd] s oksid *nt*

oxidize ['ɔksɪdaɪz] VI oksidere (*v2*)

Oxon. (*BRIT*) FK (*POST*) (= **Oxfordshire, Oxoniensis**) *of Oxford University*

oxtail soup ['ɔksteɪl-] s oksehalesuppe *c*

oxyacetylene ['ɔksɪə'sɛtɪliːn] ADJ (*flame, burner, welding*) oksygen-acetylen-, autogen-

oxygen ['ɔksɪdʒən] s oksygen *nt*, surstoff *nt*

oxygen mask s oksygenmaske *c*, surstoffmaske *c*

oxygen tent s oksygentelt *nt*, surstofftelt *nt*

oyster ['ɔɪstəʳ] s østers *m*

oz. FK = **ounce**

ozone ['əuzəun] s oson *nt*

ozone layer s ▸ **the ozone layer** osonlaget

P

P, p [piː] s (*letter*) P, p *m*
▸ **P for Peter** P for Petter
p (*BRIT*) FK = **penny, pence**
P. FK = **president, prince**
p. FK = **page**
PA 1 s FK (= **personal assistant, public address system**)
2 FK (*US: POST*) = **Pennsylvania**
pa [pɑː] (*sl*) s pappa *m*
p.a. FK (= **per annum**) p.a. (= *pro anno*) for året
PAC (*US*) s FK (= **political action committee**) *gruppe som mottar og bruker penger for å velge eller påvirke politikere*
pace [peɪs] 1 s (**a**) (= *step*) skritt *nt* ❑ *...a few paces away...* noen skritt unna...
(**b**) (= *speed*) fart *m*, tempo *nt* ❑ *He quickened his pace...* Han satte opp farten *or* tempoet... *He proceeds at a leisurely pace...* Han går fram i et behagelig tempo...
2 VI ▸ **to pace up and down** gå* fram og tilbake ❑ *Harold paced nervously up and down the platform.* Harold gikk urolig fram og tilbake på perrongen.
▸ **to keep pace with** (**a**) (+*person*) holde* følge med, holde tritt med
(**b**) (+*events*) holde* følge med ❑ *Earnings have not kept pace with inflation.* Inntektene har ikke holdt følge med inflasjonen
▸ **to set the pace** (*in race*) bestemme (*v2x*) farten, legge* an tempoet ❑ *The pace he set was too fast for the others.* Tempoet han la an var for raskt for de andre
▸ **to put sb through his/her paces** (*fig*) la noen vise hva han/hun er god for
pacemaker [ˈpeɪsmeɪkəʳ] s (*MED*) pacemaker *m*; (*SPORT*) *en som bestemmer farten*
Pacific [pəˈsɪfɪk] s ▸ **the Pacific (Ocean)** Stillehavet ▸ **the Pacific Rim** landene *pl* rundt Stillehavet
pacific [pəˈsɪfɪk] ADJ (*intentions etc*) fredelig
pacifier [ˈpæsɪfaɪəʳ] (*US*) s (*to suck*) narresmokk *m*
pacifist [ˈpæsɪfɪst] s pasifist *m*
pacify [ˈpæsɪfaɪ] VT (+*person, fears*) berolige (*v1*), roe (*v1*) ned ❑ *He tried to pacify the mob...* Han prøvde å roe ned folkemengden...
pack [pæk] 1 s (**a**) (= *packet*) pakke *c* ❑ *Vegetables are available in 2-kilo packs.* Grønnsaker fåes i tokilos pakker
(**b**) (*group: of hounds*) flokk *m*
(**c**) (*of people*) gjeng *m* ❑ *The boys always went about as a pack...* Guttene holdt alltid sammen i en gjeng...
(**d**) (= *back pack*) (rygg)sekk *m*
(**e**) (*also* ***pack of cards***) kortstokk *m*
2 VT (**a**) (*gen*) pakke (*v1*) ❑ *He packed his bags and left...* Han pakket veskene sine og dro...
(**b**) (= *press down*) pakke (*v1*) tett sammen ❑ *The snow was packed solid against the window.* Snøen lå tettpakket mot vindusruten.
3 VI pakke (*v1*)
▸ **to pack into** (+*people, objects*) stue (*v1*) sammen i
▸ **to send sb packing** (*sl*) gi* noen løpepass (*sl*) ❑ *...I'll send him packing.* ...han skal få* løpepass
▸ **pack in** (*BRIT: sl*) VT (**a**) (+*boyfriend*) slå* opp med (**b**) (+*job*) slutte (*v1*) i
▸ **pack it in!** (= *stop it!*) kutt ut!
▸ **pack off** VT (+*person*) sende (*v2*) av sted *or* av gårde ❑ *They pack their sons off to boarding school...* De sender sønnene sine av sted *or* av gårde på pensjonatskole...
▸ **pack up** 1 VI (**a**) (*BRIT: sl: machine*) gå* i stykker
(**b**) (*person+*) pakke (*v1*) sammen ❑ *I think I'll pack up and go home now.* Jeg tror jeg pakker sammen og går hjem nå.
2 VT (+*belongings, clothes*) pakke (*v1*) sammen
package [ˈpækɪdʒ] 1 s (**a**) (= *parcel*) pakke *c*
(**b**) (*also* ***package deal***) pakkeløsning *c* ❑ *They rejected the package put forward by the management.* De avviste ledelsens pakkeløsning.
(**c**) (*DATA*) pakke *c*
2 VT (+*goods*) pakke (*v1*) ❑ *The cereal is packaged in plain boxes.* Frokostblandingen er pakket i enkle esker.
package holiday (*BRIT*) s pakketur *m*
package tour (*BRIT*) s pakketur *m*
packaging [ˈpækɪdʒɪŋ] s emballasje *m*
packed [pækt] ADJ (= *crowded*) stappfull ❑ *...a vast room packed with excited people...* et digert rom stappfullt av begeistrede mennesker...
packed lunch (*BRIT*) s matpakke *c*
packer [ˈpækəʳ] s (*person*) pakker *m*
packet [ˈpækɪt] s (**a**) (*of cigarettes, washing powder etc*) pakke *c*
(**b**) (*of crisps*) pose *m*
▸ **to make a packet** (*BRIT: sl*) håve (*v1*) inn penger (*sl*) ❑ *He made a packet out of selling holidays to students.* Han håvet inn penger ved å selge ferieturer til studenter.
packet switching (*DATA*) s pakkesvitsjing *c*
pack ice [ˈpækaɪs] s pakkis *m*
packing [ˈpækɪŋ] s (**a**) (*of clothes etc*) pakking *c* ❑ *Have you started your packing?* Har du begynt pakkingen?
(**b**) (*paper, plastic etc*) innpakking *c*, emballasje *m*
packing case s pakkeske *m*
pact [pækt] s pakt *m*
pad [pæd] 1 s (**a**) (*paper*) blokk *c* ❑ *He took a pad and pencil from his pocket...* Han tok fram blokk og blyant fra lommen...
(**b**) (*to prevent friction, damage*) *sammenpresset eller sammenbrettet materiale*
(**c**) (*on wound*) kompress *m*
(**d**) (*sl: home*) hule *c* (*sl*) ❑ *...his bachelor pad in Davies Street.* ...ungkarshulen hans i Davies Street.
2 VT (+*cushion, upholstery etc*) polstre (*v1*) ❑ *The steering wheel is padded with real leather...*

Rattet er polstret med ekte lær...
see also **padded**
3 VI ▸ **to pad about** tasse (*v1*) rundt ❑ *Uncle Harold padded out of the room, barefoot.* Onkel Harold tasset barbent ut av rommet.
▸ **elbow/knee pad** albue-/knebeskytter *m*
▸ **shoulder pad** skulderpute *c*
padded ['pædɪd] ADJ (*bra*) med innlegg
▸ **a jacket with padded shoulders** en jakke med skulderputer
padded cell s polstret celle *c*
padding ['pædɪŋ] s (*material*) fyllmasse *m*, stopp *m*; (*fig*) fyllstoff *nt*
paddle ['pædl] 1 s (**a**) (*oar*) padleåre *c*
(**b**) (*US: for table tennis*) racket *m*
2 VT (*+boat, canoe etc*) padle (*v1*)
3 VI (*at seaside*) plaske (*v1*) ❑ *...to paddle in the shallows.* ...å plaske rundt på grunt vann.
paddle steamer s hjuldamper *m*
paddling pool (*BRIT*) s plaskebasseng *nt*
paddock ['pædək] s (= *small field*) hamnehage *m*; (*at race course*) salplass *m*
paddy field ['pædɪ-] s risåker *m*
padlock ['pædlɔk] 1 s hengelås *m*
2 VT (*+door, bicycle etc*) låse (*v2*) med hengelås
padre ['pɑːdrɪ] s feltprest *m*
Padua ['pædʒuə] s Padua
paediatrician [piːdɪə'trɪʃən] s barnelege *m*
paediatrics [piːdɪ'ætrɪks], **pediatrics** (*US*) s pediatri *m*
paedophile ['piːdəufaɪl] 1 s pedofil *m*
2 ADJ pedofil
pagan ['peɪgən] 1 ADJ (*gods, festival, worship*) hedensk
2 s (= *worshipper of pagan gods*) hedning *m*
page [peɪdʒ] 1 s (**a**) (*of book, magazine, newspaper*) side *c*
(**b**) (*also* ***page boy***: *in hotel*) pikkolo *m*
(**c**) (*at wedding*) brudesvenn *m*
2 VT (*in hotel etc*) søke (*v2*) ❑ *Paging Peter Smith. Would you go to reception please.* Vi søker Peter Smith. Vennligst gå* til resepsjonen.
pageant ['pædʒənt] s historisk opptog *nt*
pageantry ['pædʒəntrɪ] s pomp og prakt *m*
pager ['peɪdʒə^r] s personsøker *m*
paginate ['pædʒɪneɪt] VT paginere (*v2*)
pagination [pædʒɪ'neɪʃən] s paginering *c*, sidenummerering *c*
pagoda [pə'gəudə] s pagode *m*
paid [peɪd] 1 PRET, PP *of* **pay**
2 ADJ (**a**) (*work, staff*) lønnet
(**b**) (*holiday*) med lønn ❑ *...a good job with paid holidays.* ...en god stilling som gir ferier med lønn.
▸ **to put paid to** (*BRIT*) sette* en stopper for
paid-up ['peɪdʌp], **paid-in** (*US*) ADJ (*member*) betalende; (*MERK: shares*) innbetalt
pail [peɪl] s spann *nt*
pain [peɪn] s (**a**) (*gen, fig*) smerte *m* ❑ *She complained of severe pains in her chest...* Hun klagde over sterke smerter i brystet... *How well I understood the pain of her parents...* Hvor godt jeg forsto hennes foreldres smerte...
(**b**) (*sl: nuisance*) plage *m* ❑ *He's a right pain, that man...* Han er en sann plage, den mannen...
▸ **to have a pain in the chest/arm** ha* vondt i brystet/armen
▸ **to be in pain** ha* smerter
▸ **to take pains with sth/to do sth** gjøre* seg umak med noe/med å gjøre* noe
▸ **on pain of death** med trussel om dødsstraff
pained [peɪnd] ADJ (*expression*) forpint
painful ['peɪnful] ADJ (**a**) (*back, injury, fracture etc*) smertefull, vond
(**b**) (*sight, memory, decision etc*) smertefull ❑ *...the painful process of growing up...* den smertefulle prosessen med å bli* voksen...
(**c**) (*subject, admission etc*) smertelig ❑ *It was painful to admit that I was wrong.* Det var smertelig å innrømme at jeg tok feil.
(**d**) (*task, progress etc*) besværlig ❑ *Progress is rather painful...* Framgang er ganske besværlig...
painfully ['peɪnfəlɪ] ADV (**a**) (*fig: aware*) smertelig, pinlig
(**b**) (*slow*) fryktelig ❑ *I was always painfully aware of my shortcomings...* Jeg var alltid smertelig *or* pinlig klar over min utilstrekkelighet...
painkiller ['peɪnkɪlə^r] s smertestillende middel *nt*
painless ['peɪnlɪs] ADJ (*operation, childbirth*) smertefri; (*situation, task*) ▸ **it was painless** det gikk glatt
painstaking ['peɪnzteɪkɪŋ] ADJ omhyggelig ❑ *...with painstaking care.* ...med stor omhu. *He had been a painstaking worker.* Han hadde vært en omhyggelig arbeider.
paint [peɪnt] 1 s (*gen*) maling *c*
2 VT male (*v2*) ❑ *Whistler painted his mother in a rocking chair...* Whistler malte moren sin i en gyngestol... *She paints a dismal picture of the future.* Hun maler et dystert bilde av framtiden.
▸ **a tin of paint** et spann med maling
▸ **to paint the door blue** male (*v2*) døra blå
▸ **to paint in oils** male (*v2*) med oljefarger
paint box s malerskrin *nt*
paintbrush ['peɪntbrʌʃ] s (*decorator's*) malerkost *m*; (*artist's*) pensel *m*
painter ['peɪntə^r] s maler *m*
painting ['peɪntɪŋ] s (*activity: of artist*) malerkunst *m*; (*of decorator*) maling *m*; (*picture*) maleri *nt*
paint stripper s malingfjerner *m*
paintwork ['peɪntwəːk] s maling *m*
pair [pɛə^r] s par *nt*
▸ **a pair of scissors** en saks
▸ **a pair of trousers** et par bukser, en bukse
▸ **pair off** VI ▸ **to pair off with sb** slå* seg sammen med noen (*parvis*), gruppere (*v2*) (seg) parvis
pajamas [pə'dʒɑːməz] (*US*) SPL pyjamas *m*
Pakistan [pɑːkɪ'stɑːn] s Pakistan
Pakistani [pɑːkɪ'stɑːnɪ] 1 ADJ pakistansk
2 s pakistaner *m*
PAL [pæl] (*TV*) s FK (= **phase alternation line**) *fjernsynssystem*
pal [pæl] (*sl*) s kamerat *m*
palace ['pæləs] s (*of monarch*) slott *nt*; (*of president etc*) palass *nt*
palatable ['pælɪtəbl] ADJ (**a**) (*food, drink*) spiselig
(**b**) (*fig: truth etc*) behagelig ❑ *The truth may not always be palatable.* Sannheten er ikke nødvendigvis alltid behagelig.

palate ['pælɪt] s (*ANAT, fig*) gane *m* ❑ *No one had a finer palate than Watteau.* Ingen hadde en finere gane enn Watteau.
palatial [pə'leɪʃəl] ADJ (*surroundings, residence*) palasslignende
palaver [pə'lɑːvəʳ] (*sl*) s oppstyr *nt*
pale [peɪl] 1 ADJ blek (*var.* bleik) ❑ *You look awfully pale.* Du ser fryktelig blek ut. *...pale sunshine...* bleikt solskinn...
2 s ▸ **beyond the pale** (= *unacceptable*) uhørt ❑ *John's behaviour is beyond the pale!* Johns oppførsel er uhørt!
3 VI blekne (*v1*) ❑ *His cheeks paled.* Kinnene hans bleknet.
▸ **to grow** *or* **turn pale** (*person+*) blekne (*v1*)
▸ **pale blue** blekblå
▸ **to pale into insignificance (beside)** blekne (*v1*) bort (i sammenligning med)
paleness ['peɪlnɪs] s blekhet *c* ❑ *Symptoms are unusual paleness and tiredness.* Symptomene er uvanlig bleikhet og trøtthet.
Palestine ['pælɪstaɪn] s Palestina
Palestinian [pælɪs'tɪnɪən] 1 ADJ palestinsk
2 s palestiner *m*
palette ['pælɪt] s (*KUNST*) palett *m*
palings ['peɪlɪŋz] SPL stakitt *nt sg*
palisade [pælɪ'seɪd] s palisade *m*
pall [pɔːl] 1 s (*of smoke*) teppe *nt*
2 VI ▸ **delights that never pall** gleder man aldri mister interessen for
pallet ['pælɪt] s pall *m*
palliative ['pælɪətɪv] s (**a**) (*MED*) palliativ *nt*, lindrende middel *nt*
(**b**) (*fig*) lindrende middel *nt* ❑ *These measures are mere palliatives.* Disse tiltakene er bare lindrende midler.
pallid ['pælɪd] ADJ (*person, complexion*) likblek
pallor ['pæləʳ] s blekhet *c* (*var.* bleikhet) ❑ *...the ghostly pallor of the hostages' faces.* ...den spøkelsesaktige blekheten i gislenes ansikter.
pally ['pælɪ] (*sl*) ADJ kameratslig NB *She's very pally with her boss.* Hun og sjefen er virkelig gode busser.
palm [pɑːm] 1 s (*also* ***palm tree***) palme *m*; (*of hand*) håndflate *c* NB *She placed the money in his palm...* Hun puttet pengene i hånden hans...
2 VT ▸ **to palm sth off on sb** (*sl*) prakke (*v1*) noe på noen (*sl*)
palmistry ['pɑːmɪstrɪ] s kiromantikk *m*, *det å spå i hånden*
Palm Sunday s palmesøndag *m*
palmtop ['pɑːmtɔp] (*DATA*) s bærbar *m* (*meget liten*)
palpable ['pælpəbl] ADJ (= *obvious : lie, difference etc*) opplagt
palpitations [pælpɪ'teɪʃənz] SPL palpitasjon *m sg*, hjertebank *nt sg*
paltry ['pɔːltrɪ] ADJ (*amount, wage*) ynkelig
pamper ['pæmpəʳ] VT (*+child, pet*) kjæle (*v2*) for ❑ *...children pampered by nannies.* ...barn som blir kjælt for *or* forkjælt av barnepiker.
pamphlet ['pæmflət] s (*political, literary etc*) (informasjons)hefte *nt*
pan [pæn] 1 s (**a**) (*also* ***saucepan***) kjele *m*
(**b**) (*also* ***frying pan***) panne *c*
2 VI (*FILM, TV*) panorere (*v2*) ❑ *...the camera pans back...* kameraet dreier bakover...
3 VT (*sl : book, film*) slakte (*v1*) (*sl*) ❑ *The book was panned by the critics.* Boken ble slaktet av kritikerne.
▸ **to pan for gold** *vaske ut sand og grus for å finne gull*
panacea [pænə'sɪə] s universalmedisin *m*, patentløsning *m* ❑ *...technology as a panacea for life's ills...* teknologien som universalmedisin mot *or* patentløsning på alle livets problemer...
panache [pə'næʃ] s bravur *m*
Panama ['pænəmɑː] s Panama
panama ['pænəmɑː] s (*also* ***panama hat***) panamahatt *m*
Panama Canal s ▸ **the Panama Canal** Panamakanalen
Panamanian [pænə'meɪnɪən] 1 ADJ panamansk
2 s panamaner *m*
pancake ['pænkeɪk] s pannekake *c*
Pancake Day (*BRIT*) s fetetirsdag *m* (*ifølge britisk tradisjon spises pannekaker denne dagen*)
pancake roll s fylt pannekake *c*
pancreas ['pæŋkrɪəs] s bukspyttkjertel *m*
panda ['pændə] s panda *m*
panda car (*BRIT*) s politibil *m*
pandemonium [pændɪ'məunɪəm] s (= *noisy confusion*) fryktelig bråk *nt* ❑ *When the lawyers heard about this, pandemonium broke out.* Da advokatene hørte om dette, ble det et fryktelig bråk.
pander ['pændəʳ] VI ▸ **to pander to** (**a**) (*+person*) smiske (*v1*) for
(**b**) (*+whim, desire etc*) jatte (*v1*) med ❑ *She panders to his every whim.* Hun jatter med ham i ett og alt.
p & h (*US*) FK (= **postage and handling**) porto og ekspedisjon
P & L [piː] FK (= **profit and loss**) tap og vinning
p & p (*BRIT*) FK (= **postage and packing**) porto og pakking
pane [peɪn] s (*of glass*) rute *c*
panel ['pænl] s (**a**) (*wood, metal, glass etc*) panel *nt*
(**b**) (*door*) felt *nt* ❑ *...the upper panels of the door...* de øvre feltene i døra...
(**c**) (= *group of judges, experts etc*) panel *nt*
panel game (*BRIT*) s spørrekonkurranse *m* (*med to eller flere lag*)
panelling ['pænəlɪŋ], **paneling** (*US*) s panel *nt* (*på vegg*)
panellist ['pænəlɪst], **panelist** (*US*) s diskusjonsdeltager *m* (*i paneldebatt*)
pang [pæŋ] s ▸ **a pang of regret** et stikk av anger
▸ **hunger pangs** gnagende sult *m*
panhandler ['pænhændləʳ] (*US : sl*) s tigger *m*
panic ['pænɪk] 1 s panikk *m* ❑ *...in a panic...* i panikk... *We didn't want to start a panic.* Vi ville* ikke skape panikk.
2 VI få* panikk ❑ *The crowd panicked when the lights went out.* Folkemengden fikk panikk da lyset forsvant.
panic buying s panikkjøp *nt*
panicky ['pænɪkɪ] ADJ (*feeling, reaction*) panikkartet; (*person*) som har lett for å få* panikk
panic-stricken ['pænɪkstrɪkən] ADJ (*person, face*) panikkslagen

pannier ['pænɪəʳ] s (*on bicycle*) sykkelveske *c*; (*on animal*) kløv *c*
panorama [pænə'rɑːmə] s (= *view*) rundskue *nt*, panorama *nt* ❑ *...a vast panorama of windswept mountain tops.* ...et kjempestort panorama av forblåste fjelltopper
panoramic [pænə'ræmɪk] ADJ (*view*) panorama-
pansy ['pænzɪ] s (*flower*) stemorsblomst *m*; (*sl: neds*) blautfisk *m*
pant [pænt] VI (*person, animal+*) pese (*v2*) ❑ *We lugged the branch down, panting and puffing...* Vi trakk grenen ned, mens vi pustet og peste...
pantechnicon [pæn'tɛknɪkən] (*BRIT*) s flyttebil *m*
panther ['pænθəʳ] s panter *m*
panties ['pæntɪz] SPL (dame)truse(r) *c(pl)*
panto ['pæntəu] s *see* **pantomime**
pantomime ['pæntəmaɪm] (*BRIT*) s (*at Christmas*) *eventyrpreget teaterforestilling som særlig oppføres ved juletider i Storbritannia*

En **pantomime** *(som ikke må forveksles med ordet slik det brukes på norsk), også kalt* panto *på folkemunne, er en slags farse hvor hovedpersonen ofte er en ung gutt, og hvor det alltid er en* **dame**, *dvs en gammel kone som spilles av en mann, og en skurk. For det meste er historien basert på et eventyr, som for eksempel Askepott eller Den best øvlede katt, og publikum blir oppmuntret til å være med på å redde helten fra farer. Denne typen forestilling, som først og fremst er beregnet på barn, har også noe for et voksent publikum, ved at det hele tiden er poenger som spiller på aktuelle hendelser. Pantomimer spilles ved juletider.*

---

pantry ['pæntrɪ] s (*cupboard*) matskap *nt*; (*room*) spiskammer *nt*
pants [pænts] SPL (*BRIT: woman's*) (dame)truse(r) *c(pl)*; (*man's*) underbukse(r) *c(pl)*; (*US: trousers*) bukse(r) *c(pl)*
panty hose ['pæntɪ-] SPL strømpebukse(r) *c(pl)*
papacy ['peɪpəsɪ] s pavedømme *nt*
papal ['peɪpəl] ADJ pave-, pavelig
paparazzi [pæpə'rætsiː] SPL *freelance fotografer med snikbilder av berømte mennesker som spesialitet*
paper ['peɪpəʳ] [1] s (**a**) (*for writing, wrapping, printing*) papir *nt* ❑ *Fetch me some writing paper...* Hent noe skrivepapir til meg...
(**b**) (*also* ***newspaper***) avis *c* ❑ *I read about the riots in the paper...* Jeg leste om opprørene i avisen...
(**c**) (= *exam*) prøve *c* ❑ *He failed the history paper...* Han strøk på historieprøven...
(**d**) (= *academic essay: spoken*) foredrag *nt*
(**e**) (*written*) artikkel *m* ❑ *I've been asked to give a paper on nuclear fission.* Jeg har blitt bedt om å holde foredrag om kjernespalting.
(**f**) (= *document*) papir *nt* ❑ *Always file important papers...* Arkiver alltid viktige papirer...
(**g**) (= *wallpaper*) tapet *nt* ❑ *The paper in the living room is ghastly.* Tapetet i stuen er gyselig.
[2] ADJ (= *made from paper*) papir-
[3] VT (*+room: with wallpaper*) tapetsere (*v2*)
▸ **papers** SPL (*also* ***identity papers***) papirer
▸ **a piece of paper** (**a**) (= *odd bit*) en papirbit
(**b**) (= *sheet*) et papirark
▸ **to put sth down on paper** sette* noe ned på papiret ❑ *He had been stupid enough to put his suggestions down on paper...* Han hadde vært dum nok til å sette forslagene sine ned på papiret...
paperback ['peɪpəbæk] [1] s uinnbundet bok *c*, paperback *m*
[2] ADJ ▸ **paperback edition** uinnbundet utgave *c*, paperback-utgave *c*
paper bag s papirpose *m*
paperboy ['peɪpəbɔɪ] s avisgutt *m*
paper clip s binders *m*
paper hankie s papirlommetørkle *nt*
paper mill s papirmølle *c*
paper money s papirpenger *pl*
paper shop s aviskiosk *m*
paperweight ['peɪpəweɪt] s brevpresse *c*
paperwork ['peɪpəwəːk] s papirarbeid *nt*
papier-mâché [pæpjeɪ'mæʃeɪ] s pappmasjé *m*, papirmasjé *m*
paprika ['pæprɪkə] s paprika *m* (*krydder*)
par [pɑːʳ] s (*GOLF*) gjennomsnitt *nt*, *det gjennomsnittlige antall slag beregnet for et bestemt hull eller for en golfbane*
▸ **to be on a par with** (= *be equal with*) være* på høyde med, være* jevnbyrdig med ❑ *He claimed that Warhol was on a par with Titian.* Han hevdet at Warhol var på høyde med *or* jevnbyrdig med Titian.
▸ **at/above/below par** (*MERK*) til/over/under pari
▸ **above** *or* **over par** (*GOLF*) *bedre enn det gjennomsnittlige antall slag beregnet for et bestemt hull eller for en golfbane*
▸ **below** *or* **under par** (*GOLF*) *dårligere enn det gjennomsnittlige antall slag beregnet for et bestemt hull eller for en golfbane*
▸ **to feel below** *or* **under par** ikke føle (*v2*) seg helt på høyden ❑ *If for whatever reason the teacher feels under par...* Hvis læreren av en eller annen grunn ikke føler seg helt på høyden...
▸ **to be par for the course** (*fig*) være* som det pleier ❑ *"The train was late again today." "Well, that's par for the course."* "Toget var forsinket igjen idag." "Vel, det er jo som det pleier."
parable ['pærəbl] s lignelse *m*
parabola [pə'ræbələ] (*MAT*) s parabel *m*
parachute ['pærəʃuːt] s fallskjerm *m*
parachute jump s fallskjermhopp *nt*
parachutist ['pærəʃuːtɪst] s fallskjermhopper *m*
parade [pə'reɪd] [1] s (**a**) (= *public procession*) opptog *nt* ❑ *When the war was over there was a parade in London.* Da krigen var over, var det et opptog i London.
(**b**) (*inspection*) parade *m* ❑ *...the passing-out parade of her son* ...sønnens avslutningsparade
[2] VT (**a**) (*+troops*) paradere (*v2*), marsjere (*v2*)
(**b**) (*+captives*) marsjere (*v2*)
(**c**) (= *show off: wealth, knowledge etc*) vise (*v2*) (stolt) fram ❑ *He paraded his girlfriends and his car...* Han viste stolt fram kjærestene sine og bilen sin...
[3] VI (*MIL*) marsjere (*v2*)
▸ **fashion parade** moteoppvisning *m*

parade ground s paradeplass *m*, oppstillingsplass *m*

paradise ['pærədaɪs] s (**a**) (*fig: perfect place, state*) paradis *nt* ❑ *It was a technological paradise.* Det var et teknologisk paradis.
(**b**) (*REL*) paradis *nt* ❑ *My beloved wife went to Paradise...* Min elskede kone gikk til paradis...

paradox ['pærədɔks] s paradoks *nt*, selvmotsigelse *m*

paradoxical [pærə'dɔksɪkl] ADJ paradoksal

paradoxically [pærə'dɔksɪklɪ] ADV paradoksalt (nok)

paraffin ['pærəfɪn] (*BRIT*) s (*also* ***paraffin oil***) parafin *m*

paraffin heater (*BRIT*) s parafinovn *m*

paraffin lamp (*BRIT*) s parafinlampe *c*

paragon ['pærəgən] s ▸ **paragon of virtue** dydsmønster *nt*

paragraph ['pærəgrɑːf] s avsnitt *nt*
▸ **to begin a new paragraph** begynne (*v2x*) på et nytt avsnitt

Paraguay ['pærəgwaɪ] s Paraguay

Paraguayan [pærə'gwaɪən] [1] ADJ paraguyansk
[2] s paraguyaner *m*

parallel ['pærəlɛl] [1] ADJ (*gen, COMPUT*) parallell ❑ *The boys were marching in two parallel lines...* Guttene marsjerte i to parallelle rekker... *originally parallel political movements...* opprinnelig parallelle politiske bevegelser...
[2] s (**a**) (= *similarity*) parallell *m*, sidestykke *nt* ❑ *There are curious parallels between medicine and law...* Det finnes underlige paralleller mellom medisin og jus... *a book which has no parallel that I know.* ...en bok som så vidt jeg vet er uten sidestykke.
(**b**) (*GEOG*) breddegrad *m* ❑ *...the 38th parallel.* ...den 38. breddegrad.
▸ **to draw parallels between/with** trekke* paralleller mellom/til
▸ **to run parallel (with** *or* **to)** (**a**) (= *line, street etc*) løpe* parallelt med
(**b**) (= *situation*) forekomme* parallelt *or* samtidig med
▸ **in parallel** (*ELEK*) parallellkoblet

Paralympic [pærə'lɪmpɪk] s Paralympics

paralyse ['pærəlaɪz] (*BRIT*) VT (**a**) (*gen*) lamme (*v1*), paralysere (*v2*) ❑ *Great cities are paralysed by strikes...* Store byer blir paralysert *or* lammet av streiker...
(**b**) (*with fear*) lamslå*

paralysis [pə'rælɪsɪs] (*pl* **paralyses**) s lammelse *m*, paralyse *m*

paralytic [pærə'lɪtɪk] ADJ lam; (*BRIT: sl: drunk*) døddrukken

paralyze ['pærəlaɪz] (*US*) VT = **paralyse**

paramedic [pærə'mɛdɪk] s ≈ ambulansesjåfør *m* (*med førstehjelpsutdanning*)

parameter [pə'ræmɪtəʳ] s (**a**) (*MAT*) parameter *m*
(**b**) (*fig*) betingelse *m* ❑ *...a solution that falls within certain parameters...* en løsning som oppfyller visse betingelser...

paramilitary [pærə'mɪlɪtərɪ] ADJ (*organization, operations*) paramilitær

paramount ['pærəmaunt] ADJ viktigst ❑ *The interests of the child are paramount...* Hensynet til barnet er viktigst...
▸ **of paramount importance** ytterst viktig

paranoia [pærə'nɔɪə] s forfølgelsesvanvidd *nt*, paranoia *m*

paranoid ['pærənɔɪd] ADJ (*person, feeling*) paranoid

paranormal [pærə'nɔːml] [1] ADJ (*phenomena, experience etc*) overnaturlig
[2] s ▸ **the paranormal** det overnaturlige

parapet ['pærəpɪt] s brystvern *nt*

paraphernalia [pærəfə'neɪlɪə] s utstyr *nt* ❑ *...hockey sticks, satchels, and other paraphernalia...* hockeykøller, vesker og annet utstyr...

paraphrase ['pærəfreɪz] VT (*writing*) skrive* om; (*speaking*) si* på en annen måte

paraplegic [pærə'pliːdʒɪk] s *person med dobbeltsidig lammelse i nedre kroppshalvdel*

parapsychology [pærəsaɪ'kɔlədʒɪ] s parapsykologi *m*

parasite ['pærəsaɪt] s (*insect*) parasitt *m*, snyltedyr *nt*; (*plant*) snylteplante *c*; (*fig: person*) snylter *m*

parasol ['pærəsɔl] s parasoll *m*

paratrooper ['pærətruːpəʳ] s fallskjermjeger *m*

parcel ['pɑːsl] [1] s pakke *c* ❑ *...parcels of food and clothes.* ...pakker med mat og klær.
[2] VT (*also* ***parcel up***) pakke (*v1*) inn
▸ **parcel out** VT stykke (*v1 or v2*) ut

parcel bomb (*BRIT*) s brevbombe *c*

parcel post s pakkepost *m* ❑ *She sent it by parcel post.* Hun sendte det med pakkepost.

parch [pɑːtʃ] VT (*+crops, land*) tørke (*v1*) ut

parched [pɑːtʃt] ADJ (*person, lips, skin, land*) uttørket; (*sl: thirsty*) tørr i halsen

parchment ['pɑːtʃmənt] s pergament *nt*

pardon ['pɑːdn] [1] s (*JUR*) benådning *m* ❑ *She wrote to the Queen asking for a pardon for her son.* Hun skrev til Dronningen og ba om benådning for sønnen sin.
[2] VT (**a**) (= *forgive: person, sin, error etc*) tilgi*
(**b**) (*JUR*) benåde (*v1*)
▸ **pardon me!, I beg your pardon!** (= *I'm sorry!*) unnskyld (meg)!
▸ **(I beg your) pardon?,** (*US*) **pardon me?** (= *what did you say?*) unnskyld?, hva behager? (*fml*)

pare [pɛəʳ] VT (**a**) (*BRIT: nails*) klippe (*v1 or v2x*)
(**b**) (*+fruit etc*) skrelle (*v1 or v2x*)
(**c**) (*fig: costs etc*) skjære* ned ❑ *Expenses have been pared to an absolute minimum.* Utgiftene har blitt skåret ned til et absolutt minimum.

parent ['pɛərənt] s (**a**) (= *mother*) mor *c irreg*, forelder *m* (*rare*)
(**b**) (= *father*) far *m irreg*, forelder *m* (*rare*)
▸ **parents** SPL foreldre

parentage ['pɛərəntɪdʒ] s opphav *nt* ❑ *They still did not know her place of birth or her parentage.* De kjente fortsatt ikke hennes fødested eller opphav.
▸ **of unknown parentage** av ukjent opphav

parental [pə'rɛntl] ADJ (*love, control, guidance etc*) foreldre- ❑ *...lack of parental control...* mangel på foreldreomsorg...

parent company s moderselskap *nt*

parentheses [pə'rɛnθɪsiːz] SPL *of* **parenthesis**

parenthesis [pə'rɛnθɪsɪs] (*pl* **parentheses**) s parentes *m sg*

▸ **in parenthesis** i parentes bemerket
parenthood ['pɛərənthud] s foreldrestand *m* ❑ *...young people facing the new responsibility of parenthood.* ...unge mennesker som møter det nye ansvaret ved å være* foreldre.
parenting ['pɛərəntɪŋ] s oppdragelse *m* og omsorg ❑ *...the effects of bad parenting.* ...resultatet av mangel på oppdragelse og omsorg.
Paris ['pærɪs] s Paris
parish ['pærɪʃ] s (**a**) (*REL*) menighet *m* ❑ *The parish has welcomed the new vicar.* Menigheten har tatt imot den nye presten.
(**b**) (*BRIT: civil*) prestegjeld *nt* ❑ *Stroud parish has a population of only 20,000.* Stroud prestegjeld har en befolkning på bare 20 000.
parish council (*BRIT*) s kommunestyre *nt*
parishioner [pə'rɪʃənəʳ] s sognebarn *nt*
Parisian [pə'rɪzɪən] 1 ADJ parisisk
2 s pariser *m*
parity ['pærɪtɪ] s (= *equality: of pay, conditions etc*) likestilling *c* ❑ *The women went on strike for parity with men...* Kvinnene gikk til streik for å oppnå likestilling med mennene...
park [pɑːk] 1 s (*public*) park *m*
2 VTI (*car*) parkere (*v2*)
parka ['pɑːkə] s parkas *m*
parking ['pɑːkɪŋ] s parkering *c* ❑ *Parking is something I'm very bad at.* Parkering er noe jeg er veldig dårlig til.
▸ **"no parking"** "parkering forbudt"
parking lights SPL parklys *nt sg or ntpl*
parking lot (*US*) s parkeringsplass *m*
parking meter s parkometer *nt*
parking offence (*BRIT*) s feilparkering *c*
parking place s parkeringsplass *m*
parking ticket s (*fine*) parkeringsbot *c*
parking violation (*US*) s = **parking offence**
Parkinson's (disease) ['pɑːkɪnsənz-] s Parkinson(s sykdom) *m*
parkway ['pɑːkweɪ] (*US*) s parkallé *m*
parlance ['pɑːləns] s ▸ **in common/modern parlance** i vanlig/moderne språkbruk

Parliament

Parliament *er den britiske nasjonalforsamlingen. Det består av to kamre:* **House of Commons** *og* **House of Lords**. *Kontorene deres er* the Houses of Parliament *i Westminsterpalasset i London. Hvert Parliament velges som regel for fem år om gangen. Debattene i Parlamentet blir nå overført i fjernsynet.*

parliament ['pɑːləmənt] s parlament *nt*
parliamentary [pɑːlə'mentərɪ] ADJ parlamentarisk
parlour ['pɑːləʳ], **parlor** (*US*) s (fin)stue *c*
parlous ['pɑːləs] ADJ ▸ **a parlous state** en elendig forfattning
Parmesan [pɑːmɪ'zæn] s (*also* ***Parmesan cheese***) parmesanost *m*
parochial [pə'rəukɪəl] (*neds*) ADJ (*person, attitude*) trangsynt og arrogant
parody ['pærədɪ] 1 s parodi *m* ❑ *The film was a brilliant parody of American life...* Filmen var en glimrende parodi på det amerikanske liv...
2 VT parodiere (*v2*)
parole [pə'rəul] (*JUR*) s betinget benådning *c* ❑ *Prisoners are entitled to apply for parole...* De innsatte har rett til å søke om betinget benådning...
▸ **on parole** løslatt på prøve
paroxysm ['pærəksɪzəm] s (**a**) (*of rage, jealousy, laughter*) anfall *nt* ❑ *In a sudden paroxysm of rage...* I et plutselig raserianfall...
(**b**) (*MED*) paroksysme *m*
parquet ['pɑːkeɪ] s ▸ **parquet floor(ing)** parkettgulv *nt*, parkett *m*
parrot ['pærət] s papegøye *m*
parrot fashion ADV (*say, learn, repeat*) på papegøyemåten ❑ *The children learn things parrot fashion.* Barna lærer seg ting på papegøyemåten.
parry ['pærɪ] VT (*+blow*) avverge (*v1*); (*+question, argument*) parere (*v2*)
parsimonious [pɑːsɪ'məunɪəs] ADJ (*person*) smålig (*overdrevent sparsommelig*)
parsley ['pɑːslɪ] s persille *m*
parsnip ['pɑːsnɪp] s pastinakk *m*
parson ['pɑːsn] s ≈ prest *m*
part [pɑːt] 1 s (**a**) (= *section, division, of machine*) del *m* ❑ *...in some parts of the world...* i noen deler av verden... *She spent the first part of her honeymoon...* Hun tilbrakte den første delen av bryllupsreisen... *The exam is divided into two parts...* Eksamen består av to deler... *parts for generators.* ...deler til generatorer.
(**b**) (= *role*) rolle *c* ❑ *Brutus is certainly the most difficult part in the play...* Brutus er avgjort den vanskeligste rollen i stykket...
(**c**) (*of serial*) episode *m*
(**d**) (*US: in hair*) skill *m*
(**e**) (*MUS*) stemme *c* ❑ *The soprano part is very difficult.* Sopranstemmen er svært vanskelig.
2 ADV = **partly**
3 VT (**a**) (= *separate: people, objects*) skille (*v2x*) ❑ *It would kill her to be parted from him...* Det ville* ta* livet av henne å være* atskilt fra ham...
(**b**) (*+hair*) ▸ **he parts his hair in the middle** han har midtskill
4 VI (**a**) (*people+ : leave each other*) skilles (*v25x*) ❑ *A year ago they had parted for ever.* For et år siden hadde de skiltes for alltid.
(**b**) (*crowd+*) dele (*v2*) seg ❑ *The crowd parted to let the doctor through.* Folkemengden delte seg for å slippe fram legen.
(**c**) (*fig: ways, roads*) skilles (*v25x*) ❑ *Our roads parted, only to meet again in France after the war.* Våre veier skiltes, for så å møtes igjen i Frankrike etter krigen.
▸ **to take part in** (= *participate in*) delta* i
▸ **to take sth in good part** ta* noe pent
▸ **to take sb's part** (= *support*) ta* parti for noen, ta* noens parti
▸ **on his part** fra hans side ❑ *I consider this a gross oversight on his part.* Jeg betrakter dette som grov uaktsomhet fra hans side
▸ **for my part** for min del ❑ *For my part, personally, I do not agree.* For min personlige del er jeg uenig.
▸ **for the most part** (= *usually, generally*) for det meste
▸ **for the better** *or* **best part of the day** det

meste av dagen
▸ **to be part and parcel of** være* uløselig knyttet til
▸ **part of speech** ordklasse *c*
▸ **part with** VT FUS (**a**) (*+possessions*) skille (*v2x*) seg av med
(**b**) (*+money*) gi* fra seg
partake [pɑːˈteɪk] *irreg* (*fml*) VI ▸ **to partake of sth** innta* noe
part exchange (*BRIT*) S ▸ **in part exchange** i innbytte ❑ *He bought a new cooker, giving the old one back in part exchange.* Han kjøpte ny komfyr og gav tilbake den gamle i innbytte.
partial [ˈpɑːʃl] ADJ (**a**) (*= not complete: victory, support, solution*) delvis ❑ *I could give it only partial support...* Jeg kunne* bare delvis støtte det....
(**b**) (*= unjust*) partisk ❑ *As a judge, you're not meant to be partial.* Som dommer er det ikke meningen at du skal være* partisk.
▸ **to be partial to** (*+person, food, drink etc*) være* svak for ❑ *The vicar is very partial to roast pheasant.* Presten er meget svak for stekt fasan.
partially [ˈpɑːʃəlɪ] ADV delvis ❑ *Dolly might have been partially responsible for it.* Dolly kan ha* vært delvis ansvarlig for det.
participant [pɑːˈtɪsɪpənt] S deltager *m*
participate [pɑːˈtɪsɪpeɪt] VI delta*
▸ **to participate in** delta i
participation [pɑːtɪsɪˈpeɪʃən] S deltakelse *m*
participle [ˈpɑːtɪsɪpl] S partisipp *nt*
particle [ˈpɑːtɪkl] S (*of dust, metal*) partikkel *m*; (*of food*) smule *m*
particular [pəˈtɪkjuləʳ] ADJ (**a**) (*= distinct from others*) bestemt ❑ *Let me ask you about one particular artist...* La meg spørre deg om en bestemt artist...
(**b**) (*= special*) spesiell ❑ *...a lecture on health with particular reference to personal hygiene.* ...en forelesning om helse med spesiell vekt på personlig hygiene.
▸ **particulars** SPL (**a**) (*= details*) detaljer ❑ *She refused to go into particulars.* Hun nektet å gå* i detalj(er).
(**b**) (*= name, address etc*) navn, adresse osv ❑ *The policeman jotted down her particulars.* Politimannen skrev ned hennes navn og adresse.
▸ **in particular** spesielt, særlig ❑ *...stories of Bombay in general and the film world in particular.* ...historier om Bombay generelt og særlig om filmverdenen. *...anything in particular?* ...noe spesielt?
▸ **to be very particular about** være* kresen *or* nøye når det gjelder
particularly [pəˈtɪkjuləlɪ] ADV særlig, spesielt ❑ *This was hard for young children, particularly when they were ill...* Dette var vanskelig for små barn, særlig når de var syke... *This is not particularly difficult to do...* Dette er det ikke spesielt *or* særlig vanskelig å gjøre...
parting [ˈpɑːtɪŋ] [1] S (**a**) (*action*) deling *c* ❑ *...the parting of the Red Sea.* ...delingen av Rødehavet
(**b**) (*= farewell*) avskjed *m* ❑ *George said no more until their final parting...* George sa ikke noe mer før deres endelige avskjed...
(**c**) (*BRIT: in hair*) skill *m*
[2] ADJ (*words, gift etc*) avskjeds- ❑ *...Mr Starke's kind parting words.* ...herr Starkes vennlige avskjedsord.
▸ **parting shot** avskjedshilsen *m*
partisan [pɑːtɪˈzæn] [1] ADJ (*politics*) parti-; (*views etc*) ensidig, *som støtter en bestemt person el sak*
[2] S (*= supporter, fighter*) (fanatisk) tilhenger *m*
partition [pɑːˈtɪʃən] [1] S (**a**) (*wall, screen*) skillevegg *m*
(**b**) (*POL: of country*) deling *c* ❑ *...the partition of India in 1947.* ...delingen av India i 1947.
[2] VT (**a**) (*+room, office*) dele (*v2*) (med skillevegg)
(**b**) (*POL: country*) dele (*v2*) (opp)
partly [ˈpɑːtlɪ] ADV (*= to some extent*) delvis, dels ❑ *...partly obscured by white paint...* delvis mattet av hvit maling.... *I think this is partly a political and partly a legal question.* Jeg tror dette er dels et politisk og dels et juridisk spørsmål.
partner [ˈpɑːtnəʳ] [1] S (**a**) (*in relationship, SPORT*) partner *m*
(**b**) (*MERK: of firm*) medeier *m*
(**c**) (*of colleague*) kompanjong *m* ❑ *She was a partner in a firm of solicitors.* Hun var medeier i et advokatfirma.
(**d**) (*for cards, game etc*) medspiller *m*, makker *m*
(**e**) (*at dance: male*) (danse)partner *m*, kavalér *m*
(**f**) (*female*) (danse)partner *m*, (ball)dame *c*
[2] VT (**a**) (*+person: at dance*) danse (*v1*) med
(**b**) (*cards etc*) spille (*v2x*) på lag med
partnership [ˈpɑːtnəʃɪp] S (**a**) (*POL etc*) samarbeid *nt* ❑ *...new forms of partnership between management and workers.* ...nye former for samarbeid mellom ledelsen og arbeiderne.
(**b**) (*MERK*) kompaniskap *nt* ❑ *They've offered me a partnership.* De har tilbudt meg å bli* kompanjong.
▸ **to go into partnership (with), form a partnership (with)** bli* kompanjong (med), begynne (*v2x*) et kompaniskap (med)
part payment S delvis betaling *c* ❑ *...goods in part payment...* varer som del av betalingen...
partridge [ˈpɑːtrɪdʒ] S rapphøne *f*
part-time [ˈpɑːtˈtaɪm] [1] ADJ (*work, staff*) deltids-
[2] ADV (på) deltid
part-timer [pɑːtˈtaɪməʳ] S deltidsarbeider *m*
party [ˈpɑːtɪ] S (**a**) (*POL*) parti *nt*
(**b**) (*celebration, social event*) fest *m*, selskap *nt*
(**c**) (*group of people*) gruppe *c* ❑ *He took a party of fellow Americans...* Han tok med seg en gruppe amerikanske landsmenn...
(**d**) (*JUR*) part *m* ❑ *...when one or another party...* når den ene eller den andre parten...
▸ **party leader** partileder *m*
▸ **birthday party** fødselsdagsselskap *nt*
▸ **dinner party** middagsselskap *nt*
▸ **to give** *or* **throw** *or* **have a party** holde* *or* ha* (et) selskap
▸ **to be a party to** (**a**) (*+crime*) være* medskyldig *or* delaktig i
(**b**) (*+undertaking*) være* med på ❑ *They simply wouldn't be a party to such a ridiculous enterprise...* De ville* rett og slett ikke være* med på et så latterlig foretakende...
party dress S selskapskjole *m*

party line s (**a**) (*TEL*) *telefonlinje som deles av flere abonnenter*
(**b**) (*POL*) partiets linje *c* ❑ *...they follow the party line on all issues.* ...de følger partiets linje i alle saker.
party piece (*sl*) s ▸ **to do one's party piece** kjøre (*v2*) showet sitt
party political ADJ partipolitisk
party political broadcast s *partipolitisk fjernsynsprogram*
par value s (*MERK*) pari kurs *m*
pass [pɑːs] 1 VT (**a**) (= *spend: time*) tilbringe* ❑ *We passed a pleasant afternoon together.* Vi tilbrakte en hyggelig ettermiddag sammen.
(**b**) (= *hand over: salt, glass, newspaper etc*) rekke* ❑ *She passed me her glass...* Hun rakte meg glasset sitt...
(**c**) (= *go past: place, person, limit, level*) passere (*v2*) ❑ *Contributions have already passed the 3 million mark.* Bidragene har allerede passert 3 millioner.
(**d**) (= *overtake: car etc*) kjøre (*v2*) forbi
(**e**) (*+exam, test*) bestå* ❑ *I passed my driving test in Holland...* Jeg bestod førerprøven i Holland...
(**f**) (= *approve: law, proposal*) vedta* ❑ *Many of the laws passed by Parliament...* Mange av de lovene som Stortinget vedtar...
2 VI passere (*v2*) hverandre ❑ *They waved to each other as they passed.* De vinket da de passerte hverandre.; (*in exam*) stå* (*til eksamen*)
3 S (**a**) (= *permit*) adgangskort *nt*
(**b**) (*in mountains*) pass *nt*
(**c**) (*SPORT*) pasning *m* ❑ *Hughes intercepted a pass by Jones.* Hughes fanget opp en pasning fra Jones.
▸ **to pass sth through sth** føre (*v2*) noe gjennom noe ❑ *Pass the thread through the needle...* Før tråden gjennom nåløyet...
▸ **could you pass the vegetables round?** kunde du sende rundt grønnsakene?
▸ **I'll pass on that one** (*sl*) der må jeg melde pass
▸ **to get a pass in** (*SKOL*) stå* i ❑ *She got a pass in history...* Hun stod i historie...
▸ **things have come to a pretty pass** (*BRIT*) det har virkelig gått for langt
▸ **to make a pass at sb** (*sl*) legge* an på noen
▸ **pass away** VI (= *die*) gå* bort
▸ **pass by** 1 VI gå/kjøre (*v2*) *etc* forbi
2 VT gå* forbi ❑ *She claimed that life had passed her by.* Hun hevdet at livet hadde gått henne forbi.
▸ **pass down** VT (*+customs, inheritance*) la gå* i arv NB *...stories that have been passed down from generation to generation.* ...historier som har gått i arv fra generasjon til generasjon.
▸ **pass for** VT ▸ **she could pass for 25** hun kunne* gå* for å være* 25
▸ **pass on** 1 VT (**a**) (*+news*) si* videre
(**b**) (*+illness, object*) gi* videre
(**c**) (*+benefits, price rises*) sende (*v2*) videre
2 VI (= *die*) gå* bort
▸ **pass out** VI (**a**) (= *faint*) svime (*v1 or v2*) av
(**b**) (*BRIT: MIL*) *bestå treningskurs*
▸ **pass over** 1 VT (= *ignore*) forbigå*
2 VI (= *die*) gå* bort
▸ **pass up** VT la gå* fra seg ❑ *I wouldn't have passed up the chance for a million dollars.* Jeg ville* ikke ha* latt den sjansen gå* fra meg for en million dollar.
passable ['pɑːsəbl] ADJ (*road*) framkommelig; (= *acceptable: work, restaurant etc*) brukbar
passage ['pæsɪdʒ] s (**a**) (= *corridor*) gang *m*, korridor *m*
(**b**) (*in book*) utdrag *nt*
(**c**) (= *way through crowd, undergrowth etc*) vei *m* NB *...to clear a passage.* ...for å bane vei.
(**d**) (*ANAT*) kanal *m* ❑ *...the nasal passages.* ...nesekanalene.
(**e**) (= *act of passing*) *det å passere* ❑ *The wind of the train's passage ruffled his hair.* Vinddraget fra toget kruste håret hans.
(**f**) (= *crossing: on boat*) overfart *m* ❑ *The passage across to Belfast...* Overfarten til Belfast...
passageway ['pæsɪdʒweɪ] s gang *m*, korridor *m*
passbook ['pɑːsbuk] s bankbok *c*
passenger ['pæsɪndʒə^r] s passasjer *m*
passer-by [pɑːsə'baɪ] (*pl* **passers-by**) s forbipasserende *m*
passing ['pɑːsɪŋ] ADJ (*moment, glimpse, thought etc*) flyktig
▸ **in passing** i forbifarten, en passant
passing place s møteplass *m*
passion ['pæʃən] s lidenskap *m* ❑ *I had felt such extraordinary passion for her...* Jeg hadde følt en slik uvanlig lidenskap for henne... *Biology is their great passion...* Biologi er deres store lidenskap...
▸ **to have a passion for sth** være* lidenskapelig opptatt av noe, elske (*v1*) noe
passionate ['pæʃənɪt] ADJ (*affair, embrace, person*) lidenskapelig
passion fruit s pasjonsfrukt *m*
Passion play s pasjonsspill *nt*
passive ['pæsɪv] 1 ADJ passiv
2 S (*LING*) passiv *m*
▸ **in the passive** i passiv
passive smoking s passiv røyking *c*
passkey ['pɑːskiː] s hovednøkkel *m*
Passover ['pɑːsəuvə^r] s påske *c* (*jødisk*); (= *meal*) påskemåltid *nt*
passport ['pɑːspɔːt] s pass *nt*; (*fig*) ▸ **a/the passport to** veien til
passport control s passkontroll *m*
password ['pɑːswəːd] s passord *nt*
past [pɑːst] 1 PREP (**a**) (= *in front of*) forbi ❑ *He walked past Lock's hat shop...* Han gikk forbi Locks hattebutikk...
(**b**) (= *beyond*) unna ❑ *...not far past the village.* ...ikke så langt unna landsbyen
(**c**) (= *later than, older than*) over ❑ *It's long past bedtime.* Det er langt over sengetid. *...he's past forty.* ...han er over førti.
2 ADV forbi ❑ *He ran past.* Han løp forbi.
3 ADJ (**a**) (*government, monarch, experience*) tidligere
(**b**) (*week, month etc*) siste ❑ *...the past eight years...* det meste av de siste åtte årene...
4 S fortid *c* ❑ *If we forget the past...* Hvis vi glemmer fortiden... *He never discussed his past.* Han snakket aldri om fortiden sin.
▸ **ten/quarter past eight** ti/kvart over åtte

▸ **for the past few/3 days** de siste dagene/de siste 3 dagene
▸ **I'm past caring** (jeg har fått nok og) jeg bryr meg ikke om det lenger
▸ **to be past it** (*BRIT: sl: person*) være* for gammel
▸ **in the past** (**a**) (*gen*) tidligere, i fortiden
(**b**) (*LING*) i fortid

pasta ['pæstə] s pasta *m*

paste [peɪst] 1 s (**a**) (*wet mixture*) deig *m* ❑ *Add water and mix into a paste...* Tilsett vann og bland sammen til en deig...
(**b**) (*glue*) lim *nt* ❑ *...wallpaper paste* ...tapetlim
(**c**) (*jewellery*) kunstige edelstener *pl* ❑ *...a necklace of paste emeralds.* ...et halsbånd av kunstige smaragder.
(**d**) (*KULIN*) postei *m*
2 VT (= *stick: paper, label, poster etc*) klistre (*v1*) ❑ *The children were pasting gold stars on a chart...* Barna var opptatt med å klistre gullstjerner på et kart...
▸ **tomato paste** tomatpuré *m*

pastel ['pæstl] ADJ pastell ❑ *...pastel shades of pink, blue, and brown.* ...pastellnyanser av rosa, blått og brunt.

pasteurized ['pæstʃəraɪzd] ADJ pasteurisert

pastille ['pæstɪl] s pastill *m*

pastime ['pɑːstaɪm] s tidsfordriv *nt*

past master (*BRIT*) s ▸ **to be a past master at** være* en mester i/til

pastor ['pɑːstəʳ] s pastor *m*

pastoral ['pɑːstərl] ADJ (*duties, activities*) pastoral
▸ **to have a pastoral visit** få* besøk av presten/pastoren

pastry ['peɪstrɪ] s (**a**) (*dough*) (butter)deig *m*
(**b**) (*cake*) kake *c* (*av butterdeig*) ❑ *...pastries filled with custard.* ...kaker fylt med vanilje.

pasture ['pɑːstʃəʳ] s beitemark *c*

pasty [*N* 'pæstɪ, *ADJ* 'peɪstɪ] 1 s liten pai *m* (*fylt med kjøtt og/eller grønnsaker*)
2 ADJ (*complexion, face*) gusten

pat [pæt] 1 VT klappe (*v1*)
2 ADJ (*answer, remark*) fiks ferdig
▸ **to give sb/o.s. a pat on the back** (*fig*) gi* noen/seg selv en klapp på skulderen
▸ **he knows it off pat,** (*US*) **he has it down pat** han kan det på rams

patch [pætʃ] 1 s (**a**) (*sewn, over eye*) lapp *m*
(**b**) (= *area: damp, bald, black etc*) flekk *m* ❑ *...the damp patch at the corner of the ceiling...* den fuktige flekken i hjørnet av taket...
(**c**) (*of land*) åker(lapp) *m* ❑ *...a cabbage patch.* ...en kålåker.
2 VT (+*clothes*) lappe (*v1*)
▸ **(to go through) a bad patch** gå* gjennom en vanskelig periode

▸ **patch up** VT (**a**) (+*clothes etc*) lappe (*v1*) sammen
(**b**) (+*quarrel*) glatte (*v1*) over

patchwork ['pætʃwəːk] s (*piece of sewing*) håndarbeid *nt* (i patchwork-stil); (*craft*) lappeteknikk *m*

patchy ['pætʃɪ] ADJ (= *uneven: colour*) flekket(e); (= *incomplete: information, knowledge etc*) stykkevis, ufullstendig

pate [peɪt] s ▸ **a bald pate** et skallet hode

pâté ['pæteɪ] s paté *m*, postei *m*

patent ['peɪtnt] 1 s patent *m* ❑ *The first patent for a typewriter...* Den første patenten på en skrivemaskin...
2 VT patentere (*v2*), ta* patent på ❑ *...he patented a new kind of sugar.* ...han patenterte en *or* tok han patent på en ny type sukker.
3 ADJ åpenlys ❑ *It was a patent impossibility.* Det var en åpenlys umulighet.

patent leather s lakklær *nt* NB *...a pair of black patent leather shoes.* ...et par sorte lakksko.

patently ['peɪtntlɪ] ADV opplagt, åpenlyst
▸ **patently obvious** fullstendig opplagt

patent medicine s patentmedisin *m*

patent office s patentkontor *nt*, patentbyrå *nt*

paternal [pə'təːnl] ADJ faderlig, fars-
▸ **paternal grandmother/grandfather** bestemor *c irreg*/bestefar *m irreg* på farssiden, farmor *c irreg*/farfar *m irreg*

paternalistic [pətəːnə'lɪstɪk] ADJ (*society, attitudes*) paternalistisk

paternity [pə'təːnɪtɪ] s farsskap *nt* ❑ *He acknowledged his paternity of her three daughters.* Han vedkjente seg farsskapet til hennes tre døtre.

paternity leave s pappapermisjon *m*

paternity suit s farsskapssak *m*

path [pɑːθ] s (**a**) (= *trail, track*) sti *m*
(**b**) (*of bullet, aircraft, planet*) bane *m*
(**c**) (*fig*) vei *m* ❑ *...the path the government was taking...* den veien regjeringen hadde slått inn på...

pathetic [pə'θɛtɪk] ADJ (= *pitiful: sight, cries*) ynkelig; (= *hopeless*) patetisk, ynkelig

pathological [pæθə'lɔdʒɪkl] ADJ (**a**) (*MED*) patologisk
(**b**) (*hatred etc*) sykelig
▸ **a pathological liar** en lystløgner

pathologist [pə'θɔlədʒɪst] s patolog *m*

pathology [pə'θɔlədʒɪ] s patologi *m*

pathos ['peɪθɔs] s følelse *n* (*innlevelse som framkaller medfølelse*), patos *m*

pathway ['pɑːθweɪ] s (**a**) (= *path*) sti *m*
(**b**) (*fig*) vei *m* ❑ *...the pathway to success.* ...veien til suksess.

patience ['peɪʃns] s (**a**) (= *tolerance*) tålmodighet *c*
(**b**) (*BRIT: KORT*) kabal *m*
▸ **to lose (one's) patience** miste (*v1*) tålmodigheten

patient ['peɪʃnt] 1 s (*MED*) pasient *m*
2 ADJ (*person*) tålmodig ❑ *Just be patient...* Bare vær tålmodig...
▸ **to be patient with sb** ha* tålmodighet med noen

patiently ['peɪʃntlɪ] ADV (*wait, answer, explain etc*) tålmodig

patio ['pætɪəu] s terrasse *m*

patriot ['peɪtrɪət] s patriot *m*

patriotic [pætrɪ'ɔtɪk] ADJ patriotisk

patriotism ['pætrɪətɪzəm] s patriotisme *m*

patrol [pə'trəul] 1 s (**a**) (*group*) patrulje *m*
(**b**) (*activity*) patruljetjeneste *m*
2 VT (+*city, streets etc*) patruljere (*v2*)
▸ **to be on patrol** ha* patruljetjeneste

patrol boat s patruljebåt *m*

patrol car s patruljebil *m*

patrolman [pə'trəulmən] (*US*) *irreg* s patruljerende konstabel *m*

patron ['peɪtrən] s (**a**) (= *customer, client*) (fast) kunde *m*, (stam)gjest *m* ❑ *Patrons are requested to wear neat attire.* Gjestene bes ha* pent antrekk.
(**b**) (= *benefactor*) beskytter *m*
▸ **patron of the arts** mesén *m*

patronage ['pætrənɪdʒ] s støtte *c* ❑ *...public patronage of the arts...* offentlig støtte til kunsten...

patronize ['pætrənaɪz] VT (**a**) (*neds: look down on*) snakke (*v1*) nedlatende til ❑ *Don't patronize me!* Ikke vær så nedlatende!
(**b**) (+*artist, writer, musician*) protesjere (*v2*) (*var.* protegere)
(**c**) (+*shop*) handle (*v1*) hos
(**d**) (+*firm*) være* kunde hos
(**e**) (+*club*) være* gjest hos

patronizing ['pætrənaɪzɪŋ] ADJ (*person*) overlegen, nedlatende; (*tone, comment etc*) belærende, nedlatende

patron saint s skytshelgen *m*

patter ['pætəʳ] 1 s (**a**) (*of feet*) tripping *c*
(**b**) (*rain*) tromming *c*
(**c**) (= *sales talk etc*) regle *c* (*utenatlært tale for å underholde eller påvirke noen*)
2 VI (**a**) (*footsteps+*) trippe (*v1*) ❑ *I could hear him pattering along the corridor...* Jeg kunne* høre ham trippe gjennom korridoren...
(**b**) (*rain+*) tromme (*v1*)

pattern ['pætən] s (**a**) (= *design*) mønster *nt*
(**b**) (= *sample*) prøve *c*
▸ **patterns of behaviour** atferdsmønstre

patterned ['pætənd] ADJ (*fabric, wallpaper etc*) mønstret

paucity ['pɔːsɪtɪ] s knapphet *c* NB *There is a paucity of academic work on...* Det er knapt med akademisk stoff om...

paunch [pɔːntʃ] s vom *c*

pauper ['pɔːpəʳ] s fattiglem *m*
▸ **pauper's grave** fattigmanns grav *c*

pause [pɔːz] 1 s (*gen, MUS*) pause *c*
2 VI (**a**) (= *stop temporarily*) bli* stående ❑ *He paused with a hand on the doorknob...* Han ble stående med hånden på dørhåndtaket...
(**b**) (*while speaking*) gjøre* en (liten) pause
▸ **to pause for breath** (*also fig*) stoppe (*v1*) for å trekke pusten

pave [peɪv] VT (**a**) (+*street, yard etc*) brolegge* (*var.* brulegge)
(**b**) (+*road*) steinsette*
▸ **to pave the way for** (*fig*) bane (*v1 or v2*) vei for ❑ *His work paved the way for Burkitt's theories.* Arbeidet hans bante vei for Burkitts teorier.

pavement ['peɪvmənt] s (*BRIT: for pedestrians*) fortau *nt*; (*US: of street*) brolegning *c*

pavilion [pə'vɪlɪən] (*SPORT*) s klubbhus *nt*

paving ['peɪvɪŋ] s (*material*) brostein *m* (*var.* brustein)

paving stone s brostein *m* (*var.* brustein)

paw [pɔː] 1 s (**a**) (*of cat*) pote *m*
(**b**) (*of bear, dog*) labb *m*
2 VT (**a**) (*most animals+*) skrape (*v1 or v2*) på/i
(**b**) (*horse+*) stampe (*v1*) i
(**c**) (*neds: touch*) klå (*v4*) på ❑ *I didn't like being pawed.* Jeg likte ikke å bli* klådd på.

pawn [pɔːn] 1 s (**a**) (*SJAKK*) bonde *m*
(**b**) (*fig*) brikke *c* ❑ *They are pawns in the hands of larger powers.* De er brikker i spillet til de større maktene.
2 VT pantsette*

pawnbroker ['pɔːnbrəukəʳ] s pantelåner *m*

pawnshop ['pɔːnʃɔp] s pantelånerforretning *m*

pay [peɪ] (*pt* **paid**)*pp* 1 s (= *wage, salary etc*) betaling *c* ❑ *The pay is dreadful...* Betalingen er elendig...
2 VT (**a**) (+*sum of money, debt, bill, person*) betale (*v2*) ❑ *...pay the window cleaner...* betal vinduspusseren...
(**b**) (+*wages*) utbetale (*v2*) ❑ *We refused to pay them their wages...* Vi nektet å utbetale lønningene deres...
3 VI (= *be profitable, also fig*) lønne (*v1*) seg ❑ *You've got to be able to make your business pay.* Du må være* i stand til å få* forretningen din til å lønne seg. *Crime doesn't pay.* Forbrytelser lønner seg ikke.
▸ **how much did you pay for it?** hvor mye betalte du for den?
▸ **to pay one's way** betale (*v2*) for seg (selv)
▸ **to pay dividends** (*fig*) gi* avkastning
▸ **to pay the price for sth** (*fig*) betale (*v2*) prisen for noe
▸ **to pay the penalty for sth** få* unngjelde for noe
▸ **to pay sb a compliment** gi* noen en kompliment
▸ **to pay attention (to)** være* oppmerksom (på); (= *listen*) høre (*v2*) etter
▸ **to pay sb a visit** avlegge* noen et besøk
▸ **to pay one's respects to sb** hilse (*v2*) på noen

▸ **pay back** VT (**a**) (+*money*) betale (*v2*) tilbake
(**b**) (*bank loan, mortgage*) betale (*v2*) tilbake, betale (*v2*) ned, nedbetale (*v2*)
(**c**) (+*person*) betale (*v2*) tilbake ❑ *I'll pay you back next week.* Jeg betaler deg tilbake neste uke.

▸ **pay for** VT FUS (**a**) (+*purchases*) betale (*v2*) (for) ❑ *Willie paid for the drinks...* Willie betalte (for) drinkene...
(**b**) (*fig: mistake*) (få) betale (*v2*) for ❑ *He paid dearly for his mistake...* Han fikk betale dyrt for tabben sin...

▸ **pay in** VT (+*money, cheque etc*) sette* inn, betale (*v2*) inn

▸ **pay off** 1 VT (**a**) (+*debt, mortgage*) innfri (*v4*)
(**b**) (+*person*) betale (*v2*) (*for å holde seg borte*)
(**c**) (+*creditor*) gjøre* opp med
2 VI (**a**) (*scheme, decision+*) lønne (*v1*) seg, betale (*v2*) seg ❑ *It was a risk and it paid off.* Det var en sjanse å ta, og det betalte seg *or* lønte seg.
(**b**) (*patience+*) gi* resultater ❑ *...his patience paid off in the end.* ...tålmodigheten hans gav resultater til slutt.
▸ **to pay sth off in instalments** betale (*v2*) noe i avdrag

▸ **pay out** VT (**a**) (+*rope*) fire (*v1 or v2*) ut
(**b**) (+*money*) måtte* ut med ❑ *He had paid out*

good money to educate Julie at a boarding school. Han hadde måttet ut med store summer for å få* Julie utdannet ved en kostskole.

▸ **pay up** VI (*person, company etc+*) punge (*v1*) ut (*sl*), betale (*v2*)

payable ['peɪəbl] ADJ (*tax, interest*) som skal betales ▸ **to make a cheque payable to** utstede (*v2*) en sjekk til ❑ *Cheques should be made payable to Euro Travel Ltd.* Sjekker kan utstedes til Euro Travel Ltd.

pay award s lønnsøkning *m*

pay day s lønningsdag *m*

PAYE (*BRIT*) s FK (= **pay as you earn**) *skattesystem hvor inntektsskatten betales av arbeidsgiver direkte til staten*

payee [per'i:] s (*of cheque, postal order*) mottaker *m* (*av penger*)

pay envelope (*US*) s lønningspose *m*

paying guest s betalende gjest *m*

payload ['peɪləud] (*MERK*) s nyttelast *m*

payment ['peɪmənt] s (**a**) (*of bill*) betaling *c*
(**b**) (*of expenses*) tilbakebetaling *c*
(**c**) (*sum of money : paid out*) avdrag *nt*
(**d**) (*received*) utbetaling *c* ❑ *He was unable to keep up the payments on his car.* Han klarte ikke å betale avdragene på bilen. *...social security payments...* trygdeutbetalingene...
▸ **advance payment** forskuddsbetaling *c*
▸ **deferred payment** avbetaling *c*
▸ **monthly payment** månedlige avdrag *nt*
▸ **on payment of** ved betaling av ❑ *Rooms can be reserved on payment of a deposit.* Rom kan reserveres ved betaling av depositum.

pay packet (*BRIT*) s lønningspose *m*

pay-per-view ADJ ▸ **pay-per-view television** betalingsfjernsyn *nt*

pay phone s telefonautomat *m*

payroll ['peɪrəul] s lønningsliste *c*
▸ **to be on a firm's payroll** stå* på lønningslisten til en bedrift

pay slip (*BRIT*) s lønnsslipp *m*

pay station (*US*) s = **pay phone**

PBS (*US*) s FK (= **Public Broadcasting Service**) *kringkasting basert på private og offentlige bidrag, ikke reklame*

PC [1] s FK = **personal computer**; (*BRIT*) = **police constable**
[2] ADJ FK (= **politically correct**)
[3] FK (*BRIT*) = **Privy Councillor**

pc FK = **per cent, postcard**

p/c FK = **petty cash**

PCB s FK (*ELEK, DATA*) (= **printed circuit board**) kretskort *nt*; (= **polychlorinated biphenyl**) PCB

pcm FK (= **per calendar month**) pr. mnd. (= *per måned*)

PD (*US*) s FK = **police department**

pd FK (= **paid**) betalt

PDQ (*sl*) ADV FK (= **pretty damn quick**) på røde rappen

PDSA (*BRIT*) s FK (= **People's Dispensary for Sick Animals**) *gratis behandlingssted for husdyr*

PDT (*US*) FK (= **Pacific Daylight Time**) *sommertid i tidssonen som dekker vestkysten av USA*

PE [1] s FK (*SKOL*) (= **physical education**)
[2] FK (*CAN*) = **Prince Edward Island**

pea [pi:] s ert *c*

peace [pi:s] s (*gen*) fred *m* ❑ *...world peace...* verdensfreden... *the search for this inner peace...* jakten på denne indre fred...
▸ **to be at peace with sb/sth** ha* fred med noen/noe
▸ **to keep the peace** (**a**) (*policeman+*) holde* ro og orden
(**b**) (*ordinary person+*) ▸ **I kept the peace (between them)** jeg sørget for at de holdt fred

peaceable ['pi:səbl] ADJ (*person, attitude*) fredsommelig

peaceful ['pi:sful] ADJ fredelig

peacekeeper ['pi:ski:pəʳ] s fredsbevarer *m*

peacekeeping force ['pi:ski:pɪŋ-] s fredsbevarende styrke *m*

peace offering s forsoningsgave *m*

peach [pi:tʃ] s fersken *m*

peacock ['pi:kɔk] s påfugl(hann) *m*

peak [pi:k] s (**a**) (*of mountain*) (fjell)topp *m*
(**b**) (*of cap*) skygge *m*
(**c**) (*fig : physical, intellectual etc*) maksimum *nt* ❑ *They were trained to a peak of physical fitness...* De var blitt trent til de var i fysisk toppform...

peak hours SPL rushtiden *c def* ❑ *Don't drive home during peak hours.* Ikke kjør hjem i rushtiden.

peak period s (*for electricity etc*) *tid på døgnet da forbruket er høyest*; (*for travel, holidays etc*) høysesong *m*

peak rate s toppnotering *c*

peaky ['pi:kɪ] (*BRIT : sl*) ADJ blek om nebbet (*sl*)

peal [pi:l] s (*of bells*) kiming *c*
▸ **peals of laughter** rungende lattersalver

peanut ['pi:nʌt] s peanøtt *c*

peanut butter s peanøttsmør *nt*

pear [pɛəʳ] s pære *c*

pearl [pə:l] s perle *c*

peasant ['pɛznt] s (små)bonde *m*

peat [pi:t] s torv *c*

pebble ['pɛbl] s (liten rund) stein *m* (*på strand*)

peck [pɛk] [1] VT (**a**) (*+hole*) hakke (*v1*)
(**b**) (*+object*) hakke (*v1*) på
[2] s (**a**) (*of bird*) hakk *nt* ❑ *...it gave her a peck.* ...den hakket henne.
(**b**) (*kiss*) lett *or* lite kyss *nt* ❑ *She gave him a quick peck on the cheek.* Hun gav ham et fort kyss på kinnet.

pecking order s hakkeorden *m* ❑ *...at the bottom of the pecking order.* ...sist i hakkeordenen.

peckish ['pɛkɪʃ] (*BRIT : sl*) ADJ småsulten (*sl*)

peculiar [pɪ'kju:lɪəʳ] ADJ (= *strange*) merkelig, pussig
▸ **peculiar to** (= *exclusive to*) særegen for ❑ *...the style peculiar to the 1920s...* stilen som er særegen for 20-årene...

peculiarity [pɪkju:lɪ'ærɪtɪ] s (*of person, place etc*) særegenhet *c*, eiendommelighet *c*

peculiarly [pɪ'kju:lɪəlɪ] ADV (**a**) (= *oddly*) merkelig ❑ *Molly is behaving rather peculiarly...* Molly oppfører seg ganske merkelig...
(**b**) (= *distinctively*) spesielt ❑ *...peculiarly English...* spesielt engelsk...

pecuniary [pɪ'kju:nɪərɪ] ADJ økonomisk

pedal ['pɛdl] [1] s pedal *m*

2 VI tråkke (*v1*) (*på pedaler*)
pedal bin (*BRIT*) s søppelbøtte *c* (*med pedal*)
pedant ['pɛdənt] s pedant *m*
pedantic [pɪ'dæntɪk] ADJ pedantisk
peddle ['pɛdl] VT (**a**) (*+goods*) selge* (*ved dørene el. på gaten*) ❑ *...a jolly old man who peddled ice-cream.* ...en lystig gammel mann som solgte iskrem på gaten.
(**b**) (*+drugs*) lange (*v1*)
(**c**) (*+gossip*) ▸ **the rumours that had been peddled** ryktene som hadde versert
peddler ['pɛdləʳ] s (*of drugs*) langer *m*
pedestal ['pɛdəstl] s sokkel *m*
▸ **to put sb on a pedestal** sette* noen på (en) pidestall
pedestrian [pɪ'dɛstrɪən] 1 s fotgjenger *m*
2 ADJ fotgjenger-; (*fig*) grå og kjedelig ❑ *...a government whose members are pretty pedestrian.* ...en regjering der medlemmene er ganske grå og kjedelige.
pedestrian crossing (*BRIT*) s fotgjengerovergang *m*, fotgjengerfelt *nt*
pedestrian precinct (*BRIT*) s gågate *c*
pediatrics [pi:dɪ'ætrɪks] (*US*) s = **paediatrics**
pedigree ['pɛdɪgri:] 1 s (**a**) (*of animal*) stamtavle *c*
(**b**) (*fig : background*) familiebakgrunn *m*
2 SAMMENS rase- ❑ *...a pedigree dog...* en rasehund...
pee [pi:] (*sl*) VI tisse (*v1*) (*sl*)
peek [pi:k] 1 VI ▸ **to peek at/over/into** *etc* kikke (*v1*) på/over/inn i *etc*
2 s ▸ **to have** *or* **take a peek (at)** ta* en titt (på)
peel [pi:l] 1 s (**a**) (*of orange, apple*) skall *nt*
(**b**) (*of potato*) skrell *nt*
2 VT (*+vegetables, fruit*) skrelle (*v1 or v2x*)
3 VI (**a**) (*paint, wallpaper+*) flasse (*v1*) av
(**b**) (*skin, back etc+*) flasse (*v1*) ❑ *My back's peeling.* Jeg flasser på ryggen.
▸ **peel back** VT dra* tilbake
peeler ['pi:ləʳ] s (potet)skreller *m*
peelings ['pi:lɪŋz] SPL skrell *nt sg*
peep [pi:p] 1 s (**a**) (*look*) kikk *m*
(**b**) (*sound*) pip *nt*
2 VI (= *look*) kikke (*v1*)
▸ **to have** *or* **take a peep (at)** titte (*v1*) på, kikke (*v1*) på
▸ **peep out** VI (= *be visible*) titte (*v1*) fram, kikke (*v1*) fram
peephole ['pi:phəul] s kikkhull *nt*
peer [pɪəʳ] 1 s (**a**) (= *noble*) adelsmann *m*
(**b**) (= *equal*) likemann *m* ❑ *...to be judged by one's peers.* ...bli dømt av sine likemenn.
(**c**) (= *contemporary*) jevnaldrende *m decl as adj* ❑ *Comparing students with their peers outside university...* Hvis man sammenligner studenter med deres jevnaldrende utenfor universitetet...
2 VI ▸ **to peer at** stirre (*v1*) granskende på
peerage ['pɪərɪdʒ] s (*title, position*) adelstittel *m*
▸ **the peerage** adelsstanden, adelen
peerless ['pɪəlɪs] ADJ makeløs, uforlignelig
peeved [pi:vd] ADJ snurt
peevish ['pi:vɪʃ] ADJ (*person*) furten; (*voice*) sutrete
peg [pɛg] 1 s (**a**) (*for coat etc*) knagg *m*
(**b**) (*BRIT : for washing*) (kles)klype *c*
(**c**) (*for tent*) (telt)plugg *m*
2 VT (**a**) (*+washing, clothes*) henge (*v2*) opp
(**b**) (*+prices*) fiksere (*v2*) ❑ *The deficit could be pegged at 42.5 billion dollars...* Underskuddet kunne* fikseres på 42,5 milliarder dollar...
▸ **off the peg** ferdigsydd
pejorative [pɪ'dʒɔrətɪv] ADJ (*word, expression*) nedsettende
Pekin [pi:'kɪn] s = **Peking**
Peking [pi:'kɪŋ] s Peking
Pekin(g)ese [pi:kɪ'ni:z] s pekingeser *m*
pelican ['pɛlɪkən] s pelikan *m*
pelican crossing (*BRIT : BIL*) s fotgjengerovergang *m* (*med manuelt kontrollerbare trafikklys*)
pellet ['pɛlɪt] s (*of paper, mud etc*) (liten) kule *c*; (*for shotgun*) hagl *nt*
pell-mell ['pɛl'mɛl] ADV (*rush*) hodekulls ❑ *I dashed pell-mell into the drawing room.* Jeg styrtet hodekulls inn i stuen.
pelmet ['pɛlmɪt] s (*wooden*) gardinbrett *nt*; (*fabric*) gardinkappe *c*
pelt [pɛlt] 1 VT ▸ **to pelt sb with sth** bombardere (*v2*) noen med noe
2 VI (**a**) (*rain+ :* ***pelt down***) pøse (*v2*) ned, styrte (*v1*) ned
(**b**) (= *run*) styrte (*v1*) ❑ *She went pelting down the street.* Hun styrtet nedover gaten.
3 s (= *animal skin*) (uberedt) skinn *nt*
pelvis ['pɛlvɪs] s bekken *nt*
pen [pɛn] s (**a**) (*for writing*) penn *m*
(**b**) (*enclosure : for sheep, pigs etc*) innhegning *c*
(**c**) (*US : sl : prison*) kasjott *m*
▸ **to put pen to paper** ta* pennen fatt
penal ['pi:nl] ADJ straffe-
penalize ['pi:nəlaɪz] VT (**a**) (*SPORT*) gi* straffepoeng
(**b**) (*in exam*) trekke* (ned) ❑ *You will be penalized if you don't answer all the questions...* Du vil bli* trukket (ned) hvis du ikke besvarer alle spørsmålene...
(**c**) (*put at a disadvantage*) ▸ **to penalize sb** la noen få* unngjelde ❑ *Why should I be penalized just because I'm a woman?* Hvorfor skal jeg måtte* unngjelde bare fordi jeg er kvinne?
penal servitude [-'sə:vɪtju:d] s straffarbeid *nt*
penalty ['pɛnltɪ] s (**a**) (*punishment*) straff *m* ❑ *There are now stiffer penalties for drunken drivers...* Det er nå strengere straffer for fyllekjørere...
(**b**) (= *fine*) straffebot *c*
(**c**) (*SPORT*) straffespark *nt*
(**d**) (*hockey etc*) straffeslag *nt* ❑ *The referee awarded a penalty.* Dommeren dømte straffespark.
penalty area (*BRIT*) s straffefelt *nt*
penalty clause s straffebestemmelse *m*
penalty kick s straffespark *nt*
penalty shoot-out [-'ʃu:taut] s (*FOTB*) straffesparkkonkurranse *m*
penance ['pɛnəns] s ▸ **to do penance (for one's sins)** gjøre* bot (for sine synder)
pence [pɛns] SPL *of* **penny**
penchant ['pɑ̃:ʃɑ̃:ŋ] s svakhet *c* ❑ *Her penchant for fashionable clothes...* Hennes svakhet for moteklær...
▸ **to have a penchant for** være* svak for
pencil ['pɛnsl] 1 s blyant *m*
2 VT ▸ **to pencil sth in** kladde (*v1*) noe (*med*

blyant); (*fig : appointment, person*) skrive* opp (foreløpig) ❑ *I'll pencil you in for Friday...* Jeg skriver deg opp (foreløpig) på fredag...
pencil case s penal *nt*
pencil sharpener s blyantspisser *m*
pendant ['pɛndnt] s anheng *nt*
pending ['pɛndɪŋ] 1 PREP i påvente av ❑ *Pending our move to the new house...* I påvente av flyttingen til det nye huset...
2 ADJ (*business, lawsuit etc*) overhengende ❑ *He knew my examination was pending.* Han visste at min eksamen sto for døren.
pendulum ['pɛndjuləm] s pendel *m*
penetrate ['pɛnɪtreɪt] VT (**a**) (*person+ : territory, forest etc*) trenge (*v2*) inn i
(**b**) (*light, water, sound+*) trenge (*v2*) gjennom ❑ *The sun was not yet high enough to penetrate the thick foliage overhead.* Solen var ennå ikke kommet høyt nok til å trenge gjennom det tykke løvverket over oss.
penetrating ['pɛnɪtreɪtɪŋ] ADJ (**a**) (*sound*) gjennomtrengende
(**b**) (*gaze*) gjennomborende
(**c**) (*mind, observation*) skarp(sindig) ❑ *He has a most penetrating mind.* Han er meget skarpsindig.
penetration [pɛnɪ'treɪʃən] s (*action*) ▸ **the penetration of hostile defences** det å trenge gjennom fiendens forsvar; (*sexual*) ▸ **to stop short of penetration** stoppe (*v1*) før penis føres inn i skjeden
penfriend ['pɛnfrɛnd] (*BRIT*) s brevvenn *m*, pennevenn *m*; (*female*) brevvenninne *c*, pennevenninne *c*
penguin ['pɛŋgwɪn] s pingvin *m*
penicillin [pɛnɪ'sɪlɪn] s penicillin *m*
peninsula [pə'nɪnsjulə] s halvøy *f*
penis ['pi:nɪs] s penis *m*
penitence ['pɛnɪtns] s anger *m*
penitent ['pɛnɪtnt] ADJ angrende
penitentiary [pɛnɪ'tɛnʃərɪ] (*US*) s fengsel *nt*
penknife ['pɛnnaɪf] s lommekniv *m*
pen name s forfatternavn *nt*
pennant ['pɛnənt] s vimpel *m*
penniless ['pɛnɪlɪs] ADJ pengeløs
Pennines ['pɛnaɪnz] SPL ▸ **the Pennines** den penninske kjede
penny ['pɛnɪ] (*pl* **pennies or** *BRIT* **pence**) s (**a**) (*BRIT*) penny *m*, tiøring *m*
(**b**) (*US*) cent *m*
▸ **it was worth every penny** det var verdt hvert øre
▸ **it won't cost you a penny** det skal ikke koste deg et rødt øre
pen pal s = **penfriend**
penpusher ['pɛnpuʃə^r] s kontorrotte *c*
pension ['pɛnʃən] s (*gen*) pensjon *m*
▸ **pension off** VT pensjonere (*v2*) ❑ *We were pensioned off at the age of forty-five.* Vi ble pensjonert da vi var førtifem år gamle.
pensionable ['pɛnʃnəbl] ADJ (*job etc*) som gir rett til pensjon
▸ **pensionable age** pensjonsalder *m*
pensioner ['pɛnʃənə^r] (*BRIT*) s pensjonist *m*
pension scheme s pensjonsordning *c*

pensive ['pɛnsɪv] ADJ (*person, expression etc*) tankefull

Pentagon
Pentagon *er navnet på kontoret til forsvarsministeren i USA, og kommer av den femkantede formen på bygningen hvor kontoret ligger, i Arlington, Virginia. I utvidet betydning kan navnet betegne selve forsvarsdepartementet.*

pentagon ['pɛntəgən] (*US*) s ▸ **the Pentagon** Pentagon
pentathlon [pɛn'tæθlən] s femkamp *m*
Pentecost ['pɛntɪkɔst] s pinse *m*
penthouse ['pɛnthaus] s (luksuriøs) loftsleilighet *c*
Pentium® s pentium *m*
pent-up ['pɛntʌp] ADJ innestengt
penultimate [pɛ'nʌltɪmət] ADJ nest sist ❑ *...the penultimate paragraph* ...nest siste avsnitt. ...det nest siste avsnittet
penury ['pɛnjurɪ] s ytterste fattigdom *m*
people ['pi:pl] 1 SPL (**a**) (*seen as individuals*) mennesker, personer ❑ *There were 120 people at the lecture...* Det var 120 mennesker *or* personer på forelesningen...
(**b**) (*seen as a group*) folk *nt sg* ❑ *...people's ideas on the subject.* ...folks oppfatninger om emnet. *People in England...* Folk i England...
2 SSING (= *nation, race*) folk *nt* ❑ *...the Ethiopian people.* ...det etiopiske folket.
▸ **the people** (*POL*) folket
▸ **old people** gamle folk *pl*
▸ **young people** ungdom *m*
▸ **a man of the people** en folkets mann
▸ **many people** mange mennesker
▸ **people say that...** folk sier at...
PEP [pɛp] s FK (= *personal equity plan*) *aksjesparing med skattefradrag*
pep [pɛp] s pepp *m*, futt *m*
▸ **pep up** VT (*+person*) pigge (*v1*) opp; (*+food*) piffe (*v2*) opp
pepper ['pɛpə^r] 1 s (*spice*) pepper *nt*; (*vegetable*) paprika *m*
2 VT ▸ **to pepper with** (*fig*) pepre (*v1*) med
peppercorn ['pɛpəkɔ:n] s pepperkorn *nt*
pepper mill s pepperkvern *c*
peppermint ['pɛpəmɪnt] s (*candy*) peppermyntedrops *nt*; (*plant*) peppermynte *m*
pepperoni [pɛpə'rəunɪ] s pepperoni *m*
pepper pot s pepperbøsse *c*
pep talk (*sl*) s peptalk *m*
per [pə:^r] PREP (= *for each*) per (*var.* pr)
▸ **per day** per dag
▸ **per person** per person
▸ **per hour** (**a**) (*miles etc*) i timen
(**b**) (*fee*) per time, for timen ❑ *...£10 per hour.* ...10 pund per time *or* for timen.
▸ **per kilo** per *or* pr kilo
▸ **as per your instructions** ifølge dine anvisninger
▸ **per annum** pr år
▸ **per capita** per innbygger ❑ *Per capita incomes...* Inntektene per innbygger...
perceive [pə'si:v] VT oppfatte (*v1*)
per cent s prosent *m*

▸ **a 20 per cent discount** 20 prosent rabatt
percentage [pəˈsɛntɪdʒ] S (*amount*) prosentdel *m* ❑ *It's a tiny percentage of the total.* Det er en ørliten prosentdel av totalen.
▸ **to be paid on a percentage basis** lønnes (*v25x*) på provisjonsbasis
percentage point S prosentpoeng *nt*
perceptible [pəˈsɛptɪbl] ADJ (*difference, change*) merkbar
perception [pəˈsɛpʃən] S (**a**) (= *insight*) klarsyn *nt*, oppfatningsevne *c* ❑ *...a person of extraordinary perception.* ...en usedvanlig klarsynt person.. ...en person med usedvanlig god oppfatningsevne.
(**b**) (= *opinion, understanding*) observasjon *m*
(**c**) (*faculty*) oppfattelsesevne *c* ❑ *...man's perception of time.* ...menneskets oppfattelse av tid.
perceptive [pəˈsɛptɪv] ADJ (*person*) klarsynt, observant; (*analysis, assessment*) skarp
perch [pəːtʃ] 1 S (*for bird*) (sitte)pinne *m*; (*fish*) abbor *m*
2 VI ▸ **to perch on** (*bird+ : sit on*) sitte* på; (= *fly on to*) slå* seg ned på; (*person+*) sitte* på kanten av
percolate [ˈpəːkəleɪt] 1 VT trakte (*v1*)
2 VI bli* traktet
▸ **to percolate into** (*light, ideas+*) sive (*v1*) igjennom/inn i ❑ *Structuralist ideas percolated through the academic community.* Strukturalistiske ideer sivet inn i det akademiske samfunnet.
percolator [ˈpəːkəleɪtəʳ] S kaffetrakter *m*
percussion [pəˈkʌʃən] S slagverk *nt*
peremptory [pəˈrɛmptərɪ] (*neds*) ADJ (*person*) bydende; (*order, instruction*) diktatorisk
perennial [pəˈrɛnɪəl] 1 ADJ (**a**) (*flower, plant*) flerårig
(**b**) (*fig : problem, feature etc*) evig ❑ *...the perennial conflict between government and opposition.* ...den evige konflikten mellom regjering og opposisjon.
2 S (*plant*) staude *m*
perfect [*ADJ, N* ˈpəːfɪkt, *VB* pəˈfɛkt] 1 ADJ (**a**) (= *faultless, ideal*) perfekt ❑ *I've got the perfect solution...* Jeg har den perfekte løsning...
(**b**) (= *utter : nonsense etc*) ren
(**c**) (*idiot*) komplett
(**d**) (*stranger*) fullstendig ❑ *You're behaving like a perfect idiot...* Du oppfører deg som en komplett idiot...
2 VT (*+technique*) perfeksjonere (*v2*)
3 S ▸ **the perfect (tense)** perfektum
▸ **in the perfect (tense)** i perfektum
perfection [pəˈfɛkʃən] S fullkommenhet *c*
perfectionist [pəˈfɛkʃənɪst] S perfeksjonist *m*
perfectly [ˈpəːfɪktlɪ] ADV (**a**) (= *faultlessly : perform, do, speak etc*) perfekt, fullkomment ❑ *Nobody speaks English perfectly...* Ingen snakker engelsk perfekt *or* fullkomment...
(**b**) (= *completely : understand*) fullstendig
(**c**) (*with adj*) helt ❑ *...to be perfectly honest.* ...for å være* helt ærlig. *I'm perfectly happy with the situation.* Jeg er helt fornøyd med forholdene.
▸ **you know perfectly well** du vet utmerket godt
▸ **to suit sb perfectly** være* perfekt for noen
perforate [ˈpəːfəreɪt] VT (*+paper*) perforere (*v2*); (*+other materials*) lage (*v1 or v3*) hull i
perforated ulcer S blødende magesår *nt*
perforation [pəːfəˈreɪʃən] S (= *small hole*) lite hull *nt* ❑ *...a box with perforations to allow the air in.* ...en eske som var gjennomhullet for å slippe inn luft.
▸ **perforations** SPL (= *line of holes*) perforering *c sg* ❑ *The perforations in a sheet of stamps...* Perforeringen på et ark med frimerker...
perform [pəˈfɔːm] 1 VT (**a**) (= *carry out : task, operation, ceremony etc*) utføre (*v2*)
(**b**) (*+piece of music, play etc*) framføre (*v2*) (*var.* fremføre) ❑ *He performed a traditional Scottish dance.* Han framførte en skotsk folkedans.
2 VI (**a**) (*musician etc+ : acquit o.s.*) klare (*v2*) seg ❑ *Although she had never been interviewed on TV before, she performed well.* Selv om hun aldri hadde blitt intervjuet på tv før, klarte hun seg fint.
(**b**) (*thing, instrument, vehicle etc+*) fungere (*v2*)
performance [pəˈfɔːməns] S (**a**) (*TEAT, FILM*) forestilling *c* ❑ *Roger gave a remarkable performance...* Roger holdt en bemerkelsesverdig forestilling... *After the performance I went round to see her in her dressing room...* Etter forestillingen gikk jeg for å treffe henne i garderoben...
(**b**) (*of car, engine*) yteevne *m*
(**c**) (*of athlete*) innsats *m* ❑ *...after a disappointing performance in the 100 metres.* ...etter en skuffende innsats på 100-meteren.
(**d**) (*of company, economy*) ▸ **how is a company to measure its performance?** hvordan skal en bedrift kunne* måle hvor godt den drives?
▸ **to put up a good performance** gjøre* en god innsats
performer [pəˈfɔːməʳ] S (*actor, dancer, singer etc*) utøvende kunstner *m*
▸ **to be a good/poor performer on TV** være* god/dårlig til å opptre på tv
performing [pəˈfɔːmɪŋ] ADJ (*animal*) opptredende
▸ **the performing arts** utøvende kunstformer
performing arts SPL ▸ **the performing arts** de utøvende kunster
perfume [ˈpəːfjuːm] 1 S (**a**) parfyme *m*
(**b**) (= *fragrance : of flowers etc*) duft *m*
2 VT (**a**) (*+air, room etc : intentionally*) parfymere (*v2*)
(**b**) (*by nature, breeze etc*) fylle (*v2x*) med vellukt ❑ *The air was perfumed with the scent of roses.* Luften var fylt av vellukt fra roser.
perfunctory [pəˈfʌŋktərɪ] ADJ (*remark, search*) rutinemessig; (*kiss, smile*) mekanisk
perhaps [pəˈhæps] ADV kanskje ❑ *Perhaps God does not exist...* Kanskje Gud ikke eksisterer...
▸ **perhaps not** kanskje ikke
peril [ˈpɛrɪl] S fare *m*
perilous [ˈpɛrɪləs] ADJ (*journey, situation etc*) farefull
perilously [ˈpɛrɪləslɪ] ADV farlig ❑ *They came perilously close to being caught...* De var farlig nær ved å bli* tatt...
perimeter [pəˈrɪmɪtəʳ] S omkrets *m*
perimeter fence S inngjerding *nt*

period ['pɪərɪəd] [1] S (**a**) (*= length of time, era*) periode *m*, tid *c* [NB] *...in a 24-hour period...* i løpet av et døgn... ❑ *Italian opera of that period.* ...italiensk opera fra den perioden *or* tiden.
(**b**) (*SKOL*) time *m* ❑ *There were five periods of French a week...* Det var fem timer med fransk i uken...
(**c**) (*især US : full stop*) punktum *nt*
(**d**) (*also* ***menstrual period***) mens *m*, menstruasjon *m*
[2] ADJ (*costume, furniture*) i den tidens stil
▸ **for a period of three weeks** i en tre-ukers periode
▸ **the holiday period** (*BRIT*) ferieperioden
▸ **I won't do it. Period** Jeg gjør det ikke. Basta

periodic [pɪərɪ'ɔdɪk] ADJ (*event, occurrence*) periodisk

periodical [pɪərɪ'ɔdɪkl] [1] S tidsskrift *nt*
[2] ADJ periodisk

periodically [pɪərɪ'ɔdɪklɪ] ADV periodevis, i perioder

period pains (*BRIT*) SPL menstruasjonssmerter

peripatetic [pɛrɪpə'tɛtɪk] ADJ (*life*) omvandrende; (*BRIT : teacher*) omreisende

peripheral [pə'rɪfərəl] [1] ADJ (*feature, issue*) perifer
[2] S (*DATA*) ytre enhet *c*

periphery [pə'rɪfərɪ] S (*= edge*) periferi *m*, ytterkant *m* ❑ *...on the periphery of my field of vision.* ...i periferien *or* ytterkanten av mitt synsfelt.

periscope ['pɛrɪskəup] S periskop *nt*

perish ['pɛrɪʃ] VI (*= die*) omkomme*; (*rubber, leather etc+*) bli* ødelagt

perishable ['pɛrɪʃəbl] ADJ bedervelig

perishables ['pɛrɪʃəblz] SPL bedervelige matvarer

perishing ['pɛrɪʃɪŋ] (*BRIT : sl*) ADJ ▸ **it's perishing cold** det er forbannet kaldt (*sl*) ▸ **that perishing child** den forbaskede ungen (*sl*)

peritonitis [pɛrɪtə'naɪtɪs] S bukhinnebetennelse *m*

perjure ['pə:dʒə'] VT ▸ **to perjure o.s.** vitne (*v1*)/ sverge (*v1*) falsk

perjury ['pə:dʒərɪ] S (**a**) (*in court*) mened *m* ❑ *She was charged with perjury...* Hun ble anklaget for mened...
(**b**) (*= breach of oath*) falsk forklaring *c*

perk [pə:k] (*sl*) S frynsegode *nt* ❑ *It's one of the perks of the job.* Det er et av frynsegodene i denne jobben.

perk up VI kvikne (*v1*) til

perky ['pə:kɪ] ADJ opplagt

perm [pə:m] [1] S permanent *m*
[2] VT ▸ **to have one's hair permed** ta* permanent

permanence ['pə:mənəns] S ▸ **the permanence of sth** det permanente ved noe

permanent ['pə:mənənt] ADJ (**a**) (*relationship*) fast, varig
(**b**) (*feature*) permanent
(**c**) (*solution*) varig, permanent
(**d**) (*damage*) varig ❑ *...permanent brain damage...* varig hjerneskade...
(**e**) (*state*) kronisk ❑ *...an almost permanent state of fear.* ...en nesten kronisk tilstand av frykt.
(**f**) (*job, position*) fast
▸ **permanent address** fast adresse *m*
▸ **I'm not permanent here** jeg er ikke fast ansatt her

permanently ['pə:mənəntlɪ] ADV (**a**) (*damage*) for bestandig
(**b**) (*stay, live*) fast ❑ *My wife and children are staying there permanently...* Kona og barna mine bor der fast...
(**c**) (*locked, open, frozen etc*) bestandig ❑ *The doors were kept permanently locked.* Dørene ble holdt låst bestandig.

permeable ['pə:mɪəbl] ADJ (*rock, skin, membrane etc*) gjennomtrengelig

permeate ['pə:mɪeɪt] [1] VT (**a**) (*liquid, smell etc+*) trenge (*v2*) inn i/ned i ❑ *Damp and mould can easily permeate the wood...* Fuktighet og mugg kan lett trenge inn i treverket...
(**b**) (*idea, feeling+*) gjennomsyre (*v1*)
[2] VI ▸ **to permeate through** (**a**) (*liquid+*) trenge (*v2*) inn i/ned i ❑ *Dangerous chemicals may permeate through the soil.* farlige kjemikalier kan trenge ned i jorda.
(**b**) (*idea+*) trenge (*v2*) inn i

permissible [pə'mɪsɪbl] ADJ tillatt ❑ *...the maximum permissible levels of radiation...* den høyeste tillatte strålingsstyrken...

permission [pə'mɪʃən] S tillatelse *m* ❑ *The Minister refused permission for it...* Statsråden nektet å gi* tillatelse til det...
▸ **to give sb permission to do sth** gi* noen lov *or* tillatelse til å gjøre* noe

permissive [pə'mɪsɪv] ADJ (*society, age*) frigjort

permit [*N* 'pə:mɪt, *VB* pə'mɪt] [1] S (**a**) (*authorization*) tillatelse *m* ❑ *You no longer need a permit to work in most European countries.* Du trenger ikke lenger arbeidstillatelse i de fleste europeiske land.
(**b**) (*= entrance pass*) adgangskort *nt*
[2] VT (**a**) (*= allow*) tillate*
(**b**) (*= make possible*) gjøre* mulig ❑ *His health had improved enough to permit him a beer or two...* Helsen hans hadde forbedret seg nok til å gjøre* det mulig for ham å ta* en øl eller to...
▸ **to permit sb to do sth** (**a**) (*= allow*) tillate* noen å gjøre* noe
(**b**) (*= make possible*) gjøre* det mulig for noen å gjøre* noe
▸ **weather permitting** hvis været tillater det
▸ **fishing permit** fiskekort *nt*

permutation [pə:mju'teɪʃən] S (*MAT*) permutasjon *m*; (*fig*) (mulig) omstilling *c*

pernicious [pə:'nɪʃəs] ADJ skadelig ❑ *...the pernicious effects of exposure to pornography.* ...pornografiens skadevirkninger.

pernickety [pə'nɪkɪtɪ] (*sl*) ADJ pirket(e)

perpendicular [pə:pən'dɪkjulə'] [1] ADJ (*line, surface, face*) loddrett ❑ *...the great perpendicular red face of the cliffs.* ...klippenes store, loddrette, røde overflate.
[2] S ▸ **the perpendicular** (*GEOM*) normalen ❑ *The pillar had been restored to the perpendicular.* Søylen hadde blitt rettet opp (til loddrett stilling).
▸ **perpendicular to** vinkelrett på
❑ *...perpendicular to one another.* ...vinkelrett på hverandre.
▸ **close to the/off the perpendicular** nesten/ ikke loddrett

perpetrate ['pə:pɪtreɪt] VT begå*
perpetual [pə'pɛtjuəl] ADJ *(motion)* stadig; *(darkness)* evig; *(noise, questions)* evinnelig
perpetuate [pə'pɛtjueɪt] VT *(+system)* bevare *(v2)*; *(+belief, problem)* opprettholde*; *(+situation, conspiracy)* fortsette*
perpetuity [pə:pɪ'tju:ɪtɪ] S ▸ **in perpetuity** for all framtid
perplex [pə'plɛks] VT forvirre *(v1)*
perplexed [pə'plɛkst] ADJ forfjamset
perplexing [pə:'plɛksɪŋ] ADJ *(puzzle, situation)* forvirrende
per se [-seɪ] ADV som sådan
persecute ['pə:sɪkju:t] VT forfølge*
persecution [pə:sɪ'kju:ʃən] S forfølgelse *m*
perseverance [pə:sɪ'vɪərns] S utholdenhet *c*
persevere [pə:sɪ'vɪə[r]] VI holde* ut
Persia ['pə:ʃə] S Persia
Persian ['pə:ʃən] 1 ADJ persisk
2 S *(LING)* persisk
▸ **the (Persian) Gulf** Persiabukten
Persian cat S persisk katt *m*
persist [pə'sɪst] VI fortsette*
▸ **to persist with sth** holde* fast ved noe ❑ *He persisted with his policy of conciliation...* Han holdt fast ved sin forsoningstaktikk...
▸ **to persist in doing sth** fortsette* å gjøre* noe
persistence [pə'sɪstəns] S standhaftighet *c*, iherdighet *c*
persistent [pə'sɪstənt] ADJ **(a)** *(smell)* plagsom
(b) *(noise, cough etc)* vedvarende
(c) *(person)* standhaftig, iherdig
(d) *(lateness)* stadig
(e) *(rain etc)* vedvarende, uopphørlig
▸ **persistent offender** *(JUR)* vaneforbryter *m*
persistent vegetative state S langvarig koma *n*
persnickety [pə'snɪkɪtɪ] *(US: sl)* ADJ = **pernickety**
person ['pə:sn] S person *m*, menneske *nt* ❑ *There was far too much for one person...* Det var alt for mye for en person *or* et menneske... *She was an absolutely charming person...* Hun var helt bedårende...
▸ **in person** *(appear, sing, recite etc)* i egen person
▸ **on** *or* **about one's person** på seg ❑ *...an offensive weapon about his person.* ...et farlig våpen på seg.
personable ['pə:snəbl] ADJ presentabel
personal ['pə:snl] ADJ **(a)** *(gen: belongings, bank account, opinion, visit, remark)* personlig ❑ *...I think we're getting too personal.* ...jeg synes dette blir for personlig.
(b) *(= private: life, matter, call)* privat(-)
▸ **nothing personal!** ta* det ikke personlig!
personal allowance *(FIN)* S ≈ minstefradrag *nt*
personal assistant S privatsekretær *m*
personal column S personaliaspalte *c*
personal computer S personlig datamaskin *m*
personal details SPL personalia, personopplysninger
personal hygiene S personlig hygiene *m*
personal identification number S personkode *m*
personality [pə:sə'nælɪtɪ] S *(= character)* personlighet *c*; *(= famous person)* betydelig person *m*
personal loan S personlån *nt*
personally ['pə:snəlɪ] ADV personlig ❑ *Personally, I do not agree...* Personlig er jeg uenig... *with him personally.* ...med ham personlig.
▸ **to take sth personally** ta* noe personlig
personal organizer S ≈ Filofax *m*®
personal stereo S ≈ Walkman *m*®; lommedisco *m*
personify [pə:'sɔnɪfaɪ] VT *(LITT, gen)* personifisere *(v2)*
personnel [pə:sə'nɛl] S personale *nt*, personell *nt*
▸ **Personnel** *(department)* personalavdeling *c*
personnel department S personalavdeling *c*
personnel manager S personalsjef *m*
perspective [pə'spɛktɪv] S **(a)** *(ARKIT, KUNST)* perspektiv *nt*
(b) *(= way of thinking)* perspektiv *nt*, synsvinkel *m*
▸ **to get sth into perspective** *(fig)* få* satt noe i perspektiv
Perspex® ['pə:spɛks] S (en type) plastglass *nt*
perspicacity [pə:spɪ'kæsɪtɪ] S skarpsindighet *c*
perspiration [pə:spɪ'reɪʃən] S svette *m*, transpirasjon *m (fml)*
perspire [pə'spaɪə[r]] VI svette *(v1)*, transpirere *(v2)* *(fml)*
persuade [pə'sweɪd] VT ▸ **to persuade sb to do sth** overtale *(v2)* noen til å gjøre* noe
▸ **to persuade sb that** overbevise *(v2)* noen om at
▸ **to be persuaded of sth** være/bli overbevist om noe
persuasion [pə'sweɪʒən] S **(a)** *(act of persuading)* overtalelse *m*
(b) *(= creed)* overbevisning *m* ❑ *...of the Roman Catholic persuasion...* av romersk-katolsk overbevisning...
persuasive [pə'sweɪsɪv] ADJ *(person)* overtalende; *(argument)* overbevisende
pert [pə:t] ADJ *(person)* nesevis; *(nose)* søt; *(hat)* fiks
pertaining [pə:'teɪnɪŋ] ▸ **pertaining to** PREP som angår
pertinent ['pə:tɪnənt] ADJ *(answer, remark)* relevant
perturb [pə'tə:b] VT forurolige *(v1)*
Peru [pə'ru:] S Peru
perusal [pə'ru:zl] S (grundig) gjennomlesning *m* ❑ *Clare handed it over for my perusal...* Clare rakte meg det for at jeg skulle* lese igjennom det...
peruse [pə'ru:z] VT *(+newspaper, documents etc)* lese *(v2)* (grundig) gjennom
Peruvian [pə'ru:vjən] 1 ADJ peruansk
2 S peruaner *m*
pervade [pə'veɪd] VT *(smell, feeling+)* fylle *(v2x)*, gjennomsyre *(v1)*
pervasive [pə'veɪzɪv] ADJ *(smell)* gjennomtrengende; *(influence)* sterk; *(mood, atmosphere)* gjennomsyrende
perverse [pə'və:s] ADJ **(a)** *(person, behaviour)* vrang ❑ *He was extremely perverse and unpredictable...* Han var utrolig vrang og uberegnelig...
(b) *(delight, pleasure)* pervers ❑ *He takes a perverse delight in irritating people...* Han har en pervers glede av å irritere folk...
perversion [pə'və:ʃən] S *(sexual)* perversitet *m*; *(of*

truth, justice) forvrengning *m*
perversity [pəˈvɜːsɪtɪ] s vranghet *c*
pervert [*N* ˈpɜːvɜːt, *VB* pəˈvɜːt] 1 s pervers person *m*
2 VT (= *corrupt: person, mind*) forderve (*v1*); (= *distort: truth, custom, sb's words*) forvrenge (*v2*)
pessimism [ˈpɛsɪmɪzəm] s pessimisme *m*
pessimist [ˈpɛsɪmɪst] s pessisimist *m*
pessimistic [pɛsɪˈmɪstɪk] ADJ (*person, attitude*) pessimistisk
pest [pɛst] s (*insect*) skadedyr *nt*; (*fig: nuisance*) plage *c*
pest control s skadedyrkontroll *m*
pester [ˈpɛstəʳ] VT plage (*v1*)
pesticide [ˈpɛstɪsaɪd] s sprøytemiddel *nt*, insektmiddel *nt*
pestilence [ˈpɛstɪləns] s pest *m*
pestle [ˈpɛsl] s støter *m* (*til morter*)
pet [pɛt] 1 s kjæledyr *nt*
2 ADJ (*theory, subject*) yndlings-
3 VT (= *stroke: person, animal*) kose (*v1 or v2*) med, kjæle (*v2*) med
4 VI (*sl: sexually*) kline (*v2*) og kose (*v2*)
▸ **pet rabbit/snake** *etc* kanin/slange *etc* som kjæledyr
▸ **teacher's pet** lærerens yndling *m*
▸ **my pet hate** det verste jeg vet ❑ *Smoking is my pet hate.* Røyking er det verste jeg vet.
petal [ˈpɛtl] s kronblad *nt*
peter out [ˈpiːtə-] VI (*road, stream etc+*) ta* slutt (*gradvis*); (*conversation, meeting+*) løpe* ut i sanden
petite [pəˈtiːt] ADJ liten og nett
petition [pəˈtɪʃən] 1 s (**a**) (*signed document*) bønneskriv *nt* NB *He presented a petition signed by 10,357 electors.* Han overleverte 10 357 underskrifter fra velgere.
(**b**) (*JUR*) begjæring *m* ❑ *She has filed a petition for divorce.* Hun har sendt inn en begjæring om skilsmisse.
2 VT sende (*v2*) bønneskriv til ❑ *They petitioned the government to abolish hanging.* De sendte et bønneskriv til regjeringen om at dødstraff ved henging skulle* avskaffes.
3 VI ▸ **to petition for divorce** begjære (*v2*) skilsmisse
pet name (*BRIT*) s kjælenavn *nt*
petrified [ˈpɛtrɪfaɪd] ADJ (= *terrified*) stiv av redsel
petrify [ˈpɛtrɪfaɪ] VT (= *terrify*) gjøre* stiv av redsel
petrochemical [pɛtrəˈkɛmɪkl] ADJ (*industry, plant*) petrokjemisk
petrodollars [ˈpɛtrəudɔləz] SPL oljepenger
petrol [ˈpɛtrəl] (*BRIT*) s bensin *m*
▸ **unleaded petrol** blyfri bensin
petrol bomb s bensinbombe *c*
petrol can s bensinkanne *c*
petrol engine (*BRIT*) s bensinmotor *m*
petroleum [pəˈtrəulɪəm] s råolje *c*
petroleum jelly s vaselin *m*
petrol pump (*BRIT*) s bensinpumpe *c*
petrol station (*BRIT*) s bensinstasjon *m*
petrol tank (*BRIT*) s bensintank *m*
petticoat [ˈpɛtɪkəut] s (*full length*) underkjole *m*; (*waist*) underskjørt *nt*
pettifogging [ˈpɛtɪfɔgɪŋ] ADJ pedantisk og smålig
pettiness [ˈpɛtɪnɪs] s smålighet *c*
petty [ˈpɛtɪ] ADJ (**a**) (= *small, unimportant*) liten og ubetydelig ❑ *But these were petty details...* Men dette var små, ubetydelige detaljer...
(**b**) (= *small-minded*) smålig
petty cash s (*in office*) utleggskasse *c*
petty officer s ≈ underoffiser *m* (*i marinen*)
petulant [ˈpɛtjulənt] ADJ (*person, expression*) gretten
pew [pjuː] s kirkestol *m*, kirkebenk *m*
pewter [ˈpjuːtəʳ] s tinn *nt*
Pfc (*US: MIL*) FK (= **private first class**) ≈ visekorporal *m*
PG (*FILM*) s FK (= **parental guidance**) barn i følge med voksne ❑ *It's a PG.* Den er tillatt for barn i følge med voksne.
PGA s FK (= **Professional Golfers' Association**) *mennenes profesjonelle golfforbund*
PH (*US: MIL*) s FK (= **Purple Heart**) militær tapperhetsmedalje
pH s FK (= **potential of hydrogen**) pH
PHA (*US*) s FK (= **Public Housing Administration**) *organ som forvalter offentlige bygninger og eiendommer*
phallic [ˈfælɪk] ADJ fallisk; (*symbol*) fallos-, fallisk
phantom [ˈfæntəm] 1 s (= *ghost*) fantom *nt*, spøkelse *nt*
2 ADJ (*fig*) mystisk, usynlig ❑ *The phantom wine drinker strikes again!* Den mystiske *or* usynlige vindrikkeren slår til igjen!
Pharaoh [ˈfɛərəu] s farao *m*
pharmaceutical [fɑːməˈsjuːtɪkl] ADJ (*company, products*) farmasøytisk
▸ **pharmaceuticals** SPL legemidler
pharmacist [ˈfɑːməsɪst] s farmasøyt *m*
pharmacy [ˈfɑːməsɪ] s (*shop*) apotek *nt*; (*science*) farmasi *m*
phase [feɪz] 1 s (= *stage*) fase *m* ❑ *...society enters a dangerous phase...* samfunnet går inn i en farlig fase...
2 VT ▸ **to phase sth in** innføre (*v2*) noe gradvis
▸ **to phase sth out** avvikle (*v1*) (bruken av) noe gradvis
PhD s FK (= **Doctor of Philosophy**) *(person med) filosofisk doktorgrad*, dr. philos.
pheasant [ˈfɛznt] s fasan *m*
phenomena [fəˈnɔmɪnə] SPL *of* **phenomenon**
phenomenal [fəˈnɔmɪnl] ADJ (*increase, talent, success etc*) fenomenal
phenomenon [fəˈnɔmɪnən] (*pl* **phenomena**) s fenomen *nt* ❑ *...natural phenomena...* naturfenomener...
phew [fjuː] INTERJ puh
phial [ˈfaɪəl] s liten glassflaske *c*, *f.eks til medisin*
philanderer [fɪˈlændərəʳ] s kvinnebedårer *m*, rundbrenner *m*
philanthropic [fɪlənˈθrɔpɪk] ADJ filantropisk, menneskevennlig
philanthropist [fɪˈlænθrəpɪst] s filantrop *m*, menneskevenn *m*
philatelist [fɪˈlætəlɪst] s filatelist *m*, frimerkesamler *m*
philately [fɪˈlætəlɪ] s filateli *m*
Philippines [ˈfɪlɪpiːnz] SPL ▸ **the Philippines** Filippinene
philistine [ˈfɪlɪstaɪn] s filister *m*, spissborger *m*
philosopher [fɪˈlɔsəfəʳ] s filosof *m*
philosophical [fɪləˈsɔfɪkl] ADJ filosofisk ❑ *...a*

philosophical approach to life... et filosofisk syn på livet...
philosophize [fɪ'lɔsəfaɪz] VI filosofere (*v2*)
philosophy [fɪ'lɔsəfɪ] s (**a**) (= *set of ideas, SCOL*) filosofi *m* ❑ *She read philosophy at Oxford...* Hun leste filosofi ved Oxford... *the political philosophies of the West.* ...Vestens politiske filosofier.
(**b**) (= *theory*) (livs)syn *nt* ❑ *...new philosophies of child rearing...* nye syn på barneoppdragelse...
phlegm [flɛm] s slim *nt* (*fra munn el. nesehulen*)
phlegmatic [flɛg'mætɪk] ADJ flegmatisk
phobia ['fəubjə] s fobi *m*
phone [fəun] 1 s telefon *m* ❑ *I'm scared to answer the phone...* Jeg er redd for å ta* telefonen når den ringer...
2 VTI ringe (*v2*)
▸ **by phone** på telefonen ❑ *We have heard from her by phone a couple of times...* Vi har snakket med henne på telefonen et par ganger...
▸ **to be on the phone** (**a**) (= *possess a phone*) ha* telefon
(**b**) (= *be calling*) snakke (*v1*) *or* sitte* i telefonen ❑ *I was on the phone for two hours last night.* Jeg snakket *or* satt i telefonen i to timer i går kveld.
▸ **phone back** 1 VT ringe (*v2*) tilbake, ringe (*v2*) opp igjen
2 VI ringe (*v2*) tilbake ❑ *Could you phone back later, please?* Kunne du være* så snill å ringe tilbake senere?
▸ **phone up** 1 VT ringe (*v2*) til
2 VI ringe (*v2*)
phone book s telefonkatalog *m*
phone booth s (*in station, hotel etc*) telefonboks *m*
phone box (*BRIT*) s telefonboks *m*, telefonkiosk *m*
phone call s telefonsamtale *m*
phonecard ['fəunkɑːd] s telefonkort *nt* (*til kortautomat*)
phone-in ['fəunɪn] (*BRIT: RADIO, TV*) 1 s innringerprogram *nt*
2 ADJ innringer- ❑ *...a phone-in programme.* ...et innringerprogram.
phone tapping s telefonavlytting *m*
phonetics [fə'nɛtɪks] s fonetikk *m*
phoney ['fəunɪ] 1 ADJ (*address, accent, person*) falsk
2 s bløffmaker *m* ❑ *I suddenly realized what a phoney he is.* Jeg innså plutselig hvilken bløffmaker han er.
phonograph ['fəunəgrɑːf] (*US*) s grammofon *m*
phony ['fəunɪ] ADJ = **phoney**
phosphate ['fɔsfeɪt] s fosfat *nt*
phosphorus ['fɔsfərəs] s fosfor *nt or m*
photo ['fəutəu] s foto *nt*
photo... ['fəutəu] PREF foto- ❑ *...photojournalism* ...fotojournalistikk *...photomontage* ...fotomontasje.
photocopier ['fəutəukɔpɪəʳ] s (foto)kopieringsmaskin *m*, kopimaskin *m*
photocopy ['fəutəukɔpɪ] 1 s fotokopi *m*
2 VT (*+picture, document etc*) fotokopiere (*v2*)
photoelectric [fəutəuɪ'lɛktrɪk] ADJ (*cell, effect*) fotoelektrisk
photo finish s målfoto *nt*
▸ **it was a photo finish** de måtte* bruke målfoto
Photofit® ['fəutəufɪt] s (*also* ***Photofit picture***) identikit *nt*
photogenic [fəutəu'dʒɛnɪk] ADJ fotogen
photograph ['fəutəgræf] 1 s fotografi *nt*
2 VT fotografere (*v2*)
▸ **to take a photograph of sb** ta* bilde av noen
photographer [fə'tɔgrəfəʳ] s fotograf *m*
photographic [fəutə'græfɪk] ADJ fotografi-, fotografisk
photography [fə'tɔgrəfɪ] s fotografering *c*
photo opportunity s sjanse *m* til å få* tatt bilder
photostat ['fəutəustæt] s fotostat *m*
photosynthesis [fəutəu'sɪnθəsɪs] s fotosyntese *m*
phrase [freɪz] 1 s (**a**) (= *group of words, expression*) uttrykk *nt* NB *In Mao's graphic phrase...* Med Maos berømte ord...
(**b**) (*in phrase book etc*) frase *nt*, uttrykk *nt* ❑ *My German was practically nil – a few phrases here and there...* Tyskkunnskapene mine var praktisk talt lik null – noen få* fraser *or* uttrykk her og der...
(**c**) (*MUS*) frase *m* ❑ *It was a single short phrase sung over and over again.* Det var en enkelt kort frase som ble sunget om og om igjen.
2 VT (**a**) (= *express*) uttrykke (*v2x*), formulere (*v2*) ❑ *...I could see that I'd phrased it wrong...* jeg forstod at jeg hadde uttrykt *or* formulert det feil...
(**b**) (*+letter*) formulere (*v2*)
▸ **set phrase** fast uttrykk *nt*
phrase book s parlør *m*
physical ['fɪzɪkl] ADJ (*gen*) fysisk ❑ *...the physical properties of substances...* stoffers fysiske egenskaper... *physical objects.* ...fysiske gjenstander. *There must be a physical explanation for it.* Det må være* en fysisk forklaring på det.
▸ **physical examination** legeundersøkelse *m*
▸ **the physical sciences** naturfag *nt*
physical education s kroppsøving *c*
physically ['fɪzɪklɪ] ADV (*fit, attractive*) fysisk
physician [fɪ'zɪʃən] s lege *m*
physicist ['fɪzɪsɪst] s fysiker *m*
physics ['fɪzɪks] s fysikk *m*
physiological ['fɪzɪə'lɔdʒɪkl] ADJ (*process, change*) fysiologisk
physiology [fɪzɪ'ɔlədʒɪ] s fysiologi *m* ❑ *...the physiology of bulls...* oksers fysiologi...
physiotherapist [fɪzɪəu'θɛrəpɪst] s fysioterapeut *m*
physiotherapy [fɪzɪəu'θɛrəpɪ] s fysioterapi *m*
physique [fɪ'ziːk] s fysikk *m*, kroppsbygning *m*
pianist ['piːənɪst] s pianist *m*
piano [pɪ'ænəu] s piano *nt*
piano accordion (*BRIT*) s pianotrekkspill *nt*
Picardy ['pɪkədɪ] s Picardie
piccolo ['pɪkələu] s pikkolo(fløyte) *m*
pick [pɪk] 1 s (*tool: **pickaxe***) hakke *c*
2 VT (**a**) (= *select*) velge* ❑ *I could not have picked a better way to travel.* Jeg kunne* ikke ha* valgt en bedre måte å reise på.
(**b**) (= *gather: fruit, flowers*) plukke (*v1*)
(**c**) (= *remove, take out*) plukke (*v1*) vekk ❑ *He picked the book off the shelf.* Han plukket vekk boka fra hyllen.
(**d**) (*+lock*) dirke (*v1*) opp ❑ *She tried picking the*

lock with a hairpin. Hun prøvde å dirke opp låsen med en hårnål.
(**e**) (*+scab, spot*) plukke (*v1*) på
▸ **take your pick** velg og vrak
▸ **the pick of** det beste av
▸ **to pick one's nose** pille (*v1 or v2x*) seg i nesen
▸ **to pick one's teeth** pirke (*v1*) seg i tennene
▸ **to pick sb's brains** pumpe (*v1*) noen (for ideer)
▸ **to pick sb's pocket** stjele* fra noens lomme, begå* et lommetyveri
▸ **to pick a quarrel (with sb)** yppe (*v1*) til krangel (med noen)
▸ **pick at** VT FUS (*+food*) pirke (*v1*) i
▸ **pick off** VT (*= shoot*) plaffe (*v1*) ned
▸ **pick on** VT FUS (*= criticize*) hakke (*v1*) på
▸ **pick out** VT (**a**) (*= distinguish*) peke (*v2*) ut
(**b**) (*= select*) plukke (*v1*) ut ❑ *My job is the one they picked out for me.* Jobben min er den de plukket ut til meg.
▸ **pick up** [1] VI (**a**) (*= improve: health*) ta* seg opp, bedre (*v1*) seg
(**b**) (*economy, trade+*) ta* seg opp, få* en oppsving ❑ *His health picked up after the holiday.* Helsen hans tok seg opp *or* bedret seg etter ferien.
[2] VT (**a**) (*+object: from floor etc*) ta* opp, plukke (*v1*) opp
(**b**) (*= arrest*) hekte (*v1*) (*sl*) ❑ *I don't want you to be picked up for vagrancy...* Jeg vil ikke at du skal bli* hektet for løsgjengeri...
(**c**) (*= collect: person, parcel etc*) hente (*v1*) ❑ *Leave the parcel at reception and I'll pick it up later.* Legg igjen pakken i resepsjonen, så henter jeg den senere.
(**d**) (*+hitchhiker*) plukke (*v1*) opp, ta* med
(**e**) (*for sexual encounter*) sjekke (*v1*) opp (*sl*) ❑ *I doubt whether Tony ever picked up a woman in his life.* Jeg tviler på om Tony noengang har sjekket opp en dame i sitt liv.
(**f**) (*+language, skill etc*) plukke (*v1*) opp ❑ *Did you pick up any Swedish while you were there?* Plukket du opp noe svensk mens du var der?
(**g**) (*RADIO*) fange (*v1*) opp
▸ **to pick up speed** øke (*v2*) farten
▸ **to pick o.s. up** (*after falling etc*) reise (*v2*) seg igjen ❑ *He picked himself up off the floor...* Han reiste seg fra gulvet igjen...
▸ **to pick up where one left off** fortsette* der man slapp
pickaxe ['pɪkæks], **pickax** (*US*) s hakke *c*
picket ['pɪkɪt] [1] s streikevakt *c*
[2] VT (*+factory, workplace etc*) være* streikevakt ved
picketing ['pɪkɪtɪŋ] s *det å være* streikevakt*
picket line s streikevaktlinje *c*
pickings ['pɪkɪŋz] SPL ▸ **there are rich pickings to be had here** her er det store gevinster å hente
pickle ['pɪkl] [1] s (*also* ***pickles***) *biter av frukt eller grønnsaker syltet i eddik eller saltlake*
[2] VT (**a**) (*in vinegar*) sylte (*v1*)
(**b**) (*in salt water*) legge* ned i saltlake
▸ **to be/get in a pickle** (*= mess*) være/havne i (en) knipe
pick-me-up ['pɪkmiːʌp] s oppkvikker *m*
pickpocket ['pɪkpɔkɪt] s lommetyv *m*
pick-up ['pɪkʌp] s (*also* ***pick-up truck***) pickup *m*, *liten, åpen varevogn*; (*BRIT: on record player*) pickup *m*
picnic ['pɪknɪk] [1] s piknik *m*
[2] VI spise (*v2*) ute i det fri
picnicker ['pɪknɪkəʳ] s *en som er på landtur og spiser ute i det fri*
pictorial [pɪk'tɔːrɪəl] ADJ (*record, coverage etc*) billed- (*var.* bilde-)
picture ['pɪktʃəʳ] [1] s (**a**) (*gen*) bilde *nt* ❑ *There was a picture of them both in the paper.* Det var et bilde av dem begge i avisen. *The picture needs adjusting.* Bildet må justeres. *A picture of life last century.* Et bilde av livet i forrige århundret.
(**b**) (*= film*) film *m* ❑ *We worked together in the last picture I made...* Vi arbeidet sammen i den siste filmen jeg laget...
(**c**) (*= situation*) situasjon *m* ❑ *The economic picture is far from good.* Den økonomiske situasjonen er langt fra god.
[2] VT (*= imagine*) se* for seg ❑ *He could picture all too easily the consequences...* Han kunne* altfor lett se for seg følgene...
▸ **the pictures** (*BRIT: sl*) kino *m*
▸ **to take a picture of sb/sth** ta* (et) bilde av noen/noe
▸ **to put sb in the picture** sette* noen inn i noe ❑ *Let me put you in the picture about what's been happening.* La meg sette deg inn det som har skjedd.
picture book s billedbok *c*
picturesque [pɪktʃə'rɛsk] ADJ (*place, building*) malerisk, pittoresk
picture window s panoramavindu *nt*, utsiktsvindu *nt*
piddling ['pɪdlɪŋ] (*sl*) ADJ fille- (*sl*)
pidgin ['pɪdʒɪn] ADJ ▸ **pidgin English** pidginengelsk
pie [paɪ] s (*vegetable, meat, fruit*) pai *m*
piebald ['paɪbɔːld] ADJ flekket(e)
piece [piːs] s (**a**) (*= fragment, portion*) stykke *nt* ❑ *...loosely folded pieces of cloth...* lett sammenlagte tøystykker...
(**b**) (*= length*) ▸ **a piece of string/ribbon** en hyssingstump/et silkebånd
(**c**) (*DRAUGHTS etc*) brikke *c*
▸ **in pieces** i sine enkelte (bestand)deler; (*= broken*) i stykker ❑ *His bicycle was at present lying in pieces in the garage...* Sykkelen hans var nå i sine enkelte (bestand)deler og lå i garasjen...
▸ **a piece of clothing** et klesplagg
▸ **a piece of furniture** et møbel
▸ **a piece of machinery** en maskin
▸ **a piece of advice** et råd
▸ **a piece of music** et musikkstykke
▸ **a piece of research** et stykke forskningsarbeid
▸ **to take sth to pieces** (*= dismantle*) skru (*v4*)/ta noe fra hverandre ❑ *He took the engine to pieces...* Han skrudde *or* tok maskinen fra hverandre...
▸ **in one piece** (**a**) (*object*) hel ❑ *Surprisingly, most of the crockery was still in one piece.* Overraskende nok var det meste av serviset fortsatt helt.
(**b**) (*person*) like hel ❑ *I'm surprised he's still in*

one piece... Det forundrer meg at han fortsatt er like hel...
▸ **a 10p piece** (*BRIT*) ≈ et kronestykke *nt*
▸ **piece by piece** bit for bit, stykke for stykke
▸ **a six-piece band** et seksmannsorkester
▸ **to say one's piece** si* sitt ❑ *Right, now I've said my piece, I'll sit down.* Ja, nå som jeg har sagt mitt, setter jeg meg.
▸ **piece together** VT (**a**) (*+information*) få* overblikk over
(**b**) (*+parts of a whole*) lappe (*v1*) sammen
piecemeal ['pi:smi:l] ADV bit for bit, stykkevis
piecework ['pi:swə:k] s akkordarbeid *nt*
pie chart s sektordiagram *nt*
Piedmont ['pi:dmɔnt] s Piemonte
pier [pɪəʳ] s brygge *c*
pierce [pɪəs] VT (*+surface, material, skin etc*) gjennombore (*v1*)
▸ **to have one's ears pierced** ta* hull i ørene
piercing ['pɪəsɪŋ] ADJ (*cry*) skjærende, gjennomtrengende; (*eyes, stare*) gjennomborende; (*wind*) gjennomtrengende
piety ['paɪətɪ] s fromhet *c*
piffling ['pɪflɪŋ] (*sl*) ADJ fille- (*sl*)
pig [pɪg] s (*animal*) gris *m*; (*neds: unkind person*) svin *nt*; (*= messy person*) gris *m*; (*greedy*) ▸ **what a pig you are!** så grådig du er!
pigeon ['pɪdʒən] s due *c*
pigeonhole ['pɪdʒənhəul] [1] s (*for letters, messages*) posthylle *c*; (*fig*) bås *m*
[2] VT (*+person*) sette* i bås
pigeon-toed ['pɪdʒəntəud] ADJ inntilbens
piggy bank s sparegris *m*
pig-headed ['pɪg'hɛdɪd] (*neds*) ADJ sta som et esel
piglet ['pɪglɪt] s smågris *m*, grisunge *m*
pigment ['pɪgmənt] s pigment *nt*, fargestoff *nt*
pigmentation [pɪgmən'teɪʃən] s pigmentering *c*
pigmy ['pɪgmɪ] s = **pygmy**
pigskin ['pɪgskɪn] s svinelær *nt*
pigsty ['pɪgstaɪ] s (*on farm*) grisebinge *m*; (*fig: room, house etc*) svinesti *m*
pigtail ['pɪgteɪl] s (muse)flette *c*
pike [paɪk] s (*fish*) gjedde *c*; (*= spear*) lanse *c*
pilchard ['pɪltʃəd] s (*fish*) sardin *m*
pile [paɪl] [1] s (**a**) (*= heap*) haug *m* ❑ *...a great pile of old tin cans...* en stor haug med gamle blikkbokser...
(**b**) (*= stack*) bunke *m* ❑ *...a pile of books...* en bunke med bøker...
(**c**) (*of carpet, velvet*) lo *m* ❑ *The pile's wearing a bit thin...* Teppet begynner å bli* litt loslitt...
(**d**) (*= pillar*) pæl *m*
[2] VT (*also* ***pile up***) stable (*v1*), legge* i en haug
▸ **a pile of** en haug/bunke med
▸ **in a pile** i en haug
▸ **to pile into/out of** (*+vehicle*) kravle (*v1*) inn i/ut av
▸ **pile on** VT ▸ **to pile it on** (*sl*) smøre* tykt på ❑ *Flattery is one thing, but you were really piling it on.* Smiger er nå én ting, men du smurte virkelig tykt på!
▸ **pile up** VI (**a**) (*papers+*) tårne (*v1*) seg opp, hope (*v1*) seg opp
(**b**) (*problems, work+*) hope (*v1*) seg opp
piles [paɪlz] (*MED*) SPL hemorroider
pile-up ['paɪlʌp] (*BIL*) s (bil)kollisjon *m* (*med mer enn to biler*)
pilfer ['pɪlfəʳ] VTI naske (*v1*)
pilfering ['pɪlfərɪŋ] s naskeri *nt*
pilgrim ['pɪlgrɪm] s pilegrim *m*
pilgrimage ['pɪlgrɪmɪdʒ] s pilegrimsreise *c*
pill [pɪl] s pille *c*
▸ **the pill** p-pillen
▸ **to be on the pill** bruke (*v2*) p-piller
pillage ['pɪlɪdʒ] [1] s plyndring *c*
[2] VT plyndre (*v1*)
pillar ['pɪləʳ] s søyle *c*
▸ **a pillar of society** (*fig*) en samfunnets støtte
pillar box (*BRIT*) s postkasse *c* (*rød, søyleformet, til postlegging av brev*)
pillion ['pɪljən] s ▸ **to ride pillion** (*on motorcycle*) sitte* bakpå; (*on horse*) sitte* bakpå (*bak rytteren*)
pillory ['pɪlərɪ] [1] VT henge (*v2*) ut
[2] s gapestokk *m*
pillow ['pɪləu] s (hode)pute *c*
pillowcase ['pɪləukeɪs] s putevar *nt*
pillowslip ['pɪləuslɪp] s = **pillowcase**
pilot ['paɪlət] [1] s (**a**) (*AVIAT*) pilot *m*, flyger *m*
(**b**) (*NAUT*) los *m*
[2] ADJ (*scheme, study etc*) pilot-, forsøks-
[3] VT (*+aircraft*) føre (*v2*)
▸ **to pilot a scheme** gjennomføre (*v2*) et pilotprosjekt
pilot boat s losbåt *m*
pilot light s (*on cooker, boiler, fire*) våkebluss *nt*
pimento [pɪ'mɛntəu] s spansk pepper *m*
pimp [pɪmp] s hallik *m*
pimple ['pɪmpl] s kvise *c*
pimply ['pɪmplɪ] ADJ (*person, face*) kviset(e)
PIN [pɪn] s FK = **personal identification number**
pin [pɪn] [1] s (**a**) (*metal: for clothes, papers*) (knappe)nål *c*
(**b**) (*TEKN: in engine, machine*) bolt *m*
(**c**) (*BRIT: **drawing pin***) tegnestift *m*
(**d**) (*in grenade*) splint *m*
(**e**) (*BRIT: ELEK*) plugg *m* (*på støpsel*) ❑ *...a 3-pin plug.* ...et trepluggs-støpsel
[2] VT (**a**) (*on wall, door, board etc*) henge (*v2*) opp (*med knappenål eller tegnestift*) ❑ *Pin it on the back of the kitchen door...* Heng den opp på baksiden av kjøkkendøra...
(**b**) (*on clothes etc*) feste (*v1*) (*med nål*) ❑ *She wore a rose pinned to her blouse.* Hun hadde en rose festet til blusen sin.
▸ **pins and needles** (*in arms, legs etc*) prikkende følelse *m* ❑ *I've got pins and needles in my foot.* Det prikker i foten min.
▸ **to pin sb against/to** klemme (*v2x*) noen fast mot/til
▸ **to pin sth on sb** (*fig*) legge* skylden for noe på noen ❑ *They tried to pin the blame on Wilson.* De prøvde å legge skylden på Wilson.
▸ **pin down** VT (**a**) (*fig: person*) få* til å binde seg
(**b**) (*= identify*) sette* fingeren på ❑ *There's something strange here but I can't quite pin it down.* Det er noe merkelig her, men jeg kan ikke helt sette fingeren på det.
pinafore ['pɪnəfɔ:ʳ] s (*= apron*) forkle *nt irreg*; (*also* ***pinafore dress***) forklekjole *m*
pinball ['pɪnbɔ:l] s flipperspill *nt*

pincers ['pɪnsəz] SPL (*tool*) (knipe)tang *c sg*; (*of crab, lobster etc*) gripeklør

pinch [pɪntʃ] 1 S (**a**) (*= small amount : of spices*) ≈ knivsodd *m*
(**b**) (*of snuff*) pris *m*
(**c**) (*of salt*) klype *c* ❑ *Season with a pinch of cinnamon...* Krydre med en knivsodd kanel...
2 VT (**a**) (*+person : with finger and thumb*) klype*
NB *He pinched Judy's cheek...* Han kløp Judy i kinnet...
(**b**) (*sl : steal*) knabbe (*v1*) (*sl*), rappe (*v1*) (*sl*)
3 VI (*shoe+*) klemme (*v2x*)
▸ **at a pinch** hvis det kniper
▸ **to feel the pinch** (*fig*) føle (*v2*) knappheten, kjenne (*v2x*) knappheten på livet
▸ **to give sb a pinch** klype* noen

pinched [pɪntʃt] ADJ (*face*) dradd
▸ **pinched with cold** medtatt av kulde

pincushion ['pɪnkuʃən] S nålepute *c*

pine [paɪn] 1 S (*wood, tree*) furu *c*
2 VI ▸ **to pine for** (*+person, place*) lengte (*v1*) seg syk etter

▸ **pine away** VI tæres (*v25*) bort

pineapple ['paɪnæpl] S ananas *m*

pine cone S furukongle *m*

pine kernel S pinjekjerne *m*

pine needle S furunål *c*

pine nut S pinjekjerne *m*

ping [pɪŋ] S pling *nt*

ping-pong® ['pɪŋpɔŋ] S ping-pong *m*

pink [pɪŋk] 1 ADJ rosa, lyserød
2 S (*colour*) rosa *nt decl as adj*, lyserødt *nt decl as adj*; (*flower*) hagenellik *m*

pinking shears SPL taggesaks *c sg*

pin money (*BRIT : sl*) S ekstraskillinger *pl* (*sl*)

pinnacle ['pɪnəkl] S (**a**) (*of building, mountain*) tind *m*
(**b**) (*fig*) topp *m* ❑ *...the pinnacle of intellectual achievement.* ...toppen av intellektuelle prestasjoner.

pinpoint ['pɪnpɔɪnt] VT (**a**) (*= identify : cause*) finne* fram til
(**b**) (*+position of sth*) peke (*v2*) på ❑ *"Just here," he said, pinpointing it on the map.* "Akkurat her," sa han og pekte på det på kartet.

pinstripe ['pɪnstraɪp] ADJ smalstripete

pint [paɪnt] S ≈ halv liter *m*

pin-up ['pɪnʌp] S pin-up *m*

pioneer [paɪə'nɪəʳ] 1 S (**a**) (*of scheme, science, method*) foregangsperson *m*, banebryter *c* ❑ *He was a pioneer of photography...* Han var en foregangsmann *or* banebryter innenfor fotograferingskunsten...
(**b**) (*= early settler*) pionér *m*
2 VT (*+technique, invention*) være* banebryter for

pious ['paɪəs] ADJ from

pip [pɪp] 1 S (*of apple, orange*) stein *m* (*var:* sten)
2 VT ▸ **to be pipped at the post** (*BRIT : fig*) bli* slått på målstreken
▸ **the pips** SPL (*BRIT : time signal*) tidssignalet

pipe [paɪp] 1 S (**a**) (*for water, gas*) rør *nt*
(**b**) (*for smoking*) pipe *c*
(**c**) (*musical instrument*) fløyte *c*
(**d**) (*of organ*) pipe *c*
2 VT (*+water, gas, oil*) føre (*v2*) i rør ❑ *Hot water is piped to all the rooms.* Varmtvann blir ført i rør til alle rommene.
▸ **pipes** SPL (*also* ***bagpipes***) sekkepipe *c sg*

▸ **pipe down** (*sl*) VI holde* munn (*sl*), klappe (*v1*) igjen (*sl*) ❑ *Pipe down! I'm trying to read.* Hold munn! *or* Klapp igjen! Jeg prøver å lese.

pipe cleaner S piperenser *m*

piped music S bakgrunnsmusikk *m* (*i supermarked etc*)

pipe dream S ønskedrøm *m*

pipeline ['paɪplaɪn] S rørledning *m*
▸ **in the pipeline** (*fig*) på trappene

piper ['paɪpəʳ] S sekkepiper *m*

pipe tobacco S pipetobakk *m*

piping ['paɪpɪŋ] ADV ▸ **piping hot** rykende varm

piquant ['pi:kənt] ADJ (*sauce*) skarp; (*fig : interesting, exciting*) pikant

pique ['pi:k] S ▸ **in a fit of pique** i ren forargelse

piracy ['paɪərəsɪ] S (*at sea*) sjørøveri *nt*; (*MERK*) piratvirksomhet *c*

pirate ['paɪərət] 1 S sjørøver *m*, pirat *m*
2 VT (**a**) (*MERK : video tape, cassette*) kopiere (*v2*) ulovlig
(**b**) (*+book etc*) ettertrykke (*v1*) ulovlig ❑ *...pirated video tapes.* ...ulovlig kopierte videofilmer.

pirate radio (*BRIT*) S piratradio *m*

pirouette [pɪru'ɛt] 1 S piruett *m*
2 VI piruettere (*v2*), ta* en piruett

Pisces ['paɪsi:z] S Fiskene(s tegn)
▸ **to be Pisces** være* Fisk, være* født i Fiskenes tegn

piss [pɪs] (*sl!*) 1 VI pisse (*v1*) (*sl!*)
2 S piss *nt* (*sl!*)
▸ **piss off!** dra til helvete! (*sl!*), dra pokker i vold! (*sl!*)
▸ **to be pissed off (with sb/sth)** være* forbannet (på noen/noe)
▸ **to take the piss (out of sb)** (*BRIT*) mobbe (*v1*) (noen), drive* gjøn (med noen)
▸ **it's pissing down** (*BRIT*) det pøsregner

pissed [pɪst] (*sl!*) ADJ drita full (*sl!*)

pistol ['pɪstl] S pistol *m*

piston ['pɪstən] S stempel *nt* (*i motor eller maskin*)

pit [pɪt] 1 S (**a**) (*= hole in ground*) (stort) hull *nt*
(**b**) (*in surface of road, face*) grop *c*, hull *nt*
(**c**) (*= coal mine*) gruve *c*
(**d**) (*also* ***orchestra pit***) orkestergrav *c*
(**e**) (*= quarry : gravel*) grustak *nt*
(**f**) (*sand*) sandtak *nt*
2 VT ▸ **to pit one's wits against sb** stille (*v2x*) opp mot noen, måle (*v2*) seg med noen
▸ **the pits** SPL (*BIL*) depot *nt sg* ❑ *Mansell had to pull into the pits...* Mansell måtte* kjøre inn i depot...
▸ **in the pit of one's stomach** i magen
▸ **to pit o.s. against** måle (*v2*) seg med, stille (*v2x*) opp mot
▸ **to pit sb against sb** sette* noen opp mot noen

pitapat ['pɪtə'pæt] (*BRIT*) ADV ▸ **my heart goes pitapat** jeg får hjerteklapp ▸ **the rain goes pitapat** regnet trommer

pitch [pɪtʃ] 1 S (**a**) (*BRIT : SPORT*) bane *m*
(**b**) (*MUS : of note*) tonehøyde *m*
(**c**) (*of voice*) stemmeleie *nt*

(**d**) (*fig: level, degree*) høydepunkt *m* ❑ *Her resentment rose to a pitch of blind anger.* Hennes forargelse steg og ble til blindt raseri.
(**e**) (= *tar*) tjære *c*
(**f**) (*also* **sales pitch**) (salgs)foredrag *nt* ❑ *The salesman launched into a long pitch about...* Selgeren ga seg ut på et lengre foredrag om...
(**g**) (NAUT) gynging *c*
2 VT (**a**) (+*tent*) sette* opp
(**b**) (= *throw*) kaste (*v1*), slenge (*v2*)
(**c**) (= *set: price, message*) fastlegge* nivået for ❑ *Her lectures are pitched too high.* Forelesningene hennes ligger for høyt.
3 VI (**a**) (= *fall*) stupe (*v2*) ❑ *He suddenly pitched headlong to the ground.* Plutselig stupte han på hodet i bakken.
(**b**) (NAUT) gynge (*v1*)

pitch-black ['pɪtʃ'blæk] ADJ (*night, place*) beksvart

pitched battle S hardt slag *nt*

pitcher ['pɪtʃəʳ] S (*jug*) mugge *c*; (*US: in baseball*) kaster *m*

pitchfork ['pɪtʃfɔːk] S høygaffel *m*

piteous ['pɪtɪəs] ADJ (*sight, sound etc*) ynkelig

pitfall ['pɪtfɔːl] S fallgruve *c*

pith [pɪθ] S (**a**) (*of fruit*) ▸ **the pith of an orange/lemon** det hvite i en appelsin/sitron
(**b**) (*of plant*) marg *m*
(**c**) (*fig*) kjerne *m* ❑ *The pith of the matter was in those two phrases...* Sakens kjerne lå i de to uttrykkene...

pithead ['pɪthɛd] S gruveanlegg *nt*

pithy ['pɪθɪ] ADJ (*comment, saying etc*) fyndig

pitiable ['pɪtɪəbl] ADJ (*sight, person*) ynkverdig, ynkelig

pitiful ['pɪtɪful] ADJ (= *touching: appearance, sight*) ynkverdig; (= *lamentable: excuse, attempt*) begredelig, ynkelig

pitifully ['pɪtɪfəlɪ] ADV (*thin, frail*) ynkelig, sørgelig; (*inadequate, ill-equipped*) sørgelig

pitiless ['pɪtɪlɪs] ADJ ubarmhjertig

pittance ['pɪtns] S ▸ **he is paid a (mere) pittance** han får en ussel lønn

pitted ['pɪtɪd] ADJ ▸ **pitted with** (**a**) (+*chicken pox*) arret(e) etter
(**b**) (+*craters, caves*) dekket av hull etter
▸ **pitted with rust** rustflekket(e)

pity ['pɪtɪ] 1 S medlidenhet *c*, medynk *m* ❑ *She felt pity for the child...* Hun følte medlidenhet *or* medynk med barnet...
2 VT synes (*v25*) synd på, ha* medlidenhet med
▸ **what a pity!** så synd!
▸ **it is a pity that you can't come** det er synd du ikke kan komme
▸ **to take pity on sb** få* medlidenhet med noen, forbarme (*v1*) seg over noen

pitying ['pɪtɪɪŋ] ADJ (*look, smile*) medlidende

pivot ['pɪvət] 1 S (**a**) (TEKN) akse *m*
(**b**) (*fig*) midtpunkt *nt*
2 VI (= *turn*) snurre (*v1*) rundt
▸ **pivot on** (= *depend on*) stå* og falle* på ❑ *Success or failure pivoted on a single exam.* Seier eller tap stod og falt på en enkelt eksamen.

pixel ['pɪksl] S billedelement *nt*

pixie ['pɪksɪ] S ≈ nisse *m*

pizza ['piːtsə] S pizza *m*

placard ['plækɑːd] S plakat *m*

placate [plə'keɪt] VT (+*person*) blidgjøre*; (+*anger*) formilde (*v1*), mildne (*v1*)

placatory [plə'keɪtərɪ] ADJ (*gesture, speech*) forsonende

place [pleɪs] 1 S (**a**) (*in general: area, position etc*) sted *nt* ❑ *...a good place to camp...* et fint sted å slå leir... *The cellar was a very dark place...* Kjelleren var et svært mørkt sted... *Don't park your car in the wrong place...* Ikke parker bilen din på feil sted... *I keep these cards in a safe place.* Jeg oppbevarer disse kortene på et trygt sted.
(**b**) (*relative position, seat, fig*) plass *m* ❑ *There was only one place left for him to sit...* Det var bare en plass igjen hvor han kunne* sitte... *I had to learn my place among other individuals...* Jeg måtte* lære å kjenne min plass blant andre individer...
(**c**) (= *home: house*) hus *nt*
(**d**) (*apartment, flat*) leilighet *c* NB *Your place or mine?* Hos deg eller hos meg?
(**e**) (*in street names*) gate *c* ❑ *...Laurel Place.* ...Laurelgate
(**f**) (= *job*) stilling *c* ❑ *I got a place at a teachers' training college nearby...* Jeg har fått en stilling ved en lærerhøgskole i nærheten...
(**g**) (= *unpaid position*) ▸ **Harper failed to win a place on the committee** Harper ble ikke valgt inn i komitéen
2 VT (**a**) (= *put: object*) plassere (*v2*), sette* ❑ *She placed the music on the piano...* Hun plasserte *or* satte notene på pianoet...
(**b**) (= *identify: person*) plassere (*v2*) ❑ *...she could not quite place me...* hun kunne* ikke riktig plassere meg...
▸ **to take place** (= *happen*) finne* sted
▸ **at his place** (= *home*) hjemme hos ham
▸ **to his place** (hjem) til ham ❑ *We had gone on to Aunt Clare's place...* Vi hadde reist videre til tante Clare...
▸ **from place to place** fra sted til sted
▸ **all over the place** alle steder, overalt
▸ **in places** noen steder
▸ **in sb's/sth's place** i stedet ❑ *The factory has been pulled down, and in its place a new hospital has been built.* Fabrikken har blitt revet, og i stedet er det bygget et nytt sykehus der.
▸ **to take sb's/sth's place** ta* over for noen/noe ❑ *The old system has died and a new one has sprung up to take its place...* Det gamle systemet har dødd ut og et nytt har skutt fram og tatt over...
▸ **out of place** (= *inappropriate*) malplassert
▸ **I feel out of place here** jeg føler meg utenfor her
▸ **in the first place** (= *first of all*) for det første
▸ **to be placed third** *etc* (*in race, exam*) bli* nummer tre *etc*, komme* på tredje *etc* plass
▸ **to change places with sb** bytte (*v1*) plass med noen
▸ **to put sb in his place** (*fig*) sette* noen på plass (*var*: sette på plass noen)
▸ **he's going places** han kommer til å drive det langt

▸ **it's not my place to do it** det tilkommer ikke meg å gjøre* det
▸ **to place an order with sb (for sth)** (*MERK*) legge* inn en bestilling hos noen (på noe)
▸ **how are you placed?** hvordan er timeplanen din?
placebo [plə'si:bəu] s (*MED*) placebo *nt*; (*fig*) trøstegave *m*
place mat s kuvertbrikke *c*
placement ['pleɪsmənt] s (*job*) praksisplass *m*
place name s stedsnavn *nt*
placenta [plə'sɛntə] s morkake *c*
place of birth s fødested *m*
place setting s *bestikk (og glass) til én kuvert*
placid ['plæsɪd] ADJ (*person*) fredsommelig, rolig; (*place, river etc*) fredelig, rolig
plagiarism ['pleɪdʒjərɪzəm] s plagiat *nt* ❑ *It was a shameless piece of plagiarism.* Det var et skammelig plagiat.
plagiarist ['pleɪdʒjərɪst] s plagiator *m*
plagiarize ['pleɪdʒjəraɪz] VT (*+idea, research, work*) plagiere (*v2*)
plague [pleɪg] [1] s (**a**) (*MED*) pest *m*
(**b**) (*fig: of locusts etc*) landeplage *c*
[2] VT (*fig: problems, difficulties*) hjemsøke (*v2*) ❑ *The system is still plagued by technical faults...* Systemet blir fortsatt hjemsøkt av tekniske feil...
▸ **to plague sb with questions** plage (*v1*) noen med spørsmål
plaice [pleɪs] s UBØY rødspette *c*
plaid [plæd] s skotskrutet(e) stoff *nt*
plain [pleɪn] [1] ADJ (**a**) (= *unpatterned*) ensfarget ❑ *...a plain white shirt.* ...en ensfarget hvit skjorte.
(**b**) (= *simple: dress, food*) enkel
(**c**) (= *clear, easily understood*) klar ❑ *...the facts are plain enough...* fakta er klare nok...
(**d**) (= *not beautiful*) lite pen ❑ *...a plain plump girl.* ...ei lubben, lite pen jente.
(**e**) (= *frank*) likefram, oppriktig ❑ *...a plain statement of fact.* ...en likefram *or* oppriktig framstilling av fakta.
[2] ADV (*wrong, stupid etc*) rett og slett, rent ut sagt
[3] s (**a**) (*area of land*) slette *c*
(**b**) (*in knitting*) ▸ **one plain, one purl** en rett, en vrang
▸ **to make sth plain to sb** gjøre* noe klart for noen ❑ *I've made it plain to the Chairman that we need you here...* Jeg har gjort det klart for formannen at vi trenger deg her...
plain chocolate s mørk sjokolade
plain-clothes ['pleɪnkləuðz] ADJ (*police officer*) sivilkledd
plainly ['pleɪnlɪ] ADV (**a**) (= *obviously*) tydeligvis, åpenbart ❑ *The woman had plainly disturbed him...* Damen hadde tydeligvis *or* åpenbart forstyrret ham...
(**b**) (= *clearly: hear, see, smell*) tydelig
(**c**) (*state*) rett ut ❑ *The judge said that quite plainly.* Dommeren sa det ganske rett ut.
plainness ['pleɪnnɪs] s (*of person*) lite pent utseende *nt*
plain speaking s ▸ **a bit of plain speaking** noen sannhetsord
plaintiff ['pleɪntɪf] (*JUR*) s saksøker *m*, fornærmede *decl as adj*
plaintive ['pleɪntɪv] ADJ (*cry, voice*) klagende; (*song*) vemodig; (*look*) klagende, vemodig
plait [plæt] [1] s (*of hair, rope, leather*) flette *c*
[2] VT flette (*v1*)
plan [plæn] [1] s (**a**) (= *scheme, project, schedule*) plan *m* ❑ *I told them of my plan...* Jeg fortalte dem om planen min... *The conference drew up a five-point plan to...* Konferansen trakk opp en fempunktsplan for å...
(**b**) (*drawing*) (plan)tegning *c* ❑ *Make a plan of your new home.* Lag en tegning av ditt nye hjem.
[2] VT (**a**) (= *work out: crime, holiday, future etc*) planlegge* ❑ *Everything must be exactly planned and organized in advance...* Alt må være* nøyaktig planlagt og organisert på forhånd...
(**b**) (= *draw up: building, schedule, economy*) lage (*v1 or v3*) en plan over ❑ *...the art of planning a garden.* ...kunsten å lage en hageplan.
[3] VI legge* planer ❑ *We must plan for the future...* Vi må legge planer for framtiden...
▸ **to plan to do** planlegge* å gjøre
▸ **how long do you plan to stay?** hvor lenge har du tenkt å bli?
▸ **to plan for** *or* **on** regne (*v1*) med ❑ *I hadn't planned for so many people.* Jeg hadde ikke regnet med så mange mennesker.
▸ **to plan on doing sth** regne (*v1*) med å gjøre* noe
plane [pleɪn] [1] s (**a**) (*AVIAT*) fly *nt*
(**b**) (= *level: MAT, gen*) plan *nt* ❑ *She tried to lift the conversation onto a more elevated plane.* Hun prøvde å heve samtalen opp på et høyere plan.
(**c**) (*tool*) høvel *m*
(**d**) (*also* **plane tree**) platan *m*
[2] VT (*+wood*) høvle (*v1*)
[3] VI (*NAUT, BIL*) plane (*v1*)
planet ['plænɪt] s planet *m*
planetarium [plænɪ'tɛərɪəm] s planetarium *nt*
plank [plæŋk] s (**a**) (*of wood*) planke *m*
(**b**) (*fig: of campaign, policy etc*) punkt *nt* ❑ *...one of the two main planks of union policy.* ...et av de to hovedpunktene i foreningens program.
plankton ['plæŋktən] s plankton *nt*
planned economy s planøkonomi *m*
planner ['plænəʳ] s planlegger *m*
planning ['plænɪŋ] s (*of future, project, event*) planlegging *c*; (= *town planning*) byplanlegging *c*
planning permission (*BRIT*) s byggetillatelse *m*, byggeløyve *nt*
plant [plɑ:nt] [1] s (**a**) (*BOT*) plante *c*
(**b**) (= *machinery*) anlegg *nt*
(**c**) (= *factory*) fabrikk *m*
(**d**) (*power station*) kraftverk *nt* ❑ *...a nuclear plant.* ...et atomkraftverk.
[2] VT (**a**) (*+seed, plant, crops*) plante (*v1*)
(**b**) (*+field, garden*) beplante (*v1*), plante (*v1*) til ❑ *Alongside the road was a field planted with maize.* Langs veien lå et jorde beplantet *or* plantet til med mais.
(**c**) (*+microphone, bomb, evidence*) plante (*v1*) ❑ *They had planted the bomb beneath the house...* De hadde plantet en bombe under huset...
(**d**) (*+object, kiss*) plante (*v1*), plassere (*v2*) ❑ *She*

planted a kiss on his cheek. Hun plantet *or* plasserte et kyss på kinnet hans.

plantation [plæn'teɪʃən] s (*tea, rubber, sugar etc*) plantasje *m*; (*wood*) beplantning *c*

plant pot (*BRIT*) s blomsterpotte *c*

plaque [plæk] s (*on building etc*) minnetavle *c*; (*on teeth*) plakk *nt*, belegg *nt*

plasma ['plæzmə] s plasma *nt*

plaster ['plɑ:stəʳ] 1 s (**a**) (*for walls, limb*) gips *m* (**b**) (*BRIT*: ***sticking plaster***) plaster *m*
2 VT (*+wall*) gipse (*v1*)
▸ **to plaster with** (= *cover*) kline (*v2*) fullt av
▸ **in plaster** (*BRIT*) i gips ❑ *He had both legs in plaster.* Han hadde begge bena i gips.

plasterboard ['plɑ:stəbɔ:d] s gipsplate *c*

plaster cast s (*MED*) gipsbandasje *m*; (*model, statue*) gipsavstøpning *c*

plastered ['plɑ:stəd] (*sl*) ADJ (= *drunk*) pære full (*sl*)
▸ **plastered with** (= *covered*) klint fullt av

plasterer ['plɑ:stərəʳ] s murer *m* (*til innvendig pussarbeid*)

plastic ['plæstɪk] 1 s plast *m*
2 ADJ (**a**) (*bucket, chair, cup etc*) plast-
(**b**) (= *flexible*) smidig, plastisk ❑ *...plastic materials like clay and wax.* ...smidige *or* plastiske materialer som leire og voks.
▸ **the plastic arts** *fellesbetegnelse for billedhuggerkunst, modellering, keramikk etc*

plastic bag s plastpose *m*

plastic bullet s plastkule *c*

plastic explosive s plastisk sprengstoff *nt*

Plasticine® ['plæstɪsi:n] s plastilin *nt*, modellerleire *c*

plastic surgery s plastisk kirurgi *m*

plate [pleɪt] s (**a**) (*dish: individual*) tallerken *m*
(**b**) (*for serving*) fat *nt* ❑ *...plates of sandwiches and cakes.* ...fat med smørbrød og kaker.
(**c**) (= *metal sheet, dental appliance*) plate *m*
(**d**) (= *covering: gold*) (gull)dublé *m*
(**e**) (*silver*) sølvplett *m*
(**f**) (*TYP: for printing*) trykkplate *c*
(**g**) (*in book*) bilde *nt* (*trykt på tykkere papir enn resten av boka*)
(**h**) (= *number plate*) skilt *nt* ❑ *...a car with Irish plates.* ...en bil med irske skilter.
(**i**) (*on door*) skilt *nt* ❑ *I read her name on the polished brass plate...* Jeg leste navnet hennes på det polerte messingskiltet...

plateau ['plætəu] (*pl* **plateaus** *or* **plateaux**) s (**a**) (*GEOG*) platå *nt*
(**b**) (*fig*) stabilt nivå *nt* ❑ *...the US space programme seemed to have reached a plateau...* det amerikanske romfartsprogrammet så ut til å ha* nådd et stabilt nivå...

plateful ['pleɪtful] s tallerken *m*, fat *nt*

plate glass s speilglass *nt*

plate rack s tallerkenhylle *c*

platform ['plætfɔ:m] s (**a**) (= *stage*) podium *nt irreg* ❑ *The speaker mounted the platform...* Taleren gikk opp på podiet...
(**b**) (*for landing, loading on etc*) plattform *m*
(**c**) (*JERNB*) plattform *m*, perrong *m*
(**d**) (*BRIT: of bus*) *utgangs og inngangsområde på buss*
(**e**) (*POL*) (valg)program *nt* ❑ *He campaigned on a socialist platform...* Han drev valgkamp på et sosialistisk program...
▸ **the train leaves from platform 7** toget går fra spor nummer 7

platform ticket (*BRIT: JERNB*) s *adgangsbillett til platformen men ikke til toget*

platinum ['plætɪnəm] s platina *nt*

platitude ['plætɪtju:d] s platthet *c*

platonic [plə'tɔnɪk] ADJ (*relationship*) platonisk

platoon [plə'tu:n] s ≈ tropp *m*

platter ['plætəʳ] s fat *nt*

plaudits ['plɔ:dɪts] SPL bifall *nt sg*

plausible ['plɔ:zɪbl] ADJ (*theory*) sannsynlig; (*excuse, statement*) troverdig; (*rogue, liar*) (tilsynelatende) troverdig

play [pleɪ] 1 s (**a**) (*TEAT, TV*) teaterstykke *nt*, skuespill *nt*
(**b**) (*RADIO*) hørespill *nt*
(**c**) (*activity*) lek *m* (*var.* leik) ❑ *Children's play prepares them for adulthood.* Barns lek forbereder dem på det voksne liv.
2 VTI (**a**) (*gen, THEAT, MUS, SPORT*) spille (*v2x*) ❑ *Gwen Taylor played the part of Christine.* Gwen Taylor spilte rollen som Christine. *I saw Australia play against England.* Jeg så Australia spille mot England.
(**b**) (*children+*) leke (*v2*) (*var.* leike)
▸ **to bring into play** sette* inn
▸ **a play on words** et ordspill
▸ **to play a trick on sb** spille (*v2x*) noen et puss
▸ **to play for time** (*fig*) forsøke (*v2*) å vinne tid
▸ **to play a part/role in sth** (*fig*) spille (*v2x*) en rolle i noe
▸ **to play safe** gardere (*v2*) seg, gjøre* noe for å være* på den sikre siden
▸ **to play into sb's hands** hjelpe* noen å vinne ❑ *Don't be too honest with them or you'll play right into their hands.* Ikke vær for ærlig mot dem, ellers hjelper du dem å vinne.

▸ **play about with** VT FUS leke (*v2*) med

▸ **play along with** VT FUS (**a**) (*+person*) jatte (*v1*) med (*sl*)
(**b**) (*+plan, idea*) gå* med på

▸ **play around with** VT FUS leke (*v2*) med

▸ **play at** VT FUS (**a**) (= *do casually*) leke (*v2*) seg med
(**b**) (*children+*) leke (*v2*) ❑ *They played at (being) soldiers.* De lekte soldater.

▸ **play back** VT (**a**) (*sound*) spille (*v2x*)
(**b**) (*picture*) vise (*v2*)

▸ **play down** VT tone (*v1 or v2*) ned, bagatellisere (*v2*)

▸ **play on** VT FUS (*+sb's feelings, credulity*) spille (*v2x*) på
▸ **to play on sb's mind** kverne (*v1*) i hodet til noen

▸ **play up** VI (**a**) (*machine, knee etc+*) streike (*v1*)
(**b**) (*children+*) være* ustyrlig

play-act ['pleɪækt] VI late* som

playboy ['pleɪbɔɪ] s playboy *m*

player ['pleɪəʳ] s (**a**) (*SPORT, MUS*) spiller *m*
(**b**) (*TEAT*) aktør *m*, skuespiller *m*
(**c**) (*in society, industry, situation*) aktør *m* ❑ *One of the key players in the plastics industry...* En av de sentrale aktørene i plastindustrien...
▸ **piano player** pianist *m*

playful ['pleɪful] ADJ (*person, gesture*) leken, spøkefull; (*animal*) leken
playgoer ['pleɪgəuəʳ] s teatergjenger *m*
playground ['pleɪgraund] s (*in park*) lekeplass *m*; (*in school*) lekeplass *m*, skolegård *m*
playgroup ['pleɪgru:p] s førskolegruppe *m*
playing card s spillkort *nt*
playing field s idrettsplass *m*
playmaker ['pleɪmeɪkəʳ] s (SPORT) playmaker *m*
playmate ['pleɪmeɪt] s lekekamerat *m*
play-off ['pleɪɔf] s omkamp *m*
playpen ['pleɪpɛn] s lekegrind *c*
playroom ['pleɪru:m] s lekestue *c*
playschool ['pleɪsku:l] s førskolegruppe *m*
plaything ['pleɪθɪŋ] s (*also fig*) leketøy *nt*
playtime ['pleɪtaɪm] s friminutt *nt*, frikvarter *nt*
playwright ['pleɪraɪt] s skuespillforfatter *m*, dramatiker *m*
plc (BRIT) FK (= **public limited company**) åpent aksjeselskap *nt*
plea [pli:] s (**a**) (= *request*) bønn *m*
(**b**) (JUR) svar *nt* (*på skyldsspørsmålet*)
(**c**) (= *excuse*) påskudd *nt* ❑ *Our plea of national poverty rings a little hollow.* Vårt påskudd om nasjonal fattigdom klinger noe hult.
▸ **a plea for help** en bønn om hjelp
plea bargaining s *avtale mellom aktor og forsvarer om frafall av tiltale på enkelte punkter mot at tiltalte erklærer seg skyldig på andre*
plead [pli:d] 1 VT (**a**) (JUR: *case*) føre (*v2*) ❑ *He hired a top lawyer to plead his case for him.* Han betalte en advokat for å føre saken for ham.
(**b**) (= *give as excuse: ignorance, ill health etc*) unnskylde (*v2*) seg med ❑ *The Government might find it convenient to plead ignorance...* Regjeringen vil kanskje finne det beleilig å unnskylde seg med uvitenhet...
2 VI (JUR) forklare (*v2*) seg
▸ **to plead with sb** bønnfalle* noen, trygle (*v1*) noen ❑ *He was pleading with her to control herself...* Han bønnfalt *or* tryglet henne om å beherske seg...
▸ **to plead for sth** be* (inntrengende) om noe
▸ **to plead guilty** (*defendant+*) erkjenne (*v2x*) seg skyldig
▸ **to plead not guilty** (*defendant+*) nekte (*v1*) seg skyldig
pleasant ['plɛznt] ADJ (*weather*) pen, fin; (*chat, person*) hyggelig; (*smile etc*) hyggelig, behagelig
pleasantly ['plɛzntlɪ] ADV (*surprised*) behagelig; (*say, behave*) vennlig
pleasantries ['plɛzntrɪz] SPL (= *polite remarks*) høflighetsbemerkninger
please [pli:z] 1 INTERJ (**a**) (*polite request to do sth*) vær vennlig og *before verb*
(**b**) (*in written instructions*) vær vennlig og, vennligst ❑ *"Follow me, please," the guide said.* "Vær vennlig og følg meg," sa guiden.
(**c**) (*polite request for sth*) vær så snill *often omitted* ❑ *Hello. Could I speak to Sue, please?* Hallo. Kunne jeg få* snakke med Sue (er du snill)? *Could you lend me £5 please?* Kunne du være* så snill å låne meg £5?
(**d**) (*to attract teacher's attention*) unnskyld ❑ *Please miss, why is that wrong?* Unnskyld Frøken, hvorfor er det feil?
2 VT (= *satisfy*) gjøre* til lags ❑ *You're an impossible man to please...* Du er umulig å gjøre* til lags...
3 VI (= *give pleasure, satisfaction*) gjøre* folk til lags ❑ *Rose was plain and anxious to please...* Rose var nøysom og ivrig etter å gjøre* folk til lags...
▸ **yes, please** ja takk ❑ *"Do you want some milk?" "Yes please."* "Vil du ha* litt melk?" "Ja takk."
▸ **my bill, please** regningen, takk
▸ **please don't cry!** ikke gråt da!
▸ **do as you please** gjør som du vil
▸ **please yourself!** (*sl*) gjør som du vil
pleased [pli:zd] ADJ ▸ **pleased (with)** fornøyd (med) ❑ *He dared not show that he was pleased...* Han turde ikke vise at han var fornøyd...
▸ **pleased that** glad over at
▸ **pleased to meet you** (det) gleder meg
▸ **we are pleased to inform you that...** vi har gleden av å fortelle at...
pleasing ['pli:zɪŋ] ADJ (*remark*) hyggelig; (*picture, person etc*) inntagende
pleasurable ['plɛʒərəbl] ADJ (*experience, sensation*) lystbetont
pleasure ['plɛʒəʳ] s (**a**) (= *happiness, satisfaction*) glede *m* ❑ *He could scarcely conceal his pleasure at my resignation...* Han kunne* knapt skjule sin glede over at jeg sa opp...
(**b**) (= *fun, enjoyable experience*) fornøyelse *m* ❑ *They look on it as more of a duty than a pleasure...* De ser på det mer som en plikt enn som en fornøyelse...
▸ **"it's a pleasure"** *or* **"my pleasure"** "bare hyggelig" *or* "gleden er på min side"
▸ **with pleasure** med glede, med fornøyelse
▸ **is this trip for business or pleasure?** er dette en forretnings- eller fornøyelsesreise?
pleasure boat s lystbåt *m*
pleasure cruise s cruise *nt*
pleasure steamer s lystfartøy *nt*
pleat [pli:t] s fold *m*, legg *nt*
pleb [plɛb] (*sl, neds*) s plebeier *m*
plebiscite ['plɛbɪsɪt] s folkeavstemning *c*
plectrum ['plɛktrəm] s plekter *nt*
pledge [plɛdʒ] 1 s løfte *nt*
2 VT (*+money, support, help*) love (*v1 or v2*)
▸ **to pledge sb to secrecy** gi* noen taushetsplikt
plenary ['pli:nərɪ] ADJ (*session, meeting*) plenums-
▸ **plenary powers** fullmakt
plentiful ['plɛntɪful] ADJ (*food, supply, amount*) rikelig ❑ *Food became more plentiful each day...* Det ble mer og mer rikelig med mat for hver dag...
plenty ['plɛntɪ] s (**a**) (= *lots*) massevis (*sl*), mye ❑ *They would have plenty to eat...* De ville* få* massevis *or* mye å spise...
(**b**) (= *sufficient*) mer enn nok ❑ *A fiver should be plenty.* En femtilapp skulle* være* mer enn nok.
▸ **plenty of** (**a**) (*+food, money etc*) mye, massevis av (*sl*)
(**b**) (*+jobs, people, houses etc*) mange, massevis av (*sl*)

▸ **we've got plenty of time to get there** vi har god tid til å komme oss dit
plethora ['plɛθərə] s ▸ **a plethora of** overflod på
pleurisy ['pluərısı] s pleuritt *m* (*var:* plevritt) brysthinnebetennelse *m*
Plexiglas® ['plɛksıglɑ:s] (*US*) s pleksiglass *nt*
pliable ['plaıəbl] ADJ (*material*) bøyelig; (*fig: person*) føyelig
pliant ['plaıənt] ADJ = **pliable**
pliers ['plaıəz] SPL (nebb)tang *c sg*
plight [plaıt] s (*of person, country*) (vanskelig) situasjon *m*
plimsolls ['plımsəlz] (*BRIT*) SPL tøysko *pl* (*med gummisåler*)
plinth [plınθ] s plint *m*
PLO s FK (= **Palestine Liberation Organization**) PLO
plod [plɔd] VI (= *walk*) traske (*v1*); (*fig*) slite* jevnt og trutt
plodder ['plɔdə^r] (*neds*) s (= *slow worker*) traust sliter *m*
plonk [plɔŋk] (*sl*) 1 s (*BRIT: wine*) (billig) vin *m*
2 VT ▸ **to plonk sth down** dumpe (*v1*) noe ned
plot [plɔt] 1 s (**a**) (= *secret plan*) komplott *nt*, sammensvergelse *m*
(**b**) (*of story, play, film*) handling *c*
(**c**) (*of land: for building*) tomt *c*
(**d**) (*for farming etc*) jordstykke *nt*
2 VT (**a**) (*+sb's downfall etc*) legge* (hemmelige) planer for
(**b**) (*AVIAT, NAUT: position on chart*) beregne (*v1*) (*på et kart*), plotte (*v1*) inn
(**c**) (*MAT: point on graph*) beregne (*v1*)
3 VI (= *conspire*) lage (*v1 or v3*) sammensvergelse, konspirere (*v2*)
▸ **vegetable plot** (*BRIT*) grønnsakhage *m*, kjøkkenhage *m*
plotter ['plɔtə^r] s (*instrument*) plotter *m*
plough [plau], **plow** (*US*) 1 s plog *m*
2 VT pløye (*v3*)
▸ **plough back** VT (*MERK*) reinvestere (*v2*) ❑ *They ploughed their profits back into further investment.* De reinvesterte fortjenesten sin.
▸ **plough into** 1 VT FUS (*+crowd*) brase (*v2*) inn i
2 VT ▸ **to plough money into** investere (*v2*) penger i
ploughman ['plaumən], **plowman** (*US*) s plogmann *m*
ploughman's lunch (*BRIT*) s *måltid bestående av brød og ost*
plow [plau] (*US*) = **plough**
ploy [plɔı] s knep *nt*
pluck [plʌk] 1 VT (**a**) (*+fruit, flower, leaf*) plukke (*v1*)
(**b**) (*+musical instrument*) klimpre (*v1*) på
(**c**) (*+bird*) plukke (*v1*), ribbe (*v1*)
(**d**) (*+eyebrows*) nappe (*v1*)
2 s (= *courage*) djervhet *m*
▸ **to pluck up courage** samle (*v1*) mot, ta* mot til seg
plucky ['plʌkı] (*sl*) ADJ (*person*) djerv
plug [plʌg] 1 s (**a**) (*ELEK: on appliance*) støpsel *nt*
(**b**) (*on wall*) stikkontakt *m* (*var:* stikk-kontakt) ❑ *...a three-pin plug.* ...et trepluggs-støpsel.
(**c**) (*in sink, bath*) propp *m*
(**d**) (*BIL:* ***spark(ing) plug***) (tenn)plugg *m*
2 VT (**a**) (*+hole*) tette (*v1*) igjen ❑ *Have you plugged all the leaks?* Har du tettet igjen alle lekkasjene?
(**b**) (*sl: advertise*) drive* reklame for
▸ **to give sb/sth a plug** drive (litt) reklame for noe
▸ **plug in** 1 VT sette* inn støpselet til
2 VI plugges (*v5, no past tense*) inn, kobles (*v5, no past tense*) til ❑ *That plugs in here.* Den plugges *or* kobles til her.
plughole ['plʌghəul] (*BRIT*) s avløp *nt*
plum [plʌm] 1 s plomme *c*
2 ADJ (*sl*) ▸ **a plum job** en drømmejobb
plumage ['plu:mıdʒ] s fjærdrakt *m*
plumb [plʌm] VT ▸ **to plumb the depths of** (*fig*) nå (*v4*) bunnen av
▸ **plumb in** VT (*+washing machine, shower etc*) installere (*v2*) (*om rørleggerarbeid*)
plumber ['plʌmə^r] s rørlegger *m*
plumbing ['plʌmıŋ] s (*piping*) sanitæranlegg *nt*; (*trade, work*) rørleggerarbeid *nt*
plumb line s loddesnor *c*
plume [plu:m] s fjær *c* (*var:* fjør)
▸ **plume of smoke** røyksky *c*
plummet ['plʌmıt] VI (*bird, aircraft+*) falle* brått og rett ned, styrte (*v1*); (*price, amount, rate+*) falle* brått
plump [plʌmp] ADJ (*person*) lubben
▸ **plump for** (*sl*) VT FUS (= *choose*) bestemme (*v2x*) seg for
▸ **plump up** VT (*+cushion, pillow*) riste (*v1*) opp
plunder ['plʌndə^r] 1 s (*activity*) plyndring *c*; (*stolen things*) bytte *nt*
2 VT (*+city, tomb*) plyndre (*v1*)
plunge [plʌndʒ] 1 s (**a**) (= *dive: of bird, person*) stup *nt*
(**b**) (*into water*) dukkert *nt* ❑ *They were relying on the plunge into icy waters to kill me...* De satset på at dukkerten i isvannet ville* ta* livet av meg...
(**c**) (*fig: of prices, rates etc*) ras *nt*
2 VT (*+hand, knife*) stikke* ❑ *He plunged the knife into her breast...* Han stakk kniven i brystet på henne...
3 VI (**a**) (= *fall: person, thing*) styrte (*v1*)
(**b**) (= *dive: bird*) stupe (*v2*) ned, styrte (*v1*)
(**c**) (*person+*) kaste (*v1*) seg ❑ *They plunged into the pool together...* De kastet seg *or* styrtet ut i bassenget sammen...
(**d**) (*fig: prices, rates etc*) rase (*v2*) ned
▸ **to take the plunge** (*fig*) ta* (det store) spranget
▸ **the room was plunged into darkness** rommet ble lagt i mørke
plunge pool s
plunger ['plʌndʒə^r] s (*for sink*) sugekopp *m* (*til tette vasker*)
plunging ['plʌndʒıŋ] ADJ (*neckline*) dypt utringet
pluperfect [plu:'pə:fıkt] s ▸ **the pluperfect** pluskvamperfektum *m*
plural ['pluərl] (*LING*) 1 ADJ flertall ❑ *Use the first person plural...* Bruk første person flertall...
2 s flertall *nt*; (*form*) flertallsform *c* ❑ *The singular is "louse" and the plural is "lice".* Entallsformen er "louse" og flertallsformen "lice".
▸ **to be in the plural** stå* i flertall

plus [plʌs] 1 s (*also* ***plus sign***) pluss *nt*, plusstegn *nt*
2 PREP (**a**) (*gen*) pluss ❑ *What's seventeen plus nine?* Hva blir sju pluss ni? *It costs 3 pounds a bottle plus VAT.* Den koster 3 pund per flaske pluss moms.
(**b**) (*MAT, ELEK*) pluss ❑ *If the input voltage is plus three...* Hvis inngangsspenningen er pluss tre...
▸ **ten/twenty plus** (*more than*) ti/tjue og oppover ❑ *They take the exams at 13 plus.* De tar eksamen fra trettenårsalderen og oppover.
▸ **it's a plus** (*fig*) det er et pluss
▸ **B plus** (*SKOL*) ≈ Meget pluss
plus fours SPL eplenikkers *m sg*
plush [plʌʃ] 1 ADJ (*car, hotel etc*) luksuriøs, praktfull
2 s (*fabric*) plysj *m*
plutonium [plu:'təunɪəm] s plutonium *nt*
ply [plaɪ] 1 VT (**a**) (*+a trade*) drive* ❑ *Its difficult for window cleaners to ply their trade round here...* Det er vanskelig for vinduspussere å drive forretning heromkring...
(**b**) (*+tool*) bruke (*v2*) flittig
2 VI (*ship+*) gå* i rute ❑ *...the ferry that plies between Dover and Boulogne.* ...fergen som går i rute mellom Dover og Bologne.
3 s (**a**) (*of wool, rope*) tråd *m* ❑ *"What ply wool will I need?" "Two-ply would be best."* "Hva slags garn skal jeg bruke?" "To-tråders egner seg best."
(**b**) (*= plywood*) kryssfinér *m*
▸ **to ply sb with drink** sjenke (*v1*) noen (noe) hele tiden
▸ **to ply sb with questions** bombardere (*v2*) noen med spørsmål
plywood ['plaɪwud] s kryssfinér *m*
PM (*BRIT*) FK = **Prime Minister**
p.m. ADV FK (= **post meridiem**) ettermiddag
PMS FK = **premenstrual syndrome**
PMT FK = **premenstrual tension**
pneumatic [nju:'mætɪk] ADJ luft-
pneumatic drill s pressluftbor *nt*
pneumonia [nju:'məunɪə] s lungebetennelse *m*
PO S FK = **Post Office**; (*MIL*) = **petty officer**
p.o. FK = **postal order**
POA (*BRIT*) S FK (= **Prison Officers' Association**) *fagforening*
poach [pəutʃ] 1 VT (= *steal: fish*) tyvfiske (*v1*) etter; (*+animals, birds*) tyvjakte (*v1*) på; (*cook: egg*) posjere (*v2*) (*var.* pochere) (*+fish*) koke i vann (eller melk)
2 VI (= *steal: animals, birds*) drive* krypskytteri; (*fish*) drive* snikfiske
poached [pəutʃt] ADJ (*egg*) posjert (*var.* pochert)
poacher ['pəutʃə[r]] s (*of animals, birds*) krypskytter *m*; (*of fish*) snikfisker *m*
PO Box S FK = **Post Office Box**
pocket ['pɔkɪt] 1 s (**a**) (*on jacket, trousers, suitcase etc*) lomme *c*
(**b**) (*fig: small area*) lite område *nt* ❑ *There were only pockets of fighting after the cease-fire...* Det var bare små områder med kamper etter våpenhvilen...
2 VT (**a**) (= *put in one's pocket*) putte (*v1*) i lommen
(**b**) (= *steal*) putte (*v1*) i egen lomme, stikke* til seg
▸ **to be out of pocket** (*BRIT*) bli* sittende igjen med underskudd
pocketbook ['pɔkɪtbuk] s (*US: wallet*) lommebok *c*; (= *notebook*) notisbok *c*; (*US: handbag*) (dame)veske *c*
pocket calculator s lommekalkulator *m*
pocket knife s lommekniv *m*
pocket money s lommepenger *m pl*
pocket-sized ['pɔkɪtsaɪzd] ADJ i lommeformat
pockmarked ['pɔkma:kt] ADJ (*face*) kopparret
pod [pɔd] s belg *m*, skjelm *m*, skolm *m*
podgy ['pɔdʒɪ] (*sl*) ADJ tjukk (*var.* tykk)
podiatrist [pɔ'di:ətrɪst] (*US*) s fotpleier *m*
podiatry [pɔ'di:ətrɪ] (*US*) s fotpleie *c*
podium ['pəudɪəm] s podium *nt*
POE S FK (= **port of embarkation**) innskipingshavn *c*; (= **port of entry**) ankomsthavn *c*
poem ['pəuɪm] s dikt *nt*
poet ['pəuɪt] s dikter *m*, lyriker *m*
poetic [pəu'etɪk] ADJ poetisk
poetic justice s poetisk rettferdighet *m*
poetic licence s dikterisk frihet *m*
poet laureate s hoffdikter *m*

> *I Storbritannia er en* **poet laureate** *en dikter som mottar en gasje som hoffpoet, og som er offiser i kongehuset på livstid. Ben Jonson ble den første hoffpoeten i 1616. Den gang skrev hoffpoeten dikt til alle store anledninger, men denne tradisjonen blir ikke lenger fulgt.*

poetry ['pəuɪtrɪ] s (**a**) (= *poems*) dikt *nt pl*, lyrikk *m* ❑ *He writes poetry.* Han skriver dikt *or* lyrikk.
(**b**) (*writing*) poesi *m*, lyrikk *m* ❑ *...poetry in England in the 1960s...* poesien i England på 1960-tallet...
poignant ['pɔɪnjənt] ADJ (*sight etc*) gripende; (*grief, experience*) intens
point [pɔɪnt] 1 s (**a**) (*of needle, knife etc*) spiss *m*
(**b**) (= *purpose*) vits *c*, hensikt *m* ❑ *What was the point in attempting to live together?* Hva var vitsen *or* hensikten med å prøve å leve sammen?
(**c**) (= *significant part*) poeng *c* ❑ *The major point about this book is...* Det viktigste poenget med denne boka er...
(**d**) (= *subject, idea*) poeng *nt* ❑ *This was a point I put to her in the interview.* Dette var et poeng jeg la fram for henne i intervjuet.
(**e**) (= *detail, aspect, quality*) punkt *nt* ❑ *These two projects have some interesting points in common...* Disse to prosjektene har noen interessante punkter til felles...
(**f**) (= *particular place or position*) punkt *nt* ❑ *...the point where the lane curved round to the right...* det punktet hvor veien svingte til høyre...
(**g**) (= *moment*) tidspunkt *nt* ❑ *At this point the girl sat up...* På dette tidspunktet satte jenta seg opp...
(**h**) (= *stage in development*) punkt *nt*
(**i**) (= *score: in competition, game, sport*) poeng *nt* ❑ *The panel of judges gave him the highest points.* Dommerpanelet gav ham den høyeste poengsummen.
(**j**) (*ELEK:* ***power point***) stikkontakt *m* (*var.* stikk-kontakt)

(**k**) (*also* ***decimal point***) komma *nt* ❑ *We take point nine six...* Vi tar null komma nittiseks...
2 VT (= *show, mark*) ▸ **to point the way** vise (*v2*) veien
3 VI (*with finger, stick etc*) peke (*v2*)
▸ **points** SPL (**a**) (*BIL*) fordelerstifer
(**b**) (*JERNB*) sporveksel *nt sg*
▸ **two point five (= 2.5)** to komma fem (= 2,5)
▸ **good/bad points** (*of person*) sterke/svake sider ❑ *Thorpe's got his bad points...* Thorpe har sine svake sider...
▸ **the train stops at Carlisle and all points south** toget stopper ved Carlisle og alle stasjoner etter
▸ **to be on the point of doing sth** skulle* akkurat til å gjøre* noe ❑ *As they were on the point of setting out...* Akkurat da de skulle* til å legge i vei...
▸ **to make a point of** legge* vekt på
▸ **to get the point** få* med seg *or* skjønne (*v2x*) poenget
▸ **to miss the point** ikke få* med seg poenget, ikke skjønne noenting
▸ **to come/get to the point** komme til saken
▸ **to make one's point** få* noen til å oppfatte poenget ❑ *OK, you've made your point, I apologise.* OK, jeg har oppfattet poenget, jeg beklager.
▸ **that's the whole point!** det er det som er hele poenget!
▸ **to be beside the point** ikke ha* noe med saken å gjøre
▸ **there's no point (in doing)** det er ikke noen vits i (å gjøre)
▸ **you've got a point there!** du har et poeng der!
▸ **in point of fact** faktisk
▸ **point of order** (*in meeting*) bemerkning *m* til dagsorden, innvending *m* mot dagsorden
▸ **point of sale** (*MERK*) salgssted *nt*
▸ **to point at** peke (*v2*) på
▸ **to point sth at sb** (*+gun, finger etc*) peke (*v2*) på noen med noe

▸ **point out** VT (**a**) (*+person, place, object*) peke (*v2*) ut ❑ *I'll point him out to you.* Jeg skal peke ham ut *or* peke på ham for deg.
(**b**) (*in discussion etc*) påpeke (*v2*) ❑ *She pointed out that he was wrong...* Hun påpekte at han tok feil...

▸ **point to** VT FUS (**a**) (*with finger*) peke (*v2*) på *or* mot (**b**) (= *indicate*) vise (*v2*) til, tyde (*v1*) på

point-blank ['pɔɪnt'blæŋk] ADV (*refuse*) blankt; (*say, ask*) rett ut, direkte; (*also* ***at point-blank range***) på kloss hold

point duty (*BRIT*) S ▸ **to be on point duty** ha* trafikktjeneste

pointed ['pɔɪntɪd] ADJ (*stick, pencil, chin, nose etc*) spiss; (*fig: remark*) spiss, skarp

pointedly ['pɔɪntɪdlɪ] ADV (*ask, reply etc*) spisst, skarpt

pointer ['pɔɪntəʳ] S (*on chart, machine*) viser *m*; (*fig: piece of information or advice*) vink *nt* NB *She gave him a few more pointers...* Hun gav ham noen flere vink...; (*stick*) pekestokk *m*; (*dog*) pointer *m*

pointing ['pɔɪntɪŋ] (*CONSTR*) S fuging *c*

pointless ['pɔɪntlɪs] ADJ meningsløs

point of view S synspunkt *nt*
▸ **from a practical point of view** fra et praktisk synspunkt

poise [pɔɪz] 1 S (**a**) (= *composure*) stø og verdig holdning *c*
(**b**) (= *balance*) stødig og elegant holdning *c* ❑ *...a beautiful girl with the grace and poise of a model.* ...en nydelig pike med en modells eleganse og stødige holdning.
2 VT ▸ **to be poised for** (*fig: success etc*) være* klar *or* parat til

poison ['pɔɪzn] 1 S (*harmful substance*) gift *c*
2 VT (*+person, animal*) forgifte (*v1*)

poisoning ['pɔɪznɪŋ] S forgiftning *m*

poisonous ['pɔɪznəs] ADJ (*animal, plant, chemical*) giftig; (*fig: rumours, allegations*) ondsinnet

poison-pen letter [pɔɪzn'pɛn] S anonymt sjikanebrev *nt*

poke [pəuk] 1 VT (**a**) (= *jab: with finger, stick etc*) stikke*
(**b**) (*+fire*) rake (*v2*) opp ❑ *She was on her knees, poking the fire.* Hun lå på knærne og raket opp varmen.
2 S (= *jab*) puff *nt* ❑ *Len gave him an affectionate poke.* Len ga ham et vennskapelig puff.
▸ **to poke sth in(to)** (= *put*) stikke* noe inn i
▸ **to poke one's head out of the window** stikke* hodet ut av vinduet
▸ **to poke fun at sb** drive* gjøn *or* ap med noen, holde* leven med noen

▸ **poke about** VI famle (*v1*) rundt, rote (*v1*) rundt

▸ **poke out** VT (= *stick out*) stikke* fram

poker ['pəukəʳ] S (*metal bar*) ildrake *c*; (*KORT*) poker *m*

poker-faced ['pəukə'feɪst] ADJ med pokerfjes

poky ['pəukɪ] (*neds*) ADJ (*room, house*) knøttliten (og trang)

Poland ['pəulənd] S Polen

polar ['pəuləʳ] ADJ (*icecap, region*) polar-

polar bear S isbjørn *m*

polarize ['pəuləraɪz] VT polarisere (*v2*)

Pole [pəul] S polakk *m*

pole [pəul] S (**a**) stang *c*, stolpe *m*
(**b**) (= *flag pole, tent pole*) stang *c*
(**c**) (= *telegraph pole*) stolpe *m*
(**d**) (*GEOG, ELEK*) pol *m*
▸ **to be poles apart** (*fig*) være* i to forskjellige verdener

poleaxe, poleax (*US*) ['pəulæks] VT (*fig*) klubbe (*v1*) ned

pole bean (*US*) S stangbønne *c*

polecat ['pəulkæt] S ilder *m*

Pol. Econ. ['pɔlɪkɔn] S FK (= **political economy**) sos-øk *m* (= *sosialøkonomi*)

polemic [pɔ'lɛmɪk] S polemikk *m*

pole position S ▸ **in pole position** først på startstrecken

pole star S ▸ **the Pole star** Polarstjernen

pole vault S stavhopp *nt*, stavsprang *nt*

police [pə'li:s] 1 SPL (*organization*) politi *nt*; (*members*) politifolk *nt*
2 VT (*+street, area, town*) holde* orden i

police car S politibil *m*

police constable (*BRIT*) S politikonstabel *m*

police department (*US*) s ▸ **the police department** politiet
police force s politi *nt*
policeman [pə'liːsmən] *irreg* s politimann *m irreg*
police officer s = **police constable**
police record s ▸ **to have a police record** ha* urent rulleblad
police state s politistat *m*
police station s politistasjon *m*
policewoman [pə'liːswumən] *irreg* s politikvinne *c*
policy ['pɔlɪsɪ] s (**a**) (*gen*) politikk *m* ❑ *...there is no change in our policy...* det forekommer ikke noen endringer i vår politikk... *It is company policy not to employ smokers.* Det er selskapets politikk å ikke ansette røykere.
(**b**) (*also* ***insurance policy***) polise *m*
▸ **to take out a policy** tegne (*v1*) en forsikring
policy holder s forsikringstaker *m*
polio ['pəulɪəu] s polio *m*
Polish ['pəulɪʃ] 1 ADJ polsk
2 s polsk
polish ['pɔlɪʃ] 1 s (*for shoes*) skokrem *m*; (*for furniture*) møbelpolish *m*; (*for floors*) bonevoks *m*; (= *shine: on shoes, furniture, floor*) glans *m*; (*fig: refinement*) polering *c* NB *It's an honest book but it lacks polish.* Det er en ærlig bok, men den er noe upolert.
2 VT (*+shoes*) pusse (*v1*); (*+floor*) bone (*v1 or v2*); (*+furniture etc*) polere (*v2*)
▸ **polish off** VT (*+work*) gjøre* ferdig (i en fart); (*+food*) sette* til livs, gjøre* kål på
polished ['pɔlɪʃt] ADJ (*fig: person*) kultivert, raffinert; (*style*) utsøkt, raffinert
polite [pə'laɪt] ADJ (**a**) (= *well-mannered: person*) høflig
(**b**) (= *refined: company*) dannet ❑ *...in polite society.* ...i dannede kretser.
politely [pə'laɪtlɪ] ADV (*explain, ask, thank*) høflig
politeness [pə'laɪtnɪs] s høflighet *c*
politic ['pɔlɪtɪk] ADJ ▸ **it would be politic to...** det ville* være* klokt å..., det ville* være* politisk lurt å...
political [pə'lɪtɪkl] ADJ (**a**) (*relating to politics*) politisk
(**b**) (*person*) opptatt av politikk ❑ *He was always very political...* Han var alltid veldig opptatt av politikk...
political asylum s politisk asyl *nt*
political correctness [-kə'rɛktnɪs] s politisk korrekthet *m*
politically [pə'lɪtɪklɪ] ADV politisk
▸ **politically correct** (*language*) sosialt akseptert
politician [pɔlɪ'tɪʃən] s politiker *m*
politics ['pɔlɪtɪks] 1 s (**a**) (*activity*) politikk *m*
(**b**) (*subject*) statsvitenskap *m* ❑ *She went up to Cambridge to read Politics,* Hun drog til Cambridge for å studere statsvitenskap,
2 SPL (*beliefs, opinions*) politisk syn *nt sg* ❑ *Her politics at this time...* Hennes politiske syn på denne tiden...
polka ['pɔlkə] s polka *m*
poll [pəul] 1 s (**a**) (*also* ***opinion poll***) meningsmåling *c*
(**b**) (= *political election*) valg *nt*
2 VT (**a**) (*in opinion poll*) spørre* (*i meningsmåling*) ❑ *A majority of those polled wanted...* De fleste av dem som ble spurt *or* De fleste av de spurte ønsket...
(**b**) (= *number of votes*) få* *or* oppnå (*v4*) (*antall stemmer*) ❑ *He polled 1,781 votes...* Han fikk *or* oppnådde 1781 stemmer...
▸ **to go to the polls** gå* til valg
pollen ['pɔlən] s pollen *nt*
pollen count s pollentelling *c*
pollinate ['pɔlɪneɪt] VT pollinere (*v2*), bestøve (*v1*)
polling booth (*BRIT*) s stemmeavlukke *nt*
polling day (*BRIT*) s valgdag *m*
polling station (*BRIT*) s valglokale *nt*
pollster ['pəulstəʳ] s meningsmåler *m*
poll tax s koppskatt *m*
pollutant [pə'luːtənt] s forurensende stoff *nt*
pollute [pə'luːt] VT (*+air, water, land*) forurense (*v1*)
pollution [pə'luːʃən] s forurensing *c* ❑ *...pollution of the atmosphere...* forurensing av atmosfæren... *all the pollution on the beach.* ...all forurensingen på stranden.
polo ['pəuləu] s polo *m*
polo neck s (**a**) (*neckline*) høy hals *m*
(**b**) (*sweater*) høyhalset genser *m* ❑ *He was wearing a black polo neck.* Han hadde på seg en sort pologenser *or* høyhalset genser.
polo-necked ['pəuləunɛkt] ADJ (*jumper, sweater*) høyhalset, polo-
poltergeist ['pɔːltəgaɪst] s poltergeist *nt*
poly ['pɔlɪ] (*BRIT*) s FK = **polytechnic**
poly... ['pɔlɪ] PREF poly-, fler-
poly bag (*sl*) s plastpose *m*
polyester [pɔlɪ'ɛstəʳ] s polyester *m*
polygamy [pə'lɪgəmɪ] s polygami *nt*
polygraph ['pɔlɪgrɑːf] (*US*) s løgndetektor *m*
Polynesia [pɔlɪ'niːzɪə] s Polynesia
Polynesian [pɔlɪ'niːzɪən] 1 ADJ polynesisk
2 s polynesier *m*
polyp ['pɔlɪp] s polypp *m*
polystyrene [pɔlɪ'staɪriːn] s isopor *m*, polystyren *nt*
polytechnic [pɔlɪ'tɛknɪk] s ≈ høyskole *m* (*var.* høgskole)
polythene ['pɔlɪθiːn] s polyetylen *nt*
polythene bag s plastpose *m*
polyunsaturate(d) [pɔlɪʌn'sætʃə'reɪt(ɪd)] ADJ flerumettet
polyurethane [pɔlɪ'juərɪθeɪn] s polyuretan *m*
pomegranate ['pɔmɪgrænɪt] s granateple *nt*
pommel ['pɔml] 1 s (*on saddle*) salknapp *m*
2 VT (*US*) = **pummel**
pomp [pɔmp] s pomp *m*
pompom ['pɔmpɔm] s pompong *m*
pompous ['pɔmpəs] (*neds*) ADJ (*person*) oppblåst, selvhøytidelig; (*piece of writing*) pompøs, overdrevent høytidelig
pond [pɔnd] s dam *m*
ponder ['pɔndəʳ] 1 VT gruble (*v1*) over, overveie (*v3*)
2 VI gruble (*v1*), tenke (*v2*) seg om
ponderous ['pɔndərəs] ADJ (*style, language*) tung og klosset(e)
pong [pɔŋ] (*BRIT: sl*) 1 s stank *m*
2 VI stinke (*v1*)
pontiff ['pɔntɪf] s pave *m*

pontificate [pɔn'tɪfɪkeɪt] VI dosere (*v2*), *uttale seg skråsikkert og nedlatende*
pontoon [pɔn'tu:n] S (= *floating platform*) pongtong *m* (*flytende platform*); (*KORT*) en-og-tjue
pony ['pəunɪ] S ponni *m*
ponytail ['pəunɪteɪl] S (*hairstyle*) hestehale *m*
▸ **to have one's hair in a ponytail** ha* (håret i) hestehale
pony trekking (*BRIT*) S vandring *c* med ponnier
poodle ['pu:dl] S puddel *m*
pooh-pooh [pu:'pu:] VT (bare) blåse (*v2*) av ❑ *Sally pooh-poohed the idea...* Sally (bare) blåste av ideen...
pool [pu:l] 1 S (**a**) (= *pond*) basseng *nt*, dam *m*
(**b**) (*also* ***swimming pool***) basseng *nt*
(**c**) (*fig*) ▸ **pool of light/of blood** lyskjegle *m*/ blodpøl *m*
(**d**) (*of cash*) felleskasse *c*
(**e**) (*workers, labour*) ▸ **pool of labour** sammenslått arbeidskraft *m*
(**f**) (*KORT: kitty*) pott *m*
2 VT (*+money, knowledge, resources*) slå* sammen, forene (*v2*)
▸ **pools** SPL (*football pools*) tipping *c sg* ❑ *They won 300,000 pounds on the pools.* De vant 300 000 pund i tipping.
▸ **car pool** tjenestebiler *pl*
▸ **typing pool,** *(US)* **secretary pool** skrivestue *c*
▸ **to do the (football) pools** tippe (*v1*)
poor [puəʳ] 1 ADJ (**a**) (= *not rich*) fattig
(**b**) (= *bad*) dårlig
2 SPL ▸ **the poor** de fattige
▸ **poor in** (*+resources etc*) fattig på
▸ **poor (old) Bill** stakkars Bill
poorly ['puəlɪ] 1 ADJ (= *ill*) dårlig (*syk*)
2 ADV (= *badly: designed, paid, furnished*) dårlig
pop [pɔp] 1 S (**a**) (*MUS*) pop *m* ❑ *I prefer pop to jazz.* Jeg foretrekker pop framfor jazz.
(**b**) (*fizzy drink*) brus *m*
(**c**) (*US: sl: father*) pappa *m*
(**d**) (*sound*) smell *nt*
2 VI (**a**) (*balloon+*) sprekke*
(**b**) (*cork+*) sprette*
(**c**) (*eyes+*) være* vidåpne ❑ *Frankie's eyes were popping with amazement.* Frankies øyne var vidåpne av forundring.
3 VT ▸ **to pop sth into/onto** *etc* putte (*v1*) noe (inn) i/(opp) på *etc*
▸ **she popped her head out of the window** hun stakk hodet ut av vinduet
▸ **pop in** VI stikke* innom
▸ **pop out** VI stikke* ut (en snartur) ❑ *I'm just popping out for a haircut...* Jeg stikker bare ut (en snartur) for å klippe meg...
▸ **pop up** VI dukke (*v1*) opp
popcorn ['pɔpkɔ:n] S popcorn *nt*
pope [pəup] S pave *m*
poplar ['pɔpləʳ] S poppel *m*
poplin ['pɔplɪn] S poplin *nt*
popper ['pɔpəʳ] (*BRIT: sl*) S (*for fastening*) trykknapp *m*
poppy ['pɔpɪ] S valmue *m*
poppycock ['pɔpɪkɔk] (*sl*) S (sludder og) pølsevev *nt*
Popsicle® ['pɔpsɪkl] (*US*) S pinne-is *m*
pop star S popstjerne *c*
populace ['pɔpjuləs] S ▸ **the populace** befolkningen, den allmenne hop
popular ['pɔpjuləʳ] ADJ (**a**) (= *well-liked, fashionable*) populær ❑ *"Henry" is a popular name for boys these days.* "Henry" er et populært guttenavn nå for tiden.
(**b**) (= *general: idea, belief. appeal*) vanlig ❑ *Contrary to popular belief...* I strid med vanlige oppfatninger...
(**c**) (= *nonspecialist: talks etc*) populærvitenskapelig
(**d**) (*newspapers*) ≈ tabloid- ❑ *The popular press is obsessed with the Royal Family...* Tabloidpressen er sykelig opptatt av kongefamilien...
(**e**) (*POL: movement, cause*) folkelig, folke-
▸ **to be popular with** være* populær blant/hos
popularity [pɔpju'lærɪtɪ] S popularitet *m*
popularize ['pɔpjuləraɪz] VT (**a**) (*+sport, music, fashion*) gjøre* populær ❑ *Television has done a lot to popularize snooker.* Fjernsynet har i stor grad vært med på å gjøre* biljard populært.
(**b**) (*+science, ideas*) popularisere (*v2*)
popularly ['pɔpjuləlɪ] ADV (= *commonly: believed, called etc*) populært ❑ *This theory was popularly known as the Big Bang.* Denne teorien var populært kjent som "Big Bang".
population [pɔpju'leɪʃən] S (**a**) (= *inhabitants*) befolkning *m* ❑ *The country is unable to feed its population...* Landet klarer ikke å skaffe nok mat til befolkningen...
(**b**) (= *number of people*) innbyggertall *nt*, befolkning *m* ❑ *What is the population of Calcutta?* Hvor stort er innbyggertallet i Calcutta?, Hvor stor er befolkningen i Calcutta?
(**c**) (*of a species*) bestand *m*, populasjon *m* ❑ *The mosquito population has been greatly reduced.* Myggbestanden *or* populasjonen av mygg har blitt kraftig redusert.
▸ **a prison population of 44,000** en fengselsbestand på 44 000
▸ **the civilian population** sivilbefolkningen
population explosion S befolkningseksplosjon *m*
populous ['pɔpjuləs] ADJ (*country, city, area*) folkerik
porcelain ['pɔ:slɪn] S porselen *nt*
porch [pɔ:tʃ] S (*entrance: of house*) bislag *nt*; (*in church*) våpenhus *nt*; (*US: veranda*) veranda *m*
porcupine ['pɔ:kjupaɪn] S pinnsvin *nt*
pore [pɔ:ʳ] 1 S pore *m*
2 VI ▸ **to pore over** (*+book, article etc*) være* fordypet i, sitte* bøyd over
pork [pɔ:k] S svinekjøtt *nt*
pork chop S svinekotelett *m*
porn [pɔ:n] (*sl*) S porno *m*
pornographic [pɔ:nə'græfɪk] ADJ pornografisk
pornography [pɔ:'nɔgrəfɪ] S pornografi *m*
porous ['pɔ:rəs] ADJ (*material, substance*) porøs
porpoise ['pɔ:pəs] S nise *m*
porridge ['pɔrɪdʒ] S grøt *m* (*var.* graut)
port [pɔ:t] 1 S (**a**) (= *harbour*) havn *c* (*var.* hamn)
(**b**) (*NAUT: left side*) babord
(**c**) (*wine*) portvin *m*
(**d**) (*DATA*) port *m*

2 ADJ (*NAUT*) babords-
▸ **to port** (*NAUT*) på babord ❑ *...a few hundred yards to port.* ...noen hundre meter på babord.
▸ **port of call** (*NAUT*) anløpshavn *c*

portable ['pɔːtəbl] ADJ (*television, typewriter, telephone etc*) bærbar

portal ['pɔːtl] s portal *m*

portcullis [pɔːt'kʌlɪs] s fallgitter *nt*

portend [pɔː'tɛnd] VT varsle (*v1*) om

portent ['pɔːtɛnt] s (for)varsel *nt* ❑ *Are dreams a portent of things to come?* Er drømmer et (for)varsel om ting som skal skje?

porter ['pɔːtəʳ] s (*for luggage*) bærer *m*; (*doorkeeper*) portner *m*, portier *m*; (*in hospital*) portner *m*; (*US: JERNB*) ≈ sovevognskonduktør *m*

portfolio [pɔːt'fəulɪəu] s (**a**) (*case*) dokumentmappe *c*
(**b**) (*POL, FIN*) portefølje *m* ❑ *...the transport portfolio.* ...transport-porteføljen. *...a portfolio of stocks and bonds...* en aksjeportefølje...
(**c**) (*of artist*) samling *c* (*av egne arbeider*) ❑ *...a portfolio of photographs.* ...en fotografisamling.

porthole ['pɔːthəul] s kuøye *nt*

portico ['pɔːtɪkəu] s portikus *m*

portion ['pɔːʃən] s (**a**) (= *part*) del *m* ❑ *Divide it into eight portions...* Del den i åtte deler...
(**b**) (= *helping of food*) porsjon *m* ❑ *He asked for a small portion...* Han bad om en liten porsjon...

portly ['pɔːtlɪ] ADJ korpulent

portrait ['pɔːtreɪt] s portrett *nt*

portray [pɔː'treɪ] VT (= *depict*) framstille (*v2x*), avbilde (*v1*); (*actor+*) framstille (*v2x*)

portrayal [pɔː'treɪəl] s (**a**) (= *depiction*) skildring *c* ❑ *It was very fair in its portrayal of the Army...* Den var veldig rettferdig i sin skildring av hæren...
(**b**) (*actor's*) framstilling *c* ❑ *He got the award for his portrayal of Willy Loman...* Han fikk prisen for sin framstilling av Willy Loman...

Portugal ['pɔːtjugl] s Portugal

Portuguese [pɔːtju'giːz] 1 ADJ portugisisk
2 s UBØY (*person*) portugiser *m*; (*LING*) portugisisk

Portuguese man-of-war [-mænəv'wɔːʳ] s blæremanet *m*

pose [pəuz] 1 s (= *posture*) stilling *c*
2 VT (**a**) (*+question*) stille (*v2x*)
(**b**) (*+problem, danger*) presentere (*v2*)
3 VI ▸ **to pose as** (= *pretend*) utgi* seg for, opptre* som ❑ *...a friend posing as my lawyer...* en venn som utgav seg for *or* opptrådte som min advokat...
▸ **to pose for** (*+painting etc*) sitte* modell for
▸ **to strike a pose** innta* en stilling

poser ['pəuzəʳ] s (= *problem, puzzle*) hard nøtt *c* å knekke; (= *pseud: woman*) jåle *f*, (*man*) jåle(bukk) *m*

poseur [pəu'zəːʳ] (*neds*) s (*woman*) jåle *f*, (*man*) jåle(bukk) *m*

posh [pɔʃ] (*sl*) ADJ (**a**) (= *smart: hotel, restaurant etc*) eksklusiv, flott, fin
(**b**) (= *upper-class: person, voice*) fin
▸ **to talk posh** snakke (*v1*) fint

position [pə'zɪʃən] 1 s (**a**) (= *place: of house, person, thing*) plass *m*
(**b**) (*of sun etc*) stilling *c* ❑ *The house is in a very exposed position...* Huset står på en veldig utsatt plass...
(**c**) (*of person's body*) stilling *m*
(**d**) (= *job, situation*) stilling *c* ❑ *...top management positions...* topplederstillinger... *You are in the fortunate position of having no responsibilities...* Du er i den heldige stilling at du ikke har noe ansvar...
(**e**) (*in race, competition*) plass *m* ❑ *...the top five positions in the League...* de fem øverste plassene i ligaen...
(**f**) (= *attitude*) stilling *c*, standpunkt *nt* ❑ *What is their position on disarmament?* Hva er deres stilling *or* standpunkt når det gjelder nedrustning?
2 VT (*+person, thing*) stille (*v2x*) ❑ *The boy positioned himself near the door.* Gutten stilte seg nær døra.
▸ **to be in a position to do sth** være* i stand til å gjøre* noe, ha* mulighet til å gjøre* noe

positive ['pɔzɪtɪv] ADJ (**a**) (= *certain*) helt sikker ❑ *He was positive that he had seen it in the newspaper.* Han var helt sikker på at han hadde sett det i avisen.
(**b**) (= *hopeful, confident*) positiv ❑ *...a more positive attitude.* ...en mer positiv holdning.
(**c**) (= *decisive: decision, action, policy*) aktiv ❑ *Now's the time for positive thinking...* Nå er tiden inne til å tenke aktivt...
(**d**) (*test, result, MATH, ELEK*) positiv ❑ *If x is positive, y must be negative...* Hvis x er positiv, må y være* negativ... *The current flows from positive to negative.* Strømmen går fra positiv til negativ pol.

positively ['pɔzɪtɪvlɪ] ADV (**a**) (*emph: rude, stupid, terrifying*) rett og slett, bent fram ❑ *Her friends had been positively abusive...* Vennene hennes hadde rett og slett *or* bent fram skjelt henne ut...
(**b**) (= *encouragingly*) positivt ❑ *He reacted very positively to my suggestion.* Han reagerte veldig positivt på forslaget mitt.
(**c**) (*ELEK*) positivt ❑ *...the positively charged terminal.* ...den positivt ladde polen.
▸ **the body has been positively identified** liket hadde blitt identifisert

posse ['pɔsɪ] (*US*) s sheriffens menn *pl*

possess [pə'zɛs] VT (**a**) (*+car, watch, radio etc*) eie (*v3*), være* i besittelse av
(**b**) (*+quality, ability*) ha, være* i besittelse av ❑ *He possessed the qualities of a war leader...* Han hadde *or* var i besittelse av en krigsleders egenskaper...
(**c**) (*feeling, belief+*) besette* ❑ *A violent rage possessed him.* Han var besatt av et voldsomt raseri.
▸ **like a man possessed** som (en) besatt
▸ **whatever possessed you (to do it)?** hva i all verden fikk deg til å gjøre* det?

possession [pə'zɛʃən] s (= *state of possessing*) besittelse *m* ❑ *...arrested for possession of drugs...* arrestert for besittelse av narkotika...
▸ **possessions** SPL (= *belongings*) eiendeler
▸ **to take possession of** ta* i besittelse

possessive [pə'zɛsɪv] ADJ (*of another person*) dominerende, som vil eie eller ha* noen helt for seg selv NB *...the possessive streak in her.*

...eietrangen hennes.; (*of things*) ▸ **I am possessive about my car...** jeg vil ha* bilen min for meg selv...; (LING) eiendoms-

possessiveness [pə'zɛsɪvnɪs] s (*of another person*) eietrang *m*

possessor [pə'zɛsəʳ] s innehaver *m*, eier *m*

possibility [pɔsɪ'bɪlɪtɪ] s mulighet *m* ❑ *We must accept the possibility that we might be wrong...* Vi må innse muligheten av *or* for at vi kan ta* feil... *There was now no possibility of success...* Det var nå ingen mulighet til å lykkes... *All sorts of possibilities had begun to open up...* Alle slags muligheter hadde nå begynt å åpne seg...

possible ['pɔsɪbl] ADJ mulig ❑ *They are doing everything possible to take care of you.* De gjør alt mulig *or* alt de kan for å ta* seg av deg. *...the possible consequences...* de mulige konsekvensene...
▸ **it's possible (that)** det er mulig (at)
▸ **it's possible to do it** det er mulig å gjøre* det
▸ **as far as possible** så godt som mulig
▸ **if possible** hvis (det er) mulig
▸ **as soon as possible** så snart som mulig

possibly ['pɔsɪblɪ] ADV (**a**) (= *perhaps*) muligens, kanskje ❑ *Television is possibly to blame for this...* Fjernsynet har muligens *or* kanskje skylden for dette...
(**b**) (= *conceivably: expressing surprise, puzzlement*) i all verden ❑ *What could they possibly want with me?* Hva i all verden kan de ville* med meg?
▸ **everything one possibly can** alt som står i ens makt
▸ **if you possibly can** hvis det overhodet er mulig
▸ **not possibly** umulig *or* på ingen måte *or* overhodet ikke ❑ *I cannot possibly come* Jeg kan umulig *or* på ingen måte *or* overhodet ikke komme

post [pəust] 1 s (**a**) (BRIT: *mail*) post *m*
(**b**) (= *delivery*) postutlevering *c* ❑ *You'll get these through the post.* Du får disse i posten. *There is some post for you...* Det er post til deg... *Your letter arrived in the second post.* Brevet ditt kom med den andre postutleveringen.
(**c**) (= *pole*) stolpe *m* ❑ *A dog chained to a post...* En hund bundet til en stolpe...
(**d**) (= *job*) stilling *c* ❑ *She is well qualified for the post...* Hun er godt kvalifisert til stillingen...
(**e**) (MIL) post *m* ❑ *He had to leave his post and flee...* Han måtte* forlate sin post og flykte...
(**f**) (*also* ***trading post***) handelsstasjon *m*
(**g**) (*also* ***goalpost***) målstang *c*, målstolpe *m* ❑ *And he's hit the post!* Og han har truffet stanga *or* stolpen!
2 VT (**a**) (BRIT: *letter*) poste (*v1*)
(**b**) (MIL) stasjonere (*v2*), postere (*v2*) ❑ *We posted a guard to keep watch.* Vi stasjonerte *or* posterte en vakt for å holde utkikk.
▸ **by post** (BRIT) i posten ❑ *Winners will be notified by post...* Vinnerne vil få* beskjed i posten...
▸ **by return of post** (BRIT) omgående
▸ **to post sb to** (= *assign*) stasjonere (*v2*) noen i
▸ **to keep sb posted** (= *informed*) holde* noen informert
▸ **post up** VT slå* opp

post... [pəust] PREF post-, etter(-) ❑ *...post-1990.* ...etter 1990.

postage ['pəustɪdʒ] s (*charge*) porto *m* ❑ *25p for postage and packing.* 3 kr til porto og ekspedisjon.

postage stamp s frimerke *nt*

postal ['pəustl] ADJ (*charges, service, strike*) post-

postal order (BRIT) s postanvisning *c*

postbag ['pəustbæg] (BRIT) s brevbunke *m*; (*postman's*) postsekk *m*

postbox ['pəustbɔks] (BRIT) s postkasse *c*

postcard ['pəustkɑːd] s postkort *nt*

postcode ['pəustkəud] (BRIT) s ≈ postnummer *nt*

postdate ['pəust'deɪt] VT (+*cheque*) etterdatere (*v2*), postdatere (*v2*), datere (*v2*) fram

poster ['pəustəʳ] s plakat *m*

poste restante [pəust'rɛstɑ̃ːnt] (BRIT) s poste restante *m*

posterior [pɔs'tɪərɪəʳ] (*hum*) s bakdel *m*, ende *m*

posterity [pɔs'tɛrɪtɪ] s ettertiden *def*, kommende generasjoner *pl* ❑ *This fine building should be preserved for posterity.* Denne fine bygningen burde bevares for ettertiden *or* kommende generasjoner.

poster paint s plakatfarge *m*

post-free [pəust'friː] (BRIT) 1 ADJ portofri
2 ADV portofritt

postgraduate ['pəust'grædjuət] s *student på høyere nivå (etter oppnådd grad)*

posthumous ['pɔstjuməs] ADJ (*award, publication*) posthum

posthumously ['pɔstjuməslɪ] ADV posthumt

posting ['pəustɪŋ] s (= *job*) utplassering *c*

postman ['pəustmən] *irreg* s postbud *nt*, postmann *m irreg*

postmark ['pəustmɑːk] s poststempel *nt*

postmaster ['pəustmɑːstəʳ] s postmester *m* (*mannlig*)

Postmaster General s ≈ generaldirektør *m* i Postverket

postmistress ['pəustmɪstrɪs] s postmester *m* (*kvinnelig*)

postmortem [pəust'mɔːtəm] s (**a**) (MED) obduksjon *m*
(**b**) (*fig*) undersøkelse *m*, *gjennomgang av hendelse, særlig når den mislykkes* ❑ *...the post-mortem on the election results* ...undersøkelsen av valgresultatene

postnatal ['pəust'neɪtl] ADJ (*care*) postnatal
▸ **postnatal depression** fødselsdepresjon *m*, postnatal depresjon *m*

post office s (*building*) postkontor *nt*
▸ **the Post Office** (*organization*) ≈ Postverket

Post Office Box s postboks *m*

post-paid ['pəust'peɪd] (US) ADJ, ADV = **post-free**

postpone [pəus'pəun] VT utsette*

postponement [pəus'pəunmənt] s utsettelse *m*

postscript ['pəustskrɪpt] s (*to letter*) etterskrift *m*

postulate ['pɔstjuleɪt] VT postulere (*v2*)

posture ['pɔstʃəʳ] 1 s (**a**) (*physical: whole body*) stilling *c*
(**b**) (*of upper body*) holdning *c* ❑ *These exercises help to develop good posture.* Disse øvelsene bidrar til å utvikle en god holdning.

(**c**) (*fig: attitude*) holdning *c*
[2] VI (*neds*) posere (*v2*) ❑ ***He'll enjoy posturing in that T-shirt.*** Han kommer til å like å posere i den T-skjorten.
postwar [pəust'wɔːʳ] ADJ (*building, period, politics*) etterkrigs-
posy ['pəuzɪ] s liten bukett *m*
pot [pɔt] [1] s (**a**) (*for cooking*) kjele *m*, gryte *c*, kasserolle *m*
(**b**) (*for tea, coffee*) kanne *c* ❑ ***I'll just go and make a fresh pot of tea.*** Jeg går og lager en ny kanne med te.
(**c**) (*bowl, container: for paint*) boks *m*
(**d**) (*for jam, honey etc*) krukke *c*
(**e**) (*also* ***chamber pot, flowerpot***) potte *c*
(**f**) (*sl: marijuana*) marihuana *m*
[2] VT (*+plant*) sette* i potte
▸ **to go to pot** (*sl: work, performance*) gå* i vasken
▸ **pots of** (*BRIT: sl*) haugevis av (*sl*)
potash ['pɔtæʃ] s pottaske *m*
potassium [pə'tæsɪəm] s kalium *nt*
potato [pə'teɪtəu] (*pl* **potatoes**) s potet *m*
potato chips (*US*) SPL = **potato crisps**
potato crisps SPL potetgull *nt sg*®, potetchips
potato flour s potetmel *nt*
potato peeler s potetskreller *m*
potbellied ['pɔtbɛlɪd] ADJ med kulemage
potency ['pəutnsɪ] s (*sexual*) potens *m*; (*of drink, drug*) styrke *m*
potent ['pəutnt] ADJ (*weapon*) mektig; (*argument*) vektig; (*drink*) sterk; (*man*) potent
potentate ['pəutnteɪt] s potentat *nt*
potential [pə'tɛnʃl] [1] ADJ (**a**) (*candidate, customer, sales*) potensiell, eventuell ❑ ***The dispute has scared away potential investors...*** Krangelen hadde skremt vekk potensielle *or* eventuelle investorer...
(**b**) (*danger, advantage, harm etc*) potensiell
[2] s (**a**) (*= talent, ability*) mulighet *m*, potensial *nt* ❑ ***...a certain potential for intelligence.*** ...en viss mulighet *or* et visst potensial for intelligens.
(**b**) (*= promise, possibilities*) muligheter *pl* ❑ ***Many children do not achieve their full potential.*** Mange barn realiserer ikke sine fulle muligheter.
▸ **to have potential** ha* potensial ❑ ***Has this woman got executive potential?*** Har denne kvinnen potensial til en lederstilling?
potentially [pə'tɛnʃəlɪ] ADV ▸ **it is potentially the most...** det er muligens den mest...
▸ **it's potentially dangerous** det/den kan være* farlig
pothole ['pɔthəul] s (*in road*) hull *nt* (*i veien*); (*cave*) jettegryte *c*
potholing ['pɔthəulɪŋ] s huleforsking *c*
▸ **to go potholing** dra* på huleforsking
potion ['pəuʃən] s drikk *m* (*medisin, gift, styrkedrikk etc*)
potluck [pɔt'lʌk] s ▸ **to take potluck** ta* til takke (med det noen har)
potpourri [pəu'puriː] s (*also fig*) potpurri *m* (*duftende tørkede kronblader*)
pot roast s grytesteik *c*
pot shot s ▸ **to take a pot shot at** skyte* på måfå på, sende (*v2*) et sleivskudd mot
potted ['pɔtɪd] ADJ (*food*) nedlagt (*i krukke*); (*plant*) i potte; (*history, biography etc*) forkortet
potter ['pɔtəʳ] [1] s pottemaker *m*
[2] VI ▸ **to potter around, potter about** (*BRIT*) stulle (*v1*) og stelle (*v2*)
▸ **to potter around the house** gå* og småpusle i huset
potter's wheel s pottemakerhjul *nt*, dreieskive *c*
pottery ['pɔtərɪ] s (**a**) (*pots, dishes etc*) keramikk *m*, steintøy *nt*
(**b**) (*work, hobby*) keramikk *m*
(**c**) (*factory, workshop*) pottemakerverksted *nt*, keramikerverksted *nt*
▸ **a piece of pottery** en keramikkgjenstand
potty ['pɔtɪ] [1] ADJ (*sl: mad*) sprø, skrullet(e)
[2] s (*for child*) potte *c*
potty-training ['pɔtɪtreɪnɪŋ] s pottetrening *c*
pouch [pautʃ] s pung *m*
pouf(fe) [puːf] s puff *m*
poultice ['pəultɪs] s grøtomslag *nt*
poultry ['pəultrɪ] s (*= birds*) fjærfe *nt*; (*meat*) fjærfekjøtt *nt*
poultry farm s hønsefarm *m*
poultry farmer s hønseoppdretter
pounce [pauns] VI ▸ **to pounce on** (*animal, person+*) kaste (*v1*) seg over; (*fig: mistake*) slå* ned på; (*+idea, fact*) kaste (*v1*) seg over
pound [paund] [1] s (**a**) (*unit of money*) pund *nt*
(**b**) (*unit of weight*) pund *nt, 453 gram*
(**c**) (*for dogs*) varetekt (*for rømte husdyr*)
(**d**) (*for cars*) inntauingstomt *c*
[2] VT (**a**) (*= beat: table, wall etc*) dundre (*v1*) på, hamre (*v1*) på
(**b**) (*= crush: spice etc*) støte (*v2*) (*i morter*)
(**c**) (*+grain etc*) knuse (*v2*), pulverisere (*v2*)
[3] VI (*heart, head+*) dunke (*v1*), hamre (*v1*) ❑ ***My heart pounded with joy.*** Hjertet mitt dunket *or* hamret av glede.
▸ **half a pound (of)** ≈ 225 gram
▸ **a five-pound note** ≈ en femtilapp, en fempundsseddel
pounding ['paundɪŋ] s ▸ **to take a pounding** (*fig*) få* bank (*fig*), bli* slått sønder og sammen (*fig*)
pound sterling s pund *nt* sterling
pour [pɔːʳ] [1] VT (**a**) (*+tea, wine, etc*) helle (*v2x*) (opp), skjenke (*v1*) (i)
(**b**) (*+cereal etc*) helle (*v2x*) (opp)
[2] VI (*water, blood, sweat etc+*) strømme (*v1*), renne* ❑ ***The sweat began to pour down his face...*** Svetten begynte å strømme *or* renne nedover ansiktet hans... ***The rain poured through a hole in the roof...*** Regnet strømmet inn gjennom et hull i taket...
▸ **to pour sb a drink** skjenke (*v1*) i en drink til noen, helle (*v2x*) opp en drink til noen
▸ **to pour with rain** pøse (*v2*) ned
▸ **pour away** VT helle (*v2x*) ut
▸ **pour in** VI strømme (*v1*) inn
▸ **pour out** [1] VI strømme (*v1*) ut
[2] VT (**a**) (*+tea, wine etc*) skjenke (*v1*) i ❑ ***Castle poured out two glasses of whisky.*** Castle skjenket i to glass whisky.
(**b**) (*fig: thoughts, feelings, etc*) øse (*v2*) ut
pouring ['pɔːrɪŋ] ADJ ▸ **pouring rain** øsende regn *nt*

pout [paut] VI lage (*v1 or v3*) trutmunn
poverty ['pɔvətɪ] S fattigdom *m*
poverty line S ▸ **to be on the poverty line** leve (*v3*) på fattigdomsgrensen
poverty-stricken ['pɔvətɪstrɪkn] ADJ (*people, town, country*) utarmet, lutfattig
poverty trap (*BRIT*) S *ond sirkel der det er umulig å unnslippe fattigdom fordi offentlig stønad faller bort hvis man får økt inntekt* ❑ *Many unemployed people have fallen into the poverty trap.* Mange arbeidsledige har kommet inn i en ond sirkel; de kan ikke ta* seg jobb fordi de da mister trygden.
POW S FK = **prisoner of war**
powder ['paudəʳ] 1 S (**a**) (*granules*) pulver *nt* (**b**) (= *face powder*) pudder *nt*
2 VT ▸ **to powder one's face** pudre (*v1*) ansiktet ▸ **to powder one's nose** (*euph*) gå* på toalettet
powder compact S pudderdåse *m*
powdered milk S tørrmelk *m*
powder keg S (*also fig*) kruttønne *c*
powder puff S pudderkvast *m*
powder room (*euph*) S dametoalett *nt*
power ['pauəʳ] S (**a**) (= *control: over people, activities*) makt *c* ❑ *It gave the President too much power.* Det gav presidenten for mye makt.
(**b**) (= *ability*) evne *m* ❑ *They did not have the power of speech...* De hadde ikke evnen til å snakke...
(**c**) (= *legal right*) myndighet *c* ❑ *The Government curbed the Lords' powers...* Regjeringen innskrenket Overhusets myndighet...
(**d**) (= *force, strength: of explosion, engine, ideas, words*) styrke *m* ❑ *I underestimated the power of the explosion.* Jeg undervurderte eksplosjonens styrke. *Look at the power in those thigh muscles.* Se på styrken i den lårmuskulaturen.
(**e**) (= *electricity*) strøm *m* ❑ *Just turn the power on, would you?* Kan du ikke sette på strømmen?
▸ **2 to the power of 3** (*MAT*) to opphøyd i tredje
▸ **to do everything in one's power to help** gjøre* alt som står i ens makt for å hjelpe
▸ **a world power** en verdensmakt
▸ **the powers that be** (*authority*) myndighetene
▸ **to be in power** (*POL etc*) sitte* med makten
power base S maktgrunnlag *n*
powerboat ['pauəbəut] S motorbåt *m*
power cut S strømstans *m*, strømbrudd *nt*
power-driven ['pauədrɪvn] ADJ motordrevet
powered ['pauəd] ADJ ▸ **powered by** drevet av ▸ **nuclear-powered submarine** atomdrevet undervannsbåt *m*
power failure S strømbrudd *nt*
powerful ['pauəful] ADJ (*person, organization*) mektig; (*body, blow, voice, engine*) kraftig; (*smell, emotion*) sterk; (*argument, evidence*) vektig
powerhouse ['pauəhaus] (*fig*) S oppkomme *nt*
powerless ['pauəlɪs] ADJ maktesløs, kraftløs ▸ **powerless to do sth** ute av stand til å gjøre* noe
power line S kraftledning *m*
power point (*BRIT*) S stikkontakt *m*
power station S kraftverk *nt*, kraftstasjon *m*
power steering S servostyring *c*
powwow ['pauwau] S (*hum: discussion*) rådslagning *m*
pp FK (= *by proxy*) (= **per procurationem**) p.p., e.f. (= *etter fullmakt*)
pp. FK (= **pages**) s. (= *side(r)*)
PPE (*BRIT: UNIV*) S FK (= **philosophy, politics and economics**) *studium som omfatter filosofi, politikk og økonomi*
PPS S FK (= **post postscriptum**) PPS (*var.* pps) etterskrift etter etterskriften; (*BRIT*) (= **parliamentary private secretary**) *parlamentsmedlem fra de bakre rekker (backbencher) som fungerer som sekretær og rådgiver for en minister*
PPV ADJ FK (= **pay-per-view**) betal-
PQ (*CAN*) FK = **Province of Quebec**
PR 1 S FK (*POL*) (= **public relations**),**proportional representation**
2 FK (*US: POST*) = **Puerto Rico**
Pr. FK = **prince**
practicability [præktɪkə'bɪlɪtɪ] S gjennomførbarhet *m* ❑ *...the practicability of this type of legislation.* ...gjenommførbarheten av lovgivning på dette området.
practicable ['præktɪkəbl] ADJ (*scheme, task, idea*) gjennomførbar ❑ *The noise will be reduced as far as is practicable...* Støyen vil bli* redusert så langt det er gjennomførbart...
practical ['præktɪkl] ADJ (**a**) (= *not theoretical: difficulties, experience etc*) praktisk ❑ *Practical experience of journalism would be valuable.* Praktisk erfaring fra journalistikk vil være* av verdi.
(**b**) (*person: sensible*) praktisk
(**c**) (= *good with hands*) praktisk (anlagt) ❑ *What a practical mind you have.* Du tenker så praktisk.
(**d**) (*ideas, methods: sensible*) praktisk
(**e**) (= *can be put into practice*) praktisk mulig ❑ *How long will it be before nuclear fusion becomes practical?* Hvor lang tid vil det ta* før atomfusjon blir praktisk mulig?
(**f**) (= *functional: clothes, things*) praktisk
practicality [præktɪ'kælɪtɪ] S (*of person*) praktiskhet *m* ❑ *He has the English mixture of extreme practicality and dreaminess.* Han har den engelske blandingen av å være* både utpreget praktisk og drømmende.
▸ **practicalities** SPL (*of situation etc*) praktiske sider ❑ *...the practicalities of living...* de praktiske sidene ved livet...
practical joke S skøyerstrek *m*
practically ['præktɪklɪ] ADV (= *almost*) praktisk talt
practice ['præktɪs] 1 S (**a**) (= *custom*) skikk *m* ❑ *...the Japanese practice of binding the feet from birth.* ...den japanske skikken med å binde føttene fra fødselen.
(**b**) (= *not theory*) praksis *m*
(**c**) (*exercise, training*) trening *c*, øvelse *m* ❑ *With practice it becomes less of an effort...* Med trening *or* øvelse blir det mindre strevsomt...
(**d**) (*MED, JUR: business*) praksis *m* ❑ *...a medical practice...* en legepraksis...
2 VT, VI (*US*) = **practise**
▸ **in practice** (= *in reality*) i praksis
▸ **out of practice** ute av trening
▸ **2 hours' piano practice** 2 timers pianoøvelse

▸ **it's common** *or* **standard practice** det er vanlig praksis
▸ **to put sth into practice** sette* noe ut i livet, prøve (*v3*) noe ut i praksis
▸ **target practice** skyteøvelse *m* (*på blink*)
practice match (*SPORT*) s treningskamp *m*
practise ['præktɪs], **practice** (*US*) 1 VT (**a**) (= *train at: sport etc*) trene (*v2*) på
(**b**) (+*musical instrument, piece of music*) øve (*v3*) på ❑ *I played the piece I had been practising for months...* Jeg spilte det stykket jeg hadde øvd på i månedsvis...
(**c**) (= *carry out*) praktisere (*v2*) ❑ *...a custom still practised in the suburbs.* ...en skikk som fortsatt praktiseres i forstedene. *He's in Hull practising medicine...* Han praktiserer som lege i Hull...
2 VI (**a**) (= *work at: in music, theatre etc*) øve (*v3*)
(**b**) (*in sport*) trene (*v2*)
(**c**) (*lawyer, doctor etc+*) drive* praksis ❑ *Many doctors still practise from their own houses.* Mange leger driver fremdeles hjemmepraksis.
practised ['præktɪst] (*BRIT*) ADJ (**a**) (*person*) dreven, veltrent ❑ *...practised in the art of deception.* ...dreven *or* veltrent i bedrageriets kunst.
(**b**) (*performance*) innøvd
(**c**) (*liar*) dreven
▸ **with a practised eye** med øvet blikk
practising ['præktɪsɪŋ] ADJ (*gen*) praktiserende
practitioner [præk'tɪʃənəʳ] s ▸ **general practitioner** allmennpraktiker *m*
▸ **medical practitioner** praktiserende lege *m*
▸ **legal practitioner** praktiserende advokat *m*
pragmatic [præg'mætɪk] ADJ (*person, reason etc*) pragmatisk
pragmatism ['prægmətɪzəm] s pragmatisme *m*
Prague [prɑːg] s Praha
prairie ['prɛərɪ] s prærie *m*
▸ **the prairies** (*US*) prærien
praise [preɪz] 1 s (**a**) (*gen*) ros *m*
(**b**) (*formally, in competitions etc*) rosende omtale *m* ❑ *Three other entrants were singled out for special praise...* Tre andre deltagere fikk særdeles rosende omtale...
(**c**) (*REL*) lovprisning *m*
2 VT (**a**) (+*person, behaviour, thing etc*) rose (*v2*)
(**b**) (*REL*) (lov)prise (*v2*)
praiseworthy ['preɪzwəːðɪ] ADJ (*behaviour, attempt etc*) rosverdig, prisverdig
pram [præm] (*BRIT*) s barnevogn *m*
prance [prɑːns] VI (*horse+*) danse (*v1*)
▸ **to prance about/up and down** *etc* (*person+*) spankulere (*v2*) omkring/fram og tilbake *etc*
prank [præŋk] s skøyerstrek *m*, puss *nt*
prat [præt] (*BRIT: sl*) s dust *m*
prattle ['prætl] VI ▸ **to prattle on (about)** skravle (*v1*) i vei (om)
prawn [prɔːn] s reke *c*
▸ **prawn cocktail** rekecocktail *m*
pray [preɪ] VI be*
▸ **to pray for/that** (*REL*) be* om/om at
prayer [prɛəʳ] s bønn *m*
▸ **to say one's prayers** (**a**) (*before sleeping*) be* aftenbønn
(**b**) (*when dying*) be* sin siste bønn
prayer book s bønnebok *c*

pre... [priː] PREF før-, før
▸ **pre-1970** før 1970
preach [priːtʃ] 1 VI (**a**) (*REL*) preke (*v2*)
(**b**) (*neds: moralize*) moralisere (*v2*), holde* moralpreken ❑ *Don't preach!* Ikke vær så moraliserende!, Ikke hold moralpreken!
2 VT (**a**) (*REL*) ▸ **to preach a sermon** holde* (en) preken
(**b**) (*fig*) forkynne (*v2x*) ❑ *His father used to preach Socialism.* Faren hans pleide å forkynne sosialismen.
▸ **to preach the Gospel** forkynne (*v2x*) evangeliet
▸ **to preach at sb** (*fig*) holde* moralpreken for noen
▸ **to preach to the converted** (*fig*) forsøke (*v2*) å overbevise en som allerede er enig
preacher ['priːtʃəʳ] s predikant *m*
preamble [prɪ'æmbl] s forord *nt*, innledning *c*
prearranged [priːə'reɪndʒd] ADJ (*time, signal*) avtalt på forhånd
precarious [prɪ'kɛərɪəs] ADJ (= *dangerous*) usikker og farefull; (*fig: position, situation*) usikker og vanskelig
precaution [prɪ'kɔːʃən] s forsiktighetshensyn *nt*
▸ **as a precaution** av forsiktighetshensyn, som en forholdsregel
▸ **to take precautions** ta* visse forholdsregler, ta* sine forholdsregler
precautionary [prɪ'kɔːʃənrɪ] ADJ (*measure*) sikkerhets-, forsiktighets-
precede [prɪ'siːd] VT (**a**) (+*event*) gå* forut for, komme* før ❑ *...the sudden drop in temperature that precedes a thunder storm...* det plutselige temperaturfallet som går forut for *or* kommer før et tordenvær...
(**b**) (+*person*) gå/kjøre (*v2*) *etc* foran ❑ *We were preceded by a huge man.* Foran oss gikk det en diger mann.
(**c**) (*words, sentences+*) komme* foran ❑ *...a long essay preceded by a brief introduction.* ...et langt essay med en kort introduksjon foran.
precedence ['presɪdəns] s (= *priority*) ▸ **order of precedence** rangfølge *m*
▸ **this takes precedence over that** dette må prioriteres høyere enn det
precedent ['presɪdənt] s (**a**) (*JUR*) presedens *m*
(**b**) (= *sth that has happened before*) tidligere tilfelle *nt* ❑ *There was no precedent for the riots.* Det var ingen tidligere tilfeller av disse opprørene.
▸ **to establish** *or* **set a precedent** skape (*v2*) presedens
preceding [prɪ'siːdɪŋ] ADJ (*chapter, programme, day*) foregående
precept ['priːsept] s rettesnor *c*
precinct ['priːsɪŋkt] s (*US: part of city*) sone *c*, bydel *m*
▸ **precincts** SPL (*of cathedral*) tilhørende område *nt sg*, enemerker
▸ **pedestrian precinct** (*BRIT*) gågater *pl*, gågate *c*
▸ **shopping precinct** (*BRIT*) shoppingområde *nt* med gågater
precious ['preʃəs] 1 ADJ (**a**) (= *valuable: time, memories, possessions*) verdifull, dyrebar
(**b**) (*object, material*) verdifull, kostbar ❑ *My life is*

more precious to me than my property... Livet mitt er mer verdifullt *or* dyrebart for meg enn eiendelene mine...
(**c**) (*neds: person, writing*) affektert ❑ *He has a slightly precious prose style.* Han har en noe affektert måte å skrive på.
(**d**) (*iro: damned*) hersens (*sl*) ❑ *...your precious ideas.* ...de hersens ideene dine.
2 ADV (*sl*) ▸ **precious little** fint lite, sørgelig lite ❑ *There's precious little they can learn from us...* Det er fint lite *or* sørgelig lite de kan lære av oss... ▸ **precious few** sørgelig få
precious stone s edelste(i)n *m*
precipice ['prɛsɪpɪs] s stup *nt*, avgrunn *m*; (*fig*) avgrunn *m*
precipitate [*VT* prɪ'sɪpɪteɪt, *ADJ* prɪ'sɪpɪtɪt] 1 VT framskynde (*v1*)
2 ADJ overilt
precipitation [prɪsɪpɪ'teɪʃən] s (= *rain*) nedbør *m*; (= *haste*) overilelse *m*
precipitous [prɪ'sɪpɪtəs] ADJ (= *steep*) bratt; (= *hasty*) overilt
précis ['preɪsi:] s UBØY resymé *nt*, sammendrag *nt*
precise [prɪ'saɪs] ADJ (**a**) nøyaktig
(**b**) (*time*) nøyaktig, presis
▸ **to be precise...** for å være* nøyaktig...
precisely [prɪ'saɪslɪ] ADV (**a**) (= *exactly*) nøyaktig
(**b**) (*referring to time*) presis, akkurat ❑ *The flight departs at 7 o'clock precisely.* Flyet går presis klokka 7.
(**c**) (*emph*) nøyaktig, akkurat ❑ *I'll tell you precisely how your father makes his money.* Jeg skal fortelle deg nøyaktig *or* akkurat hvordan faren din tjener pengene sine.
▸ **precisely!** akkurat!, nettopp!
precision [prɪ'sɪʒən] s presisjon *m*, nøyaktighet *c*
preclude [prɪ'klu:d] VT (+*action, event*) utelukke (*v1*), forhindre (*v1*)
▸ **to preclude sb from doing** forhindre (*v1*) noen å gjøre
precocious [prɪ'kəuʃəs] ADJ (*child: too grown up*) veslevoksen; (*talented*) fremmelig; (*talent*) tidlig utviklet
preconceived [pri:kən'si:vd] ADJ (*idea*) forutinntatt
preconception ['pri:kən'sɛpʃən] s forutinntatt mening *c*, forutinntatt holdning *m*
precondition ['pri:kən'dɪʃən] s forutsetning *m*, nødvendig betingelse *m*
precursor [pri:'kə:sə^r] s forløper *m*
predate ['pri:'deɪt] VT (= *precede*) gå* forut for
predator ['prɛdətə^r] s (*ZOOL*) rovdyr *m*; (*fig*) gribb *m* (*sl*)
predatory ['prɛdətərɪ] ADJ (*animal*) rov-; (*behaviour, approach*) rovgrisk
predecessor ['pri:dɪsɛsə^r] s (*person*) forgjenger *m*
predestination [pri:dɛstɪ'neɪʃən] s forutbestemmelse *m*
predetermine [pri:dɪ'tə:mɪn] VT forutbestemme (*v2x*)
predicament [prɪ'dɪkəmənt] s vanskelig situasjon *m*
▸ **to be in a predicament** være* i en vanskelig situasjon
predicate ['prɛdɪkɪt] (*LING*) s predikat *nt*
predict [prɪ'dɪkt] VT forutsi*
predictable [prɪ'dɪktəbl] ADJ (*outcome, behaviour etc*) forutsigbar
predictably [prɪ'dɪktəblɪ] ADV (*behave, react*) som ventet
▸ **predictably she didn't arrive** som ventet kom hun ikke
prediction [prɪ'dɪkʃən] s forutsigelse *m*, spådom *m*
predispose ['pri:dɪs'pəuz] VT ▸ **to predispose sb to do sth** gjøre* noen tilbøyelig til *or* innstilt på å gjøre* noe
predominance [prɪ'dɔmɪnəns] s (*in amount, number*) overvekt *m*; (= *power*) overmakt *c*
predominant [prɪ'dɔmɪnənt] ADJ (*mood, colour etc*) dominerende
▸ **to become predominant** få* en dominerende stilling
predominantly [prɪ'dɔmɪnəntlɪ] ADV (= *chiefly*) overveiende, hovedsaklig
predominate [prɪ'dɔmɪneɪt] VI (**a**) (*in number*) ha* flertall ❑ *Intellectuals were bound to predominate in such a party.* Intellektuelle hadde selvfølgelig flertall i en slik gruppe
(**b**) (*in size, strength, influence*) dominere (*v2*) ❑ *Feelings rather than facts predominate...* Det er mer følelser enn fakta som dominerer...
pre-eminent [pri:'ɛmɪnənt] ADJ ▸ **a pre-eminent scientist** en fremragende vitenskapsmann
▸ **the pre-eminent political figure** den mest fremragende *or* mest framtredende politiske skikkelsen
pre-empt [pri:'ɛmt] VT (+*decision, plan, statement*) avskjære* (på forhånd)
pre-emptive [pri:'ɛmtɪv] ADJ ▸ **pre-emptive strike** forebyggende streik *m*
preen [pri:n] VT ▸ **to preen itself** (**a**) (*bird+*) glatte (*v1*) fjærene sine, pusse (*v1*) fjærene sine
▸ **to preen o.s.**
(**b**) (= *do oneself up*) jåle (*v1*) seg til
(**c**) (= *strut*) briske (*v1*) seg
▸ **to preen o.s. on sth** briske (*v1*) seg for noe
prefab ['pri:fæb] s elementhus *nt* (*særlig under 2. verdenskrig*)
prefabricated [pri:'fæbrɪkeɪtɪd] ADJ (*building*) ferdigbygd, prefabrikert
preface ['prɛfəs] 1 s (*in book*) forord *nt*
2 VT ▸ **to preface with/by** (+*speech, action*) innlede (*v1*) med ❑ *She prefaced her remarks with "sorry".* Hun innledet sine kommentarer med "beklager".
prefect ['pri:fɛkt] (*BRIT*) s (*in school*) tillitselev *m* (*med autoritet til å holde disiplin blant yngre elever*)
prefer [prɪ'fə:^r] VT (= *like better*) foretrekke*
▸ **to prefer charges** (*JUR*) reise (*v2*) tiltale
▸ **to prefer doing** *or* **to do** foretrekke* å gjøre
▸ **to prefer coffee to tea** foretrekke kaffe framfor te, like (*v2*) kaffe bedre enn te
preferable ['prɛfrəbl] ADJ som er å foretrekke ❑ *Gradual change is preferable to sudden change...* Gradvise forandringer er å foretrekke framfor plutselige forandringer...
preferably ['prɛfrəblɪ] ADV fortrinnsvis
preference ['prɛfrəns] s forkjærlighet *m*
▸ **to have a preference for** ha* en forkjærlighet for

▸ **in preference to sth** framfor noe
▸ **to give preference to** (*priority*) gi* fortrinnsrett til
preference shares (*BRIT: MERK*) SPL preferanseaksjer
preferential [prɛfə'rɛnʃəl] ADJ ▸ **preferential treatment** favorisering *m*
preferred stock (*US*) SPL = **preference shares**
prefix ['pri:fɪks] (*LING*) s forstavelse *m*, prefiks *nt*
pregnancy ['prɛgnənsɪ] s (*of woman*) svangerskap *nt*, graviditet *m*; (*of female animal*) drektighet *c*
pregnancy test s graviditetstest *m*, svangerskapsprøve *c*
pregnant ['prɛgnənt] ADJ (**a**) (*woman*) gravid
(**b**) (*female animal*) drektig
(**c**) (*fig: pause, remark*) betydningsfull
▸ **3 months pregnant** gravid i tredje måned
prehistoric ['pri:hɪs'tɔrɪk] ADJ forhistorisk
prehistory [pri:'hɪstərɪ] s fortidshistorie *m*, prehistorie *m*
prejudge [pri:'dʒʌdʒ] VT dømme (*v2x*) for tidlig ❑ *We should try not to prejudge the issue.* Vi må prøve å ikke dømme for tidlig i denne saken.
prejudice ['prɛdʒudɪs] 1 S (**a**) (*= bias against*) fordommer *pl* ❑ *Prejudice against women...* Fordommer mot kvinner... *racial prejudice...* rasefordommer...
(**b**) (*= bias in favour*) *det å være* partisk* ❑ *The judges were accused of showing a prejudice in favour of younger entrants.* Dommerne ble beskyldt for å være* partiske overfor yngre deltakere.
2 VT spolere (*v2*) ❑ *I don't want to prejudice your chances...* Jeg vil ikke spolere sjansene dine...
▸ **without prejudice to** (*fml*) uten skade for
▸ **to prejudice sb in favour of** gjøre* noen velvillig innstilt overfor
▸ **to prejudice sb against** gi* noen fordommer mot
prejudiced ['prɛdʒudɪst] ADJ (**a**) (*person: biased against*) fordomsfull
(**b**) (*= biased in favour*) partisk
(**c**) (*view*) fordomsfull
▸ **to be prejudiced against** ha* fordommer mot
prelate ['prɛlət] s prelat *m*
preliminaries [prɪ'lɪmɪnərɪz] SPL (*gen*) forberedelser; (*in speaking*) innledende bemerkninger
preliminary [prɪ'lɪmɪnərɪ] 1 ADJ (*step, remarks*) innledende; (*arrangement*) forberedende, innledende
2 s (*SPORT*) forsøksheat *nt*, innledende runde *m*
prelude ['prɛlju:d] s (*MUS*) preludium *nt*
▸ **a prelude to** (*fig*) en opptakt til, en innledning til
premarital ['pri:'mærɪtl] ADJ (*sex, pregnancy*) førekteskapelig
premature ['prɛmətʃuəʳ] ADJ (**a**) (*baby*) for tidlig født
(**b**) (*death, arrival, ageing*) for tidlig
(**c**) (*= before the event: congratulations, optimism*) forhastet
▸ **you're being a little premature** du tar tingene litt på forskudd
premeditated [pri:'mɛdɪteɪtɪd] ADJ (*act, crime*) overlagt
premeditation [pri:mɛdɪ'teɪʃən] s (*JUR*) overlegg *nt*
premenstrual syndrome [pri:'mɛnstruəl-] s premenstruelt syndrom *n*
premenstrual tension [pri:'mɛnstruəl-] s premenstruell spenning *c*
premier ['prɛmɪəʳ] 1 ADJ (*= best*) ledende
2 s (*POL*) statsminister *m*
première ['prɛmɪɛəʳ] s (*of film, play*) premiere *m*
Premier League s ≈ eliteserie *m*
premise ['prɛmɪs] s (*of argument*) premiss *nt*
▸ **premises** SPL (**a**) (*buildings and grounds*) eiendom *m sg*
(**b**) (*buildings only*) lokaler ❑ *...the firm moved to new premises...* bedriften flyttet til nye lokaler...
▸ **on the premises** (**a**) (*in the buildings*) i lokalene
(**b**) (*outdoors*) på eiendommen
premium ['pri:mɪəm] s (**a**) (*MERK: extra sum of money*) bonus *m*
(**b**) (*FORS*) premie *m*
▸ **to be at a premium** (**a**) (*= expensive*) stå* høyt i kurs, være* sterkt etterspurt
(**b**) (*= hard to get*) være* sterkt etterspurt
premium bond (*BRIT*) s premieobligasjon *m*

> **Premium bonds** *er statlige obligasjoner som publikum kan kjøpe. Rentene blir ikke utbetalt, men hver måned er det en slags trekning som foretas av en datamaskin. Den som eier obligasjonen som blir trukket ut, vinner en pengesum som kan variere fra noen få pund til flere millioner.*

premium gasoline (*US*) s høyoktanbensin *m*, superoktanbensin *m*
premonition [prɛmə'nɪʃən] s ▸ **premonition (of/that)** forutanelse *m* (om/om at)
preoccupation [pri:ɔkju'peɪʃən] s ▸ **let me explain my preoccupation with this** la meg forklare hvorfor jeg er så sterkt opptatt av dette
preoccupied [pri:'ɔkjupaɪd] ADJ tankefull
▸ **preoccupied with** sterkt opptatt av
prep [prɛp] (*SKOL*) s lekselesing *c*
▸ **prep school** *forberedende skole for barn som skal gå* på privatskole*
prepaid [pri:'peɪd] ADJ (*= paid in advance*) betalt på forskudd; (*envelope*) ferdigfrankert
preparation [prɛpə'reɪʃən] s (**a**) (*food, medicine, cosmetic*) preparat *nt*
(**b**) (*activity*) ▸ **preparation (for)** forberedelse *m* (til) ❑ *...the preparation of Labour's manifesto...* forberedelsen av Arbeiderpartiets manifest... *Education should be a preparation for life...* Utdannelse burde være* en forberedelse til livet...
▸ **preparations** SPL (*arrangements*) forberedelser
▸ **in preparation for sth** med henblikk på noe
preparatory [prɪ'pærətərɪ] ADJ (*report, training etc*) forberedende
▸ **preparatory to sth/to doing sth** som en forberedelse *or* innledning til noe/til å gjøre* noe
preparatory school s (*BRIT*) privat forberedelsesskole *m* (*til eksklusiv kostskole*); (*US*) privat forberedelsesskole *m* (*til høyere utdanning*)

I Storbritannia er en **preparatory school**, *eller* **prep school**, *en privat skole som forbereder barn fra 7 til 13 år til* public schools. *I USA er en* preparatory school *en privatskole som forbereder elevene til høyere studier, helst ved de mest prestisjefylte universitetene og collegene.*

prepare [prɪ'pɛəʳ] 1 VT (**a**) (*+plan, speech*) forberede (*v2*)
(**b**) (*+room*) gjøre* i stand
(**c**) (*+food, meal*) lage (*v1 or v3*), gjøre* i stand
2 VI ▸ **to prepare for** forberede (*v2*) seg på; (*+exam, job*) forberede (*v2*) seg til
▸ **to prepare for action** gjøre* seg klar til handling

prepared [prɪ'pɛəd] ADJ ▸ **prepared to** (= *willing*) villig til ❑ *What sort of risks are you prepared to take?* Hva slags risiko er du villig til å ta?
▸ **prepared (for)** (= *ready*) forberedt (på)

preponderance [prɪ'pɔndərns] S (*of people, things*) overvekt *c* (*mengde, antall*) ❑ *There is a definite preponderance of women here.* Det er en klar overvekt av kvinner her.

preposition [prɛpə'zɪʃən] S preposisjon *m*

prepossessing [pri:pə'zɛsɪŋ] ADJ (*person, place*) tiltalende

preposterous [prɪ'pɔstərəs] ADJ (*suggestion, idea, situation*) fullstendig meningsløs

prep school (*BRIT*) S = **preparatory school**

prerecorded ['pri:rɪ'kɔ:dɪd] ADJ forhåndsinnspilt

prerequisite [pri:'rɛkwɪzɪt] S forutsetning *m* ❑ *...an essential prerequisite of economic growth.* ...en viktig forutsetning for økonomisk vekst.

prerogative [prɪ'rɔgətɪv] S (*of person, group*) fortrinnsrett *m*, prerogativ *nt* ❑ *...new ideas are not the prerogative of researchers.* ...nye ideer er ikke noe forskerne har fortrinnsrett på.. ...nye ideer er ikke forskernes prerogativ.

Presbyterian [prɛzbɪ'tɪərɪən] 1 ADJ presbyteriansk 2 S presbyterianer *m*

presbytery ['prɛzbɪtərɪ] S presbyterium *nt* (*prestebolig*)

preschool ['pri:'sku:l] ADJ (*age, child, education*) førskole-

prescribe [prɪ'skraɪb] VT (*MED*) ordinere (*v2*); (= *demand*) fastsette*, foreskrive*

prescribed [prɪ'skraɪbd] ADJ (*duties, period*) fastsatt, foreskreven

prescription [prɪ'skrɪpʃən] S (**a**) (*MED: slip of paper*) resept *m*
(**b**) (= *medicine*) medisin *m*
▸ **to make up a prescription** ekspedere (*v2*) en resept
▸ **"only available on prescription"** "fåes kun på resept"

prescription charges (*BRIT*) SPL reseptgebyr *nt*

prescriptive [prɪ'skrɪptɪv] ADJ preskriptiv, normgivende

presence ['prɛzns] S (**a**) (= *state of being somewhere*) nærvær *nt*, tilstedeværelse *m* ❑ *He tried to justify his presence in Belfast...* Han prøvde å rettferdiggjøre sitt nærvær *or* sin tilstedeværelse i Belfast...
(**b**) (*fig: personality*) framtreden *m*
(**c**) (*spirit, invisible influence*) vesen *nt* ❑ *...a mysterious winged presence...* et mystisk, bevinget vesen...
▸ **in sb's presence** i noens nærvær

presence of mind S åndsnærværelse *m*
▸ **to have the presence of mind to do** være* åndsnærværende nok til å gjøre

present [*ADJ, N* 'prɛznt, *VB* prɪ'zɛnt] 1 ADJ (**a**) (= *current*) nåværende ❑ *The present system has many failings...* Det nåværende systemet har mange feil...
(**b**) (= *in attendance*) til stede ❑ *There was a photographer present.* Det var en fotograf til stede.
2 S (**a**) (= *actuality*) ▸ **the present** nåtiden (*var.* nåtida)
(**b**) (= *gift*) presang *m*, gave *m*
(**c**) (*LING: **present tense***) presens *no art*
3 VT (**a**) (= *give: prize, award etc*) overrekke* ❑ *The Awards were presented by Sir Robin...* Æresprisene ble overrakt av Sir Robin...
(**b**) (= *cause, provide: difficulties, problems*) skape (*v2*)
(**c**) (*+challenge, threat, danger*) representere (*v2*) ❑ *Everest presented a challenge to Hillary...* Everest representerte en utfordring for Hillary...
(**d**) (*introduce, portray, RADIO, TV*) presentere (*v2*) ❑ *Information can be presented in many ways...* Opplysninger kan presenteres på mange måter... *Her lawyer presented her in the most favourable light...* Advokaten hennes presenterte henne i et gunstigst mulig lys...
▸ **to be in the present (tense)** stå* i presens
▸ **at present** for tiden, for øyeblikket
▸ **to give sb a present** gi* noen en presang *or* gave
▸ **to be present at** være* til stede på/ved
▸ **those present** de tilstedeværende
▸ **to present sth to sb, to present sb with sth** overrekke* noen noe
▸ **to present sb to** (= *introduce*) presentere (*v2*) noen for
▸ **to present itself** (*opportunity+*) by* seg

presentable [prɪ'zɛntəbl] ADJ (*person*) presentabel

presentation [prɛzn'teɪʃən] S (**a**) (*of plan, proposal, report etc*) presentasjon *m*
(**b**) (*appearance: of product, essay*) utforming *m*
(**c**) (*lecture, talk*) framføring *c*, presentasjon *m*
▸ **on presentation of** (*+voucher etc*) ved forevisning av

present-day ['prɛzntdeɪ] ADJ nåtids-, moderne

presenter [prɪ'zɛntəʳ] S (*on radio, TV*) programleder *m*; (*reading news*) nyhetsoppleser *m*

presently ['prɛzntlɪ] ADV (**a**) (= *soon after*) snart ❑ *Presently I got the whole story...* Snart fikk jeg hele historien...
(**b**) (= *not long from now*) om en liten stund ❑ *He will be here presently.* Han vil være* her om en liten stund.
(**c**) (= *at the moment*) for øyeblikket ❑ *They are presently working on chips which will hold...* De arbeider for øyeblikket med chips som kan lagre...

present participle S presens partisipp *nt*

preservation [prɛzə'veɪʃən] S bevaring *m*

preservative [prɪ'zɜːvətɪv] s (*for food, wood, metal etc*) konserveringsmiddel *nt*
preserve [prɪ'zɜːv] 1 VT (**a**) (*gen*) bevare (*v2*) (**b**) (*+food*) konservere (*v2*)
2 s (**a**) (*often pl : jam, marmalade, chutney*) *syltede matvarer*
(**b**) (*for game, fish*) fredet område *nt*, reservat *nt*
▸ **a male/working class preserve** (*fig*) noe menn/arbeiderklassen har enerett på
▸ **strawberry preserve** jordbærsyltetøy *nt*
preshrunk ['priːʃrʌŋk] ADJ (*jeans etc*) krympet
preside [prɪ'zaɪd] VI ▸ **to preside over** (*+meeting, event etc*) lede (*v1*), være* ordstyrer for
presidency ['prɛzɪdənsɪ] s (**a**) (*POL*) presidentembete *nt* ❑ *He is to be nominated for the presidency...* Han skal nomineres til presidentembetet...
(**b**) (*US : of company*) direktørstilling *c*
(**c**) (*period of time*) president-termin *m*, president-tid *c*
president ['prɛzɪdənt] s (*POL*) president *m*; (*of society, club*) formann *m*; (*of company, institution*) generaldirektør *m*
presidential [prɛzɪ'dɛnʃl] ADJ (*election, campaign etc*) president-; (*adviser, representative etc*) presidentens
press [prɛs] 1 s (**a**) (*of switch, button, bell*) trykk *nt* ❑ *...at the press of a switch.* ...med et trykk p knappen.
(**b**) (*for wine*) (vin)presse *c*
(**c**) (*printing press*) (boktrykker)presse *c*
(**d**) (*= newspapers, journalists*) ▸ **the press** *or* **Press** pressen
2 VT (**a**) (*gen*) presse (*v1*), trykke (*v2x*) ❑ *Stroganov pressed his hand to his heart...* Stroganov presset *or* trykket hånden mot hjertet...
(**b**) (*+button, switch, bell etc*) trykke (*v2x*) på
(**c**) (*= iron : clothes*) presse (*v1*)
(**d**) (*= put pressure on : person*) presse (*v1*) ❑ *Don't press me on this point...* Ikke press meg når det gjelder dette...
(**e**) (*= squeeze : sb's hand*) trykke (*v2x*)
(**f**) (*= pursue : claim, demand, views*) få* fram ❑ *...a large group working hard to press the consumer viewpoint.* ...en stor gruppe som arbeider hardt for få* fram forbrukernes synspunkter.
3 VI trenge (*v2*) seg ❑ *A group of people pressed through the door...* En gruppe mennesker trengte seg gjennom døra...
▸ **to press sth (up)on sb** (**a**) (*+gifts*) dytte (*v1*) noe på noen, presse (*v1*) noen til å ta* imot noe (**b**) (*+food, drink*) dytte (*v1*) noe i noen, nøde (*v1*) noen til ❑ *His aunts were pressing upon him cups of tea...* Tantene hans dyttet i ham *or* nødet ham til te...
▸ **to press for** (*+improvements, changes etc*) kreve (*v3*)
▸ **we are pressed for time/money** vi har dårlig tid/lite penger
▸ **to press sb for an answer** gå* hardt inn på noen for å få* et svar
▸ **to press sb to do** *or* **into doing sth** (*= urge*) be* noen inntrengende om å gjøre* noe
▸ **to press charges (against sb)** (*JUR*) ta* ut siktelse (mot noen)
▸ **to go to press** (*newspaper+*) gå* i trykken
▸ **press ahead** VI drive* på
▸ **to press ahead with sth** fortsette* med noe
▸ **press on** VI (*continue*) drive* på
press agency s pressebyrå *nt*
press clipping s avisutklipp *nt*
press conference s pressekonferanse *m*
press cutting s = **press clipping**
press-gang ['prɛsgæŋ] VT ▸ **to press-gang sb into doing sth** presse (*v1*) noen til å gjøre* noe
pressing ['prɛsɪŋ] ADJ (*appointment, decision etc*) presserende
press officer s pressetalsmann *m*, pressetalskvinne *m*
press release s pressemelding *c*
press stud (*BRIT*) s trykk-knapp *m* (*var:* trykknapp)
press-up ['prɛsʌp] (*BRIT*) s armheving *c*, push-up *m*
pressure ['prɛʃəʳ] 1 s (**a**) (*physical force, PHYS*) trykk *nt* ❑ *It bent when the slightest pressure was put upon it.* Den bøyde seg ved det minste lille trykk.
(**b**) (*= demand*) krav *nt* ❑ *The main pressure for change...* Det viktigste kravet om forandring...
(**c**) (*= stress*) press *nt*
2 VT ▸ **to pressure sb (to do)** presse (*v1*) noen (til å gjøre)
▸ **to put pressure on sb (to do)** legge* press på noen (for at de skal gjøre)
▸ **high/low pressure** (*TEKN*) høytrykk/lavtrykk *nt*
pressure cooker s trykk-koker *m*
pressure gauge s trykkmåler *m*, manometer *nt*
pressure group s pressgruppe *c*
pressurize ['prɛʃəraɪz] VT ▸ **to pressurize sb (to do/into doing)** legge* press på noen (for å gjøre)
pressurized ['prɛʃəraɪzd] ADJ (*cabin, container, spacesuit*) trykk-, overtrykks-
prestige [prɛs'tiːʒ] s prestisje *m*
prestigious [prɛs'tɪdʒəs] ADJ (*institution, appointment*) høyt ansett
presumably [prɪ'zjuːməblɪ] ADV formodentlig
presume [prɪ'zjuːm] VT (*= assume*) anta*, formode (*v1*) ❑ *If you do not come, I shall presume the deal is off...* Hvis du ikke kommer, antar *or* formoder jeg at avtalen er avlyst...
▸ **to presume to do** (*= dare*) tillate* seg å gjøre, driste (*v1*) seg til å gjøre
▸ **I presume so** jeg antar det
presumption [prɪ'zʌmpʃən] s (*= supposition*) formodning *m*; (*= audacity*) dristighet *m*
presumptuous [prɪ'zʌmpʃəs] ADJ overmodig
presuppose [priːsə'pəuz] VT forutsette*, gå* ut fra
presupposition [priːsʌpə'zɪʃən] s forutsetning *m*
pretax [priː'tæks] ADJ (*profit*) før skatt
pretence [prɪ'tɛns], **pretense** (*US*) s *det å late som* NB *The industry has abandoned any pretence of restraint.* Industrien har sluttet å late som den er tilbakeholden.
▸ **under false pretences** under falske forutsetninger
▸ **to make a pretence of doing** late* som man gjør
pretend [prɪ'tɛnd] 1 VT ▸ **to pretend to do sth/that** late* som (om) man gjør noe/late* som (om) ❑ *He pretended to fall over...* Han lot som (om) han falt...

2 VI late* som ❑ *He isn't really hurt, he's just pretending.* Han er egentlig ikke såret, han bare later som.
▸ **I don't pretend to understand it** jeg skal ikke late som (om) jeg forstår det

pretense [prɪ'tɛns] (*US*) s = **pretence**

pretentious [prɪ'tɛnʃəs] ADJ (*person, play, film etc*) pretensiøs

preterite ['prɛtərɪt] (*LING*) s preteritum *no art*
▸ **to be in the preterite** stå* i preteritum

pretext ['pri:tɛkst] s påskudd *nt*
▸ **on** *or* **under the pretext of doing sth** under påskudd av å gjøre* noe

pretty ['prɪtɪ] 1 ADJ (*gen*) pen
2 ADV ▸ **pretty good** ganske god

prevail [prɪ'veɪl] VI (**a**) (= *be current: custom, belief*) være* fremherskende ❑ *Different doctrines prevail at different periods.* Forskjellige doktriner er fremherskende i forskjellige perioder.
(**b**) (= *triumph: proposal, principle*) seire (*v1*) ❑ *In the end, common sense prevailed...* Fornuften seiret til slutt...
▸ **to prevail (up)on sb to do** (= *persuade*) overtale (*v2*) noen til å gjøre* noe

prevailing [prɪ'veɪlɪŋ] ADJ (*wind*) herskende; (= *dominant: fashion, view etc*) rådende

prevalent ['prɛvələnt] ADJ (*belief, custom*) herskende

prevaricate [prɪ'værɪkeɪt] VI komme* med utflukter

prevarication [prɪværɪ'keɪʃən] s ▸ **I'm tired of his prevarication** jeg er lei av utfluktene hans

prevent [prɪ'vɛnt] VT (**a**) (+*war, disease*) (for)hindre (*v1*), forebygge (*v3x*)
(**b**) (+*accident*) forhindre (*v1*)
▸ **to prevent sb from doing sth** hindre (*v1*) noen (i) å gjøre* noe
▸ **to prevent sth from happening** forhindre (*v1*) *or* avverge (*v1*) at noe skjer

preventable [prɪ'vɛntəbl] ADJ (*disease*) som kan forhindres

preventative [prɪ'vɛntətɪv] ADJ = **preventive**

prevention [prɪ'vɛnʃən] s forebygging *m*
❑ *...crime prevention.* ...forebygging av kriminalitet.

preventive [prɪ'vɛntɪv] ADJ (*measures, medicine*) forebyggende

preview ['pri:vju:] s (*of film, exhibition etc*) forpremiere *m*

previous ['pri:vɪəs] ADJ (**a**) (= *earlier*) tidligere ❑ *He had children from a previous marriage...* Han hadde barn fra et tidligere ekteskap...
(**b**) (= *preceding*) forrige *used without art*, foregående NB *...at the end of the previous chapter.* ...i slutten av forrige kapittel *or* det foregående kapitlet.
▸ **previous to** før ❑ *Previous to 1993...* Før 1993...

previously ['pri:vɪəslɪ] ADV (**a**) (= *before*) før, i forveien, tidligere ❑ *...ten years previously.* ...ti år før *or* i forveien *or* tidligere.
(**b**) (= *formerly*) tidligere, før ❑ *He was previously British consul.* Tidligere *or* Før var han britisk konsul.

prewar [pri:'wɔ:ʳ] ADJ førkrigs-

prey [preɪ] s bytte *nt*
▸ **to fall prey to** (*fig*) bli* et lett bytte for, falle* som offer for
▸ **prey on** VT FUS (*animal+*) leve (*v3*) av
▸ **to prey on sb's mind** forfølge* noen

price [praɪs] 1 s (*also fig*) pris *m* NB *...a small price to pay for independence...* ingen høy pris å betale for uavhengighet...
2 VT (+*goods*) fastsette* prisen på
▸ **to be priced at** ligge* på ❑ *The least expensive will be priced at 7,000 pounds...* De rimeligste vil ligge på 7 000 pund...
▸ **what is the price of...?** hva er prisen på...?
▸ **to go up** *or* **rise in price** gå* opp *or* stige* i pris
▸ **to put a price on sth** (*fig*) sette* prislapp på
▸ **to price o.s./itself out of the market** prise (*v1*) seg (helt) ut av markedet
▸ **what price his promises now?** hva er løftene hans verdt nå?
▸ **he regained his freedom, but at a price** han fikk sin frihet tilbake, men det kostet ham dyrt

price control s priskontroll *m*

price-cutting ['praɪskʌtɪŋ] s priskutting *c*

priceless ['praɪslɪs] ADJ (*diamond, painting*) uvurderlig, ubetalelig; (*sl: amusing*) kostelig, ubetalelig

price list s prisliste *c*

price range s prisklasse *m*
▸ **it's within my/his price range** det er innenfor riktig prisklasse

price tag s (*also fig*) prislapp *m* ❑ *...the 25 million price tag they had attached to the company.* ...prislappen på 25 millioner som de hadde satt på bedriften.

price war s priskrig *m*

pricey ['praɪsɪ] (*sl*) ADJ dyr

prick [prɪk] 1 s (**a**) (= *sting*) stikk *nt* ❑ *...the prick of an insect.* ...et insektstikk.
(**b**) (*sl!: penis*) pikk *m* (*sl!*)
(**c**) (= *idiot*) tåpelig viktigper *m*
2 VT (**a**) (= *make hole in*) stikke* hull på ❑ *Prick the sausages...* Stikk hull på pølsene...
(**b**) (= *scratch: thorns, needle*) stikke* ❑ *I got pricked terribly when I went picking berries.* Jeg ble stukket voldsomt da jeg gikk og plukket bær.
▸ **to prick up one's ears** (= *listen eagerly*) spisse (*v1*) ører

prickle ['prɪkl] s (**a**) (*of plant*) liten torn *m*
(**b**) (*on cactus*) pigg *m*
(**c**) (*sensation*) prikkende følelse *nt* ❑ *...a prickle of pleasure.* ...en prikkende følelse av velvære.

prickly ['prɪklɪ] ADJ (*plant, fabric*) stikkende

prickly heat s heteutslett *nt*

prickly pear s fikenkaktus *m*

pride [praɪd] 1 s stolthet *c* ❑ *His mother looked at him with pride...* Moren så på ham med stolthet... *My pride did not allow me to...* Stoltheten min tillot meg ikke å... *Excessive pride was the cause of his downfall.* Overdreven stolthet var årsaken til hans fall.
2 VT ▸ **to pride o.s. on** skryte* av
▸ **to take (a) pride in sb/sth** være* stolt av noen/noe
▸ **to take a pride in doing** sette* sin ære i å

gjøre
▸ **to have** *or* **take pride of place** (*BRIT*) ta* førsteplassen
priest [pri:st] s prest *m*
priestess ['pri:stɪs] s prestinne *c*
priesthood ['pri:sthud] s (*being a priest*) presteskap *nt*; (*all members*) ▸ **the priesthood** prestestanden, presteskapet
prig [prɪg] s selvgodt dydsmønster *nt*
prim [prɪm] (*neds*) ADJ (*person*) dydig (og snerpet(e))
prima facie ['praɪmə'feɪʃɪ] ADV ved første øyekast
▸ **prima facie evidence** prima facie-bevis
primal ['praɪməl] ADJ opprinnelig

> **primaries**
> *I USA er* **primaries** *en forberedende utvelgelsesprosess for kandidater fra de største partiene til presidentembetet, og er en del av presidentvalgkampen. De finner sted i de fleste statene mellom februar og juni i valgåret. Som regel er antall* delegates *proporsjonalt med antall stemmer ved de republikanske og demokratiske landsmøtene i juli/august, hvor man foretar den endelige utvelgelsen av en presidentkandidat for partiet.*

primarily ['praɪmərɪlɪ] ADV først og fremst, hovedsaklig
primary ['praɪmərɪ] 1 ADJ (= *principal*) hoved-; (*education, teacher*) grunnskole-, barneskole-
2 s (*US: election*) primærvalg *nt*
primary colour s grunnfarge *m*, hovedfarge *m*, primærfarge *m*
primary school (*BRIT*) s ≈ grunnskole *m* (*på barnetrinnet*), barneskole *m*

> **Primary schools** *i Storbritannia er for barn fra 5 til 11 år. Det er det første trinnet i den obligatoriske skolegangen, og er delt i to: avdelingen for de minste (***infant school***), og avdelingen for de største (***junior school***); se også* **secondary school**

primate[1] ['praɪmeɪt] s (*ZOOL*) primat *m*
primate[2] ['praɪmɪt] (*REL*) primas *m*
prime [praɪm] 1 ADJ (**a**) (= *most important: reason, requirement, cause*) (helt) vesentlig ❑ *Maths is a prime requirement for a career in accountancy...* Matte er en (helt) vesentlig forutsetning for å arbeide innen regnskap...
(**b**) (= *best quality: condition, position*) prima, utmerket
(**c**) (*foodstuffs*) prima, førsteklasses ❑ *...a piece of prime beef...* et stykke prima *or* førsteklasses oksekjøtt...
(**d**) (= *typical*) ▸ **a prime example of...** et skoleeksempel på...
2 s ▸ **in sb's prime** i noens beste alder
3 VT (**a**) (+*wood*) grunne (*v1*)
(**b**) (*fig: person*) instruere (*v2*) (på forhånd) ❑ *I had primed her to answer their questions.* Jeg hadde (på forhånd) instruert henne til å svare på spørsmålene deres.
(**c**) (+*gun*) gjøre* klar
(**d**) (+*pump*) fylle (*v2x*) på
▸ **of prime importance** av største viktighet
▸ **in the prime of life** i livets vår
▸ **the prime suspect** hovedmistenkte *m*
Prime Minister s statsminister *m*
primer ['praɪmə^r] s (*paint*) grunning *c*; (*book*) grunnbok *c*
prime time (*RADIO, TV*) s beste sendetid *c*
primeval [praɪ'mi:vl] ADJ (**a**) (*forest*) ur-
(**b**) (*beast*) urtids-
▸ **primeval instincts** urinnstinkter
primitive ['prɪmɪtɪv] ADJ primitiv
primrose ['prɪmrəuz] s kusymre *c*
primula ['prɪmjulə] s primula *m*
primus (stove)® ['praɪməs-] (*BRIT*) s primus *m*
prince [prɪns] s prins *m*
Prince Charming (*hum*) s drømmeprins *m*
princess [prɪn'sɛs] s prinsesse *c*
principal ['prɪnsɪpl] 1 ADJ (= *most important*) hoved-, viktigst
2 s (*of school, college*) rektor *m*; (*TEAT*) hovedperson *m*; (*FIN*) kapital *m*
principality [prɪnsɪ'pælɪtɪ] s fyrstedømme *nt*
principally ['prɪnsɪplɪ] ADV hovedsaklig, især
principle ['prɪnsɪpl] s (*gen*) prinsipp *nt*
▸ **in principle** (**a**) (= *in theory*) i prinsippet
(**b**) (= *in general*) prinsipielt, i prinsippet ❑ *...if you agree in principle to the idea...* om du prinsipielt *or* i prinsippet er enig i...
▸ **on principle** av prinsipp
print [prɪnt] 1 s (**a**) (= *type*) trykk *m* ❑ *The print is rather poor.* Trykken er ganske dårlig.
(**b**) (*KUNST*) reproduksjon *m*
(**c**) (*FOTO*) bilde *nt* (*papirkopi*)
(**d**) (*fabric*) stoff *nt* med trykt mønster ❑ *...a faded print apron.* ...et forkle med falmet trykk.
2 VT (**a**) (+*book, newspaper, cloth, pattern*) trykke (*v2x*) ❑ *...a pattern which is printed onto the fabric by hand...* et mønster som er trykt på stoffet for hånd...
(**b**) (= *write in capitals*) skrive* med trykte bokstaver
3 VI (*filling out form*) bruke (*v2*) trykte bokstaver
▸ **prints** SPL (= *fingerprints*) avtrykk *pl*
▸ **to be out of print** være* utsolgt fra forlaget
▸ **to be in print** foreligge* på trykk
▸ **the fine** *or* **small print** det som står med liten skrift ❑ *Always read the fine print...* Les alltid det som står med liten skrift...
▸ **print out** VT (*DATA*) ta* en utskrift av
printed circuit s trykt krets *m*
printed matter s trykksak *nt*
printer ['prɪntə^r] s (*machine*) printer *m*, skriver *m*; (*person*) (bok)trykker *m*, typograf *m*; (*firm*) trykkeri *nt*
printhead ['prɪnthɛd] (*DATA*) s typehode *nt*
printing ['prɪntɪŋ] s (*activity*) (bok)trykking *c*; (*art*) boktrykkerkunst *m*
printing press s trykk(eri)presse *c*
printout ['prɪntaut] (*DATA*) s utskrift *c*
prior ['praɪə^r] 1 ADJ (**a**) (= *previous: knowledge, warning, engagement*) for(hånds)- ❑ *No prior knowledge is required.* Det kreves ingen for(hånds)kunnskaper.
(**b**) (= *more important: claim, duty*) første og viktigste ❑ *He feels a prior obligation to his job as a journalist.* Han føler at hans første og viktigste forpliktelse er til jobben som journalist.
2 s (*REL*) prior *m*

▸ **I have a prior engagement** jeg har en annen avtale
▸ **without prior notice** uten forhåndsvarsel
▸ **to have a prior claim on sth** ha* større krav på noen
▸ **prior to sth/doing sth** før noe/før man gjør noe

prioritize [praɪˈɔrɪtaɪz] VT prioritere (*v2*)

priority [praɪˈɔrɪtɪ] S (= *most urgent thing*) ▸ **food is the main priority** mat har førsteprioritet, mat blir prioritert høyest
▸ **priorities** SPL prioritetsorden *m* ❑ *...to find out the priorities of the public...* å finne ut hva publikum helst vil ha... NB *The policeman had his priorities right.* Politimannen prioriterte riktig.
▸ **to take** *or* **have priority (over)** måtte* prioriteres (foran)
▸ **to give priority to sb/sth** prioritere (*v2*) noen/noe

priory [ˈpraɪərɪ] S kloster *nt* (*som ledes av prior(inne)*)

prise [praɪz] (*BRIT*) VT ▸ **to prise open** bende (*v2*) opp

prism [ˈprɪzəm] S prisme *nt*

prison [ˈprɪzn] 1 S (*also fig*) fengsel *nt* ❑ *...alternatives to prison.* ...noe alternativ til fengsel. *The marriage had become a prison...* Ekteskapet hadde blitt et fengsel...
2 SAMMENS (*officer, food, cell etc*) fengsels-
▸ **in prison** i fengsel

prison camp S fangeleir *m*

prisoner [ˈprɪznəʳ] S fange *m*
▸ **the prisoner at the bar** (*JUR*) tiltalte *m decl as adj*
▸ **to take sb prisoner** ta* noen til fange

prisoner of war S krigsfange *m*

prissy [ˈprɪsɪ] (*neds*) ADJ snerpet(e)

pristine [ˈprɪstiːn] ADJ ren og urørt
▸ **in pristine condition** i ren og urørt stand

privacy [ˈprɪvəsɪ] S (**a**) (= *private life*) privatliv *nt*
(**b**) (*for short time*) (det) å være* for seg selv ❑ *I felt I needed privacy...* Jeg følte at jeg trengte å være* for meg selv...
▸ **in the privacy of your own home** (uforstyrret) hjemme hos deg selv

private [ˈpraɪvɪt] 1 ADJ (**a**) (= *not public or state-owned*) privat
(**b**) (= *confidential: papers*) privat
(**c**) (*discussion, interview*) fortrolig ❑ *Don't read that, it's private.* Ikke les det der, det er privat.
(**d**) (= *personal*) privat
(**e**) (= *secluded: place*) usjenert
(**f**) (= *secretive: person*) lukket ❑ *They were very private people.* De var veldig lukkede mennesker.
2 S (*MIL*) menig *m decl as adj*
▸ **in private** i enerom; (*between 2 people only*) under fire øyne ❑ *Could I talk to you in private?* Kunne jeg få* snakke med deg under fire øyne?
▸ **in (his) private life** i det private liv
▸ **private practice** (*MED*) privatpraksis *m*
▸ **private hearing** (*JUR*) rettsbehandling *c* for lukkede dører

private enterprise S privat initiativ *nt*, privat næringsliv *nt*

private eye S privatdetektiv *m*

private limited company (*BRIT*) S privat aksjeselskap *nt*

privately [ˈpraɪvɪtlɪ] ADV (**a**) (= *in private*) privat ❑ *The notion was discussed privately between the two men.* Begrepet ble diskutert privat mellom de to mennene.
(**b**) (= *secretly*) innerst inne ❑ *Privately Ben felt close to despair.* Innerst inne følte Ben seg nesten desperat.
(**c**) (*owned*) privat- ❑ *These are privately owned firms.* Disse firmaene er privateid.

private parts (*hum*) SPL edlere deler

private property S privat eiendom *m*

private school S privatskole *m*

privation [praɪˈveɪʃən] S mangel *m* (*på nødvendige ting*) NB *I had suffered such privations...* Jeg hadde manglet så mye...

privatize [ˈpraɪvɪtaɪz] VT (+*company, industry*) privatisere (*v2*)

privet [ˈprɪvɪt] S liguster *m*

privilege [ˈprɪvɪlɪdʒ] S (**a**) (*advantage*) privilegium *nt* ❑ *One of the privileges of belonging to the club...* Et av privilegiene ved å høre til klubben...
(**b**) (= *honour*) ære *m*, privilegium *nt* ❑ *It was a privilege to work with such a great actress...* Det var en ære *or* et privilegium å arbeide sammen med en så stor skuespillerinne...

privileged [ˈprɪvɪlɪdʒd] ADJ (**a**) (*person, position*) privilegert
(**b**) (*information*) fortrolig, konfidensiell
▸ **to be privileged to do sth** ha* æren av å gjøre* noe, ha* det privilegium å få* gjøre* noe
▸ **I feel privileged to work there** jeg føler meg privilegert som får jobbe der

privy [ˈprɪvɪ] ADJ ▸ **to be privy to** være* innvidd i

Privy Council (*BRIT*) S *gruppe kongelig rådgivere*

> i
>
> **Privy Council** *har eksistert i England siden normannernes tid. Den gangen var medlemmene kongens private rådgivere, men i 1688 ble de erstattet av kabinettet. Ministerne i kabinettet er i dag automatisk rådgivere for kongen. Denne tittelen blir også gitt til personer som har eller har innehatt høytstående verv innen politikk, geistlighet, eller rettsvesenet. Makten til disse rådgiverne er nå svært begrenset.*

Privy Councillor (*BRIT*) S *kongelig rådgiver, medlem av Privy Council*

prize [praɪz] 1 S (**a**) (= *award: in competition, sport*) premie *m*
(**b**) (*for achievement, SCOL*) pris *m*
2 ADJ (= *first-class*) førsteklasses ❑ *...prize carnations.* ...førsteklasses nelliker.
3 VT skatte (*v1*) høyt ❑ *The deer were prized for their tasty meat...* Hjorten ble høyt skattet for sitt smakfulle kjøtt...
▸ **a prize example** et stjerneeksempel
▸ **a prize idiot** en premieidiot

prizefighter [ˈpraɪzfaɪtəʳ] S profesjonell bokser *m*

prize-giving [ˈpraɪzgɪvɪŋ] S (*after competition*) premieutdeling *c*; (*for achievement, SCOL*) prisutdeling *c*

prize money S (*in competition*) premie *m*; (*for*

achievement) pris *m* *(penger)*

prizewinner ['praɪzwɪnəʳ] S *(in competition)* premievinner *m*; *(for achievement)* prisvinner *m*

prizewinning ['praɪzwɪnɪŋ] ADJ prisbelønnet

PRO S FK = **public relations officer**

pro [prəu] 1 S *(SPORT)* proff(spiller) *m*
2 PREP *(= in favour of)* for ❑ *Are you pro or anti nuclear disarmament?* Er du for eller mot kjernefysisk nedrustning?
▸ **the pros and cons** fordelene og ulempene

pro- [prəu] PREF *(system)* ▸ **pro-democracy/ capitalism** for demokrati/kapitalisme; *(group)* ▸ **pro-Soviet** Sovjet-vennlig

proactive [prəu'æktɪv] ADJ proaktiv

probability [prɔbə'bɪlɪtɪ] S ▸ **probability (of/ that)** sannsynlighet *c* (for/for at)
▸ **in all probability** etter all sannsynlighet

probable ['prɔbəbl] ADJ sannsynlig ❑ *...Mrs Thatcher's probable successor...* Fru Thatchers sannsynlige etterfølger...
▸ **it seems probable that...** det virker sannsynlig at...

probably ['prɔbəblɪ] ADV sannsynligvis, trolig, antakelig

probate ['prəubɪt] *(JUR)* S *(process)* stadfestelse *m* av testamente; *(certificate)* skifteattest *m*

probation [prə'beɪʃən] S ▸ **to release sb on probation** løslate* noen på prøve
▸ **to put sb on probation** gi* noen betinget dom *(med tilsynsverge)*

probationary [prə'beɪʃənrɪ] ADJ *(period)* prøve-

probationer [prə'beɪʃənəʳ] S *(criminal)*

probation officer S ≈ tilsynsverge *m* *(for betinget dømte)*

probe [prəub] 1 S (**a**) *(MED)* sonde *m*
(**b**) *(in space)* (rom)sonde *m*
(**c**) *(enquiry)* gransking *c*, undersøkelse *m* ❑ *...the probe into the British security services.* ...granskingen *or* undersøkelsen av de britiske sikkerhetstjenestene.
2 VT (**a**) *(= investigate)* granske *(v1)*, undersøke *(v2)*
(**b**) *(= poke)* sondere *(v2)* ❑ *The bird was probing the mound with its bill.* Fuglen sonderte haugen med nebbet sitt.

probity ['prəubɪtɪ] S redelighet *c*, rettskaffenhet *c*

problem ['prɔbləm] S (**a**) *(= difficulty)* problem *nt* ❑ *...the social problems in modern society...* det moderne samfunnets sosiale problemer...
(**b**) *(puzzle)* oppgave *c* ❑ *...a mathematical problem.* ...en matematikkoppgave
▸ **to have problems with the car** ha* problemer med bilen
▸ **what's the problem?** hva er i veien?, hva er problemet?
▸ **I had no problem finding her** jeg hadde ingen vanskeligheter med å finne henne
▸ **no problem!** ikke noe problem!, helt i orden!

problematic(al) [prɔblə'mætɪk(l)] ADJ problematisk

problem-solving ['prɔbləmsɔlvɪŋ] 1 ADJ *(skills, ability)* problemløsnings-
2 S problemløsning *m*

procedural [prə'si:djurəl] ADJ *(agreement, problem)* som angår framgangsmåten

procedure [prə'si:dʒəʳ] S (**a**) *(= set of actions, also LAW)* prosedyre *m* ❑ *The entire procedure takes about 15 minutes.* Hele prosedyren tar ca 15 minutter. *There was no constitutional procedure for replacing the Vice-President.* Det fantes ingen konstitusjonell prosedyre for å erstatte visepresidenten.
(**b**) *(correct or official method)* framgangsmåte *m*, metode *m*

proceed [prə'si:d] VI (**a**) *(= carry on)* fortsette*, gå* videre ❑ *...before we proceed any further.* ...før vi fortsetter *or* går videre.
(**b**) *(= adopt a procedure)* gå* fram ❑ *I am not sure how to proceed.* Jeg er ikke sikker på hvordan jeg bør gå* fram.
(**c**) *(= go : on foot)* gå
(**d**) *(by car)* kjøre *(v2)* ❑ *...as we were proceeding along Chiswick High Street.* ...mens vi gikk *or* kjørte bortover Chiswick High Street.
▸ **to proceed to do sth** gå* over til å gjøre* noe ❑ *Kurt proceeded to outline my duties.* Kurt gikk over til å skissere pliktene mine.
▸ **to proceed with** fortsette* med
▸ **to proceed against sb** *(JUR)* anlegge* sak mot noen

proceedings [prə'si:dɪŋz] SPL (**a**) *(organized events)* begivenheter ❑ *We watched the proceedings on television...* Vi så begivenhetene på fjernsyn...
(**b**) *(JUR)* (rettslig) prosess *m sg* ❑ *...extradition proceedings...* utleveringsprosess...
(**c**) *(records : of conference etc)* referat *nt* ❑ *The proceedings were published in the newspapers.* Referatet ble offentliggjort i avisene.

proceeds ['prəusi:dz] SPL inntekt *c*

process ['prəusɛs] 1 S *(gen, BIO, KJEM)* prosess *m* ❑ *...the ageing process.* ...aldringsprosessen.
2 VT (**a**) *(+raw materials, food)* behandle *(v1)*, bearbeide *(v1)*
(**b**) *(+application)* behandle *(v1)* ❑ *Your application will take a few weeks to process...* Det vil ta* noen uker å behandle søknaden din...
(**c**) *(DATA : data)* behandle *(v1)*
▸ **by process of elimination** ved å bruke eliminasjonsmetoden
▸ **a process of trial and error** prøve-og-feile-metoden
▸ **in the process** underveis
▸ **to be in the process of doing sth** være* i ferd med *or* i gang med å gjøre* noe

processed cheese, process cheese *(US)* S smøreost *m*, smelteost *m*

processing ['prəusɛsɪŋ] S *(of raw materials)* behandling *c*, bearbeiding *c*

procession [prə'sɛʃən] S opptog *nt*, prosesjon *m*
▸ **wedding/funeral procession** brudefølge/ begravelsesfølge *m*

pro-choice [prəu'tʃɔɪs] ADJ for selvbestemt abort

proclaim [prə'kleɪm] VT proklamere *(v2)*, kunngjøre*

proclamation [prɔklə'meɪʃən] S proklamasjon *m*, kunngjøring *c*

proclivity [prə'klɪvɪtɪ] *(fml)* S tilbøyelighet *m* ❑ *...a proclivity for violence...* en tilbøyelighet til å være* voldelig...

procrastinate [prəu'kræstɪneɪt] VI utsette* ting

procrastination [prəukræstɪ'neɪʃən] s ▸ **his frequent procrastination** det at han ofte utsetter ting
procreation [prəukrɪ'eɪʃən] s avling *c*, *det å formere seg*
procurator fiscal ['prɔkjureɪtə-] (*SCOT*) s (*pl* **procurators fiscal**) ≈ statsadvokat *m*
procure [prə'kjuəʳ] VT (= *obtain*) framskaffe (*v1*), skaffe (*v1*) til veie
prod [prɔd] 1 VT (**a**) (*with finger, stick, knife etc*) pirke (*v1*) borti ❑ *She prodded a bean with her fork...* Hun pirket borti en bønne med gaffelen... (**b**) (*fig : urge*) anspore (*v1*) ❑ *...we must prod the defence ministry into action...* vi må anspore forsvarsdepartementet til å handle...
2 s (**a**) (*with finger, stick, knife etc*) puff *nt* (**b**) (*fig : reminder*) påminnelse *m*
prodigal ['prɔdɪgl] ADJ ødsel
▸ **the Prodigal Son** den fortapte sønn
prodigious [prə'dɪdʒəs] ADJ (*cost, capacity, memory*) enorm, forbausende stor
prodigy ['prɔdɪdʒɪ] s vidunder *nt*, unikum *nt*
▸ **child prodigy** vidunderbarn *nt*
produce [*N* 'prɔdju:s, *VB* prə'dju:s] 1 s (= *crops*) landbruksprodukter *pl*
2 VT (**a**) (= *bring about : effect, result, agreement etc*) frambringe*
(**b**) (= *make : goods, commodity*) produsere (*v2*) ❑ *It produces a third of the nation's oil...* Det produserer en tredjedel av landets olje...
(**c**) (*BIL, KJEM*) framstille (*v2x*), produsere (*v2*) ❑ *Burning oil produces carbon dioxide...* Når man brenner olje framstilles *or* produseres karbondioksid...
(**d**) (+*evidence*) legge* fram
(**e**) (= *bring or take out*) finne* fram ❑ *He produced his passport...* Han fant fram passet sitt...
(**f**) (+*play, film, programme*) produsere (*v2*)
producer [prə'dju:səʳ] s produsent *m*
product ['prɔdʌkt] s (*gen, fig*) produkt *nt* ❑ *She is a product of the 1970s...* Hun er et produkt av 1970-tallet...
production [prə'dʌkʃən] s (**a**) (= *process of manufacturing*) produksjon *m*, framstilling *c* ❑ *...more efficient methods of production...* mer effektive produksjonsmetoder *or* framstillingsmetoder...
(**b**) (= *process of growing*) produksjon *m*
(**c**) (= *amount of goods manufactured/grown*) produksjon *m* ❑ *Production has fallen by 20% over two years.* Produksjonen har gått ned med 20 % over to år.
(**d**) (*TEAT*) oppføring *c* ❑ *...Peter Hall's production of The Tempest...* Peter Halls oppføring av Stormen...
▸ **to go into production** (*goods*+) bli* satt i produksjon
▸ **on production of** ved forevisning av
production agreement (*US*) s produksjonsavtale *m*
production line s samlebånd *nt*
production manager s produksjonssjef *m*, produksjonsleder *m*
productive [prə'dʌktɪv] ADJ produktiv
productivity [prɔdʌk'tɪvɪtɪ] s produktivitet *m*
productivity agreement (*BRIT*) s produktivitetsavtale *m*, *avtale mellom arbeidsgiver og ansatte, der ansatte går med på effektivisering av arbeidsrutiner under vilkår av høyere lønn*
productivity bonus s produktivitetsbonus *m*
Prof. [prɔf] s FK = **professor**
profane [prə'feɪn] ADJ (= *secular*) verdslig; (= *blasphemous*) bespottelig
profess [prə'fɛs] VT (**a**) (= *express : feeling, opinion*) gi* uttrykk for ❑ *Many have professed disgust at the use of weapons...* Mange har gitt uttrykk for avsky mot våpenbruk...
(**b**) (= *claim*) ▸ **to profess (complete) ignorance of sth** erklære (*v2*) seg (fullstendig) uvitende om noe
▸ **to profess to be/know sth** hevde (*v1*) å være/ vite noe
professed [prə'fɛst] ADJ (= *self-declared*) erklært
profession [prə'fɛʃən] s (**a**) (= *job*) yrke *nt* (*som krever utdannelse*)
(**b**) (*group doing job*) fagfolk *pl* ❑ *The medical profession are doing a very difficult job.* Medisinske fagfolk gjør en veldig vanskelig jobb.
▸ **the professions** de frie yrker
professional [prə'fɛʃənl] 1 ADJ (**a**) (*organization*) faglig, yrkes-
(**b**) (= *not amateur : photographer, musician etc*) profesjonell, yrkes-
(**c**) (*skilful*) profesjonell ❑ *It is a very professional performance...* Det er en svært profesjonell forestilling...
2 s (**a**) (*doctor, lawyer, teacher etc*) ≈ akademiker *m*
(**b**) (*SPORT*) profesjonell utøver *m*
(**c**) (*person performing at high level*) fagmann *m* ❑ *We are all professionals at our jobs.* Vi er alle fagfolk på jobben.
▸ **professional misconduct** tjenesteforseelse *m*
▸ **professional advice** råd *nt* fra fagfolk
▸ **to seek professional advice/help** be* om råd fra fagfolk/søke (*v2*) profesjonell hjelp
professionalism [prə'fɛʃnəlɪzəm] s profesjonalisme *m*
professionally [prə'fɛʃnəlɪ] ADV (**a**) (*gen*) faglig ❑ *They are professionally qualified.* De er faglig kvalifisert.
(**b**) (*SPORT, MUS : play*) som profesjonell ❑ *He played the oboe professionally.* Han spilte obo som profesjonell.
▸ **I only know him professionally** jeg kjenner ham bare i jobbsammenheng
professor [prə'fɛsəʳ] s (*BRIT*) professor *m*; (*US, CAN*) lektor *m* (*ved høyskole eller universitet*)
professorship [prə'fɛsəʃɪp] s professorat *nt*
proffer ['prɔfəʳ] VT (+*advice, help, apologies*) tilby*; (+*one's hand, plate, drink*) rekke* fram
proficiency [prə'fɪʃənsɪ] s ferdighet *c* ❑ *You need some proficiency in book-keeping for this job.* Du trenger visse ferdigheter i bokføring i denne jobben.
proficient [prə'fɪʃənt] ADJ (*swimmer, typist etc*) dyktig
▸ **to be proficient at** *or* **in** være* dyktig i/til å
profile ['prəufaɪl] s (**a**) (*of person's face*) profil *m*

(**b**) (*fig: biography*) portrett *nt*
▸ **to keep a low profile** (*fig*) ligge* lavt i terrenget
▸ **to have a high profile** (*fig*) ha* høy profil

profit ['prɔfɪt] **1** s fortjeneste *m*, profitt *m*
2 VI ▸ **to profit by** *or* **from** (*fig*) dra* nytte av, ha* utbytte av
▸ **profit and loss** vinning og tap
▸ **to make a profit** gjøre* fortjeneste
▸ **to sell (sth) at a profit** selge* (noe) med fortjeneste

profitability [prɔfɪtə'bɪlɪtɪ] s lønnsomhet *c* ❑ *...a decline in the profitability of public transport.* ...en nedgang i lønnsomheten av offentlig transport.

profitable ['prɔfɪtəbl] ADJ (*business, deal*) lønnsom; (*fig: useful*) utbytterik, innbringende

profit centre s profittsenter *nt*

profiteering [prɔfɪ'tɪərɪŋ] (*neds*) s profitørvirksomhet *c*

profit-making ['prɔfɪtmeɪkɪŋ] ADJ (*organization*) som drives med fortjeneste

profit margin s fortjenestemargin *m*

profit-sharing ['prɔfɪtʃeərɪŋ] s utbyttedeling *c*

profligate ['prɔflɪgɪt] ADJ (**a**) (*use, spending, waste*) tøylesløs
(**b**) (*person*) ▸ **profligate (with)** ødsel (med) ❑ *He has always been profligate with his cash.* Han har alltid vært ødsel med pengene sine.. Han har alltid sløst med pengene sine.

pro forma ['prəu'fɔːmə] ADJ ▸ **pro forma invoice** proforma faktura *m irreg*

profound [prə'faund] ADJ (= *great: shock, effect*) sterk; (*differences*) meget stor; (*emotions, sigh, silence etc*) dyp; (*intellectual: idea, book*) dyp(sindig)

profuse [prə'fjuːs] ADJ ▸ **he gave profuse apologies** han unnskyldte seg voldsomt ▸ **to be profuse in one's apologies** be* tusen ganger om forlatelse

profusely [prə'fjuːslɪ] ADV (*apologise, thank*) overstrømmende; (*bleed*) voldsomt

profusion [prə'fjuːʒən] s vell *nt* ❑ *...a profusion of new words...* et vell av nye ord...
▸ **in profusion** i rikt monn

progeny ['prɔdʒɪnɪ] s (= *children*) avkom *nt*

prognoses [prɔg'nəusiːz] SPL *of* **prognosis**

prognosis [prɔg'nəusɪs] (*pl* **prognoses**) s (*MED, fig*) prognose *m*

program ['prəugræm] (*DATA*) **1** s program *nt*
2 VT programmere (*v2*)

programme ['prəugræm], **program** (*US*) **1** s (*gen, RADIO, TV*) program *nt*
2 VT (*+machine, system, COMPUT*) programmere (*v2*) ❑ *The radiators are programmed to come on at 6.* Radiatorene er programmert til å slå seg på kl 6.
▸ **the programme of events** programmet

programmer ['prəugræmə^r] (*DATA*) s programmerer *m*

programming ['prəugræmɪŋ], **programing** (*US*) (*DATA*) s programmering *c*

programming language (*DATA*) s programmeringsspråk *nt*

progress [*N* 'prəugrɛs, *VB* prə'grɛs] **1** s (**a**) (*improvement*) framgang *m* NB *They came in to check on my progress.* De kom inn for å se hvor langt jeg hadde kommet.
(**b**) (= *advances in society*) framskritt *nt* ❑ *...technological progress.* ...tekonologisk framskritt.
(**c**) (= *development of events etc*) utvikling *c* ❑ *He followed the progress of hostilities...* Han fulgte utviklingen av fiendskapet...
2 VI (**a**) (= *get better*) gjøre* framskritt, gå* framover ❑ *You're not progressing quickly enough...* Du gjør ikke framskritt fort nok.... Du går ikke fort nok framover...
(**b**) (= *become higher in rank*) rykke (*v1*) fram/opp ❑ *...to progress to a senior position.* ...å rykke opp til en overordnet stilling.
(**c**) (= *continue*) skride* fram ❑ *...as the trip progressed.* ...etter hvert som turen skred fram.
▸ **in progress** (*meeting, battle, match*) i gang
▸ **to make progress** gjøre* framskritt ❑ *She is making good progress with her German...* Hun gjør gode framskritt med tysken sin...

progression [prə'grɛʃən] s (= *development of events etc*) utvikling *c*; (= *series*) rekke *c*

progressive [prə'grɛsɪv] ADJ (= *enlightened: person, school, policy*) framskrittsvennlig, progressiv; (= *gradual: loss, decline, change*) gradvis

progressively [prə'grɛsɪvlɪ] ADV (*easier, worse, harder*) stadig

progress report s (*MED*) sykdomsrapport *m*; (*ADMIN*) arbeidsrapport, framdriftsrapport *m*

prohibit [prə'hɪbɪt] VT ▸ **to prohibit (sb from doing sth)** forby* (noen å gjøre* noe)
▸ **"smoking prohibited"** "røyking forbudt"

prohibition [prəuɪ'bɪʃən] s forbud *nt* ❑ *...a prohibition on rent increases...* et forbud mot husleieøkninger...
▸ **the Prohibition** (*US*) forbudstiden

prohibitive [prə'hɪbɪtɪv] ADJ (*cost etc*) uoverkommelig

project [*N* 'prɔdʒɛkt, *VB* prə'dʒɛkt] **1** s (*gen, SCOL*) prosjekt *nt*
2 VT (**a**) (= *plan*) planlegge* ❑ *...the projected visit by the Minister...* det planlagte besøket til ministeren...
(**b**) (= *estimate: figure, amount*) (forhånds)beregne (*v1*) ❑ *...the projected rate of economic growth.* ...den økonomiske vekstkurven som var (forhånds)beregnet.
(**c**) (*+light, film, picture*) projisere (*v2*) ❑ *...pictures projected on the screen.* ...bilder projisert på skjermen.
3 VI (= *stick out*) rage (*v1*) fram

projectile [prə'dʒɛktaɪl] s prosjektil *nt*

projection [prə'dʒɛkʃən] s (**a**) (= *estimate*) beregning *c* ❑ *...sales projections.* ...salgsberegninger.
(**b**) (= *overhang*) framspring *nt*, utspring *nt*
(**c**) (*FILM*) filmvisning *c*

projectionist [prə'dʒɛkʃənɪst] (*FILM*) s kinomaskinist *m*

projection room (*FILM*) s kinomaskinrom *nt*

projector [prə'dʒɛktə^r] s framviser *m* ❑ *...a slide projector.* ...en lysbildeframviser.

proletarian [prəulɪ'tɛərɪən] ADJ proletar-

proletariat [prəulɪ'tɛərɪət] s ▸ **the proletariat**

proletareatet

pro-life [prəu'laɪf] ADJ for vern om det ufødte liv

proliferate [prə'lɪfəreɪt] VI spre (*v4*) seg

proliferation [prəlɪfə'reɪʃən] S rask spredning *m* ❑ *...the proliferation of nuclear weapons.* ...den raske spredningen av kjernefysiske våpen.

prolific [prə'lɪfɪk] ADJ (*artist, composer, writer*) meget produktiv

prologue ['prəulɔg], **prolog** (*US*) S prolog *m*

prolong [prə'lɔŋ] VT (*+life, meeting, holiday*) forlenge (*v1*)

prom [prɔm] S FK = **promenade** (*MUS*) = **promenade concert** (*US: college ball*) *ball på videregående skole eller college*

promenade [prɔmə'nɑːd] S (*by sea*) promenade *m*

promenade concert (*BRIT*) S promenadekonsert *m*

I Storbritannia er en **promenade concert** *(eller* **prom***) en konsert med klassisk musikk. Den har fått navnet fordi publikum opprinnelig stod eller spaserte omkring i stedet for å sitte. Nå for tiden er det en del av publikum som står, men det finnes også sitteplasser (noe dyrere). De mest kjente* Proms *er de som finner sted i London. Det siste arrangementet (*The Last Night of the Proms*) er en stor mediabegivenhet hvor man spiller nasjonal og patriotisk musikk. I USA og Kanada er en* prom *eller* promenade *et ball som er arrangert av en videregående skole.*

promenade deck S promenadedekk *nt*

prominence ['prɔmɪnəns] S framtredende stilling *m* ❑ *...positions of prominence and power.* ...framtredende og mektige stillinger.
▸ **to rise to prominence** nå (*v4*) en framtredende stilling

prominent ['prɔmɪnənt] ADJ (**a**) (*= important*) framstående
(**b**) (*= very noticeable*) framtredende ❑ *...a prominent place in the room...* en framtredende plass i rommet...
▸ **he is prominent in the field of...** han er en framstående person innenfor...

prominently ['prɔmɪnəntlɪ] ADV (*display, set*) iøynefallende
▸ **he figured prominently in the case** han spilte en framtredende rolle i saken

promiscuity [prɔmɪs'kjuːɪtɪ] S promiskuitet *m*

promiscuous [prə'mɪskjuəs] ADJ (*person, behaviour*) seksuelt løssluppen

promise ['prɔmɪs] 1 S (**a**) (*= vow*) løfte *nt*
(**b**) (*potential*) ▸ **to show promise** være* lovende ❑ *...she showed considerable promise as a tennis player.* ...hun var en svært lovende tennisspiller.
(**c**) (*hopeful signs*) ▸ **full of promise** full av løfter ❑ *It was a good year for us, full of promise...* Det var et fint år for oss, fullt av løfter...
2 VI (*= vow*) love (*v1 or v2*) ❑ *I'll be back at one, I promise...* Jeg er tilbake klokka ett, det lover jeg...
3 VT ▸ **to promise sb sth, promise sth to sb** love (*v1 or v2*) noen noe ❑ *He promised me a new car for my birthday...* Han lovet meg en ny bil til fødselsdagen min...
▸ **to promise (sb) to do sth/that** love (noen) å gjøre* noe/at
▸ **to make/break/keep a promise** gi/bryte*/holde* et løfte
▸ **a young man of promise** en lovende ung mann
▸ **it promises to be lively** det ser ut til å bli* livlig

promising ['prɔmɪsɪŋ] ADJ (*person, career*) lovende

promissory note ['prɔmɪsərɪ-] S gjeldsbrev *nt*

promontory ['prɔməntrɪ] S odde *m* (*av fjell*)

promote [prə'məut] VT (**a**) (*+employee*) forfremme (*v1*)
(**b**) (*+record, film, product*) drive* reklame for
(**c**) (*= encourage: understanding, peace*) fremme (*v1*)
(**d**) (*+venture, event, match*) drive* PR for
▸ **to be promoted to the first division** (*BRIT: FOTB*) rykke (*v1*) opp i første divisjon

promoter [prə'məutə^r] S (*of concert,*) arrangør *m;* (*of sporting event*) arrangør *m,* promotor *m;* (*of cause, idea*) forkjemper *m*

promotion [prə'məuʃən] S (*at work*) forfremmelse *m;* (*of idea, product: publicity campaign*) reklamekampanje *m*

prompt [prɔmpt] 1 ADJ (**a**) (*= on time*) presis, punktlig ❑ *They're very prompt...* De er svært presise *or* punktlige...
(**b**) (*= rapid: reaction, response etc*) rask, øyeblikkelig ❑ *...prompt medical attention...* raskt *or* øyeblikkelig legehjelp...
2 ADV (*= exactly*) presis ❑ *...at 8 o'clock prompt.* ...klokka 8 presis.
3 S (*DATA*) klarmelding *c*
4 VT (**a**) (*= cause*) omgående føre (*v2*) til ❑ *A strike had prompted the setting up of the committee...* En streik hadde omgående ført til at det ble nedsatt en komité...
(**b**) (*when talking*) oppmuntre (*v1*)
(**c**) (*TEAT*) sufflere (*v2*)
▸ **at 8 o'clock prompt** klokka 8 presis
▸ **he was prompt to accept** han var rask til å godta det
▸ **to prompt sb to do sth** anspore (*v1*) noen til å gjøre* noe

prompter ['prɔmptə^r] (*TEAT*) S (*male*) sufflør *m;* (*female*) suffløse *c*

promptly ['prɔmptlɪ] ADV (**a**) (*= immediately*) øyeblikkelig, omgående
(**b**) (*= exactly*) presis ❑ *I arrived promptly at six o'clock.* Jeg kom presis klokka seks.

promptness ['prɔmptnɪs] S raskhet *c* ❑ *The manager replied with promptness and courtesy.* Sjefen svarte raskt og høflig.

promulgate ['prɔməlgeɪt] VT (*+policy, idea*) bekjentgjøre*, kunngjøre*

prone [prəun] ADJ (*= face down*) liggende med ansiktet ned ❑ *She was lying prone on the floor.* Hun lå på gulvet med ansiktet ned.
▸ **to be prone to sth** (**a**) (*+strikes*) ha* lett for å bli* rammet av noe
(**b**) (*+illness*) ha* lett for å få* noe ❑ *He was prone to indigestion...* Han hadde lett for å få* fordøyelsesbesvær...
▸ **to be prone to anger** ha* lett for å bli* sint
▸ **to be prone to do sth** ha* lett for å gjøre* noe

prong [prɔŋ] s tind *m* (*på gaffel*)
pronoun ['prəunaun] s pronomen *nt*
pronounce [prə'nauns] 1 VT (**a**) (*+word*) uttale (*v2*) ❑ *I can't pronounce his name...* Jeg kan ikke uttale navnet hans...
(**b**) (= *declare, give opinion*) erklære (*v2*) ❑ *The victim was pronounced dead on arrival...* Den forulykkede ble erklært død ved ankomsten til sykehuset... *"The letter is a forgery," she pronounced.* "Brevet er falskt," erklærte hun.
2 VI ▸ **to pronounce (up)on** uttale (*v2*) seg om
▸ **they pronounced him unfit to drive** de erklærte ham uskikket til å kjøre bil
pronounced [prə'naunst] ADJ (= *noticeable*) tydelig; (*accent*) uttalt, tydelig
pronouncement [prə'naunsmənt] s erklæring *c*, uttalelse *m* ❑ *Despite official pronouncements to the contrary...* Til tross for offentlige erklæringer *or* uttalelser om det motsatte...
pronto ['prɔntəu] (*sl*) ADV kjapt (*sl*) ❑ *You'd better get it done pronto.* Du bør se og få* gjort det litt kjapt.
pronunciation [prənʌnsɪ'eɪʃən] s uttale *m*
❑ *...French pronunciation...* fransk uttale...
proof [pru:f] 1 S (**a**) (*evidence*) bevis *nt* ❑ *What proof have you that this was ordered?* Hva for bevis har du på at dette ble bestilt?
(**b**) (*TYP*) korrektur *m*
2 ADJ ▸ **proof against** usårlig overfor
▸ **to be 70% proof** (*alcohol+*) ha* 70 % alkoholinnhold
proofreader ['pru:fri:dər] s korrekturleser *m*
prop [prɔp] 1 S (**a**) (= *support*) støttebjelke *m*, avstiver *m*
(**b**) (*fig: person, thing*) støtte *m* ❑ *Cigarettes are just another of her little props.* Sigaretter er bare en av de små tingene hun støtter seg til.
2 VT (= *lean*) ▸ **to prop sth against** lene (*v2*) noe mot ❑ *His gun lay propped against the wall.* Geværet hans lå lent mot veggen.
▸ **prop up** VT SEP (**a**) (*+thing*) støtte (*v1*) (opp)
(**b**) (*fig: government, industry*) støtte (*v1*) opp under
Prop. (*MERK*) FK = **proprietor**
propaganda [prɔpə'gændə] s propaganda *m*
propagate ['prɔpəgeɪt] VT (*+ideas, information*) spre (*v4*); (*+plants*) få* til å formere seg
propagation [prɔpə'geɪʃən] s (*of ideas, information*) spredning *m*; (*of plants*) spredning *m*, formering *c*
propel [prə'pɛl] VT (*gen, fig*) drive*
propeller [prə'pɛlər] s propell *m*
propelling pencil (*BRIT*) s skrublyant *m*
propensity [prə'pɛnsɪtɪ] s ▸ **a propensity for** *or* **to/to do** tilbøyelighet *c* til/til å gjøre
proper ['prɔpər] ADJ (**a**) (= *genuine*) ordentlig
❑ *He's never had a proper job...* Han har aldri hatt en ordentlig jobb...
(**b**) (= *correct*) rett ❑ *What's the proper word for those things?* Hva er det rette ordet for slike ting?
(**c**) (= *socially acceptable*) passende, sømmelig ❑ *It wasn't proper for a man to show his emotions...* Det var ikke passende *or* sømmelig for en mann å vise følelsene sine...
(**d**) (*sl: real*) ordentlig ❑ *I felt a proper fool.* Jeg følte meg som en ordentlig tosk.
▸ **the town/city proper** selve byen
▸ **to go through the proper channels** bruke (*v2*) de offisielle kanalene
properly ['prɔpəlɪ] ADV (**a**) (= *adequately: eat, work*) ordentlig, skikkelig ❑ *I had not eaten properly for the past few days...* Jeg hadde ikke spist ordentlig *or* skikkelig de siste dagene...
(**b**) (= *decently: behave*) ordentlig
proper noun s egennavn *nt*
property ['prɔpətɪ] 1 S (**a**) (= *possessions, building, land*) eiendom *m* ❑ *...private property...* privat eiendom... *There was a dam at one edge of the property.* Det var en demning ved den ene enden av eiendommen.
(**b**) (= *quality: of substance, material etc*) egenskap *m* ❑ *...the physical properties of substances...* stoffenes fysiske egenskaper...
2 SAMMENS (*developer, owner, market, tax*) eiendoms-
▸ **it's his property** det er han som eier det
prophecy ['prɔfɪsɪ] s profeti *m*, spådom *m*
prophesy ['prɔfɪsaɪ] 1 VT spå (*v4*)
2 VI spå (*v4*), profetere (*v2*)
prophet ['prɔfɪt] s profet *m*
▸ **prophet of doom** dommedagsprofet *m*
prophetic [prə'fɛtɪk] ADJ (*statement, words*) profetisk
proportion [prə'pɔ:ʃən] s (**a**) (*part: of group, amount*) (an)del *m* ❑ *A vast proportion of our revenue...* En stor (an)del av inntektene våre...
(**b**) (*number: of people, things*) del *m* ❑ *Sunday magazines always include a high proportion of advertisements...* En stor del av søndagsbilagene er reklame...
(**c**) (= *ratio*) ▸ **proportion (of sth to sth)** forhold *nt* (mellom noe og noe) ❑ *The proportion of workers to employers...* Forholdet mellom antall ansatte og overordnede...
▸ **in (direct) proportion to** (**a**) (= *at the same rate as*) (direkte) proporsjonalt med
(**b**) (= *in relation to*) i forhold til
▸ **to be out of all proportion to** ikke stå* i forhold til
▸ **to get sth in proportion** se* noe i sin rette sammenheng
▸ **to get sth out of proportion** ta* noe litt for alvorlig
▸ **to have a sense of proportion** ha* syn for hva som er viktig og mindre viktig
proportional [prə'pɔ:ʃənl] ADJ ▸ **proportional to** proporsjonal med
proportional representation s representasjon *m* ved forholdstall
proportionate [prə'pɔ:ʃənɪt] ADJ = **proportional**
proposal [prə'pəuzl] s (*plan*) forslag *nt*; (*of marriage*) frieri *nt*
propose [prə'pəuz] 1 VT (*+plan, idea, motion*) foreslå*
2 VI (= *offer marriage*) fri (*v4*)
▸ **to propose a toast** utbringe* en skål ❑ *His brother-in-law proposed a toast to the bride and groom.* Svogeren hans utbragte en skål for brudeparet.
▸ **to propose to do sth, to propose doing sth** (= *intend*) ha* til hensikt å gjøre* noe
proposer [prə'pəuzər] s (*of motion etc*)

forslagsstiller *m*

proposition [prɔpəˈzɪʃən] 1 s (**a**) (*= thing to do*) ▸ **a difficult/attractive proposition** en vanskelig sak/en fristende tanke
(**b**) (*statement*) forestilling *c* ❑ *They discussed the proposition that man is basically good.* De diskuterte forestillingen om at mennesket er grunnleggende godt.
(**c**) (*offer, suggestion*) forslag *nt*
2 VT ▸ **to proposition sb** komme* med et uanstendig forslag til noen
▸ **to make sb a proposition** komme* med et forslag til noen, framsette* et forslag for noen

propound [prəˈpaund] VT (*+idea, argument*) framlegge*

proprietary [prəˈpraɪətərɪ] ADJ (**a**) (*medicine*) patentbeskyttet
(**b**) (*tone, manner*) eier- ❑ *He spoke the name with a proprietary air.* Han sa navnet med eiermine.
▸ **proprietary brand** merkevare *m*

proprietor [prəˈpraɪətə^r] s (*of hotel, shop, newspaper etc*) eier *m*, innehaver *m*

propriety [prəˈpraɪətɪ] s sømmelighet *c*

propulsion [prəˈpʌlʃən] s framdrift *c*

pro rata [prəuˈrɑːtə] 1 ADV pro rata
2 ADJ pro rata-
▸ **on a pro rata basis** pro rata

prosaic [prəuˈzeɪɪk] ADJ (*person, piece of writing*) prosaisk

Pros. Atty. (*US*) FK = **prosecuting attorney**

proscribe [prəˈskraɪb] (*fml*) VT bannlyse (*v2*)

prose [prəuz] s (*not poetry*) prosa *m*; (*BRIT: translation*) oversettelse *m* (*til et fremmedspråk*)

prosecute [ˈprɔsɪkjuːt] (*JUR*) 1 VT (**a**) (*+person*) reise (*v2*) tiltale mot ❑ *He was prosecuted for drunken driving.* Han ble tiltalt for fyllekjøring.. Det ble reist tiltale mot ham for fyllekjøring.
(**b**) (*+case*) fungere (*v2*) som anklager *or* aktor i ❑ *...the district attorney prosecuting the case...* distriktsadvokaten som fungerte som anklager *or* aktor i rettssaken...
2 VI ▸ **Mr P. Smith, prosecuting...**

prosecuting attorney (*US*) s ≈ aktor *m*

prosecution [prɔsɪˈkjuːʃən] (*JUR*) s (*action*) ▸ **this will result in prosecution** dette vil resultere i at det blir reist tiltale
▸ **the prosecution** påtalemyndighetene *pl def*

prosecutor [ˈprɔsɪkjuːtə^r] s aktor *m*; (*also* ***public prosecutor***) offentlig anklager *m*

prospect [*N* ˈprɔspɛkt, *VB* prəˈspɛkt] 1 s utsikt *m* ❑ *There was little prospect of military aid...* Det var liten utsikt til militær bistand... *She rejoiced at the prospect of the trip...* Hun frydet seg over utsikten til turen...
2 VI ▸ **to prospect (for)** (*+gold*) lete (*v2*) (etter), skjerpe (*v1*) (etter)
▸ **prospects** SPL (*for work etc*) utsikter ❑ *...his future prospects.* ...framtidsutsiktene hans.

prospecting [ˈprɔspɛktɪŋ] s (*for gold*) leting *c*, skjerping *c*

prospective [prəˈspɛktɪv] ADJ potensiell

prospectus [prəˈspɛktəs] s (*of college, school*) brosjyre *m*; (*of company*) prospekt *nt*

prosper [ˈprɔspə^r] VI (*person, business, city etc+*) gjøre* det godt, blomstre (*v1*) (*fig*)

prosperity [prɔˈspɛrɪtɪ] s (økonomisk) medgang *m*

prosperous [ˈprɔspərəs] ADJ (*person, business, city etc*) velstående og framgangsrik

prostate [ˈprɔsteɪt] s (*also* ***prostate gland***) prostata *m*, blærehalskjertel *m*

prostitute [ˈprɔstɪtjuːt] s prostituert *m decl as adj*

prostitution [prɔstɪˈtjuːʃən] 1 s prostitusjon *m*
2 VT ▸ **to prostitute o.s.** (*fig*) prostituere (*v2*) seg

prostrate [*ADJ* ˈprɔstreɪt, *VT* prɔˈstreɪt] 1 ADJ (**a**) (*= face down*) utstrakt og nesegrus ❑ *...the prostrate figure...* den utstrakte, nesegruse skikkelsen...
(**b**) (*fig*) fullstendig utslått ❑ *I was prostrate with grief.* Jeg var fullstendig utslått av sorg.
2 VT ▸ **to prostrate o.s. before** kaste (*v1*) seg nesegrus ned foran

protagonist [prəˈtægənɪst] s (*supporter: of idea, movement*) forkjemper *m*, talsmann *m*; (*TEAT, LITT*) hovedperson *m*

protect [prəˈtɛkt] VT (**a**) (*+person, thing*) ▸ **to protect (from)** beskytte (*v1*) (mot) ❑ *She had his umbrella to protect her from the rain...* Hun hadde paraplyen hans til å beskytte seg mot regnet...
(**b**) (*+rights, freedom*) verne (*v1*) om ❑ *The Common Law has always protected individual rights.* Sedvaneretten har alltid vernet om individuelle rettigheter.

protected species s vernet dyreart *m*

protection [prəˈtɛkʃən] s ▸ **protection (from)** beskyttelse *m* (mot), vern *nt* (mot) ❑ *...protection from the sun's rays...* beskyttelse *or* vern mot solens stråler...
▸ **police protection** politibeskyttelse *m*

protectionism [prəˈtɛkʃənɪzəm] (*MERK*) s proteksjonisme *m*

protective [prəˈtɛktɪv] ADJ (**a**) (*clothing, layer etc*) beskyttende
(**b**) (*person*) ▸ **she felt (very) protective towards her sister** hun følte en (sterk) trang til å beskytte søsteren
▸ **protective custody** (*JUR*) beskyttelsesforvaring *c*

protector [prəˈtɛktə^r] s beskytter *m*

protégé(e) [ˈprəutɛʒeɪ] s protesjé *m*

protein [ˈprəutiːn] s protein *nt*

pro tem [prəuˈtɛm] ADV FK (*= for the time being*) (= **pro tempore**) p.t., for tiden

protest [*N* ˈprəutɛst, *VB* prəˈtɛst] 1 s protest *m* ❑ *...the protests against the government's proposals...* protestene mot regjeringens forslag...
2 VI ▸ **to protest about/against/at** protestere (*v2*) mot
3 VT ▸ **to protest (that)** (*= insist*) insistere (*v2*) sterkt på (at)

Protestant [ˈprɔtɪstənt] 1 ADJ protestantisk
2 s protestant *m*

protester [prəˈtɛstə^r] s (*in demonstration*) demonstrant *m*

protest march s demonstrasjonstog *nt*

protestor [prəˈtɛstə^r] s = **protester**

protocol [ˈprəutəkɔl] s protokoll *m*

prototype [ˈprəutətaɪp] s prototype *m*

protracted [prəˈtræktɪd] ADJ (*absence, meeting etc*)

langvarig, langtrukken
protractor [prəˈtræktəʳ] s transportør *m*
protrude [prəˈtruːd] VI stikke* fram
protuberance [prəˈtjuːbərəns] s utvekst *m*, kul *m*
proud [praud] ADJ stolt ❑ *She was too proud to apologize...* Hun var for stolt til å be om unnskyldning... *I'm now the proud owner of a brand-new car.* Jeg er nå den stolte eier av en splitter ny bil.
▸ **proud of sb/sth** stolt av noen/noe
▸ **to be proud to do sth** være* stolt av å (kunne) gjøre* noe ❑ *He was proud to call himself Scottish.* Han var stolt av å kunne* kalle seg skotsk.
▸ **to do sb proud** (*sl*) varte (*v1*) noen opp på beste måte
proudly [ˈpraudlɪ] ADV stolt
prove [pruːv] 1 VT (**a**) (= *verify: person*) bevise (*v2*) ❑ *Can you prove that?* Kan du bevise det?
(**b**) (*situation, experiment+*) vise (*v2*) ❑ *The autopsy proved that she had drowned...* Obduksjonen viste at hun hadde druknet...
2 VI ▸ **to prove (to be) correct/useful** *etc* vise (*v2*) seg å være* korrekt/nyttig *etc* ❑ *This information has proved useful to a great many people.* Denne informasjonen har vist seg å være* nyttig for mange mennesker.
▸ **to prove o.s./itself (to be) useful** vise (*v2*) seg å være* nyttig
▸ **he was proved right** det viste seg at han hadde rett
Provençal [prɔvɔnˈsɑːl] ADJ provençalsk
Provence [prɔˈvɑ̃ːs] s Provence
proverb [ˈprɔvəːb] s ordtak *nt*
proverbial [prəˈvəːbɪəl] ADJ som i ordspråket ❑ *It's like looking for the needle in the proverbial haystack.* Det er som å lete etter nåla i ordspråkets høystakk.
provide [prəˈvaɪd] VT (**a**) (*+food, money, shelter etc*) skaffe (*v1*)
(**b**) (*+answer, opportunity, example etc*) gi
▸ **to provide sb with sth** (**a**) (*+objects, food, drink etc*) skaffe (*v1*) noen noe, forsyne (*v2*) noen med noe
(**b**) (*+job, resources etc*) skaffe (*v1*) noen noe ❑ *The government cannot provide all young people with a job...* Regjeringen kan ikke skaffe arbeid til alle unge...
▸ **to be provided with** være* forsynt med *or* utstyrt med
▸ **provide for** VT FUS (**a**) (*+person*) sørge (*v1*) for, forsørge (*v1*)
(**b**) (*+future event*) ta* hensyn til ❑ *We provide for the possibility of illness...* Vi har tatt hensyn til muligheten for sykdom...
provided (that) KONJ forutsatt at
Providence [ˈprɔvɪdəns] s forsynet *nt def*
providing [prəˈvaɪdɪŋ] KONJ forutsatt at
province [ˈprɔvɪns] s (**a**) (*of country*) provins *m*, landsdel *m* (*administrativ enhet*)
(**b**) (= *responsibility etc: of person*) område *nt*, domene *m or nt* ❑ *This remains the province of the specialist...* Dette forblir spesialistens område *or* domene...
▸ **the provinces** SPL provinsen *m sg*, distriktene

provincial [prəˈvɪnʃəl] ADJ (*town, newspaper etc*) provins-, distrikts-; (*neds*) provinsiell, trangsynt
provision [prəˈvɪʒən] s (**a**) (= *stipulation*)
▸ **provision (for)** bestemmelse *m* (om) ❑ *...a provision that no money must change hands.* ...en bestemmelse om at ingen penger skulle* skifte eier.
(**b**) (= *supplying*) ▸ **the provision of services** *etc* det å forsyne tjenester *etc*
(**c**) (*preparation*) ▸ **provision for old age** *etc* det å sørge for alderdommen *etc*
▸ **provisions** SPL (*food*) forsyninger
▸ **to make provision for** (**a**) (*+security, defences*) legge* planer for
(**b**) (*+one's future, one's family*) sørge (*v1*) for NB *She did not make any provision for her children.* Hun gjorde ikke noe for å sikre barnas framtid.
provisional [prəˈvɪʒənl] 1 ADJ (*government, agreement, arrangement etc*) provisorisk, foreløpig
2 s ▸ **Provisional** (*POL*) *medlem av det irske partiet Provisional IRA*
provisional licence (*BRIT*) s midlertidig førerkort *nt* (*under opplæring*)
provisionally [prəˈvɪʒnəlɪ] ADV inntil videre, foreløpig
proviso [prəˈvaɪzəu] s betingelse *m*, forutsetning *m*
▸ **with the proviso that...** på den betingelse at *or* under forutsetning av at...
Provo [ˈprɔvəu] (*IRISH: POL: sl*) s FK = **Provisional**
provocation [prɔvəˈkeɪʃən] s provokasjon *m*
▸ **at the least** *or* **slightest provocation** ved den minste anledning
provocative [prəˈvɔkətɪv] ADJ (*remark, article, gesture*) provoserende; (= *sexually*) utfordrende
provoke [prəˈvəuk] VT (**a**) (*annoy: person*) provosere (*v2*) ❑ *They are ready to shoot if provoked...* De er klare til å skyte hvis de blir provosert...
(**b**) (= *cause: fight, reaction etc*) utløse (*v2*) ❑ *The petition provoked a storm of criticism...* Anmodningen utløste en storm av kritikk...
▸ **to provoke sb to do** *or* **into doing sth** provosere (*v2*) noen til å gjøre* noe
provost [ˈprɔvəst] s (*of English university*) ≈ rektor *m*; (*of Scottish town*) ≈ borgermester *m*
prow [prau] s baug *m*, forstavn *m*
prowess [ˈprauɪs] s dyktighet *c* ❑ *...her conversational prowess...* dyktigheten hennes til å konversere...
▸ **his prowess as a footballer** dyktigheten hans som fotballspiller
prowl [praul] 1 VI (*also **prowl about, prowl around***) luske (*v1*) rundt (på jakt) ❑ *Tigers prowl through the forest in search of their prey.* Tigere lusker rundt i skogen på leting etter byttet sitt.
2 s ▸ **to be on the prowl** (**a**) (*animal*) luske (*v1*) rundt på jakt
(**b**) (*fig: person*) luske (*v1*) rundt
prowler [ˈprauləʳ] s ▸ **a prowler outside the Palace**
proximity [prɔkˈsɪmɪtɪ] s nærhet *c* ❑ *The town's proximity to London...* Det at byen lå så nær London...
proxy [ˈprɔksɪ] s ▸ **by proxy** ved hjelp av en stedfortreder

PRP S FK (= **Performance Related Pay**) resultatlønn *c*; (= **Profit Related Pay**) *lønn etter overskudd*
prude [pru:d] S snerpete person *m*; (*woman*) snerpe *c*
prudence ['pru:dns] S forsiktighet *c*
prudent ['pru:dnt] ADJ klok og forsiktig ❑ *He considered it prudent to carry a revolver...* Han mente det var klokt og forsiktig å ha* revolver med seg...
prudish ['pru:dɪʃ] ADJ (*person, behaviour*) snerpete
prune [pru:n] 1 S sviske *c*
2 VT (+*bush, plant, tree*) beskjære*
pry [praɪ] VI ▸ **to pry (into)** snuse (*v2*) (i)
PS FK = **postscript**
psalm [sɑ:m] S (bibelsk) salme *c*
PSAT (*US*) S FK (= **Preliminary Scholastic Aptitude Test**) *egnethetstest*
PSBR (*BRIT: ØKON*) S FK (= **public sector borrowing requirement**) *penger staten låner, bl.a. gjennom utstedelse av statsveksler og ved å selge aksjer, for å supplere inntektene fra skatter og avgifter*
pseud [sju:d] (*BRIT: sl*) S ≈ kultursnobb *m*
pseudo- ['sju:dəu] PREF pseudo- (*var.* psevdo-) liksom-
pseudonym ['sju:dənɪm] S pseudonym *nt* (*var.* psevdonym)
PST (*US*) FK (= **Pacific Standard Time**) *normaltid i tidssonen som dekker USAs vestkyst*
PSV (*BRIT*) S FK = **public service vehicle**
psyche ['saɪkɪ] S psyke *m*
psychedelic [saɪkə'dɛlɪk] ADJ psykedelisk
psychiatric [saɪkɪ'ætrɪk] ADJ (*hospital, problem, treatment*) psykiatrisk
psychiatrist [saɪ'kaɪətrɪst] S psykiater *m*
psychiatry [saɪ'kaɪətrɪ] S psykiatri *m*
psychic ['saɪkɪk] ADJ (*person*) synsk; (= *psychological: damage, disorder*) psykisk
psycho ['saɪkəu] (*US: sl*) S psyko *m*
psychoanalyse [saɪkəu'ænəlaɪz] VT psykoanalysere (*v2*)
psychoanalysis [saɪkəuə'nælɪsɪs] (*pl* **psychoanalyses**) S psykoanalyse *c*
psychoanalyst [saɪkəu'ænəlɪst] S psykoanalytiker *m*
psychological [saɪkə'lɔdʒɪkl] ADJ (= *mental: differences, effects etc*) psykologisk, psykisk; (*problems*) psyskisk; (= *relating to psychology: test, treatment etc*) psykologisk
psychological profile S personlighetsprofil *m*
psychologist [saɪ'kɔlədʒɪst] S psykolog *m*
psychology [saɪ'kɔlədʒɪ] S psykologi *m* ❑ *...the psychology of the travelling salesman...* den omreisende forretningsmannens psykologi...
psychopath ['saɪkəupæθ] S psykopat *m*
psychosis [saɪ'kəusɪs] (*pl* **psychoses**) S psykose *m*
psychosomatic ['saɪkəusə'mætɪk] ADJ (*illness, symptoms*) psykosomatisk
psychotherapy [saɪkəu'θɛrəpɪ] S psykoterapi *m*
psychotic [saɪ'kɔtɪk] ADJ psykotisk
PT (*BRIT: SKOL*) S FK (= **physical training**) gym*
Pt FK (*in place names*) (= **Point**) -odden
pt FK = **pint**, **point**
PTA S FK (= **Parent-Teacher Association**) *forening av lærere og foreldre*
Pte (*BRIT: MIL*) FK = **private**
PTO FK (= **please turn over**) vend (*om ark, brev osv*)
PTV (*US*) S FK (= **pay television**) betalings-TV *m*, betalingsfjernsyn *nt*; (= **public television**) *ikke-kommersiell allmennkringkasting*
pub [pʌb] S = **public house**

En **pub** *består som regle av to rom: det ene (*the lounge*) er mest komfortabelt, med lenestoler og sofabenker, mens det andre (*the public bar*) er en bar hvor drikkevarene er billigere. Sistnevnte har ofte også spill, hvorav de vanligste er pilkast, domino og biljard. Det er av og til også et koselig bakrom som kalles* the snug. *Mange puber serverer nå mat, særlig ved lunsjtid, og det er for øvrig den eneste tiden på dagen da barn har adgang i følge med voksne. Pubene er vanligvis åpne fra kl 11 til kl 23, men det kan variere etter bevillingen; noen puber er stengt om ettermiddagen.*

pub crawl (*sl*) S ▸ **to go on a pub crawl** gå* fra pub til pub
puberty ['pju:bətɪ] S pubertet *m* ❑ *...the age of puberty...* ...pubertetsalderen.
pubic ['pju:bɪk] ADJ (*bone*) skam-
▸ **pubic hair** kjønnshår *nt*
public ['pʌblɪk] 1 ADJ (*gen*) offentlig
2 S (**a**) (= *people in general*) ▸ **the public** publikum *nt no art*, allmennheten ❑ *The gardens are open to the public...* Hagene er åpne for publikum *or* allmennheten...
(**b**) (= *particular set of people*) ▸ **sb's public** noens publikum ❑ *I have my public to consider.* Jeg må ta* hensyn til mitt publikum.
▸ **in public** offentlig ❑ *He repeated in public what he had said...* Han gjentok offentlig det han hadde sagt...
▸ **the general public** det store publikum, folk flest
▸ **to be public knowledge** være* kjent for folk flest
▸ **to make sth public** offentliggjøre* noe
▸ **to go public** (**a**) (*on stock market*) bli* børsnotert (**b**) (= *reveal secrets*)
public address system S høyttaleranlegg *nt*
publican ['pʌblɪkən] S innehaver *m* av en pub, vertshusholder *m*
publication [pʌblɪ'keɪʃən] S utgivelse *m* ❑ *...some years after the publication of his book...* noen år etter utgivelsen av boka hans...
public company S åpent aksjeselskap *nt*
public convenience (*BRIT*) S offentlig toalett *nt*
public holiday S offentlig helligdag *m*
public house (*BRIT*) S pub *m*
publicity [pʌb'lɪsɪtɪ] S (**a**) (*information*)
▸ **(advance) publicity** forhåndsomtale *m*
❑ *There was some advance publicity for the book...* Boken fikk noe forhåndsomtale...
(**b**) (*public attention*) publisitet *m* ❑ *She sought out publicity...* Hun prøvde å få* publisitet...
publicize ['pʌblɪsaɪz] VT (+*fact, event*) offentliggjøre*
public limited company S ≈ aksjeselskap *nt*

publicly ['pʌblɪklɪ] ADV offentlig
public opinion s folke(opinion) *m*, folkets mening *c*
public ownership s ▸ **to be taken into public ownership** bli* overtatt av det offentlige
public prosecutor s statsadvokat *m*
public relations s PR
public relations officer s PR-medarbeider *m*
public school s (*BRIT*) *privatdrevet eksklusiv pensjonatskole*; (*US*) offentlig skole *m*

En **public school** *er en privat utdanningsinstitusjon på trinnet som tilsvarer ungdomsskolen og videregående skole. Flere av dem er pensjonatskoler. Mange har også en grunnskole knyttet til seg (en* **prep** *eller* **preparatory school**) *som skal forberede elevene til ungdomstrinnet. Disse skolene har vanligvis høy prestisje, og det er svært dyrt å gå på de mest kjente av dem (Westminster, Eton, Harrow). Mange av elevene går videre til universitetet, flere til Oxford eller Cambridge. Ledere innen industrien, politikken og byråkratiet kommer ofte fra disse skolene. I Skottland og i USA betyr betegnelsen* public school *ganske enkelt en offentlig skole som det er gratis å gå på.*

public sector s ▸ **the public sector** den offentlige sektor(en)
public-spirited [pʌblɪk'spɪrɪtɪd] ADJ samfunnsengasjert
public transport s offentlig transport *m*
public utility s ≈ vannverk/elektrisitetsverk/gasverk *nt*
public works SPL offentlige arbeider
publish ['pʌblɪʃ] VT (*company+ : book, magazine*) utgi* (*var:* gi ut) (*+letter, article*) trykke (*v2x*), offentliggjøre*; (*writer+ : article, story*) få* utgitt
publisher ['pʌblɪʃəʳ] s (*person*) utgiver *m*, forlegger *m*; (*company*) forlag *nt*
publishing ['pʌblɪʃɪŋ] s (*profession*) forlagsbransjen *def*
publishing company s forlag *nt*
puce [pju:s] ADJ plommefarget
puck [pʌk] (*SPORT*) s puck *m*
pucker ['pʌkəʳ] 1 VI (*mouth, lips+*) snurpe (*v1*) seg sammen; (*face+*) fortrekke* seg; (*fabric etc+*) bli* snurpet(e)
2 VT (*+mouth, lips*) snurpe (*v1*); (*+face*) fortrekke*; (*+fabric etc*) snurpe (*v1*)
pudding ['pudɪŋ] s (**a**) (*type of dessert*) pudding *m*
(**b**) (*BRIT: dessert in general*) dessert *m*
▸ **rice pudding** ≈ riskrem *m*
▸ **black pudding, (*US*) blood pudding** blodpudding *m*
puddle ['pʌdl] s (*of rain, blood etc*) dam *m*
puerile ['pjuəraɪl] ADJ (*behaviour*) barnslig, barnaktig
Puerto Rico ['pwə:təu'ri:kəu] s Puerto Rico
puff [pʌf] 1 s (**a**) (*of cigarette, pipe*) drag *nt*
(**b**) (= *gasp*) prust *nt* ❑ *Her breath came in puffs and gasps.* Pusten hennes kom i prust og gisp.
2 VT (*also* ***puff on, puff at****: cigarette, pipe*) patte (*v1*) på
3 VI (= *gasp*) puste (*v1*) og pese (*v2*) ❑ *We panted and puffed...* Vi pustet og peste...
▸ **puff of wind/smoke** vindpust *nt*/røyksky *c*
▸ **puff out** VT (*+one's chest, cheeks*) blåse (*v2*) opp

puffed [pʌft] (*sl*) ADJ (= *out of breath*) andpusten
puffin ['pʌfɪn] s lundefugl *m*
puff pastry, puff paste (*US*) s butterdeig *m*
puffy ['pʌfɪ] ADJ (*eye, face*) hoven
pugnacious [pʌg'neɪʃəs] ADJ (*person*) kamplysten, trettekjær
pull [pul] 1 VT (**a**) (*+rope, hair etc*) dra* i
(**b**) (*+trigger, handle, door*) trekke*
(**c**) (*+cart, carriage etc*) dra*, trekke*
(**d**) (*+curtain, blind*) trekke* for
(**e**) (*sl: attract: people*) tiltrekke*
(**f**) (*+sexual partner*) sjekke (*v1*) (opp) ❑ *It's something that should really pull the public...* Det er noe som virkelig burde tiltrekke publikum... *He always manages to pull a girl at the disco.* Han greier alltid å sjekke (opp) ei jente på diskoteket.
(**g**) (*+pint of beer*) tappe (*v1*)
2 VI (= *tug*) hale (*v2*), dra* ❑ *He pulled with all his strength...* Han halte *or* drog av alle krefter...
3 s (**a**) (*gen, fig*) dragning *m* ❑ *...the pull of the current.* ...dragningen av strømmen. *The pull of your career remains strong.* Din karriere har fortsatt en sterk dragning på deg.
(**b**) (= *tug*) ▸ **to give sth a pull** trekke* i noe, dra* i noe
▸ **to pull a face** skjære* en grimase
▸ **to pull a muscle** forstrekke* en muskel
▸ **not to pull one's** *or* **any punches** (*fig*) ikke legge* fingrene imellom
▸ **to pull to pieces** (*fig*) kritisere (*v2*) sønder og sammen
▸ **to pull one's weight** (*fig*) bidra* med sitt
▸ **to pull o.s. together** ta* seg sammen
▸ **to pull sb's leg** (*fig*) drive* gjøn med noen, tulle (*v1*) med noen
▸ **to pull strings (for sb)** trekke* i trådene (for noen)
▸ **pull apart** VT (= *separate*) rive* fra hverandre
▸ **pull away** VI (*BIL*) starte (*v1*) og kjøre (*v2*) avsted
▸ **pull back** VI (**a**) (= *retreat*) trekke* seg tilbake
(**b**) (*fig*) vegre (*v1*) seg
▸ **pull down** VT (*+building*) rive*
▸ **pull in** 1 VI (**a**) (*BIL: at the kerb*) svinge (*v2*) inn til siden
(**b**) (*JERNB*) kjøre (*v2*) inn (*på stasjonen*)
2 VT (**a**) (*sl: money*) håve (*v1*) inn
(**b**) (*+crowds, people*) tiltrekke*
(**c**) (*police+ : suspect*) taue (*v1*) inn ❑ *The police pulled him in for questioning.* Politiet tauet ham inn for å forhøre ham.
▸ **pull off** VT (**a**) (= *take off: clothes etc*) trekke* av seg
(**b**) (*fig: succeed*) klare (*v2*) ❑ *It had been difficult but she had pulled it off.* Det hadde vært vanskelig, men hun hadde klart det.
▸ **pull out** 1 VI (**a**) (*BIL*) svinge (*v2*) ut
(**b**) (*JERNB*) kjøre (*v2*) ut (*fra stasjonen*)
(**c**) (= *withdraw from agreement etc*) trekke* seg
2 VT (= *extract*) trekke* ut ❑ *The computer pulls out all the relevant information.* Datamaskinen trekker ut all relevant informasjon.
▸ **pull over** 1 VI (*BIL*) kjøre (*v2*) ut til siden (for å stoppe)
2 VT (*police+ : motorist*) stanse (*v1*)
▸ **pull through** VI (*MED*) klare (*v2*) seg, stå* det over

▸ **pull up** 1 VI (*BIL, JERNB*) stanse (*v1*), stoppe (*v1*)
2 VT (**a**) (= *raise: object, clothing*) trekke* opp
(**b**) (= *uproot*) rykke (*v1*) opp (med roten)
(**c**) (+*chair*) flytte (*v1*) nærmere
pulley ['pʊlɪ] S talje *c*
pull-out ['pʊlaʊt] S (*in magazine*) *sider til å nappe ut og gjemme*
pullover ['pʊləʊvəʳ] S pullover *m*
pulp [pʌlp] 1 S (**a**) (*inside fruit*) fruktkjøtt *nt*
(**b**) (*beaten or crushed*) mos *m*
(**c**) (*for paper*) tremasse *m*
(**d**) (*LITT: neds*) smusslitteratur *m*
2 VT (+*books, paper*) makulere (*v2*)
3 ADJ (*neds: magazine, novel*) kiosk-
▸ **to reduce sth to a pulp** redusere (*v2*) noe til en (bløt) masse
▸ **pulp fiction** smusslitteratur *m*
pulpit ['pʊlpɪt] S prekestol *m*
pulsate [pʌl'seɪt] VI (*heart+*) pulsere (*v2*); (*music+*) dunke (*v1*), pulsere (*v2*)
pulse [pʌls] 1 S (**a**) (*ANAT*) puls *m* ❑ *...her pulse started to race.* ...pulsen hennes begynte å slå fortere.
(**b**) (*rhythm*) rytme *m* ❑ *The music's throbbing pulse...* Musikkens dunkende rytme...
(**c**) (*BOT*) belgfrukt *m*
(**d**) (*TEKN*) impuls *m* ❑ *The machine sends out a series of sound pulses.* Maskinen sender ut en serie lydimpulser.
2 VI pulsere (*v2*), dunke (*v1*)
▸ **pulses** SPL (*KULIN*) belgfrukter
▸ **to take** *or* **feel sb's pulse** ta* pulsen på noen
▸ **to have one's finger on the pulse (of sth)** (*fig*) føle (*v2*) (noe) på pulsen
pulverize ['pʌlvəraɪz] VT (= *crush to a powder*) pulverisere (*v2*); (*fig: destroy*) pulverisere (*v2*)
puma ['pju:mə] S puma *m*
pumice ['pʌmɪs] S (*also* ***pumice stone***) pimpstein *m*
pummel ['pʌml] VT (+*person, thing*) hamre (*v1*) løs på (*med knyttnevene*)
pump [pʌmp] 1 S (**a**) (*for water, air, petrol*) pumpe *c*
(**b**) (*shoe*) flat pumps *m*
2 VT pumpe (*v1*) ❑ *A factory was pumping its waste into the river...* En fabrikk pumpet avfallet sitt i elva...
▸ **to pump sb for information** pumpe (*v1*) noen for opplysninger
▸ **to have one's stomach pumped** (måtte) pumpes (*v5, no past tense*)
▸ **pump up** VT (= *inflate*) pumpe (*v1*) opp ❑ *Do your tyres need pumping up?* Må dekkene dine pumpes opp?
pumpkin ['pʌmpkɪn] S gresskar *nt*
pun [pʌn] S ordspill *nt*
punch [pʌntʃ] 1 S (**a**) (*blow*) (bokse)slag *nt*
(**b**) (*fig: force*) slagkraft *c* ❑ *His articles lack punch...* Artiklene hans mangler slagkraft...
(**c**) (*tool: for making holes*) hulltang *c*
(**d**) (*drink*) punsj *m*
2 VT (**a**) (= *hit*) slå* (*med knyttneven*)
(**b**) (= *make a hole in: ticket*) klippe (*v1 or v2x*)
▸ **to punch a hole in** slå* hull på
▸ **punch in** (*US*) VI stemple (*v1*) (seg) inn
▸ **punch out** (*US*) VI stemple (*v1*) (seg) ut
Punch and Judy show S *kjent engelsk dukketeaterstykke med dukkene Punch og Judy*
punch-drunk ['pʌntʃdrʌŋk] (*BRIT*) ADJ (*boxer*) punchdrunk, groggy etter slag i hodet
punch line S poeng *nt* (*i vits*)
punch-up ['pʌntʃʌp] (*BRIT: sl*) S slagsmål *nt*
punctual ['pʌŋktjuəl] ADJ punktlig
punctuality [pʌŋktju'ælɪtɪ] S punktlighet *c*
punctually ['pʌŋktjuəlɪ] ADV (*arrive, leave, deliver*) punktlig
▸ **it will start punctually at 6** det begynner presis klokka 6
punctuation [pʌŋktju'eɪʃən] S tegnsetting *c*
punctuation mark S skilletegn *nt*
puncture ['pʌŋktʃəʳ] 1 S punktering *c*
2 VT punktere (*v2*), stikke* hull på
▸ **I have a puncture** jeg har punktert
pundit ['pʌndɪt] S ekspert *m*
pungent ['pʌndʒənt] ADJ (*smell, taste*) skarp; (*fig: speech, article etc*) skarp
punish ['pʌnɪʃ] VT straffe (*v1*)
▸ **to punish sb for sth/for doing sth** straffe (*v1*) noen for noe/for å ha* gjort noe
punishable ['pʌnɪʃəbl] ADJ (*offence*) straffbar
punishing ['pʌnɪʃɪŋ] ADJ (*fig: exercise, ordeal*) drepende; (*defeat*) knusende
punishment ['pʌnɪʃmənt] S (**a**) (*act*) avstraffelse *m* ❑ *Punishment cannot reform the hardened criminal...* Avstraffelse kan ikke forbedre en herdet forbryter...
(**b**) (= *way of punishing*) straff *m* ❑ *What punishment do you think appropriate?* Hvilken straff synes du ville* være* passende?
▸ **to take a lot of punishment** (*fig: car, person etc*) måte tåle litt av hvert
punitive ['pju:nɪtɪv] ADJ (*action, measure*) straffe-
punk [pʌŋk] S (*also* ***punk rocker***) pønker *m* (*var.* punker) (*also* ***punk rock***) pønk (rock) *m* (*var.* punk rock) (*US: sl: hoodlum*) bølle *c*
punnet ['pʌnɪt] S (*of raspberries etc*) kurv *m*
punt[1] [pʌnt] 1 S (*boat*) flatbunnet båt *m* (*som stakes fram*)
2 VI stake (*v1*) seg fram (*i en båt*)
punt[2] [punt] S (= *Irish pound*) irsk pund *nt*
punter ['pʌntəʳ] (*BRIT*) S (= *gambler*) veddeløpsspiller *m*; (*sl: client, customer*) ▸ **the punters** publikum *nt no art*
puny ['pju:nɪ] ADJ (*person, arms, efforts etc*) ynkelig
pup [pʌp] S (= *dog*) (hunde)valp *m*; (= *other animal*) unge *m*
pupil ['pju:pl] S (*SKOL*) elev *m*; (*of eye*) pupill *m*
puppet ['pʌpɪt] S (*doll: on strings*) marionettdukke *m*; (*also* ***glove puppet***) fingerdukke *m*; (*fig: person*) marionett *m*
puppet government S marionettregjering *c*
puppy ['pʌpɪ] S (hunde)valp *m*
purchase ['pə:tʃɪs] 1 VT (= *buy*) kjøpe (*v2*)
2 S (**a**) (= *act of buying*) kjøp *nt* ❑ *...the date of purchase...* datoen for kjøpet...
(**b**) (= *item bought*) det man har kjøpt ❑ *Among his purchases were several tins of beans...* Blant det han hadde kjøpt, var det flere bokser med bønner...
(**c**) (= *grip*) ▸ **to get** *or* **gain (a) purchase on** få*

fast grep *or* (gripe)tak på
purchase order s innkjøpsordre *m*
purchase price s innkjøpspris *m*
purchaser ['pəːtʃɪsəʳ] s kjøper *m*
purchase tax s omsetningsavgift *m*
purchasing power s kjøpekraft *c* ❑ *A rise in income will increase purchasing power.* En inntektsheving vil øke kjøpekraften.
pure [pjuəʳ] ADJ (**a**) (*gen*) ren (*var.* rein) ❑ *I came on the idea by pure chance.* Jeg kom over ideen ved ren slump.
(**b**) (= *chaste: woman, girl*) (uskylds)ren
▸ **a pure wool jumper** en genser av ren ull
▸ **it's laziness pure and simple** det er ren og skjær latskap
▸ **by pure hard work** ved hardt arbeid alene, ene og alene ved hardt arbeid
purebred ['pjuəbrɛd] ADJ raseren, renraset
puree ['pjuəreɪ] s puré *m* ❑ *...tomato puree...* tomatpuré...
purely ['pjuəlɪ] ADV fullstendig ❑ *The reaction is purely involuntary...* Reaksjonen er fullstendig ufrivillig...
purgatory ['pəːgətərɪ] s (*REL, fig*) skjærsild *m*
purge [pəːdʒ] 1 s (*POL*) utrensking *c*
2 VT (**a**) (*POL: extremists*) luke (*v1 or v2*) ut ❑ *They purged extremists from the party...* De hadde luket ut ekstremistene fra partiet...
(**b**) (*fig: thoughts, mind etc*) ▸ **to purge sth of sth** rense (*v1*) noe for noe
purification [pjuərɪfɪ'keɪʃən] s rensing *c* ❑ *...the purification of the water supply.* ...rensingen av vannforsyningene.
purify ['pjuərɪfaɪ] VT (*+air, water etc*) rense (*v1*)
purist ['pjuərɪst] s purist *m*
puritan ['pjuərɪtən] s puritaner *m*
puritanical [pjuərɪ'tænɪkl] ADJ (*person, attitude, behaviour*) puritansk
purity ['pjuərɪtɪ] s (*of gold, air, water etc*) renhet *m*; (*of woman, girl*) (uskylds)renhet *m*
purl [pəːl] 1 s ▸ **one plain, one purl** en rett, en vrang
2 VT strikke (*v1*) vrangt ❑ *...knit one, purl one.* ...(strikk) én rett og én vrang.
purloin [pəː'lɔɪn] (*fml*) VT tilrane (*v1*) seg
purple ['pəːpl] ADJ blårød, purpurfarget
purport [pəː'pɔːt] VI ▸ **to purport to be/do** gi* seg ut for å være/gjøre
purpose ['pəːpəs] s (**a**) (= *aim*) mål *nt* ❑ *Her only purpose in life was to get rich...* Hennes eneste mål i livet var å bli* rik...
(**b**) (*reason*) ▸ **purpose (of)** hensikt *m* (med), formål *nt* (med) ❑ *The purpose of the meeting was to discuss...* Hensikten *or* formålet med møtet var å diskutere...
▸ **on purpose** med vilje, med hensikt
▸ **for that purpose** til det formålet
▸ **for illustrative purposes** for å illustrere
▸ **for all practical purposes** praktisk talt
▸ **to little/no purpose** til liten nytte/ingen nytte
▸ **a sense of purpose** (**a**) (*in one's life*) (en) mening med livet
(**b**) (*in an activity*) målbevissthet
purpose-built ['pəːpəs'bɪlt] (*BRIT*) ADJ spesiallaget (på bestilling)
purposeful ['pəːpəsful] ADJ (*person, look, gesture*) målbevisst
purposely ['pəːpəslɪ] ADV med vilje, med hensikt
purr [pəːʳ] VI male (*v2*) (*katt*)
purse [pəːs] 1 s (*BRIT: for money*) pung *m*, portemonné *m*; (*US: handbag*) håndveske *c*
2 VT ▸ **to purse one's lips** snurpe (*v1*) munnen, spisse (*v1*) munnen
purser ['pəːsəʳ] s purser *m*
purse-snatcher ['pəːssnætʃəʳ] (*US*) s veskenapper *m*
pursue [pə'sjuː] VT (**a**) (= *follow: person, car etc*) forfølge*
(**b**) (*fig: activity*) fortsette* med
(**c**) (*+interest, plan*) følge* opp ❑ *His wealth enabled him to pursue his interest in art...* Rikdommen hans gjorde ham i stand til å følge opp sin kunstinteresse...
(**d**) (*+aim, objective*) etterstrebe (*v1*), strebe (*v1*) etter
pursuer [pə'sjuːəʳ] s forfølger *m*
pursuit [pə'sjuːt] s (**a**) (= *chase: of person, car etc*) jakt *c*
(**b**) (*fig*) ▸ **the pursuit of happiness** *etc* søken etter lykke *etc*
(**c**) (= *pastime*) syssel *m* ❑ *...leisure pursuits...* fritidssysler...
▸ **in pursuit of** (**a**) (*+person, car etc*) på jakt etter
(**b**) (*fig: happiness, pleasure etc*) i vår/hans *etc* søken etter, på jakt etter ❑ *How far should we go in pursuit of what we want?* Hvor langt bør vi gå* i vår søken etter det vi ønsker oss?
purveyor [pə'veɪəʳ] (*fml*) s leverandør *m*
pus [pʌs] s puss *m or n*, materie *m*
push [puʃ] 1 s (**a**) (*of button etc*) trykk *nt* ❑ *...at the push of a button.* ...ved et trykk på knappen.
(**b**) (*of car, door, person etc*) dytt *m* ❑ *Could you give me a push down the road?* Kunne du gi* meg en dytt nedover veien?
2 VT (**a**) (= *press: button, knob etc*) trykke (*v2x*) på
(**b**) (= *shove: car, door, person etc*) dytte (*v1*), skyve*
(**c**) (= *put pressure on: person*) legge* press på
(**d**) (= *promote: product*) reklamere (*v2*) for ❑ *...adverts pushing slimming drugs.* ...reklamer for slankepiller.
(**e**) (*sl: drugs*) lange (*v1*)
3 VI (**a**) (= *press*) trykke (*v2x*) ❑ *Turn the handle, lift, and push...* Vri på håndtaket, løft opp og trykk...
(**b**) (= *shove*) dytte (*v1*) ❑ *We'll just have to get out and push.* Vi er vel nødt til å gå* ut og dytte.
▸ **to push for** (= *demand*) jobbe (*v1*) for
▸ **to push a door open/shut** dytte (*v1*) *or* skyve* opp/igjen en dør
▸ **"push"** (**a**) (*on door*) "skyv"
(**b**) (*on bell*) "trykk"
▸ **to be pushed for time/money** (*sl*) ha* dårlig tid/råd, ha* knapt med tid/penger
▸ **she is pushing fifty** (*sl*) hun nærmer seg femti
▸ **at a push** (*BRIT: sl*) hvis det kniper
▸ **push around** VT (= *bully*) herse (*v1*) med
▸ **push aside** VT (**a**) (*+person*) skyve* til side *or* unna, dytte (*v1*) til side *or* unna
(**b**) (*fig: idea etc*) skyve* til side
▸ **push in** VI (*in queue*) snike* i køen

▸ **push off** (*sl*) VI stikke* av (*sl*)
▸ **push on** VI (= *continue*) fortsette*, gå* videre
▸ **push over** VT dytte (*v1*) over ende
▸ **push through** VT (*+measure, scheme etc*) få* igjennom
▸ **push up** VT (*+total, prices*) få* til å stige ❑ *This oil boom can only push the basic inflation rate up...* Oppsvingen i oljeindustrien kan bare få* inflasjonen til å stige...
push-bike ['puʃbaɪk] (*BRIT*) S tråsykkel *m*
push-button ['puʃbʌtn] ADJ trykknapp *m*, knapp *m* til å trykke på
pushchair ['puʃtʃɛəʳ] (*BRIT*) S sportsvogn *c*
pusher ['puʃəʳ] S (= *drug dealer*) langer *m*
pushover ['puʃəuvəʳ] (*sl*) S ▸ **it's a pushover** det er en smal sak
▸ **he was a pushover** han var lett å lure
▸ **the exam was a pushover** eksamenen var lekende lett
push-up ['puʃʌp] (*US*) S push-up *m*
pushy ['puʃɪ] (*neds*) ADJ pågående
puss [pus] (*sl*) S pus *m*
▸ **Puss-in-Boots** Katten med støvlene
pussy(cat) ['pusɪ(kæt)] (*sl*) S pusekatt *m*, pus *m*
put [put] (*pt* **put**)*pp* VT (**a**) (= *place: upright position*) sette*
(**b**) (*horizontally*) legge* ❑ *I put her suitcase on the table...* Jeg satte/la kofferten hennes på bordet...
(**c**) (*+person: in room, institution etc*) plassere (*v2*) ❑ *They had to put him into an asylum...* De måtte* plassere ham på asyl...
(**d**) (*in state, situation*) sette* ❑ *It puts me in a rather difficult position...* Det setter meg i en heller vanskelig situasjon...
(**e**) (= *express: idea, remark etc*) uttrykke (*v2x*), si* ❑ *He didn't put it quite as crudely as that...* Han uttrykte *or* sa det ikke fullt så brutalt som det...
(**f**) (= *present: case, view*) framstille (*v2x*) ❑ *He would have known how to put his case...* Han visste nok hvordan han skulle* framstille saken...
(**g**) (= *ask: question*) stille (*v2x*) ❑ *I put this question to Dr Cook...* Jeg stilte dette spørsmålet til dr Cook...
(**h**) (= *classify*) plassere (*v2*) ❑ *I wouldn't put him in the same class as Verdi...* Jeg ville* ikke plassere ham i samme klasse som Verdi...
(**i**) (= *write, type: word, sentence etc*) skrive*, sette* ❑ *What did he put for his address?* Hva har han skrevet *or* satt som adresse?
▸ **to put sb in a good/bad mood** få* noen i godt/dårlig humør
▸ **to put sb to bed** få* noen i seng
▸ **to put sb to a lot of trouble** gi* noen en masse bråk
▸ **how shall I put it?** hvordan skal jeg uttrykke *or* si det?
▸ **to put a lot of time into sth** bruke (*v2*) mye tid på noe
▸ **to put money on a horse** sette* penger på en hest
▸ **the cost is now put at 2 billion pounds** kostnadene er nå satt til 2 milliarder pund
▸ **I put it to you that...** (*BRIT*) jeg vil fremholde at...

▸ **to stay put** bli* hvor man/det er
▸ **put about** [1] VI (*NAUT*) (stag)vende (*v2*)
[2] VT (*+rumour*) sette* ut
▸ **put across** VT (*+ideas etc*) få* fram
▸ **put around** VT = **put about**
▸ **put aside** VT (**a**) (*+work*) legge* fra seg *or* vekk
(**b**) (= *disregard: idea*) slå* fra seg
(**c**) (*+problem*) skyve* til side
(**d**) (*+sum of money*) legge* til side
▸ **put away** VT (**a**) (*store*) rydde (*v1*) bort *or* vekk, sette* på plass ❑ *I put away the shopping...* Jeg ryddet bort *or* vekk det jeg hadde kjøpt.... Jeg satte på plass det jeg hadde kjøpt...
(**b**) (*sl: consume: food*) kjøre (*v2*) i seg
(**c**) (*drink*) kjøre (*v2*) i seg, helle (*v2x*) i seg
(**d**) (= *save: money*) legge* til side
(**e**) (= *imprison*) sette* inn ❑ *They put him away for ten years...* De satte ham inn for ti år...
▸ **put back** VT (**a**) (= *replace: in upright position*) sette* tilbake
(**b**) (*in horizontal position*) legge* tilbake ❑ *I put the book back on the shelf.* Jeg satte/la boka tilbake i hylla.
(**c**) (= *postpone*) utsette* ❑ *We've had to put back the seminar again.* Vi har måttet utsette seminaret igjen.
(**d**) (= *delay*) forsinke (*v1*) ❑ *This will put production back a month.* Dette vil forsinke produksjonen med en måned.
▸ **put by** VT (*+money, supplies*) legge* til side ❑ *It's always a good idea to have something put by.* Det er alltid en fordel å ha* lagt noe til side.
▸ **put down** VT (**a**) (*on floor, table: in upright position*) sette* ned
(**b**) (*in horizontal position*) legge* ned ❑ *Marsha put the book down...* Marsha satte/la ned boka...
(**c**) (*in writing*) sette*, skrive* ❑ *For profession he put down "business man".* Under yrke satte *or* skrev han "forretningsmann".
(**d**) (*+riot, rebellion*) slå* ned
(**e**) (= *humiliate: person*) ydmyke (*v1*)
(**f**) (*+animal*) avlive (*v1*)
▸ **put down to** VT (= *attribute*) ▸ **to put sth down to sth** tilskrive* noe skylden for noe ❑ *I put it down to arthritis.* Jeg tror det skyldes leddbetennelse.
▸ **put forward** VT (**a**) (*+ideas, proposal*) sette* fram, legge* fram
(**b**) (*+watch, clock*) stille (*v2x*) fram
(**c**) (*+date, meeting*) skyve* fram, framskynde (*v1*) ❑ *The meeting has been put forward till next week.* Møtet har måttet skyves fram *or* framskyndes til neste uke.
▸ **put in** [1] VT (**a**) (= *send in: application, complaint*) sende (*v2*) [NB] *I put in a request for an interview...* Jeg bad om et intervju...
(**b**) (= *spend, invest: time, effort*) bruke (*v2*)
(**c**) (*+work*) legge* ned ❑ *You've put in a lot of work...* Du har lagt ned mye arbeid...
(**d**) (= *install: gas, electricity etc*) legge* inn
(**e**) (*+sink, kitchen units*) installere (*v2*) ❑ *We're having a new sink unit put in...* Vi skal få* installert en ny utslagsvask...
[2] VI (*NAUT*) ▸ **to put in (at)** gå* inn (til), søke (*v2*) havn (på)

► **put in for** VT FUS (*+promotion, leave*) søke (*v2*) om
► **put off** VT (**a**) (= *delay*) utsette*
(**b**) (= *distract*) ▸ **to put sb off** få* noen til å komme ut av det
(**c**) (= *discourage*) ▸ **to put sb off sth** få* noen fra noe ❑ *Nothing would put her off once she had made up her mind...* Ingenting kunne* få* henne fra det når hun engang hadde bestemt seg...
▸ **to keep putting sth off** drøye (*v3*) og drøye med noe ❑ *They kept putting off signing the paper...* De drøyde og drøyde med å undertegne papiret...
► **put on** VT (**a**) (*+clothes, glasses*) sette* på seg, ta* på seg
(**b**) (*+make-up, ointment etc*) ta* på (seg)
(**c**) (*+light, TV etc*) sette* på, slå* på
(**d**) (*+play etc*) sette* opp
(**e**) (*+brake*) ▸ **to put on the brake**
(**f**) (*footbrake*) bremse (*v1*)
(**g**) (*handbrake*) sette* på brekket
(**h**) (*+record, tape, video, electric kettle etc*) sette* på
(**i**) (*+dinner, kettle on stove etc*) sette* over
(**j**) (= *assume: look, behaviour etc*) anta*, legge* seg til ❑ *I don't see why you have to put on a phoney English accent.* Jeg skjønner ikke hvorfor du må anta *or* legge deg til en slik falsk engelsk uttale.
(**k**) (*sl: tease*) bare tulle (*v1*) med, drive* gjøn med ❑ *"You're putting me on," said Deirdre.* "Du bare tuller med *or* driver gjøn med meg," sa Deirdre.
(**l**) (*+extra bus, train etc*) sette* opp
▸ **to put on weight** legge* på seg
► **put onto** VT (= *indicate*) tipse (*v1*) om ❑ *He put him onto a good lawyer.* Han tipset ham om en god advokat.
► **put out** VT (**a**) (*+fire, candle, cigarette*) slukke (*v1*)
(**b**) (*+electric light*) slukke (*v1*), slå* av
(**c**) (= *take out: rubbish, cat etc*) ta* med ut
(**d**) (*+one's hand: to greet, receive*) rekke* fram *or* ut
(**e**) (*for help, protection*) strekke* ut
(**f**) (= *tell: story*) sette* ut
(**g**) (*+announcement*) sende (*v2*) ut
(**h**) (*BRIT: dislocate: back, shoulder*) få* ut av ledd
(**i**) (*sl: annoy*) irritere (*v2*) ❑ *She wasn't put out by this response...* Hun ble ikke irritert av dette svaret...
(**j**) (= *inconvenience*) være* til bry for ❑ *I hope I'm not putting you out.* Jeg håper jeg ikke er til bry (for deg).
▸ **to put out one's tongue** rekke* tunge
VI (*NAUT*) ▸ **to put out to sea** gå* til sjøs
▸ **to put out from Plymouth** legge* ut fra Plymouth
► **put through** VT (**a**) (*TEL: person, call*) sette* over
(**b**) (*+plan, agreement*) få* igjennom ❑ *They put through the first nuclear arms agreements...* De fikk igjennom de første atomvåpenavtalene...
▸ **put me through to Miss Blair** sett meg over til frøken Blair
► **put together** VT sette* sammen
▸ **more than the rest of them put together** mer enn alle de andre til sammen
► **put up** VT (**a**) (*+fence, building, poster, sign, cost, price*) sette* opp
(**b**) (*+umbrella, tent, hood*) slå* opp
(**c**) (= *accommodate*) *ta* imot som overnattingsgjest* NB *I offered to put him up...* Jeg tilbød ham å bo hos meg...
▸ **to put up resistance** gjøre* motstand
▸ **to put up a fight** slå* fra seg
▸ **to put sb up to sth/doing sth** (= *incite*) få* noen til noe/til å gjøre* noe
▸ **to put sth up for sale** avertere (*v2*) noe til salgs
► **put upon** VT FUS ▸ **to be put upon** (= *imposed on*) bli* tråkket på
► **put up with** VT FUS (= *tolerate*) finne* seg i
putative ['pju:tətɪv] ADJ antatt
putrid ['pju:trɪd] ADJ (*mess, meat*) råtten (og stinkende)
putt [pʌt] S putt *m*
putter ['pʌtə^r] 1 S (*GOLF*) putter *m*
2 VI (*US*) = **potter**
putting green S (*on golf course*) green *m*; (*mini golf course*) minigolfbane *m* (*på gress*)
putty ['pʌtɪ] S kitt *nt*
put-up ['putʌp] ▸ **a put-up job** S et avtalt spill
puzzle ['pʌzl] 1 S (**a**) (*jigsaw, game etc*) puslespill *m*
(**b**) (*mental problem*) hodebry *nt*
(**c**) (= *mystery*) mysterium *nt*
2 VT (= *baffle*) forundre (*v1*)
3 VI ▸ **to puzzle over sth** undre (*v1*) seg over noe, fundere (*v2*) på noe
▸ **to be puzzled as to why...** lure (*v2*) på hvorfor...
puzzling ['pʌzlɪŋ] ADJ (*statement, action*) forunderlig
PVC S FK (= **polyvinyl chloride**) PVC
Pvt. (*US: MIL*) FK = **private**
PW (*US*) S FK = **prisoner of war**
p.w. FK (= **per week**) per uke
PX (*US: MIL*) S FK = **post exchange**
pygmy ['pɪgmɪ] S pygmé *m*
pyjamas [pə'dʒɑ:məz], **pajamas** (*US*) SPL pyjamas *m sg*
▸ **a pair of pyjamas** en pyjamas
pylon ['paɪlən] S lysmast *c*, høyspentmast *c*
pyramid ['pɪrəmɪd] S (*HIST, GEOM, gen*) pyramide *m*
❑ *They built a pyramid of leaves and twigs.* De bygget en pyramide av løv og kvister.
Pyrenean [pɪrə'ni:ən] ADJ pyrenéisk
Pyrenees [pɪrə'ni:z] SPL ▸ **the Pyrenees** Pyrenéene
Pyrex® ['paɪrɛks] 1 S ildfast glass *nt*
2 ADJ (*dish, bowl*) ildfast (*av glass*)
python ['paɪθən] S pytonslange *m*

Q

Q, q [kjuː] s (*letter*) Q, q *m*
▸ **Q for Queen** Q for Quintus
Qatar [kæ'tɑːʳ] s Qatar
QC (*BRIT: JUR*) s FK (= **Queen's Counsel**) *tittel*

> **QC**
> *I England er en* **QC** *eller* Queen's Counsel *(eller* **KC** *for* King's Counsel *når det er en konge som regjerer) er en advokat som har en høyt embete etter anbefaling fra* the Lord Chancellor. *Han eller hun skriver initialene 'QC' etter navnet sitt, og blir alltid fulgt av en annen advokat (en* junior barrister *i rettssalen.*

QED FK (= **quod erat demonstrandum**) q.e.d., som skulle* bevises
QM s FK (*MIL*) = **quartermaster**
qt. FK = **quart**
q.t. (*sl*) s FK (= **quiet**) ▸ **on the q.t.** i all stillhet
qty FK = **quantity**
quack [kwæk] 1 s (*of duck*) kvekk *nt*; (*sl, neds: doctor*) kvakksalver *m*
2 VI kvekke (*v1*)
quad [kwɔd] s FK = **quadrangle, quadruplet**
quadrangle ['kwɔdræŋgl] s (firkantet) gårdsplass *m*
quadrilateral [kwɔdrɪ'lætərəl] s firkant *m*
quadruped ['kwɔdrupɛd] s firbe(i)nt dyr *nt*
quadruple [kwɔ'druːpl] 1 VT firedoble (*v1*) ❑ *We could quadruple output to around 10 million tons.* Vi kunne* firedoble produksjonen til rundt 10 millioner tonn.
2 VI firedoble (*v1*) seg ❑ *...wheat production has almost quadrupled.* ...hveteproduksjonen har nesten firedoblet seg *or* blitt firedoblet.
quadruplets [kwɔ'druːplɪts] SPL firlinger
quagmire ['kwægmaɪəʳ] s (**a**) (= *bog*) myr *c*
(**b**) (*fig*) hengemyr *c* ❑ *...a quagmire of facts and figures.* ...en hengemyr av tall og fakta.
quail [kweɪl] 1 s (*bird*) vaktel *m*
2 VI ▸ **to quail at** *or* **before** være* vettskremt av *or* ved, være* skrekkslagen ved ❑ *I quailed at the prospect of confronting him head-on.* Jeg var vettskremt ved utsikten til å komme i direkte konfrontasjon med ham.
quaint [kweɪnt] ADJ (*house, village*) egenartet (og gammeldags); (*ideas, customs*) eiendommelig, gammelmodig
quake [kweɪk] 1 VI skjelve* ❑ *I stood there quaking with fear.* Jeg stod der og skalv av redsel.
2 s = **earthquake**
Quaker ['kweɪkəʳ] s kveker *m*
qualification [kwɔlɪfɪ'keɪʃən] s (**a**) (*often pl: degree, diploma etc*) kvalifikasjon *m*, kompetanse *m no pl* ❑ *No special qualifications are needed for the job...* Det trengs ingen spesielle kvalifikasjoner *or* spesiell kompetanse til denne jobben...
(**b**) (= *attribute*) egenskap *m* ❑ *One of the qualifications you need in advertising is a fertile mind...* En av egenskapene du trenger i reklamebransjen er en frodig fantasi...
(**c**) (= *reservation*) forbehold *nt* ❑ *Two qualifications need to be made...* Det må tas to forbehold...
▸ **what are your qualifications?** hvilke kvalifikasjoner har du?, hva slags kompetanse har du?
qualified ['kwɔlɪfaɪd] ADJ (**a**) (= *trained: doctor, engineer etc*) utdannet
(**b**) (= *limited: agreement, praise*) betinget, forbeholden ❑ *The reaction was one of qualified praise...* Reaksjonen var en betinget *or* forbeholden ros...
▸ **he's not qualified for the job** han er ikke kvalifisert *or* kompetent for stillingen
▸ **to be/feel qualified to do sth** (= *fit, competent*) være/føle (*v2*) seg kompetent til *or* kvalifisert for å gjøre* noe
▸ **it was a qualified success** det var en betinget suksess
qualify ['kwɔlɪfaɪ] 1 VT (**a**) (= *entitle*) kvalifisere (*v2*) ❑ *Knowing a single foreign language doesn't qualify you to call yourself a linguist.* Det å kunne* ett eneste fremmedspråk kvalifiserer deg ikke til å kalle deg lingvist.
(**b**) (= *modify: statement*) presisere (*v2*), forklare (*v2*) nærmere ❑ *I'll qualify what I said...* Jeg skal presisere *or* forklare nærmere det jeg sa...
2 VI (= *pass examination(s)*) bli* ferdig utdannet ❑ *Did you take a degree at University before you qualified?* Tok du en grad på universitetet før du ble ferdig utdannet?
▸ **to qualify for** (**a**) (= *be eligible*) være* berettiget til
(**b**) (*through exam, own efforts etc*) oppnå (*v4*) ❑ *He had failed to qualify for a grant.* Han hadde ikke klart å oppnå et stipendium.
(**c**) (*in competition*) kvalifisere (*v2*) seg ❑ *England failed to qualify for the next round.* England klarte ikke å kvalifisere seg for neste omgang.
▸ **to qualify as an engineer** utdanne (*v1*) seg til ingeniør
qualifying ['kwɔlɪfaɪɪŋ] ADJ ▸ **qualifying exam** avsluttende eksamen *m*
▸ **qualifying round** kvalifiseringsrunde *m*
qualitative ['kwɔlɪtətɪv] ADJ (*change, difference, assessment*) kvalitativ
quality ['kwɔlɪtɪ] 1 s (**a**) (*standard*) kvalitet *m* ❑ *...improvements in quality...* forbedringer i kvalitet... *The quality of the photograph was poor...* Kvaliteten på fotografiet var dårlig...
(**b**) (= *characteristic: of person*) god egenskap *m*, kvalitet *m*
(**c**) (*of wood, stone etc*) egenskap *m* ❑ *Asquith paid tribute to his personal qualities...* Asquith roste kvalitetene *or* de gode personlige egenskapene hans... *One of the qualities of cork is that it*

floats. En av egenskapene til kork er at den flyter.
[2] SAMMENS kvalitets-
▸ **a quality (news)paper** en kvalitetsavis (*ikke i tabloidformat*)
▸ **of good/poor quality** av *or* med god/dårlig kvalitet
▸ **quality of life** livsstandard *m*

quality control s kvalitetskontroll *m*

quality (news)papers
Quality (news)papers *eller* the quality press *omfatter de seriøse avisene og tidsskriftene, i motsetning til populærpressen (***tabloid press***). Disse avisene henvender seg til lesere som ønsker detaljert informasjon om et bredt spekter av emner, og som er villig til å bruke en del tid på å lese. Kvalitetsavisene er vanligvis i storformat.*

quality papers (*BRIT*) SPL ▸ **the quality papers** kvalitetsavisene (*ikke i tabloidformat*)
quality time s kvalitetstid *c*
qualm [kwɑːm] s betenkelighet *c*, skruppel *m* ❑ *He felt no qualms...* Han kjente ingen betenkeligheter *or* skrupler...
▸ **to have qualms about sth** ha* betenkeligheter ved noe
quandary ['kwɔndrɪ] s ▸ **to be in a quandary** være* i et dilemma
quango ['kwæŋgəu] (*BRIT*) s FK (*also* ***quasi-autonomous non-governmental organization***) *uavhengig, offentlig finansiert tilsyn*
quantifiable ['kwɔntɪfaɪəbl] ADJ kvantifiserbar
quantify ['kwɔntɪfaɪ] VT kvantifisere (*v2*)
quantitative ['kwɔntɪtətɪv] s (*change, improvement, assessment*) kvantitativ
quantity ['kwɔntɪtɪ] s mengde *m*, kvantum *nt irreg* ❑ *You only need a very small quantity...* Du trenger bare en svært liten mengde *or* et svært lite kvantum...
▸ **in large/small quantities** i store/små kvanta *or* mengder
▸ **in quantity** i store kvanta ❑ *The meat is produced in quantity...* Kjøttet produseres i store kvanta...
▸ **an unknown quantity** (*fig*) en ukjent størrelse
quantity surveyor s kostnadsberegner *m* (*i forbindelse med bygg*)
quantum leap ['kwɔntəm-] s (*FYS, fig*) kvantesprang *nt*
quarantine ['kwɔrntiːn] s karantene *m*
▸ **in quarantine** i karantene
quark [kwɑːk] s (*cheese*) kvarg *m*; (*FYS*) kvark *m*
quarrel ['kwɔrl] [1] s krangel *m*, trette *m*
[2] VI krangle (*v1*), trette (*v1*) ❑ *I don't want to quarrel with you.* Jeg vil ikke krangle *or* trette med deg.
▸ **to have a quarrel with sb** krangle (*v1*) *or* trette (*v1*) med noen
▸ **I've no quarrel with her** jeg har ikke noe usnakket *or* uoppgjort med henne
▸ **I can't quarrel with that** jeg kan ikke si noe på det
quarrelsome ['kwɔrəlsəm] ADJ kranglevoren, kranglet(e)
quarry ['kwɔrɪ] [1] s (*for stone*) steinbrudd *nt*; (*= prey*) jaktbytte *nt* [2] VT (*+marble etc*) bryte*
quart [kwɔːt] s *2 pints = 1,136 l*
quarter ['kwɔːtə^r] [1] s (**a**) (*= fourth part*) fjerdedel *m* [NB] *...a quarter of a century...* et kvart århundre...
(**b**) (*US: coin*) *25 cent-stykke*
(**c**) (*of year*) kvartal *nt* ❑ *Your salary will be paid each quarter...* Lønnen din vil bli* utbetalt hvert kvartal...
(**d**) (*= district: of city*) kvarter *nt* ❑ *...the Latin Quarter...* Latinerkvarteret...
[2] VT (**a**) (*= divide by four*) dele (*v2*) i fire
(**b**) (*MIL: lodge*) innkvartere (*v2*) ❑ *...Smith's hotel, where we were quartered throughout the war.* ...Smiths hotell, hvor vi var innkvartert under krigen.
▸ **quarters** SPL (**a**) (*MIL*) kvarter *nt sg*
(**b**) (*also* ***living quarters***) innkvartering *nt uncount*
▸ **a quarter of an hour** et kvarter
▸ **it's a quarter to 3,** (*US*) **it's a quarter of 3** den *or* klokka er kvart på 3
▸ **it's a quarter past 3,** (*US*) **it's a quarter after 3** den *or* klokka er kvart over 3
▸ **from all quarters** fra alle kanter
▸ **at close quarters** på nært hold
quarterback ['kwɔːtəbæk] s (*SPORT*) quarterback *m*
quarterdeck ['kwɔːtədɛk] s akterdekk *nt*
quarterfinal ['kwɔːtə'faɪnl] s kvartfinale *m*
quarterly ['kwɔːtəlɪ] [1] ADJ (*meeting, payment*) kvartalsvis
[2] ADV (*meet, pay*) hvert kvartal
[3] s (*magazine*) tidsskrift *nt* (som utkommer hvert kvartal)
quartermaster ['kwɔːtəmɑːstə^r] s ≈ intendant *m*
quartet [kwɔː'tɛt] s kvartett *m*
quarto ['kwɔːtəu] s (*size of paper*) kvartformat *nt*; (*book*) bok *c* i kvartformat
quartz [kwɔːts] [1] s kvarts *m*
[2] SAMMENS kvarts-
quash [kwɔʃ] VT (*+verdict, judgement*) oppheve (*v1*), omstøte (*v2*)
quasi- ['kweɪzaɪ] PREF kvasi-
quaver ['kweɪvə^r] [1] s (*BRIT: MUS*) åttendedelsnote *m* [2] VI (*voice+*) skjelve*
quay [kiː] s kai *c*, brygge *f*
quayside ['kiːsaɪd] s kai *c*
queasiness ['kwiːzɪnɪs] s kvalme *m*
queasy ['kwiːzɪ] ADJ kvalm
▸ **to feel queasy** være* kvalm
Quebec [kwɪ'bɛk] s Quebec
queen [kwiːn] s (*person, bee, in chess*) dronning *c*; (*KORT*) dame *c*
queen mother s dronningmor *c irreg*

Queen's speech
The Queen's speech *(eller* King's speech*) er talen som monarken holder ved åpningen av* **Parliament** *i* **the House of Lords** *for lordene og parlamentsmedlemmer. Den inneholder det generelle politiske programmet til regjeringen for inneværende sesjon, og den er skrevet av statsministeren i samråd med regjeringen.*

Queen's speech (*BRIT*) S ▸ **the Queen's speech** ≈ trontalen
queer [kwɪəʳ] 1 ADJ rar, snål, underlig; (*BRIT: unwell*) uvel
2 S (*sl: highly offensive: male homosexual*) soper *m*
quell [kwɛl] VT (*+riot, disturbance*) slå* ned; (*+unease, fears*) kvele*
quench [kwɛntʃ] VT ▸ **to quench one's thirst** slukke (*v1*) tørsten
querulous ['kwɛruləs] ADJ (*person, voice*) sytende
query ['kwɪərɪ] 1 S spørsmål *nt* ❑ *He deals with all the queries...* Han tar seg av alle spørsmålene...
2 VT sette* spørsmålstegn ved ❑ *The company accountant queried my travel expenses...* Firmaets regnskapsfører satte spørsmålstegn ved reiseutgiftene mine...
quest [kwɛst] S ▸ **quest (for)** søken *m* (etter), søking *c* (etter) NB *...the quest for truth.* ...søkingen etter sannheten.
question ['kwɛstʃən] 1 S (**a**) (= *query, issue*) spørsmål *nt* ❑ *...to answer the questions...* svare på spørsmålene... *the nuclear power question.* ...kjernekraftspørsmålet. *A number of questions still need to be resolved.* En mengde spørsmål må fremdeles løses.
(**b**) (*doubt*) tvil *m*, spørsmål *nt* ❑ *There was absolutely no question about the diagnosis.* Det var absolutt ikke noen tvil *or* noe spørsmål om diagnosen.
(**c**) (*in written exam*) spørsmål *nt*, oppgave *m* ❑ *...you have to answer four questions.* ...du må svare på fire spørsmål *or* oppgaver.
2 VT (**a**) (= *interrogate*) spørre* ut ❑ *I started questioning her about Jane...* Jeg begynte å spørre henne ut om Jane...
(**b**) (= *doubt*) betvile (*v2*), sette* spørsmålstegn ved ❑ *He questioned whether anybody could....* Han betvilte *or* satte spørsmålstegn ved om noen kunne...
▸ **to ask sb a question, put a question to sb** stille (*v2x*) noen et spørsmål
▸ **to bring** *or* **call sth into question** trekke* noe i tvil ❑ *His honesty was called into question...* ærligheten hans ble trukket i tvil...
▸ **the question is...** spørsmålet er... ❑ *The question is, who will...?* Spørsmålet er hvem som vil...?
▸ **there's no question of doing...** det er ikke snakk *or* tale om å gjøre... ❑ *there was no question of getting a full night's sleep.* ...det var ikke snakk *or* tale om å få* sove hele natten.
▸ **the person/night in question** den aktuelle personen/natten ❑ *...on the night in question.* ...på den aktuelle kvelden.
▸ **beyond question** hevet over enhver tvil ❑ *His integrity is beyond question.* Integriteten hans er hevet over enhver tvil.
▸ **to be out of the question** være* uaktuell, ikke komme* på tale
questionable ['kwɛstʃənəbl] ADJ tvilsom
questioner ['kwɛstʃənəʳ] S spørsmålsstiller *m*
questioning ['kwɛstʃənɪŋ] 1 ADJ (*look, expression*) spørrende
2 S avhør *nt* ❑ *The three men were taken to the police station for questioning...* De tre mennene ble tatt med til politistasjonen til avhør...
▸ **to have a questioning mind** være* vitebegjærlig
question mark S spørsmålstegn *nt*
questionnaire [kwɛstʃə'nɛəʳ] S spørreskjema *nt*
queue [kju:] (*BRIT*) 1 S kø *m*
2 VI (*also* ***queue up***) stille (*v2x*) seg i kø
▸ **to jump the queue** snike* i køen
quibble ['kwɪbl] 1 S innvending *m*, innsigelse *m*
2 VI ▸ **to quibble about/over/with sth** krangle (*v1*) på noe ❑ *One may quibble about the exact figures but...* Man kan krangle om de eksakte tallene, men...
▸ **to quibble with sb** småkrangle (*v1*) med noen, småkjekle (*v1*) med noen
quiche [ki:ʃ] S quiche *m*
quick [kwɪk] 1 ADJ (**a**) (*person, movement, action etc*) rask, snar ❑ *She was precise and quick in her movements.* Hun var presis og rask *or* snar i bevegelsene sine.
(**b**) (*mind, wit*) kvikk
(**c**) (= *brief: look*) rask, fort
(**d**) (*visit*) rask, snar, kort
(**e**) (*reply, response*) rask, snar
2 ADV fort, med en gang ❑ *Come quick!* Kom fort *or* med en gang!
3 S ▸ **to cut sb to the quick** (*fig*) såre (*v1*) noen dypt
▸ **be quick!** vær rask *or* snar!
▸ **to be quick to act** være* rask til å handle
▸ **she was quick to see that...** hun var rask til å se at...
▸ **she has a quick temper** hun har kort lunte
quicken ['kwɪkən] 1 VT (*+pace, step*) gjøre* raskere
2 VI bli* raskere
quick-fire ['kwɪkfaɪəʳ] ADJ (*questions*) lynrask, *som hagler over en*
quick fix S kortsiktig løsning *m*
quicklime ['kwɪklaɪm] S brent *or* ulesket kalk *m*
quickly ['kwɪklɪ] ADV (**a**) (= *rapidly: move, walk, grow*) raskt, fort, hurtig
(**b**) (*die*) fort
(**c**) (= *without delay*) fort, snart ❑ *She wants to get the whole thing over with as quickly as possible.* Hun vil ha* hele saken unna så fort *or* snart som mulig.
quickness ['kwɪknɪs] S raskhet *c*, hurtighet *c*
▸ **quickness of mind** snartenkthet *c*
quicksand ['kwɪksænd] S kvikksand *m*
quickstep ['kwɪkstɛp] S quickstep *m*
quick-tempered [kwɪk'tɛmpəd] ADJ hissig
quick-witted [kwɪk'wɪtɪd] ADJ snartenkt
quid [kwɪd] (*BRIT: sl*) S UBØY *et pund*, spenn *nt*
quid pro quo ['kwɪdprəu'kwəu] S vederlag *nt*
quiet ['kwaɪət] 1 ADJ (**a**) (*voice*) lav, lavmælt
(**b**) (= *music*) lav, dempet
(**c**) (*place*) stille, rolig
(**d**) (*person: silent*) stille
(**e**) (= *reserved*) stille, stillferdig ❑ *She is thoughtful, quiet and controlled...* Hun er tenksom, stille *or* stillferdig og behersket...
(**f**) (*engine, aircraft*) stillegående, lydløs
(**g**) (*place*) rolig, fredelig ❑ *The village is much quieter now...* Landsbyen er mye roligere *or* fredeligere nå...

(**h**) (= *not busy: business, day*) rolig, stille
(**i**) (= *without fuss etc: wedding*) rolig, stillferdig
2 s (**a**) (= *peacefulness*) stillhet *c* ❑ *In the country the quiet made them feel depressed.* På landet fikk stillheten dem til å føle seg nedfor.
(**b**) (= *silence*) stillhet *c*, ro *m* ❑ *Ralph was shouting for quiet...* Ralph ropte på stillhet...
3 VT, VI (*US*) = **quieten**
▸ **to keep quiet** tie (*v4*) stille
▸ **keep** *or* **be quiet!** ti stille!
▸ **on the quiet** (= *in secret*) i all stillhet
▸ **I'll have a quiet word with him** jeg skal ta* en liten prat med ham i all stillhet

quieten ['kwaɪətn] (*BRIT*: ***quieten down***) 1 VI (**a**) (= *grow calm*) roe (*v1*) seg ned ❑ *He had matured and quietened down considerably.* Han hadde modnet og roet seg (ned) betraktelig.
(**b**) (= *grow silent*) roe (*v1*) seg, falle* til ro ❑ *Around midnight the children quietened down.* Rundt midnatt roet barna seg *or* falt barna til ro.
2 VT roe (*v1*) (ned)

quietly ['kwaɪətlɪ] ADV (**a**) (*speak, play*) lavt
(**b**) (= *silently*) stille ❑ *We lay quietly for almost an hour.* Vi lå stille i nesten en time.
(**c**) (= *calmly*) rolig, stille ❑ *I was sitting in a corner quietly drinking a cup of tea.* Jeg satt rolig *or* stille i et hjørne og drakk en kopp te.
▸ **quietly confident** stillferdig selvsikker

quietness ['kwaɪətnɪs] s (= *peacefulness*) stillhet *c*, ro *m*; (= *silence*) stillhet *c*, fred *m*

quill [kwɪl] s (*pen*) fjærpenn *m*; (*of porcupine*) pigg *m*

quilt [kwɪlt] s (**a**) (= *bedspread*) teppe *nt* ❑ *...patchwork quilts.* ...lappeteppe.
(**b**) (= *duvet*) dyne *c*

quin [kwɪn] (*BRIT*) S FK = **quintuplet**

quince [kwɪns] s kvede *m*

quinine [kwɪ'ni:n] s kinin *m*

quintet [kwɪn'tɛt] s kvintett *m*

quintuplets [kwɪn'tju:plɪts] SPL femlinger

quip [kwɪp] 1 s vittighet *c*
2 VT spøke (*v2*) ❑ *"I've read so much about him," Philip quipped.* "Jeg har lest så mye om ham," spøkte Philip.

quire ['kwaɪə^r^] s bok *c* (*mengde papir*)

quirk [kwə:k] s særhet *c*
▸ **a quirk of fate** et sjebnens lune

quit [kwɪt] (*pt* **quit** *or* **quitted**)*pp* 1 VT (**a**) (*+smoking*) slutte (*v1*) (med)
(**b**) (*+job*) slutte (*v1*) i
(**c**) (*+premises*) forlate*
2 VI (**a**) (= *give up*) gi* seg ❑ *His attitude is "if at first you don't succeed, quit."* Holdningen hans er "hvis du ikke lykkes med en gang, gi* deg."
(**b**) (= *resign*) slutte (*v1*) ❑ *I've had enough. I quit.* Jeg har fått nok. Jeg slutter.
▸ **to quit doing sth** slutte (*v1*) (med) å gjøre* noe, holde* opp med å gjøre* noe
▸ **quit doing that!** (*US: sl*) hold opp med det der!
▸ **notice to quit** (*BRIT*) oppsigelse *m* (*av leieforhold*)

quite [kwaɪt] ADV (**a**) (= *rather*) ganske, temmelig ❑ *He was quite young...* Han var ganske *or* temmelig ung... *He calls quite often.* Han ringer ganske *or* temmelig ofte.
(**b**) (= *entirely*) helt ❑ *I stood quite still...* Jeg stod helt stille... *I saw its driver quite clearly...* Jeg så sjåføren helt tydelig...
(**c**) (*following a negative*) helt, riktig ❑ *It's not quite big enough.* Den er ikke helt *or* riktig stor nok.
▸ **I quite like it** jeg liker det ganske godt
▸ **I quite understand** jeg forstår det godt
▸ **I don't quite remember** jeg husker ikke ordentlig *or* helt *or* riktig
▸ **not quite as many as** ikke fullt så mange som
▸ **that meal was quite something!** det var litt av et måltid!
▸ **it was quite a sight** det var litt av et syn
▸ **quite a few of them** ganske mange av dem
▸ **quite (so)!** akkurat!

Quito ['ki:təu] s Quito

quits [kwɪts] ADJ ▸ **we're quits** vi er skuls ▸ **let's call it quits** la oss si vi er skuls

quiver ['kwɪvə^r^] VI dirre (*v1*)

quiz [kwɪz] 1 s spørrelek *m*, spørrekonkurranse *m*, gjettekonkurranse *m*
2 VT spørre* ut

quizzical ['kwɪzɪkl] ADJ (*look, smile*) underfundig

quorum ['kwɔ:rəm] s ▸ **to have a quorum** være* beslutningsdyktig

quota ['kwəutə] s kvote *m*

quotation [kwəu'teɪʃən] s (*from book, play etc*) sitat *nt*; (= *estimate*) anbud *nt*; (*on stock exchange*) (børs)notering *c*

quotation marks SPL anførselstegn *pl*

quote [kwəut] 1 s (**a**) (*from book, play etc*) sitat *nt*
(**b**) (= *estimate*) anbud *nt*
2 VT (**a**) (*+sentence, proverb etc*) sitere (*v2*), gjengi*
(**b**) (*+politician, author etc*) sitere (*v2*)
(**c**) (= *cite: fact*) referere (*v2*), nevne (*v2*)
(**d**) (= *example*) anføre (*v2*)
(**e**) (*+price*) (an)gi*
▸ **quotes** SPL (= *quotation marks*) anførselstegn *pl*
▸ **in quotes** i anførselstegn; (*fig*) i gåseøyne
▸ **...quote, unquote** ...sies det ❑ *...he is highly intelligent, quote unquote.* ...han er svært intelligent, sies det.

quotient ['kwəuʃənt] s (**a**) (*MAT*) kvotient *m*
(**b**) (= *factor*) faktor *m* ❑ *This job has a high stress quotient...* Denne jobben har (en) høy stressfaktor...

qv FK (= **quod vide**) se dette

qwerty keyboard ['kwə:tɪ-] s vanlig (alfanumerisk) skrivemaskintastatur *nt*

R

R, r [ɑːʳ] s (*letter*) R, r *m*
▸ **R for Robert,** *(US)* **R for Roger** ≈ R for Rikard
R. FK (= **right**, **river**, **Réaumur (scale)**) réaumurskalaen; (*US: FILM*) (= **restricted**) *aldersgrense på kino*; (*POL*) = **republican**; (*BRIT* = **Rex**) R, konge; (*BRIT*) (= **Regina**) R, dronning
RA 1 FK (*MIL*) (= **rear admiral**)
2 S FK (*BRIT*) (= **Royal Academy**) *forening for bildende kunst*
RAAF S FK (*MIL*) (= **Royal Australian Air Force**) Det kongelige australske luftvåpen
rabbi [ˈræbaɪ] s rabbi *m*
rabbit [ˈræbɪt] 1 s kanin *c*
2 VI (*BRIT: sl:* ***to rabbit on***) plapre (*v1*) *or* skravle (*v1*) i vei
rabbit hole s kaninhull *nt*
rabbit hutch s kaninbur *nt*
rabble [ˈræbl] (*neds*) s berme *m*
rabid [ˈræbɪd] ADJ (*animal*) med rabies *or* hundegalskap; (*fig: fanatical*) rabiat
rabies [ˈreɪbiːz] s rabies *m*, hundegalskap *m*
RAC (*BRIT*) S FK (= **Royal Automobile Club**) ≈ KNA *m* (= *Kongelig Norsk Automobilklub*)
raccoon [rəˈkuːn] s vaskebjørn *m*
race [reɪs] 1 s (**a**) (*species*) rase *m* ❑ *...the white race.* ...den hvite rase.
(**b**) (*competition*) (kapp)løp *nt* ❑ *She came second in the race...* Hun ble nummer to i (kapp)løpet...
(**c**) (*for power, control*) kappløp *nt* ❑ *...the arms race...* våpenkappløpet... *the space race* ...romkappløpet
2 VT (**a**) (*+horse*) ▸ **to race a horse** delta med en hest i veddeløp
(**b**) (*+car etc*) kjøre (*v2*) (*i billøp*)
(**c**) (*+person*) ▸ **to race sb** løpe*/kjøre (*v2*)/seile (*v2*) *etc* om kapp med noen ❑ *They would often race one another to the bus stop...* De løp ofte om kapp med hverandre til bussholdeplassen...
3 VI (**a**) (*compete*) konkurrere (*v2*) ❑ *She has raced against some of the best runners...* Hun har konkurrert med noen av de beste løperne...
(**b**) (= *hurry*) springe*, rase (*v2*), storme (*v1*) ❑ *He raced after the others.* Han sprang *or* raste *or* stormet etter de andre.
(**c**) (*pulse, heart+*) banke (*v1*) vilt
(**d**) (*engine+*) ruse (*v2*)
▸ **the human race** menneskeslekten
▸ **a race against time** et kappløp med tiden
▸ **he raced across the road** han sprang *or* raste *or* stormet over gaten
▸ **to race in/out** storme inn/ut
race car (*US*) s = **racing car**
race car driver (*US*) s = **racing driver**
racecourse [ˈreɪskɔːs] s veddeløpsbane *m*
racehorse [ˈreɪshɔːs] s veddeløpshest *m*
race meeting s hesteveddeløp *nt*
race relations SPL forhold *nt sg* mellom rasene
racetrack [ˈreɪstræk] s (*for people*) bane *m*; (*for cars*) veddeløpsbane *m*; (*US*) = **racecourse**

racial [ˈreɪʃl] ADJ (*discrimination, prejudice, equality*) rase-
racialism [ˈreɪʃlɪzəm] s rasisme *m*, rasehat *nt*
racialist [ˈreɪʃlɪst] 1 ADJ rasistisk
2 s rasist *m*, rasehater *m*
racing [ˈreɪsɪŋ] s (*horse racing*) hesteveddeløp *nt*, hestesport *m*
racing car (*BRIT*) s racerbil *m*
racing driver (*BRIT*) s racerkjører *m*
racism [ˈreɪsɪzəm] s rasisme *m*, rasehat *nt*
racist [ˈreɪsɪst] 1 ADJ rasistisk
2 s rasist *m*, rasehater *m*
rack [ræk] 1 s (**a**) (*also* ***luggage rack***) bagasjehylle *c*
(**b**) (*also* ***roof rack***) takgrind *c*
(**c**) (*for dresses etc*) garderobehylle *c*, klesstativ *nt*
(**d**) (*for dishes*) tallerkenhylle *c*
2 VT ▸ **racked by** (*+pain, anxiety, doubts*) pint *or* plaget av
▸ **to rack one's brains** vrenge (*v2*) *or* vri (*v4 or irreg*) hjernen
▸ **magazine rack** bladhylle
▸ **toast rack** stativ *nt* til ristet brød
▸ **to go to rack and ruin** (**a**) (*building+*) forfalle* (**b**) (*business, country+*) gå* nedenom og hjem, gå* ad undas
racket [ˈrækɪt] s (**a**) (*for tennis, squash etc*) racket *m*
(**b**) (*noise*) bråk *nt*, spetakkel *nt* ❑ *Stop making such a racket!* Slutt å lage så mye bråk *or* spetakkel!
(**c**) (= *swindle*) svindel *m* ❑ *...an insurance racket...* en forsikringssvindel...
racketeer [rækɪˈtɪəʳ] (*især US*) s svindler *m*
racoon [rəˈkuːn] s = **raccoon**
racquet [ˈrækɪt] s racket *m*
racy [ˈreɪsɪ] ADJ (*book, story*) pikant, saftig
RADA [ˈrɑːdə] (*BRIT*) S FK (= **Royal Academy of Dramatic Art**) ≈ Statens teaterhøgskole
radar [ˈreɪdɑːʳ] 1 s radar *m*
2 SAMMENS (*screen, scan, system*) radar-
radar trap s ▸ **to be caught in a radar trap** bli* tatt i radarkontroll
radial [ˈreɪdɪəl] 1 ADJ (*roads, pattern*) radial, stråleformet
2 s (*BIL:* ***radial tyre***) radialdekk *nt*
radiance [ˈreɪdɪəns] s (*glow*) glød *m*, skinn *nt* ❑ *the radiance of her face* gløden *or* skinnet i *or* fra ansiktet hennes
radiant [ˈreɪdɪənt] ADJ (**a**) (*smile, person*) strålende ❑ *The bride looked radiant...* Bruden så strålende ut...
(**b**) (*FYS*) stråle-
radiate [ˈreɪdɪeɪt] 1 VT (*+heat, happiness, confidence, health*) utstråle (*v2*)
2 VI (*lines, roads+*) stråle (*v2*) ut ❑ *A system of roads radiated from the town centre.* Et veisystem strålte ut fra bykjernen.
radiation [reɪdɪˈeɪʃən] s stråling *c*
radiation sickness s strålingssyke *m*

radiator [ˈreɪdɪeɪtəʳ] s radiator *m*
radiator cap s radiatorlokk *nt*
radiator grill s radiatorgrill *m*
radical [ˈrædɪkl] 1 ADJ (*person, organization, views, change, reform, disagreement*) radikal
2 s radikaler *m*
radii [ˈreɪdɪaɪ] SPL *of* **radius**
radio [ˈreɪdɪəu] 1 s radio *m* ❑ *...a Sherlock Holmes series for the radio...* en serie om Sherlock Holmes for radio(en)...
2 VI ▸ **to radio to sb** kalle (*v2x*) opp noen (over *or* på radio), radiotelegrafere (*v2*) til noen
3 VT (**a**) (*+person*) sende (*v2*) en melding (over *or* på radio) ❑ *I had radioed Rick and arranged...* Jeg hadde sendt Rick en melding over *or* på radio og ordnet med...
(**b**) (*+information, message*) sende (*v2*) over *or* på radio(en)
(**c**) (*+one's position*) oppgi* (på *or* over radio)
▸ **on the radio** på radio(en) ❑ *It was a song that had been on the radio a lot that winter...* Det var en sang som hadde vært mye på radio(en) den vinteren...
radio... [ˈreɪdɪəu] PREF radio-
radioactive [ˈreɪdɪəuˈæktɪv] ADJ radioaktiv
radioactivity [ˈreɪdɪəuækˈtɪvɪtɪ] s radioaktivitet *m*
radio announcer s (radio)annonsør *m*, hallomann *m irreg* (*man*), hallodame *c* (*woman*)
radio-controlled [ˈreɪdɪəukənˈtrəuld] ADJ (*car, plane*) radiostyrt
radiographer [reɪdɪˈɔgrəfəʳ] s radiograf *m*
radiography [reɪdɪˈɔgrəfɪ] s røntgenfotografering *c*, radiografi *m*
radiologist [reɪdɪˈɔlədʒɪst] s røntgenlege *m*, radiolog *m*
radiology [reɪdɪˈɔlədʒɪ] s radiologi *m*
radio station s radiostasjon *m*
radio taxi s radiobil *m* (*drosje med radio*)
radiotelephone [ˈreɪdɪəuˈtelɪfəun] s radiotelefon *m*
radio telescope s radioteleskop *nt*
radiotherapist [ˈreɪdɪəuˈθerəpɪst] s *teknisk assistent som gir strålebehandling*
radiotherapy [ˈreɪdɪəuˈθerəpɪ] s strålebehandling *c*
radish [ˈrædɪʃ] s reddik *m*
radium [ˈreɪdɪəm] s radium *nt*
radius [ˈreɪdɪəs] (*pl* **radii**) s (**a**) (*GEOM*) radius *m irreg*
(**b**) (*area*) omkrets *m* ❑ *...people from a 25-mile radius...* mennesker i en 25-miles omkrets...
▸ **within a radius of 50 km** innenfor en radius på 50 km
RAF (*BRIT*) S FK = **Royal Air Force**
raffia [ˈræfɪə] s raffia *m*
raffish [ˈræfɪʃ] ADJ (sjarmerende) uforskammet
raffle [ˈræfl] 1 s basar *m*, utlodning *c* ❑ *He won a holiday in a raffle.* Han vant en reise på en basar *or* i en utlodning.
2 VT (*+prize*) lodde (*v1*) ut ❑ *We're going to raffle a bottle of champagne.* Vi skal lodde ut en flaske champagne.
raffle ticket s lodd *nt*
raft [rɑːft] s (*boat*) flåte *m*
rafter [ˈrɑːftəʳ] s takbjelke *m*
rag [ræg] 1 s (**a**) (*piece of cloth*) fille *c*
(**b**) (*for cleaning*) klut *m*, fille *c* ❑ *He wiped his hands on a rag.* Han tørket hendene på en fille *or* klut.
(**c**) (*torn cloth*) fille *c* ❑ *...a crumpled piece of rag...* en krøllete fillebit...
(**d**) (*neds: newspaper*) blekke *f*
2 VT (*BRIT: tease*) fleipe (*v1*) med ❑ *They ragged him unmercifully about his new girlfriend.* De fleipet nådeløst med ham om den nye kjæresten hans.
▸ **rags** SPL (= *torn clothes*) filler
▸ **in rags** (*person*) i filler ❑ *...beggars in dirty white rags...* tiggere i skitne, hvite filler...
▸ **a rags-to-riches story** (**a**) (*of men*) en askeladdhistorie
(**b**) (*of women*) en askepotthistorie
▸ **rag week** (*BRIT: UNIV*) *studenteruke hvor det samles inn penger til veldedige formål*
rag-and-bone man [rægənˈbəun-] (*BRIT*) s fillepeller *m*, klutehandler *m*
ragbag [ˈrægbæg] s (= *assortment*) sammensurium *nt*

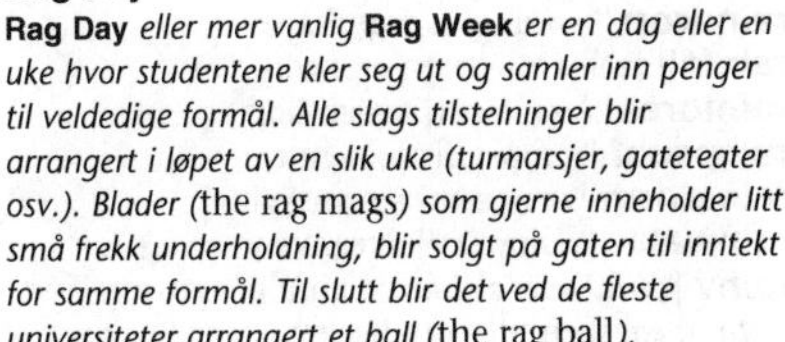

Rag Day

Rag Day *eller mer vanlig* **Rag Week** *er en dag eller en uke hvor studentene kler seg ut og samler inn penger til veldedige formål. Alle slags tilstelninger blir arrangert i løpet av en slik uke (turmarsjer, gateteater osv.). Blader (*the rag mags*) som gjerne inneholder litt små frekk underholdning, blir solgt på gaten til inntekt for samme formål. Til slutt blir det ved de fleste universiteter arrangert et ball (*the rag ball*).*

rag doll s filledukke *m*
rage [reɪdʒ] 1 s (= *fury*) raseri *nt* ❑ *...in a fit of rage...* i et raserianfall...
2 VI (*person, storm, debate+*) rase (*v2*) ❑ *He would rage about the unfairness of it all...* Han ville* rase over urettferdigheten i det hele... *The debate raged throughout the whole day...* Debatten raste hele dagen...
▸ **it's all the rage** (= *very fashionable*) det er siste skrik
▸ **to fly into a rage** fly* i flint, få* raserianfall
ragged [ˈrægɪd] ADJ (*edge: rough*) takket(e); (= *uneven*) ujevn; (*clothes*) fillet(e); (*person, beard*) uflidd, lurvet(e)
raging [ˈreɪdʒɪŋ] ADJ (*sea, storm, torrent*) rasende, som raser
▸ **he has a raging fever/thirst/toothache** feberen/tørsten/tannverken herjer i ham
rag trade (*sl*) s ▸ **the rag trade** motebransjen *m*, klesbransjen *m*
raid [reɪd] 1 s (*MIL*) tokt *m*, angrep *nt*; (*by police*) rassia *m* (*var.* razzia) raid *nt*; (*by criminal*) raid *nt*
2 VT (*MIL*) angripe*, overfalle*; (*police+*) foreta* en rassia mot/i, gjøre* en rassia mot/i; (*criminal+*) plyndre (*v1*), gjøre* et raid mot
rail [reɪl] s (**a**) (*on stairs*) rekkverk *nt*, gelender *nt*
(**b**) (*on bridge, balcony*) rekkverk *nt*
(**c**) (*on deck of ship*) reling *c*, rekke *c*
▸ **rails** SPL (*for train*) skinner
▸ **by rail** (= *by train*) med tog
railcard [ˈreɪlkɑːd] (*BRIT*) s kundekort *nt* (*på tog*)
railing(s) [ˈreɪlɪŋ(z)] S(PL) gjerde *nt*, jernstakitt *nt*
railroad [ˈreɪlrəud] (*US*) s = **railway**

railway ['reɪlweɪ] (*BRIT*) s (**a**) (*system, company*) jernbane *m* ❑ *...the invention of the railway.* ...oppfinnelsen av jernbanen.
(**b**) (*track*) jernbane *m*, toglinje *m* ❑ *...the railway to Addis Ababa...* jernbanen *or* toglinjen til Addis Abeba...
railway engine (*BRIT*) s toglokomotiv *nt*
railway line (*BRIT*) s jernbanelinje *c*, toglinje *c*
railwayman ['reɪlweɪmən] (*BRIT: irreg*) s jernbanemann *m irreg*
railway station (*BRIT*) s jernbanestasjon *m*
rain [reɪn] 1 s regn *nt*
2 VI regne (*v1*)
▸ **in the rain** i regnet
▸ **it's raining** det regner
▸ **it's raining cats and dogs** det regner katter og bikkjer, det (p)øsregner
▸ **as right as rain** (så) frisk som en fisk, (så) sprek som en fole
rainbow ['reɪnbəu] s regnbue *m*
rain check s ▸ **to take a rain check on sth** ha* noe til gode
raincoat ['reɪnkəut] s regnfrakk *m*, regnkappe *c*
raindrop ['reɪndrɔp] s regndråpe *m*
rainfall ['reɪnfɔːl] s regn *nt*, nedbør *m*
rainforest ['reɪnfɔrɪst] s regnskog *m*
rainproof ['reɪnpruːf] ADJ regntett
rainstorm ['reɪnstɔːm] s regnskyll *nt*
rainwater ['reɪnwɔːtə^r] s regnvann *nt*
rainy ['reɪnɪ] ADJ (**a**) (*day*) regnfull, regnværs-
(**b**) (*area*) regnfull, som har mye regn
▸ **rainy season** regntid
▸ **to save sth for a rainy day** legge* noe på kistebunnen, spare (*v2*) noe til seinere (i tilfelle dårlige tider)
raise [reɪz] 1 s (*in pay*) økning *c*, forhøyelse *m*
2 VT (**a**) (= *lift: hand*) rekke* opp
(**b**) (*+hat*) lette (*v1*) på, løfte (*v1*) på
(**c**) (*+window*) skyve* opp
(**d**) (*+eyebrows*) heve (*v1*)
(**e**) (= *end: siege, embargo*) oppheve (*v1*)
(**f**) (= *increase: salary, production, speed limit*) øke (*v2*), heve (*v1*) ❑ *The maximum speed was raised to 70 mph...* Toppfarten ble økt *or* hevet til sytti miles i timen...
(**g**) (= *improve: morale, standards*) heve (*v1*)
(**h**) (= *bring up: subject, question*) reise (*v2*), ta* opp
(**i**) (*+doubts*) reise (*v2*)
(**j**) (*+objection*) komme* med ❑ *You would have to raise that with Mr Gerran personally...* Du vil måtte* ta* det opp med herr Gerran personlig...
(**k**) (*+cattle, chickens*) ale (*v2*) opp
(**l**) (*+child, family: educate*) oppdra*
(**m**) (*feed, support etc*) forsørge (*v1*) ❑ *His children were raised in the Catholic faith...* Barna hans ble oppdratt i den katolske tro...
(**n**) (*+crop*) dyrke (*v1*) ❑ *Today the family raises beans and sugar beet.* I dag dyrker familien bønner og sukkerbeter.
(**o**) (*+army*) reise (*v2*), stable (*v1*) på beina
(**p**) (*+funds, loan*) reise (*v2*), skaffe (*v1*) ❑ *...to raise money for the church roof...* for å skaffe penger til kirketaket...
▸ **to raise a glass to sb/sth** heve (*v1*) glasset for noen/noe
▸ **to raise one's voice** heve (*v1*) stemmen
▸ **to raise sb's hopes** vekke (*v1 or v2x*) forhåpninger (hos noen) NB *Don't raise your hopes too soon!* Gled deg ikke for tidlig!
▸ **to raise a smile/laugh** framkalle (*v2x*) smil *or* et smil/latter ❑ *His jokes barely raised a smile.* Vitsene hans framkalte knapt et smil.
raisin ['reɪzn] s rosin *m*
Raj [rɑːdʒ] s ▸ **the Raj** *det britiske styret i India inntil 1947*
rajah ['rɑːdʒə] s raja *m*
rake [reɪk] 1 s (**a**) (*tool*) rive *c*, rake *c*
(**b**) (*gam: person*) libertiner *m*
2 VT (**a**) (*+soil, lawn, leaves*) rake (*v2*)
(**b**) (*+an area*) sveipe (*v2*) ❑ *Enemy searchlights raked the sea...* Fiendtlige søkelys sveipte sjøen...
▸ **he's raking it in** (*sl*) han håver inn penger, han soper inn (penger)
rake-off ['reɪkɔf] (*sl*) s andel *c* (*i utbytte/fortjeneste, ofte betraktet som uforholdsmessig stor*)
rally ['rælɪ] 1 s (**a**) (*POL etc*) (folke)møte *nt*, stevne *nt*
(**b**) (*BIL: cars*) rally *nt*, billøp *nt*
(**c**) (*motorcycles*) rally *nt*, motorsykkelløp *nt*
(**d**) (*TENNIS etc*) serie *m*
2 VT (*+support*) samle (*v1*) ❑ *...an attempt to rally public opinion in favour of import controls.* ...et forsøk på å samle folkeopinionen til støtte for importkontroll.
3 VI (**a**) (*sick person+*) komme* seg, vise (*v2*) bedring ❑ *He rallied, but then died nine days later...* Han kom seg *or* viste bedring, men døde så ni dager senere...
(**b**) (*Stock Exchange+*) vise (*v2*) bedring, ta* seg opp
▸ **rally round** 1 VI støtte (*v1*) opp ❑ *We all rallied round when the school was threatened with closure...* Vi støttet opp alle sammen da skolen holdt på å bli* stengt...
2 VT FUS støtte (*v1*) opp om, slutte (*v1*) opp om ❑ *The party rallied round him after his election defeat.* Partiet støttet opp om *or* sluttet opp om ham etter valgnederlaget hans.
rallying point s samlingsmerke *nt*
RAM [ræm] (*DATA*) s FK = **random access memory**
ram [ræm] 1 s vær *m*, saubukk *m*
2 VT (**a**) (= *crash into*) ramme (*v1*) ❑ *The ship had been rammed by a destroyer.* Skipet hadde blitt rammet av en destroyer.
(**b**) (*push: bolt, fist etc*) slenge (*v2*), kyle (*v2*) ❑ *He rammed the bolt back across the door.* Han slengte *or* kylte bolten tilbake tvers over døra.
ramble ['ræmbl] 1 s (*walk*) vandring *c*, fottur *m* ❑ *We were out on a country ramble.* Vi var ute på vandring *or* fottur i naturen.
2 VI (**a**) (= *hike*) vandre (*v1*), gå* på (fot)tur ❑ *I was rambling over the hills of Yorkshire.* Jeg vandret *or* gikk på (fot)tur over åsene i Yorkshire.
(**b**) (*walk purposelessly*) rusle (*v1*)
(**c**) (*also* **ramble on**: *talk*) snakke (*v1*) over seg, rote (*v1*)
rambler ['ræmblə^r] s (*walker*) vandrer *m*, turgåer *m*, fotturist *m*; (*plant*) klatrerose *c*, slyngrose *c*
rambling ['ræmblɪŋ] ADJ (*speech, letter*) springende, usammenhengende; (*house*) med mange krinkelkroker; (*plant*) klatre-

rambunctious [ræm'bʌŋkʃəs] (*US*) ADJ = **rumbustious**
RAMC (*BRIT*) S FK (= **Royal Army Medical Corps**) ≈ Hærens sanitet
ramifications [ræmɪfɪ'keɪʃənz] SPL (= *consequences*) forgreninger, konsekventer
ramp [ræmp] S (**a**) (*for cars, wheelchairs etc*) rampe *c* (**b**) (*in garage*) bukk *m*
▸ **on/off ramp** (*US: BIL*) innkjøringsvei *m*
rampage [ræm'peɪdʒ] 1 S ▸ **to be/go on the rampage** gå* berserk
2 VI ▸ **they went rampaging through the town** de gikk berserk gjennom byen
rampant ['ræmpənt] ADJ (*crime, disease etc*) florerende, *som tar/har tatt overhånd*
rampart ['ræmpɑːt] S festningsvoll *m*
ram raiding S *innbrudd hvor det blir brukt bil til å knuse utstillingsvindu*
ramshackle ['ræmʃækl] ADJ (*cart, table*) falleferdig, skrøpelig
▸ **a ramshackle house** en rønne, et falleferdig hus
RAN S FK (= **Royal Australian Navy**) Den kongelige australske marine
ran [ræn] PRET *of* **run**
ranch [rɑːntʃ] S ranch *m*
rancher ['rɑːntʃə^r] S (*owner*) rancheier *m*; (*worker*) rancharbeider *m*
rancid ['rænsɪd] ADJ (*butter, bacon*) harsk
rancour ['ræŋkə^r], **rancor** (*US*) S nag *nt*, bitterhet *m*
R & B S FK (= **rhythm and blues**) R & B
R & D S FK (= **research and development**) FoU, FU (= *forskning og utvikling*)
random ['rændəm] 1 ADJ (*arrangement, selection, MATH*) tilfeldig, vilkårlig
2 S ▸ **at random** på slump, på måfå ❑ ***He opened the book at random.*** Han åpnet boka på slump *or* måfå.
random access S direkte *or* fordelt tilgang *m*
random access memory S internminne *nt*, direktelager *nt*
R & R (*US: MIL*) S FK (= **rest and recreation**) hvile og rekreasjon
randy ['rændɪ] (*BRIT: sl*) ADJ kåt
rang [ræŋ] PRET *of* **ring**
range [reɪndʒ] 1 S (**a**) (*of mountains*) kjede *m* (**b**) (*of missile, gun*) rekkevidde *m*, skuddvidde *m* ❑ ***Its range is very limited...*** Det har svært begrenset rekkevidde *or* skuddvidde...
(**c**) (*of voice*) register *nt* ❑ ***...a voice with an extraordinary range...*** en stemme med et usedvanlig register...
(**d**) (*of subjects, possibilities*) rekke *c* ❑ ***...their attitudes on a range of subjects...*** sine holdninger til en rekke emner...
(**e**) (*of products*) serie *m*
(**f**) (= *choice*) spekter *nt*, utvalg *nt* ❑ ***...a new car in the VW range...*** en ny bil i VW-serien... ***They stock a wide range of electrical goods...*** De fører et bredt spekter *or* utvalg av elektriske artikler...
(**g**) (*also* ***rifle range***) skytebane *m*, skytefelt *nt*
(**h**) (*also* ***kitchen range***) vedkomfyr *m*
2 VT (= *place in a line*) stille (*v2x*) opp ❑ ***Books were ranged on shelves...*** Bøker var stilt opp *or* oppstilt på hyller...
3 VI ▸ **to range over** (= *extend*) spenne (*v2x*) over ❑ ***Her lecture ranged over a wide variety of subjects.*** Forelesningen hennes spente over et bredt spekter av temaer.
▸ **to range from ...to...** spenne (*v2x*) fra ...til..., gå* fra ...til... ❑ ***Prices range from £5 to £10.*** Prisene spenner *or* går fra 5 pund til 10 pund.
▸ **range of mountains** fjellkjede *m*
▸ **price range** prisklasse *m*
▸ **within (firing) range** innenfor skuddhold
▸ **ranged right/left** (*text*) skrevet fra høyre/venstre
▸ **at close range** på nært hold
ranger ['reɪndʒə^r] S skogvokter *m*
Rangoon [ræŋ'guːn] S Rangoon *m*
rank [ræŋk] 1 S (**a**) (= *row*) rekke *c* ❑ ***Massed ranks of police...*** Tette rekker av politi...
(**b**) (*MIL*) rang *m* ❑ ***...his name, rank, and number...*** hans navn, rang og nummer...
(**c**) (= *social class*) lag *nt*, sjikt *nt* ❑ ***...people from the upper and middle ranks of society...*** folk fra de høyere og midtre lag *or* sjikt i samfunnet...
(**d**) (*BRIT:* ***taxi rank***) drosjeholdeplass *m*
2 VI ▸ **to rank as/among** være* rangert som/blant ❑ ***The island ranks as one of the poorest of the whole region.*** Øya er rangert som en av de fattigste i hele området.
3 VT ▸ **he is ranked third in the world** han er rangert som nummer tre i verden
4 ADJ (**a**) (= *stinking*) som lukter stramt ❑ ***...rank with the sweat of his labours.*** ...som luktet stramt av svette etter arbeidet.
(**b**) (= *sheer: hypocrisy, stupidity etc*) ren og skjær
▸ **the ranks** SPL (*MIL*) de meniges rekker ❑ ***...a senior officer who had risen from the ranks...*** en høyere offiser som hadde kommet seg opp fra de meniges rekker...
▸ **the rank and file** (= *ordinary members*) de menige
▸ **to close ranks** (*fig*) holde* sammen
rankle ['ræŋkl] VI ▸ **to rankle (with sb)** plage (*v1*) noen ❑ ***His behaviour still rankles.*** Oppførselen hans plager meg ennå.
rank outsider S klar outsider *m*
ransack ['rænsæk] VT (= *search*) ransake (*v1*); (= *plunder*) plyndre (*v1*)
ransom ['rænsəm] S (*money*) løsepenger *pl* ❑ ***The family paid a ransom of £50,000 pounds...*** Familien betalte 50 000 pund i løsepenger...
▸ **to hold to ransom** (**a**) (*+hostage etc*) holde* som gissel (*for å få* løsepenger*)
(**b**) (*fig: nation, company, individual*) trenge (*v2*) opp i et hjørne
rant [rænt] VI bruke (*v2*) seg
▸ **to rant and rave** kjefte (*v1*) og bruke (*v2*) seg
ranting ['ræntɪŋ] S kjefting *c* ❑ ***They were not listening to David's ranting.*** De hørte ikke på Davids kjefting.
rap [ræp] 1 VI (*on door, table*) banke (*v1*) ❑ ***He rapped on the table and called for silence...*** Han banket i bordplaten og henstilte om ro...
2 VT (*+sb's knuckles*) gi* en smekk *or* et rapp
3 S (**a**) (*at door*) bank *nt* NB ***A light rap sounded at the door.*** Det banket lett på døra., Et lett

bank hørtes på døra.
(**b**) (*also* ***rap music***) rap *m*, rapping *c*

rape [reɪp] 1 s (*of woman*) voldtekt *m*; (*plant*) raps *m*
2 VT voldta*

rape(seed) oil ['reɪp(si:d)-] s rapsolje *c*

rapid ['ræpɪd] ADJ rask, hurtig

rapidity [rə'pɪdɪtɪ] s hurtighet *m*

rapidly ['ræpɪdlɪ] ADV raskt, hurtig

rapids ['ræpɪdz] SPL stryk *nt*

rapist ['reɪpɪst] s voldtektsmann *m irreg*

rapport [ræ'pɔ:ʳ] s kontakt *m*, forståelse *m* ❑ *He had established a good rapport with my mother...* Han hadde etablert god kontakt *or* forståelse med moren min...

rapprochement [ræ'prɔʃmɑ̃:ŋ] s tilnærming *c* ❑ *...to call for a rapprochement with Latin America.* ...å kreve en tilnærming til Latinamerika.

rapt [ræpt] ADJ (*attention*) henført NB *He listened in rapt attention...* Han lyttet henført...

rapture ['ræptʃəʳ] s (= *delight*) henrykkelse *m* NB *...a look of rapture.* ...et henrykt blikk.
▸ **to go into raptures over** bli* henrykt over, falle* i henrykkelse over

rapturous ['ræptʃərəs] ADJ (*applause, welcome*) henrykt, begeistret

rare [rεəʳ] ADJ (**a**) (= *scarce: book, flower etc*) sjelden
(**b**) (= *unusual*) sjelden, uvanlig ❑ *Cases of smallpox are extremely rare...* Tilfeller av kopper er ekstremt sjeldne *or* uvanlige...
(**c**) (*KULIN: steak*) lettstekt, lite stekt
▸ **it is rare to find that...** det er sjelden man finner at...

rarebit ['rεəbɪt] s *see* **Welsh rarebit**

rarefied ['rεərɪfaɪd] ADJ (**a**) (*air, atmosphere*) tynn
(**b**) (*fig*) virkelighetsfjern ❑ *...the rarefied atmosphere of university life...* den virkelighetsfjerne atmosfæren rundt livet på universitetet...

rarely ['rεəlɪ] ADV sjelden

raring ['rεərɪŋ] ADJ ▸ **raring to go** (*sl*) syk *or* sjuk etter å gå

rarity ['rεərɪtɪ] s (**a**) (*exception*) sjeldenhet *m*, særsyn *nt* ❑ *Working mothers are no longer a rarity.* Utearbeidende mødre er ikke lenger noen sjeldenhet *or* noe særsyn.
(**b**) (= *scarcity*) sjeldenhet *m* ❑ *Many animals are endangered by their rarity...* Mange dyr er i fare på grunn av sin sjeldenhet...

rascal ['rɑ:skl] s (*child*) rakker(unge) *m*, røver(unge) *m*; (*gam: adult*) skurk *m*, slyngel *m*

rash [ræʃ] 1 ADJ (**a**) (*person*) ubetenksom
(**b**) (*promise, act*) forhastet, overilt ❑ *Don't do anything rash...* Ikke gjør noe forhastet *or* overilt...
2 s (**a**) (*on skin*) utslett *nt*
(**b**) (= *spate: of events, robberies*) serie *m* ❑ *A rash of robberies had suddenly struck the country.* En serie med ran hadde plutselig rammet landet.
▸ **to come out in a rash** få* utslett

rasher ['ræʃəʳ] s skive *c*

rashly ['ræʃlɪ] ADV forhastet, overilt, ubetenksomt

rasp [rɑ:sp] 1 s (**a**) (*tool*) rasp *c*
(**b**) (*sound*) rasping *c*, raspende *or* skurrende lyd *m*
2 VT skurre (*v1*) ❑ *"It's frightful," she rasped.* "Det er fryktelig," sa hun (med) skurrende (stemme).

raspberry ['rɑ:zbərɪ] s (**a**) (*fruit*) bringebær *nt*
(**b**) (*also* ***raspberry bush***) bringebær(busk) *nt (m)*
▸ **to blow a raspberry** (*sl*) pipe*, blåse (*v2*) (*mishagsytring*)

rasping ['rɑ:spɪŋ] ADJ (*noise*) skurrende

Rastafarian s rastafari *m*

rat [ræt] s rotte *c*

ratable ['reɪtəbl] ADJ = **rateable**

ratchet ['rætʃɪt] s sperreverk *nt*
▸ **ratchet wheel** sperrehjul *nt*, palhjul *nt*

rate [reɪt] 1 s (**a**) (*of change, inflation*) ▸ **the rapid rate of change** de raske forandringene NB *...an 8% inflation rate.* ...en inflasjon på 8 %
(**b**) (*of interest, taxation*) sats *m* ❑ *It's a very good rate of interest...* Det er en svært fordelaktig rentesats... *the rise in the mortgage rate.* ...økningen i boligrenten.
(**c**) (= *ratio*) tall *nt* ❑ *The divorce rate is fantastically high...* Skilsmissetallene er fantastisk høye... *What is your success rate?* Hvor ofte lykkes du?
2 VT (= *value*) rangere (*v2*), verdsette* ❑ *Looks are never rated very highly.* Utseende blir aldri rangert *or* verdsatt særlig høyt.
▸ **rates** SPL (**a**) (*BRIT: property tax*) eiendomsskatt *m sg*
(**b**) (= *fees*) avgift(er) *m(pl)*, takst(er) *m(pl)*
(**c**) (= *prices: at hotel etc*) priser *mpl*
▸ **to rate sb/sth as** regne (*v1*) noen/noe som ❑ *Their goalkeeper was rated as one of the best.* Målvakten deres var regnet som en av de beste.
▸ **to rate sb/sth among** regne (*v1*) noen/noe blant
▸ **to rate sb/sth highly** sette* noen/noe høyt, verdsette* noen/noe
▸ **at a rate of 60 kph** med en fart på 60 km/t
▸ **rate of growth** vekst *m*
▸ **rate of return** (*FIN*) forrentningsprosent *m*
▸ **pulse rate** puls *m*
▸ **at this/that rate** med denne/den farten ❑ *At this rate we'll be millionaires by Christmas!* Med denne farten vil vi være* millionærer før jul!
▸ **at any rate** i hvert fall ❑ *Come early evening. After teatime, at any rate...* Kom tidlig på kvelden. Etter tetid, i hvert fall...

rateable value ['reɪtəbl-] (*BRIT*) s (eiendoms)skattetakst *m*

ratepayer ['reɪtpeɪəʳ] (*BRIT*) s (eiendoms)skattebetaler *m*

rather ['rɑ:ðəʳ] ADV ganske, temmelig, nokså ❑ *He looked rather pathetic...* Han så ganske *or* temmelig *or* nokså patetisk ut... *It stood rather like an old farm dog...* Den stod omtrent som en gammel gårdshund... *I thought I did rather well...* Jeg syntes jeg gjorde det ganske *or* temmelig bra...
▸ **rather a lot** ganske *or* temmelig *or* nokså mye/mange
▸ **I would rather go** jeg ville* heller dra
▸ **I'd rather not say** jeg vil helst ikke si
▸ **rather than** istedenfor, i stedet for ❑ *...familiar English names rather than Latin ones.* ...vanlige engelske navn istedenfor *or* i stedet for latin.

▸ **or rather** (= *more accurately*) eller rettere sagt ❑ *Suddenly there stood before him, or rather above him, a woman.* Plutselig stod det en dame foran ham, eller rettere sagt, over ham.
▸ **I rather think he won't come** Jeg tror nok ikke han kommer

ratification [rætɪfɪ'keɪʃən] S ratifikasjon *m*

ratify ['rætɪfaɪ] VT (+*agreement, treaty*) ratifisere (*v2*)

rating ['reɪtɪŋ] S (**a**) (*score*) oppslutning *c* ❑ *His popularity rating is at an all-time low...* Oppslutning hans er på et lavere nivå enn noensinne...
(**b**) (*assessment*) vurdering *c* ❑ *Harold's rating of his brother's paintings...* Harolds vurdering av maleriene til broren hans...
(**c**) (*NAUT: BRIT: sailor*) sjømann *m irreg* (*ikke offiser*)
▸ **ratings** SPL (**a**) (*RADIO*) lyttertall *nt sg*, lytteroppslutning *c sg*
(**b**) (*TV*) seertall *nt sg*, seeroppslutning *c sg*

ratio ['reɪʃɪəu] S forhold *nt* NB ...*a high teacher/pupil ratio...* mange lærere i forhold til elever...
▸ **the ratio of boys to girls/employees to clients** antallet gutter i forhold til jenter/ansetter i forhold til kunder
▸ **a ratio of 5 to 1** et forhold på 5 til 1

ration ['ræʃən] 1 S rasjon *m*
2 VT (+*food, petrol etc*) rasjonere (*v2*)
▸ **rations** SPL (*MIL*) rasjoner

rational ['ræʃənl] ADJ (*solution, explanation, person*) rasjonell, fornuftig

rationale [ræʃə'nɑːl] S (logisk) begrunnelse *m* ❑ *What is the rationale for corporal punishment?* Hva er (den logiske) begrunnelsen for fysisk avstraffelse?

rationalization [ræʃnəlaɪ'zeɪʃən] S (*justification, streamlining*) rasjonalisering *c*

rationalize ['ræʃnəlaɪz] VT (= *justify, streamline*) rasjonalisere (*v2*) ❑ *I rationalize it by saying that I need the money.* Jeg rasjonaliserer det ved å si at jeg trenger pengene. *Industry had been rationalized...* Industrien hadde blitt rasjonalisert...

rationally ['ræʃnəlɪ] ADV rasjonelt

rationing ['ræʃnɪŋ] S (*of food, petrol etc*) rasjonering *c*

rat poison S rottegift *m*

rat race S ▸ **the rat race** rotteracet, karrierejaget

rattan [ræ'tæn] S rotting *m*

rattle ['rætl] 1 S (**a**) (= *noise: of door, window*) rasling *c*, skrangling *c*
(**b**) (*of train, car, engine etc*) skrangling *c*
(**c**) (*of bottles*) klirring *c*
(**d**) (*of chain*) rasling *c*, klirring *c*
(**e**) (*of snake*) rasling *c*
(**f**) (*toy: for baby*) rangle *c*
2 VI (**a**) (*door, window+*) rasle (*v1*), skrangle (*v1*)
(**b**) (*train, car, engine+*) skrangle (*v1*)
(**c**) (*bottles+*) klirre (*v1*)
(**d**) (*chains+*) klirre (*v1*), rasle (*v1*)
3 VT få* til å rasle/skrangle/klirre ❑ *A cold wind rattled the windows...* En kald vind fikk vinduene til å skrangle...; (*fig: unsettle*) gjøre* urolig, skake (*v1*) opp *His questions obviously rattled her...* Spørsmålene hans gjorde henne tydelig urolig *or* skaket henne tydelig opp...
▸ **to rattle along** (*car, bus+*) skrangle (*v1*) av gårde, skrangle i vei

rattlesnake ['rætlsneɪk] S klapperslange *m*

ratty ['rætɪ] (*sl*) ADJ (*person*) grinete, ilter

raucous ['rɔːkəs] ADJ (*voice, laughter etc*) rå

raucously ['rɔːkəslɪ] ADV rått

raunchy ['rɔːntʃɪ] ADJ eggende, forførerisk

ravage ['rævɪdʒ] VT herje (*v1*) ❑ ...*a country ravaged by war.* ...et land som var herjet av krig. ...et krigsherjet land.

ravages ['rævɪdʒɪz] SPL (*of time, weather, war*) herjinger *c*

rave [reɪv] 1 VI (*in anger*) ▸ **to rave (at sb)** kjefte (*v1*) (på noen), bruke (*v2*) seg (på noen) ❑ *I must have raved at Richard for nearly five minutes.* Jeg må ha* kjeftet *or* brukt meg på Richard i nesten fem minutter.
2 ADJ (*sl: review*) overstrømmende ❑ *Stoppard's new play has received rave reviews.* Stoppards nye skuespill har fått overstrømmende kritikker.
3 S (*BRIT: sl: dance*) rave *m*
▸ **rave about** snakke (*v1*)/skrive* begeistret om, være* (vilt) begeistret over *or* for

raven ['reɪvən] S ravn *m*

ravenous ['rævənəs] ADJ (*sl: person*) skrubbsulten (*sl*); (*appetite*) glupsk, grådig

ravine [rə'viːn] S kløft *m*, ravine *m*

raving ['reɪvɪŋ] ADJ ▸ **he's a raving lunatic** han er splitter pine gal

ravings ['reɪvɪŋz] SPL tullprat *m or nt sg*, rør *nt sg* ❑ ...*the ravings of a madman.* ...tullpraten *or* tullpratet *or* røret til en galning.

ravioli [rævɪ'əulɪ] S ravioli *m*

ravishing ['rævɪʃɪŋ] ADJ (= *beautiful*) henrivende, betagende

raw [rɔː] ADJ (**a**) (= *uncooked: meat, vegetables*) rå
(**b**) (= *not processed: cotton, sugar etc*) ubearbeidet
(**c**) (= *sore*) sår, sviende ❑ *My back felt raw from the heat of the sun.* Ryggen min var sår *or* Ryggen min svidde etter solsteken.
(**d**) (= *inexperienced*) fersk ❑ ...*a raw recruit.* ...en fersk rekrutt.
(**e**) (*weather, day*) rå
▸ **to get a raw deal** (= *unfair treatment*) få* dårlig *or* urettferdig behandling, bli* dårlig *or* urettferdig behandlet

raw material S råmateriale *nt*

ray [reɪ] S stråle *m*
▸ **a ray of hope** et glimt av håp

rayon ['reɪɒn] S rayon *nt*

raze [reɪz] VT (*also* ***raze to the ground***) rasere (*v2*), jevne (*v1*) med jorda

razor ['reɪzəʳ] S barberhøvel *m*; (*electric*) barbermaskin *m*

razor blade S barberblad *nt*

razzle ['ræzl] (*BRIT: sl*) S ▸ **to be/go on the razzle** være* ute/gå ut og more seg

razzmatazz ['ræzmə'tæz] (*sl*) S hurlumhei *m*, oppstyr *nt* ❑ ...*the razzmatazz of the opening ceremony at the Olympics.* ...hurlumheien *or* oppstyret rundt åpningsseremonien til OL.

RC FK = **Roman Catholic**

RCAF S FK (= **Royal Canadian Air Force**) Det kongelige kanadiske luftvåpen

RCMP S FK (= **Royal Canadian Mounted Police**)

Det kongelige kanadiske ridende politi

RCN S FK (= **Royal Canadian Navy**) Den kongelige kanadiske marine

RD (*US: POST*) FK (= **rural delivery**) ≈ landpostbud *nt*

Rd FK = **road**

RDA S FK (= **recommended daily amount**) anbefalt daglig tilførsel *m*

RDC (*BRIT*) S FK = **rural district council**

RE (*BRIT*) S FK (*SKOL*) (= **religious education**) Religion; (*MIL*) (= **Royal Engineers**) ≈ Ingeniørvåpenet

re [ri:] PREP (= *with regard to*) ad

reach [ri:tʃ] 1 S (= *range: of arm*) rekkevidde *m* ❑ *Her powerful service and long reach give her a big advantage...* Den kraftige serven og den store rekkevidden hennes gir henne en stor fordel...
2 VT (**a**) (*+place, destination*) nå (*v4*), komme* (fram) til
(**b**) (*+conclusion, agreement, decision*) komme* (fram) til
(**c**) (*+stage, level, age*) nå (*v4*) ❑ *...until they reach school age.* ...til de når skolealder.
(**d**) (= *come up to*) nå (*v4*), rekke* ❑ *When the water reached his waist...* Da vannet nådde *or* rakk ham til livet...
(**e**) (= *be able to touch*) rekke* (fram/opp/ned/bort til), nå (*v4*) (fram/opp/ned/bort til) ❑ *I can't reach that shelf unless I stand on a chair.* Jeg kan ikke rekke *or* nå (opp til) den hyllen med mindre jeg står på en stol.
(**f**) (= *communicate with*) få* tak i
(**g**) (*by telephone*) nå (*v4*) ❑ *Can I reach you at your hotel?* Kan jeg få* tak i deg på hotellet ditt? *I tried to reach you at home several times...* Jeg prøvde å nå deg hjemme flere ganger...
3 VI (= *stretch out one's arm*) strekke* seg ❑ *She reached across the desk...* Hun strakte seg over skrivebordet...
▸ **reaches** SPL (*of river*) løp *nt sg* ❑ *...the upper reaches of the Amazon.* ...Amazonelvens øvre løp.
▸ **within reach** innen(for) rekkevidde
▸ **out of reach** utenfor rekkevidde
▸ **within reach of the shops/station** i nærheten av butikkene/stasjonen, med lett atkomst til butikkene/stasjonen
▸ **within easy reach of the countryside** i nærheten av naturen, med lett atkomst til naturen
▸ **beyond the reach of sb/sth** (*fig*) utenfor noens/noes rekkevidde ❑ *By escaping the country, she put herself beyond the reach of the police.* Ved å flykte fra landet, kom hun seg utenfor politiets rekkevidde.
▸ **"keep out of the reach of children"** "oppbevares utilgjengelig for barn"

▸ **reach out** 1 VT rekke* ut, strekke* ut
2 VI rekke* ut armen
▸ **to reach out for sth** strekke* seg etter noe, gripe* etter noe

react [ri:'ækt] VI (= *respond, also CHEM, MED*) reagere (*v2*) ❑ *He was reacting against Victorian traditions.* Han reagerte (i)mot viktorianske tradisjoner. *The water was reacting with the iron in the tank.* Vannet reagerte med jernet fra tanken.
▸ **to react to** reagere (*v2*) på ❑ *I wondered how he'd react to such a question.* Jeg lurte på hvordan han ville* reagere på et slikt spørsmål.

reaction [ri:'ækʃən] S (**a**) (= *response, also CHEM, MED*) reaksjon *m*
(**b**) (= *conservatism*) reakjsjonære krefter *pl* ❑ *Once again the forces of reaction prevailed...* Atter en gang var det reaksjonære krefter som rådde...
▸ **reaction to** reaksjon *m* på ❑ *I usually have a bad reaction to penicillin.* Jeg reagerer vanligvis dårlig på penicillin.
▸ **reactions** SPL (= *reflexes*) reaksjonsevne *m sg* ❑ *...our reactions get slower as we get older...* reaksjonsevnen vår blir langsommere etter som vi blir eldre...

reactionary [ri:'ækʃənrı] 1 ADJ reaksjonær
2 S reaksjonær *m*

reactor [ri:'æktə^r] S reaktor *m*

read [ri:d, *PT, PP* rɛd] (*pt* **read**)*pp* 1 VI (**a**) (*person+*) lese (*v2*)
(**b**) (*piece of writing, letter etc+*) leses (*v25, rare past tense*) ❑ *Her letter reads like a desperate plea for help.* Brevet hennes kan leses som et desperat rop om hjelp. NB *The text reads well/badly.* Teksten er godt skrevet *or* velskrevet/dårlig skrevet
2 VT (**a**) (*+book, newspaper, music, thoughts etc*) lese (*v2*) ❑ *He read other people's moods fast.* Han leste andres stemninger raskt.
(**b**) (*meter, thermometer etc+*) vise (*v2*) ❑ *The thermometers are reading 43 degrees in the shade...* Termometrene viser 43 grader i skyggen...
(**c**) (= *study: at university*) lese (*v2*), studere (*v2*) ❑ *He went up to Oxford to read history...* Han drog til Oxford for å lese *or* studere historie...
▸ **to read sb's lips** lese (*v2*) på munnen *or* leppene til noen
▸ **to read sb's mind** lese (*v2*) tankene til noen
▸ **to read between the lines** lese (*v2*) mellom linjene
▸ **to take sth as read** ta* noe for gitt ❑ *You can take it as read that I'll accept the job if I'm offered it.* Du kan ta* det for gitt at jeg vil ta* imot jobben hvis jeg blir tilbudt den.
▸ **do you read me?** (*TEL*) hører du meg?
▸ **to read sth into sb's remarks** legge* noe i noens bemerkninger ❑ *Don't read too much into what I said.* Ikke legg for mye i det jeg sa.

▸ **read out** VT lese (*v2*) opp
▸ **read over** VT lese (*v2*) over
▸ **read through** VT lese (*v2*) (i)gjennom
▸ **read up on** VT FUS lese (*v2*) seg opp på, sette* seg inn i

readable ['ri:dəbl] ADJ (= *legible*) leselig; (*book, author etc*) lesverdig

reader ['ri:də^r] S (**a**) (*of book, newspaper etc*) leser *m*
(**b**) (*book*) lesebok *c*
(**c**) (*BRIT: at university*) ≈ amanuensis *m irreg*
(**d**) (= *person*) leser *m*
▸ **to be a slow reader** lese (*v2*) sakte *or* langsomt

readership ['ri:dəʃıp] S (*of newspaper etc*) leserkrets *m*

readily ['rɛdɪlɪ] ADV (**a**) (= *without hesitation*) straks, gjerne ❑ *He readily accepted an invitation to dinner...* Han tok straks *or* gjerne imot middagsinvitasjonen...
(**b**) (= *easily*) lett ❑ *Personal computers are readily available these days...* PCer er lett tilgjengelige for tiden...
readiness ['rɛdɪnɪs] s (bered)vilje *m* ❑ *...our readiness to resume negotiations.* ...vår (bered)vilje til å gjenoppta forhandlingene.
▸ **in readiness for** i beredskap for
reading ['riːdɪŋ] s (**a**) (*of books, newspapers etc, material read*) lesning *c* ❑ *...the reading I asked you to do.* ...det jeg ba deg om å lese. *That book was useful reading for me.* Den boka var nyttig lesning for meg.
(**b**) (= *text from Bible etc*) lesning *c*
(**c**) (*understanding*) ▸ **my reading of the situation is that...** etter det jeg forstår (av situasjonen)..., slik jeg forstår saken...
(**d**) (= *literary event*) opplesning *c* ❑ *...a poetry reading.* ...en diktopplesning.
(**e**) (*on meter, thermometer etc*) avlesing *c* ❑ *...a gauge which stuck, giving a wrong reading.* ...en måler som hadde satt seg fast og gav en gal avlesing.
reading lamp s leselampe *c*
reading matter s lesestoff *nt*, lektyre *m*
reading room s lesesal *m*
readjust [riːə'dʒʌst] 1 VT (+*position, knob, mirror etc*) justere (*v2*); (+*instrument*) (om)justere (*v2*)
2 VI (= *adapt*) ▸ **to readjust (to)** tilpasse (*v1*) seg (til)
readjustment [riːə'dʒʌstmənt] s omstilling *c* ❑ *...a period of readjustment.* ...en periode med omstilling.
ready ['rɛdɪ] 1 ADJ (**a**) (= *prepared, available*) ferdig, klar ❑ *Are you ready now? I'll drive you back to your flat...* Er du ferdig *or* klar nå? Jeg skal kjøre deg tilbake til leiligheten din... *Your glasses will be ready in a fortnight...* Brillene dine vil være* klare *or* ferdige om fjorten dager...
(**b**) (= *willing*) beredt, parat, rede ❑ *...couples who are ready to move house...* par som er beredt *or* parat *or* rede til å flytte...
(**c**) (*easy*) gunstig ❑ *...a ready market for Kashmir's specialities...* et gunstig marked for Kashmirs spesialiteter...
2 s ▸ **at the ready** (**a**) (*MIL*) i beredskap, skuddklar
(**b**) (*fig*) dragen, på rede hånd ❑ *He approached the counter, chequebook at the ready.* Han nærmet seg skranken, med draget sjekkhefte *or* sjekkheftet på rede hånd.
▸ **ready for use** klar *or* ferdig til bruk
▸ **to be ready to do sth** (**a**) (= *prepared*) være* klar for å gjøre* noe
(**b**) (= *willing*) være* parat *or* rede til å gjøre* noe
▸ **to get ready** 1 VI bli* klar *or* ferdig ❑ *It takes her hours to get ready...* Det tar timer for henne å bli* klar *or* ferdig... 2 VT gjøre* klar ❑ *Go and get the boat ready...* Gå og gjør klar båten...
ready cash s rede penger *pl*
ready-cooked ['rɛdɪkukt] ADJ ferdiglagd
ready-made ['rɛdɪ'meɪd] ADJ (*clothes*) ferdigsydd
ready-mix ['rɛdɪmɪks] s (*for cakes etc*) kakemix *m*; (*concrete*) ferdigbetong *m*
ready money s = **ready cash**
ready reckoner (*BRIT*) s regnetabell *m*
ready-to-wear ['rɛdɪtə'wɛə^r] ADJ konfeksjons-
reaffirm [riːə'fəːm] VT bekrefte (*v1*)
reagent [riː'eɪdʒənt] s reagent *m*, reagensmiddel *nt*
real [rɪəl] 1 ADJ (**a**) (= *actual, true: reason, interest, result, life, feelings etc*) virkelig ❑ *That is the real reason for the muddle...* Det er den virkelige grunnen til rotet... *It's a real shame...* Det er virkelig synd...
(**b**) (= *not artificial: leather, gold etc*) ekte
2 ADV (*US: sl: very*) riktig ❑ *...real soon.* ...riktig snart.
▸ **in real life** i virkeligheten
▸ **in real terms** reelt sett ❑ *The value of the dollar in real terms has fallen...* Den reelle dollarverdien har falt.... Dollarverdien har reelt sett falt...
real ale s fatøl *nt* (*brygget på tradisjonell måte*)
real estate 1 s fast eiendom *m*
2 SAMMENS (*US: agent, business etc*) eiendoms-
realism ['rɪəlɪzəm] s realisme *m*
realist ['rɪəlɪst] s realist *m*
realistic [rɪə'lɪstɪk] ADJ (**a**) (*sensible*) realistisk ❑ *They were much more realistic about its commercial prospects.* De var mye mer realistiske om utsiktene for handel.
(**b**) (= *true to life: book, film, portrayal etc*) realistisk, virkelighetstro
reality [riː'ælɪtɪ] s virkelighet *m*, realiteter *pl* ❑ *...to face reality.* ...å se virkeligheten *or* realitetene i øynene.
▸ **in reality** i virkeligheten
realization [rɪəlaɪ'zeɪʃən] s (**a**) (*understanding*) erkjennelse *m* ❑ *This realization was shattering for all of us...* Denne erkjennelsen var rystende for oss alle...
(**b**) (*fulfilment*) virkeliggjøring *c* ❑ *...the realization of a lifelong dream...* virkeliggjøringen av en livslang drøm...
(**c**) (*FIN: of asset*) avhending *c*, realisasjon *m*
realize ['rɪəlaɪz] VT (**a**) (*understand*) være/bli klar over ❑ *Do you realize how long it takes?* Er du klar over hvor lang tid det tar?
(**b**) (= *acknowledge*) innse* ❑ *She realized the significance of what he was trying to do.* Hun innså betydningen av det han forsøkte å gjøre.
(**c**) (= *fulfil: dream, ambition etc*) virkeliggjøre*
(**d**) (+*project, scheme*) realisere (*v2*), iverksette*
(**e**) (*FIN: amount, profit*) innbringe* ❑ *Liquidation would have realized more than £60 a share...* En avvikling ville* ha* innbrakt mer enn 60 pund per aksje...
▸ **I realize that...** jeg innser at..., jeg forstår at...
really ['rɪəlɪ] ADV (**a**) (*for emphasis*) ▸ **really good/delighted** virkelig god/begeistret
(**b**) (= *actually*) ▸ **what really happened** det som virkelig skjedde
▸ **really?** virkelig?, sier du det?
▸ **really!** (*indicating annoyance*) ærlig talt!
realm [rɛlm] s (**a**) (*fig: field*) verden *m*, område *nt* ❑ *...in the political realm...* i den politiske verden *or* på det politiske området...
(**b**) (= *kingdom*) kongerike *nt*

real-time ['ri:ltaɪm] (*DATA*) ADJ sanntids- ❑ *...real-time processing.* ...sanntidsbehandling.
realtor ['rɪəltɔ:ʳ] (*US*) s eiendomsmekler *m*
ream [ri:m] s (*of paper*) ris *nt*
▸ **reams (of)** (*sl*) en drøss (med), en haug (med) ❑ *She's written reams of poetry.* Hun har skrevet en drøss *or* haug (med) dikt.
reap [ri:p] VT (*+crop, benefits*) høste (*v1*)
reaper ['ri:pəʳ] s (*machine*) slåmaskin *m*
reappear [ri:ə'pɪəʳ] VI komme* tilbake, dukke (*v1*) opp igjen
reappearance [ri:ə'pɪərəns] s gjeninntreden *m*
reapply [ri:ə'plaɪ] VI ▸ **to reapply (for)** søke (*v2*) (på) igjen
reappoint [ri:ə'pɔɪnt] VT gjeninnsette*, utnevne (*v2*) på nytt
reappraisal [ri:ə'preɪzl] s overveielse *m*
rear [rɪəʳ] 1 ADJ (**a**) (= *back : end*) bakerst NB *...rear entrance...* inngang fra baksiden...
(**b**) (*BIL : wheel etc*) bak-
2 s (**a**) (= *back*) bakside *c* ❑ *...the rear of the house...* baksiden av huset...
(**b**) (= *buttocks*) bak *m* ❑ *She slapped him on the rear.* Hun dasket ham på baken.
3 VT (**a**) (*+cattle, chickens*) ale (*v2*) opp, oppdrette (*v1*)
(**b**) (*+family, children*) forsørge (*v1*), oppfostre (*v1*)
4 VI (*also* ***rear up***: *horse*) steile (*v1*)
rear admiral s kontreadmiral *m*
rear-engined ['rɪər'ɛndʒɪnd] ADJ med hekkmotor, med motoren bak
rearguard ['rɪəgɑ:d] s baktropp *m*
▸ **to fight a rearguard action** (*fig*) være* bakstreversk
rearm [ri:'ɑ:m] VTI gjenoppruste (*v1*)
rearmament [ri:'ɑ:məmənt] s gjenopprustning *c*
rearrange [ri:ə'reɪndʒ] VT (*+meeting*) flytte (*v1*) på, gjøre* om på
▸ **to rearrange the furniture** ommøblere (*v2*)
rear-view mirror ['rɪəvju:-] (*BIL*) s bakspeil *nt*
reason ['ri:zn] 1 s (**a**) (= *cause*) grunn *m*, årsak *m* ❑ *He's clearly unhappy, but he won't tell me the reason.* Han er tydelig ulykkelig, men han vil ikke fortelle meg grunnen *or* årsaken.
(**b**) (= *rationality, common sense*) fornuften *m def* ❑ *...his lack of faith in reason.* ...hans mangel på tro på fornuften.
2 VI ▸ **to reason with sb** snakke (*v1*) fornuft med noen
▸ **the reason for/why** grunnen *or* årsaken til/til at ❑ *I asked the reason for the decision...* Jeg spurte etter grunnen *or* årsaken til avgjørelsen... *There are several reasons why we can't do that...* Det er flere grunner *or* årsaker til at vi ikke kan gjøre* det...
▸ **to have reason to believe** ha* grunn til å tro
▸ **it stands to reason that...** det er rimelig at...
▸ **with good reason** med god grunn, med rette
▸ **all the more reason why** desto bedre grunn til at
▸ **within reason** innen(for) rimelighetens grenser
reasonable ['ri:znəbl] ADJ (**a**) (*person*) fornuftig
(**b**) (*explanation, request, number, amount*) rimelig
(**c**) (*price*) rimelig, overkommelig
(**d**) (= *not bad*) brukbar ❑ *"What's the food like there?" "Reasonable."* "Hvordan er maten der?" "Brukbar."
▸ **be reasonable!** bruk hodet *or* fornuften!
reasonably ['ri:znəblɪ] ADV (**a**) (= *fairly*) rimelig, temmelig ❑ *I'm reasonably broad across the shoulders...* Jeg er rimelig *or* temmelig bred over skuldrene...
(**b**) (= *sensibly*) fornuftig ❑ *"Well, you can't do that now," I said reasonably.* "Vel, du kan ikke gjøre* det nå," sa jeg fornuftig.
reasoned ['ri:znd] ADJ (*argument*) velbegrunnet
reasoning ['ri:znɪŋ] s argumentasjon *m*, begrunnelse *m* NB *What is the reasoning behind that decision?* Hva er argumentasjonen *or* begrunnelsen for den avgjørelsen?
reassemble [ri:ə'sɛmbl] 1 VT (*+machine*) sette* sammen (igjen)
2 VI (*people, animals+*) samle (*v1*) sammen (igjen)
reassert [ri:ə'sə:t] VT befeste (*v1*) (på nytt)
reassurance [ri:ə'ʃuərəns] s (**a**) (*comfort*) beroligelse *m* ❑ *They turned nervously towards each other in search of reassurance...* De vendte seg nervøst mot hverandre på leting etter beroligelse...
(**b**) (*guarantee*) bekreftelse *m*, forsikring *c* ❑ *They will be anxious to receive reassurances from established members.* De vil være* oppsatt på å få* bekreftelse *or* forsikringer fra etablerte medlemmer.
reassure [ri:ə'ʃuəʳ] VT berolige (*v1*)
reassuring [ri:ə'ʃuərɪŋ] ADJ (*smile, manner*) betryggende, beroligende
reawakening [ri:ə'weɪknɪŋ] s (*of feeling, idea*) gjenoppvåkning *c*
rebate ['ri:beɪt] s (*on tax etc*) tilbakebetaling *c*
rebel [*N* 'rɛbl, *VB* rɪ'bɛl] 1 s opprører *m*, rebell *m*
2 VI gjøre* opprør
rebellion [rɪ'bɛljən] s opprør *nt* ❑ *Youth has always been the time for rebellion...* Ungdommen har alltid vært tiden for opprør...
rebellious [rɪ'bɛljəs] ADJ opprørsk, oppsetsig
rebirth [ri:'bə:θ] s (*of nation, idea etc*) gjenfødelse *m*
rebound [*VB* rɪ'baund, *N* 'ri:baund] 1 VI (*ball+*) sprette* (tilbake)
2 s ▸ **on the rebound** (*ball*) idet den spretter tilbake
▸ **to marry sb on the rebound** gifte seg med noen rett etter (et brutt forhold)
rebuff [rɪ'bʌf] 1 s avvisning *c*
2 VT (*+person, offer*) avvise (*v2*)
rebuild [ri:'bɪld] *irreg* VT (*+town, building, economy, confidence etc*) gjenoppbygge (*v3x*)
rebuke [rɪ'bju:k] 1 VT irettesette*
2 s irettesettelse *m*
rebut [rɪ'bʌt] (*fml*) VT motbevise (*v2*)
rebuttal [rɪ'bʌtl] (*fml*) s motbevis *nt*
recalcitrant [rɪ'kælsɪtrənt] ADJ (*child, behaviour*) gjenstridig, trassig
recall [*VB* rɪ'kɔ:l, *N* 'ri:kɔl] 1 VT (**a**) (= *remember*) minnes (*v25x*), huske (*v1*) ❑ *Deirdre recalled seeing a poster on his wall...* Deirdre mintes *or* husket at hun hadde sett en plakat på veggen hans...
(**b**) (*+parliament, ambassador, product*) tilbakekalle (*v2x*), kalle (*v2x*) tilbake ❑ *Parliament was hastily*

recalled from recess. Parlamentet ble hastig tilbakekalt *or* kalt tilbake etter ferien. *The car was recalled for possible safety defects.* Bilen ble tilbakekalt *or* kalt tilbake på grunn av mulige sikkkerhetsmangler.
2 S (**a**) (*of memories*) framkalling *C* ❑ *Why are some memories more available for recall than others?* Hvorfor er noen minner lettere å framkalle enn andre?, Hvorfor er noen minner mer tilgjengelige for framkalling enn andre?
(**b**) (*of ambassador etc*) tilbakekalling *C*
▸ **beyond recall** ugjenkallelig ❑ *The old days you long for are gone beyond recall.* De gamle tidene du lengter etter er ugjenkallelig forbi.

recant [rɪ'kænt] VI ta* tilbake, avsverge (*v1*); (*REL*) avsverge (*v1*)

recap ['ri:kæp] 1 VTI oppsummere (*v2*), sammenfatte (*v1*)
2 S oppsummering *C*, sammenfatning *C*

recapitulate [ri:kə'pɪtjuleɪt] VT, VI = **recap**

recapture [ri:'kæptʃəʳ] VT (*+town, prisoner etc*) gjenerobre (*v1*); (*+prisoner etc*) ta* (igjen); (*+atmosphere, mood etc*) finne* tilbake til

rec'd (*MERK*) FK (= **received**) mottatt, betalt

recede [rɪ'si:d] VI (*tide, lights etc+*) svinne*; (*memory, hope+*) (for)svinne*; (*hair+*) bli* tynn(ere) foran

receding [rɪ'si:dɪŋ] ADJ (*hair*) som blir tynnere *or* tynt foran; (*chin*) svakt markert

receipt [rɪ'si:t] S (**a**) (*for goods, parcel*) kvittering *C*
(**b**) (= *act of receiving*) mottakelse *m* ❑ *You have to sign here and acknowledge receipt...* Du må skrive under her og bekrefte mottakelse...
▸ **receipts** SPL (*COMM*) inntekter
▸ **on receipt of** ved mottakelse(n) av
▸ **in receipt of** som mottar ❑ *Claimants in receipt of income support...* Fordringshavere som mottar stønad...

receivable [rɪ'si:vəbl] (*MERK*) ADJ tilgodehavende

receive [rɪ'si:v] VT (**a**) (= *get : money, letter etc*) motta*, få
(**b**) (*+injury, treatment, criticism, acclaim*) få
(**c**) (*+visitor, guest*) motta*
▸ **to be on the receiving end of** bli* utsatt for ❑ *You may find yourself on the receiving end of my father's temper.* Du kan bli* utsatt for min fars temperament.
▸ **"received with thanks"** (*MERK*) "mottatt"

I Storbritannia er **received pronunciation**, *eller* **RP**, *en uttalestandard for engelsk som inntil nylig ble forbundet med aristokratiet og borgerskapet, men som nå er generelt ansett for å være en korrekt uttale.*

---

receiver [rɪ'si:vəʳ] S (*TEL*) (telefon)rør *nt*; (*RADIO, TV*) mottaker *m*; (*of stolen goods*) heler *m*

receivership [rɪ'si:vəʃɪp] S ▸ **to go into receivership** settes *no past tense* under administrasjon

recent ['ri:snt] ADJ nylig
▸ **in recent years** (i) de siste årene
▸ **in recent times** i den siste tiden

recently ['ri:sntlɪ] ADV (**a**) (= *not long ago*) nylig, forleden ❑ *Recently, I lectured to seven hundred Swedes...* Nylig *or* forleden foreleste jeg for sju hundre svensker...
(**b**) (= *lately*) i det siste ❑ *I haven't heard from her recently...* Jeg har ikke hørt fra henne i det siste...
▸ **as recently as** for ikke lenger siden enn, så nylig som
▸ **until recently** inntil nylig

receptacle [rɪ'sɛptɪkl] S beholder *m*

reception [rɪ'sɛpʃən] S (**a**) (*in hotel, office, hospital etc*) resepsjon *m* ❑ *I signed in at reception...* Jeg skrev meg inn i resepsjonen...
(**b**) (*party, welcome*) mottakelse *m* ❑ *...the enthusiastic reception of his book...* den entusiastiske mottakelsen boka hans hadde fått...
(**c**) (*RADIO, TV*) mottakerforhold *nt* ❑ *I'm getting perfect reception now.* Jeg får det perfekt inn nå.. Det er perfekte mottakerforhold nå.

reception centre (*BRIT*) S mottak *nt*

reception desk S (*in hotel*) resepsjon *m*; (*in large building, offices, hospital*) resepsjon *m*, skranke *m*

receptionist [rɪ'sɛpʃənɪst] S (*in hotel, hospital*) resepsjonist *m*; (*in doctor's surgery*) forværelsedame *C*

receptive [rɪ'sɛptɪv] ADJ (*person, attitude*)
▸ **receptive (to)** mottakelig (for) ❑ *We need people who are receptive to new ideas...* Vi trenger folk som er mottakelige for nye ideer...

recess [rɪ'sɛs] S (**a**) (*in room*) nisje *m*, alkove *m*
(**b**) (*secret place*) gjemme *nt* ❑ *...the dim recesses of my mind.* ...de tåkete gjemmene i mitt sinn.
(**c**) (*POL etc : holiday*) ferie *m* ❑ *Parliament was hastily recalled from recess.* Parlamentet ble hastig kalt tilbake fra ferien.
(**d**) (*US : JUR : short break*) pause *m*
(**e**) (*især US : SKOL*) friminutt *nt*, frikvarter *nt*

recession [rɪ'sɛʃən] S nedgangstider *pl*, lavkonjunktur *m*

recharge [ri:'tʃɑ:dʒ] VT (*+battery*) lade (*v1 or v3*) opp (på nytt)

rechargeable [ri:'tʃɑ:dʒəbl] ADJ (*battery*) oppladbar

recipe ['rɛsɪpɪ] S oppskrift *C*
▸ **a recipe for disaster/success** en oppskrift på ulykke/suksess

recipient [rɪ'sɪpɪənt] S mottaker *m*

reciprocal [rɪ'sɪprəkl] ADJ (*arrangement, agreement*) gjensidig

reciprocate [rɪ'sɪprəkeɪt] 1 VT gjengjelde (*v2*) ❑ *His feelings were not reciprocated.* Følelsene hans ble ikke gjengjeldt.
2 VI gjøre* gjengjeld

recital [rɪ'saɪtl] S konsert *m* (*solo*)

recitation [rɛsɪ'teɪʃən] S opplesning *C*, deklamasjon *m*, resitasjon *m*

recite [rɪ'saɪt] VT (*+poem*) lese (*v2*) opp, deklamere (*v2*), resitere (*v2*); (= *enumerate : complaints, grievances etc*) ramse (*v1*) opp

reckless ['rɛkləs] ADJ (*driving, driver, spending*) uforsvarlig, uvettig

recklessly ['rɛkləslɪ] ADV (*drive, spend*) uforsvarlig, uvettig; (*gamble*) uvettig

reckon ['rɛkən] 1 VT (**a**) (= *consider*) regne (*v1*), anta* ❑ *About 40 per cent of the country is reckoned to be illiterate...* Rundt 40 prosent av befolkningen er regnet for å være* analfabeter

or regnes for å være* analfabeter...
(**b**) (= *calculate*) beregne (*v1*) ❑ *The number of days can be reckoned at 146 million.* Tallet på dager kan beregnes til 146 millioner.
2 VI ▸ **he is somebody to be reckoned with** han er en man må regne med
▸ **to reckon without sb/sth** ikke regne (*v1*) med noen/noe ❑ *They had reckoned without Margaret's determination.* De hadde ikke regnet med Margarets beslutsomhet.
▸ **I reckon that...** (= *think*) jeg regner med at..., jeg antar at...
▶ **reckon on** VT FUS regne (*v1*) med ❑ *They had not reckoned on such a fight.* De hadde ikke regnet med en slik kamp.

reckoning ['rɛknɪŋ] S (= *calculation*) beregning *c* ❑ *By his own reckoning, he had taken five hours to get there.* Etter sine egne beregninger hadde det tatt ham fem timer å komme dit.
▸ **the day of reckoning** oppgjørets time

reclaim [rɪ'kleɪm] VT (*+luggage, tax etc*) avhente (*v1*); (*+land, waste*) gjenvinne*

reclamation [rɛklə'meɪʃən] S (*of land*) gjenvinning *c*

recline [rɪ'klaɪn] VI (= *sit or lie back*) lene (*v2*) seg bakover

reclining [rɪ'klaɪnɪŋ] ADJ (*seat*) som kan stilles bakover

recluse [rɪ'klu:s] S eneboer *m*, eremitt *m*

recognition [rɛkəg'nɪʃən] S (**a**) (*of person, place*)
▸ **to avoid recognition** for å unngå å bli* gjenkjent
(**b**) (*of problem, fact*) erkjennelse *m* ❑ *...insufficient recognition of the magnitude of the problem.* ...en manglende erkjennelse av omfanget av problemet.
(**c**) (*of achievement*) anerkjennelse *m* ❑ *He yearned for academic recognition.* Han higet etter akademisk anerkjennelse.
▸ **in recognition of** som en anerkjennelse av, som en påskjønnelse for
▸ **to gain recognition** oppnå (*v4*) anerkjennelse
▸ **to change beyond recognition** forandre (*v1*) seg til det ugjenkjennelige

recognizable ['rɛkəgnaɪzəbl] ADJ gjenkjennelig, lett kjennelig ❑ *...recognisable stress symptoms...* gjenkjennelige *or* lett kjennelige stressymptomer...

recognize ['rɛkəgnaɪz] VT (**a**) (*+person, place, voice, sign, symptom*) kjenne (*v2x*) igjen (*var:* gjenkjenne) ❑ *She didn't recognise me at first...* Hun kjente meg først ikke igjen... *trained to recognize the symptoms of radiation sickness.* ...trent opp til å kjenne igjen *or* gjenkjenne symptomene på strålingssyke.
(**b**) (*+problem, need*) erkjenne (*v2x*) ❑ *He was one of the few people to recognise the problem...* Han var en av de få* som erkjente problemet...
(**c**) (*+qualifications*) anerkjenne (*v2x*), godkjenne (*v2x*) ❑ *Are British qualifications recognized in other European countries?* Er britiske kvalifikasjoner anerkjent *or* godkjent i andre europeiske land?
(**d**) (*+government, achievement*) anerkjenne (*v2x*) ❑ *The new regime was at once recognized by China...* Det nye regimet ble straks anerkjent av Kina... *In 1975 the nation recognized her work by making her home a historical monument.* I 1975 anerkjente nasjonen arbeidet hennes ved å gjøre* hjemmet hennes til et historisk minnesmerke.
▸ **to recognize sb by/as** gjenkjenne (*v2x*) noen på/som, kjenne (*v2x*) noen igjen på/som ❑ *The postmistress recognised her at once as Mrs P's daughter.* Postbetjenten gjenkjente henne straks *or* kjente henne straks igjen som fru Ps datter.

recoil [*VB* rɪ'kɔɪl, *N* 'ri:kɔɪl] 1 VI (*person+*) ▸ **to recoil from** vike* unna, trekke* seg unna; (*fig*) rygge (*v1*) (unna)
2 S (*of gun*) rekyl *m*

recollect [rɛkə'lɛkt] VT minnes (*v25x*), erindre (*v1*)

recollection [rɛkə'lɛkʃən] S (**a**) (= *memory*)
▸ **recollection (of sth)** minne *nt* (om noe), erindring *m* (om noe) ❑ *...my recollections of Australia.* ...mine minner *or* erindringer om *or* fra Australia.
(**b**) (= *remembering*) ▸ **she had a flash of recollection** i et kort øyeblikk mintes hun
▸ **to the best of my recollection** så vidt jeg kan minnes *or* erindre

recommend [rɛkə'mɛnd] VT (**a**) (*+book, shop, person*) anbefale (*v2*)
(**b**) (*+course of action*) anbefale (*v2*), tilrå (*v4*)
▸ **she has a lot to recommend her** hun har mange fortrinn

recommendation [rɛkəmɛn'deɪʃən] S (**a**) (= *act of recommending*) anbefaling *c* NB *...through personal recommendation...* gjennom personlige anbefalinger...
(**b**) (= *suggestion*) anbefaling *c* ❑ *The decision will depend on what recommendations they make...* Beslutningen vil avhenge av hva slags anbefalinger de gir...
▸ **on the recommendation of** på *or* etter anbefaling *or* innstilling fra

recommended retail price (*BRIT*) S veiledende pris *m*

recompense ['rɛkəmpɛns] S vederlag *nt*

reconcilable ['rɛkənsaɪləbl] ADJ forenlig, som lar seg forene ❑ *The two ideas are simply not reconcilable.* De to ideene er rett og slett ikke forenlige.. De to ideene lar seg rett og slett ikke forene.

reconcile ['rɛkənsaɪl] VT (**a**) (*+two people*) forsone (*v1 or v2*), gjenforene (*v2*) ❑ *She is now reconciled with her husband.* Hun er nå forsonet *or* gjenforent med mannen sin.
(**b**) (*+two facts, beliefs*) forene (*v2*), få* til å stemme overens ❑ *I cannot reconcile the two points of view...* Jeg kan ikke forene de to synspunktene.... Jeg kan ikke få* de to synspunktene til å stemme overens...
▸ **to reconcile o.s. to sth** (*+unpleasant situation*) forsone (*v1 or v2*) seg med noe

reconciliation [rɛkənsɪlɪ'eɪʃən] S (**a**) (*of people*) forsoning *c* ❑ *...there could never be a reconciliation between us.* ...det kunne* aldri bli* noen forsoning mellom oss.
(**b**) (*of facts, beliefs*) forening *c* ❑ *...the reconciliation of full employment with low*

economic growth. ...foreningen av full sysselsetting med svak økonomisk vekst.

recondite [rɪ'kɔndaɪt] ADJ obskur, vanskelig tilgjengelig

recondition [riːkən'dɪʃən] VT (*+machine*) overhale (*v2*)

reconditioned [riːkən'dɪʃənd] ADJ (*engine, TV*) overhalt

reconnaissance [rɪ'kɔnɪsns] S rekognosering *c*

reconnoitre [rɛkə'nɔɪtəʳ], **reconnoiter** (*US*) VT (*+enemy territory*) rekognosere (*v2*)

reconsider [riːkən'sɪdəʳ] VTI (*+decision, opinion etc*) revurdere (*v2*)

reconstitute [riː'kɔnstɪtjuːt] VT (*+organization*) rekonstituere (*v2*); (*+yeast*) bløte (*v2*) opp; (*+mixture*) blande (*v1*) ut

reconstruct [riːkən'strʌkt] VT (*+building, policy, system*) gjenoppbygge (*v3x*), gjenreise (*v2*); (*+event, crime*) rekonstruere (*v2*)

reconstruction [riːkən'strʌkʃən] S (*of building, country*) gjenoppbygging *c*, gjenreising *c*; (*of crime*) rekonstruksjon *m*

reconstructive [riːkən'strʌktɪv] ADJ (*surgery*) rekonstruktiv

reconvene [riːkən'viːn] 1 VI (*= meet again*) komme* sammen igjen
2 VT (*+meeting etc*) gjenoppta*

record [*N* 'rɛkɔːd, *VB* rɪ'kɔːd] 1 S (**a**) (*written account*) fortegnelse *m*, opptegnelse *m*
(**b**) (*of meeting, decision*) referat *nt*, protokoll *m*
(**c**) (*of attendance*) protokoll *m*
(**d**) (*DATA*) post *m*
(**e**) (*file*) arkiv *nt* ❑ *Could I have your address for my records?* Kan jeg få* adressen din til arkivet mitt?
(**f**) (*MUS: disc*) plate *c*
(**g**) (*= history: of person, company*) ry *nt* NB *Such committees have had a poor record in the past...* Slike komitéer har hatt dårlig ord på seg før i tiden...
(**h**) (*also* ***criminal record***) rulleblad *nt*
(**i**) (*SPORT*) rekord *m* ❑ *He held the record for running the mile...* Han hadde rekorden på en engelsk mil...
2 VT (**a**) (*= write down*) nedtegne (*v1*), skrive* ned ❑ *...his lifelong habit of recording events and keeping a diary...* hans livslange vane med å nedtegne *or* skrive ned hendelser og føre dagbok...
(**b**) (*+temperature, speed etc*) registrere (*v2*) ❑ *The clock records the time...* Klokka registrerer tiden...
(**c**) (*+voice, conversation, etc*) ta* opp (på bånd)
(**d**) (*MUS: song etc*) spille (*v2x*) inn
3 ADJ (*sales, profits*) rekord-
▸ **in record time** på rekordtid
▸ **public records** offentlig arkiv
▸ **to have a good/poor record** kunne* vise til gode/dårlige resultater
▸ **to keep a record of** holde* styr *or* orden på
▸ **to set** *or* **put the record straight** (*fig*) for å sette tingene på plass
▸ **he is on record as saying that...** det er dokumentert at han har sagt at...
▸ **off the record** 1 ADJ uoffisiell 2 ADV uoffisielt

record card S kartotekkort *nt*

recorded delivery (*BRIT*) S *post man kvitterer for mottakelsen av*, rekommandert sending *c* ❑ *Send all letters recorded delivery if you want to be certain they will arrive.* Send alle brevene rekommandert hvis du vil være* sikker på at de kommer fram.

recorder [rɪ'kɔːdəʳ] S (*MUS: instrument*) blokkfløyte *c*; (*JUR*) ≈ byrettsdommer *m*

record holder (*SPORT*) S rekordinnehaver *m*

recording [rɪ'kɔːdɪŋ] S (*= recorded music, voice etc*) innspilling *c*

recording studio S opptaksstudio *nt*

record library S platebibliotek *nt*

record player S platespiller *m*

recount [rɪ'kaunt] VT (*+story etc*) berette (*v1*), referere (*v2*); (*+event etc*) berette (*v1*) om, referere (*v2*)

re-count [*N* 'riːkaunt, *VT* riː'kaunt] 1 S (*of votes*) ny opptelling *c*
2 VT (*+votes etc*) telle (*v2x or irreg*) opp igjen, ettertelle (*v2x or irreg*)

recoup [rɪ'kuːp] VT ▸ **to recoup one's losses** tjene (*v2*) inn igjen

recourse [rɪ'kɔːs] S ▸ **to have recourse to** ty (*v4*) til

recover [rɪ'kʌvəʳ] 1 VT (**a**) (*+stolen goods, lost items*) finne* igjen
(**b**) (*+body*) få* ut ❑ *They recovered her body from the old mine shaft.* De fikk ut liket av henne fra den gamle gruvesjakten.
(**c**) (*+financial loss*) få* dekket ❑ *Some investors sought to recover their losses.* Noen investorer forsøkte å få* dekket tapene deres.
2 VI (**a**) (*from illness, operation, shock*) komme* seg
(**b**) (*country, economy+*) komme* på fote igjen, restituere (*v2*) seg

re-cover [riː'kʌvəʳ] VT (*+chair etc*) trekke* om

recovery [rɪ'kʌvərɪ] S (**a**) (*from illness, operation*) bedring *c* ❑ *The shock of the operation delayed his recovery...* Sjokket han fikk ved operasjonen forsinket bedringen hans...
(**b**) (*in economy, finances*) oppgang *m* ❑ *...economic recovery.* ...økonomisk oppgang.
(**c**) (*of stolen, lost items*) *det at noe blir funnet igjen* ❑ *An anonymous phone-call led to the recovery of most of the stolen property.* En anonym telefonoppringning førte til at mesteparten av tyvegodset ble funnet igjen.
▸ **to be in recovery** (*from addiction*) være* på avvenning

recreate [riːkrɪ'eɪt] VT gjenskape (*v2*)

recreation [rɛkrɪ'eɪʃən] S (*= play, leisure activities*) fritidsaktivitet *m*

recreational [rɛkrɪ'eɪʃənl] ADJ (*facilities, amenities*) fritids-; (*outdoor*) frilufts-

recreational drug S rusmiddel *nt*

recreational vehicle (*US*) S bobil *m*

recrimination [rɪkrɪmɪ'neɪʃən] S beskyldning *c* ❑ *...bitter recriminations on both sides.* ...bitre beskyldninger fra begge sider.

recruit [rɪ'kruːt] 1 S (*MIL*) rekrutt *m*; (*in company*) nyansatt *m*; (*in organization*) nytt medlem *nt*
2 VT (*MIL*) rekruttere (*v2*); (*+staff, new members*) rekruttere (*v2*), verve (*v1*)

recruiting office (*MIL*) s vervingskontor *nt*
recruitment [rɪ'kru:tmənt] s (*of staff*) rekruttering *c*
rectangle ['rɛktæŋgl] s rektangel *nt*
rectangular [rɛk'tæŋgjulə^r] ADJ rektangulær
rectify ['rɛktɪfaɪ] VT (*+mistake, situation*) beriktige (*v1*), korrigere (*v2*)
rector ['rɛktə^r] s ≈ sogneprest *m* (*i Church of England*)
rectory ['rɛktərɪ] s prestegård *m*
rectum ['rɛktəm] s rektum *nt irreg*
recuperate [rɪ'kju:pəreɪt] VI komme* til krefter, komme* seg
recur [rɪ'kə:^r] VI (*error, event, dream+*) gjenta* seg, gå* igjen; (*illness, pain+*) komme* igjen
recurrence [rɪ'kə:rns] s (*of error, event*) gjentakelse *m*; (*of illness, pain*) tilbakefall *nt*, nytt anfall *nt*
recurrent [rɪ'kə:rnt] ADJ (*error, event*) tilbakevendende, som går igjen; (*illness, pain*) tilbakevendende
recurring [rɪ'kə:rɪŋ] ADJ (**a**) (*problem, dream*) tilbakevendende
(**b**) (*fraction*) periodisk ❑ *...6.333 recurring.* ...6,333 mot uendelig.
recycle [ri:'saɪkl] VT resirkulere (*v2*)
red [rɛd] 1 s (**a**) (*colour*) rødt ❑ *She was dressed all in red...* Hun var kledd i rødt fra topp til tå...
(**b**) (*neds : POL*) ▸ **he's a red** han er ganske rød *or* venstrevridd
2 ADJ rød
▸ **red wine** rødvin *m*
▸ **to be in the red** (*bank account, business+*) ligge i minus
red alert s ▸ **to be on red alert** være* i alarmtilstand
red-blooded ['rɛd'blʌdɪd] ADJ (*man, male*) varmblodig

redbrick university

Et **redbrick university** *er et britisk universitet utenfor de tradisjonelle universitetsbyene som er bygd relativt nylig, særlig ved slutten av 1800- og begynnelsen av 1900-tallet. Navnet kommer av bygningsmaterialet som var vanligst på den tiden (murstein). Man tenker særlig på universitetene i Manchester, Liverpool og Bristol. Betegnelsen blir brukt for å markere forskjellen fra de eldre og mer tradisjonsrike universitetene.*

red carpet treatment s ▸ **they gave her the red carpet treatment** de rullet ut den røde løperen for henne
Red Cross s ▸ **the Red Cross** Røde Kors
redcurrant ['rɛdkʌrənt] s rips *m*; (*also* ***redcurrant bush***) ripsbusk *m*
redden ['rɛdn] 1 VT (*= turn red*) gjøre* rød
2 VI (*= blush*) rødme (*v1*) ❑ *I saw him redden with embarrassment.* Jeg så ham rødme av forlegenhet.
reddish ['rɛdɪʃ] ADJ rødaktig, rødlig
redecorate [ri:'dɛkəreɪt] VTI (*+room*) pusse (*v1*) opp
redecoration [ri:dɛkə'reɪʃən] s oppussing *c*
redeem [rɪ'di:m] VT (**a**) (*+situation*) mildne (*v1*) ❑ *...a terrible play, redeemed only by a few good jokes.* ...et fryktelig stykke, bare mildnet av et par gode vitser.
(**b**) (*+sth in pawn, loan*) løse (*v2*) inn
(**c**) (*REL*) frelse (*v2*), forsone (*v1 or v2*)
▸ **to redeem oneself** rette opp inntrykket (av seg selv)
redeemable [rɪ'di:məbl] ADJ (*voucher, certificate etc*) innløselig
redeeming [rɪ'di:mɪŋ] ADJ (*feature, quality*) formildende, forsonende
redefine [ri:dɪ'faɪn] VT redefinere (*v2*)
redemption [rɪ'dɛmʃən] s (*REL*) frelse *m*, forløsning *c*
▸ **past** *or* **beyond redemption** håpløst fortapt
redeploy [ri:dɪ'plɔɪ] VT (*+resources, staff*) omplassere (*v2*), overflytte (*v1*); (*MIL*) omplassere (*v2*)
redeployment [ri:dɪ'plɔɪmənt] s (*of resources, staff*) overflytning *c*; (*MIL*) omgruppering *c*, omplassering *c*
redevelop [ri:dɪ'vɛləp] VT (*+area*) sanere (*v2*)
redevelopment [ri:dɪ'vɛləpmənt] s sanering *c*
❑ *The area is undergoing redevelopment...* Området er i ferd med å saneres...
red-haired [rɛd'hɛəd] ADJ rødhåret
red-handed [rɛd'hændɪd] ADJ ▸ **to be caught red-handed** bli* tatt på fersk gjerning
redhead ['rɛdhɛd] s rødhåret person *m*, rødtopp *m* (*hum*)
red herring s (*fig*) avledningsmanøver *m*
red-hot [rɛd'hɔt] ADJ (*metal*) rødglødende; (*sl : popular*) brennhet
redirect [ri:daɪ'rɛkt] VT (*+mail*) omadressere (*v2*); (*+traffic*) omdirigere (*v2*)
rediscover [ri:dɪs'kʌvə^r] VT gjenoppdage (*v1*)
redistribute [ri:dɪs'trɪbju:t] VT omfordele (*v2*)
red-letter day ['rɛdlɛtə-] s merkedag *m*
red light (*BIL*) s ▸ **to go through a red light** kjøre (*v2*) på rødt (lys)
red-light district ['rɛdlaɪt-] s red-light-distrikt *nt*, horestrøk *nt*
red meat s mørkt kjøtt *nt*
redness ['rɛdnɪs] s (*of sunset, rose etc*) rød farge *m*; (*of face, eyes, hair*) rødfarge *m*
redo [ri:'du:] *irreg* VT gjøre* om (igjen)
redolent ['rɛdələnt] ADJ ▸ **redolent of** (**a**) (*+pleasant*) som dufter (sterkt) av
(**b**) (*+unpleasant, mysterious etc*) som oser av ❑ *...a place redolent of mystery.* ...et sted som oser av mystikk.
redouble [ri:'dʌbl] VT ▸ **to redouble one's efforts** fordoble (*v1*) *or* forsterke (*v1*) sin innsats
redraft [ri:'drɑ:ft] VT lage (*v1 or v3*) nytt utkast til
redress [rɪ'drɛs] 1 s (*= compensation*) oppreisning *c*
2 VT (*+error, wrong*) gjenopprette (*v1*)
▸ **to redress the balance** gjenopprette (*v1*) balansen
Red Sea s ▸ **the Red Sea** Rødehavet
red tape s (*fig*) papirmølle *c*, byråkrati *nt*
❑ *Applying for the grant involves a great deal of red tape.* Å søke på stipendiet innebærer litt av en papirmølle *or* et byråkrati.
reduce [rɪ'dju:s] VT (*+spending, numbers, risk etc*) redusere (*v2*), minske (*v1*)
▸ **to reduce sth by/to** redusere (*v2*) noe med/til
▸ **to reduce sb to tears** få* noen til å gråte
▸ **to reduce sb to silence** bringe* noen til taushet

▸ **to reduce sb to begging/stealing** tvinge* *or* henvise (*v2*) noen til å tigge/stjele
▸ **"reduce speed now"** "nedsatt hastighet"

reduced [rɪ'dju:st] ADJ (*goods, ticket etc*) nedsatt ❑ *I only bought it because it was reduced.* Jeg kjøpte den bare fordi den var nedsatt.
▸ **"greatly reduced prices"** "kraftig nedsatte priser", "store rabatter"

reduction [rɪ'dʌkʃən] S (**a**) (*in costs, numbers*) reduksjon *m*, nedskjæring *c*
(**b**) (*in price*) reduksjon *m*, avslag *nt* ❑ *They have made substantial reductions in labour costs...* De har foretatt kraftige reduksjoner *or* nedskjæringer i arbeidskostnader...

redundancy [rɪ'dʌndənsɪ] (*BRIT*) S (**a**) (*dismissal*) oppsigelse *m* (*på grunn av overtallighet*), *det å gjøre* noen overflødig* ❑ *3500 redundancies...* 3500 oppsigelser...
(**b**) (*unemployment*) arbeidsledighet *m* (*på grunn av overtallighet*) ❑ *The possibility of redundancy...* Muligheten for arbeidsledighet *or* arbeidsløshet...
▸ **compulsory redundancy** tvungen avgang *m*, oppsigelse *m*
▸ **voluntary redundancy** frivillig avgang

redundancy payment (*BRIT*) S (slutt)kompensasjon *m*

redundant [rɪ'dʌndnt] ADJ (**a**) (*BRIT: worker*) overtallig, overflødig
(**b**) (*detail, word, object*) overflødig
(**c**) (*LING*) redundant
▸ **to be made redundant** bli* gjort overflødig, bli* sagt opp

reed [ri:d] S (*plant*) siv *nt*; (*MUS: of clarinet etc*) rørblad *nt*, flis *c*

re-educate [ri:'ɛdjukeɪt] VT omskolere (*v2*)

reedy ['ri:dɪ] ADJ (*voice, instrument*) rør-

reef [ri:f] S rev *nt* ❑ *...a coral reef.* ...et korallrev.

reek [ri:k] VI ▸ **to reek (of)** (**a**) (*+garlic, onions*) dunste (*v1*) (av), ose (*v2*) (av)
(**b**) (*fig*) ose (*v2*) (av) ❑ *The whole film reeks of racism.* Hele filmen oser av rasisme.

reel [ri:l] [1] S (**a**) (*of thread, string, on fishing rod*) snelle *c*
(**b**) (*of film, tape*) rull *m*, spole *m*
(**c**) (*dance*) reel *m*
[2] VI (= *sway*) vakle (*v1*), sjangle (*v1*) ❑ *She gave him a smack in the face that sent him reeling.* Hun gav ham et slag i ansiktet som fikk ham til å vakle *or* sjangle.
▸ **my head is reeling** jeg er helt susete *or* ør (i hodet)

▸ **reel in** VT (*+fish, line*) sveive (*v1*) inn

▸ **reel off** VT (= *say*) ramse (*v1*) opp ❑ *He could reel off the names of all the capitals of Europe.* Han kunne* ramse opp navnene på alle hovedstedene i Europa.

re-election [ri:ɪ'lɛkʃən] S gjenvalg *nt*

re-enter [ri:'ɛntəʳ] VT (*+country*) reise (*v2*) inn i igjen; (*+atmosphere*) komme* inn i igjen

re-entry [ri:'ɛntrɪ] S (**a**) ny innreise *c*
(**b**) (*of spacecraft*) ▸ **reentry is scheduled for 18.06** de kommer inn i jordatmosfæren igjen kl 18.06
▸ **re-entry visa** nytt innreisevisum

re-examine [ri:ɪg'zæmɪn] VT (*+possibility, proposal etc*) revurdere (*v2*), undersøke (*v2*) på nytt; (*JUR: witness*) forhøre (*v2*) på nytt, avhøre (*v2*) på nytt

re-export [VT 'ri:ɪks'pɔ:t, N ri:'ɛkspɔ:t] [1] VT gjenutføre (*v2*), reeksportere (*v2*)
[2] S (*commodity*) gjenutført *or* reeksportert vare *m*; (*act*) gjenutførsel *m*

ref [rɛf] (*SPORT: sl*) S FK = **referee**

ref. (*MERK*) FK (= **with reference to**) under henvisning til, i henhold til

refectory [rɪ'fɛktərɪ] S kantine *c*; (*in monastery*) refektorium *nt irreg*

refer [rɪ'fə:ʳ] VT ▸ **to refer sb to** (**a**) (*+book, manager*) henvise (*v2*) noen til ❑ *I refer you to a paper by Sutherland...* Jeg henviser deg til en artikkel av Sutherland... *he referred me to the manager.* ...han henviste meg til sjefen.
(**b**) (*+doctor, hospital*) henvise (*v2*) noen til, gi* noen rekvisisjon til ❑ *He would have to refer Jenny to a specialist...* Han ville* måtte* henvise Jenny til *or* gi* Jenny rekvisisjon til en spesialist...
▸ **to refer sth to** (= *pass on*) overlate* til ❑ *She referred the matter to the European Court of Justice...* Hun overlot saken til den europeiske domstolen...

▸ **refer to** VT FUS (**a**) (= *mention*) referere (*v2*) til, omtale (*v2*) ❑ *I am not allowed to refer to them by name...* Jeg får ikke lov til å referere til *or* omtale dem ved navn...
(**b**) (= *relate to*) (hen)vise (*v2*) til, referere (*v2*) til ❑ *The serial number refers to the country in which the car was manufactured.* Serienummeret (hen)viser *or* refererer til landet hvor bilen ble produsert.
(**c**) (= *consult*) konsultere (*v2*) ❑ *She could make a new dish without referring to any cookery books...* Hun kunne* lage en ny rett uten å konsultere noen kokebøker...

referee [rɛfə'ri:] [1] S (*SPORT*) dommer *m*; (*BRIT: for job application*) referanse(person) *m*
[2] VT (*+football match etc*) dømme (*v2x*)

reference ['rɛfrəns] S (**a**) (*mention*) referanse *m* ❑ *There was no further reference to him.* Det var ingen flere referanser til ham.
(**b**) (*in book, article*) referanse *m*, henvisning *c* ❑ *...a list of references.* ...en liste over referanser *or* henvisninger.
(**c**) (*at end of book, article*) litteraturliste *c*
(**d**) (*for job application: letter*) referanse *m*, anbefaling *c*
(**e**) (*person*) referanse(person) *m* ❑ *I've given you a marvellous reference.* Jeg har gitt deg en glimrende referanse *or* anbefaling.
▸ **with reference to** (*in letter*) under henvisning til, i henhold til ❑ *With reference to your letter of Jan. 23...* Under henvisning *or* i henhold til Deres brev av 23. januar...
▸ **"please quote this reference"** "vennligst oppgi denne referansen"

reference book S oppslagsbok *c*

reference library S referansebibliotek *nt*

reference number S referansenummer *nt*

referenda [rɛfə'rɛndə] SPL *of* **referendum**

referendum [rɛfə'rɛndəm] (*pl* **referenda**) S folkeavstemning *c*, referendum *nt irreg*

referral [rɪ'fɜːrəl] s henvisning *m*
refill [*VB* riː'fɪl, *N* 'riːfɪl] 1 *VT* (*+glass, pen etc*) fylle (*v2x*) på
2 s (**a**) (*for pen etc*) refill *m*
(**b**) (*drink*) påfyll *nt* ❑ *I handed her my cup for a refill.* Jeg gav henne koppen min for å få* påfyll.
refine [rɪ'faɪn] *VT* (*+sugar, oil*) raffinere (*v2*); (*+theory, idea*) utbedre (*v1*)
refined [rɪ'faɪnd] *ADJ* (*person, taste*) forfinet, raffinert; (*sugar, oil*) raffinert
refinement [rɪ'faɪnmənt] s (**a**) (*of person*) forfinelse *m*, dannelse *m* ❑ *...a man of great refinement.* ...en svært forfinet man., ...en man av høy dannelse.
(**b**) (*of system, ideas*) forfinelse *m*, utbedring *c* ❑ *...Godel's theorem and its later refinements by Russell.* ...Godels teorem og dets seinere forfinelser *or* utbedringer ved Russel.
refinery [rɪ'faɪnərɪ] s raffineri *nt*
refit [*N* 'riːfɪt, *VT* riː'fɪt] (*NAUT*) 1 s istandsetting *c* NB *The ship is due for a refit.* Skipet trenger å bli* satt i stand.
2 *VT* sette* i stand
reflate [riː'fleɪt] *VT* ▸ **to reflate the economy** sette* i gang reflasjon
reflation [riː'fleɪʃən] s reflasjon *m*
reflationary [riː'fleɪʃənrɪ] *ADJ* (*measures, policy*) som sikter mot reflasjon
reflect [rɪ'flɛkt] 1 *VT* (**a**) (*+light*) reflektere (*v2*), kaste (*v1*) tilbake
(**b**) (*+image*) speile (*v2*)
(**c**) (*fig: situation, attitude*) gjenspeile (*v1 or v2*), avspeile (*v2*) ❑ *The choice of school reflected Dad's hopes for us...* Valget av skole gjenspeilte *or* avspeilte Fars forhåpninger til oss...
2 *VI* (*= think*) reflektere (*v2*)
▸ **reflect on** *VT FUS* (*= discredit*) slå* tilbake på ❑ *Obviously your behaviour is going to reflect on the whole group...* Naturligvis vil oppførselen din slå tilbake på hele gruppen...
reflection [rɪ'flɛkʃən] s (**a**) (*image*) speilbilde *nt* ❑ *...her reflection in the mirror...* speilbildet hennes...
(**b**) (*of light, heat*) refleksjon *m* ❑ *...reflection of light...* lysrefleksjon...
(**c**) (*fig: of situation, attitude*) gjengivelse *m* ❑ *Is it an accurate reflection of reality?* Er det en riktig gjengivelse av virkeligheten?
(**d**) (*thought*) overveielse *m*, refleksjon *m* ❑ *...reflection on their condition.* ...overveielse av *or* refleksjon over situasjonen deres.
▸ **on reflection** ved nærmere ettertanke ❑ *On reflection I decided she was right.* Ved nærmere ettertanke bestemte jeg meg for at hun hadde rett.
▸ **to be a reflection on sth** (*criticism*) gjenspeile (*v1 or v2*) noe ❑ *...this issue is a very sad reflection on the state of the Labour Party.* ...denne saken gjenspeiler hvilken trist forfatning Arbeiderpartiet er i.
reflector [rɪ'flɛktəʳ] s (*on car, bike*) refleks *m*; (*for light, heat*) reflektor *m*
reflex ['riːflɛks] *ADJ* (*action, movement*) refleks-
▸ **reflexes** *SPL* reflekser ❑ *The doctor checked my reflexes...* Legen undersøkte refleksene mine...
reflexive [rɪ'flɛksɪv] (*LING*) *ADJ* refleksiv
reform [rɪ'fɔːm] 1 s (**a**) (*of law, system: process*) reformering *c*
(**b**) (*result*) reform *m* ❑ *He called for the reform of the divorce laws...* Han etterlyste en reformering av skilsmisselovene... *the task of carrying through the necessary reforms.* ...arbeidet med å gjennomføre de nødvendige reformene.
2 *VT* (*+law, system*) reformere (*v2*)
3 *VI* (*criminal, alcoholic+*) komme* på bedre tanker, skikke (*v1*) seg
reformat [riː'fɔːmæt] (*DATA*) *VT* omformatere (*v2*)
Reformation [rɛfə'meɪʃən] s ▸ **the Reformation** reformasjonen
reformatory [rɪ'fɔːmətərɪ] (*US*) s forbedringsanstalt *m*
reformed [rɪ'fɔːmd] *ADJ* (*character*) ny og bedre; (*alcoholic*) tørrlagt; (*criminal*) som har skikket seg
refrain [rɪ'freɪn] 1 *VI* ▸ **to refrain from doing** avstå* fra å gjøre, avholde* seg fra å gjøre
2 s (*of song*) refreng *nt*, omkved *nt*
refresh [rɪ'frɛʃ] *VT* (*sleep, drink, rest+*) forfriske (*v1*), oppkvikke (*v1*)
▸ **to refresh sb's memory** oppfriske (*v1*) *or* friske (*v1*) opp noens hukommelse
refresher course s oppfriskningskurs *nt*
refreshing [rɪ'frɛʃɪŋ] *ADJ* (*drink, sleep, swim, idea*) forfriskende, oppkvikkende ❑ *It was refreshing to meet a woman boss.* Det var forfriskende å møte en kvinnelig sjef.
refreshment [rɪ'frɛʃmənt] s (*= food and drink*) forfriskning *c*; (*eating, resting etc*) *det å ta* en pause* NB *He needs to stop fairly often for refreshment...* Han må stoppe ganske ofte for å raste...
refreshments [rɪ'frɛʃmənts] *SPL* (*= food and drink*) forfriskninger
refrigeration [rɪfrɪdʒə'reɪʃən] s (*of food*) kjølelagring *c*, *det å holde noe avkjølt*
refrigerator [rɪ'frɪdʒəreɪtəʳ] s kjøleskap *nt*
refuel [riː'fjuəl] 1 *VI* fylle (*v2x*) drivstoff, tanke (*v1*) opp
2 *VT* tanke (*v1*) opp, fylle (*v2x*) drivstoff i *or* på
refuelling [riː'fjuəlɪŋ] s ▸ **an unscheduled stop for refuelling** en uforutsett stopp for å fylle drivstoff
refuge ['rɛfjuːdʒ] s (*= shelter*) tilfluktssted *nt* ❑ *A cave was the only refuge from the cold.* En hule var det eneste tilfluktsstedet fra kulden.
▸ **to seek/take refuge in** søke (*v2*)/ta tilflukt i
refugee [rɛfju'dʒiː] s flyktning *m*
▸ **a political refugee** en politisk flyktning
refugee camp s flyktningeleir *m*
refund [*N* 'riːfʌnd, *VB* rɪ'fʌnd] 1 s tilbakebetaling *c*, refusjon *m* ❑ *You should ask for a refund.* Du burde be om tilbakebetaling *or* refusjon.
2 *VT* tilbakebetale (*v2*), refundere (*v2*)
refurbish [riː'fɜːbɪʃ] *VT* pusse (*v1*) opp
refurnish [riː'fɜːnɪʃ] *VT* ommøblere (*v2*)
refusal [rɪ'fjuːzəl] s avslag *nt* ❑ *...many applications and many refusals.* ...mange søknader og mange avslag.
▸ **his refusal to do...** det at han nektet å gjøre...
▸ **first refusal** (*option*) forkjøpsrett *m* ❑ *They gave me first refusal on the deal.* De gav meg

forkjøpsrett på avtalen.
refuse[1] [rɪ'fju:z] 1 VT (**a**) (*+request, offer, invitation, gift*) avslå*
(**b**) (*+permission, consent*) nekte (*v1*)
2 VI (**a**) (*= say no*) nekte (*v1*)
(**b**) (*horse+*) refusere (*v2*)
▸ **to refuse to do sth** nekte (*v1*) å gjøre* noe
refuse[2] ['rɛfju:s] S (*= rubbish*) avfall *nt*, søppel *nt*
refuse collection S søppeltømming *c*, renovasjon *m*
refuse collector S renholdsarbeider *m*
refuse disposal S søppeltømming *c*
refute [rɪ'fju:t] VT avvise (*v2*); (*= disprove*) imøtegå*
regain [rɪ'geɪn] VT (*+power, control, health, confidence*) gjenvinne*
regal ['ri:gl] ADJ kongelig
regale [rɪ'geɪl] VT ▸ **to regale sb with sth** underholde* noen med noe
regalia [rɪ'geɪlɪə] S regalier *pl* ❑ *...in full regalia.* ...i fulle regalier. ...i grand galla
regard [rɪ'gɑ:d] 1 S (*= esteem*) aktelse *m*, respekt *m* NB *I have a high regard for Mike.* Jeg har høy aktelse *or* stor respekt for Mike.
2 VT (**a**) (*= consider*) se* på, betrakte (*v1*), anse* ❑ *I regard it as one of my masterpieces...* Jeg ser på *or* betrakter det som et av mine mesterverk.... Jeg anser det for å være* et av mine mesterverk...
(**b**) (*= view*) se* på, betrakte (*v1*) ❑ *He is regarded with some suspicion by the country's leaders...* Han blir sett på *or* betraktet med en del mistenksomhet av landets ledere...
▸ **to give one's regards to** hilse (*v2*) til
▸ **"with kindest regards"** "med vennlig hilsen"
▸ **as regards, with regard to** med hensyn til
regarding [rɪ'gɑ:dɪŋ] PREP angående
regardless [rɪ'gɑ:dlɪs] ADV uansett, like fullt
▸ **regardless of** uansett, uten hensyn til
regatta [rɪ'gætə] S regatta *m*
regency ['ri:dʒənsɪ] 1 S regjeringstid *c*, regentskap *nt*
2 ADJ ▸ **Regency** (*furniture etc*) régence-
regenerate [rɪ'dʒɛnəreɪt] 1 VT (*+inner cities, arts*) fornye (*v1*); (*+person, feelings*) gjenskape (*v2*)
2 VI (*BIO*) regenerere (*v2*)
regent ['ri:dʒənt] S regent *m*
reggae ['rɛgeɪ] S reggae *m*
regime [reɪ'ʒi:m] S (**a**) (*= system of government*) regime *nt*
(**b**) (*diet, exercise*) program *nt* ❑ *You must keep to a really strict regime.* Du må holde deg til et virkelig strengt program.
regiment [*N* 'rɛdʒɪmənt, *VT* 'rɛdʒɪmɛnt] 1 S regiment *nt*
2 VT (*+people*) holde* i tømme, holde* oppsyn med
regimental [rɛdʒɪ'mɛntl] ADJ regiments-
regimentation [rɛdʒɪmɛn'teɪʃən] S strengt oppsyn *nt*
regimented ['rɛdʒɪmɛntɪd] ADJ (*system*) militær, streng
region ['ri:dʒən] S (**a**) (*of land*) region *m*, område *nt* ❑ *Unrest has spread to neighbouring regions.* Urolighetene har spredd seg til omkringliggende regioner *or* områder.
(**b**) (*of body*) region *m* ❑ *He was complaining of pains in the shoulder region.* Han klaget over smerter i skulderregionen.
(**c**) (*= administrative division of country*) distrikt *nt*, region *m*
▸ **in the region of** (*= approximately*) omkring, omtrent
regional ['ri:dʒənl] ADJ (*committee, authority*) regional, distrikts-; (*accent, foods*) lokal
regional development S distriktsutbygging *c*
register ['rɛdʒɪstə^r] 1 S (**a**) (*list: of births, marriages, deaths*) register *nt*
(**b**) (*also* ***electoral register***) manntall *nt*
(**c**) (*SKOL*) fraværsprotokoll *m*
(**d**) (*MUS: of voice, instrument*) register *nt*
2 VT (**a**) (*+birth, death, marriage*) anmelde (*v2*)
(**b**) (*+car*) registrere (*v2*)
(**c**) (*+letter*) rekommandere (*v2*)
(**d**) (*+amount, measurement*) vise (*v2*) ❑ *The inflation index registered a 7.8% annual rate...* Inflasjonsindeksen viste en 7,8 % økning pr år...
3 VI (**a**) (*person+ : at hotel*) skrive* seg inn, sjekke (*v1*) inn
(**b**) (*for work*) melde (*v2*) seg
(**c**) (*at doctor's*) bli* pasient hos
(**d**) (*amount, measurement+*) bli* registrert ❑ *It was such a small amount that it didn't register on our machine.* Det var et så lite beløp at det ikke ble registrert på maskinen vår.
(**e**) (*= make impression*) gå* inn, bli* registrert ❑ *I told them I would be leaving, but I don't think it registered.* Jeg fortalte dem at jeg skulle* dra, men jeg tror ikke det gikk inn *or* ble registrert.
▸ **to register a protest** levere (*v2*) inn en protest
registered ['rɛdʒɪstəd] ADJ (*letter, parcel*) rekommandert; (*drug addict*) registrert; (*child minder etc*) autorisert
registered company S innregistrert selskap *nt*
registered nurse (*US*) S ≈ offentlig godkjent sykepleier *m*
registered trademark S registrert varemerke *nt*
register office S = **registry office**
registrar ['rɛdʒɪstrɑ:^r] S (*in registry office*) ≈ dommerfullmektig *m*, sorenskriver *m*; (*in college, university*) ≈ universitetsdirektør *m*; (*BRIT: in hospital*) ≈ sykehuslege *m*
registration [rɛdʒɪs'treɪʃən] S registrering *c* ❑ *...a certificate of registration of death...* en dødsattest... *Present yourself for registration at 9 a.m.* Møt opp for registrering klokka 9.
registration number (*BRIT: BIL*) S registreringsnummer *nt*, bilnummer *nt*
registry ['rɛdʒɪstrɪ] S ≈ folkeregister *nt*
registry office (*BRIT*) S ≈ sorenskriverkontor *nt*
▸ **to get married in a registry office** bli* borgerlig viet *or* gift, bli* gift *or* viet hos sorenskriveren *or* på rådhuset
regret [rɪ'grɛt] 1 S anger *m* ❑ *Joe felt a sudden pang of regret...* Joe kjente et plutselig stikk av anger...
2 VT (**a**) (*+decision, action*) angre (*v1*)
(**b**) (*+loss, death, inconvenience*) beklage (*v1*)
▸ **with regret** med beklagelse
▸ **to have no regrets** ikke angre (*v1*) NB *Linda has no regrets at having become a banker.* Linda angrer ikke på at hun ble bankier.

▸ **to regret that** beklage (*v1*) at
▸ **we regret to inform you that...** vi beklager å (måtte) meddele deg at...

regretfully [rɪ'grɛtfəlɪ] ADV (*say*) beklagende
▸ **regretfully, we are unable to...** dessverre *or* beklageligvis er vi ikke i stand til...

regrettable [rɪ'grɛtəbl] ADJ (*mistake, incident*) beklagelig

regrettably [rɪ'grɛtəblɪ] ADV beklagelig
▸ **regrettably, he was...** beklageligvis var han...

Regt (*MIL*) FK = **regiment**

regular ['rɛgjulə^r] 1 ADJ (= *even: breathing, pulse etc*) regelmessig, jevn (*var:* jamn) (= *evenly spaced, frequent: intervals, meetings, raids, exercise etc*) regelmessig, jevnlig (*var:* jamnlig) (= *symmetrical: features, shape etc*) regelmessig; (= *usual: time, doctor, customer etc*) fast; (*soldier*) yrkes-, vervet; (*LING: verb etc*) regelrett, regelmessig; (*size*) vanlig
2 S (*in hotel, restaurant*) stamgjest *m*; (*in bar*) fast kunde *m*, stamgjest *m*; (*in shop*) fast kunde *m*

regularity [rɛgju'lærɪtɪ] S regelmessighet *m*
❑ *...with unfailing regularity...* med en usvikelig regelmessighet...

regularly ['rɛgjuləlɪ] ADV (*meet, happen*) regelmessig, jevnlig (*var:* jamnlig) (= *evenly: spaced, distributed*) regelmessig, jevnt (*var:* jamt) (= *symmetrically: shaped etc*) regelmessig

regulate ['rɛgjuleɪt] VT (*+conduct, expenditure, speed, machine, oven*) regulere (*v2*)

regulation [rɛgju'leɪʃən] S (**a**) (= *control: of conduct, expenditure, speed*) regulering *c* ❑ *...stricter regulation of waste disposal.* ...strengere regulering av avfallstømming.
(**b**) (= *rule*) regel *m*, bestemmelse *m* NB *It's against the regulations.* Det er mot reglene *or* bestemmelsene *or* regelverket.

rehabilitate [ri:ə'bɪlɪteɪt] VT (*+criminal, drug addict, invalid*) rehabilitere (*v2*)

rehabilitation ['ri:əbɪlɪ'teɪʃən] S (*of criminal, drug addict*) rehabilitering *c*; (*of invalid*) rehabilitering *c*, attføring *c*

rehash [ri:'hæʃ] (*sl*) VT (*+idea, report etc*) planke (*v1*)

rehearsal [rɪ'hə:səl] S prøve *m*
▸ **dress rehearsal** generalprøve *m*

rehearse [rɪ'hə:s] 1 VT (*+play, dance, speech*) øve (*v3*) på
2 VI ha* prøve

rehouse [ri:'hauz] VT skaffe (*v1*) ny bolig (til)

reign [reɪn] 1 S (*of monarch*) regjeringstid *c*; (*fig: of terror etc*) regime *nt*
2 VI (*monarch+*) regjere (*v2*), herske (*v1*); (*fig: peace, fear etc*) herske (*v1*)

reigning ['reɪnɪŋ] ADJ (*monarch, champion*) regjerende

reimburse [ri:ɪm'bə:s] VT betale (*v2*) tilbake, betale (*v2*) erstatning ❑ *I have promised to reimburse her for the damage to her car.* Jeg har lovet å betale henne tilbake *or* erstatning for skadene på bilen hennes.

rein [reɪn] S (*for horse*) tømme *m*, tøyle *m*
▸ **to give sb free rein** (*fig*) gi* noen frie tøyler
▸ **to keep a tight rein on sth** (*fig*) holde* noe i stramme tøyler

reincarnation [ri:ɪnkɑ:'neɪʃən] S (**a**) (*belief*) reinkarnasjon *m*, gjenfødelse *m* ❑ *I believe in reincarnation.* Jeg tror på reinkarnasjon *or* gjenfødelse.
(**b**) (*person*) reinkarnasjon *m* ❑ *They all regarded us as reincarnations of their ancestors.* Alle så de på oss som reinkarnasjoner av forfedrene deres.

reindeer ['reɪndɪə^r] S UBØY rein *m*, reinsdyr *nt* (*var:* rensdyr)

reinforce [ri:ɪn'fɔ:s] VT (*+object*) forsterke (*v1*); (*+idea, statement, prejudice*) underbygge (*v3x*), styrke (*v1*)

reinforced concrete S armert betong *m*

reinforcement [ri:ɪn'fɔ:smənt] S (*of object, attitude, prejudice*) forsterkning *m*
▸ **reinforcements** SPL (*MIL*) forsterkninger

reinstate [ri:ɪn'steɪt] VT (*+employee*) gjeninnsette*; (*+tax, law, text*) gjeninnføre (*v2*)

reinstatement [ri:ɪn'steɪtmənt] S (*of employee*) gjeninnsettelse *m*

reissue [ri:'ɪʃju:] VT (*+book, stamp, record*) trykke (*v2x*) opp igjen, gi* ut *or* utgi på nytt

reiterate [ri:'ɪtəreɪt] VT (*+demand, statement*) gjenta*

reject [*N* 'ri:dʒɛkt, *VB* rɪ'dʒɛkt] 1 VT (*+plan, proposal etc*) vrake (*v1*), forkaste (*v1*); (*+offer of help*) avslå*; (*+belief, idea*) forkaste (*v1*); (*+candidate, goods, fruit*) vrake (*v1*); (*+admirer*) avvise (*v2*); (*machine+ : coin*) ikke ta* imot; (*MED: heart, kidney*) avvise (*v2*)
2 S ▸ **rejects** (*COMM*) annensorteringsvarer

rejection [rɪ'dʒɛkʃən] S (*of plan, proposal, candidate*) vraking *c*; (*of offer of help, of admirer*) avvisning *c*; (*of idea, belief etc*) forkastelse *m*; (*MED: of heart, kidney*) avvisning *m*

rejoice [rɪ'dʒɔɪs] VI ▸ **to rejoice at** *or* **over** fryde (*v1*) seg over, glede (*v1*) seg over

rejoinder [rɪ'dʒɔɪndə^r] S replikk *m*

rejuvenate [rɪ'dʒu:vəneɪt] VT (*+person*) forynge (*v1*); (*+organization, system etc*) fornye (*v1*)

rekindle [ri:'kɪndl] VT (*+interest, emotion etc*) tenne (*v2x*) på nytt

relapse [rɪ'læps] 1 S tilbakefall *nt*
2 VI ▸ **to relapse into** (*+depression, silence etc*) synke* tilbake i

relate [rɪ'leɪt] 1 VT (**a**) (= *tell: story etc*) fortelle*, berette (*v1*)
(**b**) (*connect*) knytte (*v1*) sammen, forbinde* ❑ *There are rules for relating English spelling and pronunciation...* Det er regler for å knytte sammen *or* forbinde engelsk stavemåte og uttale...
2 VI ▸ **to relate to** (**a**) (= *empathize with*) forholde* seg til ❑ *Children need to learn to relate to other children.* Barn trenger å lære å forholde seg til andre barn.
(**b**) (= *connect with*) henge* sammen med ❑ *...the way that words in a sentence relate to each other.* ...måten ordene i en setning henger sammen med hverandre på.

related [rɪ'leɪtɪd] ADJ ▸ **related (to)** (**a**) (*people*) i slekt (med) ❑ *We are not related.* Vi er ikke i slekt.
(**b**) (*species, languages*) beslektet (med) ❑ *Termites are closely related to cockroaches...* Termitter er nært beslektet med kakerlakker...
(**c**) (*questions, issues*) beslektet (med), relatert (til) ❑ *The two issues are closely related.* De to

sakene er nært beslektet *or* relatert.

relating to PREP vedrørende, angående ❑ *They passed a law relating to noise...* De vedtok en lov vedrørende *or* angående støy...

relation [rɪ'leɪʃən] S (**a**) (= *member of family*) slektning *m*
(**b**) (*connection*) forbindelse *m* ❑ *There is an obvious relation between diet and health.* Det er en innlysende forbindelse mellom kosthold og helse.
▸ **relations** SPL (**a**) (= *contact*) forbindelser
(**b**) (= *relatives*) slektninger
▸ **diplomatic/international relations** diplomatiske/internasjonale forbindelser *or* relasjoner
▸ **in relation to** sammenliknet med, i forhold til
▸ **to bear no relation to** ikke ha* noen sammenheng med, ikke ha* noe å gjøre* med ❑ *The interpretation bore no relation to the actual words spoken.* Tolkningen hadde ingen sammenheng med *or* hadde ikke noe å gjøre* med de ordene som faktisk ble sagt.

relationship [rɪ'leɪʃənʃɪp] S forhold *nt* ❑ *What is your relationship to the patient?* Hva slags forhold har du til pasienten? *Pakistan's relationship with India...* Pakistans forhold til India... *the relationship between language and thought.* ...forholdet mellom språk og tanke. *When the relationship ended two months ago...* Da forholdet tok slutt for to måneder siden...

relative ['rɛlətɪv] 1 S slektning *m*
2 ADJ (= *comparative*) forholdsvis ❑ *The head of the department is a relative newcomer...* Avdelingslederen er forholdsvis ny...
▸ **relative to** i forhold til ❑ *There is a shortage of labour relative to the demand for it.* De er mangel på arbeidskraft i forhold til etterspørselen etter den.
▸ **it's all relative** alt er relativt

relatively ['rɛlətɪvlɪ] ADV forholdsvis, relativt

relative pronoun S relativt pronomen *nt*, relativpronomen *nt*

relax [rɪ'læks] 1 VI (*person, muscle+*) slappe (*v1*) av
2 VT (**a**) (*+one's grip*) løsne (*v1*) (på)
(**b**) (*+mind, person*) få* til å slappe av ❑ *Soft music helps to relax the mind.* Det hjelper med rolig musikk for å få* hjernen til å slappe av *or* koble av.
(**c**) (*+rule, control etc*) slappe (*v1*) av på, lempe (*v1*) på

relaxation [ri:læk'seɪʃən] S (**a**) (= *rest*) avslapning *c* ❑ *It is necessary for the mother to have some rest and relaxation...* Det er nødvendig for mora å få* litt hvile og avslapning...
(**b**) (*recreation*) avkobling *c* ❑ *It was the only place for off-duty relaxation...* Det var det eneste stedet for avkobling utenom tjenesten...
(**c**) (*of rule, control etc*) lempelse *m* NB *He was in favour of the relaxation of external controls...* Han var for å lempe *or* slappe av på eksterne kontroller...

relaxed [rɪ'lækst] ADJ (*person, discussion, atmosphere*) avslappet

relaxing [rɪ'læksɪŋ] ADJ avslappende

relay [*N* 'ri:leɪ, *VB* rɪ'leɪ] 1 S (*race*) stafett *m*
2 VT (*+message, news*) overbringe*; (*+programme, broadcast*) sende (*v2*), overføre (*v2*)

release [rɪ'li:s] 1 S (**a**) (*from prison*) løslatelse *m* ❑ *...a year after his release.* ...et år etter løslatelsen.
(**b**) (*from obligation, situation*) befrielse *m* ❑ *...a feeling of release...* en følelse av befrielse...
(**c**) (*of documents, funds etc*) frigivelse *m*
(**d**) (*of gas, water etc*) utslipp *nt*
(**e**) (*of film*) oppsetning *c*
(**f**) (*of book, record*) utgivelse *m*
(**g**) (*item released : record*) utgivelse *m*
(**h**) (= *film*) film *m* ❑ *Their new release has gone straight to number one.* Den nye utgivelsen/filmen deres har gått rett til topps på listene.
(**i**) (*TEKN : device*) utløser *m* ❑ *He pressed the release (button).* Han trykte på utløser(knapp)en.
2 VT (**a**) (*+prisoner*) løslate*
(**b**) (*from obligation, responsibility*) løse (*v2*)
(**c**) (*from wreckage etc*) befri (*v4*)
(**d**) (*+gas etc*) slippe* ut
(**e**) (*TEKN : catch, spring etc*) ta* ut, løsne (*v1*)
(**f**) (*BIL : clutch*) slippe* (ut)
(**g**) (*+brake*) slippe* opp
(**h**) (*+handbrake*) ta* av, løsne (*v1*)
(**i**) (*+record, film*) slippe*
(**j**) (*+report, news, figures*) frigi*
▸ **"on general release"** (*film*) "vises på kinoene"
see also **press release**

relegate ['rɛləgeɪt] VT (**a**) (= *downgrade*) henvise (*v2*), relegere (*v2*) ❑ *Much of the text can be relegated to the footnotes...* Mye av teksten kan bli* henvist *or* relegert til fotnotene...
(**b**) (*BRIT : SPORT*) ▸ **to be relegated** rykke (*v1*) ned

relent [rɪ'lɛnt] VI gi* etter

relentless [rɪ'lɛntlɪs] ADJ (*heat, noise*) uopphørlig, evinnelig; (*tyrant, enemy*) nådeløs

relevance ['rɛləvəns] S ▸ **relevance (to)** relevans *m* (for) ❑ *...the relevance of his remarks.* ...relevansen av bemerkningene hans. *...the relevance of what he was doing.* ...relevansen av det han gjorde.

relevant ['rɛləvənt] ADJ (**a**) (*fact, information, question*) relevant
(**b**) (*chapter, area*) aktuell, relevant
▸ **relevant to** (*+situation, problem etc*) relevant for

reliability [rɪlaɪə'bɪlɪtɪ] S (*of person, firm, news*) pålitelighet *m*; (*of method, machine*) pålitelighet *m*, driftssikkerhet *m*

reliable [rɪ'laɪəbl] ADJ (*person, firm, news*) pålitelig; (*method, machine*) pålitelig, driftssikker

reliably [rɪ'laɪəblɪ] ADV ▸ **to be reliably informed that...** være* informert fra pålitelig hold om at...

reliance [rɪ'laɪəns] S ▸ **reliance (on)** avhengighet *m* (av) ❑ *...the student's reliance on the teacher.* ...studentens avhengighet av læreren. *...complete reliance on drugs...* fullstendig avhengighet av medikamenter...

reliant [rɪ'laɪənt] ADJ ▸ **to be reliant on sth/sb** være* avhengig av noe/noen

relic ['rɛlɪk] S (**a**) (*REL*) relikvie *m*
(**b**) (*of the past*) (etter)levning *m* ❑ *These ideas are relics of Victorian discipline.* Disse ideene er (etter)levninger av viktoriansk disiplin.

relief [rɪ'li:f] 1 S (**a**) (*from pain*) lindring *m*

(**b**) (*from anxiety etc*) lettelse *m* ❑ *The news brought a sense of relief...* Nyhetene skapte en følelse av lettelse... *I breathed a sigh of relief.* Jeg trakk et lettelsens sukk *or* jeg pustet lettet ut.
(**c**) (= *aid: to country etc*) hjelpeaksjon *m*
(**d**) (KUNST, GEOG) relieff *nt*
2 SAMMENS (*bus, driver*) reserve-
▸ **to my relief** til min lettelse
▸ **in relief** (KUNST) i relieff ❑ *...a globe of the world in relief...* en globus i relieff...
▸ **light relief** (**a**) (TEAT) lettelse *m*
(**b**) (*fig*) noe lettere

relief map s relieffkart *nt*

relief road (BRIT) s avlastningsvei *m*

relieve [rɪ'liːv] VT (**a**) (+*pain*) lette (*v1*) ❑ *...to relieve the pressure on their eardrums.* ...for å lette trykket på trommehinnene.
(**b**) (+*fear, worry*) dempe (*v1*), mildne (*v1*) ❑ *Anxiety may be relieved by talking to a friend...* Engstelse kan dempes *or* mildnes hvis man snakker med en venn...
(**c**) (= *take over from: colleague, guard*) avløse (*v2*)
▸ **to relieve sb of sth** (**a**) (+*load*) lette (*v1*) noen for noe
(**b**) (+*duties, post*) gi* noen avskjed fra noe
▸ **to relieve o.s.** (*euph*) gå* og gjøre* sitt fornødne

relieved [rɪ'liːvd] ADJ lettet
▸ **to be relieved that...** være* lettet over at...
▸ **I'm relieved to hear it** jeg er lettet over å høre det

religion [rɪ'lɪdʒən] s religion *m*

religious [rɪ'lɪdʒəs] ADJ religiøs

religious education s religionsopplæring *c*

religiously [rɪ'lɪdʒəslɪ] ADV (= *conscientiously*) samvittighetsfullt

relinquish [rɪ'lɪŋkwɪʃ] VT (+*authority, control*) oppgi*, gi* avkall på; (+*claim*) frafalle*, gi* avkall på

relish ['rɛlɪʃ] 1 s (**a**) (KULIN) saus *m* (*som smakstilsetning, f eks chilisaus*)
(**b**) (= *enjoyment*) velbehag *nt* ❑ *He faced the challenge with relish.* Han tok utfordringen med velbehag.
2 VT (**a**) (+*challenge, competition*) nyte*
(**b**) (+*idea, thought, prospect etc*) sette* pris på
(**c**) (*with negative*) synes (*v25*) om ❑ *She didn't relish the idea of going on her own.* Hun syntes ikke (noe) om tanken på å dra alene.
▸ **to relish doing sth** sette* pris på å *or* nyte* å gjøre* noe

relive [riː'lɪv] VT (+*memory, pleasure, visit etc*) gjenoppleve (*v3*)

reload [riː'ləud] VT (+*gun*) lade (*v1 or v3*) på nytt

relocate [riːləu'keɪt] VTI (for)flytte (*v1*)
▸ **to relocate in** (for)flytte (*v1*) til

reluctance [rɪ'lʌktəns] s ulyst *m*, motvilje *m* ❑ *They released her with reluctance.* De løslot henne med ulyst *or* motvilje.. De løslot henne motstrebende *or* motvillig.

reluctant [rɪ'lʌktənt] ADJ nølende
▸ **to be reluctant to do sth** nøle (*v2*) med å gjøre* noe

reluctantly [rɪ'lʌktəntlɪ] ADV nølende, motvillig

rely on [rɪ'laɪ-] VT FUS (**a**) (= *be dependent on*) avhenge* av, være* avhengig av ❑ *Hong Kong's prosperity relies heavily on foreign businesses...* Hong Kongs rikdom er sterkt avhengig av utenlandsk virksomhet...
(**b**) (= *trust*) stole (*v2*) på ❑ *One could always rely on him to be polite...* Man kunne* alltid stole på at han ville* være* høflig...

remain [rɪ'meɪn] VI (**a**) (= *survive*) være* igjen, finnes (*irreg v5*) ❑ *Even today remnants of this practice remain...* Selv i dag fins det spor av *or* er det spor igjen av denne skikken...
(**b**) (= *continue to be*) forbli* ❑ *Many questions remain unanswered.* Mange spørsmål forblir ubesvart.
(**c**) (= *stay*) bli* (igjen) ❑ *I was allowed to remain at home...* Jeg fikk lov til å bli* (igjen) hjemme...
▸ **to remain silent/in control** forbli* taus/ bevare kontrollen
▸ **much remains to be done** det er mye igjen å gjøre, mye gjenstår
▸ **the fact remains that...** det er og blir et faktum at...
▸ **it remains to be seen whether...** det gjenstår å se om...

remainder [rɪ'meɪndə^r] 1 s rest *m* ❑ *I will pay you £100 deposit and the remainder on delivery.* Jeg vil betale deg et depositum på 100 pund og resten ved levering.
2 VT (MERK) selge* ut (*restopplaget av en bok*)

remaining [rɪ'meɪnɪŋ] ADJ som er/var igjen, resterende ❑ *He packed the remaining sandwiches back into the hamper...* Han pakket smørbrødene som var igjen *or* de resterende smørbrødene ned i kurven igjen...

remains [rɪ'meɪnz] SPL (**a**) (*of meal*) rester ❑ *The remains of the dinner...* Restene etter middagen...
(**b**) (*of building etc*) ruiner ❑ *...Roman remains...* ruiner fra romertiden...
(**c**) (*of body, corpse*) (jordiske) levninger

remand [rɪ'mɑːnd] 1 s ▸ **to be on remand** sitte* i varetekt, være* varetektsfengslet
2 VT ▸ **to be remanded in custody** bli* varetektsfengslet, bli* satt i varetekt

remand home (BRIT) s varetektsfengsel *m* (*for ungdomsforbrytere*)

remark [rɪ'mɑːk] 1 s bemerkning *m*
2 VT bemerke (*v1*)
▸ **to remark on sth** ha* bemerkninger til noe
▸ **to remark that** bemerke (*v1*) at

remarkable [rɪ'mɑːkəbl] ADJ bemerkelsesverdig

remarry [riː'mærɪ] VI gifte (*v1*) seg igjen

remedial [rɪ'miːdɪəl] ADJ (*tuition, classes*) støtte-

remedy ['rɛmədɪ] 1 s ▸ **remedy (for)** (**a**) (= *cure*) middel *nt* (mot), kur *m* (mot) ❑ *...a remedy for the common cold.* ...et middel *or* en kur mot vanlig forkjølelse.
(**b**) (*fig*) tiltak *nt* (mot) ❑ *...a drastic remedy for lawlessness...* et drastisk tiltak mot lovløshet...
2 VT (**a**) (= *correct: mistake, injustice*) rette (*v1*) opp *or* på
(**b**) (+*situation*) avhjelpe*, rette (*v1*) på

remember [rɪ'mɛmbə^r] VT (**a**) (= *call back to mind: person, name, event etc*) huske (*v1*) ❑ *He remembered the man well...* Han husket mannen godt... *I tried to remember the things I*

had to do... Jeg prøvde å huske alt det jeg måtte* gjøre...
(**b**) (= *bear in mind*) huske (*v1*) (på) ❑ *Remember that women...* Husk (på) at kvinner... ▸ **to remember to do sth** huske (*v1*) å gjøre* noe
▸ **remember me to him** hils ham fra meg
▸ **I remember seeing it, I remember having seen it** jeg husker at jeg så det, jeg husker at jeg har sett det

remembrance [rɪ'mɛmbrəns] s minne *nt*
▸ **in remembrance of sb/sth** til minne om noen/noe

Remembrance Sunday

Remembrance Sunday *eller* **Remembrance Day** *er søndagen som kommer nærmest 11. november, dagen da første verdenskrig offisielt tok slutt. Den er til ære for de falne i de to verdenskrigene. På denne dagen har man to minutters stillhet klokken 11, det tidspunktet da våpenhvileavtalen med Tyskland ble underskrevet i 1918. Medlemmer av kongefamilien og regjeringen legger ned buketter og røde valmuer ved gravmonumentet ved Whitehall, og det blir plassert kroner ved minnesmerker over de falne over hele Storbritannia. Dessuten har folk på seg små kunstige valmuer som blir produsert og solgt av medlemmer av den britiske legionen som er såret i kamp, til inntekt for krigsinvalider og familiene deres.*

remind [rɪ'maɪnd] VT ▸ **to remind sb to do sth** minne (*v1 or v2x*) noen om *or* på at de skal gjøre* noe ❑ *Remind me to speak to you about Davis...* Minn meg om *or* på at jeg skal snakke med deg om Davis...
▸ **to remind sb of sth** minne (*v1 or v2x*) noen om *or* på noe ❑ *You do not need to remind people of their mistakes all the time...* Du behøver ikke å minne folk om *or* på feilene deres hele tiden...
▸ **to remind sb that...** minne (*v1 or v2x*) noen om *or* på at... ❑ *She had to remind him that he had a wife...* Hun måtte* minne ham om *or* på at han hadde en kone...
▸ **that reminds me!** det minner meg om *or* på noe!

reminder [rɪ'maɪndəʳ] s (**a**) (*of person, place, event*) påminnelse *m* ❑ *...a painful reminder of the past.* ...en smertelig påminnelse om fortiden.
(**b**) (*letter*) purrebrev *nt*, purring *m*

reminisce [rɛmɪ'nɪs] VI ▸ **to reminisce (about)** mimre (*v1*) (om)

reminiscences [rɛmɪ'nɪsnsɪz] SPL memoarer, erindringer

reminiscent [rɛmɪ'nɪsnt] ADJ ▸ **to be reminiscent of sth** minne (*v1 or v2x*) om noe

remiss [rɪ'mɪs] ADJ forsømmelig, skjødesløs
▸ **it was remiss of him** det var forsømmelig *or* skjødesløst av ham

remission [rɪ'mɪʃən] s (**a**) (*of prison sentence*) ettergivelse *m* ❑ *He was given three months remission for good conduct.* Han fikk ettergitt tre måneder for god oppførsel.. Han fikk tre måneders ettergivelse for god oppførsel.
(**b**) (*MED*) tilbakegang *m* ❑ *The illness has entered a period of remission.* Syksommen har gått inn i en periode med tilbakegang.
(**c**) (*REL*) forlatelse *m* ❑ *...the remission of sins.* ...syndsforlatelse. ...forlatelse for synd.
▸ **in remission** (*MED*) i remisjon

remit [rɪ'mɪt] 1 VT (= *send: money*) (over)sende (*v2*)
2 s (*of official, committee*) mandat *nt*, ansvarsområde *nt* ❑ *It is not part of our remit to assign blame.* Det inngår ikke i vårt mandat *or* ansvarsområde å fordele skyld.. Vi har ikke mandat til å fordele skyld.

remittance [rɪ'mɪtns] s (= *payment*) innbetaling *c*

remnant ['rɛmnənt] s (= *remains*) rest *m*, spor *nt*; (*MERK: of cloth*) rest *m*

remonstrate ['rɛmənstreɪt] VI ▸ **to remonstrate (with sb about sth)** protestere (*v2*) *or* klage (*v1 or v3*) (på noe til noen)

remorse [rɪ'mɔːs] s samvittighetsnag *nt* ❑ *I was filled with remorse over hurting her...* Jeg var full av samvittighetsnag over å ha* såret henne...

remorseful [rɪ'mɔːsful] ADJ skyldbetynget

remorseless [rɪ'mɔːslɪs] ADJ (*noise, pain*) ubarmhjertig, skånselløs

remote [rɪ'məut] ADJ fjern
▸ **there is a remote possibility that...** det er en fjern mulighet for at...

remote control s fjernkontroll *m* ❑ *The missile is guided by remote control.* Raketten styres med fjernkontroll.

remote-controlled [rɪ'məutkən'trəuld] ADJ fjernstyrt

remotely [rɪ'məutlɪ] ADV fjernt ❑ *I wasn't even remotely interested.* Jeg var ikke engang det fjerneste interessert.

remoteness [rɪ'məutnɪs] s (**a**) (*of place*) avsides beliggenhet *m* ❑ *They found the remoteness of the country a great problem.* De syntes den avsides beliggenheten var et stort problem.
(**b**) (*of person*) fjernhet *m* ❑ *He criticised the remoteness of the authorities.* Han kritiserte fjernheten til myndighetene.

remould ['riːməuld] (*BRIT: BIL*) s banelagt dekk *nt*

removable [rɪ'muːvəbl] ADJ (= *detachable*) som kan tas av

removal [rɪ'muːvəl] s (= *of object, stain, threat, suspicion, kidney, appendix etc*) fjerning *m*; (*BRIT: from house*) flytting *m*; (= *dismissal: from office*) oppsigelse *m*

removal man (*irreg: BRIT*) s flyttemann *m irreg*
▸ **removal men** flyttefolk *pl*

removal van (*BRIT*) s flyttebil *m*

remove [rɪ'muːv] VT (**a**) fjerne (*v1*)
(**b**) (*+employee*) si* opp
▸ **my first cousin once removed** søskenbarn til en av foreldrene mine, datteren/sønnen til et av søskenbarna mine

remover [rɪ'muːvəʳ] s ▸ **paint/varnish remover** maling-/lakkfjerner *m*
▸ **stain remover** flekkfjerner *m*
▸ **make-up remover** sminkefjerner *m*

remunerate [rɪ'mjuːnəreɪt] VT lønne (*v1*), påskjønne (*v1*)

remuneration [rɪmjuːnə'reɪʃən] s lønn *m*, påskjønnelse *m*

Renaissance [rɪ'neɪsɑ̃ːs] s ▸ **the Renaissance** renessansen

renal ['riːnl] ADJ nyre-
renal failure s nyresvikt *m*
rename [riː'neɪm] VT skifte (*v1*) navn på, omdøpe (*v2*)
rend [rɛnd] (*pt* **rent**)*pp* VT (*+air, silence*) skjære* igjennom ❑ *The air was rent with their cries...* Ropene deres skar igjennom luften...
render ['rɛndəʳ] VT (**a**) (*= give: assistance, aid*) yte (*v1 or v2*)
(**b**) (*= cause to become: unconscious, harmless, useless*) gjøre ❑ *It must have rendered him unconscious...* Det må ha* gjort ham bevisstløs...
(**c**) (*= submit: account*) sende (*v2*) inn, presentere (*v2*)
rendering ['rɛndərɪŋ] (*BRIT*) s utførelse *m*
rendezvous ['rɔndɪvuː] 1 s (**a**) (*meeting*) (avtalt) møte *nt*
(**b**) (*= date*) stevnemøte *nt*
(**c**) (*place*) møtested *nt*
2 VI (*people, spacecraft+*) møtes (*v25*)
▸ **to rendezvous with sb** møtes (*v25*), møte (*v2*) hverandre, treffes *no past tense* ❑ *We'll rendezvous at 6 p.m.* Vi møtes *or* møter hverandre *or* treffes klokka 18.
rendition [rɛn'dɪʃən] s (*of song, poem etc*) utførelse *m*
renegade ['rɛnɪgeɪd] s overløper *m*, renegat *m*
renew [rɪ'njuː] VT fornye (*v1*)
renewal [rɪ'njuːəl] s fornyelse *m* ❑ *The office dealt with visa renewals.* Kontoret stelte med visumfornyelser.
renounce [rɪ'nauns] VT (**a**) (*+belief, course of action*) gi* avkall på, renonsere (*v2*) på ❑ *We have renounced the use of force to settle our disputes.* Vi har gitt avkall *or* renonsert på å bruke makt for å få* slutt på diskusjonene våre.
(**b**) (*+claim, right, peerage*) frafalle*, gi* avkall på
renovate ['rɛnəveɪt] VT renovere (*v2*)
renovation [rɛnə'veɪʃən] s renovering *c*
renown [rɪ'naun] s ry *nt*, anseelse *m*
renowned [rɪ'naund] ADJ berømt ❑ *The locals are renowned for their hospitality.* Lokalbefolkningen er berømt for sin gjestfrihet.
rent [rɛnt] 1 PRET, PP *of* **rend**
2 s husleie *c* ❑ *40% of his income goes on rent.* 40 % av inntekten hans går til husleien.
3 VT (**a**) (*+house, room, television, car*) leie (*v3*)
(**b**) (*also* ***rent out***) leie (*v3*) ut
rental ['rɛntl] s leie *c* ❑ *The quarterly rental will be £35.* Leien vil bli* på 35 pund pr kvartal.
rent boy (*sl*) s *ung mannlig prostituert*
renunciation [rɪnʌnsɪ'eɪʃən] s (**a**) (*of belief, course of action*) *det å ta* avstand* NB *Their public renunciation of violence...* Ved å ta* avstand fra vold i all offentlighet...
(**b**) (*of claim, right, title*) avkall *nt* ❑ *Legislation allowing the renunciation of titles...* Lovgivning som tillater at man gir avkall på titler...
(**c**) (*self-denial*) forsakelse *m* ❑ *There is no need for renunciation or sacrifice.* Det er ikke noe behov for forsakelse eller offer.
reopen [riː'əupən] VT (*+shop, restaurant, negotiations, legal case*) gjenåpne (*v1*)
reopening [riː'əupnɪŋ] s (*of shop, restaurant, negotiations, legal case*) gjenåpning *c*
reorder [riː'ɔːdəʳ] VT (*= rearrange: papers*) stokke (*v1*) om på, ordne (*v1*) på nytt; (*+furniture*) flytte (*v1*) på; (*= order again, more of*) bestille (*v2x*) på nytt
reorganization ['riːɔːgənaɪ'zeɪʃən] s omorganisering *c* ❑ *...a reorganisation of the Health Service...* en reorganisering av helsevesnet...
reorganize [riː'ɔːgənaɪz] VT omorganisere (*v2*)
rep [rɛp] s FK (*sl: MERK*) representant *m*; (*TEAT*) = **repertory**
Rep. (*US: POL*) FK = **representative, republican**
repair [rɪ'pɛəʳ] 1 s reparasjon *m* ❑ *He had taken his car for repairs...* Han hadde satt inn bilen sin til reparasjon...
2 VT (**a**) (*+clothes, shoes, car, engine, building*) reparere (*v2*)
(**b**) (*+road*) utbedre (*v1*)
▸ **in good/bad repair** i god/dårlig stand
▸ **to be beyond repair** ikke kunne* repareres ❑ *...the machine is beyond repair.* ...maskinen kan ikke repareres.
▸ **under repair** under utbedring
repair kit s reparasjonssett *nt*; (*for bicycles etc*) lappesaker *pl*
repair man *irreg* s reparatør *m*
repair shop s verksted *m*
repartee [rɛpɑː'tiː] s replikkveksling *c*
repast [rɪ'pɑːst] (*fml*) s måltid *nt*
repatriate [riː'pætrɪeɪt] VT sende (*v2*) hjem, repatriere (*v2*)
repay [riː'peɪ] *irreg* VT (**a**) (*+money, person, debt, loan*) betale (*v2*) tilbake
(**b**) (*+sb's efforts, attention*) fortjene (*v2*) ❑ *His operas repay much closer listening than his concertos.* Operaene hans fortjener en mye grundigere lytting enn konsertene hans.
(**c**) (*+favour*) gjøre* gjengjeld for
repayment [riː'peɪmənt] s tilbakebetaling *c* ❑ *...mortgage repayments...* tilbakebetalinger på boliglån... *the repayment of international debts.* ...en tilbakebetaling av utenlandsgjelden.
repeal [rɪ'piːl] 1 s opphevelse *m* ❑ *...a campaign for the repeal of incomes legislation.* ...en kampanje for å få* opphevet inntektslovgivningen.
2 VT oppheve (*v1*)
repeat [rɪ'piːt] 1 s (*RADIO, TV*) reprise *m*
2 VT (**a**) (*+statement, question, action, mistake, order, performance, pattern*) gjenta*
(**b**) (*RADIO, TV*) sende (*v2*) i reprise ❑ *"How Many Miles to Babylon" is being repeated on Radio 4...* "Hvor mange mil til Babylon" blir sendt i reprise på Radio 4...
(**c**) (*SKOL: class, course*) gå* om igjen
3 VI gjenta* ❑ *There is, I repeat, a contradiction here...* Det er, gjentar jeg, en uoverensstemmelse her...
4 SAMMENS ▸ **repeat performance (of)** repetisjon *m* (av), reprise *m* (på) ❑ *The final was a repeat performance of last year...* Finalen var en repetisjon av *or* reprise på det som skjedde i fjor...
▸ **repeat prescription** fornyet resept *nt*
▸ **to repeat o.s.** gjenta seg selv ❑ *People tend to*

repeat themselves when they are speaking spontaneously. Folk har en tendens til å gjenta seg selv når de snakker spontant.
▸ **to repeat itself** gjenta seg ❑ *History often repeats itself.* Historien gjentar seg ofte.

repeatedly [rɪ'pi:tɪdlɪ] ADV gjentatte ganger

repel [rɪ'pɛl] VT (*+enemy, attack*) drive* tilbake; (*appearance, smell+*) frastøte (*v2*)

repellent, **repellant** [rɪ'pɛlənt] 1 ADJ (*appearance, smell, idea, thought*) ▸ **repellent (to)** frastøtende (for) ❑ *The idea of eating meat has become repellent to me...* Tanken på å spise kjøtt har blitt frastøtende for meg...
2 S ▸ **insect repellent** insektmiddel *nt*

repent [rɪ'pɛnt] VI ▸ **to repent (of)** (*+sin, mistake*) angre (*v1*)

repentance [rɪ'pɛntəns] s anger *m*

repercussions [ri:pə'kʌʃənz] SPL (uforutsette) følger ❑ *If Hong Kong fails, it will have repercussions all over the world...* Hvis Hong Kong mislykkes, vil det få* (uforutsette) følger over hele verden...

repertoire ['rɛpətwɑ:ʳ] s (*MUS, TEAT, fig*) repertoar *nt* ❑ *She has an extraordinarily wide repertoire...* Hun har et usedvanlig bredt repertoar...

repertory ['rɛpətərɪ] s (*also* ***repertory theatre***) *teater med fast ansatte skuespillere*

repertory company s teaterkompani *nt*

repetition [rɛpɪ'tɪʃən] s gjentakelse *m*, repetisjon *m* ❑ *He didn't want a repetition of the scene with his mother.* Han ønsket ikke noen gjentakelse *or* repetisjon av scenen med moren hans.

repetitious [rɛpɪ'tɪʃəs] ADJ (*speech, account*) full av gjentakelser

repetitive [rɪ'pɛtɪtɪv] ADJ (*movement, work*) ensformig; (*speech*) full av gjentakelser; (*noise*) som stadig gjentar seg

replace [rɪ'pleɪs] VT (**a**) (= *put back*) sette* tilbake ❑ *He replaced the book on the shelf.* Han satte boka tilbake på hylla.
(**b**) (= *take the place of*) erstatte (*v1*) ❑ *...a new sweater to replace the one he lost...* en ny genser for å erstatte den han mistet...
▸ **to replace sth with sth else** erstatte (*v1*) noe med noe annet ❑ *The airline is replacing its DC10s with Boeing 747s...* Flyselskapet er i ferd med å erstatte DC10-flyene sine med Boeing 747...
▸ **"replace the receiver"** "legg på røret"

replacement [rɪ'pleɪsmənt] s (**a**) (*for person*) etterfølger *m* ❑ *His replacement was due any day now.* Hans etterfølger skulle* komme når som helst nå.
(**b**) (*for object*) erstatning *c* ❑ *...the electric car was not a replacement for conventional vehicles.* ...elektriske biler var ikke noen erstatning for tradisjonelle kjøretøyer.
(**c**) (= *substitution*) ▸ **the replacement of steam by diesel.** at damp ble erstattet av diesel.

replacement part s (*for machine*) reservedel *m*

replay [*N* 'ri:pleɪ, *VB* ri:'pleɪ] 1 s (*of match*) omkamp *m* ❑ *United beat Rovers after a replay.* United slo Rovers etter en omkamp.
2 VT (*+track, song*) spille (*v2x*) om igjen
▸ **to replay a match** spille (*v2x*) omkamp

replenish [rɪ'plɛnɪʃ] VT fylle (*v2x*) på

replete [rɪ'pli:t] ADJ godt forsynt
▸ **replete with** mettet med

replica ['rɛplɪkə] s kopi *m*

reply [rɪ'plaɪ] s svar *nt* ❑ *...a dozen replies to my request...* et dusin svar på min forespørsel...
▸ **in reply to your question...** som svar på spørsmålet ditt...
▸ **"In reply to your letter ..."** "Som svar på Deres brev ..."
▸ **there's no reply** (*TEL*) det svarer ikke

reply coupon s svarkupong *m*

report [rɪ'pɔ:t] 1 s (**a**) (*account*) rapport *m*, beretning *c* ❑ *Write a report on...* Skriv en rapport *or* beretning om...
(**b**) (*PRESS, TV etc*) rapport *m*, melding *c* ❑ *...a news report.* ...en nyhetsrapport *or* nyhetsmelding.
(**c**) (*BRIT*: ***school report***) vurdering *c*
(**d**) (*of gun*) rapport *m* ❑ *There was a loud report as the gun fired.* Det hørtes en sterk rapport da våpenet gikk av.
2 VT (**a**) (*say, state*) rapportere (*v2*) ❑ *I have nothing else to report...* Jeg har ikke noe annet å rapportere...
(**b**) (*PRESS, TV etc*) referere (*v2*) ❑ *...widely reported in the press.* ...mye referert i pressen.
(**c**) (*+casualties, damage etc*) melde (*v2*) om ❑ *No casualties were reported...* Det ble ikke meldt om noen omkomne...
(**d**) (= *bring to notice: theft, accident, death, person*) melde (*v2*) ❑ *Accidents have to be reported to the police.* Ulykker må meldes til politiet. *He reported his friend for not paying his taxes.* Han meldte vennen sin for ikke å ha* betalt skatt.
3 VI (= *make a report*) skrive* en utredning *or* rapport
▸ **to report to sb** (**a**) (= *present o.s. to*) melde (*v2*) seg for noen ❑ *He was told to report to the manager when he arrived.* Han ble bedt om å melde seg for sjefen når han kom.
(**b**) (= *be responsible to*) være* ansvarlig overfor ❑ *You'll be reporting to Mr Harland.* Du er ansvarlig overfor Harland.
▸ **to report on sth** avgi* rapport om
▸ **to report sick** sykmelde (*v2*) seg
▸ **it is reported that** det meldes om *or* rapporteres at

report card (*US, SCOT*) s ≈ vurderingsbok *c*

reportedly [rɪ'pɔ:tɪdlɪ] ADV ▸ **she is reportedly living in Spain** det sies at hun bor i Spania
▸ **he reportedly ordered them to...** det sies at han kommanderte dem til å...

reported speech s indirekte tale *m*

reporter [rɪ'pɔ:təʳ] s reporter *m*

repose [rɪ'pəuz] s ▸ **to be in repose** (*face*) være* *or* ligge* i rolige folder

repository [rɪ'pɔzɪtərɪ] s (**a**) (*person: of knowledge*) oppkomme *nt*
(**b**) (*place: of collection etc*) oppbevaringssted *nt* ❑ *...a repository for his collection of seashells.* ...et oppbevaringssted for skjellsamlingen hans.

repossess ['ri:pə'zɛs] VT (*+goods*) ta* tilbake (*særlig varer som ikke har blitt betalt*)

repossession order [ri:pə'zɛʃən-] s rettslig kjennelse *m* for tilbakelevering av eiendom ved misligshold av lån

reprehensible [rɛprɪ'hɛnsɪbl] ADJ (*behaviour*) forkastelig

represent [rɛprɪ'zɛnt] VT (**a**) (*+person, nation, view, belief, idea*) representere (*v2*) ❑ *Lawyers representing relatives of the victims...* Advokater som representerer de pårørende til de omkomne... *These views don't represent the real thinking of the American people.* Disse synspunktene representerer ikke den virkelige tankegangen til det amerikanske folk. *It represented a major advance in...* Det representerte et viktig framskritt i...
(**b**) (= *symbolize: word, object*) forestille (*v2x*), stå* for ❑ *"Love" was represented by a small heart.* Det lille hjertet stod for *or* skulle* forestille "Kjærligheten".. "Kjærligheten" var byttet ut med et lite hjerte. *...c represents the speed of light* ...c står for lysets hastighet.
▸ **to represent sth as** framstille (*v2x*) noe som ❑ *The withdrawal was represented as a military success.* Tilbaketrekningen ble framstilt som en militær suksess.

representation [rɛprɪzɛn'teɪʃən] S (**a**) (= *state of being represented*) representasjon *m* ❑ *...student representation...* studentrepresentasjon...
(**b**) (*picture, statue*) framstilling *c* ❑ *Her work is a subjective representation of the external world...* Arbeidet hennes er en subjektiv framstilling av den ytre verden...
▸ **representations** SPL (*protest*) innsigelser

representative [rɛprɪ'zɛntətɪv] 1 S representant *m*
2 ADJ (*group, survey, cross-section*) representativ
▸ **representative of** representativ for

repress [rɪ'prɛs] VT (*+people, revolt, feeling, impulse*) undertrykke (*v2x*)

repression [rɪ'prɛʃən] S (*of people, country, feelings*) undertrykkelse *m* ❑ *They fight all forms of repression...* De sloss mot alle former for undertrykkelse... *sexual repression.* ...undertrykkelse av seksualitet.

repressive [rɪ'prɛsɪv] ADJ (*society, measures*) undertrykkende

reprieve [rɪ'pri:v] 1 S (**a**) (*JUR*) benådning *c* NB *He was granted a reprieve.* Han ble benådet.
(**b**) (*fig*) befrielse *m* ❑ *The finding of oil represents a reprieve for the islanders.* Oljefunnet representerer en befrielse for øybefolkningen.
2 VT (*JUR*) benåde (*v1*)

reprimand ['rɛprɪmɑ:nd] 1 S refs *m*, reprimande *m*
2 VT refse (*v1*), gi* en reprimande

reprint [*N* 'ri:prɪnt, *VT* ri:'prɪnt] 1 S opptrykk *nt*
2 VT trykke (*v2x*) opp igjen

reprisal [rɪ'praɪzl] S hevn *m* ❑ *...threats of reprisal.* ...trusler om hevn.
▸ **reprisals** SPL hevnaksjoner, represalier
▸ **to take reprisals** iverksette* hevnaksjoner *or* represalier

reproach [rɪ'prəutʃ] 1 S bebreidelse *m*
2 VT ▸ **to reproach sb for sth** bebreide (*v1*) noen for noe
▸ **beyond reproach** hevet over enhver kritikk
▸ **to reproach sb with sth** bebreide (*v1*) noen for noe

reproachful [rɪ'prəutʃful] ADJ (*look, remark*) bebreidende

reproduce [ri:prə'dju:s] 1 VT (**a**) (= *copy: document etc*) gjengi*, reprodusere (*v2*) ❑ *The Times reproduced the original letter.* The Times gjengav *or* reproduserte originalen til brevet.
(**b**) (*+sound*) gjengi* ❑ *She tried to reproduce his accent...* Hun prøvde å gjengi dialekten hans...
2 VI (*BIO*) formere (*v2*) seg ❑ *Bacteria reproduce by splitting into two.* Bakterier formerer seg ved å dele seg i to.

reproduction [ri:prə'dʌkʃən] S (**a**) (*of document: copy*) kopi *m*
(**b**) (= *copying*) gjengivelse *m* ❑ *Do you have any objection to the reproduction of the report?* Har du noe imot at rapporten blir gjengitt?
(**c**) (*of sound*) gjengivelse *m* ❑ *The sound reproduction is poor on my stereo...* Lydgjengivelsen er dårlig på stereoanlegget mitt...
(**d**) (*of painting, furniture*) reproduksjon *m*
(**e**) (*BIO*) forplantning *c* ❑ *...human reproduction...* menneskets forplantning...

reproductive [ri:prə'dʌktɪv] ADJ (*system, process, organs*) forplantnings-

reproof [rɪ'pru:f] S bebreidelse *m*
▸ **with reproof** (*look at etc*) bebreidende, med bebreidelse

reprove [rɪ'pru:v] VT bebreide (*v1*)
▸ **to reprove sb for sth** bebreide (*v1*) noen for noe

reproving [rɪ'pru:vɪŋ] ADJ bebreidende

reptile ['rɛptaɪl] S reptil *m*, krypdyr *nt*

Repub. (*US: POL*) FK = **republican**

republic [rɪ'pʌblɪk] S republikk *m*

republican [rɪ'pʌblɪkən] 1 ADJ republikansk
2 S republikaner *m*

repudiate [rɪ'pju:dɪeɪt] VT (*+accusation*) benekte (*v1*); (*+violence*) ta* avstand fra; (*gam: friend, wife etc*) fornekte (*v1*)

repugnance [rɪ'pʌgnəns] S avsky *m*

repugnant [rɪ'pʌgnənt] ADJ motbydelig, avskyelig ❑ *The idea is wholly repugnant to me...* Tanken er fullstendig motbydelig *or* avskyelig for meg...

repulse [rɪ'pʌls] VT (**a**) (*+enemy, attack*) drive* tilbake
(**b**) (*sight, picture etc+*) frastøte (*v2*) ❑ *He was repulsed by what he saw.* Han ble frastøtt av det han så.

repulsion [rɪ'pʌlʃən] S vemmelse *m*

repulsive [rɪ'pʌlsɪv] ADJ (*sight, smell, taste, person*) frastøtende, vemmelig

reputable ['rɛpjutəbl] ADJ anerkjent, velrennomert

reputation [rɛpju'teɪʃən] S ry *nt*, rykte *nt* ❑ *She acquired a reputation as a very good writer.* Hun fikk ry(kte) på seg for å være* en svært god skribent.. Hun oppnådde ry som en svært god skribent.
▸ **to have a reputation for** ha* ry(kte) (på seg) for ❑ *The school has a good reputation for exam results.* Skolen har ry(kte) på seg for gode eksamensresultater.

repute [rɪ'pju:t] S ▸ **of repute** anerkjent, med høy anseelse ❑ *...two journals of repute...* to anerkjente tidsskrifter.... to tidsskrifter med høy anseelse...

▸ **to be held in high repute** ha* høy anseelse

reputed [rɪ'pjuːtɪd] ADJ som ryktes *or* påstås å være, påstått ❑ *...the reputed father of the child.* ...han som ryktes å være* faren til barnet.. ...den påståtte faren til barnet.

▸ **he is reputed to be psychic/rich** *etc* det påstås at han er synsk/rik *etc*

reputedly [rɪ'pjuːtɪdlɪ] ADV i følge rykter ❑ *...events that reputedly took place thousands of years ago.* ...handlinger som i følge rykter fant sted for tusenvis av år siden.

request [rɪ'kwɛst] [1] s (**a**) (= *polite demand*) forespørsel *m*, anmodning *m* ❑ *We have received thousands of requests for our fact sheets...* Vi har mottatt tusenvis av forespørsler *or* anmodninger om informasjonsskrivene våre...

(**b**) (= *formal demand*) anmodning *m* ❑ *The Government rejected their request for an inquiry.* Regjeringen avslo anmodningen deres om en granskning.

(**c**) (*RADIO*) (plate)ønske *nt* ❑ *I'm playing this request for Mary Jones...* Jeg spiller dette (plate)ønsket for Mary Jones...

[2] VT (*politely*) anmode (*v1*) om

▸ **Mr and Mrs X request the pleasure of your company...** (*fml*) Herr og fru X har gleden av å invitere Dem...

▸ **at the request of** på anmodning fra

▸ **"you are requested not to smoke"** "De anmodes om å la være* å røyke"

request stop (*BRIT*) s (*for bus*) *stoppested hvor bussen bare stopper på signal*

requiem ['rɛkwɪəm] s (*also* ***requiem mass***) sjelemesse *m*; (*MUS*) rekviem *nt irreg*

require [rɪ'kwaɪəʳ] VT (**a**) (= *need: person*) trenge (*v2*) ❑ *Is there anything you require, sir?* Er det noe De trenger?

(**b**) (= *demand*) kreve (*v3*) ❑ *The work isn't up to the standard I require.* Arbeidet holder ikke den standarden jeg krever.

▸ **to require sb to do sth** kreve (*v3*) *or* forutsette* at noen gjør noe ❑ *The course requires you to be bilingual...* Kurset krever *or* forutsetter at du er tospråklig...

▸ **to be required** (*approval, permission+*) trenges (*v25*), kreves (*v35*)

▸ **if required** om nødvendig, ved behov

▸ **what qualifications are required?** hvilke kvalifikasjoner er nødvendige?

▸ **required by law** påbudt

required [rɪ'kwaɪəd] ADJ nødvendig, påkrevd ❑ *...required standards.* ...den nødvendige *or* påkrevde standarden.

requirement [rɪ'kwaɪəmənt] s (**a**) (= *need*) behov *nt* ❑ *Mexico imported half her grain requirements in 1940...* Mexico importerte halvparten av sitt kornbehov i 1940...

(**b**) (*condition*) krav *nt*, betingelse *m* ❑ *Maths is no longer a prime requirement...* Matematikk er ikke lenger noe krav *or* noen betingelse...

▸ **to meet sb's requirements** tilfredsstille (*v2x*) noens krav

requisite ['rɛkwɪzɪt] [1] ADJ (*amount, majority etc*) nødvendig ❑ *...the requisite two-thirds majority for nomination.* ...det nødvendige to tredjedels flertall for å bli* nominert.

[2] s ▸ **toilet/travel requisites** toalettsaker *pl*/ reiseutstyr *nt sg*

requisition [rɛkwɪ'zɪʃən] [1] s ▸ **requisition (for)** rekvisisjon *m* (av)

[2] VT (*MIL*) rekvirere (*v2*)

reroute [riː'ruːt] VT (*+train etc*) omdirigere (*v2*)

resale [riː'seɪl] s videresalg *nt* ❑ *...discouraging the resale of land...* motvirke videresalg av landeiendommer...

▸ **"not for resale"** "videresalg forbudt"

resale price s veiledende pris *m* (fra forhandler)

rescind [rɪ'sɪnd] VT (*+law*) oppheve (*v1*); (*+decision, agreement*) tilbakekalle (*v2x*), annullere (*v2*); (*+order*) annullere (*v2*)

rescue ['rɛskjuː] [1] s (**a**) (= *help*) redning *m* ❑ *You might dream of rescue, but it's useless.* Du kan drømme om redning, men det er til ingen nytte.

(**b**) (*rescue attempt*) redningsaksjon *m* ❑ *The coastguard may be working on as many as 20 rescues...* Kystvakten kan arbeide med opp til 20 redningsaksjoner...

[2] VT (*+person, animal, company*) redde (*v1*)

▸ **to come to sb's rescue** komme* noen til unnsetning

rescue attempt s redningsaksjon *m*

rescue party s redningsmannskap *nt*

rescuer ['rɛskjuəʳ] s redningsmann *m irreg*

research [rɪ'səːtʃ] [1] s (**a**) (for)undersøkelser *pl*

(**b**) (*academic*) forskning *m*

[2] VT (*+story, subject*) utforske (*v1*), undersøke (*v2*)

[3] VI ▸ **to research into sth** forske (*v1*) på noe, utforske (*v1*) noe

▸ **to do research** forske (*v1*), drive* forskning

▸ **a piece of research** et forskningsarbeid

▸ **research and development** forskning og utvikling *c*

researcher [rɪ'səːtʃəʳ] s forsker *m*

research work s forskning *m*

research worker s forsker *m*

resell [riː'sɛl] *irreg* VT selge* videre

resemblance [rɪ'zɛmbləns] s likhet *m*

▸ **to bear a strong resemblance to** likne (*v1*) mye på, ha* mange felles trekk med

▸ **it bears no resemblance to...** det har ingen likhet med..., det likner overhodet ikke på...

resemble [rɪ'zɛmbl] VT likne (*v1*) ❑ *Physically, you resemble him very much.* Fysisk sett likner du mye på ham. *The situation resembles that of Europe in 1940...* Situasjonen likner den som var i Europa i 1940...

resent [rɪ'zɛnt] VT (*+attitude, treatment*) være* forbitret på, være* forarget over, mislike (*v2*); (*+person*) ha* noe imot

resentful [rɪ'zɛntful] ADJ (*person, attitude*) forarget, forbitret

resentment [rɪ'zɛntmənt] s forbitrelse *m*, uvilje *m* ❑ *He was filled with resentment...* Han ble fylt av forbitrelse *or* uvilje...

reservation [rɛzə'veɪʃən] s (**a**) (= *booking*) reservasjon *m*, bestilling *c* ❑ *Seat reservations are included in the ticket price.* Plassreservasjoner *or* plassbestillinger er inkludert i billettprisen.

(**b**) (*= doubt*) ▸ **reservation (about)** reservasjon *m* (mot), forbehold *nt* (mot) ❑ *This is the one big reservation I've got about the book...* Dette er den ene alvorlige reservasjonen *or* forbeholdet jeg har mot boka...
(**c**) (*land*) reservat *nt* ❑ *...the Navaho reservation...* Navahoreservatet...
▸ **to make a reservation** (**a**) (*in hotel*) bestille (*v2x*) rom
(**b**) (*on train*) bestille (*v2x*) plass
(**c**) (*in restaurant*) bestille (*v2x*) bord, reservere (*v2*) bord
▸ **with reservation(s)** (*doubts*) med forbehold ❑ *With reservation, I would recommend this film.* Med forbehold vil jeg anbefale denne filmen.

reservation desk (*US*) s (*in hotel*) resepsjon *m*

reserve [rɪ'zəːv] 1 s (**a**) (*of food, fuel, energy, talent*) reserver *pl* ❑ *We have large coal reserves...* Vi har store kullreserver... *He was able to draw on vast reserves of talent.* Han kunne* øse av veldige reserver av talent.
(**b**) (*SPORT*) reserve *m* ❑ *He's first reserve for Liverpool.* Han er førstereserve for Liverpool.
(**c**) (*nature reserve*) reservat *nt*
(**d**) (*= restraint*) reservasjon *m* ❑ *She lacked all reserve...* Hun manglet enhver form for reservasjon...
2 VT (**a**) (*= keep*) reservere (*v2*), forbeholde* ❑ *The garden is reserved for the use of employees.* Bruken av hagen er reservert for *or* forbeholdt de ansatte. *...a look of the sort usually reserved for children.* ...et blikk av det slaget som vanligvis er forbeholdt barn.
(**b**) (*+seat, table, ticket*) reservere (*v2*), bestille (*v2x*)
▸ **reserves** SPL (*MIL*) reservetropper, reserver
▸ **in reserve** i bakhånd ❑ *I kept some tranquillizers in reserve...* Jeg hadde noen beroligende piller i bakhånd...
see also **reserved**

reserve currency s valutareserve *m*

reserved [rɪ'zəːvd] ADJ (*= restrained*) reservert, tilbakeholden; (*seat*) reservert *see also* **reserve**

reserve price (*BRIT*) s minstepris *m* ❑ *The portrait sold for three times the reserve price.* Portrettet ble solgt for tre ganger minsteprisen.

reserve team (*BRIT*) s B-lag *nt*

reservist [rɪ'zəːvɪst] (*MIL*) s reservist *m*

reservoir ['rɛzəvwɑːʳ] s (*of water, of talent etc*) reservoar *nt* ❑ *Industry must have a reservoir of cheap labour...* Industrien må ha* et reservoar av billig arbeidskraft...

reset [riː'sɛt] *irreg* VT (*+clock, watch*) stille (*v2x*) på nytt; (*+broken bone*) reponere (*v2*), sette* tilbake i stilling; (*DATA*) starte (*v1*) på nytt

reshape [riː'ʃeɪp] VT (*+policy, view*) omdanne (*v1*) ❑ *...to reshape British defence policy.* ...å omdanne den britiske forsvarspolitikken.

reshuffle [riː'ʃʌfl] s ▸ **Cabinet reshuffle** ommøblering *c or* rokkering *c* i regjeringen

reside [rɪ'zaɪd] VI (*= live: person*) være* bosatt, ha* tilhold ❑ *It was said that a great poet had resided here.* Det ble sagt at en stor dikter hadde vært bosatt *or* hatt tilhold her.
▸ **reside in** VT FUS (*exist*) finnes (*irreg v5*) i, hvile (*v2*) i ❑ *Real power resides on the office floor...* Den virkelige makten finnes *or* hviler på grunnplanet i kontorene...

residence ['rɛzɪdəns] s (**a**) (*fml: home*) bolig *m*, residens *m* ❑ *...the prime minister's official residence...* statsministerens offisielle bolig *or* residens...
(**b**) (*= length of stay*) botid *c* ❑ *Average residence in one place is less than four years.* Den gjennomsnittlige botiden på ett sted er mindre en fire år.
▸ **to take up residence** slå* seg ned
▸ **to be in residence** (*queen etc*) være* til stede

residence permit (*BRIT*) s oppholdstillatelse *m*

resident ['rɛzɪdənt] 1 s (**a**) (*of country, town*) beboer *m* ❑ *The local residents complained about...* De lokale beboerne klaget på...
(**b**) (*in hotel*) (fast) gjest *m* ❑ *"Residents may not keep pets."* "Gjestene får ikke holde kjæledyr."
2 ADJ (**a**) (*living somewhere*) bosatt ❑ *Since 1947 she has been resident in Spain.* Siden 1947 har hun vært bosatt i Spania.
(**b**) (*population*) fastboende ❑ *The area has a resident population of roe deer.* Området har en fastboende stamme av rådyr.
(**c**) (*doctor, landlord*) som bor på arbeidsstedet

residential [rɛzɪ'dɛnʃəl] ADJ (*area*) bolig-; (*course*) hvor deltakerne bor på kursstedet; (*staff*) som bor på arbeidsstedet

residue ['rɛzɪdjuː] s (**a**) (*KJEM*) rest *m* ❑ *Residues of pesticides...* Rester av sprøytemidler...
(**b**) (*fig*) snev *nt*, ettersmak *m* ❑ *The incident left her with a residue of guilt.* Etter denne hendelsen satt hun igjen med et snev *or* en ettersmak av skyldfølelse.

resign [rɪ'zaɪn] VTI si* opp
▸ **to resign o.s. to** (*+situation, fact*) avfinne* seg med

resignation [rɛzɪg'neɪʃən] s (**a**) (*from post*) oppsigelse *m* ❑ *He has accepted my resignation.* Han har akseptert oppsigelsen min.
(**b**) (*state of mind*) resignasjon *m* ❑ *She spoke with quiet resignation.* Hun snakket med rolig resignasjon.
▸ **to tender one's resignation** levere (*v2*) inn oppsigelse *or* avskjedssøknad

resigned [rɪ'zaɪnd] ADJ (*to situation etc*) resignert

resilience [rɪ'zɪlɪəns] s (**a**) (*of material*) spenst *m*, fjæring *c*
(**b**) (*of person*) evne *m* til å komme seg på fote igjen, overlevelsesevne *m* ❑ *The chairman has shown remarkable resilience...* Formannen har vist en bemerkelsesverdig evne til å komme seg på fote igjen *or* overlevelsesevne...

resilient [rɪ'zɪlɪənt] ADJ (*material*) elastisk, fjærende; (*person*) levedyktig

resin ['rɛzɪn] s kvae *m*

resist [rɪ'zɪst] VT (**a**) (*+change, demand, enemy, attack*) stå* imot ❑ *He resisted demands for a public enquiry.* Han sto imot kravene om en offentlig granskning. *...the last people who had resisted the Romans...* den siste folkegruppen som hadde stått imot romerne...
(**b**) (*+temptation, urge*) motstå*
▸ **I couldn't resist it** jeg kunne* ikke motstå det
▸ **I couldn't resist doing it** jeg klarte ikke å la

være* (å gjøre* det)

resistance [rɪ'zɪstəns] s (**a**) (*to change, demand, enemy, ELEK*) motstand *m* ❑ *There will be fierce resistance to these proposals...* Det vil være* kraftig motstand mot disse forslagene... *The advancing army had met with no resistance...* Den framrykkende troppen hadde ikke møtt noen motstand...
(**b**) (*to illness, infection*) motstand *m*, motstandskraft *m* ❑ *...bodily resistance to infection.* ...kroppens motstand mot infeksjoner.

resistant [rɪ'zɪstənt] ADJ ▸ **resistant (to)** (*to change etc*) motstandsdyktig (overfor); (*to antibiotics etc*) motstandsdyktig (overfor *or* mot)

resolute ['rɛzəlu:t] ADJ (*person*) resolutt, bestemt; (*refusal*) resolutt, blank

resolution [rɛzə'lu:ʃən] s (**a**) (= *decision*) resolusjon *m* ❑ *The French government supported the resolution...* Den franske regjeringen støttet resolusjonen....
(**b**) (= *determination*) beslutsomhet *m* ❑ *She shook her head with great resolution...* Hun ristet på hodet med stor beslutsomhet...
(**c**) (*of problem, difficulty*) løsning *c* NB *I longed for the resolution of the agonizing dilemma.* Jeg lengtet etter en løsning på det pinefulle dilemmaet.
▸ **to make a resolution** ha* gode forsetter ❑ *I'm always making resolutions, like giving up smoking...* Jeg har alltid gode forsetter, som å slutte å røyke...
▸ **a New Year resolution** et nyttårsforsett

resolve [rɪ'zɔlv] 1 s (= *determination*) beslutning *c* ❑ *...our resolve to oppose them.* ...vår beslutning om å gå* imot dem.
2 VT (+*problem, difficulty*) løse (*v2*)
3 VI ▸ **to resolve to do sth** beslutte (*v1*) å gjøre* noe

resolved [rɪ'zɔlvd] ADJ ▸ **resolved (to do)** bestemt (på å gjøre), besluttet (på å gjøre) ❑ *I was firmly resolved to speak to her.* Jeg var fast bestemt på å snakke med henne.

resonance ['rɛzənəns] s resonans *m*

resonant ['rɛzənənt] ADJ (**a**) (*sound, voice*) sonor, gjenlydende
(**b**) (*cavity, place*) med mye/god resonans *or* gjenlyd ❑ *...a deep resonant cave.* ...en dyp hule med mye resonans *or* gjenlyd.

resort [rɪ'zɔ:t] 1 s (**a**) (*town*) (ferie)sted *nt*
(**b**) (= *recourse*) ▸ **without resort to** uten å ty til *or* gripe til ❑ *...to explain the universe without resort to gods or demons.* ...forklare universet uten å ty til *or* gripe til guder eller demoner.
2 VI ▸ **to resort to** ty (*v4*) til, gripe* til ❑ *You must never resort to violence...* Du må aldri ty *or* gripe til vold...
▸ **a seaside/winter sports resort** et badested/vintersportssted
▸ **as a last resort** som en siste utvei
▸ **in the last resort** i siste instans

resound [rɪ'zaund] VI ▸ **to resound (with)** gjenlyde* (av), gi* gjenklang (av) ❑ *The room began to resound with his powerful voice.* Rommet begynte å gjenlyde *or* gi* gjenklang av den kraftige stemmen hans.. Det begynte å gjalle i rommet av den kraftige stemmen hans.

resounding [rɪ'zaundɪŋ] ADJ (*noise, voice*) gjallende, rungende; (*fig: success, victory*) dundrende, brak-

resource [rɪ'zɔ:s] s (= *raw material*) ressurs *m* (*var.* resurs) ❑ *...a new resource for the future.* ...en ny ressurs for framtiden.
▸ **resources** 1 SPL (**a**) (*coal, iron, oil etc*) ressurser (*var.* resurser) ❑ *...Britain's energy resources...* Storbritannias energiressurser...
(**b**) (*money*) midler ❑ *Julius had invested all his resources in a restaurant.* Julius hadde investert alle sine midler i en restaurant.
2 VT ▸ **to be fully/inadequately resourced** ha* nok/for lite ressurser
▸ **natural resources** naturressurser

resourceful [rɪ'zɔ:sful] ADJ ressurssterk, snarrådig

resourcefulness [rɪ'zɔ:sfulnɪs] s snarrådighet *m*

respect [rɪs'pɛkt] 1 s (= *consideration, esteem*) respekt *m* ❑ *They treat one another's wives with extreme respect.* De behandler hverandres koner med meget stor respekt.
2 VT (+*person, sb's wishes, beliefs, custom*) respektere (*v2*)
▸ **respects** SPL ▸ **(give) my respects to His Lordship** overbring hilsner fra meg til Hans Nåde
▸ **to have respect for sb/sth** ha* respekt for noen/noe
▸ **to show sb/sth respect** vise (*v2*) respekt for noen/noe, vise (*v2*) noen/noe respekt
▸ **out of respect for** av respekt for ❑ *He stayed away from the funeral out of respect for the family's wishes.* Han holdt seg vekk fra begravelsen av respekt for familiens ønsker.
▸ **with (all due) respect** med respekt å melde ❑ *But Mr Hume, with respect, that wouldn't work...* Men herr Hume, med respekt å melde, det ville* ikke fungere...
▸ **with respect to** *or* **in respect of** med hensyn til, angående
▸ **in this respect** i dette henseende, på dette punktet
▸ **in some/many respects** på noen/mange måter

respectability [rɪspɛktə'bɪlɪtɪ] s respektabilitet *m* ❑ *...middle-class respectability.* ...middelklasserespektabilitet.

respectable [rɪs'pɛktəbl] ADJ (*person, area, background, amount, income, standard*) respektabel, anstendig

respected [rɪs'pɛktɪd] ADJ (*scholar, actor etc*) respektert, ansett

respectful [rɪs'pɛktful] ADJ (*person, behaviour*) ærbødig, respektfull

respectfully [rɪs'pɛktfəlɪ] ADV (*behave*) ærbødig, respektfullt

respective [rɪs'pɛktɪv] ADJ respektiv ❑ *He drove them both to their respective homes...* Han kjørte dem begge til deres respektive hjem...

respectively [rɪs'pɛktɪvlɪ] ADV henholdsvis

respiration [rɛspɪ'reɪʃən] s respirasjon *m* *see* **artificial**

respirator ['rɛspɪreɪtə'] s respirator *m*

respiratory ['rɛspərətərɪ] ADJ (*system, failure*)

puste-, respirasjons-
respite ['rɛspaɪt] s (= *rest*) ▸ **respite (from)** opphold *nt* (i), pusterom *nt* (fra) ❑ *There was absolutely no respite from the noise.* Det var absolutt ikke noe opphold i *or* pusterom fra støyen.
resplendent [rɪs'plɛndənt] ADJ praktfull ❑ *Ted was resplendent in his best grey suit...* Ted var praktfull i sin beste grå dress...
respond [rɪs'pɔnd] VI (**a**) (= *answer*) svare (*v2*) ❑ *The crowd waved and the ship responded with a blast on its siren.* Folkemengden vinket, og skipet svarte med å blåse i fløyten.
(**b**) (= *react*) ▸ **to respond to**
(**c**) (*pressure, criticism*) ta* til følge ❑ *The government has responded to pressure...* Regjeringen har tatt presset til følge...
(**d**) (*treatment*) reagere (*v2*) på
respondent [rɪs'pɔndənt] (*JUR*) s innstevnet *m decl as adj*
response [rɪs'pɔns] s ▸ **response (to)** (**a**) (*to question*) svar *nt* (på) ❑ *That was the initial response to my question...* Det var det umiddelbare svaret på spørsmålet mitt...
(**b**) (*to situation, event*) reaksjon *m* (på), respons *m* (på) ❑ *The Government response to the recent riots was firm...* Regjeringens reaksjon *or* respons på opprørene i den siste tiden var kontant...
▸ **in response to** som svar på
responsibility [rɪspɔnsɪ'bɪlɪtɪ] s (**a**) (*liability, duty*) ansvar *nt* ❑ *I made a mistake and I will assume responsibility for it.* Jeg gjorde en feil, og jeg vil ta* ansvar for den. *The steering of the ship remained his responsibility...* Å styre skipet forble hans ansvar...
(**b**) (= *obligation*) ansvar *nt*, forpliktelse *m* ❑ *The Treasurer has a responsibility to his Board of Directors.* Kassereren har et ansvar *or* en forpliktelse overfor styret.
▸ **to take responsibility for sth/sb** ta* ansvar for noe/noen ❑ *Women still take most of the responsibility for the children...* Kvinner tar fremdeles mesteparten av ansvaret for barna...
responsible [rɪs'pɔnsɪbl] ADJ (**a**) (*person: in charge*) ansvarlig
(**b**) (= *sensible, trustworthy*) ansvarlig, ansvarsfull, ansvarsbevisst
(**c**) (*job*) ansvarsfull
▸ **to be responsible for sth/doing sth** være* ansvarlig for noe/for å gjøre* noe, ha/ta ansvar(et) for noe/for å gjøre* noe ❑ *...patients who aren't really responsible for their own behaviour.* ...pasienter som ikke egentlig er ansvarlige *or* kan ta* ansvar for sin egen oppførsel. *The children were responsible for cleaning their own rooms.* Barna var ansvarlige *or* hadde ansvaret for å vaske sine egne rom.
▸ **to be responsible to sb** være* ansvarlig overfor noen
responsibly [rɪs'pɔnsɪblɪ] ADV (*act*) ansvarlig, ansvarsfullt, ansvarsbevisst
responsive [rɪs'pɔnsɪv] ADJ (**a**) (= *reactive*) mottakelig, lydhør ❑ *...the most responsive members of the audience.* ...de mest mottakelige *or* lydhøre medlemmene av forsamlingen.
(**b**) (*to sb's needs, interests etc*) ▸ **responsive (to)** lydhør (overfor) ❑ *The police try to be responsive to the needs of the local community.* Politiet prøver å være* lydhørt overfor behovene til lokalsamfunnet.
(**c**) (*motor, engine*) som reagerer fort
rest [rɛst] 1 s (**a**) (= *relaxation*) hvile *m* ❑ *Try to get some rest...* Prøv å få* litt hvile...
(**b**) (= *pause*) hvil *m* ❑ *I need a rest...* Jeg trenger en hvil...
(**c**) (= *remainder*) rest *m* ❑ *...the rest of his life...* resten av sitt liv...
(**d**) (*support*) støtte *m* ❑ *...a foot rest...* en fotstøtte...
(**e**) (*MUS*) pause *m*
2 VI (= *relax*) hvile (*v2*) (seg) ❑ *Go back to bed and rest...* Gå tilbake til sengs og hvil deg...
3 VT (+*eyes, legs, muscles*) hvile (*v2*)
▸ **the rest (of them)** (*people, objects*) resten (av dem)
▸ **to put** *or* **set sb's mind at rest** berolige (*v1*) noen
▸ **to come to rest** stanse (*v1*), stoppe (*v1*)
▸ **to lay sb to rest** stede (*v2*) noen til hvile
▸ **to rest sth on/against sth** (= *lean*) hvile (*v2*) noe mot ❑ *She rested her head on his shoulder.* Hun hvilte hode sitt mot skulderen hans.
▸ **to rest on sth** (**a**) (= *lean: person, object*) hvile (*v2*) mot noe ❑ *Joseph stopped and rested on his broom...* Joseph stoppet og hvilte mot kosten sin...
(**b**) (= *be based: argument, claim*) hvile (*v2*) på ❑ *Your argument rests on a mistaken assumption.* Argumentet ditt hviler på en feilaktig antakelse.
▸ **to rest one's eyes** *or* **gaze on sth** hvile øynene (sine) *or* or blikket (sitt) på noe
▸ **to let the matter rest** la saken hvile
▸ **rest assured that...** vær forvisset *or* forsikret om at...
▸ **I won't rest until...** jeg gir meg ikke før...
▸ **I rest my case** (*hum*) jeg avslutter der
▸ **may he/she rest in peace** måtte* han/hun hvile i fred, fred over hans/hennes minne
restart [ri:'stɑ:t] VT (+*engine*) starte (*v1*) opp igjen; (+*work*) gå* tilbake til, begynne (*v2x*) igjen
restaurant ['rɛstərɔŋ] s restaurant *m*
restaurant car (*BRIT: JERNB*) s spisevogn *c*
rest cure s hvilekur *m*
restful ['rɛstful] ADJ (*music, lighting, atmosphere, place*) avslappende, beroligende
rest home s hvilehjem *nt*
restitution [rɛstɪ'tju:ʃən] s ▸ **to make restitution to sb for sth** gi/betale (*v2*) erstatning til noen for noe
restive ['rɛstɪv] ADJ (*person, crew*) urolig, rastløs; (*horse*) urolig
restless ['rɛstlɪs] ADJ rastløs
restlessly ['rɛstlɪslɪ] ADV rastløst, hvileløst
restock [ri:'stɔk] VT (+*shop*) fylle (*v2x*) opp (i), fornye (*v1*) (vare)beholdningen i; (+*freezer*) fylle (*v2x*) opp (i); (+*lake, river: with fish*) fornye (*v1*) (fiske)bestanden i
restoration [rɛstə'reɪʃən] s (*of painting, church etc*)

restaurering *c*; (*of rights, of law and order*) gjenopprettelse *m*; (*of land*) tilbakeføring *c*; (*of health, sight*) restituering *c*, helbredelse *m*; (*HIST*) ▸ **the Restoration** restaurasjonstiden

restorative [rɪ'stɔrətɪv] 1 ADJ (*power, cure, treatment*) styrkende, helsebringende
2 S (*gam : drink*) hjertestyrker *m*

restore [rɪ'stɔːʳ] VT (**a**) (*+painting, building*) restaurere (*v2*)
(**b**) (*+law and order, faith, confidence*) gjenopprette (*v1*) ❑ ***This restored my faith in human nature.*** Det gjenopprettet min tro på menneskenaturen.
(**c**) (*+land*) tilbakeføre (*v2*)
(**d**) (*+stolen property*) erstatte (*v1*)
(**e**) (*+health, sight*) gi* tilbake *or* igjen
(**f**) (*to power, former state*) gjen(opp)reise (*v2*) ❑ ***He succeeded in restoring the Post Office to high profits.*** Han lyktes i å gjenreise postvesenet til en bedrift med stort overskudd.

restorer [rɪ'stɔːrəʳ] (*KUNST etc*) S konservator *m*

restrain [rɪs'treɪn] VT (**a**) (*+person*) holde* igjen, styre (*v2*), legge* bånd på
(**b**) (*+feeling*) beherske (*v1*), legge* bånd på ❑ ***She was unable to restrain her anger...*** Hun klarte ikke å beherske *or* legge bånd på sinnet sitt...
(**c**) (*+growth, inflation*) kontrollere (*v2*), holde* i tømme, legge* bånd på
▸ **to restrain sb from doing sth** legge* bånd på noen for at de skal la være* å gjøre* noe
▸ **to restrain oneself from doing sth** legge* bånd på seg for ikke å gjøre* noe

restrained [rɪs'treɪnd] ADJ (*person, behaviour*) behersket, avmålt; (*style, colours*) (av)dempet

restraint [rɪs'treɪnt] S (**a**) (= *restriction*) ▸ **restraint (on)** begrensning *m* (på), innskrenkning *m* (i) ❑ ***The king suffered few restraints on his freedom of action.*** Kongen hadde få* begrensinger på *or* innskrenkninger i sin handlefrihet.
(**b**) (= *moderation*) (selv)beherskelse *m* ❑ ***You need to show more restraint...*** Du må vise mer selvbeherskelse...
▸ **wage restraint** lønnsstopp *m*

restrict [rɪs'trɪkt] VT (*+growth, numbers, vision, movements, activities, membership*) begrense (*v1*)
▸ **membership is restricted to men** medlemskap er forbeholdt menn

restricted area (*BRIT : BIL*) S område *nt* med hastighetsbegrensing, 30-sone/40-sone/50-sone *c*

restriction [rɪs'trɪkʃən] S (**a**) (*of freedom, movement*) begrensing *m*, innskrenkning *m* ❑ ***These countries resented the restriction of their sovereignty...*** Disse landene mislikte begrensningene *or* innskrenkingene i selvråderetten deres...
(**b**) (*on growth, numbers, sales etc*) restriksjon *m*, begrensning *m* ❑ ***The government placed restrictions on sales of weapons.*** Regjeringen satte restriksjoner *or* begrensninger på salg av våpen.

restrictive [rɪs'trɪktɪv] ADJ (*law, policy, measure*) restriktiv; (*clothing*) som strammer

restrictive practices (*BRIT*) SPL konkurransebegrensning *m sg*

rest room (*US*) S toalett *nt*

restructure [riː'strʌktʃəʳ] VT (*+business, economy*) omstrukturere (*v2*), omorganisere (*v2*)

result [rɪ'zʌlt] 1 S (**a**) (= *consequence*) resultat *nt*, følge *m* ❑ ***His views are the direct result of...*** Synspunktene hans er et direkte resultat *or* en direkte følge av... ***with disastrous results.*** ...med katastrofale følger.
(**b**) (*of race, match, election, exam*) resultat *nt*
2 VI ▸ **to result in** resultere (*v2*) i
▸ **as a result of** som en følge av ❑ ***...as a result of sleeping late.*** ...som en følge av at jeg sov for lenge.
▸ **as a result it is...** følgelig er det...
▸ **to result from** komme* av, være* resultatet av

resultant [rɪ'zʌltənt] ADJ som blir/ble resultatet, som følger/fulgte

resume [rɪ'zjuːm] 1 VT (*+work, journey*) gjenoppta*; (*+seat*) sette* seg tilbake i/på
2 VI (= *start again*) begynne (*v2x*) igjen

résumé ['reɪzjuːmeɪ] S (= *summary*) resymé *nt*, sammenfatning *m*; (*US : curriculum vitae*) CV *m*

resumption [rɪ'zʌmpʃən] S (*of work, activity*) gjenopptakelse *m*

resurgence [rɪ'səːdʒəns] S (*of energy, activity*) (gjen)oppblomstring *c*, (gjen)oppblussing *c*

resurrection [rɛzə'rɛkʃən] S (*of hopes, fears*) gjenoppvåkning *m*; (*of event, custom*) gjenopptakelse *m*; (*REL*) ▸ **the Resurrection** oppstandelsen

resuscitate [rɪ'sʌsɪteɪt] VT (*MED*) gjenopplive (*v1*); (*fig : plan, idea*) gjenopplive (*v1*), blåse (*v2*) (nytt) liv i

resuscitation [rɪsʌsɪ'teɪʃən] (*MED*) S gjenopplivning *m*

retail ['riːteɪl] 1 ADJ (*trade, department, shop, goods*) detalj-
2 ADV i detalj, i smått ❑ ***...to sell them retail.*** ...selge dem i detalj *or* i smått.
3 VT (= *sell*) selge* i detalj *or* i smått
4 VI ▸ **to retail at £25** selges (*v5, no past tense*) i detaljhandel til 25 pund

retailer ['riːteɪləʳ] S detaljist *m*

retail outlet S detaljforhandler *m*

retail price S utsalgspris *m*, detaljpris *m*

retail price index S detaljprisindeks *m*

retain [rɪ'teɪn] VT (*+independence, humour, heat, moisture*) beholde*, bevare (*v2*); (*+ticket, souvenir*) beholde*

retainer [rɪ'teɪnəʳ] S (*fee*) forskudd *nt*, forskuddshonorar *nt*

retaliate [rɪ'tælɪeɪt] VI hevne (*v1*) seg ❑ ***They retaliated against the enemy attack by...*** De hevnet seg mot fiendens angrep ved å...

retaliation [rɪtælɪ'eɪʃən] S hevn *m*, gjengjeldelse *m*
▸ **in retaliation for** som en hevn for, til gjengjeldelse for

retaliatory [rɪ'tælɪətərɪ] ADJ (*move, attack*) hevn-, gjengjeldelses-

retarded [rɪ'tɑːdɪd] ADJ (**a**) (*child*) tilbakestående
(**b**) (*development, growth*) forsinket
▸ **mentally retarded** mentalt tilbakestående

retch [rɛtʃ] VI brekke* seg

retention [rɪ'tɛnʃən] S (**a**) (*of tradition, organization*) bevaring *c* ❑ ***He pleaded for the retention of the Centre.*** Han kjempet for bevaring av sentret.

(**b**) (*of land*) bevaring *c*, bibeholdelse *m* ❑ *Retention of these territories became a matter of national pride.* Bevaring *or* bibeholdelse av disse områdene begynte å dreie seg om nasjonal stolthet.
(**c**) (*of memories*) hukommelse *m*, retensjon *m* (*tech*) ❑ *The two most important aspects of memory are retention and recall.* De to viktigste delene av minnet er hukommelse *or* retensjon og erindring.
(**d**) (*of heat, fluid etc*) retensjon *m* ❑ *I suffer from fluid retention.* Jeg lider av væskeretensjon.

retentive [rɪ'tɛntɪv] ADJ ▸ **to have a retentive memory** ha* klisterhjerne

rethink ['riː'θɪŋk] VT revurdere (*v2*)

reticence ['rɛtɪsns] S tilbakeholdenhet *m*

reticent ['rɛtɪsnt] ADJ tilbakeholden, ordknapp

retina ['rɛtɪnə] S netthinne *m*, retina *m*

retinue ['rɛtɪnjuː] S følge *nt*

retire [rɪ'taɪəʳ] VI (**a**) (= *give up work*) gå* av med pensjon ❑ *Gladys retired at the age of sixty-eight...* Gladys gikk av med pensjon da hun var sekstiåtte...
(**b**) (= *withdraw, go to bed*) trekke* seg tilbake ❑ *I retired to my study upstairs...* Jeg trakk meg tilbake til rommet mitt oppe... *She retired early with a good book.* Hun trakk seg tidlig tilbake med en god bok.

retired [rɪ'taɪəd] ADJ pensjonert

retirement [rɪ'taɪəmənt] S (**a**) (*state*) pensjonisttilværelse *m* ❑ *...the house that his father had bought for his retirement...* huset som faren hans hadde kjøpt for sin pensjonisttilværelse *or* for å bo i når han ble pensjonist...
(**b**) (*act*) pensjonering *c* NB *He is on the verge of retirement...* Han skal snart pensjoneres...

retirement age S pensjonsalder *m*

retiring [rɪ'taɪərɪŋ] ADJ (**a**) (= *leaving*) avtroppende ❑ *...the retiring Labour MP.* ...den avtroppende Arbeiderpartirepresentanten.
(**b**) (= *shy*) tilbakeholden, reservert

retort [rɪ'tɔːt] 1 VI svare (*v2*) skarpt
2 S skarpt svar *nt*

retrace [riː'treɪs] VT ▸ **to retrace one's steps** gå* samme vei tilbake; (*fig*) følge* tråden tilbake ❑ *The argument is complicated, so let's retrace our steps.* Argumentasjonen er komplisert, så la oss følge tråden tilbake.

retract [rɪ'trækt] VT (+*promise, confession*) trekke* tilbake; (+*claws*) trekke* inn; (+*undercarriage*) trekke* opp

retractable [rɪ'træktəbl] ADJ (*undercarriage, aerial*) som kan trekkes opp *or* inn

retrain [riː'treɪn] 1 VT omskolere (*v2*)
2 VI omskolere (*v2*) seg

retraining [riː'treɪnɪŋ] S omskolering *c*

retread ['riːtrɛd] S (*tyre*) banelegge*

retreat [rɪ'triːt] 1 S (**a**) (*place*) tilbaketrukket sted *nt*, tilfluktssted *nt* ❑ *...a mountain retreat.* ...et tilbaketrukket sted *or* et tilfluktsted på fjellet.
(**b**) (= *withdrawal*) tilbaketrekning *m* ❑ *Her retreat into a dream world...* Det at hun trakk seg tilbake i *or* Tilbaketrekningen hennes inn i en drømmeverden...
(**c**) (*MIL*) tilbaketog *nt*, retrett *m*, tilbaketrekning *m* ❑ *...Napoleon's retreat from Moscow.* ...Napoleons tilbaketog *or* retrett *or* tilbaketrekning fra Moskva.
2 VI (**a**) (*from danger, enemy*) trekke* seg tilbake, gjøre* *or* slå* retrett
(**b**) (*from promise etc*) trekke* seg ❑ *The Government was retreating from its commitments.* Regjeringen var i ferd med å trekke seg fra forpliktelsene sine.
▸ **to beat a hasty retreat** trekke* seg fort unna, komme* seg fort unna

retrial [riː'traɪəl] (*JUR*) S ny saksbehandling *c*

retribution [rɛtrɪ'bjuːʃən] S straff *m*, straffedom *m*

retrieval [rɪ'triːvəl] S (*of object*) gjenervervelse *m*; (*DATA*) gjenfinning *c*

retrieve [rɪ'triːv] VT (**a**) (+*object*) få* tak i igjen, hente (*v1*) fram (igjen) ❑ *I ran back to my room and retrieved my bag...* Jeg løp tilbake til rommet mitt og fikk tak i vesken min igjen *or* hentet fram vesken min (igjen)...
(**b**) (= *put right: situation, error*) rette (*v1*) opp, bøte (*v2*) på
(**c**) (*dog+*) apportere (*v2*)
(**d**) (*DATA*) gjenfinne*, hente (*v1*) (fram)

retriever [rɪ'triːvəʳ] S retriever *m*

retro ['rɛtrəu] ADJ retro

retroactive [rɛtrəu'æktɪv] ADJ (*decision, agreement etc*) tilbakevirkende

retrograde ['rɛtrəgreɪd] ADJ (*step*) ▸ **a retrograde step** et tilbakeskritt

retrospect ['rɛtrəspɛkt] S ▸ **in retrospect** i ettertid

retrospective [rɛtrə'spɛktɪv] 1 ADJ (*exhibition*) minne-, tilbakeskuende; (*feeling, opinion*) tilbakeskuende, retrospektiv; (*law, tax*) tilbakevirkende
2 S (*KUNST*) minneutstilling *c*

return [rɪ'təːn] 1 S (**a**) (= *going back*) tilbakereise *c*, retur *m*
(**b**) (= *coming back*) retur *m*
(**c**) (*of sth stolen, borrowed etc*) tilbakelevering *c* ❑ *Greece will be offered the return of these treasures...* Hellas vil få* tilbud om at disse skattene blir levert tilbake...
(**d**) (*FIN: from land, shares, investment*) avkastning *m*, utbytte *nt* ❑ *The average return rises to just over 10%.* Den gjennomsnittlige avkastningen *or* det gjennomsnittlige utbyttet stiger til over 10 %.
(**e**) (*of merchandise*) retur *m* ❑ *The manufacturer is asking for the return of all faulty models.* Fabrikanten ber om at alle modeller med feil kommer i retur *or* blir returnert.
(**f**) (*DATA: key*) return *m*
2 SAMMENS (**a**) (*journey*) retur-, tilbake-
(**b**) (*ticket, match*) retur-
3 VI (**a**) (*person etc+ : come back*) komme* tilbake
(**b**) (= *go back*) dra* tilbake ❑ *I returned to my hotel...* Jeg kom/drog tilbake til hotellet mitt...
(**c**) (*feelings, symptoms etc+*) komme* tilbake ❑ *If the pain returns, repeat the treatment.* Hvis smerten kommer tilbake, gjenta behandlingen.
4 VT (**a**) (+*favour etc*) gjøre* gjengjeld for ❑ *I promise I'll return the favour some day.* Jeg lover

å gjøre* gjengjeld (for tjenesten) en dag.
(**b**) (*+sth borrowed, stolen etc*) levere (*v2*) tilbake, gi* tilbake
(**c**) (*JUR : verdict*) avgi*, avsi* ❑ *The jury returned a verdict of guilty but insane.* Juryen avgav *or* avsa en dom på sinnsyk i gjerningsøyeblikket.
(**d**) (*POL : candidate*) velge* ❑ *Benn was returned with a majority of 15,000.* Benn ble valgt med et flertall på 15 000.
(**e**) (*+ball*) returnere (*v2*) ❑ *Clarke passed the ball to Breslin, who returned it immediately.* Clarke sentret ballen til Breslin som straks returnerte den.
(**f**) (*+greeting*) ▸ **to return sb's greeting** hilse (*v2*) tilbake
▸ **returns** SPL (= *profit*) avkastning *m sg*, utbytte *nt sg* ❑ *Companies seek higher returns...* Firmaer søker høyere avkastning *or* utbytte...
▸ **tax return** selvangivelse *m* ❑ *I have to fill in my tax return.* Jeg må fylle ut selvangivelsen min.
▸ **in return (for)** til gjengjeld (for), som gjenytelse (for) ❑ *They had nothing to give in return...* De kunne* ikke gi* noe i gjengjeld *or* som gjenytelse...
▸ **by return of post** med neste *or* første post
▸ **many happy returns (of the day)!** tillykke med dagen!, gratulerer med dagen!

▸ **return to** VT FUS (= *regain : consciousness, power*) komme* til

returnable [rɪ'tə:nəbl] ADJ (*bottle etc*) retur-

returner [rɪ'tə:nəʳ] s (*to work*) *person som går tilbake til arbeidslivet*

returning officer (*BRIT*) s ≈ leder *m* for valgstyre

return key (*DATA*) s linjeskift *nt*, return *m*

reunion [ri:'ju:nɪən] s gjenforening *c*

reunite [ri:ju:'naɪt] VT (**a**) (*+people*) gjenforene (*v2*) ❑ *He was reunited with his wife after the war.* Han ble gjenforent med kona si etter krigen.
(**b**) (*+organization, country etc*) samle (*v1*) igjen ❑ *He worked hard to reunite the Labour movement.* Han arbeidet hardt for å samle arbeiderbevegelsen igjen.

rev [rɛv] (*BIL*) 1 s FK (= *revolution*) omdreining *m*
2 VT (*also* ***rev up****: engine*) ruse (*v2*), gi* gass til

revaluation [ri:vælju'eɪʃən] s (*of property*) omtakst *m*; (*of currency*) oppskriving *c*; (*of attitudes*) revurdering *c*, omvurdering *c*

revamp [ri:'væmp] VT omarbeide (*v1*); (*+organization, company, system*) omkalfatre (*v1*)

rev counter (*BRIT : BIL*) s turteller *m*

Rev(d). (*REL*) FK (= **reverend**) pastor, prest

reveal [rɪ'vi:l] VT (**a**) (= *make known*) offentliggjøre*, røpe (*v1 or v2*) ❑ *They were not ready to reveal any details of the arrest...* De var ikke rede til å offentliggjøre *or* røpe noen detaljer om arresten...
(**b**) (= *make visible*) avsløre (*v2*), vise (*v2*) fram ❑ *She drew the curtains aside to reveal gardens...* Hun drog gardinene til side for å avsløre *or* vise fram hagen...

revealing [rɪ'vi:lɪŋ] ADJ (*comment, action, dress*) avslørende

reveille [rɪ'vælɪ] (*MIL*) s revelje *m*

revel ['rɛvl] VI ▸ **to revel in sth/in doing sth** (= *enjoy*) nyte* noe/å gjøre* noe (i fulle drag) ❑ *She seemed to revel in her success...* Hun så ut til å nyte sin egen suksess (i fulle drag)...

revelation [rɛvə'leɪʃən] s (**a**) (= *disclosure*) avsløring *c* ❑ *His book offers no illuminating personal revelations...* Boken hans gir ingen oppklarende personlige avsløringer...
(**b**) (*eye-opener*) åpenbaring *c* ❑ *Dali's show was a revelation* Dalis forestilling var en åpenbaring
▸ **Revelations** SPL (*in Bible*) åpenbaringen *m def*

reveller ['rɛvləʳ] s festdeltaker *m* (*i støyende selskap*)

revelry ['rɛvlrɪ] s festing *c*

revenge [rɪ'vɛndʒ] 1 s (*for injury, insult*) hevn *m*
2 VT (**a**) (*+defeat*) ta* revansj på/for
(**b**) (*+injustice*) hevne (*v1*)
▸ **to get one's revenge (for sth)** få* sin hevn (for noe)
▸ **to take (one's) revenge (on sb)** ta* hevn (på noen), få* sin hevn (på noen)
▸ **to revenge o.s. (on sb)** hevne (*v1*) seg (på noen)

revengeful [rɪ'vɛndʒful] ADJ hevnlysten

revenue ['rɛvənju:] s (= *income*) inntekt *m* ❑ *...advertising revenue...* annonseinntekten...

reverberate [rɪ'və:bəreɪt] VI (**a**) (*sound, thunder etc+*) gjalle (*v1*), gi* gjenlyd
(**b**) (*fig : shock etc*) gi* gjenlyd ❑ *The news reverberated around the world.* Nyheten gav gjenlyd rundt om i verden.

reverberation [rɪvə:bə'reɪʃən] s (**a**) (*of sound*) drønn *nt*, gjenlyd *m* ❑ *The reverberations could be heard for miles.* Drønnene *or* gjenlyden kunne* høres på mils avstand.
(**b**) (*fig : of event, news etc*) etterdønning *m* ❑ *The reverberations of this event could affect us all.* Etterdønningene av denne hendelsen kunne* berøre oss alle sammen.

revere [rɪ'vɪəʳ] VT akte (*v1*), ha* ærbødighet *or* aktelse for

reverence ['rɛvərəns] s ærbødighet *m*, ærefrykt *m*

Reverend ['rɛvərənd] ADJ (*in titles*) pastor
▸ **the Reverend John Smith** (**a**) (*gen*) pastor John Smith
(**b**) (*Catholic*) pater John Smith
(**c**) (*Lutheran*) sogneprest/kapellan John Smith

reverent ['rɛvərənt] ADJ ærbødig

reverie ['rɛvərɪ] s drømmeri *nt* NB *I fell into a reverie...* Jeg fortapte meg i drømmerier *or* jeg falt i staver...

reversal [rɪ'və:sl] s ▸ **a reversal of British policy** en snuoperasjon i britisk politikk ▸ **a reversal of roles** at rollene er byttet om

reverse [rɪ'və:s] 1 s (**a**) (= *opposite*) motsatt *decl as adj*, omvendt *decl as adj* ❑ *...they may do the reverse of what you want.* ...de kan gjøre* det motsatte *or* omvendte av det du vil.
(**b**) (= *back : of cloth*) vrangside *c*, vrange *m*
(**c**) (*of coin, medal, paper*) bakside *c*
(**d**) (*BIL :* ***reverse gear***) revers *m* ❑ *Reverse is to the left of fourth gear...* Reversen er til venstre for fjerde gir...
(**e**) (= *setback, defeat*) nederlag *nt*
2 ADJ (**a**) (= *opposite : side*) bak- ❑ *...the reverse side of the coin.* ...baksiden av mynten.
(**b**) (*process*) motsatt, omvendt
3 VT (**a**) (*+order, position*) bytte (*v1*) om

(**b**) (*+direction*) ▸ **to reverse direction** snu (*v4*) (helt), gjøre* helomvending ❑ *The car suddenly reversed direction and drove towards him.* Bilen gjorde plutselig helomvending *or* snudde plutselig (helt) og kjørte mot ham.
(**c**) (*+process, decision, trend*) reversere (*v2*), snu (*v4*)
(**d**) (*JUR: judgement, verdict*) omstøte (*v2*)
(**e**) (*+roles*) snu (*v4*) på hodet ❑ *In this play the traditional sex roles are reversed...* I dette stykket er de tradisjonelle kjønnsrollene snudd på hodet...
(**f**) (*+car*) rygge (*v1*) ❑ *She reversed the car into the garage...* Hun rygget bilen inn i garasjen...
(**g**) (*TEL*) ▸ **to reverse the charges** ringe (*v2*) på noteringsoverføring
4 VI (*BRIT: BIL*) rygge (*v1*) ❑ *She reversed into the garage.* Hun rygget inn i garasjen.
▸ **in reverse order** i omvendt *or* motsatt rekkefølge
▸ **in reverse** baklengs, bakvendt ❑ *He repeated the action, but this time in reverse.* Han gjentok handlingen, men denne gangen baklengs *or* bakvendt.
▸ **to go into reverse** (**a**) (*trend+*) snu (*v4*) seg, vende (*v2*) seg
(**b**) (*in car*) sette* bilen/giret i revers

reverse-charge call [rɪ'vəːstʃɑːdʒ-] (*BRIT*) S noteringsoverføring *c*

reverse video S omvendt video *m*

reversible [rɪ'vəːsəbl] ADJ (**a**) (*garment*) vendbar
(**b**) (*decision, operation*) som kan gjøres om ❑ *Is vasectomy reversible?* Kan sterilisering gjøres om?

reversing lights (*BRIT*) SPL ryggelys *pl*

reversion [rɪ'vəːʃən] S ▸ **reversion to** tilbakevending *c* til; (*ZOOL*) reversjon *m* til

revert [rɪ'vəːt] VI ▸ **to revert to** (**a**) (*+former state*) falle* tilbake til, vende (*v2*) tilbake til ❑ *He was reverting rapidly to childhood...* Han falt *or* vendte raskt tilbake til barndommen...
(**b**) (*LAW: money, property*) gå* tilbake til

review [rɪ'vjuː] 1 S (**a**) (*magazine*) revy *m*, magasin *nt*
(**b**) (*MIL*) inspeksjon *m*
(**c**) (*of book, film etc*) anmeldelse *m*
(**d**) (*examination: of situation, policy etc*) gjennomgåelse *m*, gjennomgang *m*, vurdering *c* ❑ *A stringent review of public expenditure...* En grundig gjennomgåelse *or* gjennomgang *or* vurdering av offentlige utgifter...
2 VT (**a**) (*MIL: troops*) inspisere (*v2*)
(**b**) (*+book, film etc*) anmelde (*v2*)
(**c**) (*+situation, policy etc*) gå* gjennom, vurdere (*v2*) ❑ *...state pensions are reviewed once a year.* ...statspensjoner blir gjennomgått *or* vurdert en gang i året.
▸ **to be/come under review** være* til vurdering/bli tatt opp til vurdering ❑ *The present arrangements are under review.* De nåværende ordningene er til vurdering.

reviewer [rɪ'vjuːə^r] S (*of book, film etc*) anmelder *m*

revile [rɪ'vaɪl] VT håne (*v2*), spotte (*v1*)

revise [rɪ'vaɪz] 1 VT (**a**) (*+manuscript, opinion, attitude, procedure*) revidere (*v2*)
(**b**) (*+price*) regulere (*v2*), forandre (*v1*) på
2 VI (= *study*) repetere (*v2*)
▸ **revised edition** revidert utgave

revision [rɪ'vɪʒən] S (*of manuscript, law, schedule etc*) revisjon *m*; (*for exam*) repetisjon *m* NB *I haven't done enough revision for today's paper.* Jeg har ikke repetert nok til eksamen i dag.

revitalize [riː'vaɪtəlaɪz] VT (*+economy, organization, event etc*) gjenopplive (*v1*), blåse (*v2*) nytt liv i; (*+hair, complexion*) gjenopplive (*v1*)

revival [rɪ'vaɪvəl] S (**a**) (*economic, of interest*) fornyelse *m* ❑ *...our main chance of economic revival.* ...vår viktigste mulighet til økonomisk fornyelse. *...a revival of interest in the supernatural.* ...en fornyelse av interessen for det overnaturlige.
(**b**) (*of faith*) vekkelse *m*
(**c**) (*TEAT*) nyoppførelse *m*, gjenopptakelse *m* ❑ *...a revival of "The Beggars' Opera".* ...en nyoppførelse *or* gjenopptakelse av "Tiggeroperaen".

revive [rɪ'vaɪv] 1 VT (*+person*) gjenopplive (*v1*); (*+economy, industry, custom*) gjenopplive (*v1*), blåse (*v2*) nytt liv i; (*+hope, courage, interest etc*) fornye (*v1*); (*+play*) gjenoppta*, nyoppføre (*v2*)
2 VI (*person+*) bli* gjenopplivet, komme* til seg selv *or* til bevissthet, livne (*v1*) til; (*activity, economy etc+*) blomstre (*v1*) opp, livne (*v1*) til; (*faith, hope, interest etc+*) livne (*v1*) til, bli* fornyet, vekkes (*v25*) (igjen)

revoke [rɪ'vəuk] VT (*+law, title, promise etc*) trekke* tilbake

revolt [rɪ'vəult] 1 S (= *rebellion*) opprør *nt* ❑ *He was facing a revolt in his own party...* Han imøteså et opprør i hans eget parti...
2 VI (= *rebel*) gjøre* opprør
3 VT (= *disgust*) by* imot NB *He was revolted by what he saw.* Han ble vemmet av det han så.
▸ **to revolt against sb/sth** gjøre* opprør mot noen/noe

revolting [rɪ'vəultɪŋ] ADJ motbydelig, avskyelig, frastøtende

revolution [rɛvə'luːʃən] S (*change, rebellion*) revolusjon *m*; (= *rotation: of wheel, earth etc*) rotasjon *m*

revolutionary [rɛvə'luːʃənrɪ] 1 ADJ (*method, idea*) revolusjonær; (*leader, army*) revolusjons-
2 S (*person*) revolusjonær *m decl as adj*

revolutionize [rɛvə'luːʃənaɪz] VT (*+industry, society etc*) revolusjonere (*v2*)

revolve [rɪ'vɔlv] VI (*wheel, propeller etc+*) dreie (*v3*)
▸ **to revolve (a)round** (**a**) (*earth, moon+*) dreie (*v3*) (seg) rundt, rotere (*v2*) rundt ❑ *The earth revolves around the sun...* Jorden dreier *or* roterer rundt sola...
(**b**) (*life, discussion+*) dreie (*v3*) seg om *or* rundt ❑ *The discussion revolved round three topics...* Diskusjonen dreide seg omkring tre emner...

revolver [rɪ'vɔlvə^r] S revolver *m*

revolving [rɪ'vɔlvɪŋ] ADJ (*chair etc*) dreibar, sving-; (*sprinkler etc*) som går rundt *or* roterer

revolving door S svingdør *c*

revue [rɪ'vjuː] S revy *m*

revulsion [rɪ'vʌlʃən] S avsky *m*

reward [rɪ'wɔːd] 1 S (**a**) (*for service, merit, effort*) belønning *c* ❑ *...the emotional rewards of*

parenthood. ...den følelsesmessige belønningen ved å være* foreldre.
(**b**) (*for capture of criminal, information*) belønning *c*, dusør *m* ❑ *...a reward of £50,000 for information.* ...en belønning *or* dusør på 50 000 pund til den som kunne* gi* informasjon.
2 VT (*+person, patience, determination*) belønne (*v1*)
rewarding [rɪ'wɔːdɪŋ] ADJ (*experience, job etc*) givende
▸ **financially rewarding** økonomisk lønnsom
rewind [riː'waɪnd] *irreg* VT (*+tape, cassette*) spole (*v2*) tilbake
rewire [riː'waɪəʳ] VT (*+house*) strekke* nye ledninger i
reword [riː'wɜːd] VT (*+message, note*) gjenta* med andre ord; (*in writing*) skrive* om
rewrite [riː'raɪt] *irreg* VT omskrive*, skrive* om
Reykjavik ['reɪkjəviːk] S Reykjavik *m*
RFD (*US: POST*) FK (= **rural free delivery**) ≈ landpostbud *nt*
Rh (*MED*) FK (= **rhesus**) Rh
rhapsody ['ræpsədɪ] S rapsodi *m*
rhesus factor ['riːsəs-] S rhesusfaktor *m*
rhesus negative ADJ rhesusnegativ, rhesus minus
rhesus positive ADJ rhesuspositiv, rhesus pluss
rhetoric ['rɛtərɪk] S retorikk *m*
rhetorical [rɪ'tɔrɪkl] ADJ (*question, skill, force*) retorisk
rheumatic [ruː'mætɪk] ADJ (*person, fingers*) reumatisk (*var.* revmatisk) giktisk
rheumatism ['ruːmətɪzəm] S reumatisme *m* (*var.* revmatisme) gikt *c*
rheumatoid arthritis ['ruːmətɔɪd-] S (reumatisk) leddgikt *c*
Rhine [raɪn] S ▸ **the Rhine** Rhinen
rhinestone ['raɪnstəun] S rhinstein *m*
rhinoceros [raɪ'nɔsərəs] S neshorn *nt*
Rhodes [rəudz] S Rhodos
Rhodesia [rəu'diːʒə] (*gam*) S Rhodesia
Rhodesian [rəu'diːʒən] (*gam*) 1 ADJ rhodesisk
2 S rhodesier *m*
rhododendron [rəudə'dɛndrən] S rododendron *m*
Rhone [rəun] S ▸ **the Rhone** Rhonen *m*
rhubarb ['ruːbɑːb] S rabarbra *m*
rhyme [raɪm] 1 S (**a**) (*sound, word*) rim(ord) *nt* ❑ *Can you think of a rhyme for "seven"?* Kan du komme på noe rimord til "sju"?, Kan du komme på noe som rimer på "sju"?
(**b**) (*verse*) rim *nt*, regle *c* ❑ *...songs, poems, rhymes...* sanger, dikt, rim *or* regler...
(**c**) (*technique*) rim *nt* ❑ *She had a gift for rhyme.* Hun hadde en begavelse for rim.
2 VI ▸ **to rhyme (with)** rime (*v1 or v2*) (på)
▸ **without rhyme or reason** uten mål og mening, fullstendig meningsløst
rhythm ['rɪðm] S rytme *m*
rhythmic(al) ['rɪðmɪk(l)] ADJ rytmisk
rhythmically ['rɪðmɪklɪ] ADV rytmisk
rhythm method S sikre perioder *pl*
RI 1 S FK (*BRIT: SKOL*) (= **religious instruction**) Religion
2 FK (*US: POST*) = **Rhode Island**
rib [rɪb] 1 S (*bone*) ribbein *nt*
2 VT (= *mock*) fleipe (*v1*) med
ribald ['rɪbəld] ADJ vovet, grovkornet
ribbed [rɪbd] ADJ ribbestrikket
ribbon ['rɪbən] S (**a**) (*for hair, decoration*) bånd *nt*
(**b**) (*of typewriter*) fargebånd *nt*
▸ **in ribbons** (= *torn*) i laser
rice [raɪs] S ris *m*
rice field S risåker *m*, rismark *m*
rice pudding S rispudding *m*
rich [rɪtʃ] 1 ADJ (**a**) (*person, country, soil, experience*) rik
(**b**) (*food, diet*) kraftig, mektig
(**c**) (*colour*) sterk
(**d**) (*voice*) fyldig
(**e**) (*life*) (innholds)rik
(**f**) (*history*) kostelig, frodig
(**g**) (*tapestries, silks*) kostelig
2 SPL ▸ **the rich** de rike
▸ **rich in** (*+minerals, resources etc*) rik på
riches ['rɪtʃɪz] SPL (= *wealth*) rikdom *m sg* ❑ *...young men in search of adventure and riches...* unge menn på jakt etter eventyr og rikdom...
richly ['rɪtʃlɪ] ADV (**a**) (*decorated, carved*) rikt
(**b**) (*reward, benefit*) rikelig
▸ **richly deserved/earned** velfortjent
richness ['rɪtʃnɪs] S rikdom *m*; (*of soil*) fruktbarhet *m*; (*of food, diet*) *det at noe er mektig*; (*of costumes, furnishings*) kostelighet *m*
rickets ['rɪkɪts] S engelsk syke *m*, rakitt *m*
rickety ['rɪkɪtɪ] ADJ vaklevoren
rickshaw ['rɪkʃɔː] S rickshaw *m*
ricochet ['rɪkəʃeɪ] 1 VI (*bullet, stone+*) ▸ **to ricochet (off)** rikosjettere (*v2*) (fra)
2 S rikosjett *m*
rid [rɪd] (*pt* **rid**)*pp* VT ▸ **to rid sb/sth of** (be)fri (*v4*) noen/noe fra ❑ *We must rid the country of this wickedness.* Vi må (be)fri landet fra denne ondskapen.
▸ **to get rid of sth/sb** bli* kvitt noe, kvitte (*v1*) seg med noe
riddance ['rɪdns] S ▸ **good riddance!** lykke på reisa!, det var ikke noe tap!
ridden ['rɪdn] PP *of* **ride**
riddle ['rɪdl] 1 S gåte *c* ❑ *...the riddle of the universe.* ...universets gåte.
2 VT ▸ **to be riddled with** (**a**) (*+guilt, doubts, corruption*) være* befengt med
(**b**) (*+holes, caves*) være* gjennomboret *or* gjennomhullet av
ride [raɪd] (*pt* **rode**, *pp* **ridden**) 1 S (**a**) (*in car*) (kjøre)tur *m* ❑ *He took me for a ride in his new car.* Han tok meg med på en kjøretur i den nye bilen sin.
(**b**) (*on bicycle*) (sykkel)tur *m*
(**c**) (*on horse*) (ride)tur *m*
(**d**) (*distance covered*) kjøretur *m* ❑ *...a ten-minute bus ride...* en ti minutters kjøretur med buss.... ti minutter med buss...
(**e**) (*track, path*) ridevei *m*, ridesti *m*
2 VI (**a**) (*as sport*) ri* ❑ *I'm learning to ride.* Jeg lærer å ri.
(**b**) (= *travel: on horse*) ri*
(**c**) (*on bicycle*) sykle (*v1*)
(**d**) (*on motorcycle, in car, bus*) kjøre (*v2*) ❑ *It's a marvellous car, very comfortable to ride in.* Det er en fantastisk bil, svært komfortabel å kjøre i.
3 VT (**a**) (*+a horse*) ri*

(**b**) (*+a motorcycle*) kjøre (*v2*)
(**c**) (*+distance*) ri*/kjøre (*v2*)/sykle (*v1*) ❑ ***We rode the ten kilometres into town.*** Vi red/kjørte/syklet de ti kilometrene inn til byen.
▸ **to ride a bike** sykle (*v1*)
▸ **a horse/car ride** en kjøretur med hest/bil
▸ **to go for a ride** dra* på ridetur/sykkeltur/kjøretur
▸ **to take sb for a ride** (*fig*) ta* noen ved nesen
▸ **to ride at anchor** ri* på ankeret
▸ **ride out** VT ▸ **to ride out the storm** (*fig*) ri* stormen av

rider ['raɪdəʳ] s (**a**) (*on horse*) rytter *m*
(**b**) (*on bicycle*) syklist *m*
(**c**) (*on motorcycle*) motorsyklist *m*
(**d**) (*in document etc*) tilføyelse *m*, anmerkning *m* ❑ ***I wanted to add one rider to what you were saying.*** Jeg ville* gjerne komme med en tilføyelse *or* føye til en anmerkning til det du sa.

ridge [rɪdʒ] s (**a**) (*gen*) rand *c irreg*
(**b**) (*of hill*) (ås)kam *m*
▸ **(roof) ridge** møne *nt*

ridicule ['rɪdɪkjuːl] 1 s latterliggjøring *c*, harselas *m* ❑ ***His prophecy was greeted with a good deal of ridicule.*** Profetiet hans ble mottat med en god del harselas.
2 VT (= *mock*) harselere (*v2*) over *or* med, gjøre* til latter, latterliggjøre*
▸ **to be the object of ridicule** bli* til latter

ridiculous [rɪ'dɪkjuləs] ADJ (*person, suggestion, price etc*) latterlig

riding ['raɪdɪŋ] s (*sport, activity*) ridning *m*

riding school s rideskole *m*

rife [raɪf] ADJ (*corruption, superstition, disease etc+*) utbredt
▸ **to be rife with** (*+rumours, fears etc*) vrimle (*v1*) av, være* stinn av

riffraff ['rɪfræf] s pakk *nt*, pøbel *m* ❑ ***...poets, painters, and other riffraff.*** ...diktere, malere og annet pakk *or* annen pøbel.

rifle ['raɪfl] 1 s rifle *c*
2 VT (= *steal from: wallet, pocket etc*) plyndre (*v1*), ribbe (*v1*)
▸ **rifle through** VT FUS (*+papers, belongings*) rote (*v1*) igjennom

rifle range s skytebane *m*

rift [rɪft] s (**a**) (*in ground, clouds*) revne *m*
(**b**) (*fig: disagreement*) kløft *m* ❑ ***...the rift between the government and the trade unions.*** ...kløften mellom regjeringen og fagforeningene.

rig [rɪg] 1 s rigg *m*
2 VT (*+election, game etc*) fuske (*v1*) med *or* i
▸ **rig out** (*BRIT*) VT ▸ **to rig sb out as/in** utstyre (*v2*) noen som/i ❑ ***He had rigged himself out as a Red Indian...*** Han hadde utstyrt seg som en indianer...
▸ **rig up** VT (*+device, net*) rigge (*v1*) opp *or* til

rigging ['rɪgɪŋ] s (*NAUT*) rigg *m* ▸ **election rigging** valgfusk *nt*

right [raɪt] 1 ADJ (**a**) (= *correct: in fact or morally*) riktig, rett ❑ ***You get full marks for getting the right answer...*** Du får fullt hus for å komme fram til riktig *or* rett svar... ***the right person for the job.*** ...den riktige *or* rette personen for jobben. ***...the right decision.*** ...den riktige *or* rette beslutningen. ***I don't think it's right to leave children alone...*** Jeg syns ikke det er riktig *or* rett å la barn være* alene...
(**b**) (= *fair, just: action*) rett ❑ ***I think he was absolutely right to do this.*** Jeg syns han gjorde helt rett *or* at han handlet helt riktig *or* rett.
(**c**) (= *not left*) høyre ❑ ***Her right hand...*** Den høyre hånden hennes...
2 s (**a**) (= *what is morally right*) det som er rett *or* riktig ❑ ***...a sense of right and wrong.*** ...en sans for hva som er rett *or* riktig og galt.
(**b**) (= *entitlement*) rett *m*, rettighet *m* ❑ ***Both parents have an equal right to a career...*** Begge foreldrene har den samme retten *or* rettigheten til en karriere...
(**c**) (= *not left*) høyre ❑ ***They turned their heads slowly from left to right.*** De snudde hodene langsomt fra venstre mot høyre.
3 ADV (**a**) (= *correctly: answer etc*) riktig, rett ❑ ***Did I guess right?*** Gjettet jeg riktig *or* rett?
(**b**) (= *properly, fairly: treat etc*) riktig, rett, på den riktige *or* rette måten ❑ ***Treat him right and he'll be your friend forever.*** Behandle ham riktig *or* rett, så blir han din venn for alltid.. Behandle ham på den riktige *or* rette måten, så blir han din venn for alltid.
(**c**) (= *not to/on the left*) til høyre NB ***Turn right off Broadway...*** Sving til høyre fra Broadway...
(**d**) (= *directly, exactly*) rett, like NB ***Our hotel was right on the beach...*** Hotellet vårt var rett *or* like ved stranden...
4 VT (**a**) (= *put right way up*) rette (*v1*) opp ❑ ***The ship righted itself.*** Skipet rettet seg opp.
(**b**) (= *correct*) rette (*v1*) (opp) ❑ ***Wrongs should be righted by the vote and not by violence.*** Urett burde bli* rettet (opp) gjennom valg og ikke ved hjelp av vold.
5 INTERJ ålreit (*var.* all right) OK ❑ ***Right, who's first?*** Ålreit, *or* OK, hvem er først?
▸ **rights** SPL (*in publishing, the cinema*) rettigheter
▸ **to be right** (**a**) (*person+*) ha* rett ❑ ***You're absolutely right...*** Du har fullstendig rett...
(**b**) (*answer, fact, reading+*) være* riktig ❑ ***You are French, is that right?*** Er det riktig at du er fransk?
(**c**) (*clock+*) være* *or* gå* riktig ❑ ***Are you sure that clock's right?*** Er du sikker på at den klokka er *or* går riktig?
▸ **do you have the right time?** har du riktig klokke?
▸ **you did the right thing** du gjorde det eneste rette, du gjorde rett
▸ **(as) right as rain** (så) frisk som en fisk
▸ **to get sth right** få* noe riktig ❑ ***I got the first question right.*** Jeg fikk riktig på det første spørsmålet.
▸ **let's get it right this time!** la oss få/gjøre det riktig denne gangen!
▸ **to put sth right** (*+mistake, injustice etc*) rette (*v1*) opp noe
▸ **the Right** (*POL*) høyresiden (i politikken)
▸ **right now** akkurat nå
▸ **right before/after** rett før/etter
▸ **right ahead** rett fram
▸ **right away** med en gang, straks
▸ **right in the middle** nøyaktig *or* akkurat på

midten
▸ **to go right to the end** gå* helt til enden
▸ **to/on the right** til høyre
▸ **by rights** egentlig ❑ *I should by rights speak German, I studied it for 5 years.* Jeg burde egentlig kunne* tysk, jeg leste det i 5 år.
▸ **to be within one's rights** ha* (full) rett
▸ **to be in the right** ha* retten på sin side
▸ **in his/her own right** i kraft *or* egenskap av seg selv
right angle s rett vinkel *m*
righteous ['raɪtʃəs] ADJ (*person*) rettskaffen; (*indignation*) rettferdig
righteousness ['raɪtʃəsnɪs] s rettferdighet *m*
rightful ['raɪtful] ADJ (*heir, owner, place, share*) rettsmessig
rightfully ['raɪtfəlɪ] ADV rettsmessig ❑ *They must give us what is rightfully ours.* De må gi* oss det som rettsmessig er vårt.
right-hand drive ['raɪthænd-] [1] s høyreratt *nt* [2] ADJ med høyreratt
right-handed [raɪt'hændɪd] ADJ høyrehendt
right-hand man s høyre hånd *m*
right-hand side s høyre side *c*
rightly ['raɪtlɪ] ADV (= *with reason*) med rette ❑ *Many people are rightly indignant...* Mange mennesker er med rette indignert...
▸ **if I remember rightly** (*BRIT*) hvis jeg husker riktig, husker jeg riktig
right-minded [raɪt'maɪndɪd] ADJ vettug
right of way s (**a**) (*on path etc*) rett *m* til fri ferdsel, ferdselsrett *m*
(**b**) (*BIL*) forkjørsrett *m* ❑ *Who has right of way here?* Hvem har forkjørsrett her?
rights issue s emisjon *m* med tegningsrett
right wing s (**a**) (*POL*) høyrefløy *m*
(**b**) (*SPORT*) høyre ving *m* ❑ *He used to play on the right wing...* Før spilte han på høyre ving...
right-wing [raɪt'wɪŋ] ADJ (*government, person, policy etc*) høyreorientert
right-winger [raɪt'wɪŋə^r] s (*POL*) konservativ *m decl as adj*, en som er høyreorientert; (*SPORT*) høyreving *m* (*var.* høyre ving)
rigid ['rɪdʒɪd] ADJ (*structure, back etc*) stiv; (*attitude, principle, views etc*) stivbe(i)nt, ubøyelig; (*control etc*) rigid, streng
rigidity [rɪ'dʒɪdɪtɪ] s (*of structure, back etc*) stivhet *m*; (*of attitude, views etc*) stivbe(i)nthet *m*, ubøyelighet *m*
rigidly ['rɪdʒɪdlɪ] ADV (*sit, fix etc*) stivt; (*control, interpret*) strengt
rigmarole ['rɪgmərəul] s styr *nt*, bråk *nt* ❑ *I don't imagine you want to go through all that rigmarole.* Jeg går ut fra at du ikke har lyst til å gå* gjennom alt det styret *or* bråket.
rigor ['rɪgə^r] (*US*) s = **rigour**
rigor mortis ['rɪgə'mɔːtɪs] s dødsstivhet *m*, rigor mortis *m*
rigorous ['rɪgərəs] ADJ (*control, test*) rigorøs, (meget) streng; (*training*) (meget) hard
rigorously ['rɪgərəslɪ] ADV (*test, assess etc*) (meget) grundig, inngående
rigour ['rɪgə^r], **rigor** (*US*) s (*of argument, research, law*) strenghet *m*
▸ **the rigours of life/winter** livets/vinterens påkjenninger
rigout ['rɪgaut] (*BRIT: sl*) s utstyr *nt*
rile [raɪl] VT irritere (*v2*), ergre (*v1*)
rim [rɪm] s (*of glass, dish*) kant *m*; (*of spectacles*) innfatning *m*; (*of wheel*) felg *m*
rimless ['rɪmlɪs] ADJ (*spectacles*) uten innfatning
rimmed [rɪmd] ADJ ▸ **glasses rimmed with gold** briller med gullinnfatning, briller innfattet i gull
rind [raɪnd] s (*of bacon*) svor *m*; (*of lemon, melon*) skall *nt*; (*of cheese*) skorpe *c*
ring [rɪŋ] (*pt* **rang**, *pp* **rung**) [1] s (**a**) (*circle, jewellery, of people, objects, for boxing, on cooker*) ring *m*
(**b**) (*of spies, drug dealers etc*) kjede *m*
(**c**) (*of circus*) manesje *m*, ring *m*
(**d**) (= *sound of bell*) ringing *c*, kiming *c* ❑ *The first ring of the phone failed to wake him...* Den første gangen telefonen ringte, vekte den ham ikke...
[2] VI (**a**) (*phone, bell+*) ringe (*v2*) ❑ *"I was hoping you might ring."* "Jeg håpet at du ville* ringe." *I waited for the phone to ring...* Jeg ventet på at telefonen skulle* ringe...
(**b**) (*on doorbell*) ringe (*v2*) på ❑ *I rang but you didn't hear.* Jeg ringte på, men du hørte ikke.
(**c**) (*also* **ring out**: *voice, words*) klinge* (ut), runge (*v1*)
[3] VT (**a**) (*BRIT: TEL*) ringe (*v2*) (til) ❑ *You must ring the hospital at once...* Du må ringe (til) sykehuset med en gang...
(**b**) (*+bell etc*) ringe (*v2*) med
(**c**) (*+doorbell*) ringe (*v2*) på
(**d**) (= *circle*) sette* ring rundt ❑ *I got a map and ringed all the churches.* Jeg fikk et kart og satte ring rundt alle kirkene.
▸ **there was a ring at the door(bell), the doorbell rang** det ringte på døren
▸ **to give sb a ring** (*BRIT: TEL*) slå* på tråden til noen, ringe (*v2*) til noen
▸ **that has a ring of truth about it** det virker riktig
▸ **to run rings round sb** (*sl*) gå* langt utenpå noen
▸ **the name doesn't ring a bell (with me)** navnet virker *or* lyder ikke kjent (for meg), navnet får ingen klokker til å ringe (hos meg)
▸ **my ears are ringing** det kimer for ørene mine
▸ **to ring true/false** høres (*v25*) riktig/galt ut
▸ **ring back** (*BRIT: TEL*) VTI ringe (*v2*) tilbake til, ringe (*v2*) opp igjen
▸ **ring off** (*BRIT: TEL*) VI legge* på
▸ **ring up** (*BRIT: TEL*) VT ringe (*v2*) opp
ring binder s ringperm *m*
ring-fence ['rɪŋfɛns] (*FIN*) VT slå* ring om, beskytte (*v1*)
ring finger s ringfinger *m*
ringing ['rɪŋɪŋ] s (*of telephone, bell*) ringing *c*; (*in ears*) kiming *c*
ringing tone (*BRIT: TEL*) s ringetone *m*
ringleader ['rɪŋliːdə^r] s anfører *m*, hovedmann *m irreg*
ringlets ['rɪŋlɪts] SPL korketrekkere *pl*
▸ **in ringlets** i korketrekkere
ring road (*BRIT: BIL*) s ringvei *m*
rink [rɪŋk] s skøytebane *m*

rinse [rɪns] 1 s (**a**) (*of dishes, clothes, hair, hands*) skylling *c* ❑ *I'll just give these a quick rinse under the tap...* Jeg skal bare skylle disse litt under springen...
(**b**) (= *hair dye*) hårtoner *m* ❑ *...a bottle of blue rinse.* ...en flaske blå hårtoner.
2 VT (**a**) (+*dishes, hair, hands*) skylle (*v2x*)
(**b**) (*also* ***rinse out****: clothes*) skylle (*v2x*) (opp)
(**c**) (+*mouth*) skylle (*v2x*)

Rio (de Janeiro) ['riːəu(dədʒə'nɪərəu)] s Rio (de Janeiro) *m*

riot ['raɪət] 1 s (*disturbance*) opprør *nt*, opptøyer *pl*
2 VI (**a**) (*crowd+*) løpe* løpsk
(**b**) (*protesters etc+*) gjøre* opprør
▸ **a riot of colours** et vell av farger, en overdådig fargeprakt
▸ **to run riot** (*children, football fans etc+*) løpe* løpsk, gå* berserk

rioter ['raɪətə^r] s opprører *m*, bråkmaker *m*

riot gear (POLITI) s beskyttelsesutstyr *nt* (*hjelm, skjold, etc*)
▸ **in riot gear** med beskyttelsesutstyr

riotous ['raɪətəs] ADJ (*mob, crowd*) opprørsk; (*living, nights*) utesvevende, tøylesløs; (*party, welcome etc*) heidundrende

riotously ['raɪətəslɪ] ADV ▸ **riotously funny** til å le seg i hjel av

riot police s opprørspoliti *nt*
▸ **hundreds of riot police** hundrevis av opprørspoliti(folk)

RIP FK (= **rest in peace**) hvil i fred

rip [rɪp] 1 s rift *m*, flenge *c*
2 VT rive*, flerre (*v1*) ❑ *The poster had been ripped to pieces...* Plakaten hadde blitt revet *or* flerret i små biter...
3 VI bli* revet opp, bli* flerret opp ❑ *Two of the canvas bags had ripped...* To av lerretsveskene hadde blitt revet *or* flerret opp...

▸ **rip off** VT (**a**) (+*clothes*) rive* av, flerre (*v1*) av ❑ *He ripped his shirt off...* Han rev *or* flerret av seg skjorta...
(**b**) (*sl: swindle*) snyte* ❑ *...to rip off the tourists.* ...å snyte turistene.
(**c**) (= *copy*) kopiere (*v2*)

▸ **rip up** VT rive* i stykker

ripcord ['rɪpkɔːd] s (*on parachute*) utløsersnor *c*

ripe [raɪp] ADJ (**a**) (*fruit, corn*) moden
(**b**) (*cheese*) moden, vellagret
▸ **to be ripe for sth** (*fig*) være* moden for noe ❑ *...another oil company ripe for takeover...* nok et oljeselskap som er modent for å bli* overtatt...
▸ **he lived to a ripe old age** han oppnådde en svært høy alder, han ble svært gammel

ripen ['raɪpn] VTI modne (*v1*)

ripeness ['raɪpnɪs] s modenhet *m*

rip-off ['rɪpɔf] (*sl*) s (= *copy*) kopi *m*; (= *swindle*)
▸ **it's a rip-off!** det er rent lureri *or* snyteri *or* svindel!

riposte [rɪ'pɔst] s slagferdig svar *m*, ripost *m*

ripple ['rɪpl] 1 s (**a**) (*on water*) krusning *m* ❑ *A twig made tiny ripples on the water...* En kvist lagde små krusninger på vannet...
(**b**) (*of laughter, applause*) liten bølge *m* ❑ *There was a ripple of amused applause...* Det kom en liten bølge av fornøyd applaus...
2 VI (**a**) (*water+*) kruse (*v2*) seg
(**b**) (*muscles+*) spille (*v2x*) ❑ *The muscles rippled under the skin...* Musklene spilte under huden...
3 VT (+*surface*) kruse (*v2*) ❑ *A gentle breeze rippled the surface...* En mild bris kruste flaten...

rise [raɪz] (*pt* **rose**, *pp* **risen**) 1 s (**a**) (= *incline*) bakke *m* NB *The house was situated on a rise...* Huset lå i en bakke...
(**b**) (BRIT*: salary increase*) (lønns)pålegg *nt*, lønnsøkning *m*, lønnsforhøyelse *m*
(**c**) (*in prices, temperature, crime rate etc*) stigning *m*, økning *m* ❑ *...the big rise in fuel prices...* den store stigningen *or* økningen i priser på drivstoff...
(**d**) (*fig: to power, fame etc*) framgang *m*, frammarsj *m* ❑ *...the rise of the anti-war movement...* framgangen *or* frammarsjen til fredsbevegelsen...
2 VI (**a**) (*prices, numbers+*) stige*, øke (*v2*) ❑ *Prices rose by more than 10% per annum...* Prisene steg *or* økte med mer enn 10 % i året...
(**b**) (*waters+*) stige* ❑ *The level of the lake continues to rise...* Vannstanden i innsjøen fortsetter å stige...
(**c**) (*sun, moon+*) stå* opp
(**d**) (*wind+*) øke (*v2*)
(**e**) (*person+ : from bed etc*) stå* opp
(**f**) (*from chair etc*) reise (*v2*) seg (opp) ❑ *She rose from her knees...* Hun reiste seg opp fra knestående...
(**g**) (*sound, voice+*) stige* ❑ *His voice rose to a shriek...* Stemmen hans steg til et skrik...
(**h**) (*also* ***rise up****: tower, building*) reise (*v2*) seg, stige* fram
(**i**) (= *rebels*) reise (*v2*) seg ❑ *The settlers rose in revolt.* Innflytterne reiste seg til opprør.
(**j**) (*in rank*) stige* ❑ *He rose gradually in rank and responsibility...* Han steg gradvis i rang og ansvar...
▸ **to rise to power** komme* til makten
▸ **to give rise to** gi* støtet til, forårsake (*v1*) ❑ *The proposals gave rise to a lot of discussion.* Forslagene gav støtet til *or* forårsaket mye diskusjon.
▸ **to rise to the occasion** vokse (*v2*) med oppgaven

risen [rɪzn] PP *of* **rise**

rising ['raɪzɪŋ] ADJ (**a**) (= *increasing: number, prices*) stigende, økende ❑ *...the rising rate of inflation.* ...den stigende *or* økende inflasjonen.
(**b**) (*tide*) stigende
(**c**) (= *up-and-coming: film star, politician etc*) på vei oppover *or* framover ❑ *...a rising young musician.* ...en ung musiker på vei oppover *or* framover.

rising damp s fuktighet *m* i veggene (fra bakken)

rising star s (*fig: person*) kommende stjerne *c*

risk [rɪsk] 1 s (**a**) (= *danger*) fare *m* ❑ *Policemen face many risks these days.* Politimenn møter mange farer i våre dager.
(**b**) (*deliberate*) risiko *m* ❑ *It was a risk and it paid off.* Det var en risiko, og den lønte seg.
(**c**) (= *possibility, chance*) ▸ **the risk of** risikoen for, faren for ❑ *...to reduce the risk of detection...* for å redusere risikoen *or* faren for å bli* oppdaget...
2 VT risikere (*v2*) ❑ *She had risked her life to save mine...* Hun hadde risikert livet for å redde

mitt... *I had not risked a phone call...* jeg hadde ikke risikert en telefonsamtale...
▸ **to take a risk** ta* en risk *or* en sjanse
▸ **to run the risk of sth/doing sth** risikere (*v2*) noe/løpe* en risiko for å gjøre* noe, stå* i fare for noe/for å gjøre* noe ❑ *They run little risk of death...* De løper ingen stor risiko for å omkomme *or* står ikke i noen stor fare for å omkomme...
▸ **at risk** i faresonen ❑ *The sick and lonely are most at risk...* De syke og ensomme er mest i faresonen...
▸ **at one's own risk** på eget ansvar ❑ *...at your own risk.* ...på eget ansvar.
▸ **at the risk of sounding rude...** med fare for å virke uhøflig...
▸ **a fire/health risk** en brannfare/helsefare
▸ **I'll risk it** jeg tar sjansen *or* risken på det
risk capital S risikokapital *m*
risky ['rɪskɪ] ADJ risikabel, risikofylt
risqué ['ri:skeɪ] ADJ (*joke*) på kanten, vovet
rissole ['rɪsəul] S (*of meat*) (grov) karbonade *m*; (*of fish etc*) kake *c* (*av grovkvernet fisk o.a.*)
rite [raɪt] S ritual *nt*, rite *m*
▸ **the last rites** den siste olje
ritual ['rɪtjuəl] 1 ADJ (*law, dance, murder*) rituell
2 S ritual *nt* ❑ *...she went through the ritual of winding the old clock.* ...hun gikk gjennom ritualet med å trekke den gamle klokka.
rival ['raɪvl] 1 S (**a**) (*in competition, election, business*) rival *m*, konkurrent *m*
(**b**) (*in love*) rival *m*
2 ADJ rivaliserende, konkurrerende
3 VT (= *match*) kunne* måle seg med ❑ *His stupidity is rivalled only by his meanness...* Dumheten hans kan bare måle seg med gjerrigheten hans...
▸ **to rival sb/sth in** måle (*v2*) seg med noen/noe i ❑ *Of all the flowers few can rival the lily in beauty.* Av alle blomstene er det få* som kan måle seg med liljen i skjønnhet.
rivalry ['raɪvlrɪ] S konkurranse *m*, rivalisering *c* ❑ *Rivalry with other schools is encouraged...* Det oppmuntres til konkurranse med andre skoler...
river ['rɪvə[r]] 1 S (**a**) elv *c*
(**b**) (*fig: of blood etc*) strøm *m*
2 SAMMENS (*port, traffic*) elve-
▸ **up/down river** oppover/nedover elven
river bank S elvebredd *m*
river bed S elveleie *nt*
riverside ['rɪvəsaɪd] 1 S elvebredd *m*
2 ADJ ved elven *or* elvebredden
rivet ['rɪvɪt] 1 S nagle *m*
2 VT (**a**) (+*eyes, attention*) nagle (*v1*) fast til ❑ *My eyes were riveted on the gun.* Øynene mine var (som) naglet fast til skytevåpenet.
(**b**) (+*person*) fengsle (*v1*), bergta* ❑ *I was riveted by his words.* Jeg var fengslet *or* bergtatt av ordene hans.
riveting ['rɪvɪtɪŋ] ADJ (*film, discussion, book*) fengslende
Riviera [rɪvɪ'ɛərə] S ▸ **the (French) Riviera** den franske riviera, Rivieraen
▸ **the Italian Riviera** den italienske riviera
Riyadh [rɪ'jɑ:d] S Riyad *m*

RN S FK (*BRIT*) = **Royal Navy**; (*US*) = **registered nurse**
RNA S FK (= **ribonucleic acid**) RNA *c*
RNLI (*BRIT*) S FK (= **Royal National Lifeboat Institution**) ≈ Redningsselskapet
RNZAF S FK (= **Royal New Zealand Air Force**) Det kongelige nyzealandske flyvåpen
RNZN S FK (= **Royal New Zealand Navy**) Den kongelige nyzealandske marine
road [rəud] 1 S vei *m* (*var.* vei)
2 SAMMENS (*accident, sense*) trafikk-
▸ **main road** hovedvei *m*
▸ **major/minor road** hovedvei/sidevei *or* mindre vei
▸ **it takes four hours by road** det tar fire timer med bil, det er fire timers kjøring
▸ **let's hit the road** la oss komme oss videre *or* komme oss av gårde
▸ **to be on the road** (**a**) (*salesman+*) være* ute på (salgs)reise, reise (*v2*)
(**b**) (*pop group etc+*) være* på turné, turnere (*v2*)
▸ **on the road to success/recovery** på vei mot suksess/bedring
roadblock ['rəudblɔk] S vegsperring *c*
road haulage S vegtransport *m*, lastebiltransport *m*
roadhog ['rəudhɔg] S bilbølle *m*
road map S vegkart *nt*
road rage S trafikkaggresjon *m*
road safety S trafikksikkerhet *m*
roadside ['rəudsaɪd] 1 S vegkant *m*
2 SAMMENS (*building, sign, verge etc*) ved/langs veien, i vegkanten
▸ **by the roadside** i *or* ved vegkanten
road sign S vegskilt *nt*
roadsweeper ['rəudswi:pə[r]] (*BRIT*) S (*person*) gatefeier *m*; (*vehicle*) feiebil *m*
road transport S veitransport *m*
road user S trafikant *m*
roadway ['rəudweɪ] S vegbane *m*, kjørebane *m*
road works SPL vegarbeid *nt sg*
roadworthy ['rəudwə:ðɪ] ADJ kjørbar, i kjørbar stand
roam [rəum] 1 VI streife (*v1*) (omkring) ❑ *They roam far and wide...* De streifer vidt og bredt omkring...
2 VT (+*streets, countryside*) streife (*v1*) rundt i ❑ *He roamed the streets at night...* Han streifet rundt i gatene på nattestid...
roar [rɔ:[r]] 1 S brøl *nt* ❑ *The wounded animal's roar...* Det sårede dyrets brøl... *the confused roar from a football stadium.* ...det forvirrede brølet fra en fotballstadion. *...the roar of traffic...* brølet fra trafikken... *A roar of laughter...* Et latterbrøl...
2 VI (*animal, person, crowd, engine, wind+*) brøle (*v2*)
▸ **to roar with laughter** brøle (*v2*) av latter
roaring ['rɔ:rɪŋ] ADJ ▸ **a roaring fire** en buldrende (peis)ild
▸ **a roaring success** en stormsuksess, en knallsuksess
▸ **to do a roaring trade (in sth)** gjøre* kjempeforretning (med noe)
roast [rəust] 1 S (*of meat*) steik *c* (*var.* stek)
2 VT (+*meat*) steike (*v2*) (*i ovn*) (*var.* steke) (+*potatoes*) ovnssteike (*v2*); (+*coffee*) brenne (*v2x*)

roast beef s roastbiff *m*
roasting ['rəustɪŋ] (*sl*) 1 ADJ (= *hot*) stekhet
2 s (*criticism, scolding*) grilling *m*
▸ **to give sb a roasting** (**a**) (*criticize*) grille (*v1*) noen
(**b**) (*scold*) skjelle (*v2x*) noen ut
rob [rɔb] VT (*+person, house, bank*) rane (*v1 or v2*), robbe (*v1*)
▸ **to rob sb of sth** rane (*v1 or v2*) noen for noe, robbe (*v1*) noen for noe (**a**) (*of share, inheritance*) tilrane (*v1*) seg noe fra noen
(**b**) (*of glory, happiness*) frarøve (*v1*) noen noe, ta* noe fra noen ❑ *You robbed me of my moment of glory...* Du frarøvet meg *or* du tok fra meg mitt store øyeblikk...
robber ['rɔbəʳ] s raner *m*
robbery ['rɔbərɪ] s ran *nt* ❑ *...armed robbery...* væpnet ran...
robe [rəub] 1 s (*for ceremony etc*) kappe *c*; (*also **bath robe***) badekåpe *c*; (*US: dressing gown*) morgenkåpe *c*, slåbrok *m* (*for men*)
2 VT ▸ **to be robed in sth** (*formal*) være* iført noe
robin ['rɔbɪn] s rødstrupe *m*
robot ['rəubɔt] s robot *m*
robotic [rə'bɔtɪk] ADJ robotaktig
robotics [rə'bɔtɪks] s robotikk *m*
robust [rəu'bʌst] ADJ (*person*) robust, hardfør; (*appetite*) kraftig; (*health*) robust, kraftig, hardfør; (*economy*) robust, solid, hardfør
rock [rɔk] 1 s (**a**) stein *m* (*var.* sten)
(**b**) (*in sea*) skjær *nt*
(**c**) (*MUS: **rock music***) rock *m*
(**d**) (*BRIT: candy*) ▸ **(a stick of) rock** en sukkertøystang
2 VT (**a**) (= *swing gently*) vugge (*v1*) (*var.* vogge) rugge (*v1*)
(**b**) (*+child*) vugge (*v1*) (*var.* vogge) ❑ *She rocked the child to sleep in her arms.* Hun vugget barnet i søvn i armene hennes.
(**c**) (= *shake: explosion*) ryste (*v1*) ❑ *The blast rocked the building...* Smellet rystet bygningen...
(**d**) (*waves+*) få* til å gynge
(**e**) (*news, crime+*) ryste (*v1*), skake (*v1*) opp ❑ *France was rocked by an outbreak of violent crime.* Frankrike ble rystet *or* oppskaket av et utbrudd av voldskriminalitet.
3 VI (**a**) (*object+*) gynge (*v1*) ❑ *He blundered against the trunk which rocked violently.* Han snublet mot stokken som gynget voldsomt.
(**b**) (*person+*) gynge (*v1*), rugge (*v1*) ❑ *She sat there, rocking gently backwards and forwards.* Hun satt der og gynget *or* rugget sakte fram og tilbake.
▸ **on the rocks** (**a**) (*drink*) med is
(**b**) (*marriage etc*) som går på stumpene
▸ **to rock the boat** (*fig*) velte (*v1*) lasset
rock and roll s rock and roll *m*
rock-bottom ['rɔk'bɔtəm] 1 ADJ (*prices*) bunn- ❑ *...at rock-bottom prices.* ...til bunnpriser.
2 s ▸ **to reach** *or* **touch** *or* **hit rock-bottom** (*person, prices+*) nå (*v4*) bunnen
rock cake s *liten, hard kake med rosiner*
rock climber s fjellklatrer *m*
rock climbing s fjellklatring *c*
rockery ['rɔkərɪ] s steinbed *nt* (*hevet opp fra bakkenivå*)
rocket ['rɔkɪt] 1 s (*craft, missile, firework*) rakett *m*
2 VI (*prices+*) skyte* i været
rocket launcher s rakettutskytningsrampe *m*
rock face s (*vertical*) fjellvegg *m*; (*bare rock*) nakent *or* bart fjell *nt*
rock fall s steinras *nt*
rocking chair s gyngestol *m*
rocking horse s gyngehest *m*
rock star s rockestjerne *c*
rocky ['rɔkɪ] ADJ (*path, shore, ground*) steinet(e) (*var.* stenet(e)) (*fig: business, marriage*) skranten
Rocky Mountains SPL ▸ **the Rocky Mountains** Rocky Mountains
rod [rɔd] s stang *c*; (*wooden*) stang *c*, stav *m*, kjepp *m*
rode [rəud] PRET *of* **ride**
rodent ['rəudnt] s gnager *m*
rodeo ['rəudɪəu] (*US*) s rodeo *m*
roe [rəu] s ▸ **hard/soft roe** rogn *c* ▸ **soft roe** melke *m*
roe deer s UBØY (*species*) rådyr *nt*; (= *female*) rådyrhunn *m*
rogue [rəug] 1 s skurk *m*, kjeltring *m* [rəug]
2 ADJ (*satellite, rocket*) på avveier
roguish ['rəugɪʃ] ADJ (*expression, laugh*) skurkaktig, kjeltringaktig
role [rəul] s rolle *c* ❑ *He played a major role in...* Han spilte en viktig rolle i... *the title role...* tittelrollen...
role model s forbilde *nt*
role play s rollespill *nt*
roll [rəul] 1 s (**a**) (*of paper, cloth, banknotes etc*) rull *m*
(**b**) (*also **bread roll***) rundstykke *nt*
(**c**) (*register, list*) (medlems)liste *c*
(**d**) (*sound: of drums etc*) virvel *m* ❑ *There was a roll of drums.* Det kom en trommevirvel.
2 VT (**a**) (*+ball, stone, dice etc*) rulle (*v1*), trille (*v1*)
(**b**) (*also **roll up**: string*) nøste (*v1*) opp
(**c**) (*+sleeves*) brette (*v1*) opp
(**d**) (*+cigarette*) rulle (*v1*)
(**e**) (*+eyes*) rulle (*v1*) med
(**f**) (*also **roll out**: pastry*) kjevle (*v1*) (ut)
(**g**) (= *flatten: lawn, road, surface*) valse (*v1*)
3 VI (**a**) (*ball, stone, tears+*) rulle (*v1*), trille (*v1*) ❑ *...with tears rolling down his face...* med tårer rullende *or* trillende nedover ansiktet...
(**b**) (*drum, thunder, vehicle, ship+*) rulle (*v1*) ❑ *The bus rolled to a stop.* Bussen rullet til den stanset. *The "Morning Rose" was rolling and pitching.* "Morning Rose" rullet og stampet.
(**c**) (*sweat+*) renne*
(**d**) (*camera, printing press+*) rulle (*v1*)
▸ **cheese/ham roll** rundstykke *nt* med ost/skinke
▸ **he's rolling in it** (*sl*) han vasser i penger
▸ **roll about** VI rulle (*v1*) rundt
▸ **roll around** VI rulle (*v1*) rundt
▸ **roll in** VI (*money, invitations+*) strømme (*v1*) inn
▸ **roll over** VI rulle (*v1*) seg rundt
▸ **roll up** 1 VI (*sl: arrive*) dukke (*v1*) opp (*sl*), møte (*v2*) opp ❑ *Curious sightseers rolled up in their hundreds...* Nysgjerrige skuelystne dukket *or* møtte opp i hundrevis...
2 VT (*+carpet, newspaper, umbrella etc*) rulle (*v1*)

sammen

▸ **to roll o.s. up into a ball** rulle (*v1*) seg sammen til et nøste

roll call s (navne)opprop *nt* ❑ *...the teacher would take a roll call.* ...læreren pleide å ta* et (navne)opprop.

rolled gold s gulldublé *m*

roller ['rəulər] s (**a**) (*in machine, for road*) valse *c* (**b**) (*wheel*) trommel *m* ❑ *They transported the heavier objects on wooden rollers.* De transporterte de tyngste tingene på tretromler. (**c**) (*for lawn*) (valse)trommel *m* (**d**) (*for hair*) krøllspenne *c*, hårrull *m*

roller blind s rullegardin *m*

roller coaster s berg-og-dal-bane *m*

roller skates SPL rulleskøyter

rollicking ['rɔlɪkɪŋ] ADJ løssluppen, livat ❑ *...a rollicking bestseller.* ...en løssluppen *or* livat bestseller.

▸ **to have a rollicking time** ha* det rasende festlig, ha* det livat

rolling ['rəulɪŋ] ADJ (*hills*) bølgende

rolling mill s valseverk *nt*

rolling pin s kjevle *nt or f*

rolling stock (*JERNB*) s vognpark *m*, kjørემateriell *nt*

roll-on/roll-off ['rəulɔn'rəulɔf] (*BRIT*) ADJ (*ferry*) roll-on-roll-off, ro-ro

rollover ['rəuləuvər] ADJ (*in Lottery*) ▸ **a rollover week** *uke med jackpot-premie*

roly-poly ['rəulɪ'pəulɪ] (*BRIT : KULIN*) s *en slags pudding med innbakt frukt eller syltetøy*

ROM [rɔm] (*DATA*) S FK (= **read-only memory**) leselager *nt*

Roman ['rəumən] [1] ADJ romersk
[2] s (*person*) romer *m*

Roman Catholic [1] ADJ romersk-katolsk
[2] s katolikk *m*

romance [rə'mæns] s (**a**) (= *love affair*) romanse *m* ❑ *...a holiday romance.* ...en ferieromanse. (**b**) (*charm*) romantikk *m* ❑ *There is romance to be found in life on the river...* Det kan finnes romantikk i livet på elven... (**c**) (*novel*) kjærlighetsroman *m* ❑ *...historical romances.* ...historiske kjærlighetsromaner.

Romanesque [rəumə'nɛsk] ADJ romansk

Romania [rəu'meɪnɪə] s Romania *nt*

Romanian [rəu'meɪnɪən] [1] ADJ rumensk
[2] s (*person*) rumener *m*; (*LING*) rumensk

Roman numeral s romertall *nt*

romantic [rə'mæntɪk] ADJ romantisk

romanticism [rə'mæntɪsɪzəm] s (*idealism*) romantisk innstilling *c*; (*KUNST, LITT*) romantikk *m*

Romany ['rɔmənɪ] [1] ADJ romani
[2] s (*person*) sigøyner *m*; (*LING*) romani

Rome [rəum] s Roma

romp [rɔmp] [1] s boltre (*v1*) seg
[2] VI (*also* ***romp about***: *children, dogs etc*) boltre (*v1*) seg, tumle (*v1*) rundt

▸ **to romp home** (*horse+*) vinne* overlegent

rompers ['rɔmpəz] SPL kort sparkebukse *c*

rondo ['rɔndəu] s rondo *m*

roof [ru:f] (*pl* **roofs**) [1] s tak *nt*
[2] VT (*+house, building etc*) legge* (nytt) tak på

▸ **the roof of the mouth** ganen *m def*

roof garden s takhage *m*

roofing ['ru:fɪŋ] s tak(tekkings)materiale *nt*

▸ **roofing felt** takpapp *m*

roof rack s takgrind *c*

rook [ruk] s (*bird*) kornkråke *c*; (*SJAKK*) tårn *nt*

rookie ['ruki:] (*sl*) s (*esp MIL*) rekrutt *m*

room [ru:m] [1] s (**a**) (*in building*) rom *nt*, værelse *nt* ❑ *...a room for the night...* et rom for natten... (**b**) (= *space*) plass *m* ❑ *...there's plenty of room...* det er masse plass...
[2] VI ▸ **to room with sb** (*esp US*) dele (*v2*) rom med noen

▸ **rooms** SPL (*lodging*) rom *pl*

▸ **"rooms to let"**, (*US*) **"rooms for rent"** "rom til leie"

▸ **single/double room** enkeltrom/dobbeltrom *nt*

▸ **is there room for this?** er det plass til dette?

▸ **to make room for sb** gjøre* plass til noen

▸ **room for** (*improvement, change, doubt*) rom for ❑ *There ought to be room for differences of opinion...* Det burde være* rom for meningsforskjeller...

rooming house (*US*) s leiegård *m*, hybelhus *nt*

roommate ['ru:mmeɪt] s romkamerat *m*

room service s romservice *m*

room temperature s romtemperatur *m*

▸ **"serve at room temperature"** "server ved romtemperatur"

roomy ['ru:mɪ] ADJ (*building, car*) romslig

roost [ru:st] VI vagle (*v1*) seg (opp)

rooster ['ru:stər] (*især US*) s hane *m*

root [ru:t] [1] s (*gen, also MATH*) rot *c irreg* ❑ *They pulled her hair out by the roots.* De dro ut håret hennes ved røttene. *Many diseases have their roots in...* Mange sykdommer har sine røtter i...
[2] VI (*plant+*) slå* rot ❑ *Geraniums root very easily.* Geranier slår rot *or* røtter svært lett.
[3] VT ▸ **to be rooted in** (*ideas, attitudes+*) være* rotfestet *or* forankret i ❑ *...attitudes deeply rooted in class and history.* ...holdninger som var dypt rotfestet *or* forankret i klassetilhørighet og historie.

▸ **roots** SPL (= *family origins*) røtter *pl* ❑ *People are searching again for their roots...* Folk er på leting igjen etter røttene sine...

▸ **to take root** (*plant, idea+*) slå* rot

▸ **the root cause of the problem** den egentlige *or* grunnleggende årsaken til problemet

► **root about** VI (*fig : search*) rote (*v1*) rundt

► **root for** VT FUS (= *support*) heie (*v1*) på

► **root out** VT (= *remove*) rykke (*v1*) opp med roten

root beer (*US*) s *kullsyreholdig drikk med uttrekk av urter og røtter*

rope [rəup] [1] s tau *nt*
[2] VT (**a**) (= *tie*) binde* (*med tau*) ❑ *I roped my horse to a tree.* Jeg bandt hesten min til et tre. (**b**) (*also* ***rope together***: *climbers etc*) binde* sammen (med tau) ❑ *The wagons were roped together.* Vognene var bundet sammen (med tau).

▸ **to know the ropes** (*fig*) kunne* systemet

► **rope in** VT (*fig : person*) taue (*v1*) inn, dra* inn ❑ *Some people were roped in to work on these books.* En del folk ble tauet *or* dratt inn for å jobbe med disse bøkene.

► **rope off** VT (*+area*) sperre (*v1*) av (med tau) ❑ *The track was roped off from the rest of the area.* Banen var sperret av (med tau) fra resten av området.

rope ladder S taustige *m*

rop(e)y (*sl*) ADJ (= *ill, poor quality*) dårlig

rosary ['rəuzərɪ] S rosenkrans *m*

rose [rəuz] [1] PRET *of* **rise**
[2] S (*flower, bush*) rose *c*; (*on watering can*) spreder *m*
[3] ADJ (= *pink*) rosarød

rosé ['rəuzeɪ] S rosévin *m*

rosebed ['rəuzbɛd] S rosebed *nt*

rosebud ['rəuzbʌd] S rosenknopp *m*

rosebush ['rəuzbuʃ] S rosebusk *m*

rosemary ['rəuzmərɪ] S rosmarin *m*

rosette [rəu'zɛt] S rosett *m*

ROSPA ['rɔspə] (*BRIT*) S FK (= **Royal Society for the Prevention of Accidents**) ≈ Trygg Trafikk

roster ['rɔstə^r] S ▸ **duty roster** turnusliste *m*

rostrum ['rɔstrəm] S podium *nt irreg*

rosy ['rəuzɪ] ADJ (*colour, face, cheeks, situation, future*) rosenrød

rot [rɔt] [1] S (**a**) (= *decay: process*) forråtnelse *m*
(**b**) (*state*) råte *m*
(**c**) (= *nonsense*) sprøyt *nt*, vås *nt* ❑ *You're talking absolute rot...* Du snakker bare sprøyt *or* vås...
[2] VT (*+teeth, wood, fruit etc*) få* til å råtne
[3] VI (*teeth, wood, fruit etc+*) råtne (*v1*)
▸ **to stop the rot** (*BRIT: fig*) få* en slutt på forfallet *or* tilbakeslagene
▸ **dry rot** tørråte *m*
▸ **wet rot** bløtråte *m*

rota ['rəutə] S turnus(liste) *m* ❑ *We drew up a cooking rota.* Vi satte opp en turnus(liste) for matlagingen.
▸ **on a rota basis** etter turnusliste, på rundgang

rotary ['rəutərɪ] ADJ roterende

rotate [rəu'teɪt] [1] VT (**a**) (= *spin*) få* til å rotere *or* dreie rundt, dreie (*v3*) rundt
(**b**) (*+crops*) drive* vekselbruk mellom
(**c**) (*+jobs*) la gå* på omgang ❑ *They rotate the jobs so that everyone works at the creative ones.* De lar oppgavene gå* på omgang slik at alle får jobbe med de som er kreative.
[2] VI rotere (*v2*) ❑ *The capsule rotated anticlockwise...* Kapselen roterte mot klokka...

rotating [rəu'teɪtɪŋ] ADJ roterende

rotation [rəu'teɪʃən] S (**a**) rotasjon *m*
(**b**) (*of crops*) vekselbruk *nt*
(**c**) (*of jobs*) rotasjon *m*, omgang *m* ❑ *We have a system of job rotation...* Vi har et system med å la jobbene gå* på rotasjon *or* omgang...
▸ **in rotation** i rekkefølge ❑ *She did everything in strict rotation.* Hun gjorde alt i streng rekkefølge.

rote [rəut] S ▸ **to learn sth by rote** pugge (*v1*) noe (utenat)

rotor ['rəutə^r] S (*also* ***rotor blade***) rotor *m*

rotten ['rɔtn] ADJ (**a**) (*fruit, meat, eggs, teeth, wood*) råtten
(**b**) (*sl: person, situation, action*) ekkel, guffen ❑ *That was a rotten thing to do.* Det var ekkelt *or* guffent gjort.
(**c**) (*sl: film, weather, driver etc*) elendig ❑ *He is a rotten performer on television.* Han er elendig til å opptre på tv.
▸ **to feel rotten** (= *ill*) føle (*v2*) seg elendig

rottweiler ['rɔtvaɪlə^r] S rottweiler *m*

rotund [rəu'tʌnd] ADJ rund

rouble ['ru:bl], **ruble** (*US*) S rubel *m*

rouge [ru:ʒ] S rouge *m*

rough [rʌf] [1] ADJ (**a**) (*skin, surface, cloth*) ujevn, ru
(**b**) (*terrain*) ulendt
(**c**) (*road*) humpete, ujevn
(**d**) (*person, manner*) voldsom, hardhendt
(**e**) (*town, area*) belastet
(**f**) (*treatment, handling*) hardhendt, røff
(**g**) (*life, conditions, journey*) hard, barsk, tøff
(**h**) (*sea*) barsk, opprørt
(**i**) (*crossing*) barsk, hard
(**j**) (*outline, plan*) grov, omtrentlig ❑ *She gave a rough outline of the proposals.* Hun gav en grov *or* omtrentlig skisse av forslagene.
(**k**) (*sketch, drawing*) grov ❑ *He drew a rough sketch on his pad...* Han tegnet opp en grov skisse på blokken sin...
(**l**) (*guess, estimate, guide, idea*) grov, løselig ❑ *As a rough guide,...* Som en grov *or* løselig pekepinn,...
[2] S (*GOLF*) ▸ **in the rough** utenfor fairwayen
[3] VT ▸ **to rough it** leve (*v3*) primitivt
▸ **the sea is rough today** det er høy sjø idag, havet er opprørt idag
▸ **to have a rough time** ha* det hardt *or* tøft
▸ **to play rough** (*fig*) drive* hardt spill
▸ **to sleep rough** (**a**) (*BRIT: tramp etc*) leve (*v3*) som/være uteligger
(**b**) (*camper+*) sove* under åpen himmel
▸ **to feel rough** (*BRIT*) føle (*v2*) seg uggen

► **rough out** VT (*+drawing, idea, article*) kladde (*v1*), lage (*v1 or v3*) (et) utkast til

roughage ['rʌfɪdʒ] S fiber *m*

rough-and-ready ['rʌfən'rɛdɪ] ADJ improvisert

rough-and-tumble ['rʌfən'tʌmbl] S (**a**) (*fighting*) basketak *nt*
(**b**) (*fig*) strabaser *pl* ❑ *...the rough and tumble of world politics.* ...verdenspolitikkens strabaser.

roughcast ['rʌfkɑ:st] S grovpuss *m*

rough copy S kladd *m*

rough draft S kladd *m*, utkast *nt*

rough justice S (bein)hard *or* streng justis *m*

roughly ['rʌflɪ] ADV (**a**) (*handle, grab, push etc*) harhendt, uvørent
(**b**) (*make, construct*) primitivt, enkelt
(**c**) (*speak, answer*) bryskt, morskt
(**d**) (= *approximately*) omtrent, omkring ❑ *...a woman of roughly his own age.* ...en kvinne på omtrent *or* omkring hans egen alder.
▸ **roughly speaking** grovt regnet/sett, rundt regnet ❑ *It's 50 miles away, roughly speaking.* Det er 50 miles unna, grovt *or* rundt regnet.

roughness ['rʌfnɪs] S (**a**) (*of surface, skin*) ujevnhet *m*, ruhet *m*
(**b**) (*of manner*) barskhet *m* ❑ *He was a kind man, under all that roughness.* Han var en snill mann, under all den barskheten.

roughshod ['rʌfʃɔd] ADV ▸ **to ride roughshod over** (*+person, objections*) overkjøre (*v2*)

roulette [ru:'lɛt] S rulett *m*

Roumania [ru:'meɪnɪə] S = **Rumania**

round [raund] [1] ADJ (*shape, object, sum*) rund

❑ *That's a nice round figure.* Det er et pent, rundt tall.
[2] S (**a**) (*of policeman, milkman*) runde *m*
(**b**) (*of doctor*) sykebesøk *nt* [NB] *...on his rounds.* ...på sykebesøk.
(**c**) (*in competition, sport*) runde *m* [NB] *...the third round of the Cup.* ...den tredje runden i cupen. [NB] *...a round of golf.* ...en runde med golf.
(**d**) (*of ammunition*) skudd *nt* ❑ *...up to 250 rounds per minute...* opp til 250 skudd i minuttet... ▸ **a round of talks** en runde med samtaler *...a further round of talks with Greece.* ...en ny runde med samtaler med Hellas.
(**e**) (*of drinks*) runde *m*, omgang *m* ❑ *Whose round is it?* Hvem er det som har tur til å spandere neste runde *or* omgang? (*skikk og bruk i engelske puber*)
[3] VT (*+corner, bend, cape*) runde (*v1*)
[4] PREP (**a**) (= *surrounding*) ▸ **round his neck/the table** rundt halsen hans/bordet
(**b**) (= *in a circular movement*) ▸ **to move round the room/sail round the world** bevege seg rundt i rommet/seile verden rundt
(**c**) (= *in various directions*) ▸ **to move round a room/house** bevege seg omkring *or* rundt i et rom/hus
(**d**) (= *approximately*) ▸ **round about 300** omkring *or* rundt 300
[5] ADV ▸ **all round** rundt ❑ *...a house with a fence all round.* ...et hus med gjerde rundt.
▸ **to go round** (= *rotate*) gå* rundt ❑ *The car had crashed but the wheels continued to go round.* Bilen hadde kollidert, men hjulene fortsatte å gå* rundt.
▸ **to go round sth** gå* rundt noe ❑ *We had to go round the fence.* Vi måtte* gå* rundt gjerdet.
▸ **in round figures** rundt regnet
▸ **enough to go round** nok til alle
▸ **to go round to sb's (house)** stikke* innom noen
▸ **to go round the back** gå* rundt (på baksiden av) huset
▸ **to take** *or* **come/go the long way round** ta* en omvei ❑ *We arrived late because we came the long way round.* Vi kom sent fordi vi tok en omveg.
▸ **all (the) year round** året rundt
▸ **the wrong way round** feil vei, bak fram
▸ **it's just round the corner** (*fig*) det er rett rundt hjørnet
▸ **to ask sb round** be* noen stikke innom, be* noen komme innom ❑ *Why don't you ask him round for a drink?* Hvorfor ber du ham ikke stikke *or* komme innom på en drink?
▸ **I'll be round at 6 o'clock** jeg kommer klokka 6.
▸ **round the clock** døgnet rundt, hele døgnet
▸ **the daily round** (*fig*) de daglige pliktene, den daglige tralten
▸ **a round of applause** en klappsalve
▸ **a round of drinks** en runde *or* omgang med drinker
▸ **a round of toast/sandwiches** (*BRIT*) en skive ristet brød/et dobbelt smørbrød *or* en sandwich
▸ **round off** VT (*+meal, evening etc*) runde (*v1*) av
▸ **round up** VT (**a**) (*+cattle, sheep*) ringe (*v1*) inn, drive* sammen
(**b**) (*+people*) ringe (*v1*) inn
(**c**) (*+price, figure*) runde (*v1*) opp

roundabout ['raundəbaut] (*BRIT*) [1] S (**a**) (*BIL*) rundkjøring *c*
(**b**) (*at fair*) karusell *m*
[2] ADJ ▸ **a roundabout route** en omvei; (*way, means*) indirekte, løselig ❑ *I suggested it in a very roundabout way...* Jeg foreslo det på en svært indirekte *or* løselig måte...

rounded ['raundɪd] ADJ (*hill etc*) avrundet; (*body*) rund, fyldig; (*figure*) buet, avrundet

rounders ['raundəz] S (*game*) ≈ dødball *m*, rundball *m*

roundly ['raundlɪ] ADV (*fig: criticize, condemn*) kraftig

round robin (*især US*) S (*SPORT*) *turnering hvor alle spiller mot alle*

round-shouldered ['raund'ʃəuldəd] ADJ lut(skuldret), rundskuldret

roundsman ['raundzmən] S melkemann *m*

round trip S rundtur *m* [NB] *It's an eighty-mile round trip.* Det er en rundtur på åtti miles.

roundup ['raundʌp] (*of news, information*) sammendrag *nt*; (*of animals*) sammendriving *c*, innringing *c*; (*of criminals*) arrestasjoner *pl* av mistenkte
▸ **a roundup of the latest news** den siste nyhetssammendraget

rouse [rauz] VT (**a**) (= *wake up*) vekke (*v1 or v2x*), få* våken ❑ *I couldn't rouse her.* Jeg kunne* ikke vekke henne *or* få* henne våken.
(**b**) (= *stir up*) hisse (*v1*) opp, ildne (*v1*) (opp)
▸ **to rouse sb to anger** vekke (*v1 or v2x*) sinnet i noen ❑ *He could move quickly when roused to anger.* Han kunne* handle raskt hvis han ble opphisset *or* oppildnet.. Han kunne* handle raskt hvis sinnet ble vekt i ham.

rousing ['rauzɪŋ] ADJ (*speech*) flammende; (*welcome*) stormende

rout [raut] (*MIL*) [1] S (vill) flukt *m*
[2] VT slå* på flukt

route [ruːt] S (**a**) (= *way*) rute *c*, vei *m* (*var.* vei) ❑ *...the main route out of London...* hovedruta *or* hovedveien ut av London...
(**b**) (*of bus, train, shipping, procession*) rute *c* ❑ *...bus routes into the city centre...* bussruter inn til sentrum... *shipping routes.* ...skipsruter. *A million people were lining the route...* En million mennesker stod langs ruten...
(**c**) (*fig*) vei *m* (*var.* vei) ❑ *Her book came to the screen by a somewhat circuitous route...* Boka hennes kom til filmlerretet ad en noe krokete veg...
▸ **"all routes"** (*BIL*) gjennomfartsvei
▸ **en route for/from** undervegs til/fra

route map (*BRIT*) S (*for journey*) vegkart *nt*; (*for trains etc*) rutekart *nt*

routine [ruː'tiːn] [1] ADJ (*work, job, checks*) rutine-, rutinemessig
[2] S (**a**) (*habits, drudgery*) rutine *m*
(**b**) (*TEAT*) nummer *nt* ❑ *...a dance routine.* ...et dansenummer.
▸ **routine procedure** rutinesak *m* ❑ *The police assured us it was routine procedure to...* Politiet

forsikret oss om at det var en ren rutinesak å...

rove [rəuv] VT streife (*v1*) om(kring) i *or* rundt i

roving reporter S oppsøkende journalist *m*

row[1] [rəu] 1 S (**a**) (= *line: of people, houses etc*)
▸ **row (of)** rad *m* (med), rekke *c* (med) NB *...rows of desks.* ...rader *or* rekker med pulter.
(**b**) (*in theatre, cinema*) rad *m* NB *...in the back row...* på bakerste rad...
(**c**) (*in classroom*) rekke *c*
(**d**) (*in knitting*) pinne *m*, rad *m*
(**e**) (*on circular needle*) omgang *m*
2 VTI ro (*v4*) ❑ *He once rowed in the Olympics.* Han rodde en gang i OL.
▸ **in a row** (*fig*) på rad ❑ *...three times in a row.* ...tre ganger på rad.

row[2] [rau] 1 S (**a**) (= *din*) bråk *nt*, leven *nt* ❑ *What a row they're making next door!* For et bråk *or* leven de lager ved siden av!
(**b**) (= *dispute*) krangel *m* ❑ *A new row has broken out over...* Det har brutt ut en ny krangel om...
(**c**) (= *quarrel*) krangel *m*, trette *m* ❑ *...a family row.* ...en familiekrangel *or* familietrette.
2 VI krangle (*v1*), trette (*v1*) ❑ *He never rowed with his mother...* Han kranglet *or* trettet aldri med sin mor...
▸ **to have a row** krangle (*v1*), trette (*v1*) ❑ *They were always having terrible rows...* De kranglet *or* trettet alltid fryktelig...

rowboat ['rəubəut] (*US*) S robåt *m*

rowdiness ['raudınıs] S pøbelaktig *or* rampete oppførsel *m*

rowdy ['raudı] ADJ (*person*) pøbelaktig, rampete; (*party etc*) rampete

rowdyism ['raudıızəm] S pøbelstreker *pl*, rampestreker *pl*

rowing ['rəuıŋ] S (*sport*) roing *c*

rowing boat (*BRIT*) S robåt *m*

rowlock ['rɔlək] (*BRIT*) S åregaffel *m*

royal ['rɔıəl] ADJ (*palace, yacht etc*) konge-, kongelig
▸ **the royal family** kongefamilien

Royal Academy

Royal Academy *eller* **Royal Academy of Arts**, *ble grunnlagt i 1768 av George III for å fremme malerkunst, billedhugging og arkitektur. Det ligger i Burlington House ved Picadilly. Hver sommer er det en utstilling med arbeidene til nålevende kunstnere. Akademiet tilbyr også utdanning innen maling, skulptur og arkitektur.*

Royal Air Force (*BRIT*) S ▸ **the Royal Air Force** *det britiske flyvåpenet*, Luftforsvaret

royal blue ADJ kongeblå

royalist ['rɔıəlıst] 1 S rojalist *m*
2 ADJ rojalistisk

Royal Navy (*BRIT*) S ▸ **the Royal Navy** *den britiske marinen*, Sjøforsvaret

royalty ['rɔıəltı] S (= *royal persons*) medlemmer *pl* av kongehuset ❑ *...an official visit by royalty.* ...et offisielt besøk av medlemmer av kongehuset.
▸ **royalties** SPL royalties *pl (no def form)*

RP (*BRIT*) S FK (= **received pronunciation**) normaluttale *m* (*av britisk engelsk*), standarduttale *m*

rpm FK (= **revolutions per minute**) omdreininger per minutt

RR (*US*) FK = **railroad**

RRP (*BRIT*) S FK = **recommended retail price**

RSA (*BRIT*) S FK (= **Royal Society of Arts**) *forening som arbeider for å fremme kunsten*

RSI (*MED*) S FK (= **repetitive strain injury**) skade *m* ved gjentatt belastning

RSPB (*BRIT*) S FK (= **Royal Society for the Protection of Birds**) *dyrebeskyttelsesorganisasjon*

RSPCA (*BRIT*) S FK (= **Royal Society for the Prevention of Cruelty to Animals**) ≈ Dyrebeskyttelsen Norge

RSVP FK (= **répondez s'il vous plaît**) svar utbedes vennligst

RTA S FK (= **road traffic accident**) trafikkulykke *c*

Rt Hon. (*BRIT*) FK (= **Right Honourable**) *tittel*

Rt Rev. (*REL*) FK (= **Right Reverend**) *tittel*

rub [rʌb] 1 VT (**a**) (*+part of body*) gni (*v4 or irreg*) NB *He rubbed his eyes...* Han gned seg i øynene...
(**b**) (*+object: with cloth, substance*) pusse (*v1*) ❑ *Peter rubbed his glasses slowly...* Peter pusset brillene sine langsomt...
(**c**) (*also* ***rub together****: hands*) gni (*v4 or irreg*) seg i
2 S ▸ **to give sth a rub** (= *polish*) pusse (*v1*) noe
▸ **to rub sb up the wrong way,** (*US*) **rub sb the wrong way** stryke* noen mot hårene, ta* noen på den gale måten

▸ **rub down** VT (**a**) (*+body*) frottere (*v2*)
(**b**) (*+horse*) strigle (*v1*)

▸ **rub in** VT (*+ointment*) gni (*v4 or irreg*) inn
▸ **don't rub it in!** (*fig*) ikke strø salt i såret!

▸ **rub off** 1 VI gå* av
2 VT gni (*v4 or irreg*) av

▸ **rub off on** VT FUS smitte (*v1*) over på

▸ **rub out** VT viske (*v1*) ut

rubber ['rʌbə^r] S (*substance*) gummi *m*; (*BRIT: eraser*) viskelær *nt*; (*US: sl: condom*) gummi *m*

rubber band S (gummi)strikk *m*

rubber bullet S gummikule *c*

rubber plant S gummiplante *c*

rubber ring S (*for swimming*) badering *m*

rubber stamp S stempel *nt*

rubber-stamp [rʌbə'stæmp] VT (*fig: decision*) strø (*v4*) sand på

rubbery ['rʌbərı] ADJ (*material, substance*) gummiaktig, som gummi; (*meat, food*) som gummi

rubbish ['rʌbıʃ] (*BRIT*) 1 S (**a**) (*from household*) søppel *nt*, avfall *nt*
(**b**) (*in street*) søppel *nt*, avfall *nt*
(**c**) (= *poor quality stuff*) søppel *nt*, skrap *nt*, skitt *m* ❑ *There is so much rubbish on TV...* Det er så mye søppel *or* skrap *or* skitt på tv...
(**d**) (= *nonsense*) tøv *nt*, tull *nt* ❑ *"Don't talk rubbish."* "Ikke snakk tøv *or* tull.". "Ikke tøys *or* tull."
2 ADJ (*sl: no good at sth*) håpløs
3 VT (*BRIT: sl*) rakke (*v1*) ned på ❑ *He is often rubbished for his opinions.* Han blir ofte rakket ned på på grunn av meningene sine.
▸ **rubbish!** tøv!, tull!, tøys!

rubbish bin (*BRIT*) S søppelbøtte *c*, avfallsbøtte *c*

rubbish dump (*BRIT*) S søppelfylling *c*

rubbishy ['rʌbıʃı] (*BRIT: sl*) ADJ (*objects, furniture*) elendig, skral; (*novel, newspaper*) elendig, bedrøvelig

rubble ['rʌbl] s (**a**) (= *debris*) ruiner *pl* (*av bygninger*) ❑ *Injured people lay amongst the rubble.* Det lå skadede blant ruinene *or* i ruinhaugene.
(**b**) (CONSTR) grus *m* ❑ *...a dam of sand, rubble, and rock...* en demning av sand, grus og stein...

ruble ['ru:bl] (*US*) s = **rouble**

ruby ['ru:bɪ] 1 s rubin *m*
2 ADJ (*colour*) rubinrød

RUC (*BRIT*) s FK (= **Royal Ulster Constabulary**) *politistyrke i Nord-Irland*

rucksack ['rʌksæk] s ryggsekk *m*

ructions ['rʌkʃənz] (*sl*) SPL lurveleven *nt*, rabalder *nt* ❑ *There'll be ructions when your mother hears about that!* Det kommer til å bli* et lurveleven *or* bli* rabalder når moren din hører om det!

rudder ['rʌdəʳ] s ror *nt*

ruddy ['rʌdɪ] ADJ (*face, complexion*) rødmusset; (*glow*) rødlig; (*sl: damned*) forbasket

rude [ru:d] ADJ (**a**) (= *impolite: person, behaviour, remark*) uforskammet, uhøflig ❑ *It's rude to stare...* Det er uforskammet *or* uhøflig å stirre...
(**b**) (= *naughty: word*) stygg
(**c**) (*joke, story*) grov, ufin
(**d**) (*unexpected: shock, surprise*) brutal
(**e**) (= *crude: table, shelter etc*) primitiv, enkel
▸ **to be rude to sb** være* uforskammet *or* uhøflig mot noen
▸ **a rude awakening** en brutal oppvåkning

rudely ['ru:dlɪ] ADV (*interrupt, say, push*) uforskammet, uhøflig

rudeness ['ru:dnɪs] s uforskammethet *m*, uhøflighet *m*

rudimentary [ru:dɪ'mɛntərɪ] ADJ (*equipment*) elementær, rudimentær; (*knowledge*) elementær

rudiments ['ru:dɪmənts] SPL elementære kunnskaper/ferdigheter

rue [ru:] VT angre (*v1*)

rueful ['ru:ful] ADJ (*expression, person*) bedrøvet, nedslått

ruff [rʌf] s (*collar*) rysjekrave *m*; (*HIST*) pipekrave *m*

ruffian ['rʌfɪən] s råtass *m*, råtamp *m*

ruffle ['rʌfl] VT (**a**) (+*hair*) ruske (*v1*) i
(**b**) (*bird+ : feathers*) bruse (*v2*) med
(**c**) (+*water*) kruse (*v2*) ❑ *...a stiff breeze ruffled the surface...* en stiv bris kruste overflaten...
(**d**) (*fig: person*) overrumple (*v1*) ❑ *He was not easily ruffled...* Han ble ikke så lett overrumplet...

rug [rʌg] s (*on floor*) (lite) teppe *nt*; (*BRIT: blanket*) pledd *nt*, teppe *nt*

rugby ['rʌgbɪ] s (*also* ***rugby football***) rugby *m*

rugged ['rʌgɪd] ADJ (*landscape*) forreven; (*man, features, face*) skarpskåren; (*determination, independence*) innbitt, hardnakket; (*character*) barsk, råbarket

rugger ['rʌgəʳ] (*BRIT: sl*) s rugby *m*

ruin ['ru:ɪn] 1 s (**a**) (*of building*) ruin *m* ❑ *It was very splendid once, but it is a ruin now.* Den var svært storslått en gang, men den er en ruin nå. *The villages are crumbling into ruin...* Landsbyene blir til ruiner.... Landsbyene forfaller...
(**b**) (*of hopes, plans etc*) grus *m* ❑ *The regime collapsed in total ruin.* Regimet falt *or* sank helt i grus.
(**c**) (= *of person*) bane *m*, undergang *m* ❑ *The revelations led to his ruin.* Avsløringene ble hans bane *or* førte til hans undergang.
(**d**) (*bankruptcy*) økonomisk ruin *m*
2 VT (**a**) (+*building, village*) legge* i ruiner
(**b**) (+*hopes, plans, prospects etc*) ruinere (*v2*), ødelegge*
(**c**) (+*eyesight, health, clothes, carpet*) ødelegge*
(**d**) (= *bankrupt*) ruinere (*v2*)
▸ **ruins** SPL (*of building, castle etc*) ruiner
▸ **to be in ruins** ligge* i ruiner

ruination [ru:ɪ'neɪʃən] s (*of building, place*) ødeleggelse *m*; (*of person, life, career*) ruinering *c*

ruinous ['ru:ɪnəs] ADJ (*expense, interest*) ruinerende

rule [ru:l] 1 s (**a**) (= *norm, regulation*) regel *m* ❑ *Breast feeding is the exception rather than the rule...* Amming er unntaket snarere enn regelen... *Anyone who breaks the rules...* Alle som bryter reglene...
(**b**) (= *government*) styre *nt* ❑ *...the dangers of one-party rule...* farene med ettpartistyre...
(**c**) (= *ruler*) linjal *m*
2 VT (+*country, people*) styre (*v2*)
3 VI ▸ **to rule (over)** (*leader, monarch etc+*) herske (*v1*) (over), styre (*v2*)
▸ **to rule in favour of/against/on** (*JUR*) avsi* kjennelse for/mot/i
▸ **to rule that** (*umpire, judge etc+*) avgjøre* at
▸ **it's against the rules** det er mot reglene *or* regelverket
▸ **as a rule of thumb** som en tommelfingerregel
▸ **under British rule** under britisk styre *or* overherredømme
▸ **as a rule** som regel

▸ **rule out** VT (+*idea, possibility etc*) utelukke (*v1*)
▸ **murder cannot be ruled out** mord kan ikke utelukkes

ruled [ru:ld] ADJ (*paper*) linjert

ruler ['ru:ləʳ] s (*sovereign*) hersker *m*; (*for measuring*) linjal *m*

ruling ['ru:lɪŋ] 1 ADJ (*party, body*) herskende, regjerende
2 s (*JUR*) kjennelse *m*
▸ **the ruling class** den herskende klasse

rum [rʌm] 1 s rom *m*
2 ADJ (*BRIT: sl*) pussig

Rumania *etc* [ru:'meɪnɪə] s = **Romania** *etc*

rumble ['rʌmbl] 1 s (**a**) (*of thunder, traffic, guns*) rammel *nt*, bulder *nt*
(**b**) (*of voices*) surr *nt*
2 VI (**a**) (*stomach+*) rumle (*v1*)
(**b**) (*thunder, guns+*) buldre (*v1*)
(**c**) (*traffic+*) ramle (*v1*), buldre (*v1*)
(**d**) (*also* ***rumble along***) ramle (*v1*), skramle (*v1*) ❑ *The bus rumbled into Lerwick at 10 o'clock.* Busset ramlet *or* skramlet inn i Lerwick klokka 10.

rumbustious [rʌm'bʌstʃəs] ADJ uregjerlig

ruminate ['ru:mɪneɪt] VI (*cow, sheep etc+*) tygge (*v1 or v3*) drøv (*var.* drøvtygge) (*person+ : ponder*) ▸ **to ruminate (over)** gruble (*v1*) (over), tygge (*v1 or v3*) (på)

rummage ['rʌmɪdʒ] VI (= *search*) romstere (*v2*)

rummage sale (*US*) s loppemarked *nt*

rumour ['ruːmər], **rumor** (*US*) 1 s rykte *nt*
2 VT ▸ **it is rumoured that...** det ryktes at..., det går rykter om at...

rump [rʌmp] s (**a**) (*of animal*) bak *m*, rumpe *c*
(**b**) (*of group, political party*) rest *m* ❑ *The party has dwindled to a disorganized rump...* Partiet har skrumpet ned til en uorganisert rest...

rumple ['rʌmpl] VT (*+clothes, sheets etc*) skrukke (*v1*), krølle (*v1*)

rump steak s ≈ rundbiff *m*

rumpus ['rʌmpəs] s bråk *nt*, oppstyr *nt*
▸ **to kick up a rumpus** lage (*v1 or v3*) bråk, gjøre* oppstyr

run [rʌn] (*pt* **ran**, *pp* **run**) 1 s (**a**) (*as exercise, sport*) løp *nt* ❑ *...a cross-country run.* ...et terrengløp
(**b**) (*in car*) tur *m* (i bilen), (kjøre)tur *m* ❑ *I took her for a run in the car...* Jeg tok henne med på en tur i bilen *or* på kjøretur...
(**c**) (*distance travelled*) (kjøre)tur *m* ❑ *It's a 50-minute run from Glasgow to Edinburgh.* Det er en 50 minutters kjøretur fra Glasgow til Edinburgh.
(**d**) (*journey: of train, bus etc*) rute *c* ❑ *He does the West Africa run.* Han er på Vestafrikaruta.
(**e**) (= *series: of victories, defeats etc*) serie *m* ❑ *Leeds United had a run of wins in December.* Leeds United hadde en serie med seiere i desember.
(**f**) (*SKI*) løype *c* ❑ *...a ski run.* ...en skiløype.
(**g**) (*in cricket, baseball*) poeng *nt* ❑ *They beat England by 17 runs.* De slo England med 17 poeng.
(**h**) (*TEAT*) *tiden et stykke går på et teater* ❑ *...during its 13-week run at the Apollo Theatre.* ...i løpet av de 13 ukene som det gikk på Apolloteateret.
(**i**) (*in tights, stockings*) raknet maske *c* ❑ *I've got a run in my tights.* Det har gått *or* raknet en maske i strømpebuksa min.
2 VT (**a**) (*+race, distance*) løpe*
(**b**) (*+business, shop, restaurant*) drive*
(**c**) (*+competition, course*) arrangere (*v2*)
(**d**) (*+country*) styre (*v2*)
(**e**) (*DATA: program*) kjøre (*v2*)
(**f**) (= *pass: hand, fingers*) la løpe ❑ *She ran her finger down a list of names.* Hun lot fingeren løpe nedover en liste med navn.
(**g**) (*+water, a bath*) tappe (*v1*) ❑ *She was running water into the tub...* Hun tappet vann i badekaret...
(**h**) (*PRESS: feature, article*) kjøre (*v2*) ❑ *The local newspaper ran a feature on Liverpool...* Lokalavisa kjørte et oppslag om Liverpool...
3 VI (**a**) (*person, animal+*) løpe* ❑ *I ran downstairs to open the door...* Jeg løp *or* sprang ned for å åpne døren...
(**b**) (= *flee*) løpe*, springe* ❑ *We'll look very foolish if we turn and run now.* Det vil se veldig dumt ut hvis vi snur og løper *or* springer nå.
(**c**) (= *work: machine*) gå ❑ *He left the engine running.* Han lot motoren gå.
(**d**) (*bus, train+ : operate*) gå ❑ *The buses run every hour.* Bussene går hver time.
(**e**) (= *travel*) kjøre (*v2*) ❑ *The cart ran down the road out of control.* Vogna kjørte ukontrollert nedover veien.
(**f**) (= *continue: play, show etc*) gå
(**g**) (*contract+*) løpe*, være* gyldig ❑ *The play ran a long time and did good business.* Stykket gikk lenge og var svært innbringende. *My policy's only got another week to run.* Polisen min løper *or* er gyldig i bare en uke til.
(**h**) (= *flow: river, tears, nose*) renne* ❑ *Tears were running down his cheeks...* Tårer rant nedover kinnene hans...
(**i**) (*in election*) stille (*v2x*) (til valg) ❑ *McGovern ran against Nixon...* McGovern stilte (til valg) mot Nixon...
(**j**) (*road, railway etc+*) gå ❑ *The road ran between the hills...* Veien gikk mellom åsene...
(**k**) (*colours, washing+*) farge (*v1*) av ❑ *You can tell whether the colour or the garment will run by wetting it...* Du kan se om plagget vil farge av ved å væte det...
▸ **to go for a run** (*as exercise*) løpe* (seg) en tur
▸ **to break into a run** begynne (*v2x*) å løpe *or* springe
▸ **a run of good/bad luck** en heldig/uheldig periode
▸ **to have the run of sb's house** få* disponere noens hus
▸ **there was a run on...** det var stor etterspørsel etter...
▸ **in the long run** på lang sikt, i det lange løp
▸ **in the short run** på kort sikt
▸ **to make a run for it** legge* beina på nakken
▸ **on the run** på rømmen, på flukt
▸ **I'll run you to the station** jeg skal kjøre deg til stasjonen
▸ **to run the risk of doing sth** risikere (*v2*) å gjøre* noe
▸ **to run errands** løpe* ærend
▸ **it's very cheap to run** den er svært billig i drift
▸ **to run on petrol/off batteries** gå* på bensin/på batterier
▸ **to run for president** stille (*v2x*) som presidentkandidat, stille (*v2x*) til presidentvalg
▸ **to run dry** tørke (*v1*) ut
▸ **tempers were running high** bølgene gikk høyt, sinnene sto i kok
▸ **unemployment is running at 20%** arbeidsledigheten ligger på 20 %
▸ **it runs in the family** det ligger til slekten *or* familien, det går igjen i slekten *or* familien
▸ **to be run off one's feet** (*BRIT*) fly* beina av seg

► **run across** VT FUS (= *find*) komme* over

► **run after** VT FUS (= *chase*) løpe* etter, springe* etter

► **run away** VI stikke* av

► **run down** 1 VT (**a**) (*+production, factory*) skjære* ned på, redusere (*v2*)
(**b**) (*BIL: person*) kjøre (*v2*) på
(**c**) (= *criticize*) sable (*v1*) ned
2 VI (*battery+*) gå* (ut), bli* flatt
▸ **to be run down** (**a**) (*person+*) være* nedkjørt *or* utkjørt
(**b**) (*house+*) være* forfallen

► **run in** (*BRIT*) VT (*+car*) kjøre (*v2*) inn

► **run into** VT FUS (**a**) (*+person, problem*) støte (*v2*) på, treffe* (på)
(**b**) (*= collide with*) kjøre (*v2*) på, støte (*v2*) mot
▸ **to run into debt** sette* seg i gjeld
▸ **their losses ran into millions** tapene deres beløp seg til millioner
► **run off** 1 VT (**a**) (*+liquid*) tappe (*v1*) ut
(**b**) (*+copies*) kjøre (*v2*) opp
2 VI (*person, animal+*) stikke* av
► **run out** VI (**a**) (*time+*) løpe* ut
(**b**) (*money, luck+*) ta* slutt
(**c**) (*lease, passport+*) løpe* ut
► **run out of** VT FUS slippe* opp for
► **run over** 1 VT (*BIL: person*) kjøre (*v2*) over
2 VT FUS (*= repeat*) gå* over
3 VI (*bath, sink, water+*) renne* over
► **run through** VT FUS (**a**) (*+instructions*) gå* (i)gjennom (*var.* gjennomgå)
(**b**) (*= rehearse: scene, lines*) gå* (i)gjennom
► **run up** VT (*+debt*) opparbeide (*v1*) (seg)
► **run up against** VT FUS (*+difficulties*) støte (*v2*) på
runabout ['rʌnəbaut] (*BIL*) s liten bil *m*
run-around ['rʌnəraund] (*sl*) s ▸ **to give sb the run-around** villede (*v1*) noen
runaway ['rʌnəweɪ] ADJ (*horse, vehicle*) løpsk; (*child, slave*) (bort)rømt, som har rømt; (*fig: inflation, success*) som har løpt løpsk
rundown ['rʌndaun] 1 s (*of industry etc*) nedskjæring *c*, innskrenking *c*
2 ADJ ▸ **run-down** (*person*) nedkjørt; (*building, area*) forfallen
rung [rʌŋ] 1 PP *of* **ring**
2 s (*of ladder, fig*) trinn *nt* ❑ *...staff on the lower rungs of the ladder...* ansatte på de laveste trinnene på stigen.... ansatte nederst på stigen...
run-in ['rʌnɪn] (*sl*) s sammenstøt *nt* ❑ *He had a run-in with the law.* Han hadde et sammenstøt med loven.
runner ['rʌnə^r] s (*in race: person*) løper *m*; (*horse*) *hest som deltar i veddeløp*; (*on sledge, etc*) meie *c*, mei *m*; (*on drawer*) skinne *c*
runner bean (*BRIT*) s prydbønne *c*
runner-up [rʌnər'ʌp] s *en som kommer på annenplass i en konkurranse* ❑ *The runners-up will each receive...* De som kommer på annenplass vil motta...
running ['rʌnɪŋ] 1 s (**a**) (*sport*) løping *c*
(**b**) (*of business, organization*) drift *m*, ledelse *m*
❑ *...the day-to-day running of the school.* ...den daglige driften *or* ledelsen av skolen.
(**c**) (*of machine etc*) drift *m*
2 ADJ (*water, stream*) rennende
▸ **to be in the running for sth** være* med og kjempe om noe, være* med i kampen om noe
▸ **to be out of the running for sth** være* ute av bildet *or* spillet for *or* til noe
▸ **6 days running** 6 dager på rad
▸ **to have a running battle with sb** ligge* i stadig strid med noen
▸ **to give a running commentary on sth** kommentere (*v2*) noe fortløpende
▸ **a running sore** (*fig*) en verkebyll
▸ **to make the running** (**a**) (*in race*) bestemme (*v2x*) farten
(**b**) (*fig*) ta* ledelsen, føre (*v2*) an ❑ *Women made all the running in demands for change.* Kvinner tok ledelsen *or* førte an i kravene om forandring.
running costs SPL (*of car, machine*) løpende utgifter
running mate (*US: POL*) s visepresidentkandidat *m*
running total s løpende oversikt *nt*
runny ['rʌnɪ] ADJ (*egg, butter, nose, eyes*) rennende
run-off ['rʌnɔf] s (*in contest*) ekstraomgang *m*; (*in election*) omvalg *nt*; (*= extra race etc*) omkamp *m*
run-of-the-mill ['rʌnəvðə'mɪl] ADJ (*= ordinary*) hverdagslig, alminnelig
runt [rʌnt] s (*animal*) *den minste og svakeste i et kull*; (*neds: person*) pusling *m*, spjæling *m*
run-through ['rʌnθru:] s (*= rehearsal*) gjennomgang *m*, gjennomgåelse *m*
run-up ['rʌnʌp] s (*before a jump*) tilløp *nt*; (*to event*) ▸ **the run-up to** innspurten til
runway ['rʌnweɪ] s rullebane *m*
rupee [ru:'pi:] s rupi *m*
rupture ['rʌptʃə^r] 1 s (*MED*) ruptur *m*, brist *m*, brokk *m or nt*; (*conflict: between people, groups*) brudd *nt*
2 VT ▸ **to rupture o.s.** (*MED*) pådra* seg brist i bukveggen
rural ['ruərl] ADJ (*area, setting*) landlig, rural; (*economy*) jordbruks-; (*problems*) på landet *or* landsbygda
rural district council (*BRIT*) s ≈ herredstyre *nt*
ruse [ru:z] s (listig) knep *nt*
rush [rʌʃ] 1 s (**a**) (*of water, air*) strøm *m* ❑ *...a sudden rush of air.* ...en plutselig luftstrøm.
(**b**) (*of feeling, emotion*) bølge *m* ❑ *He felt a rush of nausea and dizziness...* Han kjente en (plutselig) bølge av kvalme og svimmelhet...
(**c**) (*= hurry*) ▸ **it was a bit of a rush to get here on time** det var litt av et mas *or* stress å komme dit i tide
(**d**) (*MERK: sudden demand*) ▸ **a rush (on)** et rusj (etter), stor pågang *m* (på) ❑ *...a rush for tickets...* et rusj etter billetter.... stor pågang på billetter...
2 VT (**a**) (*= hurry: lunch, job etc*) skynde (*v2*) seg med, spise (*v2*)/gjøre *etc* i all hast
(**b**) (*+person: to hospital etc*) kjøre (*v2*) i all hast, bringe* i all hast
(**c**) (*+supplies, order: to person, place*) bringe* omgående
3 VI (**a**) (*person+*) skynde (*v2*) seg, forte (*v1*) seg
❑ *I'm late, I have to rush.* Jeg er sen, jeg må skynde *or* forte meg. *She rushed to book a seat on the next plane...* Hun skyndte *or* fortet seg for å bestille plass på det neste flyet...
(**b**) (*air, water+*) flomme (*v1*), strømme (*v1*) ❑ *The water rushed in...* Vannet flommet *or* strømmet inn...
▸ **rushes** SPL siv *nt sg*
▸ **what's the rush?** hva er det som haster slik?
▸ **is there any rush for this?** haster det med dette?
▸ **I'm in a rush (to do sth)** jeg har det travelt (med å gjøre* noe)
▸ **gold rush** gullfeber *m*, gullrusj *nt*
▸ **don't rush me!** ikke stress meg!
▸ **to rush sb into doing sth** presse (*v1*) noen til å gjøre* noe (forhastet)
► **rush off** (*= send*) sende (*v2*)av gårde i all hast, få*

unna i all hast
▸ **rush through** VT (*+order, application*) påskynde (*v1*) behandlingen av
rush hour s rusjtid *m*
rush job s hastesak *m*
rush matting s sivmatter *pl*
rusk [rʌsk] s kavring *m*
Russia ['rʌʃə] s Russland
Russian ['rʌʃən] 1 ADJ russisk
2 s (*person*) russer *m*; (*LING*) russisk
Russian Federation s ▸ **the Russian Federation** Den russiske føderasjon
rust [rʌst] 1 s rust *m*
2 VI (*iron, steel, car, machine etc+*) ruste (*v1*)
rustic ['rʌstɪk] 1 ADJ (*style, furniture*) bonderomantisk, rustikk
2 s (*neds : person*) bonde *m* i byen
rustle ['rʌsl] 1 VI (*paper, leaves+*) rasle (*v1*)
2 VT (*+paper*) rasle (*v1*) med; (*US : cattle*) stjele*
rustproof ['rʌstpru:f] ADJ rustbeskyttet
rustproofing ['rʌstpru:fɪŋ] s rustbeskyttelse *m*
rusty ['rʌstɪ] ADJ (*object, metal, skill, person*) rusten
❑ *My German's pretty rusty...* Tysken min er ganske rusten.... Jeg er helt ute av trening med å snakke tysk...
rut [rʌt] s (**a**) (*in path, ground*) (dypt) hjulspor *nt*
(**b**) (*ZOOL : season*) brunst *m*
▸ **to be in a rut** (*fig*) ha* stivnet i et mønster
rutabaga [ru:tə'beɪgə] (*US*) s kålrabi *m*, kålrot *c*
ruthless ['ru:θlɪs] ADJ (*person, determination, efficiency*) hensynsløs
ruthlessness ['ru:θlɪsnɪs] s hensynsløshet *m*
RV s FK (*BIBEL*) (= **revised version**) *revidert britisk bibelutgave*; (*US*) = **recreational vehicle**
Rwanda [ru'ændə] s Ruanda
rye [raɪ] s rug *m*
rye bread s rugbrød *nt*

S

S, s [ɛs] S (**a**) (*letter*) S, s *m*
(**b**) (*US: SKOL: **satisfactory***) G(odt)
▸ **S for sugar** S for Sigrid
S [ɛs] FK = **south, small, saint**
SA FK = **South Africa, South America**
Sabbath ['sæbəθ] S (*Jewish*) sabbat *m*; (*Christian*) helligdag *m*, helg *c*
sabbatical [sə'bætɪkl] S (*also **sabbatical year***) sabbatsår *nt*
sabotage ['sæbətɑːʒ] [1] S sabotasje *m*
[2] VT (*+machine, building, plan, meeting*) sabotere (*v2*)
sabre ['seɪbə^r] S (rytter)sabel *m*
saccharin(e) ['sækərɪn] [1] S sakkarin *m or nt*
[2] ADJ (*fig: story, romance etc*) søtladen, sukkersøt
sachet ['sæʃeɪ] S engangspakning *m*
sack [sæk] [1] S sekk *m*
[2] VT (**a**) (= *dismiss*) gi* sparken, sparke (*v1*)
(**b**) (= *plunder*) plyndre (*v1*) ❑ *Constantinople was sacked by the Turks in 1453.* Konstantinopel ble plyndret av tyrkerne i 1453.
▸ **to get the sack** få* sparken
▸ **to give sb the sack** gi* noen sparken, sparke (*v1*) noen
sackful ['sækful] S ▸ **a sackful of** en sekk (med)
sacking ['sækɪŋ] S (**a**) (= *dismissal*) oppsigelse *m* ❑ *He promised that there would be no more sackings.* Han lovte at det ikke ville* bli* noen flere oppsigelser.
(**b**) (*material*) sekkestrie *c* ❑ *...a piece of old sacking...* et stykke med gammel sekkestrie...
sacrament ['sækrəmənt] (*REL*) S (*ceremony*) sakrament *nt* ❑ *...the Holy Sacrament of Baptism.* ...dåpens hellige sakrament.
sacred ['seɪkrɪd] ADJ (**a**) (*animal, building, memory, writings, promise, duty*) hellig
(**b**) (*religious: music*) religiøs, kirke-
(**c**) (*history*) religions- ❑ *She saw motherhood as woman's sacred calling...* Hun så morsrollen som en kvinnes hellige kall...
sacred cow S (*fig*) hellig ku *c* ❑ *The need for secrecy has become a kind of sacred cow.* Behovet for hemmeligholdelse har blitt en slags hellig ku.
sacrifice ['sækrɪfaɪs] [1] S (**a**) (*of animal, person*) ofring *c* ❑ *...a law banning the sacrifice of animals...* en lov som forbyr ofring av dyr...
(**b**) (*thing or person sacrificed, also fig*) offer *nt* ❑ *...a mother's day-to-day sacrifices for her children.* ...en mors daglige ofre for sine barn.
[2] VT ofre (*v1*)
▸ **to make sacrifices (for sb)** gjøre* ofre (for noen) ❑ *Our citizens are being asked to make great sacrifices...* Innbyggerne våre blir bedt om å gjøre* store ofre...
sacrilege ['sækrɪlɪdʒ] S (*also fig*) helligbrøde *m* ❑ *Building a motorway through these woods would be sacrilege.* Å bygge en motorvei gjennom denne skogen ville* være* helligbrøde.
sacrosanct ['sækrəusæŋkt] ADJ (*fig*) hellig og ukrenkelig ❑ *He seems to think there's something sacrosanct about his annual fishing trip.* Han ser ut til å tro at det er noe hellig og ukrenkelig ved den årlige fisketuren hans.
sad [sæd] ADJ (**a**) (= *unhappy: person, look, day*) trist
(**b**) (= *distressing: story, news*) trist, sørgelig
(**c**) (= *regrettable: state of affairs*) trist, sørgelig ❑ *It's a sad state of affairs when people are afraid to go out at night.* Det er en trist *or* sørgelig situasjon når folk er redde for å gå* ut om kvelden.
(**d**) (*sl: hopeless*) kjip (*sl*), håpløs
▸ **to be sad to do** være* lei for å gjøre ❑ *He was sad to see her go...* Han var lei for å se henne gå...
sadden ['sædn] VT (*situation, news+ : person*) gjøre* trist (til sinns), gjøre* bedrøvet ❑ *It saddened her to think of...* Det gjorde henne trist (til sinns) *or* bedrøvet å tenke på...
saddle ['sædl] [1] S (**a**) (*for horse*) sal *m*
(**b**) (*of bicycle*) sete *nt*
[2] VT (*+horse*) sale (*v2*)
▸ **to be saddled with** (*sl*) bli* belemret med ❑ *...saddled with another mortgage.* ...belemret med enda et lån.
saddlebag ['sædlbæg] S sykkelveske *c*
sadism ['seɪdɪzəm] S sadisme *m*
sadist ['seɪdɪst] S sadist *m*
sadistic [sə'dɪstɪk] ADJ sadistisk
sadly ['sædlɪ] ADV (**a**) (= *unhappily*) sørgmodig, trist ❑ *He shook his head sadly...* Han ristet sørgmodig *or* trist på hodet...
(**b**) (= *unfortunately*) dessverre ❑ *Sadly, we don't appear to...* Dessverre ser vi ikke ut til å...
(**c**) (= *seriously: mistaken, neglected*) sørgelig ❑ *One aspect has been sadly neglected...* Et aspekt har blitt sørgelig oversett...
▸ **to be sadly lacking (in)** ha* en sørgelig mangel (på)
sadness ['sædnɪs] S tristhet *c*, bedrøvelse *m*
sadomasochism [seɪdəu'mæsəkɪzəm] S sadomasochisme *m*
sae (*BRIT*) FK (= **stamped addressed envelope**) frankert returkonvolutt *m*
safari [sə'fɑːrɪ] S safari *m*
▸ **to go on safari** dra* på safari
safari park S safaripark *m*
safe [seɪf] [1] ADJ (**a**) (= *not dangerous, secure, unharmed*) sikker, trygg ❑ *Is nuclear power safe?* Er atomkraft sikkert *or* trygt? *We're safe now. They've gone...* Vi er sikre *or* trygge nå. De har gått... *Keep your passport in a safe place.* Oppbevar passet ditt på et sikkert *or* trygt sted. *...the safe delivery of the equipment.* ...en sikker *or* trygg leveranse av utstyret.
(**b**) (*cautious*) sikker ❑ *There's only one safe way to deal with this problem.* Det er bare en sikker måte å håndtere dette problemet på.
(**c**) (= *without risk: investment, assumption, subject*)

sikker, trygg ❑ *It is a safe assumption that...* Det er en sikker *or* trygg antakelse at...
(**d**) (*PARL: seat*) sikker
[2] s (*for valuables*) safe *m*
▸ **safe from** (*+attack*) i sikkerhet for, trygg for
▸ **safe and sound** i god behold ❑ *She returned safe and sound after her ordeal.* Hun kom tilbake i god behold etter prøvelsen.
▸ **(just) to be on the safe side** (bare) for å være* på den sikre siden
▸ **to play safe** spille (*v2x*) safe ❑ *Play safe and always wear goggles.* Kjør safe og ha* alltid på beskyttelsesbriller.
▸ **it is safe to say that...** man kan trygt si at...
▸ **safe journey!** god tur *or* reise!

safe bet s ▸ **it's a safe bet that...** du kan trygt regne med at...

safe-breaker ['seɪfbreɪkəʳ] (*BRIT*) s skapsprenger *m*

safe-conduct [seɪf'kɔndʌkt] s (*= right to pass*) fritt leide *nt* ❑ *They were issued with certificates guaranteeing safe conduct.* De ble utstyrt med sertifikater som garanterte fritt leide.

safe-cracker ['seɪfkrækəʳ] = **safe-breaker**

safe-deposit ['seɪfdɪpɔzɪt] s (bank)hvelv *nt*; (*also* ***safe-deposit box***) bankboks *m*

safeguard ['seɪfgɑːd] [1] s vern *nt*, beskyttelse *m* ❑ *...a safeguard against possible exploitation...* et vern *or* en beskyttelse mot mulig utnyttelse...
[2] VT (*+life, interests, future*) verne (*v1*), beskytte (*v1*)

safe haven s tilfluktssted *nt*

safe house s trygt hus *nt* (*brukt av sikkerhetsfolk etc*)

safekeeping ['seɪf'kiːpɪŋ] s (trygg) forvaring *c* ❑ *...removed for safekeeping...* flyttet over i trygg forvaring...

safely ['seɪflɪ] ADV (**a**) (*assume, say, drive, arrive*) trygt
(**b**) (*shut, lock*) forsvarlig
▸ **I can safely say...** jeg kan trygt si...

safe passage s fritt leide *nt*

safe sex s sikker sex *m* ❑ *...to practise safe sex.* ...å praktisere sikker sex.

safety ['seɪftɪ] s (**a**) sikkerhet *c* ❑ *They were worried about the safety of their children.* De var bekymret for sikkerheten til barna deres.
(**b**) (*safe feeling or condition*) sikkerhet *c*, trygghet *c* ❑ *...to help survivors to safety...* å bringe overlevende i sikkerhet *or* trygghet...
▸ **safety features** sikkerhetsutstyr *nt*

safety belt s sikkerhetsbelte *nt*

safety catch s sikring *m* (*på lås, våpen*)

safety curtain s brannsikkert teppe *nt*

safety net s (*also fig*) sikkerhetsnett *nt* ❑ *The Fund is our safety net if anything should go wrong.* Fondet er sikkerhetsnettet vårt hvis noe skulle* gå* galt.

safety pin s sikkerhetsnål *c*

safety valve s sikkerhetsventil *m*

saffron ['sæfrən] s safran *m*

sag [sæg] VI (*breasts+*) henge*; (*bed, hem+*) sige*, synke* ned på midten; (*fig: spirits, demand*) dale (*v2*), synke*

saga ['sɑːgə] s (**a**) (*story*) saga *m*
(**b**) (*fig*) fantastisk historie *m* ❑ *...my domestic saga...* min fantastiske hjemlige historie...

sage [seɪdʒ] s (*herb*) salvie *m*; (*wise man*) vismann *m irreg*

Sagittarius [sædʒɪ'tɛərɪəs] s Skytten, Skyttens tegn
▸ **to be Sagittarius** være* Skytte, være* født i Skyttens tegn

sago ['seɪgəu] s sago *m*, sagogryn *nt*

Sahara [sə'hɑːrə] s ▸ **the Sahara (Desert)** Sahara(ørkenen)

Sahel [sæ'hɛl] s Sahel

said [sɛd] PRET, PP *of* **say**

Saigon [saɪ'gɔn] s Saigon

sail [seɪl] [1] s (*of boat*) seil *nt* (*var.* segl)
[2] VT (*+boat*) seile (*v2*) (*var.* segle) ❑ *I sailed a 36-foot catamaran...* Jeg seilte en 36 fots katamaran...
[3] VI (**a**) (*on water*) seile (*v2*) (*var.* segle) ❑ *The ship sailed down the east coast.* Skipet seilte nedover østkysten. *I sailed back to England with him.* Jeg seilte tilbake til England sammen med ham.
(**b**) (*fig: ball etc*) seile (*v2*), sveve (*v3*) ❑ *The ball went sailing over the bushes.* Ballen seilte *or* svevde over buskene.
▸ **to go for a sail** dra* på seiltur
▸ **to set sail (for)** sette* seil (for)

▸ **sail through** VT FUS (*fig: exams, interview etc*) seile (*v2*) igjennom

sailboat ['seɪlbəut] (*US*) s seilbåt *m*

sailing ['seɪlɪŋ] s (**a**) (*SPORT*) seiling *c* (*var.* segling)
(**b**) (*voyage*) seilas *m* ❑ *...regular sailings from Portsmouth...* regelmessige seilaser fra Portsmouth...
▸ **to go sailing** (dra* ut å) seile (*v2*)

sailing boat s seilbåt *m*

sailing ship s seilskip *nt*

sailor ['seɪləʳ] s sjømann *m irreg*

saint [seɪnt] s (*also fig*) helgen *m* ❑ *He's no saint.* Han er ingen helgen.

saintly ['seɪntlɪ] ADJ (*person, life, expression*) helgenaktig

sake [seɪk] s ▸ **for the sake of sb/sth** *or* **for sb's/sth's sake** for noens/noes skyld ❑ *He gave up smoking for the sake of his health.* Han sluttet å røyke for sin helses skyld *or* av hensyn til helsen sin. *We moved out to the country for the children's sake...* Vi flyttet ut på landet for barnas skyld *or* av hensyn til barna... *Do it for my sake!* Gjør det for min skyld! *...just for the sake of a few pounds.* ...bare for noen få* punds skyld.
▸ **he enjoys talking for talking's sake** han liker å prate for pratingens skyld
▸ **for the sake of argument** for argumentets skyld
▸ **art for art's sake** kunst for kunstens skyld, kunst for kunsten
▸ **for heaven's sake!** for guds skyld!

salad ['sæləd] s salat *m*
▸ **tomato salad** tomatsalat *m*
▸ **green salad** grønn salat *m*

salad bowl s salatbolle *m*

salad cream (*BRIT*) s ≈ remulade *m*; (salat)dressing *m* (*tykk og gul*)

salad dressing s (salat)dressing *m* (*olje/eddikbasert*)

salad oil s matolje *c*

salami [sə'lɑːmɪ] s salami *m*, salt pølse *c*

salaried ['sælərɪd] ADJ lønnet
salary ['sælərɪ] S lønn *c* (*særlig til funksjonærer, akademikere etc*)
salary scale S lønnstariff *m*
sale [seɪl] S (**a**) (= *act of selling*) salg *nt* ❑ *...new laws to control the sale of guns...* nye lover for å kontrollere våpensalget...
(**b**) (*at reduced prices*) (ut)salg *nt* ❑ *...the January sales.* ...januar(ut)salget.
(**c**) (= *auction*) auksjon *m* ❑ *...a cattle sale.* ...en kvegauksjon.
▸ **sales** 1 SPL (= *total amount sold*) omsetning *m*, salg *nt* ❑ *Car sales are 5 per cent down...* Omsetningen *or* Salget av biler er 5 prosent lavere...
2 SAMMENS (**a**) (*campaign, drive*) salgs-
(**b**) (*conference, meeting*) salgs-
(**c**) (*figures, target*) salgs-, omsetnings-
▸ **"for sale"** "til salgs"
▸ **on sale** til salgs
▸ **on sale or return** med returrett ❑ *Goods can be supplied on a sale or return basis.* Varer kan leveres med returrett.
▸ **closing-down** *or (US)* **liquidation sale** opphørssalg *nt*
saleroom ['seɪlru:m] S salgslokale *nt*, auksjonslokale *nt*
sales assistant, **sales clerk** (*US*) S ekspeditør *m*
sales force S salgskraft *c*
salesman ['seɪlzmən] *irreg* S (*in shop*) ekspeditør *m*, butikkselger *m*; (*representative*) selger *m*, salgsrepresentant *m*
sales manager S salgssjef *m*
salesmanship ['seɪlzmənʃɪp] S salgsteknikk *m*
sales tax (*US*) S omsetningsavgift *c*
saleswoman ['seɪlzwumən] *irreg* S (*in shop*) ekspeditrise *c*, butikkselger *m*; (*representative*) selger *m*, salgsrepresentant *m*
salient ['seɪlɪənt] ADJ (*features, points*) framtredende
saline ['seɪlaɪn] ADJ (*solution, deposit*) salinsk
saliva [sə'laɪvə] S spytt *nt*
sallow ['sæləu] ADJ (*complexion*) gusten
sally forth ['sælɪ-] (*gam*) VI legge* av sted
sally out VI = **sally forth**
salmon ['sæmən] S UBØY laks *m*
salmon trout S sjøørret *m*
salon ['sælɔn] S (*hairdressing salon*) (frisør)salong *m*; (*beauty salon*) (skjønnhets)salong *m*
saloon [sə'lu:n] S (*US: bar*) bar *m*; (*BRIT: BIL*) kupé *m*; (= *ship's lounge*) salong *m*
SALT [sɔ:lt] S FK (= **Strategic Arms Limitation Talks/Treaty**) *samtaler om begrensning av strategiske våpen*
salt [sɔ:lt] 1 S salt *nt*
2 VT salte (*v1*)
3 SAMMENS (*lake, deposits, pork*) salt-
▸ **the salt of the earth** jordens salt
▸ **to take sth with a pinch** *or* **grain of salt** ta* noe med en klype salt
salt cellar S saltbøsse *c*
salt-free ['sɔ:lt'fri:] ADJ saltfri, uten salt
salt mine S saltgruve *c*
saltwater ['sɔ:lt'wɔ:tə[r]] ADJ (*fish, plant*) saltvanns-, som lever/finnes i saltvann
salty ['sɔ:ltɪ] ADJ (*food, taste*) salt(aktig)
salubrious [sə'lu:brɪəs] ADJ (*district, air, living conditions*) sunn
salutary ['sæljutərɪ] ADJ (*lesson, reminder*) nyttig, gagnlig
salute [sə'lu:t] 1 S (**a**) (*MIL*) honnør *m*
(**b**) (*with guns*) salutt *m* ❑ *...a 21-gun salute.* ...en salutt fra 21 geværer.
(**c**) (*greeting*) hilsen *m* ❑ *He raised his glass in salute.* Han hevet glasset som hilsen.
2 VT (**a**) (*MIL: officer, flag*) gjøre* honnør for
(**b**) (*fig*) (lov)prise (*v2*) ❑ *He saluted the achievement of the government...* Han (lov)priste bedriften til regjeringen...
salvage ['sælvɪdʒ] 1 S (**a**) (= *saving*) berging *c* ❑ *...a salvage operation.* ...en bergingsoperasjon.
(**b**) (= *things saved*) berget gods *nt* ❑ *...a share in the salvage.* ...en andel i det bergede godset.
2 VT (**a**) (*from ship, building*) berge (*v1*)
(**b**) (*fig*) berge (*v1*), redde (*v1*) ❑ *He was unable to salvage his reputation...* Han var ikke i stand til å berge *or* redde omdømmet sitt...
salvage vessel S bergingsfartøy *nt*
salvation [sæl'veɪʃən] S (**a**) (*REL*) frelse *m*
(**b**) (*economic etc*) redning *m* ❑ *Small industries will be the salvation of many areas...* Småbedrifter vil bli* redningen for mange områder...
Salvation Army S ▸ **the Salvation Army** Frelsesarméen
salver ['sælvə[r]] S (presenter)brett *nt*
salvo ['sælvəu] (*pl* **salvoes**) S salve *m*
Samaritan [sə'mærɪtən] S ▸ **the Samaritans** Samaritanerne (*britisk veldedighetsorganisasjon*)
same [seɪm] 1 ADJ (*time, place, person etc*) samme ❑ *He and Tom were the same age...* Han og Tom var på samme alder.... Han og Tom var like gamle... *They both wore the same heavy overcoats...* De hadde begge på seg de samme tunge frakkene... *two different photographs of the same man.* ...to forskjellige bilder av den samme mannen.
2 PRON ▸ **the same** den/det/de samme NB *Look! They're exactly the same...* Se! De er helt like... ❑ *The same is true of the arts...* Det samme gjelder for kunstfagene... *He will never be the same again...* Han vil aldri bli* den samme igjen...
▸ **the same book as** den samme boka som
▸ **on the same day** på den samme dagen
▸ **at the same time** (**a**) (= *simultaneously*) på samme tid, samtidig ❑ *They started moving at the same time.* De begynte å bevege seg samtidig *or* på samme tid.
(**b**) (= *yet*) samtidig ❑ *They want to look, and at the same time they want to look away.* De vil gjerne se på, og samtidig vil de gjerne se vekk.
▸ **all** *or* **just the same** likevel, like fullt
▸ **the same to you!** (**a**) (*after greeting*) takk – i like måte, takk – det samme ❑ *"Happy New Year!" "Same to you!"* "Godt nytt år!" "Takk i like måte! *or* takk det samme!"
(**b**) (*after insult*) i like måte ❑ *"Get stuffed!" "The same to you!"* "Dra pokker i vold!" "I like måte!"
▸ **same here!** samme her
▸ **they're one and the same** de er en og samme

▸ **same again** (*in bar etc*) det samme igjen
▸ **thanks all the same** takk likevel
sample ['sɑ:mpl] 1 s (*also MED*) prøve *m*
2 VT (*+food, wine*) prøvesmake (*v2*)
▸ **to take a sample** ta* en prøve
▸ **free sample** gratis prøve
sanatorium [sænə'tɔ:rɪəm] (*pl* **sanatoria**) s sanatorium *nt irreg*
sanctify ['sæŋktɪfaɪ] VT (= *make holy*) helliggjøre*, hellige (*v1*)
sanctimonious [sæŋktɪ'məunɪəs] ADJ (*person, remarks*) skinnhellig
sanction ['sæŋkʃən] 1 s (= *approval*) godkjennelse *m*, sanksjon *m* ❑ ***...our proposal was given official sanction.*** ...forslaget vårt fikk offisiell godkjennelse *or* sanksjon.
2 VT godkjenne (*v2x*), sanksjonere (*v2*)
▸ **sanctions** SPL (*POL*) sanksjoner *pl*, straffetiltak *pl*
▸ **to impose economic sanctions on** *or* **against** sette* i verk økonomiske sanksjoner *or* straffetiltak mot
sanctity ['sæŋktɪtɪ] s (= *holiness: of place etc*) hellighet *c*; (= *inviolability: of marriage, human life etc*) ukrenkelighet *c*
sanctuary ['sæŋktjuərɪ] s (**a**) (*for birds/animals*) reservat *nt* ❑ ***...a bird sanctuary.*** ...et fuglereservat.
(**b**) (= *place of refuge*) tilfluktssted *nt*
(**c**) (*REL: in church*) sanktuarium *nt irreg* (*plass omkring høyalteret*)
sand [sænd] 1 s (*material*) sand *m* ❑ ***...grains of sand.*** ...sandkorn.
2 VT (*also* ***sand down***) pusse (*v1*) ned (*med sandpapir*) *see also* **sands**
sandal ['sændl] s sandal *m*
sandbag ['sændbæg] s sandsekk *m*
sandblast ['sændblɑ:st] VT (*+building, wall etc*) sandblåse (*v2*)
sandbox ['sændbɔks] (*US*) s sandkasse *c*
sandcastle ['sændkɑ:sl] s sandslott *nt*
sand dune s sanddyne *c*
sander ['sændəʳ] s (*tool*) slipemaskin *m*
S & M s FK (= **sadomasochism**) sadomasochisme *m*
sandpaper ['sændpeɪpəʳ] s sandpapir *nt*
sandpit ['sændpɪt] s sandkasse *c*
sands [sændz] SPL (= *beach*) (sand)strand *c irreg* ❑ ***...miles of empty sands.*** ...kilometervis med tomme (sand)strender.
sandstone ['sændstəun] s sandste(i)n *m*
sandstorm ['sændstɔ:m] s sandstorm *m*
sandwich ['sændwɪtʃ] 1 s sandwich *m*, (dobbelt) smørbrød *nt*
2 VT ▸ **sandwiched between** inneklemt mellom ❑ *I was sandwiched between two fat men.* Jeg var inneklemt mellom to tjukke menn.
▸ **cheese/ham sandwich** sandwich *or* smørbrød med ost/skinke
sandwich board s (*notice*) sandwichplakat *m*
sandwich course (*BRIT*) s *kurs som veksler mellom skolegang og utplassering i arbeidslivet*
sandwich man *irreg* s plakatbærer *m* (*med sandwichplakat*)
sandy ['sændɪ] ADJ (*beach*) sand-; (*colour: hair*) rødblond
sane [seɪn] ADJ (*person*) tilregnelig, normal; (= *sensible: action, system*) vettig, fornuftig
sang [sæŋ] PRET *of* **sing**
sanguine ['sæŋgwɪn] ADJ rolig og optimistisk
sanitarium [sænɪ'tɛərɪəm] (*US*) (*pl* **sanitaria**) s = **sanatorium**
sanitary ['sænɪtərɪ] ADJ (*conditions, arrangements, inspector*) sanitær(-); (= *clean*) hygienisk
sanitary towel, **sanitary napkin** (*US*) s (sanitets)bind *nt*
sanitation [sænɪ'teɪʃən] s hygiene *m*, sanitære forhold *pl*
sanity ['sænɪtɪ] s (**a**) (*of person*) tilregnelighet *c*, vett *nt*
(**b**) (= *common sense*) sunn fornuft *m*, sunt vett *nt* ❑ *He tried to introduce some sanity into the debate.* Han prøvde å få* litt sunn fornuft *or* sunt vett inn i debatten.
sank [sæŋk] PRET *of* **sink**
San Marino [sænmə'ri:nəu] s San Marino
Santa Claus [sæntə'klɔ:z] s ≈ Julenissen
Santiago [sæntɪ'ɑ:gəu] s (*also* ***Santiago de Chile***) Santiago
sap [sæp] 1 s sevje *c*, saft *c*
2 VT ▸ **to sap sb's strength/confidence** svekke (*v1*) noens krefter/selvtillit, tappe (*v1*) noen for krefter/selvtillit
sapling ['sæplɪŋ] s ungtre *nt irreg*
sapphire ['sæfaɪəʳ] s safir *m*
sarcasm ['sɑ:kæzm] s sarkasme *m*
sarcastic [sɑ:'kæstɪk] ADJ sarkastisk
sarcophagus [sɑ:'kɔfəgəs] (*pl* **sarcophagi**) s sarkofag *m*
sardine [sɑ:'di:n] s sardin *m*
Sardinia [sɑ:'dɪnɪə] s Sardinia
Sardinian [sɑ:'dɪnɪən] 1 ADJ sardinsk
2 s (*person*) sardinier *m*; (*LING*) sardinsk
sardonic [sɑ:'dɔnɪk] ADJ (*smile*) sardonisk, hånlig
sari ['sɑ:rɪ] s sari *m*
sartorial [sɑ:'tɔ:rɪəl] ADJ ▸ **his sartorial elegance** sine elegante, skreddersydde klær
SAS (*BRIT: MIL*) s FK (= **Special Air Service**) *militær spesialenhet som bl.a. settes inn mot terrorister*
SASE (*US*) s FK (= **self-addressed stamped envelope**) frankert returkonvolutt *m*
sash [sæʃ] s (*around waist*) knytebelte *nt*; (*over shoulder*) skulderskjerf *nt*; (*of window*) vindusramme *c*
sash window s skyvevindu *nt*
SAT (*US*) s FK (= **Scholastic Aptitude Test**) *egnethetstest som benyttes av mange college*
sat [sæt] PRET, PP *of* **sit**
Sat. FK = **Saturday**
Satan ['seɪtn] s Satan
satanic [sə'tænɪk] ADJ satanisk
satchel ['sætʃl] s skoleveske *c*, ransel *m*
sated ['seɪtɪd] ADJ overmettet
▸ **to be sated with sth** (*fig*) ha* fått mer enn nok av noe ❑ *I was sated with opera...* Jeg hadde fått mer enn nok av opera...
satellite ['sætəlaɪt] s (**a**) (*ASTRON, TEL*) satellitt *m* ❑ ***...transmitted by satellite...*** overført via satellitt...
(**b**) (*POL:* ***satellite state***) satellittstat *m*
satellite dish s parabolantenne *c*

satellite television s satellittfjernsyn *nt*, satellitt-tv *m*
satiate ['seɪʃieɪt] VT mette (*v1*)
satin ['sætɪn] 1 s sateng *m*
2 ADJ sateng-
▸ **with a satin finish** (*wood etc*) blankpolert
satire ['sætaɪəʳ] s satire *m* ❑ *It is a satire on the administration of justice...* Det er en satire over administrasjonen av rettsapparatet...
satirical [sə'tɪrɪkl] ADJ satirisk
satirist ['sætɪrɪst] s satiriker *m*
satirize ['sætɪraɪz] VT satirisere (*v2*)
satisfaction [sætɪs'fækʃən] s tilfredshet *c*, tilfredsstillelse *m* ❑ *...a sense of satisfaction...* en følelse av tilfredshet *or* tilfredsstillelse...
▸ **to get satisfaction from sb** (*refund, apology etc*) få* oppreisning fra noen ❑ *Consumers who have been unable to get satisfaction from their local branch...* Forbrukere som ikke har fått oppreisning fra sine lokale kontorer...
▸ **to your satisfaction** til Deres tilfredshet
satisfactorily [sætɪs'fæktərɪlɪ] ADV tilfredsstillende
satisfactory [sætɪs'fæktərɪ] ADJ tilfredsstillende
satisfied ['sætɪsfaɪd] ADJ fornøyd, tilfreds
▸ **to be satisfied (with sth)** være* fornøyd *or* tilfreds (med noe)
satisfy ['sætɪsfaɪ] VT (**a**) (*+person, requirements*) tilfredsstille (*v2x*) ❑ *You just can't satisfy some people.* Du kan bare ikke tilfredsstille enkelte mennesker.. Du kan ikke gjøre* alle til lags. *...they can satisfy our general entrance requirements.* ...de kan tilfredsstille våre generelle opptakskrav.
(**b**) (*= meet: needs, demand*) etterkomme* ❑ *...to satisfy demand for its new small car.* ...etterkomme etterspørselen etter den nye småbilen deres.
▸ **to satisfy sb that...** forsikre (*v1*) noen om at...
▸ **to satisfy o.s. that...** forvisse (*v1*) seg om at..., forsikre (*v1*) seg om at...
satisfying ['sætɪsfaɪɪŋ] ADJ (*meal*) mettende; (*job, feeling*) tilfredsstillende
satsuma [sæt'suːmə] s ≈ klementin *m*
saturate ['sætʃəreɪt] VT ▸ **to saturate sth (with)**
(**a**) (*CHEM*) mette (*v1*) noe (med *or* av)
(**b**) (*= soak*) gjennomvæte (*v1*) noe (med), gjøre* noe gjennomvått (av) ❑ *His shirt was saturated with sweat.* Skjorten hans var gjennomvåt av svette.
▸ **to saturate the market** mette (*v1*) markedet
saturated fat s mettet fettsyre *c*
saturation [sætʃə'reɪʃən] 1 s (**a**) (*KJEM*) metning *m*
(**b**) (*fig*) metningspunkt *nt* ❑ *The market is close to saturation.* Markedet er nær metningspunktet.
2 SAMMENS (*advertising, coverage*) *som er nær metningspunktet*
▸ **saturation bombing** *intens bombing mot begrenset mål*
Saturday ['sætədɪ] s lørdag *see also* **Tuesday**
sauce [sɔːs] s saus *m*
saucepan ['sɔːspən] s kjele *m*, gryte *c*
saucer ['sɔːsəʳ] s skål *c*
saucy ['sɔːsɪ] ADJ frekk, freidig
Saudi ['saudi-] ADJ (*also **Saudi Arabian***) saudiarabisk
Saudi Arabia [saudɪə'reɪbɪə] s Saudiarabia
sauna ['sɔːnə] s badstue *c*, sauna *m*
saunter ['sɔːntəʳ] VI rusle (*v1*), slentre (*v1*)
sausage ['sɔsɪdʒ] s pølse *c*
sausage roll s innbakt pølse *c*
sauté ['səuteɪ] 1 VT sautere (*v2*)
2 ADJ (*also **sautéed***) sautert
savage ['sævɪdʒ] 1 ADJ (*dog, attack*) vill; (*voice, criticism*) vill, rå
2 s (*gam, neds*) vill *m decl as adj*, villmann *m irreg*
3 VT (*= maul, criticize*) skamfere (*v2*)
savagely ['sævɪdʒlɪ] ADV vilt
savagery ['sævɪdʒrɪ] s villskap *m*, råskap *m*
save [seɪv] 1 VT (**a**) (*rescue: person, sb's life, marriage*) redde (*v1*), berge (*v1*) ❑ *An artificial heart could save his life...* Et kunstig hjerte kunne* redde *or* berge livet hans...
(**b**) (*+money, time, food*) spare (*v2*) ❑ *She's saved 300 pounds...* Hun har spart 300 pund... *Save the wine for later...* Spar vinen til senere... *they save money on promotion.* ...de sparer penger på markedsføring.
(**c**) (*avoid: work, trouble*) spare (*v2*) for ❑ *You could save yourself a lot of work if...* Du kunne* spare deg selv for en masse arbeid hvis...
(**d**) (*= keep: receipts etc*) spare (*v2*) på, samle (*v1*) på ❑ *It's always a good idea to save your receipts.* Det er bestandig lurt å spare på *or* samle på kvitteringer.
(**e**) (*+seat etc*) holde* av ❑ *Will you save me a place at your table?* Vil du holde av en plass til meg ved bordet ditt?
(**f**) (*DATA: file, document*) arkivere (*v2*)
(**g**) (*SPORT: shot, ball*) redde (*v1*)
2 VI (*also **save up***) spare (*v2*) ❑ *We're saving for a new cooker.* Vi sparer til en ny komfyr.
3 s (*SPORT*) redning *m* ❑ *He made a brilliant save.* Han gjorde en glimrende redning.
4 PREP (*fml: except*) unntatt, bortsett fra ❑ *...save in the most exceptional cases.* ...bortsett fra *or* unntatt i de mest uvanlige tilfellene.
▸ **it will save me an hour** det vil spare meg for en time
▸ **to save face** redde (*v1*) ansikt
▸ **God save the Queen!** Gud bevare Dronningen!
saving ['seɪvɪŋ] 1 s innsparing *c* ❑ *...a saving of 8 pounds on the full fare.* ...en innsparing på 8 pund i forhold til full pris.
2 ADJ ▸ **the saving grace of sth** det som redder noe ❑ *The play's only saving grace was...* Det eneste som reddet teaterstykket var...
▸ **savings** SPL (*money*) sparepenger *pl*
▸ **to make savings** spare (*v2*) (penger)
savings account s sparekonto *m*
savings bank s sparebank *m*
saviour ['seɪvjəʳ], **savior** (*US*) s (*gen*) redningsmann *m irreg*, frelser *m*; (*REL*) frelser *m*
savoir-faire ['sævwɑːfɛəʳ] s belevenhet *c*
savour ['seɪvəʳ], **savor** (*US*) 1 VT nyte*
2 s (god) smak *m*
savoury ['seɪvərɪ], **savory** (*US*) ADJ salt (*i motsetning til søtt*)
savvy ['sævɪ] (*sl*) s peiling *c* (*sl*) ❑ *He doesn't have the necessary political savvy...* Han har ikke den

nødvendige politiske peilingen...

saw [sɔː] (*pt* **sawed**, *pp* **sawed** *or* **sawn**) [1] VT sage (*v3*) ❑ *He sawed the branch in half...* Han sagde greinen i to...
[2] S (*tool*) sag *c*
[3] PRET *of* **see**
▸ **to saw sth up** sage (*v3*) opp noe

sawdust ['sɔːdʌst] S sagmugg *m*, sagflis *c*

sawmill ['sɔːmɪl] S sagbruk *nt*, sag *c*

sawn [sɔːn] PP *of* **saw**

sawn-off ['sɔːnɔf], **sawed-off** (*US*) ADJ
▸ **sawn-off shotgun** avsagd hagle *c*

saxophone ['sæksəfəun] S saksofon *m*

say [seɪ] (*pt, pp* **said**) [1] VT si* ❑ *...what they were saying...* hva de sa... *I'd like to say a few words.* Jeg vil gjerne si noen ord.
[2] S ▸ **to have one's say** få* uttale seg
▸ **to have a** *or* **some say in sth** ha* et ord med i laget med hensyn til noe
▸ **my watch says 3 o'clock** klokka mi viser 3
▸ **it says on the sign "No Smoking"** det står "røyking forbudt" på skiltet
▸ **shall we say Tuesday?** skal vi si tirsdag?
▸ **come for dinner at, say, 8 o'clock** kom til middag, la oss si klokka 8
▸ **that doesn't say much for him!, that says a lot for him!** det sier litt *or* en del om ham!
▸ **when all is said and done** når alt kommer til alt
▸ **there is something/a lot to be said for it** det er noe/mye som taler for det
▸ **you can say that again!** det har du jammen rett i!, det er jammen sant!, det skal være* visst!
▸ **that is to say** det vil si
▸ **that goes without saying** det er selvsagt *or* helt opplagt
▸ **to say nothing of** for ikke å snakke om
▸ **say (that)...** la oss si (at)... ❑ *Say you won a million pounds...* La oss si at du vant en million pund...

saying ['seɪɪŋ] S ordtak *nt*

say-so ['seɪsəu] S instruks *m* ❑ *...without his say-so.* ...uten at han har sagt det.
▸ **to do sth on sb's say-so** gjøre* noe på instruks fra noen

SBA (*US*) S FK (= **Small Business Administration**) *føderalt organ som bl.a. gir lån og veiledning til mindre bedrifter*

SC (*US*) [1] S FK (= **supreme court**)
[2] FK (*POST*) = **South Carolina**

s/c FK = **self-contained**

scab [skæb] S (*on wound*) skorpe *c*; (*neds: strikebreaker*) streikebryter *m*

scabby ['skæbɪ] ADJ full av skorper

scaffold ['skæfəld] S skafott *nt*

scaffolding ['skæfəldɪŋ] S stillas *nt*

scald [skɔːld] [1] S forbrenning *c* (*fra væske*)
[2] VT brenne (*v2x*), skålde (*v1*)

scalding ['skɔːldɪŋ] ADJ (*also* ***scalding hot***) skåldhet, brennvarm

scale [skeɪl] [1] S (**a**) (*of numbers, salaries, fees*) skala *m* ❑ *...a temperature scale...* en temperaturskala... *on a scale of 1 to 10.* ...på en skala fra 1 til 10.
(**b**) (*of fish*) skjell *nt*
(**c**) (*MUS*) skala *m*
(**d**) (= *size, extent, of map, model*) målestokk *m* ❑ *...the sheer scale of the United States.* ...bare målestokken på USA. *...a scale of 1:50,000.* ...en målestokk på 1:50 000.
[2] VT (+*cliff, tree*) klatre (*v1*) til topps på/i, klatre til toppen av
▸ **scales** SPL (*for weighing*) vekt *c* ❑ *...a pair of scales.* ...en skålvekt.
▸ **pay scale** lønnstariff *m*
▸ **to draw sth to scale** tegne (*v1*) noe i riktig målestokk
▸ **a small-scale model** en modell i liten målestokk
▸ **on a large scale** i stor målestokk, i stor skala
▸ **scale of charges** gebyrskala *m*
► **scale down** VT (**a**) (+*object*) forminske (*v1*)
(**b**) (+*operation*) nedtrappe (*v1*)

scaled-down [skeɪld'daun] ADJ (*project, forecast*) redusert

scale drawing S skalategning *c*, tegning *c* i målestokk

scallion ['skæljən] (*US*) S (= *shallot*) sjalottløk *m*; (= *leek*) purre *m*

scallop ['skɔləp] S (*fish*) kammusling *m*; (*on hem, curtain*) tunge *c* (*i tungekant*)

scalp [skælp] [1] S hodebunn *m*, skalp *m*
[2] VT skalpere (*v2*)

scalpel ['skælpl] S skalpell *m*

scalper ['skælpəʳ] (*US: sl*) S billetthai *m*

scam [skæm] (*sl*) S svindel *m*

scamp [skæmp] (*sl*) S røverunge *m*, rakkerunge *m*

scamper ['skæmpəʳ] VI ▸ **to scamper away** *or* **off** (hoppe (*v1*) og) sprette* av gårde

scampi ['skæmpɪ] (*BRIT*) SPL scampi *pl*

scan [skæn] [1] VT (**a**) (+*horizon, sky*) speide (*v1*) mot
(**b**) (+*newspaper, letter*) titte (*v1*) gjennom, skumlese (*v2*)
(**c**) (*TV, RADAR*) skanne (*v1*), avsøke (*v2*)
[2] VI (*poetry*+) skandere (*v2*)
[3] S (*MED*) undersøkelse *m*, skanning *c* ❑ *...a brain scan.* ...en hjerneundersøkelse *or* hjerneskanning.

scandal ['skændl] S (**a**) (= *shocking event*) skandale *m* ❑ *We can't afford another scandal...* Vi har ikke råd til enda en skandale...
(**b**) (= *gossip*) skandalehistorier *pl*, sladder *m* ❑ *Someone must have been spreading scandal...* Noen må ha* spredd skandalehistorier *or* sladder...
(**c**) (*fig: disgrace*) skandale *m* ❑ *The defences were a scandal...* Forsvarsverkene var skandaløse...

scandalize ['skændəlaɪz] VT sjokkere (*v2*), ryste (*v1*)

scandalous ['skændələs] ADJ skandaløs

Scandinavia [skændɪ'neɪvɪə] S Skandinavia

Scandinavian [skændɪ'neɪvɪən] [1] ADJ skandinavisk
[2] S (*person*) skandinav *m*

scanner ['skænəʳ] S (*MED, RADAR*) skanner *m*

scant [skænt] ADJ ikke mye ❑ *He paid scant attention to what was going on.* Han ofret ikke mye oppmerksomhet *or* ikke rare oppmerksomheten på det som foregikk.

scantily ['skæntɪlɪ] ADV ▸ **scantily clad** *or* **dressed** sparsomt kledd

scanty ['skæntɪ] ADJ (*meal, information*) sparsom; (*underwear*) minimal
scapegoat ['skeɪpgəut] S syndebukk *m*
scar [skɑ:] 1 S (*on skin, fig*) arr *nt* ❑ *The first years of the eighties had left their scars.* Den første delen av åttiåra hadde etterlatt sine arr *or* spor.
2 VT (**a**) (*+face, hand*) etterlate* arr i/på
(**b**) (*fig*) merke (*v1*) ❑ *Such experiences can scar a person for life.* Slike opplevelser kan merke en person for livet.
scarce [skɛəs] ADJ (= *not plentiful*) knapp, (svært) begrenset
▸ **to make o.s. scarce** (*sl*) forsvinne*
scarcely ['skɛəslɪ] ADV (**a**) (= *hardly*) knapt ❑ *He was scarcely more than a boy.* Han var knapt mer enn en gutt.
(**b**) (= *certainly not*) knapt, neppe ❑ *There could scarcely be a less healthy environment.* Det kunne* knapt *or* neppe være* et mindre sunt miljø.
▸ **scarcely anybody** knapt noen
▸ **I can scarcely believe it** jeg kan knapt tro det
scarcity ['skɛəsɪtɪ] S (*of food, resources*) knapphet *c*, mangel *m*
▸ **their scarcity value makes them expensive** det at de er så sjeldne gjør dem dyre
scare [skɛə^r] 1 S (**a**) (= *fright*) støkk *m*, forskrekkelse *m* ❑ *The first attack gave me a scare...* Det første angrepet gav meg en støkk *or* forskrekkelse...
(**b**) (= *public fear*) frykt *m* ❑ *...rabies scare.* ...rabiesfrykt.
2 VT (= *frighten*) skremme (*v2x*)
▸ **bomb scare** bombetrussel *m*
▶ **scare away** VT skremme (*v2x*) vekk *or* bort
▶ **scare off** VT = **scare away**
scarecrow ['skɛəkrəu] S fugleskremsel *nt*
scared ['skɛəd] ADJ ▸ **scared (of sth/to do)** redd (for noe/for å gjøre* noe) ❑ *I'm scared to answer the phone.* Jeg er redd for å ta* telefonen.
▸ **to be scared stiff** bli* livredd
scaremonger ['skɛəmʌŋgə^r] S ryktemaker *m*, *en som driver skremselskampanje*
scarf [skɑ:f] (*pl* **scarfs** *or* **scarves**) S (*long*) skjerf *nt*; (*square: headscarf*) tørkle *nt*, skaut *nt*
scarlet ['skɑ:lɪt] ADJ purpurrød
scarlet fever S skarlagensfeber *m*
scarper ['skɑ:pə^r] (*BRIT: sl*) VI stikke* av
scarred [skɑ:d] ADJ (**a**) (*hands, face etc*) arret, med arr
(**b**) (*fig: person*) merket ❑ *She was deeply scarred by the experience.* Hun var sterkt merket av opplevelsen.
scarves [skɑ:vz] SPL *of* **scarf**
scary ['skɛərɪ] (*sl*) ADJ (*film, experience*) skummel, nifs
scathing ['skeɪðɪŋ] ADJ (*comments, attack*) skarp, bitende
▸ **to be scathing about sth** uttale (*v2*) seg skarpt *or* bitende om noe
scatter ['skætə^r] 1 VT (*+seeds, papers*) spre (*v4*), strø (*v4*); (*+flock of birds, crowd*) spre (*v4*)
2 VI (*crowd+*) spre (*v4*) seg
scatterbrained ['skætəbreɪnd] (*sl*) ADJ vimsete
scattered ['skætəd] S spredt ❑ *Thousands of missiles are scattered across the planet...* Tusenvis av raketter er spredt over hele planeten...
▸ **scattered showers** spredte regnbyger
scatty ['skætɪ] (*BRIT: sl*) ADJ vimsete
scavenge ['skævəndʒ] VI (*animal, bird+*) lete (*v2*) etter åtsel
▸ **to scavenge for sth** rote (*v1*) *or* lete (*v2*) i søppel etter noe
scavenger ['skævəndʒə^r] S (*person*) *en som leter i søppel o.l. etter noe som kan brukes*; (*animal*) åtseldyr *nt*; (*bird*) åtselfugl *m*
SCE S FK (= **Scottish Certificate of Education**) *eksamener fra skotske skoler*
scenario [sɪ'nɑ:rɪəu] S (*TEAT, FILM*) scenario *nt*, dreiebok *c*; (*fig*) situasjon *m*, scenario *nt*
scene [si:n] S (**a**) (*TEAT, FILM, fig: episode*) scene *m* ❑ *The scene unfolded before me.* Scenen utfoldet seg foran meg.
(**b**) (*of crime, accident*) åsted *nt* ❑ *...the scene of the crime.* ...åstedet for forbrytelsen.
(**c**) (*sight*) bilde *nt* ❑ *...a scene of domestic tranquillity.* ...et bilde av hjemlig ro og fred.
(**d**) (= *fuss*) scene *m* ❑ *There was a scene, and he called her a lot of rude names.* Det ble en scene, og han skjelte henne grovt ut.
▸ **behind the scenes** (*fig*) bak kulissene
▸ **to make a scene** (*sl: fuss*) lage (*v1 or v3*) en scene
▸ **to appear on the scene** (*fig*) komme* inn på arenaen, komme på banen
▸ **the political scene** den politiske arena
scenery ['si:nərɪ] S (*TEAT*) sceneri *nt*; (= *landscape*) natur *m*, landskap *nt*
scenic ['si:nɪk] ADJ (= *picturesque: location etc*) naturskjønn, malerisk
▸ **to take the scenic route** ta* den pene veien
scent [sɛnt] S (**a**) (= *fragrance*) duft *m* ❑ *...the scent of flowers.* ...duften av blomster.
(**b**) (*track*) tev *m*, teft *m*, spor *nt* ❑ *The dog tried to pick up their scent.* Hunden prøvde å fange opp teven *or* teften *or* sporet av dem.
(**c**) (*fig*) spor *nt* ❑ *We are on the scent of something big.* Vi er på sporet av noe stort.
(**d**) (= *perfume*) parfyme *m*
▸ **to put** *or* **throw sb off the scent** (*fig*) bringe* noen på villspor
sceptic ['skɛptɪk], **skeptic** (*US*) S skeptiker *m*
sceptical ['skɛptɪkl], **skeptical** (*US*) ADJ
▸ **sceptical (about)** skeptisk (til)
scepticism ['skɛptɪsɪzəm], **skepticism** (*US*) S skepsis *m*
sceptre ['sɛptə^r], **scepter** (*US*) S septer *nt*
schedule ['ʃɛdju:l, (*US*)'skɛdju:l] 1 S (**a**) (*of trains, buses*) rute *c*, rutetabell *m* ❑ *...a bus schedule.* ...en bussrute(tabell).
(**b**) (= *list of events and times*) timeplan *m*, program *nt* ❑ *...the next place on his busy schedule...* det neste punktet på den travle timeplanen *or* i det travle programmet hans...
(**c**) (= *list of prices, details etc*) fortegnelse *m* ❑ *...a schedule of charges.* ...en fortegnelse over gebyrer.
2 VT (**a**) (= *timetable*) *sette på programmet/(time)planen* ❑ *He was scheduled to leave*

Plymouth yesterday... Han skulle* etter planen reise fra Plymouth i går...
(**b**) (*+visit, meeting etc*) beramme (*v1*) ❑ *The talks are scheduled for this weekend...* Samtalene er berammet til denne weekenden...
▸ **on schedule** i rute
▸ **we are working to a very tight schedule** vi jobber etter en veldig stram timeplan, vi har et veldig stramt program
▸ **everything went according to schedule** alt gikk etter planen
▸ **to be ahead of/behind schedule** være* *or* ligge foran/etter skjema

scheduled ['ʃedju:ld, (*US*)'skɛdju:ld] ADJ (*date, time*) berammet, fastsatt; (*visit, event*) berammet, fastlagt; (*train, bus, stop*) rute-

scheduled flight s rutefly *nt*

schematic [skɪ'mætɪk] ADJ skjematisk

scheme [ski:m] [1] s (**a**) (= *plan, plot*) plan *m*, opplegg *nt* ❑ *...some scheme for perfecting the world...* en eller annen plan *or* et eller annet opplegg for å gjøre* verden perfekt...
(**b**) (*ADMIN, FORS etc*) plan *m*, program *nt*, ordning *m* ❑ *...training schemes...* treningsprogrammer... *the State pension scheme...* den statlige pensjonsplanen *or* pensjonsordningen...
[2] VI intrigere (*v2*) ❑ *...how he schemed against her...* hvordan han intrigerte mot henne...
▸ **colour scheme** fargesammensetning *m*

scheming ['ski:mɪŋ] [1] ADJ (*person*) intrigant
[2] s intriger *pl*

schism ['skɪzəm] s splittelse *m*, skisma *nt*

schizophrenia [skɪtsə'fri:nɪə] s schizofreni *m*

schizophrenic [skɪtsə'frɛnɪk] [1] ADJ schizofren
[2] s schizofren *m decl as adj*

scholar ['skɔlər] s (= *learned person*) lærd *m decl as adj*; (= *pupil*) elev *m* (*som har oppnådd stipendplass ved en prestisjefylt skole*)

scholarly ['skɔləlɪ] ADJ (*text, approach, person*) lærd, akademisk

scholarship ['skɔləʃɪp] s (**a**) (*knowledge*) viten *m*
(**b**) (*grant*) stipend *nt* ❑ *He won a scholarship to this school...* Han fikk et stipend ved denne skolen...

school [sku:l] [1] s skole *m*; (*US: university*) universitet *nt*; (*of whales, porpoises*) flokk *m*
[2] SAMMENS skole-

school age s skolealder *m*

schoolbook ['sku:lbuk] s skolebok *c irreg*, lærebok *c irreg*

schoolboy ['sku:lbɔɪ] s skolegutt *m*

schoolchildren ['sku:ltʃɪldrən] SPL skolebarn *pl*

schooldays ['sku:ldeɪz] SPL skoledager

schoolgirl ['sku:lgə:l] s skolejente *c*, skolepike *m*

schooling ['sku:lɪŋ] s skolegang *m*

school-leaver [sku:l'li:vər] (*BRIT*) s *elev som går ut av skolen*

school-leaving age ['sku:l'li:vɪŋ-] s *alder da man (vanligvis) går ut av skolen*

schoolmaster ['sku:lmɑ:stər] s skolemester *m*

schoolmistress ['sku:lmɪstrɪs] s lærerinne *c*

school report (*BRIT*) s elevvurdering *c*

schoolroom ['sku:lru:m] s klasserom *nt*, skolestue *c*

schoolteacher ['sku:lti:tʃər] s lærer *m*

schoolyard ['sku:ljɑ:d] s skolegård *m*

schooner ['sku:nər] s (*ship*) skonnert *m*; (*glass: BRIT: for sherry*) (stort) sherryglass *nt*; (*US etc: for beer*) seidel *m*

sciatica [saɪ'ætɪkə] s isjias *m*

science ['saɪəns] s (**a**) (natur)vitenskap *m* ❑ *The science of genetics...* Den genetiske vitenskapen...
(**b**) (*SKOL*) naturfag *nt*
▸ **the sciences** realfagene, de naturvitenskapelige fagene

science fiction s science fiction *m*

scientific [saɪən'tɪfɪk] ADJ vitenskapelig

scientist ['saɪəntɪst] s vitenskapsmann *m irreg*/ vitenskapskvinne *c*

sci-fi ['saɪfaɪ] (*sl*) s FK = **science fiction**

Scillies ['sɪlɪz] SPL = **Scilly Isles**

Scilly Isles ['sɪlɪ'aɪlz] SPL ▸ **the Scilly Isles** Scilly-øyene

scintillating ['sɪntɪleɪtɪŋ] ADJ glitrende, gnistrende

scissors ['sɪzəz] SPL saks *c sg*
▸ **a pair of scissors** en saks

sclerosis [sklɪ'rəusɪs] s sklerose *m*

scoff [skɔf] [1] VT (*BRIT: sl: eat*) ete* (*sl*), stappe (*v1*) i seg (*sl*)
[2] VI ▸ **to scoff (at)** (= *mock*) håne (*v2*), gjøre* narr (av)

scold [skəuld] VT skjenne (*v2x*) på, kjefte (*v1*) på

scolding ['skəuldɪŋ] s skjenn *nt*, kjeft *m* ❑ *I sometimes get a scolding from my parents.* Jeg får av og til skjenn *or* kjeft av foreldrene mine.

scone [skɔn] s scone *m*

scoop [sku:p] [1] s (**a**) (*implement*) sleiv *c*
(**b**) (*portion*) kule *c* ❑ *...two scoops of ice cream.* ...to kuler is.
(**c**) (*PRESS*) scoop *nt*, kupp *nt*
[2] VT (*+prize*) ta, vinne*

▸ **scoop out** VT hule (*v2*) ut

▸ **scoop up** VT øse (*v2*) opp

scooter ['sku:tər] s (*also* ***motor scooter***) scooter *m*; (*toy*) sparkesykkel *m*

scope [skəup] s (**a**) (= *opportunity*) spillerom *nt* ❑ *There is not much scope for originality...* Det er ikke mye spillerom for å være* original...
(**b**) (= *range: of plan, undertaking*) rekkevidde *m* ❑ *The difference between the programmes is one of scope.* Forskjellen mellom programmene ligger i rekkevidden.
(**c**) (*of person*) spennvidde *m* ❑ *He has a lot of scope.* Han har stor spennvidde.
▸ **within the scope of** innenfor rammene av
▸ **there is plenty of scope for improvement** (*BRIT*) det er stort rom for forbedring

scorch [skɔ:tʃ] VT svi (*v4*)

scorched earth policy s den brente jords taktikk

scorcher ['skɔ:tʃər] (*sl*) s (= *hot day*) stekende het dag *m*

scorching ['skɔ:tʃɪŋ] ADJ (*day, weather*) stekende het *or* varm

score [skɔ:r] [1] s (**a**) (= *total number of points etc*) stilling *m* ❑ *What's the score?* Hva er stillingen? *At the end of the match the score was 2-2.* Ved slutten av kampen var stillingen 2-2.
(**b**) (*MUS*) partitur *nt*

(**c**) (= *twenty*) snes *nt* ❑ *...a score of policemen...* et snes politimenn...
[2] VT (**a**) (*+goal, point*) skåre (*v1*) (*var:* score)
(**b**) (= *cut: card, leather*) ripe (*v1*) i, risse (*v1*) i ❑ *There were lines scored on the wall...* Det var striper ripet *or* risset inn i veggen...
(**c**) (*+success*) ha ❑ *They scored a runaway success with "Richard III".* De hadde en kjempesuksess med "Richard III".
[3] VI (**a**) (*in game*) skåre (*v1*) (*var:* score) ❑ *She failed to score at all.* Hun skåret ikke i det hele tatt.
(**b**) (= *keep score*) føre (*v2*) regnskap (*over mål, poeng, tider etc*) ❑ *Will you score for us?* Vil du føre regnskapet for oss?
▸ **to settle an old score with sb** (*fig*) gjøre* opp et gammelt mellomværende med noen
▸ **scores of** massevis av, haugevis av ❑ *We've received scores of letters.* Vi har fått massevis *or* haugevis av brev.
▸ **on that score** av den grunn ❑ *...so please don't worry about me on that score.* ...så vennligst ikke vær bekymret for meg av den grunn.
▸ **to score well** oppnå (*v4*) *or* få* gode resultater
▸ **to score 6 out of 10** skåre (*v1*) *or* oppnå (*v4*) 6 av 10 mulige
▸ **to score (a point) over sb** (*fig*) vinne* over noen
► **score out** VT stryke* ❑ *...I scored out twenty words.* ...jeg strøk tjue ord.

scoreboard ['skɔːbɔːd] S resultattavle *c*
scorecard ['skɔːkɑːd] S poengkort *nt*, poengtabell *m*
score draw (*FOTB*) S *uavgjort kamp, men ikke 0-0*
score line S (*SPORT*) stilling *m*; (*final score*) sluttresultat *nt*
scorer ['skɔːrəʳ] S (*SPORT*) målskårer *m*; (= *person keeping score*) regnskapsfører *m*
scorn [skɔːn] [1] S forakt *m*
[2] VT (**a**) (= *despise*) forakte (*v1*) ❑ *...she scorned the girls who worshipped football heroes...* hun foraktet de jentene som tilbad fotballhelter...
(**b**) (*reject*) kaste (*v1*) vrak på ❑ *...who scorn traditional dress and wear denims.* ...som kaster vrak på tradisjonell klesdrakt og går i dongeri.
scornful ['skɔːnful] ADJ foraktelig, hånlig
Scorpio ['skɔːpɪəu] S Skorpion *m*, Skorpionens tegn *nt*
▸ **to be Scorpio** være* Skorpion, være* født i Skorpionens tegn
scorpion ['skɔːpɪən] S skorpion *m*
Scot [skɔt] S skotte *m*
Scotch [skɔtʃ] S (skotsk) whisky *m*
scotch [skɔtʃ] VT (*+rumour, plan, idea*) sette* en stopper for
Scotch tape® S tape *m*, limbånd *nt*
scot-free ['skɔt'friː] ADV ▸ **to get off scot-free** slippe* ustraffet *or* skadefri fra det
Scotland ['skɔtlənd] S Skottland
Scots [skɔts] ADJ skotsk
Scotsman ['skɔtsmən] *irreg* S skotte *m*
Scotswoman ['skɔtswumən] *irreg* S skotte *m* (*kvinne*)
Scottish ['skɔtɪʃ] ADJ skotsk
Scottish National Party S ▸ **the Scottish National Party** det skotske nasjonalistpartiet
scoundrel ['skaundrl] S kjeltring *m*
scour ['skauəʳ] VT (**a**) (= *search: countryside etc*) gjennomsøke (*v2*), finkjemme (*v1*) ❑ *Traders were scouring the villages for family treasures...* Oppkjøpere gjennomsøkte *or* finkjemmet landsbyene etter famileskatter...
(**b**) (= *clean: floor, pan etc*) skure (*v2*), skrubbe (*v1*)
scourer ['skauərəʳ] S gryteskrubb *m*
scourge [skəːdʒ] S forbannelse *m*, svøpe *m* ❑ *Smallpox was the scourge of the Western world.* Kopper var den vestlige verdens forbannelse *or* svøpe.
scout [skaut] S (**a**) (*MIL*) speider *m*
(**b**) (*also* ***boy scout***) (gutte)speider *m*
▸ **girl scout** (*US*) (jente)speider *m*
► **scout around (for)** VI være* på utkikk (etter), gå* på leting (etter)
scowl [skaul] [1] VI skule (*v2*)
[2] S skulende blikk *nt*
▸ **to scowl at sb** skule (*v2*) på noen
scrabble ['skræbl] [1] VI (*also* ***scrabble around****: search*) krafse (*v1*)
[2] S ▸ **Scrabble®** Scrabble®
▸ **to scrabble at sth** (= *claw*) klore (*v2*) på/mot noe
▸ **to scrabble about** *or* **around for sth** krafse (*v1*) (rundt) etter noe
scraggy ['skrægɪ] ADJ radmager, skinnmager
scram [skræm] (*sl*) VI stikke* (av) (*sl*), pigge (*v1*) (av) (*sl*)
scramble ['skræmbl] [1] S (**a**) (*climb*) (rask) klatretur *m* ❑ *...a short scramble to the top of the hill.* ...en kort klatretur til toppen av bakken.
(**b**) (= *struggle, rush*) kappløp *nt* ❑ *There was a mad scramble for the back seat...* Det var vilt kappløp for å få* baksetet...
[2] VI ▸ **to scramble up/over** klatre (*v1*) opp/over
▸ **to scramble for** slåss* om å få* tak i
▸ **to go scrambling** (*SPORT*) kjøre (*v2*) motorcross
scrambled eggs S eggerøre *c*
scrap [skræp] [1] S (**a**) (*bit: of paper, material*) bit *m*
(**b**) (*fig: of truth, evidence*) fnugg *nt* ❑ *There was not a scrap of evidence against him...* Det var ikke fnugg av bevis mot ham...
(**c**) (*fight*) knuffing *c*
(**d**) (*also* ***scrap metal***) skrapmetall *nt*
[2] VT (**a**) (= *discard: machines etc*) vrake (*v1*)
(**b**) (*fig: plans etc*) oppgi*, droppe (*v1*)
[3] VI (= *fight*) være/komme* i klammeri
▸ **scraps** SPL (= *leftovers*) rester
▸ **to sell sth for scrap** selge* noe som skrap
scrapbook ['skræpbuk] S utklippsbok *c*
scrap dealer S skraphandler *m*
scrape [skreɪp] [1] VT (**a**) (*+mud, paint, potato skin etc*) skrape (*v1 or v2*) ❑ *She scraped the mud off her boots...* Hun skrapte sølen av støvlene sine...
(**b**) (*+hand, car*) skrape (*v1 or v2*) opp
[2] S ▸ **to get into a scrape** komme* i vanskeligheter
► **scrape through** VT (*+exam etc*) hangle (*v1*) igjennom
► **scrape together** VT (*+money*) skrape (*v1 or v2*) sammen

scraper ['skreɪpəʳ] s skrape *c*
scrap heap s *(fig)* ▸ **on the scrap heap** på skrothaugen *or* skraphaugen
scrap merchant *(BRIT)* s skraphandler *m*
scrap metal s skrapmetall *nt*
scrap paper s kladdepapir *nt*
scrappy ['skræpɪ] ADJ *(piece of work)* tilfeldig, planløs
scrap yard s skrapplass *m*, søppelplass *m*; *(for cars)* bilkirkegård *m*, skraphaug *m*
scratch [skrætʃ] 1 s (**a**) *(on record, furniture etc)* ripe *c*
(**b**) *(on body)* skramme *m*, skrubbsår *nt*
2 VT (**a**) *(+part of body: to stop itch)* klø *(v4)* (seg på)
(**b**) *(hurt)* klore *(v2)*
(**c**) *(damage: record, paint, car etc)* lage *(v1 or v3)* ripe i
3 VI *(= rub one's body)* klø *(v4)* seg
4 SAMMENS *(team, side)* sammenrasket
▸ **to start from scratch** begynne *(v2x)* (helt) forfra, starte *(v1)* (helt) fra scratch
▸ **to be up to scratch** *(person, conditions, standard+)* være* bra nok, holde*
▸ **to scratch the surface** *(fig)* bevege *(v1)* seg *or* pirke *(v1)* på overflaten
scratchcard ['skrætʃkɑ:d] s skrapelodd *n*
scratch pad *(US)* s notisblokk *c*
scrawl [skrɔ:l] 1 s rabling *c*, kråketær *pl*
2 VT rable *(v1)*
scrawny ['skrɔ:nɪ] ADJ *(person, neck)* radmager, skinnmager
scream [skri:m] 1 s skrik *nt*
2 VI skrike*
▸ **to be a scream** *(sl)* være* til å le seg i hjel av ❑ *You must see that film, it's a scream.* Du må se den filmen, den er til å le seg i hjel av.
▸ **to scream at sb (to do sth)** skrike* til noen (at de skal gjøre* noe)
scree [skri:] s (stein)ur *c*
screech [skri:tʃ] 1 VI hvine *(v2)*, skrike*
2 s skrik *nt*, hvin *nt*
screen [skri:n] 1 s (**a**) *(FILM)* lerret *nt*
(**b**) *(TV, DATA)* skjerm *m*
(**c**) *(movable barrier)* skjermbrett *nt*
(**d**) *(fig: cover)* skalkeskjul *nt* ❑ *The laundry was a screen for illegal activities.* Vaskeriet var et skalkeskjul for illegal virksomhet.
(**e**) *(also* ***windscreen****)* frontrute *c*
2 VT (**a**) *(= protect, conceal)* skjerme *(v1)* ❑ *I moved in front of her trying to screen her.* Jeg flyttet meg foran henne og prøvde å skjerme henne. *She screened her eyes from the wind.* Hun skjermet øynene sine mot vinden.
(**b**) *(+film, programme)* vise *(v2)* ❑ *They tried to prevent the programme being screened.* De prøvde å forhindre at programmet ble vist.
(**c**) *(+candidates etc)* undersøke *(v2)*
(**d**) *(for illness)* ▸ **to screen sb for sth** undersøke *(v2)* noen for noe *(for sikkerhets skyld)* ❑ *...women screened for breast cancer...* kvinner som blir undersøkt for brystkreft...
screen editing *(DATA)* s skjermredigering *c*
screening ['skri:nɪŋ] *(MED)* undersøkelse *m*; *(of film)* visning *m*; *(for security)* undersøkelse *m*
screen memory *(DATA)* s skjermminne *nt*
screenplay ['skri:npleɪ] s filmmanus(kript) *nt*
screen test s prøvefilming *c*
screenwriter ['skri:nraɪtəʳ] s manusforfatter *m*
screw [skru:] 1 s *(for attaching sth)* skrue *m*
2 VT (**a**) *(= fasten)* skru *(v4)* (fast) ❑ *Squeaking floorboards should be screwed down...* Knirkende gulvplanker burde skrus ned...
(**b**) *(sl!: have sex with)* knulle *(v1)* (med) *(sl!)*
▸ **to screw sth in** skru *(v4)* i noe
▸ **to screw sth to the wall** skru *(v4)* noe fast til *or* inn i veggen
▸ **to have one's head screwed on** *(fig)* ha* hodet på rett plass
▸ **screw up** VT (**a**) *(+paper etc)* krølle *(v1)* sammen
(**b**) *(sl: ruin)* ødelegge* ❑ *...that screwed up our holiday.* ...det ødela ferien vår.
▸ **to screw up one's eyes** knipe* sammen øynene, myse *(v2)*
screwdriver ['skru:draɪvəʳ] s skrujern *nt*, skrutrekker *m*
screwed-up ['skru:d'ʌp] *(sl)* ADJ ▸ **to be/get screwed-up about sth** gå* i frø på grunn av noe
screwy ['skru:ɪ] *(sl)* ADJ *(person)* (for)skrudd
scribble ['skrɪbl] 1 s skribling *c*, rabbel *nt*
2 VT *(+note, letter etc)* skrible *(v1)*, rable *(v1)* ned
3 VI *(= make meaningless marks)* skrible *(v1)*, rable *(v1)* ❑ *Someone's scribbled all over the wall.* Noen har skriblet *or* rablet over hele veggen.
▸ **to scribble sth down** rable *or* skrible ned noe
scribe [skraɪb] s skriver *m*
script [skrɪpt] s (**a**) *(FILM etc)* manus *nt*
(**b**) *(= alphabet)* skrift *m*, skrifttegn *pl* ❑ *...the Arabic script...* den arabiske skriften *or* de arabiske skrifttegnene...
(**c**) *(in exam)* (eksamens)besvarelse *m*
scripted ['skrɪptɪd] *(RADIO, TV)* ADJ etter manus
scripture(s) ['skrɪptʃəʳ(-əz)] S(PL) skrift *m* ❑ *...Buddhist scriptures.* ...buddhistiske skrifter.
▸ **the Scriptures** Skriften
scriptwriter ['skrɪptraɪtəʳ] s tekstforfatter *m*
scroll [skrəul] 1 s *(document)* (skrift)rull *m*
2 VT *(DATA)* rulle *(v1)*
scrotum ['skrəutəm] s pung *m (ANAT)*
scrounge [skraundʒ] *(sl)* 1 VT ▸ **to scrounge sth off sb** bomme *(v1)* noe av noen ❑ *He tried to scrounge some money off me...* Han prøvde å bomme noen penger av meg...
2 VI bomme *(v1)* ❑ *You're always scrounging!* Du bommer bestandig!
3 s ▸ **on the scrounge** på bommen
scrounger ['skraundʒəʳ] *(sl)* s snylter *m*
scrub [skrʌb] 1 s *(land)* krattskog *m*, kratt *nt*
2 VT *(= rub hard: floor, hands, washing)* skrubbe *(v1)*; *(sl: reject: idea, plan)* droppe *(v1)*
scrubbing brush s skurebørste *m*
scruff [skrʌf] s ▸ **by the scruff of the neck** i nakkeskinnet
scruffy ['skrʌfɪ] ADJ *(person, object, appearance)* lurvet(e), rufset(e)
scrum(mage) ['skrʌm(ɪdʒ)] *(RUGBY)* s klynge *c*
scruple ['skru:pl] s *(gen pl)* skruppel *m*
▸ **to have no scruples about doing sth** ikke ha* noen skrupler for å gjøre* noe
scrupulous ['skru:pjuləs] ADJ *(= painstaking: care,*

attention) omhyggelig, grundig; (= *honourable*) samvittighetsfull, hederlig

scrupulously ['skru:pjuləslɪ] ADV (*behave, act*) samvittighetsfullt, hederlig; (*honest, fair*) samvittighetsfullt, gjennomført; (*clean*) omhyggelig, pinlig

scrutinize ['skru:tɪnaɪz] VT (+*face, data, records*) granske (*v1*)

scrutiny ['skru:tɪnɪ] S gransking *c*
▸ **under the scrutiny of sb** under nøye oppsikt fra noen

scuba ['sku:bə] S pressluftapparat *m* (for sportsdykkere)

scuba diving S sportsdykking *c*

scuff [skʌf] VT (+*shoes, floor*) slite* ❑ *His shoes were badly scuffed.* Skoene hans var fryktelig slitte.

scuffle ['skʌfl] S sammenstøt *nt*, håndgemeng *m*

scull [skʌl] S vrikkeåre *c*

scullery ['skʌlərɪ] (*old*) S grovkjøkken *nt*

sculptor ['skʌlptə[r]] S billedhugger *m*, skulptør *m*

sculpture ['skʌlptʃə[r]] S (**a**) (*art*) billedhugging *c*, skulptur *m* ❑ *The college offers classes in sculpture...* Skolen tilbyr kurs i billedhugging *or* skulptur...
(**b**) (*object*) skulptur *m* ❑ *...an enormous iron sculpture...* en enorm jernskulptur...

scum [skʌm] S (**a**) (*on liquid: foam*) skum *nt*
(**b**) (= *skin*) hinne *c*
(**c**) (*neds: people*) avskum *nt* ❑ *These so-called football supporters are scum...* Disse såkalte fotballtilhengerne er noen avskum...

scupper ['skʌpə[r]] (*BRIT: sl*) VT (+*plan, idea*) sabotere (*v2*), spolere (*v2*)

scurrilous ['skʌrɪləs] ADJ (*accusation, gossip etc*) sjofel, tarvelig

scurry ['skʌrɪ] VI pile (*v2*) ❑ *The pig scurried into the undergrowth...* Grisen pilte inn i buskaset...
▸ **scurry off** VI pile (*v2*) av gårde

scurvy ['skə:vɪ] S skjørbuk *m*

scuttle ['skʌtl] [1] S (*also* ***coal scuttle***) kullboks *m*
[2] VT (+*ship*) bore (*v1*) i senk
[3] VI (= *scamper*) ▸ **to scuttle away** *or* **off** pile (*v2*) av gårde *or* i vei

scythe [saɪð] S ljå *m*

SD (*US: POST*) FK = **South Dakota**

SDI (*US: MIL*) S FK (= **Strategic Defense Initiative**) *USAs "stjernekrigsprogram"*

SDLP (*BRIT: POL*) S FK (= **Social Democratic and Labour Party**) *politisk parti i Nord-Irland*

SDP (*BRIT: POL*) S FK (= **Social Democratic Party**) *forhenværende politisk parti*

sea [si:] [1] S (**a**) (*seaside, water*) sjø *m* (*salt*) ❑ *...the children running into the sea...* barna som løp ut i sjøen... *the calmest seas that we had encountered.* ...den roligste sjøen vi hadde støtt på.
(**b**) (*open sea, ocean*) hav *nt*, sjø *m* ❑ *...at the bottom of the sea...* på havets bunn *or* sjøbunnen...
(**c**) (*fig*) hav *nt* ❑ *...a sea of faces...* et hav av ansikter...
[2] SAMMENS (*breeze, bird, air etc*) sjø-, hav-
▸ **by sea** (**a**) (*travel*) til sjøs, med båt
(**b**) (*send*) med båt
▸ **beside** *or* **by the sea** (**a**) (*holiday*) ved sjøen
(**b**) (*village*) ved kysten
▸ **at sea** på sjøen ❑ *...a storm at sea...* en storm på sjøen...
▸ **to be all at sea** (*fig*) være* helt på jordet *or* på viddene
▸ **out to sea** til sjøs, til havs ❑ *The little boat was swept out to sea...* Den lille båten ble feid til sjøs *or* til havs...
▸ **to look out to sea** se ut mot havet *or* sjøen
▸ **heavy** *or* **rough sea(s)** høy *or* sterk sjøgang

sea anemone S sjøanemone *m*

sea bed S havbunn *m*, sjøbunn *m*

seaboard ['si:bɔ:d] S kyst *m* ❑ *...the eastern seaboard of the United States.* ...østkysten av USA.

seafarer ['si:fɛərə[r]] S sjøfarer *m*

seafaring ['si:fɛərɪŋ] ADJ (*life, nation*) sjøfarende, sjøfarts-

seafood ['si:fu:d] S fisk *m* og skalldyr *pl*, sjømat *m*

seafront ['si:frʌnt] S strandpromenade *m* ❑ *...a walk along the seafront...* en spasertur langs strandpromenaden...

seagoing ['si:gəuɪŋ] ADJ (*ship*) havgående, sjøgående; (*man*) sjøfarende

seagull ['si:gʌl] S måke *c*

seal [si:l] [1] S (**a**) (*animal*) sel *m*
(**b**) (= *official stamp*) segl *nt*
(**c**) (*in machine etc*) forsegling *c* ❑ *...forms a tight seal and keeps the wine fresh.* ...danner en tett forsegling og holder vinen frisk.
[2] VT (**a**) (= *close*) forsegle (*v1*)
(**b**) (= *decide*) besegle (*v1*) ❑ *This disaster sealed the fate of the expedition.* Denne katastrofen beseglet ekspedisjonens sjebne. *They sealed their agreement with a handshake.* De beseglet avtalen sin med et håndtrykk.
▸ **to give sth one's seal of approval** gi* noe (offisiell) godkjenning *or* et godkjenningsstempel
▸ **seal off** VT (+*place*) sperre (*v1*) av ❑ *Police sealed off the area...* Politiet sperret av området...

sea level S ▸ **2,000 m above sea level** 2 000 m over havet

sealing wax S segllakk *m*

sea lion S sjøløve *m*

sealskin ['si:lskɪn] S selskinn *nt*

seam [si:m] S (**a**) (= *line of stitches*) søm *m*
(**b**) (*where edges meet*) skjøt *m*
(**c**) (*of coal etc*) åre *c*
▸ **the hall was bursting at the seams** salen var fylt til bristepunktet

seaman ['si:mən] *irreg* S sjømann *m irreg*

seamanship ['si:mənʃɪp] S sjømannskap *nt*

seamless ['si:mlɪs] ADJ (**a**) (*stockings, tights etc*) uten søm
(**b**) (*fig*) sammenhengende ❑ *The gardens make a seamless whole with the park...* Hagene danner en sammenhengende enhet med parken...

seamy ['si:mɪ] ADJ dyster, utrivelig ❑ *...the seamy side of life.* ...livets skyggeside.. ...den dystre *or* utrivelige siden av livet.

séance ['seɪɔns] S seanse *m* (*spiritistisk*)

seaplane ['si:pleɪn] S sjøfly *nt*

seaport ['si:pɔ:t] S havneby *m*

search [sə:tʃ] [1] S (**a**) (*hunt: for person, thing*)

leting *c* ❑ *We found the keys after a long search...* Vi fant nøklene etter langvarig leting...
(**b**) (*DATA*) søking *c*, søk *nt*
(**c**) (*inspection: of sb's home*) ransaking *c* ❑ *...a search revealed a pistol.* ...en ransaking avslørte en pistol.
2 VT (**a**) (*+place*) gjennomsøke (*v2*), ransake (*v1*) ❑ *Police searched the building for clues.* Politiet gjennomsøkte *or* ransaket bygningen etter spor.
(**b**) (*+luggage*) ransake (*v1*)
(**c**) (*+person*) ransake (*v1*), kroppsvisitere (*v2*) ❑ *We were stopped by the police and searched...* Vi ble stoppet av politiet og ransaket *or* kroppsvisitert...
(**d**) (*+mind, memory*) ransake (*v1*), lete (*v2*) i ❑ *She searched her mind for some words of comfort.* Hun lette i *or* ransaket hjernen sin etter noen trøstende ord.
3 VI ▸ **to search for** lete (*v2*) etter
▸ **to organize a search for sth** sette* i verk en leteaksjon etter noe
▸ **"search and replace"** (*DATA*) "søk og erstatt"
▸ **in search of** på leting etter
▸ **search through** VT FUS lete (*v2*) (i)gjennom ❑ *He searched through a drawer...* Han lette gjennom en skuff...

search engine (*DATA*) s søkemaskin *m*

searching ['sɜːtʃɪŋ] ADJ (**a**) (*question, look*) undersøkende ❑ *She gave him a searching look...* Hun sendte ham et undersøkende blikk...
(**b**) (*examination, inquiry*) inngående

searchlight ['sɜːtʃlaɪt] s lyskaster *m*

search party s letemannskap *nt*
▸ **to send out a search party** sende (*v2*) ut letemannskap(er)

search warrant s ransakingsordre *m*

searing ['sɪərɪŋ] ADJ (*heat, pain*) sviende, stikkende

seashore ['siːʃɔːʳ] s strandkant *m*
▸ **on the seashore** i strandkanten

seasick ['siːsɪk] ADJ sjøsyk

seasickness ['siːsɪknɪs] s sjøsyke *m*

seaside ['siːsaɪd] s sjø *m*
▸ **to go to the seaside** dra* til sjøen
▸ **at the seaside** ved sjøen *or* kysten

seaside resort s badested *nt* (ved sjøen)

season ['siːzn] 1 s (**a**) (*of year*) årstid *c*
(**b**) (*AGR*) tid *c* ❑ *...the planting season.* ...plantetiden
(**c**) (*SPORT*) sesong *m* ❑ *...the football season.* ...fotballsesongen.
(**d**) (*series: of films etc*) sesong *m* ❑ *...a new season of horror films on TV.* ...en ny sesong med skrekkfilmer på TV.
2 VT (*+food*) smaksette*, krydre (*v1*) ❑ *Season the soup with plenty of salt...* Smaksett suppen rikelig med salt...
▸ **raspberries are in season/out of season** det er/er ikke sesong for bringebær, det er/er ikke bringebærsesong
▸ **the high season** høysesongen
▸ **the open season** jakttiden

seasonal ['siːznl] ADJ ▸ **seasonal work** sesongarbeid *nt*, sesongbetont arbeid *nt*

seasoned ['siːznd] ADJ (**a**) (*fig: traveller*) garvet, dreven
(**b**) (*wood*) lagret ❑ *Make sure the timber is well seasoned.* Forsikre deg om at tømmeret er ordentlig tørt.

seasoning ['siːznɪŋ] s krydder *nt*

season ticket s (*JERNB*) sesongkort *nt*, ukes-/måneds-/årskort *nt*; (*SPORT, TEAT*) sesongbillett *m*

seat [siːt] 1 s (**a**) (= *chair*) sitteplass *m*
(**b**) (*place: in theatre*) plass *m* ❑ *...to get seats for the show.* ...å få* plasser til forestillingen.
(**c**) (*in bus, train etc*) sete *nt*, (sitte)plass *m* ❑ *I reserved a seat on the train.* Jeg bestilte (sitte)plass *or* plassbillett på toget.
(**d**) (*in car*) sete *nt*
(**e**) (*of government, MP*) sete *nt* ❑ *His party failed to win a single seat...* Partiet hans vant ikke et eneste sete... *the seat of government shifted to London.* ...hovedsetet for regjeringen ble flyttet til London.
(**f**) (= *buttocks, of trousers*) bak *m* ❑ *He fell over and landed on his seat.* Han falt og landet på baken. *Her jeans had a gaping hole in the seat.* Olabuksene hennes hadde et gapende hull i baken.
2 VT (**a**) (= *place: guests etc*) plassere (*v2*) ❑ *She seated us next to the bride and groom.* Hun plasserte oss ved siden av brudeparet.
(**b**) (*table, theatre+ : have room for*) ha* (sitte)plass til ❑ *The hall seats four hundred.* Salen har (sitte)plass til fire hundre.
▸ **are there any seats left?** er det noen (sitte)plasser igjen?
▸ **to take one's seat** ta* plass
▸ **to be seated** sitte* ❑ *General Tomkins was seated behind his desk.* General Tomkins satt bak skrivebordet sitt.
▸ **please be seated** vær så god å ta* plass *or* vær så god og sitt
▸ **seat of learning** læresete *nt*

seat belt s setebelte *nt*, sikkerhetsbelte *nt*

seating arrangements SPL sitteplasser *c* ❑ *He organised the seating arrangements for 3,000 guests.* Han ordnet med sitteplasser for 3 000 gjester.

seating capacity s sitteplass *m or* sitteplasser *pl* ❑ *The stadium had a seating capacity of 50,000.* Stadion hadde sitteplass(er) til 50 000.

seating room s sitteplasser *pl*

SEATO ['siːtəu] s FK (= **Southeast Asia Treaty Organization**) Den sørasiatiske forsvarsorganisasjon

sea urchin s sjøpinnsvin *nt*, kråkebolle *c*

sea water (*n*) sjøvann *nt*

seaweed ['siːwiːd] s sjøplante *c*

seaworthy ['siːwəːðɪ] ADJ (*ship*) sjødyktig

SEC (*US*) s FK (= **Securities and Exchange Commission**) *føderalt organ som håndhever føderale lover som gjelder kjøp og salg av aksjer og obligasjoner*

sec. FK = **second**

secateurs [sɛkə'təːz] SPL greinsaks *c sg*

secede [sɪ'siːd] VI (*POL*) ▸ **to secede (from)** løsrive* seg (fra)

secluded [sɪ'kluːdɪd] ADJ (*place, life*) bortgjemt, avsondret

seclusion [sɪ'kluːʒən] s (frivillig) isolasjon *m*

▸ **in seclusion** isolert, for seg selv ▫ *She was reared in seclusion...* Hun ble oppdratt for seg selv *or* isolert...

second[1] [sɪ'kɔnd] (*BRIT*) VT (*+employee*) overføre (*v2*) midlertidig ▫ *Engineers will be seconded to the factory...* Ingeniører vil bli* midlertidig overført til fabrikken...

second[2] ['sɛkənd] 1 ADJ (= *after first*) annen *c sg indef*, annet *nt sg indef*, andre *def, pl* ▫ *...his second marriage.* ...det andre ekteskapet hans. *...on the second day.* ...på den andre dagen.

2 ADV (**a**) (*come, be placed: in race etc*) som nummer to

(**b**) (*when listing*) for det andre ▫ *And second, this kind of policy doesn't help to create jobs.* Og for det andre hjelper ikke denne typen politikk til å skape arbeidsplasser.

3 S (**a**) (*unit of time*) sekund *nt*

(**b**) (*BIL: **second gear***) andre *or* annet (gir) ▫ *He tried to drive off in second.* Han prøvde å kjøre av sted i andre *or* annet gir.

(**c**) (*MERK: imperfect*) ▸ **to be a second/seconds** være* (av) annen sortering ▫ *Some of the articles you see are seconds.* Noen av varene du ser, er (av) annen sortering.

4 VT (*+motion*) støtte (*v1*)

▸ **upper/lower second** (*BRIT: UNIV*) ≈ laud/haud, *grader av nest beste karakter ved britisk universitet*

▸ **Charles the Second** Charles den andre

▸ **just a second!** bare et øyeblikk!

▸ **second floor** (**a**) (*BRIT*) tredje etasje (**b**) (*US*) andre *or* annen etasje

▸ **to ask for a second opinion** *be om en annens mening om en sak*

secondary ['sɛkəndərɪ] ADJ (= *less important*) underordnet, sekundær

secondary education S *skolegang for elever mellom 11 og 18 år*

secondary picketing S *streikevakt ved samarbeidende bedrift*

secondary school S (*lower*) ≈ ungdomsskole *m*; (*upper*) ≈ videregående skole *m*

> *En* **secondary school** *er en utdanningsinstitusjon for elever fra 11 til 18 år, selv om den obligatoriske skolegangen varer til fylte 16 år. De fleste av disse skolene er* comprehensive schools, *men noen* secondary schools *har fremdeles spesielle opptakskriterier; se også* **primary school**

second-best [sɛkənd'bɛst] 1 ADJ nest best ▫ *Don't settle for second best.* Ikke nøy deg med det nest beste.

2 S ▸ **as a second-best** som nummer to, som den nest beste

second-class ['sɛkənd'klɑːs] 1 ADJ (*citizen, standard etc*) annenklasses, annenrangs; (*POST: stamp, letter*) B-post-; (*JERNB: ticket, carriage*) annenklasses

2 ADV (*JERNB*) på annen *or* andre klasse; (*POST*) med B-post

second cousin S tremenning *m*

seconder ['sɛkəndə^r] S sekundant *m*

second-guess ['sɛkənd'gɛs] VT ▸ **to second-guess sb** forutsi* hva noen kommer til å gjøre

secondhand ['sɛkənd'hænd] 1 ADJ (*clothing, car*) brukt-

2 ADV (*buy*) brukt

▸ **to hear sth secondhand** få* annenhånds opplysninger, høre noe via noen andre

second hand S (*on clock*) sekundviser *m*

second-in-command ['sɛkəndɪnkə'mɑːnd] S (*MIL, ADMIN*) nestkommanderende *m*

secondly ['sɛkəndlɪ] ADV for det andre

secondment [sɪ'kɔndmənt] (*BRIT*) S utlån *nt* ▫ *He's on secondment to the Ministry of Defence.* Han er på utlån hos *or* han er midlertidig overført til Forsvarsdepartementet.

second-rate ['sɛkənd'reɪt] ADJ annenklasses, annenrangs

second thoughts SPL ▸ **on second thoughts** *or (US)* **thought** ved nærmere ettertanke

▸ **to have second thoughts (about doing sth)** få* kalde føtter (for å gjøre* noe), begynne (*v2x*) å tvile (på om det er riktig å gjøre* noe)

Second World War S ▸ **the Second World War** annen verdenskrig

secrecy ['siːkrəsɪ] S hemmeligholdelse *m* ▫ *She stressed the necessity of absolute secrecy...* Hun understreket nødvendigheten av absolutt hemmeligholdelse...

▸ **in secrecy** i hemmelighet

secret ['siːkrɪt] 1 ADJ (*plan, passage, admirer*) hemmelig

2 S hemmelighet *c* ▫ *I'll tell you a secret...* Jeg skal fortelle deg en hemmelighet...

▸ **in secret** i hemmelighet

▸ **to keep sth secret from sb** holde* noe hemmelig for noen

▸ **can you keep a secret?** kan du holde på en hemmelighet?

▸ **to make no secret of sth** ikke gjøre* noen hemmelighet ut av noe ▫ *She has made no secret of the fact that...* Hun har ikke gjort noen hemmelighet ut av...

secret agent S hemmelig agent *m*

secretarial [sɛkrɪ'tɛərɪəl] ADJ (*work, course, staff, studies*) sekretær-

secretariat [sɛkrɪ'tɛərɪət] (*POL, ADMIN*) S sekretariat *nt*

secretary ['sɛkrətərɪ] S (**a**) (*MERK*) sekretær *m* (**b**) (*of club*) sekretær *m*

▸ **Secretary of State** (**a**) (*BRIT*) ≈ statsråd *m* (**b**) (*US*) ≈ utenriksminister *m*

secretary-general ['sɛkrətərɪ'dʒɛnərl] (*pl* **secretaries-general**) S generalsekretær *m*

secrete [sɪ'kriːt] VT (*BIO*) utsondre (*v1*), utskille (*v2x*); (= *hide*) skjule (*v2*)

secretion [sɪ'kriːʃən] S (*substance*) sekret *nt*

secretive ['siːkrətɪv] ADJ (**a**) (*person*) hemmelighetsfull ▫ *She's very secretive about money matters...* Hun er veldig hemmelighetsfull i pengesaker...

(**b**) (*neds*) som driver med hemmelighetskremmeri ▫ *...secretive bureaucrats.* ...byråkrater som driver med hemmelighetskremmeri.

secretly ['siːkrɪtlɪ] ADV i (all) hemmelighet

secret police S hemmelig politi *nt*

secret service s etterretningstjeneste *m*
sect [sɛkt] s sekt *c*
sectarian [sɛk'tɛərɪən] ADJ (*violence, killing etc*) sekterisk
section ['sɛkʃən] 1 s (**a**) (= *part*) del *m*, avdeling *c* ❑ ***...the first-class section of the train...*** førsteklassedelen *or* førsteklasseavdelingen på toget...
(**b**) (= *department*) avdeling *c* ❑ ***She works in the company's finance section...*** Hun arbeider i firmaets finansavdeling...
(**c**) (*of document*) paragraf *m* ❑ ***...Section 5, Appendix 2A.*** ...Paragraf 5, tillegg 2A.
(**d**) (*cross-section*) (tverr)snitt *nt* ❑ ***...a section of the human brain...*** et (tverr)snitt av menneskehjernen...
2 VT (= *divide*) dele (*v2*) opp
▸ **the business section** (*of newspaper*) økonomidelen, økonomisidene *pl*
sectional ['sɛkʃənl] ADJ ▸ **sectional drawing** snittegning *c*, plansnitt *nt*
sector ['sɛktəʳ] s (*section, also MIL*) sektor *m* ❑ ***...the manufacturing sector...*** (fabrikk)industrisektoren...
secular ['sɛkjuləʳ] ADJ (*music, society etc*) verdslig; (*priest*) sekular
secure [sɪ'kjuəʳ] 1 ADJ (**a**) (*job, investment, rope, shelf, building, windows*) sikker ❑ ***You've got a secure job...*** Du har en sikker jobb... ***Try and make your house as secure as you possibly can...*** Prøv å gjøre* huset ditt så sikkert som mulig... ***Check that the leads to the battery are secure.*** Sjekk at ledningene til batteriet er sikre.
(**b**) (= *emotionally*) sikret ❑ ***We feel financially secure...*** Vi føler oss økonomisk sikret...
2 VT (**a**) (= *fix: rope, shelf etc*) gjøre* fast, feste (*v1*) (forsvarlig)
(**b**) (= *get: contract, votes etc*) skaffe (*v1*), sikre (*v1*) (seg)
(**c**) (*MERK: loan*) stille (*v2x*) sikkerhet for
▸ **to make sth secure** (+*windows, door*) sikre (*v1*) noe
▸ **to secure sth for sb** (= *get*) skaffe (*v1*) noen noe, sikre (*v1*) noen noe
secured creditor s prioritert kreditor *m*
securely [sɪ'kjuəlɪ] ADV (**a**) (*firmly: fasten, lock*) forsvarlig
(**b**) (= *safely*) trygt, sikkert ❑ ***...a securely established regime.*** ...et trygt *or* sikkert etablert regime.
security [sɪ'kjuərɪtɪ] s (**a**) (*protection*) sikkerhet *c*
(**b**) (*by police etc*) sikkerhetsopplegg *nt*, vakthold *nt* ❑ ***The Queen's visit has been marked by tight security...*** Dronningens besøk har vært preget av et stort sikkerhetsopplegg *or* vakthold...
(**c**) (= *freedom from anxiety*) trygghet *c*, sikkerhet *c* ❑ ***It gave me a feeling of security.*** Det gav meg en følelse av trygghet *or* sikkerhet.
(**d**) (*FIN*) sikkerhet *c* ❑ ***The bank may ask for security if you want an overdraft.*** Banken kan spørre etter sikkerhet hvis du ønsker å trekke over kontoen.
▸ **securities** SPL (= *shares*) verdipapirer
▸ **to increase** *or* **tighten security** øke (*v2*) vaktholdet
▸ **security of tenure** (*housing*) *(leietakers) sikkerhet mot utkastelse*
Security Council s sikkerhetsråd *nt*
security forces SPL sikkerhetsstyrker
security guard s sikkerhetsvakt *c*, vekter *m*; (*transporting money*) pengebud *nt*
security risk s sikkerhetsrisiko *m*
secy. FK = **secretary**
sedan [sə'dæn] (*US: BIL*) s sedan *m*
sedate [sɪ'deɪt] 1 ADJ (*person, life, pace*) sedat ❑ ***The car moved off at a sedate pace.*** Bilen beveget seg vekk i sedat tempo.
2 VT (*MED*) gi* beroligende middel til
sedation [sɪ'deɪʃən] s *bruk av beroligende midler*
▸ **he's under sedation** han har fått et beroligende middel
sedative ['sɛdɪtɪv] s beroligende middel *nt*
sedentary ['sɛdntrɪ] ADJ (*occupation, work*) stillesittende
sediment ['sɛdɪmənt] s (*in bottle*) bunnfall *nt*; (*in lake etc*) sediment *nt*
sedimentary [sɛdɪ'mɛntərɪ] ADJ (*rock*) sedimentær
sedition [sɪ'dɪʃən] s oppvigleri *nt*
seduce [sɪ'dju:s] VT (**a**) (*sexually*) forføre (*v2*)
(**b**) (*gen*) forlede (*v1*) ❑ ***He was seduced into saying that he would do it...*** Han ble forledet til å si at han ville* gjøre* det...
seduction [sɪ'dʌkʃən] s (*attractive feature*) *noe forførende*; (= *act of seducing*) forførelse *m*
seductive [sɪ'dʌktɪv] ADJ (*look, voice*) forførende, forførerisk; (*fig: offer, argument*) forlokkende
see [si:] (*pt* **saw**, *pp* **seen**) 1 VT (**a**) (*gen*) se* ❑ ***I could see Jenny in the kitchen.*** Jeg kunne* se Jenny på kjøkkenet. ***Have you seen "Forrest Gump"?*** Har du sett "Forrest Gump"?
(**b**) (= *look at*) se* på ❑ ***Could I see your book for a second?*** Kunne jeg få* se på boka di et øyeblikk?
(**c**) (= *understand*) skjønne (*v2x*), forstå* ❑ ***"Yes," she said. "I see what you mean."*** "Ja," sa hun. "Jeg skjønner *or* forstår hva du mener."
(**d**) (+*doctor, specialist etc*) gå* til
2 VI (*gen*) se* ❑ ***I can hardly see without my glasses...*** Jeg kan nesten ikke se uten brillene mine... ***I must see if she can come over tonight.*** Jeg må se om hun kan komme hit i kveld.
3 s (*REL*) bispesete *nt*
▸ **to see that** (= *ensure*) se* til at ❑ ***He would have to see that something was done about this.*** Han ville* måtte* se til at noe ble gjort med dette.
▸ **to see sb to the door** følge* noen til døra
▸ **there was nobody to be seen** det var ingen å se
▸ **let me see** (**a**) (= *show me*) la meg (få) se
(**b**) (= *let me think*) la meg se
▸ **I see** jeg forstår, (jeg) skjønner
▸ **you see** du forstår, du skjønner
▸ **to go and see sb** stikke* innom noen
▸ **see for yourself** se selv
▸ **I don't know what she sees in him** jeg aner ikke hva hun ser i ham
▸ **as far as I can see** så vidt jeg forstår *or* skjønner *or* kan se
▸ **see you!** vi ses!

▸ **see you soon!** vi ses snart!
▸ **see about** VT FUS ordne (*v1*) med ❑ *He went the station to see about Thomas's ticket...* Han gikk på stasjonen for å ordne med billetten til Thomas...
▸ **see off** VT se* vel av gårde ❑ *She saw him off at the station.* Hun så ham vel av gårde på stasjonen.
▸ **see through** 1 VT hjelpe* gjennom ❑ *He saw me through all the hard times.* Han hjalp meg gjennom vanskelighetene.
2 VT FUS gjennomskue (*v1*) ❑ *The jailers saw through my scheme.* Vokterne gjennomskuet planen min.
▸ **see to** VT FUS ta* seg av ❑ *A man was there to see to our luggage...* Det var en mann der for å ta* seg av bagasjen vår...

seed [si:d] S (**a**) (*of plant, fruit*) frø *nt*
(**b**) (*fig*) kime *m* ❑ *The seeds of doubt had been sown...* Kimen til tvil var blitt lagt...
(**c**) (*TENNIS*) spiller *m* som er seedet ❑ *...the number two seed.* ...spilleren som er seedet som nummer to.
▸ **to go to seed** (*plant, person+*) gå* i frø

seedless ['si:dlɪs] ADJ (*grapes, oranges*) steinfri

seedling ['si:dlɪŋ] S (liten) frøplante *c*, kimplante *c*

seedy ['si:dɪ] ADJ (*person, place*) snusket(e)

seeing ['si:ɪŋ] KONJ ▸ **seeing as** *or* **that** ettersom, all den stund

seek [si:k] (*pt, pp* **sought**) VT (*+shelter, truth, help, revenge, job*) søke (*v2*)
▸ **to seek advice/help from sb** søke råd/hjelp hos noen
▸ **seek out** VT oppsøke (*v2*)

seem [si:m] VI virke (*v1*), se* ut (til å være) ❑ *He seemed nice enough...* Han så ut til å være* *or* virket hyggelig nok..., Han så hyggelig nok ut... *It seemed like a good idea.* Det så ut til å være* *or* virket som en god idé. *You seem to be very interested.* Du ser ut til å være* *or* virker svært interessert.
▸ **there seems to be...** det ser ut til å være... ❑ *There don't seem to be many people on campus today...* Det ser ikke ut til å være* mye folk på universitetsområdet i dag...
▸ **it seems (that)** det ser ut til (at), det ser ut (som om), det virker som (om) ❑ *It seemed to me that she was far too romantic...* Det så ut *or* virket for meg som om hun var altfor romantisk...
▸ **what seems to be the trouble?** hva kan problemet være?

seemingly ['si:mɪŋlɪ] ADV tilsynelatende ❑ *...the seemingly limitless resources...* de tilsynelatende ubegrensede ressursene...

seemly ['si:mlɪ] ADJ (*behaviour, dress*) sømmelig, som sømmer seg

seen [si:n] PP *of* **see**

seep [si:p] VI (*liquid, gas+*) sive (*v1*)

seersucker ['sɪəsʌkəʳ] S indisk bomull *c*

seesaw ['si:sɔ:] S vippehuske *c*

seethe [si:ð] VI (*with people/things*) syde (*v1*) ❑ *The ships seethed with noise and activity...* Skipene sydet av larm og aktivitet...
▸ **to seethe with anger** koke (*v2*) *or* syde (*v1*) av sinne

see-through ['si:θru:] ADJ gjennomsiktig

segment ['sɛgmənt] S (*part: gen*) del *m*, segment *nt*; (*of orange*) båt *m*

segregate ['sɛgrɪgeɪt] VT segregere (*v2*), holde* atskilt

segregation [sɛgrɪ'geɪʃən] S segregasjon *m*

Seine [seɪn] S ▸ **the Seine** Seinen

seismic ['saɪzmɪk] ADJ (*activity, shock*) seismisk

seize [si:z] VT (**a**) (*+person, object, opportunity*) gripe*
(**b**) (*= take possession of: power, control*) overta*
(**c**) (*+territory, airfield*) (inn)ta*
(**d**) (*+hostage*) ta
(**e**) (*JUR*) beslaglegge* ❑ *The man was jailed, and his house was seized.* Mannen ble fengslet, og huset hans ble beslaglagt.
▸ **seize up** VI (*engine+*) skjære* seg
▸ **seize (up)on** VT FUS (*+fact*) gripe* (begjærlig), kaste (*v1*) seg over

seizure ['si:ʒəʳ] S (*MED*) anfall *nt*; (*of power*) overtakelse *m*, erobring *c*; (*JUR: of property*) beslagleggelse *m*

seldom ['sɛldəm] ADV sjelden ❑ *It seldom rains there...* Det regner sjelden der...

select [sɪ'lɛkt] 1 ADJ (*school, group, area*) eksklusiv, fasjonabel
2 VT (**a**) (*= choose*) velge* (ut)
(**b**) (*SPORT*) velge* ut, ta* ut ❑ *He was selected to play for Scotland.* Han ble valgt *or* tatt ut til å spille for Skottland.
▸ **a select few** noen få* utvalgte

selection [sɪ'lɛkʃən] S (**a**) (*= being chosen*) *det å bli* valgt* NB *...she stood little chance of selection...* hun hadde liten sjanse til å bli* valgt...
(**b**) (*MERK: range*) utvalg *nt* ❑ *...London's largest selection of furniture.* ...Londons største utvalg av møbler.
▸ **selection process** utvelgelsesprosess *m*

selection committee S (*for job*) innstillingskomité *m*; (*for exhibition, competition*) uttakingskomité *m*

selective [sɪ'lɛktɪv] ADJ (*= careful in choosing*) selektiv ❑ *The reporters were asked to be less selective in their reporting.* Reporterne ble bedt om å være* mindre selektive i reportasjene sine.
▸ **selective education** særskilt undervisning *c*
▸ **selective strike** punktstreik *m*

self [sɛlf] (*pl* **selves**) S jeg *nt* ❑ *She was her normal self again...* Hun var sitt vanlige jeg igjen.... Hun var seg selv igjen...

self... [sɛlf] PREF selv- (*var:* sjøl-)

self-addressed ['sɛlfə'drɛst] ADJ
▸ **self-addressed envelope** adressert svarkonvolutt *m*

self-adhesive [sɛlfəd'hi:zɪv] ADJ selvklebende

self-appointed [sɛlfə'pɔɪntɪd] ADJ (*leader, guide etc*) selvbestaltet, selvutnevnt

self-assertive [sɛlfə'sə:tɪv] ADJ selvhevdende

self-assessment [selfə'sesmənt] S (**a**) egenvurdering *m* ❑ *Begin with self-assessment. What are your personality traits?* Begynn med en egenvurdering. Hvilke personlighetstrekk har du?
(**b**) (*BRIT: FIN*) ≈ selvangivelse *m*

self-assurance [sɛlfəˈʃuərəns] s selvsikkerhet *c*
self-assured [sɛlfəˈʃuəd] ADJ selvsikker
self-catering [sɛlfˈkeɪtərɪŋ] (*BRIT*) ADJ (*holiday, flat*) hvor man steller for seg selv
self-centred [sɛlfˈsɛntəd], **self-centered** (*US*) ADJ egosentrisk, selvopptatt, selvsentrert
self-cleaning [sɛlfˈkliːnɪŋ] ADJ (*oven*) selvrensende
self-coloured [sɛlfˈkʌləd] ADJ ensfarget
self-confessed [sɛlfkənˈfɛst] ADJ (*alcoholic, liar etc*) erklært
self-confidence [sɛlfˈkɔnfɪdns] s selvtillit *m*
self-confident [sɛlfˈkɔnfɪdənt] ADJ selvsikker
self-conscious [sɛlfˈkɔnʃəs] ADJ forlegen, pinlig berørt
self-contained [sɛlfkənˈteɪnd] (*BRIT*) ADJ (*flat*) selvstendig, atskilt; (*society, person*) selvforsynt, uavhengig
self-control [sɛlfkənˈtrəul] s selvkontroll *m*
self-defeating [sɛlfdɪˈfiːtɪŋ] ADJ (*plan, action*) selvødeleggende
self-defence [sɛlfdɪˈfɛns], **self-defense** (*US*) s selvforsvar *nt* ❑ *...the art of self-defence.* ...selvforsvarets kunst.
▸ **in self-defence** i selvforsvar
self-discipline [sɛlfˈdɪsɪplɪn] s selvdisiplin *m*
self-drive [sɛlfˈdraɪv] ADJ ▸ **self-drive car** leiebil *m*
self-employed [sɛlfɪmˈplɔɪd] ADJ selvstendig næringsdrivende
self-esteem [sɛlfɪsˈtiːm] s selvrespekt *m*
self-evident [sɛlfˈɛvɪdnt] ADJ selvsagt, innlysende
self-explanatory [sɛlfɪksˈplænətrɪ] ADJ selvforklarende, umiddelbart forståelig
self-financing [sɛlffaɪˈnænsɪŋ] ADJ selvfinansierende
self-fulfilling [sɛlffulˈfɪlɪŋ] ADJ (*prophecy*) selvoppfyllende
self-governing [sɛlfˈgʌvənɪŋ] ADJ som styrer seg selv, selvstendig
self-help [ˈsɛlfˈhɛlp] s selvhjelp *m* ❑ *...self-help groups.* ...selvhjelpsgrupper.
self-importance [sɛlfɪmˈpɔːtns] s selvgodhet *c*, viktighet *c*
self-indulgent [sɛlfɪnˈdʌldʒənt] ADJ (*person*) som skjemmer bort seg selv
self-inflicted [sɛlfɪnˈflɪktɪd] ADJ (*wound*) selvpåført, selvforskyldt
self-interest [sɛlfˈɪntrɪst] s egeninteresse *m*
selfish [ˈsɛlfɪʃ] ADJ (*person, behaviour, attitude*) egoistisk
selfishly [ˈsɛlfɪʃlɪ] ADV egoistisk
selfishness [ˈsɛlfɪʃnɪs] s egoisme *m*, selviskhet *c*
selfless [ˈsɛlflɪs] ADJ (*person, behaviour, attitude*) uegennyttig, uselvisk
selflessly [ˈsɛlflɪslɪ] ADV uegennyttig, uselvisk
selflessness [ˈsɛlflɪsnɪs] s uselviskhet *c*
self-made [ˈsɛlfmeɪd] ADJ ▸ **a self-made man** en mann som har arbeidet seg opp
self-pity [sɛlfˈpɪtɪ] s selvmedlidenhet *c*
self-portrait [sɛlfˈpɔːtreɪt] s selvportrett *nt*
self-possessed [sɛlfpəˈzɛst] ADJ sindig, behersket
self-preservation [ˈsɛlfprɛzəˈveɪʃən] s selvoppholdelsesdrift *c*
self-raising [sɛlfˈreɪzɪŋ], **self-rising** (*US*) ADJ
▸ **self-raising flour** *mel som inneholder bakepulver*
self-reliant [sɛlfrɪˈlaɪənt] ADJ selvhjulpen, selvstendig
self-respect [sɛlfrɪsˈpɛkt] s selvrespekt *m*
self-respecting [sɛlfrɪsˈpɛktɪŋ] ADJ med respekt for seg selv ❑ *No self-respecting oil tycoon has fewer than two helicopters.* Ingen oljemagnater med respekt for seg selv har færre enn to helikoptre.
self-righteous [sɛlfˈraɪtʃəs] ADJ (*person, attitude*) selvrettferdig
self-rising [sɛlfˈraɪzɪŋ] (*US*) ADJ = **self-raising**
self-sacrifice [sɛlfˈsækrɪfaɪs] s selvoppofrelse *m*
selfsame [ˈsɛlfseɪm] ADJ selvsamme ❑ *This was the selfsame woman I'd met on the train.* Dette var den selvsamme damen jeg hadde møtt på toget.
self-satisfied [sɛlfˈsætɪsfaɪd] ADJ (*person, smile*) selvtilfreds
self-sealing [sɛlfˈsiːlɪŋ] ADJ selvklebende
self-service [sɛlfˈsəːvɪs] ADJ (*shop, restaurant, petrol station*) selvbetjenings-
self-styled [ˈsɛlfstaɪld] ADJ selvbestaltet, som utgir seg for å være
self-sufficient [sɛlfsəˈfɪʃənt] ADJ (*country, person*) selvforsynt, selvberget
▸ **to be self-sufficient in coal** være* selvforsynt *or* selvberget med kull
self-supporting [sɛlfsəˈpɔːtɪŋ] ADJ som bærer seg selv
self-taught [sɛlfˈtɔːt] ADJ selvlært
self-test [ˈsɛlftɛst] s egenkontroll *m*
sell [sɛl] (*pt, pp* **sold**) VTI selge* ❑ *Do you sell flowers?* Selger dere blomster? *Let's hear your proposal. You've got 10 minutes to sell it to me...* La oss få* høre forslaget ditt. Du har 10 minutter på deg til å overbevise meg... *It's a nice design, but I'm not sure if it will sell...* Det er en fin design, men jeg er ikke sikker på om den vil selge...
▸ **to sell at** *or* **for 10 pounds** selge* til *or* for 10 pund
▸ **to sell sb sth** selge* noen noe
▸ **to sell o.s.** selge* seg selv
▸ **sell off** VT selge* unna
▸ **sell out** VI ▸ **to sell out (of sth)** bli* utsolgt (for noe) ❑ *The shop had completely sold out of ice creams.* Butikken var fullstendig utsolgt på iskrem.
▸ **the tickets are sold out** billettene er utsolgt
▸ **sell up** VI selge* alt (man eier)
sell-by date [ˈsɛlbaɪ-] s siste salgsdato *m* ❑ *...it's past its sell-by date.* ...den har gått over siste salgsdato.
seller [ˈsɛləʳ] s selger *m*
▸ **seller's market** selgers marked *nt*
selling price s (ut)salgspris *m*
sell-off [ˈsɛlɔf] s ▸ **we're having a sell-off of this product** vi selger ut denne varen
Sellotape® [ˈsɛləuteɪp] (*BRIT*) s tape *m* (*var.* teip) limbånd *nt*
sell-out [ˈsɛlaut] s (*sl : betrayal*) forræderi *nt*
▸ **the match was a sell-out** kampen var utsolgt (på forhånd) *or* forhåndsutsolgt
selves [sɛlvz] PL *of* **self**
semantic [sɪˈmæntɪk] ADJ semantisk

semantics [sɪ'mæntɪks] s semantikk *m*
semaphore ['sɛməfɔːʳ] s semafor *m*
semblance ['sɛmblns] s ▸ **some semblance of** noe som ligner, noe i nærheten av ❑ *...some semblance of order had been established...* noe som lignet orden *or* noe i nærheten av orden hadde blitt opprettet...
semen ['siːmən] s sæd *m*
semester [sɪ'mɛstəʳ] (*især US*) s semester *nt*
semi ['sɛmɪ] s = **semidetached (house)**
semi... ['sɛmɪ] PREF
semibreve ['sɛmɪbriːv] (*BRIT*) s helnote *m*
semicircle ['sɛmɪsəːkl] s halvsirkel *m*
semicircular ['sɛmɪ'səːkjuləʳ] ADJ halvsirkelformet
semicolon [sɛmɪ'kəulən] s semikolon *nt*
semiconductor [sɛmɪkən'dʌktəʳ] s halvleder *m*
semiconscious [sɛmɪ'kɔnʃəs] ADJ halvt bevisstløs
semidetached (house) [sɛmɪdɪ'tætʃt-] (*BRIT*) s (den ene halvdelen av et) vertikaltdelt hus *nt*
semifinal [sɛmɪ'faɪnl] s semifinale *m*
seminar ['sɛmɪnɑːʳ] s seminar *nt*
seminary ['sɛmɪnərɪ] s (teologisk) seminar *nt*, presteseminar *nt*
semiprecious [sɛmɪ'prɛʃəs] ADJ ▸ **semiprecious stone** halvedelstein *m*
semiquaver ['sɛmɪkweɪvəʳ] (*BRIT*) s sekstendelsnote *m*
semiskilled [sɛmɪ'skɪld] ADJ spesial-
semiskimmed [sɛmɪ'skɪmd] ADJ ▸ **semiskimmed milk** lettmelk *c*
semitone ['sɛmɪtəun] s halvtone *m*; (*played simultaneously*) liten sekund
semolina [sɛmə'liːnə] s semule *m*
SEN (*BRIT*) s FK (= **State Enrolled Nurse**) sykepleier *m* (*med 2-årig praktisk utdannelse*)
Sen. FK (*US*) = **senator**; (*in names*) = **senior**
sen. FK = **Sen.**

> **Senate**
> **Senate** *er det øverste kammeret i* **Congress**, *USAs nasjonalforsamling. Den består av 100 senatorer, 2 fra hver stat, som blir valgt av folket ved allmenn stemmerett for seks år om gangen. En tredjepart av dem står til valg hvert annet år.*

senate ['sɛnɪt] s senat *nt*
senator ['sɛnɪtəʳ] s senator *m*
send [sɛnd] (*pt, pp* **sent**) VT sende (*v2*) ❑ *...send her the money...* send henne pengene...
▸ **to send sth by post** *or (US)* **mail** sende (*v2*) noe med posten
▸ **to send sb for sth** sende (*v2*) noen til/for noe ❑ *The doctor sent me for a check-up.* Legen sendte meg til en undersøkelse.
▸ **to send word that...** sende (*v2*) beskjed om at...
▸ **she sends (you) her love** hun ber meg hilse (deg)
▸ **to send sb to Coventry** (*BRIT*) fryse* ut noen
▸ **to send sb to sleep** få* noen til å sovne
▸ **to send sth flying** slenge (*v2*) veggimellom
▸ **send away** VT (*+unwelcome visitor*) sende (*v2*) av gårde *or* av sted
▸ **send away for** VT FUS (*+goods*) sende (*v2*) etter
▸ **send back** VT sende (*v2*) tilbake ❑ *...the pictures that the satellite was sending back.* ...bildene som satellitten sendte tilbake.
▸ **send for** VT FUS (**a**) (*by post*) sende (*v2*) etter (**b**) (*+doctor, police*) sende (*v2*) bud på
▸ **send in** VT (*+report, application, resignation*) sende (*v2*) inn
▸ **send off** VT (**a**) (*+goods, parcel*) sende (*v2*) (av gårde), poste (*v1*)
(**b**) (*BRIT: SPORT*) utvise (*v2*)
▸ **send on** VT (**a**) (*BRIT: letter*) videresende (*v2*)
(**b**) (*+luggage*) sende (*v2*) i forveien
▸ **send out** VT sende (*v2*) ut
▸ **send round** VT sende (*v2*) rundt
▸ **send up** VT (**a**) (*+price, blood pressure*) få* til å gå* opp *or* til å fyke* i været
(**b**) (*+astronaut*) sende (*v2*) opp
(**c**) (*BRIT: parody*) parodiere (*v2*)
sender ['sɛndəʳ] s avsender *m*
send-off ['sɛndɔf] s ▸ **a good send-off** en fin avskjed
send-up ['sɛndʌp] s (= *parody*) parodi *m*
Senegal [sɛnɪ'gɔːl] s Senegal
Senegalese [sɛnɪgə'liːz] 1 ADJ senegalesisk
2 s UBØY (*person*) senegaleser *m*
senile ['siːnaɪl] ADJ senil
senility [sɪ'nɪlɪtɪ] s senilitet *m*
senior ['siːnɪəʳ] 1 ADJ overordnet ❑ *...senior officers were involved.* ...overordnede offiserer var involvert. *...a more senior post.* ...en mer overordnet stilling.
2 s (*SKOL*) ▸ **the seniors** de øverste klassene
▸ **to be senior to sb** (= *of higher rank*) ha* en høyere stilling enn noen
▸ **she is 15 years his senior** hun er 15 år eldre enn ham
▸ **P. Jones senior** P. Jones senior, P. Jones den eldre
senior citizen s pensjonist *m*
senior high school (*US*) s ≈ videregående skole *m*
seniority [siːnɪ'ɔrɪtɪ] s (*in service*) ansiennitet *m* ❑ *...in order of seniority.* ...etter ansiennitet.
sensation [sɛn'seɪʃən] s (**a**) (= *feeling*) følelse *m* ❑ *He had no sensation in his right leg.* Han hadde ingen følelse i høyre bein.
(**b**) (= *great success*) sensasjon *m* ❑ *The film was an overnight sensation.* Filmen var en umiddelbar sensasjon.
▸ **to cause a sensation** skape (*v2*) sensasjon
sensational [sɛn'seɪʃənl] ADJ (**a**) (= *wonderful*) makeløs, storartet ❑ *...a sensational health-food store.* ...en makeløs *or* storartet helsekostbutikk.
(**b**) (*surprising: result, outcome*) sensasjonell
(**c**) (*exaggerated: headlines, report*) sensasjons-, sensasjonspreget
sense [sɛns] 1 s (**a**) (*physical*) sans *m* ❑ *...an excellent sense of smell.* ...en glimrende luktesans.
(**b**) (*feeling: of guilt, shame etc*) følelse *m*, fornemmelse *m* ❑ *I was overcome by a sense of failure.* Jeg ble overveldet av en følelse av å ha* mislykkes.
(**c**) (*good sense*) vett *nt*, forstand *m* ❑ *Your friends have more money than sense.* Vennene dine har mer penger enn vett *or* forstand.

(**d**) (*meaning: of word*) betydning *m* ❑ *Most words in English have more than one sense.* De fleste ord på engelsk har flere enn en betydning.
[2] VT (= *become aware of*) oppfatte (*v1*), fornemme (*v1*) ❑ *He sensed that she did not want to talk to him...* Han oppfattet *or* fornemmet at hun ikke ville* snakke med ham...
▸ **it makes sense** (**a**) (*can be understood*) det gir *or* har mening ❑ *...the words made no sense.* ...ordene gav *or* hadde ingen mening.
(**b**) (*is sensible*) det gir mening, det er fornuftig ❑ *...it made sense to adopt labour-saving methods.* ...det gav mening *or* det var fornuftig å innføre arbeidsbesparende metoder.
▸ **there is no sense in (doing) that** det er ingen mening i (å gjøre) det
▸ **to come to one's senses** ta* til vettet, komme* til fornuft
▸ **to take leave of one's senses** gå* fra vettet *or* forstanden ❑ *Have you taken leave of your senses?* Har du gått fra vettet *or* forstanden?

senseless ['sɛnslɪs] ADJ (= *pointless: murder, violence*) meningsløs; (= *unconscious*) bevisstløs

sense of humour S sans *m* for humor, humoristisk sans *m*

sensibility [sɛnsɪ'bɪlɪtɪ] S følsomhet *m uncount*, følelser *pl* ❑ *We have to be careful not to offend our readers' sensibilities.* Vi må være* forsiktige så vi ikke støter våre leseres følelser.

sensible ['sɛnsɪbl] ADJ (*person, decision, suggestion, shoes*) fornuftig ❑ *She was far too sensible a person to believe these ridiculous lies.* Hun var en altfor fornuftig person til å tro på disse latterlige løgnene.

sensitive ['sɛnsɪtɪv] ADJ (**a**) (= *understanding*) følsom, fintfølende ❑ *...if you are sensitive enough to realise...* hvis du er følsom *or* fintfølende nok til å innse...
(**b**) (*nerve, skin*) ømfintlig
(**c**) (*instrument*) følsom ❑ *...highly sensitive electronic cameras.* ...ytterst følsomme elektroniske kameraer.
(**d**) (*fig: touchy: person, issue*) følsom ❑ *...the sensitive issue of race relations.* ...det følsomme spørsmålet om raseforhold.
▸ **sensitive to** følsom for
▸ **sensitive about** følsom på

sensitivity [sɛnsɪ'tɪvɪtɪ] S (**a**) (*gen*) følsomhet *m* ❑ *...the enormous sensitivity of these devices.* ...den enorme følsomheten til disse innretningene. *...an issue of great sensitivity.* ...en svært følsom sak.
(**b**) (*understanding*) fintfølelse *m*, følsomhet *m* ❑ *...a lack of sensitivity to the problems.* ...en mangel på fintfølelse *or* følsomhet overfor problemene.

sensual ['sɛnsjuəl] ADJ (= *of the senses: rhythm, experience etc*) sensuell, sanselig; (= *relating to sexual pleasures*) sensuell

sensuous ['sɛnsjuəs] ADJ sanselig

sent [sɛnt] PRET, PP *of* **send**

sentence ['sɛntns] [1] S (**a**) (*LING*) setning *m*
(**b**) (*JUR: judgement, punishment*) dom *m* ❑ *...sentence had not yet been passed.* ...dommen hadde ikke blitt felt ennå. *He is at present serving a life sentence for murder.* Han soner for tiden en livstidsdom for mord.
[2] VT ▸ **to sentence sb to death/to 5 years in prison** dømme (*v2x*) noen til døden/til fem års fengsel
▸ **to pass sentence on sb** domfelle (*v2x*) noen ❑ *The judge passed sentence on the three men.* Dommeren domfelte de tre mennene.

sentiment ['sɛntɪmənt] S (**a**) (= *tender feelings*) sentimentalitet *m* ❑ *He scorns sentiment and emotion.* Han forakter sentimentalitet og følelser.
(**b**) (*also pl: opinion*) stemning *m*, følelser *pl* ❑ *These sentiments were echoed by other speakers.* Denne stemningen *or* disse følelsene gikk igjen hos andre talere.

sentimental [sɛntɪ'mɛntl] ADJ (*song, person*) sentimental

sentimentality [sɛntɪmɛn'tælɪtɪ] S sentimentalitet *m*

sentry ['sɛntrɪ] S skiltvakt *c*

sentry duty S ▸ **to be on sentry duty** stå* skiltvakt

Seoul [səul] S Seoul

separable ['sɛprəbl] ADJ ▸ **to be separable from** kunne* (at)skilles fra

separate [*ADJ* 'sɛprɪt, *VB* 'sɛpəreɪt] [1] ADJ (**a**) (*piles, occasions*) ulik, forskjellig ❑ *...on separate occasions.* ...ved ulike *or* forskjellige anledninger.
(**b**) (*ways, rooms*) egen, hver sin ❑ *We'd like separate rooms.* Vi vil gjerne ha* egne rom *or* hver våre rom.
[2] VT (**a**) (= *split up*) (at)skille (*v2x*) ❑ *...twins who were separated at birth.* ...tvillinger som ble atskilt ved fødselen.
(**b**) (= *make a distinction between*) skille (*v2x*) mellom, atskille (*v2x*) ❑ *Faith and God to me are the same thing, I can't separate them...* Tro og Gud er samme sak for meg, jeg kan ikke skille mellom *or* atskille dem...
[3] VI (**a**) (= *move apart*) skilles (*v25x*) ❑ *They talked by the gate, unwilling to separate.* De snakket sammen ved porten, uvillige til å skilles.
(**b**) (= *split up: parents, couple*) skille (*v2x*) lag ❑ *Her parents separated when she was eleven.* Foreldrene hennes skilte lag da hun var elleve.
▸ **separate from** atskilt fra ❑ *Rosa had remained separate from us...* Rosa hadde holdt seg atskilt fra oss...
▸ **under separate cover** (*MERK*) separat
▸ **to be separated** (*couple+*) være* separert
▸ **to separate into** dele (*v2*) inn i ❑ *Most schools separate their pupils into different groups.* De fleste skoler deler inn elevene sine i ulike grupper.
see also **separates**

separately ['sɛprɪtlɪ] ADV (hver) for seg, separat ❑ *What we achieve together is more important than what we can do separately.* Hva vi kan få* til sammen er viktigere enn hva vi kan gjøre* hver for oss. *Wash each pile separately.* Vask hver bunke for seg *or* separat.

separates ['sɛprɪts] SPL (*clothes*) *bluser, skjørt, skjorter, bukser, dvs deler av todelte antrekk.*

separation [sɛpə'reɪʃən] s (**a**) (= *being apart*) atskillelse *m* ❑ *...the separation of infant from mother.* ...atskillelsen av mor og barn. *...a brief separation from their parents.* ...en kortvarig atskillelse fra foreldrene sine.
(**b**) (*JUR: of parents, couple*) separasjon *m* ❑ *Last night we talked about a separation.* I går kveld snakket vi om separasjon.

sepia ['si:pjə] ADJ gulnet, brungul

Sept. FK = **September**

September [sɛp'tɛmbəʳ] s september *see also* **July**

septic ['sɛptɪk] ADJ infisert
▸ **to go septic** bli* infisert

septicaemia [sɛptɪ'si:mɪə], **septicemia** (*US*) (*MED*) s blodforgiftning *m*

septic tank s septiktank *m*

sequel ['si:kwl] s (**a**) (= *follow-up*) etterspill *nt* ❑ *There was a strange sequel to these events.* Det ble et merkelig etterspill til disse hendelsene.
(**b**) (*of film, story*) oppfølger *m*, fortsettelse *m* ❑ *"The Godfather" and its sequel, "The Godfather II".* "Gudfaren" og oppfølgeren *or* fortsettelsen, "Gudfaren II".

sequence ['si:kwəns] s (**a**) (= *ordered chain*) sekvens *m*, serie *m* ❑ *...a sequence of carefully arranged lessons...* en sekvens *or* serie med omhyggelig ordnede leksjoner...
(**b**) (*particular order*) rekkefølge *m* ❑ *...in the correct sequence...* i riktig rekkefølge...
(**c**) (*dance sequence, film sequence*) sekvens *m*
▸ **sequence of events** hendelsesforløp *nt*
▸ **in sequence** i rekkefølge, etter hverandre

sequential [sɪ'kwɛnʃəl] ADJ (*process, link etc*) sekvensiell
▸ **sequential access** (*DATA*) sekvensiell tilgang *m*

sequestrate [sɪ'kwɛstreɪt] (*JUR, MERK*) VT beslaglegge*, konfiskere (*v2*)

sequin ['si:kwɪn] s paljett *m*

Serbia ['sə:bɪə] s Serbia

Serbian ['sə:bɪən] 1 ADJ serbisk
2 s serber *m*; (*LING*) serbisk

Serbo-Croat ['sə:bəu'krəuæt] s serbokroatisk

serenade [sɛrə'neɪd] 1 s serenade *m*
2 VT (*+person*) synge* serenader for

serene [sɪ'ri:n] ADJ uforstyrrelig

serenity [sə'rɛnɪtɪ] s uforstyrrelighet *c*

sergeant ['sɑ:dʒənt] s (*MIL*) sersjant *m*; (*POLITI*) ≈ overkonstabel *m*

sergeant-major ['sɑ:dʒənt'meɪdʒəʳ] s kommandersersjant *m*

serial ['sɪərɪəl] 1 s (*TV, RADIO, in magazine*) serie *m* ❑ *...a television serial.* ...en tv-serie.
2 ADJ (*DATA*) seriell

serialize ['sɪərɪəlaɪz] VT (*+story, book*) trykke (*v2x*) som føljetong *or* serie

serial killer s seriemorder *m*

serial number s serienummer *nt*

series ['sɪərɪz] s UBØY serie *m* ❑ *...a series of natural disasters.* ...en serie (med) naturkatastrofer. *...a comedy series.* ...en komiserie.

serious ['sɪərɪəs] ADJ (**a**) (*person, manner, illness, condition*) alvorlig ❑ *Don't look so serious!* Ikke se så alvorlig ut!
(**b**) (= *important: matter*) alvorlig ❑ *I think this is a serious point.* Jeg synes dette er et alvorlig punkt.
(**c**) (= *not joking*) (helt) alvorlig, seriøs
▸ **are you serious (about it)?** mener du (det på) alvor?

seriously ['sɪərɪəslɪ] ADV (**a**) (*talk, take, consider*) alvorlig, seriøst ❑ *He talked seriously about theoretical matters.* Han snakket seriøst *or* alvorlig om teoretiske anliggender.
(**b**) (*hurt*) alvorlig ❑ *Cigarette smoking can seriously damage your health.* Sigarettrøyking kan skade helsen din alvorlig.
(**c**) (*sl: extremely*) veldig
▸ **to take sb/sth seriously** ta* noen/noe alvorlig *or* på alvor

seriousness ['sɪərɪəsnɪs] s (*of person, manner, problem*) alvor *nt* ❑ *His seriousness sometimes puts people off.* Alvoret hans skremmer folk av og til vekk. *...the seriousness of the problem.* ...alvoret i problemet.

sermon ['sə:mən] s preken *m*

serrated [sɪ'reɪtɪd] ADJ sagtakket(e)

serum ['sɪərəm] s serum *nt irreg*

servant ['sə:vənt] s tjener *m* ❑ *Technology must become our servant, not our master.* Teknologien må bli* tjener for oss, ikke herre.

serve [sə:v] 1 VT (**a**) (*gen: company, country*) tjene (*v2*) ❑ *We have been elected to serve the whole community.* Vi har blitt valgt for å tjene hele samfunnet.
(**b**) (*in shop: customer*) ekspedere (*v2*), betjene (*v2*)
(**c**) (*food, drink, person*) servere (*v2*) ❑ *The bartender refused to serve us...* Bartenderen nektet å servere oss... *She drifted around serving drinks.* Hun drev rundt og serverte drinker.
(**d**) (*+purpose*) tjene (*v2*) til ❑ *I failed to see what purpose this could serve.* Jeg klarte ikke å se hva slags hensikt dette kunne* tjene til.
(**e**) (*+apprenticeship*) avtjene (*v2*)
(**f**) (*+prison term*) sone (*v1 or v2*) ❑ *He is now serving a life sentence...* Han soner nå en livstidsdom...
2 VI (**a**) (*at table*) servere (*v2*) ❑ *Shall I serve?* Skal jeg servere?
(**b**) (*TENNIS*) serve (*v1*)
(**c**) (*soldier, delegate etc+*) tjenestegjøre*
(**d**) (= *be useful*) ▸ **to serve as/for/to do** gjøre* tjeneste(n) *or* nytten som/til/for å gjøre ❑ *...the table that served him for a desk.* ...bordet som gjorde tjeneste(n) *or* nytten for ham som skrivebord.
3 s (*TENNIS*) serve *m*
▸ **are you being served?** får du?, blir du ekspedert?
▸ **to serve on a committee/jury** sitte* i en komité/jury
▸ **it serves him right** det har han godt av
▸ **serve out** VT (*+food*) servere (*v2*)
▸ **serve up** VT = **serve out**

server ['sə:vəʳ] s (*TENNIS*) servende spiller *m*; (*DATA*) server *m*

service ['sə:vɪs] 1 s (**a**) (*gen*) tjeneste *m* ❑ *...what services the library can offer.* ...hva slags tjenester biblioteket kan tilby. *Their services*

are no longer required. Det er ikke lenger bruk for tjenestene deres.
(**b**) (*in hotel, restaurant*) service *m* ❑ *The service here isn't very good.* Det er ikke særlig god service her.
(**c**) (*also* ***train service***) togforbindelse *m*
(**d**) (*REL*) gudstjeneste *m* ❑ *...the Sunday evening service.* ...kveldsgudstjenesten på søndager.
(**e**) (*BIL*) service *m* ❑ *The car needs a service.* Bilen trenger service.
(**f**) (*TENNIS*) serve *m*
(**g**) (*plates, dishes etc*) servise *nt* ❑ *...a porcelain tea service.* ...et teservise i porselen.
2 VT (*+car, washing machine*) gi* service ❑ *Gas appliances should be serviced regularly.* Gassdrevet utstyr bør få* service regelmessig.
▸ **the Services** SPL (*army, navy etc*) ≈ Forsvaret ❑ *...to join the Services.* ...gå inn i Forsvaret.
▸ **military** *or* **national service** militærtjeneste *m* ❑ *He did two years' community work instead of his national service.* Han gjorde samfunnstjeneste i to år i stedet for militærtjenesten.
▸ **to be of service to sb** være* til hjelp for noen
▸ **to do sb a service** gjøre* noen en tjeneste
▸ **to put one's car in for a service** sette* inn bilen (sin) på service
▸ **dinner service** middagsservise *nt*

serviceable ['sə:vɪsəbl] ADJ hensiktsmessig

service area s (*on motorway*) *bensinstasjon med veikro*

service charge (*BRIT*) s (regning på) service *m*

service industry s servicenæring *m*

serviceman ['sə:vɪsmən] *irreg* s soldat *m*

service station s bensinstasjon *m*, servicestasjon *m*

serviette [sə:vɪ'ɛt] (*BRIT*) s serviett *m*

servile ['sə:vaɪl] ADJ (*person, manner*) servil

session ['sɛʃən] s (**a**) (= *period*) ▸ **recording session** opptak *nt* ▸ **we had a heavy drinking session** vi drakk mye *or* tett
(**b**) (= *sitting*) møte *nt*
(**c**) (*PARL*) sesjon *m* ❑ *...an emergency session of Security Council.* ...et krisemøte i sikkerhetsråd.
(**d**) (*US, SCOT: academic year*) skoleår *nt*
(**e**) (*term*) termin *m* ❑ *...the summer session.* ...sommerterminen.
▸ **to be in session** (*court etc+*) ha* sesjon

session musician s studiomusiker *m*

set [sɛt] (*pt, pp* **set**) 1 s (**a**) (*group*) sett *nt* ❑ *We soon encountered a new set of problems.* Vi støtte snart på et nytt sett med problemer. *...a set of crystal glasses.* ...et sett med krystallglass. *...a set of encyclopaedias.* ...et sett med leksika. *...a duplicate set of keys.* ...et ekstra sett med nøkler.
(**b**) (*also* ***radio set***) radio *m*
(**c**) (*also* ***TV set***) tv *m*, tv-apparat *m*
(**d**) (*TENNIS*) sett *nt*
(**e**) (*group of people*) gjeng *m* ❑ *...the yachting set.* ...yacht-gjengen.
(**f**) (*MAT*) mengde *m* ❑ *...the set of prime numbers.* ...mengden av primtall.
(**g**) (= *stage: FILM*) innspillingsplass *m* ❑ *He was always late on set.* Han kom alltid seint til innspillingene.
(**h**) (= *scenery*) scenografi *m* ❑ *He did some brilliantly inventive sets for "Macbeth".* Han laget en fantastisk original scenografi til "Macbeth".
(**i**) (*HAIRDRESSING*) legg *m* ❑ *...a shampoo and set...* en vask og legg...
2 ADJ (**a**) (= *fixed: rules, routine*) fast, fastsatt ❑ *Meals are at set times.* Måltidene er til faste *or* fastlagte tider.
(**b**) (= *ready*) klar ❑ *They're set for a world cruise.* De er klare for en jordomseiling.
3 VT (**a**) (= *arrange: table*) dekke (*v1 or v2x*) ❑ *Shall I set the table for supper?* Skal jeg dekke bordet til aftens? NB *Shall I set another place?* Skal jeg dekke til en til?
(**b**) (= *fix: time, price, rules, date*) fastsette*
(**c**) (*+record*) sette* ❑ *She set a new world record...* Hun satte ny verdensrekord...
(**d**) (= *adjust: watch*) stille (*v2x*)
(**e**) (*+alarm*) sette* ❑ *He set his alarm clock for four a.m.* Han satte vekkerklokka på fire.
(**f**) (= *impose: task, exam*) gi ❑ *I have to set an exam at the end of each term.* Jeg må lage *or* gi* en eksamensoppgave på slutten av hver termin.
(**g**) (*TYP*) sette*
4 VI (**a**) (*sun+*) gå* ned ❑ *...in the light of the setting sun.* ...i lyset fra solnedgangen *or* sola som var i ferd med å gå* ned.
(**b**) (*jam, jelly, concrete, glue+*) stivne (*v1*)
(**c**) (*bone+*) gro (*v4*) sammen
▸ **to be set on doing sth** være* fast bestemt på å gjøre* noe ❑ *She is dead set on regaining her title.* Hun er fullt og fast bestemt på å vinne tilbake tittelen sin.
▸ **to be all set to do sth** være* klar til å gjøre* noe
▸ **he's set in his ways** han har faste vaner, han er lite fleksibel
▸ **a novel set in Rome** en roman hvor handlingen er lagt til Roma
▸ **to set to music** tonesette* ❑ *It was set to music by Schubert.* Det var tonesatt av Schubert.
▸ **to set on fire** sette* fyr på
▸ **to set free** sette* fri, løslate*
▸ **to set sail** sette* seil
▸ **a set phrase** et fast uttrykk
▸ **a set of false teeth** et gebiss
▸ **a chess set** et sjakksett

► **set about** VT FUS (*+task*) ta* fatt på, gå* løs på
▸ **to set about doing sth** ta* fatt med å gjøre* noe

► **set aside** VT (*+money, time*) sette* av

► **set back** VT (**a**) (= *cost*) ▸ **to set sb back 5 pounds** koste (*v1*) noen 5 pund
(**b**) (*in time*) ▸ **to set sb back (by)** sinke (*v1*) noen (med) ❑ *Bad weather set us back by about three weeks.* Dårlig vær sinket oss med omtrent tre uker.
(**c**) (*place*) ▸ **a house set back from the road** et hus som er tilbaketrukket fra gaten

► **set in** VI (*bad weather, infection+*) sette* inn
▸ **the rain has set in for the day** regnet har satt inn for i dag

► **set off** 1 VI (= *depart*) dra* av sted ❑ *Dan set off down the mountain...* Dan drog av sted nedover

fjellet...
[2] VT (**a**) (*+bomb*) avfyre (*v2*) ❑ *Tear-gas bombs were set off...* Det ble avfyrt bomber med tåregass...
(**b**) (*+alarm, chain of events*) sette* i gang ❑ *The inflation figures set off a new round of pay demands.* Inflasjonstallene satte i gang en ny runde med lønnskrav.
(**c**) (*= show up well: jewels*) framheve (*v1*) ❑ *She wore a red dress that set off her complexion.* Hun hadde på seg en rød kjole som framhevet hudfargen hennes.
▸ **set out** [1] VI (*= depart*) dra* av sted, legge* av sted ❑ *We set out along the beach.* Vi drog *or* la av sted bortover stranda.
[2] VT (*+goods, arguments*) sette* fram ❑ *There were chairs set out for the guests.* Det var satt fram stoler til gjestene. *Darwin set out his theory in "The Origin of Species".* Darwin satte fram teorien sin i "Artenes opprinnelse".
▸ **to set out to do sth** sette* seg fore å gjøre* noe
▸ **to set out from home** dra* hjemmefra
▸ **set up** VT (**a**) (*+organization*) danne (*v1*)
(**b**) (*+monument*) sette* opp, reise (*v2*)
▸ **to set up shop** (*fig*) etablere (*v2*) seg ❑ *He set up shop as an interior designer.* Han etablerte seg som interiørarkitekt.
setback ['sɛtbæk] S (**a**) (*= hitch*) tilbakeslag *nt* ❑ *...a serious setback for the government.* ...et alvorlig tilbakeslag for regjeringen.
(**b**) (*in health*) tilbakefall *nt* ❑ *She was recovering well, but then she had a setback.* Hun kom seg fint, men så fikk hun et tilbakefall.
set menu S fast meny *m*
set square S vinkelhake *c*
settee [sɛ'tiː] S sofa *m*
setting ['sɛtɪŋ] S (**a**) (*position: of controls*) innstilling *m* ❑ *It has four temperature settings.* Den har fire temperaturinnstillinger.
(**b**) (*of jewel*) innfatning *m* ❑ *...a very plain gold setting.* ...en svært enkel gullinnfatning.
(**c**) (*background*) ▸ **setting (for)** ramme *c* (rundt), bakgrunn *m* (for) ❑ *It was a lovely setting for a picnic.* Det var en nydelig ramme rundt en piknik.
setting lotion S leggevann *nt*
settle ['sɛtl] [1] VT (**a**) (*+argument, matter*) avgjøre* ❑ *...the use of force to settle our disputes.* ...å bruke makt for å avgjøre uenighetene våre.
(**b**) (*+accounts*) gjøre* opp for, betale (*v2*) ❑ *...to settle the charge for the hire car.* ...å gjøre* opp for *or* betale det leiebilen kostet.
(**c**) (*+affairs, business*) ordne (*v1*) med
(**d**) (*= colonize: land*) slå* seg ned i ❑ *Their grandparents settled the land in 1856.* Besteforeldrene deres slo seg ned i landet i 1856.
(**e**) (*+stomach*) ▸ **it'll settle your stomach** det vil hjelpe deg til å fordøye maten
[2] VI (**a**) (*person, bird, insect+*) slå* seg ned ❑ *A bird settled on a beam.* En fugl slo seg ned på en bjelke.
(**b**) (*sand, dust, sediment+*) legge* seg
(**c**) (*= calm down: children*) slå* seg til ro ❑ *The kids were restless and unable to settle.* Ungene var rastløse og greide ikke å slå seg til ro.
▸ **that's settled then!** da sier vi det, da!
▸ **settle down** VI slå* seg ned
▸ **to settle down to sth** slå* seg ned *or* slå seg til for å gjøre* noe, sette* seg til for å gjøre* noe ❑ *He had settled down to watch a sports programme.* Han hadde slått seg ned *or* til *or* satt seg til for å se et sportsprogram.
▸ **settle for** VT FUS nøye (*v3*) seg med ❑ *Don't settle for second best.* Ikke nøy deg med det nest beste.
▸ **settle in** VI finne* seg til rette ❑ *And how are you settling in?* Og hvordan finner du deg til rette?
▸ **settle on** VT FUS (**a**) (*+chosen object etc*) bestemme (*v2x*) seg for
(**b**) (*+course of action, name etc*) bestemme (*v2x*) seg for, komme* fram til ❑ *Have you settled on a name for him yet?* Har dere bestemt dere for *or* kommet fram til et navn til ham ennå?
▸ **settle up** VI ▸ **to settle up with sb** gjøre* opp med noen ❑ *As soon as the money arrived I was able to settle up with him.* Så snart pengene kom, kunne* jeg gjøre* opp med ham.
settlement ['sɛtlmənt] S (**a**) (*payment*) oppgjør *nt* ❑ *...the biggest libel settlement ever.* ...det største injurieoppgjøret noensinne.
(**b**) (*agreement*) løsning *m*, ordning *m* ❑ *The chance for a peaceful political settlement...* Muligheten for en fredelig politisk løsning *or* ordning...
(**c**) (*village etc*) bosetting *c* ❑ *...an extensive Roman settlement...* en omfattende romersk bosetting...
(**d**) (*colonization*) bosetting *c*, kolonisering *c* ❑ *The settlement of the island...* Bosettingen *or* koloniseringen av øya...
▸ **in settlement of our account** til dekning av kontoen vår
settler ['sɛtləʳ] S nybygger *m*
setup, set-up ['sɛtʌp] S opplegg *nt* ❑ *What kind of set-up do you work for?* Hva slags opplegg jobber du for? *I don't quite know the set-up here.* Jeg kjenner ikke helt opplegget her.
seven ['sɛvn] TALLORD sju (*var:* syv)
seventeen [sɛvn'tiːn] TALLORD sytten
seventh ['sɛvnθ] TALLORD sjuende (*var:* syvende)
seventy ['sɛvntɪ] TALLORD sytti
sever ['sɛvəʳ] VT (**a**) (*+artery, pipe*) rive* av
(**b**) (*fig: relations*) bryte* (fullstendig) ❑ *She had to sever all ties with her parents.* Hun måtte* bryte fullstendig alle bånd til foreldrene sine.
several ['sɛvərl] ADJ, PRON flere ❑ *...several hours later.* ...flere timer senere. *...several I haven't mentioned.* ...flere som jeg ikke har nevnt.
▸ **several of us** flere av oss
▸ **several times** flere ganger
severance ['sɛvərəns] S (*of relations*) løsrivelse *m* ❑ *The real severance from my father came later.* Den virkelige løsrivelsen fra min far kom senere.
severance pay S sluttvederlag *nt*
severe [sɪ'vɪəʳ] ADJ (**a**) (*= serious: pain, damage, shortage*) alvorlig ❑ *...a severe shortage of food.* ...en alvorlig matmangel.
(**b**) (*= harsh: winter, climate, person, expression*) streng ❑ *She wore a habitually severe*

expression. Hun hadde et sedvanlig strengt uttrykk.
(**c**) (= *plain: architecture*) streng
(**d**) (*dress*) nøktern, sober ❑ *...severe 17th-century costume.* ...nøkternt *or* sobert sekstenhundretallsantrekk.

severely [sɪ'vɪəlɪ] ADV (**a**) (*damage*) alvorlig, stygt ❑ *A fire had severely damaged the school.* En brann hadde skadet deler av skolen stygt *or* forårsaket alvorlige skader på skolen.
(**b**) (*punish*) strengt, hardt
(**c**) (*wounded, ill*) alvorlig

severity [sɪ'vɛrɪtɪ] S (**a**) (= *gravity*) alvor *nt* ❑ *This affected Third World countries with special severity.* Dette var spesielt alvorlig for u-landene *or* rammet u-landene med spesiell tyngde *or* kraft.
(**b**) (*of manner, voice, punishment*) strenghet *c* ❑ *...prison sentences of excessive severity.* ...umåtelig strenge fengselsstraffer.
(**c**) (= *harshness: of winter, weather*) strenghet *c*, hardhet *c* ❑ *...the severity of the Japanese winter.* ...hvor streng *or* hard den japanske vinteren var.. ...strengheten i den japanske vinteren.
(**d**) (= *austerity: of dress*) nøkternhet *c*
(**e**) (*of architecture*) strenghet *c* ❑ *...the fine severity of this old church.* ...den fine strengheten i denne gamle kirken.

sew [səu] (*pt* **sewed**, *pp* **sewn**) VTI sy (*v4*)
▸ **sew up** VT sy (*v4*) sammen ❑ *You tore it so you can sew it up!* Du rev den i stykker, så du kan sy den sammen!
▸ **it's all sewn up** (*fig*) alt er i boks

sewage ['su:ɪdʒ] S kloakk *m*

sewage works S renseanlegg *nt*

sewer ['su:əʳ] S kloakkrør *nt*, kloakkledning *m*

sewing ['səuɪŋ] S (**a**) (*activity*) søm *m* ❑ *...a sewing class.* ...et sykurs *or* et kurs i søm.
(**b**) (= *items being sewn*) sytøy *nt* ❑ *...a basket full of sewing.* ...en kurv full av sytøy.

sewing machine S symaskin *c*

sewn [səun] PP *of* **sew**

sex [sɛks] S (**a**) (= *gender*) kjønn *nt* ❑ *...inequalities between the sexes.* ...ulikheter mellom kjønnene.
(**b**) (= *lovemaking*) sex *m* ❑ *He talked non-stop about sex.* Han snakket ustoppelig om sex.
▸ **to have sex with sb** ha* sex *or* samleie med noen

sex act S seksualakt *m*, kjønnsakt *m*

sex appeal S sex-appeal *m*

sex education S seksualundervisning *m*

sexism ['sɛksɪzəm] S kjønnsdiskriminering *c*, kvinnediskriminering *c*; (*against men*) mannsdiskriminering *c*

sexist ['sɛksɪst] ADJ (*remark, advertising, person*) kjønnsdiskriminerende, kvinnediskriminerende; (*against men*) mannsdiskriminerende

sex life S sexliv *nt*

sex object S sexobjekt *nt*

sextet [sɛks'tɛt] S sekstett *m*

sexual ['sɛksjuəl] ADJ (**a**) (= *of the sexes: reproduction*) kjønnet
(**b**) (= *of sex: attraction, relationship*) seksuell, kjønnslig
▸ **sexual equality** likestilling *c* mellom kjønnene

sexual assault S seksuelt overgrep *nt*

sexual intercourse S samleie *nt*, seksuell *or* kjønnslig omgang *m*

sexually ['sɛksjuəlɪ] ADV (**a**) (*attractive*) seksuelt ❑ *I find her sexually attractive.* Jeg syns hun er seksuelt tiltrekkende.
(**b**) (*segregate, discriminate*) etter kjønn ❑ *...sexually segregated groups.* ...kjønnsdelte grupper.
(**c**) (*reproduce*) ▸ **to reproduce sexually** ha* kjønnet formering

sexy ['sɛksɪ] ADJ (*person, pictures, underwear*) sexy

Seychelles [seɪ'ʃɛl(z)] SPL ▸ **the Seychelles** Seychellene

SF S FK = **science fiction**

SG (*US: MIL*) S FK (= **Surgeon General**) *øverste medisinske ansvarlig innen det offentlige helsevesenet*

Sgt (*POLITI, MIL*) FK = **sergeant**

shabbiness ['ʃæbɪnɪs] S loslitthet *c* ❑ *I was struck by the shabbiness of the furnishings.* Jeg ble slått av hvor loslitte *or* shabby møblene var.

shabby ['ʃæbɪ] ADJ (**a**) (*person, clothes*) loslitt, shabby, lurvet(e)
(**b**) (*trick, treatment, behaviour*) lusen ❑ *What a shabby way to treat your friends!* For en lusen måte å behandle vennene sine på!
(**c**) (*building*) loslitt, shabby

shack [ʃæk] S rønne *c*, skur *nt*
▸ **shack up** (*sl*) VI ▸ **to shack up (with sb)** flytte (*v1*) sammen (med noen)

shackles ['ʃæklz] SPL (**a**) (fot)lenker/(hånd)lenker
(**b**) (*fig*) lenker, bånd *pl* ❑ *...to throw off the shackles of the past.* ...å kaste av seg lenkene *or* båndene fra fortiden.

shade [ʃeɪd] 1 S (**a**) (*shelter*) skygge *m* ❑ *There are no trees to give shade.* Det er ingen trær som kan gi* skygge.
(**b**) (*for lamp*) skjerm *m*
(**c**) (*of colour*) nyanse *m*, sjattering *c* ❑ *...jackets in shades of pink.* ...i nyanser *or* sjatteringer av rosa.
(**d**) (*US:* ***window shade***) rullegardin *nt or c*
2 VT (**a**) (= *shelter*) gi* skygge ❑ *The broad fields are shaded by trees.* De vide åkrene får skygge fra trærne.
(**b**) (*+eyes*) skygge (*v1*) for ❑ *She shaded her eyes with her hand.* Hun skygget for øynene med hånden.
▸ **shades** SPL (*sl: sunglasses*) solbriller *pl*
▸ **in the shade** i skyggen
▸ **a shade (too large/more)** en tanke (for stor/mere) ❑ *I find the food a shade rich.* Jeg syns maten er en tanke mektig.

shadow ['ʃædəu] 1 S skygge *m* ❑ *...in the shadow of a tree.* ...i skyggen av et tre.
2 VT (= *follow*) skygge (*v1*) ❑ *He was being shadowed by a plain-clothes detective.* Han ble skygget av en sivilkledd detektiv.
▸ **without** *or* **beyond a shadow of a doubt** uten skygge av tvil

shadow cabinet (*BRIT*) S skyggeregjering *c*

shadowy ['ʃædəuɪ] ADJ (**a**) (*in shadow*) skyggefull

❑ *...this shadowy place.* ...dette skyggefulle stedet.
(**b**) (*= dim : figure, shape*) skyggeaktig ❑ *...the shadowy musicians in the background.* ...de skyggeaktige musikerne i bakgrunnen.

shady [ˈʃeɪdɪ] ADJ (**a**) (*place, trees*) skyggefull ❑ *...the shady side of the street.* ...den skyggefulle siden av gaten.
(**b**) (*fig : dishonest : person, deal*) lyssky ❑ *Shady financiers...* Lyssky finansfolk... *in various shady ways.* ...på forskjellige lysskye måter.

shaft [ʃɑːft] s (**a**) (*of arrow, spear*) skaft *nt*
(**b**) (*BIL, TEKN*) aksel *m* ❑ *...the drive shaft.* ...drivakselen.
(**c**) (*of mine, lift*) sjakt *c* ❑ *...a mine shaft.* ...en gruvesjakt.
(**d**) (*of light*) strime *c*
▸ **ventilation shaft** ventilasjonssjakt *c*

shaggy [ˈʃægɪ] ADJ (*appearance, beard*) ragget(e), rufset(e); (*dog, sheep*) ragget(e)

shake [ʃeɪk] (*pt* **shook**, *pp* **shaken**) 1 VT (**a**) (*gen*) riste (*v1*) (på) ❑ *They collected the berries by shaking the bushes.* De sanket bærene ved å riste (på) buskene. *She shook the bottle before opening it.* Hun ristet (på) flasken før hun åpnet den.
(**b**) (*= weaken : beliefs, resolve*) svekke (*v1*) ❑ *The lecture did little to shake his convictions.* Forelesningen gjorde lite for å svekke overbevisningen hans.
(**c**) (*= upset, surprise*) ryste (*v1*) ❑ *My mother's death had shaken him dreadfully.* Min mors død hadde rystet ham forferdelig.
2 VI (**a**) (*with fear etc*) skjelve* ❑ *...her knees were shaking.* ...knærne hennes skalv. *His eyes were wild and his voice shook.* Øynene hans var ville, og stemmen hans skalv.
(**b**) (*building, table+*) skjelve*, riste (*v1*) ❑ *The earth shook and the sky darkened.* Jorden skalv *or* ristet og himmelen mørknet.
3 S (*movement*) risting *c* ❑ *He said no with a shake of the head.* Han sa nei ved å riste på hodet.
▸ **to shake one's head** riste (*v1*) på hodet
▸ **to shake hands with sb** håndhilse (*v2*) på noen, ta* noen i hånden
▸ **to shake one's fist (at sb)** knytte (*v1*) neven (mot noen)
▸ **give it a good shake** rist den godt

▸ **shake off** VT riste (*v1*) av seg ❑ *I shook off the hand on my sleeve.* Jeg ristet av hånden på ermet mitt. *It had taken Franklin several hours to shake off the police.* Det hadde tatt Franklin flere timer å riste av seg politiet.

▸ **shake up** VT (**a**) (*+ingredients*) riste (*v1*) sammen
(**b**) (*fig : upset : person*) oppskake (*v1*) ❑ *Did the lightning shake you up?* Ble du oppskaket av lynet?

shake-up [ˈʃeɪkʌp] s (drastisk) omkalfatring *m*, *det å ruske opp* ❑ *...a shake-up in the system.* ...en omkalfatring av systemet.

shakily [ˈʃeɪkɪlɪ] ADV (*reply, walk, stand*) skjelvende, ustødig, ustøtt ❑ *...answered my questions shakily.* ...svarte skjelvende *or* ustødig *or* ustøtt på spørsmålene mine. *The man stood up shakily.* Mannen reiste seg skjelvende *or* ustødig *or* ustøtt.

shaky [ˈʃeɪkɪ] ADJ (**a**) (*hand, voice*) skjelvende, ustø(dig)
(**b**) (*memory*) usikker, sviktende ❑ *My memory's a bit shaky about the war.* Hukommelsen min er litt usikker *or* sviktende når det gjelder krigen.
(**c**) (*person : lacking knowledge*) på usikker *or* gyngende grunn ❑ *He's very shaky on European history.* Han er på svært usikker *or* gyngende grunn i europeisk historie.
(**d**) (*prospects, future*) usikker
(**e**) (*start*) vaklende ❑ *After a shaky start the orchestra grew more confident.* Etter en vaklende start ble orkesteret mer sikkert.

shale [ʃeɪl] s leirskifer *m*

shall [ʃæl] H-VERB ▸ **I shall go** jeg kommer til å gå, jeg skal gå
▸ **shall I open the door?** skal jeg åpne døra?
▸ **I'll get some, shall I?** skal jeg hente noen, syns du?

shallot [ʃəˈlɔt] (*BRIT*) s sjalottløk *m*

shallow [ˈʃæləu] ADJ (**a**) (*water, grave*) grunn
(**b**) (*breathing*) svak
(**c**) (*fig : person, argument, idea*) grunn, overfladisk
▸ **the shallows** SPL grunnen *or* grunna *sg*
❑ *Thousands of little fish swim in the shallows.* Tusenvis av små fisk svømmer på grunna.

sham [ʃæm] 1 s humbug *m*, forstillelse *m* ❑ *Their independence is a sham.* Uavhengigheten deres er noe humbug *or* en forstillelse.
2 ADJ (**a**) (*jewellery, furniture*) uekte
(**b**) (*fight*) liksom-, fingert
3 VT (*+illness*) simulere (*v2*)
▸ **a child shamming sleep** et barn som later som om det sover

shambles [ˈʃæmblz] s eneste rot *nt* ❑ *The rehearsal was a shambles...* Prøven var et eneste rot...
▸ **to be in a (complete) shambles** være* et eneste rot

shambolic [ʃæmˈbɔlɪk] (*sl*) ADJ kaotisk, bombet

shame [ʃeɪm] 1 s skam *m* ❑ *The memory fills me with shame.* Minnet gjør meg full av skam. *Don't bring shame on the family.* Ikke før skam over familien.
2 VT gjøre* skamfull ❑ *It shamed him to know that she had behaved in such a way.* Det gjorde ham skamfull å vite at hun hadde oppført seg slik.
▸ **it is a shame that/to do** det er synd at/å gjøre
▸ **what a shame!** så synd!
▸ **to put sb/sth to shame** gjøre* noen/noe til skamme

shamefaced [ˈʃeɪmfeɪst] ADJ (*person, expression*) skamfull

shameful [ˈʃeɪmful] ADJ skammelig

shameless [ˈʃeɪmlɪs] ADJ (*liar, deception*) skamløs

shampoo [ʃæmˈpuː] 1 s sjampo *m*
2 VT vaske (*v1*)

shampoo and set s vask og legg *m*

shamrock [ˈʃæmrɔk] s (*= plant*) trekløver *nt*; (*Irish national symbol*) shamrock *m*

shandy [ˈʃændɪ] s *blanding av øl og sitronbrus*

shan't [ʃɑːnt] = **shall not**

shanty town [ˈʃæntɪ-] s slumområde *nt*

SHAPE [ʃeɪp] (*MIL*) S FK (= **Supreme Headquarters Allied Powers, Europe**) Det øverste hovedkvarter for de allierte styrker i Europa

shape [ʃeɪp] 1 s form *m*, fasong *m* ❑ *...pieces of wood of different and shapes.* ...trestykker i forskjellige former *or* fasonger.
2 VT forme (*v1*) ❑ *...to shape the dough into rolls.* ...å forme deigen til boller. *It was the Greeks who shaped the thinking of Western man.* Det var grekerne som formet tenkningen til vestens mennesker.
▸ **to take shape** (*painting, plan etc+*) ta* form
▸ **in the shape of a heart** i form av et hjerte, formet som et hjerte
▸ **I can't bear gardening in any shape or form** jeg orker ikke noen form for hagearbeid
▸ **to get (o.s.) into shape** komme* i form ❑ *...getting into shape for this walking tour.* ...å komme i form til denne fotturen.

▸ **shape up** VI (**a**) (*events+*) arte (*v1*) seg ❑ *Things are shaping up quite nicely.* Tingene arter seg ganske bra.
(**b**) (*person+*) skikke (*v1*) seg ❑ *The new recruits are shaping up quite well.* De nye rekruttene skikker seg ganske bra.

-shaped [ʃeɪpt] SUFF ▸ **heart-shaped** hjerteformet

shapeless ['ʃeɪplɪs] ADJ (*person, object*) formløs, uformelig

shapely ['ʃeɪplɪ] ADJ (*woman, legs*) velskapt, veldreid

share [ʃɛəʳ] 1 S (**a**) (*part*) andel *m* ❑ *You have increased your share of the vote...* Du har økt din andel av stemmene...
(**b**) (*contribution*) del *m* ❑ *It helps when a father does his share at home.* Det hjelper når en far gjør sin del hjemme.
(**c**) (*MERK*) aksje *m* ❑ *...the firm's shares jumped to 114p.* ...firmaets aksjer hoppet opp til 114 pence.
2 VT (**a**) (= *divide: books, toys, cost*) dele (*v2*), fordele (*v2*) ❑ *Share the sweets between the children.* Del *or* fordel godteriet mellom barna.
(**b**) (*+room, bed, taxi*) dele (*v2*) ❑ *...the room he shared with his brother.* ...rommet han delte med broren sin.
(**c**) (= *have in common: features, qualities etc*) ha* til felles ❑ *China and Japan share many characteristics.* Kina og Japan har mye til felles *or* mange fellestrekk.
▸ **to share in** (**a**) (*+joy, sorrow, work*) delta* i (**b**) (*+profits*) få/ha andel i

▸ **share out** VT (for)dele (*v2*) ❑ *They shared out the money between them.* De (for)delte pengene mellom seg.

share capital s aksjekapital *m*

share certificate s aksjebrev *nt*

shareholder ['ʃɛəhəuldəʳ] s aksjonær *m*

share index s aksjeindeks *m*

share issue s (aksje)emisjon *m*

shark [ʃɑ:k] s hai *m*

sharp [ʃɑ:p] 1 ADJ (**a**) (*razor, knife, teeth, outline, picture, contrast*) skarp
(**b**) (*point, nose, chin*) spiss
(**c**) (*curve, bend*) skarp, brå ❑ *Careful, this is a sharp bend.* Forsiktig, dette er en skarp *or* brå sving.
(**d**) (*pain, sensation, cold, reply, taste*) skarp
(**e**) (*MUS*) for høy ❑ *The violin sounds a bit sharp...* Fiolinen høres litt for høy ut...
(**f**) (*increase*) sterk ❑ *...sharp food-price increases.* ...sterke økninger i matprisene.
(**g**) (*voice*) skarp
(**h**) (= *quick-witted: person*) skarp ❑ *You've got to be sharp to get ahead.* Du må være* skarp for å komme deg fram.
2 s (*MUS*) kryss *nt* ❑ *I have to play four sharps in this piece.* Jeg må spille med fire kryss i dette stykket.
3 ADV (= *precisely*) ▸ **at 2 o'clock sharp** på slaget to, presis klokka to
▸ **turn sharp left** sving skarpt *or* brått til venstre, ta* en skarp *or* brå venstresving
▸ **to be sharp with sb** være* krass *or* skarp mot noen ❑ *...you were a bit sharp with her over the broken teapot.* ...du var litt krass *or* skarp mot henne for den knuste tekannen.
▸ **look sharp!** kjapp deg!, fort deg!
▸ **C sharp/F sharp** (*MUS*) ciss *m*/fiss *m*
▸ **sharp practices** (*MERK*) tvilsomme metoder

sharpen ['ʃɑ:pn] VT (**a**) (*+stick, pencil etc*) spisse (*v1*)
(**b**) (*+knife*) kvesse (*v1*), bryne (*v2*)
(**c**) (*fig: appetite*) skjerpe (*v1*) ❑ *All that sea air has really sharpened my appetite.* All den sjølufta har sannelig skjerpet appetitten min.

sharpener ['ʃɑ:pnəʳ] s (*also* ***pencil sharpener***) blyantspisser *m*; (*also* ***knife sharpener***) knivsliper *m*, bryne *nt*

sharp-eyed [ʃɑ:p'aɪd] ADJ skarpsynt

sharpish ['ʃɑ:pɪʃ] (*sl*) ADJ (= *instantly*) fluksens

sharply ['ʃɑ:plɪ] ADV (**a**) (*turn, stop*) skarpt, brått ❑ *The valley drops sharply...* Dalen stuper brått ned...
(**b**) (*stand out, contrast, criticize, retort*) skarpt ❑ *His optimism contrasted sharply with their low morale.* Optimismen hans stod i skarp kontrast mot den lave moralen deres. *"Don't talk nonsense," she said sharply.* "Ikke snakk tøv," sa hun skarpt.

sharp-tempered [ʃɑ:p'tɛmpəd] ADJ lett å erte opp

sharp-witted [ʃɑ:p'wɪtɪd] ADJ våken, oppvakt

shatter ['ʃætəʳ] 1 VT (**a**) (*+object, glass*) knuse (*v2*), smadre (*v1*)
(**b**) (*fig: ruin: hopes, dreams, confidence*) knuse (*v2*), smadre (*v1*) ❑ *My dreams have been shattered.* Drømmene mine hadde blitt knust *or* smadret.
2 VI (= *break*) bli* knust *or* smadret, gå* i tusen knas

shattered ['ʃætəd] ADJ (**a**) (= *overwhelmed, grief-stricken*) (sønder)knust
(**b**) (*sl: exhausted*) ferdig, uslitt ❑ *I feel absolutely shattered!* Jeg føler meg helt ferdig *or* utslitt!

shattering ['ʃætərɪŋ] ADJ (**a**) (= *devastating*) oppskakende, rystende ❑ *...a shattering experience.* ...en oppskakende *or* rystende opplevelse.
(**b**) (= *exhausting*) slitsom, utmattende

shatterproof ['ʃætəpru:f] ADJ splintsikker

shave [ʃeɪv] 1 VT (*+person, face, legs etc*) barbere (*v2*) (seg på/i) NB *He had shaved off his beard.* Han hadde barbert av seg skjegget. NB *She*

shaved her legs and under her arms. Hun barberte seg på leggene og under armene.
2 VI barbere (*v2*) seg ❑ *He shaved and dressed...* Han barberte seg og kledde på seg...
3 S ▸ **to have a shave** barbere (*v2*) seg
shaven [ˈʃeɪvn] ADJ (*head*) (glatt)barbert, (glatt)raket
shaver [ˈʃeɪvəʳ] S (*also* ***electric shaver***) barbermaskin *c*
shaving [ˈʃeɪvɪŋ] S (*action*) barbering *c* ❑ *...shaving is such a bore.* ...barbering er så kjedelig.
▸ **shavings** SPL (*of wood etc*) (høvel)spon *nt sg*
shaving brush s barberkost *m*
shaving cream s barberkrem *m*
shaving foam s barberskum *nt*
shaving point s stikkontakt *m* (*beregnet på barbermaskiner*)
shaving soap s barbersåpe *c*
shawl [ʃɔːl] s sjal *nt*
she [ʃiː] 1 PRON hun
2 PREF ▸ **she-cat** hunnkatt
▸ **there she is** der er hun
sheaf [ʃiːf] (*pl* **sheaves**) s (*of corn*) nek *nt*; (*of papers*) bunke *m*
shear [ʃɪəʳ] (*pt* **sheared**, *pp* **shorn**) VT (*+sheep*) klippe (*v1 or v2x*)
▸ **shear off** VI (*bolt etc+*) gå* av, brekke* av
shears [ˈʃɪəz] SPL hekksaks *c*
sheath [ʃiːθ] s (*of knife*) slire *c*; (*contraceptive*) kondom *m*
sheathe [ʃiːð] VT (**a**) kle (*v4*), dekke (*v1 or v2x*) ❑ *Trees, sheathed in ice, glittered in the sun.* Trær, kledd *or* dekket med *or* i is, glitret i solskinnet.
(**b**) (*+sword*) stikke* i sliren
sheath knife s slirekniv *m*, tollekniv *m*
sheaves [ʃiːvz] SPL *of* **sheaf**
shed [ʃɛd] (*pt, pp* **shed**) 1 s (**a**) skur *nt* ❑ *...a bicycle shed.* ...et sykkelskur.
(**b**) (*INDUST, JERNB*) (verksted)hall *m* ❑ *...the locomotive repair shed.* ...reparasjonshallen for lokomotiver.
2 VT (**a**) (*+skin, tears*) felle (*v2x*) ❑ *...a snake shedding its skin...* en slange som feller hammen... *a child shedding tears over a broken toy.* ...et barn som felte tårer over et ødelagt leketøy.
(**b**) (*+blood*) utgyte (*v2*)
(**c**) (*+load*) miste (*v1*), forlise (*v2*)
(**d**) (*+workers*) avskjedige (*v1*) ❑ *2,000 workers are due to be shed by the company.* 2 000 arbeidere skal avskjediges av bedriften.
▸ **to shed light on** (*+problem, mystery*) kaste (*v1*) lys over
she'd [ʃiːd] = **she had, she would**
sheen [ʃiːn] s skjær *nt* ❑ *Her face glowed with a healthy sheen.* Ansiktet hennes glødet med et sunt skjær.
sheep [ʃiːp] S UBØY sau *m*
sheepdog [ˈʃiːpdɔg] s fårehund *m*, gjeterhund *m*
sheep farmer s sauebonde *m*
sheepish [ˈʃiːpɪʃ] ADJ (*expression, grin*) flau, beskjemmet
sheepskin [ˈʃiːpskɪn] 1 s saueskinn *nt*
2 SAMMENS (*coat, jacket, mittens*) saueskinns-

sheer [ʃɪəʳ] 1 ADJ (**a**) (*= utter*) ren ❑ *...sheer boredom.* ...ren kjedsommelighet.
(**b**) (*= steep*) stupbratt, (nesten) loddrett ❑ *...a sheer rock face.* ...en stupbratt *or* loddrett fjellvegg.
(**c**) (*= transparent : fabric*) flortynn
(**d**) (*stockings*) tynn
2 ADV (*= straight up : rise*) stupbratt, (nesten) loddrett ❑ *The great cliffs drop sheer for over 1400 feet.* De svære klippene faller stupbratt *or* loddrett over 1400 fot nedover.
▸ **by sheer chance** ved en ren tilfeldighet
sheet [ʃiːt] s (**a**) (*on bed*) laken *nt*
(**b**) (*of paper*) ark *nt* ❑ *...a blank sheet of paper.* ...et blankt papirark.
(**c**) (*of glass, metal*) plate *c* ❑ *...a single sheet of glass.* ...en eneste glassplate.
(**d**) (*of ice*) flak *nt* ❑ *Be careful, the pavement's like a sheet of ice.* Vær forsiktig, fortauet er som et isflak.
sheet feed s (*on printer*) arkmating *c*
sheet lightning s flatelyn *nt*
sheet metal s platemetall *nt*
sheet music s noter *pl* (*trykte*)
sheik(h) [ʃeɪk] s sjeik *m*
shelf [ʃɛlf] (*pl* **shelves**) s hylle *c*
▸ **set of shelves** hylle *c*, reol *m*
shelf life s holdbarhet *c* (*i butikk, før produktet må selges*) ❑ *...a longer shelf life.* ...lengre holdbarhet.
shell [ʃɛl] 1 s (**a**) (*on beach*) skjell *nt*
(**b**) (*of egg, nut, building*) skall *nt* ❑ *...the burned-out shell that had once been the farmhouse.* ...det utbrente skallet som en gang hadde vært våningshuset.
(**c**) (*explosive*) granat *m* ❑ *...a shell hit the truck he was driving.* ...en granat traff lastebilen han kjørte.
2 VT (**a**) (*+peas*) skolme (*v1*)
(**b**) (*MIL : fire on*) skyte* på (med granater), beskyte* (med granater)
▸ **shell out** (*sl*) VT ▸ **to shell out (for)** måtte* ut med (for) ❑ *We had to shell out another fifty quid.* Vi måtte* ut med enda femti pund.
she'll [ʃiːl] = **she will, she shall**
shellfish [ˈʃɛlfɪʃ] S UBØY skalldyr *nt*
shellsuit [ˈʃɛlsuːt] s foret treningsdress *m*
shelter [ˈʃɛltəʳ] 1 s (**a**) (*building : against bad weather*) (le)skur *nt*
(**b**) (*against bombs*) tilfluktsrom *nt*
(**c**) (*protection*) ly *nt*, le *nt* ❑ *There was no shelter anywhere from the rain.* Det var ikke noe ly *or* le for regnet noe sted.
2 VT (**a**) (*= protect*) skjerme (*v1*), gi* ly til ❑ *This wide alley is sheltered by trees.* Denne brede gaten får ly *or* blir skjermet av noen trær.
(**b**) (*+homeless, refugees*) huse (*v1*) ❑ *...to shelter wanted men.* ...å skjule ettersøkte menn.
3 VI (**a**) (*from rain etc : be under cover*) stå* *or* være* i ly
(**b**) (*go under cover*) søke (*v2*) ly ❑ *It is natural to shelter from a storm.* Det er naturlig å søke ly for en storm.
▸ **to take shelter (from)** søke (*v2*) ly *or* tilflukt (for)
sheltered [ˈʃɛltəd] ADJ (**a**) (*life, place*) beskyttet,

skjermet ❑ *They had led a sheltered life.* De hadde levd et beskyttet *or* skjermet liv.
(**b**) (*harbour*) lukket, i le
▸ **sheltered housing** trygdeboliger *pl*
shelve [ʃɛlv] VT (*fig: plan*) legge* på hylla, skrinlegge* ❑ *The project seems to have been shelved for the moment.* Prosjektet ser ut til å ha* blitt lagt på hylla *or* skrinlagt for øyeblikket.
shelves [ʃɛlvz] SPL *of* **shelf**
shelving [ˈʃɛlvɪŋ] s (= *shelves*) hyller *pl* ❑ *There are 8,000 metres of shelving in the library.* Det er over 8 000 meter med hyller *or* over 8 000 hyllemeter i biblioteket.
shepherd [ˈʃɛpəd] 1 s gjeter *m*
2 VT (= *guide*) lose (*v2*) ❑ *I shepherded them towards the lobby.* Jeg loste dem mot lobbyen.
shepherdess [ˈʃɛpədɪs] s gjeterjente *c*
shepherd's pie (*BRIT*) s *kjøtt- og potetmospai*
sherbet [ˈʃəːbət] s (*BRIT: powder*) bruspulver *nt*; (*US: water ice*) sorbet *m*
sheriff [ˈʃɛrɪf] (*US*) s (**a**) (*in Wild West*) sheriff *m*
(**b**) (*modern*) ≈ politimester *m* ❑ *He was appointed Sheriff of New York.* Han ble utnevnt til politimester i New York.
sherry [ˈʃɛrɪ] s sherry *m*
she's [ʃiːz] = **she is, she has**
Shetland [ˈʃɛtlənd] s (*also* ***the Shetland Islands***) Shetland, Shetlandsøyene
Shetland pony s Shetlandsponny *m*
shield [ʃiːld] 1 s (**a**) (*MIL, SPORT*) skjold *nt* ❑ *Our school won the sports shield last year.* Skolen vår vant idrettsskjoldet i fjor.
(**b**) (*fig: protection*) vern *nt*, beskyttelse *m* ❑ *...an effective shield against the sun.* ...et effekivt vern *or* en effektiv beskyttelse mot sola.
2 VT ▸ **to shield (from)** skjerme (*v1*) (mot), beskytte (*v1*) (mot)
shift [ʃɪft] 1 s (**a**) (*change*) skifte *nt*, endring *c*
(**b**) (*work period, group of workers*) skift *nt* ❑ *...to work different shifts.* ...å arbeide på ulike skift. *...the day shift...* dagskiftet...
2 VT (**a**) (= *move*) flytte (*v1*)
(**b**) (= *remove: stain*) fjerne (*v1*), få* vekk
3 VI (**a**) (= *move: wind*) skifte (*v1*)
(**b**) (*person, eyes+*) flytte (*v1*) seg ❑ *Muller's eyes shifted to the telephone.* Mullers blikk flyttet seg mot telefonen.
▸ **the wind has shifted to the south** vinden hadde skiftet i sørlig retning
▸ **a shift in demand** en endring i etterspørselen
shift key s skifttast *m*
shiftless [ˈʃɪftlɪs] ADJ giddeløs, tiltaksløs
shift work s skiftarbeid *nt*
▸ **to do shift work** arbeide (*v1*) skift, være* skiftarbeider
shifty [ˈʃɪftɪ] ADJ (*person*) upålitelig, lumsk; (*eyes*) lumsk, slu
Shiite [ˈʃiːaɪt] 1 ADJ shia-
2 s shia-muslim *m*
shilling [ˈʃɪlɪŋ] (*BRIT: gam*) s shilling *m*
shilly-shally [ˈʃɪlɪʃælɪ] VI vingle (*v1*) ❑ *For goodness sake stop shilly-shallying and get a move on!* For guds skyld, slutt å vingle og få* opp farten!
shimmer [ˈʃɪməʳ] VI skimre (*v1*)
shimmering [ˈʃɪmərɪŋ] ADJ (*light, water, cloth*) skimrende; (*haze*) dirrende
shin [ʃɪn] 1 s skinnelegg *m*
2 VI ▸ **to shin up a tree** svinge (*v2*) seg opp i et tre
shindig [ˈʃɪndɪg] (*sl*) s kalas *nt*
shine [ʃaɪn] (*pt, pp* **shone**) 1 s (**a**) (*of sun, moon*) skinn *nt*
(**b**) (*of surface*) glans *m* ❑ *Your floors had such a fantastic shine.* Gulvene dine hadde sånn en fantastisk glans.
2 VI (**a**) (*sun, light, eyes, hair+*) skinne (*v2x*)
(**b**) (*fig: person*) briljere (*v2*), glitre (*v1*) ❑ *He shines at amateur theatricals.* Han briljerer *or* glitrer på amatørteaterforestillinger.
3 VT (**a**) (= *polish: shoes etc: pt, pp shined*) pusse (*v1*)
(**b**) (*+torch, light*) lyse (*v2*) med
shingle [ˈʃɪŋgl] s (*on beach*) grus *m uncount*, småsteiner *pl* ❑ *...the sound of waves on the shingle(s).* ...lyden av bølger på grusen *or* småsteinene.
▸ **shingle roof** spontak *nt*
shingles [ˈʃɪŋglz] (*MED*) SPL helvetesild *m sg*
shining [ˈʃaɪnɪŋ] ADJ (**a**) (*surface, hair*) skinnende
(**b**) (*example, success*) lysende ❑ *She was a shining example to people everywhere.* Hun var et lysende eksempel for folk overalt.
shiny [ˈʃaɪnɪ] ADJ (*coin, shoes, hair, lipstick*) blank
ship [ʃɪp] 1 s skip *nt*
2 VT (**a**) (= *transport by ship*) skipe (*v1*) ❑ *They had their luggage shipped to Nigeria.* De fikk bagasjen sin skipet til Nigeria.
(**b**) (= *send: goods*) sende (*v2*) ❑ *The cattle were shipped out by rail.* Kveget ble sendt med tog.
(**c**) (*+water*) ta* inn ❑ *Our little boat started shipping water.* Den lille båten vår begynte å ta* inn vann.
▸ **on board ship** om bord på skipet
shipbuilder [ˈʃɪpbɪldəʳ] s skipsbygger *m*
shipbuilding [ˈʃɪpbɪldɪŋ] s skipsbygging *c*
ship canal s skipskanal *m*
ship chandler [-ˈtʃɑːndləʳ] s skipshandler *m*
shipment [ˈʃɪpmənt] s forsendelse *m* ❑ *...a shipment of tobacco.* ...en forsendelse med tobakk.
shipowner [ˈʃɪpəunəʳ] s skipsreder *m*
shipper [ˈʃɪpəʳ] s utskiper *m*
shipping [ˈʃɪpɪŋ] s (**a**) (*business*) shipping *m*
(**b**) (*transport of cargo, cost of this*) forsendelse *m* ❑ *...a cost, including shipping, of...* en pris, inklusive forsendelse, på...
(**c**) (= *ships*) skip *pl* ❑ *Nearly a fifth of the shipping had been sunk.* Nesten en femtedel av skipene hadde blitt senket.
shipping agent s befrakter *m*, speditør *m*
shipping company s rederi *nt*
shipping lane s skipsrute *c*
shipping line s = **shipping company**
shipshape [ˈʃɪpʃeɪp] ADJ (*house, boat etc*) i perfekt stand *or* orden
shipwreck [ˈʃɪprɛk] 1 s (**a**) (*event*) skibbrudd *nt* ❑ *The whole family perished in a shipwreck.* Hele familien omkom i et skibbrudd.
(**b**) (*ship*) skipsvrak *nt* ❑ *Treasure has sometimes been found in shipwrecks.* Skatter har av og til

blitt funnet i skipsvrak.

2 VT ▸ **to be shipwrecked** lide* skibbrudd

shipyard ['ʃɪpjɑːd] s (skips)verft *nt*

shire ['ʃaɪəʳ] (*BRIT*) s (= *county*) grevskap *nt*, amt *nt*

shirk [ʃɜːk] VT (+*work, obligations*) lure (*v2*) seg unna ❑ *He never shirked his duty.* Han lurte seg aldri unna pliktene sine.

shirt [ʃɜːt] s skjorte *c*

▸ **in (one's) shirt sleeves** i skjorteermene, med oppbrettede ermer

shirty ['ʃɜːtɪ] (*BRIT: sl*) ADJ sur, tverr

shit [ʃɪt] (*sl!*) INTERJ faen (*sl!*)

shiver ['ʃɪvəʳ] 1 s (= *act of shivering*) skjelving *c*

2 VI skjelve* ❑ *I stood shivering with cold...* Jeg stod og skalv av kulde...

shoal [ʃəul] s (*of fish*) stim *m*

▸ **shoals of** stimer av

shock [ʃɔk] 1 s (**a**) (*start, impact, emotional, MED*) sjokk *nt* ❑ *...she got such a shock that she dropped the milk.* ...hun fikk et sånt sjokk at hun slapp melken. *Numb with shock...* Nummen av sjokket...

(**b**) (*also* ***electric shock***) (elektrisk) støt *nt*

2 VT (**a**) (= *upset*) sjokkere (*v2*), ryste (*v1*) ❑ *She was deeply shocked by her husband's death.* Hun var dypt sjokkert *or* rystet over mannens død.

(**b**) (= *offend*) sjokkere (*v2*) ❑ *I often deliberately shock him.* Jeg sjokkerer ham ofte med vilje.

▸ **in shock** (*MED*) i sjokk

▸ **it gave us a shock** det gav oss (et) sjokk

▸ **it came as a shock to hear that...** det kom som et sjokk å høre at...

shock absorber s støtdemper *m*

shocker ['ʃɔkəʳ] (*sl*) s (*film, event*) grøsser *m*

shocking ['ʃɔkɪŋ] ADJ (**a**) (= *awful*) forskrekkelig ❑ *...in a shocking state.* ...i en forskrekkelig forfatning.

(**b**) (= *outrageous: play, book, prices*) sjokkerende ❑ *...the most shocking book of its time.* ...den mest sjokkerende boka på den tiden.

(**c**) (= *very bad: weather, handwriting, standards*) elendig ❑ *I'm shocking at spelling.* Jeg er elendig til å stave.

shockproof ['ʃɔkpruːf] ADJ støtsikker

shock therapy s sjokkterapi *m*

shock treatment s sjokkbehandling *c*

shock wave s (*also fig*) sjokkbølge *c*

shod [ʃɔd] PRET, PP *of* **shoe**

shoddy ['ʃɔdɪ] ADJ (*goods, workmanship*) slurvet(e)

shoe [ʃuː] (*pt, pp* **shod**) 1 s (*for person, horse*) sko *m*

2 VT (+*horse*) sko (*v4*)

▸ **brake shoe** bremsesko *m*

shoebrush ['ʃuːbrʌʃ] s skobørste *m*

shoehorn ['ʃuːhɔːn] s skohorn *nt*

shoelace ['ʃuːleɪs] s skolisse *c*

shoemaker ['ʃuːmeɪkəʳ] s skomaker *m*

shoe polish s skokrem *m*

shoe shop s skobutikk *m*

shoestring ['ʃuːstrɪŋ] s (*fig*) ▸ **on a shoestring** på lavbudsjett

shoetree ['ʃuːtriː] s skolest *m*

shone [ʃɔn] PRET, PP *of* **shine**

shoo [ʃuː] 1 INTERJ husj

2 VT (*also* ***shoo away, shoo off, etc***) føyse (*v1*) ❑ *She shooed her daughters out of the room.* Hun føyset døtrene sine ut av rommet.

shook [ʃuk] PRET *of* **shake**

shoot [ʃuːt] (*pt, pp* **shot**) 1 s (**a**) (*on branch, seedling*) skudd *nt*

(**b**) (*SPORT: event*) jakt *c* ❑ *They often take part in the local shoot.* De deltar ofte i den lokale jakten.

2 VT (**a**) (+*animal, person, gun, arrow*) skyte*

(**b**) (+*film*) ta* opp ❑ *Most of the film was shot in Spain.* Mesteparten av filmen ble tatt opp i Spania.

3 VI ▸ **to shoot (at)** (**a**) (*with gun, bow*) skyte* (på/mot) ❑ *We were told to shoot first and ask questions later.* Vi fikk beskjed om å skyte først og stille spørsmål etterpå.

(**b**) (*FOOTBALL*) skyte* (på) ❑ *He missed a great opportunity to shoot at goal.* Han misset en stor mulighet til å skyte på mål.

▸ **to shoot past/into/through** *etc* (= *move*) fare* forbi/inn i/gjennom *etc*, suse (*v2*) forbi/inn i/gjennom *etc* ❑ *The sports car shot past the entrance.* Sportsbilen for *or* suste forbi inngangen.

▸ **shoot down** VT (+*plane*) skyte* ned

▸ **shoot in** VI (= *rush in*) komme* farende *or* styrtende inn

▸ **shoot out** VI (= *rush out*) fare* ut, styrte (*v1*) ut

▸ **shoot up** VI (*increase*) skyte* i været ❑ *...the inflation rate shot up from 30% to 48%* ...har inflasjonen skutt i været fra 30 % til 48 %.

shooting ['ʃuːtɪŋ] s (**a**) (= *shots*) skyting *c* ❑ *...I heard shooting in the night.* ...jeg hørte skyting i natten.

(**b**) (*attack, murder*) skyting *c*, skyteepisode *m* ❑ *There was a riot after the shootings.* Det ble et opprør etter skytingen *or* skyteepisodene.

(**c**) (*FILM*) opptak *nt* ❑ *...after eight weeks of shooting.* ...åtte uker med opptak *or* filming.

(**d**) (*in hunting*) jakt *c*

shooting range s skytebane *m*

shooting star s stjerneskudd *nt*

shop [ʃɔp] 1 s (**a**) (*selling goods*) butikk *m*, forretning *m*

(**b**) (*workshop*) verksted *nt* ❑ *...metalwork shops.* ...sveiseverksted.

2 VI (*also* ***go shopping***) handle (*v1*), gjøre* innkjøp ❑ *I usually shop on Saturdays.* Jeg handler vanligvis *or* gjør vanligvis innkjøp på lørdager.

▸ **repair shop** verksted *nt*

▸ **to talk shop** (*fig*) snakke (*v1*) fag

▸ **shop around** VI se* seg om *or* rundt

shopaholic ['ʃɔpə'hɔlɪk] (*sl*) s ▸ **to be a shopaholic** ha* handlemani

shop assistant (*BRIT*) s butikkassistent *m*, ekspeditør *m*, ekspeditrise *c* (*woman*)

shop floor (*BRIT*) s (verksted)gulv *nt*

shopkeeper ['ʃɔpkiːpəʳ] s butikkeier *m*

shoplifter ['ʃɔplɪftəʳ] s butikktyv *m*

shoplifting ['ʃɔplɪftɪŋ] s butikktyveri *nt*, nasking *c*

shopper ['ʃɔpəʳ] s ▸ **the centre was crowded with shoppers** sentrum var fullt av folk som var ute og handlet

shopping ['ʃɔpɪŋ] s (**a**) (*activity*) shopping *m*, handling *c*
(**b**) (*goods*) varer *pl* ❑ *She put her shopping away in the kitchen.* Hun satte vekk varene sine på kjøkkenet.
shopping bag s handleveske *c*
shopping centre, shopping center (*US*) s kjøpesenter *nt*, shoppingsenter *nt*
shop-soiled ['ʃɔpsɔɪld] ADJ lett beskadiget (fra butikken)
shop steward (*BRIT*) s tillitsvalgt *m decl as adj*, klubbformann *m irreg*
shop window s butikkvindu *nt*
shore [ʃɔːʳ] 1 s ▸ **shore(s)** (*of sea, lake*) bredd *m* ❑ *...the eastern shores of Lake Tanganyika.* ...østbredden av Tanganyikasjøen.
2 VT ▸ **to shore (up)** støtte (*v1*) (opp)
▸ **on shore** i *or* på land
shore leave s landlov *m*
shorn [ʃɔːn] PP *of* **shear**
▸ **to be shorn of one's power** *etc* være* frarøvet sin makt *etc*
short [ʃɔːt] 1 ADJ (**a**) (*object: in length, height*) kort
(**b**) (*in time*) kort, kortvarig ❑ *...a short stay in hospital.* ...et kort(varig) sykehusopphold.
(**c**) (*person: not tall*) kort(vokst)
(**d**) (= *curt*) ▸ **to be short with sb** være* kort mot noen ❑ *I'm sorry I was so short with you.* Jeg beklager at jeg var så kort når jeg snakket med deg.
(**e**) (= *scarce*) ▸ **money is short** det er knapt *or* lite med penger
2 s (*also* ***short film***) kortfilm *m*
▸ **to be short of sth** ha* knapt med noe, ha* for lite av noe
▸ **I'm 3 short** jeg mangler 3, jeg har 3 for lite
▸ **in short** kort sagt
▸ **to be in short supply** være* (for) lite av, være* dårlig tilgang på
▸ **short of doing...** med unntak av å gjøre..., bortsett fra å gjøre... ❑ *Short of dynamiting his door open, how do I attract his attention?* Med unntak av *or* Bortsett fra å sprenge opp døra hans, hvordan fanger jeg oppmerksomheten hans?
▸ **it is short for** det er en forkortelse for *or* en kortform av ❑ *Fred is short for Frederick.* Fred er en forkortelse for *or* kortform av Frederick.
▸ **a short time ago** for kort tid siden
▸ **in the short term** på kort sikt
▸ **to cut short** (+*speech, visit*) avbryte*
▸ **everything short of...** alt unntatt...
▸ **to fall short of** ikke nå (*v4*) opp til
▸ **to run short of** slippe* opp for ❑ *We were running short of food.* Vi holdt på å slippe opp for mat.
▸ **to stop short** bråstoppe (*v1*) ❑ *I started to laugh and then stopped short.* Jeg begynte å le, og så bråstoppet jeg.
▸ **to stop short of doing sth** (nesten) holde* på å gjøre* noe ❑ *He just stopped short of calling her a murderer.* Han holdt nesten på å kalle henne en morder.
see also **shorts**
shortage ['ʃɔːtɪdʒ] s ▸ **a shortage of** (en) mangel på
shortbread ['ʃɔːtbrɛd] s ≈ sandkake *c*
short-change [ʃɔːt'tʃeɪndʒ] VT ▸ **to short-change sb** gi* noen for lite penger igjen ❑ *That's the second time I've been short-changed in that shop.* Det er andre gang jeg har fått igjen for lite penger i den butikken.
short circuit s kortslutning *m*
shortcoming ['ʃɔːtkʌmɪŋ] s feil *m*, ufullkommenhet *c uncount* ❑ *You've got to realize your own shortcomings.* Du må innse dine egne feil *or* din egen ufullkommenhet.
shortcrust pastry (*BRIT*) s mørdeig *m*
short cut s snarvei *m*
shorten ['ʃɔːtn] VT (+*visit, life etc*) forkorte (*v1*)
shortening ['ʃɔːtnɪŋ] s matfett *nt* (*til bakverk*)
shortfall ['ʃɔːtfɔːl] s svikt *m* ❑ *A shortfall of energy supplies...* En svikt i energitilførselen...
shorthand ['ʃɔːthænd] s (**a**) (*BRIT*) stenografi *m*
(**b**) (*fig*) (felles)benevnelse *m* ❑ *I'm using the term Catholic as shorthand for any religious group.* Jeg bruker uttrykket katolsk som benevnelse for en hvilken som helst religiøs gruppe.
▸ **to take sth down in shorthand** stenografere (*v2*) (ned) noe
shorthand notebook (*BRIT*) s stenografiblokk *c*
shorthand typist (*BRIT*) s maskinskriver *m* (som kan stenografi)
shortlist (*BRIT*) 1 s (*for job, prize etc*) innstillingsliste *c*
2 VT innstille (*v2x*) *or* sette* på kort liste
short-lived ['ʃɔːt'lɪvd] ADJ (*relief, support, success*) kortvarig
shortly ['ʃɔːtlɪ] ADV snart
▸ **shortly after(wards)** kort (tid) *or* snart etterpå
shorts [ʃɔːts] SPL shorts *m sg*
▸ **a pair of shorts** en shorts
short-sighted [ʃɔːt'saɪtɪd] ADJ (**a**) (*BRIT*) nærsynt
(**b**) (*fig*) kortsynt ❑ *He's being very short-sighted about this.* Han er svært kortsynt med hensyn til dette.
short-sightedness [ʃɔːt'saɪtɪdnɪs] s nærsynthet *c*; (*fig*) kortsynthet *c*
short-staffed [ʃɔːt'stɑːft] ADJ underbemannet
short story s novelle *c*
short-tempered [ʃɔːt'tɛmpəd] ADJ hissig, oppfarende
short-term ['ʃɔːttəːm] ADJ (*effect, borrowing*) kortsiktig
short time s ▸ **to work short time, to be on short time** ha* nedsatt arbeidstid, være* delvis permittert
short-wave ['ʃɔːtweɪv] ADJ kortbølge-
shot [ʃɔt] 1 PRET, PP *of* **shoot**
2 s (**a**) (*of gun, in sport*) skudd *nt* ❑ *...she heard a shot.* ...hun hørte et skudd. *Oh, good shot.* Å, bra skudd.
(**b**) (= *shotgun pellets*) hagl *nt* ❑ *We couldn't eat the bird, it was full of shot.* Vi kunne* ikke spise fuglen, den var full av hagl.
(**c**) (= *injection*) sprøyte *c* ❑ *...a shot of morphine...* en morfinsprøyte...
(**d**) (*FOTO*) bilde *nt*, skudd *nt*
▸ **to fire a shot at sb/sth** løsne (*v1*) (et) skudd mot noen/noe

▸ **to have a shot at (doing) sth** gjøre* et forsøk på (å gjøre) noe, prøve (*v3*) seg på (å gjøre) noe ❑ *I decided to have a shot at fixing the car myself.* Jeg bestemte meg for å gjøre* et forsøk på *or* å prøve meg på å reparere bilen selv.
▸ **to get shot of sb/sth** (*sl*) bli* kvitt noen/noe
▸ **a big shot** (*sl*) en av de store gutta (*sl*)
▸ **a good/poor shot** (*person*) en god/dårlig skytter ❑ *I'm not really a good shot but I enjoy shooting.* Jeg er ikke egentlig noen god skytter, men jeg liker å skyte.
▸ **like a shot** (= *without delay*) sporenstreks, på flekken

shotgun [ˈʃɔtgʌn] s haglegevær *nt*, hagle *c*

should [ʃud] H-VERB (= *ought to*) ▸ **I should go now** jeg burde gå* nå ▸ **he should be there now** han burde *or* skulle* være* der nå; (*conditional*) ▸ **I should go if I were you** jeg ville* gå* hvis jeg var deg ▸ **should he phone...** hvis han skulle* ringe...; (*polite*) ▸ **I should like a...** jeg vil *or* ville* gjerne ha...

shoulder [ˈʃəuldəʳ] [1] s skulder *m*
[2] VT (*fig: responsibility, blame*) påta* seg
▸ **to look over one's shoulder** kikke (*v1*) seg over skulderen
▸ **to rub shoulders with sb** (*fig*) være* med i det gode selskap av noen ❑ *It was an opportunity to rub shoulders with the rich and famous.* Det var en anledning til å være* med i det gode selskap med de rike og berømte.
▸ **to give sb the cold shoulder** (*fig*) gi* noen en kald skulder

shoulder bag s skulderveske *c*

shoulder blade s skulderblad *nt*

shoulder strap s (*on clothing*) skulderstropp *m*; (*on bag*) skulderre(i)m *c*

shouldn't [ˈʃudnt] = **should not**

shout [ʃaut] [1] s rop *nt* ❑ *...with shouts of joy.* ...med gledesrop.
[2] VT rope (*v2*) ❑ *He shouted his name.* Han ropte navnet hans.
[3] VI (*also* ***shout out***) rope (*v2*) ut, skrike* ut
▸ **to give sb a shout** skrike* ut (til noen) ❑ *Give me a shout when you're ready.* Skrik ut når du er ferdig.

▸ **shout down** VT (+*speaker*) overdøve (*v1 or v3*) (*som protest*) ❑ *Mr Healey was shouted down at a meeting in Birmingham.* Healey ble overdøvd på et møte i Birmingham.

shouting [ˈʃautɪŋ] s rop *pl*, roping *c*

shouting match (*sl*) s ▸ **to have a shouting match** skjelle (*v2x*) hverandre ut

shove [ʃʌv] [1] VT skubbe (*v1*), dytte (*v1*)
[2] s ▸ **to give sb/sth a shove** gi* noen/noe en dytt
▸ **to shove sth in** (*sl: put*) smette* inn noe (*sl*)
▸ **he shoved me out of the way** han skubbet *or* dyttet meg unna

▸ **shove off** (*sl*) VI pelle (*v1*) seg vekk (*sl*) ❑ *Shove off, I'm trying to read.* Pell deg vekk, jeg prøver å lese.

shovel [ˈʃʌvl] [1] s (*gen*) skuffe *c*; (*mechanical*) skovl *m*
[2] VT (+*snow, coal, earth*) skuffe (*v1*)

show [ʃəu] (*pt* **showed**, *pp* **shown**) [1] s (**a**) (*demonstration: of emotion*) uttrykk *nt* ❑ *...a real show of emotion.* ...et virkelig uttrykk for følelser.
(**b**) (= *semblance*) skinn *nt* ❑ *She put on a good show of looking interested.* Hun gav et godt skinn av å virke interessert.. Hun la seg i selen for å virke interessert.
(**c**) (*exhibition: flower show etc*) show *nt*, utstilling *c* ❑ *...village flower shows...* lokale blomstershow *or* blomsterutstillinger...
(**d**) (*TEAT, TV*) forestilling *c*, show *nt* ❑ *She has been appearing in a show in London.* Hun har vært med i en forestilling *or* et show i London.
(**e**) (*FILM*) forestilling *c*
[2] VT vise (*v2*) ❑ *The post-mortem shows that...* Obduksjonen viser at... *James hopes to show his picture at the Academy.* James håper å kunne* vise bildet sitt på akademiet. *The painting shows four athletes bathing.* Maleriet viser fire idrettsmenn som bader. *The ceremony was also shown on BBC 1.* Seremonien ble også vist på BBC 1.
[3] VI (= *be evident, appear*) synes (*v25*), vises (*v25*) ❑ *You've put hardly any effort into this and it shows.* Du har knapt anstrengt deg med dette, og det synes *or* vises. *Her face was covered, only her eyes showing.* Ansiktet hennes var dekket, bare øynene hennes syntes *or* vistes.
▸ **to show sb to his seat/to the door** vise noen (fram) til plassen sin/til døren
▸ **to show a profit/loss** oppvise (*v2*) gevinst/tap
▸ **it just goes to show that...** det bare viser at...
▸ **to ask for a show of hands** be* om en håndsopprekning
▸ **for show** for syns skyld ❑ *These regulations are just for show.* Disse reglene er bare for syns skyld.
▸ **on show** (*exhibits etc*) på utstilling
▸ **who's running the show here?** (*sl*) hvem er det som er sjefen her?

▸ **show in** VT (+*person*) vise (*v2*) inn

▸ **show off** [1] VI (*neds*) vise (*v2*) seg
[2] VT (= *display*) vise (*v2*) fram ❑ *He was eager to show off the new car.* Han var ivrig etter å vise fram den nye bilen.

▸ **show out** VT (+*person*) vise (*v2*) ut

▸ **show up** [1] VI (**a**) (= *stand out*) komme* tydelig fram ❑ *Dark colours will not show up against a similar background.* Mørke farger vil ikke komme tydelig fram mot en liknende bakgrunn.
(**b**) (*sl: turn up*) dukke (*v1*) opp, vise (*v2*) seg ❑ *I waited for an hour but he didn't show up.* Jeg ventet en time, men han dukket ikke opp *or* viste seg ikke.
[2] VT (= *uncover: imperfections etc*) avsløre (*v2*) ❑ *The light showed up the blemishes on her skin.* Lyset avslørte merkene på huden hennes.

showbiz s = **show business**

show business s underholdningsbransjen *m def*, show business *m*

showcase [ˈʃəukeɪs] s (**a**) glassmonter *m*, utstillingsmonter *m*
(**b**) (*fig*) oppvisning *m* ❑ *The tournament ought to be a showcase of European football.* Turneringen burde være* en oppvisning i

europeisk fotball.
showdown ['ʃəudaun] s oppgjør *nt*, oppvask *m*
shower ['ʃauəʳ] 1 s (**a**) (*of rain*) byge *m* ❑ *...scattered showers.* ...spredte regnbyger.
(**b**) (*of stones, sparks etc*) regn *nt* ❑ *...a shower of sparks from the fire.* ...et regn av gnister fra peisen.
(**c**) (*for bathing in*) dusj *m* ❑ *She turned on the shower.* Hun skrudde på dusjen.
(**d**) (*US: party*) *et selskap hvor hovedpersonen, særlig en vordende brud eller mor, får gaver*
2 VI dusje (*v1*) ❑ *I'll shave and shower and then...* Jeg skal barbere meg og dusje og så...
3 VT ▸ **to shower sb with sth** (**a**) (*+gifts, abuse etc*) overøse (*v2*) noen med noe
(**b**) (*+missiles*) la det regne av *or* med noe over noen
▸ **to have** *or* **take a shower** ta* (seg) en dusj
showercap ['ʃauəkæp] s dusjhette *c*
showerproof ['ʃauəpru:f] ADJ (*jacket, coat*) vannavstøtende
showery ['ʃauərı] ADJ (*weather*) byge-, med byger
showground ['ʃəugraund] s utstillingsområde *nt*
showing ['ʃəuıŋ] s (*of film*) framvisning *m*, forestilling *c* ❑ *...special late night showings.* ...spesielle nattforestillinger *or* nattframvisninger.
show jumping s sprangridning *m*
showman ['ʃəumən] *irreg* s (**a**) (*at fair, circus*) sirkusdirektør *m*
(**b**) (*fig*) moromann *m irreg* ❑ *Mr Perkins, always the showman, arrived on the back of a horse.* Perkins, som alltid var litt av en moromann, kom ridende på en hest.
showmanship ['ʃəumənʃıp] s sans *m* for PR
shown [ʃəun] PP *of* **show**
show-off ['ʃəuɔf] (*sl*) s skrytepave *m*, blære *c* (*sl*)
showpiece ['ʃəupi:s] s (**a**) (*of exhibition etc*) praktstykke *nt*
(**b**) (*fig*) praktstykke *nt*, mønsterbruk *nt* ❑ *That hospital is a showpiece...* Det sykehuset er et praktstykke *or* et mønsterbruk...
showroom ['ʃəurum] s salgshall *m*, salgslokale *nt*
show-stopper ['ʃəustɔpəʳ] s høydepunkt *n*
show trial s proformarettssak *m*; (*= media trial*) mediarettssak *m*
showy ['ʃəuı] ADJ prangende
shrank [ʃræŋk] PRET *of* **shrink**
shrapnel ['ʃræpnl] s shrapnel *m*
shred [ʃrɛd] 1 s (**a**) (*gen pl*) fille *c*, trevl *m* ❑ *...and ripped it to shreds.* ...og rev det i filler *or* trevler.
(**b**) (*fig: of truth, evidence*) fnugg *nt* ❑ *There isn't a shred of evidence...* Det er ikke fnugg av bevis...
2 VT (**a**) (*gen*) rive* i filler, trevle (*v1*) opp ❑ *Mice will shred things such as newspapers.* Mus vil trevle opp sånne ting som aviser.
(**b**) (*KULIN*) rive* ❑ *Carrots shredded in salad.* Gulrøtter revet i salat.
shredder ['ʃrɛdəʳ] s (*vegetable shredder*) råkostjern *nt*, rivjern *nt*; (*document shredder*) makuleringsmaskin *m*
shrew [ʃru:] s spissmus *c*; (*fig: neds: woman*) rivjern *nt* (*pej*)
shrewd [ʃru:d] ADJ (*businessman, assessment, investment*) smart, lur, skarpsindig
shrewdness ['ʃru:dnıs] s skarpsindighet *c*
shriek [ʃri:k] 1 s skrik *nt*, hyl *nt* ❑ *My sister gave a shriek of delight.* Søsteren min gav fra seg et skrik *or* hyl av fryd.
2 VI skrike*, hyle (*v2*) ❑ *Ralph shrieked with laughter.* Ralph skrek *or* hylte av latter.
shrift [ʃrıft] s ▸ **to give sb/sth short shrift** ta* lett på noen/noe
shrill [ʃrıl] ADJ (*cry, voice*) (høy og) skjærende, skingrende
shrimp [ʃrımp] s reke *c*
shrine [ʃraın] s (**a**) (*REL: place*) helligdom *m*
(**b**) (*container*) (relikvie)skrin *nt*
(**c**) (*fig*) minnesmerke *nt* ❑ *...her parents made her bedroom a shrine to her memory.* ...foreldrene gjorde soverommet hennes til et minnesmerke over henne.
shrink [ʃrıŋk] (*pt* **shrank**, *pp* **shrunk**) 1 VI (**a**) (*cloth+*) krype*, krympe (*v1*)
(**b**) (*= be reduced: profits, audiences*) skrumpe (*v1*) inn, minke (*v1*)
(**c**) (*also* ***shrink away***) rygge (*v1*) tilbake
2 VT (*+cloth*) krympe (*v1*) ❑ *Do not allow your washing to boil, or you may shrink it.* Ikke la vasken din få* koke, ellers krymper du den.
3 s (*sl: neds: psychiatrist*) psykiater *m*
▸ **to shrink from (doing) sth** kvie (*v1 or v4*) seg for (å gjøre) noe
shrinkage ['ʃrıŋkıdʒ] s krymping *c*
shrink-wrap ['ʃrıŋkræp] VT vakuumpakke (*v1*)
shrivel ['ʃrıvl] (*also* ***shrivel up***) 1 VT tørke (*v1*) inn, få* til å visne
2 VI tørke (*v1*) inn, visne (*v1*) ❑ *The seedlings had shrivelled up a bit in the hot sun.* Frøplantene har tørket inn *or* visnet litt i sola.
shroud [ʃraud] 1 s liksvøp *nt*
2 VT ▸ **shrouded in mystery** dekket av et slør av mystikk
Shrove Tuesday [ʃrəuv-] s fe(i)tetirsdag *m*
shrub [ʃrʌb] s busk *m*
shrubbery ['ʃrʌbərı] s *(del av) hage med prydbusker*
shrug [ʃrʌg] 1 s skuldertrekning *m* ❑ *The man nodded with a faint shrug of his shoulders.* Mannen nikket med en svak skuldertrekning.
2 VI trekke* på skuldrene
3 VT ▸ **to shrug one's shoulders** trekke* på skuldrene
▸ **shrug off** VT (*+criticism, illness*) slå* bort
shrunk [ʃrʌŋk] PP *of* **shrink**
shrunken ['ʃrʌŋkn] ADJ innskrumpet
shudder ['ʃʌdəʳ] 1 s grøss *nt*, gys *nt* ❑ *...sent a shudder of horror through the people.* ...fikk folk til å gyse *or* grøsse.
2 VI grøsse (*v1*), gyse (*v2*)
▸ **I shudder to think of it** (*fig*) jeg grøsser ved tanken (på det)
shuffle ['ʃʌfl] 1 VT (*+cards*) stokke (*v1*)
2 VI sjokke (*v1*), subbe (*v1*) ❑ *He slipped on his shoes and shuffled out of the room.* Han stakk føttene i skoene og sjokket *or* subbet ut av rommet.
▸ **to shuffle (one's feet)** subbe (*v1*) (med føttene)
shun [ʃʌn] VT sky (*v4*)

shunt [ʃʌnt] VT pense (*v1*)
shunting yard s skiftetomt *c*
shush [ʃuʃ] INTERJ hysj
shut [ʃʌt] (*pt, pp* **shut**) [1] VT (**a**) (*+door, drawer, mouth*) lukke (*v1*)
(**b**) (*+shop*) lukke (*v1*), stenge (*v2*)
[2] VI (**a**) (*door, window+*) bli* lukket *or* stengt, lukke (*v1*) seg
(**b**) (*shop+*) lukke (*v1*), stenge (*v2*)
(**c**) (*mouth, eyes+*) lukke (*v1*) seg
▸ **shut down** [1] VT (**a**) (*factory etc*) stenge (*v2*), nedlegge*
(**b**) (*+machine*) legge* ned
[2] VI stenge (*v2*)
▸ **shut off** VT (*+supply etc*) stenge (*v2*) (av)
▸ **shut out** VT (**a**) (*+person, cold, noise*) stenge (*v2*) ute
(**b**) (*= block: view*) stenge (*v2*) for
(**c**) (*+thought, memory of sth*) undertrykke (*v2x*), fortrenge (*v2*)
▸ **shut up** [1] VI (*sl: keep quiet*) holde* kjeft (*sl*) ❑ *Why don't you shut up?* Hvorfor holder du ikke kjeft?
[2] VT (*= silence*) få* til å holde kjeft ❑ *Turn the television on. That usually shuts them up.* Skru på tv'en. Det får dem vanligvis til å holde kjeft.
shutdown ['ʃʌtdaun] s (**a**) (*temporary*) lukning *m*, stengning *m* ❑ *...a shutdown between 3 and 5 pm.* ...lukning *or* stengning mellom klokka 15 og 17.
(**b**) (*permanent*) stengning *m*, nedleggelse *m* ❑ *After the riot in the club, the council ordered its shutdown.* Etter opptøyene i klubben, beordret kommunestyret stengning *or* nedleggelse.
shutter ['ʃʌtə[r]] (*on window*) skodde *m*, (vindus)lem *m*; (FOTO) lukker *m*
shuttle ['ʃʌtl] [1] s (**a**) (*plane etc*) fly *nt etc* i (non-stop) rutetrafikk [NB] *...the nine o'clock shuttle to New York.* ...ni-flyet til New York.
(**b**) (*space shuttle*) romferge *c*
(**c**) (*also* ***shuttle service***) skytteltrafikk *m* ❑ *...a shuttle bus service was employed.* ...det ble brukt busser i skytteltrafikk.
(**d**) (*for weaving*) skyttel *m*
[2] VI (*vehicle, person+*) ▸ **to shuttle to and fro/ between** pendle (*v1*) fram og tilbake/mellom
[3] VT (*+passengers*) frakte (*v1*) (i puljer) ❑ *Troops were shuttled down to the battle area.* Det ble fraktet tropper ned til kampområdet.
shuttlecock ['ʃʌtlkɔk] s (badminton)ball *m*, fjærball *m*
shuttle diplomacy s skytteldiplomati *nt*
shy [ʃaɪ] [1] ADJ (**a**) (*person*) sjenert, sky
(**b**) (*= timid: animal*) sky
[2] VI ▸ **to shy away from doing sth** (*fig*) vike* tilbake for å gjøre* noe
▸ **to fight shy of** prøve (*v3*) å slippe unna
▸ **to be shy of doing sth** være* redd for å gjøre* noe, sjenere (*v2*) seg for å gjøre* noe
shyly ['ʃaɪlɪ] ADV (*smile, say*) sjenert, forlegent
shyness ['ʃaɪnɪs] s sjenanse *m*
Siam [saɪ'æm] s Siam
Siamese [saɪə'mi:z] ADJ ▸ **Siamese (cat)** siamesisk katt *m*, siameser *m*
▸ **Siamese twins** siamesiske tvillinger
Siberia [saɪ'bɪərɪə] s Sibir
sibling ['sɪblɪŋ] s bror/søster
▸ **siblings** søsken *pl*
▸ **sibling rivalry** søskenkrangel *m*
Sicilian [sɪ'sɪlɪən] [1] ADJ siciliansk
[2] s (*person*) sicilianer *m*
Sicily ['sɪsɪlɪ] s Sicilia
sick [sɪk] ADJ (**a**) (*= ill*) syk (*var:* sjuk)
(**b**) (*humour, joke*) pervers, syk
▸ **to be sick** (*= vomit*) kaste (*v1*) opp, spy (*v4*) ❑ *He was kneeling by the lavatory being violently sick.* Han satt på kne ved toalettet og kastet voldsomt opp *or* spydde voldsomt.
▸ **to feel sick** være* kvalm, føle (*v2*) seg kvalm
▸ **to fall sick** bli* syk
▸ **to be (off) sick** ha* sykepermisjon, være* sykmeldt
▸ **to be sick of** (*fig*) være* lut lei av
sickbag ['sɪkbæg] s spypose *m*, oppkastpose *m*
sickbay ['sɪkbeɪ] s sykestue *c*
sickbed ['sɪkbɛd] s sykeseng *c*, sykeleie *nt* ❑ *...to rise from his sickbed.* ...reise seg fra sykesengen sin *or* sykeleiet sitt.
sick building syndrome s *hodepine og allergi som skyldes dårlig inneklima*
sicken ['sɪkn] [1] VT gjøre* kvalm
[2] VI ▸ **to be sickening for a cold/flu** brygge (*v1*) på en forkjølelse/influensa
sickening ['sɪknɪŋ] ADJ (*fig*) kvalm, vemmelig ❑ *That's the most sickening thing I ever heard.* Det er det kvalmeste *or* vemmeligste jeg har hørt noen gang.
sickle ['sɪkl] s sigd *m*
sick leave s sykepermisjon *m* ❑ *She's on sick leave at the moment.* Hun er sykmeldt *or* har sykepermisjon for øyeblikket.
sickle-cell anaemia s sigdcelleanemi *m*
sick list s ▸ **to be on the sick list** være* sykmeldt, stå på sykelisten
sickly ['sɪklɪ] ADJ (*child, plant*) sykelig; (*= causing nausea: smell*) kvalmende
sickness ['sɪknɪs] s (**a**) (*= illness*) sykdom *m* ❑ *...people who are not working because of sickness.* ...folk som ikke jobber på grunn av sykdom.
(**b**) (*= vomiting*) kvalme *m* ❑ *...sickness and diarrhoea.* ...kvalme og diaré.
sickness benefit s sykepenger *pl*, syketrygd *m*
sick note s sykmelding *c*
sick pay s sykelønn *c*
sickroom ['sɪkru:m] s sykerom *nt*, sykeværelse *nt*
side [saɪd] [1] s (**a**) (*of object, body, road, lake, paper, hill; aspect, in conflict*) side *c* ❑ *...his side of the bed.* ...sin side av sengen. *She lay on her side...* Hun lå på siden... *The streets had houses on both sides.* Gatene hadde hus på begge sider. *What does the leaflet say on the other side?* Hva står det på den andre siden av flyvebladet? *...the practical side of things.* ...den praktiske siden av sakene. *They made a fortune by selling arms to both sides.* De tjente en formue ved å selge våpen til begge sidene.
(**b**) (*team*) lag *nt* ❑ *We beat the Scottish First Division side.* Vi slo det skotske førstedivisjonslaget.

2 ADJ (*door, entrance*) side- ❑ *He left the side door open.* Han lot sidedøra stå åpen.
3 VI ▸ **to side with sb** ta* noens side, holde* med noen
▸ **by the side of** ved siden av
▸ **side by side** side ved side, ved siden av hverandre
▸ **the right/wrong side** riktig/gal *or* feil side, den riktige/gale siden
▸ **they are on our side** de er på vår side
▸ **she never left my side** hun vek aldri fra min side
▸ **to put sth to one side** legge* noe til side
▸ **from side to side** fra side til side
▸ **to take sides (with sb)** velge* (noens) side, ta* parti (for noen)

sideboard ['saɪdbɔ:d] S sjenk *m*, buffet *m*
▸ **sideboards** (*BRIT*) SPL kinnskjegg *nt sg*

sideburns ['saɪdbə:nz] SPL kinnskjegg *nt sg*

sidecar ['saɪdkɑ:ʳ] S sidevogn *c*

side dish S tilleggsrett *m* (*som serveres ved siden av en hovedrett*)

side drum S skarptromme *c*, lilletromme *c*

side effect S bivirkning *m*

sidekick ['saɪdkɪk] (*sl*) S håndlanger *m*

sidelight ['saɪdlaɪt] S parkeringslys *nt*, kjørelys *nt*

sideline ['saɪdlaɪn] S (**a**) (*SPORT*) sidelinje *c*
(**b**) (*fig: supplementary job*) bijobb *m*, ekstrajobb *m*
▸ **to wait/stand on the sidelines** (*fig*) vente (*v1*)/stå* på sidelinjen

sidelong ['saɪdlɔŋ] ADJ (*glance*) sidelengs
▸ **to give sb a sidelong glance** gi* noen et sideblikk

side plate S asjett *m*

side road S sidevei *m*

side-saddle ['saɪdsædl] ADV (*ride*) i damesal

sideshow ['saɪdʃəu] S tivolibod *m*

sidestep ['saɪdstɛp] 1 VT (*fig: problem, question*) gå* utenom, vike* unna ❑ *...a book that does not sidestep important questions.* ...en bok som ikke går utenom *or* viker unna viktige spørsmål.
2 VI (*BOKSING etc*) sidesteppe (*v1*)

side street S sidegate *c*

sidetrack ['saɪdtræk] VT (*fig*) avlede (*v1*), distrahere (*v2*) ❑ *I told him that I'd been sidetracked by Mr Starke.* Jeg fortalte ham at jeg hadde blitt avledet *or* distrahert av Starke.

sidewalk ['saɪdwɔ:k] (*US*) S fortau *nt*

sideways ['saɪdweɪz] ADV (*go in*) sidelengs; (*lean*) til siden; (*look*) sidelengs, til siden

siding ['saɪdɪŋ] (*JERNB*) S sidespor *nt*

sidle ['saɪdl] VI ▸ **to sidle up (to)** snike* seg bort (til), smyge* seg bort (til)

SIDS (*MED*) S FK (= **sudden infant death syndrome**) krybbedød *m*

siege [si:dʒ] S beleiring *c* ❑ *...the siege of Mafeking.* ...beleiringen av Mafeking.
▸ **to be under siege** være* beleiret
▸ **to lay siege to** beleire (*v1*)

Sierra Leone [sɪ'ɛrəlɪ'əun] S Sierra Leone

siesta [sɪ'ɛstə] S siesta *m* ❑ *...take a siesta...* ta* siesta...

sieve [sɪv] 1 S (*for flour etc*) sikt *m*; (*for soup etc*) dørslag *nt*
2 VT (*+flour etc*) sikte (*v1*); (*+soup etc*) sile (*v2*)

sift [sɪft] VT (*+flour, sand etc*) sikte (*v1*); (*also* **sift through**: *evidence, documents*) filtrere (*v2*)

sigh [saɪ] 1 S sukk *nt*
2 VI sukke (*v1*)
▸ **to breathe a sigh of relief** trekke* et lettelsens sukk

sight [saɪt] 1 S (**a**) (*faculty, sth seen*) syn *nt* ❑ *Her sight is failing.* Synet hennes var i ferd med å svikte. *It was an awe-inspiring sight.* Det var et fryktinngytende syn.
(**b**) (*monument etc*) severdighet *c*
(**c**) (*on gun*) sikte *nt* ❑ *...adjust the sights...* juster siktene...
2 VT se* ❑ *The missing woman has been sighted in the Birmingham area.* Den forsvunne kvinnen har blitt sett i Birminghamområdet.
▸ **in sight** i sikte
▸ **on sight** (*shoot*) på flekken, straks (*man får øye på noe*)
▸ **out of sight** ute av syne
▸ **at sight** (*MERK*) ved sikt
▸ **at first sight** ved første øyekast *or* blikk
▸ **I know her by sight** jeg kjenner henne av utseende
▸ **to catch sight of sb/sth** få* øye på noen/noe
▸ **to lose sight of sth** (*fig*) tape (*v2*) noe av syne
▸ **to set one's sights on sth** kaste (*v1*) sitt blikk på noe

sighted ['saɪtɪd] ADJ (*person*) seende
▸ **partially sighted** svaksynt

sightseeing ['saɪtsi:ɪŋ] S sightseeing *m*
▸ **to go sightseeing** dra* på sightseeing

sightseer ['saɪtsi:əʳ] S turist *m*

sign [saɪn] 1 S (**a**) (*notice*) skilt *nt* ❑ *A sign saying "No Exit"...* Et skilt med "Ingen utgang"...
(**b**) (*with hand, evidence, indication*) tegn *nt* ❑ *Through signs she communicated that...* Ved hjelp av tegn meddelte hun at... *This is a sure sign of woodworm.* Dette er et sikkert tegn på mark i treverket. *All the signs are that...* Alle tegn tyder på at...
2 VT (**a**) (*+document*) undertegne (*v1*), skrive* under, signere (*v2*)
(**b**) (*FOTB etc: player*) engasjere (*v2*) ❑ *The player was signed for 250,000 pounds.* Spilleren hadde skrevet kontrakt på 250 000 pund.
▸ **plus/minus sign** plusstegn/minustegn
▸ **a sign of the times** et tegn i tiden
▸ **it's a good/bad sign** det er et godt/dårlig tegn
▸ **there's no sign of her changing her mind** det er ingen tegn på at hun vil ombestemme seg
▸ **he was showing signs of improvement** han viste tegn til forbedring
▸ **to sign one's name** skrive* navnet sitt
▸ **to sign sth over to sb** overføre (*v2*) noe til noen

▸ **sign away** VT (*+rights etc*) fraskrive* seg

▸ **sign in** VI skrive* seg inn

▸ **sign off** VI (**a**) (*RADIO, TV*) avslutte (*v1*) sendingen
(**b**) (*in letter*) (av)slutte (*v1*)

▸ **sign on** 1 VI (**a**) (*MIL*) melde (*v2*) seg (til tjeneste) ❑ *He signed on the next morning with the RAF.* Han meldte seg til tjeneste i RAF neste morgen.
(**b**) (*BRIT: as unemployed*) melde (*v2*) seg (på trygdekontoret) ❑ *You have to sign on every*

fortnight when you are unemployed. Du må melde deg på trygdekontoret hver fjortende dag når du er arbeidsledig.
(**c**) (*for course*) melde (*v2*) seg ❑ *You could sign on for a full-time course in word processing.* Du kunne* melde deg på et heltidskurs i tekstbehandling.
[2] VT (**a**) (*MIL : recruits*) skrive* inn
(**b**) (*+employee*) engasjere (*v2*), ansette*
► **sign out** VI skrive* seg ut
► **sign up** [1] VI (**a**) (*MIL*) melde (*v2*) seg til militærtjeneste, verve (*v1*) seg
(**b**) (*for course*) melde (*v2*) seg ❑ *What made you decide to sign up for that art course?* Hva fikk deg til å bestemme deg for å melde deg på det kunstkurset?
[2] VT (*+player, recruit*) engasjere (*v2*) ❑ *The local police force has failed to sign up a single Asian.* Det lokale politiet har ikke engasjert en eneste asiat.
signal ['sɪgnl] [1] s signal *nt*
[2] VI (*BIL*) gi* tegn ❑ *If you're going to stop you're supposed to signal.* Hvis du skal stoppe, skal du gi* tegn.
[3] VT (*+person*) gi* tegn til ❑ *Signal the driver to move off.* Gi tegn til sjåføren om å flytte seg.
▸ **to signal a right/left turn** gi* høyre-/venstresignal
signal box s blokkpost *m*
signalman ['sɪgnlmən] *irreg* s signalmann *m irreg*, stillverksbetjent *m*
signatory ['sɪgnətərɪ] s underskriver *m* ❑ *As a signatory to the North Atlantic Treaty...* Som underskriver på Nordatlanterhavspakten...
signature ['sɪgnətʃəʳ] s (**a**) signatur *m*, underskrift *c*, navnetrekk *nt*
(**b**) (*ZOOL*) signatur *m*, kjennemerke *nt* ❑ *The male cat uses scent as a signature.* Hannkatten bruker lukt som signatur *or* kjennemerke.
signature tune s kjenningsmelodi *m*
signet ring ['sɪgnət-] s signetring *m*
significance [sɪg'nɪfɪkəns] s betydning *m* ❑ *...the significance of Marxism...* marxismens betydning... *the true significance of the name.* ...den virkelige betydningen av navnet.
▸ **that is of no significance** det er ikke av noen betydning
significant [sɪg'nɪfɪkənt] ADJ (**a**) (*= important : amount, discovery, contribution*) betydningsfull
(**b**) (*= full of meaning : look, smile*) megetsigende
▸ **it is significant that...** det er betydningsfullt *or* av betydning at...
significantly [sɪg'nɪfɪkəntlɪ] ADV (*improve, increase*) betydelig; (*smile*) megetsigende
signify ['sɪgnɪfaɪ] VT (**a**) (*= mean : symbol, number*) bety (*v4*) ❑ *A P in a circle signifies a multi-storey car park.* En P i en sirkel betyr et parkeringshus.
(**b**) (*= imply : clothing, badge*) betegne (*v1*) ❑ *...the orange robes that signify a follower of Hare Krishna.* ...de oransje kappene som betegner en Hare Krishnatilhenger.
(**c**) (*person+*) tilkjennegi* ❑ *I closed the file as if to signify that...* Jeg lukket mappen som for å tilkjennegi at...
signing ['saɪnɪŋ] (*FOTB*) s oppkjøp *n*
sign language s tegnspråk *nt*; (*for the deaf*) døvespråk *nt*
signpost ['saɪnpəust] s (**a**) (vei)skilt *nt* ❑ *We drove past a signpost I couldn't read.* Vi kjørte forbi et (vei)skilt jeg ikke kunne* lese.
(**b**) (*fig*) pekepinn *m* ❑ *...signposts to the future.* ...pekepinner om framtiden.
Sikh [siːk] [1] s sikh *m*
[2] ADJ sikh-
silage ['saɪlɪdʒ] s (*fodder*) silofôr *nt*
silence ['saɪləns] [1] s stillhet *c*
[2] VT (*+person, opposition*) bringe* til taushet
▸ **in silence** i taushet, i stillhet
silencer ['saɪlənsəʳ] s (*on gun*) lyddemper *m*; (*BRIT : BIL*) lydpotte *c*, eksospotte *c*
silent ['saɪlənt] ADJ (**a**) (*place, prayer*) stille
(**b**) (*person*) stille, taus
(**c**) (*machine*) lydløs, stillegående
(**d**) (*film*) stum- ❑ *...my first silent film.* ...min første stumfilm.
▸ **to remain silent** forholde* seg taus *or* stille
silently ['saɪləntlɪ] ADV stille, lydløst
silent partner s passiv kompanjong *m*, sleeping partner *m*
silhouette [sɪluː'ɛt] [1] s silhuett *m*
[2] VT ▸ **silhouetted against** som står/stod i silhuett mot
silicon ['sɪlɪkən] s silisium *nt*
silicon chip s silisiumbrikke *c*
silicone ['sɪlɪkəun] s silikon *nt*
Silicon Valley s Silicon Valley
silk [sɪlk] [1] s silke *m*
[2] ADJ (*scarf, shirt*) silke-
silky ['sɪlkɪ] ADJ (*material, skin*) silkeaktig, silkebløt
sill [sɪl] s (*also* **window sill**) vindusbrett *nt*, vinduspost *m*; (*of door*) (dør)terskel *m*, dørstokk *m*; (*BIL*) stigbrett *nt*
silly ['sɪlɪ] ADJ (*person, idea*) dum, tåpelig
▸ **to do something silly** gjøre* noe dumt
silo ['saɪləu] s (*on farm*) silo *m*
silt [sɪlt] s slam *nt*, grums *nt*
► **silt up** [1] VI bli* tilslammet
[2] VT (til)slamme (*v1*)
silver ['sɪlvəʳ] [1] s (**a**) (*metal*) sølv *nt* ❑ *...a little box made of solid silver.* ...en liten eske laget av ekte sølv.
(**b**) (*coins*) mynter *pl* (*av sølv/nikkel*) ❑ *Can you give me a pound in silver?* Kan du gi* meg et pund i mynter?
(**c**) (*= items made of silver*) sølv *nt*, sølvtøy *nt* ❑ *The silver and the glasses sparkled in the candlelight.* Sølvet *or* sølvtøyet og glassene gnistret i det levende lyset.
[2] ADJ (**a**) (*colour*) sølvfarget, sølvgrå
(**b**) (*= made of silver*) sølv-, i *or* av sølv ❑ *...beautiful silver coffee pots.* ...nydelige kaffekanner i sølv.
silver foil (*BRIT*) s sølvfolie *m*
silver paper (*BRIT*) s sølvpapir *nt*
silver-plated [sɪlvə'pleɪtɪd] ADJ forsølvet, i sølvplett
silversmith ['sɪlvəsmɪθ] s sølvsmed *m*
silverware ['sɪlvəwɛəʳ] s sølvtøy *nt*
silver wedding (anniversary) s sølvbryllup *nt*
silvery ['sɪlvrɪ] ADJ (**a**) (*colour*) sølvfarget ❑ *His hair is silvery now.* Håret hans er sølvfarget nå.

(**b**) (*sound*) sølvklar, klokkeklar ❑ *...the silvery chime of the old clock.* ...de sølvklare *or* klokkeklare slagene fra den gamle klokka.
▸ **silver-grey** sølvgrå

similar ['sɪmɪləʳ] ADJ ▸ **to be similar (to)** være* lik, likne (*v1*) på ❑ *They are very similar in appearance and size.* De er svært like *or* likner svært på hverandre i utseende og størrelse.

similarity [sɪmɪ'lærɪtɪ] s (**a**) likhet *m* ❑ *Liverpool has a certain similarity to Marseilles.* Liverpool har en viss likhet med Marseilles.
(**b**) (*similar feature*) likhetstrekk *nt* ❑ *Many species have close similarities with one another.* Mange arter har nære likhetstrekk med hverandre.

similarly ['sɪmɪləlɪ] ADV (**a**) (= *in a similar way*) på (en) liknende måte, likeens ❑ *This wasn't an isolated occurrence – other members of our group were treated similarly.* Dette var ikke noe isolert tilfelle – andre medlemmer av gruppen vår ble behandlet likeens *or* på en liknende måte.
(**b**) (= *likewise*) likeens ❑ *You should notify us of any change in address. Similarly, you should notify us of any change in your status.* De bes meddele oss enhver adresseforandring. Likeens bes De meddele oss enhver endring av status.

simile ['sɪmɪlɪ] s simile *m*

simmer ['sɪməʳ] VI småkoke (*v2*), (stå og) trekke* ❑ *The soup was simmering on the stove.* Suppen stod og trakk *or* småkokte på komfyren.

▸ **simmer down** (*sl*) VI (*fig*) hisse (*v1*) seg ned ❑ *The trip gave me time to simmer down.* Turen gav meg tid til å hisse meg ned.

simper ['sɪmpəʳ] VI flire (*v2*) (tåpelig)

simpering ['sɪmprɪŋ] ADJ (*person, smile*) fjollet(e)

simple ['sɪmpl] ADJ (**a**) (= *easy*) enkel, lett ❑ *The solution is very simple.* Løsningen er svært enkel.
(**b**) (= *plain: dress, life*) enkel ❑ *...a tall woman in a simple brown dress.* ...en høy kvinne i en enkel, brun kjole.
(**c**) (= *foolish*) enfoldig ❑ *Noreen despised Joyce's mother and said she was simple.* Noreen foraktet moren til Joyce og sa hun var enfoldig.
▸ **the simple truth** den rene og skjære sannhet

simple interest s enkel *or* vanlig rente *c*

simple-minded [sɪmpl'maɪndɪd] (*neds*) ADJ (*person, attitude, approach*) enfoldig

simpleton ['sɪmpltən] s tosk *m*, tåpe *m*

simplicity [sɪm'plɪsɪtɪ] s enkelhet *c*

simplification [sɪmplɪfɪ'keɪʃən] s forenkling *c*

simplify ['sɪmplɪfaɪ] VT forenkle (*v1*)

simply ['sɪmplɪ] ADV (**a**) (= *just, merely*) ganske enkelt, simpelthen ❑ *It's simply a question of hard work.* Det er ganske enkelt *or* simpelthen et spørsmål om hardt arbeid.
(**b**) (= *in a simple way: live, talk*) enkelt ❑ *This puts the matter somewhat too simply.* Det er å framstille saken litt for enkelt.

simulate ['sɪmjuleɪt] VT (+*enthusiasm, innocence*) simulere (*v2*)

simulated ['sɪmjuleɪtɪd] ADJ (*hair, fur*) imitert, kunstig; (*explosion, orgasm*) simulert

simulation [sɪmju'leɪʃən] s simulering *c* ❑ *...computer modelling and simulation.* ...dataoppbygging og simulering.

simultaneous [sɪməl'teɪnɪəs] ADJ (*gen*) samtidig; (*translation*) simultan; (*broadcast*) (som sendes) samtidig

simultaneously [sɪməl'teɪnɪəslɪ] ADV samtidig, på en gang

sin [sɪn] 1 s synd *m* ❑ *They believed they were being punished for their sins.* De trodde de ble straffet for syndene sine.
2 VI synde (*v1*) ❑ *You have sinned against the Lord.* Du har syndet mot Herren.

Sinai ['saɪneɪaɪ] s Sinai

since [sɪns] 1 ADV siden, se(i)nere ❑ *I wrote this last year, but I've since revised it.* Jeg skrev dette i fjor, men jeg har siden *or* senere revidert det.
2 PREP, KONJ (*all senses*) siden ❑ *We hadn't seen each other since that time.* Vi hadde ikke sett hverandre siden den tiden. *...since I was three.* ...siden jeg var tre år. *Since it was Saturday...* Siden det var lørdag...
▸ **since then, ever since** siden (da)

sincere [sɪn'sɪəʳ] ADJ (*person, apology, belief*) oppriktig

sincerely [sɪn'sɪəlɪ] ADV oppriktig
▸ **Yours sincerely** (*in letter*) ≈ Med (vennlig) hilsen

sincerity [sɪn'sɛrɪtɪ] s oppriktighet *c*

sine [saɪn] s sinus *m*

sine qua non [sɪnɪkwɑː'nɔn] s absolutt betingelse *m or* forutsetning *m*

sinew ['sɪnjuː] s sene *m*

sinful ['sɪnful] ADJ (*thought, person*) syndig

sing [sɪŋ] (*pt* **sang**, *pp* **sung**) VTI synge*

Singapore [sɪŋgə'pɔːʳ] s Singapore

singe [sɪndʒ] VT svi (*v4*)

singer ['sɪŋəʳ] s sanger *m*

Singhalese [sɪŋə'liːz] ADJ = **Sinhalese**

singing ['sɪŋɪŋ] s sang *m* ❑ *The dancing and singing ended at midnight.* Dansen og sangen sluttet ved midnatt.
▸ **a singing in the ears** en synging for ørene

single ['sɪŋgl] 1 ADJ (**a**) (= *solitary, individual*) enkelt ❑ *We heard a single shot...* Vi hørte et enkelt skudd... *We are dealing not only with single cells but with groups of cells.* Vi steller ikke bare med enkelte celler, men med grupper av celler.
(**b**) (= *unmarried, not double*) enslig
2 s (**a**) (*BRIT: **single ticket***) enveisbillett *m* ❑ *...a single to London.* ...en enveisbillett til London.
(**b**) (*record*) singel *m*, singelplate *c* ❑ *...two of the best-selling singles...* to av de mest solgte singlene *or* singelplatene...
▸ **not a single one was left** det var ikke en eneste en igjen
▸ **every single day** hver eneste dag

▸ **single out** VT skille (*v2x*) ut ❑ *...singled out for special praise.* ...skilt ut og rost spesielt. *She singled him out at once as a possible victim.* Hun skilte ham ut med en gang som et mulig offer.

single bed s enkeltseng *c*

single-breasted ['sɪŋglbrɛstɪd] ADJ enkeltspent

Single European Market s ▸ **the Single European Market** EFs indre marked

single file s ▸ **in single file** på rekke og rad

single-handed [sɪŋgl'hændɪd] ADV egenhendig, alene
single-minded [sɪŋgl'maɪndɪd] ADJ målrettet
single parent S enslig mor/far, enslig forsørger *m*, eneforsørger *m*
single room S enkeltrom *nt*
singles ['sɪŋglz] SPL (*TENNIS*) single *m sg*
singles bar S bar *m* for enslige
single-sex school S ren gutte-/pikeskole *m*
▸ **education in single-sex schools** skolegang på pike-/gutteskole
singly ['sɪŋglɪ] ADV hver for seg ❑ *I am prepared to see a husband and wife singly or together.* Jeg er beredt til å treffe mann og kone hver for seg eller sammen.
singsong ['sɪŋsɔŋ] 1 ADJ (*tone*) syngende, messende
2 S ▸ **to have a singsong** synge* allsang
singular ['sɪŋgjuləʳ] 1 ADJ (**a**) (= *odd*) eiendommelig, besynderlig ❑ *...his singular manner of dress.* ...hans eiendommelige *or* besynderlige måte å kle seg på.
(**b**) (= *outstanding*) enestående ❑ *...a lady of singular beauty.* ...en enestående vakker kvinne.
(**c**) (*LING*) entalls- ❑ *What is the singular form of "media"?* Hva er entallsformen av "media"?
2 S (*LING*) entall *nt* ❑ *The singular of "lice" is "louse".* Entall av "lice" er "lus".
▸ **in the feminine singular** i hunkjønn entall
singularly ['sɪŋgjuləlɪ] ADV (*strange, boring*) usedvanlig
Sinhalese [sɪnhə'li:z] ADJ singalesisk
sinister ['sɪnɪstəʳ] ADJ illevarslende, skummel
sink [sɪŋk] (*pt* **sank**, *pp* **sunk**) 1 S oppvaskkum *m* ❑ *...the kitchen sink.* ...oppvaskkummen (på kjøkkenet).
2 VT (**a**) (*+ship*) senke (*v1*)
(**b**) (*+well*) grave (*v3*)
(**c**) (*+foundations*) grave (*v3*) ned
3 VI (**a**) (*ship, heart, spirits, ground+*) synke* NB *His heart sank at the thought.* Hjertet hans sank i ham ved tanken.
(**b**) (*also* **sink down**) synke* (ned) ❑ *She sank to her knees in exhaustion.* Hun sank ned på kne av utmattelse.
▸ **to sink sth into** (*+teeth, claws etc*) sette* noe i ❑ *He sank his teeth into a juicy steak.* Han satte tennene i en saftig biff.
▸ **he sank into a chair/the mud** han sank ned i en stol/leira
▸ **that sinking feeling** den ekle følelsen
▸ **sink in** VI (*fig: words*) synke* inn ❑ *It took a moment or two for her words to sink in.* Det tok et øyeblikk eller to før ordene hennes sank inn.
sinking fund S avskrivningsfond *nt*
sink unit S oppvaskbenk *m*
sinner ['sɪnəʳ] S synder *m*
Sinn Fein [ʃɪn'feɪn] S *den politiske grenen av den Irske republikanske armé*
Sino- ['saɪnəu] PREF kinesisk-, sino-
sinuous ['sɪnjuəs] ADJ (*snake, dance*) smidig
sinus ['saɪnəs] S bihule *m*
sip [sɪp] 1 S liten slurk *m*
2 VT nippe (*v1*) til ❑ *The guests were sipping their drinks.* Gjestene nippet til drinkene sine.
siphon ['saɪfən] S hevert *m*
▸ **siphon off** VT (*+liquid*) tappe (*v1*) (med hevert); (*+money*) stikke* unna
SIPS S FK (= **side impact protection system**) *sidebeskyttelse*
sir [səʳ] S *tittel for lavadel, høflig tiltaleform* ❑ *What would you like, sir?* Hva ønsker De?
▸ **Sir John Smith** Sir John Smith
▸ **yes, sir** ja
▸ **Dear Sir** (*in letter*) *vanlig åpning på forretningsbrev som avsluttes med "yours faithfully", not normally translated*
siren ['saɪərn] S sirene *c* ❑ *...the wail of police sirens.* ...ulet fra politisirener.
sirloin ['sə:lɔɪn] S (*also* **sirloin steak**) ≈ mørbradsteik *c*
sirocco [sɪ'rɔkəu] S sjirokko *m*
sisal ['saɪsəl] S sisal *m*
sissy ['sɪsɪ] (*sl*) S mammadalt *m* (*sl*)
sister ['sɪstəʳ] 1 S (*all senses*) søster *c* ❑ *Have you got any brothers and sisters?* Har du noen brødre eller søstre? *The Sisters taught her a love of religion.* Søstrene lærte henne kjærlighet til religionen.
2 SAMMENS ▸ **sister organization** søsterorganisasjon *m*
▸ **sister ship** søsterskip
sister-in-law ['sɪstərɪnlɔ:] S svigerinne *c*
sit [sɪt] (*pt, pp* **sat**) 1 VI (**a**) (= *sit down*) sette* seg (ned) ❑ *A strange woman came and sat next to her.* En merkelig kvinne kom og satte seg ned ved siden av henne.
(**b**) (= *be sitting*) sitte* ❑ *She was sitting on the edge of the bed.* Hun satt på sengekanten.
(**c**) (*assembly+*) sitte* sammen, holde* møte ❑ *The House sat until after midnight.* Tinget satt sammen *or* holdt møte til etter midnatt.
(**d**) (*for painter*) sitte* (modell) ❑ *She had sat for famous painters like Rossetti.* Hun hadde sittet (modell) for berømte malere som Rossetti.
2 VT (*+exam*) være* oppe til/skulle opp til ❑ *After the third term we'll be sitting the exam.* Etter den tredje terminen skal vi opp til eksamen.
▸ **to sit on a committee** sitte* i en komité
▸ **to sit tight** holde* seg i ro ❑ *Just sit tight and wait...* Bare hold dere i ro og vent...
▸ **sit about** VI sitte* på baken ❑ *We were tired of sitting about waiting for something to happen.* Vi var trette av å sitte på baken og vente på at noe skulle* skje.
▸ **sit around** VI = **sit about**
▸ **sit back** VI (*in seat*) lene (*v2*) seg tilbake
▸ **sit down** VI (*from standing*) sette* seg ned ❑ *I was looking for a place to sit down.* Jeg så etter et sted å sette meg ned.
▸ **to be sitting down** sitte* ❑ *Everyone was already sitting down when I entered.* Alle satt allerede *or* hadde allerede satt seg da jeg kom inn.
▸ **sit in on** VT FUS være* til stede ved, være* med og høre på
▸ **sit up** VI (**a**) (= *move upright*) sette* seg opp
(**b**) (= *not go to bed*) sitte* oppe ❑ *Sometimes I sit up reading until three in the morning.* Noen ganger sitter jeg oppe og leser til tre om

morgenen.

sitcom ['sɪtkɔm] (*TV*) S FK = **situation comedy**

sit-down ['sɪtdaun] ADJ ▸ **sit-down strike** sittestreik *m*, sitt-ned-streik *m*
▸ **sit-down meal** *måltid hvor man sitter til bords*

site [saɪt] 1 S (**a**) (*place*) sted *nt* (*hvor noe spesielt har skjedd*) ❑ *The castle is said to be the site of the murder.* Slottet sies å være* stedet for mordet.
(**b**) (*also* ***building site***) (bygge)tomt *c*
(**c**) (*building in progress*) byggeplass *m*
2 VT (*+factory, missiles*) plassere (*v2*) ❑ *They refused to have missiles sited on their land.* De nektet å ha* raketter plassert på eiendommen sin.

sit-in ['sɪtɪn] S sit-in *m*

siting ['saɪtɪŋ] S plassering *c* ❑ *...the siting of the new factory.* ...plasseringen av den nye fabrikken.

sitter ['sɪtəʳ] S (*for painter*) modell *m*; (*also* ***baby-sitter***) barnevakt *c*

sitting ['sɪtɪŋ] S (**a**) (*of assembly etc*) sammentrede *nt*, møte *nt* ❑ *It was the first sitting of the Senate...* Det var det første møtet *or* sammentredet i Senatet..., Det var første gang Senatet trådte sammen...
(**b**) (*in canteen*) bordsetning *m* ❑ *We have to have two sittings for lunch.* Vi måtte* ha* to bordsetninger til lunsj.
▸ **at a single sitting** (*read etc*) i ett strekk

sitting member (*POL*) S nåværende medlem *nt*, sittende medlem *nt*

sitting room S (daglig)stue *c*

sitting tenant (*BRIT*) S leieboer *m*

situate ['sɪtjueɪt] VT plassere (*v2*)

situated ['sɪtjueɪtɪd] ADJ ▸ **to be situated** befinne* seg

situation [sɪtju'eɪʃən] S (**a**) (*state*) situasjon *m* ❑ *It's an impossible situation.* Det er en umulig situasjon.
(**b**) (*job*) stilling *m* ❑ *It's not so easy to find another situation.* Det er ikke så lett å finne en annen stilling.
(**c**) (*location*) beliggenhet *c* ❑ *The city is in a beautiful situation.* Byen har en nydelig beliggenhet.
▸ **"situations vacant"** (*BRIT*) ≈ "stilling ledig"

situation comedy S situasjonskomedie *m*

six [sɪks] TALLORD seks

six-pack ['sɪkspæk] S sixpack *m*

sixteen [sɪks'tiːn] TALLORD seksten

sixth [sɪksθ] TALLORD sjette
▸ **the upper/lower sixth** (*BRIT: SKOL*) ≈ tredje/annen gym

sixty ['sɪkstɪ] TALLORD seksti

size [saɪz] S størrelse *m* ❑ *...the size of the Government's budget deficit.* ...størrelsen på regjeringens budsjettunderskudd. *...a jacket three sizes too big.* ...en jakke som er tre størrelser for stor. *...a size 9 shoe.* ...en sko størrelse 9.
▸ **I take size 38** (*dress etc*) jeg bruker størrelse 38
▸ **it's the size of...** den er på størrelse med...
▸ **to cut to size** skjære* til

▸ **size up** VT (*+person, situation*) måle (*v2*) (opp og ned), ta* mål av

sizeable ['saɪzəbl] ADJ (*crowd, income etc*) anselig

sizzle ['sɪzl] VI frese (*v2*)

SK (*CAN*) FK = **Saskatchewan**

skate [skeɪt] 1 S (**a**) (= *ice skate*) skøyte *c*
(**b**) (= *roller skate*) rulleskøyte *c*
(**c**) (*fish: pl inv*) rokke *m*
2 VI gå* på skøyter ❑ *We skated across the frozen pond.* Vi gikk på skøyter over den frosne dammen.

▸ **skate around** VT FUS (*+problem, issue*) styre (*v2*) utenom, omgå*

▸ **skate over** VT FUS (*+problem, issue*) fare* lett over

skateboard ['skeɪtbɔːd] S rullebrett *nt*, skateboard *nt*

skater ['skeɪtəʳ] S skøyteløper *m*

skating ['skeɪtɪŋ] S (*gen*) det å gå* på skøyter; (*as sport*) skøyteløp *nt*

skating rink S skøytebane *m*

skeleton ['skɛlɪtn] S (**a**) (*of body, building etc*) skjelett *nt* ❑ *...a human skeleton.* ...et menneskeskjelett. *...constructions around steel skeletons.* ...konstruksjoner rundt stålskjelett.
(**b**) (*outline*) skisse *m*
▸ **a skeleton draft** en skissemessig utkast

skeleton key S hovednøkkel *m*, universalnøkkel *m*

skeleton staff S minimal bemanning *m*

skeptic *etc* ['skɛptɪk] (*US*) = **sceptic** *etc*

sketch [skɛtʃ] 1 S (**a**) (*drawing, outline*) skisse *c* ❑ *He drew a rough sketch...* Han tegnet en grov skisse... *a brief sketch of the school's early history.* ...en kort skisse av skolens tidligste historie.
(**b**) (*TEAT, TV*) sketsj *m* ❑ *I loved the sketch about the dead parrot.* Jeg elsket sketsjen om den døde papegøyen.
2 VT (*+drawing, idea*) skissere (*v2*)

sketchbook ['skɛtʃbuk] S skissebok *c*

sketchpad ['skɛtʃpæd] S skisseblokk *c*

sketchy ['skɛtʃɪ] ADJ (*coverage, notes etc*) skissemessig

skew [skjuː] ADJ (= *crooked*) skjev

skewed [skjuːd] ADJ (= *distorted: idea, outlook*) forvrengt ❑ *...heavily skewed.* ...sterkt forvrengt.

skewer ['skjuːəʳ] S ste(i)kespidd *nt*

ski [skiː] 1 S ski *c* ❑ *...a pair of skis.* ...et par ski.
2 VI stå* *or* gå* på ski ❑ *That winter I learnt how to ski.* Den vinteren lærte jeg å stå *or* gå* på ski.

ski boot S skistøvel *m*

skid [skɪd] 1 S skrens *m* ❑ *With a screech and a skid we drove off at high speed.* Med et skrik og en skrens kjørte vi av gårde i stor fart.
2 VI (**a**) (*gen*) skli* ❑ *I slipped on a banana skin and skidded across the room.* Jeg gled på et bananskall og skled tvers over rommet.
(**b**) (*BIL*) skrense (*v1*) ❑ *I tried to brake and we skidded into the ditch.* Jeg prøvde å bremse og vi skrenset ned i grøfta.
▸ **to go into a skid** få* skrens

skid marks SPL bremsespor *pl*

skier ['skiːəʳ] S skiløper *m*

skiing ['skiːɪŋ] S (**a**) (*cross-country*) skigåing *c*, skiløping *c*
(**b**) (*downhill*) slalåmkjøring *m*

▸ **to go skiing** dra* på skitur
ski instructor s skiinstruktør *m*, skilærer *m*
ski jump s (*event*) skihopp *nt*, hopprenn *nt*; (*ramp*) hoppbakke *m*
skilful ['skılful], **skillful** (*US*) ADJ dyktig
ski lift s skiheis *m*
skill [skıl] s (**a**) (= *ability*) ferdighet *c*
(**b**) (= *dexterity*) dyktighet *c*
(**c**) (= *work requiring training*) fag *nt* ❑ *If you want to learn a new skill...* Hvis du vil lære deg et nytt fag...
skilled [skıld] ADJ faglært ❑ *A skilled engineer takes four years to train.* Det tar fire år å lære opp en faglært ingeniør. *...skilled and semi-skilled work.* ...faglært arbeid *or* fagarbeid og spesialarbeid.
skillet ['skılıt] s ste(i)kepanne *c*, jernpanne *c*
skillful ['skılful] (*US*) ADJ dyktig
skil(l)fully ['skılfəlı] ADV dyktig
skim [skım] 1 VT (**a**) (*also* ***skim off***: *cream, fat*) skumme (*v1*) (av)
(**b**) (= *glide over*) gli* over ❑ *Fish passed beneath him, skimming the sandy bottom of the sea.* Det passerte fisk under ham, som gled over sanden på havbunnen.
2 VI ▸ **to skim through** (+*letters, book*) skumme (*v1*) igjennom
skimmed milk s skummet melk *c*
skimp [skımp] (*also* ***skimp on***) VT (**a**) (+*work etc*) slurve (*v1*) med ❑ *Never skimp on your warm-up exercises.* Slurv aldri med oppvarmingsøvelsene dine.
(**b**) (+*cloth etc*) være* gjerrig på
skimpy ['skımpı] ADJ (= *meagre*: *meal*) snau, knapp; (= *small*: *garment*) snau
skin [skın] 1 s (**a**) (*of person*) hud *m*
(**b**) (*of animal*) skinn *nt* ❑ *...things made from animal skins.* ...ting som er laget av dyreskinn.
(**c**) (*of fruit*) skall *nt*, skrell *nt*
(**d**) (*of potato*) skrell *nt*
2 VT (+*animal*) flå (*v4*)
▸ **wet** *or* **soaked to the skin** våt til skinnet
skin cancer s hudkreft *m*
skin-deep ['skın'di:p] ADJ (= *superficial*) som ikke stikker dypt ❑ *Beauty is only skin-deep.* Skjønnhet stikker ikke dypt.
skin diver s fridykker *m*
skin diving s fridykking *c*
skinflint ['skınflınt] s gjerrigknark *m*, gnier *m*
skin graft s hudtransplantasjon *m*
skinhead ['skınhɛd] s skinhead *m*
skinny ['skını] ADJ (*person, arms*) (rad)mager
skin test s hudprøve *m*
skintight ['skıntaıt] ADJ (*jeans etc*) åletrang, tett ettersittende
skip [skıp] 1 s (**a**) (*movement*) sprett *nt*, hopp *nt* ❑ *They took little skips as they walked.* De tok små sprett *or* hopp mens de gikk.
(**b**) (*BRIT*: *container*) (søppel)container *m* ❑ *Debris was being loaded into skips.* Det ble lastet søppel i containere.
2 VI (**a**) (= *jump*) sprette*, hoppe (*v1*) ❑ *He skipped around the room.* Han spratt *or* hoppet rundt i rommet.
(**b**) (*with rope*) hoppe (*v1*) tau ❑ *Three little girls were skipping in the playground.* Tre små jenter hoppet tau på lekeplassen.
3 VT (= *miss out*: *boring parts, lunch, lecture*) hoppe (*v1*) over
▸ **to skip school** (*især US*) skulke (*v1*) skolen
ski pants SPL strekkbukse *c sg*
ski pole s skistav *m*
skipper ['skıpə^r] 1 s (*NAUT*) skipper *m*; (*sl*: *SPORT*) kaptein *m*
2 VT (+*boat*) føre (*v2*); (+*team*) være* kaptein for *or* på
skipping rope (*BRIT*) s hoppetau *nt*
ski resort s vintersportssted *nt*
skirmish ['skə:mıʃ] s (*MIL*) trefning *m*; (*political etc*) forpostfektning *m*
skirt [skə:t] 1 s skjørt *nt*
2 VT (*fig*: *go round*) gå* utenom ❑ *He was skirting the issue.* Han gikk utenom saken.
skirting board (*BRIT*) s fotlist *c*
ski run s (*cross-country*) skiløype *c*; (*downhill*) slalåmløype *c*/utforløype *c*
ski slope s skibakke *m*, slalåmbakke *m*/utforbakke *m*
ski suit s skidress *m*
skit [skıt] s sketsj *m*
ski tow s skitrekk *nt*
skittle ['skıtl] s kjegle *m*
skittles ['skıtlz] s kjeglespill *nt*
skive [skaıv] (*BRIT*: *sl*) VI skulke (*v1*) (unna)
skulk [skʌlk] VI (**a**) (*move*) luske (*v1*) (rundt)
(**b**) (*sit*) prøve (*v3*) å gjemme seg bort ❑ *They were skulking in a corner.* De prøvde å gjemme seg bort i et hjørne.
skull [skʌl] s (hode)skalle *m*
skullcap ['skʌlkæp] s kalott *m*
skunk [skʌŋk] s stinkdyr *nt*
sky [skaı] s himmel *m*
▸ **to praise sb to the skies** rose (*v2*) noen opp i skyene
sky-blue [skaı'blu:] ADJ himmelblå
skydiving ['skaıdaıvıŋ] s *fritt fall under fallskjermhopp*
sky-high ['skaı'haı] 1 ADJ (*prices, confidence*) skyhøy
2 ADV ▸ **to blow a bridge sky-high** blåse (*v2*) en bro til himmels
skylark ['skaılɑ:k] s lerke *c*
skylight ['skaılaıt] s takvindu *nt*, overlysvindu *nt*
skyline ['skaılaın] horisont *m*; (*of city*) silhuett *m* ❑ *...the impressive Manhattan skyline.* ...den imponerende silhuetten til Manhattan.
skyscraper ['skaıskreıpə^r] s skyskraper *m*
slab [slæb] s (**a**) (*stone*) helle *c*, plate *c* ❑ *...a concrete slab.* ...en betonghelle *or* betongplate.
(**b**) (*of wood*) plate *c*
(**c**) (*of cake, cheese*) stort stykke *nt*
slack [slæk] 1 ADJ (**a**) (= *loose*: *rope, trousers*) slakk
(**b**) (*skin*) slapp
(**c**) (= *careless*: *security, discipline*) slapp
(**d**) (*market, demand, business*) treg ❑ *Business is slack just now.* Forretningen går tregt akkurat nå.
(**e**) (= *not busy*: *period*) stille, lav- ❑ *Very few hotels offered work for the slack season.* Svært få* hoteller tilbød arbeid i den stille sesongen *or*

i lavsesongen.
2 s (*in rope etc*) slakk *nt* ❑ *...the slack in the rope was taken up...* slakken i tauet var halt inn ..., ...tauet var strammet...
▸ **slacks** SPL slacks *m sg*

slacken ['slækn] 1 VI (**a**) (*speed+*) sakne (*v1*), avta* ❑ *Simon allowed his pace to slacken.* Simon lot farten sakne *or* avta *or* tillot seg å slakke av på farten.
(**b**) (*demand, situation+*) avta* ❑ *The Depression slackened off and prosperity returned.* Depresjonen avtok, og velstanden kom tilbake.
(**c**) (*rain+*) gi* seg, avta* ❑ *The rain began to slacken.* Regnet begynte å gi* seg *or* avta.
2 VT (**a**) (*+grip*) løsne (*v1*) ❑ *He slackened his grip on Casson's right arm.* Han løsnet grepet om Cassons høyre arm.
(**b**) (*+speed*) sakne (*v1*), slakke (*v1*) av på ❑ *She slackened her pace...* Hun slakket av på *or* saknet farten...

slag heap [slæg-] s slagghaug *m*

slag off (*BRIT: sl*) VT hakke (*v1*) (løs) på

slain [sleɪn] PP *of* **slay**

slake [sleɪk] VT (*+one's thirst*) slukke (*v1*), stille (*v2x*)

slalom ['slɑːləm] s slalåm *m*

slam [slæm] 1 VT (**a**) (*+door*) smelle (*v2x*) ❑ *She went out, slamming the door behind her.* Hun gikk ut, og smelte døra bak seg.
(**b**) (*= throw*) slenge (*v2*) ❑ *I was so annoyed I just slammed the phone down.* Jeg var så sint at jeg bare slengte på røret.
(**c**) (*= criticize*) sable (*v1*) ned ❑ *The new proposals have been slammed by all the opposition parties.* De nye forslagene har blitt sablet ned av alle opposisjonspartiene.
2 VI smelle* ❑ *Out in the street a car door slammed.* Ute i gaten smalt det i en bildør.
▸ **to slam on the brakes** bråbremse (*v1*)

slammer ['slæmə^r] (*sl*) s (*= prison*) bur *nt*

slander ['slɑːndə^r] 1 s (**a**) (*JUR*) (muntlige) injurier *pl*
(**b**) (*insult*) (ære)krenkelse *m* ❑ *The article is a slander on ordinary working people.* Artikkelen er en ærekrenkelse mot vanlige arbeidsfolk.
2 VT sjikanere (*v2*), rakke (*v1*) ned på ❑ *She slandered him behind his back.* Hun rakket ned på *or* sjikanerte ham bak ryggen på ham.

slanderous ['slɑːndrəs] ADJ (*statement, article*) (ære)krenkende, injurierende

slang [slæŋ] s slang *m*, sjargong *m* ❑ *Their conversation was full of slang.* Samtalen deres var full av slang *or* sjargong. *...military slang.* ...militærslang *or* militærsjargong.

slanging match s gjensidig skittkasting *c*

slant [slɑːnt] 1 s (**a**) (*sloping: position*) helling *c*, skråning *c* ❑ *...the floors have a noticeable slant.* ...gulvene har en synlig helling *or* skråning.
(**b**) (*fig: approach*) synsvinkel *m* ❑ *These two papers give a completely different slant on events.* Disse to artiklene gir en helt annen synsvinkel på hendelsene.
2 VI (*floor, ceiling+*) skråne (*v1 or v2*) ❑ *The old wooden floor slanted a little.* Det gamle tregulvet skrånet litt.

slanted ['slɑːntɪd] ADJ (*roof, eyes*) skrå

slanting ['slɑːntɪŋ] = **slanted**

slap [slæp] 1 s (*hit*) slag *nt* (*med flat hånd*), klask *nt* ❑ *Give him a slap if he annoys you.* Gi ham et slag *or* et klask *or* dra til ham hvis han irriterer deg.
2 VT (*+child, face*) slå* ❑ *He slapped her across the face.* Han slo henne i ansiktet.
3 ADV (*sl: directly*) rett ❑ *We drove slap into a parked car.* Vi kjørte rett inn i en parkert bil.
▸ **to slap sth on sth** (*+paint etc*) klaske (*v1*) noe på noe ❑ *We slapped some paint on the wall...* Vi klasket litt maling på veggen...
▸ **it fell slap(-bang) in the middle** det falt *or* deiset rett ned i midten

slapdash ['slæpdæʃ] ADJ (*person, work*) slumset(e), sleivet(e) ❑ *He is rather slapdash in his approach.* Han er ganske slumsete *or* sleivete av seg. *My cooking is rather slapdash.* Matlagingen min er ganske slumsete *or* sleivete.

slapstick ['slæpstɪk] s slapstickkomedie *m*

slap-up ['slæpʌp] ADJ ▸ **a slap-up meal** (*BRIT*) et råflott måltid, et fortreffelig måltid

slash [slæʃ] VT (**a**) (*= cut: wrists*) skjære* opp
(**b**) (*+upholstery, face etc*) flenge (*v1*) (opp), skjære* opp ❑ *Jack's face had been slashed with broken glass.* Ansiktet til Jack hadde blitt flenget (opp) *or* skåret opp med glasskår.
(**c**) (*fig: prices*) skjære* (drastisk) ned på ❑ *...a plan to slash taxes.* ...et plan om å skjære drastisk ned på skattene.

slat [slæt] s (*of wood, plastic*) spile *m* (*f eks i persienne*), sprinkel *m*

slate [sleɪt] 1 s skifer *m* ❑ *...slate was exploited commercially.* ...skifer ble utnyttet kommersielt. *...beautiful stone slates.* ...nydelige skiferstein.
2 VT (*fig: criticize*) slakte (*v1*)

slaughter ['slɔːtə^r] 1 s (**a**) (*of animals*) slakting *c* ❑ *...animals going away to slaughter.* ...dyr som blir sendt til slakting.
(**b**) (*of people*) nedslakting *c* ❑ *...the needless slaughter on our roads.* ...den unødvendige nedslaktingen på veiene våre.
2 VT (**a**) (*+animals*) slakte (*v1*)
(**b**) (*+people*) slakte (*v1*) ned

slaughterhouse ['slɔːtəhaus] s slakteri *nt*

Slav [slɑːv] 1 ADJ slavisk
2 s (*person*) slaver *m*

slave [sleɪv] 1 s slave *m*
2 VI (*also* **slave away**) slave (*v1*), slite* ❑ *Why am I slaving away, running a house and family single-handed?* Hvorfor slaver *or* sliter jeg med å styre et hus og en familie på egen hånd?
▸ **to slave (away) at sth/at doing sth** slite *or* slave med noe/med å gjøre* noe

slave-driver ['sleɪvdraɪvə^r] s slavedriver *m*

slave labour s slavearbeid *nt* ❑ *The pyramids were mostly built by slave labour.* Pyramidene ble stort sett bygd med slavearbeid.
▸ **it's just slave labour** (*fig*) det er rent slavearbeid

slaver ['slævə^r] VI sikle (*v1*) ❑ *Slavering at the mouth, the dogs rushed at me.* Med siklende kjeft stormet hundene mot meg.

slavery ['sleɪvərɪ] s slaveri *nt* ❑ *...sold into slavery.* ...solgt som slaver.

Slavic ['slævɪk] ADJ slavisk
slavish ['sleɪvɪʃ] ADJ (*obedience, copy*) slavisk ❑ *...a slavish adherence to the facts.* ...en slavisk gjengivelse av fakta. *It's just a slavish remake of Hitchcock's 1942 classic.* Det er bare en slavisk etterlikning av Hitchcocks klassiker fra 1942.
Slavonic [slə'vɒnɪk] ADJ slavisk
slay [sleɪ] (*pt* **slew**, *pp* **slain**) VT (*litter*) slå* i hjel
sleaze [sli:z] S snusk *n*
sleazy ['sli:zɪ] ADJ (*place*) (svært) snusket(e)
sledge [slɛdʒ] S slede *m*
sledgehammer ['slɛdʒhæmə^r] S slegge *c*
sleek [sli:k] ADJ (*hair, fur etc*) (skinnende) blank; (*car, boat etc*) elegant, lekker
sleep [sli:p] (*pt, pp* **slept**) 1 S søvn *m* ❑ *I haven't been getting enough sleep recently.* Jeg har ikke fått nok søvn i det siste.
2 VI (**a**) (*gen*) sove* ❑ *The baby slept peacefully...* Babyen sov fredelig...
(**b**) (= *spend night*) sove* (over), overnatte (*v1*) ❑ *Where are you sleeping tonight?* Hvor skal du sove (over) *or* overnatte i natt?
3 VT ▸ **we can sleep 4** vi har sengeplass til 4 ❑ *...a holiday cottage that sleeps six.* ...en feriehytte som har sengeplass til seks.
▸ **to go to sleep** (*person+*) legge* seg til å sove ❑ *Now go to sleep and stop worrying about it.* Legg deg til å sove og slutt å bekymre deg om det.
▸ **to have a good night's sleep** få* sove ut skikkelig, få* seg en god natts søvn
▸ **to put to sleep** (*euph: animal*) avlive (*v1*) ❑ *Sheba had to be put to sleep.* Sheba måtte* avlives.
▸ **to sleep lightly** sove* lett
▸ **to sleep with sb** (*euph: have sex*) ligge* med noen, gå* til sengs med noen ❑ *I heard all the gossip about who was sleeping with whom.* Jeg hørte all sladderen om hvem som lå med *or* gikk til sengs med hvem.
▸ **sleep around** VI hoppe (*v1*) fra seng til seng
▸ **sleep in** VI (**a**) (= *oversleep*) forsove* seg ❑ *I slept in this morning and missed the bus.* Jeg forsov meg i morges og rakk ikke bussen.
(**b**) (= *rise late*) sove* lenge ❑ *We usually sleep in on Sundays.* Vi sover som regel lenge på søndager.
sleeper ['sli:pə^r] S (**a**) (*JERNB: train*) nattog *nt* (*med sovevogner*) ❑ *I usually go to London on the sleeper.* Jeg drar vanligvis til London med nattoget.
(**b**) (= *berth*) soveplass *m* (*i sovekupé*) ❑ *I booked a first-class sleeper.* Jeg bestilte soveplass på første klasse.
(**c**) (*BRIT: on track*) sville *m*
(**d**) (*person*) *en som sover* ❑ *I'm a light sleeper.* Jeg sover lett
sleepily ['sli:pɪlɪ] ADV søvnig
sleeping ['sli:pɪŋ] ADJ (*accommodation*) sove- NB *Let's sort out the sleeping arrangements.* La oss bli* enige om hvordan vi skal sove.
sleeping bag S sovepose *m*
sleeping car (*JERNB*) S sovevogn *c*
sleeping partner (*BRIT: MERK*) = **silent partner**
sleeping pill S sovepille *m*, sovetablett *m*
sleeping sickness S sovesyke *m*
sleepless ['sli:plɪs] ADJ søvnløs
sleeplessness ['sli:plɪsnɪs] S søvnløshet *c*
sleepwalk ['sli:pwɔ:k] VI gå* i søvne
sleepwalker ['sli:pwɔ:kə^r] S søvngjenger *m*
sleepy ['sli:pɪ] ADJ (*person, also fig: village etc*) søvnig
sleet [sli:t] S sludd *nt*
sleeve [sli:v] S (**a**) (*of jacket etc*) erme *nt* ❑ *Father had his sleeves rolled up.* Far hadde oppbrettede ermer.
(**b**) (*of record*) omslag *nt* ❑ *...the photograph of the conductor on the sleeve.* ...bildet av dirigenten på omslaget.
▸ **to have sth up one's sleeve** (*fig*) ha* noe i bakhånd *or* på lur ❑ *She thought the old man had some clever trick up his sleeve.* Hun trodde den gamle mannen hadde ett eller annet på lur *or* i bakhånd.
sleeveless ['sli:vlɪs] ADJ ermeløs
sleigh [sleɪ] S slede *m*
sleight [slaɪt] S ▸ **sleight of hand** fingerferdighet *c* ❑ *He switched the watches by sleight of hand.* Han byttet urene ved hjelp av fingerferdighet.
slender ['slɛndə^r] ADJ (**a**) (*figure, waist*) slank
(**b**) (*means, majority*) spinkel ❑ *With such slender resources they cannot hope to achieve their aims.* Med slike spinkle ressurser kan de ikke drømme om å nå målene sine.
slept [slɛpt] PRET, PP *of* **sleep**
sleuth [slu:θ] S detektiv *m*
slew [slu:] 1 VI (*BRIT*: ***slew round***) skli* ❑ *The bus slewed across the road.* Bussen skled over veien.
2 PRET *of* **slay**
slice [slaɪs] 1 S (**a**) (*of meat, bread, lemon*) skive *c* ❑ *Three slices of bacon, please.* Tre skiver bacon, takk. *...three large slices of bread.* ...tre store skiver brød. *...and place a slice of lemon on top.* ...og plasser en sitronskive på toppen.
(**b**) (*utensil: cake slice, fish slice etc*) spade *m*
2 VT (*+bread, meat, apple etc*) skjære* i skiver *or* opp
▸ **sliced bread** oppskåret brød
▸ **the best thing since sliced bread** det beste man kan tenke seg, det beste som har hendt på lenge
slick [slɪk] 1 ADJ (= *skilful: performance*) velsmurt; (*neds: salesman, answer*) glatt
2 S (*also* ***oil slick***) oljeflak *nt*
slid [slɪd] PRET, PP *of* **slide**
slide [slaɪd] (*pt, pp* **slid**) 1 S (**a**) (*playground apparatus*) rutsjebane *m* ❑ *There were a few slides and climbing frames.* Det var noen få* rutsjebaner og klatrestativ.
(**b**) (*FOTO*) lysbilde *nt*, dias *m* ❑ *...colour slides showing rice fields in Bangkok.* ...fargelysbilder *or* fargedias som viste rismarker i Bangkok.
(**c**) (*BRIT*: ***hair slide***) (hår)spenne *c* ❑ *She wore a slide in her hair.* Hun hadde en spenne i håret.
(**d**) (*microscope slide*) objektglass *nt*
(**e**) (*in prices*) nedgang *m* ❑ *...a slow but steady slide.* ...en langsom, men jevn nedgang.
2 VT smette* ❑ *She slid the key into the keyhole.* Hun smatt nøkkelen inn i nøkkelhullet.
3 VI (**a**) (= *slip*) gli*, skli* ❑ *Susan stared at the drops sliding down the glass.* Susan stirret på dråpene som gled *or* skled nedover glasset.

(**b**) (= *glide*) gli* ❑ *The black Mercedes slid away.* Den sorte Mercedesen gled vekk.
▸ **to let things slide** (*fig*) la det skure
slide projector s lysbildeframviser *m*, lysbildeapparat *m*
slide rule s regnestav *m*
sliding ['slaɪdɪŋ] ADJ (*door*) skyve-
▸ **sliding roof** (*BIL*) skyvetak *nt*
sliding scale s glideskala *m* ❑ *...a sliding scale of taxation.* ...en glideskala for beskatning.
slight [slaɪt] 1 ADJ (**a**) (= *slim: figure*) spinkel, sped ❑ *...a lean, slight, young teenage girl.* ...en slank, spinkel *or* sped ung tenåringsjente.
(**b**) (= *frail*) spinkel ❑ *...a slight old woman.* ...en spinkel gammel dame.
(**c**) (= *small: increase, difference, error*) ubetydelig ❑ *The differences between us are really quite slight.* Forskjellene mellom oss er virkelig ganske ubetydelige.
(**d**) (*accent, pain etc*) svak ❑ *He had a slight German accent.* Han hadde en svak tysk aksent.
2 s (= *insult*) fornærmelse *m* ❑ *It was a slight on a past award-winner.* Det var en fornærmelse mot en tidligere prisvinner.
▸ **the slightest noise/problem** *etc* den minste lyd/det minste problem *etc*
▸ **I haven't the slightest idea** jeg har ikke ringeste idé, jeg aner ikke, jeg har ikke peiling
▸ **not in the slightest** ikke det minste
slightly ['slaɪtlɪ] ADV litt, en smule, en tanke ❑ *Her husband was slightly shorter than she was.* Mannen hennes var litt *or* en smule *or* en tanke kortere enn hun var.
▸ **slightly built** spedbygd
slim [slɪm] 1 ADJ (**a**) (*figure, person*) slank ❑ *...a tall, slim girl.* ...en høy slank jente.
(**b**) (*chance*) fjern, liten ❑ *The chance of that is slim.* Sjansen for det er liten.
2 VI (= *lose weight*) slanke (*v1*) seg ❑ *I may be slimming but I've no intentions of starving myself.* Riktignok slanker jeg meg, men jeg har ingen planer om å sulte meg.
slime [slaɪm] s slim *nt*
slimming ['slɪmɪŋ] s slanking *c* ❑ *Slimming has its dangers as well as its benefits.* Slanking har sine farer så vel som sine fordeler.
slimy ['slaɪmɪ] ADJ (**a**) (*pond*) slimet(e)
(**b**) (= *covered with mud*) sølet(e)
(**c**) (*neds: fig: person*) slesk ❑ *...a slimy politician.* ...en slesk politiker.
sling [slɪŋ] (*pt, pp* **slung**) 1 s (**a**) (*for arm*) fatle *m*
(**b**) (*to carry baby*) bæresele *m*
(**c**) (*weapon*) slynge *m*
(**d**) (*toy*) sprettert *m*
2 VT (= *throw*) slenge (*v2*) ❑ *She slung the book across the room.* Hun slengte boka tvers over rommet.
▸ **to have one's arm in a sling** ha* armen i fatle
slink [slɪŋk] (*pt, pp* **slunk**) VI ▸ **to slink away** *or* **off** snike* *or* luske (*v1*) seg vekk *or* av gårde
slinky ['slɪŋkɪ] ADJ (*dress*) ettersittende, figurnær
slip [slɪp] 1 s (**a**) (*fall*) *det å gli (og falle)* NB *A slip on the ice can cause a nasty injury.* Hvis man glir (og faller) på isen, kan man bli* stygt skadet.
(**b**) (= *mistake*) feiltrinn *nt* ❑ *I must have made a slip somewhere.* Jeg må ha* begått et feiltrinn et sted.
(**c**) (= *underskirt*) underskjørt *nt*
(**d**) (*full-length*) underkjole *m*
(**e**) (*of paper*) lapp *m* ❑ *...a slip of paper.* ...en papirlapp.
2 VT (= *slide*) stikke*, putte (*v1*) ❑ *He slipped it quickly into his pocket.* Han stakk *or* puttet den raskt ned i lomma.
3 VI (**a**) (= *slide*) gli* ❑ *I slipped on the snow and sprained my ankle.* Jeg gled på snøen og forstuet ankelen
(**b**) (= *decline*) synke* ❑ *Industrial production has slipped by 12 per cent in a year.* Industriproduksjonen har sunket med 12 prosent på et år.
▸ **to give sb the slip** komme* seg unna noen, unnslippe* noen
▸ **a slip of the tongue** en forsnakkelse
▸ **to slip into/out of** (*+room etc*) stikke* inn i/ut av ❑ *She's just slipped out of the house.* Hun har akkurat stukket ut en tur.
▸ **to let a chance slip by** la en sjanse glippe
▸ **it slipped from her hand** den glapp fra hånden hennes
▸ **to slip sth on/off** slenge (*v2*) av/på seg noe ❑ *He slipped on his shoes and went out.* Han slengte på seg skoene og gikk ut.
▸ **slip away** VI stikke* av (gårde) ❑ *I hope we can slip away before she notices.* Jeg håper vi kan stikke av (gårde) før hun merker noe.
▸ **slip in** VT (= *put*) putte (*v1*) ❑ *I'll just go and slip it in my bag.* Jeg skal bare gå* og putte det i vesken min.
▸ **slip out** VI (= *go out*) stikke* ut (en tur) ❑ *She's just slipped out for a minute.* Hun har bare stukket ut et øyeblikk.
▸ **slip up** VI (= *make mistake*) gjøre* et feiltrinn ❑ *We must have slipped up somewhere.* Vi må ha* gjort et feiltrinn et sted.
slip-on ['slɪpɔn] ADJ (*garment*) *som kan dras på (uten knapper o.l)*
▸ **slip-on shoes** *sko uten lisser, spenner etc*
slipped disc s skiveprolaps *m*
slipper ['slɪpəʳ] s tøffel *m* ❑ *...a pair of slippers.* ...et par tøfler.
slippery ['slɪpərɪ] ADJ (**a**) (*road, fish etc*) glatt
(**b**) (*fig: person*) sleip ❑ *He's rather a slippery character.* Han er en ganske sleip type.
slippy ['slɪpɪ] ADJ sleip
slip road (*BRIT*) s innkjøringsvei *m*
slipshod ['slɪpʃɔd] ADJ (*work*) slurvet(e)
slip-up ['slɪpʌp] s feiltrinn *nt*
slipway ['slɪpweɪ] s slipp *m*
slit [slɪt] (*pt, pp* **slit**) 1 s (**a**) (*cut*) kutt *nt*, snitt *nt* ❑ *We made a tiny slit with a razor blade.* Vi lagde et lite kutt *or* snitt med et barberblad.
(**b**) (*opening, tear*) sprekk *m* ❑ *Neon light came through the slits in the blind.* Neonlys kom gjennom sprekkene i persiennene. *There's a slit in my jeans.* Det er en sprekk i olabuksa mi.
2 VT sprette* (opp) ❑ *She slit the envelope.* Hun sprettet (opp) konvolutten.

▸ **to slit sb's throat** skjære* over halsen på noen
slither ['slɪðəʳ] VI (*person+*) skli*, rutsje (*v1*); (*snake+*) sno (*v4*) seg
sliver ['slɪvəʳ] S (*of glass*) splint *m*; (*of wood*) flis *c*; (*of cheese etc*) strimmel *m*
slob [slɔb] (*sl*) S slask *m*, slusk *m*
slog [slɔg] (*BRIT*) 1 VI slite*, streve (*v3*) ❑ *The children are slogging away at their homework.* Ungene sliter *or* strever i vei med leksene sine.
2 S ▸ **it was a hard slog** det var litt av et slit
slogan ['sləugən] S slagord *nt*
slop [slɔp] VTI (*water*) skvulpe (*v1*), skvalpe (*v1*)
▸ **slop out** VI (*in prison etc*) tømme (*v2x*) toalettbøtter
slope [sləup] 1 S (**a**) (= *gradient, slant*) skråning *m* ❑ *...a grassy slope.* ...en gresskråning. *...high up the slopes of the mountains.* ...høyt oppe i fjellskråningen. *...a slope of ten degrees.* ...en skråning på ti grader.
(**b**) (*ski slope*) skibakke *m*
2 VI ▸ **to slope down** skråne (*v1 or v2*) (nedover), helle (*v2x*)
▸ **to slope up** skråne (*v1 or v2*) (oppover)
sloping ['sləupɪŋ] ADJ (*ground, roof*) skrå, skrånende; (*handwriting*) skrå
sloppy ['slɔpɪ] ADJ (*work*) slurvet(e), slumset(e); (*appearance*) sjusket(e), uflidd; (= *sentimental: film, letters etc*) klisset(e)
slops [slɔps] SPL skyller ❑ *I fed the slops to the pigs.* Jeg foret grisene med skyllene.
slosh [slɔʃ] (*sl*) VI ▸ **to slosh around** *or* **about** (*person+*) plaske (*v1*) rundt; (*liquid+*) skvalpe (*v1*) rundt
sloshed [slɔʃt] (*sl*) ADJ full, påseilet
slot [slɔt] 1 S (**a**) (*in machine*) myntinnkast *nt*, sprekk *m* ❑ *He put money in the slot and the music started.* Han la penger i myntinnkastet *or* sprekken og musikken startet.
(**b**) (*fig: in timetable*) (ledig) plass *m*, luke *c*
(**c**) (*RADIO, TV*) sendetid *c* ❑ *...TV programmes to fill the slot just before dinner time.* ...tv-programmer som kunne* fylle sendetiden rett før middag.
2 VT ▸ **to slot sth in** (**a**) (*+money*) legge* noe på (**b**) (*+card etc*) stikke* noe inn
3 VI ▸ **to slot into** passe (*v1*) inn i ❑ *The cylinder slots into the barrel.* Sylinderen passer inn i tønna.
sloth [sləuθ] S (= *laziness*) dovenskap *m*; (= *animal*) dovendyr *nt*
slot machine S (*BRIT: vending machine*) (salgs)automat *m*; (*for gambling*) spilleautomat *m*
slot meter (*BRIT*) S myntapparat *nt* (*for gass, strøm*)
slouch [slautʃ] VI (**a**) (*bad posture*) ha* (en) dårlig *or* lutende holdning
(**b**) (*walk lazily*) subbe (*v1*) ❑ *She slouched about in slacks.* Hun subbet rundt i slacks.
▸ **she was slouched in a chair** hun satt henslengt i en stol
Slovak ['sləuvæk] 1 ADJ slovakisk
2 S slovak *m*; (*LING*) slovak
Slovakia [sləu'vækɪə] S Slovakia
Slovakian [sləu'vækɪən] ADJ, S = **Slovak**
Slovene ['sləuvi:n] 1 ADJ slovensk
2 S slovener *m*; (*LING*) slovensk
Slovenia [sləu'vi:nɪə] S Slovenia
Slovenian [sləu'vi:nɪən] ADJ, S = **Slovene**
slovenly ['slʌvənlɪ] ADJ (*habits, conditions*) sjusket(e); (*piece of work*) slurvet(e), sleivet(e)
slow [sləu] 1 ADJ (**a**) (*in speed*) langsom
(**b**) (= *slow-witted: person*) treg, tungnem
2 ADV langsomt, sakte ❑ *How slow would you like me to play?* Hvor langsomt *or* sakte vil du at jeg skal spille?
3 VT (*also* ***slow down, slow up***: *vehicle, business*) sakne (*v1*) (farten) ❑ *We slowed our speed to thirty miles an hour.* Vi saknet farten til tretti miles i timen.
4 VI (*also* ***slow down, slow up***) bli* langsommere
▸ **to be (20 minutes) slow** (*watch+*) gå* (20 minutter) for sakte
▸ **"slow"** (*road sign*) "senk farten"
▸ **at a slow speed** med lav hastighet
▸ **to be slow to act/decide** være* se(i)n *or* treg til å handle/bestemme seg ❑ *Don't worry if your child is slow to learn to walk.* Ikke engst deg hvis barnet ditt er sent til å gå.
▸ **business is slow** forretningen går tregt
▸ **to go slow** (**a**) (*driver+*) kjøre (*v2*) sakte *or* langsomt
(**b**) (*BRIT: in industrial dispute*) gå* sakte
slow-acting [sləu'æktɪŋ] ADJ langsomtvirkende
slowly ['sləulɪ] ADV (**a**) (*in movement*) langsomt, sakte ❑ *He nodded slowly.* Han nikket langsomt *or* sakte.
(**b**) (= *gradually*) langsomt ❑ *He slowly began to realize what she meant.* Han begynte langsomt å skjønne hva hun mente.
slow motion S ▸ **in slow motion** i sakte *or* langsom kino
slow-moving [sləu'mu:vɪŋ] ADJ (*vehicle, traffic*) se(i)n, treg, saktegående
slowness ['sləunɪs] S langsomhet *c* ❑ *The slowness of your progress should not discourage you.* Det at framgangen går langsomt *or* tregt burde ikke ta* motet fra deg.
sludge [slʌdʒ] S (*mud*) mudder *nt* ❑ *I was covered in sludge and weeds.* Jeg var dekket av søle og ugress.
slue [slu:] (*US*) VI = **slew**
slug [slʌg] S (*creature*) snegl(e) *m* (*uten sneglehus*); (*US: sl: bullet*) kule *c*
sluggish ['slʌgɪʃ] ADJ (*stream, engine, person*) treg, dau; (*MERK: trading*) treg
sluice [slu:s] 1 S (*gate*) sluse *c*, sluseport *m*; (*channel*) sluse(renne) *c*
2 VT ▸ **to sluice down** *or* **out** spyle (*v2*) (ut *or* rent)
slum [slʌm] S (*house*) slum *m*; (*area*) slum *m*, slumområde *nt*
slumber ['slʌmbəʳ] S slummer *m* ❑ *She fell into a heavy slumber.* Hun falt i dyp slumring.
slump [slʌmp] 1 S (*economic*) sterk nedgang *m* ❑ *The slump set in during the summer of 1921.* Den sterke nedgangen satte inn sommeren i løpet av 1921. *The slump in car sales...* Den sterke nedgangen i bilsalget...
2 VI (**a**) (= *fall: person*) dette*, synke* sammen
(**b**) (*prices+*) rase (*v2*) (ned) ❑ *He slumped into his chair.* Han datt ned *or* sank sammen i stolen.

Profits last year slumped from $40 million to $26 million. Overskuddet i fjor raste (ned) fra 40 millioner til 26 millioner dollar.
▸ **he was slumped over the wheel** han satt sammensunket over rattet

slung [slʌŋ] PRET, PP *of* **sling**

slunk [slʌŋk] PRET, PP *of* **slink**

slur [slɜːʳ] 1 S (**a**) (*fig*) ▸ **slur (on)** sjikanering *m* (av) ❑ *There were complaints of racial slurs.* Det var klager på rasistisk sjikanering.
(**b**) (*MUS*) legato *m*
2 VT ▸ **to slur one's speech** snøvle (*v1*)
▸ **to cast a slur on** komme* med fornærmelser mot, rakke (*v1*) ned på

slurp [slɜːp] (*sl*) VT, VI slurpe (*v1*)

slurred [slɜːd] ADJ (*speech, voice*) snøvlet(e)

slush [slʌʃ] S slaps *nt*

slush fund S bestikkelsesfond *nt*

slushy ['slʌʃɪ] ADJ (*snow, ground*) slapset(e); (*BRIT: fig*) klisset(e), sukkersøt

slut [slʌt] (*neds*) S (*untidy*) sjuske *c*; (*immoral*) ludder *nt*

sly [slaɪ] ADJ (**a**) (*smile, expression, remark*) underfundig
(**b**) (*person: clever, wily*) slu, listig
▸ **on the sly** i smug ❑ *They sat in the toilets, smoking on the sly.* De satt på toalettene og røykte i smug.

S/M S FK (= **sadomasochism**) SM

smack [smæk] 1 S (**a**) (= *slap: on face*) smekk *m*, slag *nt*
(**b**) (*elsewhere*) smekk *m*, rapp *m* ❑ *...I gave him a smack on the leg.* ...jeg gav ham en smekk på *or* en rapp over beinet.
2 VT (**a**) (= *face*) slå*, smelle (*v2x*) til
(**b**) (+*child*) klaske (*v1*), slå*
(**c**) (+*object*) klaske (*v1*), smelle (*v2x*) ❑ *He laughed, smacking his hand on the steering wheel.* Han lo og klasket *or* smelte hånden mot rattet.
3 VI ▸ **to smack of** smake (*v2*) av ❑ *Any literature smacked to her of school.* All litteratur smakte av skole for henne.
4 ADV ▸ **it fell smack in the middle** (*sl*) den falt rett ned i midten, den falt ned nøyaktig på midten
▸ **to smack one's lips** smatte (*v1*) med leppene

smacker ['smækəʳ] (*sl*) S (*kiss*) smellkyss *nt*

small [smɔːl] 1 ADJ liten* ❑ *...the smallest church in England.* ...den minste kirken i England. *...two small children.* ...to små barn. *...a small amount of milk.* ...en liten skvett melk.
2 S ▸ **the small of the back** korsryggen *m*
▸ **a small shopkeeper** en innehaver av en liten forretning
▸ **a small business** en småbedrift

small ads (*BRIT*) SPL rubrikkannonser

small arms (*MIL*) SPL håndvåpen *pl*

small business S småbedrift *m*

small change S småpenger *pl*

small fry SPL (= *unimportant people*) ubetydelige personer

smallholder ['smɔːlhəuldəʳ] (*BRIT*) S småbruker *m*

smallholding ['smɔːlhəuldɪŋ] (*BRIT*) S (lite) småbruk *nt*

small hours SPL ▸ **in the small hours** i de små timer

smallish ['smɔːlɪʃ] ADJ nokså *or* ganske liten

small-minded [smɔːl'maɪndɪd] ADJ (*person, attitude*) snever(synt), trangsynt

smallpox ['smɔːlpɔks] S kopper *pl*

small print S (*in contract etc*) det som står med liten skrift ❑ *Always read the small print before you sign.* Les alltid det som står med liten skrift før du skriver under.

small-scale ['smɔːlskeɪl] ADJ (*map, model*) i liten målestokk; (*business, farming*) små-

small talk S småprating *c*
▸ **to make small talk** småprate (*v1*) ❑ *We stood around making small talk.* Vi stod rundt og småpratet.

small-time ['smɔːltaɪm] ADJ (*farmer etc*) små-
▸ **a small-time thief** en småkjeltring

small-town ['smɔːltaun] ADJ småby-

smarmy ['smɑːmɪ] (*BRIT: neds*) ADJ smisket(e), innsmigrende

smart [smɑːt] 1 ADJ (**a**) (= *neat, tidy*) fin ❑ *The boys were very smart in their school uniforms.* Guttene var svært fine i skoleuniformene sine.
(**b**) (= *fashionable: clothes*) smart
(**c**) (*house, area*) fasjonabel, fin
(**d**) (= *clever: person, idea*) flink ❑ *...one of the smartest students.* ...en av de flinkeste studentene.
(**e**) (= *quick*) rask ❑ *...walking along at a smart pace.* ...legger i vei i raskt tempo.
2 VI (**a**) (= *sting: eyes, wound*) svi (*v4*)
(**b**) (*suffer*) føle (*v2*) smerte ❑ *She was smarting from a guilty conscience.* Hun følte smerte ved en dårlig samvittighet.
▸ **the smart set** de fine
▸ **to look smart** være* fin, være* smart i klærne

smart card S smartkort *nt*

smarten up ['smɑːtn-] 1 VI (*person+*) fiffe (*v1*) seg opp ❑ *I'll just smarten up a bit, then we can go.* Jeg skal bare fiffe meg opp litt, så kan vi gå.
2 VT (+*place*) fiffe (*v1*) opp ❑ *The old cinema has really been smartened up.* Den gamle kinoen har virkelig blitt fiffet opp.

smash [smæʃ] 1 S (**a**) (*also* **smash-up**: *collision*) kræsj *nt* ❑ *She had a serious smash-up on the way to Scotland.* Hun hadde et stygt kræsj på vei til Skottland.
(**b**) (*sound*) brak *nt* ❑ *There was a smash of breaking china.* Det kom et brak fra porselen som ble knust.
(**c**) (*song, play, film*) fulltreffer *m* ❑ *It looks like being the comedy smash of the season.* Den ser ut til å være* sesongens fulltreffer på komediefronten.
(**d**) (*TENNIS*) smash *m*
2 VT (**a**) (= *break*) knuse (*v2*), slå* i stykker ❑ *Smash the bottles with a hammer.* Knus *or* slå i stykker flaskene med en hammer.
(**b**) (+*car etc*) smadre (*v1*) ❑ *I've smashed the car.* Jeg har smadret bilen.
(**c**) (*fig: hopes, regime, record*) knuse (*v2*) ❑ *Smash the capitalist state!* Knus kapitaliststaten! *She has smashed the 100 metres world record.* Hun har knust verdensrekorden på hundremeter.

3 VI (**a**) (= *break*) gå* i stykker, bli* knust
(**b**) (*against wall/into sth etc*) brase (*v2*) ❑ *They smashed through the plate-glass wall.* De braste gjennom glassveggen.
▸ **smash up** VT (*+car, room*) smadre (*v1*)
smash hit S kjempehit *m*
smashing ['smæʃɪŋ] (*sl*) ADJ kjempefin, kjempebra ❑ *We had a smashing time.* Vi hadde det kjempefint *or* kjempebra.
smattering ['smætərɪŋ] S ▸ **a smattering of** lite grann, en smule ❑ *Jane spoke English, Spanish, and a smattering of Greek.* Jane snakket engelsk, spansk, og lite grann *or* en smule gresk.
smear [smɪəʳ] 1 S (**a**) (*trace*) flekk *m* (*som er smurt utover*) ❑ *...a smear of blue paint.* ...en blå malingflekk.
(**b**) (*insult*) bakvaskelse *m*, ondsinnet rykte *nt* ❑ *Party leaders denounced the allegation as a smear.* Partilederne avviste påstanden som en bakvaskelse *or* et ondsinnet rykte.
(**c**) (*MED*) utstryk *nt*
2 VT (**a**) (= *spread*) smøre* utover, kline (*v2*) utover ❑ *My lipstick was smeared around my mouth.* Leppestiften min var smurt *or* klint utover rundt munnen min.
(**b**) (= *make dirty*) grise (*v1*) til, kline (*v2*) til ❑ *Soot had smeared our faces.* Sot hadde grist *or* klint til ansiktene våre.
▸ **his hands were smeared with oil/ink** hendene hans var tilgriset *or* tilklint av olje/blekk
smear campaign S bakvaskelseskampanje *m*
smear test S utstryksprøve *m*
smell [smɛl] (*pt, pp* **smelt** *or* **smelled**) 1 S (**a**) (= *odour*) lukt *c* ❑ *...the smell of fresh bread.* ...lukten av ferskt brød.
(**b**) (*sense*) lukt *c*, luktesans *m* ❑ *They all have an excellent sense of smell.* Alle sammen har en glimrende luktesans.
2 VTI lukte (*v1*) ❑ *Sharks can smell blood in the water.* Haier kan lukte blod i vannet. *The fridge is beginning to smell.* Kjøleskapet begynner å lukte. *Dinner sure smells good.* Middagen lukter sannelig godt.
▸ **to smell of** lukte av
smelly ['smɛlɪ] (*neds*) ADJ (*cheese, socks*) illeluktende
smelt [smɛlt] 1 PRET, PP *of* **smell**
2 VT smelte (*v1*) (ut)
smile [smaɪl] 1 S smil *nt* ❑ *She has a lovely smile.* Hun har et nydelig smil.
2 VI smile (*v2*) ❑ *The girl was smiling at me...* Jenta smilte til meg...
smiling ['smaɪlɪŋ] ADJ (*face, person*) smilende
smirk [smə:k] (*neds*) S hånlig flir *nt*
smithy ['smɪðɪ] S smie *c*
smitten ['smɪtn] ADJ ▸ **smitten with** besatt av
smock [smɔk] S (*woman's*) kittel *m*; (*artist's*) kittel *m*, frakk *m*; (*US: overall*) (arbeids)kittel *m*, frakk *m*
smog [smɔg] S smog *m*
smoke [sməuk] 1 S røyk *m* ❑ *...a cloud of smoke.* ...en røyksky.
2 VI (**a**) (*person+*) røyke (*v2*) ❑ *He sat and smoked and stared out of the window.* Han satt og røykte og stirret ut av vinduet.
(**b**) (*chimney+*) ryke* ❑ *Down below in the valleys the chimneys were smoking.* Nede i dalen røk det fra pipene.
3 VT (*+cigarettes*) røyke (*v2*) ❑ *I hadn't smoked a cigarette in five weeks.* Jeg hadde ikke røykt en sigarett på fem uker.
▸ **to have a smoke** ta* seg en røyk
▸ **do you smoke?** røyker du?
▸ **to go up in smoke** gå* opp i røyk ❑ *Hundreds of valuable books had gone up in smoke.* Hundrevis av verdifulle bøker hadde gått opp i røyk. *Because of one stupid remark, his whole campaign went up in smoke.* På grunn av en tåpelig bemerkning gikk hele kampanjen hans opp i røyk.
smoke alarm S røykvarsler *m*
smoked [sməukt] ADJ (*bacon, salmon*) røykt; (*glass*) røyk-
smokeless fuel ['sməuklɪs-] S røykfritt brensel *nt*
smokeless zone (*BRIT*) S røykfri sone *m*
smoker ['sməukəʳ] S (*person*) røyker *m*; (*JERNB*) røykekupé *m*
smokescreen ['sməukskri:n] S (**a**) røykteppe *nt*
(**b**) (*fig*) skalkeskjul *nt* ❑ *Working at the embassy was just a smokescreen for his work as a spy.* Arbeidet på ambassaden var bare et skalkeskjul for virksomheten hans som spion.
smoke shop (*US*) S tobakksforretning *m*
smoking ['sməukɪŋ] røyking *c* NB *I'm trying to give up smoking.* Jeg prøver å slutte å røyke.
▸ **"no smoking"** "røyking forbudt"
smoking compartment, **smoking car** (*US*) S røykekupé *m*
smoking room S røykerom *nt*
smoky ['sməukɪ] ADJ (*atmosphere, room*) røykfylt; (*taste*) røykaktig
smolder ['sməuldəʳ] (*US*) VI = **smoulder**
smoochy ['smu:tʃɪ] ADJ (*music*) kline-
smooth [smu:ð] ADJ (**a**) (*skin, surface*) glatt
(**b**) (*sauce, cream*) jevn
(**c**) (*flavour, whisky*) fin og avrundet
(**d**) (*movement*) jevn ❑ *He walked with a long, smooth stride.* Han gikk med lange, jevne skritt.
(**e**) (*landing, take-off*) myk
(**f**) (*flight*) jevn og rolig
(**g**) (*neds: person*) glatt ❑ *I don't like him. He's a bit too smooth.* Jeg liker ham ikke. Han er litt for glatt.
▸ **smooth out** VT (**a**) (*+skirt, piece of paper etc*) glatte (*v1*) på
(**b**) (*fig: difficulties, problems*) gre (*v4*) ut
▸ **smooth over** VT ▸ **to smooth things over** (*fig*) glatte (*v1*) over en del ting
smoothly ['smu:ðlɪ] ADV glatt ❑ *Life is running smoothly for them.* Livet går glatt for dem.
smoothness ['smu:ðnɪs] S (*of surface, skin*) glatthet *c*, jevnhet *c*; (= *steadiness: of flight, landing*) stødighet *c*
smother ['smʌðəʳ] VT (**a**) kvele* ❑ *The baby had been smothered to death.* Spedbarnet hadde blitt kvalt.
(**b**) (= *repress: emotions*) undertrykke (*v2x*) ❑ *He smothered his feelings as best he could.* Han undertrykte følelsene sine så godt han kunne.
smoulder ['sməuldəʳ], **smolder** (*US*) VI (*fire, anger, hatred+*) ulme (*v1*) ❑ *The ruins are still smouldering.* Det ulmer fremdeles i ruinene.

smudge [smʌdʒ] [1] s flekk *m* (*som er smurt utover*) [2] VT gni (*v4 or irreg*) utover, kline (*v2*) utover ❑ *I'm not allowed to kiss her in case I smudge her lipstick.* Jeg får ikke lov å kysse henne i tilfelle jeg gnir *or* kliner leppestiften hennes utover.

smug [smʌg] (*neds*) ADJ (*person, expression*) selvtilfreds
▸ **a look of smug satisfaction** et selvtilfredse blikk

smuggle ['smʌgl] VT (*+drugs, goods, refugees*) smugle (*v1*)
▸ **to smuggle in/out** smugle inn/ut

smuggler ['smʌglə^r] s smugler *m* ❑ *...drug smugglers.* ...narkotikasmuglere.

smuggling ['smʌglɪŋ] s smugling *c*

smut [smʌt] s (**a**) (*= grain of soot*) sotflak *nt* (**b**) (*in conversation etc*) vulgaritet *m* ❑ *...the media's obsession with smut.* ...medienes opptatthet av vulgaritet.

smutty ['smʌtɪ] ADJ (*fig: joke, book*) griset(e)

snack [snæk] s matbit *m*
▸ **to have a snack** ta* seg en matbit

snack bar s snackbar *m*

snag [snæg] s (*problem*) hake *m* ❑ *The only snag is...* Den eneste haken er...

snail [sneɪl] s snegl(e) *m* (*med hus*)

snake [sneɪk] s slange *m*

snap [snæp] [1] s (**a**) (*sound*) knekk *nt*, (lite) smell *nt* ❑ *The snap of a twig broke the silence.* Knekket *or* smellet fra en kvist brøt stillheten.
(**b**) (*photograph*) bilde *nt* ❑ *...her holiday snaps.* ...feriebildene hennes.
[2] ADJ (*decision etc*) øyeblikks-, umiddelbar ❑ *It was a snap decision.* Det var en øyeblikksbestemmelse *or* en umiddelbar bestemmelse.
[3] VT (**a**) (*= break: rope etc*) få* til å ryke
(**b**) (*+stick etc*) knekke (*v1 or v2x*) ❑ *The wind snapped the mast in half.* Vinden knekte masten i to.
[4] VI (**a**) (*= break: stick etc*) brekke*, knekke*
(**b**) (*rope etc+*) ryke* (av) ❑ *The rope snapped.* Tauet røk (av).
(**c**) (*fig: lose control*) bryte* sammen ❑ *He may snap at any minute.* Han kan bryte sammen når som helst.. Det kan klikke for ham når som helst.
▸ **to snap one's fingers** knipse (*v1*) (med fingrene) ❑ *He snapped his fingers and the waiter came running.* Han knipset (med fingrene) og kelneren kom løpende. *I can get anything I want just by snapping my fingers.* Jeg kan få* alt jeg ønsker bare ved å knipse (med fingrene).
▸ **a cold snap** kort kuldeperiode *m*
▸ **to snap open** (*box, purse+*) sprette* opp
▸ **to snap shut** (**a**) (*trap, jaws etc+*) smekke (*v1*) igjen
(**b**) (*+box, purse*) smekke (*v1*) igjen

▸ **snap at** VT FUS (*dog, person+*) glefse (*v1*) mot ❑ *The dogs snapped at his heels.* Hundene glefset mot hælene hans. *She would often snap at her younger son.* Hun kunne* ofte glefse mot den yngste sønnen sin.

▸ **snap off** VT (*= break*) brekke* av

▸ **snap up** VT (*+bargains*) rive* til seg ❑ *The houses were snapped up as soon as they were offered for sale.* Husene ble revet vekk så snart de ble budt fram for salg.

snap fastener s trykknapp *m*

snappy ['snæpɪ] (*sl*) ADJ (*answer, slogan*) kvikk, slagferdig
▸ **make it snappy** få* opp farten
▸ **a snappy dresser** en som kler seg smart *or* fikst

snapshot ['snæpʃɔt] s (øyeblikks)bilde *nt*, snapshot *nt*

snare [snɛə^r] [1] s snare *m* ❑ *...rabbit snares.* ...kaninsnarer.
[2] VT (**a**) (*trap: animal*) fange (*v1*) i snare
(**b**) (*fig: person*) fange (*v1*) i en felle, lure (*v2*) ❑ *Customers are being snared by false offers of prizes.* Kunder blir fanget i en felle *or* blir lurt av falske tilbud om premier.

snarl [snɑːl] [1] VI (*animal, person+*) snerre (*v1*) [2] VT ▸ **to get snarled up** (*plans+*) bli* hindret; (*traffic+*) bli* lammet

snarl-up ['snɑːlʌp] s (*in traffic*) kaos *nt*

snatch [snætʃ] [1] s (*of conversation, song etc*) bruddstykke *nt*
[2] VT (**a**) (*= grab*) snappe (*v1*)
(**b**) (*steal: child*) bortføre (*v2*)
(**c**) (*+handbag etc*) rappe (*v1*)
(**d**) (*fig: opportunity, look, time etc*) gripe* ❑ *We snatched the chance for a few hours together.* Vi grep sjansen til å få* noen timer sammen.
[3] VI ▸ **don't snatch!** ≈ ikke bare ta* det!
▸ **to snatch a sandwich** ta* seg et smørbrød (i all hast)
▸ **to snatch some sleep** lure (*v2*) seg til litt søvn

▸ **snatch up** VT snappe (*v1*) opp, gripe* fatt i

snazzy ['snæzɪ] (*sl*) ADJ lekker

sneak [sniːk] (*pt (US) also* **snuck**) [1] VI ▸ **to sneak in/out** snike* seg inn/ut
[2] VT ▸ **to sneak a look at sth** snike* seg til å se på noe
[3] s (*sl, neds: informer*) sladrehank *m*

▸ **sneak up** VI ▸ **to sneak up on sb** snike* seg innpå noen

sneakers ['sniːkəz] SPL gummisko *pl*

sneaking ['sniːkɪŋ] ADJ ▸ **to have a sneaking feeling** *or* **suspicion that...** ha* en snikende følelse av *or* mistanke om at...

sneaky ['sniːkɪ] (*neds: person, action*) sleip ❑ *That was really sneaky of you!* Det var skikkelig sleipt av deg!

sneer [snɪə^r] [1] VI ▸ **to sneer (at)** flire (*v2*) hånlig (til), hånflire (*v2*) (av) ❑ *She was afraid he would sneer at the idea.* Hun var redd han ville* flire hånlig til *or* hånflire av ideen.
[2] s hånflir *nt*

sneeze [sniːz] [1] s nys *nt*
[2] VI nyse*
▸ **it's not to be sneezed at** det er ikke noe å kimse av

snide [snaɪd] (*neds*) ADJ (*remark*) hånlig, spydig

sniff [snɪf] [1] s ▸ **to give a sniff** (**a**) (*when crying etc*) snufse (*v1*) ❑ *Mary gave a sniff and said "Don't worry, I'm not going to cry."* Mary snufset

og sa "Slapp av, jeg skal ikke begynne å gråte."
(**b**) (*smell*) snuse (*v2*) ❑ ***A fox came along and gave the stone a good sniff.*** En rev kom gående og snuste grundig på steinen.
[2] VTI (**a**) (*gen*) snuse (*v2*) ❑ ***"What a revolting smell," he said, sniffing the air.*** "For en motbydelig lukt," sa han og snuste i luften. ***For goodness sake, stop sniffing.*** For himmelens skyld, slutt å snufse.
(**b**) (*+glue*) sniffe (*v1*) ❑ ***A lot of children are sniffing glue these days.*** En masse unger sniffer lim nå for tiden.

sniffer dog s sporhund *m*

snigger ['snɪgəʳ] VI fnise (*v2*), flire (*v2*) ❑ ***What are you sniggering at?*** Hva fniser *or* flirer du av?

snip [snɪp] [1] s (**a**) (*cut*) klipp *nt* ❑ ***...with a quick snip of the scissors.*** ...med et raskt klipp med saksen.
(**b**) (*BRIT: sl: bargain*) røverkjøp *nt* ❑ ***The ring was a snip at £25.*** Ringen var et røverkjøp til 25 pund.
[2] VT (= *cut*) sakse (*v1*) av ❑ ***I snipped the thread.*** Jeg klippet av tråden.

sniper ['snaɪpəʳ] s snikskytter *m*

snippet ['snɪpɪt] s (*of information, news*) bruddstykke *nt*, brokker *pl* ❑ ***...this interesting snippet of conversation.*** ...dette interessante bruddstykket *or* disse interessante brokkene av en samtale.

snivelling ['snɪvlɪŋ], **sniveling** (*US*) ADJ (= *whimpering*) sutrende ❑ ***You snivelling idiot!*** Din sutrekopp!

snob [snɔb] s snobb *m*

snobbery ['snɔbərɪ] s snobberi *nt*

snobbish ['snɔbɪʃ] ADJ (*person, attitude*) snobbet(e)

snog [snɔg] (*BRIT: sl*) s klining *c*
▸ **to have a snog with sb** kline (*v2*) med noen
VI kline (*v2*)

snooker ['snuːkəʳ] [1] s snooker *m* (*type biljard*)
[2] VT (*BRIT: sl*) ▸ **to be snookered** være* trengt opp i et hjørne *or* opp mot veggen

snoop [snuːp] VI ▸ **to snoop about** snoke (*v1*) rundt, snuse (*v2*) rundt
▸ **to snoop on sb** spionere (*v2*) på noen

snooper ['snuːpəʳ] s snushane *m*, snoker *m*

snooty ['snuːtɪ] ADJ (*person*) høy på pæra; (*letter, reply*) overlegen, hoven

snooze [snuːz] [1] s lur *m*, blund *m* ❑ ***I've just had a nice snooze.*** Jeg har akkurat hatt en god lur *or* blund.
[2] VI slumre (*v1*), blunde (*v1*)

snore [snɔːʳ] [1] s snork *nt* ❑ ***She was woken by the sound of his snores.*** Hun ble vekket av lyden av snorkingen hans.
[2] VI snorke (*v1*)

snoring ['snɔːrɪŋ] s snorking *c*

snorkel ['snɔːkl] s snorkel *m*

snort [snɔːt] [1] s snøft *nt* ❑ ***Clarissa gave a snort of disgust.*** Clarissa snøftet av vemmelse.
[2] VI (**a**) (*animal+*) snøfte (*v1*), pruste (*v1*)
(**b**) (*person+*) snøfte (*v1*) ❑ ***My sister snorted with laughter.*** Søsteren min snøftet av latter.
[3] VT (*sl: cocaine*) sniffe (*v1*)

snotty ['snɔtɪ] (*sl*) ADJ (*handkerchief, nose*) snørret(e) (*sl*); (*neds: snobbish*) skittviktig (*sl*), snørrhoven (*sl*)

snout [snaut] s (*of pig*) tryne *nt*; (*of other animals*) snute *m*

snow [snəu] [1] s snø *m* (*var:* sne)
[2] VI snø (*v4*) (*var:* sne)
[3] VT ▸ **to be snowed under with work** være* nedsyltet i arbeid

snowball ['snəubɔːl] [1] s snøball *m* ❑ ***...a snowball fight.*** ...en snøballkrig.
[2] VI (*fig: problem, campaign*) balle (*v1*) på seg ❑ ***Once the business starts to snowball we should be able to take on more staff.*** Så snart forretningen begynner å balle på seg, burde vi kunne* ta* inn mer folk.

snowbound ['snəubaund] ADJ (*people, vehicles*) innesnødd

snow-capped ['snəukæpt] ADJ (*peak, mountain*) snødekt

snowdrift ['snəudrɪft] s snøfonn *c*, snødrive *m* ❑ ***My car's stuck in a snowdrift.*** Bilen min sitter fast i en snøfonn *or* snødrive.

snowdrop ['snəudrɔp] s snøklokke *c*

snowfall ['snəufɔːl] s snøfall *nt* ❑ ***What's the average snowfall in San Moritz?*** Hva er det gjennomsnittlige snøfallet i San Moritz?

snowflake ['snəufleɪk] s snøfnugg *nt*

snow line s snøgrense *c*

snowman ['snəumæn] s *irreg* snømann *m irreg*

snowplough ['snəuplau], **snowplow** (*US*) s snøplog *m*

snowshoe ['snəuʃuː] s truge *c*

snowstorm ['snəustɔːm] s snøstorm *m*

snowy ['snəuɪ] ADJ (= *white: hair*) snøhvit; (= *covered with snow*) snødekt

SNP (*BRIT: POL*) s FK (= **Scottish National Party**) *politisk parti*

snub [snʌb] [1] VT (*+person*) fornærme (*v1*), støte (*v2*)
[2] s fornærmelse *m*

snub-nosed [snʌb'nəuzd] ADJ med oppstoppernese

snuff [snʌf] [1] s snus *m* ❑ ***...to take snuff.*** ...bruke snus.
[2] VT (*also* ***snuff out****: candle*) slukke (*v1*)

snuff movie s *grov pornofilm, ofte med drap*

snug [snʌg] ADJ (**a**) (= *sheltered: place*) lun, koselig
(**b**) (*person*) god og varm
(**c**) (= *well-fitting*) ettersittende
▸ **it's a snug fit** den sitter som støpt

snuggle ['snʌgl] VI ▸ **to snuggle up to sb** krype* inntil noen
▸ **to snuggle down in bed** krype* til køys, legge* seg godt til rette i sengen

snugly ['snʌglɪ] ADV godt og varmt ❑ ***Jamie was snugly wrapped in a woollen scarf.*** Jamie var godt og varmt kledd i et ullskjerf.
▸ **it fits snugly** (**a**) (*object in pocket etc+*) den passer akkurat
(**b**) (*garment+*) den passer akkurat, den sitter som støpt

SO (*BANK*) s FK = **standing order**

KEYWORD

so [səu] [1] ADV (**a**) (= *thus, likewise*) ▸ **so saying he walked away** da han hadde sagt dette, gikk han
▸ **while she was doing so, he went...** mens hun gjorde dette, gikk han...

▸ **do you enjoy football? if so, come to the match** liker du fotball? hvis du gjør det, kom til kampen
▸ **I didn't do it – you did so!** jeg gjorde det ikke – det gjorde du!
▸ **so do I/so am I** det gjør jeg også/det er jeg også
▸ **I've got work to do and so has Paul** jeg har noe arbeid å gjøre* og det har Paul også
▸ **it's 5'o'clock – so it is!** klokken er 5 – jammen *or* sannelig er den det!
▸ **I hope/think so** jeg håper/tror det
▸ **so far** så langt, hittil ❑ *So far I haven't had any problems.* Hittil *or* så langt har jeg ikke hatt noen problemer.
(**b**) (*in comparisons etc: to such a degree*) så
▸ **we were so worried** vi var så bekymret
▸ **so quickly/big (that)** så fort/stor (at)
▸ **not so clever (as)** ikke så flink (som)
(**c**) ▸ **so much** så mye
▸ **so many** så mange
▸ **I love you so much** jeg elsker deg så høyt
(**d**) ▸ **10 or so** 10 eller noe slikt *or* sånt
(**e**) ▸ **so long!** (*sl: goodbye*) ha* det!
2 KONJ (**a**) (*expressing purpose*) ▸ **so (that)** slik at/så ❑ *I brought it so that you could see it.* Jeg tok den med slik at *or* så du kunne* få* se den.
▸ **we hurried so as not to be late** vi skyndet oss så vi ikke skulle* komme for sent
(**b**) (*expressing result*) så ❑ *He didn't arrive so I left.* Han kom ikke, så jeg drog . *So I was right after all.* Så jeg hadde rett likevel.

soak [səuk] 1 VT (**a**) (= *drench*) gjøre* gjennomvåt ❑ *Water came in the tent and soaked both sleeping bags.* Det kom vann inn i teltet og gjorde begge soveposene gjennomvåte.
(**b**) (= *steep in water*) legge* i bløt ❑ *Soak the material in cold water.* Legg materialene i bløt i kaldt vann.
2 VI (*dirty washing, dishes+*) ligge* i bløt ❑ *Leave the dishes to soak.* La tallerkenene ligge i bløt.
▸ **to be soaked through** (*person, clothes+*) bli* gjennomvåt
▸ **soak in** VI trekke* seg inn ❑ *The water soaked in quickly.* Vannet trakk seg raskt inn.
▸ **soak up** VT trekke* til seg *or* inn ❑ *The soil soaked up a huge volume of water.* Jorda trakk til seg *or* trakk inn store mengder med vann.
soaking ['səukıŋ] ADJ (*also* ***soaking wet***) gjennomvåt
so-and-so ['səuənsəu] s (= *somebody*) den og den
▸ **Mr/Mrs so-and-so** herr/fru den og den
▸ **the little so-and-so!** (*neds*) den lille tullingen!, det lille feet!
soap [səup] s (**a**) såpe *c* ❑ *...soap and water.* ...såpe og vann. *...a bar of soap.* ...et såpestykke.
(**b**) (*also* ***soap opera***) såpeopera *m*
soapbox ['səupbɔks] s (*lit*) såpekasse *c*; (*fig: platform*) margarinkasse *c*
soapflakes ['səupfleıks] SPL såpespon *pl*
soap opera s såpeopera *m*
soap powder s såpepulver *nt*
soapsuds ['səupsʌds] SPL såpeskum *nt sg*
soapy ['səupı] ADJ som det er såpe på
▸ **soapy water** såpevann *nt*

soar [sɔːʳ] VI (**a**) (*on wings*) stige* (høyt opp)
(**b**) (*rocket+*) stige* (til værs)
(**c**) (*price, production, temperature+*) skyte* i været, stige* kraftig ❑ *Rice production soared from 694,000 tons to 913,000.* Risproduksjonen skjøt i været *or* steg kraftig fra 694 000 til 913 000 tonn.
(**d**) (*building etc+*) rage (*v1*) (høyt) ❑ *Great trees soared above us.* Store trær raget (høyt) over oss.
soaring ['sɔːrıŋ] ADJ (*prices, inflation*) gallopperende
sob [sɔb] 1 s hulk *nt* ❑ *She began to weep in gasping, choking sobs.* Hun begynte å gråte med gispende, halvkvalte hulk.
2 VI hulke (*v1*)
s.o.b. (*US: sl!*) S FK (= **son of a bitch**) forbanna drittsekk *m*, helvetes drittsekk *m*
sober ['səubəʳ] ADJ (**a**) (= *not drunk*) edru ❑ *He knew he had to stay sober.* Han visste han måtte* holde seg edru.
(**b**) (= *serious: person, attitude*) sindig, nøktern
(**c**) (= *conservative: colour, style*) diskret, nøktern
▸ **sober up** 1 VT gjøre* edru
2 VI bli* edru
sobriety [sə'braıətı] s (= *not being drunk*) edruelighet *c*; (= *seriousness, sedateness*) sindighet *c*, nøkternhet *c*
sob story s bedrøvelig historie *c*
Soc. FK = **society**
so-called ['səu'kɔːld] ADJ (*friend, expert*) såkalt
soccer ['sɔkəʳ] s fotball *m*
soccer pitch s fotballbane *m*
soccer player s fotballspiller *m*
sociable ['səuʃəbl] ADJ (*person, behaviour*) sosial
social ['səuʃl] 1 ADJ (**a**) (*gen: history, structure, background*) sosial, samfunns- ❑ *There's social injustice everywhere.* Det er sosial urettferdighet overalt.
(**b**) (= *leisure: event, contact*) selskapelig, sosial ❑ *...social and business functions.* ...sosiale *or* selskapelige og forretningsmessige anledninger.
(**c**) (= *sociable: animal*) sosial ❑ *...social insects such as ants.* ...sosiale insekter som maur.
2 s (*party*) selskap *nt*, sammenkomst *m* ❑ *They met at a social in London.* De møttes i et selskap *or* en sammenkomst i London.
▸ **social life** sosialt liv ❑ *How's your social life these days?* Hvordan er det sosiale livet ditt for tiden?
social class s sosial klasse *m*, samfunnsklasse *m*
social climber (*neds*) s streber *m*
social club s ≈ (fritids)klubb *m*
Social Democrat s sosialdemokrat *m*
social insurance (*US*) s sosialtrygd *c*
socialism ['səuʃəlızəm] s sosialisme *m*
socialist ['səuʃəlıst] 1 ADJ sosialistisk
2 s sosialist *m*
socialite ['səuʃəlaıt] s (*person*) *en som tilhører sosieteten*
socialize ['səuʃəlaız] VI omgås *no past tense*
▸ **to socialize with** omgås *no past tense* (med), ha* sosial omgang med
socially ['səuʃəlı] ADV (*visit*) privat; (*acceptable*) sosialt
social science s samfunnsvitenskap *m*,

samfunnsfag *nt*

social security (*BRIT*) s sosialtrygd *c* ❑ *He gets more on social security than he did when he was working.* Han får mer på sosialtrygd enn han fikk da han arbeidet.
▸ **Department of Social Security**
≈ Sosialdepartementet

social services SPL sosialomsorg *m sg* ❑ *...major cuts in social services.* ...store nedskjæringer på sosialomsorgen.

social welfare s sosial velferd *m*

social work s sosialarbeid *nt*

social worker s sosialarbeider *m*

society [sə'saɪətɪ] 1 s (**a**) (*= people, their lifestyle, community*) samfunn *nt* ❑ *...equal status in society.* ...lik status i samfunnet. *...a multi-racial society.* ...et samfunn med flere raser.
(**b**) (*= club*) forening *c*, klubb *m* ❑ *I'm on the committee of the local film society.* Jeg er med i styret for den lokale filmklubben.
(**c**) (*also* ***high society***) sosietet *m* ❑ *He was good in society and a perfect gentleman.* Han var habil i sosieteten og en perfekt gentlemann.
2 SAMMENS sosietets- ❑ *...a society lady.* ...en sosietetsdame.

socioeconomic ['səusɪəui:kə'nɔmɪk] ADJ (*group, factor*) sosialøknomisk, sosioøkonomisk

sociological [səusɪə'lɔdʒɪkl] ADJ sosiologisk

sociologist [səusɪ'ɔlədʒɪst] s sosiolog *m*

sociology [səusɪ'ɔlədʒɪ] s sosiologi *m*

sock [sɔk] 1 s sokk *m* ❑ *...a pair of socks.* ...et par sokker.
2 VT (*sl: hit*) dra* til (*sl*) ❑ *He socked Brady in the mouth.* Han drog til Brady på munnen.
▸ **to pull one's socks up** (*fig*) ta* seg sammen

socket ['sɔkɪt] s (*eye socket*) øyenhull *nt*; (*hip socket*) hofteskål *f*; (*BRIT: ELEK*) stikkontakt *m*; (*for light bulb*) holder *m*

sod [sɔd] 1 s (**a**) (*= earth*) mark *m*
(**b**) (*BRIT: sl!*) jævel *m* (*sl!*) ❑ *You poor sod!* Stakkars jævel!
2 VI ▸ **sod off!** dra til helvete! (*sl!*)

soda ['səudə] s (**a**) (*KJEM*) soda *m* ❑ *...caustic soda.* ...kaustisk soda.
(**b**) (*also* ***soda water***) soda *m* ❑ *...a whisky and soda.* ...en whisky og soda.
(**c**) (*US:* ***soda pop***) brus *m*

sodden ['sɔdn] ADJ (*clothes, ground*) gjennomvåt, gjennomtrukken

sodium ['səudɪəm] s natrium *nt*

sodium chloride s natriumklorid *nt*

sofa ['səufə] s sofa *m*

Sofia ['səufɪə] s Sofia

soft [sɔft] ADJ (**a**) (*= not hard, not rough*) myk, bløt ❑ *...a soft bed.* ...en myk *or* bløt seng. *Her skin was soft.* Huden hennes var myk *or* bløt.
(**b**) (*= not loud: voice, music*) dempet, lav ❑ *Her voice grew softer.* Stemmen hennes ble lavere *or* mer dempet.
(**c**) (*= not bright: light, colour*) (av)dempet ❑ *...the soft glow of the evening light.* ...den (av)dempede gløden av kveldslyset.
(**d**) (*= lenient*) ettergivende ❑ *You're far too soft on those kids.* Du er altfor ettergivende med de ungene.
▸ **soft in the head** (*sl: stupid*) bløt på pæra (*sl*)

soft-boiled ['sɔftbɔɪld] ADJ (*egg*) bløtkokt

soft drink s alkoholfri drink *m or* drikk *m*

soft drugs SPL lette(re) stoffer

soften ['sɔfn] 1 VT (**a**) (*gen: make soft*) myke (*v1*) opp, gjøre* myk ❑ *Fry the onions to soften them.* Stek løken for å myke dem opp *or* for å gjøre* dem myke.
(**b**) (*+effect, blow*) dempe (*v1*) ❑ *The shock had been softened a little by Mary's words.* Sjokket hadde blitt dempet litt av Marys ord.
(**c**) (*+expression*) få* til å mykne ❑ *The memory softened her face.* Minnet fikk ansiktet hennes til å mykne.
2 VI (**a**) (*gen: become soft*) mykne (*v1*), bli* myk(ere) ❑ *I'm waiting for the ice-cream to soften.* Jeg venter på at isen skal mykne *or* bli* mykere.
(**b**) (*voice, expression+*) mykne (*v1*) ❑ *His mother's face softened a little.* Morens ansikt myknet litt.

softener ['sɔfnə^r] s (*water softener*) bløtemiddel *nt*; (*fabric softener*) tøymykner *m*

soft fruit (*BRIT*) s *(hage)bær og plommer*

soft furnishings SPL *møbeltekstiler, lampeskjermer, tepper etc*

soft-hearted [sɔft'hɑ:tɪd] ADJ bløthjertet

softly ['sɔftlɪ] ADV (**a**) (*= gently*) varsomt ❑ *Mike softly placed his hand on...* Mike plasserte varsomt hånden sin på...
(**b**) (*= quietly*) dempet, lavt ❑ *"Listen," she said softly.* "Hør," sa hun dempet *or* lavt.

softness ['sɔftnɪs] s (**a**) (*gen*) mykhet *c*
(**b**) (*gentleness*) mildhet *c* ❑ *There was a softness about her.* Det var en mildhet over henne.

soft option s ▸ **the** *or* **a soft option** minste motstands vei

soft sell s myk salgstaktikk *m* ❑ *...the soft sell.* ...myk salgstaktikk.

soft spot s ▸ **to have a soft spot for sb** ha* en svakhet for noen, være* svak for noen

soft target s lett offer *nt*

soft toy s (mykt) kosedyr *nt*

software ['sɔftwɛə^r] s programvare *m* ❑ *My job is writing the software.* Min jobb er å skrive programvare.

software package s programpakke *c*

soft water s bløtt vann *nt*

soggy ['sɔgɪ] ADJ (*ground, sandwiches etc*) bløt

soil [sɔɪl] 1 s (**a**) (*= earth*) jord *c*, jordsmonn *nt* ❑ *The soil here is very fertile.* Jorda *or* jordsmonnet her er veldig fruktbar(t).
(**b**) (*territory*) jord *c* ❑ *...I had set foot on British soil.* ...jeg hadde satt foten på britisk jord.
2 VT (*clothes, reputation etc*) skitne (*v1*) til ❑ *I wouldn't soil myself by reading that sort of filth!* Jeg ville* ikke skitne meg til med å lese sånt smuss!

soiled [sɔɪld] ADJ skitten

sojourn ['sɔdʒə:n] (*fml*) s opphold *nt*

solace ['sɔlɪs] s trøst *m*, fortrøstning *m*

solar ['səulə^r] ADJ sol-
▸ **solar eclipse** solformørkelse *m*

solarium [sə'lɛərɪəm] (*pl* **solaria**) s solarium *nt irreg*

solar panel s solcellepanel *nt*

solar plexus [-'plɛksəs] s solar plexus *m*

solar power s solenergi *m*
solar system s solsystem *nt*
sold [səuld] PRET, PP *of* **sell**
solder ['səuldəʳ] 1 VT lodde (*v1*)
2 s loddetinn *nt*
soldier ['səuldʒəʳ] 1 s soldat *m*
2 VI ▸ **to soldier on** kjempe (*v1*) tappert (videre)
▸ **toy soldier** tinnsoldat *m*
sold out ADJ (*goods, tickets, concert etc*) utsolgt
sole [səul] 1 s (**a**) (*of foot, shoe*) såle *m* ❑ *...the sole of her foot.* ...fotsålen hennes. *...a hole in the sole of his shoe.* ...et hull i skosålen hans.
(**b**) (*fish: pl inv*) flyndre *c*
2 ADJ (**a**) (= *only, unique*) eneste ❑ *In some families, the woman is the sole wage earner.* I noen familier er kvinnen den eneste som tjener penger.
(**b**) (= *exclusive*) ene(-) ❑ *She has the sole responsibility for bringing up the child.* Hun har eneansvaret for å oppdra barnet.
solely ['səullɪ] ADV ene og alene, utelukkende ❑ *We can't rely solely on the television for news.* Vi kan ikke stole ene og alene *or* utelukkende på fjernsynet for å få* nyheter.
▸ **solely responsible** eneansvarlig, alene ansvarlig
solemn ['sɔləm] ADJ (*person, music, promise*) høytidelig
sole trader s en som har/driver et enmannsfirma
solicit [sə'lɪsɪt] 1 VT (= *request*) anmode (*v1*) om ❑ *Roy solicited aid from a number of influential members.* Roy anmodet om hjelp fra en mengde innflytelsesrike medlemmer.
2 VI (*prostitute+*) drive* utukt
solicitor [sə'lɪsɪtəʳ] (*BRIT*) s ≈ advokat *m*
solid ['sɔlɪd] 1 ADJ (**a**) (= *not hollow, not liquid*) fast, massiv ❑ *...carved into the solid rock.* ...hogd inn i fast *or* massivt fjell. *It froze and became one solid block.* Det frøs og ble en fast *or* massiv blokk.
(**b**) (= *reliable: person*) solid, traust
(**c**) (*advice, experience*) skikkelig ❑ *...solid, good people.* ...solide *or* trauste, gode mennesker. *Jane was able to give me some solid advice.* Jane kunne* gi* meg noen skikkelige råd.
(**d**) (= *strong: structure, foundations*) solid ❑ *...lines of solid Victorian houses.* ...rekker av solide viktorianske hus.
(**e**) (= *unbroken: conversation*) sammenhengende
(**f**) (*hours, weeks*) i strekk ❑ *...fifteen minutes' solid conversation.* ...et kvarters sammenhengende samtale. *He wrote for 2 solid hours.* Han skrev i to timer i strekk.
(**g**) (= *pure: gold, oak etc*) massiv ❑ *Is that bracelet really solid gold?* Er det armbåndet virkelig i massivt gull?
2 s fast stoff *nt* ❑ *...a solid or a liquid or a gas.* ...et fast stoff eller en væske eller en gass.
▸ **solids** s (*food*) fast føde *c* ❑ *Have you started her on solids?* Har du begynt å gi* henne fast føde?
▸ **solid object** fast gjenstand *nt*
▸ **to be on solid ground** (*fig*) være* på fast *or* trygg grunn
▸ **I read for 2 hours solid** jeg leste i to timer i strekk
solidarity [sɔlɪ'dærɪtɪ] s solidaritet *m* ❑ *Their spontaneous show of solidarity...* Hvordan de spontant viste solidaritet...
solid fuel s fast brensel *m*
solidify [sə'lɪdɪfaɪ] 1 VI (*fat etc+*) stivne (*v1*)
2 VT få* til å stivne
solidity [sə'lɪdɪtɪ] s soliditet *m*
solidly ['sɔlɪdlɪ] ADV (**a**) (*built*) solid
(**b**) (*respectable*) skikkelig ❑ *...a solidly respectable family.* ...en skikkelig respektabel familie.
(**c**) (*in favour*) solid ❑ *They are solidly behind the proposal.* De står solid bak forslaget.
solid-state ['sɔlɪdsteɪt] ADJ transistor- ❑ *...solid-state electronics.* ...transistorelektronikk.
soliloquy [sə'lɪləkwɪ] s enetale *m*
solitaire [sɔlɪ'tɛəʳ] s (*gem*) solitær *m*; (*game: BRIT*) *brettspill for en person*; (*US*) kabal *m*
solitary ['sɔlɪtərɪ] ADJ (**a**) (= *lonely*) (som er) for seg selv ❑ *Few people live entirely solitary lives.* Få mennesker lever livene sine helt for seg selv.
(**b**) (= *alone*) enslig, ene- ❑ *...a solitary child.* ...enebarn.
(**c**) (= *empty*) øde, ensom ❑ *...on a solitary street.* ...i en øde *or* ensom gate.
(**d**) (= *single*) ensom, enslig ❑ *...a solitary tree by the lake.* ...et ensomt *or* enslig tre ved innsjøen.
solitary confinement s isolat *nt*
▸ **to be in solitary confinement** sitte* i isolat
solitude ['sɔlɪtju:d] s ensomhet *c* ❑ *...moments of solitude.* ...stunder med ensomhet.
▸ **to live in solitude** leve (*v3*) enslig
solo ['səuləu] 1 s (*piece of music, performance*) solo *m* ❑ *...a clarinet solo by Donizetti.* ...en klarinettsolo av Donizetti.
2 ADV (*fly, play, perform*) solo, alene
▸ **solo flight** soloflyvning *m*
soloist ['səuləuɪst] s solist *m*
Solomon Islands ['sɔləmən-] SPL ▸ **the Solomon Islands** Salomonøyene
solstice ['sɔlstɪs] s solverv *nt* ❑ *...the winter solstice.* ...vintersolverv.
soluble ['sɔljubl] ADJ oppløselig ❑ *The powder is soluble in water.* Pulveret er oppløselig i vann *or* er vannløselig.
solution [sə'lu:ʃən] s (**a**) (= *answer: to problem, puzzle*) løsning *m* ❑ *...a peaceful solution to the troubles.* ...en fredelig løsning på problemene. *The solution to yesterday's crossword...* Løsningen til gårsdagens kryssord...
(**b**) (*liquid*) oppløsning *m* ❑ *...a solution of milk and water.* ...en oppløsning av melk og vann.
solve [sɔlv] VT (*+problem, mystery, police case*) løse (*v2*), oppklare (*v2*); (*+puzzle, riddle*) løse (*v2*)
solvency ['sɔlvənsɪ] s solvens *m*, betalingsevne *m*
solvent ['sɔlvənt] 1 ADJ (*MERK*) solvent, betalingsdyktig ❑ *They need the money to stay solvent.* De trenger pengene for å holde seg solvente *or* betalingsdyktige.
2 s (*KJEM*) (opp)løsningsmiddel *nt*
solvent abuse s sniffing *c*
Som. (*BRIT: POST*) FK = **Somerset**
Somali [sə'ma:lɪ] 1 ADJ somali(sk)
2 s (*person*) somalier *m*, somali *m*

Somalia [sə'mɑːlɪə] s Somalia
sombre ['sɔmbəʳ], **somber** (*US*) ADJ (= *dark: colour, place*) dyster, mørk; (= *serious: person, view*) dyster

KEYWORD

some [sʌm] 1 ADJ (**a**) (= *an amount or number of*) noen *c and pl*, noe *nt*; (*with uncountable noun*) noe
▸ **some milk/water/books** noe melk/noe vann/ noen bøker
▸ **some 10 people** omtrent *or* rundt 10 mennesker
(**b**) (= *certain, in contrasts*) noen/noe
▸ **some people say that...** noen (mennesker) sier at...
(**c**) (*unspecified*) ▸ **some (or other)** en (eller annen) *c*, et (eller annet) *nt* ❑ *Some woman was asking for you.* En eller annen dame spurte etter deg.
▸ **some day** en dag ❑ *We'll meet again some day.* Vi skal møtes igjen en dag. *Shall we meet some day next week?* Skal vi møtes en dag i neste uke?
2 PRON (**a**) (= *a certain number*) noen ❑ *I've got some.* Jeg har noen.
▸ **some of them** noen av dem
(**b**) (= *a certain amount*) litt, noen *c*, noe *nt* ❑ *I've got some.* Jeg har litt *or* noe. *Could I have some of that cheese?* Kan jeg få* litt av den osten?

somebody ['sʌmbədɪ] PRON = **someone**
someday ['sʌmdeɪ] ADV en dag
somehow ['sʌmhaʊ] ADV (**a**) (= *in some way*) på en eller annen måte ❑ *We'll manage somehow.* Vi skal klare oss på en eller annen måte.
(**b**) (= *for some reason*) på en måte ❑ *To hear her talking this way was somehow shocking.* Det var på en måte sjokkerende å høre henne snakke slik.
someone ['sʌmwʌn] PRON noen
▸ **there's someone coming** det kommer noen
▸ **I saw someone in the garden** jeg så noen i hagen
someplace ['sʌmpleɪs] (*US*) ADV = **somewhere**
somersault ['sʌməsɔːlt] 1 s (*deliberate*) saltomortale *m*, salto *m*; (*accidental*) kolbøtte *c*
2 VI (*person, vehicle+ : accidentally*) slå* kolbøtte; (*person+ : deliberately*) slå* saltomortale
something ['sʌmθɪŋ] PRON noe
▸ **something nice/wrong** noe hyggelig/galt
▸ **something to do** noe å gjøre
-something SUFF ▸ **twenty-/thirty-something** noen-og-tjue/tretti
sometime ['sʌmtaɪm] ADV (*in future*) en (eller annen) gang ❑ *Can I come and see you sometime?* Kan jeg komme og besøke deg en (eller annen) gang?
▸ **sometime last month** en (eller annen) gang i forrige måned
sometimes ['sʌmtaɪmz] ADV av og til, noen ganger
somewhat ['sʌmwɔt] ADV noe, en del ❑ *My own role was fascinating, if somewhat alarming.* Min egen rolle var fascinerende, om enn noe skremmende. *Communication has altered things somewhat.* Kommunikasjon har forandret ting en del.
▸ **somewhat to my surprise** til min smule overraskelse
somewhere ['sʌmwɛəʳ] ADV et (eller annet) sted ❑ *I must have lost it somewhere.* Jeg må ha* mistet det et (eller annet) sted.
▸ **it's somewhere or other in Scotland** det er et eller annet sted i Skottland
▸ **somewhere else** et annet sted
son [sʌn] s sønn *m*
sonar ['səunɑːʳ] s sonar *m*
sonata [sə'nɑːtə] s sonate *m*
song [sɔŋ] s sang *m*
songbook ['sɔŋbuk] s sangbok *c*
songwriter ['sɔŋraɪtəʳ] s låtskriver *m*
sonic ['sɔnɪk] ADJ sonisk, lyd-
▸ **sonic boom** overlydsknall *nt*
son-in-law ['sʌnɪnlɔː] s svigersønn *m*
sonnet ['sɔnɪt] s sonett *m*
sonny ['sʌnɪ] (*sl*) s ▸ **hallo, sonny** hei, gutten min
soon [suːn] ADV (**a**) (*a short time from now, from then*) snart ❑ *It will soon be Christmas.* Det er snart jul. *I soon forgot about our conversation.* Jeg glemte snart samtalen vår.
(**b**) (= *early*) tidlig ❑ *It's too soon to talk about stopping.* Det er for tidlig å snakke om å slutte.
▸ **soon afterwards** kort (tid) etter, snart etter
▸ **how soon?** hvor snart?
▸ **see you soon!** ser deg snart!
see also **as**
sooner ['suːnəʳ] ADV (**a**) (*time*) før, tidligere ❑ *I should finish within a few years, perhaps sooner.* Jeg burde være* ferdig innen noen år, kanskje før *or* tidligere.
(**b**) (*preference*) heller ❑ *I would sooner read than watch television.* Jeg ville* heller lese enn å se på tv.
▸ **sooner or later** før eller senere
▸ **the sooner the better** jo før jo heller
▸ **no sooner said than done** som sagt så gjort
▸ **no sooner had we left than...** ikke før hadde vi dratt av gårde, så...
soot [sut] s sot *c*
soothe [suːð] VT (= *calm: person, animal*) berolige (*v1*), roe (*v1*) (ned); (= *reduce: pain*) lindre (*v1*), døyve (*v1 or v3*)
soothing ['suːðɪŋ] ADJ (*ointment etc*) lindrende; (*tone, words etc*) beroligende; (*drink, bath*) velgjørende
SOP S FK = **standard operating procedure**
sop [sɔp] s ▸ **that's only a sop** det er bare et plaster på såret
sophisticated [sə'fɪstɪkeɪtɪd] ADJ (*person, lifestyle, audience*) verdensvant, sofistikert; (*machinery, arguments*) avansert
sophistication [səfɪstɪ'keɪʃən] s (**a**) (*of person*) raffinement *nt* ❑ *He had an air of sophistication.* Han gav et inntrykk av raffinement.
(**b**) (*of machine*) *det å være* avansert* NB *...TV games of startling sophistication.* ...tv-spill som var forbausende avanserte.
(**c**) (*of argument etc*) *det å være* avansert*
sophomore ['sɔfəmɔːʳ] (*US*) s *elev i annen klasse på high school eller andreårsstudent ved universitet.*
soporific [sɔpə'rɪfɪk] 1 ADJ (*drug*) sove-,

søvndyssende; (*lecture etc*) søvndyssende
2 s sovemiddel *nt*

sopping ['sɔpɪŋ] ADJ ▸ **sopping (wet)** klissvåt, klissbløt

soppy ['sɔpɪ] (*neds*) ADJ (*person, film*) klisset(e)

soprano [sə'prɑːnəu] s sopran *m*

sorbet ['sɔːbeɪ] s sorbet *m*

sorcerer ['sɔːsərəʳ] s trollmann *m irreg*

sordid ['sɔːdɪd] ADJ (**a**) (= *dirty: bedsit etc*) skitten ❑ *...sordid back streets.* ...skitne bakgater.
(**b**) (= *wretched: story etc*) skitten, simpel ❑ *...a rather sordid affair.* ...en ganske skitten *or* simpel affære.

sore [sɔːʳ] 1 ADJ (**a**) (= *painful*) sår
(**b**) (*især US: offended*) såret, sår
2 s sår *nt*
▸ **to have a sore throat** ha* sår hals, ha* vondt i halsen
▸ **it's a sore point** (*fig*) det er et sårt punkt

sorely ['sɔːlɪ] ADV ▸ **I am sorely tempted (to)** jeg er sterkt fristet (til å)

soreness ['sɔːnɪs] s (*pain*) sårhet *c*

sorrel ['sɔrəl] s syre *c*

sorrow ['sɔrəu] s (*regret*) sorg *m* ❑ *She wrote to express her sorrow at the tragic death of their son.* Hun skrev for å uttrykke sin sorg over det tragiske dødsfallet til sønnen deres.
▸ **sorrows** SPL sorger

sorrowful ['sɔrəuful] ADJ (*day*) sørgelig; (*smile etc*) sørgmodig

sorry ['sɔrɪ] ADJ (**a**) (= *regretful*) lei (seg) ❑ *He was sorry he had...* Han var lei (seg) for *or* angret på at han hadde...
(**b**) (*condition, excuse, sight*) sørgelig, bedrøvelig ❑ *This chair is in a rather sorry state.* Denne stolen er i en ganske sørgelig *or* bedrøvelig forfatning. *What a sorry sight you are!* For et sørgelig *or* bedrøvelig syn du er!
▸ **sorry!** unnskyld!
▸ **sorry?** unnskyld?, hva?
▸ **to be** *or* **feel sorry for sb** synes (*v25*) synd på noen
▸ **I'm sorry to hear that...** jeg er lei (meg) for å høre at...
▸ **to be sorry about sth** være* lei seg for noe, beklage (*v1*) noe ❑ *I'm sorry about the coffee on your bedspread.* Jeg er lei meg for *or* Jeg beklager kaffen på sengeteppet ditt.

sort [sɔːt] 1 s ▸ **sort (of)** (**a**) (= *type*) slag *nt*, sort *m* (for) NB *There were five different sorts of biscuits.* Det var fem forskjellige slag *or* sorter (for) kjeks.
(**b**) (= *make: of coffee, car etc*) slag *nt*, sort *m*
2 VT (**a**) (*also* **sort out**: *papers, mail, belongings*) sortere (*v2*)
(**b**) (+*problems*) ordne (*v1*) opp i ❑ *We have to sort things out between us.* Vi må ordne opp i en del ting mellom oss.
(**c**) (*DATA*) sortere (*v2*)
▸ **a sort of** en/et slags
▸ **all sorts of** all slags ❑ *There are all sorts of reasons why this is true.* Det er all slags grunner til at dette stemmer.
▸ **what sort?** hvilken sort *or* hvilket slag?
▸ **what sort of car?** hva slags bil?
▸ **I'll do nothing of the sort!** jeg gjør ikke noe sånt!
▸ **it's sort of awkward** (*sl*) det er på en måte litt pinlig

sortie ['sɔːtɪ] s (**a**) (*MIL*) utfall *nt*
(**b**) (= *excursion*) utflukt *m* ❑ *...occasional sorties to Exeter.* ...sporadiske utflukter til Exeter.

sorting office s (post)sorteringskontor *nt*

SOS S FK (= **save our souls**) SOS

so-so ['səusəu] 1 ADV sånn passe(lig) ❑ *"How are you feeling?" "So-so."* "Hvordan føler du deg?" "Sånn passe(lig)."
2 ADJ (= *average*) sånn passe(lig), måtelig ❑ *Some of the food is very good but some of it's so-so.* Noe av maten er veldig god, men noe av den er måtelig *or* sånn passe.

soufflé ['suːfleɪ] s sufflé *m* ❑ *...a cheese soufflé.* ...en ostesufflé.

sought [sɔːt] PRET, PP *of* **seek**

sought-after ['sɔːtɑːftəʳ] ADJ (*person, thing*) etterspurt, ettertraktet ❑ *...a much sought-after item.* ...en sterkt etterspurt *or* ettertraktet gjenstand.

soul [səul] s (**a**) (*of person*) sjel *c* ❑ *They said a prayer for the souls of the men.* De bad en bønn for mennenes sjeler. *She was a kind and generous soul.* Hun var en snill og gavmild sjel.
(**b**) (*MUS*) soul *m* ❑ *...a soul band.* ...et soulband.
▸ **the poor soul** den arme kroken *or* stakkaren
▸ **I didn't see a soul** jeg så ikke en sjel

soul-destroying ['səuldɪstrɔɪɪŋ] ADJ (*work*) åndsforlatt

soulful ['səulful] ADJ (*eyes, music*) sjelfull, åndfull

soulless ['səullɪs] ADJ (*place, job*) sjelløs, åndløs

soul mate s sjelefrende *m*

soul-searching ['səulsəːtʃɪŋ] s sjelegransking *c* ❑ *...after much soul-searching, I decided...* etter en hel del sjelegransking, bestemte jeg...

sound [saund] 1 ADJ (**a**) (= *healthy*) sunn (og frisk) ❑ *My heart is basically sound.* Hjertet mitt er grunnleggende sunt (og friskt).
(**b**) (= *safe, not damaged*) hel, i god forfatning ❑ *The house was surprisingly sound after the explosion.* Huset var forbausende helt *or* i forbausende god forfatning etter eksplosjonen.
(**c**) (= *secure: investment*) sikker
(**d**) (= *reliable, thorough*) grundig ❑ *...a sound theoretical foundation.* ...en grundig teoretisk basis.
(**e**) (= *sensible: advice*) fornuftig
(**f**) (= *valid: argument, policy, claim*) fornuftig, rimelig
2 ADV ▸ **sound asleep** i dyp søvn
3 s (**a**) (= *noise, volume*) lyd *m* ❑ *He heard the sound of footsteps...* Han hørte lyden av fottrinn... *Morris turned down the sound.* Morris skrudde ned lyden.
(**b**) (*GEOG*) sund *nt*
4 VT (**a**) (+*alarm*) ringe (*v2*) med, slå* på ❑ *Sound the alarm!* Slå på alarmen!, Slå alarm!
(**b**) (+*horn*) blåse (*v2*) i
5 VI (**a**) (*alarm, horn+*) ule (*v2*), lyde* ❑ *The intercom buzzer sounded.* Det pep i callingen.
(**b**) (*fig: seem*) høres (*v25*) ut ❑ *He sounded a little discouraged.* Han hørtes litt motløs ut.

▸ **to sound like** høres (*v25*) ut som ❑ *You sound just like an insurance salesman.* Du høres akkurat ut som en forsikringsagent.
▸ **that sounds like them arriving** det høres ut som om de kommer
▸ **it sounds as if...** det høres ut som om...
▸ **to sound one's horn** (*BIL*) tute (*v1*)
▸ **to be of sound mind** ha* sine sansers fulle bruk, ha* vettet i behold
▸ **I don't like the sound of it** jeg har et dårlig inntrykk av det, det høres ikke noe særlig ut

▸ **sound off** (*sl*) VI ▸ **to sound off (about)** skrike* opp (om)

▸ **sound out** VT (**a**) (*+opinion*) lodde (*v1*) (**b**) (*+person*) sondere (*v2*) terrenget hos ❑ *I'm not sure he'll agree but I'll sound him out.* Jeg er ikke sikker på at han vil være* enig, men jeg skal sondere terrenget hos ham.

sound barrier S lydmur *m* ❑ *In a few minutes we will be breaking the sound barrier.* Om et par minutter vil vi bryte lydmuren.

soundbite ['saundbaɪt] S kort og fyndig replikk *m* ❑ *Politicians these days need to be masters of the soundbite.* Politikere nå for tiden må beherske korte og fyndige replikker.

sound card (*DATA*) S lydkort *n*

sound effects SPL lydeffekter

sound engineer S lydtekniker *m*

sounding ['saundɪŋ] (*NAUT*) S lodding *c*

sounding board S klangbunn *m*; (*fig*) ▸ **to use sb as a sounding board** bruke noen som responsgruppe

soundly ['saundlɪ] ADV (*sleep*) godt, dypt; (*beat*) ettertrykkelig, grundig

soundproof ['saundpru:f] [1] ADJ (*room etc*) lydtett, lydisolert
[2] VT gjøre* lydtett, lydisolere (*v2*)

sound system S musikkanlegg *nt*

soundtrack ['saundtræk] S lydspor *nt*

sound wave S lydbølge *m*

soup [su:p] S suppe *c*
▸ **to be in the soup** (*fig*) sitte* fint i det

soup course S suppe *c* (*som forrett*)

soup kitchen S suppekjøkken *nt*

soup plate S suppetallerken *m*

soupspoon ['su:pspu:n] S suppeskje *c*

sour ['sauəʳ] ADJ sur ❑ *These plums taste sour.* Disse plommene smaker surt. *This milk's sour.* Denne melken er sur. *I received a sour look...* Jeg fikk et surt blikk...
▸ **to go** *or* **turn sour** (**a**) (*milk, wine+*) bli* sur, surne (*v1*)
(**b**) (*fig: relationship, plans*) skjære* seg
▸ **it's sour grapes** (*fig*) høyt henger de og sure er de

source [sɔ:s] S kilde *m* ❑ *...one of the world's sources of uranium.* ...en av verdens urankilder. *...their main source of worry.* ...deres største kilde til bekymring.
▸ **I have it from a reliable source that...** jeg vet fra en pålitelig kilde at...

south [sauθ] [1] S sør (*var.* syd) ❑ *She's from the South.* Hun er sørfra.
[2] ADJ (**a**) (*wind*) sørlig
(**b**) (*coast*) sør- ❑ *...a boarding house on the south coast.* ...et pensjonat på sørkysten.
[3] ADV sørover ❑ *I then drove south through Philadelphia.* Så kjørte jeg sørover gjennom Philadelphia.
▸ **(to the) south of** sør for
▸ **to travel south** dra sørover
▸ **the South of France** Sør-Frankrike

South Africa S Sør-Afrika

South African [1] ADJ sørafrikansk
[2] S (*person*) sørafrikaner *m*

South America S Sør-Amerika

South American [1] ADJ søramerikansk
[2] S (*person*) søramerikaner *m*

southbound ['sauθbaund] ADJ (*carriageway, traffic, train*) sørgående

south-east [sauθ'i:st] S sørøst

South-East Asia S Sørøst-Asia

southerly ['sʌðəlɪ] ADJ (**a**) (*= to/towards the south: aspect, direction*) sørlig ❑ *...in a southerly direction.* ...i sørlig retning.
(**b**) (*= from the south: wind*) sørlig, sønna-

southern ['sʌðən] ADJ sør-, sørlig ❑ *...the southern States.* ...sørstatene.
▸ **the southern hemisphere** den sørlige halvkule

South Korea S Sør-Korea

South Pole S ▸ **the South Pole** Sydpolen (*var.* Sørpolen)

South Sea Islands SPL ▸ **the South Sea Islands** Sydhavsøyene

South Seas SPL ▸ **the South Seas** Sydhavet *sg*

South Vietnam S Sør-Vietnam

southward(s) ['sauθwəd(z)] ADV sørover ❑ *He took the road southwards into the hills.* Han tok veien sørover mot åsene.

south-west [sauθ'wɛst] S sørvest ❑ *To the south-west lay the city.* I sørvest lå byen.

souvenir [su:və'nɪəʳ] S (*= memento*) suvenir *m* ❑ *...as a souvenir of his journey.* ...som suvenir fra reisen sin.

sovereign ['sɔvrɪn] S (*ruler*) regjerende fyrste *m*, konge *m*/dronning *c*

sovereignty ['sɔvrɪntɪ] S suverenitet *m* ❑ *...a threat to national sovereignty.* ...en trussel mot nasjonal suverenitet.

soviet ['səuvɪət] [1] ADJ sovjetisk
[2] S (*person*) sovjeter *m*
▸ **the Soviet Union** (*HIST*) Sovjetunionen

sow[1] [sau] S (*pig*) purke *f*, sugge *f*

sow[2] [səu] (*pt* **sowed**, *pp* **sown**) VT så (*v4*) ❑ *It's time to sow the winter wheat.* Det er tid for å så vinterhveten. *...those who sow dismay and division in the party.* ...de som sår misnøye og splittelse i partiet.

soya ['sɔɪə], **soy** (*US*) S ▸ **soya bean** soyabønne *m*
▸ **soya sauce** soyasaus *m*

sozzled ['sɔzld] (*BRIT: sl*) ADJ bedugget

spa [spɑ:] S (*town*) kursted *nt*; (*US:* **health spa**) kurbad *nt*

space [speɪs] [1] S (**a**) (*= gap, place*) mellomrom *nt* ❑ *He had spaces between his teeth.* Han hadde mellomrom mellom tennene.
(**b**) (*= room*) plass *m* ❑ *There was just enough space for a bed.* Det var akkurat plass nok til en seng.

(**c**) (*beyond Earth*) rom *nt* ❑ *...to travel in space.* ...reise i rommet.

2 SAMMENS rom- ❑ *...space research.* ...romforskning.

3 VT (**a**) (*+text, visits*) spre (*v4*), plassere (*v2*) med god avstand ❑ *These books should have large print well spaced out on the page.* Disse bøkene skulle* ha* stor skrift som er godt spredd utover *or* plassert med god avstand på siden.

(**b**) (*+payments*) fordele (*v2*), spre (*v4*) ❑ *You can space out the payments over 18 months.* Du kan fordele *or* spre avdragene over 18 måneder.

▸ **to clear a space for sth** rydde plass for noe

▸ **in a short space of time** (**a**) (*from now*) om kort tid

(**b**) (*in past*) i løpet av kort tid

▸ **(with)in the space of an hour** i løpet av en time

▸ **space out** VT = **space**

space bar s (*on keyboard*) ordskiller(tast) *m*, mellomromstast *m*

spacecraft ['speɪskrɑːft] s romfartøy *nt*

spaceman ['speɪsmæn] s *irreg* romfarer *m*

spaceship ['speɪsʃɪp] romskip *nt*

space shuttle s romferge *c*

spacesuit ['speɪssuːt] s romdrakt *c*

spacewoman ['speɪswumən] s *irreg* romfarer *m* (*kvinnelig*)

spacing ['speɪsɪŋ] s (*between words*) mellomrom *nt*, avstand *m*

▸ **single/double spacing** (*TYP etc*) enkel/dobbel linjeavstand *m*

spacious ['speɪʃəs] ADJ (*car, room etc*) romslig, rommelig

spade [speɪd] s spade *m* ❑ *...children carrying their buckets and spades to the beach.* ...barn som bærer bøttene og spadene sine til stranden.

▸ **spades** SPL (*KORT*) spar *m sg*

spadework ['speɪdwəːk] s (*fig*) grovarbeid *nt*

spaghetti [spə'gɛtɪ] s spaghetti *m*

Spain [speɪn] s Spania

span [spæn] 1 s (**a**) (*of bird, plane*) vingespenn *nt* ❑ *Some eagles have a wing span of one and a half metres.* Noen ørner har et vingespenn på en og en halv meter.

(**b**) (*of arch*) spenn *nt*

(**c**) (*in time*) tidsrom *nt* ❑ *...during the forty-year span from 1913 to 1953.* ...i det førtiårs tidsrommet fra 1913 til 1953.

2 VT (*+river, time*) spenne (*v2x*) over ❑ *...a lake spanned by an iron bridge.* ...en innsjø med en jernbro spent over. *...a career spanning more than half a century.* ...en karriere som spenner over mer enn et halvt århundre.

Spaniard ['spænjəd] s spanjol *m*

spaniel ['spænjəl] s spaniel *m*

Spanish ['spænɪʃ] 1 ADJ spansk

2 s (*LING*) spansk

▸ **the Spanish** SPL spanjolene

▸ **Spanish omelette** spansk omelett *m*

spank [spæŋk] VT (*+sb, sb's bottom*) rise (*v2*)

spanner ['spænəʳ] (*BRIT*) s skiftenøkkel *m*

spar [spɑːʳ] 1 s (*NAUT*) rundholt *m*, bom *m*

2 VI (*BOKSING*) bokse (*v1*) (lett), sparre (*v1*)

spare [spɛəʳ] 1 ADJ (**a**) (= *free*) ledig ❑ *There were no spare chairs.* Det var ingen ledige stoler.

(**b**) (= *extra*) ekstra, reserve- ❑ *Keep a spare fuse handy...* Ha en ekstra sikring *or* en reservesikring...

2 s reservedel *m*

3 VT (**a**) (= *save: trouble etc*) spare (*v2*) (for) ❑ *I could have spared myself the trouble.* Jeg kunne* ha* spart meg (for) bryet.

(**b**) (= *make available*) avse* ❑ *Less land can be spared to graze cattle.* Mindre land kan bli* avsett til beitemarker.

(**c**) (= *afford to give*) avse*, unnvære (*v2*) ❑ *Can you spare any change, please?* Kan du avse *or* unnvære noen småpenger, er du snill?

(**d**) (= *refrain from hurting: person, city etc*) spare (*v2*) ❑ *The great cities of the Rhineland had not been spared.* De store byene i Rhinland hadde ikke blitt spart.

▸ **to spare** (= *surplus: time, money*) til overs ❑ *He often had money to spare nowadays.* Han hadde ofte penger til overs nå for tiden.

▸ **I've a few minutes to spare** jeg har noen minutter til overs

▸ **there is no time to spare** det er ingen tid å miste

▸ **these two are going spare** disse to er/blir til overs

▸ **to spare no expense** ikke spare på noe

▸ **can you spare the time?** har du tid til overs?

▸ **spare me the details** spar meg for detaljene

spare part s reservedel *m*

spare room s gjesterom *nt*, gjesteværelse *nt*

spare time s fritid *c* ❑ *...in my spare time.* ...i fritiden min.

spare tyre s reservehjul *nt*, ekstrahjul *nt*

spare wheel s reservehjul *nt*, ekstrahjul *nt*

sparing ['spɛərɪŋ] ADJ ▸ **to be sparing with** være* sparsom med

sparingly ['spɛərɪŋlɪ] ADV ▸ **to use sparingly** være* sparsom med ❑ *Use hot water sparingly.* Vær sparsom med varmtvannet.

spark [spɑːk] s gnist *m* ❑ *...smoke and sparks...* røyk og gnister... *a spark of interest.* ...en gnist av interesse.

spark(ing) plug s tennplugg *m*

sparkle ['spɑːkl] 1 s *det å glitre/gnistre* ❑ *It adds a sparkle to silver.* Den får sølv til å glitre *or* gnistre.

2 VI glitre (*v1*), gnistre (*v1*)

sparkler ['spɑːkləʳ] s (*firework*) stjerneskudd *nt*

sparkling ['spɑːklɪŋ] ADJ (*wine*) musserende; (*drinking water*) med kullsyre; (*conversation, performance*) gnistrende, sprudlende

sparring partner s (*also fig*) sparringpartner *m*

sparrow ['spærəu] s spurv *m*

sparse [spɑːs] ADJ (*rainfall,*) spredd; (*hair, population*) glissen, tynn

spartan ['spɑːtən] ADJ (*fig: existence, accommodation*) spartansk

spasm ['spæzəm] s (**a**) (*MED*) krampe *m*, spasme *m* ❑ *...muscular spasm.* ...muskelkramper *or* muskelspasmer.

(**b**) (*fig: of anger etc*) anfall *nt*

spasmodic [spæz'mɔdɪk] ADJ (*fig: not continuous*) sporadisk, i rykk og napp

spastic ['spæstɪk] (*gam*) [1] S spastiker *m*
[2] ADJ spastisk

spat [spæt] [1] PRET, PP *of* **spit**
[2] S (*US: quarrel*) (liten) trette *m*, munnhuggeri *nt*

spate [speɪt] S (**a**) (*fig*) ▸ **a spate of**
(**b**) (*+letters, protests etc*) en flom av, et skred av *or* med
▸ **to be in spate** (*river*) ha* stor *or* høy vannføring

spatial ['speɪʃl] ADJ (*problem, dimension*) romlig
❑ *...spatial and temporal variations.* ...variasjoner i rom og tid.
▸ **spatial awareness** romfølelse *m*

spatter ['spætəʳ] VTI sprute (*v1*)

spatula ['spætjulə] S (*KULIN*) stekespade *m*; (*MED*) spatel *m*

spawn [spɔːn] [1] VI (*fish etc+*) yngle (*v1*), gyte (*v2 or irreg*)
[2] VT (*+group, problem etc*) avstedkomme*, avføde (*v2*) ❑ *...the computer revolution and the devices it has spawned.* ...datarevolusjonen og utstyret den har avstedkommet *or* avfødt.
[3] S (*frogspawn etc*) yngel *m*, gyte *m*

SPCA (*US*) S FK (= **Society for the Prevention of Cruelty to Animals**) ≈ Dyrebeskyttelsen Norge

SPCC (*US*) S FK (= **Society for the Prevention of Cruelty to Children**) *organisasjon som undersøker og rapporterer mishandling og forsømmelse av barn*

speak [spiːk] (*pt* **spoke**, *pp* **spoken**) [1] VT (**a**) (*+language*) snakke (*v1*) ❑ *The men at the airport spoke fluent English.* Mennene på flyplassen snakket flytende engelsk.
(**b**) (*+truth*) si* ❑ *Howard felt the need to speak the truth.* Howard følte en trang til å si sannheten.
[2] VI (**a**) (= *use voice*) snakke (*v1*) ❑ *Simon opened his mouth to speak.* Simon åpnet munnen for å snakke.
(**b**) (= *make a speech*) tale (*v2*) ❑ *The Prime Minister spoke to the nation.* Statsministeren talte til nasjonen.
▸ **to speak to sb of** *or* **about sth** snakke til *or* med noen om noe
▸ **speak up!** snakk høyere!
▸ **to speak at a conference** holde* foredrag *or* tale (*v2*) på en konferanse
▸ **to speak in a debate** ta/ha ordet i en debatt
▸ **to speak one's mind** snakke (*v1*) rett fra leveren, si* det rett ut
▸ **he has no money to speak of** han har ingen penger å snakke om
▸ **so to speak** så å si

▸ **speak for** VT FUS ▸ **to speak for sb** (*on behalf of*) snakke (*v1*) for noen, være* talsmann for noen ❑ *I think I can speak for everyone here when I say that...* Jeg tror jeg kan snakke for *or* gjøre* meg til talsmann for alle her når jeg sier at...
▸ **that picture is already spoken for** (= *reserved, bought*) det bildet er allerede holdt av til *or* reservert for en annen kunde *or* lovt bort
▸ **speak for yourself!** snakk for deg selv!

speaker ['spiːkəʳ] S (**a**) (*in public*) taler *m* ❑ *The chairman got up to introduce the speaker.* Møtelederen reiste seg for å introdusere taleren.
(**b**) (*also* **loudspeaker**) høyt(t)aler *m*
(**c**) (*POL*) ▸ **the Speaker**
(**d**) (*BRIT*) ≈ president *m* (*i parlament*) ❑ *She is the Speaker of the House of Commons.* Hun er president for Underhuset.
(**e**) (*US*) ≈ president *m* (*i parlament*) ❑ *...the Speaker of the House of Representatives.* ...presidenten i Representantenes hus.
▸ **are you a Welsh speaker?** snakker du walisisk?; (*native*) har du walisisk som morsmål?

speaking ['spiːkɪŋ] ADJ (*machine*) talende, som snakker ❑ *...a speaking clock.* ...en talende klokke *or* en klokke som snakker.
▸ **Italian-speaking people** italiensktalende folk
▸ **to be on speaking terms** være* på talefot

spear [spɪəʳ] [1] S (*weapon*) spyd *nt*
[2] VT stikke* med spyd, spidde (*v1*)

spearhead ['spɪəhɛd] VT (*MIL: attack*) føre (*v2*) an i; (*fig: campaign*) gå* i spissen for, føre (*v2*) an i

spearmint ['spɪəmɪnt] S grønnmynte *m*

spec [spɛk] (*sl*) S (**a**) (*TEKN:* ***specification***) spesifikasjon *m*
(**b**) (*uncertainty*) ▸ **on spec** på måfå, på lykke og fromme
▸ **specs** (*also* ***spectacles***) briller *pl*

special ['spɛʃl] [1] ADJ (**a**) (*important*) spesiell
❑ *...reserved for special occasions.* ...reservert for spesielle anledninger. *What is so special about the year 2000?* Hva er det som er så spesielt med år 2000?
(**b**) (*service, performance*) egen ❑ *...there's a special bus.* ...det er en egen buss.
(**c**) (= *particular: adviser, permission, school*) særskilt, spesial- ❑ *To marry a foreigner, special permission has to be obtained.* For å gifte seg med en utlending, må man ha* særskilt tillatelse *or* spesialtillatelse.
(**d**) (= *extra: effort, favour, help*) spesiell, særlig
❑ *...special assistance to those with large families.* ...spesiell *or* særlig hjelp til dem som har store familier.
[2] S (*train*) ekstratog *nt* ❑ *They caught the Cup Final special.* De tok ekstratoget som var satt opp i forbindelse med cupfinalen.
▸ **take special care** være* ekstra *or* spesielt omhyggelig
▸ **nothing special** ikke noe spesielt
▸ **today's special** (*at restaurant*) dagens rett, dagens spesialitet

special agent S spesialagent *m*, *person med spesialfullmakt for et bestemt oppdrag*

special correspondent (*TV, RADIO, PRESS*) S (spesial)korrespondent *m*

special delivery S ▸ **by special delivery** med ilbud *or* med ekspress

special effects SPL spesialeffekter

specialist ['spɛʃəlɪst] S spesialist *m*
▸ **heart specialist** hjertespesialist *m*

speciality [spɛʃɪ'ælɪtɪ] S (**a**) (*dish*) spesialitet *m*
❑ *Chocolate gateau was a speciality of the cafe.* Sjokoladekake var en av kaféens spesialiteter.
(**b**) (= *study*) spesialitet *m*, spesialområde *nt*

specialize ['spɛʃəlaɪz] VI ▸ **to specialize (in)** spesialisere (*v2*) seg (på), bli/være spesialist (på)

specially ['spɛʃlɪ] ADV spesielt, særskilt

special offer S (spesielt) tilbud *nt*

specialty ['spɛʃəltɪ] (*især US*) = **speciality**
species ['spi:ʃi:z] S UBØY art *m* ❑ *There are more than 250 species of shark.* Det er mer enn 250 haiarter.
specific [spə'sɪfɪk] ADJ (**a**) (= *fixed*) spesiell, spesifikk ❑ *...a specific age group.* ...en spesiell *or* spesifikk aldersgruppe.
(**b**) (= *exact*) presis ❑ *Let me be more specific.* La meg uttrykke meg mer presist.
▸ **to be specific to** være* spesiell for ❑ *These problems are specific to low-lying areas.* Disse problemene er spesielle for lavtliggende områder.
specifically [spə'sɪfɪklɪ] ADV (**a**) (= *specially*) spesielt ❑ *...a programme specifically for teenagers.* ...et program som er spesielt (beregnet) for tenåringer.
(**b**) (= *exactly*) bestemt, spesifikt ❑ *...from Manhattan Island, more specifically from West 53rd Street.* ...fra Manhattan Island, nærmere bestemt *or* mer spesifikt fra West 53rd Street.
specification [spɛsɪfɪ'keɪʃən] S (**a**) (*TEKN*) spesifikasjon *m*
(**b**) (*requirement*) betingelse *m* ❑ *The only specification was that the women should be unemployed.* Den eneste betingelsen var at kvinnene ikke skulle* ha* arbeid.
▸ **specifications** SPL spesifikasjoner ❑ *...ships built to merchant ship specifications...* skip bygd etter handelsflåtens spesifikasjoner...
specify ['spɛsɪfaɪ] VT (*+time, place, colour etc*) spesifisere (*v2*), angi* ❑ *The report specified seven areas where...* Rapporten spesifiserte *or* angav sju områder hvor...
▸ **unless otherwise specified** hvis ikke noe annet er angitt
specimen ['spɛsɪmən] S (**a**) (= *single example*) eksemplar *nt* (av arten) ❑ *Occasionally gigantic specimens are found.* Fra tid til annen blir det funnet gigantiske eksemplarer (av arten).
(**b**) (*MED*) prøve *c* ❑ *You'll be asked to provide a urine specimen.* Du vil bli* bedt om å ta* med en urinprøve.
specimen copy S prøveeksemplar *nt*
specimen signature S underskriftsprøve *c*
speck [spɛk] S (**a**) (*of dirt*) liten flekk *m*
(**b**) (*of dust*) fnugg *nt* ❑ *...a tiny speck of dust.* ...et lite støvfnugg.
speckled ['spɛkld] ADJ (*hen, eggs*) spraglet(e), spettet(e)
specs [spɛks] (*sl*) SPL (= *glasses*) briller
spectacle ['spɛktəkl] S (**a**) (*scene*) skue *nt*
(**b**) (*grand event*) forestilling *m* ❑ *It was a grand seven-hour spectacle...* Det var en storslagen sjutimers forestilling...
▸ **spectacles** SPL (= *glasses*) briller
spectacle case (*BRIT*) S brillehus *nt*
spectacular [spɛk'tækjulə[r]] [1] ADJ (**a**) (= *dramatic*) dramatisk, oppsiktsvekkende ❑ *...a spectacular rise in house prices.* ...en dramatisk *or* oppsiktsvekkende økning i boligpriser.
(**b**) (*success*) imponerende, oppsiktsvekkende
[2] S (*TEAT etc*) (flott) show *nt*
spectator [spɛk'teɪtə[r]] S tilskuer *m*
▸ **a spectator sport** en publikumssport
spectra ['spɛktrə] SPL *of* **spectrum**
spectre ['spɛktə[r]], **specter** (*US*) S spøkelse *nt*, gjenferd *nt* ❑ *...the spectre of poverty and death.* ...fattigdoms- og dødsspøkelset.. ...gjenferdet av fattigdom og død.
spectrum ['spɛktrəm] (*pl* **spectra**) S (**a**) (*colour/radio wave spectrum*) spektrum *nt irreg*, spekter *nt*
(**b**) (*fig: range: of opinion, emotion etc*) spekter *nt* ❑ *...both ends of the political spectrum.* ...begge ender av det politiske spekteret.
speculate ['spɛkjuleɪt] VI spekulere (*v2*) ❑ *She speculated successfully on the stock exchange.* Hun spekulerte med hell på børsen.
▸ **to speculate about** spekulere (*v2*) på
speculation [spɛkju'leɪʃən] S spekulasjon *m* ❑ *...speculation on the gold markets.* ...spekulasjon på gullmarkedet. *The papers are full of speculation about...* Avisene er fulle av spekulasjoner om...
speculative ['spɛkjulətɪv] ADJ spekulativ
speculator ['spɛkjuleɪtə[r]] S spekulant *m*
sped [spɛd] PRET, PP *of* **speed**
speech [spi:tʃ] S (**a**) (*faculty*) tale *m*, taleevne *m* ❑ *She lost her powers of speech.* Hun mistet taleevnen.
(**b**) (= *manner of speaking*) (tale)språk *nt*, tale *m* ❑ *...a slight Brooklyn accent in her speech.* ...en svak Brooklynaksent i språket *or* talen hennes.
(**c**) (= *enunciation*) tale *m*, uttale *m* ❑ *After three large whiskies her speech was rather slurred.* Etter tre svære whiskyer ble (ut)talen hennes ganske snøvlete.
(**d**) (= *spoken language*) tale *m*, talespråk *nt* ❑ *...verbal communication through writing and speech.* ...verbal kommunikasjon gjennom skrift og tale *or* skriftspråk og talespråk.
(**e**) (= *formal talk*) tale *m* ❑ *He gave a very amusing speech...* Han holdt en svært underholdende tale...
(**f**) (*TEAT*) replikk *m* ❑ *She recited a speech from Shakespeare.* Hun foredro en replikk fra Shakespeare.
speech day (*BRIT: SKOL*) S ≈ skoleavslutningsfest *m* (*med taler og utdeling av priser*)
speech impediment S talefeil *m*
speechless ['spi:tʃlɪs] ADJ målløs ❑ *She was speechless with astonishment.* Hun var målløs av forbauselse.
speech therapist S logoped *m*, talepedagog *m*
speech therapy S logopedi *m*
speed [spi:d] (*pt, pp* **sped**) [1] S (**a**) (*rate, haste*) fart *m*, hastighet *c* ❑ *None of us grows at the same speed.* Ingen av oss vokser med samme fart *or* hastighet. *He prepared the dinner with remarkable speed.* Han forberedte middagen med en bemerkelsesverdig fart *or* raskhet.
(**b**) (= *fast travel*) fart *c* ❑ *...that pleasure associated with speed.* ...den nytelsen som er forbundet med fart.
(**c**) (*promptness*) ▸ **she answered my letter with remarkable speed** hun svarte på brevet mitt forbløffende fort *or* raskt
(**d**) (*typing, shorthand*) hastighet *c*
[2] VI (= *exceed speed limit*) kjøre (*v2*) for fort, bryte* *or* overskride* fartsgrensen ❑ *Didn't you know you*

were speeding? Visste du ikke at du kjørte for fort?, Visste du ikke at du brøt *or* overskred fartsgrensen?
▸ **to speed along/by** *etc* suse (*v2*) langs/forbi *etc* ❑ *They sped along the road towards the highway.* De suste langs veien mot motorveien.
▸ **at speed** (*BRIT*) med *or* i høy fart *or* hastighet, fort ❑ *The car is travelling at speed.* Bilen kjører med *or* i høy fart *or* hastighet.. Bilen kjører fort.
▸ **at full** *or* **top speed** i toppfart *or* topphastighet
▸ **at a speed of 70 km/h** med en fart *or* hastighet på 70 km/t
▸ **at the same speed** med samme fart
▸ **a five-speed gearbox** en fem-trinns girkasse
▸ **speed up** (*pt, pp* **speeded up**) 1 VI (**a**) (*in car etc*) øke (*v2*) farten, sette* opp farten
(**b**) (*fig*) skyte* fart ❑ *Africa's population growth speeded up.* Afrikas befolkningsvekst har skutt fart.
2 VT påskynde (*v1*) ❑ *Heat speeds up chemical reactions.* Varme påskynder kjemiske reaksjoner.
speedboat ['spi:dbəut] s passbåt *m*
speedily ['spi:dılı] ADV raskt
speeding ['spi:dıŋ] (*BIL*) s brudd *nt* på fartsgrensen, fartsoverskridelse *m*
speed limit s fartsgrense *c* ❑ *He was caught exceeding the speed limit.* Han ble tatt for å ha* overskredet fartsgrensen.
speedometer [spı'dɔmıtəʳ] s speedometer *nt*, fartsmåler *m*
speed trap s *sted hvor det foretas fartskontroll*
speedway ['spi:dweı] s speedway *m*
speedy ['spi:dı] ADJ rask
speleologist [spɛlı'ɔlədʒıst] s speleolog *m*, huleforsker *m*
spell [spɛl] (*pt, pp* **spelt** (*BRIT*) **or spelled**) 1 s (**a**) (*also* ***magic spell***) trylleformular *nt*
(**b**) (= *period of time*) periode *m*
2 VT (**a**) (+*word*) stave (*v1*)
(**b**) (= *signify: danger, disaster*) bety (*v4*) ❑ *Any discussions of politics would spell disaster.* Enhver politisk diskusjon ville* bety katastrofe.
▸ **to cast a spell on sb** trollbinde* noen, forhekse (*v1*) noen
▸ **he can't spell** han kan ikke stave (riktig)
spellbound ['spɛlbaund] ADJ trollbundet
spellchecker ['spɛltʃɛkəʳ] s stavekontroll *m*
spelling ['spɛlıŋ] s (**a**) (= *word form*) stavemåte *m* ❑ *...alternative spellings in a dictionary.* ...alternative stavemåter i en ordbok.
(**b**) (*ability*) staving *c* ❑ *I'm terrible at spelling.* Jeg er fryktelig dårlig i staving *or* til å stave.
▸ **spelling mistake** stavefeil *m*
spelt [spɛlt] PRET, PP *of* **spell**
spend [spɛnd] (*pt, pp* **spent**) VT (+*money*) bruke (*v2*); (+*time, life*) tilbringe*; (= *devote*) ▸ **to spend time/money/effort on sth** bruke (*v2*) tid/penger/krefter på noe, ofre (*v1*) tid/penger/krefter på noe
spending ['spɛndıŋ] s utgifter *pl*, (penge)forbruk *nt* ❑ *City departments must reduce their spending.* Bydelsutvalgene må redusere utgiftene sine *or* (penge)forbruket sitt.
▸ **government spending** statlige utgifter, statlig pengeforbruk
spending money s lommepenger *pl*
spending power s kjøpekraft *c* ❑ *...the spending power of the consumer.* ...kjøpekraften til forbrukerne.
spendthrift ['spɛndθrıft] s sløsekopp *m* (*som sløser med penger*)
spent [spɛnt] 1 PRET, PP *of* **spend**
2 ADJ (*cartridge, bullets*) brukt
▸ **spent matches** brukte fyrstikker; (*patience*) oppbrukt
sperm [spə:m] s (*fluid*) sæd *m*, sperma *nt*; (*cell*) sædcelle *c*, spermie *m*
sperm bank s sædbank *m*
sperm whale s spermhval *m*
spew [spju:] VT (**a**) (*person+*) spy (*v4*)
(**b**) (*river, factory*) spy (*v4*) ut ❑ *Factories spewed dense smoke...* Fabrikker spydde ut tjukk røyk...
sphere [sfıəʳ] s (**a**) (= *round object*) kule *c*
(**b**) (= *area*) område *nt*, sfære *m* ❑ *...he has several other spheres of interest.* ...har han mange andre interesseområder *or* interessesfærer.
spherical ['sfɛrıkl] ADJ sfærisk, rund
sphinx [sfıŋks] s sfinks *m*
spice [spaıs] 1 s krydder *nt*
2 VT (+*food*) krydre (*v1*)
spick-and-span ['spıkən'spæn] ADJ prikkfri
spicy ['spaısı] ADJ (*food*) krydret; (*fig: story etc*) pikant
spider ['spaıdəʳ] s edderkopp *m*
▸ **spider's web** spindelvev *nt*, edderkoppnett *nt*
spidery ['spaıdərı] ADJ ▸ **spidery writing** kråketær *pl*
spiel [spi:l] (*sl*) s lekse *c* (*standardfraser for å overtale noen til/om noe*) ❑ *Has he delivered his spiel yet* Har han kommet med leksen sin ennå?
spike [spaık] s (**a**) (*point*) spiss stang *c irreg* ❑ *...a playground surrounded by high iron spikes.* ...en lekeplass omgitt av høye spisse jernstenger *or* jernsprosser.
(**b**) (*BOT*) aks *nt*
▸ **spikes** SPL pigger; (= *sports shoes*) piggsko *pl*
spike heel (*US*) s stiletthæl *m*
spiky ['spaıkı] ADJ pigget(e)
spill [spıl] (*pt, pp* **spilt** *or* **spilled**) 1 VT (+*liquid*) søle (*v2*) ❑ *She carried the bucket without spilling a drop.* Hun bar bøtta uten å søle en dråpe.
2 VI (*liquid+*) bli* sølt, renne* over ❑ *Make sure the water doesn't spill over the floor.* Pass på at vannet ikke blir sølt utover *or* renner over på gulvet.
▸ **to spill the beans** (*sl: fig*) slippe* katta ut av sekken
▸ **spill out** VI (*people+*) strømme (*v1*) ut ❑ *Near midnight crowds started spilling out of bars.* Mot midnatt begynte store flokker å strømme ut av barer.
▸ **spill over** VI (**a**) (*liquid+*) renne* over
(**b**) (*fig: conflict*) ▸ **spill over into** smitte (*v1*) over på ❑ *Tension at work can sometimes spill over into one's home life.* Gnisninger på arbeidsplassen kan av og til smitte over på ens privatliv.
spillage ['spılıdʒ] s (*act*) utslipp *nt*; (*quantity*) søl *nt*
spin [spın] (*pt* **spun, span**, *pp* **spun**) 1 s (**a**) (*trip in car*) kort kjøretur *m* ❑ *We went for a spin round*

the city. Vi tok en kort kjøretur rundt i byen.
(**b**) (= *revolution*) omdreining *m* ❑ *...the rapid spin of the wheel.* ...den raske omdreiningen på hjulet.
(**c**) (*AVIAT*) spinn *nt* ❑ *The plane went into a spin.* Flyet kom i spinn.
(**d**) (*on ball*) skru *m* ❑ *The bowler put a spin on the ball.* Bowleren gav ballen en skru.
2 VT (**a**) (*+wool etc*) spinne*
(**b**) (*+ball*) skru (*v4*)
(**c**) (*+coin, wheel*) snurre (*v1*) (på)
(**d**) (*BRIT*: ***spin-dry***) sentrifugere (*v2*)
3 VI (**a**) (= *make thread*) spinne* ❑ *My mother taught me to spin.* Moren min lærte meg å spinne.
(**b**) (*person+*) snu (*v4*) på hælen ❑ *She spun on one foot.* Hun snudde på hælen.
(**c**) (*car, ball etc+*) spinne* ❑ *The football went spinning into the canal.* Fotballen spant ut i kanalen.
(**d**) (*head+*) ▸ **my head's spinning** det går rundt i hodet på meg ❑ *His head was spinning from the wine.* Det gikk rundt i hodet på ham av vinen.. Han var ør i hodet av vinen.
▸ **to spin a yarn** trekke* ut en historie (i langdrag)
▸ **to spin a coin** (*BRIT*: *toss a coin*) ≈ kaste (*v1*) mynt og kron
▸ **to put a new spin on sth** vise (*v2*) en ny side av noe, vise noe fra en ny side
▸ **spin out** VT (**a**) (*+money*) drøye (*v3*) (ut), tøye (*v3*)
(**b**) (*+talk, job, money, holiday*) trekke* ut, drøye (*v3*) ut

spina bifida ['spaınə'bıfıdə] s spina bifida
spinach ['spınıtʃ] s spinat *m*
spinal ['spaınl] ADJ rygg-, spinal-
spinal column s ryggrad *m*, ryggsøyle *m*
spinal cord s ryggmarg *m*
spindly ['spındlı] ADJ (*legs, trees etc*) lang og tynn, spjælet(e)
spin doctor s reklamekonsulent *m* (*for politisk parti*)
spin-dry ['spın'draı] VT (*+clothes, washing*) sentrifugere (*v2*)
spin-dryer [spın'draıəʳ] (*BRIT*) s sentrifuge *m*
spine [spaın] s (= *backbone*) ryggrad *m*, ryggsøyle *m*; (= *thorn*: *of plant, hedgehog etc*) pigg *m*
spine-chilling ['spaıntʃılıŋ] ADJ som får det til å gå* kaldt nedover ryggen på en
spineless ['spaınlıs] ADJ (*fig*: *person*) uten ben i nesen
spinner ['spınəʳ] s (*of thread*) spinner *m* (*man*), spinnerske *c* (*woman*)
spinning ['spınıŋ] s (*art*) spinning *c*
spinning top s snurrebass *m*
spinning wheel s rokk *m*
spin-off ['spınɔf] s (*fig*: *by-product*) (heldig) bieffekt *m*
spinster ['spınstəʳ] s (gammel) frøken *c*, (eldre) ugift kvinne *m*, peppermø *m* (*pej*)
spiral ['spaıərl] 1 s spiral *m*
2 VI (*fig*: *prices etc*) gå* i været
▸ **the inflationary spiral** inflasjonsspiralen
spiral staircase s vindeltrapp *c*
spire ['spaıəʳ] s spir *nt*
spirit ['spırıt] s (**a**) (= *soul, ghost*) ånd *m*
(**b**) (= *energy, courage*) glød *m* ❑ *...a performance full of spirit and originality.* ...en forestilling full av glød og originalitet.
(**c**) (= *sense*: *of agreement etc*) ånd *m* ❑ *I think we'd be breaking the spirit of the agreement if...* Jeg tror vi ville* bryte avtalens ånd hvis...
(**d**) (= *frame of mind*) innstilling *m*, ånd *m* ❑ *She approaches most of life's challenges in the same positive spirit.* Hun møter de fleste av livets utfordringer med den samme positive ånden *or* innstillingen.
▸ **spirits** SPL (*drink*) sprit *m uncount*
▸ **in good spirits** i godt humør
▸ **evil spirits** onde ånder
▸ **community spirit** fellesskapsfølelse *m*, fellesskapsånd *m*
spirited ['spırıtıd] ADJ (*performance, resistance, defence*) glødende
spirit level s vater *nt*, vaterpass *nt*
spiritual ['spırıtjuəl] 1 ADJ åndelig ❑ *...spiritual needs.* ...åndelige behov. *...a book of spiritual instruction.* ...en lærebok i åndelig utvikling.
2 s (*also* ***Negro spiritual***) negro spiritual *m*
spiritualism ['spırıtjuəlızəm] s spiritisme *m*
spit [spıt] (*pt, pp* **spat**) 1 s (**a**) (*for roasting*) ste(i)kespyd *nt*, spidd *nt*
(**b**) (= *saliva*) spytt *nt*
2 VI (**a**) (*person, animal+*) spytte (*v1*)
(**b**) (*fire, cooking+*) frese (*v2*) ❑ *The fire crackled and spat.* Bålet spraket og freste.
(**c**) (*sl*: *rain*) dryppe (*v1*) litt ❑ *It's only spitting. We don't need an umbrella.* Det drypper bare litt. Vi trenger ikke paraply.
spite [spaıt] 1 s ondskap *m*, ondskapsfullhet *c* ❑ *...out of pure spite.* ...på pur ondskap.
2 VT (*+person*) terge (*v1*) ❑ *They are being provocative just to spite us.* De er provoserende bare for å terge oss.
▸ **in spite of** på tross av, til tross for, trass i ❑ *In spite of poor health, my father was always cheerful.* På tross av *or* til tross for *or* trass i dårlig helse var faren min alltid blid.
spiteful ['spaıtful] ADJ (*child, words etc*) ondskapsfull, infam
spitting ['spıtıŋ] 1 s ▸ **"spitting prohibited"** "spytting forbudt"
2 ADJ ▸ **to be the spitting image of sb** være* som snytt ut av nesen på noen, likne (*v1*) noen på en prikk
spittle ['spıtl] s (*in mouth*) spytt *nt*; (*on chin etc*) sikkel *nt*
spiv [spıv] (*BRIT*: *sl, neds*) s kjeltring *m*, skurk *m*
splash [splæʃ] 1 s (**a**) (*in water*) plask *nt* ❑ *She disappeared into the water with a loud splash.* Hun forsvant ned i vannet med et høyt plask.
(**b**) (*of colour*) fargeklatt *m* ❑ *...a brilliant splash of yellow.* ...en strålende gul fargeklatt.
2 INTERJ (*sound*) plask ❑ *Splash! He fell into the water.* Plask! Han falt i vannet.
3 VT skvette (*v1*) på/i ❑ *He splashed his face with water.* Han skvettet vann i ansiktet.
4 VI (**a**) (*also* ***splash about***: *in sea*) plaske (*v1*) omkring
(**b**) (*water, rain+*) plaske (*v1*), sprute (*v1*)

▸ **to splash paint on the floor** søle (*v2*) maling på gulvet
splashdown ['splæʃdaun] s landing *c* i sjøen
spleen [spliːn] s milt *m*
splendid ['splɛndɪd] ADJ (= *excellent: idea, work*) storartet, glimrende; (= *impressive: architecture, affair*) storslagen, praktfull
splendour ['splɛndəʳ], **splendor** (*US*) s storslagenhet *c*, prakt *m*
▸ **splendours** SPL (= *magnificence*) prakt *m sg*
splice [splaɪs] VT (*+rope*) skjøte (*v2*), spleise (*v1*); (*+tape, film*) skjøte (*v2*)
splint [splɪnt] s skinne *m*
splinter ['splɪntəʳ] 1 s (*of wood*) flis *c*; (*of glass*) splint *m*
2 VI (*bone, wood, glass etc+*) bli* splintret
splinter group s utbrytergruppe *c*
split [splɪt] (*pt, pp* **split**) 1 s (**a**) (= *crack, tear*) rift *c*, sprekk *m* ❑ *...a big split in his jeans.* ...en stor rift *or* sprekk i buksene hans.
(**b**) (= *division*) inndeling *c* ❑ *...the traditional split into students and faculty.* ...den tradisjonelle inndelingen i studenter og vitenskapelig ansatte.
(**c**) (= *difference*) avstand *m*, skille *nt* ❑ *...the split between the "rich" and the "poor".* ...avstanden *or* skillet mellom de "rike" og de "fattige".
(**d**) (*POL*) splittelse *m* ❑ *...a split in the party.* ...en splittelse i partiet.
2 VT (**a**) (= *divide*) dele (*v2*), skille (*v2x*) ❑ *The children were split into two groups.* Barna var delt inn i to grupper.
(**b**) (*+party*) splitte (*v1*) ❑ *The argument over Europe has split the government.* Europadebatten har splittet regjeringen.
(**c**) (= *share equally: work, profits*) dele (*v2*) ❑ *The profits are to be split between the two of them.* Fortjenesten skal deles mellom de to.
3 VI (**a**) (= *divide*) dele (*v2*) seg ❑ *The class split into groups of five.* Klassen delte seg inn i grupper på fem.
(**b**) (= *crack, tear*) revne (*v1*), sprekke* ❑ *Her jeans split the first time she wore them.* Olabuksa hennes revnet *or* sprakk den første gangen hun hadde den på seg.
▸ **let's split the difference** la oss dele mellomlegget, la oss møtes på midten
▸ **to do the splits** gå* ned i spagaten
▸ **split up** VI (**a**) (*couple+*) skille (*v2x*) lag, gå* fra hverandre
(**b**) (*group, meeting+*) skille (*v2x*) lag
split-level ['splɪtlɛvl] ADJ (*house*) på flere plan
split peas SPL gule erter
split personality s splittet *or* spaltet personlighet *c*
split second s ▸ **a split second** et brøkdels sekund ❑ *For a split second nothing happened.* I et brøkdels sekund skjedde det ingenting.
splitting ['splɪtɪŋ] ADJ ▸ **a splitting headache** en dundrende hodepine
splutter ['splʌtəʳ] VI (*engine etc+*) hoste (*v1*); (*person+*) harke (*v1*)
spoil [spɔɪl] (*pt, pp* **spoilt** *or* **spoiled**) 1 VT (= *damage, mar*) ødelegge*; (*+child*) skjemme (*v2x*) bort; (*+ballot paper, vote*) kludre (*v1*) til
2 VI ▸ **to be spoiling for a fight** være* i stridshumør, være* ivrig etter å slåss
spoils [spɔɪlz] SPL (**a**) (= *loot*) bytte *nt* ❑ *...the spoils of war.* ...krigsbyttet.
(**b**) (*fig*) (ut)bytte *nt* ❑ *We had many bitter battles over the division of the spoils.* Vi hadde mange bitre oppgjør om hvordan (ut)byttet skulle* deles.
spoilsport ['spɔɪlspɔːt] (*neds*) s (*person*) gledesdreper *m*
spoilt [spɔɪlt] 1 PRET, PP *of* **spoil**
2 ADJ (*child*) bortskjemt; (*ballot paper*) tilkludret
spoke [spəuk] 1 PRET *of* **speak**
2 s (*of wheel*) eike *c*
spoken ['spəukn] PP *of* **speak**
spokesman ['spəuksmən] *irreg* s talsmann *m irreg*
spokesperson ['spəukspəːsn] s *irreg* talsmann *m irreg*/talskvinne *c*
spokeswoman ['spəukswumən] s *irreg* talskvinne *c*
sponge [spʌndʒ] 1 s (**a**) (*for washing with*) svamp *m* ❑ *...a pink sponge in the bath.* ...en rosa svamp på badet.
(**b**) (*also* **sponge cake**) ≈ sukkerbrød *nt* ❑ *...baked apple with a layer of sponge on top.* ...stekte epler med et lag sukkerbrød på toppen.
2 VT (= *wash*) vaske (*v1*) med en våt svamp
3 VI ▸ **to sponge off** *or* **on sb** snylte (*v1*) på noen
sponge bag (*BRIT*) s toalettveske *c*
sponger ['spʌndʒəʳ] s (*neds*) snylter *m*
spongy ['spʌndʒɪ] ADJ svampaktig
sponsor ['spɔnsəʳ] 1 s (**a**) (*of player, event, club, programme*) sponsor *m* ❑ *...sponsors of the tournament.* ...sponsorer for turneringen.
(**b**) (*BRIT: for a charitable event*) giver *m* (*som gir penger til en som driver innsamling til et godt formål*)
(**c**) (*for application, bill in parliament etc*) støttespiller *m*
2 VT (**a**) (*+player, event, club, programme*) sponse (*v1*), støtte (*v1*) økonomisk
(**b**) (*+fund-raiser for charity*) gi* støtte til (*i forbindelse med innsamling til et godt formål*)
(**c**) (*+applicant, proposal, bill etc*) støtte (*v1*)
▸ **I sponsored him at 3p a kilometer** (*in fund-raising race*) jeg støttet ham med 3 pence for hver kilometer
sponsorship ['spɔnsəʃɪp] s (*financial support: business*) sponsoravtale *m*; (*private*) økonomisk støtte *m*
spontaneity [spɔntə'neɪɪtɪ] s spontanitet *m*
spontaneous [spɔn'teɪnɪəs] ADJ spontan
▸ **spontaneous combustion** selvantennelse *m*
spoof [spuːf] s (*parody*) parodi *m*; (*hoax*) pek *nt*
spooky ['spuːkɪ] (*sl*) ADJ (*place, atmosphere*) nifs, uhyggelig, spøkelsesaktig
spool [spuːl] s spole *m*
spoon [spuːn] s skje *c*
spoon-feed ['spuːnfiːd] VT (*+baby, patient*) mate (*v1*) med skje; (*fig: students*) fôre (*v1*) med teskjeer
spoonful ['spuːnful] s skje *c* ❑ *...a spoonful of milk.* ...en skje melk.
sporadic [spə'rædɪk] ADJ sporadisk
sport [spɔːt] 1 s (*game*) sport *m*, idrett *m*
2 VT (= *wear*) pynte (*v1*) seg med ❑ *He was a bit of a show-off, sporting an earring in his left ear.* Han var litt av en spradebasse, som pyntet seg

med en ørering i det venstre øret.
▸ **sports** SPL idrett *m sg*, sport *m sg* ❑ *...good at sports* ...god *or* flink i idrett *or* sport
▸ **indoor/outdoor sports** innendørsidrett/utendørsidrett, innendørssport/utendørssport
▸ **she's a good sport** hun er (veldig) real *or* grei

sporting ['spɔːtɪŋ] ADJ (**a**) (*event etc*) sports-, idretts- (**b**) (*= generous*) real ❑ *Thank you, that's a very sporting gesture.* Tusen takk, det var veldig realt av deg.
▸ **to give sb a sporting chance** gi* noen en rimelig sjanse

sport jacket (*US*) s = **sports jacket**

sports car s sportsbil *m*

sports centre s idrettshall *m*

sports ground s sportsplass *m*, idrettsplass *m*

sports jacket (*BRIT*) s blazer *m*, jakke *c*

sportsman ['spɔːtsmən] s *irreg* sportsmann *m irreg*, idrettsmann *m irreg*

sportsmanship ['spɔːtsmənʃɪp] s sportsånd *m*

sports page s sportsside *c*

sportswear ['spɔːtswɛəʳ] s sportsklær *pl*

sportswoman ['spɔːtswumən] s *irreg* sportskvinne *c*, idrettskvinne *c*

sporty ['spɔːtɪ] ADJ (*person*) sportslig; (*car*) sports-

spot [spɔt] [1] s (**a**) (*mark*) flekk *m* ❑ *...rust spots.* ...rustflekker.
(**b**) (*= dot: on pattern*) prikk *m* ❑ *...a white blouse with red spots.* ...en hvit bluse med røde prikker.
(**c**) (*= pimple*) kvise *c* ❑ *I was covered with spots for a week.* Jeg var full av kviser i en uke.
(**d**) (*place*) sted *m* ❑ *It's a lovely spot for a picnic.* Det er et nydelig sted til en piknik.
(**e**) (*RADIO, TV*) innslag *nt*
(**f**) (*for advertisement*) reklametid *c*
(**g**) (*= small amount*) ▸ **a spot of** en bit, en smule ❑ *What about a spot of lunch?* Hva med en bit *or* en smule lunsj?
[2] VT (*= notice: person, mistake etc*) få* øye på ❑ *We suddenly spotted another boat.* Vi fikk plutselig øye på en annen båt.
▸ **on the spot** (**a**) (*= in that place*) til stede, på stedet ❑ *They know what's going on because they're on the spot.* De vet hva som skjer fordi de er til stede *or* på stedet.
(**b**) (*= immediately*) på flekken ❑ *I would have resigned on the spot if she'd said that to me.* Jeg ville* ha* sagt opp på flekken hvis hun hadde sagt det til meg.
▸ **to put sb on the spot** sette* noen i klemme
▸ **in a spot** (*= in difficulty*) i (en lei) klemme ❑ *He was in a bit of a spot because he'd lost his car keys.* Han var i litt av en klemme fordi han hadde mistet bilnøklene sine.
▸ **to come out in spots** få* utslett

spot check s stikkprøve *c* ❑ *Spot checks revealed a number of minor faults.* Stikkprøver avslørte en rekke mindre feil.

spotless ['spɔtlɪs] ADJ (*shirt, kitchen etc*) prikkfri, plettfri

spotlight ['spɔtlaɪt] s (*on stage, in room*) spotlight *m*, spotlys *nt*

spot-on [spɔt'ɔn] (*BRIT: sl*) ADJ ▸ **to be spot-on** være* tatt på kornet, stemme (*v2x*) på en prikk ❑ *Her analysis is absolutely spot-on.* Analysen hennes er helt tatt på kornet *or* stemmer på en prikk.

spot price (*MERK*) s kontantpris *m*

spotted ['spɔtɪd] ADJ prikket(e) ❑ *...a red and white spotted handkerchief.* ...et rødt og hvitt prikkete lommetørkle.
▸ **spotted with blood/tomato ketchup** med flekker av blod/ketchup, blod-/ketchupflekkete

spotty ['spɔtɪ] ADJ (*face, youth*) kviset(e)

spouse [spaus] s ektefelle *m*

spout [spaut] [1] s (*of jug, teapot*) tut *m*; (*= jet*) kraftig stråle *m*
[2] VI (*flames, water etc+*) sprute (*v1*)

sprain [spreɪn] [1] s forstuing *c*
[2] VT ▸ **to sprain one's ankle/wrist** forstue (*v1*) ankelen/håndleddet

sprang [spræŋ] PRET *of* **spring**

sprawl [sprɔːl] [1] VI (**a**) (*place+*) bre (*v4*) seg utover (**b**) (*person+*) ligge* rett ut
[2] s ▸ **urban sprawl** planløs utbygging *c* (*av en by*)
▸ **to send sb sprawling** få* noen til å ramle så lang han/hun er

spray [spreɪ] [1] s (**a**) (*small drops*) små vanndråper *pl* ❑ *The fountain threw up clouds of spray.* Fontenen sendte skyer av små vanndråper til værs.
(**b**) (*= sea spray*) (sjø)sprøyt *m* ❑ *A spray of salt water...* En sprøyt med saltvann...
(**c**) (*container: hair spray etc*) spray *m*
(**d**) (*garden spray*) (hage)spreder *m*
(**e**) (*of flowers*) liten bukett *m*
[2] VT (**a**) (*= sprinkle*) sprøyte (*v1*)
(**b**) (*+crops: with water*) vanne (*v1*)
(**c**) (*with pesticide*) sprøyte (*v1*)
[3] SAMMENS (*deodorant*) spray-
▸ **spray can** sprayboks *m*

spread [sprɛd] (*pt, pp* **spread**) [1] s (**a**) (*= range, distribution*) spredning *m* ❑ *...a broad spread of opinion...* en bred spredning av meninger...
(**b**) (*KULIN: for bread*) pålegg *nt* (*til å smøre på*) ❑ *...a low-fat spread.* ...et lett-pålegg.
(**c**) (*= meal*) oppdekning *m* ❑ *The farmhouse puts on quite a decent spread.* Bondegården har litt av en oppdekning.
(**d**) (*PRESS, TYP*) oppslag *nt* ❑ *...a double-page spread.* ...et tosiders oppslag.
[2] VT (**a**) (*= lay out*) spre (*v4*), bre (*v4*) ❑ *They spread their clothing across the bushes to dry.* De spredde klærne sine over buskene til tørk.
(**b**) (*+butter, jam etc*) smøre*
(**c**) (*+wings, arms, sails*) slå* ut med
(**d**) (*= scatter*) spre (*v4*) (utover) ❑ *She trod with care, in order not to spread the dirt.* Hun tro forsiktig for ikke å spre skitten (utover).
(**e**) (*= share out: workload, wealth*) fordele (*v2*) ❑ *Investment has not been evenly spread.* Investeringer har ikke blitt jevnt fordelt.
(**f**) (*+repayments etc*) spre (*v4*), fordele (*v2*) ❑ *The job losses will be spread over a long period.* Tapene av arbeidsplasser vil bli* spredd *or* fordelt over en lang periode.
(**g**) (*+rumour, disease*) spre (*v4*) ❑ *Mosquitoes spread disease very quickly.* Mygg sprer sykdom veldig raskt.
[3] VI (**a**) (*disease, news+*) spre (*v4*) seg, bre (*v4*) seg

(**b**) (*stain+*) spre (*v4*) seg (utover), bre (*v4*) seg (utover)
▸ **middle-age spread** alderstillegg *m* (*i vekt*)
▸ **spread out** 1 VT (*+clothes, map*) spre (*v4*)
2 VI (**a**) (*= move apart*) spre (*v4*) seg ❑ *They followed him and spread out, nervously, in the forest.* De fulgte ham og spredde seg nervøst i skogen.
(**b**) (*stain+*) spre (*v4*) seg utover, bre (*v4*) seg utover

spread-eagled ['sprɛdi:gld] ADJ utstrakt
▸ **to be** *or* **lie spread-eagled** ligge* utstrakt

spreadsheet ['sprɛdʃi:t] S regneark *nt*

spree [spri:] S ▸ **to go on a spree** ta* seg en byrunde (*for å more seg*)
▸ **a spending spree** byrunde *m*, handlerunde *m* (*for å bruke en masse penger*) ❑ *He went on a spending spree.* Han tok seg en byrunde *or* handlerunde for å bruke en masse penger.

sprig [sprɪg] S (liten) kvist *m*

sprightly ['spraɪtlɪ] ADJ frisk og rørig, vital

spring [sprɪŋ] (*pt* **sprang**, *pp* **sprung**) 1 S (**a**) (*= coiled metal*) (spring)fjær *c* ❑ *...a real sofa, with springs.* ...en ordentlig sofa, med (spring)fjærer.
(**b**) (*season*) vår *m* ❑ *He left in the spring of 1956.* Han dro våren 1956 *or* om våren i 1956.
(**c**) (*of water*) kilde *m* ❑ *...a mountain spring.* ...en kilde på fjellet.
2 VI (*= leap*) springe*
3 VT ▸ **to spring a leak** springe* lekk
▸ **in spring** om våren
▸ **in the spring of 1977** (om) våren (i) 1977
▸ **to walk with a spring in one's step** gå* med fjærende gange
▸ **to spring from** (*= be the result of*) springe* ut av ❑ *These problems spring from different causes.* Disse problemene springer ut av ulike årsaker.
▸ **to spring into action** handle (*v1*) øyeblikkelig
▸ **he sprang the news on me** han overrasket *or* overrumplet meg med nyheten
▸ **spring up** VI (*person, animal+ : plant, flowers : building, towns*) sprette* opp (som paddehatter) ❑ *Computer stores are springing up all over the place.* Databutikker spretter opp (som paddehatter) overalt.

springboard ['sprɪŋbɔ:d] S (*SPORT*) springbrett *nt*; (*fig*) ▸ **to be the springboard for** være* et springbrett for

spring-clean(ing) [sprɪŋ'kli:n(ɪŋ)] S vårrengjøring *c*

spring onion (*BRIT*) S vårløk *m*

spring roll S vårrull *m*

springtime ['sprɪŋtaɪm] S vår *m*

springy ['sprɪŋɪ] ADJ (*step, mattress, turf*) fjærende

sprinkle ['sprɪŋkl] VT (**a**) (*+liquid*) dusje (*v1*), dynke (*v1*) (lett)
(**b**) (*+salt, sugar*) strø (*v4*), drysse (*v1*)
▸ **to sprinkle water on, sprinkle with water** dusje (*v1*) vann på, dusje med vann, dynke (*v1*) med vann
▸ **to sprinkle sugar on, sprinkle with sugar** strø (*v4*) *or* drysse (*v1*) sukker på/over

sprinkler ['sprɪŋkləʳ] S (*for lawn*) (hage)spreder *m*; (*to put out fire*) sprinkler *m*

sprinkling ['sprɪŋklɪŋ] (*of water*) (over)risling *c*; (*of salt, sugar*) dryss *nt*; (*fig*) stenk *nt* ❑ *...a sprinkling of grey hairs.* ...et stenk av grått hår.

sprint [sprɪnt] 1 S (*race*) sprint *m*
2 VI (**a**) (*= run fast*) sprinte (*v1*), spurte (*v1*) ❑ *She sprinted to her car.* Hun sprintet *or* spurtet til bilen sin.
(**b**) (*SPORT*) sprinte (*v1*)
▸ **the 200 metres sprint** 200 meter sprint

sprinter ['sprɪntəʳ] S sprinter *m*

sprite [spraɪt] S alv *m*

spritzer ['sprɪtsəʳ] S hvitvin *m* og soda

sprocket ['sprɔkɪt] S kjedetannhjul *nt*

sprout [spraut] VI (*plant, vegetable+*) spire (*v2*)

sprouts [sprauts] SPL (*also* ***Brussels sprouts***) rosenkål *m*

spruce [spru:s] 1 S UBØY gran *c*
2 ADJ sveisen, stilig
▸ **spruce up** VT (*= smarten up : room etc*) fiffe (*v1*) opp
▸ **to spruce o.s. up** fiffe (*v1*) seg opp

sprung [sprʌŋ] PP *of* **spring**

spry [spraɪ] ADJ frisk og rørig, vital

SPUC S FK (= **Society for the Protection of Unborn Children**) *antiabortorganisasjon*

spud [spʌd] (*sl*) S potet *m*

spun [spʌn] PRET, PP *of* **spin**

spur [spəːʳ] 1 S (*also fig*) spore *m* ❑ *This acts as a spur to more economical methods.* Dette virker som en spore til mer økonomiske metoder.
2 VT (*also* ***spur on***) anspore (*v1*) ❑ *Her approval spurred him to enter a poetry contest.* Anerkjennelsen hennes ansporet ham til å melde seg på en lyrikkonkurranse.
▸ **on the spur of the moment** på et øyeblikks innskytelse, på impuls

spurious ['spjuərɪəs] ADJ falsk

spurn [spəːn] VT avvise (*v2*) (*foraktelig*)

spurt [spəːt] 1 S (**a**) (*of blood, water etc*) sprut *m* (*som kommer støtvis*) ❑ *Water came out of the tap in spurts.* Det sprutet vann støtvis ut av springen.
(**b**) (*of energy, feelings*) utbrudd *nt* ❑ *...sudden spurts of genuine love.* ...plutselige utbrudd av ekte kjærlighet.
2 VI (*blood, flame+*) sprute (*v1*)
▸ **to put on a spurt** legge* inn en spurt

sputter ['spʌtəʳ] VI = **splutter**

spy [spaɪ] 1 S spion *m*
2 VI ▸ **to spy on** spionere (*v2*) på
3 VT få* øye på, oppdage (*v1*)
4 SAMMENS (*film, story*) spion-

spying ['spaɪɪŋ] S spionasje *m*

Sq. FK (*in address*) = **square**

sq. FK = **square**

squabble ['skwɔbl] 1 VI krangle (*v1*)
2 S munnhuggeri *nt*, krangel *m*

squad [skwɔd] S (**a**) (*MIL, POLITI*) styrke *m*, avsnitt *nt* ❑ *Anti-riot squads...* Anti-opprørsavsnittet *or* anti-opprørsstyrken...
(**b**) (*SPORT*) lag *nt* ❑ *The England World Cup squad...* Det engelske VM-laget...
▸ **flying squad** utrykningspatrulje *c*

squad car (*BRIT*) S politibil *m*

squaddie ['skwɔdɪ] (*BRIT*) S fotsoldat *m*, menig *m*

squadron ['skwɔdrn] s (*MIL*) eskadron *m*; (*AVIAT, NAUT*) skvadron *m*
squalid ['skwɔlɪd] ADJ (*conditions, house*) skitten, urenslig; (*story etc*) skitten, nedrig
squall [skwɔ:l] s stormkast *nt*
squalor ['skwɔlər] s skitt *m* og elendighet *c*
squander ['skwɔndər] VT (*+money*) ødsle (*v1*) bort, kaste (*v1*) bort; (*+chances*) kaste (*v1*) bort
square [skwɛər] 1 s (**a**) (*shape*) kvadrat *nt*, firkant *m*
(**b**) (*in town*) plass *m* ❑ *...the town square.* ...rådhusplassen.
(**c**) (*US: block of houses*) kvartal *nt*
(**d**) (*also* ***set square****: instrument*) vinkelhake *c*, vinkellinjal *m*
(**e**) (*sl: person*) ▸ **don't be such a square** ikke vær så håpløst gammeldags
2 ADJ (**a**) (*in shape*) firkantet, kvadratisk
(**b**) (*sl: ideas, person*) håpløst gammeldags
3 VT (**a**) (*= arrange*) ordne (*v1*), legge* kant i kant ❑ *He squared the papers before him and studied them.* Han ordnet papirene *or* la papirene kant i kant og studerte dem.
(**b**) (*MAT*) kvadrere (*v2*), opphøye (*v1 or v3*) i annen (potens)
(**c**) (*= reconcile*) forene (*v2*) ❑ *How do you square being a Lord with being a Marxist?* Hvordan forener du det å være* lord med å være* marxist?
4 VI (*= accord*) samsvare (*v2*), stemme (*v2x*) overens ❑ *How does this work square with his other plays?* Hvordan samsvarer dette arbeidet *or* stemmer dette arbeidet overens med de andre skuespillene hans?
▸ **to be all square** (**a**) (*people+*) stå* likt
(**b**) (*match+*) stå* uavgjort
▸ **a square meal** et solid måltid
▸ **2 metres square** 2 ganger 2 meter
▸ **2 square metres** 2 kvadratmeter
▸ **I'll square it with him** (*sl*) jeg skal ordne opp med ham
▸ **to square sth with one's conscience** forsvare (*v2*) noe overfor sin samvittighet
▸ **we're back to square one** vi er tilbake der vi startet, vi er like langt
► **square up** (*BRIT*) VI (*= settle*) gjøre* opp ❑ *Do you want to square up now or later?* Vil du gjøre* opp nå eller senere?
▸ **to square up with sb** bli* skuls med noen, gjøre* opp med noen
square bracket (*TYP*) s hakeparentes *m*, skarp klamme *m*
squarely ['skwɛəlɪ] ADV (**a**) (*= directly: fall, land etc*) rett ❑ *The mast fell squarely onto the chapel.* Antennen falt rett ned på kapellet.
(**b**) (*= fully: confront*) direkte ❑ *This difficulty will have to be squarely faced.* Denne vanskeligheten må takles direkte.
(**c**) (*= honestly, fairly*) realt ❑ *...a film that looks squarely at social problems.* ...en film som virkelig tar for seg et blikk på sosiale problemer.
square root s kvadratrot *c*
squash [skwɔʃ] 1 s (*BRIT: drink*) ▸ **lemon/orange squash** sitron-/appelsinsaft *c* (*til å blande ut med vann*); (*US: marrow etc*) squash *m*; (*SPORT*) squash *m*
2 VT klemme (*v2x*) flat, skvise (*v1*)
squat [skwɔt] 1 ADJ (**a**) (*= stocky: person*) liten og tykk
(**b**) (*building*) klumpet(e)
2 VI (**a**) (*also* ***squat down***) sette* seg på huk ❑ *We squatted down under the tree.* Vi satte oss på huk under treet.
(**b**) (*on property*) ▸ **to squat in** bo (*v4*) ulovlig i/på, okkupere (*v2*) ❑ *There were two men squatting in one of the empty houses.* Det var to menn som bodde ulovlig i *or* okkuperte et av de tomme husene.
squatter ['skwɔtər] s husokkupant *m*
squawk [skwɔ:k] VI skrike*
squeak [skwi:k] 1 VI (*door+*) knirke (*v1*); (*mouse+*) pipe*
2 s (*of hinge*) knirk *nt*, pip *nt*; (*of mouse*) pip *nt*
squeal [skwi:l] VI (*child, brakes etc+*) hyle (*v2*), hvine (*v2*)
squeamish ['skwi:mɪʃ] ADJ pyset(e)
squeeze [skwi:z] 1 s (**a**) (*of hand etc*) trykk *nt* ❑ *He gave her hand a squeeze.* Han gav hånden hennes et trykk.. Han klemte hånden hennes.
(**b**) (*ØKON*) innstramming *c*, tilstramming *c* ❑ *...another squeeze on borrowing.* ...en ny innstramming *or* tilstramming på lån.
2 VT (**a**) (*+object, bag, box*) klemme (*v2x*) (på)
(**b**) (*+hand, arm*) klemme (*v2x*)
3 VI ▸ **to squeeze past/under sth** presse (*v1*) *or* klemme (*v2x*) seg forbi/under noe ❑ *We squeezed under the wire and into the garden.* Vi presset *or* klemte oss under ståltråden og inn i hagen.
▸ **a squeeze of lemon** noen dråper presset sitron
► **squeeze out** VT (**a**) (*+juice*) presse (*v1*) ut
(**b**) (*+paste*) presse (*v1*) ut, klemme (*v2x*) ut
(**c**) (*fig: person*) skvise (*v1*) ut (*sl*), presse (*v1*) ut ❑ *He has been squeezed out of the new company structure.* Han har blitt skviset *or* presset ut av den nye bedriftsstrukturen.
squelch [skwɛltʃ] VI svuppe (*v1*)
squib [skwɪb] s kinaputt *m*
squid [skwɪd] s akkar *m*, tiarmet blekksprut *m*
squiggle ['skwɪgl] s krusedull *m*
squint [skwɪnt] 1 VI (**a**) (*MED*) skjele (*v2*)
(**b**) (*in the sunlight*) myse (*v2*) ❑ *He squinted at the brightly coloured figures.* Han myste mot de fargesprakende figurene.
2 s (*MED*) skjeling *c*
▸ **he has a squint** han skjeler
squire ['skwaɪər] (*BRIT*) s (**a**) godseier *m*
(**b**) (*sl*) mister (*sl*) ❑ *Now squire, what can I get you?* Nå mister, hva kan jeg gjøre* for deg?
squirm [skwə:m] VI (**a**) vri (*v4 or irreg*) seg, tvinne (*v1*) seg ❑ *Poppy squirmed and wriggled her shoulders.* Poppy vred seg og heiste på skuldrene.
(**b**) (*with embarrassment*) krympe (*v1*) seg ❑ *I still squirm when I think of how stupidly I behaved.* Jeg krymper meg fremdeles når jeg tenker på hvor tåpelig jeg oppførte meg.
squirrel ['skwɪrəl] s ekorn *nt*
squirt [skwə:t] VTI sprute (*v1*)

Sr FK (*in names*) (*REL*) (= **senior**),**sister**
SRC (*BRIT*) S FK (= **Students' Representative Council**) ≈ studentparlamentet
Sri Lanka [srɪ'læŋkə] S Sri Lanka
SRN (*BRIT*) S FK (= **State Registered Nurse**) (statsautorisert) sykepleier *m*
SRO (*US*) FK (= **standing room only**) kun ståplasser
SS FK = **steamship**
SSA (*US*) S FK (= **Social Security Administration**) *del av helsedepartementet som tar seg av trygdeutbetalinger*
SST (*US*) S FK (= **supersonic transport**) transport *m* med overlydsfly
ST (*US*) FK (= **Standard Time**) normaltid *c*
St FK = **saint, street**
stab [stæb] 1 S (**a**) (*with knife etc*) (kniv)stikk *nt* ❑ *He was killed by one stab of the knife.* Han ble drept av et knivstikk.
(**b**) (*of pain*) stikk *nt* ❑ *I felt a stab of pain down my left side.* Jeg følte et stikk av smerte nedover den venstre siden.
(**c**) (*sl: try*) ▸ **to have a stab at (doing) sth** prøve (*v3*) seg *or* forsøke (*v2*) seg på (å gjøre) noe
2 VT (**a**) (*+part of body*) (kniv)stikke* i
(**b**) (*+person*) stikke* ned
▸ **to stab sb in the back** stikke* noen i ryggen; (*fig*) falle* noen i ryggen
▸ **to stab sb to death** stikke* noen i hjel (med kniv)
stabbing ['stæbɪŋ] 1 S ▸ **there's been a stabbing** det har foregått knivstikking
2 ADJ (*pain, ache*) stikkende
stability [stə'bɪlɪtɪ] S stabilitet *m*
stabilization [steɪbəlaɪ'zeɪʃən] S stabilisering *c*
stabilize ['steɪbəlaɪz] 1 VT stabilisere (*v2*)
2 VI stabilisere (*v2*) seg
stabilizer ['steɪbəlaɪzə^r] S (*AVIAT, NAUT*) halefinne *c*; (*BIL*) hekkspoiler *m*; (*food additive*) stabilisator *m*; (*on child's bike*) støttehjul *pl*
stable ['steɪbl] 1 ADJ (*prices, condition, marriage*) stabil
2 S (**a**) (*for horse*) stall *m*
(**b**) (*for cattle*) fjøs *nt*
▸ **riding stables** ridestall *m*
staccato [stə'kɑːtəu] 1 ADV stakkato
2 ADJ stakkato(-) ❑ *...the staccato sound of the guns.* ...stakkatolyden av geværene.
stack [stæk] 1 S (= *pile*) stabel *m* ❑ *...a stack of plates.* ...en stabel med tallerkner.
2 VT (*also* ***stack up****: chairs, books etc*) stable (*v1*) (sammen)
▸ **to stack with** stable (*v1*) full av
▸ **stacks of time** (*BRIT: sl*) masser *or* massevis av tid
stadia ['steɪdɪə] SPL *of* **stadium**
stadium ['steɪdɪəm] (*pl* **stadia** *or* **stadiums**) S stadion *nt*
staff [stɑːf] 1 S (**a**) (*workforce*) personale *nt*, ansatte *pl*
(**b**) (*BRIT: SKOL:* ***teaching staff***) lærere *pl* ❑ *...every member of staff.* ...hver lærer.
(**c**) (= *servants*) betjening *c*, (tjener)personale *nt*
(**d**) (*MIL*) stab *m*
(**e**) (*stick*) stang *c*
2 VT bemanne (*v1*) ❑ *It was staffed and run by engineers.* Den ble bemannet og drevet av ingeniører.
staffroom ['stɑːfruːm] (*SKOL*) S lærerværelse *nt*, lærerrom *nt*
Staffs (*BRIT: POST*) FK = **Staffordshire**
stag [stæg] S (*animal*) hjortehann *m*, kronhjorthann *m*; (*BRIT: on stock exchange*) emisjonsjobber *m*, oppkjøper *m*
stage [steɪdʒ] 1 S (**a**) (*in theatre etc*) scene *m* ❑ *I walked out on the stage...* Jeg gikk ut på scenen...
(**b**) (= *period in time*) fase *m*, periode *m* ❑ *...to go through a difficult stage* ...gå gjennom en vanskelig periode *or* fase
(**c**) (= *point in time*) stadium *nt irreg*, (tids)punkt *nt* ❑ *...at a later stage...* på et senere stadium *or* tidspunkt...
2 VT (**a**) (*+play*) oppføre (*v2*), iscenesette*
(**b**) (*+demonstration*) iverksette* ❑ *The union kept plans alive to stage new strikes.* Fagforeningen holdt liv i planene om å iverksette nye streiker.
▸ **the stage** scenen ❑ *She retired from the stage some years ago.* Hun trakk seg tilbake fra scenen for noen år siden.
▸ **on stage** (*theatrical sense, says LASK: fig says LASK*)
▸ **in stages** trinnvis, gradvis
▸ **to go through a difficult stage** gå* gjennom en vanskelig periode *or* fase, være* inne i en vanskelig periode *or* fase
▸ **in the early stages** på et tidlig stadium, i en tidlig fase
▸ **in the final stages** i avslutningsfasen
▸ **he staged a remarkable recovery** han kom seg forbausende raskt
stagecoach ['steɪdʒkəutʃ] S skyssvogn *c*
stage door S sceneinngang *m*
stage fright S lampefeber *m*, sceneskrekk *m*
stagehand ['steɪdʒhænd] S scenearbeider *m*
stage-manage ['steɪdʒmænɪdʒ] VT (*fig*) iscenesette* (*var.* sette i scene) ❑ *The attacks were not stage-managed.* Angrepene var ikke iscenesatt *or* satt i scene.
stage manager S inspisient *m*
stagger ['stægə^r] 1 VI vakle (*v1*), sjangle (*v1*)
2 VT (**a**) (= *amaze*) forbløffe (*v1*) ❑ *...an event that staggered the world.* ...en hendelse som forbløffet verden.
(**b**) (*+hours, holidays*) fordele (*v2*) utover ❑ *The summer holidays are staggered so that we can keep the factory open.* Sommerferiene er fordelt utover slik at vi kan holde fabrikken åpen.
staggering ['stægərɪŋ] ADJ (= *amazing*) forbløffende
staging post S stoppested *nt*
stagnant ['stægnənt] ADJ (*water, economy etc*) stillestående
stagnate [stæg'neɪt] VI (*water, economy, business, person+*) stagnere (*v2*)
stagnation [stæg'neɪʃən] S stagnasjon *m* ❑ *Industrial stagnation...* Stagnasjon i industrien...
stag party S utdrikningslag *nt* (*for brudgom*)
staid [steɪd] ADJ (*person, attitudes*) atstadig, satt

stain [steɪn] 1 s (**a**) (*mark*) flekk *m* ❑ *There was a dark stain on the chair.* Det var en mørk flekk på stolen.
(**b**) (*colouring*) beis *m* ❑ *...teak stain on the shelves.* ...teakfarget beis på hyllene.
2 VT (**a**) (= *mark*) flekke (*v1*) til, lage (*v1 or v3*) flekker på
(**b**) (+*wood*) beise (*v1*)
stained glass window s (vindu med) glassmaleri *nt*
stainless steel ['steɪnlɪs-] s rustfritt stål *nt*
stain remover s flekkfjerner *m*
stair [stɛəʳ] s (= *step*) (trappe)trinn *nt*
▸ **stairs** SPL trapp *c sg* ❑ *Bill stood at the foot of the stairs.* Bill stod ved foten av trappen.
▸ **on the stairs** i trappen
staircase ['stɛəkeɪs] s trapp *c*
stairway ['stɛəweɪ] trapp *c*
stairwell ['stɛəwɛl] s trappehus *nt*
stake [steɪk] 1 s (**a**) (= *post*) pæl *m*, påle *m*
(**b**) (*MERK: interest*) interesse *m* ❑ *The Government owned a large stake in the oil industry.* Regjeringen hadde store eierinteresser i oljeindustrien.
(**c**) (*BETTING: gen pl*) innsatser *pl* ❑ *...poker games with stakes of many hundreds of dollars.* ...pokerspill med innsatser på mange hundre dollar.
2 VT (**a**) (+*money*) sette*, satse (*v1*) ❑ *Large sums were staked on the outcome.* Det ble satt *or* satset store summer på utfallet.
(**b**) (+*life, reputation*) sette* inn, satse (*v1*) ❑ *...but I wouldn't stake my life on it.* ...men jeg ville* ikke sette livet inn *or* satse livet på det.
▸ **to raise the stakes** (**a**) (*fig*) øke (*v1*) innsatsen
(**b**) (*also* ***stake out***: *area*) stikke* ut ❑ *She staked out a small plot.* Hun stakk ut en liten teig.
▸ **to stake a claim (to sth)** kreve (*v3*) sin rett (til noe)
▸ **to be at stake** stå* på spill
▸ **to have a stake in sth** ha* en interesse i noe
stakeout ['steɪkaut] s overvåking *c*
stalactite ['stæləktaɪt] s stalaktitt *m*
stalagmite ['stæləgmaɪt] s stalagmitt *m*
stale [steɪl] ADJ (*bread*) tørr; (*food*) gammel; (*smell, air*) innestengt; (*beer*) død, doven
stalemate ['steɪlmeɪt] s (**a**) (*SJAKK*) patt *m*
(**b**) (*fig*) fastlåst situasjon *m* ❑ *They had reached a stalemate in the talks.* De hadde nådd en fastlåst situasjon i forhandlingene.
stalk [stɔːk] 1 s (*of flower, fruit*) stilk *m*
2 VT (+*person, animal*) lure (*v2*) på, vokte (*v1*) på
3 VI ▸ **to stalk out/off** skride* ut/av gårde, strene (*v2*) ut/av gårde
stalker s *person som av seksuelle motiver følger etter andre*
stall [stɔːl] 1 s (**a**) (*BRIT: in street, market etc*) bod *m*
(**b**) (*in stable*) bås *m*
2 VT (**a**) (*BIL: engine*) kvele*
(**b**) (+*car*) stoppe (*v1*) (*ved å kvele motoren*)
(**c**) (*fig: delay: decision*) holde* igjen
(**d**) (+*person*) stagge (*v1*) ❑ *Perhaps I can stall him till Thursday or Friday.* Kanskje jeg kan stagge ham til torsdag eller fredag.
3 VI (**a**) (*BIL: engine, car*) få* motorstopp
(**b**) (*fig: person*) ta* seg en tenkepause
▸ **stalls** SPL (*BRIT: in cinema, theatre*) parkett *m sg*
▸ **a seat in the stalls** en plass i parkett
stallholder ['stɔːlhəuldəʳ] (*BRIT*) s selger *m* (*i salgsbod*)
stallion ['stæljən] s hingst *m*
stalwart ['stɔːlwət] ADJ trofast, pålitelig
stamen ['steɪmɛn] s støvbærer *m*
stamina ['stæmɪnə] s utholdenhet *c*
stammer ['stæməʳ] 1 s stamming *c*
2 VI stamme (*v1*)
▸ **to have a stammer** stamme (*v1*)
stamp [stæmp] 1 s (**a**) (= *postage*) frimerke *nt*
(**b**) (= *rubber, mark made*) stempel *nt*
(**c**) (*fig*) preg *nt* ❑ *His work hardly bore the stamp of maturity.* Arbeidet hans bar knapt preg av modenhet.
2 VI (*also* ***stamp one's foot***) trampe (*v1*), stampe (*v1*)
3 VT (**a**) (+*letter*) frankere (*v2*), sette* frimerke på
(**b**) (*with rubber stamp etc*) stemple (*v1*) ❑ *...they are stamped "ovenproof".* ...de er stemplet med "ildfast".
▸ **a stamped addressed envelope** en adressert og frankert (svar)konvolutt
▸ **stamp out** VT (**a**) (+*fire*) slukke (*v1*) (ved å trampe på)
(**b**) (*fig: crime, opposition*) utradere (*v2*)
stamp album s frimerkealbum *nt*
stamp collecting s frimerkesamling *c*
stamp duty (*BRIT*) s stempelavgift *c*
stampede [stæm'piːd] s (**a**) (*of animals*) (vill) flukt *m*
(**b**) (*fig*) rush *nt* ❑ *...a stampede for tickets.* ...et rush etter billetter.
stamp machine s frimerkeautomat *m*
stance [stæns] s (**a**) stilling *c* ❑ *He altered his stance slightly and leaned...* Han forandret litt på stillingen sin og lente seg...
(**b**) (*fig*) standpunkt *nt*, syn *nt* ❑ *The newspaper defended its unpopular editorial stance.* Avisa forsvarte sitt upopulære redaksjonelle standpunkt *or* syn.
stand [stænd] (*pt, pp* **stood**) 1 s (**a**) (*MERK: stall*) bod *m*, bu *c* ❑ *There was a hamburger stand...* Det var en hamburgerbod *or* hamburgerbu...
(**b**) (*at exhibition*) stand *m* ❑ *We've got a stand at the International Book Fair.* Vi har en stand på den internasjonale bokmessen.
(**c**) (*SPORT*) tribune *m* ❑ *...the Members' Stand.* ...medlemstribunen.
(**d**) (*for hanging, standing things on*) stativ *nt* ❑ *A number of hats hung from a stand.* En del hatter hang fra et stativ.
2 VI (**a**) (= *be on foot*) stå* ❑ *She was standing at the bus stop.* Hun stod ved bussholdeplassen.
(**b**) (= *rise*) reise (*v2*) seg ❑ *The judge asked us all to stand.* Dommeren bad oss alle om å reise oss.
(**c**) (= *be placed: object, building*) stå*
(**d**) (= *remain: decision, offer*) stå* (ved lag)
(**e**) (*in election etc*) stille (*v2x*) (til valg) ❑ *She was invited to stand as the Liberal candidate.* Hun ble invitert til å stille (til valg) som de liberales kandidat.
3 VT (**a**) (= *place: object*) stille (*v2x*), plassere (*v2*)

❏ *He stood the bottle on the bench.* Han stilte *or* plasserte flasken på benken.
(**b**) (*= tolerate, withstand: person, situation*) holde* ut, utstå*, orke (*v1*) ❏ *I couldn't stand it any longer.* Jeg holdt det ikke ut *or* utstod det ikke *or* orket det ikke lenger.
▸ **to make a stand against sth** gjøre* front mot noe
▸ **to take a stand on sth** ta* (offentlig) stilling til *or* standpunkt i noe
▸ **to take the stand** (*US: JUR*) innta* vitneboksen
▸ **to stand at** (*value, level, score etc+*) stå* *or* ligge* på
▸ **to stand for parliament** (*BRIT*) stille (*v2x*) til parlamentsvalg
▸ **to stand to gain/lose sth** risikere (*v2*) å vinne/tape noe
▸ **to stand sb a drink/meal** spandere (*v2*) noe å drikke/et måltid på noen
▸ **we don't stand a chance** vi har ikke en sjanse
▸ **to stand trial** stå* for retten
▸ **it stands to reason** det er helt rimelig
▸ **as things stand** slik (som) forholdene er
▸ **I can't stand him** jeg tåler *or* orker ham ikke, jeg kan ikke utstå ham

► **stand by** [1] VI (**a**) (*= be ready*) stå* klar ❏ *Stand by with lots of water...* Stå klar med en masse vann...
(**b**) (*fig: fail to help*) stå* på sidelinjen ❏ *We cannot stand by and watch while our allies are attacked.* Vi kan ikke stå på sidelinjen og se på mens våre allierte blir angrepet.
[2] VT FUS (**a**) (*+opinion, decision*) stå* ved ❏ *I said I would do it and I stand by my promise.* Jeg sa jeg ville* gjøre* det, og jeg står ved løftet mitt.
(**b**) (*+person*) stille (*v2x*) opp for ❏ *We'll stand by you.* Vi skal stille opp for deg.

► **stand down** VI (*= withdraw*) trekke* seg ❏ *I'm prepared to stand down in favour of Jones.* Jeg er innstilt på å trekke meg til fordel for Jones.

► **stand for** VT FUS (**a**) (*= represent*) stå* for ❏ *They oppose capitalism and all that it stands for.* De er imot kapitalisme og alt den står for. *What does CSE stand for?* Hva står CSE for?
(**b**) (*= tolerate*) finne* seg i, tolerere (*v2*) ❏ *I won't stand for any more of your disobedience.* Jeg vil ikke finne meg i *or* tolerere mer av ulydigheten din.

► **stand in for** VT FUS (**a**) (*= replace: teacher etc*) vikariere (*v2*) for
(**b**) (*at meeting*) møte (*v2*) i stedet for ❏ *Will you stand in for me at today's meeting?* Vil du møte i stedet for meg på møtet i dag?

► **stand out** VI (*= be prominent*) være* tydelig

► **stand up** VI (*= rise*) reise (*v2*) seg

► **stand up for** VT FUS (*= defend*) ta* til orde for, stå* opp for ❏ *Don't be afraid to stand up for your rights.* Ikke vær redd for å ta* til orde for *or* stå opp for rettighetene dine.

► **stand up to** VT FUS (**a**) (*= withstand*) tåle (*v2*) ❏ *This carpet stands up to the wear and tear of continual use.* Dette teppet tåler slitasjen ved kontinuerlig bruk.
(**b**) (*+person*) ta* igjen med ❏ *He's too weak to stand up to her.* Han er for svak til å ta* igjen med henne.

stand-alone ['stændələun] (*DATA*) ADJ frittstående

standard ['stændəd] [1] S (**a**) (*level*) standard *m*, nivå *nt* ❏ *...is of a high standard.* ...har høy standard *or* høyt nivå.
(**b**) (*norm, criterion*) målestokk *m* ❏ *...rich by Asian standards.* ...rik etter asiatisk målestokk.
(**c**) (*flag*) banner *nt*
[2] ADJ (**a**) (*= normal: size, product etc*) vanlig, standard
(**b**) (*textbook, practice, model, feature*) standard- ❏ *This is the standard work on British moths.* Dette er standardverket om britiske møll. *There is a standard procedure for...* Det er en standardprosedyre for... *The stereo radio is now a standard feature.* Stereoradioen er nå standardutstyr.
▸ **standards** SPL (*= morals*) (moralske) normer
▸ **to be up to standard** holde* mål
▸ **to come up to standard** nå (*v4*) opp (til et akseptabelt nivå)
▸ **to apply a double standard** praktisere (*v2*) dobbeltmoral

standardization [stændədaɪ'zeɪʃən] S standardisering *c*

standardize ['stændədaɪz] VT standardisere (*v2*)

standard lamp (*BRIT*) S stålampe *c*

standard of living S levestandard *m*

standard time S standardtid *c*

stand-by, standby ['stændbaɪ] [1] S (*= reserve*) noe man har i reserve ❏ *Eggs are a great standby in the kitchen.* Det er kjekt å ha* egg i reserve på kjøkkenet.
[2] ADJ (*generator*) reserve-
▸ **on stand-by** (*doctor, crew, firemen etc+*) i beredskap

stand-by ticket S sjansebillett *m*

stand-in ['stændɪn] S vikar *m*, stand-in *m* ❏ *...she sent me as her stand-in.* ...hun sendte meg som vikar *or* stand-in.

standing ['stændɪŋ] [1] ADJ (**a**) (*= permanent: invitation*) stående ❏ *Remember that you have a standing invitation to stay with us...* Husk at du har stående invitasjon til å bo hos oss...
(**b**) (*army*) stående
[2] S (**a**) (*= social status*) status *m*, stilling *c* ❏ *...people of a slightly higher social standing.* ...folk med litt høyere sosial status *or* stilling.
(**b**) (*= respect*) anseelse *m* ❏ *She was an economist of considerable standing.* Hun var en høyt ansett økonom.
▸ **standing ovation** stående applaus *m*
▸ **he received/was given a standing ovation** han fikk stående applaus
▸ **of many years' standing** gjennom mange år, mangeårig
▸ **of 6 months' standing** fra 6 måneder tilbake
▸ **a man of some standing** (*= respected*) en mann med en viss anseelse

standing committee S fast utvalg *nt*

standing joke S stående vits *m*

standing order (*BRIT*) S (*at bank*) fast oppdrag *nt*

standing room S ståplass *m* ❏ *The hall was packed, with standing room only.* Salen var

fullstappet, med bare ståplass(er) igjen.
standoff s (*situation*) fastlåst situasjon *m*
stand-offish [stænd'ɔfɪʃ] ADJ overlegen, utilnærmelig
standpipe ['stændpaɪp] s utendørs vannkran *c*
standpoint ['stændpɔɪnt] s synspunkt *nt*, standpunkt *nt*, synsvinkel *m* ❑ *...from a western standpoint.* ...fra et vestlig synspukt *or* standpunkt *or* en vestlig synsvinkel.
standstill ['stændstɪl] s ▸ **to be at a standstill** ha* stoppet helt opp ❑ *London Road is at a standstill.* Trafikken i London Road har stoppet helt opp. *The negotiations are at a standstill.* Forhandlingene har stoppet helt opp.
▸ **to come to a standstill** stoppe (*v1*) helt opp
stand-up comedy ['stændʌp-] s standup-komikk *m*
stank [stæŋk] PRET *of* **stink**
stanza ['stænzə] s vers *nt*, strofe *c*
staple ['steɪpl] [1] s (**a**) (*for papers*) stift *m*
(**b**) (*chief product*) viktig produkt *nt* ❑ *Cloth is still a main staple of business...* Tøy er fremdeles et av de viktigste produktene som selges...
[2] ADJ (*food etc*) hverdagslig, vanlig ❑ *...their staple diet of fish and rice.* ...den vanlige *or* hverdagslige dietten deres som bestod av fisk og ris.
[3] VT (= *fasten*) stifte (*v1*)
stapler ['steɪplə^{r}] s stiftemaskin *m*
star [stɑː^{r}] [1] s (*in sky, celebrity*) stjerne *c* ❑ *...film stars.* ...filmstjerner.
[2] VT (*TEAT, FILM*) ha* i hovedrollen(e) ❑ *The last version of the movie starred John Garfield.* Den siste versjonen av filmen hadde John Garfield i hovedrollen.
[3] VI ▸ **to star in** spille (*v2x*) hovedrollen(e) i
▸ **the stars** SPL (= *horoscope*) horoskop *nt* ❑ *I'm just reading my stars.* Jeg leser akkurat horoskopet mitt.
▸ **a 4-star hotel** et firestjerners hotell
▸ **2-star petrol** (*BRIT*) lavoktanbensin *c*
▸ **4-star petrol** (*BRIT*) høyoktanbensin *c*
star attraction s hovedattraksjon *m*, trekkplaster *nt*
starboard ['stɑːbɔːd] ADJ styrbord
▸ **to starboard** til styrbord
starch [stɑːtʃ] s stivelse *m*
starched [stɑːtʃt] ADJ stivet
starchy ['stɑːtʃɪ] ADJ (**a**) (*food*) stivelsesholdig
(**b**) (*neds: person*) stiv på det ❑ *Don't be so starchy.* Ikke vær så stiv på det.. Ikke vær sånn en tørrpinn.
stardom ['stɑːdəm] s stjernestatus *m* ❑ *It's difficult to explain her rise to stardom.* Det er vanskelig å forklare hvordan hun oppnådde stjernestatus.
stare [stɛə^{r}] [1] s stirrende blikk *nt* ❑ *She gave him a dreamy stare.* Hun stirret drømmende på ham.
[2] VI ▸ **to stare at** stirre (*v1*) på
starfish ['stɑːfɪʃ] s sjøstjerne *c*
stark [stɑːk] [1] ADJ (= *bleak*) gold; (*simplicity*) streng; (*colour*) kraftig; (*facts, reality*) naken; (*poverty*) skrikende
[2] ADV ▸ **stark naked** splitter naken
starkers ['stɑːkəz] (*sl*) ADJ splitter naken
starlet ['stɑːlɪt] s vordende stjerne *c*
starlight ['stɑːlaɪt] s stjerneskinn *nt* ❑ *...in the starlight.* ...i stjerneskinnet.
▸ **by starlight** i stjerneskinn
starling ['stɑːlɪŋ] s stær *m*
starlit ['stɑːlɪt] ADJ stjerneklar
starry ['stɑːrɪ] ADJ stjerneklar
starry-eyed [stɑːrɪ'aɪd] ADJ (= *innocent*) blåøyd; (*from wonder*) storøyd
Stars and Stripes SSING det amerikanske flagget
star sign s stjernetegn *nt*
star-studded ['stɑːstʌdɪd] ADJ ▸ **a star-studded cast** en stjernespekket besetning
START [stɑːt] (*MIL*) s FK (= **Strategic Arms Reduction Talks**) *samtaler om begrensning av strategiske våpen mellom supermaktene USA og Sovjetunionen*
start [stɑːt] [1] s (**a**) (= *beginning*) start *m*, begynnelse *m* ❑ *...the start of the tax year.* ...begynnelsen *or* starten på skatteåret.
(**b**) (= *departure*) *det å begynne or starte* ❑ *We need a fresh start.* Vi trenger å begynne *or* starte på nytt.
(**c**) (*sudden movement*) rykk *nt* ❑ *He awakened with a start.* Han våknet med et rykk.
(**d**) (= *advantage*) forsprang *nt* ❑ *You must give me fifty metres start.* Du må gi* meg femti meter forsprang.
[2] VT (**a**) (= *begin doing sth*) begynne (*v2x*) ❑ *My father started work when he was ten.* Faren min begynte å arbeide da han var ti år.
(**b**) (*+fire, panic, business, engine*) starte (*v1*) ❑ *He raised the money to start a restaurant.* Han skaffet penger til å starte en restaurant. *He couldn't get his engine started.* Han fikk ikke startet motoren.
[3] VI (**a**) (= *begin*) begynne (*v2x*), starte (*v1*) ❑ *The meeting starts at 7.* Møtet begynner *or* starter klokka 7.
(**b**) (*with fright*) skvette* ❑ *She started back in terror.* Hun skvatt bakover av skrekk.
(**c**) (*engine etc+*) starte (*v1*)
▸ **to start doing** *or* **to do sth** begynne (*v2x*) å gjøre* noe
▸ **to start (off) with...** til å begynne med...
▸ **at the start** i begynnelsen, i starten
▸ **for a start** for det første
▸ **to make an early start** begynne (*v2x*) *or* starte (*v1*) tidlig
▸ **start off** VI (**a**) (= *begin*) starte (*v1*) opp, sette* i gang ❑ *The group started off at school, playing in local pubs.* Gruppen startet opp *or* satte i gang på skolen, og spilte på lokale puber.
(**b**) (= *begin moving*) legge* *or* sette* av gårde ❑ *He had started off across the desert.* Han hadde lagt *or* satt av gårde tvers over ørknen.
(**c**) (= *leave*) dra* av gårde *or* av sted ❑ *They started off to church.* De drog av sted *or* av gårde til kirken.
▸ **start over** (*US*) VI begynne (*v2x*) *or* starte (*v1*) på nytt
▸ **start up** VT (*+business, car, engine*) starte (*v1*) (opp)
starter ['stɑːtə^{r}] s (**a**) (*BIL*) selvstarter *m*
(**b**) (*SPORT: official*) starter *m*
(**c**) (*runner, horse*) startende *m decl as adj* ❑ *3 of the starters failed to finish.* 3 av de startende klarte

ikke å avslutte.
(**d**) (*BRIT : KULIN*) forrett *m*
starting point s (*for journey, negotiations, ideas*) utgangspunkt *nt*
starting price s (*at auction*) utgangspris *m*, utropspris *m*
startle ['stɑːtl] VT gi* en støkk ❑ *Goodness, you startled me.* Gid, du gav meg en støkk.
startling ['stɑːtlɪŋ] ADJ oppsiktsvekkende
star turn (*BRIT*) s trekkplaster *nt*
starvation [stɑː'veɪʃən] s sult *m*, sultedød *m*
▸ **to die of/from starvation** dø* av sult, sulte (*v1*) i hjel
starve [stɑːv] 1 VI (**a**) (= *be very hungry*) holde* på å sulte i hjel, være* utsultet ❑ *When the rescuers arrived, the survivors were starving.* Da redningsmennene kom fram, var de overlevende utsultet *or* holdt de overlevende på å sulte i hjel.
(**b**) (*to death*) dø* av sult, sulte (*v1*) i hjel
2 VT (**a**) (*+person, animal*) sulte (*v1*) ut ❑ *The prison guards starved their prisoners.* Fengselsvaktene sultet ut fangene sine.
(**b**) (*fig : deprive*) ▸ **to be starved of sth** være* underernært på noe
▸ **I'm starving** (*very hungry*) jeg holder på å sulte i hjel, jeg er skrubbsulten
Star Wars s stjernekrig *m*
stash [stæʃ] 1 VI (*also* ***stash away***) gjemme (*v2x*) unna
2 s (*secret store*) hemmelig lager *nt*
state [steɪt] 1 s (**a**) (= *condition*) forfatning *m*, tilstand *m* ❑ *...the state of the churchyard.* ...kirkegårdens forfatning *or* tilstand.
(**b**) (= *government*) stat *m* ❑ *...the security of the state.* ...statens sikkerhet.
2 VT (= *say, declare*) uttale (*v2*), erklære (*v2*), slå* fast
▸ **the States** SPL Statene
▸ **to be in a state** være* ute av seg ❑ *She's in a terrible state.* Hun er helt ute av seg.
▸ **to get into a state** bli* nervøs og oppspilt ❑ *He used to get into an awful state as exams approached.* Han ble gjerne forferdelig nervøs og oppspilt når eksamenene nærmet seg.
▸ **in state** høytidelig
▸ **to lie in state** ligge* på lit de parade
▸ **state of emergency** unntakstilstand *m* ❑ *The Government declared a state of emergency.* Regjeringen erklærte unntakstilstand.
▸ **state of mind** sinnstilstand *m* ❑ *My sister was in a happier state of mind.* Søsteren min var i en lysere sinnstilstand.
state control s statlig kontroll *m*
stated ['steɪtɪd] ADJ (*aims, beliefs, purpose etc*) uttrykt, uttalt
State Department (*US*) s ≈ Utenriksdepartementet
state education (*BRIT*) s offentlig skolevesen *nt or* utdanningssystem *nt*
state-funded ADJ (*education, services*) statsfinansiert
state funding s statsstøtte *c*
stateless ['steɪtlɪs] ADJ (*person*) statsløs
stately ['steɪtlɪ] (*walk, appearance, etc*) verdig, statelig
▸ **stately home** (**a**) (*in the country*) herregård *m* (**b**) (*in town*) rikmannshus *nt* (*som er åpent for publikum*)
statement ['steɪtmənt] s (**a**) (= *declaration*) uttalelse *m*, erklæring *c* ❑ *The announcement was made in a statement...* Kunngjøringen ble gitt i en uttalelse *or* erklæring...
(**b**) (*FIN*) avregning *c* ❑ *This latest statement shows our operations are still over-budget.* Denne siste avregningen viser at virksomheten vår fremdeles overskrider budsjettet.
▸ **official statement** offisiell uttalelse *m*, erklæring *c*
▸ **bank statement** kontoutskrift *c*
state of the art 1 s ▸ **the state of the art** state of the art (*om noe som viser hvor langt utviklingen er kommet på et område*)
2 ADJ ▸ **state-of-the-art** (*technology*) som er det mest avanserte på området
state-owned ['steɪtəund] ADJ statseid
state school s offentlig skole *m*
state secret s statshemmelighet *m*
statesman ['steɪtsmən] *irreg* s statsmann *m irreg*
statesmanship ['steɪtsmənʃɪp] s statsmannskunst *m*, statskunst *m*
static ['stætɪk] 1 s (**a**) (*RADIO*) sus *nt*
(**b**) (*TV*) snø *m* på skjermen
2 ADJ (= *not moving*) statisk, stillestående ❑ *...a series of static images.* ...en serie av statiske *or* stillestående bilder.
static electricity s statisk elektrisitet *m*
station ['steɪʃən] 1 s (*rail, bus, for police, radio*) stasjon *m*
2 VT (*+troops, guards*) stasjonere (*v2*)
▸ **action stations** (*MIL*) kampstillinger
▸ **above one's station** over sin stand ❑ *She had been educated above her station.* Hun hadde fått utdannelse over sin stand.
stationary ['steɪʃnərɪ] ADJ som står stille
stationer ['steɪʃənəʳ] s papirhandler *m*
stationer's (shop) s papirhandel *m*
stationery ['steɪʃnərɪ] s skrivesaker *pl*
stationmaster ['steɪʃənmɑːstəʳ] s stasjonsmester *m*
station wagon (*US*) s stasjonsvogn *c*
statistic [stə'tɪstɪk] s statistikk *m*
statistical [stə'tɪstɪkl] ADJ (*evidence, techniques*) statistisk
statistics [stə'tɪstɪks] s (*science, figures*) statistikk *m* ❑ *I teach mathematics and statistics.* Jeg underviser i matematikk og statistikk. *Statistics never prove anything.* Statistikk(er) beviser aldri noe.
statue ['stætjuː] s statue *c*
statuesque [stætju'ɛsk] ADJ (*woman*) staselig
statuette [stætju'ɛt] s statuett *m*
stature ['stætʃəʳ] s (*fig : reputation*) format *nt* ❑ *...someone of his stature.* ...noen av hans format.
▸ **small in stature** liten av skikkelse
status ['steɪtəs] s status *m* ❑ *...the changing status of women.* ...forandringen i kvinners status. *...their demand for status as political prisoners.* ...kravet deres om status som politiske fanger.

He came in search of wealth, status, and power. Han kom i håp om rikdom, status og makt.
▸ **the status quo** status quo

status line (*DATA*) s statuslinje *c*

status symbol s statussymbol *nt*

statute ['stætju:t] s lov *m* ❑ *...limited by statute.* ...begrenset ved lov.
▸ **statutes** SPL (*of club etc*) statutter, vedtekter

statute book s ▸ **on the statute book** i loven

statutory ['stætjutrɪ] ADJ (*powers, rights etc*) lovfestet, lovbestemt
▸ **statutory meeting** konstituerende generalforsamling *c*

staunch [stɔ:ntʃ] [1] ADJ (*ally, supporter*) trofast
[2] VT (*+flow, blood*) stanse (*v1*)

stave [steɪv] s (*MUS*) notelinje *c*

▸ **stave off** VT (*+attack*) utsette*, forsinke (*v1*); (*+threat, attempt*) utsette*, holde* unna

stay [steɪ] [1] s opphold *nt* ❑ *We want to make your stay as pleasant as possible.* Vi ønsker å gjøre* oppholdet ditt så hyggelig som mulig. *...an overnight stay in hospital.* ...et opphold over natten på sykehus.
[2] VI (**a**) (*= remain*) holde* seg ❑ *Fewer women these days stay at home to look after their children.* Færre kvinner nå om dagen holder seg hjemme for å ta* seg av barna. *The unemployment rate stayed below 4%.* Arbeidsledighetstallet holdt seg under 4 %.
(**b**) (*with sb, as guest*) bo (*v4*), være ❑ *She had Ellen to stay for a week.* Hun hadde Ellen boende *or* værende hos seg i en uke.
(**c**) (*in place*) bli, være, oppholde* seg ❑ *How long can you stay in Brussels?* Hvor lenge kan du oppholde deg *or* bli* *or* være* i Brussel?
▸ **to stay put** bli* værende
▸ **stay of execution** (*JUR*) utsettelse *m*
▸ **to stay with friends** bo (*v4*) hos venner
▸ **to stay the night** overnatte (*v1*)

▸ **stay behind** VI bli* igjen

▸ **stay in** VI (*at home*) være* hjemme, holde* seg hjemme

▸ **stay on** VI fortsette* ❑ *Pupils have to stay on at school till they are 16.* Elever må fortsette på skolen til de er 16 år.

▸ **stay out** VI (**a**) (*of house etc*) være* ute ❑ *She stayed out all night.* Hun var ute hele natten.
(**b**) (*= remain on strike*) holde* seg borte ❑ *The men stayed out for nearly a year.* Mennene holdt seg borte fra arbeidet i nesten et år.

▸ **stay up** VI (*at night*) holde* seg ❑ *Nobody had stayed up to give us our supper.* Ingen var oppe for å gi* oss kveldsmat.

staying power s utholdenhet *c* ❑ *They do not have much staying power.* De har ikke mye utholdenhet.

STD S FK (*BRIT: TEL*) (= **subscriber trunk dialling**) ≈ fjernvalg *nt*; (*MED*) (= **sexually transmitted disease**) seksuelt overførbar sykdom *m*

stead [stɛd] s ▸ **in sb's stead** i noens sted, i stedet for noen
▸ **to stand sb in good stead** komme* til nytte for noen

steadfast ['stɛdfɑ:st] ADJ (*person, refusal, support*) standhaftig ❑ *He was steadfast in his praise...* Han var standhaftig i sin ros...

steadily ['stɛdɪlɪ] ADV (**a**) (*breathe*) jevnt
(**b**) (*rise*) jevnt (og trutt) ❑ *Unemployment has risen steadily.* Arbeidsledigheten har steget jevnt og trutt.
(**c**) (*look*) ufravendt ❑ *Foster looked steadily at me for some moments.* Foster så ufravendt på meg i noen øyeblikk.

steady ['stɛdɪ] [1] ADJ (**a**) (*job, income*) fast, stabil ❑ *I wanted a steady income.* Jeg ønsket en fast *or* stabil inntekt.
(**b**) (*boyfriend, girlfriend, relationship*) fast
(**c**) (*speed, rise in prices*) jevn ❑ *...at a steady 60 mph.* ...når farten ligger jevnt på 60 miles i timen. *This year we've seen a steady rise in prices.* I år har vi vært vitne til en jevn prisøkning.
(**d**) (*person, character*) stødig ❑ *He's a very steady boy.* Han er en svært stødig fyr.
(**e**) (*= firm, calm*) stø, stødig ❑ *His hand was not quite steady.* Hånden hans var ikke helt stø *or* stødig. *Her voice was faint but steady.* Stemmen hennes var svak, men stø *or* stødig.
[2] VT (**a**) (*= stabilize*) støtte (*v1*) (opp) ❑ *His elbows were resting on his knees to steady the binoculars.* Albuene hans hvilte på knærne hans for å støtte opp kikkerten.
(**b**) (*+nerves*) roe (*v1*) ❑ *I need a drink to steady my nerves.* Jeg trenger en drink for å roe nervene.
▸ **to steady o.s. on** *or* **against sth** støtte (*v1*) seg på *or* mot noe

steak [steɪk] s biff *m*

steakhouse ['steɪkhaus] s grillrestaurant *m*, steakhouse *nt*

steal [sti:l] (*pt* **stole**, *pp* **stolen**) [1] VT stjele*
[2] VI (**a**) (*= thieve*) stjele* ❑ *Children often steal.* Barn stjeler ofte.
(**b**) (*= move secretly*) snike* (seg), luske (*v1*) ❑ *Simon came stealing out of the shadows.* Simon kom snikende *or* luskende ut av skyggen.

▸ **steal away** VI smyge* seg av gårde

stealth [stɛlθ] s ▸ **by stealth** i det skjulte, i dølgsmål

stealthy ['stɛlθɪ] ADJ (*movements, actions*) listende, smygende

steam [sti:m] [1] s (**a**) (*mist*) damp *m*
(**b**) (*on window*) dogg *m* (*var:* dugg)
[2] VTI dampe (*v1*) ❑ *...steamed rice.* ...dampet ris. *Lynn brought her a steaming cup of tea.* Lynn kom med en rykende varm *or* dampende kopp te til henne.
▸ **under one's own steam** (*fig*) for egen maskin
▸ **to run out of steam** (*fig*) miste (*v1*) peppen
▸ **to let off steam** (*sl*) avreagere (*v2*), slå* seg løs

▸ **steam up** VI dogge (*v1*) (til) ❑ *The windows always steam up when I'm cooking.* Vinduene dogger alltid (til) når jeg lager mat.
▸ **to get steamed up about sth** (*sl*) bli* opphisset over noe

steam engine s dampmaskin *m*; (*JERNB*) damplokomotiv *nt*

steamer ['sti:məʳ] s (*ship*) damper *m*, dampskip *nt*; (*KULIN*) dampkoker *m*, dampkjele *m*

steam iron s damp(stryke)jern *nt*

steamroller ['sti:mrəuləʳ] s dampveivals *m*
steamship ['sti:mʃɪp] s dampskip *nt*
steamy ['sti:mɪ] ADJ (**a**) (*room*) full av damp
(**b**) (*window*) dogget(e) (*var.* dugget(e))
(**c**) (= *erotic*) het ❑ *They cut most of the steamy scenes...* De kuttet vekk mesteparten av de hete scenene...
steed [sti:d] (*litter*) s ganger *m*
steel [sti:l] 1 s stål *nt*
2 ADJ stål-, av stål ❑ *...built on steel girders.* ...bygd på stålbjelker.
steel band s steelband *nt* (*var.* stålband)
steel industry s stålindustri *m*
steel mill s stålverk *nt*
steelworks ['sti:lwɜ:ks] s stålverk *nt*
steely ['sti:lɪ] ADJ (*determination*) klippefast; (*eyes, gaze*) stål-, fast
steep [sti:p] 1 ADJ (**a**) (*stair, slope*) bratt
(**b**) (*increase, rise*) brå ❑ *...a steep increase in the cost of petrol.* ...en brå økning i bensinprisene.
(**c**) (*price, fees*) drøy, stiv ❑ *The price is a bit steep.* Prisen er litt drøy *or* stiv.
2 VT (**a**) (= *soak: cloth*) bløtlegge*
(**b**) (+*food*) marinere (*v2*) ❑ *The olives are steeped in oil.* Olivenene er marinert i olje.
▸ **to be steeped in history** være* gjennomsyret av historie
steeple ['sti:pl] s spir *nt*
steeplechase ['sti:pltʃeɪs] s hinderløp *nt*
steeplejack ['sti:pldʒæk] s *håndverker som jobber på fasaden av høye bygninger*
steeply ['sti:plɪ] ADV (**a**) (*slope*) bratt, steilt ❑ *...mountains which rise steeply on three sides.* ...fjell som reiser seg bratt *or* steilt på tre kanter.
(**b**) (*rise, fall: prices*) brått
steer [stɪəʳ] 1 VT (**a**) (+*vehicle, boat*) styre (*v2*) ❑ *He steered the car through the broad entrance.* Han styrte bilen gjennom den brede inngangsporten.
(**b**) (+*person*) geleide (*v1*), lose (*v2*) ❑ *He steered me to a table and sat me down.* Han geleidet *or* loste meg til et bord og plasserte meg.
2 VI styre (*v2*) ❑ *The ship steered out of the bay that evening.* Skipet styrte ut av bukta den kvelden.
▸ **to steer clear of sb/sth** (*fig*) styre (*v2*) klar av noen/noe
steering ['stɪərɪŋ] s styring *c*
steering column s rattstamme *m*
steering committee s komité *m* (*i parlament etc*)
steering wheel s ratt *nt*
stellar ['stɛləʳ] ADJ stjerne-
stem [stɛm] 1 s (**a**) (*of plant*) stilk *m*, stengel *m*
(**b**) (*of leaf, fruit*) stilk *m*
(**c**) (*of glass*) stett *m*
(**d**) (*of pipe*) pipestilk *m*
2 VT (**a**) (= *stop*) demme (*v1*) opp for
(**b**) (+*blood*) stoppe (*v1*), stanse (*v1*) ❑ *...measures to stem the flow of illegal drugs.* ...tiltak for å demme opp for strømmen av ulovlige medikamenter.
► **stem from** VT FUS (*condition, problem+*) komme* av, skyldes (*v25*) ❑ *Their aggressiveness stemmed from fear.* Aggressiviteten deres kom av *or* skyldtes frykt.
stench [stɛntʃ] (*neds*) s stank *m*
stencil ['stɛnsl] 1 s sjablon(g) *m*
2 VT overføre (*v2*) ved hjelp av sjablon(g) ❑ *...bearing the stencilled word LITTER.* ...med ordet LITTER i sjablongbokstaver.
stenographer [stɛ'nɔgrəfəʳ] (*US*) s stenograf *m*
stenography [stɛ'nɔgrəfɪ] (*US*) s stenografi *m*
step [stɛp] 1 s (**a**) (*footstep, also fig*) skritt *nt* ❑ *I'll be a few steps behind.* Jeg er noen skritt bak. *Simmel carried this idea one step further.* Simmel tok denne ideen et skritt videre.
(**b**) (*sound*) skritt *nt*, (fot)trinn *nt* ❑ *I heard the steps cross the ceiling from the room above.* Jeg hørte skrittene *or* trinnene tvers over taket fra rommet i etasjen over.
(**c**) (*of stairs*) (trappe)trinn *nt* ❑ *She was sitting on the top step.* Hun satt på det øverste trinnet.
(**d**) (*SPORT: **step aerobics***) step *m*
2 VI ▸ **to step forward/back** ta* et skritt fram/tilbake
▸ **steps** SPL (*BRIT*) = **stepladder**
▸ **step by step** (*fig*)
2 ADJ trinnvis ❑ *...a step by step guide to oil painting.* ...en trinnvis veiledning i oljemaling.
3 ADV steg for steg
▸ **in/out of step (with)** i takt/utakt (med) ❑ *They marched in step.* De marsjerte i takt. *His public statements are out of step with the majority of the party.* De offentlige uttalelsene hans er i utakt med flertallet i partiet.
► **step down** VI (*fig: resign*) trekke* seg ❑ *He stepped down last month because of illness.* Han trakk seg i forrige måned på grunn av sykdom.
► **step in** VI (*fig*) steppe (*v1*) inn ❑ *She really appreciates the way you stepped in and saw to things.* Hun er virkelig glad for måten du steppet inn på og ordnet opp i sakene.
► **step off** VT FUS gå* av ❑ *He was greeted by waiting reporters as soon as he stepped off the plane.* Han ble møtt av ventende reportere straks han gikk av flyet.
► **step on** VT FUS (+*sth: walk on*) trå* på ❑ *It's bad luck to step on the cracks in the pavement.* Det betyr ulykke å trå på sprekkene i fortauet.
► **step over** VT FUS skritte (*v1*) over ❑ *I had to step over all the people...* Jeg måtte* skritte over alle menneskene...
► **step up** VT (= *increase: efforts, pace etc*) trappe (*v1*) opp ❑ *The government is stepping up its efforts.* Regjeringen trapper opp tiltakene sine.
step aerobics SSING step aerobic *m*
stepbrother ['stɛpbrʌðəʳ] s stebror *m*
stepchild ['stɛptʃaɪld] s stebarn *nt*
stepdaughter ['stɛpdɔ:təʳ] s stedatter *c*
stepfather ['stɛpfɑ:ðəʳ] s stefar *m*
stepladder ['stɛplædəʳ] (*BRIT*) s gardintrapp *c*
stepmother ['stɛpmʌðəʳ] s stemor *c*
stepping stone s (**a**) vadestein *m*
(**b**) (*fig*) skritt *nt* på veien ❑ *That film was a big stepping stone in my career.* Den filmen var et viktig skritt på veien i karrieren min.
Step Reebok® [-'ri:bɔk] s step aerobic *m*
stepsister ['stɛpsɪstəʳ] s stesøster *c*
stepson ['stɛpsʌn] s stesønn *m*
stereo ['stɛrɪəu] 1 s (*system*) stereo *m*,

stereoanlegg *nt* ❑ *He turned on the stereo.* Han skrudde på stereoen *or* stereoanlegget.
[2] ADJ stereo- ❑ *...a stereo hi-fi.* ...et stereoanlegg.
▸ **in stereo** i stereo ❑ *It sounds much better in stereo.* Det høres mye bedre ut i stereo.

stereotype ['stɪərɪətaɪp] [1] s stereotyp *m*
[2] VT (*+men, women, actors etc*) lage (*v1 or v3*) seg et stereotypt bilde av

sterile ['stεraɪl] ADJ (*= free from germs, barren*) steril; (*fig: debate, ideas*) ufruktbar, fruktesløs

sterility [stε'rɪlɪtɪ] s (*of person*) sterilitet *m*

sterilization [stεrɪlaɪ'zeɪʃən] s sterilisering *c*

sterilize ['stεrɪlaɪz] VT (*+thing, place, person, animal*) sterilisere (*v2*)

sterling ['stəːlɪŋ] [1] ADJ (**a**) (*silver*) sterling-
(**b**) (*fig: efforts, character*) helstøpt ❑ *...a man of sterling character.* ...en mann med en helstøpt karakter.
[2] s (*ØKON*) pundet ❑ *Sterling has once again become one of the stronger currencies.* Pundet har igjen blitt en av de sterkere valutaene.
▸ **one pound sterling** et pund sterling
▸ **in sterling** i pund
▸ **the sterling equivalent**

sterling area s sterlingområde *nt*

sterling silver s

stern [stəːn] [1] ADJ (*father, warning etc*) streng
[2] s (*of boat*) akterende *m*, akterstavn *m*

sternum ['stəːnəm] s brystbein *nt*

steroid ['stɪərɔɪd] s steroid *nt*

stethoscope ['stεθəskəup] s stetoskop *nt*

stevedore ['stiːvədɔːʳ] s stuer *m*, bryggesjauer *m*

stew [stjuː] [1] s frikassé *m*, gryte *c* ❑ *...lamb stew.* ...lammefrikassé *or* lammegryte.
[2] VT (**a**) (*+meat*) lage (*v1 or v3*) frikassé av
(**b**) (*+vegetables*) stue (*v1*)
(**c**) (*+fruit*) koke (*v2*), lage (*v1 or v3*) kompott av
[3] VI småkoke (*v2*) ❑ *Leave it to stew for three hours.* La den småkoke i tre timer.
▸ **stewed tea** te som har trukket for lenge
▸ **stewed fruit** fruktkompott *m*

steward ['stjuːəd] s (*on ship*) steward *m*; (*on plane*) steward *m*, flyvert *m*; (*on train*) togvert *m*; (*in club etc*) hushovmester *m*; (*also* ***shop steward***) klubbformann *m irreg*, klubbleder *m*, tillitsmann *m irreg*, tillitsvalgt *m decl as adj*

stewardess ['stjuədεs] s (*esp on plane*) flyvertinne *c*

stewardship ['stjuədʃɪp] s forvaltning *m*

stewing steak, **stew meat** (*US*) s grytekjøtt *nt*

St. Ex. FK = **stock exchange**

stg FK = **sterling**

stick [stɪk] (*pt, pp* **stuck**) [1] s (**a**) (*of wood*) pinne *m* ❑ *I gathered some sticks to start the fire.* Jeg samlet noen pinner til opptenningsved.
(**b**) (*of dynamite*) gubbe *m*
(**c**) (*of chalk etc*) stift *m*
(**d**) (*as weapon*) kjepp *m*, stokk *m* ❑ *...using sticks and assorted missiles.* ...ved hjelp av kjepper *or* stokker og forskjellige kastevåpen.
(**e**) (*also* ***walking stick***) stokk *m*
[2] VT (**a**) (*with glue etc*) lime (*v2*), klebe (*v1*), klistre (*v1*)
(**b**) (*sl: put*) stikke*, putte (*v1*) ❑ *I just stuck it in an envelope and sent it off.* Jeg bare stakk *or* puttet det i en konvolutt og sendte det av gårde.
(**c**) (*= tolerate*) holde* ut ❑ *I don't know how I've stuck it, it's been hell.* Jeg vet ikke hvordan jeg har holdt det ut, det har vært et helvete.
(**d**) (*= thrust*) ▸ **to stick sth into** stikke* noe (inn) i ❑ *He stuck the knife right in...* Han stakk kniven rett inn...
[3] VI (**a**) (*stamp, sticker+*) ▸ **to stick (to)** klebe (*v1*) (seg til)
(**b**) (*something sticky+*) ▸ **to stick (to)** klebe (*v1*) (mot), klistre (*v1*) seg (til) ❑ *Knead the dough until it no longer sticks to your hands.* Kna deigen til den ikke lenger kleber mot *or* klistrer seg til hendene dine.
(**c**) (*in mind etc*) sette* seg fast ❑ *That thought stuck in my mind.* Den tanken satte seg fast hos meg.
(**d**) (*= remain*) bli* hengende ved noen ❑ *I nicknamed him "Fingers", a name which stuck.* Jeg gav ham klengenavnet "Fingers", et navn som ble hengende ved ham.
(**e**) (*= get jammed: door, lift*) sette* seg fast
(**f**) (*button etc+*) henge (*v2*) seg opp ❑ *The car horn has stuck.* Bilhornet har hengt seg opp.
▸ **to get hold of the wrong end of the stick** (*BRIT*) misforstå* totalt

▸ **stick around** (*sl*) VI holde* seg i området ❑ *I'll stick around and keep an eye on the food.* Jeg holder meg i området og holder øye med maten.

▸ **stick out** [1] VI stikke* ut/opp *etc* ❑ *A champagne bottle was sticking out of an ice bucket.* En champagneflaske stakk opp av en isbøtte.
[2] VT ▸ **to stick it out** (*sl*) holde* ut ❑ *I promised myself I'd stick it out even if it killed me.* Jeg lovte meg selv at jeg skulle* holde ut om det så skulle* ta* knekken på meg.

▸ **stick to** VT FUS (*+one's word, promise, facts*) holde* seg til

▸ **stick up** VI stikke* opp ❑ *These plants stick up vertically from the seabed.* Disse plantene stikker loddrett opp fra sjøbunnen.

▸ **stick up for** VT FUS (*+person, principle*) stå* på barrikadene for

sticker ['stɪkəʳ] s klistremerke *nt*, klebemerke *nt*

sticking plaster s (heft)plaster *nt*

sticking point s springende punkt *nt*; (*in discussion etc*) stridsspørsmål *nt*

stickleback ['stɪklbæk] s trepigget stingsild *c*

stickler ['stɪkləʳ] s ▸ **to be a stickler for** holde* strengt på, være* nøye på

stick shift (*US*) s girspak *m*; (*car*) bil *m* med manuelt gir

stick-up ['stɪkʌp] (*sl*) s (væpnet) ran *nt*

sticky ['stɪkɪ] ADJ (**a**) (*= messy: hands etc*) seig, klissen ❑ *...a sticky bottle of fruit juice.* ...en seig *or* klissen flaske med fruktsaft.
(**b**)(*= adhesive: label, tape*) selvklebende
(**c**) (*weather, day*) lummer ❑ *...a hot, sticky, July afternoon.* ...en varm, lummer juliettermiddag.

stiff [stɪf] [1] ADJ (**a**) (*gen: brush, paste, mixture, smile, person, manner, drink, breeze*) stiv ❑ *The letter was stiff and formal.* Brevet var stivt og formelt.
(**b**) (*= moving with difficulty: person*) stiv, støl
(**c**) (*door, zip etc*) tre(i)g

(**d**) (= *difficult: competition*) hard ❑ *Competition is so stiff that he'll be lucky to get a place at all.* Konkurransen er så hard at han er heldig hvis han får plass i det hele tatt.
(**e**) (= *severe: sentence*) streng ❑ *There will be stiffer penalties for drunken drivers.* Det vil bli* strengere straffer for fyllekjøring.
(**f**) (*drink*) sterk
2 ADV ▸ **to be bored stiff** holde* på å kjede seg i hjel, holde* på å kjede vettet *or* livet av seg ▸ **to be worried stiff** holde* på å engste vettet *or* livet av seg ▸ **to be scared stiff** være* livredd ▸ **to have a stiff neck** være* stiv i nakken ▸ **to keep a stiff upper lip** (*BRIT*) bevare (*v2*) fatningen, ikke la* seg merke med noe ❑ *We must try to keep a stiff upper lip.* Vi må prøve å bevare fatningen *or* ikke la oss merke med noe.

stiffen ['stɪfn] VI stivne (*v1*)

stiffness ['stɪfnɪs] S stivhet *c*

stifle ['staɪfl] VT kvele* ❑ *She stifled a shriek of laughter.* Hun kvalte et latterbrøl. *An authoritarian leadership stifled internal debate.* En autoritær ledelse kvalte den interne debatten. *The air stifled and suffocated us.* Lufta holdt på å kvele oss.

stifling ['staɪflɪŋ] ADJ (*heat*) kvelende

stigma ['stɪgmə] S (**a**) (*disgrace*) stigma *nt*, skam *m*
(**b**) (*BOT*) arr *nt*
▸ **stigmata** SPL (*REL*) stigmer, (Kristi) sårmerker

stile [staɪl] S klyveled *nt*

stiletto [stɪ'lɛtəu] (*BRIT*) S (*also* ***stiletto heel***) stilettḥæl *m*

still [stɪl] 1 ADJ (**a**) (= *motionless: person, hands*) stille, i ro ❑ *His hands were never still.* Hendene hans var aldri stille *or* i ro.
(**b**) (= *tranquil: place, water, air*) stille ❑ *...the still water of the lagoon.* ...det stille vannet i lagunen.
(**c**) (*BRIT: orange drink etc*) uten kullsyre
2 ADV (**a**) (= *up to this time*) fremdeles ❑ *She still lives in London.* Hun bor fremdeles i London.
(**b**) (= *even*) enda ❑ *They stared at him, hoping for still more secrets.* De stirret på ham, i håp om enda flere hemmeligheter.
(**c**) (= *yet*) fremdeles, ennå ❑ *There are ten whole weeks of term still to go.* Det er fremdeles *or* ennå ti hele uker igjen av terminen.
(**d**) (= *nonetheless*) likevel ❑ *I didn't win. Still, it's been a good experience.* Jeg vant ikke. Likevel har det vært en fin erfaring.
3 S (*FILM*) stillbilde *nt*
▸ **to stand still** stå* stille *or* rolig
▸ **keep still** holde* seg i ro

stillborn ['stɪlbɔːn] ADJ dødfødt

still life S stilleben *nt* ❑ *He's done some lovely still lifes.* Han har malt noen nydelige stilleben.

stilt [stɪlt] S (**a**) (*pillar*) påle *m*, pæl *m* ❑ *The huts were raised above the fields on stilts.* Hyttene raget over markene på påler *or* pæler.
(**b**) (*for walking on*) stylte *m* ❑ *...a clown on stilts.* ...en klovn på stylter.

stilted ['stɪltɪd] ADJ oppstyltet

stimulant ['stɪmjulənt] S stimulerende middel *nt*

stimulate ['stɪmjuleɪt] VT stimulere (*v2*) ❑ *Rising prices will stimulate demands for higher incomes.* Økende priser vil stimulere krav om høyere lønn. *The art course stimulated me.* Kunstkurset stimulerte meg.

stimulating ['stɪmjuleɪtɪŋ] ADJ stimulerende

stimulation [stɪmju'leɪʃən] S stimulering *c*

stimuli ['stɪmjulaɪ] SPL *of* **stimulus**

stimulus ['stɪmjuləs] (*pl* **stimuli**) S (= *incentive*) stimulus *m irreg*, stimulans *m*; (*BIO, PSYK*) stimulus *m irreg*

sting [stɪŋ] (*pt, pp* **stung**) 1 S (**a**) (*wound, pain*) stikk *nt* ❑ *He felt a sting on his elbow.* Han kjente et stikk på albuen.
(**b**) (*organ: of wasp etc*) brodd *m*
(**c**) (*sl: confidence trick*) svindel *m*
2 VT stikke* ❑ *The wet grasses were stinging my legs.* De våte gresstråene stakk meg på beina.; (*fig*) såre (*v1*) *I was bitterly stung by what she said.* Jeg ble dypt såret av det hun sa.
3 VI (**a**) (*insect, animal, plant+*) stikke* ❑ *Bees do not normally sting unless provoked.* Bier stikker vanligvis ikke med mindre de blir provosert.
(**b**) (*eyes, ointment etc+*) svi (*v4*) ❑ *He felt the iodine stinging.* Han følte joden svi.
▸ **my eyes are stinging** det svir i øynene mine

stingy ['stɪndʒɪ] (*neds*) ADJ gnien, lusen

stink [stɪŋk] (*pt* **stank**, *pp* **stunk**) 1 S (*smell*) stank *m*
2 VI (= *smell*) stinke (*v1*)

stinker ['stɪŋkəʳ] (*sl*) S (*problem, exam*) dritt *m uncount* (*sl*); (*person*) drittsekk *m* (*sl*)

stinking ['stɪŋkɪŋ] (*sl*) ADJ (*fig*) hersens, forbasket
▸ **a stinking cold** en elendig forkjølelse
▸ **stinking rich** forbasket rik, stinn av gryn (*sl*)

stint [stɪnt] 1 S periode *m* ❑ *...during my stint in Washington.* ...i løpet av perioden min i Washington.
2 VI ▸ **not to stint on** (*+work, ingredients etc*) ikke være* gjerrig på, ikke knusle (*v1*) med ❑ *Don't stint on the sugar.* Ikke vær gjerrig på *or* knusle med sukkeret.

stipend ['staɪpɛnd] S lønn *m*

stipendiary [staɪ'pɛndɪərɪ] ADJ ▸ **stipendiary magistrate** ≈ byrettsdommer *m*

stipulate ['stɪpjuleɪt] VT stipulere (*v2*)

stipulation [stɪpju'leɪʃən] S betingelse *m*

stir [stəːʳ] 1 S (*fig: agitation*) røre *c*, oppstuss *nt* ❑ *Her speech created a huge stir.* Talen hennes skapte en enorm røre *or* et enormt oppstuss.
2 VT (**a**) (*+tea, sauce etc*) røre (*v2*) i
(**b**) (*fig: emotions*) røre (*v2*) ❑ *There was a particular passage which always stirred him profoundly.* Det var et spesielt avsnitt som alltid rørte ham dypt.
3 VI (= *move slightly*) røre (*v2*) på seg, lee (*v1*) på seg ❑ *The leaves stirred in the breeze.* Løvet rørte *or* leet på seg i brisen.
▸ **to give sth a stir** røre (*v2*) i noe ❑ *Can you give the soup a stir?* Kan du røre i suppen?
▸ **to cause a stir** sette* sinnene i kok ❑ *They wanted to avoid anything that would cause a stir.* De ville* unngå alt som kunne* sette sinnene i kok.

▸ **stir up** VT (*+trouble*) stelle (*v2x*) i stand
▸ **to stir things up** stelle (*v2x*) i stand bråk

stir-fry ['stəː'fraɪ] 1 VT *steke hurtig ved høy temperatur under stadig omrøring*

2 s *pannerett som er stekt hurtig*
stirring ['stəːrɪŋ] ADJ (*speech, occasion*) oppildnende
stirrup ['stɪrəp] s stigbøyle *m*
stitch [stɪtʃ] 1 s (**a**) (*in sewing, surgery*) sting *nt* ❑ *...twenty stitches in his face.* ...tjue sting i ansiktet.
(**b**) (*in knitting*) maske *c* ❑ *Oh dear! I've dropped a stitch.* Huff! Jeg har mistet en maske.
(**c**) (*pain*) hold *nt* ❑ *I can't run any more, I've got a stitch.* Jeg kan ikke løpe mer. Jeg har hold.
2 VT sy (*v4*) ❑ *...finely stitched collars.* ...fint sydde krager.
stoat [stəut] s røyskatt *m*
stock [stɔk] 1 s (**a**) (= *supply*) lager *nt* ❑ *...existing stocks of weapons.* ...eksisterende våpenlagre.
(**b**) (*MERK*) lagerbeholdning *m*, lager *nt* ❑ *They sold a week's worth of stock...* De solgte ut en ukes lagerbeholdning *or* lager...
(**c**) (*AGR*) (husdyr)besetning *m*
(**d**) (*KULIN*) buljong *m*, kraft *c* ❑ *...beef stock.* ...oksebuljong *or* oksekraft.
(**e**) (= *descent, origin*) avstamning *m* ❑ *They were of European stock.* De var av europeisk avstamning.
(**f**) (*FIN: government stock etc*) aksjer *pl*
(**g**) (*JERNB: **rolling stock***) rullende materiell *nt*
2 ADJ (*reply, excuse etc*) standard(-)
3 VT ha* på lager, lagerføre (*v2*) ❑ *They didn't stock it, so I had to order it.* De hadde det ikke på lager *or* lagerførte det ikke, så jeg måtte* bestille det.
▸ **stocks and shares** aksjer og obligasjoner
▸ **in/out of stock** på lager/utsolgt fra lager
▸ **well-stocked** (*shop*) velassortert
▸ **to take stock of** (*fig*) ta* mål av ❑ *...a chance to take stock of the situation.* ...en mulighet til å ta* mål av situasjonen.
▸ **government stock** statsobligasjoner *pl*
▸ **stock up** VI ▸ **to stock up (with)** legge* seg opp et lager (av) ❑ *Stock up with groceries and canned foods.* Legg deg opp et lager av dagligvarer og hermetikk.
stockade [stɔ'keɪd] s palisade *m*
stockbroker ['stɔkbrəukə[r]] s aksjemekler *m*
stock control s lagerkontroll *m*
stock cube (*BRIT*) s buljongterning *m*
stock exchange s børs *m*
stockholder ['stɔkhəuldə[r]] (*især US*) s aksjonær *m*, aksjeeier *m*
Stockholm ['stɔkhəum] s Stockholm
stocking ['stɔkɪŋ] s strømpe *c*
stock-in-trade ['stɔkɪn'treɪd] s (*fig*) ▸ **it's his stock-in-trade** det hører med til standardrepertoaret hans
stockist ['stɔkɪst] (*BRIT*) s forhandler *m*
stock market (*BRIT*) s børs *m*, aksjemarked *nt*
stock phrase s standarduttrykk *nt*
stockpile ['stɔkpaɪl] 1 s (*of weapons, food*) (beredskaps)lager *nt*
2 VT forhåndslagre (*v1*)
stockroom ['stɔkruːm] s lager *nt*, lagerrom *nt*
stocktaking ['stɔkteɪkɪŋ] (*BRIT*) s vareopptelling *c* ❑ *We're closed for stocktaking.* Vi har stengt på grunn av vareopptelling.
stocky ['stɔkɪ] ADJ tettbygd
stodgy ['stɔdʒɪ] ADJ mektig
stoic ['stəuɪk] s stoiker *m*
stoic(al) ['stəuɪk(l)] ADJ (*person, behaviour*) stoisk
stoke [stəuk] VT fyre (*v2*) opp (i)
stoker ['stəukə[r]] s fyrbøter *m*
stole [stəul] 1 PRET *of* **steal**
2 s stola *m*
stolen ['stəuln] PP *of* **steal**
stolid ['stɔlɪd] ADJ (*person, behaviour*) upåvirkelig, uforstyrrelig
stomach ['stʌmək] 1 s mage *m* (*var:* mave)
2 VT (*fig: tolerate*) orke (*v1*), utstå* ❑ *I just couldn't stomach his childishness.* Jeg kunne* bare ikke orke *or* utstå barnsligheten hans.
stomach ache s vondt i magen, mageknip *m*
stomach pump s magepumpe *c*
stomach ulcer s magesår *nt*
stomp [stɔmp] VI ▸ **to stomp in/out** trampe (*v1*) inn/ut
stone [stəun] 1 s (**a**) (= *rock, pebble, gem, in fruit, MED*) stein *m* (*var:* sten) ❑ *...houses of grey stone.* ...hus av grå stein. *...a ring with a white stone in it.* ...en ring med en hvit stein i. *...a peach stone.* ...en ferskenstein.
(**b**) (*BRIT: weight*) *14 pund = 6,35 kg* ❑ *She weighed twelve stone.* Hun veide 76 kilo.
2 ADJ steintøy- ❑ *...a stone jar.* ...en steintøykrukke.
3 VT steine (*v1*) ❑ *...they were stoned to death...* de ble steinet i hjel... *I didn't have time to stone the dates.* Jeg hadde ikke tid til å steine dadlene.
▸ **within a stone's throw of the station** et steinkast fra stasjonen
Stone Age s ▸ **the Stone Age** steinalderen
stone-cold ['stəun'kəuld] ADJ (*drink, hands etc*) iskald
stoned [stəund] (*sl*) ADJ (*on drugs*) stein; (= *drunk*) døddrukken
stone-deaf ['stəun'def] ADJ (*person*) stokk døv
stonemason ['stəunmeɪsn] s steinhogger *m*
stonewall [stəun'wɔːl] VI blokkere (*v2*); (*in answering questions*) vike* unna
stonework ['stəunwəːk] s steinmur *m*
stony ['stəunɪ] ADJ (**a**) (*ground*) steinet(e)
(**b**) (*fig: glance, voice*) steinhard
(**c**) (*silence*) iskald ❑ *Her voice was stony.* Stemmen hennes var steinhard. *Kurt was shocked into stony silence.* Kurt ble skremt til iskald taushet.
stood [stud] PRET, PP *of* **stand**
stooge [stuːdʒ] s (*sl*) løpegutt *m*; (*TEAT*) *komikerpartner, den som gir stikkordene*
stool [stuːl] s krakk *m*, taburett *m*
stoop [stuːp] VI (**a**) (*also* ***stoop down****: bend*) bøye (*v3*) seg ❑ *He stooped and picked up his case.* Han bøyde seg og tok opp kofferten sin.
(**b**) (= *walk with a stoop*) ha* en lutende gange ❑ *Tall people often stoop.* Høye mennesker har ofte en lutende gange.
▸ **to stoop to sth/doing sth** (*fig*) nedverdige (*v1*) seg til noe/til å gjøre* noe
stop [stɔp] 1 s (**a**) (= *halt*) stans *m*, stopp *nt*
(**b**) (= *short stay*) stopp *nt* ❑ *The first stop was a hotel outside Paris.* Det første stoppet var et hotell utenfor Paris.

(**c**) (*in punctuation: **full stop***) punktum *nt*
(**d**) (*on bus, train*) stopp *nt*, stoppested *nt* ❑ *We'll get off at the next stop.* Vi skal av på neste stopp.
2 VT (**a**) (*= cause to stop*) stoppe (*v1*), stanse (*v1*) ❑ *He broke two plates before I could stop him.* Han knuste to tallerkener før jeg kunne* stoppe *or* stanse ham. *Stop the car and let me out.* Stopp *or* stans bilen og slipp meg ut.
(**b**) (*= block: pay, cheque*) stoppe (*v1*)
(**c**) (*= prevent*) sette* en stopper for ❑ *Does putting people in prison stop crime?* Kan det å sette folk i fengsel sette en stopper for kriminalitet?
3 VI (**a**) (*= halt: person, watch*) stoppe (*v1*), stanse (*v1*) ❑ *She stopped and stared at the poster.* Hun stoppet *or* stanset og stirret på plakaten. *My watch has stopped.* Klokken min har stoppet *or* stanset.
(**b**) (*= end: rain, noise etc*) stoppe (*v1*), holde* opp, slutte (*v1*) ❑ *They were waiting for the rain to stop.* De ventet på at regnet skulle* holde opp *or* stoppe *or* slutte.
▸ **to come to a stop** stoppe (*v1*), stanse (*v1*)
▸ **to put a stop to** få* (en) slutt på ❑ *Let's put a stop to all this nonsense.* La oss få* slutt på alt dette tøvet.
▸ **to stop doing sth** slutte (*v1*) å gjøre* noe ❑ *We all stopped talking.* Alle sluttet å snakke.
▸ **to stop sb (from) doing sth** hindre (*v1*) noen i å gjøre* noe ❑ *Did any of them try to stop you coming?* Prøvde noen av dem å hindre deg i å komme?
▸ **stop it!** hold opp!
▸ **stop by** VI stikke* innom ❑ *Shall I ask the doctor to stop by on her way home?* Skal jeg be doktoren om å stikke innom på vei hjem?
▸ **stop off** VI hoppe (*v1*) av ❑ *On the way home I stopped off in London.* På veien hjem hoppet jeg av i London.
▸ **stop up** VT (*+hole*) tette (*v1*) igjen, stoppe (*v1*) til

stopcock ['stɒpkɒk] s stoppekran *c*

stopgap ['stɒpgæp] s nødløsning *m*, midlertidig løsning *m*
▸ **stopgap measure** nødtiltak *nt*

stoplights ['stɒplaɪts] SPL bremselys *pl*

stopover ['stɒpəuvəʳ] s opphold *nt* ❑ *...a three-day stopover in the United States.* ...et tredagers opphold i USA.

stoppage ['stɒpɪdʒ] s (**a**) (*= strike*) streikeaksjon *m* ❑ *...industrial stoppages.* ...streikeaksjoner i industrien.
(**b**) (*= blockage*) stans *m* ❑ *...the stoppage of the flow of oil.* ...stansen av oljestrømmen.
(**c**) (*from pay*) trekk *nt* ❑ *How much do you get after stoppages?* Hvor mye får du etter fratrekk *or* etter skatt?

stopper ['stɒpəʳ] s kork *m*

stop press s siste nytt

stopwatch ['stɒpwɒtʃ] s stoppeklokke *c*

storage ['stɔːrɪdʒ] s lagring *c* ❑ *...the cost of storage.* ...lagringskostnadene. *If you haven't much storage space...* Hvis du ikke har så mye lagringsplass...

storage capacity s lagerkapasitet *m*

storage heater (*BRIT*) s magasinovn *m*

store [stɔːʳ] 1 s (**a**) (*= stock*) lager *nt*, forråd *nt*
(**b**) (*fig*) forråd *nt*, reserver *pl* ❑ *Mary made tea from her special store.* Mary lagde te fra sitt spesielle lager *or* forråd. *...their considerable store of understanding.* ...deres anseelige forråd *or* reserver av forståelse.
(**c**) (*= depot*) lager *nt* ❑ *It is held in a temporary store.* Den er på et midlertidig lager.
(**d**) (*BRIT: large shop*) varehus *nt*
(**e**) (*US: shop*) butikk *m*
2 VT (**a**) (*+provisions, information etc*) lagre (*v1*), oppbevare (*v2*) ❑ *The goods were stored at the back of the warehouse.* Varene ble lagret *or* oppbevart på baksiden av lagerbygningen.
(**b**) (*+nuclear waste, medicines, sth dangerous etc*) oppbevare (*v2*) ❑ *Store medicines out of the reach of children.* Oppbevar medisiner utilgjengelig for barn.
(**c**) (*in filing system*) arkivere (*v2*) ❑ *Where have you stored the file?* Hvor har du arkivert mappen?
(**d**) (*DATA*) lagre (*v1*) ❑ *A computer can store a great deal of information.* En datamaskin kan lagre en hel masse informasjon.
▸ **stores** SPL (*= provisions*) forsyninger
▸ **in store** (*goods*) på lager
▸ **who knows what's in store for us?** hvem vet hva som venter oss?
▸ **to set great/little store by sth** legge* stor/liten vekt på noe
▸ **store up** VT (*+nuts, sugar, memories*) ta* vare på, gjemme (*v2x*) (til seinere)

storehouse ['stɔːhaus] s (**a**) (*US: MERK*) lager *nt*, lagerbygning *m*
(**b**) (*fig*) rikt forråd *nt* ❑ *...a storehouse of memories.* ...et rikt forråd av minner.

storekeeper ['stɔːkiːpəʳ] (*US*) s kjøpmann *m irreg*

storeroom ['stɔːruːm] s lagerrom *nt*, bod *m*

storey ['stɔːrɪ], **story** (*US*) s etasje *m*

stork [stɔːk] s stork *m*

storm [stɔːm] 1 s (**a**) (*bad weather*) uvær *nt uncount*
(**b**) (*strong wind*) storm *m*
(**c**) (*fig: of criticism, applause etc*) storm *m* ❑ *The decision provoked a storm of criticism.* Beslutningen framkalte en storm av kritikk.
2 VI (*fig: speak angrily*) rase (*v2*) ❑ *No matter how I stormed, I could never make her understand.* Uansett hvor mye jeg raste, kunne* jeg aldri få* henne til å forstå.
3 VT (*= attack*) storme (*v1*) ❑ *They decided to storm the aircraft.* De besluttet å storme flyet.

storm cloud s uværssky *m*, stormsky *m*

storm door s stormdør *c*

stormy ['stɔːmɪ] ADJ (*weather*) storm-; (*fig: debate, relationship*) stormfull, stormende

story ['stɔːrɪ] s (**a**) (*= tale, history, press article*) historie *m* ❑ *I told her the story of my life.* Jeg fortalte henne livshistorien min. *...stories about when they were babies.* ...historier om da de var små. *Do you know any good ghost stories?* Kan du noen gode spøkelseshistorier? *I planned to run a story on the new arts centre.* Jeg hadde tenkt å skrive en historie om det nye kunstsenteret.
(**b**) (*= lie*) skrøne *c*, fantastisk historie *m* ❑ *What a*

story! I don't believe a word of it. For en skrøne or fantastisk historie! Jeg tror ikke et ord av den.
(**c**) (*US*) = **storey**

storybook ['stɔːrɪbuk] s eventyrbok *c*

storyteller ['stɔːrɪtɛləʳ] s forteller *m*

stout [staut] 1 ADJ (*branch, resistance, person etc*) kraftig; (*supporter*) trofast, traust
2 s (*beer*) stout *m* (*sterkt, mørkt øl*)

stove [stəuv] s (**a**) (*for cooking*) komfyr *m*
(**b**) (*for heating*) ovn *m*
▸ **gas stove** gasskomfyr *m*

stow [stəu] VT (*also* ***stow away***) stue (*v1*) vekk *or* bort

stowaway ['stəuəweɪ] s blindpassasjer *m*

straddle ['strædl] VT (**a**) (*+chair, fence etc: sit*) sitte* over skrevs på
(**b**) (*stand, move*) skreve (*v1*) over
(**c**) (*fig*) strekke* seg utover ❑ *The Roman roads straddled the country.* De romerske veiene strakte seg utover landet.

strafe [strɑːf] VT beskyte* (*lavtgående fly*)

straggle ['strægl] VI (**a**) (*houses etc+*) bre (*v4*) seg (uryddig) utover ❑ *The houses straggled down the hillside.* Husene bredde seg nedover åssiden.
(**b**) (*people etc+*) bli* hengende etter ❑ *Keep up and don't straggle.* Hold deg sammen med oss og ikke bli* hengende etter.

straggler ['stræglәʳ] s etternøler *m* ❑ *We're waiting for the stragglers to catch up.* Vi venter på at etternølerne skal ta* oss igjen.

straggly ['stræglɪ] ADJ (*hair*) pistret(e)

straight [streɪt] 1 ADJ (**a**) (*line, road, back*) rett
(**b**) (*hair*) rett, slett
(**c**) (= *honest: answer*) real, likefram, klar og grei
(**d**) (= *simple: fight*) real, likefram
(**e**) (*choice*) grei
(**f**) (*TEAT: part, play*) seriøs
(**g**) (*sl: heterosexual*) streit (*sl*)
(**h**) (*whisky etc*) bar, ublandet
2 ADV (**a**) (= *directly*) rett ❑ *The doctor told me to go straight to bed.* Legen sa jeg skulle* gå* rett til sengs. *I saw the car coming straight at me.* Jeg så bilen komme rett mot meg.
(**b**) (*drink*) bar, ublandet ❑ *I like my whisky straight.* Jeg liker whiskyen min bar *or* ublandet.
3 s ▸ **the straight** (*SPORT*) langside *c* ❑ *...as they enter the home straight.* ...idet de går inn på hitre langside.
▸ **to put** *or* **get sth straight** (**a**) (= *make clear*) rydde (*v1*) opp i noe ❑ *There's been a misunderstanding and I'd like to put it straight.* Det har skjedd en misforståelse, og jeg vil gjerne rydde opp i den.
(**b**) (= *make tidy*) få* noe i orden ❑ *I'll have to get the house straight before our guests arrive.* Jeg må få* huset i orden før gjestene våre kommer.
▸ **I'd like to put the record straight** jeg vil gjerne rydde opp i dette
▸ **let's get this straight** la oss få* klarhet i dette
▸ **10 straight wins** 10 strake seire, 10 seire på rad
▸ **to go straight home** gå/dra* rett hjem
▸ **to tell sb straight out** fortelle* rett til noen
▸ **straight away, straight off** (= *at once*) med en gang, med det samme

straighten ['streɪtn] VT (*+skirt, bed etc*) glatte (*v1*) på
▸ **straighten out** VT (*fig: problem, situation*) rydde (*v1*) opp i, ordne (*v1*) opp i ❑ *It'll take six weeks to get things straightened out.* Det vil ta* seks uker å få* ryddet *or* ordnet opp i tingene.

straight-faced [streɪt'feɪst] 1 ADJ (*person*) (helt) alvorlig
2 ADV (*tell, remain*) (helt) alvorlig, uten å fortrekke en mine

straightforward [streɪt'fɔːwәd] ADJ (**a**) (= *simple*) enkel, liketil ❑ *The issue is not quite as straightforward as it seems.* Saken er ikke så enkel *or* liketil som den ser ut.
(**b**) (= *honest*) likefram, liketil ❑ *He has a nice straightforward manner.* Han har en hyggelig, likefram *or* liketil måte å være* på.

strain [streɪn] 1 s (**a**) (= *pressure*) press *nt*, belastning *m* ❑ *This policy puts a greater strain on the economic system.* Denne politikken legger sterkere press *or* er en større belastning på det økonomiske systemet.
(**b**) (*TEKN*) belastning *m* ❑ *The bridge collapsed under the strain of...* Broen kollapset under belastningen av...
(**c**) (*MED*) belastningsskade *m*
(**d**) (= *tension*) stress *nt*
(**e**) (= *breed: of virus*) art *m*
(**f**) (*of plant*) slag *nt* ❑ *...penicillin-resistant strains of bacteria.* ...bakteriearter som er immune mot penicillin. *...high-yielding strains of wheat.* ...hveteslag som gir god avling.
2 VT (**a**) (*+back etc*) overbelaste (*v1*) ❑ *She's strained her back.* Hun har overbelastet ryggen.
(**b**) (*+resources*) anstrenge (*v2*) ❑ *These increases have strained the resources of the poorer countries.* Disse økningene har anstrengt ressursene til de fattigere landene.
(**c**) (*KULIN: food*) slå* vannet av ❑ *I'll just strain the potatoes.* Jeg skal bare slå vannet av potetene.
3 VI ▸ **to strain to do sth** anstrenge (*v2*) seg for å gjøre* noe ❑ *He was straining to hear what the speaker was saying.* Han anstrengte seg for å høre hva taleren sa.
▸ **strains** SPL (*MUS*) toner ❑ *The strains of Chopin drifted in...* Tonene av Chopin sivet inn...
▸ **he's been under a lot of strain** han har vært under stort press

strained [streɪnd] ADJ (*back, muscle*) forstrukket; (*laugh, relations etc*) anstrengt

strainer ['streɪnәʳ] s dørslag *nt*
▸ **(tea) strainer** tesil *c*

strait [streɪt] s strede *nt*, sund *nt*
▸ **to be in dire straits** være* i (en forferdelig) knipe

straitjacket ['streɪtdʒækɪt] s tvangstrøye *c*

strait-laced [streɪt'leɪst] ADJ snerpet(e)

strand [strænd] s (**a**) (*of thread, wire, wool*) trevl *m*, fiber *m*
(**b**) (*of hair*) hårstrå *nt*
(**c**) (*fig: element of whole*) element *nt* ❑ *...a campaign that drew together these various strands.* ...en kampanje som førte sammen disse ulike elementene.

stranded ['strændɪd] ADJ (**a**) (*traveller, holidaymaker*) havarert *before noun*

(**b**) (*ship, sea creature*) strandet
▸ **to be stranded** (*traveller, holidaymaker+*) bli* sittende fast
strange [streɪndʒ] ADJ (**a**) (= *unfamiliar*) fremmed ❑ *I don't like strange people coming into my house.* Jeg liker ikke at fremmede mennesker kommer inn til meg.
(**b**) (= *odd*) merkelig, rar, underlig ❑ *He behaved in a very strange way.* Han oppførte seg veldig merkelig *or* rart *or* underlig.
strangely ['streɪndʒlɪ] ADV (*act, laugh*) merkelig, rart, underlig *see also* **enough**
stranger ['streɪndʒəʳ] S fremmed *m decl as adj* ❑ *Her mother didn't trust strangers.* Moren hennes stolte ikke på fremmede. *They are regarded as strangers in the village.* De blir sett på som fremmede i landsbyen.
▸ **I'm a stranger here** jeg er ikke herfra, jeg er ikke kjent her
strangle ['stræŋgl] VT (*+person, animal, economy*) kvele* ❑ *Creativity is being strangled by financial pressures.* Kreativiteten kveles av økonomisk press.
stranglehold ['stræŋglhəuld] S (*fig*) kvelertak *nt*, strupetak *nt* ❑ *...reforms which loosened the stranglehold of the upper classes.* ...reformer som løsnet på overklassenes kvelertak *or* strupetak.
strangulation [stræŋgju'leɪʃən] S kvelning *m* ❑ *She died by strangulation.* Hun døde ved kvelning.
strap [stræp] 1 S (**a**) (*gen*) rem *c*, stropp *m*
(**b**) (*over shoulders*) stropp *m*
2 VT ▸ **to strap sb/sth in/on** spenne (*v2x*) noen/noe fast i/på ❑ *A small child should be strapped into a special car seat.* Et lite barn bør spennes fast i et spesielt bilsete.
straphanging ['stræphæŋɪŋ] S *det å henge i en stropp på ståplass i buss etc* NB *Straphanging is hardly the most comfortable way to travel!* Man kan jammen reise mer behagelig enn å stå og henge i en stropp!
strapless ['stræplɪs] ADJ (*bra, dress*) stroppeløs
strapped [stræpt] (*sl*) ADJ ▸ **strapped (for cash)** blakk
strapping ['stræpɪŋ] ADJ sterk og sunn
Strasbourg ['stræzbɜːg] S Strasbourg
strata ['strɑːtə] SPL *of* **stratum**
stratagem ['strætɪdʒəm] S (krigs)list *m*
strategic [strə'tiːdʒɪk] ADJ (*positions, withdrawal, error, bombing, weapons*) strategisk
strategist ['strætɪdʒɪst] S strateg *m*
strategy ['strætɪdʒɪ] S strategi *m* ❑ *...the Government's economic strategy.* ...regjeringens økonomiske strategi. *...an expert in military strategy.* ...en ekspert på militærstrategi.
stratosphere ['strætəsfɪəʳ] S stratosfære *m*
stratum ['strɑːtəm] (*pl* **strata**) S (*in earth's surface, society*) lag *nt*, stratum *nt irreg* ❑ *We can follow the history of life on earth through the strata.* Vi kan følge historien til livet på jorda gjennom lagene *or* strataene. *Let us choose a particular social stratum.* La oss velge et bestemt sosialt lag *or* stratum.
straw [strɔː] S (**a**) (*dried stalks*) strå *nt*
(**b**) (*drinking straw*) sugerør *nt*
▸ **that's the last straw!** nå får det være* nok!
▸ **that was the last straw** det var dråpen som fikk begeret til å flyte over
strawberry ['strɔːbərɪ] S jordbær *nt*
stray [streɪ] 1 ADJ (**a**) (*animal*) herreløs ❑ *...stray cats.* ...herreløse katter.
(**b**) (*bullet*) tilfeldig, på avveier ❑ *He was hit by a stray bullet.* Han ble truffet av en tilfeldig kule *or* av en kule på avveier.
(**c**) (= *scattered*) spredt, tilfeldig ❑ *Stray pieces of information came my way.* Spredte *or* tilfeldige opplysninger kom i min vei.
2 VI (**a**) (*children, animals+*) streife (*v1*) av gårde, vandre (*v1*) av gårde ❑ *Children had strayed on to a runway.* Barn hadde streifet *or* vandret av gårde til en rullebane.
(**b**) (*thoughts+*) vandre (*v1*) ❑ *He let his thoughts stray for five minutes.* Han lot tankene vandre i fem minutter.
streak [striːk] 1 S (**a**) (= *stripe*) strime *c*, stripe *c* ❑ *...white streaks of paint.* ...hvite malingstrimer *or* malingstriper. *Her hair had a very pretty grey streak in it.* Håret hennes hadde en svært pen grå strime *or* stripe i seg.
(**b**) (*fig : of madness etc*) anstrøk *nt* ❑ *...the possessive streak in her.* ...anstrøket av eiertrang i henne.
2 VT lage (*v1 or v3*) strimer *or* striper i/på ❑ *The sun is streaking the sea with long lines of gold.* Sola lager lange gullstrimer *or* gullstriper på sjøen.
3 VI ▸ **to streak past** stryke* forbi
▸ **to have streaks in one's hair** ha* striper i håret
▸ **a winning/losing streak** en periode med flaks/uflaks ❑ *I seem to be on a winning streak.* Det virker som jeg er inne i en periode med flaks *or* vinnerlykke.
streaker ['striːkəʳ] (*sl*) S streaker *m*
streaky ['striːkɪ] ADJ (*bacon*) stripet(e)
stream [striːm] 1 S (**a**) (= *small river*) bekk *m*
(**b**) (= *current*) strøm *m* ❑ *...powerful tidal streams.* ...kraftige tidevannsstrømmer.
(**c**) (*of people, vehicles, smoke, questions, insults*) strøm *m* ❑ *A steady stream of workers...* En jevn strøm av arbeidere... *the stream of insults...* strømmen av fornærmelser...
(**d**) (*SKOL*) gruppering *c* (*etter nivå*) ❑ *...pupils who ended up in the B streams and C streams.* ...elever som endte opp i B-grupperingene og C-grupperingene.
2 VT (*SKOL*) differensiere (*v2*) ❑ *...streamed and mixed ability classes.* ...differensierte og sammenholdte klasser.
3 VI (*water, oil, blood+*) strømme (*v1*) ❑ *She stood with tears streaming down her face.* Hun stod med tårer som strømmet nedover ansiktet hennes.
▸ **to stream in/out** (*people+*) strømme (*v1*) inn/ut ❑ *...the audience began to stream out.* ...publikum begynte å strømme ut.
▸ **against the stream** mot strømmen
▸ **to come on stream** (*new power plant etc+*) komme* i gang

streamer ['stri:məʳ] s (*for party*) serpentin *m*
stream feed s (*on photocopier etc*) arkmater *m*
streamline ['stri:mlaɪn] VT (**a**) gjøre* strømlinjeformet
(**b**) (*fig*) gjøre* mer strømlinjeformet ❑ *He aimed to streamline the Post Office.* Han hadde som mål å gjøre* Postverket mer strømlinjeformet.
streamlined ['stri:mlaɪnd] ADJ strømlinjeformet ❑ *...streamlined bodies.* ...strømlinjeformede kropper. *The account given here is streamlined and oversimplified.* Redegjørelsen som er gitt her er strømlinjeformet og overforenklet.
street [stri:t] s gate *c*, vei *m* ❑ *...walked down the street.* ...gikk nedover gata *or* veien.
▸ **the back streets** bakgatene
▸ **to be on the streets** (**a**) (= *homeless*) bo (*v4*) på gaten, være* uteligger
(**b**) (*as prostitute*) gå* på gaten *or* på strøket
streetcar ['stri:tkɑ:ʳ] (*US*) s trikk *m*
street cred [-krɛd] (*sl*) s image *nt*
street lamp s gatelykt *c*
street lighting s gatebelysning *m*
street map s bykart *nt*
street market s gatemarked *nt*
street plan s bykart *nt*
streetwise ['stri:twaɪz] (*sl*) ADJ ▸ **to be streetwise** være* om seg
strength [strɛŋθ] s (**a**) (*of material, object, solution, wine*) styrke *m* ❑ *...the enormous strength of the unions.* ...den enorme styrken som fagforeningene hadde.
(**b**) (*of person: physical*) styrke *m*, krefter *pl* ❑ *They recovered their strength before setting off on another ten mile walk.* De gjenvant styrken *or* kreftene før de la ut på en ny 15-kilometers tur.
▸ **on the strength of** på grunnlag av ❑ *Fergus bought a computer on the strength of seeing mine.* Fergus kjøpte en datamaskin på grunnlag av å ha* sett min.
▸ **at full strength** (= *fully staffed*) med full bemanning
▸ **below strength** (*staff*) med for liten bemanning
strengthen ['strɛŋθən] VT (*+building, machine*) forsterke (*v1*); (*+one's muscles, the economy, currency*) styrke (*v1*); (*fig: group, argument, relationship*) (be)styrke (*v1*)
strenuous ['strɛnjuəs] ADJ (**a**) (= *energetic: exercise, walk*) anstrengende
(**b**) (= *determined*) iherdig ❑ *Alf made strenuous efforts to improve his reading.* Alf gjorde iherdige anstrengelser for å forbedre leseferdigheten sin.
strenuously ['strɛnjuəslɪ] ADV (*deny, resist*) iherdig, hardnakket
stress [strɛs] [1] s (**a**) (= *mental strain*) stress *nt* ❑ *...in times of stress...* i perioder med mye stress...
(**b**) (= *force, pressure*) spenning *m* ❑ *Earthquakes can result from stresses in the earth's crust.* Jordskjelv kan skyldes spenninger i jordskorpen.
(**c**) (*LING*) trykk *nt* ❑ *...the importance of stress and intonation.* ...viktigheten av trykk og intonasjon.
(**d**) (= *emphasis*) vekt *c* ❑ *This stress on community is apparent in the country.* Denne vekten på fellesskapet er åpenbar i landet.
[2] VT (**a**) (*+point, importance etc*) understreke (*v1*), framheve (*v1*)
(**b**) (*+syllable*) legge* trykk på
(**c**) (*also* **stress out**: *person*) stresse (*v1*)
▸ **to lay great stress on sth** legge* stor vekt på noe
▸ **to be under stress** være* stresset, være* under press
stressful ['strɛsful] ADJ (*job, situation*) stressfylt
stretch [strɛtʃ] [1] s (**a**) (= *area: of sand, water etc*) strekning *m* ❑ *...a small stretch of road.* ...en liten veistrekning.
(**b**) (*of time*) stund *m*, tidsrom *nt* ❑ *Any job carries with it daily stretches of boredom.* Enhver jobb fører med seg daglige stunder da man kjeder seg.
[2] VI strekke* seg ❑ *Thomas yawned and stretched.* Thomas gjespet og strakte seg. *The countryside stretched far and wide into the darkness.* Landskapet strakte seg vidt og bredt inn i mørket.
[3] VT (**a**) (= *pull*) strekke* ❑ *Stretch elastic between two drawing pins...* Strekk en strikk mellom to tegnestifter...
(**b**) (*fig: challenge*) gi* utfordringer ❑ *...his school work isn't stretching him enough.* ...skolearbeidet hans gir ham ikke nok utfordringer.
▸ **to stretch to** *or* **as far as** (= *extend*) strekke* seg til *or* så langt (som)
▸ **at a stretch** i (ett) strekk ❑ *He often works for 12 hours at a stretch.* Han jobber ofte 12 timer i (ett) strekk.
▸ **to stretch one's legs** strekke* på beina
▸ **by no stretch of the imagination** på ingen måte
▸ **stretch out** [1] VI strekke* seg ut ❑ *I just want to stretch out in my own bed.* Jeg vil bare strekke meg ut i min egen seng.
[2] VT (*+arm etc*) strekke* ut, rekke* ut ❑ *He stretched out a thin arm and took my hand.* Han strakte *or* rakte ut en tynn arm og tok hånden min.
▸ **to stretch to** VT FUS (= *be enough: money, food*) strekke* til, være* tilstrekkelig til ❑ *My salary won't stretch to a bigger car.* Lønnen min strekker ikke til *or* er ikke tilstrekkelig til en større bil.
stretcher ['strɛtʃəʳ] s båre *c*
stretcher-bearer ['strɛtʃəbɛərəʳ] s bårebærer *m*, sykebærer *m*
stretch marks SPL strekkmerker
strewn [stru:n] ADJ ▸ **strewn with** oversådd *or* overstrødd med
stricken ['strɪkən] ADJ (**a**) (*person*) (lam)slått ❑ *...stricken by fear.* ...(lam)slått av skrekk.
(**b**) (*city, industry etc*) rammet
▸ **stricken with** (*+arthritis, disease*) rammet av
strict [strɪkt] ADJ (**a**) (= *severe, firm: person, rule*) streng ❑ *She was very strict with the children.* Hun var svært streng mot barna.
(**b**) (= *precise: meaning*) egentlig ❑ *...in the strict sense of the word.* ...i ordets egentlige forstand.
▸ **in the strictest confidence** i streng fortrolighet

strictly ['strɪktlɪ] ADV (**a**) (= *severely*) strengt ❑ *Tony was brought up strictly but fairly.* Tony ble oppdratt strengt men rettferdig.
(**b**) (= *exactly*) helt, strengt tatt ❑ *That's not strictly true.* Det er ikke strengt tatt *or* helt sant.
(**c**) (= *solely*) utelukkende ❑ *The car park is strictly for the use of residents.* Parkeringsplassen er utelukkende til bruk for beboere.
▸ **strictly confidential** strengt konfidensielt
▸ **strictly speaking** strengt tatt
▸ **strictly between ourselves** bare *or* utelukkende mellom oss

strictness ['strɪktnɪs] s strenghet *c*

stridden ['strɪdn] PP *of* **stride**

stride [straɪd] (*pt* **strode**, *pp* **stridden**) 1 s (*step*) (langt) steg *nt* ❑ *When you run, take good strides.* Når du løper, ta* lange steg.
2 VI skritte (*v1*), lange (*v1*) ut ❑ *Louisa watched him striding across the lawn.* Louisa så ham lange *or* skritte ut over plenen.
▸ **to take sth in one's stride** (*+changes, problems etc*) ta* noe på strak arm

strident ['straɪdnt] ADJ (*voice, sound*) skjærende; (*demands*) høylytt

strife [straɪf] s strid *m*, stridigheter *pl*

strike [straɪk] (*pt, pp* **struck**) 1 s (**a**) (*of workers*) streik *m* ❑ *The union leaders called a strike.* Fagforeningslederne erklærte streik.
(**b**) (*MIL: attack*) angrep *nt* ❑ *The Air Force carried out air strikes.* Luftvåpenet gjennomførte luftangrep.
2 VT (**a**) (= *hit: person, thing*) slå* (til)
(**b**) (*fig: idea, thought*) slå* ❑ *The usual thought struck him.* Den vanlige tanken slo ham.
(**c**) (*+oil etc*) finne*
(**d**) (*+bargain, deal*) komme* fram til ❑ *They hoped to strike a deal with us.* De håpet å komme fram til en avtale med oss.
(**e**) (= *light: match*) stryke* av
(**f**) (= *make: coin, medal*) prege (*v1*)
3 VI (**a**) (= *go on strike*) streike (*v1*) ❑ *Airline pilots are threatening to strike.* Flyvere i flyselskapene truer med å streike.
(**b**) (*illness, disaster+*) ramme (*v1*) ❑ *When personal disaster strikes, you need sympathy and advice.* Når en personlig katastrofe rammer, trenger du medfølelse og gode råd.
(**c**) (*clock+*) slå* ❑ *The clock strikes on the hour and the half hour.* Klokka slår hver hele og halve time.
(**d**) (*killer, snake+*) slå* til ❑ *When will the killer strike again?* Når vil morderen slå til igjen?
▸ **on strike** (*workers*) i streik
▸ **to go on strike** streike (*v1*)
▸ **to call a strike** erklære (*v2*) streik
▸ **to strike a balance** finne* en balanse
▸ **to be struck by lightning** bli* slått av lynet

► **strike back** VI slå* tilbake

► **strike down** VT ramme (*v1*)

► **strike off** VT (**a**) (*from list*) stryke*
(**b**) (*+doctor etc*) frata* retten til å praktisere som lege, frata* autorisasjonen

► **strike out** 1 VI (*leave*) begi* seg av sted ❑ *He decided to strike out on his own.* Han bestemte seg for å begi seg av sted på egen hånd.
2 VT (*+word, sentence*) stryke* (ut)

► **strike up** VT spille (*v2x*) opp ❑ *The orchestra struck up the national anthem.* Orkesteret spilte opp nasjonalsangen.
▸ **to strike up a conversation** komme* i prat
▸ **to strike up a friendship** bli* venner

strikebreaker ['straɪkbreɪkəʳ] s streikebryter *m*

strike pay s streikelønn *c*

striker ['straɪkəʳ] s (*INDUST*) streikende *m decl as adj*; (*SPORT*) angrepsspiller *m*

striking ['straɪkɪŋ] ADJ (**a**) (= *noticeable*) slående, iøynefallende ❑ *The most striking thing about Piccadilly Circus is the statue of Eros.* Det som er mest slående *or* iøynefallende ved Picadilly Circus er statuen av Eros.
(**b**) (= *attractive*) oppsiktsvekkende ❑ *She was a striking redhead.* Hun var en oppsiktsvekkende rødtopp.

strimmer ['strɪməʳ] s plentrimmer *m*

string [strɪŋ] (*pt, pp* **strung**) 1 s (**a**) (*for tying*) hyssing *m* ❑ *She started to undo the string.* Hun begynte å knyte opp hyssingen.
(**b**) (*row: of beads, onions*) rad *m*
(**c**) (*of islands*) kjede *m*
(**d**) (*of cars, people*) rekke *c*, rad *m*
(**e**) (= *series: of disasters, excuses*) serie *m*, rekke *c* ❑ *It was the latest in a string of disasters.* Det var den siste i en serie *or* rekke med ulykker.
(**f**) (*DATA*) streng *m*
(**g**) (*MUS: for guitar, violin etc*) streng *m*
2 VT ▸ **to string together** knytte (*v1*) sammen (*på en snor*)
▸ **the strings** SPL (*MUS*) strykerne
▸ **strung out** som ligger på rekke og rad ❑ *...villages strung out along dirt roads.* ...landsbyer som lå på rekke og rad langs sandveiene.
▸ **to pull strings** (*fig*) trekke* i trådene
▸ **with no strings attached** (*fig*) uten betingelser

string bean s snittebønne *c*, brekkbønne *c*

stringed instrument s strengeinstrument *nt*

stringent ['strɪndʒənt] ADJ (*rules, measures*) streng, stringent

string quartet s strykekvartett *m*

strip [strɪp] 1 s (**a**) (*of paper, cloth*) remse *c*, strimmel *m* ❑ *...a thin strip of paper.* ...en tynn papirremse *or* papirstrimmel.
(**b**) (*of land, water*) stripe *c*
(**c**) (*of metal*) strimmel *m*
(**d**) (*SPORT: kit*) drakt *c*
2 VT (**a**) (= *undress*) kle (*v4*) av
(**b**) (*+paint*) fjerne (*v1*), ta* av
(**c**) (*also* ***strip down****: machine*) ta* fra hverandre
3 VI (**a**) (= *undress*) kle (*v4*) av seg
(**b**) (*as entertainer*) strippe (*v1*) ❑ *They told her to strip.* De bad henne kle av seg.

strip cartoon s tegneserie *m*

stripe [straɪp] s (*gen*) stripe *c* ❑ *...a white shirt with a thin grey stripe.* ...en hvit skjorte med en tynn grå stripe.
▸ **stripes** SPL (*MIL, POLITI*) striper

striped [straɪpt] ADJ (*fabric, wallpaper, animal*) stripet(e)

strip lighting (*BRIT*) s (belysning *c* med)

lysstoffrør *pl*

stripper ['strɪpəʳ] s stripper *m*, stripperske *c* (*female*)

strip-search ['strɪpsɛtʃ] 1 s kroppsvisitering *c*
2 VT ▸ **to be strip-searched** bli* kroppsvisitert

striptease ['strɪpti:z] s striptease *m*

strive [straɪv] (*pt* **strove**, *pp* **striven**) VI ▸ **to strive for sth/to do sth** strebe (*v1*) etter noe/etter å gjøre* noe

striven ['strɪvn] PP *of* **strive**

strobe [strəub] s (*also* ***strobe lights***) stroboskoplys *nt*

strode [strəud] PRET *of* **stride**

stroke [strəuk] 1 s (**a**) (*blow, of clock, MED*) slag *nt* ❑ *...twelve strokes of the cane...* tolv slag med spanskrøret... *The stroke paralysed half his face.* Slaget lammet halve ansiktet hans. *The clock stopped after six strokes.* Klokka stoppet etter seks slag.
(**b**) (*in swimming: single movement*) svømmetak *nt*
(**c**) (= *style*) *type svømming* ❑ *Which stroke do you prefer, butterfly or crawl?* Hva slags svømming foretrekker du, butterfly eller krål?
(**d**) (*of paintbrush*) strøk *nt* ❑ *She began to paint with bold strokes.* Hun begynte å male med dristige strøk.
2 VT (= *caress*) stryke* ❑ *She put out a hand and stroked the cat softly.* Hun rakte ut en hånd og strøk katten mykt.
▸ **at a stroke** med et slag
▸ **on the stroke of 5** på slaget 5
▸ **a stroke of luck** et lykketreff
▸ **a 2-stroke engine** en totaktsmotor

stroll [strəul] 1 s spasertur *m* ❑ *A leisurely stroll...* En avslappet spasertur...
2 VI spasere (*v2*), rusle (*v1*) ❑ *They strolled along the beach.* De spaserte *or* ruslet langs stranda.
▸ **to go for a stroll, have** *or* **take a stroll** ta* en spasertur, gå* *or* rusle (*v1*) seg en tur

stroller ['strəuləʳ] (*US*) s sportsvogn *c*

strong [strɔŋ] 1 ADJ (**a**) (*gen*) sterk ❑ *She was small but surprisingly strong.* Hun var liten, men overraskende sterk. *Next week you may travel, when you are a little stronger.* Neste uke kan du reise, når du er litt sterkere. *...strong tranquillisers.* ...sterke beroligende midler. *The drink wasn't strong enough for him.* Drinken var ikke sterk nok for ham. *...strong influence.* ...sterk innflytelse. *The smell of the gas grew stronger.* Lukten av gassen ble sterkere. *...a strong personality.* ...en sterk personlighet.
(**b**) (*object, material, wind, current, protest*) sterk, kraftig ❑ *...strong, steel cylinders.* ...sterke *or* kraftige stålsylindre. *...the cold strong wind...* den kalde, sterke *or* kraftige vinden...
(**c**) (*letter*) *med sterke uttalelser, protester etc*
(**d**) (*measures*) drastisk ❑ *Their action would necessitate strong measures.* Aksjonen deres ville* gjøre* det nødvendig med drastiske tiltak.
(**e**) (*distaste, desire*) sterk, inderlig ❑ *I've got a strong desire to go away.* Jeg har et sterkt *or* inderlig ønske om å dra min vei.
(**f**) (*language*) ▸ **to use strong language** uttale (*v2*) seg sterkt *or* kraftig
2 ADV ▸ **to be going strong** (**a**) (*company+*) holde* på for fullt
(**b**) (*person+*) være* i full vigør
▸ **they are 50 strong** de er 50 mann

strong-arm ['strɔŋɑ:m] ADJ (*tactics, methods*) voldelig, volds-

strongbox ['strɔŋbɔks] s liten safe *m*, pengeskrin *nt*

stronghold ['strɔŋhəuld] s (**a**) (*fortress*) borg *m*
(**b**) (*fig*) høyborg *m* ❑ *It is a solid Labour stronghold.* Det er en solid høyborg for Arbeiderpartiet.

strongly ['strɔŋlɪ] ADV (**a**) (= *solidly: constructed*) sterkt, solid ❑ *A few of the more strongly constructed buildings remained.* Noen av de sterkest *or* mest solid konstruerte bygningene ble stående igjen.
(**b**) (= *forcefully: defend, advise, argue*) sterkt ❑ *I would strongly advise you...* Jeg ville* sterkt fraråde deg...
(**c**) (= *deeply: feel, believe*) fullt og fast ❑ *I believe strongly in his policies.* Jeg tror fullt og fast på politikken hans.
▸ **I feel strongly about it** jeg er svært opptatt av det

strongman ['strɔŋmæn] *irreg* s (**a**) muskelmann *m irreg*
(**b**) (*fig*) sterk mann* ❑ *...the strongman of British politics.* ...den sterke mann i britisk politikk.

strong-minded [strɔŋ'maɪndɪd] ADJ egensindig, viljesterk

strongroom ['strɔŋru:m] s hvelv *nt*

stroppy ['strɔpɪ] (*BRIT: sl*) ADJ tverr; (= *obstinate*) sta

strove [strəuv] PRET *of* **strive**

struck [strʌk] PRET, PP *of* **strike**

structural ['strʌktʃrəl] ADJ (*changes, similarities*) struktur-, strukturell; (*damage, defect*) konstruksjons-, på konstruksjonen

structurally ['strʌktʃrəlɪ] ADV (*sound*) konstruksjonsmessig

structure ['strʌktʃəʳ] s (**a**) (*of organization, language, film etc*) struktur *m* ❑ *...the whole structure of society.* ...hele samfunnsstrukturen.
(**b**) (*building*) konstruksjon *m*, byggverk *nt* ❑ *The walkway was a steel and cement structure.* Gangbroa var en konstruksjon *or* et byggverk i stål og sement.

struggle ['strʌgl] 1 s kamp *m* ❑ *There was a struggle and the gun fell to the ground.* Det kom til kamp, og våpenet falt ned på bakken. *...the bitter power struggles between Left and Right.* ...den bitre maktkampen mellom venstre- og høyresiden. *Reading was a struggle for him.* Det å lese var en kamp for ham.
2 VI (**a**) (= *try hard*) kjempe (*v1*) ❑ *...as they struggle to build a democratic society.* ...når de kjemper for å bygge opp et demokratisk samfunn.
(**b**) (*physically: against opponent*) kjempe (*v1*)
(**c**) (*to free oneself*) stritte (*v1*) imot ❑ *The guard hit him whenever he struggled.* Vakten slo ham hver gang han strittet imot.
▸ **to have a struggle to do sth** måtte* kjempe hardt for å gjøre* noe ❑ *That school has always had a bit of a struggle to keep going.* Den skolen har alltid måttet kjempe temmelig hardt for å holde seg gående.

strum [strʌm] VT (*+guitar*) klimpre (*v1*) på
strung [strʌŋ] PRET, PP *of* **string**
strut [strʌt] 1 S (*wood, metal*) (av)stiver *m*
2 VI spankulere (*v2*) ❑ *A peacock was strutting on the lawn.* En påfugl spankulerte på plenen.
strychnine ['strɪkni:n] S stryknin *m*
stub [stʌb] 1 S (**a**) (*of cheque, ticket etc*) kvitteringsdel *m* ❑ *She always filled in her cheque stubs.* Hun fylte alltid ut kvitteringsdelene av sjekkene sine.
(**b**) (*of cigarette*) stump *m* ❑ *...an ashtray full of old cigarette stubs.* ...et askebeger fullt av gamle sigarettstumper.
2 VT ▸ **to stub one's toe** støte (*v2*) tåen sin
▸ **stub out** VT (*+cigarette*) stumpe (*v1*)
stubble ['stʌbl] S (*AGR*) stubb *m*; (*on chin*) skjeggstubb *m*
stubborn ['stʌbən] ADJ (*child, determination*) sta, egen; (*stain, illness etc*) hardnakket, gjenstridig
stubby ['stʌbɪ] ADJ (*fingers*) butt
stucco ['stʌkəu] S stukkatur *m*
stuck [stʌk] 1 PRET, PP *of* **stick**
2 ADJ ▸ **to be stuck** sitte* fast ❑ *The door was stuck.* Døra satt fast. *Ask for help the minute you're stuck.* Be om hjelp i det øyeblikk du sitter fast.
▸ **to get stuck** sette* seg fast, bli* sittende fast ❑ *The mouse got stuck in a hole.* Musen satte seg fast *or* ble sittende fast i et hull.; (*fig*) bli* sittende fast *They used the dictionary when they got stuck.* De brukte ordboka når de ble sittende fast.
stuck-up [stʌk'ʌp] (*sl*) ADJ høy på pæra (*sl*)
stud [stʌd] S (**a**) (*on clothing etc*) nagle *m*
(**b**) (*on collar*) skjorteknapp *m* (*for å feste snipp*)
(**c**) (*earring*) øredobb(e) *m*
(**d**) (*on sole of boot*) knott *m*
(**e**) (*also* ***stud farm***) stutteri *nt*
(**f**) (*also* ***stud horse***) avlshingst *m*
▸ **studded with** besatt med ❑ *...bracelets studded with precious stones.* ...armbånd besatt med edelsteiner.
student ['stju:dənt] 1 S (**a**) (*at university*) student *m*
(**b**) (*at school*) elev *m*
2 SAMMENS (*life, pub, friends*) student-
▸ **law/medical student** jus-/medisinstudent
▸ **student nurse/teacher** sykepleierstudent/lærerskolestudent
student driver (*US*) S (*taking lessons*) ≈ kjøreskoleelev *m*; (*learning privately*) *en som driver øvelseskjøring*
students' union (*BRIT*) S (*association*) ≈ studentsamskipnad *m*; (*building*) ≈ velferdsbygg *nt* (*som eies av en studentsamskipnad*)
studied ['stʌdɪd] ADJ (*expression, attitude*) utstudert
studio ['stju:dɪəu] S (*TV etc*) studio *nt*; (*sculptor's etc*) atelier *nt*
studio flat, studio apartment (*US*) S hybelleilighet *c*, ettromsleilighet *c*
studious ['stju:dɪəs] ADJ flittig, leselysten
studiously ['stju:dɪəslɪ] ADV (*avoid*) flittig, omhyggelig ❑ *They had studiously avoided treating me differently.* De hadde omhyggelig unngått å behandle meg annerledes.
study ['stʌdɪ] 1 S (**a**) (*activity*) studier *pl*, lesing *c* ❑ *...rooms set aside for quiet study.* ...rom som er satt av til stille lesing.
(**b**) (*room*) arbeidsrom *nt*, arbeidsværelse *nt* ❑ *I stayed in the study all evening.* Jeg var på arbeidsrommet *or* i arbeidsværelset hele kvelden.
2 VTI studere (*v2*) ❑ *He'd studied chemistry at university.* Han hadde studert kjemi på universitetet. *He looked at her hard, studying her face.* Han så nøye på henne, studerte ansiktet hennes. *He was studying all evening in his room.* Han studerte hele kvelden på rommet sitt.
▸ **studies** SPL studier ❑ *I'm not surprised your studies are suffering.* Jeg er ikke overrasket over at studiene dine lider.
▸ **to make a study of sth** gjøre* en studie av noe
▸ **to study for an exam** lese (*v2*) til en eksamen
stuff [stʌf] 1 S (**a**) (*= thing(s)*) saker *pl*, greier *pl* ❑ *Quite a lot of stuff had been stolen.* Ganske mye saker *or* greier hadde blitt stjålet.
(**b**) (*= substance*) greier *pl* ❑ *What's that stuff in the bucket?* Hva er de greiene i bøtta?
2 VT (**a**) (*+soft toy*) stoppe (*v1*)
(**b**) (*KULIN*) fylle (*v2x*) ❑ *The chicken was stuffed with sage and onion.* Kyllingen var fylt med salvie og løk.
(**c**) (*+dead animals*) stoppe (*v1*) ut ❑ *When the cat died it was stuffed.* Da katten døde, ble den stoppet ut.
(**d**) (*sl : push : object*) stappe (*v1*) ❑ *She stuffed quite a lot of things under the bed.* Hun stappet ganske mange ting under sengen.
▸ **my nose is stuffed up** jeg er tett i nesen
▸ **get stuffed!** (*sl!*) dra til helvete! (*sl!*), faen ta* deg! (*sl!*)
stuffed toy S kosedyr *nt*
stuffing ['stʌfɪŋ] S (**a**) (*in sofa, pillow etc*) stopp *m* ❑ *There's hardly any stuffing left in the sofa.* Det er nesten ikke noe stopp igjen i sofaen.
(**b**) (*KULIN*) fyll *nt*, farse *m* (*som blir brukt som fyll*) ❑ *We had chicken and stuffing.* Vi hadde kylling og farse.
stuffy ['stʌfɪ] ADJ (*room*) med dårlig luft, innestengt; (*person, ideas*) stiv, forstokket
stumble ['stʌmbl] VI snuble (*v1*)
▸ **to stumble across** *or* **on** (*fig*) snuble (*v1*) over, støte (*v2*) på
stumbling block S bøyg *m* ❑ *...the biggest stumbling block to disarmament.* ...den største bøygen for nedrustning.
stump [stʌmp] 1 S (*of tree*) stubbe *m*; (*of limb*) stump *m*
2 VT ▸ **to be stumped** stå* fast
stun [stʌn] VT (**a**) (*news+*) lamslå* ❑ *We were all stunned by the news.* Vi var alle lamslåtte av nyheten.
(**b**) (*blow on head+*) svimeslå* ❑ *The fall had stunned me.* Fallet hadde svimeslått meg.
stung [stʌŋ] PRET, PP *of* **sting**
stunk [stʌŋk] PP *of* **stink**
stunning ['stʌnɪŋ] ADJ (**a**) (*news, event*) forbløffende ❑ *...a stunning victory in the election.* ...en forbløffende seier i valget.
(**b**) (*girl, dress*) slående vakker ❑ *Her dress was*

simply stunning. Kjolen hennes var rett og slett slående vakker.

stunt [stʌnt] s (**a**) (*in film*) stunt *nt* ❑ *Steve McQueen did most of his own stunts.* Steve McQueen gjorde de fleste av sine egne stunt. (**b**) (= *publicity stunt*) triks *nt* ❑ *Climbing up the church tower was a fine publicity stunt.* Det å klatre oppover kirketårnet var et bra PR-triks.

stunted ['stʌntɪd] ADJ (*trees, growth etc*) forkrøplet

stuntman ['stʌntmæn] *irreg* s stuntmann *m irreg*

stupefaction [stju:pɪ'fækʃən] s (**a**) (*being dazed*) ørske *c*
(**b**) (= *amazement*) forbløffelse *m* ❑ *He had all the drawers open, to Steve's stupefaction.* Han hadde alle skuffene åpne, til Steves forbløffelse.

stupefy ['stju:pɪfaɪ] VT sløve (*v1*) (ned) ❑ *I felt stupefied by the heavy meal.* Jeg følte meg (ned)sløvet av det tunge måltidet. *He was too stupefied to answer her.* Han var for (ned)sløvet til å svare henne.

stupendous [stju:'pɛndəs] ADJ (*amount, explosion*) overveldende, kolossal

stupid ['stju:pɪd] ADJ (**a**) (*person*) dum, tåpelig (**b**) (*question, idea*) dum, idiotisk, tåpelig ❑ *It's stupid to leave something lying around like that.* Det er dumt *or* idiotisk *or* tåpelig å la noe ligge og slenge på den måten.

stupidity [stju:'pɪdɪtɪ] s dumhet *c*, idioti *m*

stupidly ['stju:pɪdlɪ] ADV (*say, look*) dumt, tåpelig, idiotisk

stupor ['stju:pə^r] s sløvhet *c*, svime *m*
▸ **in a stupor** i svime, neddopet

sturdily ['stɜ:dɪlɪ] ADV (*built*) kraftig

sturdy ['stɜ:dɪ] ADJ kraftig, robust

sturgeon ['stɜ:dʒən] s stør *m*

stutter ['stʌtə^r] **1** s stotring *c*, stamming *c*
2 VI stotre (*v1*), stamme (*v1*)
▸ **to have a stutter** stamme (*v1*)

Stuttgart ['stutgɑ:t] s Stuttgart

sty [staɪ] s (*for pigs*) grisehus *nt*

stye [staɪ] s sti *m* (*på øyet*)

style [staɪl] s (**a**) (*way, attitude*) stil *m*, form *m* ❑ *...western styles of education.* ...vestlige former for utdanning.. ...utdanning i vestlig stil.
(**b**) (= *elegance*) stil *m* ❑ *...a touch of style.* ...en viss stil.
(**c**) (= *design*) utgave *m* ❑ *Babies' plastic pants come in several styles.* Plastbukser for spedbarn finnes i flere utgaver.
▸ **in the latest style** etter siste mote
▸ **hair style** frisyre *m*, hårfasong *m*

styli ['staɪlaɪ] SPL *of* **stylus**

stylish ['staɪlɪʃ] ADJ (*person, hotel, resort*) stilig, elegant

stylist ['staɪlɪst] s (*hair stylist*) frisør *m*; (*literary*) stilist *m*

stylized ['staɪlaɪzd] ADJ (*picture, account*) stilisert

stylus ['staɪləs] (*pl* **styli** *or* **styluses**) s (grammofon)stift *m*

Styrofoam® ['staɪrəfəum] s ≈ isopor *m*

suave [swɑ:v] ADJ (*person, manners etc: worldly-wise*) beleven, verdensvant; (*smooth*) glatt

sub [sʌb] s FK (*NAUT*) = **submarine** (*ADMIN*) = **subscription** (*PRESS: **sub-editor***) *person som leser gjennom og retter opp det andre har skrevet*, redaksjonssekretær *m*

sub... [sʌb] PREF under-

subcommittee ['sʌbkəmɪtɪ] s underkomité *m*

subconscious [sʌb'kɔnʃəs] ADJ (*desire etc*) underbevisst

subcontinent [sʌb'kɔntɪnənt] s ▸ **the (Indian) subcontinent** det indiske subkontinent

subcontract [*VB* sʌbkən'trækt, *N* 'sʌb'kɔntrækt] **1** VT sette* bort som underentreprise ❑ *They had subcontracted some of the work to an electrician.* De hadde satt bort noe av arbeidet som underentreprise til en elektriker.
2 s underentreprise *m*

subcontractor ['sʌbkən'træktə^r] s underentreprenør *m*

subdivide [sʌbdɪ'vaɪd] VT underinndele (*v2*), dele (*v2*) inn ❑ *The compound was subdivided into living areas.* Arealet ble delt inn *or* underinndelt i boligområder.

subdivision ['sʌbdɪvɪʒən] s (under)inndeling *c*

subdue [səb'dju:] VT (+*rebels etc*) kue (*v1*), undertvinge*; (+*emotions*) undertrykke (*v2x*)

subdued [səb'dju:d] ADJ (*light*) neddempet; (*person*) kuet, spak

sub-editor ['sʌb'ɛdɪtə^r] (*BRIT: PRESS*) s redaksjonssekretær *m*

subject [*N* 'sʌbdʒɪkt, *VB* səb'dʒɛkt] **1** s (**a**) (*matter*) tema *nt*, emne *nt* ❑ *I don't have any strong views on the subject.* Jeg har ikke noen sterke meninger om temaet *or* emnet.
(**b**) (*SKOL*) fag *nt* ❑ *Maths was my best subject.* Matte var det beste faget mitt.
(**c**) (*of kingdom*) statsborger *m* ❑ *All British subjects...* Alle britiske statsborgere...
(**d**) (*GRAMMAR*) subjekt *nt* ❑ *What is the subject of the verb?* Hva er subjektet til *or* av verbet?
2 VT ▸ **to subject sb to sth** utsette* noen for noe ❑ *The air bases were subjected to intense air attack.* Flybasene ble utsatt for intense luftangrep.
▸ **to be subject to** (+*law, tax, heart attacks*) være* utsatt for ❑ *The area is subject to drought and floods.* Området er utsatt for tørke og flom.
▸ **subject to confirmation in writing** under forutsetning av skriftlig bekreftelse
▸ **to change the subject** skifte (*v1*) tema *or* emne

subjection [səb'dʒɛkʃən] s (*of women, enemy etc*) undertrykkelse *m*

subjective [səb'dʒɛktɪv] ADJ (*opinion, decision, experience*) subjektiv

subject matter s tema *nt*, emne *nt*

sub judice [sʌb'dju:dɪsɪ] ADJ ▸ **to be sub judice** (fremdeles) være* under rettslig behandling

subjugate ['sʌbdʒugeɪt] VT underlegge* seg

subjunctive [səb'dʒʌŋktɪv] s konjunktiv *m*
▸ **in the subjunctive** i konjunktiv

sublet [sʌb'lɛt] VT framleie (*v3*)

sublime [sə'blaɪm] ADJ vidunderlig, himmelsk, sublim (*liter*)
▸ **from the sublime to the ridiculous** fra det sublime til det latterlige

subliminal [sʌb'lɪmɪnl] ADJ (*memory*) underbevisst, subliminal; (*advertising*) som påvirker underbevisstheten

submachine gun ['sʌbmə'ʃiːn-] s maskinpistol *m*
submarine [sʌbmə'riːn] s ubåt *m*, undervannsbåt *m*
submerge [səb'mɜːdʒ] 1 VT dykke (*v1*) (ned) 2 VI (*submarine, sea creature+*) dukke (*v1*) (under)
submersion [səb'mɜːʃən] s neddykking *c*
submission [səb'mɪʃən] s (**a**) (*subjection*) underkastelse *m* ❑ *...the submission of the press to the military.* ...pressens underkastelse for det militære.
(**b**) (*of plan, proposal, application*) innlevering *c*
(**c**) (*proposal*) forslag *nt*, framlegg *nt* ❑ *We can send these submissions together with our own plans.* Vi kan sende disse forslagene *or* framleggene sammen med våre egne planer.
submissive [səb'mɪsɪv] ADJ (*gesture, person, animal*) underdanig
submit [səb'mɪt] 1 VT (*+proposal, application, resignation etc*) levere (*v2*) inn, sende (*v2*) inn
2 VI ▸ **to submit to sth** underkaste (*v1*) seg noe ❑ *They were forced to submit to military discipline.* De ble tvunget til å underkaste seg militær disiplin.
subnormal [sʌb'nɔːml] ADJ (*temperatures*) subnormal, under det normale; (*also* ***educationally subnormal***) evneveik
subordinate [sə'bɔːdɪnət] 1 s underordnet *m decl as adj*
2 ADJ (*position, role, person*) ▸ **subordinate (to)** underordnet (i forhold til)
▸ **subordinate clause** bisetning *m*, leddsetning *m*
subpoena [səb'piːnə] 1 s innstevning *m* ❑ *...to serve a subpoena on him.* ...å få* ham innstevnet.
2 VT (*+witness etc*) innstevne (*v1*) ❑ *He was subpoenaed as a witness.* Han ble innstevnet som vitne.
subroutine [sʌbruː'tiːn] (*DATA*) s delrutine *m*
subscribe [səb'skraɪb] VI (*pay*) bidra* (*med penger*)
▸ **to subscribe to** (**a**) (*+fund, charity*) gi* (fast) til, bidra* (fast) til
(**b**) (*+magazine etc*) abonnere (*v2*) på
(**c**) (*+opinion, theory*) stille (*v2x*) seg bak, være* enig i
subscriber [səb'skraɪbəʳ] s (*to magazine, telephone*) abonnent *m*
subscription [səb'skrɪpʃən] s (**a**) (*to magazine etc*) ▸ **subscription (to)** abonnement *nt* (på) ❑ *I have a life subscription to the Guardian.* Jeg har et livslangt abonnement på "the Guardian".
(**b**) (*= membership dues*) (medlems)kontingent *m*
(**c**) (*= donation*) bidrag *nt* ❑ *I might send a subscription to the Amnesty International.* Jeg sender kanskje et bidrag til Amnesty International.
▸ **to take out a subscription to** (**a**) (*+organization*) melde (*v2*) seg inn i
(**b**) (*+magazine etc*) (begynne (*v2x*) å) abonnere (*v2*) på
subsequent ['sʌbsɪkwənt] ADJ (*events, generations, research, investigations*) se(i)nere, påfølgende
▸ **subsequent to** etter
subsequently ['sʌbsɪkwəntlɪ] ADV deretter, se(i)nere, etterpå

subservient [səb'sɜːvɪənt] ADJ (**a**) (*person, behaviour*) servil, underdanig
(**b**) (*= less important : policy etc*) underordnet
▸ **to be subservient to** være* underordnet i forhold til
subside [səb'saɪd] VI (**a**) (*feeling, pain+*) avta* ❑ *By now his terror had subsided enough for him to think.* Nå hadde redselen hans avtatt tilstrekkelig til at han kunne* tenke.
(**b**) (*flood+*) avta*, synke*
(**c**) (*earth+*) synke*, svikte (*v1*)
subsidence [səb'saɪdns] s (*in land*) synking *c*, jordsenking *m*
subsidiarity [səbsɪdɪ'ærɪtɪ] s subsidiaritet *m*
subsidiary [səb'sɪdɪərɪ] 1 ADJ (**a**) (*question, role*) underordnet
(**b**) (*BRIT : SKOL : subject*) støtte-, tilleggs- ❑ *...a course in Opera Studies as a subsidiary subject.* ...et kurs i operastudier som et støttefag *or* et tilleggsfag.
2 s (**a**) (*also* ***subsidiary company***) datterselskap *nt*
(**b**) (*also* ***subsidiary subject***) støttefag *nt*, tilleggsfag *nt*
subsidize ['sʌbsɪdaɪz] VT subsidiere (*v2*)
subsidy ['sʌbsɪdɪ] s subsidie *m*
subsist [səb'sɪst] VI ▸ **to subsist on sth** overleve (*v3*) på noe
subsistence [səb'sɪstəns] s *det å opprettholde livet* NB *The Indians do not have sufficient land for subsistence.* Indianerne har ikke nok land til å opprettholde livet *or* overleve.
subsistence allowance s diettgodtgjørelse *m*
subsistence level s ▸ **(at) subsistence level** (på) eksistensminimum *nt*
substance ['sʌbstəns] s (**a**) (*product, material*) stoff *nt*, substans *m* ❑ *...to remove harmful substances from cigarettes.* ...fjerne skadelige stoffer *or* substanser fra sigaretter.
(**b**) (*fig : essence*) substans *m* ❑ *The substance of their talk...* Substansen i talen deres...
▸ **a man of substance** en rik og mektig mann
▸ **to lack substance** (*book, argument+*) mangle (*v1*) substans
substance abuse s rusmiddelmisbruk *nt*
substandard [sʌb'stændəd] ADJ (*goods*) under vanlig standard, av for dårlig kvalitet; (*housing*) under akseptabel standard
substantial [səb'stænʃl] ADJ (*= solid : building*) solid, massiv; (*= considerable : meal*) større, solid; (*reward, amount*) betydelig, anselig, større
substantially [səb'stænʃəlɪ] ADV (**a**) (*= by a large amount*) betydelig, betraktelig ❑ *The price may go up quite substantially.* Prisen kan gå* opp ganske betydelig *or* betraktelig.
(**b**) (*= in essence*) hovedsakelig, i det vesentlige ❑ *Society has remained substantially unchanged.* Samfunnet har holdt seg i det vesentlige *or* hovedsakelig uforandret.
▸ **substantially bigger** betydelig *or* betraktelig *or* vesentlig større
substantiate [səb'stænʃɪeɪt] VT (*+claim, story, statement etc*) underbygge (*v3x*)
substitute ['sʌbstɪtjuːt] 1 s erstatning *m* ❑ *Her husband was a substitute for the father she had*

never had. Mannen hennes var en erstatning for den faren hun aldri hadde hatt. *...sugar substitute.* ...sukkererstatning.

2 VT ▸ **to substitute A for B** erstatte (*v1*) B med A

substitute teacher (*US*) s (lærer)vikar *m*

substitution [sʌbstɪ'tju:ʃən] s (**a**) (= *act of substituting*) *det å bruke noe som erstatning for noe annet* ❑ *...the substitution of local goods for those previously imported.* ...det å bruke lokale varer som erstatning for *or* i stedet for de som tidligere ble importert.

(**b**) (*FOTB*) utskifting *c* ❑ *The late substitution of Chestnut for Campbell had no effect on the game.* Å bytte ut Campbell med Chestnut så sent hadde ingen innvirkning på spillet.

subterfuge ['sʌbtəfju:dʒ] s undergrunnsvirksomhet *c*

subterranean [sʌbtə'reɪnɪən] ADJ underjordisk

subtitles ['sʌbtaɪtlz] SPL tekst *m*, teksting *c* ❑ *...an Italian film with English subtitles.* ...en italiensk film med engelsk tekst *or* teksting.

subtle ['sʌtl] ADJ (**a**) (= *slight : change*) hårfin, som er vanskelig å definere ❑ *There's a subtle distinction between these two words.* Det er en hårfin forskjell *or* en forskjell mellom disse to ordene som er vanskelig å definere.

(**b**) (= *indirect : person*) diskré

subtlety ['sʌtltɪ] s (**a**) (= *small detail*) nyanse *m* ❑ *He was aware of the subtleties of Elaine's moods.* Han var oppmerksom på nyansene i Elaines humør.

(**b**) (= *art of being subtle*) finesse *m* ❑ *In your cooking remember that subtlety is everything.* Når du lager mat, husk at finesse betyr alt.

subtly ['sʌtlɪ] ADV (*change, vary*) på en udefinerbar måte, nesten umerkelig; (*different*) på en udefinerbar måte; (*criticize, persuade*) diskré

subtotal [sʌb'təutl] s delsum *m*

subtract [səb'trækt] VT trekke* fra, subtrahere (*v2*) ❑ *Subtract the first figure from the second.* Trekk *or* subtraher det første tallet fra det andre.

subtraction [səb'trækʃən] s subtraksjon *m*

subtropical [sʌb'trɔpɪkl] ADJ (*climate, forest, region*) subtropisk

suburb ['sʌbə:b] s forstad *m irreg*

▸ **the suburbs** SPL forstedene

suburban [sə'bə:bən] ADJ (*train etc*) forstads-; (*lifestyle etc*) småborgerlig

suburbia [sə'bə:bɪə] s forstedene *pl def*

subvention [səb'venʃən] s offentlig tilskudd *nt*, statsstøtte *c*

subversion [səb'və:ʃən] s samfunnsfiendtlig virksomhet *c*, undergravingsvirksomhet *c*

subversive [səb'və:sɪv] ADJ (*activities, literature*) samfunnsfiendtlig, subversiv

subway ['sʌbweɪ] s (*US : underground railway*) undergrunn *m*, undergrunnsbane *m*, T-bane *m*; (*BRIT : underpass*) (fotgjenger)undergang *m*

sub-zero [sʌb'zɪərəu] ADJ ▸ **sub-zero temperatures** minusgrader, temperaturer under null

succeed [sək'si:d] 1 VI lykkes (*v25x*) ❑ *Nobody expected that strike to succeed.* Ingen ventet at streiken skulle* lykkes. *She is determined to succeed.* Hun er bestemt på å lykkes.

2 VT (**a**) (*in job*) etterfølge* ❑ *Somebody's got to succeed Murray as editor.* Noen må etterfølge Murray som redaktør.

(**b**) (*in order*) (etter)følge* ❑ *The dry weather was succeeded by a month of rain.* Det tørre været ble (etter)fulgt av en måned med regn.

▸ **to succeed in doing sth** lykkes (*v25x*) med å gjøre* noe

succeeding [sək'si:dɪŋ] ADJ (= *following*) (på)følgende

success [sək'sɛs] s (**a**) (= *achievement*) suksess *m*, framgang *m* ❑ *...his immense success in making money.* ...hans enorme suksess med å tjene penger. *Confidence is the key to success.* Selvtillit er nøkkelen til suksess *or* framgang.

(**b**) (= *hit : film, product, person*) suksess *m* ❑ *His next film was a tremendous success.* Den neste filmen hans var en enorm suksess.

▸ **without success** uten hell

successful [sək'sɛsful] ADJ (**a**) (*venture, attempt, business*) vellykket

(**b**) (*writer*) suksessrik

▸ **the successful candidate** den som blir/ble ansatt

▸ **to be successful (in doing sth)** lykkes (*v25x*) (med å gjøre* noe), ha* suksess (med å gjøre* noe)

successfully [sək'sɛsfəlɪ] ADV med hell

succession [sək'sɛʃən] s (**a**) (*series*) (sammenhengende) rekke *c* ❑ *...a succession of rainy days.* ...en (sammenhengende) rekke med regnværsdager.

(**b**) (*to throne etc*) suksesjon *m*, arverekke *c* ❑ *...his succession to the peerage.* ...det at han arvet adelstittelen.

▸ **3 years in succession** 3 år på rad, 3 år etter hverandre

successive [sək'sɛsɪv] ADJ (*governments, years, attempts*) suksessiv, etter hverandre, på rad

▸ **on 3 successive days** tre dager på rad, tre dager etter hverandre

successor [sək'sɛsə'] s etterfølger *m*

succinct [sək'sɪŋkt] ADJ konsis

succulent ['sʌkjulənt] 1 ADJ (*fruit, meat*) saftig

2 s (*BOT*) sukkulent *m*

succumb [sə'kʌm] VI ▸ **to succumb (to)** (*to temptation*) gi* etter (for), falle* (for); (*to illness*) bukke (*v1*) under (for)

such [sʌtʃ] 1 ADJ (**a**) (= *of that kind*) ▸ **such a book** en slik *or* sånn bok ❑ *Such a book should be praised, not banned.* En slik *or* sånn bok skulle* roses, ikke forbys.

(**b**) (= *so much*) ▸ **such courage** slikt *or* sånt et mot, så mye mot ❑ *He showed such courage in the face of adversity.* Han viste slikt *or* sånt et mot *or* så mye mot i motgang og vansker.

(**c**) (*emphasizing similarity*) ▸ **some such place** et slikt *or* sånt sted ❑ *It was in Brighton or Bournemouth or some such place.* Det var i Brighton eller Bournemouth eller et slikt *or* sånt sted.

2 ADV slik, sånn ❑ *It was such a lovely day.* Det var slik *or* sånn en nydelig dag.

▸ **such books** slike *or* sånne bøker

▸ **such a long trip** slik *or* sånn en lang reise, en så lang reise
▸ **such a lot of** så mange
▸ **she made such a noise that...** hun lagde så mye bråk at..., hun lagde slikt *or* sånt et bråk at...
▸ **such as** slik som, som for eksempel ❑ *...countries such as France, Germany, and Italy.* ...slike land som Frankrike, Tyskland og Italia.. ...land som for eksempel Frankrike, Tyskland og Italia.
▸ **such books as I have** de bøkene jeg har
▸ **I said no such thing** jeg sa ikke noe sånt *or* slikt
▸ **as such** som sådan ❑ *He is not terribly interested in politics as such.* Han er ikke så veldig interessert i politikk som sådan.

such-and-such ['sʌtʃənsʌtʃ] ADJ det og det/den og den ❑ *...lectures on such and such a topic.* ...forelesninger over det og det emnet.

suchlike ['sʌtʃlaɪk] (*sl*) PRON ▸ **and suchlike** og sånt *or* slikt

suck [sʌk] 1 VT (**a**) (*person+*) suge (*v3*) på, su (*v4*) på
(**b**) (*pump, machine+*) suge (*v3*) ❑ *The water is sucked upwards through the pipe.* Vannet blir sugd oppover gjennom røret.
2 VI suge (*v3*)

sucker ['sʌkəʳ] S (**a**) (*ZOOL*) sugeskål *c*
(**b**) (*TEKN*) sugekopp *m*
(**c**) (*BOT*) rotskudd *nt*, utløper *m*
(**d**) (*sl*) *blåøyd or lettlurt person*, godtroende fjols *nt* ❑ *He'd believe anything, he's such a sucker!* Han tror på hva som helst, han er så blåøyd *or* lettlurt *or* han er sånt et godtroende fjols.

suckle ['sʌkl] VT amme (*v1*), die (*v1*)

sucrose ['su:krəuz] S sukrose *m*

suction ['sʌkʃən] S (**a**) suging *c* ❑ *Water can be lifted 10 metres by suction.* Vann kan løftes 10 meter ved suging.
(**b**) (*sucking power*) sugekraft *c*

suction pump S sugepumpe *c*

Sudan [su'dɑ:n] S Sudan

Sudanese [su:də'ni:z] 1 ADJ sudansk
2 S (*person*) sudaner *m*

sudden ['sʌdn] ADJ plutselig, brå
▸ **all of a sudden** plutselig, brått

sudden death S (*also* ***sudden-death play-off***) sudden death

suddenly ['sʌdnlɪ] ADV plutselig ❑ *Suddenly, the door opened and in walked the boss.* Plutselig åpnet døren seg, og inn kom sjefen.

suds [sʌdz] SPL såpeskum *nt uncount*

sue [su:] 1 VT saksøke (*v2*) ❑ *He couldn't even sue them for wrongful arrest.* Han kunne* ikke en gang saksøke dem for ulovlig arrestasjon.
2 VI anlegge* sak, gå* til (retts)sak
▸ **to sue for divorce** søke (*v2*) skilsmisse
▸ **to sue sb for damages** reise (*v2*) erstatningskrav mot noen

suede [sweɪd] 1 S semsket skinn *nt*
2 SAMMENS (*shoes, handbag*) i/av semsket skinn, semsket

suet ['suɪt] S nyretalg *m*

Suez ['su:ɪz] S ▸ **the Suez Canal** Suezkanalen

Suff. (*BRIT: POST*) FK = **Suffolk**

suffer ['sʌfəʳ] 1 VT (**a**) (= *undergo: hardship etc*) lide*, gjennomgå* ❑ *Nagasaki suffered the same terrible fate.* Nagasaki led *or* gjennomgikk den samme grusomme skjebnen.
(**b**) (= *bear: pain, rudeness*) måtte* tåle, måtte* finne seg i ❑ *They had suffered a lot of nervous strain.* De hadde måttet finne seg i *or* tåle en masse nervepress.
2 VI (= *be harmed: person, results etc*) lide* ❑ *I'm not surprised that your studies are suffering.* Jeg er ikke overrasket over at studiene dine lider.
▸ **to suffer from** lide* av ❑ *They were suffering from shock.* De led av sjokk.
▸ **to suffer the effects of alcohol/a fall** lide* under *or* føle (*v2*) virkningene av alkohol/et fall

sufferance ['sʌfərns] S ▸ **he was only there on sufferance** han var der bare på nåde

sufferer ['sʌfərəʳ] S *en som lider (av en sykdom)*; pasient *m* ❑ *...sufferers of chronic disease.* ...de som lider av kroniske sykdommer.. ...pasienter med kroniske sykdommer.

suffering ['sʌfərɪŋ] S lidelse *m* ❑ *I was unable to bear the sight of so much suffering.* Jeg klarte ikke synet av så mye lidelse.

suffice [sə'faɪs] VI være* tilstrekkelig, holde* ❑ *Any one of these arguments suffices to make my case.* Hvilket som helst av disse argumentene er tilstrekkelig *or* holder for å vise at jeg har rett.

sufficient [sə'fɪʃənt] ADJ tilstrekkelig ❑ *Japan had a reserve of oil sufficient for its needs.* Japan hadde en oljereserve som var tilstrekkelig til å dekke deres behov. *Sales were not sufficient to make it profitable.* Salget var ikke tilstrekkelig til å gjøre* det lønnsomt.
▸ **sufficient money** tilstrekkelig med penger

sufficiently [sə'fɪʃəntlɪ] ADV tilstrekkelig ❑ *He had not insured the house sufficiently.* Han hadde ikke forsikret huset tilstrekkelig. *...forms sufficiently powerful to dominate the land.* ...former som var tilstrekkelig mektige til å dominere landet.

suffix ['sʌfɪks] S suffiks *nt*

suffocate ['sʌfəkeɪt] VI (**a**) (= *have difficulty breathing*) holde* på å kveles *or* bli* kvalt ❑ *Can you open the window we're all suffocating.* Kan du åpne vinduet vi holder på å kveles *or* bli* kvalt alle sammen.
(**b**) (= *die through lack of air*) bli* kvalt, kveles (*v5, no past tense*) ❑ *If we had arrived a minute later they would have suffocated.* Hvis vi hadde kommet et minutt senere, ville* de ha* blitt kvalt.

suffocation [sʌfə'keɪʃən] S kvelning *m* ❑ *Over nine million slaves died of suffocation.* Over ni millioner slaver døde av kvelning.

suffrage ['sʌfrɪdʒ] S (= *right to vote*) stemmerett *m* ❑ *...the introduction of universal suffrage.* ...innføringen av alminnelig stemmerett.

suffragette [sʌfrə'dʒɛt] S suffragette *c*

suffused [sə'fju:zd] ADJ ▸ **suffused with** (*+light, colour, tears*) badet i

sugar ['ʃugəʳ] 1 S sukker *nt*
2 VT (*+tea etc*) sukre (*v1*) ❑ *Is this my tea? Did you sugar it?* Er dette min te? Sukret du den?

sugar beet S sukkerroe *m*, sukkerbete *c*

sugar bowl s sukkerskål *c*
sugar cane s sukkerrør *nt*
sugar-coated [ˈʃʊgəˈkəʊtɪd] ADJ med sukkerglasur
sugar lump s sukkerbit *m*
sugar refinery s sukkerraffineri *nt*
sugary [ˈʃʊgərɪ] ADJ sukret, med (mye) sukker; (*fig: smile, phrase*) sukkersøt
suggest [səˈdʒɛst] VT (**a**) (= *propose*) foreslå* ❏ *We have to suggest a list of possible topics...* Vi må foreslå en liste over mulige emner...
(**b**) (= *indicate*) antyde (*v1*) ❏ *His expression suggested some pleasure at...* Uttrykket hans antydet en viss glede over...
▸ **what do you suggest I do?** hva syns du jeg skal gjøre?
suggestion [səˈdʒɛstʃən] s (**a**) (= *proposal*) forslag *nt* ❏ *The other governments greeted the suggestion with caution.* De andre regjeringene møtte forslaget med varsomhet.
(**b**) (*indication*) antydning *m* ❏ *Her hands had no suggestion of age.* Hendene hennes gav ingen antydning om alderdom.
suggestive [səˈdʒɛstɪv] ADJ pikant
suicidal [suɪˈsaɪdl] ADJ
▸ **to feel** *or* **be suicidal** gå* med selvmordstanker
suicide [ˈsuɪsaɪd] s (**a**) (*death, also fig*) selvmord *nt* ❏ *...so many young women who attempt suicide.* ...så mange unge kvinner som prøver å begå selvmord. *People had told me it was suicide to admit to my past.* Folk hadde sagt til meg at det var rene selvmordet å bekjenne fortiden min.
(**b**) (*person*) selvmorder *m* ❏ *A typical suicide is a middle-aged or elderly man.* En typisk selvmorder *or* En typisk person som begår selvmord er en middelaldrende eller eldre mann.
see also **commit**
suicide attempt s selvmordsforsøk *nt*
suicide bid s selvmordsforsøk *nt*
suit [su:t] 1 s (**a**) (*man's*) dress *m*
(**b**) (*woman's*) drakt *c*
(**c**) (*JUR*) sak *m*, prosess *m*
(**d**) (*KORT*) farge *m*
2 VT (**a**) (= *be convenient, appropriate*) passe (*v1*) (for) ❏ *Would Monday suit you?* Ville mandag passe (for) deg?
(**b**) (*+colour, clothes*) passe (*v1*) til, kle (*v4*) ❏ *That colour doesn't suit you.* Den fargen passer ikke til deg *or* kler deg ikke.
▸ **to bring a suit against sb** (*JUR*) anlegge* sak mot noen
▸ **to follow suit** (*fig*) gjøre* det samme, følge* noens eksempel ❏ *He bowed his head. Jenny followed suit.* Han bøyde hodet. Jenny gjorde det samme *or* fulgte hans eksempel.
▸ **to suit sth to** (= *adapt*) tilpasse (*v1*) noe etter ❏ *They suited it exactly to my needs.* De tilpasset det helt etter mine behov.
▸ **to be suited to do sth** passe (*v1*) til å gjøre* noe ❏ *I'm not suited to living in the city.* Jeg passer ikke til å bo i byen.
▸ **suit yourself!** gjør som du vil!
▸ **to be well suited** (*couple*) passe (*v1*) godt sammen
suitability [su:təˈbɪlɪtɪ] s (vel)egnethet *c* ❏ *The second requirement is suitability for everyday use.* Det andre kravet er (vel)egnethet for daglig bruk.
suitable [ˈsu:təbl] ADJ som passer, passende ❏ *Monday isn't suitable.* Mandag passer ikke. *He was just not suitable for the job.* Han passet bare ikke til jobben.
▸ **would Tuesday be suitable?** ville* tirsdag være* passende?, ville* tirsdag passe?
▸ **we found somebody suitable** vi fant en passende person, vi fant en som passet
suitably [ˈsu:təblɪ] ADV (**a**) (*dressed*) passende
(**b**) (*impressed, amazed*) passelig ❏ *I told them the news. They were all suitably amazed.* Jeg fortalte dem nyheten. Alle sammen ble passelig overrasket.
suitcase [ˈsu:tkeɪs] s koffert *m*
suite [swi:t] s suite *m*
▸ **bedroom/dining room suite** soveroms-/spisestuemøblement *nt*
▸ **a three-piece suite** *sofa og to stoler*
suitor [ˈsu:tə^r] s frier *m*
sulfate [ˈsʌlfeɪt] (*US*) s = **sulphate**
sulfur [ˈsʌlfə^r] (*US*) s = **sulphur**
sulfuric [sʌlˈfjuərɪk] (*US*) = **sulphuric**
sulk [sʌlk] VI furte (*v1*), surmule (*v2*)
sulky [ˈsʌlkɪ] ADJ (*child, mood*) furten, surmulende
sullen [ˈsʌlən] ADJ (*person, silence*) mutt, tverr
sulphate [ˈsʌlfeɪt], **sulfate** (*US*) s sulfat *nt*
sulphur [ˈsʌlfə^r], **sulfur** (*US*) s svovel *m or nt*
sulphur dioxide s svoveldioksid
sulphuric [sʌlˈfjuərɪk], **sulfuric** (*US*) ADJ
▸ **sulphuric acid** svovelsyre *c*
sultan [ˈsʌltən] s sultan *m* ❏ *...the Sultan of Oman.* ...sultanen av Oman.
sultana [sʌlˈtɑ:nə] s (*fruit*) korint *m*
sultry [ˈsʌltrɪ] ADJ (*weather*) lummer
sum [sʌm] s (**a**) (= *calculation*) regnestykke *nt* ❏ *A pocket calculator will do the sum for you.* En lommekalkulator vil ta* seg av regnestykket for deg.
(**b**) (= *amount*) sum *m* ❏ *Manufacturers spend huge sums of money on...* Fabrikanter bruker enorme pengesummer på...
▸ **sum up** 1 VT (**a**) (= *describe*) oppsummere (*v2*) ❏ *My mood could be summed up in a word...* Humøret mitt kunne* oppsummeres i ordet...
(**b**) (= *evaluate rapidly*) gjøre* seg opp en mening om ❏ *He was able to sum us up in a very short time.* Han greide å gjøre* seg opp en mening om oss på svært kort tid.
2 VI (= *summarize*) oppsummere (*v2*), sammenfatte (*v1*) ❏ *To sum up: within our society there still exist...* For å oppsummere *or* sammenfatte: innenfor samfunnet vårt fins det fremdeles...
Sumatra [suˈmɑ:trə] s Sumatra
summarize [ˈsʌməraɪz] VT sammenfatte (*v1*), oppsummere (*v2*)
summary [ˈsʌmərɪ] 1 s sammendrag *nt* ❏ *Here is a summary of the plot.* Her er et sammendrag av handlingen.
2 ADJ (*justice, executions*) summarisk
summer [ˈsʌmə^r] 1 s sommer *m*
2 SAMMENS (*dress, school*) sommer-
▸ **in summer** om sommeren

▸ **this summer** i sommer ❑ *I am going to Greece this summer.* Jeg skal til Hellas i sommer.
summer camp s sommerleir *m*
summer holidays SPL sommerferie *m sg*
summerhouse ['sʌməhaus] s (*in garden*) lysthus *nt*
summertime ['sʌmətaɪm] s (*season*) sommer *m*
summer time s (*by clock*) sommertid *c*
summery ['sʌmərɪ] ADJ (*day, dress*) sommerlig
summing-up [sʌmɪŋ'ʌp] (*JUR*) s rettsbelæring *c*
summit ['sʌmɪt] s (**a**) (*of mountain*) topp *m* ❑ *Did anyone reach the summit?* Var det noen som nådde toppen?
(**b**) (*also* ***summit conference/meeting***) toppmøte *nt* ❑ *...this week's Ottawa summit.* ...denne ukens toppmøte i Ottawa.
summon ['sʌmən] VT (**a**) (*+person, police, help*) sende (*v2*) bud på, tilkalle (*v2x*) ❑ *He summoned his secretary.* Han sendte bud på *or* tilkalte sekretæren sin.
(**b**) (*+meeting*) innkalle (*v2x*) til, sammenkalle (*v2x*) til ❑ *They had to summon a second conference.* De måtte* innkalle *or* sammenkalle til en konferanse til.
(**c**) (*JUR: witness*) innkalle (*v2x*) ❑ *I was summoned before the magistrate.* Jeg ble innkalt til retten.
▶ **summon up** VT (*+strength, energy, courage*) oppdrive* ❑ *He eventually summoned up the courage to ask Melanie out.* Til slutt oppdrev *or* samlet han mot nok til å be ut Melanie.
summons ['sʌmənz] 1 s (**a**) (*JUR*) stevning *m*
(**b**) (*fig*) innkalling *c* ❑ *I waited in my office for a summons from the boss.* Jeg ventet på kontoret mitt på en innkalling fra sjefen.
2 VT (*JUR*) innstevne (*v1*)
▸ **to serve a summons on sb** innstevne (*v1*) noen for retten
sumo (wrestling) ['su:məu] s sumobryting *m*
sump [sʌmp] (*BRIT: BIL*) s bunnpanne *c*
sumptuous ['sʌmptjuəs] ADJ (*meal, costume etc*) overdådig, storslått
sun [sʌn] s sol *c* ❑ *...on a sandy beach under a hot sun.* ...på en sandstrand under en varm sol.
▸ **in the sun** i sola
▸ **to catch the sun** få* farge
▸ **everything under the sun** alt mellom himmel og jord
Sun. FK = **Sunday**
sunbathe ['sʌnbeɪð] VI sole (*v2*) seg
sunbeam ['sʌnbi:m] s solstråle *m*
sunbed ['sʌnbɛd] s (*with sun lamp*) solarium *nt irreg*; (*on beach etc*) solseng *c*
sunburn ['sʌnbə:n] s solbrenthet *c* ❑ *She had put on some cream to soothe her sunburn.* Hun hadde på litt krem for å lindre solbrentheten.
sunburned ['sʌnbə:nd] ADJ = **sunburnt**
sunburnt ['sʌnbə:nt] ADJ (= *tanned*) brun; (*painfully*) solbrent
sun cream s solkrem *m*
sundae ['sʌndeɪ] s sundae-is *m*
Sunday ['sʌndɪ] s søndag *m* *see also* **Tuesday**
Sunday paper s søndagsavis *m*

> **Sunday papers** *er nesten en institusjon i Storbritannia. Det fins både* quality *og* popular *søndagsaviser, og de fleste av dagsavisene har en assosiert søndagsavis, selv om disse har egne redaksjoner. Kvalitetssøndagsavisene har flere bilag og magasiner; se også* **quality (news)papers** *og* **tabloid press**

Sunday school s søndagsskole *m*
sundial ['sʌndaɪəl] s solur *nt*
sundown ['sʌndaun] (*især US*) s solnedgang *m*
▸ **at sundown** ved solnedgang
sundries ['sʌndrɪz] SPL diverse *no art*
sundry ['sʌndrɪ] ADJ diverse, forskjellige ❑ *...stools, bowls, and sundry other objects.* ...stoler, skåler, og diverse *or* forskjellige andre gjenstander.
▸ **all and sundry** alle og enhver
sunflower ['sʌnflauəʳ] s solsikke *c*
sunflower oil s solsikkeolje *m*
sung [sʌŋ] PP *of* **sing**
sunglasses ['sʌnglɑ:sɪz] SPL solbriller ❑ *...two pairs of sunglasses.* ...to par solbriller.
sunk [sʌŋk] PP *of* **sink**
sunken ['sʌŋkn] ADJ (*rock, ship*) sunket; (*eyes, cheeks*) innsunken; (*bath*) nedsenket
sunlamp ['sʌnlæmp] s høyfjellssol *c*
sunlight ['sʌnlaɪt] s sol *c*, sollys *nt* ❑ *A patch of sunlight fell on his face.* Det falt en flekk av sol *or* sollys på ansiktet hans.
sunlit ['sʌnlɪt] ADJ solbelyst
sunny ['sʌnɪ] ADJ (**a**) (*weather, day*) solfylt, solskinns-
(**b**) (*place*) solfylt, solrik
(**c**) (*fig: disposition, person*) lys (og glad) ❑ *He had a sunny disposition.* Han hadde et lyst sinn.
▸ **it is sunny** sola skinner, det er sol(skinn)
sunrise ['sʌnraɪz] s soloppgang *m*
▸ **at sunrise** ved soloppgang
sun roof s (*on car, building*) soltak *nt*
sun screen s solkrem *m*
sunset ['sʌnsɛt] s solnedgang *m*
▸ **at sunset** ved solnedgang
sunshade ['sʌnʃeɪd] s (*lady's, over table*) parasoll *m*
sunshine ['sʌnʃaɪn] s solskinn *nt*, sol *c* ❑ *...a day of brilliant sunshine.* ...en dag med strålende solskinn *or* sol.
sunspot ['sʌnspɔt] s solflekk *m*
sunstroke ['sʌnstrəuk] s solstikk *nt* ❑ *...sure that we would get sunstroke.* ...sikker på at vi ville* få* solstikk.
suntan ['sʌntæn] s (brun)farge *m* (*av sola*)
suntan lotion s solkrem *m*
suntanned ['sʌntænd] ADJ (*body, person*) brun, solbrent
suntan oil s sololje *c*
suntrap ['sʌntræp] s *sted hvor sola tar godt* NB *That corner of the garden is a real suntrap.* Sola tar virkelig godt i det hjørnet av hagen.
super ['su:pəʳ] (*sl*) ADJ super
superannuation [su:pərænju'eɪʃən] s ≈ pensjonsinnskudd *nt*
superb [su:'pə:b] ADJ (*performance, meal, musician etc*) ypperlig, fremragende, superb
Super Bowl s superbowl, *kamp mellom*

ligamesterne i amerikansk fotball
supercilious [su:pə'sɪlɪəs] ADJ (*person, attitude*) nedlatende
superconductor [su:pəkən'dʌktəʳ] (*FYS*) S superleder *m*
superficial [su:pə'fɪʃəl] ADJ (*wound, knowledge, person*) overfladisk
superficially [su:pə'fɪʃəlɪ] ADV på overflaten ❑ *Superficially it looks rather harmless.* På overflaten ser det ganske harmløst ut.
superfluous [su'pə:fluəs] ADJ overflødig
superglue ['su:pəglu:] S superlim *nt*
superhero ['su:pəhɪərəu] S superhelt *m*
superhuman [su:pə'hju:mən] ADJ (*effort, strength*) overmenneskelig
superimpose ['su:pərɪm'pəuz] VT ▸ **to superimpose sth (on)** (*+picture, word etc*) legge* noe oppå; (*+ideas, structures*) overføre (*v2*) noe (til)
superintend [su:pərɪn'tɛnd] VT føre (*v2*) tilsyn med, overvåke (*v1*)
superintendent [su:pərɪn'tɛndənt] S (*of place, activity*) tilsynsmann *m irreg*, tilsynsfører *m*; (*POLITI*) ≈ overbetjent *m*
superior [su'pɪərɪəʳ] 1 ADJ (**a**) (*= better, smug*) overlegen ❑ *The computer is vastly superior to the book.* Datamaskinen er betydelig overlegen i forhold til boka. *He turned to me with a superior smile.* Han snudde seg mot meg med et overlegent smil.
(**b**) (*= more senior*) med høyere rang, overordnet ❑ *These matters are better left to someone superior to you.* Disse sakene bør helst overlates til noen med høyere rang enn deg.
2 S overordnet *m decl as adj* ❑ *He was called to the office of a superior.* Han ble innkalt til kontoret til en overordnet.
▸ **superior to** (**a**) (*= better*) overlegen i forhold til (**b**) (*= more senior*) med høyere rang enn
▸ **Mother Superior** abbedisse *c*; (*used as proper name*) abbedissen
superiority [supɪərɪ'ɔrɪtɪ] S overlegenhet *c* ❑ *...their vast superiority in speed.* ...deres betydelige overlegenhet med hensyn til fart.
superlative [su'pə:lətɪv] 1 S superlativ *m*
2 ADJ fremragende
▸ **in the superlative** i superlativ
superman ['su:pəmæn] *irreg* S overmenneske *nt*, supermann *m irreg*
▸ **Superman** Supermann
supermarket ['su:pəmɑ:kɪt] S supermarked *nt*
supermodel ['su:pəmɔdl] S supermodell *m*
supernatural [su:pə'nætʃərəl] 1 ADJ (*creature, force etc*) overnaturlig
2 S ▸ **the supernatural** overnaturlige ting *pl*, det overnaturlige
supernova [su:pə'nəuvə] S supernova *m*
superpower ['su:pəpauəʳ] S supermakt *c*
superscript ['su:pəskrɪpt] S halvsteg *nt* opp
supersede [su:pə'si:d] VT avløse (*v2*), erstatte (*v1*) ❑ *Steam locomotives were superseded by diesel.* Damplokomotiver ble avløst av *or* erstattet med diesel.
supersonic ['su:pə'sɔnɪk] ADJ (*flight, aircraft*) supersonisk
superstar ['su:pəstɑ:ʳ] (*FILM, SPORT etc*) S superstjerne *c*
superstition [su:pə'stɪʃən] S overtro *c no pl* ❑ *Coincidences have often given rise to superstitions.* Sammentreff har ofte vært grobunn for overtro.
superstitious [su:pə'stɪʃəs] ADJ overtroisk ❑ *Many people are superstitious about death.* Mange er overtroiske om døden.
superstore ['su:pəstɔ:ʳ] (*BRIT*) S stormarked *nt*, (stort) supermarked *nt*
supertanker ['su:pətæŋkəʳ] S supertanker *m*
supertax ['su:pətæks] S ≈ toppskatt *m*
supervise ['su:pəvaɪz] VT (**a**) (*+person*) passe (*v1*) på, holde* oppsyn med ❑ *Jenny was supervising her children in a game of football.* Jenny passet på *or* holdt oppsyn med barna sine i en fotballkamp.
(**b**) (*+activity*) overvåke (*v1*), holde* oppsyn med ❑ *Miss Young had three netball games to supervise.* Frk Young hadde tre nettballkamper å overvåke *or* holde oppsyn med.
supervision [su:pə'vɪʒən] S tilsyn *nt* ❑ *I was principally concerned with staff supervision.* Jeg var først og fremst involvert i tilsyn med personalet.
▸ **under medical supervision** under legetilsyn ❑ *"Only to be taken under medical supervision".* "Skal bare tas under legetilsyn".
supervisor ['su:pəvaɪzəʳ] S (*of workers*) oppsynsmann *m irreg*, tilsynsmann *m irreg*; (*of students*) veileder *m*
supervisory ['su:pəvaɪzərɪ] ADJ (*staff, role*) tilsyns-
supine ['su:paɪn] 1 ADJ liggende utstrakt på ryggen
2 ADV utstrakt på ryggen
supper ['sʌpəʳ] S (**a**) (*early evening*) ≈ middag *m* (**b**) (*late evening*) ≈ kveldsmat *m*, aftensmat *m*
▸ **to have supper** spise (*v2*) middag/kveldsmat
supplant [sə'plɑ:nt] VT (*+person, thing*) fortrenge (*v2*)
supple ['sʌpl] ADJ (*person, body, leather etc*) myk, smidig
supplement [*N* 'sʌplɪmənt, *VB* sʌplɪ'mɛnt] 1 S (**a**) (*= additional amount : of vitamins etc*) tilskudd *nt* ❑ *They eat fish as a supplement to their natural diet.* De spiser fisk som et tilskudd til sin vanlige diett.
(**b**) (*of book*) tillegg *nt*, supplement *nt* ❑ *...a Supplement to the Oxford English Dictionary.* ...et tillegg *or* et supplement til Oxford English Dictionary.
(**c**) (*of newspaper, magazine*) bilag *nt*
2 VT supplere (*v2*)
supplementary [sʌplɪ'mɛntərɪ] ADJ tilleggs-, supplerende
supplementary benefit (*BRIT : gam*) S tilleggstrygd *c*
supplier [sə'plaɪəʳ] (*MERK*) S (*person, firm*) leverandør *m*
supply [sə'plaɪ] 1 VT (**a**) (*= provide*) levere (*v2*), skaffe (*v1*) ❑ *Germany is supplying much of the steel.* Tyskland leverer *or* skaffer mye av stålet.
(**b**) (*MERK : deliver*) levere (*v2*) ❑ *Goods can be supplied at very short notice.* Varer kan leveres

på svært kort varsel.
(**c**) (*+a need*) dekke (*v1 or v2x*) ❑ *Advertisers aim first to create a need, then to supply it.* Reklamefolk søker først å skape et behov, så å dekke det.
2 s (**a**) (= *stock*) forsyning *c*, forråd *nt* ❑ *Bill had his own supply of whisky.* Bill hadde sin egen forsyning *or* sitt eget forråd av whisky.
(**b**) (= *supplying*) leveranse *m* ❑ *Supply of the first 850 tractors was soon arranged.* Leveranse av de første 850 traktorene ble raskt ordnet.
(**c**) (*ØKON*) tilbud *nt*
▸ **supplies** SPL (**a**) (*food*) forsyninger
(**b**) (*MIL*) forsyningstjeneste *m* ❑ *They tried to stop supplies reaching the guerrillas.* De prøvde å hindre forsyningstjenesten i å nå geriljaen.
▸ **office supplies** kontorutstyr *nt*, kontorartikler *pl*
▸ **oil is in short supply** det er knapt med olje, det er liten *or* vanskelig tilgang på olje
▸ **the electricity/water/gas supply** strøm-/vann-/gassforsyningen
▸ **supply and demand** tilbud og etterspørsel
▸ **to supply sth to sb** levere (*v2*) noe til noen, forsyne (*v2*) noen med noe ❑ *Much of the material supplied to the army was faulty.* Mye av materialet som ble levert til hæren *or* som hæren ble forsynt med var defekt.
▸ **to supply sth with sth** forsyne (*v2*) noe med noe ❑ *Most large towns are supplied with electricity.* De fleste store byer har strømforsyning *or* blir forsynt med strøm.
▸ **it comes supplied with an adaptor** den blir levert (utstyrt) med en adapter

supply teacher (*BRIT*) s lærervikar *m*

support [sə'pɔːt] 1 s (**a**) (*moral, financial etc*) støtte *c* ❑ *They had failed to mobilize trade union support.* De hadde ikke greid å mobilisere støtte fra fagforeningen.
(**b**) (*TEKN*) bærebjelke *m* ❑ *Most large scale buildings now have steel supports.* De fleste større bygninger har nå bærebjelker i stål.
2 VT (**a**) (*morally: policy etc*) støtte (*v1*)
(**b**) (*financially: family etc*) forsørge (*v1*) ❑ *He has a wife and three children to support.* Han har kone og tre barn å forsørge.
(**c**) (*TEKN: hold up*) bære* ❑ *...the girders that supported the walkway.* ...bjelkene som bar gangbroen.
(**d**) (= *sustain: theory etc*) underbygge (*v3x*) ❑ *There was simply no evidence to support such a theory.* Det var simpelthen ikke noe bevis for å underbygge en slik teori.
(**e**) (*+football team etc*) støtte (*v1*), være* tilhenger av
▸ **in support of** til støtte for
▸ **to support o.s.** (*financially*) forsørge (*v1*) seg selv

supporter [sə'pɔːtəʳ] s (**a**) (*POL etc*) tilhenger *m*, støttespiller *m*
(**b**) (*SPORT*) tilhenger *m* ❑ *...a Liverpool supporter.* ...en Liverpooltilhenger.

supporting [sə'pɔːtɪŋ] ADJ (*role*) bi-; (*actor*) *som har en birolle*

supportive [sə'pɔːtɪv] ADJ støttende
▸ **to be supportive of sb/sth** støtte (*v1*) noen/noe

suppose [sə'pəuz] VT (**a**) (= *think likely*) tro (*v4*), anta* ❑ *No one supposes that nuclear weapons are going to be abolished.* Ingen tror *or* antar at kjernefysiske våpen vil bli* utradert.
(**b**) (= *imagine*) anta*, kunne* tenke seg ❑ *I suppose that's what happened.* Jeg kan tenke meg *or* Jeg antar det var det som skjedde.
▸ **he is supposed to do it** (*duty*) han skal (egentlig) gjøre* det ❑ *You are supposed to report it to the police as soon as possible.* Du skal (egentlig) melde det til politiet så fort som mulig.
▸ **it was worse than she'd supposed** det var verre enn hun hadde tenkt seg *or* antatt
▸ **I don't suppose she'll come** jeg tror ikke hun kommer
▸ **he's about sixty, I suppose** han er omtrent seksti, tenker jeg
▸ **he's supposed to be an expert** han skal visst være* ekspert
▸ **I suppose so/not** jeg tror *or* antar det/jeg tror ikke det

supposedly [sə'pəuzɪdlɪ] ADV som skal være, som antas å være ❑ *...a robot supposedly capable of understanding commands.* ...en robot som skal være* i stand til *or* som antas å være* i stand til å forstå ordre.

supposing [sə'pəuzɪŋ] KONJ sett at ❑ *Supposing something should go wrong, what would you do then?* Sett at noe skulle* gå* galt, hva ville* du gjøre* da?

supposition [sʌpə'zɪʃən] s antakelse *m*, formodning *m*

suppository [sə'pɔzɪtrɪ] s stikkpille *m*

suppress [sə'prɛs] VT (*+revolt*) slå* ned; (*+desire, feelings, yawn, activities*) undertrykke (*v2x*); (*+information, publication*) holde* tilbake; (*+scandal*) dysse (*v1*) ned

suppression [sə'prɛʃən] s (*of rights, activities*) undertrykking *c*, undertrykkelse *m*; (*of information*) hemmeligholdelse *m*; (*of feelings, yawn*) undertrykking *c*, undertrykkelse *m*

supremacy [su'prɛməsɪ] s overherredømme *nt* ❑ *...the struggle to maintain white supremacy.* ...kampen for å opprettholde hvitt overherredømme.

supreme [su'priːm] ADJ (**a**) (*in titles*) øverst-, høyest ❑ *...the Supreme Commander.* ...øverstkommanderende.
(**b**) (*effort, achievement*) størst ❑ *...an act of supreme heroism.* ...en handling som krevde det største mot.

Supreme Court (*US*) s ≈ Høyesterett *m*

supremo [su'priːməu] (*BRIT: sl*) s boss *m*

Supt. (*POLITI*) FK = **superintendent**

surcharge ['səːtʃɑːdʒ] s tilleggsavgift *c* ❑ *...a 15% import surcharge.* ...en 15 % tilleggsavgift på import.

sure [ʃuəʳ] 1 ADJ sikker ❑ *How could he be so sure?* Hvordan kunne* han være* så sikker? *...a sure sign of woodworm.* ...et sikkert tegn på tremark.
2 ADV (*sl: esp US*) ▸ **that sure is pretty** det er

jammen pent
▸ **to make sure of sth/that** forvisse (*v1*) seg om noe/at, forsikre (*v1*) seg om noe/at
▸ **sure!** (= *of course*) klart (det)!, selvfølgelig!
▸ **sure enough** ganske riktig
▸ **I'm sure of it** det er jeg sikker på
▸ **I'm not sure how/why/when** jeg er ikke sikker på hvordan/hvorfor/når
▸ **to be sure of o.s.** være* sikker på seg selv
sure-fire ['ʃuəfaɪəʳ] (*sl*) ADJ garantert
sure-footed [ʃuə'futɪd] ADJ (*animal, person*) sikker på foten
surely ['ʃuəlɪ] ADV sikkert
▸ **surely you don't mean that!** du mener vel ikke det!
surety ['ʃuərətɪ] s (*money*) sikkerhet *c* ❑ *He gave me a gold watch as surety.* Han gav meg en gullklokke som sikkerhet.
▸ **to go** *or* **stand surety for sb** kausjonere (*v2*) for noen
surf [sə:f] 1 s brenninger *pl*
2 VT (*+waves*) surfe (*v1*)
▸ **to surf the Net** surfe (*v1*) på nettet
surface ['sə:fɪs] 1 s (**a**) (*of object*) flate *m* ❑ *...all outer surfaces of the trunk.* ...alle ytre flater på kofferten.
(**b**) (*top surface, fig*) overflate *c* ❑ *...the surface of the sea.* ...havoverflaten. *...feelings that are well hidden beneath the surface...* følelser som er godt skjult under overflaten...
2 VT (*+road*) asfaltere (*v2*)
3 VI (**a**) (*fish, diver+*) komme* opp til overflaten
(**b**) (*news, feeling+*) dukke (*v1*) opp
(**c**) (= *rise from bed*) komme* seg ut av dynene
▸ **on the surface** (*fig*) på overflaten
surface area s flate *m*
surface mail s overflatepost *m*
surface-to-surface ['sə:fɪstə'sə:fɪs] ADJ (*missile*) bakke-til-bakke
surfboard ['sə:fbɔ:d] s surfbrett *nt*
surfeit ['sə:fɪt] s ▸ **a surfeit of** en overflod av
surfer ['sə:fəʳ] s surfer *m*
surfing ['sə:fɪŋ] s surfing *c*
▸ **to go surfing** surfe (*v2*)
surge [sə:dʒ] 1 s (**a**) (*in demand*) oppsving *m* ❑ *...an unprecedented surge in demand.* ...en enestående oppsving i etterspørselen.
(**b**) (*in flow, emotions*) bølge *m* ❑ *With a surge of pity...* Med en bølge av medfølelse...
(**c**) (*ELEK*) spenningsbølge *m*
2 VI (**a**) (*water+*) fosse (*v1*)
(**b**) (*people, vehicles+*) strømme (*v1*)
(**c**) (*emotion+*) velle (*v1*) opp
▸ **to surge forward** (*crowd+*) bølge (*v1*) forover
surgeon ['sə:dʒən] (*MED*) s kirurg *m*
surgery ['sə:dʒərɪ] s (**a**) (*treatment*) kirurgi *m* ❑ *...brain surgery.* ...hjernekirurgi.
(**b**) (*BRIT: room*) (lege)kontor *nt*
(**c**) (*also* **surgery hours**) konsultasjonstid *c*, kontortid *c*
(**d**) (*of MP etc*) treffetid *c* ❑ *He saw the poster in the doctor's surgery.* Han så plakaten på legekontoret. *The doctor's surgery is from ten till two.* Legens konsultasjonstid *or* kontortid er fra ti til to. *Our MP's weekly surgery is on a Tuesday.* Den ukentlige treffetiden til parlamentsrepresentanten vår er på tirsdager.
▸ **to undergo surgery** bli* operert
▸ **surgery hours** konsultasjonstid *c*, kontortid *c* ❑ *Outside surgery hours...* Utenom konsultasjonstiden *or* kontortiden...
surgical ['sə:dʒɪkl] ADJ (*instrument, mask, treatment*) kirurgisk
surgical spirit (*BRIT*) s sykehussprit *m*
surly ['sə:lɪ] ADJ (*person, behaviour*) gretten, grinet(e)
surmise [sə:'maɪz] VT formode (*v1*)
surmount [sə:'maunt] VT (*+problem, difficulty*) overvinne*
surname ['sə:neɪm] s etternavn *nt*
surpass [sə:'pɑ:s] VT overgå*
surplus ['sə:pləs] 1 s ▸ **surplus (of)** overskudd *nt* (på) ❑ *...the recent worldwide surplus of crude oil.* ...det nylige overskuddet på verdensbasis av råolje.
2 ADJ (*stock, grain etc*) overskudds- ❑ *We have no surplus grain to sell.* Vi har ikke noe overskuddskorn *or* overskudd av korn å selge.
▸ **surplus to our requirements** overflødig i forhold til våre behov
surprise [sə'praɪz] 1 s (**a**) (= *unexpected event*) overraskelse *m* ❑ *This ruling was a surprise to everyone.* Denne beslutningen var en overraskelse for alle.
(**b**) (= *astonishment*) overraskelse *m*, forbauselse *m* ❑ *There was some surprise at his return.* Det var en del forbauselse rundt tilbakekomsten hans.
2 VT (**a**) (= *astonish*) overraske (*v1*), forbause (*v1*) ❑ *It would not surprise me if he ends up in jail.* Det ville* ikke overraske *or* forbause meg om han ender opp i fengsel.
(**b**) (= *catch unawares*) overraske (*v1*) ❑ *She feared her parents would return and surprise them.* Hun fryktet at foreldrene hennes ville* komme tilbake og overraske dem.
▸ **to take sb by surprise** overraske (*v1*) noen, komme* overraskende på noen
▸ **to my (great) surprise** til min (store) overraskelse
▸ **it came as a surprise (to me)** det kom som en overraskelse (på meg)
surprising [sə'praɪzɪŋ] ADJ overraskende
▸ **it is surprising how/that** det er overraskende *or* forbausende hvordan/at
surprisingly [sə'praɪzɪŋlɪ] ADV overraskende, forbausende ❑ *It was surprisingly cheap.* Den var overraskende *or* forbausende billig.
▸ **(somewhat) surprisingly, he agreed** ganske overraskende *or* overraskende nok, var han enig
surrealism [sə'rɪəlɪzəm] s surrealisme *m*
surrealist [sə'rɪəlɪst] ADJ surrealistisk
surrender [sə'rɛndəʳ] 1 s overgivelse *m* ❑ *They tried to starve us into surrender.* De prøvde å sulte oss ut så vil skulle* overgi oss.
2 VI overgi* seg ❑ *The protesters surrendered to the police.* Protestmakerne overgav seg til politiet.
3 VT (**a**) (*+weapon*) gi* fra seg, oppgi*
(**b**) (*+claim, right*) gi* fra seg, oppgi* ❑ *The United States would never surrender this territory.* USA

ville* aldri gi* fra seg *or* oppgi dette territoriet.
surrender value s gjenkjøpsverdi *m*
surreptitious [sʌrəp'tɪʃəs] ADJ i smug, stjålen
surreptitiously [sʌrəp'tɪʃəslɪ] ADV hemmelig, i all hemmelighet
surrogate ['sʌrəgɪt] 1 s (= *substitute*) surrogat *nt*
2 ADJ surrogat- ❑ *...a surrogate father...* en surrogatfar...
surrogate mother s surrogatmor *c*
surround [sə'raund] VT (*walls, hedge etc+*) omgi*; (*MIL, POLITI etc*) omringe (*v1*)
surrounding [sə'raundɪŋ] ADJ omkringliggende
surroundings [sə'raundɪŋz] SPL omgivelser ❑ *We used to live in much nicer surroundings.* Før bodde vi i mye hyggeligere omgivelser.
surtax ['səːtæks] s ≈ toppskatt *m*
surveillance [səː'veɪləns] s overvåking *c* ❑ *I have been subjected to continuous surveillance.* Jeg har blitt utsatt for kontinuerlig overvåking.
▸ **under surveillance** under overvåking
survey [*N* 'səːveɪ, *VB* səː'veɪ] 1 s (*of land, house*) besiktigelse *m*
2 VT (**a**) (*+land, house etc*) besiktige (*v1*)
(**b**) (*+scene, work etc*) betrakte (*v1*), ta* et overblikk over ❑ *She stepped back and surveyed her work.* Hun tok et skritt tilbake og tok et overblikk over *or* betraktet arbeidet sitt.
▸ **a survey of** en oversikt *m* over
surveying [sə'veɪɪŋ] s (*of land*) oppmåling *c*
surveyor [sə'veɪə^r] s (*of land*) landmåler *m*; (*of house*) ≈ takstmann *m irreg*
survival [sə'vaɪvl] 1 s (**a**) (= *continuation of life*) overlevelse *m* ❑ *Our chances of survival were small.* Mulighetene våre til å overleve var små.
(**b**) (*relic*) overlevning *m* ❑ *The tool was a survival from the pre-machine age.* Redskapet var en overlevning fra tiden før maskinene.
2 SAMMENS (*course, kit, bag*) overlevelses-
survive [sə'vaɪv] VTI (*person, animal, custom etc+*) overleve (*v3*) ❑ *She will probably survive me by many years.* Hun vil antakelig overleve meg med mange år.
survivor [sə'vaɪvə^r] s (*of illness, accident*) overlevende *m decl as adj* ❑ *There are no reports of any survivors.* Det er ikke noen rapporter om noen overlevende.
susceptible [sə'sɛptəbl] ADJ ▸ **susceptible (to)** (*+heat, injury*) utsatt for, mottakelig for; (*+flattery, pressure, advertising*) påvirkelig (over)for
suspect [*ADJ, N* 'sʌspɛkt, *VB* səs'pɛkt] 1 ADJ suspekt, mistenkelig
2 s mistenkt *m decl as adj* ❑ *Last week police finally had a suspect for the murder.* I forrige uke hadde politiet endelig en mistenkt for mordet.
3 VT (**a**) (*gen*) mistenke (*v2*) ❑ *He was suspected of treason.* Han ble mistenkt for landssvik. *I suspect the boy is in love.* Jeg mistenker gutten for å være* forelsket.
(**b**) (= *doubt*) tvile (*v2*) på ❑ *She suspected her husband's honesty.* Hun tvilte på ærligheten til mannen sin.
suspected [səs'pɛktɪd] ADJ ▸ **he is a suspected terrorist** han er mistenkt for å være* terrorist
suspend [səs'pɛnd] VT (**a**) (= *hang*) henge (*v2*) ❑ *Dozens of balloons were suspended from the ceiling.* Dusinvis av ballonger var hengt fra taket.
(**b**) (= *delay, stop*) innstille (*v2x*) ❑ *Both governments are refusing to suspend hostilities.* Begge regjeringene nekter å innstille fiendtlighetene.
(**c**) (*from employment*) suspendere (*v2*) ❑ *They have been suspended from their duties.* De har blitt suspendert fra stillingene sine.
suspended animation s (*by hibernating, also fig*) dvale *m*
suspended sentence s ≈ betinget dom *m*
suspender belt s hofteholder *m*
suspenders [səs'pɛndəz] SPL (*BRIT*) strømpestropper; (*US*) bukseseler
suspense [səs'pɛns] s spenning *m* ❑ *The suspense is dreadful.* Spenningen er fryktelig. *...an element of suspense...* et element av spenning...
▸ **to keep sb in suspense** holde* noen i uvisshet
suspension [səs'pɛnʃən] s (**a**) (*BIL*) hjuloppheng *nt*
(**b**) (*from job, team*) suspensjon *m*, suspendering *c* ❑ *If he is found guilty, he could face suspension.* Hvis han blir funnet skyldig, risikerer han suspensjon *or* suspendering.
(**c**) (*of driving licence, payment*) inndragelse *m* ❑ *...the suspension of all payments.* ...inndragelsen av alle betalinger.
suspension bridge s hengebro *c*
suspicion [səs'pɪʃən] s mistanke *m* ❑ *I had aroused his suspicions.* Jeg hadde vekket mistanke hos ham. *The suspicion grew in Darwin's mind that species were...* Mistanken vokste hos Darwin om at artene var... *My dog barks at the slightest suspicion of danger.* Hunden min bjeffer ved den minste mistanke om fare.
▸ **to be under suspicion** være* under mistanke, være* mistenkt
▸ **arrested on suspicion of murder** arrestert mistenkt for mord
suspicious [səs'pɪʃəs] ADJ (**a**) (= *suspecting: look*) mistenksom ❑ *He shot a suspicious glance at me.* Han kastet et mistenksomt blikk på meg.
(**b**) (= *causing suspicion: circumstances*) mistenkelig ❑ *There were suspicious circumstances about his death.* Det var mistenkelige omstendigheter rundt dødsfallet.
▸ **to be suspicious of** *or* **about sb/sth** være* mistenksom overfor noe
suss out [sʌs-] (*BRIT: sl*) VT (**a**) (= *discover*) finne* ut (av) ❑ *I've sussed out how this thing works.* Jeg har funnet ut (av) hvordan denne saken virker.
(**b**) (= *understand: person*) finne* ut av ❑ *She had me sussed out in ten minutes.* Hun hadde funnet ut av meg på ti minutter.
sustain [səs'teɪn] VT (**a**) (= *continue: interest etc*) holde* oppe, opprettholde*
(**b**) (*food, drink+*) styrke (*v1*), holde* liv i ❑ *They had nothing to sustain them all day.* De hadde ingenting å styrke seg på *or* til å holde liv i seg hele dagen.
(**c**) (= *suffer: injury*) pådra* seg ❑ *He sustained a serious wound in the battle.* Han pådrog seg et

alvorlig sår i slaget.
sustainable [səs'teɪnəbl] ADJ bærekraftig
▸ **sustainable growth** bærekraftig utvikling *c*
sustained [səs'teɪnd] ADJ (*effort, attack*) langvarig
sustenance ['sʌstɪnəns] S næring *c*
suture ['suːtʃəʳ] S sutur *m*
SW (*RADIO*) FK = **short wave**
swab [swɔb] 1 S (*MED*) bomullsdott *m*
2 VT (*NAUT: **swab down***) svabre (*v1*)
swagger ['swægəʳ] VI spankulere (*v2*)
swallow ['swɔləu] 1 S (**a**) (*bird*) svale *c*
(**b**) (*eating, drinking: of food*) jafs *m*
(**c**) (*of drink*) slurk *m*
2 VT (*+food, pills, story, pride*) svelge (*v1*) ❑ *I would have swallowed any story she told me.* Jeg ville* ha* svelget en hvilken som helst historie hun fortalte meg. *He swallowed his pride and said "Forget it."* Han svelget stoltheten og sa "Glem det."
▸ **swallow up** VT (*+savings, company*) (opp)sluke (*v2*) ❑ *He did not want his firm to be swallowed up by a multinational giant.* Han ville* ikke at firmaet hans skulle* bli* (opp)slukt av en multinasjonal kjempe.
swam [swæm] PRET *of* **swim**
swamp [swɔmp] 1 S sump *m*
2 VT oversvømme (*v2x*) ❑ *Sudden heavy seas swamped the ship.* Brottsjøer oversvømte skipet. *The switchboard was swamped with complaints.* Sentralbordet var oversvømt av klager.
swampy ['swɔmpɪ] ADJ sumpet(e)
swan [swɔn] S svane *m*
swank [swæŋk] (*sl*) VI blære (*v1*) seg
swansong ['swɔnsɔŋ] S (*fig*) svanesang *m*
swap [swɔp] 1 S bytte *nt*, byttehandel *m* ❑ *Let's do a swap.* La oss gjøre* et bytte *or* en byttehandel.
2 VT ▸ **to swap (for)** (**a**) (*= exchange*) bytte (*v1*) (mot) ❑ *I would not swap my career for anyone else's.* Jeg ville* ikke bytte (bort) karrieren min mot noen annens.
(**b**) (*= replace*) bytte (*v1*) (med *or* mot) ❑ *I swapped my cap for a large black hat.* Jeg byttet (bort) lua mi med *or* mot en stor svart hatt.
SWAPO ['swɑːpu] S FK (= **South-West Africa People's Organization**) SWAPO
swarm [swɔːm] 1 S (**a**) (*of bees*) sverm *m*
(**b**) (*of people*) sverm *m*, mylder *nt* ❑ *...a swarm of photographers.* ...en sverm *or* et mylder av fotografer.
2 VI (**a**) (*bees+*) sverme (*v1*)
(**b**) (*people+*) myldre (*v1*) ❑ *They swarmed across the bridge.* De myldret over broa.
▸ **to be swarming with** myldre (*v1*) av ❑ *The White House garden was swarming with security men.* Hagen rundt Det hvite hus myldret av sikkerhetsmenn.
swarthy ['swɔːðɪ] ADJ (*person, complexion, face*) svartsmusket
swashbuckling ['swɔʃbʌklɪŋ] ADJ (*film*) eventyr-; (*role, hero*) eventyr-, djerv
swastika ['swɔstɪkə] S hakekors *nt*
swat [swɔt] 1 VT (*+insect*) smekke (*v1*)
2 S (*BRIT: **fly swat***) fluesmekker *m*
swathe [sweɪð] VT ▸ **to swathe in** (*+bandages, blankets*) svøpe (*v2*) (inn) i ❑ *Her face was swathed in a scarf.* Ansiktet hennes var svøpt (inn) i et skjerf.
swatter ['swɔtəʳ] S (*also **fly swatter***) fluesmekker *m*
sway [sweɪ] 1 VI (*person, tree+*) svaie (*v1*)
2 VT (*= influence*) påvirke (*v1*) ❑ *Do not be swayed by glamorous advertisements.* Ikke la deg påvirke av glamorøse reklamer.
3 S ▸ **to hold sway (over sb)** ha* makt(en) (over noen)
Swaziland ['swɑːzɪlænd] S Swaziland
swear [swɛəʳ] (*pt* **swore**, *pp* **sworn**) 1 VI (= *curse*) banne (*v1*) ❑ *He could hear them swearing at each other.* Han kunne* høre at de bannet til hverandre.
2 VT (= *promise*) sverge (*v1*) på ❑ *I swear I will never tell anyone.* Jeg sverger på at jeg aldri skal fortelle det til noen.
▸ **to swear an oath** avlegge* ed
▸ **swear in** VT ta* i ed ❑ *The jury was sworn in on March 14.* Juryen ble tatt i ed den 14. mars.
swearword ['swɛəwəːd] S banneord *nt*
sweat [swɛt] 1 S svette *m* ❑ *Jack paused, wiping the sweat from his face.* Jack stoppet litt og tørket svetten av ansiktet.
2 VI svette (*v1*) ❑ *He was sweating like a bullock.* Han svettet som en gris.
▸ **to be in a sweat** svette (*v1*); (*fig*) kaldsvette (*v1*)
sweatband ['swɛtbænd] S svettebånd *nt*
sweater ['swɛtəʳ] S genser *m*
sweatshirt ['swɛtʃəːt] S college-genser *m*
sweatshop ['swɛtʃɔp] (*neds*) S *fabrikk som utnytter arbeiderne*
sweaty ['swɛtɪ] ADJ (*clothes, hands*) svett
Swede [swiːd] S svenske *m*
swede [swiːd] (*BRIT*) S kålrabi *m*, kålrot *c*
Sweden ['swiːdn] S Sverige
Swedish ['swiːdɪʃ] ADJ, S svensk
sweep [swiːp] (*pt, pp* **swept**) 1 S (**a**) (= *act of sweeping*) ▸ **the floor could do with a sweep** gulvet trenger å feies
(**b**) (*curve*) *vidstrakt område* NB *...the sweep of the hills.* ...de vidstrakte åsene.
(**c**) (*range*) spekter *nt* ❑ *...a broad sweep of left-wing opinion.* ...et bredt spekter av opinionen på venstrefløyen.
(**d**) (*also **chimney sweep***) feier *m*
2 VT (**a**) (*with brush, hand, wind, current*) feie (*v3*) ❑ *I cleaned the windows and I swept the floor.* Jeg vasket vinduene og jeg feide gulvet. *She swept the bottles from her bedside table.* Hun feide ned flaskene fra nattbordet sitt. *She was swept out to sea by the currents.* Hun ble feid ut til havs av strømmen.
(**b**) (*+one's hair*) stryke* vekk ❑ *She swept her hair off her face.* Hun strøk håret vekk fra ansiktet.
3 VI (**a**) (*hand, arm+*) fare* ❑ *Their hands sweep down through the air.* Hendene deres farer ned gjennom lufta.
(**b**) (*wind+*) feie (*v3*) ❑ *Cold winds sweep over the plains.* Kalde vinder feier over vidder.
▸ **sweep away** VT feie (*v3*) til side ❑ *All these restrictions were swept away.* Alle disse restriksjonene ble feid til side.

▸ **sweep past** VI feie (*v3*) forbi ❑ *She swept past in a blue velvet dress.* Hun feide forbi i en blå fløyelskjole.
▸ **sweep up** VI feie (*v3*) opp ❑ *Make sure you sweep up before you leave.* Pass på at du feier opp før du går.
sweeper ['swi:pə^r] S (*FOTB*) sweeper *m*; (*also* ***carpet sweeper***) teppefeier *m*
sweeping ['swi:pɪŋ] ADJ (*gesture*) feiende; (*changes, reforms*) vidtfavnende, omfattende; (*statement*) svært generell
sweepstake ['swi:psteɪk] S sweepstake *m*
sweet [swi:t] 1 S (**a**) (*BRIT: piece of candy*) sukkertøy *nt*/karamell *m*
(**b**) (*BRIT: pudding*) dessert *m*
2 ADJ (**a**) (*gen*) søt ❑ *...a cup of sweet tea.* ...en kopp søt te. *My grandparents were very sweet to me.* Besteforeldrene mine var veldig søte mot meg. *She has a really sweet face.* Hun hadde et virkelig søtt ansikt.
(**b**) (*sound*) liflig
(**c**) (*air, water*) deilig og frisk ❑ *No other well has such sweet water.* Ikke noen annen brønn har slikt deilig, friskt vann.
3 ADV ▸ **to smell/taste sweet** lukte/smake søtt
▸ **sweets** (*BRIT: candy*) godteri *nt*
▸ **sweet and sour** sursøt ❑ *...sweet-and-sour pork.* ...sursøtt svinekjøtt.
sweetbread ['swi:tbrɛd] S brissel *m*
sweetcorn ['swi:tkɔ:n] S sukkermais *m*
sweeten ['swi:tn] VT (**a**) (= *add sugar to*) søte (*v1*) ❑ *...tea sweetened with honey.* ...te søtet med honning.
(**b**) (= *soften: temper*) blidgjøre* ❑ *He bought her lunch to sweeten her.* Han spanderte lunsj på henne for å blidgjøre henne.
sweetener ['swi:tnə^r] S (**a**) (*KULIN*) søtstoff *nt*, søtningsmiddel *nt*
(**b**) (*fig*) smøring *c* ❑ *They offered him a company car as a sweetener.* De tilbød ham en firmabil som smøring.
sweetheart ['swi:thɑ:t] S (**a**) (= *boyfriend/girlfriend*) kjæreste *m* ❑ *...his childhood sweetheart.* ...barndomskjæresten hans.
(**b**) (*address form*) kjæreste, skatten min ❑ *"Mary's leaving now, sweetheart."* "Mary drar nå, skatten min *or* kjæreste."
sweetness ['swi:tnɪs] S (**a**) (= *amount of sugar*) søthet *c*, søtsmak *m*
(**b**) (= *kindness*) vennlighet *c* ❑ *He possessed great generosity and sweetness.* Han var svært raus og vennlig.
sweet pea S blomsterert *c*
sweet potato S søtpotet *c*
sweetshop ['swi:tʃɔp] (*BRIT*) S godtebutikk *m*
sweet tooth S ▸ **to have a sweet tooth** være* glad i søtsaker
swell [swɛl] (*pt* **swelled**, *pp* **swollen** *or* **swelled**)
1 S (*of sea*) dønning *m* ❑ *A swell caught the raft and lifted it.* En dønning fikk tak i flåten og løftet den opp.
2 ADJ (*US: sl: excellent*) herlig ❑ *She's a swell kid.* Hun er en herlig unge.
3 VI (**a**) (= *increase: numbers*) vokse (*v2*) ❑ *It took twenty years for the population to swell to twice its size.* Det tok tjue år før befolkningen vokste til dobbelt størrelse.
(**b**) (= *get stronger: sound*) vokse (*v2*), øke (*v2*) ❑ *The music swelled and quickened.* Musikken vokste *or* økte og ble raskere.
(**c**) (*also* ***swell up***: *face, ankle etc*) hovne (*v1*) opp
swelling ['swɛlɪŋ] S (*on body*) opphovning *m*, hevelse *m*
sweltering ['swɛltərɪŋ] ADJ (*heat, weather, day*) glohet, kokvarm
swept [swɛpt] PRET, PP *of* **sweep**
swerve [swə:v] VI (*person, animal, vehicle+*) skjene (*v2*) ❑ *The car almost swerved off the road...* Bilen skjente nesten av veien...
swift [swɪft] 1 S (*bird*) tårnseiler *m*
2 ADJ (= *rapid: recovery, response*) rask; (= *moving quickly: stream, glance*) rask, hurtig
swiftly ['swɪftlɪ] ADV raskt, hurtig
swiftness ['swɪftnɪs] S fart *c*, hurtighet *c* ❑ *The country was occupied with dramatic swiftness.* Landet ble okkupert med en dramatisk fart *or* hurtighet.
swig [swɪg] (*sl*) 1 S (= *mouthful*) slurk *m* ❑ *He took a long swig of whiskey.* Han tok en stor slurk whisky.
2 VT tylle (*v1*) i seg, helle (*v2x*) i seg ❑ *They used to sit and swig gin in the park.* De satt gjerne og tyllet *or* helte i seg gin i parken.
swill [swɪl] 1 VT (*also* ***swill out, swill down***) skylle (*v2x*)
2 S (*for pigs*) skyller *pl*
swim [swɪm] (*pt* **swam**, *pp* **swum**) 1 VI (**a**) (*person, animal+*) svømme (*v2x*) ❑ *We managed to swim ashore.* Vi klarte å svømme i land.
(**b**) (*head+*) ▸ **my head is swimming** det går rundt i hodet på meg ❑ *All that dancing has made my head swim.* All den dansingen har fått det til å gå* rundt i hodet på meg.
2 VT (**a**) (*+the Channel*) svømme (*v2x*) over
(**b**) (*+a length*) svømme (*v2x*) ❑ *Once I swam eight kilometres.* En gang svømte jeg åtte kilometer.
3 S ▸ **to go for a swim** dra* på svømmetur, gå* for å svømme
▸ **to go swimming** dra* på svømmetur, gå* for å svømme
swimmer ['swɪmə^r] S (*able to swim*) *svømmedyktig person*; (*person swimming*) *person som svømmer*; (*sports(wo)man*) svømmer *m*
swimming ['swɪmɪŋ] S svømming *c*
swimming baths (*BRIT*) SPL svømmehall *m*
swimming cap S badehette *c*
swimming costume (*BRIT*) S badedrakt *c*
swimmingly ['swɪmɪŋlɪ] (*sl*) ADV strålende
swimming pool S svømmebasseng *nt*
swimming trunks SPL badebukser ❑ *...a pair of swimming trunks.* ...et par badebukser *or* en badebukse.
swimsuit ['swɪmsu:t] S badedrakt *c*
swindle ['swɪndl] 1 S svindel *m*
2 VT ▸ **to swindle sb (out of sth)** svindle (*v1*) noen (for noe) ❑ *I'm sure they swindled you out of that money.* Jeg er sikker på at de svindlet deg for de pengene.
swindler ['swɪndlə^r] S svindler *m*
swine [swaɪn] (*neds*) S svin *nt*

swing [swɪŋ] (*pt, pp* **swung**) [1] s (**a**) (*in playground*) huske *c*
(**b**) (*movement*) vugging *c* ❑ *...with an exaggerated swing of the hips.* ...med en overdreven vugging på hoftene.
(**c**) (*change: in opinions etc*) svingning *m* ❑ *There's been a swing in the public's opinion of the government.* Det har vært en svingning *or* dreining i den allminnelige meningen om regjeringen.
(**d**) (*MUS*) swing *m*
[2] VT (**a**) (*+arms, legs*) svinge (*v2*) med ❑ *He sat there swinging his legs.* Han satt der og svingte med beina.
(**b**) (*also* ***swing round***: *vehicle etc*) svinge (*v2*) rundt
[3] VI (**a**) (*pendulum, door+*) svinge (*v2*)
(**b**) (*also* ***swing round***: *person, animal, vehicle*) svinge (*v2*) rundt
▸ **a swing to the left** (*POL*) en venstresving, en dreining mot venstre
▸ **to get into the swing of things** komme ordentlig i gang
▸ **to be in full swing** (*party etc+*) være* i full sving

swing bridge s svingbro *c*

swing door, **swinging door** (*US*) s svingdør *c*

swingeing ['swɪndʒɪŋ] (*BRIT*) ADJ (*blow, attack*) knusende; (*cuts, increases*) drastisk, brutal

swipe [swaɪp] [1] VT (**a**) (*also* ***swipe at***: *hit*) delje (*v1*) til ❑ *He swiped at the wasp with a newspaper.* Han deljet til vepsen med en avis.
(**b**) (*sl: steal*) rappe (*v1*) (*sl*)
[2] s (= *hit*) slag *nt* ❑ *She took a swipe at the nettles.* Hun langet ut et slag mot neslene.

swirl [swə:l] [1] VI (*water, smoke, leaves+*) virvle (*v1*)
[2] s virvling *c* ❑ *...the slow swirl of the stream.* ...den langsomme virvlingen i bekken.

swish [swɪʃ] [1] VI (**a**) (*tail+*) piske (*v1*), vifte (*v1*) (*med en vislende lyd*)
(**b**) (*fabric+*) ▸ **the curtains swished open** gardinene blåste opp (med en vislende lyd)
[2] s pisking *c* ❑ *...the swish of a horse's tail.* ...piskingen av en hestehale.
[3] ADJ (*sl: car, nightclub etc*) chic

Swiss [swɪs] [1] ADJ sveitsisk
[2] S UBØY (*person*) sveitser *m*

Swiss French ADJ sveitserfransk

Swiss German ADJ sveitsertysk

Swiss roll s rullekake *c*, rulade *m*

switch [swɪtʃ] [1] s (**a**) (*for light, radio etc*) bryter *m*
(**b**) (*change*) skifte (*v1*) ❑ *...a switch in the paper's editorial policy.* ...et skifte i avisens redaksjonelle linje.
[2] VT (**a**) (= *change*) bytte (*v1*), skifte (*v1*) ❑ *In the second half, Chelsea suddenly switched tactics.* I andre omgang byttet *or* skiftet Chelsea plutselig taktikk.
(**b**) (= *exchange*) skifte (*v1*) ❑ *The plane switched loads and took off.* Flyet skiftet last og tok av.
▸ **to switch (round** *or* **over)** bytte (*v1*) (om på) ❑ *Switch those two words round...* Bytt om på de to ordene...

▸ **switch off** [1] VT (*+light, radio, machine*) skru (*v4*) av, slå* av
[2] VI (*fig*) stenge (*v2*) av ❑ *The lecture was so boring I just switched off.* Forelesningen var så kjedelig at jeg bare stengte av.

▸ **switch on** VT (*+light, radio, machine*) skru (*v4*) på, slå* på

switchback ['swɪtʃbæk] (*BRIT*) s (*road etc*) bakkete vei *m*

switchblade ['swɪtʃbleɪd] s springkniv *m*

switchboard ['swɪtʃbɔ:d] s sentralbord *nt*

switchboard operator s sentralbordbetjent *m*

Switzerland ['swɪtsələnd] s Sveits

swivel ['swɪvl] VI (*also* ***swivel round***) svinge (*v2*) *or* dreie (*v3*) rundt

swollen ['swəulən] [1] PP *of* **swell**
[2] ADJ (*ankle etc*) hoven, opphovnet; (*lake etc*) med høy vannføring, svulmende

swoon [swu:n] [1] VI (**a**) (*faint*) dåne (*v2*)
(**b**) (*be carried away*) fortape (*v2*) seg ❑ *We fell in love, and swooned in each other's arms.* Vi ble forelsket, og fortapte oss i hverandres armer.
[2] s ▸ **she fell off her chair in a swoon** hun dånte og falt av stolen sin

swoop [swu:p] [1] s (**a**) (*by police etc*) stormangrep *nt* ❑ *The police made a swoop on the headquarters.* Politiet gjorde et stormangrep på hovedkvarteret.
(**b**) (*of bird etc*) stup *nt* ❑ *The swallow made another dazzling swoop through the air.* Svalen gjorde et nytt praktfullt stup gjennom lufta.
[2] VI (*also* ***swoop down***: *bird, plane*) stupe (*v2*) ned ❑ *We saw a distant eagle swoop down from the sky.* Vi så en ørn i det fjerne som stupte ned fra himmelen.

swop [swɔp] = **swap**

sword [sɔ:d] s sverd *nt*

swordfish ['sɔ:dfɪʃ] s sverdfisk *m*

swore [swɔ:ʳ] PRET *of* **swear**

sworn [swɔ:n] [1] PP *of* **swear**
[2] ADJ (**a**) (*statement, evidence*) edsvoren ❑ *He made a sworn statement to the police.* Han avla en edsvoren forklaring til politiet.
(**b**) (*enemy*) svoren ❑ *They had been sworn enemies since their schooldays.* De hadde vært svorne fiender siden skoledagene.

swot [swɔt] [1] VI pugge (*v1*) ❑ *...time to swot for exams...* tid til å pugge til eksamen...
[2] s (*neds: person*) pugghest *m*

▸ **swot up** VT ▸ **to swot up (on)** pugge (*v1*)

swum [swʌm] PP *of* **swim**

swung [swʌŋ] PRET, PP *of* **swing**

sycamore ['sɪkəmɔ:ʳ] s platanlønn *m*

sycophant ['sɪkəfænt] s spyttslikker *m*

sycophantic [sɪkə'fæntɪk] ADJ (*behaviour, person*) innsmigrende, smiskende

Sydney ['sɪdnɪ] s Sydney

syllable ['sɪləbl] s stavelse *m*

syllabus ['sɪləbəs] s pensum *nt*
▸ **on the syllabus** på pensum

symbol ['sɪmbl] s (**a**) (*sign, also MATH*) tegn *nt*, symbol *nt* ❑ *I use my own symbol for "very approximately".* Jeg bruker mitt eget tegn *or* symbol for "svært omtrentelig".
(**b**) (*representation*) symbol *nt* ❑ *...a red circle as a symbol of the Revolution.* ...en rød sirkel som symbol på revolusjonen.

symbolic(al) [sɪm'bɔlɪk(l)] ADJ symbolsk
▸ **to be symbolic of sth** være* et symbol på noe, være* symbolsk for noe
symbolism ['sɪmbəlɪzəm] S symbolikk *m*
symbolize ['sɪmbəlaɪz] VT symbolisere (*v2*)
symmetrical [sɪ'mɛtrɪkl] ADJ symmetrisk
symmetry ['sɪmɪtrɪ] S symmetri *m* ❑ *...the symmetry of the Square.* ...symmetrien på plassen.
sympathetic [sɪmpə'θɛtɪk] ADJ (**a**) (= *understanding*) medfølende, forståelsesfull (**b**) (= *likeable: character*) sympatisk (**c**) (= *supportive, in agreement*) velvillig, støttende
▸ **to be sympathetic to a cause** være* velvillig innstilt overfor en sak
sympathetically [sɪmpə'θɛtɪklɪ] ADV (**a**) (= *showing understanding*) medfølende ❑ *She put a hand sympathetically on his arm.* Hun la hånden medfølende på armen hans.
(**b**) (= *showing support*) velvillig, med velvilje *or* sympati ❑ *His campaign was reported sympathetically in the papers.* Valgkampen hans ble omtalt med velvilje *or* sympati i avisene.
sympathize ['sɪmpəθaɪz] VI ▸ **to sympathize with** (**a**) (+*person*) sympatisere (*v2*) med, føle (*v2*) med ❑ *Everyone sympathized with Bruce.* Alle sympatiserte *or* følte med Bruce.
(**b**) (+*feelings*) sympatisere (*v2*) med ❑ *We understand such feelings and sympathise with them.* Vi forstår slike følelser og sympatiserer med dem.
(**c**) (+*a cause*) være* velvillig mot *or* overfor ❑ *Everyone sympathized with the anti-colonial cause.* Alle var velvillige mot *or* overfor antikolonialismen.
sympathizer ['sɪmpəθaɪzə^r] S sympatisør *m*
sympathy ['sɪmpəθɪ] S sympati *m*, medfølelse *m*
▸ **sympathies** SPL (*support, tendencies*) sympatier ❑ *His sympathies had been with the Liberals.* Sympatiene hans hadde ligget hos de liberale.
▸ **with our deepest sympathy** med vår dypeste medfølelse *or* deltakelse
▸ **to come out in sympathy** (*workers+*) erklære (*v2*) sympatistreik
symphonic [sɪm'fɔnɪk] ADJ symfonisk
symphony ['sɪmfənɪ] S symfoni *m*
symphony orchestra S symfoniorkester *nt*
symposia [sɪm'pəuzɪə] SPL *of* **symposium**
symposium [sɪm'pəuzɪəm] (*pl* **symposiums** *or* **symposia**) S symposium *nt irreg*
symptom ['sɪmptəm] S ▸ **symptom (of)** (*MED, fig*) symptom *nt* (på) ❑ *...the symptoms of flu.* ...influensasymptomene *or* symptomene på influensa. *...the symptoms of social breakdown.* ...symptomene på sosialt sammenbrudd.
symptomatic [sɪmptə'mætɪk] ADJ
▸ **symptomatic of** symptomatisk for
synagogue ['sɪnəgɔg] S synagoge *m*
sync [sɪŋk] S FK ▸ **in sync** synkron ▸ **out of sync** ikke synkron
synchromesh [sɪŋkrəu'mɛʃ] S synkronisert girkasse *c*
synchronize ['sɪŋkrənaɪz] 1 VT (+*watches, sound, activities*) synkronisere (*v2*)
2 VI ▸ **to synchronize with** være* synkron med
synchronized swimming S synkronsvømming *c*
syncopated ['sɪŋkəpeɪtɪd] ADJ synkopert
syndicate ['sɪndɪkɪt] S syndikat *nt*
syndrome ['sɪndrəum] S (*MED, fig*) syndrom *nt*
synonym ['sɪnənɪm] S synonym *nt*
synonymous [sɪ'nɔnɪməs] ADJ (*fig*)
▸ **synonymous (with)** synonym (med)
synopses [sɪ'nɔpsi:z] SPL *of* **synopsis**
synopsis [sɪ'nɔpsɪs] (*pl* **synopses**) S synopsis *m*
syntactic [sɪn'tæktɪk] ADJ (*error, structure etc*) syntaktisk, syntaks-
syntax ['sɪntæks] S syntaks *m*
syntheses ['sɪnθəsi:z] SPL *of* **synthesis**
synthesis ['sɪnθəsɪs] (*pl* **syntheses**) S syntese *m* ❑ *...a synthesis of Jewish theology and Greek philosophy.* ...en syntese av jødisk teologi og gresk filosofi.
synthesizer ['sɪnθəsaɪzə^r] S synthesizer *m*
synthetic [sɪn'θɛtɪk] ADJ (*materials, fibres, speech*) syntetisk
▸ **synthetics** SPL syntetiske stoffer
syphilis ['sɪfɪlɪs] S syfilis *m*
syphon ['saɪfən] = **siphon**
Syria ['sɪrɪə] S Syria
Syrian ['sɪrɪən] 1 ADJ syrisk
2 S (*person*) syrer *m*
syringe [sɪ'rɪndʒ] S sprøyte *c*
syrup ['sɪrəp] S (**a**) (*sugary liquid*) sukkerlake *m* ❑ *...peaches in (sugar) syrup.* ...ferskener i sukkerlake.
(**b**) (*for drinks*) saft *c* (*til å blande ut*), sirup *m* ❑ *...cough syrup.* ...hostesaft.
(**c**) (*also* **golden syrup**) sirup *m*
syrupy ['sɪrəpɪ] ADJ (*liquid*) sirupsaktig, seig og tyktflytende; (*neds: fig*) klisset(e)
system ['sɪstəm] S (**a**) (*organization, method*) system *nt* ❑ *...a new administrative system.* ...et nytt administrasjonssystem. *The simplest filing system is an alphabetical index.* Det enkleste arkivsystemet er et alfabetisk register. *...the digestive system.* ...fordøyelsessystemet. *...the Scottish legal system.* ...det skotske juridiske systemet.
(**b**) (= *body*) organisme *m*, kropp *m* ❑ *The strenuous exercise made great demands on her system.* Den anstrengende mosjonen krevde mye av organismen *or* kroppen hennes.
▸ **it was a shock to his system** det var et sjokk for organismen *or* kroppen hans
▸ **to get sth out of one's system** få* noe ut av systemet
systematic [sɪstə'mætɪk] ADJ systematisk
system disk S systemdiskett *m*
systems analyst S systemplanlegger *m*

T

T, t [tiː] s (*letter*) T, t *m*
▸ **T for Tommy** T for Teodor
TA (*BRIT*) S FK (= **Territorial Army**) *militær styrke bestående av personer som trenes opp på fritiden for å beskytte Storbritannia*
ta [tɑː] (*BRIT: sl*) INTERJ takk
tab [tæb] s (**a**) (*on drinks can*) kapsel *m*
(**b**) (*on garment*) merkelapp *m*
(**c**) (*on typewriter*) tabulator *m*
▸ **to keep tabs on** (*fig: person, sb's movements*) holde* styring på *or* oversikten over
tabby ['tæbɪ] s (*also* ***tabby cat***) brannete katt *m*
tabernacle ['tæbənækl] s tabernakel *nt*
table ['teɪbl] [1] s (**a**) (*piece of furniture*) bord *nt*
(**b**) (*MAT, KJEM etc*) tabell *m*
[2] VT (*BRIT: motion etc*) framsette*
▸ **to lay** *or* **set the table** dekke (*v1 or v2x*) (på) bordet
▸ **to clear the table** rydde (*v1*) av bordet
▸ **league table** (**a**) (*BRIT: SPORT*) fotball/rugbytabell *m etc*
(**b**) (*for comparing in general, e.g. schools*) tabell *m*
tablecloth ['teɪblklɔθ] s (bord)duk *m*
table d'hôte [tɑːbl'dəut] s dagens meny *c*
table lamp s bordlampe *c*
tableland ['teɪbllænd] s høyfjellsplatå *nt*
tablemat ['teɪblmæt] s (*for plate*) kuvertbrikke *c*; (*for hot dish*) brikke *c* til å sette varmt på, bordskåner *m*
table of contents s innholdsfortegnelse *m*
table salt s bordsalt *nt*
tablespoon ['teɪblspuːn] s serveringsskje *c*
tablespoonful ['teɪblspuːnful] s spiseskje *c*
tablet ['tæblɪt] s (**a**) (*MED*) tablett *m*
(**b**) (*HIST: for writing*) tavle *c*
(**c**) (= *plaque*) tavle *c*
▸ **tablet of soap** (*BRIT*) såpestykke *nt*
table tennis s bordtennis *m*
table wine s bordvin *m*
tabloid ['tæblɔɪd] s tabloidavis *c*
▸ **the tabloids** tabloidpressen *m def*, tabloidavisene

> *Uttrykket* **tabloid press** *betegner populæravisene i halvformat hvor man finner mange bilder og korte tekster. Disse avisene henvender seg til lesere som interesserer seg for saker som har et visst skandalepreg; se også* **quality (news)papers**

taboo [tə'buː] [1] s (*religious, social*) tabu *nt* ❑ *...the old taboo on kissing in public.* ...det gamle tabuet mot å kysse offentlig.
[2] ADJ (**a**) (*religious, social*) tabu ❑ *The priest's hut was taboo for women.* Prestens hytte var tabu for kvinner.
(**b**) (*subject, place, name etc*) tabubelagt ❑ *...birth control is no longer a taboo subject.* ...prevensjon er ikke lenger noe tabubelagt tema.
tabulate ['tæbjuleɪt] VT (*+data, figures*) stille (*v2x*) opp i tabell(form)
tabulator ['tæbjuleɪtə^r^] s tabulator *m*
tachograph ['tækəgrɑːf] s fartsskriver *m*
tachometer [tæ'kɔmɪtə^r^] s turteller *m*
tacit ['tæsɪt] ADJ (*agreement, approval etc*) stilltiende ❑ *My attitude was taken as a tacit admission of guilt.* Holdningen min ble tatt som en stilltiende innrømmelse av skyld.
taciturn ['tæsɪtəːn] ADJ taus, innesluttet
tack [tæk] [1] s (*nail*) stift *m* (*kort, med stort hode*)
[2] VT (**a**) (= *nail*) stifte (*v1*) ❑ *Gretchen had tacked some posters on the wall...* Gretchen hadde stiftet opp noen plakater på veggen...
(**b**) (= *stitch*) tråkle (*v1*) ❑ *Tack up the hem and I'll sew it later.* Tråkle opp fallen, så skal jeg sy den senere.
[3] VI (*NAUT*) stagvende (*v2*)
▸ **to change tack** (*fig*) skifte (*v1*) taktikk
▸ **to tack sth on to (the end of) sth** (*+note, clause*) henge (*v2*) noe på noe
tackle ['tækl] [1] s (**a**) (*for fishing*) utstyr *nt*, greier *pl* ❑ *...fishing tackle.* ...fiskeutstyr *or* fiskegreier.
(**b**) (*for lifting*) talje *m*
(**c**) (*SPORT*) takling *c*
[2] VT (**a**) (*SPORT, also difficulty, person*) takle (*v1*) ❑ *He was tackled before he had a chance to shoot.* Han ble taklet før han fikk sjansen til å skyte. *Is the government serious about tackling its spending problem?* Mener regjeringen alvor med å takle utgiftsproblemet? *I intend to tackle the union on the issue.* Jeg har tenkt å takle fagforeningen i saken.
(**b**) (= *grapple with: person, animal*) gå* løs på ❑ *Some pythons can tackle creatures as big as goats.* Noen pytonslanger kan gå* løs på dyr på størrelse med geiter.
tacky ['tækɪ] ADJ (= *sticky*) seig; (*neds: cheap-looking*) simpel
tact [tækt] s takt *m* ❑ *Phil had the tact to leave a moment's silence.* Phil hadde nok takt til å la det være* et øyeblikks stillhet.
tactful ['tæktful] ADJ (*person, remark etc*) taktfull ❑ *Uncle Nick was tactful enough not to shatter this illusion...* Onkel Nick var taktfull nok til å ikke knuse denne illusjonen...
tactfully ['tæktfəlɪ] ADV (*say, explain, avoid etc*) taktfullt
tactical ['tæktɪkl] ADJ taktisk
▸ **tactical error** taktisk feil *m* ❑ *The government made a tactical error in announcing the plans.* Regjeringen gjorde en taktisk feil da de annonserte planene.
▸ **tactical voting** taktisk stemmegiving *c*
tactician [tæk'tɪʃən] s taktiker *m*
tactics ['tæktɪks] SPL taktikk *m sg* ❑ *They use delaying tactics...* De bruker forhalingstaktikk...
tactile ['tæktaɪl] ADJ (*quality*) god å ta* på; (*person*) fysisk
tactless ['tæktlɪs] ADJ (*person, remark etc*) taktløs ❑ *I*

suppose it was rather tactless of me to ask... Det var vel ganske taktløst av meg å spørre...

tactlessly ['tæktlɪslɪ] ADV (*say, behave etc*) taktløst

tad [tæd] (*sl*) s ▸ **a tad slow** en anelse langsom

tadpole ['tædpəul] s rumpetroll *nt*

taffy ['tæfɪ] (*US*) s karamell *m*

tag [tæg] s (*label*) merkelapp *m* ❑ *Have you tied the tags on the luggage?* Har du bundet merkelappene på bagasjen?
▸ **price/name tag** prislapp/navnelapp *m*

▸ **tag along** VI henge* på slep, traske (*v1*) etter

Tahiti [tɑː'hiːtɪ] s Tahiti

tail [teɪl] 1 s (**a**) (*of animal, plane*) hale *m*
(**b**) (*of shirt*) (skjorte)flak *nt*
(**c**) (*of coat*) frakkeskjøt *nt*
2 VT (= *follow: person, vehicle*) skygge (*v1*)
▸ **tails** SPL (= *formal suit*) livkjole *m sg*, kjole og hvitt ❑ *The duke wore white tie and tails.* Greven hadde på seg kjole og hvitt.
▸ **to turn tail (and run)** (= *flee*) stikke* halen mellom beina (og løpe*)
see also **head**

▸ **tail off** VI (**a**) (*in size, quality etc*) avta* ❑ *The rains tail off in September...* Regnet avtar i september...
(**b**) (*voice+*) forta* seg

tailback ['teɪlbæk] (*BRIT: BIL*) s (bil)kø *m*

tail coat s = **tails**

tail end s (*of period, event, meeting etc*) siste slutt *m*

tailgate ['teɪlgeɪt] (*BIL*) s bakluke *c*

tail light (*BIL*) s baklys *nt*

tailor ['teɪləʳ] 1 s skredder *m*
2 VT ▸ **to tailor sth (to)** skreddersy (*v4*) noe (for) ❑ *...factories tailored to meet the needs of the 20th century...* fabrikker som var skreddersydd for å møte det 20. århundres behov...

tailoring ['teɪlərɪŋ] s (**a**) (*craft*) skredderyrke *nt*
(**b**) (*cut*) skredderarbeid *nt* ❑ *...the excellent tailoring of his jacket...* det utsøkte skredderarbeidet i jakken hans...

tailor-made ['teɪlə'meɪd] ADJ (*suit, part in play, person for job*) skreddersydd ❑ *Both the play and the role were tailor-made for her.* Både stykket og rollen var skreddersydd for henne.

tailwind ['teɪlwɪnd] s medvind *m*

taint [teɪnt] VT (**a**) (*+meat, food*) bederve (*v1*)
(**b**) (*fig: reputation etc*) skjemme (*v2x*) ❑ *...taint the scheme with some element of commercialism.* ...skjemme planen med et element av kommersialisme.

tainted ['teɪntɪd] ADJ (**a**) (*food, water, air*) infisert, besmittet
(**b**) (*fig: profits, reputation etc*) skjemmet ❑ *The report was heavily tainted with racism...* Rapporten var stygt skjemmet av rasisme...

Taiwan ['taɪ'wɑːn] s Taiwan

take [teɪk] (*pt* **took**, *pp* **taken**) 1 VT (**a**) (*+arm, purse, time, photo, shower, notes, decision, holiday, passengers, pills, drug*) ta ❑ *He took Sam by the hand...* Han tok Sam i hånden... *Someone's taken my pen...* Noen har tatt pennen min... *The new stadium can take about 8,000 people...* Den nye stadion kan ta* omtrent 8 000 mennesker... *I took a couple of aspirins...* Jeg tok et par aspirin... *He took a cigarette from the box.* Han tok en sigarett fra esken.
(**b**) (= *require: effort, courage*) kreve (*v3*) ❑ *It took a lot of courage to admit his mistake...* Det krevde mye mot å innrømme feilen hans...
(**c**) (= *tolerate: pain etc*) orke (*v1*), klare (*v2*) ❑ *I can't take any more...* Jeg orker *or* klarer ikke mer...
(**d**) (= *accompany: person*) følge* ❑ *He offered to take her home in a taxi...* Han tilbød seg å følge henne hjem i en taxi...
(**e**) (= *carry, bring: object*) ta* med seg ❑ *Don't forget to take your umbrella.* Ikke glem å ta* med deg paraplyen din.
(**f**) (= *study: subject*) ta, studere (*v2*)
(**g**) (*+exam, test*) ta, avlegge* ❑ *She's not yet taken her driving test...* Hun har ikke tatt *or* avlagt førerprøven ennå...
(**h**) (= *conduct: meeting, class*) ha NB *She took them for geography.* Hun hadde dem i geografi.
2 VI (= *have effect: dye, injection, drug*) virke (*v1*) ❑ *You need a few minutes for cortisone to take...* Det tar noen minutter før kortison virker...
3 s (*FILM*) opptak *nt*
▸ **I take it (that)** jeg går ut fra (at) ❑ *I take it you know what a stethoscope is?* Jeg går ut fra at du vet hva et stetoskop er?
▸ **I took him for a doctor** jeg tok ham for å være* lege
▸ **to take sb's hand, take sb by the hand** ta* noen i hånden
▸ **to take sb for a walk** ta* med seg noen en tur ut
▸ **to be taken ill** bli* syk
▸ **to take it upon o.s. to do sth** påta* seg å gjøre* noe
▸ **it won't take long** det tar ikke lang tid
▸ **I was quite taken with her/it** jeg ble ganske begeistret for henne/det

▸ **take after** VT FUS (**a**) (*in appearance*) likne (*v1*) på (*var.* ligne på)
(**b**) (*in character, behaviour*) ta* etter

▸ **take apart** VT (*+bicycle, radio, machine*) ta* fra hverandre

▸ **take away** 1 VT (**a**) (= *remove*) frata* (*var.* ta fra) ❑ *...people from whom everything has been taken away.* ...folk som har blitt fratatt alt.
(**b**) (= *carry off: thing*) ta* vekk *or* bort ❑ *A maid came to take away the tray...* Det kom en hushjelp for å ta* vekk *or* bort brettet...
(**c**) (*MAT*) trekke* fra
2 VI ▸ **to take away from** (= *detract from*) ta* fra, frata* ❑ *Nothing can take away from his achievements as a scientist.* Ikke noe kan ta* fra *or* frata ham det han oppnådde som vitenskapsmann.

▸ **take back** VT (**a**) (= *return: goods*) levere (*v2*) tilbake ❑ *He wouldn't take the scratched records back to the shop...* Han ville* ikke levere de ripete platene tilbake til butikken...
(**b**) (*+one's words*) ta* tilbake ❑ *I'm going to have to take back all those things I said about you.* Jeg vil måtte* ta* tilbake alt det jeg sa om deg.

▸ **take down** VT (**a**) (*+letter, note etc*) notere (*v2*) ned, skrive* ned *or* opp ❑ *Anything you say may be taken down...* Alt du sier kan bli* notert *or* skrevet ned...

(**b**) (*+scaffolding*) ta* ned

▸ **take in** VT (**a**) (*= deceive: person*) lure (*v2*) ❑ *I wasn't going to be taken in by this.* Jeg hadde ikke tenkt å bli* lurt av dette.
(**b**) (*= understand: information*) oppfatte (*v1*) ❑ *People never take in new facts very easily...* Folk oppfatter aldri nye fakta så lett...
(**c**) (*= include*) innbefatte (*v1*) ❑ *The university has expanded to take in the school of art.* Universitetet har vokst til å innbefatte kunstakademiet.
(**d**) (*+lodger*) ta* inn
(**e**) (*+orphan, stray dog*) ta* til seg
(**f**) (*+dress, waistband*) ta* inn (på)

▸ **take off** [1] VI (**a**) (*AVIAT*) ta* av, lette (*v1*)
(**b**) (*= go away*) dra av sted ❑ *They took off for a weekend in the country...* De drog avsted for å tilbringe helgen på landet...
[2] VT (**a**) (*+clothes, glasses, make-up*) ta* av (seg)
(**b**) (*= imitate: person*) etterape (*v2*)

▸ **take on** VT (**a**) (*+work, responsibility*) påta* seg
(**b**) (*+employee*) ansette*
(**c**) (*= compete against*) ta* opp kampen med ❑ *The company plans to take on the competition abroad...* Firmaet planlegger å ta* opp kampen med konkurrentene i utlandet...

▸ **take out** VT (**a**) (*invite*) ta* med ut ❑ *He offered to take her out for a meal...* Han tilbød seg å ta* henne med ut for å spise...
(**b**) (*= remove: tooth*) trekke*
(**c**) (*+licence*) skaffe (*v1*) seg
▸ **to take sth out on sb** ta* noe ut på noen
▸ **don't take it out on me!** ikke la det gå* utover meg!, ikke ta* det ut på meg!

▸ **take over** [1] VT (*+business, country*) overta*
[2] VI (*= replace*) ▸ **to take over from sb** overta* etter noen

▸ **take to** VT FUS (**a**) (*+person, thing*) få* sans for ❑ *It was impossible to tell whether he had taken to Rose.* Det var umulig å si om han hadde fått sans for Rose. *We asked him if the Russians would take to golf* Vi spurte ham om russerne ville* få* sans for golf.
(**b**) (*= form habit of*) ▸ **to take to doing sth** begynne (*v2x*) å gjøre* noe ❑ *He took to wearing leather jackets...* Han begynte å gå* med skinnjakker...

▸ **take up** [1] VT (**a**) (*= start: hobby, sport*) begynne (*v2x*) med
(**b**) (*+job*) begynne (*v2x*) i ❑ *I thought I'd take up fishing...* Jeg tenkte jeg skulle* begynne med fisking... *My assistant left to take up another post.* Assistenten min sluttet for å begynne i en annen stilling.
(**c**) (*= pursue: idea, suggestion, offer*) ta* imot ❑ *I took up Derek's offer to decorate the house.* Jeg tok imot Dereks tilbud om å pusse opp huset.
(**d**) (*= occupy: time, space*) oppta* ❑ *I won't take up any more of your time...* Jeg skal ikke oppta mer av tiden din...
(**e**) (*= continue: task, story*) ta* opp tråden ❑ *David was taking up where he had left off...* David tok opp tråden der han hadde sluttet...
(**f**) (*= shorten: hem, garment*) legge* opp
[2] VI (*= befriend*) ▸ **to take up with sb** begynne (*v2x*) å vanke sammen med noen
▸ **to take sb up on sth** (*+offer, suggestion*) ta* noen på ordet (med hensyn til noe)

takeaway ['teɪkəweɪ] (*BRIT*) s takeaway *m*, *(butikk/restaurant) som selger ferdigmat som man tar med seg hjem*

take-home pay ['teɪkhəum-] s nettoutbetaling *c*

taken ['teɪkən] PP *of* **take**

takeoff ['teɪkɔf] (*AVIAT*) s take-off *m*

takeout ['teɪkaut] (*US*) s = **takeaway**

takeover ['teɪkəuvəʳ] s (*MERK*) overtakelse *m*; (*of country*) (makt)overtakelse *m*

takeover bid s overtakelsesforsøk *nt*

takings ['teɪkɪŋz] (*MERK*) SPL omsetning *m sg*

talc [tælk] s talkum *nt*

talcum powder ['tælkəm-] s talkum *nt*

tale [teɪl] s (**a**) (*= story*) eventyr *nt* ❑ *...tales of princes and wars...* eventyr om prinser og kriger...
(**b**) (*account*) historie *m* ❑ *Everyone had some tale to tell about the very cold winter...* Alle hadde en eller annen historie å fortelle om den veldig kalde vinteren...
▸ **to tell tales** (*to teacher, parents etc*) sladre (*v1*)

talent ['tælnt] s talent *nt* ❑ *...my talent as a film actor...* talentet mitt som filmskuespiller...

talented ['tæləntɪd] ADJ (*person, actor etc*) talentfull, begavet

talent scout s talentspeider *m*

talisman ['tælɪzmən] s talisman *m*

talk [tɔːk] [1] s (**a**) (*= lecture*) foredrag *nt* ❑ *This term we are having talks on careers overseas.* Denne terminen skal vi ha* foredrag om yrkesmuligheter i utlandet.
(**b**) (*= language used*) snakk *nt*, prat *nt* ❑ *I will not have that kind of talk at my breakfast table!* Jeg vil ikke ha* den slags snakk *or* prat ved mitt frokostbord!
(**c**) (*= gossip*) snakk *nt* ❑ *There is talk that the president may be deposed.* Det er snakk om at presidenten kan bli* avsatt.
(**d**) (*= discussion*) samtale *m* ❑ *I want to have a long talk with her...* Jeg vil gjerne ha* en lang samtale med henne...
[2] VI (**a**) (*= speak*) snakke (*v1*) ❑ *Imagine not being able to hear or talk...* Tenk deg å ikke kunne* høre eller snakke...
(**b**) (*= chat*) snakke (*v1*), prate (*v1*) ❑ *We talked for hours...* Vi snakket *or* pratet i timevis...
(**c**) (*= gossip*) snakke (*v1*) ❑ *We must be careful. We don't want the neighbours to talk...* Vi må være* forsiktige. Vi vil ikke at naboene skal snakke...
▸ **talks** SPL (*POL etc*) samtaler, drøftelser
▸ **to give a talk** holde* foredrag
▸ **to talk about** (*= discuss*) snakke (*v1*) om ❑ *They talked about old times...* De snakket om gamle dager...
▸ **talking of films, have you seen ...?** mens vi snakker om filmer, har du sett ...?
▸ **to talk sb into doing sth** overtale (*v2*) noen til å gjøre* noe
▸ **to talk sb out of doing sth** snakke (*v1*) noen fra å gjøre* noe
▸ **to talk shop** snakke (*v1*) fag

▸ **talk over** VT (*+problem etc*) snakke (*v1*) om ❑ *I agreed to talk things over with my father...* Jeg gikk med på å snakke om tingene med faren min...
talkative ['tɔ:kətɪv] ADJ pratsom, snakkesalig
talker ['tɔ:kəʳ] s ▸ **a good/entertaining** *etc* **talker** (*giving a talk*) en god/underholdende *etc* foredragsholder; (*in conversation*) en som er flink til å snakke for seg/er morsom å høre på
talking point s samtaleemne *nt*
talking-to ['tɔ:kɪŋtu] s ▸ **to give sb a (good) talking-to** gi* noen en (ordentlig) skrape *or* overhaling
talk show (*TV, RADIO*) s talkshow *nt*, prateprogram *nt*
tall [tɔ:l] ADJ (*person, glass, bookcase, ladder, tree, building*) høy
▸ **to be 6 feet tall** være* 6 fot høy
▸ **how tall are you?** hvor høy er du?
tallboy ['tɔ:lbɔɪ] (*BRIT*) s *høy kommode i to deler oppå hverandre*
tallness ['tɔ:lnɪs] s (*of person, tree, building*) høyde *m*
tall story s skrøne *c*
tally ['tælɪ] 1 s (*of marks, amounts of money etc*) oversikt *m*, fortegnelse *m*
2 VI ▸ **to tally (with)** (*figures, stories etc+*) stemme (*v2x*) overens (med) ❑ *We've checked their stories and they don't quite tally...* Vi har sjekket historiene deres og de stemmer ikke helt overens...
▸ **to keep a tally of sth** holde* oversikt over noe, føre (*v2*) fortegnelse over noe
talon ['tælən] s klo *c irreg* (*på rovfugl*)
tambourine [tæmbə'ri:n] s tamburin *m*
tame [teɪm] ADJ (*animal, bird, story, party, performance*) tam
tamper ['tæmpəʳ] VI ▸ **to tamper with sth** tukle (*v1*) med noe ❑ *He claimed that his briefcase had been tampered with.* Han påstod at noen hadde tuklet med dokumentmappen hans.
tampon ['tæmpɔn] s tampong *m*
tan [tæn] 1 s (*also* ***suntan***) (brun)farge *m*
2 VI (*person, skin+*) bli* brun, få* farge
3 VT (*+hide, skin*) garve (*v1*) ❑ *...a piece of tanned hide.* ...et stykke garvet hud.
4 ADJ (*colour*) (gyllen)brun
▸ **to get a tan** bli* brun, få* farge
▸ **to have a tan** være* brun, ha* farge
tandem ['tændəm] s (*cycle*) tandem *m*
▸ **in tandem** (*= together*) sammen ❑ *In tandem with these changes must come a change in our attitudes.* Sammen med *or* Samtidig med disse forandringene må det komme en endring i holdningene våre.
tandoori [tæn'duərɪ] s ▸ **tandoori oven** tandooriovn *m* ▸ **tandoori chicken** *indisk grillet kylling*
tang [tæŋ] s (*of food/perfume*) (skarp) lukt *c*/smak *m*
tangent ['tændʒənt] s (*MAT*) tangent *m*
▸ **to go off at a tangent** (*fig*) komme* *or* rote (*v1*) seg ut på viddene
tangerine [tændʒə'ri:n] s (*fruit*) mandarin *m*; (*colour*) rødoransje
tangible ['tændʒəbl] ADJ (*proof, benefits*) håndgripelig, konkret
▸ **tangible assets** materielle aktiva *pl*
Tangier [tæn'dʒɪəʳ] s Tanger
tangle ['tæŋgl] s (*of branches, knots, wire*) vase *m*
▸ **in a tangle** sammenfiltret ❑ *I've got my shoelaces in a bit of a tangle.* Skolissene mine har blitt knutete.; (*fig*) i et eneste rot, (helt) i surr *My tax affairs were in a complete tangle.* Skatteforholdene mine var i et eneste rot *or* (helt) i surr.
tangled ADJ sammenfiltret; (*hair, wool*) floket(e); (*shoelaces*) knutet(e)
tango ['tæŋgəu] s tango *m*
tank [tæŋk] s (*for water, petrol, photography*) tank *m*; (*also* ***fish tank***) akvarium *nt irreg*; (*MIL*) tank(s) *m*
tankard ['tæŋkəd] s seidel *m* (*vanligvis av metall*)
tanker ['tæŋkəʳ] s (*ship*) tankskip *m*, tanker *m*; (*truck*) tankbil *m*; (*JERNB*) tankvogn *c*
tanned [tænd] ADJ (*skin, person*) brun
tannin ['tænɪn] s tannin *nt*, garvesyre *c*
tanning ['tænɪŋ] s (*of leather*) garving *c*
tannoy, Tannoy® ['tænɔɪ] (*BRIT*) s høyttaleranlegg *nt*
▸ **over the tannoy** over høyttaleren
tantalizing ['tæntəlaɪzɪŋ] ADJ (*smell, possibility*) forlokkende, bedragersk
tantamount ['tæntəmaunt] ADJ ▸ **tantamount to** ensbetydende med ❑ *His statement was tantamount to an admission of guilt.* Utsagnet hans var ensbetydende med en innrømmelse av skyld.
tantrum ['tæntrəm] s raserianfall *nt*
▸ **to throw a tantrum** (begynne (*v2x*) å) hyle (*v2*) av sinne
Tanzania [tænzə'nɪə] s Tanzania
Tanzanian [tænzə'nɪən] 1 ADJ tanzanisk
2 s (*person*) tanzanier *m*
tap [tæp] 1 s (**a**) (*on sink etc*) kran *c*, spring *m*
❑ *Someone left the tap running...* Noen glemte å skru av kranen *or* springen...
(**b**) (*gas tap*) (gass)kran *c*
(**c**) (*gentle blow*) dult *m* ❑ *She gave him a little tap on the arm...* Hun gav ham en liten dult i armen...
2 VT (**a**) (*= hit gently*) dulte (*v1*) til, klappe (*v1*) lett ❑ *I tapped him on the shoulder...* Jeg dultet til ham *or* klappet ham lett på skulderen...
(**b**) (*= exploit : resources, energy*) utnytte (*v1*) ❑ *...a new way of tapping the sun's energy...* en ny måte å utnytte solenergien på...
(**c**) (*+telephone*) avlytte (*v1*), tappe (*v1*) ❑ *I think my phone has been tapped.* Jeg tror telefonen min har blitt avlyttet *or* tappet.
▸ **on tap** (**a**) (*fig : resources, information*) på rede hånd ❑ *We've got all the information permanently on tap...* Vi har all informasjonen på rede hånd til enhver tid...
(**b**) (*beer*) på fat ❑ *They have several unusual beers on tap.* De har flere sjeldne ølslag på fat.
tap-dancing ['tæpdɑ:nsɪŋ] s stepping *c*
tape [teɪp] 1 s (**a**) (*also* ***magnetic tape***) (lyd)bånd *nt*
(**b**) (*= cassette*) bånd *nt* ❑ *Do you want to put on a tape?* Vil du sette på et bånd?
(**c**) (*also* ***adhesive tape***) teip *m* (*var:* tape)

limbånd *nt* ❑ *...a bit of adhesive tape.* ...en bit teip *or* limbånd.
(**d**) (*for tying*) bånd *nt* ❑ *Use the tapes to tie it back.* Bruk båndene til å binde den opp.
2 VT (**a**) (*+record, conversation*) ta* opp på bånd ❑ *I'm having to tape this talk...* Jeg må ta* opp dette foredraget på bånd...
(**b**) (*= stick*) teipe (*v1*) (fast) (*var:* tape (fast)) ❑ *I tape lists to the fridge door...* Jeg teiper (fast) lister til kjøleskapdøren...
▸ **on tape** (*song etc*) på bånd ❑ *I've got all his records on tape.* Jeg har alle platene hans på bånd.

tape deck s båndspiller *m*, kassettspiller *m*

tape measure s målebånd *nt*

taper ['teɪpəʳ] 1 s (*candle*) tynt vokslys *nt*
2 VI (*= grow narrow*) smalne (*v1*) inn ❑ *Most jeans taper towards the ankle.* De fleste bukser smalner inn mot ankelen.

tape recorder s båndopptaker *m*

tape recording s (lyd)båndopptak *nt*

tapered ['teɪpəd] ADJ (*skirt, jacket*) skrådd

tapering ['teɪpərɪŋ] ADJ (*fingers*) slank

tapestry ['tæpɪstrɪ] s (**a**) (*on wall*) (billed)teppe *nt*, gobelin *nt* ❑ *...the famous Bayeux tapestry.* ...det berømte Bayeux-teppet.
(**b**) (*fig*) bred skildring *c* ❑ *The book presents a tapestry of teenage life...* Boken presenterer en bred skildring av tenåringsliv...

tapeworm ['teɪpwɜːm] s bendelorm *m*

tapioca [tæpɪ'əʊkə] s tapioka *m*

tappet ['tæpɪt] (*BIL*) s ventilløfter *m*

tar [tɑː] s tjære *c*
▸ **low/middle tar cigarettes** sigaretter med lavt/middels tjæreinnhold

tarantula [tə'ræntjʊlə] s tarantell *m* (*edderkopp*)

tardy ['tɑːdɪ] ADJ (*reply, letter, progress*) se(i)n, forsinket

target ['tɑːgɪt] s (**a**) mål *nt* ❑ *The station was an easy target for an air attack...* Stasjonen var et lett mål for luftangrep...
(**b**) (*fig*) skyteskive *c* ❑ *Her proposal has been the target of much criticism.* Forslaget hennes har blitt skyteskive for mye kritikk.
▸ **to be on target** (*project, work, sales+*) være* der man skal være ❑ *The latest sales figures are dead on target.* De siste salgstallene er akkurat der de skal være.

target practice s skytetrening *c* ❑ *I do a lot of target practice...* Jeg driver mye med skytetrening...

tariff ['tærɪf] s (**a**) (*tax on goods*) toll *m* ❑ *...a high tariff on all imports.* ...en høy toll på alle importvarer.
(**b**) (*BRIT: in hotels, restaurants*) prisliste *c*

tariff barrier (*MERK*) s tollgrense *c*

tarmac ['tɑːmæk] 1 s® (*BRIT: on road*) asfalt *m*; (*AVIAT*) ▸ **on the tarmac** på rullebanen
2 VT (*BRIT: road, drive etc*) asfaltere (*v2*)

tarn [tɑːn] s tjern *nt*, (lite) fjellvann *nt*

tarnish ['tɑːnɪʃ] VT (**a**) (*+silver, brass etc*) få* til å anløpe
(**b**) (*fig: reputation, record*) plette (*v1*) ❑ *...to restore some of their tarnished reputation.* ...å gjenoppbygge noe av deres plettede rykte.

tarot ['tærəʊ] s tarot

tarpaulin [tɑː'pɔːlɪn] s presenning *m*

tarragon ['tærəgən] s estragon *m*

tart [tɑːt] 1 s (**a**) (*KULIN*) terte *c*
(**b**) (*BRIT: sl: prostitute*) ludder *nt*
2 ADJ (*apple, grapefruit etc*) sur
▸ **tart up** (*BRIT: sl*) VT (*+place, room, building*) fiffe (*v1*) opp (*sl*)
▸ **to tart o.s. up** fiffe (*v1*) seg opp (*sl*); (*neds*) maje (*v1*) seg ut (*pej*) ❑ *Have you seen the way she's tarted herself up?* Har du sett hvordan hun har majet seg ut?

tartan ['tɑːtn] 1 s skotskrutet stoff *nt*
2 ADJ (*rug, scarf etc*) skotskrutet(e)

tartar ['tɑːtəʳ] s (**a**) (*on teeth*) tannste(i)n *m*
(**b**) (*neds: woman*) furie *c* ❑ *Their new boss is a bit of a tartar.* Den nye sjefen deres er litt av en furie.

tartar(e) sauce s tartarsaus *m*

task [tɑːsk] s (arbeids)oppgave *c* ❑ *Computers can be applied to a wide range of tasks.* Datamaskiner kan brukes til en lang rekke (arbeids)oppgaver.
▸ **to take sb to task** gi* noen en overhaling ❑ *He was taken to task over the poor quality of his work...* Han fikk en overhaling for den dårlige kvaliteten på arbeidet hans...

task force s spesialenhet *m*

taskmaster ['tɑːskmɑːstəʳ] s ▸ **a hard taskmaster** litt av en slavedriver ❑ *I shall prove a very hard taskmaster.* Jeg kommer til å være* litt av en slavedriver.

Tasmania [tæz'meɪnɪə] s Tasmania

tassel ['tæsl] s dusk *m*

taste [teɪst] 1 s (**a**) (*gen*) smak *m* ❑ *...a better sense of taste.* ...bedre smakssans. *I don't like the taste of fresh fish...* Jeg liker ikke smaken av fersk fisk... *Have a little taste.* Ta deg en liten smak.
(**b**) (*fig: of suffering, freedom etc*) smakebit *m* ❑ *The child may already have had a taste of street life.* Barnet kan allerede ha* fått en smakebit av gatelivet.
(**c**) (*choice, liking*) smak *m* ❑ *He has a strange taste in music.* Han har en merkelig musikksmak.
2 VT (**a**) (*= get flavour of*) smake (*v2*) (på) ❑ *...he hardly tasted the meat...* han smakte knapt på kjøttet...
(**b**) (*= test*) smake (*v2*) på ❑ *He offered the soup to Derek to taste.* Han gav Derek suppen så han kunne* smake på den.
3 VI ▸ **to taste of** *or* **like sth** smake (*v2*) av *or* som noe ❑ *...meat which tasted like chicken...* kjøtt som smakte som kylling...
▸ **what does it taste like?** hvordan smaker det?
▸ **you can taste the garlic (in it)** du kan kjenne hvitløksmaken (i den)
▸ **to have a taste of sth** (*= sample*) smake (*v2*) på noe ❑ *I opened one of the bottles and had a taste of the contents.* Jeg åpnet en av flaskene og smakte på innholdet.
▸ **to acquire a taste for sth** lære (*v2*) seg å like noe, få* smaken på noe
▸ **to be in good/bad taste** (*remark, joke+*)

være* smakfull/smakløs
▸ **for my taste** etter min smak ❑ *Her novels are too violent for my taste.* Romanene hennes er altfor voldelige etter min smak.
▸ **a matter of taste** en smakssak ❑ *It's all a matter of taste.* Det er en smakssak.. Det kommer an på smak og behag.

taste buds SPL smaksløker

tasteful ['teɪstful] ADJ smakfull

tastefully ['teɪstfəlɪ] ADV (*decorated, furnished etc*) smakfullt

tasteless ['teɪstlɪs] ADJ (*food, remark, furnishings*) smakløs ❑ *The room was full of tasteless ornaments.* Rommet var fullt av smakløse pyntegjenstander.

tasty ['teɪstɪ] ADJ (*meal, sauce, dessert etc*) med mye (god) smak (i) NB *That meat was really tasty.* Det kjøttet var det mye smak i.

tattered ['tætəd] ADJ (**a**) (*clothes, paper etc*) fillet(e) (**b**) (*fig: hopes etc*) frynset(e) ❑ *...a symbol of my torn and tattered past...* et symbol på den forrevne og frynsete fortiden min...

tatters ['tætəz] SPL ▸ **to be in tatters** være* i filler, være* fillet(e)

tattoo [tə'tu:] 1 S (**a**) (*on skin*) tatovering C ❑ *He had a tattoo on the back of his hand.* Han hadde en tatovering på håndbaken.
(**b**) (*spectacle*) militær(korps)parade M ❑ *...at the Marines' weekly tattoo.* ...ved Marinens ukentlige parade.
2 VT ▸ **to tattoo sth on sth** tatovere (*v2*) noe på noe

tatty ['tætɪ] (*BRIT: sl*) ADJ (*clothes, furniture, room*) lurvet(e), loslitt

taught [tɔ:t] PRET, PP *of* **teach**

taunt [tɔ:nt] 1 S spydighet C
2 VT (*+person*) håne (*v2*) ❑ *She taunted him with not having the courage of his convictions.* Hun hånte ham for ikke å ha* sine meningers mot.

Taurus ['tɔ:rəs] S Tyren
▸ **to be Taurus** være* tyr, være* født i Tyrens tegn

taut [tɔ:t] ADJ (*skin, thread etc*) stram

tavern ['tævən] S kro C

tawdry ['tɔ:drɪ] ADJ (*jewellery*) juglet(e), billig; (*clothes*) spjåket(e)

tawny ['tɔ:nɪ] ADJ gulbrun

tawny owl S kattugle C

tax [tæks] 1 S (**a**) (*on goods etc*) avgift C
(**b**) (*on income*) skatt M
2 VT (**a**) (*+earnings, goods etc*) skattlegge*, beskatte (*v1*) ❑ *...taxed at the rate of 59%.* ...skattlagt *or* beskattet med en sats på 59 %.
(**b**) (*+memory, knowledge*) sette* på prøve ❑ *That question really taxed him.* Det spørsmålet satte ham virkelig på prøve.
(**c**) (*+patience, endurance*) ta* hardt på, tære (*v2*) hardt på ❑ *A mountaineering course will really tax your powers of endurance.* Et fjellklatrerkurs kan virkelig ta* *or* tære hardt på utholdenheten din.
▸ **before/after tax** før/etter skatt(etrekk)
▸ **free of tax** skattefri

taxable ['tæksəbl] ADJ (*income*) skattbar

tax allowance S skattefradrag NT

taxation [tæk'seɪʃən] S (**a**) (*system*) skatt M ❑ *...the burden of taxation...* skattebyrden...
(**b**) (*money paid*) skatt M, beskatning M ❑ *...if the government would reduce taxation.* ...hvis regjeringen ville* redusere skatten *or* beskatningen.

tax avoidance S lovlig skatteunndragelse M

tax collector S skatteoppkrever M

tax disc (*BRIT: BIL*) S ≈ oblat M (*som viser at man har betalt veiavgiften*)

tax evasion S (ulovlig) skatteunndragelse M, skattesnyteri NT

tax exemption S skattefritak NT

tax exile S skatteflyktning M

tax-free ['tæksfri:] ADJ (*services*) avgiftsfri; (*goods*) tollfri, skattefri

tax haven S skatteparadis NT

taxi ['tæksɪ] 1 S taxi M, drosje C
2 VI (*plane+*) takse (*v1*)

taxidermist ['tæksɪdə:mɪst] S (dyre)utstopper M

taxi driver S taxisjåfør M, drosjesjåfør M

taximeter ['tæksɪmi:tə[r]] S taksameter NT

tax inspector (*BRIT*) S skatteinspektør M

taxi rank (*BRIT*) S drosjeholdeplass M

taxi stand S = **taxi rank**

taxpayer ['tækspeɪə[r]] S skattebetaler M

tax rebate S *penger som man får igjen på skatten*

tax relief S skattelettelse M, skattefradrag NT ❑ *You can get tax relief on your mortgage.* Du kan få* skattelettelser *or* skattefradrag på boliglånet ditt.

tax return S ≈ selvangivelse M

tax shelter S *organisasjon av foretak som gir skattefordeler*

tax year S skatteår NT

TB S FK = **tuberculosis**

TD (*US*) S FK = **Treasury Department**; (*FOTB*) = **touchdown**

tea [ti:] S (**a**) (*drink*) te M
(**b**) (*BRIT: evening meal*) ≈ middag M
▸ **(afternoon) tea** (*BRIT*) ettermiddagste M

tea bag S tepose M

tea break (*BRIT*) S tepause M ❑ *She usually takes a fifteen-minute tea break.* Hun tar seg vanligvis et kvarters tepause.

teacake ['ti:keɪk] (*BRIT*) S tekake C (*rund, flat kake med rosiner*) ❑ *...a toasted teacake.* ...en ristet tekake.

teach [ti:tʃ] (*pt* **taught**)*pp* 1 VT ▸ **to teach sb sth, teach sth to sb** lære (*v2*) noen noe, lære (*v2*) bort noe til noen ❑ *My mother taught me how to cook...* Moren min lærte meg å lage mat...; (*+pupils, subject*) undervise (*v2*) *I like teaching sixth-formers.* Jeg liker å undervise i den videregående skolen. *I taught history for many years...* Jeg underviste i historie i mange år...
2 VI undervise (*v2*) ❑ *Mrs Barton teaches in a secondary modern school...* Fru Barton underviser på en ungdomsskole...
▸ **it taught him a lesson** (*fig*) det lærte ham en lekse

teacher ['ti:tʃə[r]] S lærer M
▸ **French teacher** fransklærer M

teacher training college S lærerhøyskole M

teaching ['ti:tʃɪŋ] S undervisning M ❑ *Have you*

done any teaching lately? Har du hatt noen undervisning i det siste?
teaching aids SPL hjelpemidler i undervisningen
teaching hospital (*BRIT*) S ≈ universitetssykehus *nt*
teaching staff (*BRIT*) S lærerpersonale *nt*, undervisningspersonale *nt* ❑ *She's on the teaching staff.* Hun er del av lærerpersonalet *or* undervisningspersonalet.
tea cosy S tevarmer *m*
teacup ['ti:kʌp] S tekopp *m*
teak [ti:k] S teak *m*
tea leaves SPL teblader
team [ti:m] S (**a**) (*of people, experts*) team *nt*, gruppe *c* ❑ *...an international team of scientists...* et internasjonalt team *or* en internasjonal gruppe av forskere...
(**b**) (*SPORT*) lag *nt* ❑ *...the New Zealand rugby team...* New Zealands rugbylag...
(**c**) (*of horses, oxen*) spann *nt* ❑ *A team of oxen pulled the plough.* Et oksespann trakk plogen.
▸ **team up** VI ▸ **to team up (with)** slå* seg sammen (med) ❑ *I teamed up with Oliver on my next record...* Jeg slo meg sammen med Oliver på den neste platen min...
team games SPL lagspill *pl*, lagidretter ❑ *It's not just soccer – I don't like any team games.* Det er ikke bare fotball – jeg liker ikke noen lagspill *or* lagidretter.
team spirit S lagånd *m*
teamwork ['ti:mwə:k] S teamarbeid *nt*, lagarbeid *nt*
tea party S teselskap *nt*
teapot ['ti:pɔt] S tekanne *c*
tear[1] [tɛəʳ] (*pt* **tore**, *pp* **torn**) 1 S (*hole*) flenge *c*, rift *m*
2 VT (= *rip*) rive* i stykker, rive* opp ❑ *He tore my coat in the struggle...* Han rev i stykker *or* opp frakken min i kampen...
3 VI (= *become torn*) bli* revet opp ❑ *This paper tears easily.* Dette papiret blir lett revet opp.
▸ **to tear sth to pieces** *or* **to bits** *or* **to shreds** (**a**) (*+paper, letter, clothes*) rive* noe i stykker *or* i småbiter *or* i filler
(**b**) (*fig: person, work*) rive* noen/noe i filler *or* småbiter ❑ *It is not in our interest to tear one another to pieces.* Det er ikke i vår interesse å rive hverandre i filler.
▸ **tear along** VI (= *rush: driver, car, lorry*) fare* av gårde *or* av sted
▸ **tear apart** VT (**a**) (*+book, clothes*) rive* fra hverandre
(**b**) (= *upset: person*) slite* opp ❑ *She is torn apart by conflicting pressures.* Hun slites opp av press fra ulike hold.
▸ **tear away** VT ▸ **to tear o.s. away (from sth)** (*fig*) rive* seg løs (fra noe)
▸ **tear out** VT (*+sheet of paper, cheque*) rive* ut
▸ **tear up** VT (*+paper, cheque*) rive* i stykker
tear[2] [tɪəʳ] S (*in/from eye*) tåre *m* ❑ *Tears were streaming down her face...* Tårer strømmet nedover ansiktet hennes...
▸ **to be in tears** gråte*
▸ **to burst into tears** briste* i gråt
tearaway ['tɛərəweɪ] (*BRIT: sl*) S villbasse *m* (*sl*)
teardrop ['tɪədrɔp] S tåre *m*
tearful ['tɪəful] ADJ (*family, face*) tårevåt
tear gas S tåregass *m*
tearing ['tɛərɪŋ] ADJ ▸ **to be in a tearing hurry** ha* det forrykende *or* forferdelig travelt ❑ *I had been in a tearing hurry to leave the camp.* Jeg hadde hatt det forrykende *or* forferdelig travelt med å forlate leiren.
tearoom ['ti:ru:m] (*BRIT*) S tesalong *m*
tease [ti:z] 1 VTI erte (*v1*) ❑ *"And you'll miss us, I hope?" she teased him.* "Og du kommer til å savne oss, håper jeg?" sa hun ertende. *...the other children tease him so much.* ...de andre barna erter ham så mye.
2 S ertekrok *m* ❑ *She's a big tease...* Hun er litt av en ertekrok...
tea set S teservise *m*
teashop ['ti:ʃɔp] (*BRIT*) S tesalong *m*
Teasmade® ['ti:zmeɪd] S *tidsinnstilt teautomat*
teaspoon ['ti:spu:n] S teskje *c*
teaspoonful ['ti:spu:nful] S teskje *c*
tea strainer S tesil *m*
teat [ti:t] S (*on bottle*) smokk *m*
teatime ['ti:taɪm] S tetid *c*
tea towel (*BRIT*) S glasshåndkle *nt*, opptørkhåndkle *nt*
tea urn S tekoker *m* (*stor, med kran*)
tech [tɛk] (*sl*) S = **technical college, technology**
technical ['tɛknɪkl] ADJ teknisk ❑ *...technical advances.* ...tekniske framskritt. *...technical terms in engineering.* ...tekniske termer i ingeniørfag.
technical college (*BRIT*) S ≈ yrkesskole *m*
technicality [tɛknɪ'kælɪtɪ] S (**a**) (= *point of law*) formalitet *m* ❑ *...a legal technicality.* ...en juridisk formalitet.
(**b**) (*detail*) teknisk detalj *m* ❑ *I was quite interested in the technicalities of the recording.* Jeg var ganske interessert i de tekniske detaljene i opptaket.
▸ **on a (legal) technicality** på grunn av en (juridisk) formalitet
technically ['tɛknɪklɪ] ADV (**a**) (*advanced: country*) teknologisk
(**b**) (*equipment*) teknisk
(**c**) (*skilful*) teknisk
(**d**) (= *strictly speaking*) teknisk *or* formelt sett ❑ *He was technically in breach of contract.* Teknisk *or* formelt sett hadde han begått kontraktsbrudd.
(**e**) (*regarding technique*) teknisk sett ❑ *Pollock was certainly a skilful artist technically.* Pollock var så visst en dyktig kunstner teknisk sett.
technician [tɛk'nɪʃən] S tekniker *m*
technique [tɛk'ni:k] S teknikk *m* NB *...the techniques of film making...* teknikkene innen filmproduksjon...
techno ['tɛknəu] S (*MUS*) techno *m*
technocrat ['tɛknəkræt] S teknokrat *m*
technological [tɛknə'lɔdʒɪkl] ADJ teknologisk
technologist [tɛk'nɔlədʒɪst] S teknolog *m*
technology [tɛk'nɔlədʒɪ] S teknologi *m* ❑ *...advances in technology.* ...framskritt i teknologi.
teddy (bear) ['tɛdɪ-] S bamse *m*, teddybjørn *m*
tedious ['ti:dɪəs] ADJ kjedsommelig
tedium ['ti:dɪəm] S kjedsommelighet *c*

tee [tiː] (*GOLF*) s tee *m*
▸ **tee off** VI begynne (*v2x*) spillet (*fra tee*)
teem [tiːm] VI ▸ **to teem with** (*+visitors, tourists etc*) myldre (*v1*) av, yre (*v1 or v2*) av ▸ **it is teeming down** det pøser *or* høljer ned
teenage ['tiːneɪdʒ] ADJ (*child, fashions etc*) tenårings- ❑ *...two teenage children.* ...to tenåringsbarn.
teenager ['tiːneɪdʒəʳ] s tenåring *m*
teens [tiːnz] SPL ▸ **to be in one's teens** være* i tenårene
tee-shirt ['tiːʃəːt] s = **T-shirt**
teeter ['tiːtəʳ] VI (*also fig*) vakle (*v1*) ❑ *British theatre is teetering on the brink of ruin.* Britisk teater vakler på ruinens rand.
teeth [tiːθ] SPL *of* **tooth**
teethe [tiːð] VI ▸ **she's teething** hun får tenner
teething ring ['tiːðɪŋ-] s bitering *m*
teething troubles SPL (*fig*) startvansker, barnesykdommer ❑ *They had terrible teething troubles with the steering on the new model.* De hadde fryktelige startvansker med *or* mange barnesykdommer på den nye modellen.
teetotal ['tiː'təutl] ADJ totalavholdende, totalavholds
teetotaller ['tiː'təutləʳ], **teetotaler** (*US*) s (total)avholdsmann *m irreg*
TEFL ['tɛfl] s FK (= **Teaching of English as a Foreign Language**) undervisning *m* i engelsk som fremmedspråk
Teflon® ['tɛflɔn] s teflon® $nt
Teheran [tɛə'rɑːn] s Teheran
tel. FK = **telephone**
Tel Aviv ['tɛlə'viːv] s Tel Aviv
telecast ['tɛlɪkɑːst] s (*of news, match, interview*) (fjernsyns)sending *c*, (fjernsyns)overføring *c* ❑ *The live telecast of the interview...* Direktesendingen *or* direkteoverføringen av intervjuet...
telecommunications ['tɛlɪkəmjuːnɪ'keɪʃənz] s telekommunikasjoner *pl*
telecommuter [tɛlɪkə'mjuːtəʳ] s ansatt *m* med hjemmekontor
teleconference [tɛlɪ'kɔnfərəns] s telefonmøte *n*
telegram ['tɛlɪgræm] s telegram *nt*
telegraph ['tɛlɪgrɑːf] s telegraf *m*
telegraphic [tɛlɪ'græfɪk] ADJ telegrafisk
telegraph pole s telegrafstolpe *m*
telegraph wire s telefontråd *m*
telepathic [tɛlɪ'pæθɪk] ADJ (*person, power, communication*) telepatisk
telepathy [tə'lɛpəθɪ] s telepati *m*
telephone ['tɛlɪfəun] 1 s telefon *m* ❑ *When the telephone rang...* Da telefonen ringte...
2 VTI ringe (*v2*) (til), telefonere (*v2*) til ❑ *I'll telephone her this evening...* Jeg skal ringe til henne i kveld... *Brody telephoned to thank her...* Brody ringte for å takke henne...
▸ **to be on the telephone** (**a**) (*talking*) være* *or* sitte* i telefonen ❑ *She's on the telephone at the moment.* Hun er *or* sitter i telefonen for øyeblikket.
(**b**) (= *possessing phone*) ha* telefon ❑ *Are you on the telephone?* Har du telefon?
▸ **to speak on the telephone** snakke (*v1*) i *or* på telefonen
telephone booth, **telephone box** (*BRIT*) s telefonkiosk *m*
telephone call s ▸ **(to have** *or* **receive a) telephone call** (få en) telefonoppringning *m* ▸ **(to make a) telephone call** (ta en) telefonsamtale *m*
telephone directory s telefonkatalog *m*
telephone exchange s telefonsentral *m*
telephone kiosk (*BRIT*) s telefonkiosk *m*
telephone number s telefonnummer *nt*
telephone operator s sentralbordbetjent *m*, sentralborddame *c* (*female*), telefonist *m*
telephone tapping s telefonavlytting *c*
telephonist [tə'lɛfənɪst] (*BRIT*) s sentralbordbetjent *m*, sentralborddame *c* (*female*), telefonist *m*
telephoto lens ['tɛlɪ'fəutəu-] s telelinse *c*
teleprinter ['tɛlɪprɪntəʳ] s fjernskriver *m*
telesales ['tɛlɪseɪlz] s telefonsalg *nt*
telescope ['tɛlɪskəup] 1 s teleskop *nt*
2 VI (*fig : coach, bus, lorry*) bli* trykt sammen ❑ *...the coach telescoped after hitting a lorry.* ...bussen ble trykt sammen etter å ha* truffet en lastebil.
3 VT skyve* sammen, slå* sammen ❑ *He took out a rod which he telescoped into a walking stick.* Han tok fram en stang som han skjøv *or* slo sammen til en spaserstokk.
telescopic [tɛlɪ'skɔpɪk] ADJ (*lens*) teleskop-, teleskopisk; (= *collapsible : legs, aerial*) til å slå sammen
Teletext® ['tɛlɪtɛkst] s tekst-tv *m*
telethon ['tɛlɪθɔn] s TV-aksjon *m*
televangelist [tɛlɪ'vændʒəlɪst] s tv-evangelist *m*
televise ['tɛlɪvaɪz] VT (*+debate, contest, programme etc*) sende (*v2*) på tv *or* fjernsyn, tv-overføre (*v2*), fjernsynsoverføre (*v2*)
television ['tɛlɪvɪʒən] s tv *m* (*var:* TV) fjernsyn *nt* ❑ *Television can educate...* Tv *or* fjernsyn kan opplyse... *the most exciting job in television.* ...den mest spennende jobben i tv *or* fjernsynet.
▸ **to be on/go on television** være* på/bli med på tv *or* fjernsynet ❑ *The Princess agreed to go on television.* Prinsessen gikk med på å bli* med på tv *or* fjernsynet.
television licence (*BRIT*) s tv-lisens *m*, fjernsynslisens *m*
television programme s tv-program *nt*, fjernsynsprogram *nt*
television set s tv-apparat *nt*, fjernsynsapparat *nt*
teleworker ['tɛlɪwəːkəʳ] s *ansatt m med hjemmekontor*
telex ['tɛlɛks] 1 s (**a**) (*system*) teleks *m*
(**b**) (*machine*) teleks(maskin) *m*
(**c**) (*message*) teleks *m* ❑ *He burst in with an urgent telex.* Han kom farende inn med en viktig teleks.
2 VT (**a**) (*+company,*) sende (*v2*) teleks til
(**b**) (*+message*) sende (*v2*) over *or* på teleks
3 VI sende (*v2*) (en) teleks ❑ *They telexed to say they'd received our letter.* De sendte en teleks for å si at de hadde mottatt brevet vårt.
tell [tɛl] (*pt* **told**)*pp* 1 VT (**a**) (= *say*) fortelle*, si* til ❑ *He told me that he was a farmer.* Han sa til *or* fortalte meg at han var bonde.

(**b**) (= *relate: story*) fortelle* ❑ *She told me the story of her life.* Hun fortalte meg livshistorien sin.
(**c**) (= *distinguish*) ▸ **to tell sth from** skille (*v2x*) noe fra ❑ *All cows look the same to me, I can never tell one from another.* Alle kuer ser like ut for meg, jeg kan aldri skille dem fra hverandre *or* se forskjell på dem.
(**d**) (= *know*) si*, vite* ❑ *I couldn't tell what they were thinking.* Jeg kunne* ikke si *or* vite hva de tenkte.
2 VI (= *have an effect*) ta* på, slite* på ❑ *All these late nights were beginning to tell on my health.* Alle disse sene kveldene begynte å ta* *or* slite på helsen min.
▸ **to tell sb to do sth** gi* noen beskjed om å gjøre* noe, si* til noen at de skal gjøre* noe
▸ **to tell sb of sth** fortelle* noen om noe ❑ *He told his friends of a party he had attended.* Han fortalte vennene sine om et selskap han hadde vært med i.
▸ **to tell sb about sth** fortelle* noen om noe
▸ **can you tell the time?** (*know how to*) kan du klokka?
▸ **can you tell me the time?** kan du si meg hvor mye *or* hva klokka er?
▸ **(I) tell you what...** (jeg) skal si deg at...
▸ **to do as one's told** gjøre* som man får beskjed om ❑ *Don't argue with me. Just do as you're told.* Ikke krangle med meg. Bare gjør som du får beskjed om.
▸ **I can't tell them apart** jeg kan ikke se forskjell på dem
▸ **tell off** VT ▸ **to tell sb off** gi* noen skjenn *or* kjeft ❑ *We don't want to get told off, do we?* Vi ønsker ikke å få* skjenn *or* kjeft vel?
▸ **tell on** VT FUS (= *inform against*) sladre (*v1*) på ❑ *"Don't tell on me for tearing my trousers".* "Ikke sladre på meg for at jeg rev opp buksene mine".
teller ['tɛləʳ] S (*in bank*) bankkasserer *m*
telling ['tɛlɪŋ] ADJ (*remark, detail*) talende
telltale ['tɛlteɪl] 1 ADJ (*sign*) avslørende, forrædersk
2 S (*neds: child*) sladrehank *m*
telly ['tɛlɪ] (*BRIT: inf*) S FK = **television**
temerity [tə'mɛrɪtɪ] S freidighet *c* ❑ *He had the temerity to suggest that...* Han hadde freidighet nok til å foreslå at...
temp [tɛmp] (*BRIT: sl*) 1 S kontorvikar *m*
2 VI jobbe (*v1*) som kontorvikar
temper ['tɛmpəʳ] 1 S (= *tendency to anger*) temperament *nt* ❑ *He had a most violent temper.* Han hadde et svært voldelig temperament. *Her bad temper...* Det dårlige humøret hennes...
2 VT (= *moderate*) mildne (*v1*)
▸ **fit of temper** sinneanfall *nt*, temperamentsutbrudd *nt*
▸ **in a temper** i fullt sinne
▸ **to lose one's temper** bli* sint, la sinnet løpe av med seg
temperament ['tɛmprəmənt] S temperament *nt*
temperamental [tɛmprə'mɛntl] ADJ (*person*) temperamentsfull; (*fig: car, machine*) temperamentsfull, uberegnelig
temperate ['tɛmprət] ADJ (*climate, country, zone*) temperert
temperature ['tɛmprətʃəʳ] S (*of person, place*) temperatur *m* ❑ *...a sudden drop in temperature...* et plutselig temperaturfall...
▸ **to have** *or* **run a temperature** ha* feber
▸ **to take sb's temperature** ta* temperaturen på noen; (*+person with fever*) måle (*v2*) feberen på noen
temperature chart S temperaturkurve *m*
tempered ['tɛmpəd] ADJ (*steel*) herdet
tempest ['tɛmpɪst] S storm *m*
tempestuous [tɛm'pɛstjuəs] ADJ (*time, relationship*) stormfull, stormende; (*person*) ildfull
tempi ['tɛmpiː] SPL *of* **tempo**
template ['tɛmplɪt] S mal *m*
temple ['tɛmpl] S (*building*) tempel *nt*; (*ANAT*) tinning *m*
tempo ['tɛmpəu] (*pl* **tempos** *or* **tempi**) S (*gen, MUS*) tempo *nt* ❑ *Events had been moving at a dramatic tempo.* Tingene hadde skjedd i et dramatisk tempo.
temporal ['tɛmpərl] ADJ (= *non-religious*) verdslig; (= *relating to time*) tids-
temporarily ['tɛmpərərɪlɪ] ADV midlertidig ❑ *I offered to put him up temporarily...* Jeg tilbød meg å innlosjere ham midlertidig...
temporary ['tɛmpərərɪ] ADJ (*arrangement, worker, job*) midlertidig
▸ **temporary secretary/teacher** midlertidig ansatt sekretær *m*/lærer *m*
temporize ['tɛmpəraɪz] VI trekke* ut tiden
tempt [tɛmpt] VT friste (*v1*)
▸ **to tempt sb into doing sth** *or* **to do sth** friste (*v1*) noen til å gjøre* noe
▸ **to be tempted to do sth** være* fristet til å gjøre* noe
temptation [tɛmp'teɪʃən] S fristelse *m* ❑ *...to resist further temptation.* ...motstå videre fristelser.
tempting ['tɛmptɪŋ] ADJ (*offer, food*) fristende
ten [tɛn] 1 TALLORD ti
2 S ▸ **tens of thousands** titusenvis
tenable ['tɛnəbl] ADJ (*argument*) holdbar; (*position*) som man kan holde på
tenacious [tə'neɪʃəs] ADJ gjenstridig
tenacity [tə'næsɪtɪ] S gjenstridighet *c*
tenancy ['tɛnənsɪ] S leieforhold *nt*
tenant ['tɛnənt] S leietaker *m*
tend [tɛnd] 1 VT (**a**) (*+crops*) passe (*v1*), se* til
(**b**) (*+sick person*) pleie (*v1 or v3*)
2 VI ▸ **to tend to do sth** ha* en tendens til å gjøre* noe, ha* lett for å gjøre* noe ❑ *I tend to wake up early in the morning.* Jeg har en tendens til *or* har lett for å våkne tidlig om morgenen.
tendency ['tɛndənsɪ] S (*of person, thing*) tendens *m* ❑ *There is a tendency to select some details and ignore others.* Det er en tendens til å velge ut noen detaljer og overse andre. *...murderous tendencies.* ...drapstendenser.
tender ['tɛndəʳ] 1 ADJ (**a**) (*person, heart, care, wound, skin*) øm ❑ *...tender, loving care.* ...øm, kjærlig omsorg.
(**b**) (*meat*) mør
(**c**) (*age*) sped, (svært) ung ❑ *He is still at a tender age.* Han er fremdeles svært ung *or* i sin spede barndom/ungdom.

2 s (**a**) (*MERK: offer*) anbud *nt*
(**b**) (*money*) ▸ **legal tender** lovlig betalingsmiddel *nt*
3 VT (*+offer, resignation, apology*) framføre (*v2*)
▸ **to put in a tender (for)** komme* med et anbud (på)
▸ **to put work out to tender** (*BRIT*) sette* ut et oppdrag på anbud

tenderize ['tɛndəraɪz] VT mørne (*v1*)

tenderly ['tɛndəlɪ] ADV (*say, touch, hold etc*) ømt

tenderness ['tɛndənɪs] s (*affection*) ømhet *c*; (*of meat*) mørhet *c*

tendon ['tɛndən] s sene *c*

tendril ['tɛndrɪl] s (*of plant*) slyngtråd *m*; (*of hair etc*) (liten) lokk *m*

tenement ['tɛnəmənt] s leiegård *m*

Tenerife [tɛnə'ri:f] s Tenerife

tenet ['tɛnət] s grunnsetning *m* ❑ *This is a basic tenet of capitalism.* Dette er en av kapitalismens grunnsetninger.

tenner ['tɛnə^r] (*BRIT: sl*) s tier *m* (*ti pund*)

tennis ['tɛnɪs] s tennis *m*

tennis ball s tennisball *m*

tennis club s tennisklubb *m*

tennis court s tennisbane *m*

tennis elbow s tennisalbu *m*

tennis match s tenniskamp *m*

tennis player s tennisspiller *m*

tennis racket s tennisracket *m*

tennis shoes SPL tennissko *pl*

tenor ['tɛnə^r] s (**a**) (*MUS*) tenor *m*
(**b**) (*of speech etc*) hovedinnhold *nt* ❑ *I forget the tenor of her reply.* Jeg har glemt hovedinnholdet i svaret hennes.

tenpin bowling ['tɛnpɪn-] (*BRIT*) s bowling *m*

tense [tɛns] 1 ADJ (**a**) (*person, smile*) anspent
(**b**) (*period, situation, muscle*) spent ❑ *The situation was very tense.* Situasjonen var veldig spent.
2 s (*LING*) (verb)tid *c*
3 VT (*+muscles*) spenne (*v2x*), stramme (*v1*)

tenseness ['tɛnsnɪs] s anspenthet *c*

tension ['tɛnʃən] s (**a**) (*nervousness*) anspenthet *c*, spenning *c* ❑ *...during a period of high tension in 1974...* i en periode med høy grad av spenning *or* anspenthet i 1974...
(**b**) (*between ropes etc*) stramming *c*

tent [tɛnt] s telt *nt*

tentacle ['tɛntəkl] s (**a**) (*of animal*) fangarm *m*
(**b**) (*fig*) fangarm *m*, klo *c irreg* ❑ *...the tentacles of class background.* ...klassebakgrunnenes fangarmer *or* klør.

tentative ['tɛntətɪv] ADJ (*person*) forsiktig, nennsom; (*step, smile*) tentativ, prøvende; (*conclusion, plans*) tentativ, forsøksvis

tentatively ['tɛntətɪvlɪ] ADV (*suggest, wave etc*) tentativt, forsøksvis

tenterhooks ['tɛntəhuks] SPL ▸ **on tenterhooks** som på nåler

tenth [tɛnθ] TALLORD tiende

tent peg s teltplugg *m*

tent pole s teltstang *c irreg*

tenuous ['tɛnjuəs] ADJ (*hold, links, connection etc*) spinkel

tenure ['tɛnjuə^r] s (**a**) (*of land, buildings etc*) besittelse *m*
(**b**) (*of office*) embetstid *c* ❑ *...the first week of his tenure of the Home Office.* ...den første uken av embetstiden hans i Innenriksdepartementet.
(**c**) (*UNIV*) ▸ **to have tenure** ha* fast stilling

tepid ['tɛpɪd] ADJ (*tea, pool, reaction, applause*) lunken

term [tə:m] 1 s (**a**) (*word, expression*) uttrykk *nt*
(**b**) (*technical*) term *m* ❑ *...a term of abuse.* ...et utskjellingsuttrykk.
(**c**) (*period in power etc*) periode *m* ❑ *...Baldwin's second term of office as Premier...* Baldwins andre periode i statsministerstolen...
(**d**) (*SKOL*) termin *m*
2 VT (*= call*) kalle (*v2x*), benevne (*v2*) som NB *The press termed the visit a triumph.* Pressen kalte besøket en triumf *or* benevnte besøket som en triumf.
▸ **terms** SPL (**a**) (*conditions*) betingelser, vilkår *pl* ❑ *They would never surrender this territory, on any terms whatever.* De ville* aldri oppgi dette området, på noen betingelser *or* vilkår.
(**b**) (*MERK*) betingelser ❑ *I'm prepared to sell it at highly favourable terms.* Jeg er villig til å selge den til svært gunstige betingelser.
▸ **in terms of** når det gjelder, med hensyn til ❑ *It has been a terrible year in terms of business.* Det har vært et forferdelig år når det gjelder *or* med hensyn til forretninger.
▸ **in economic/political terms** med hensyn til *or* når det gjelder økonomi/politikk
▸ **term of imprisonment** fengselsopphold *nt*
▸ **on easy terms** (*MERK*) på avbetaling
▸ **in the short term** på kort sikt
▸ **in the long term** på lang sikt, i det lange løp
▸ **to be on good terms with sb** ha* et godt forhold til noen
▸ **to come to terms with** (*+problem*) avfinne* seg med

terminal ['tə:mɪnl] 1 ADJ (*disease, cancer*) dødelig; (*patient*) døende
2 s terminal *m*; (*ELEK*) polklemme *c*

terminate ['tə:mɪneɪt] 1 VT (*+discussion*) avslutte (*v1*); (*+contract, pregnancy*) avbryte*
2 VI ▸ **to terminate in** (*bus, train+*) ha* endestasjon i

termination [tə:mɪ'neɪʃən] s (**a**) avslutning *m* ❑ *...the termination of his links with the organization.* ...avslutningen på hans kontakt med organisasjonen.
(**b**) (*of contract*) oppsigelse *m*
(**c**) (*MED*) ▸ **termination (of pregnancy)** abort *m*
▸ **to have a termination** (*MED*) få* utført en abort

termini ['tə:mɪnaɪ] SPL *of* **terminus**

terminology [tə:mɪ'nɔlədʒɪ] s terminologi *m*

terminus ['tə:mɪnəs] (*pl* **termini**) s endestasjon *m*

termite ['tə:maɪt] s termitt *m*

term paper (*US*) s (*UNIV*) ≈ semesteroppgave *c*

Ter(r). FK (*in street names*) = **terrace**

terrace ['tɛrəs] s (**a**) (*BRIT: row of houses*) husrekke *c*
(**b**) (*= patio, raised field*) terrasse *m*
▸ **the terraces** (*BRIT: SPORT*) SPL ståtribune *c sg*

terraced ['tɛrəst] ADJ (*house*) i rekke; (*garden*) terrasse-

terracotta ['tɛrə'kɔtə] 1 s (*clay*) terrakotta *m*;

(*colour*) terrakottafarge *m*
2 ADJ (*pot, roof etc*) terrakotta-
terrain [tɛ'reɪn] s terreng *nt*
terrestrial [tə'rɛstrɪəl] (*BRIT: TEL*) ADJ bakkebasert
terrible ['tɛrɪbl] ADJ fryktelig, forferdelig ❑ *Conditions in our country are terrible...* Forholdene i landet vårt er fryktelige *or* forferdelige... *I've had a terrible day at the office...* Jeg har hatt en fryktelig *or* forferdelig dag på kontoret...
terribly ['tɛrɪblɪ] ADV fryktelig, forferdelig ❑ *I'm terribly sorry...* Jeg er fryktelig *or* forferdelig lei meg... *They played terribly...* De spilte fryktelig *or* forferdelig...
terrier ['tɛrɪə^r] s terrier *m*
terrific [tə'rɪfɪk] ADJ (= *very great: thunderstorm, speed*) voldsom, drabelig; (= *wonderful: time, party*) kjempeflott, super
terrify ['tɛrɪfaɪ] VT skremme (*v2x*) (vettet av)
▸ **to be terrified** være* vettskremt
terrifying ['tɛrɪfaɪɪŋ] ADJ (*nightmare, experience etc*) skremmende, gruoppvekkende, skrekkinnjagende
territorial [tɛrɪ'tɔːrɪəl] 1 ADJ (*waters, boundaries, dispute*) territorial-
2 S (*MIL: member of Territorial Army*) ≈ heimevernssoldat *m*
Territorial Army (*BRIT: MIL*) S ▸ **the Territorial Army** ≈ Heimevernet
territorial waters SPL territorialfarvann *nt sg* ❑ *They were caught violating territorial waters.* De ble grepet i å ha* brutt seg inn i territorialfarvann.
territory ['tɛrɪtərɪ] s (**a**) (*domain*) territorium *nt irreg*, område *nt* ❑ *This meeting is to be held on neutral territory.* Dette møtet skal holdes på nøytralt territorium *or* område.
(**b**) (*fig*) terreng *nt*, stoff *nt* ❑ *All this is familiar territory to readers of her novels.* Alt dette er kjent terreng *or* stoff for dem som har lest romanene hennes.
terror ['tɛrə^r] s (*great fear*) skrekk *m*
▸ **in terror of** i skrekk *or* redsel for ❑ *Africans went in terror of the white man.* Afrikanere gikk i skrekk *or* redsel for den hvite mann.
terrorism ['tɛrərɪzəm] s terrorisme *m* ❑ *...acts of terrorism.* ...terrorismen.
terrorist ['tɛrərɪst] s terrorist *m*
terrorize ['tɛrəraɪz] VT (*+person, community*) terrorisere (*v2*)
terse [təːs] ADJ (*statement, reply*) kort(fattet), knapp; (*style*) knapp
tertiary ['təːʃərɪ] ADJ tertiær(-)
▸ **tertiary education** (*BRIT*) høyere utdanning *c*
Terylene® ['tɛrɪliːn] 1 s terylene *nt*
2 ADJ terylene-
TESL ['tɛsl] S FK (= **Teaching of English as a Second Language**) undervisning *m* i engelsk som andrespråk
TESSA ['tɛs] (*BRIT*) S FK (= **Tax Exempt Special Savings Account**) *skattefri banksparing*
test [tɛst] 1 s (**a**) (*trial, check*) test *m*, prøve *c*, forsøk *nt* ❑ *...an underground nuclear test.* ...en hemmelig kjernefysisk test *or* prøve. ...et hemmelig kjernefysisk forsøk.
(**b**) (*of courage, intelligence, relationship*) test *m* ❑ *A good test of a relationship is supposed to be...* En god test på et forhold skal være... *an intelligence test.* ...en intelligenstest.
(**c**) (*MED, SKOL*) prøve *c* ❑ *Jenny's blood test...* Jennys blodprøve... *he hadn't passed the test.* ...han hadde ikke bestått prøven.
(**d**) (*KJEM*) test *m*, undersøkelse *m* ❑ *They carried out tests on the water.* De utførte tester *or* undersøkelser av vannet.
(**e**) (*also* ***driving test***) førerprøve *c*
2 VT (**a**) (= *try out, SCOL*) prøve (*v3*) ut, teste (*v1*) ❑ *The drug is quite safe, we've tested it on gorillas.* Stoffet er helt sikkert, vi har prøvd *or* testet det på gorillaer. *I will test you on your knowledge of French.* Jeg vil teste *or* prøve deg i franskkunnskapene dine.
(**b**) (*examine*) teste (*v1*), undersøke (*v2*) ❑ *...to test for ripeness.* ...for å teste *or* undersøke om de var modne. *They tested your blood type.* De testet *or* undersøkte blodtypen din.
▸ **to put sth to the test** sette* noe på prøve
▸ **to test water for impurities** teste (*v1*) *or* undersøke (*v2*) om vannet er forurenset, teste *or* undersøke vann for å se om det er forurenset
testament ['tɛstəmənt] s testament(e) *nt* ❑ *The building is a testament to their success.* Bygningen er et testamente over suksessen deres.
▸ **the Old/New Testament** Det gamle/nye testamentet
test ban s kjernefysisk prøvestans *m*
test case s (*JUR*) sak *m* som skaper presedens; (*fig*)
▸ **the strike is a test case for other similar situations** streiken vil skape presedens for andre liknende situasjoner
testes ['tɛstiːz] SPL testikler
test flight s prøveflyvning *m*
testicle ['tɛstɪkl] s testikkel *m*
testify ['tɛstɪfaɪ] VI ▸ **to testify (against)** vitne (*v1*) (mot)
▸ **to testify to** (**a**) (*JUR*) bevitne (*v1*)
(**b**) (= *be sign of*) bekrefte (*v1*) noe ❑ *...human experience testifies to the link between love and fear.* ...menneskelig erfaring bekrefter forbindelsen mellom kjærlighet og frykt.
testimonial [tɛstɪ'məunɪəl] s (*BRIT*) attest *m*
testimony ['tɛstɪmənɪ] s (**a**) (*JUR: statement*) vitneforklaring *c*, vitneutsagn *nt* ❑ *...witnesses whose testimony would be believed.* ...vitner hvis forklaring *or* utsagn ville* bli* trodd.
(**b**) (= *clear proof*) ▸ **to be (a) testimony to** bære* vitnesbyrd om ❑ *This is testimony to the computer's creative powers.* Dette bærer vitnesbyrd om datamaskinens skapende krefter.
testing ['tɛstɪŋ] ADJ (*situation, period*) krevende
testing ground s prøvesten *m*
test match (*SPORT*) s landskamp *m*
testosterone [tɛs'tɔstərəun] s testosteron *nt*
test paper (*SKOL*) s prøve *m*; (*as handed out*) oppgave *c*; (*as handed in*) besvarelse *m*
test pilot s testpilot *m*
test tube s prøverør *nt*, reagensrør *nt*
test-tube baby ['tɛsttjuːb-] s prøverørsbarn *nt*
testy ['tɛstɪ] ADJ (*person, comment*) grinet(e)

tetanus ['tɛtənəs] s stivkrampe *c*
tetchy ['tɛtʃɪ] ADJ (*person, behaviour*) oppfarende
tether ['tɛðə^r] 1 VT (*+animal*) tjore (*v1*) (fast)
2 S ▸ **at the end of one's tether** på bristepunktet
text [tɛkst] s tekst *m*
textbook ['tɛkstbuk] s lærebok *c*
textiles ['tɛkstaɪlz] SPL (**a**) (= *fabrics*) tekstiler (**b**) (*industry*) tekstilindustrien *m def* ❑ *...people employed in textiles.* ...mennesker som jobber i tekstilindustrien.
textual ['tɛkstjuəl] ADJ (*analysis etc*) tekst-
texture ['tɛkstʃə^r] s (*of cloth, skin, soil, silk*) tekstur *m*
TGWU (*BRIT*) S FK (= **Transport and General Workers' Union**) *fagforening*
Thai [taɪ] 1 ADJ thai-, thailandsk
2 S thailender *m*
Thailand ['taɪlænd] s Thailand
thalidomide® [θə'lɪdəmaɪd] s thalidomid *nt* ❑ *...thalidomide babies.* ...thalidomidbarn.
Thames [tɛmz] s ▸ **the Thames** Themsen
than [ðæn, ðən] KONJ enn
▸ **more than 10** mer enn 10
▸ **less than Paul** mindre enn Paul
▸ **older than you think** eldre enn du tror
thank [θæŋk] VT (*+person*) takke (*v1*)
▸ **thank you (very much)** (tusen) takk (skal du ha) ❑ *Thank you very much indeed for coming to see me...* Hjertelig tusen takk (skal du ha) for at du kom for å besøke meg...
▸ **thank God!** gudskjelov!
▸ **to thank sb for doing sth** takke (*v1*) noen for at han gjorde noe ❑ *He thanked me for bringing the books.* Han takket meg for at jeg hadde med bøkene.
thankful ['θæŋkful] ADJ ▸ **thankful (for)** takknemlig (for) ▸ **thankful that** (= *relieved*) takknemlig for at ❑ *We were thankful that it was all over...* Vi var takknemlige for at alt var over...
thankfully ['θæŋkfəlɪ] ADV takknemlig ❑ *We sat down thankfully...* Vi satte oss takknemlig...
▸ **thankfully there were few victims** gudskjelov at det var få* ofre
thankless ['θæŋklɪs] ADJ utakknemlig
thanks [θæŋks] 1 SPL takk *m* NB *He sent a letter of thanks to Haldane.* Han sendte et takkebrev til Haldane.
2 INTERJ takk
▸ **many thanks, thanks a lot** tusen takk
▸ **thanks to** takket være ❑ *Thanks to John we arrived 3 hours late...* Takket være* John kom vi fram 3 timer for seint...
Thanksgiving (Day) ['θæŋksgɪvɪŋ-] (*US*) s høsttakkefest *m*

> **Thanksgiving Day** *er en offentlig høytidsdag i USA, den fjerde torsdagen i november, til minne om den gode avlingen som pilegrimene fra Storbritannia fikk i 1621. Tradisjonelt sett var dette en dag da man takket Gud, og organiserte store selskaper. Dagen feires fremdeles gjerne med en stor familiemiddag der det serveres kalkun. En lignende fest, men uten noen tilknytning til Pilegrimene, finner sted i Kanada den andre mandagen i oktober.*

KEYWORD

that [ðæt] (*demonstrative adj, pron: pl* **those**) 1 ADJ (*demonstrative*) den *c*, det *nt* (*+ definite ending*)
▸ **that man/woman/book** den mannen/kvinnen/boken
▸ **that place** det stedet
▸ **that one** den/det (der)
▸ **that one over there** den/det der borte
2 PRON (**a**) (*demonstrative*) det
▸ **who's/what's that?** hvem/hva er det?
▸ **is that you?** er det deg?
▸ **I prefer this to that** jeg foretrekker dette her framfor det der
▸ **will you eat all that?** vil du spise alt det?
▸ **that's my house** det (der) er mitt hus
▸ **that's what he said** det var det han sa
▸ **that is (to say)** det vil si
(**b**) (*relative*) som
▸ **the book (that) I read** boken (som) jeg leste
▸ **the books that are in the library** bøkene som er i biblioteket
▸ **the man (that) I saw** mannen (som) jeg så
▸ **all (that) I have** alt (som) jeg har
(**c**) (*relative: of time*) da
▸ **the day (that) he came** dagen (da) han kom
3 KONJ at
▸ **he thought (that) I was ill** han trodde (at) jeg var syk
4 ADV så
▸ **that much/bad/high** så mye/høy/ille

thatched [θætʃt] ADJ (*roof, cottage*) stråtekt
Thatcherism ['θætʃərɪzəm] s *Margaret Thatchers politikk*
thaw [θɔː] 1 S (**a**) tøvær *nt*
(**b**) (*ice in ground*) teleløsning *m* ❑ *A thaw had set in and the streets were slushy.* Det hadde satt inn med tøvær/teleløsning, og gatene var slapsete.
2 VI (**a**) (*ice+*) smelte (*v1*), tø (*v4*)
(**b**) (*food+*) tine (*v2*)
3 VT (*+food:* ***thaw out***) tine (*v2*) ❑ *Pre-cooked food can be thawed out quicker than poultry.* Ferdiglaget mat kan tines raskere enn fjærkre.
▸ **it's thawing** (*weather*) det er mildvær *or* tøvær

KEYWORD

the [ðiː, ðə] 1 BEST ART (**a**) (*generally use definite ending*) -en *c*, -a *f*, -et *nt*, -ene *pl*
▸ **the man** mannen
▸ **the girl** jenta
▸ **the house** huset
▸ **the windows** vinduene
▸ **the history of France** Frankrikes historie
▸ **I haven't the time/money** jeg har ikke tid/råd
▸ **to play the piano/violin** spille piano/fiolin
▸ **the age of the computer** dataalderen
▸ **I'm going to the butcher's/the cinema** jeg skal til slakteren/på kino
(**b**) (*+ adj + noun*) den *c*, det *nt*, de *pl* (*+ definite ending*)
▸ **the red book** den røde bøken
▸ **the red house** det røde huset
▸ **the red doors** de røde dørene
(**c**) (*+ adjective used as noun*) det/de
▸ **to attempt the impossible** prøve det umulige

▸ **the rich and the poor** de rike og de fattige
(**d**) (*in titles, dates*) den
▸ **Elizabeth the First** Elizabeth den første
▸ **Peter the great** Peter den store
▸ **the first of May** den første mai
(**e**) (*in comparisons*) ▸ **the ...the...** jo ...jo..., jo ...desto ❑ *The more he works the more he earns.* Jo mer han arbeider, jo *or* desto mer tjener han. *The more I look at it the less I like it.* Jo mer jeg ser på det, jo *or* desto mindre liker jeg det.

---

theatre [ˈθɪətəʳ], **theater** (*US*) s (**a**) (*building, art form*) teater *nt* ❑ *Good theatre nourishes the human spirit.* Godt teater gir føde til menneskesinnet.
(**b**) (*also* ***lecture theatre***) auditorium *nt*
(**c**) (*MED* : ***operating theatre***) operasjonssal *nt*
▸ **to go to the theatre** gå* på teater
▸ **to go to theatre** (*MED*) skulle* på operasjonsbord
theatre-goer [ˈθɪətəgəuəʳ] s teatergjenger *m*
theatrical [θɪˈætrɪkl] ADJ (**a**) (*event, production*) teater-
(**b**) (*gestures etc*) teatralsk ❑ *He has a very theatrical style of speaking.* Han har en svært teatralsk måte å snakke på.
theft [θɛft] s tyveri *nt* ❑ *He reported the theft of his passport.* Han anmeldte tyveriet av passet hans.
their [ðɛəʳ] ADJ deres *see also* **my**
theirs [ðɛəz] PRON (**a**) deres
(**b**) (*same person as subject of sentence*) sin(e), sitt
▸ **it is theirs** den er deres
▸ **a friend of theirs** en venn av dem
see also **mine**[1]
them [ðɛm, ðəm] PRON dem ❑ *He took off his glasses and put them in his pocket.* Han tok av seg brillene og la dem i lommen. *People often ask me to lend them money.* Folk ber meg ofte om å låne dem penger.
▸ **a few of them** noen av dem
see also **me**
theme [θiːm] s (= *main subject, MUS*) tema *nt* NB *...variations on a theme.* ...variasjoner over et tema.
theme park s fornøyelsespark *m*
theme song s gjennomgangssang *m*, kjenningsmelodi *m*
theme tune s gjennomgangsmelodi *m*, kjenningsmelodi *m*
themselves [ðəmˈsɛlvz] PL PRON (**a**) (*reflexive*) seg (selv) ❑ *They are trying to educate themselves.* De prøver å oppdra seg selv
(**b**) (*emphatic*) selv ❑ *Let's turn to the books themselves.* La oss gå* til bøkene selv
(**c**) (*after prep*) seg selv ❑ *Children gain trust in themselves...* Barn får tro på seg selv...
(**d**) (*alone*) selv, på egen hånd ❑ *They must settle it themselves...* De måtte* avgjøre det selv *or* på egen hånd...
▸ **between themselves** seg i mellom
then [ðɛn] 1 ADV (**a**) (= *at that time*) da, den gang ❑ *I thought she was a phony then and I think she's a phony now.* Jeg syntes hun var falsk da *or* den gang, og jeg syns hun er falsk nå.
(**b**) (= *next*) så, deretter ❑ *I am going to my room to read, and then I will have a sleep.* Jeg går på rommet mitt for å lese, og så *or* deretter vil jeg ta* meg en lur.
(**c**) (= *later*) da ❑ *The programme next week...Until then, goodbye.* Programmet neste uke...Inntil da, ha* det *or* Ha det så lenge.
2 KONJ (= *therefore*) så ❑ *These then are some of the feelings we may experience.* Så dette er noen av følelsene som vi kan oppleve.
3 ADJ ▸ **the then president** den daværende presidenten
▸ **by then** på det tidspunktet
▸ **from then on** fra da av
▸ **before then** før det
▸ **until then** inntil da
▸ **and then what?** og hva så?
▸ **what do you want me to do then?** (**a**) (*afterwards*) hva vil du at jeg skal gjøre* da *or* etter det?
(**b**) (*in that case*) hva vil du at jeg skal gjøre* i så fall?
▸ **but then** (= *however*) men det er det at, men så ...jo ❑ *Iron would do the job much better. But then you can't weld iron so easily.* Jern ville* være* mye bedre til formålet. Men det er det at du ikke kan sveise jern så lett. *or* Men så kan du jo ikke sveise jern så lett.
theologian [θɪəˈləudʒən] s teolog *m*
theological [θɪəˈlɔdʒɪkl] ADJ teologisk
theology [θɪˈɔlədʒɪ] s teologi *m*
theorem [ˈθɪərəm] s teorem *nt*, læresetning *m*
theoretical [θɪəˈrɛtɪkl] ADJ teoretisk
theorize [ˈθɪəraɪz] VI teoretisere (*v2*)
theory [ˈθɪərɪ] s teori *m* ❑ *...his theories about language and writing.* ...teoriene hans om språk og skrift. *...the theory and practice of...* teorien og praksisen ved...
▸ **in theory** i teorien, teoretisk sett
therapeutic [θɛrəˈpjuːtɪk] ADJ terapeutisk
therapist [ˈθɛrəpɪst] s terapeut *m*
therapy [ˈθɛrəpɪ] s terapi *m* ❑ *...group therapy.* ...gruppeterapi.

KEYWORD

there [ðɛəʳ] 1 ADV (**a**) ▸ **there is, there are** det er
▸ **there are 3 of them** det er 3 av dem
▸ **there has been an accident** det har vært en ulykke
(**b**) (*referring to place*) der; (*with motion*) dit
▸ **it's there** den er der
▸ **he went there on Friday** han gikk dit på fredag
▸ **put it in/down there** legg den inn/ned der *or* dit
▸ **it's in/down there** det er der inne/nede
▸ **that book there** den boken der
▸ **there he is!** der er han!
(**c**) ▸ **there, there** (*comforting*) så, så ❑ *There, there, it's not your fault.* Så, så, det er ikke din skyld.

---

thereabouts [ˈðɛərəˈbauts] ADV deromkring ❑ *He lives in London or thereabouts.* Han bor i London eller deromkring. *...8 per cent or thereabouts.* ...8 prosent eller deromkring.

thereafter [ðɛər'ɑːftəʳ] ADV deretter, fra da av
thereby ['ðɛəbaɪ] ADV derved, dermed
therefore ['ðɛəfɔːʳ] ADV derfor
there's ['ðɛəz] = **there is, there has**
thereupon [ðɛərə'pɒn] ADV dermed, så
thermal ['θəːml] ADJ (*springs*) varm, termal-; (*underwear, paper, printer*) varme-
thermodynamics ['θəːmədaɪ'næmɪks] S termodynamikk *m*
thermometer [θə'mɔmɪtəʳ] S (*for room/body temperature*) termometer *nt* ❑ *The thermometer reads 92 degrees.* Termometeret viser 92 grader.
thermonuclear ['θəːməu'njuːklɪəʳ] ADJ (*reaction*) termonukleær; (*weapon*) fusjons-
Thermos® ['θəːməs] S (*also* ***Thermos flask***) termos *m*, termosflaske *c*
thermostat ['θəːməustæt] S termostat *m*
thesaurus [θɪ'sɔːrəs] S tesaurus *m*
these [ðiːz] [1] PL ADJ (**a**) disse ❑ *Get these kids out of here!* Få disse barna ut herfra!
(**b**) (*emphasizing: not "those"*) disse (her) ❑ *These shoes are cheaper than those.* Disse skoene (her) er billigere enn de der.
[2] PL PRON disse ❑ *Which do you prefer, these or those?* Hvilke foretrekker du, disse eller de der?
theses ['θiːsiːz] SPL *of* **thesis**
thesis ['θiːsɪs] (*pl* **theses**) S (*for doctorate*) avhandling *m*; (*for lower degree*) ≈ hovedoppgave *c*
they [ðeɪ] PL PRON de
▸ **they say that...** (= *it is said that*) de *or* man sier at..., det sies at...
they'd [ðeɪd] = **they had, they would**
they'll [ðeɪl] = **they shall, they will**
they're [ðɛəʳ] = **they are**
they've [ðeɪv] = **they have**
thick [θɪk] [1] ADJ (**a**) (*slice, line, sauce, mud, fog, forest, hair, clothing*) tykk (*var:* tjukk)
(**b**) (*sl: stupid*) teit (*sl*)
[2] S ▸ **in the thick of the battle** midt oppe i slaget
▸ **it's 20 cm thick** den er 20 cm tykk
thicken ['θɪkn] [1] VI (*fog, sauce+*) tykne (*v1*) (til), bli* tykkere
[2] VT (*+sauce etc*) gjøre* tykkere
▸ **the plot thickens** (*hum*) handlingen fortetter seg *or* tilspisser seg
thicket ['θɪkɪt] S kratt *nt*, kjerr *nt*
thickly ['θɪklɪ] ADV (*spread, cut*) tykt (*var:* tjukt) ❑ *She buttered my bread thickly.* Hun smurte tykt på brødskiven min.
▸ **thickly populated** tett befolket
thickness ['θɪknɪs] S (**a**) (*of rope, wire*) tykkelse *m* (*var:* tjukkelse) ❑ *...a wire of the same thickness.* ...en streng med samme tykkelse.
(**b**) (*layer*) lag *nt* ❑ *Marion was wearing several thicknesses of clothing.* Marion hadde på seg flere lag med klær.
thickset [θɪk'sɛt] ADJ (*person, body*) tettbygd, tettvokst
thick-skinned [θɪk'skɪnd] ADJ (*fig: person*) tykkhudet
thief [θiːf] (*pl* **thieves**) S tyv *m* (*var:* tjuv)
thieves [θiːvz] SPL *of* **thief**
thieving ['θiːvɪŋ] S tyveri *nt* (*var:* tjuveri)
thigh [θaɪ] S lår *nt*
thighbone ['θaɪbəun] S lårbein *nt*
thimble ['θɪmbl] S fingerbøl *nt*
thin [θɪn] [1] ADJ (**a**) (*slice, line, book, person, animal, clothing, soup, fog, hair*) tynn ❑ *...a thin layer of soil and coarse grass.* ...et tynt lag med jord og stritt gress.
(**b**) (*crowd*) glissen, fåtallig
[2] VT ▸ **to thin (down)** (*+sauce, paint*) tynne (*v1*) ut, fortynne (*v1*)
[3] VI (**a**) (*fog+*) lette (*v1*)
(**b**) (*also* ***thin out****: crowd*) tynne (*v1*) seg ut
(**c**) (*hair+*) ▸ **his hair is thinning** håret hans blir tynt *or* tynnere, han blir tynn(ere) i håret
thing [θɪŋ] S (**a**) (*gen, physical object, matter, subject*) ting *m irreg* ❑ *...just to do one thing.* ...bare for å gjøre* en ting. *Don't bother me with little things like that.* Ikke bry meg med sånne småting.
(**b**) (*expressing disapproval*) greie *c* (*sl*) ❑ *Do you know how to drive this thing?* Vet du hvordan man kjører denne greia?
▸ **things** SPL (= *belongings*) ting *pl*, saker
▸ **first thing (in the morning)** (**a**) (*tomorrow*) med én gang (i morgen tidlig)
(**b**) (*in general*) som det første du/man *etc* gjør om morgenen
▸ **last thing (at night), he...** det siste han gjør (om kvelden), er...
▸ **the thing is...** saken er...
▸ **for one thing** for det første ❑ *I prefer badminton to squash. It's not so tiring for one thing.* Jeg liker badminton bedre enn squash. Det er ikke så slitsomt for det første.
▸ **don't worry about a thing** ikke bekymre deg om noe (som helst)
▸ **you'll do no such thing!** det der gjør du ikke!
▸ **poor thing** stakkar, stakkars deg/henne *etc*
▸ **the best thing would be to...** det beste ville* være* å...
▸ **how are things?** hvordan går det?, hvordan står det til?
▸ **to have a thing about** (**a**) (*sl: like*) ha* dilla på (*sl*)
(**b**) (*dislike*) ikke kunne* fordra
think [θɪŋk] (*pt* **thought**)*pp* [1] VI tenke (*v2*) ❑ *He thought for a moment...* Han tenkte i et øyeblikk... *students simply didn't think this way...* studenter tenkte simpelthen ikke på denne måten...
[2] VT (**a**) (= *be of the opinion*) synes (*v25*), mene (*v2*) ❑ *I think a woman has as much right to work as a man...* Jeg syns *or* mener en kvinne har like mye rett til arbeid som en mann...
(**b**) (*believe*) tro (*v4*) ❑ *At first I thought he was asleep...* Først trodde jeg han sov...
▸ **to think of** *or* **about** tenke (*v2*) på ❑ *Think of me while I'm away!* Tenk på meg mens jeg er borte! *I still think about you.* Jeg tenker fremdeles på deg. *He only ever thinks of himself.* Han tenker alltid bare på seg selv. *...a method which had never been thought of before.* ...en metode som ingen noen gang hadde tenkt på før.; (= *recall*) huske (*v1*) *I couldn't think of her name.* Jeg kunne* ikke huske navnet hennes.
▸ **what did you think of them?** hva syntes du om dem?

▸ **I'll think about it** jeg skal tenke på *or* over det
▸ **to think of doing sth** tenke (*v2*) på å gjøre* noe ❑ *Is he still thinking of going away to Italy?* Tenker han fremdeles på å dra til Italia?
▸ **I think so/not** jeg tror det/jeg tror ikke det
▸ **to think highly of sb** ha* høye tanker om noen, synes (*v25*) (svært) godt om noen
▸ **to think aloud** tenke (*v2*) høyt
▸ **think again!** tenk deg om (en gang til)!

► **think over** VT (*+offer, suggestion*) tenke (*v2*) over, overveie (*v3*)
▸ **I'd like to think things over** jeg vil gjerne tenke over saker og ting

► **think through** VT tenke (*v2*) gjennom ❑ *I haven't really thought the whole business through in my own mind.* Jeg har ikke egentlig fått tenkt gjennom hele saken for meg selv.

► **think up** VT (*+plan, scheme, excuse*) tenke (*v2*) ut, finne* på

thinking ['θɪŋkɪŋ] S (*= ideas*) tenkemåte *m* ❑ *We are so alike in our thinking...* Vi er så like i vår måte å tenke på...
▸ **to my (way of) thinking** slik jeg ser det

think tank S ekspertgruppe *c*

thinly ['θɪnlɪ] ADV (**a**) (*spread, cut*) tynt ❑ *...fresh, thinly cut bread...* ferskt, tynt skåret brød...
(**b**) (*disguised, veiled*) (svært) lett, dårlig ❑ *...a thinly veiled criticism.* ...en lett *or* dårlig tilslørt kritikk.

thinness ['θɪnnɪs] S (*of wire, string, cloth, carpet*) *det å være* tynn*

third [θəːd] 1 TALLORD tredje
2 S (**a**) (*fraction*) tredjedel *m*, tredel *m*
(**b**) (*BIL*) tredje gir *nt*
(**c**) (*BRIT: UNIV: degree*) ≈ non (contemnendus) (*laveste ståkarakter til en degree*)
▸ **a third of** en tre(dje)del av

third-degree burns ['θəːddɪgriː-] SPL tredjegradsforbrenninger

thirdly ['θəːdlɪ] ADV for det tredje

third party insurance (*BRIT*) S ≈ ansvarsforsikring *c*

third-rate ['θəːd'reɪt] (*neds*) ADJ (*performance, actor etc*) tredjerangs

Third World 1 S ▸ **the Third World** Den tredje verden
2 ADJ ulands-
▸ **Third World country** uland *nt*, utviklingsland *nt*

thirst [θəːst] S tørst *m*

thirsty ['θəːstɪ] ADJ (*person, animal*) tørst
▸ **gardening is thirsty work** man blir tørst av å jobbe i hagen

thirteen [θəː'tiːn] TALLORD tretten

thirteenth [θəː'tiːnθ] TALLORD trettende

thirtieth ['θəːtɪɪθ] TALLORD trettiende (*var.* tredevte)

thirty ['θəːtɪ] TALLORD tretti (*var.* tredve)

KEYWORD

this [ðɪs] (*pl* **these**) 1 ADJ (*demonstrative*) denne *c*, dette *nt*, disse *pl* (*+ definite ending*)
▸ **this man** denne mannen
▸ **this house** dette huset
▸ **these books** disse bøkene
▸ **this one (here)** denne/dette (her)
2 PRON (*demonstrative*) dette/denne/disse
▸ **who/what is this?** hvem/hva er dette?
▸ **this is where I live** her bor jeg
▸ **this is what he said** det var dette han sa
▸ **this is Mr Brown** dette er Mr Brown
3 ADV ▸ **this much/high/long** så mye/høy/lang
▸ **it was about this big** det var omtrent så stort (som dette) ❑ *We can't stop now we've gone this far.* Vi kan ikke stoppe nå som vi har kommet så langt (som dette).

thistle ['θɪsl] S tistel *m*

thong [θɔŋ] S re(i)m *c*

thorn [θɔːn] S torn *m*

thorny ['θɔːnɪ] ADJ (*plant, tree*) med torner; (*fig: problem*) tornefull, besværlig

thorough ['θʌrə] ADJ grundig

thoroughbred ['θʌrəbrɛd] S fullblodshest *m*

thoroughfare ['θʌrəfɛəʳ] S gjennomfartsvei *m*
▸ **"no thoroughfare"** (*BRIT*) "ingen gjennomkjøring", "gjennomkjøring forbudt"

thoroughgoing ['θʌrəgəuɪŋ] ADJ (*changes, reform*) gjennomgripende; (*investigation*) grundig

thoroughly ['θʌrəlɪ] ADV (**a**) (*examine, study, wash, search*) grundig
(**b**) (*= very*) virkelig ❑ *I was thoroughly ashamed of myself...* Jeg skammet meg virkelig...
▸ **I thoroughly agree** jeg er aldeles enig

thoroughness ['θʌrənɪs] S grundighet *c*

those [ðəuz] 1 PL ADJ (**a**) de ❑ *Those people over there are looking at us.* De menneskene der borte ser på oss.
(**b**) (*emphasizing: not "these"*) de (der) ❑ *Those apples are fine but these are rotten.* De eplene (der) er fine, men disse er råtne.
2 PL PRON (**a**) (*subject*) de ❑ *Are those yours?* Er de dine?
(**b**) (*object*) dem ❑ *I want to thank those of you who have offered to help.* Jeg vil gjerne takke de(m) av dere som har tilbudt seg å hjelpe.

though [ðəu] 1 KONJ skjønt, enda ❑ *Though he hadn't stopped working all day, he wasn't tired.* Skjønt *or* enda han ikke hadde tatt pause i arbeidet hele dagen, var han ikke trøtt.
2 ADV men (...likevel) NB *It's not easy, though.* Men det er ikke lett (likevel).
▸ **even though** selv om, til tross for at ❑ *She wore a fur coat, even though it was a very hot day.* Hun hadde på seg en pelskåpe, selv om *or* til tross for at det var en svært varm dag.

thought [θɔːt] 1 PRET, PP *of* **think**
2 S (**a**) (*idea*) tanke *m* ❑ *The thought never crossed my mind...* Tanken har aldri slått meg...
(**b**) (*= reflection*) tanker *pl* ❑ *She frowned as though deep in thought...* Hun rynket pannen som om hun satt i dype tanker...
▸ **thoughts** SPL (**a**) (*opinion*) meninger, tanker ❑ *Rothermere disclosed his thoughts on Britain...* Rothermere avslørte meningene *or* tankene sine om Storbritannia...
(**b**) (*intention*) ▸ **her one thought was to get back...** det eneste som stod i hodet på henne var å komme seg tilbake...
▸ **after much thought** etter å ha* tenkt nøye over saken
▸ **I've just had a thought** jeg fikk akkurat en idé *or* innskytelse

▸ **to give sth some thought** tenke (*v2*) over noe
thoughtful ['θɔːtful] ADJ (**a**) (= *deep in thought*) tankefull ❑ *He looked thoughtful for a moment.* Han så tankefull ut i et øyeblikk.
(**b**) (= *considerate*) omtenksom ❑ *That's very kind of you, very thoughtful.* Det er veldig snilt av deg, veldig omtenksomt.
thoughtfully ['θɔːtfəlɪ] ADV (= *pensively: look etc*) tankefullt; (= *considerately: behave, provide, consider etc*) omtenksomt
thoughtless ['θɔːtlɪs] ADJ (*behaviour, words, person*) tankeløs
thoughtlessly ['θɔːtlɪslɪ] ADV tankeløst
thoughtlessness ['θɔːtlɪsnɪs] s tankeløshet *c*
thought-provoking ['θɔːtprəvəukɪŋ] ADJ tankevekkende
thousand ['θauzənd] TALLORD tusen
▸ **two thousand** to tusen
▸ **thousands of** tusenvis av
thousandth ['θauzəntθ] TALLORD tusende
thrash [θræʃ] VT (= *beat*) gi* juling *or* bank; (= *defeat*) slå* ned i støvlene
▸ **thrash about** VI kaste (*v1*) på seg
▸ **thrash around** VI = **thrash about**
▸ **thrash out** VT (+*problem*) komme* til bunns i
thrashing ['θræʃɪŋ] s ▸ **to give sb a thrashing** gi* noen (en omgang) juling
thread [θrɛd] 1 s (**a**) (*yarn*) tråd *m*
(**b**) (*of screw*) gjenger *pl*
2 VT (+*needle*) træ (*v4*)
▸ **to thread one's way between** tråkle (*v1*) seg mellom
threadbare ['θrɛdbɛəʳ] ADJ (*clothes, carpet*) tynnslitt
threat [θrɛt] s trussel *m* ❑ *We mustn't give in to threats.* Vi må ikke gi* etter for trusler. *...a possible threat to national security.* ...en mulig trussel mot nasjonal sikkerhet.
▸ **to be under threat of** være* truet av
threaten ['θrɛtn] 1 VI true (*v1*)
2 VT ▸ **to threaten sb with sth** true (*v1*) noen med noe ❑ *They were threatened with imprisonment...* De ble truet med fengsling...
▸ **to threaten to do sth** true (*v1*) noen til å gjøre* noe
threatening ['θrɛtnɪŋ] ADJ (*behaviour, person*) truende
three [θriː] TALLORD tre
three-dimensional [θriːdɪ'mɛnʃənl] ADJ tredimensjonal
threefold ['θriːfəuld] ADV ▸ **to increase threefold** øke (*v2*) til det tredobbelte
three-piece suit ['θriːpiːs-] s dress *m* med vest
three-piece suite s ≈ salongmøblement *nt* (*i tre deler, oftest sofa og to lenestoler*)
three-ply [θriː'plaɪ] ADJ (*wool*) tretråds(-); (*wood*) trelags(-)
three-quarters [θriː'kwɔːtəz] SPL tre fjerdedeler ❑ *Three-quarters of the world's surface...* Tre fjerdedeler av jordens overflate...
▸ **three-quarters full** trekvart full
three-wheeler ['θriː'wiːləʳ] s (*car*) trehjulsbil *m*
thresh [θrɛʃ] VT treske (*v1*)
threshing machine s treskemaskin *m*, treskeverk *nt*
threshold ['θrɛʃhəuld] s terskel *m* ❑ *...Madame stood on the threshold...* Madame stod på terskelen...
▸ **to be on the threshold of** (*fig*) være* på terskelen til
threw [θruː] PRET *of* **throw**
thrift [θrɪft] s nøysomhet *c*, nøkternhet *c*
thrifty ['θrɪftɪ] ADJ nøysom, nøktern
thrill [θrɪl] 1 s (**a**) (*excitement*) spenning *c no pl* ❑ *...her search for fun and thrills.* ...jakten hennes på spenning og moro.
(**b**) (*shudder*) iling *m* ❑ *...sent a thrill of anticipation through her.* ...sendte en iling av forventning gjennom henne.
2 VI fryde (*v1*) seg ❑ *...the stories which David himself had thrilled to so often.* ...historiene som David selv hadde frydet seg over så ofte.
3 VT (+*person, audience*) begeistre (*v1*) ❑ *It's a sight that never fails to thrill me...* Det er et syn som aldri unnlater å begeistre meg...
▸ **to be thrilled (with)** være* oppglødd *or* begeistret (over) ❑ *I was thrilled to be sitting next to such a distinguished author.* Jeg var oppglødd *or* begeistret over å sitte ved siden av en slik fremragende forfatter.
thriller ['θrɪləʳ] s (*novel, play, film*) grøsser *m*, thriller *m*
thrilling ['θrɪlɪŋ] ADJ (*ride, performance, news etc*) spennende
thrive [θraɪv] (*pt* **thrived** *or* **throve**, *pp* **thrived**) VI (**a**) (*plant, child, animal, business+*) trives (*v35*) ❑ *...the hazel's ability to thrive in the British climate.* ...hasseltreets anlegg for å trives i det britiske klimaet.
(**b**) (= *do well*) ▸ **to thrive on sth** blomstre (*v1*) opp av noe ❑ *Are you the type of person who thrives on activity?* Er du en slik person som blomstrer opp av aktivitet?
thriving ['θraɪvɪŋ] ADJ blomstrende
throat [θrəut] s hals *m*
▸ **to have a sore throat** ha* vondt i halsen
throb [θrɔb] 1 s (**a**) (*of heart, wound*) banking *c*
(**b**) (*of pain*) stikk *nt*
(**c**) (*of engine*) dunking *c*
2 VI (**a**) (*heart+*) banke (*v1*)
(**b**) (*instrument, machine+*) dunke (*v1*)
▸ **my head is throbbing** det banker i hodet mitt
throes [θrəuz] SPL ▸ **in the throes of** (+*war, moving house etc*) midt (oppe) i
▸ **death throes** dødskamp *m*
thrombosis [θrɔm'bəusɪs] s trombose *m*, blodpropp *m*
throne [θrəun] s trone *m*
▸ **on the throne** på tronen
throng ['θrɔŋ] 1 s sammenstimling *c*, masse *m*
2 VT (+*streets etc*) (over)fylle (*v2x*) ❑ *The lane was thronged with shoppers.* Gaten var overfylt av folk på handletur.
3 VI ▸ **to throng to** stimle (*v1*) sammen til
throttle ['θrɔtl] 1 s (*in car etc*) gass *m*
2 VT kvele*
through [θruː] 1 PREP (**a**) (+*space, time*) gjennom ❑ *The rain poured through a hole in the roof.* Regnet øste gjennom et hull i taket.
(**b**) (= *by means of*) ved hjelp av ❑ *They were opposed to change through violence...* De var

mot forandring ved hjelp av vold...
(**c**) (= *owing to*) ved, på grunn av ❑ *The discovery of adrenalin came about through a mistake.* Oppdagelsen av adrenalin skjedde ved *or* på grunn av en feil.
2 ADJ (*ticket, train*) direkte, gjennomgående ❑ *The only through train to Landor....* Det eneste direkte *or* gjennomgående toget til Landor...
3 ADV (i)gjennom ❑ *We decided to drive straight through to Birmingham.* Vi besluttet å kjøre rett (i)gjennom til Birmingham.
▸ **all through** (+*time*) (gjennom) hele ❑ *All through 1970-71, he had travelled around the country.* I hele 1970 og 71 hadde han reist rundt i landet.
▸ **(from) Monday through Friday** (*US*) (fra) mandag til (og med) fredag
▸ **to let sb through** slippe* noen gjennom
▸ **to put sb through to sb** (*TEL*) sette* noen over til noen
▸ **to be through** (*TEL*) ha* forbindelse
▸ **to be through with sb/sth** være* ferdig med noen/noe
▸ **"no through road"** *(BRIT)*, **"no through traffic"** *(US)* "ingen gjennomkjøring"

throughout [θruːˈaut] 1 PREP (**a**) (+*place*) over hele ❑ *...transmitted by satellite throughout the world.* ...overført via satelitt over hele verden.
(**b**) (+*time*) (gjennom) hele ❑ *This dream recurred throughout her life.* Denne drømmen kom igjen (gjennom) hele livet hennes.
2 ADV (**a**) (= *everywhere*) over det hele ❑ *The house was carpeted throughout.* Huset hadde vegg-til-veggteppe over det hele.
(**b**) (= *the whole time*) hele tiden ❑ *The country has made the transition, while retaining throughout a democratic system.* Landet har gjennomført forvandlingen, og hele tiden holdt på et demokratisk system.

throughput [ˈθruːput] s (*of goods, materials*) produksjon *m*, gjennomstrømming *c*; (*DATA*) gjennomløp *nt*

throve [θrəuv] PRET *of* **thrive**

throw [θrəu] (*pt* **threw**, *pp* **thrown**) 1 s kast *nt* ❑ *That was a good throw.* Det var et godt kast.
2 VT (**a**) (+*object*) kaste (*v1*), hive* ❑ *Roger picked up a stone and threw it at Henry.* Roger plukket opp en stein og kastet *or* hev den på Henry.
(**b**) (+*rider*) kaste (*v1*) av ❑ *The horse threw its rider at the third fence.* Hesten kastet av rytteren ved det tredje hinderet.
(**c**) (*fig: disconcert*) vippe (*v1*) av pinnen (*sl*) ❑ *It was the fact that she was married that threw me.* Det var det at hun var gift som vippet meg av pinnen.
(**d**) (+*pottery*) dreie (*v3*)
▸ **to throw a party** ha* fest
▸ **to throw open** (**a**) (+*doors, windows*) slå* opp
(**b**) (+*debate*) åpne (*v1*) ❑ *The discussion was thrown open to all present.* Diskusjonen ble åpnet for alle som var til stede.
▸ **throw about** VT (+*money*) strø (*v4*) om seg med
▸ **throw around** VT = **throw about**
▸ **throw away** VT (**a**) (+*rubbish*) kaste (*v1*), hive*
(**b**) (= *waste: money*) kaste (*v1*) bort
▸ **throw off** VT (= *get rid of*) kaste (*v1*) av seg ❑ *They tried to throw off the chains of tradition.* De prøvde å kaste av seg tradisjonsbåndene.
▸ **throw out** VT (**a**) (+*rubbish, person*) kaste (*v1*) (ut), hive* (ut)
(**b**) (+*idea*) forkaste (*v1*)
▸ **throw together** VT (+*meal, clothes*) slenge (*v2*) sammen
▸ **throw up** VI (= *vomit*) kaste (*v1*) opp

throwaway [ˈθrəuəweɪ] ADJ (*toothbrush etc*) engangs-, bruk-og-kast-; (*line, remark*) lett henkastet, i forbifarten

throwback [ˈθrəubæk] s ▸ **it's a throwback to** det er en tilbakevending til

throw-in [ˈθrəuɪn] (*SPORT*) s innkast *nt*

thrown [θrəun] PP *of* **throw**

thru [θruː] (*US*) = **through**

thrush [θrʌʃ] s (*bird*) trost *m*; (*MED*) trøske *m*

thrust [θrʌst] (*pt* **thrust**)*pp* 1 s (**a**) (*TEKN*) trekkraft *c* ❑ *The direction of thrust of the rockets...* Retningen på trekkraften til rakettene...
(**b**) (= *push*) støt *nt* ❑ *...repeated sword thrusts.* ...gjentatte støt med sverd.
(**c**) (*fig: impetus*) drivkraft *c*
(**d**) (*of argument, article, report*) hovedpoeng *nt* ❑ *The main thrust of robot research...* Hoveddrivkraften i robotforskning...
2 VT (**a**) (+*person, object*) dytte (*v1*), skubbe (*v1*)
(**b**) (+*hand, sword*) kjøre (*v2*), stikke*

thud [θʌd] s dunk *nt*

thug [θʌg] s (**a**) (*criminal*) banditt *m*, kjeltring *m*
(**b**) (*neds*) råtamp *m*, bølle *m* ❑ *Her husband's a bit of a thug.* Mannen hennes er litt av en råtamp *or* bølle.

thumb [θʌm] 1 s tommel(finger) *m*
2 VT ▸ **to thumb a lift** haike (*v1*)
▸ **to give sb/sth the thumbs down** vende (*v2*) tommelen ned for noen/noe
▸ **to give sb/sth the thumbs up** vende (*v2*) tommelen opp for noen/noe
▸ **thumb through** VT FUS bla (*v4*) gjennom

thumb index s (utstanset) tommelfingerregister *nt*

thumbnail [ˈθʌmneɪl] s tommelfingernegl *m*

thumbnail sketch s grovskisse *m*

thumbtack [ˈθʌmtæk] (*US*) s tegnestift *m*

thump [θʌmp] 1 s (kraftig) dunk *nt* ❑ *...a thump on the chest.* ...et dunk i brystet. *He heard the thump...* Han hørte dunket...
2 VT (**a**) (+*person*) dunke (*v1*) til
(**b**) (+*object*) dunke (*v1*) (kraftig) i ❑ *Some fathers might have ranted and thumped the table.* Noen fedre kan ha* brukt seg og dunket i bordet.
3 VI (*heart etc+*) dunke (*v1*) (kraftig) ❑ *My heart was thumping.* Hjertet mitt dunket.

thumping [ˈθʌmpɪŋ] ADJ (*majority, victory, headache, cold*) dundrende

thunder [ˈθʌndəʳ] 1 s torden *m* ❑ *A clap of thunder...* Et tordenskrall.... *thunder and lightning.* ...torden og lyn.
2 VI (*also fig: shout*) tordne (*v1*) ❑ *It's going to thunder soon.* Det kommer til å tordne snart.
▸ **to thunder past** tordne (*v1*) forbi, drønne (*v1*) forbi

thunderbolt [ˈθʌndəbəult] s lyn *nt* (*etterfulgt av torden*) ❑ *...struck by a thunderbolt.* ...truffet av et

lyn.
thunderclap ['θʌndəklæp] s tordenskrall *nt*, tordenbrak *nt*
thunderous ['θʌndrəs] ADJ (*applause, crash*) tordnende, øredøvende
thunderstorm ['θʌndəstɔːm] s tordenvær *nt*
thunderstruck ['θʌndəstrʌk] ADJ lamslått
thundery ['θʌndərɪ] ADJ (*weather*) torden-
Thur(s). FK = **Thursday**
Thursday ['θəːzdɪ] s torsdag *m see also* **Tuesday**
thus [ðʌs] ADV (**a**) (= *in this way*) slik ❑ *Her state of mind is recorded thus: "I am fed up with everything."* Sinnsstemningen hennes er nedskrevet slik: "Jeg er lut lei alt."
(**b**) (= *consequently*) derfor, dermed ❑ *...who are now down to their last £2,000 and thus qualify for benefits.* ...som nå bare har 2 000 pund igjen og derfor *or* dermed er berettiget til sosialtrygd.
thwart [θwɔːt] VT (+*person*) motarbeide (*v1*), krysse (*v1*); (+*plans*) krysse (*v1*), forpurre (*v1*)
thyme [taɪm] s timian *m*
thyroid ['θaɪrɔɪd] s (*also* ***thyroid gland***) skjoldbruskkjertel *m*
tiara [tɪ'ɑːrə] s tiara *m*
Tiber ['taɪbəʳ] s ▸ **the Tiber** Tiber
Tibet [tɪ'bɛt] s Tibet
Tibetan [tɪ'bɛtən] 1 ADJ tibetansk
2 s (*person*) tibetaner *m*; (*LING*) tibetansk
tibia ['tɪbɪə] s skinnebe(i)n *nt*
tic [tɪk] s muskeltrekning *m*, tic *m*
tick [tɪk] 1 s (**a**) (*sound: of clock*) tikking *c*
(**b**) (*mark*) hake *c* ❑ *...a tick in the margin.* ...en hake i margen.
(**c**) (*insect*) blodmidd *m*
(**d**) (*BRIT: sl: moment*) øyeblikk *nt* ❑ *Just hang on a tick...* Bare vent et øyeblikk...
(**e**) (*BRIT: sl: credit*) ▸ **to buy sth on tick** kjøpe (*v2*) noe på krita
2 VI (*clock, watch+*) tikke (*v1*)
3 VT (+*item on list*) sette* hake ved
▸ **what makes him tick?** hva er det som får ham til å holde på *or* fungere?
▸ **tick off** VT (**a**) (+*item on list*) hake (*v1*) av, sette* hake ved
(**b**) (= *scold*) skjenne (*v2x*) på ❑ *David had ticked her off for being careless.* David hadde skjent på henne for at hun hadde vært skjødesløs.
▸ **tick over** VI (**a**) (*engine+*) gå* på tomgang
(**b**) (*fig: business etc*) rusle (*v1*) og gå ❑ *The country was ticking over under a rather uninspired President.* Landet ruslet og gikk under en ganske uinspirert president.
ticker tape ['tɪkəteɪp] s telegrafstrimmel *m*
ticket ['tɪkɪt] s (**a**) (*for public transport, theatre etc*) billett *m* ❑ *She bought two tickets for the opera.* Hun kjøpte to billetter til operaen.
(**b**) (*in shop: on goods*) (pris)lapp *m*
(**c**) (*from cash register*) kassalapp *m*
(**d**) (*for raffle*) lodd *nt*
(**e**) (*for library*) lånekort *nt*
(**f**) (*also* ***parking ticket****: fine*) parkeringsbot *m*
(**g**) (*showing parking fee paid*) parkeringsbillett *m*
(**h**) (*US: POL*) valgseddel *m* ❑ *He ran as Vice-President on the Republican ticket.* Han stilte som visepresidentkandidat på republikanernes valgseddel.
▸ **to get a (parking) ticket** få* parkeringsbot
ticket agency s (privat) billettkontor *nt*
ticket collector (*JERNB*) s billettfunksjonær *m* (*som samler inn billetter når de reisende går av toget*)
ticket holder s ▸ **"ticket holders only"** "adgang kun med gyldig billett"
ticket inspector s billettkontrollør *m*
ticket office s billettkontor *nt*
tickle ['tɪkl] 1 VT (**a**) kile (*v2*)
(**b**) (*fig: amuse*) more (*v1*) ❑ *The Colonel was tickled by that.* Obersten moret seg over det.
2 VI (*feather etc+*) kile (*v2*)
ticklish ['tɪklɪʃ] ADJ (**a**) (*person*) kilen
(**b**) (*problem, situation*) følsom ❑ *It was a ticklish moment in the discussion.* Det var et følsomt punkt i diskusjonen.
tidal ['taɪdl] ADJ (*force*) tidevanns-; (*estuary*) med tidevannsforskjell
tidal wave s tidevannsbølge *m*
tidbit ['tɪdbɪt] (*US*) s = **titbit**
tiddlywinks ['tɪdlɪwɪŋks] s ≈ loppespill *nt*
tide [taɪd] s (**a**) (*in sea*) tidevann *nt*
(**b**) (*fig: of events, fashion, opinion*) strømninger *pl* ❑ *The film was effective in turning the tide of American opinion...* Filmen var et effektivt redskap til å snu strømningene i amerikansk opinion...
▸ **the tide was coming in** det var i ferd med å bli* høyvann
▸ **high/low tide** høyvann/lavvann, flo/fjære *or* ebbe
▸ **tide over** VT (= *help out*) hjelpe* over kneika ❑ *I only want to borrow enough to tide me over till Monday.* Jeg vil bare låne nok til å hjelpe meg over kneika til mandag.
tidily ['taɪdɪlɪ] ADV sirlig
tidiness ['taɪdɪnɪs] s orden *m*
tidy ['taɪdɪ] 1 ADJ (*room, desk*) ryddig; (*person*) ryddig, ordentlig; (*sum, income*) pen
2 VT (*also* ***tidy up***) rydde (*v1*) (opp i)
tie [taɪ] 1 s (**a**) (*BRIT:* ***necktie***) slips *nt*
(**b**) (*sth that joins, also fig*) bånd *nt* ❑ *They want to loosen their ties with Britain.* De vil løse på båndene sine til Storbritannia.
(**c**) (*SPORT: match*) cupkamp *m*
(**d**) (*in competition: draw*) uavgjort kamp *m* NB *In the event of a tie, the winner will be...* I tilfelle det blir uavgjort, vil vinneren være...
2 VT (**a**) (+*ribbon, shoelaces*) knytte (*v1*)
(**b**) (+*parcel*) binde* hyssing rundt ❑ *...a parcel tied with string.* ...en pakke med hyssing rundt.
3 VI (*SPORT etc*) *spille uavgjort eller dele en plass* NB *Bill tied with Margaret for first place.* Bill kom på delt førsteplass med Margaret.
▸ **"black tie"** "smoking"
▸ **"white tie"** "kjole og hvitt"
▸ **family ties** familebånd *pl*, slektskapsbånd *pl*
▸ **to tie sth in a bow** knytte (*v1*) sløyfe på noe
▸ **to tie a knot in sth** knytte (*v1*) en knute på noe
▸ **tie down** VT (*fig: restrict*) binde* ❑ *...children tie you down.* ...barn binder deg. *You're not tied down to a specific date.* Du er ikke bundet til en spesiell dato.

▸ **tie in** VI ▸ **to tie in with** (= *correspond*) stemme (*v2x*) med ❑ *His beliefs didn't seem to tie in with reality.* Synspunktene hans virket ikke som om de stemte med virkeligheten.
▸ **tie on** VT knytte (*v1*) på, binde* på
▸ **tie up** VT (**a**) (+*parcel*) binde* hyssing *or* tau *etc* rundt
(**b**) (+*dog, person*) binde*
(**c**) (+*boat*) fortøye (*v3*)
(**d**) (+*arrangements*) få* i orden ❑ *We hope to tie up the deal in the next few days.* Vi håper å få* avtalen i orden i løpet av de neste par dagene.
▸ **to be tied up** (= *busy*) være* opptatt ❑ *I'm tied up right now, can you call me back?* Jeg er opptatt akkurat nå, kan du ringe tilbake?
tie-break(er) ['taıbreık(əʳ)] S (*TENNIS*) ekstrasett *nt* (*for å avgjøre match*); (*in quiz*) ekstraspørsmål *nt* (*for å avgjøre konkurranse*)
tie-on ['taıɔn] (*BRIT*) ADJ (*label*) til å henge på
tie-pin ['taıpın] (*BRIT*) S slipsnål *c*
tier [tıəʳ] S (*of stadium etc*) (benke)rad *m*; (*of cake*) høyde *m*, etasje *m*
tie tack (*US*) S slipsnål *c*
tiff [tıf] S liten trette *m*, knute *m* på tråden
tiger ['taıgəʳ] S tiger *m*
tight [taıt] 1 ADJ (**a**) (= *firm*) fast
(**b**) (*shoes, clothes*) trang
(**c**) (*bend*) skarp, brå
(**d**) (= *strict: budget, schedule*) stram
(**e**) (*security*) tett ❑ *Security has become tighter over the last year.* Sikkerhetsopplegget har blitt tettere det siste året.
(**f**) (= *scarce: money*) knapp NB *When you buy a house, money can be tight for a while.* Når du kjøper hus, kan det bli* knapt med penger en stund.
(**g**) (*sl: drunk*) pussa (*sl*)
(**h**) (*sl: stingy*) knuslet(e), smålig
2 ADV (**a**) (*hold, squeeze*) fast, hardt ❑ *Ann was clutching the letter tight in her hand.* Ann tviholdt brevet hardt *or* fast i hånden.
(**b**) (*shut*) hardt igjen ❑ *He closed his eyes tight.* Han lukket øynene hardt igjen.
▸ **to be packed tight** (**a**) (*suitcase+*) være* hardstappet
(**b**) (*people+*) stå* tettpakket
▸ **hold tight!** hold dere fast!
tighten ['taıtn] 1 VT (= *pull/squeeze tighter*) stramme (*v1*); (+*security*) gjøre* tettere
2 VI (*grip, rope+*) stramme (*v1*) seg
tightfisted [taıt'fıstıd] ADJ gjerrig
tight-lipped ['taıt'lıpt] ADJ (*silence*) taus
▸ **to be tight-lipped about sth** holde* tett om noe
tightly ['taıtlı] ADV (*grasp, cling*) fast, hardt
tightrope ['taıtrəup] S line *c*
▸ **to be on** *or* **walking a tightrope** (*fig*) gå* en vanskelig balansegang
tightrope walker S linedanser *m*
tights [taıts] (*BRIT*) SPL strømpebukser
tigress ['taıgrıs] S hunntiger *m*
tilde ['tıldə] S tilde *m*
tile [taıl] 1 S (*on roof*) takstein *m*; (*on floor, wall*) flis *c*
2 VT (+*floor, bathroom etc*) flislegge*
tiled [taıld] ADJ (*floor, wall*) flis(be)lagt
till [tıl] 1 S (*in shop etc*) kasse *c*
2 VT (= *cultivate*) dyrke (*v1*)
3 PREP, KONJ = **until**
tiller ['tıləʳ] S rorkult *m*
tilt [tılt] 1 VT stille (*v2x*) skjevt *or* skrått, helle (*v2x*) på ❑ *The earth is tilted on its axis.* Jorden står skjevt *or* skrått på aksen sin.
2 VI vippe (*v1*), helle (*v2x*) ❑ *Let your head tilt forwards.* La hodet ditt vippe *or* helle forover.
3 S (*slope*) helling *c*
▸ **to wear one's hat at a tilt** ha* hatten på snei
▸ **(at) full tilt** i full fart
timber ['tımbəʳ] S (**a**) (*material*) tømmer *nt*
(**b**) (*trees*) skog *m* ❑ *They grow rice and timber.* De dyrker ris og skog.
time [taım] 1 S (**a**) (*gen*) tid *c* ❑ *...a period of time.* ...en tid. *She spends most of her time sunbathing.* Hun tilbringer det meste av tiden med å sole seg. *...during my time in Toronto.* ...i tiden min i Toronto. *...in these very difficult times.* ...i disse svært vanskelige tidene.
(**b**) (= *moment*) tid *c*, tidspunkt *nt* ❑ *...at the time of his death.* ...på den tiden *or* det tidspunktet da han døde. *I will see you at the same time next week.* Vi ses til samme tid *or* tidspunkt neste uke.
(**c**) (= *occasion*) gang *m* NB *three/four times* tre/fire ganger NB *...(the) last time* ...siste gang ❑ *Do you remember that time when Adrian phoned?* Husker du den gangen Adrian ringte?
(**d**) (*MUS*) takt *c* ❑ *...music written in three time.* ...musikk som er skrevet i tretakt.
2 VT (**a**) (= *measure time of*) ta* tiden på ❑ *They timed his rate of breathing.* De tok tiden på pusten hans.
(**b**) (= *fix moment for*) time (*v1*) ❑ *They timed the attack for six o'clock.* De timet angrepet til klokka seks.
(**c**) (+*bomb*) innstille (*v2x*) NB *The bomb was timed to go off 5 minutes later.* Bomben var innstilt på å gå* av 5 minutter senere.
▸ **to time sth well/badly** velge* et godt *or* heldig/dårlig *or* uheldig tidspunkt for noe, time (*v1*) noe bra/dårlig
▸ **a long time** lenge
▸ **for the time being** for tiden, på det nåværende tidspunkt
▸ **4 at a time** 4 om gangen
▸ **from time to time** fra tid til annen
▸ **time after time, time and again** gang etter gang
▸ **at times** til tider
▸ **in time** (**a**) (= *eventually*) med tiden, med tid og stunder
(**b**) (*MUS*) i takt
▸ **in time (for)** (= *soon enough*) tidsnok (til), i tide (for) ❑ *He returned to his hotel in time for supper.* Han drog tilbake til hotellet sitt i tide for *or* tidsnok til kveldsmat.
▸ **in a week's/month's time** om en ukes/måneds tid
▸ **in no time** på (mindre enn) et øyeblikk
▸ **any time** når som helst
▸ **on time** presis

▸ **to be 30 minutes behind/ahead of time** være* 30 minutter for sent/tidlig ute
▸ **by the time he arrived** innen han kom
▸ **5 times 5** 5 ganger 5
▸ **what time is it?, what's the time?** hvor mye er klokka?
▸ **to have a good time** ha* det bra *or* hyggelig, hygge (*v1*) seg
▸ **have a good time!** ha* det bra *or* hyggelig!
▸ **they had a hard time** de hadde det vanskelig
▸ **time's up!** tiden er ute!
▸ **I've no time for it** (*fig*) jeg har ikke sans for det ❑ *Politics doesn't interest me at all. I've no time for it.* Politikk interesserer meg ikke i det hele tatt. Jeg har ikke sans for det.
▸ **he'll do it in his own (good) time** (*without being hurried*) han kommer til å ta* den tiden han trenger
▸ **he'll do it in** *or (US)* **on his own time** (*out of working hours*) han gjør det på fritiden
▸ **to be behind the times** ikke følge* med i tiden
▸ **to be ahead of one's time(s)** være* forut for sin tid

time and motion study s tidsbruksanalyse *m* (*i arbeidslivet*)
time bomb s (*also fig*) tidsinnstilt bombe *c*
time card s stemplingskort *nt*
time clock s (*in factory etc*) stemplingsur *nt*
time-consuming [ˈtaɪmkənsju:mɪŋ] ADJ tidkrevende
time difference s tidsforskjell *m* ❑ *What's the time difference between London and New York?* Hva er tidsforskjellen mellom London og New York?
time frame s tidsramme *c*
time-honoured [ˈtaɪmɔnəd], **time-honored** (*US*) ADJ hevdvunnen
timekeeper [ˈtaɪmki:pəʳ] s ▸ **she's a good timekeeper** hun er flink til å passe tiden
time lag s tidsavstand *m* ❑ *There is always a time lag between the exam and the results.* Det er alltid en viss tidsavstand *or* det tar alltid litt tid mellom eksamen og sensur.
timeless [ˈtaɪmlɪs] ADJ (*art, music, emotion*) tidløs
time limit s (tids)frist *m*
timely [ˈtaɪmlɪ] ADJ (*arrival, reminder*) beleilig, betimelig
time off s ▸ **to ask for/have time off** be* om/ha fri ❑ *He asked for time off to visit his sick mother.* Han bad om fri for å besøke sin syke mor.
timer [ˈtaɪməʳ] s (*time switch*) tidsbryter *m*; (*on cooker*) (kjøkken)klokke *c*
timesaving [ˈtaɪmseɪvɪŋ] ADJ (*gadget, device, method etc*) tidsbesparende
timescale [ˈtaɪmskeɪl] (*BRIT*) s tidsramme *c*
time-share [ˈtaɪmʃɛəʳ] s time-share *m* (*andel i feriebolig*)
time sharing s (*of property*) time-sharing *m* (*det å eie andel i en feriebolig*); (*DATA*) tidsdeling *c*
time sheet s timeliste *c*
time signal s tidssignal *nt*
time switch s tidsbryter *m*
timetable [ˈtaɪmteɪbl] s (*JERNB etc*) rutetabell *m*; (*SKOL etc*) timeplan *m*; (*programme of events*) tidsskjema *nt*
time zone s tidssone *m*
timid [ˈtɪmɪd] ADJ (*person, animal*) sjenert, engstelig
timidity [tɪˈmɪdɪtɪ] s sjenanse *m*
timing [ˈtaɪmɪŋ] s (**a**) (*SPORT*) timing *c*
(**b**) (*judging right moment*) ▸ **my timing was completely wrong** jeg valgte et fullstendig galt tidspunkt ❑ *The timing of his resignation...* Tidspunktet for oppsigelsen hans.... Tidspunktet han valgte å si opp på...
timing device s tidsinnstilling *m*
timpani [ˈtɪmpənɪ] SPL pauker
tin [tɪn] s (**a**) (*metal*) tinn *nt*
(**b**) (*also* ***tinplate***) blikk *nt*
(**c**) (*container: for storing*) boks *m* ❑ *...a cake tin.* ...en kakeboks.
(**d**) (*for baking*) form *c* ❑ *...a cake tin.* ...en kakeform.
(**e**) (*BRIT: can*) boks *m* ❑ *...tins of tomatoes.* ...tomatbokser.
▸ **2 tins of paint** 2 bokser maling
tinfoil [ˈtɪnfɔɪl] s tinnfolie *m*
tinge [tɪndʒ] 1 s (**a**) (*of colour*) anstrøk *nt*, skjær *nt* ❑ *The sky had a greenish tinge.* Himmelen hadde et anstrøk av grønt *or* et grønnlig skjær.
(**b**) (*fig: of emotion etc*) anstrøk *nt* ❑ *...a tinge of liberalism...* et anstrøk av liberalisme...
2 VT ▸ **to be tinged with** (*+colour, emotion*) ha* et anstrøk av
tingle [ˈtɪŋgl] VI (**a**) (*person, arms etc+*) krible (*v1*), prikke (*v1*)
(**b**) (*from cold*) prikke (*v1*), stikke*
▸ **I was tingling with excitement** det kriblet i meg av spenning
tinker [ˈtɪŋkəʳ] s ≈ tater *m*
▸ **tinker with** VT FUS fikle (*v1*) med
tinkle [ˈtɪŋkl] 1 VI ringle (*v1*)
2 s (*sl: TEL*) ▸ **to give sb a tinkle** slå* på tråden til noen
tin mine s tinngruve *c*
tinned [tɪnd] (*BRIT*) ADJ hermetisert, bokse-, på boks
tinnitus [ˈtɪnɪtəs] s øresus *m*
tinny [ˈtɪnɪ] (*neds*) ADJ (*sound*) metallisk, skingrende; (*car etc*) blikkboks-
tin opener (*BRIT*) s boksåpner *m*
tinsel [ˈtɪnsl] s glitter *nt*
tint [tɪnt] 1 s (**a**) (*colour*) (farge)tone *m* ❑ *The soils have a red tint.* Jorden har en rød (farge)tone.
(**b**) (*for hair*) toning *c* ❑ *I'm calling in at the hairdresser's for a tint.* Jeg skal til frisøren og få* en toning.
2 VT (*+hair*) tone (*v1 or v2*)
tinted [ˈtɪntɪd] ADJ (*hair, spectacles, glass*) tonet
tiny [ˈtaɪnɪ] ADJ ▸ **tiny (little)** bitteliten, ørliten
▸ **a tiny bit** ørlite *or* bittelite grann ❑ *He was a tiny bit frightened of them.* Han var ørlite *or* bittelite grann redd for dem.
tip [tɪp] 1 s (**a**) (*end: of paintbrush, branch, stick etc*) tupp *m*
(**b**) (*protective: on umbrella etc*) spiss *m*
(**c**) (*gratuity*) driks *m*, tips *nt* ❑ *The woman gave me a dollar tip.* Damen gav meg en dollar i driks *or* tips.
(**d**) (*BRIT: for rubbish*) fylling *c*

(**e**) (*BRIT: for coal*) haug *m*
(**f**) (*advice*) tips *nt* ❑ ***The book gives some good tips on basic techniques.*** Boken gir noen gode tips om grunnleggende teknikker.
2 VT (**a**) (*+waiter*) gi* driks, tipse (*v1*)
(**b**) (*= tilt*) tippe (*v1*) ❑ ***He tipped his soup bowl towards himself.*** Han tippet suppeskålen mot seg.
(**c**) (*also* ***tip over***) velte (*v1*)
(**d**) (*also* ***tip out***) tømme (*v2x*), helle (*v2x*) ❑ ***He tipped the bag of sugar into the pan.*** Han tømte *or* helte sukkerposen ned i gryten.
(**e**) (*= predict: winner etc*) tippe (*v1*) ❑ ***He was tipped to succeed Mrs Thatcher.*** Man tippet på ham som Thatchers etterfølger.
► **tip off** VT tipse (*v1*)
tip-off ['tɪpɔf] s tips *nt*
tipped ['tɪpt] ADJ (*BRIT: cigarette*) filter-
▸ **steel-tipped** med ståltupp/stålspiss
Tipp-Ex® ['tɪpɛks] s korrekturlakk *m*
tipple ['tɪpl] (*BRIT: sl*) s ▸ **to have a tipple** ta* seg en liten drink
tipster ['tɪpstəʳ] s tipser *m* (*på veddeløpsbane*)
tipsy ['tɪpsɪ] (*sl*) ADJ bedugget
tiptoe ['tɪptəu] s ▸ **on tiptoe** på tå, på tærne ❑ ***...they stood on tiptoe.*** ...de stod på tå *or* på tærne.
tiptop ['tɪp'tɔp] ADJ tipp topp ❑ ***...in tiptop condition.*** ...i tipp topp stand.
tirade [taɪ'reɪd] s tirade *m*
tire ['taɪəʳ] 1 s (*US*) = **tyre**
2 VT trette (*v1*) (*var.* trøtte)
3 VI bli* trett (*var.* bli trøtt) ❑ ***She tires easily...*** Hun blir fort trett...
▸ **to tire of** bli* trett av ❑ ***He tired of my questions.*** Han ble trett av spørsmålene mine.
► **tire out** VT slite* ut, trette (*v1*) ut
tired ['taɪəd] ADJ (*person, voice*) trett (*var.* trøtt) ❑ ***He was getting very tired.*** Han ble veldig trett.
▸ **to be tired of sth/of doing sth** være* trett av noe/av å gjøre* noe ❑ ***Judy was tired of quarrelling with her husband.*** Judy var trett av å krangle med mannen sin.
tiredness ['taɪədnɪs] s tretthet *c* (*var.* trøtthet)
tireless ['taɪəlɪs] ADJ (*worker, efforts*) utrettelig (*var.* utrøttelig)
tiresome ['taɪəsəm] ADJ (*person, thing*) irriterende, brysom
tiring ['taɪərɪŋ] ADJ (*work, day etc*) trettende (*var.* trøttende) slitsom
tissue ['tɪʃuː] s (**a**) (*ANAT, BIO*) vev *nt* ❑ ***...the scar tissue left by a wound...*** arrvevet som blir igjen etter et sår...
(**b**) (*= paper handkerchief*) papirlommetørkle *nt irreg*
tissue paper s silkepapir *nt*
tit [tɪt] s (**a**) (*bird*) meis *m*
(**b**) (*sl!: breast*) pupp *m* (*sl!*)
▸ **tit for tat** svar på tiltale ❑ ***It was just tit for tat, after all.*** Det var bare svar på tiltale likevel.
titanium [tɪ'teɪnɪəm] s titan *nt*
titbit ['tɪtbɪt], **tidbit** (*US*) s (*food*) lekkerbisken *m*, godbit *m*; (*news*) godbit *m*
titillate ['tɪtɪleɪt] VT (*+person, senses*) pirre (*v1*)
titivate ['tɪtɪveɪt] 1 VT (*+place*) fiffe (*v1*) opp
2 VI pynte (*v1*) seg
title ['taɪtl] s (**a**) (*gen: of book, play, person, SPORT*) tittel *m* ❑ ***He wrote a book with the title "The Castle".*** Han skrev en bok med tittelen "The Castle". ***The person in charge usually has a title of some sort.*** Den ansvarlige har vanligvis en eller annen slags tittel. ***He had beaten Cornell and taken the title.*** Han hadde slått Cornell og vunnet (mester)tittelen *or* blitt mester.
(**b**) (*JUR: right*) ▸ **title to** hjemmel *m* på ❑ ***The landlords had no title to the land.*** Landeierne har ikke hjemmel på jorda.
title deed s skjøte *nt*, hjemmelsbrev *nt*
title page s tittelblad *nt*, tittelside *m*
title role s tittelrolle *m*
titter ['tɪtəʳ] 1 VI humre (*v1*), småle*
2 s humring *c* ❑ ***A titter went round the audience.*** Det ble en del humring rundt i salen.
tittle-tattle ['tɪtltætl] (*sl*) s prat *m*, sladder *nt*
tizzy ['tɪzɪ] (*sl*) s ▸ **to be/get in a tizzy** være/bli helt på tuppa (*sl*)
T-junction ['tiː'dʒʌŋkʃən] s T-kryss *nt*
TM FK = **trademark**
TN (*US: POST*) FK = **Tennessee**
TNT s FK (= **trinitrotoluene**) TNT *m*

KEYWORD

to [tuː, tə] 1 PREP (**a**) (*direction, as far as*) til
▸ **to France/London/school/the station** til Frankrike/London/skolen/stasjonen
▸ **from here to London** herfra til London
▸ **to the left/right** til venstre/høyre
▸ **to count to 10** telle til 10
(**b**) (*time expressions*) på
▸ **five/ten/a quarter to 5** fem/ti/kvart på 5
▸ **it's twenty to 3** klokken er ti over halv tre
(**c**) (*= for, of*) til
▸ **the key to the front door** nøkkelen til inngangsdøren
▸ **a letter to his wife** et brev til konen hans
▸ **secretary to the director** sekretær for direktøren
(**d**) (*indirect object*) til
▸ **to give/sell sth to sb** gi/selge* noe til noen
▸ **to talk to sb** snakke til *or* med noen
▸ **you've done something to your hair** du har gjort noe med håret ditt
(**e**) (*following nouns*) ▸ **damage to sth** skade på noe
▸ **a danger to sb** en fare for noen
▸ **repairs to sth** reparasjoner på noe
(**f**) (*= in relation to*) ▸ **A is to B as C is to D** A er for B det som C er for D
▸ **3 goals to 2** 3 mot 2 mål
▸ **30 miles to the gallon** 30 miles på hver gallon, 0,8 liter på mila
(**g**) (*purpose, result*) til
▸ **to come to sb's aid** komme* noen til hjelp
▸ **to sentence sb to death** dømme (*v2x*) noen til døden
▸ **to my surprise** til min overraskelse
2 WITH VB (**a**) (*simple infinitive, following another verb*) å
▸ **how do you say "to go" in French?** hvordan sies "å gå" på fransk?
▸ **to want/to try to do** ønske (*v1*)/prøve (*v3*) å gjøre

(**b**) (*with vb omitted*) ▸ **I don't want to** jeg vil ikke
▸ **you ought to** du bør
(**c**) (*purpose, result*) for å
▸ **I did it to help you** jeg gjorde det for å hjelpe deg
(**d**) (*equivalent to relative clause*) ▸ **I have things to do** jeg har arbeid å gjøre
▸ **he has a lot to lose** han har mye å tape
(**e**) (*after adjective etc*) til å
▸ **ready to go** klar til å gå
▸ **too old/young to ...** for gammel/ung til å...
▸ **it's too heavy to lift** den er for tung å løfte
3 ADV ▸ **push/pull the door to** skyv/trekk døren igjen

toad [təud] s padde *c*
toadstool ['təudstu:l] s fluesopp *m* (*eller annen giftig sopp*)
toady ['təudɪ] (*neds*) VI ▸ **to toady to sb** smiske (*v1*) for noen
toast [təust] 1 s (**a**) (*KULIN*) ristet brød *nt*
(**b**) (*drink*) skål *m*
2 VT (**a**) (*+bread etc*) riste (*v1*)
(**b**) (= *drink to*) skåle (*v2*) for
▸ **a piece** *or* **slice of toast** et stykke *or* en skive ristet brød
▸ **to drink a toast (to)** utbringe* en skål (for)
▸ **to propose a toast** utbringe* en skål
toaster ['təustəʳ] s brødrister *m*
toastmaster ['təustmɑ:stəʳ] s toastmaster *m*
toast rack s *stativ til ristet brød*
tobacco [tə'bækəu] s tobakk *m*
▸ **pipe tobacco** pipetobakk *m*
tobacconist [tə'bækənɪst] s tobakk(s)handler *m*
tobacconist's (shop) s tobakksforretning *m*
Tobago [tə'beɪgəu] s *see* **Trinidad**
toboggan [tə'bɔgən] s kjelke *m*
today [tə'deɪ] ADV, s i dag ❏ *I hope you're feeling better today.* Jeg håper du føler deg bedre i dag. *This is the best translation available today.* Dette er den beste oversettelsen som er tilgjengelig i dag. *Today is Thursday...* I dag er det torsdag... *the modern world of today.* ...den moderne verden av i dag.
▸ **what day/date is it today?** hvilken dag/dato er det i dag?
▸ **a week ago today** for en uke siden i dag
▸ **today's paper** dagens avis
toddle ['tɔdl] (*sl*) VI ▸ **to toddle in/off/along** *etc* stabbe (*v1*) inn/av gårde/av sted *etc*
toddler ['tɔdləʳ] s smårolling *m*, lite barn *nt*, *pl: småbarn*
to-do [tə'du:] s (*fuss*) oppstuss *nt* ❏ *...an awful to-do about...* et fryktelig oppstuss over...
toe [təu] 1 s tå *c irreg* ❏ *I stubbed my toe against a stone.* Jeg slo tåen min mot en stein. *Maria's shoes had got holes in the toes.* Marias sko hadde hull på tærne.
2 VT ▸ **to toe the line** (*fig*) holde* seg på matta
▸ **big toe** stortå *c irreg*
▸ **little toe** lilletå *c irreg*
toehold ['təuhəuld] s (*in climbing*) tåfeste *nt*; (*fig*)
▸ **to get/gain a toehold (in)** få* et (lite) fotfeste (i)
toenail ['təuneɪl] s tånegl *m*

toffee ['tɔfɪ] s karamell *m* ❏ *...a bag of toffees.* ...en pose karameller. *...a chunk of toffee.* ...en bit karamell.
toffee apple (*BRIT*) s glassert eple *nt*
tofu ['təufu:] s tofu *m*
toga ['təugə] s toga *m*
together [tə'gɛðəʳ] ADV (**a**) (= *with each other*) sammen ❏ *You all work together as a team in the office.* Dere jobber alle sammen som et team på kontoret.
(**b**) (= *at the same time*) samtidig ❏ *"Of course not," said Laing and the minister together.* "Selvfølgelig ikke," sa Laing og ministeren samtidig.
▸ **together with** sammen med ❏ *Pop music is, together with football, the main interest of these boys.* Popmusikk er, sammen med fotball, hovedinteressen til disse guttene.
togetherness [tə'gɛðənɪs] s fellesskap *nt*, samhørighet *c*
toggle switch ['tɔgl-] s vippebryter *m*
Togo ['təugəu] s Togo
togs [tɔgz] (*sl*) SPL klær *pl*, tøy *nt uncount*
toil [tɔɪl] 1 s slit *nt*
2 VI slite*
toilet ['tɔɪlət] 1 s (**a**) (*apparatus*) toalett *nt*, wc *nt* (*var.* WC) ❏ *She heard the toilet flush.* Hun hørte noen dra ned på toalettet *or* på wc.
(**b**) (*BRIT: room*) toalett *nt*, wc *nt* ❏ *He opens the door of the toilet.* Han åpner døren til toalettet *or* til wc.
2 SAMMENS (*kit, accessories etc*) toalett-
▸ **to go to the toilet** gå* på toalettet *or* på wc
toilet bag (*BRIT*) s toalettveske *c*
toilet bowl s toalettskål *c*
toilet paper s toalettpapir *nt* ❏ *...a roll of toilet paper.* ...en rull med toalettpapir.
toiletries ['tɔɪlətrɪz] SPL toalettsaker
toilet roll s toalettrull *m*
toilet soap s toalettsåpe *c*
toilet water s eau de toilette *m*
toing and froing ['tu:ɪŋən'frəuɪŋ] (*BRIT*) s trafikk *m* fram og tilbake
token ['təukən] 1 s (**a**) (*sign, souvenir*) tegn *nt*, uttrykk *nt* ❏ *...as a token of his esteem.* ...som et tegn på *or* uttrykk for hans anseelse av henne.
(**b**) (*for machine*) sjetong *m*
2 ADJ (*strike, payment etc*) symbolsk
▸ **by the same token** (*fig*) på samme måte
▸ **gift token** (*BRIT*) gavekort *nt*
▸ **book/record token** gavekort *nt* på bøker/plater
Tokyo ['təukjəu] s Tokyo
told [təuld] PRET, PP *of* **tell**
tolerable ['tɔlərəbl] ADJ (**a**) (= *bearable*) utholdelig ❏ *They never found the climate tolerable enough to settle.* De syntes aldri klimaet var utholdelig nok til å slå seg ned.
(**b**) (= *fairly good*) brukbar ❏ *I picked up a tolerable working knowledge of the language.* Jeg plukket opp et brukbart kjennskap til språket.
tolerably ['tɔlərəblɪ] ADV rimelig
tolerance ['tɔlərns] s toleranse *m*
tolerant ['tɔlərnt] ADJ ▸ **tolerant (of)** tolerant (overfor)

tolerate ['tɒləreɪt] VT (*+pain, noise, injustice*) tåle (*v2*), tolerere (*v2*)
toleration [tɒlə'reɪʃən] S (*of person*) toleranse *m*; (*REL, POL*) toleranse *m*; (*of pain*) ▸ **his toleration of pain** evnen hans til å tåle smerte
toll [təul] 1 S (**a**) (*of casualties, deaths*) ofre *pl* ❏ *The death toll rose sharply.* Tallet på dødsofre steg brått.
(**b**) (*charge*) bomavgift *c*, bompenger *pl*
2 VI (*bell+*) slå*
▸ **the work took its toll on us** arbeidet slet hardt på oss
toll bridge S bro *m* med bomavgift
toll call (*US*) S fjernsamtale *m*
toll-free ['təulfriː] (*US*) ADJ gratis
toll road S bomvei *m*
tomato [tə'mɑːtəu] (*pl* **tomatoes**) S tomat *m*
tomato purée S tomatpuré *m*
tomb [tuːm] S grav *c* (*for høytstående person*)
tombola [tɒm'bəulə] S tombola *m*
tomboy ['tɒmbɔɪ] S vilter jente *f*
tombstone ['tuːmstəun] S gravstøtte *c*
tomcat ['tɒmkæt] S hannkatt *m*
tome [təum] (*fml*) S (tykt) bind *nt* (*bok*)
tomorrow [tə'mɒrəu] 1 ADV i morgen ❏ *They're coming tomorrow...* De kommer i morgen... *They live today as millions more will live tomorrow.* De lever slik i dag som millioner av andre vil leve i morgen.
2 S morgendag *m* ❏ *...tomorrow's performance...* morgendagens forestilling...; (*future*) framtid *c* *You're always searching for a better tomorrow.* Du er alltid på leting etter en bedre framtid.
▸ **the day after tomorrow** i overmorgen
▸ **a week tomorrow, tomorrow week** om en uke i morgen
▸ **tomorrow morning** (**a**) (*early*) i morgen tidlig (**b**) (*late*) i morgen formiddag
ton [tʌn] S (**a**) (*BRIT*) *2240 pund = 1016,5 kg*
(**b**) (*US:* ***short ton***) *2000 pund = 746,5 kg*
(**c**) (*metric ton*) tonn *nt*
▸ **tons of** (*sl*) tonnevis av *or* med
tonal ['təunl] ADJ tonal
tone [təun] S (**a**) (*of voice, instrument, colour*) tone *m*
(**b**) (*TEL*) tone *m* ❏ *...the dialling tone.* ...summetonen.
▸ **tone in** VI (*colours+*) passe (*v1*) inn
▸ **tone in with** VT stå* godt til, passe (*v1*) sammen med ❏ *That carpet doesn't really tone in with the curtains.* Det teppet står egentlig ikke så godt til *or* passer egentlig ikke sammen med gardinene.
▸ **tone down** VT (*+criticism, demands, colour*) tone (*v1 or v2*) ned ❏ *He advised me to tone down my article.* Han rådet meg til å tone ned artikkelen min.
▸ **tone up** VT (*+muscles*) styrke (*v1*)
tone-deaf [təun'dɛf] ADJ helt umusikalsk, tonedøv
toner ['təunəʳ] S (*for photocopier*) toner *m*
Tonga [tɒŋə] S Tonga
tongs [tɒŋz] SPL (*for coal*) tang *c sg*; (*for sugar*) (sukker)klype *c sg*; (*also* ***curling tongs***) krølltang *c sg*
tongue [tʌŋ] S (**a**) tunge *c*
(**b**) (*fml: language*) tungemål *nt*
▸ **tongue in cheek** spøkefullt, ertelystent
tongue-tied ['tʌŋtaɪd] ADJ (*fig*) stum, uten munn og mæle
tongue-twister ['tʌŋtwɪstəʳ] S *ord eller regle som det er vanskelig å uttale*
tonic ['tɒnɪk] S (**a**) (*MED*) styrkemedisin *m*
(**b**) (*also* ***tonic water***) tonic *m* ❏ *A gin and tonic, please.* En gin og tonic, takk.
(**c**) (*MUS*) grunntone *m*, tonika *m*
(**d**) (*fig: refreshing person etc*) ▸ **it was a tonic to talk to her** det gjorde godt å snakke med henne
tonight [tə'naɪt] 1 ADV (**a**) (*= this evening*) i kveld ❏ *Are you going out tonight?* Skal du ut i kveld? *I think I'll go to bed early tonight.* Jeg tror vi går tidlig til sengs i kveld.
(**b**) (*= this night*) i natt ❏ *If I don't finish this evening I'll have to do it tonight.* Hvis jeg ikke blir ferdig i kveld, får jeg gjøre* det i natt.
2 S (**a**) (*= this evening*) (denne) kvelden ❏ *In tonight's programme we shall be explaining...* I kveldens program skal vi forklare...
(**b**) (*= this night*) ▸ **...tonight's midnight feast.** ...midnattsfesten i natt.
tonnage ['tʌnɪdʒ] S tonnasje *m*
tonne [tʌn] (*BRIT*) S tonn *nt*
tonsil ['tɒnsl] S mandel *m* (*MED*)
▸ **to have one's tonsils out** ta* mandlene
tonsillitis [tɒnsɪ'laɪtɪs] S tonsilitt *m*, mandelbetennelse *m*
too [tuː] ADV (**a**) (*= excessively*) for, altfor ❏ *It was too far to walk.* Det var for langt å gå.
(**b**) (*= also*) også ❏ *Hey, where are you from? Brooklyn? Me too!* Hei, hvor er du fra? Brooklyn? Jeg også!
▸ **too much** 1 ADV for mye/høyt *etc* ❏ *She loves him too much.* Hun elsker ham for høyt. 2 ADJ for mye ❏ *Avoid using too much water.* Unngå å bruke for mye vann.
▸ **too many** for mange
▸ **too bad!** synd (det)!
▸ **much too good** altfor bra
took [tuk] PRET *of* **take**
tool [tuːl] S (**a**) verktøy *nt*, redskap *nt*
(**b**) (*fig: person*) redskap *nt* ❏ *Many military leaders had become the tools of foreign governments.* Mange militærledere hadde blitt redskaper for utenlandske regjeringer.
tool box S verktøykasse *c*
tool kit S verktøysett *nt*
toot [tuːt] 1 S (*of horn, whistle*) tut *nt* ❏ *She gave a toot on the horn.* Hun tutet med hornet.
2 VI (*with car horn*) tute (*v1*)
tooth [tuːθ] (*pl* **teeth**) S (*also TEKN*) tann *c irreg*
❏ *The cogs have ten teeth.* Tannhjulene har ti tenner.
▸ **to have a tooth out** *or (US)* **pulled** få* trukket en tann
▸ **to brush** *or* **clean one's teeth** pusse (*v1*) tennene
▸ **by the skin of one's teeth** (*fig*) med nød og neppe
toothache ['tuːθeɪk] S tannverk *m*, tannpine *m*
▸ **to have toothache** ha* tannverk *or* tannpine
toothbrush ['tuːθbrʌʃ] S tannbørste *m*
toothpaste ['tuːθpeɪst] S tannkrem *m*, tannpasta *m*
toothpick ['tuːθpɪk] S tannpirker *m*

tooth powder s tannpulver *nt*
top [tɔp] 1 s (**a**) (*of mountain, tree, ladder, page, cupboard, street*) topp *m* ▫ *...over the tops of the houses.* ...over hustoppene *or* hustakene. *Go to the top of the street.* Gå til toppen av gaten.
(**b**) (*of table*) plate *c* ▫ *...the rough wooden top of the bench.* ...den ujevne treplaten på benken.
(**c**) (*lid: of box, jar*) lokk *nt*
(**d**) (*of bottle*) kork *m* ▫ *He unscrewed the top and put the bottle to his mouth.* Han skrudde av korken og satte flasken for munnen.
(**e**) (*BIL: **top gear***) toppgir *nt* ▫ *She changed into top.* Hun skiftet til toppgir.
(**f**) (*also **spinning top***) snurrebass *m*
(**g**) (*garment*) overdel *m*
2 ADJ (**a**) (*= highest: shelf, step*) øverst
(**b**) (*= highest in rank*) topp-
3 VT (**a**) (*= be first in: poll, vote, list*) toppe (*v1*)
(**b**) (*= exceed: estimate, speed etc*) overstige*
▸ **top priority** topprioritet *m*, førsteprioritet *m* ▫ *...a matter of top priority.* ...en sak med topprioritet *or* førsteprioritet.
▸ **top security** topphemmelighet *c*
▸ **at the top of the stairs/page/street** øverst i trappen/på siden/i gaten
▸ **on top of** (**a**) (*= above*) oppå ▫ *She laid her hand on top of his.* Hun la hånden sin oppå hans.
(**b**) (*= in addition to*) på toppen av ▫ *You don't want to give the man ulcers on top of all his other problems.* Du vil vel ikke gi* mannen magesår på toppen av alle de andre problemene hans.
▸ **from top to bottom** fra øverst til nederst ▫ *She cleaned the house from top to bottom.* Hun gjorde rent huset fra øverst til nederst *or* fra kjeller til loft.
▸ **from top to toe** (*BRIT*) fra topp til tå ▫ *He was covered in mud from top to toe.* Han var dekket av søle fra topp til tå.
▸ **at the top of the list** på toppen av listen
▸ **at the top of one's voice** så høyt man kan, av full hals
▸ **at top speed** i toppfart
▸ **over the top** (*sl*) over alle grenser ▫ *Here I think he goes right over the top.* Her syns jeg han går over alle grenser.
▸ **top up, top off** (*US*) VT fylle (*v2x*) opp *or* på; (*+salary*) skjøte (*v2*) på
topaz ['təupæz] s topas *m* ▫ *...a topaz ring.* ...en topasring.
top-class ['tɔp'klɑːs] ADJ førsteklasses
topcoat ['tɔpkəut] s (*of paint*) siste strøk *nt*
top floor s øverste etasje *m*, toppetasje *m*
top hat s flosshatt *m*
top-heavy [tɔp'hɛvɪ] ADJ (*object, administration*) topptung
topic ['tɔpɪk] s emne *nt*, tema *nt* ▫ *The main topic of conversation was food.* Det viktigste samtaleemnet *or* samtaletemaet var mat.
topical ['tɔpɪkl] ADJ (*issue, question*) aktuell
topless ['tɔplɪs] ADJ (*bather, waitress*) toppløs
top-level ['tɔplɛvl] ADJ (*talks, decision*) på topplan
topmost ['tɔpməust] ADJ øverst
top-notch ['tɔp'nɔtʃ] ADJ super
topography [tə'pɔgrəfɪ] s topografi *m*
topping ['tɔpɪŋ] s (*KULIN*) ▸ **with a topping of whipped cream** med krem på toppen
topple ['tɔpl] 1 VT (*+government, leader*) velte (*v1*)
2 VI (*person+*) vakle (*v1*); (*object+*) vakle (*v1*), bikke (*v1*)
top-ranking ['tɔpræŋkɪŋ] ADJ meget høytstående
top-secret ['tɔp'siːkrɪt] ADJ (*document, job etc*) topphemmelig
top-security ['tɔpsə'kjuərɪtɪ] (*BRIT*) ADJ
▸ **top-security prison** sikringsanstalt *m*
topsy-turvy ['tɔpsɪ'təːvɪ] 1 ADJ (*world, approach*) bakvendt ▫ *...that's rather a topsy-turvy way of looking at things.* ...det er en ganske bakvendt måte å se tingene på.
2 ADV (*turn, fall, land etc*) opp-ned, på hodet ▫ *...to her the whole world had turned topsy-turvy.* ...hun syntes hele verden hadde blitt snudd opp-ned *or* på hodet.
top-up ['tɔpʌp] s påfyll *nt*
top-up loan s tilleggslån *nt*
torch [tɔːtʃ] s (*with flame*) fakkel *m*; (*BRIT: electric*) lommelykt *c*
tore [tɔːʳ] PRET *of* **tear**
torment [*N* 'tɔːmɛnt, *VB* tɔː'mɛnt] 1 s pine *m*, pinsler *pl* ▫ *...the scream of a man dying in torment.* ...skrike til en man som døde i pine *or* pinsler.
2 VT plage (*v1*), pine (*v2*) ▫ *His emotional turmoil continues to torment him.* Det følelsesmessige opprøret i ham plager *or* piner ham stadig. *Stop tormenting that poor dog!* Slutt å pine *or* plage den stakkars hunden!
torn [tɔːn] 1 PP *of* **tear**[1]
2 ADJ ▸ **to be torn between** (*fig*) være* dratt mellom ▫ *She was torn between her husband and her lover.* Hun var dratt mellom mannen og elskeren sin.
tornado [tɔː'neɪdəu] (*pl* **tornadoes**) s tornado *m*
torpedo [tɔː'piːdəu] (*pl* **torpedoes**) s torpedo *m*
torpedo boat s torpedobåt *m*
torpor ['tɔːpəʳ] s apati *m*
torque [tɔːk] s vridningsmoment *nt*
torrent ['tɔrnt] s (**a**) (*flood*) foss *m*, stri strøm *m*
(**b**) (*fig*) stri strøm *m* ▫ *...a torrent of French oaths.* ...en stri strøm av franske eder.
torrential [tɔ'rɛnʃl] ADJ (*rain*) styrt-
torrid ['tɔrɪd] ADJ (*weather*) stekende he(i)t; (*love affair*) brennende, glødende
torso ['tɔːsəu] s torso *m*, (over)kropp *m*
tortoise ['tɔːtəs] s landskilpadde *c*
tortoiseshell ['tɔːtəʃɛl] ADJ (*jewellery, ornaments*) skilpadde-, av skilpaddeskall; (*cat*) *sort-, brun- og hvitflekket(e)*
tortuous ['tɔːtjuəs] ADJ (*path*) svinget(e), snirklet(e); (*argument, mind, essay*) snirklet(e)
torture ['tɔːtʃəʳ] 1 s (**a**) (*physical*) tortur *m* ▫ *...the constant threat of torture.* ...den konstante trusselen om tortur.
(**b**) (*fig*) (ren) tortur *m* ▫ *It was torture to be ill in bed while everyone was celebrating* Det var ren tortur å ligge syk mens alle feiret.
2 VT (**a**) (*physically*) torturere (*v2*)
(**b**) (*fig*) torturere (*v2*), pine (*v2*) ▫ *Why do we have to keep on torturing ourselves by talking*

about it? Hvorfor må vi fortsette å torturere *or* pine oss selv ved å snakke om det?

torturer ['tɔːtʃərəʳ] s torturist *m*

Tory ['tɔːrɪ] (*BRIT: POL*) [1] ADJ konservativ (*som er medlem av det britiske konservative partiet*) ❑ *...Mr Robin Smith, the Tory MP for Leeds North.* ...Mr Robin Smith, den konservative representanten for Leeds North.
[2] s konservativ *m decl as adj* (*medlem av det britiske konservative partiet*) ❑ *The Tories were restored to power.* De konservative kom til makten igjen.

toss [tɔs] [1] VT (**a**) (= *throw*) kaste (*v1*), slenge (*v2*) ❑ *He took the bag and tossed it into the bushes.* Han tok posen og kastet *or* slengte den inn i buskene.
(**b**) (*+one's head*) kaste (*v1*) på *or* med ❑ *"OK," she said, tossing her head.* "OK," sa hun og kastet på *or* med hodet.
(**c**) (*+salad*) blande (*v1*) (*med dressing*)
(**d**) (*+pancake*) snu (*v4*) (*i luften*)
[2] s ▸ **with a toss of her head** med et kast med hodet, med et kneis med nakken
▸ **to toss a coin** kaste (*v1*) *or* slå* mynt og krone
▸ **to toss up for sth** kaste (*v1*) *or* slå* mynt og krone om noe ❑ *We tossed up to decide who should pay the bill...* Vi slo mynt og krone om hvem som skulle* betale regningen...
▸ **to toss and turn** (*in bed*) kaste (*v1*) og vri (*v4 or irreg*) på seg
▸ **to win/lose the toss** (*SPORT*) vinne*/tape (*v2*) loddtrekningen

tot [tɔt] s (**a**) (*BRIT: drink*) knert *m* ❑ *...a small tot of rum.* ...en liten knert med rom.
(**b**) (*child*) liten tass *m* ❑ *...ever since I was a tot.* ...helt siden jeg var en liten tass.

▸ **tot up** (*BRIT*) VT (*+figures*) legge* sammen ❑ *I'll just tot up what you owe me.* Jeg skal bare legge sammen det du skylder meg.

total ['təutl] [1] ADJ (**a**) (*number, workforce, cost etc*) total, samlet ❑ *...a total cost of over £3,000.* ...en total *or* samlet kostnad på over 3 000 pund.
(**b**) (*failure, wreck, stranger*) total
[2] s (**a**) (*also* **sum of money**) sum *m*, samlet beløp *nt*
(**b**) (= *number*) samlet antall *nt*
[3] VT (**a**) (= *add up*) legge* sammen ❑ *Votes cast for each candidate will be totalled...* Stemmer som blir gitt til hver kandidat vil bli* lagt sammen...
(**b**) (= *add up to*) utgjøre* totalt *or* sammenlagt ❑ *1980 revenues totalled 18 billion dollars.* Inntektene i 1980 utgjorde totalt *or* sammenlagt 18 milliarder dollar.
▸ **a total of** alt i alt, til sammen ❑ *The factory employed a total of forty workers.* Fabrikken hadde alt i alt *or* til sammen førti arbeidere.
▸ **in total** til sammen, totalt ❑ *A force containing in total over half a million men.* En styrke som innbefattet til sammen *or* totalt over en halv million menn.

totalitarian [təutælɪ'tɛərɪən] ADJ totalitær

totality [təu'tælɪtɪ] s helhet *c*

totally ['təutəlɪ] ADV helt, fullstendig ❑ *I totally disagree.* Jeg er helt *or* fullstendig uenig. *A totally new situation arose.* Det oppstod en helt *or* fullstendig ny situasjon.

totem pole ['təutəm-] s totempæl *m*

totter ['tɔtəʳ] VI (*person, government+*) vakle (*v1*) ❑ *Thelma tottered from the stage.* Thelma vaklet ut av scenen. *The wartime Liberal Government was tottering.* Den liberale regjeringen fra krigens dager vaklet.

touch [tʌtʃ] [1] s (**a**) (= *contact*) berøring *c* ❑ *I had to rely on my sense of touch.* Jeg måtte* stole på berøringssansen min. *The wood is so rotten that it crumbles at the touch.* Treet er så råttent at det smuldrer opp ved berøring.
(**b**) (= *skill: of pianist*) anslag *nt*
[2] VT (**a**) (*with hand, foot*) røre (*v2*) ved, berøre (*v2*) ❑ *Madeleine stretched out her hand to touch his.* Madeleine rakte ut hånden sin for å røre ved *or* berøre hans.
(**b**) (= *tamper with, move emotionally*) røre (*v2*) ❑ *This tomb was the only one that wasn't touched.* Denne graven var den eneste som ikke hadde blitt rørt. *I was very touched by his thoughtfulness.* Jeg ble veldig rørt av omtenksomheten hans.
(**c**) (= *make contact with*) komme* borti ❑ *In fact I did just touch the car in front.* Faktisk kom jeg bare borti bilen foran.
[3] VI (= *make contact*) røre (*v2*) ved hverandre, berøre (*v2*) hverandre, komme* borti hverandre ❑ *He stood so close to me that our bodies touched.* Han stod så nær at kroppene våre rørte ved *or* berørte *or* kom borti hverandre.
▸ **a personal touch** en personlig vri
▸ **to have a light touch** være* lett på hånden
(**a**) (*pianist+*) ha* et lett anslag
(**b**) (*writer+*) skrive* lett og fint ❑ *In the play, religion is handled with a light, comic touch.* I skuespillet er religion behandlet med et lett, humoristisk anstrøk.
▸ **to put the finishing touches to sth** legge* siste hånd på noe, sette* prikken over i'en på noe
▸ **a touch of** (*fig: frost etc*) en anelse, et snev av
▸ **in touch with** i forbindelse med ❑ *If you write they will put you in touch with their local group.* Hvis du skriver, vil de sette deg i forbindelse med den lokale avdelingen.
▸ **to get in touch with sb** ta* kontakt med noen
▸ **I'll be in touch** jeg skal ta* kontakt, jeg skal la høre fra meg
▸ **to lose touch** (*friends+*) miste (*v1*) kontakten
▸ **to be out of touch with events** ikke være* à jour med ting
▸ **touch wood!** bank i bordet!

▸ **touch on** VT FUS (*+topic*) komme* inn på, berøre (*v2*)

▸ **touch up** VT (*+car, bicycle, paint*) fikse (*v1*) på

touch-and-go ['tʌtʃən'gəu] ADJ (*situation*) helt usikker, helt uviss
▸ **it was touch-and-go whether we'd succeed** det var helt usikkert *or* uvisst om vi ville* lykkes

touchdown ['tʌtʃdaun] s (*of rocket, plane*) landing *c*

touched [tʌtʃt] ADJ (**a**) (= *moved*) rørt ❑ *Thank you for doing that. I'm really touched.* Takk for at du gjorde det. Jeg er virkelig rørt.

(**b**) (*sl: mad*) smårar (*sl*) ❑ *We thought she was a bit touched.* Vi trodde hun var litt smårar.
touching ['tʌtʃɪŋ] ADJ (*emotionally*) rørende
touchline ['tʌtʃlaɪn] (*SPORT*) s sidelinje *c*
touch-sensitive ['tʌtʃ'sɛnsɪtɪv] ADJ kontaktfølsom; (*switch*) kontakt-
touch-tone ['tʌtʃtəun] ADJ ▸ **touchtone telephone** *tastafon m tilknyttet digitalsentral*
touch-type ['tʌtʃtaɪp] VI skrive* touch
touchy ['tʌtʃɪ] ADJ (**a**) (*person*) nærtagende, hårsår ❑ *They are touchy about criticism.* De er nærtagende *or* hårsåre overfor kritikk.
(**b**) (*subject*) ømfintlig
touchy-feely ['tʌtʃɪ'fiːlɪ] (*sl*) ADJ (*person*) fysisk
tough [tʌf] ADJ (**a**) (*material, object*) sterk, solid ❑ *Some plastics are as tough as metal.* Noen typer plast er like sterke *or* solide som metall. *...a tougher pair of boots.* ...et par støvler som er sterkere *or* mer solide.
(**b**) (*meat*) seig
(**c**) (*person, animal: physically*) hardfør, seig
(**d**) (*mentally*) sterk ❑ *Camels are tough and hardy creatures.* Kameler er seige og hardføre skapninger. *He was mentally tough enough to keep going...* Han var mentalt sterk nok til å holde på...
(**e**) (*= difficult: task, problem, way of life*) tøff, vrien
(**f**) (*time*) tøff, vanskelig ❑ *It was one of the toughest elections for a long time.* Det var et av de tøffeste *or* mest vriene valgene på lenge. *They're having a tough time.* De har det tøft *or* vanskelig.
(**g**) (*= firm: stance, negotiations, policies*) hard, tøff ❑ *She favours tough economic policies.* Hun er for en hard *or* tøff økonomisk politikk.
(**h**) (*= rough*) tøff ❑ *I went to a very tough school.* Jeg gikk på en veldig tøff skole.
▸ **tough (luck)!** verst for deg!
toughen ['tʌfn] VT (*+sb's character, material*) herde (*v1*)
toughness ['tʌfnɪs] s (*of sb's character*) styrke *m*; (*of material etc*) hardførhet *c*
toupee ['tuːpeɪ] s tupé *m*
tour ['tuəʳ] 1 s (**a**) (*journey*) rundreise *m*, rundtur *m* ❑ *They're planning a tour of the Far East.* De planlegger en rundreise *or* rundtur i Det fjerne østen.
(**b**) (*of town, factory, museum*) omvisning *m* ❑ *This way for the guided tours.* Denne veien hvis du skal på en guidet omvisning.
(**c**) (*by pop group etc*) turné *m* ❑ *...the English cricket team's tour of Australia.* ...det engelske cricketlagets Australiaturné.
(**d**) (*by royalty*) reise *m*
2 VT (**a**) (*+country, city etc*) reise (*v2*) rundt i, ta* en rundtur i
(**b**) (*+factory*) bli* vist rundt i
▸ **to go on a tour of** (**a**) (*+museum*) gå* rundt i (**b**) (*+region*) dra* på rundreise *or* rundtur i, reise (*v2*) rundt i
▸ **to go/be on tour** (*pop group, theatre company etc+*) være* på turné
touring ['tuərɪŋ] s ▸ **I enjoy touring** jeg liker å reise rundt *or* omkring
tourism ['tuərɪzm] s turisme *m*
tourist ['tuərɪst] 1 s turist *m*
2 SAMMENS (*attractions, season*) turist- ❑ *July is the height of the tourist season.* Juli er (på) toppen av turistsesongen.
▸ **the tourist trade** turistbransjen
tourist class s turistklasse *m*
▸ **to travel tourist class** reise (*v2*) på turistklasse
tourist office s turistkontor *nt*
tournament ['tuənəmənt] s turnering *c* ❑ *...a table-tennis tournament.* ...en bordtennisturnering.
tourniquet ['tuənɪkeɪ] s tourniquet *m*
tour operator (*BRIT*) s turoperatør *m*
tousled ['tauzld] ADJ (*hair*) bustet(e)
tout [taut] 1 VI ▸ **to tout for business/custom** være* ute etter kunder
2 s (*also* ***ticket tout***) billetthai *m*
tow [təu] 1 VT (*+vehicle, caravan, trailer*) slepe (*v2*), taue (*v1*) ❑ *...the van was towing a big trailer.* ...varebilen slepte *or* tauet en stor tilhenger.
2 s ▸ **to give sb a tow** ta* noen på slep
▸ **"on** *or (US)* **in tow"** "bil på slep"
▸ **tow away** VT taue (*v1*) bort *or* vekk
toward(s) [tə'wɔːd(z)] PREP (**a**) (*place, time*) mot ❑ *He saw his mother running towards him.* Han så moren sin komme springende mot ham. *He made efforts towards the end to...* Han anstrengte seg mot slutten for å...
(**b**) (*attitude*) overfor, til ❑ *There has been a change of attitude towards science.* Det har vært en forandring av holdningen overfor *or* til vitenskap.
(**c**) (*purpose*) som skal bidra til ❑ *...£154,000 towards improving safety.* ...154 000 pund for å *or* som skulle* bidra til å bedre sikkerheten.
▸ **towards midnight/the end of the year** mot midnatt/mot slutten av året
▸ **friendly toward(s) sb** vennlig innstilt mot noen
towel ['tauəl] s håndkle *nt irreg*
▸ **to throw in the towel** (*fig*) kaste (*v1*) inn håndkleet
towelling ['tauəlɪŋ] s frotté *m*
towel rail, towel rack (*US*) s håndklestang *c*
tower ['tauəʳ] 1 s tårn *nt* ❑ *...the Eiffel Tower.* ...Eiffeltårnet.
2 VI (*building, mountain+*) rage (*v1*) opp
▸ **to tower above** *or* **over sb/sth** rage (*v1*) over noen/noe
tower block (*BRIT*) s høyblokk *c*
towering ['tauərɪŋ] ADJ (*buildings, trees, cliffs, figure*) tårnhøy
towline ['təulaɪn] s slepetau *nt*
town [taun] s by *m*
▸ **to go to town** dra* til byen; (*fig*) slå* stort på det ❑ *They really went to town on the Christmas decorations this year.* De slo virkelig stort på juledekorasjonene i år.
▸ **in town** i byen
▸ **to be out of town** (*person+*) være* ute av byen, være* bortreist
town centre s sentrum *nt, no art* (av byen)
town clerk s ≈ rådmann *m irreg*
town council s bystyre *nt*
town crier s utroper *m*

town hall s rådhus *nt*
townie ['taunɪ] (*sl*) s (= *town dweller*) bymann *m*, bydame *c*
town plan s bykart *nt*
town planner s byplanlegger *m*
town planning s byplanlegging *c*
township ['taunʃɪp] s ≈ kommune *m*; (*formerly: in South Africa*) township *m*
townspeople ['taunzpi:pl] SPL byfolk *pl*
towpath ['təupɑ:θ] s trekkvei *m* (*langs kanal*)
towrope ['təurəup] s slepetau *nt*
tow truck (*US*) s kranbil *m*
toxic ['tɔksɪk] ADJ (*fumes, waste etc*) giftig, toksisk
toxin ['tɔksɪn] s toksin *nt*
toy [tɔɪ] s leketøy *nt*, leke *c*
▸ **toy with** VT FUS (+*object, food*) leke (*v2*) med, fingre (*v1*) med; (+*idea*) leke (*v2*) med
toyshop ['tɔɪʃɔp] s leketøysbutikk *m*, leketøysforretning *c*
trace [treɪs] 1 s (**a**) (*sign: of emotion*) snev *nt* ❑ *I noticed a trace of jealousy in her.* Jeg la merke til et snev av sjalusi hos henne.
(**b**) (*small amount: of paint etc*) ▸ **trace (of)** spor *nt* (etter)
2 VT (**a**) (= *draw*) overføre (*v2*), kalkere (*v2*) ❑ *It is easier to trace a map than to draw it yourself.* Det er lettere å overføre *or* kalkere et kart enn å tegne det selv.
(**b**) (= *follow*) spore (*v1*) ❑ *British empiricism can be traced back to Hume.* Britisk empirisme kan spores tilbake til Hume.
(**c**) (= *locate: person, letter, cause*) spore (*v1*) opp (*var:* oppspore) ❑ *They were trying to trace her missing husband.* De prøvde å spore opp den savnede mannen hennes. *I think I've traced the source of the poison.* Jeg tror jeg har sporet opp hvor giften kommer fra.
▸ **without trace** (*disappear*) sporløst ❑ *The ship has sunk without trace.* Skipet har sunket sporløst.
▸ **there was no trace of it** det var ikke spor av det
trace element s sporstoff *nt*
tracer ['treɪsəʳ] s (*MIL: **tracer bullet***) sporlyskule *c*; (*MED*) sporstoffisotop *m*
trachea [trə'kɪə] s luftrør *nt*
tracing paper s kalkerpapir *nt*
track [træk] 1 s (**a**) (*path*) sti *m*, tråkk *nt* ❑ *...a narrow bumpy track.* ...en smal, humpete sti. ...et smalt, humpete tråkk.
(**b**) (*of bullet etc*) bane *m* ❑ *The Earth crosses the tracks of certain comets.* Jorden krysser banene til visse kometer.
(**c**) (*of suspect, animal*) spor *nt* ❑ *The fox didn't leave any tracks.* Reven etterlot seg ingen spor.
(**d**) (*JERNB, on tape, record*) spor *nt*
(**e**) (*SPORT*) bane *m* ❑ *She ran ten times round the track.* Hun løp ti ganger rundt banen.
2 VT (= *follow: animal, person*) følge* sporene til
▸ **to keep track of** (*fig*) holde* styr på, følge* med på ❑ *We would never be able to keep track of all our sales without a computer.* Vi ville* aldri være* i stand til å holde styr på *or* følge med på alt salget vårt uten en datamaskin.
▸ **to be on the right track** (*fig*) være* på rett *or* riktig spor
▸ **track down** VT (+*prey, criminal*) spore (*v1*) opp (*var:* oppspore) ❑ *...a special skill for tracking down murderers.* ...en spesiell evne til å spore opp mordere.
tracker dog (*BRIT*) s sporhund *m*
track events (*SPORT*) SPL løpsøvelser
tracking station s bakkestasjon *m*
track meet (*US*) s (*SPORT*) friidrettsstevne *nt*
track record s ▸ **to have a good track record** (*fig*) kunne* vise til gode resultater ❑ *He has the best track record in the business.* Han kan vise til de beste resultatene i bransjen.
tracksuit ['træksu:t] s treningsdrakt *c*, treningsdress *m*
tract [trækt] s (**a**) (*GEOG*) område *nt* ❑ *...immense tracts of jungle.* ...enorme jungelområder.
(**b**) (*pamphlet*) traktat *m*
▸ **respiratory tract** luftveier *pl*
traction ['trækʃən] s (**a**) (*power*) drift *c* ❑ *...the increased use of electric traction.* ...den økte bruken av elektrisk drift.
(**b**) (*BIL: grip*) veigrep *nt*
(**c**) (*MED*) ▸ **in traction** i strekk
traction engine s trekkmaskin *m*
tractor ['træktəʳ] s traktor *m*
trade [treɪd] 1 s (**a**) (*buying and selling*) handel *m* ❑ *...the lucrative trade in tea.* ...den lukrative handelen med te.
(**b**) (*skill, job*) yrke *nt* ❑ *My dad has no skilled trade.* Faren min har ikke noe yrke som krever spesiell utdannelse.
(**c**) (*specific kind of work*) bransje *m* ❑ *...the book trade...* bokbransjen...
2 VI (= *do business*) handle (*v1*) ❑ *We traded at a profit.* Vi handlet med overskudd.
3 VT (= *exchange*) ▸ **to trade sth (for sth)** bytte (*v1*) noe (mot noe) ❑ *She traded a piece of her jewelry for food.* Hun byttet et av smykkene sine mot mat.
▸ **to trade with** (+*country, company*) handle (*v1*) med
▸ **to trade in** handle (*v1*) med
▸ **foreign trade** utenrikshandel *m*
▸ **Department of Trade and Industry** (*BRIT*) ≈ Handelsdepartementet
▸ **trade in** VT (+*old car etc*) bytte (*v1*) inn
trade barrier s handelsbarriere *m*
trade deficit s handelsunderskudd *nt*
Trade Descriptions Act (*BRIT*) s lov *m* om forbrukervern
trade discount s forhandlerrabatt *m*
trade fair s varemesse *c*, salgsmesse *c*
trade-in ['treɪdɪn] s ▸ **to take as a trade-in** ta* i innbytte
trade-in value s innbytteverdi *m*
trademark ['treɪdmɑ:k] s varemerke *nt*
trade mission s handelsdelegasjon *m*
▸ **to go on a trade mission** delta* i en handelsdelegasjon
trade name s merkenavn *nt*, varebetegnelse *m*
trade-off ['treɪdɔf] s avveining *m* ❑ *There's bound to be a trade-off between speed and quality.* Det må nødvendigvis bli* en avveining mellom tempo og kvalitet.

trader ['treɪdəʳ] s næringsdrivende *m decl as adj*, forhandler *m*
trade secret s (**a**) (*MERK*) bransjehemmelighet *c*, forretningshemmelighet *c* ❑ *...closely guarded trade secrets.* ...godt bevarte bransjehemmeligheter *or* forretningshemmeligheter.
(**b**) (*fig*) forretningshemmelighet *c* ❑ *"How do you know?" "Sorry, mate – trade secret."* "Hvordan vet du det?" "Beklager, kompis – forretningshemmelighet."
tradesman ['treɪdzmən] s *irreg* (*workman*) håndverker *m*; (*shopkeeper*) handelsmann *m irreg*, kjøpmann *m irreg*
trade union s fagforening *c*
trade unionist [-'juːnjənɪst] s fagforeningsmedlem *nt*
trade wind s passat(vind) *m*
trading ['treɪdɪŋ] s handel *m*
trading estate (*BRIT*) s industriområde *nt*
trading stamp s rabattmerke *nt*
tradition [trə'dɪʃən] s tradisjon *m*
traditional [trə'dɪʃənl] ADJ tradisjonell
traditionally [trə'dɪʃnəlɪ] ADV tradisjonelt
traffic ['træfɪk] 1 s trafikk *m* ❑ *The traffic is terrible at this time of day.* Trafikken er fryktelig på denne tiden av dagen. *...rush-hour traffic.* ...rushtrafikk. *...illegal traffic in protected animals.* ...ulovlig trafikk med fredede dyr. *Passenger traffic has gone up by about 12 per cent.* Passasjertrafikken har gått opp med omkring 12 prosent.
2 VI ▸ **to traffic in** drive* ulovlig handel med, drive* trafikk med
traffic calming (*BRIT*) s trafikkregulering *m*
traffic circle (*US*) s rundkjøring *c*
traffic island (*BIL*) s trafikkøy *c*
traffic jam (*BIL*) s trafikkork *m*
trafficker ['træfɪkəʳ] s (*of drugs etc*) *en som driver ulovlig handel*
traffic lights SPL trafikklys *nt sg*, lyskryss *nt sg*
traffic offence (*BRIT*) s trafikkforseelse *m*
traffic sign s trafikkskilt *nt*
traffic violation (*US*) s trafikkforseelse *m*
traffic warden s trafikkonstabel *m*
tragedy ['trædʒədɪ] s tragedie *m*
tragic ['trædʒɪk] ADJ tragisk
tragically ['trædʒɪkəlɪ] ADV tragisk
trail [treɪl] 1 s (**a**) (*path*) sti *m*, tråkk *nt* ❑ *They set out on the trail once again.* De la av gårde på stien *or* tråkket igjen.
(**b**) (*track: of footprints etc*) spor *nt*, sti *m* ❑ *...a trail of dirty marks all over the house.* ...et spor *or* en sti av skitne flekker over hele huset.
(**c**) (*of smoke, dust*) sky *c* ❑ *...a thick trail of smoke...* en tykk røyksky...
2 VT (**a**) (= *drag: scarf, coat*) slepe (*v2*)
(**b**) (*+fingers*) dra* ❑ *She trailed her fingers through the water.* Hun drog fingrene gjennom vannet.
(**c**) (= *follow: person, animal*) følge* sporene av, følge* etter ❑ *They trailed the animal for four hours.* De fulgte etter *or* fulgte sporene av dyret i fire timer.
3 VI (**a**) (= *hang loosely*) slepe (*v2*) ❑ *...part of her sari was trailing behind her on the floor.* ...en del av sarien hennes slepte etter henne på gulvet.
(**b**) (*in game, contest*) ligge* under *or* etter ❑ *United were trailing 2-0 at half-time.* United lå under med 2-0 ved pause.
▸ **to be on sb's trail** være* på sporet av noen ❑ *...she put a private detective on his trail.* ...hun satte en privatdetektiv på sporet av ham.
▸ **trail away** VI (*sound, voice+*) dø* hen
▸ **trail behind** VI henge* etter
▸ **trail off** VI = **trail away**
trailer ['treɪləʳ] s (*BIL*) tilhenger *m*; (*US: caravan*) campingvogn *c*; (*FILM, TV*) trailer *m*, forfilm *m*
trailer truck s (*US*) (semi)trailer *m*
train [treɪn] 1 s (**a**) (*JERNB*) tog *nt*
(**b**) (*of dress*) slep *nt*
2 VT (**a**) (= *teach skills to: through work*) lære (*v2*) opp
(**b**) (*through schooling*) utdanne (*v1*)
(**c**) (*+dog*) lære (*v2*) opp, dressere (*v2*) ❑ *Dogs were trained to attack intruders.* Hunder ble opplært *or* dressert til å angripe inntrengere.
(**d**) (*+athlete*) trene (*v2*) (opp) ❑ *They were trained to a peak of physical fitness.* De var trent (opp) til toppform.
(**e**) (*+mind*) øve (*v3*) opp, trene (*v2*) opp ❑ *...a general education which will train the mind.* ...en allmennutdanning som vil øve *or* trene opp tenkeevnen.
(**f**) (*+plant*) binde* opp ❑ *...the vines were trained along wires.* ...vinrankene var bundet opp langs tråder.
(**g**) (*+camera, hose, gun etc*) ▸ **to train on** sikte (*v1*) inn mot
3 VI (**a**) (= *learn a skill*) utdanne (*v1*) seg ❑ *She started to train as a nurse.* Hun begynte å utdanne seg til sykepleier.
(**b**) (*SPORT*) trene (*v2*) ❑ *He was training for the London marathon.* Han trente til London maraton.
▸ **to go by train** reise (*v2*) med tog, ta* toget
▸ **train of thought** tankerekke *c*
▸ **a train of events** en rekke hendelser
▸ **to train sb to do sth** lære (*v2*) opp noen til å gjøre* noe ❑ *The police are trained to keep calm.* Politiet er opplært til å holde seg rolige.
train attendant (*US*) s togkonduktør *m*
trained [treɪnd] ADJ (**a**) (*worker, teacher*) faglært ❑ *...a lack of trained manpower.* ...en mangel på faglært arbeidskraft.
(**b**) (*animal*) dressert
▸ **to the trained eye** for et øvet blikk
trainee [treɪ'niː] s (*apprentice*) lærling *m*; (*in office, management job*) person *m* under opplæring
trainer ['treɪnəʳ] s (*SPORT: coach*) trener *m*; (*shoe*) joggesko *m irreg*; (*of animals*) dressør *m*
training ['treɪnɪŋ] s (**a**) (*for occupation*) opplæring *c* ❑ *They were given training in computer programming.* De fikk opplæring i dataprogrammering.
(**b**) (*SPORT*) trening *c* ❑ *He didn't turn up for training today.* Han dukket ikke opp på trening i dag.
▸ **(to be) in training (for)** (*SPORT*) (ligge*) i trening (til) ❑ *She's in training for the marathon.*

Hun ligger i trening til maratonløpet.
training college s (*for teachers*) lærerhøyskole *m* ❑ *...at a teachers' training college.* ...på en lærerhøyskole.
training course s opplæringskurs *nt*
training shoe s (*SPORT*) joggesko *m irreg*
trainspotter ['treɪnspɔtəʳ] s (*= rail enthusiast*) togentusiast *m*; (*= nerd*) nerd *m*
traipse [treɪps] VI ▸ **to traipse in/out** *etc* traske (*v1*) inn/ut *etc* ❑ *I've been traipsing round the shops all day.* Jeg har trasket rundt i butikker i hele dag.
trait [treɪt] s trekk *nt*
traitor ['treɪtəʳ] s forræder *m*
trajectory [trə'dʒɛktərɪ] s bane *m*
tram [træm] (*BRIT*) s (*also* ***tramcar***) trikk *m*
▸ **to go by tram** ta* trikken
tramline ['træmlaɪn] s trikkespor *nt*, trikkeskinner *pl* NB *The taxi jolted as it crossed the tramline(s).* Taxien gjorde et rykk da den krysset trikkesporet *or* trikkeskinnene.
tramp [træmp] 1 s (**a**) (*person*) landstryker *m* (**b**) (*sl: neds: woman*) ludder *nt*, tøyte *c* ❑ *She's a tramp and a slut!* Hun er et ludder og ei tøyte!
2 VI (**a**) (*= walk: purposefully*) trave (*v1*)
(**b**) (*heavily*) trampe (*v1*)
3 VT (*= walk through: town, streets*) trave (*v1*) *or* traske (*v1*) gjennom ❑ *...a postman tramping the streets.* ...en postmann som travet *or* trasket gjennom gatene.
trample ['træmpl] 1 VT ▸ **to trample (underfoot)** (*+grass, plants*) trampe (*v1*) ned, tråkke (*v1*) ned
2 VI ▸ **to trample on** (*+grass*) trampe (*v1*) på, tråkke (*v1*) på; (*+sb's feelings, rights etc*) tråkke (*v1*) på
trampoline ['træmpəliːn] s trampoline *c*
trance [trɑːns] s transe *m*
▸ **in a trance** i transe
▸ **to go into a trance** gå* *or* falle* i transe
tranquil ['træŋkwɪl] ADJ (*place, sleep, old age*) fredelig, fredfylt
tranquillity [træŋ'kwɪlɪtɪ], **tranquility** (*US*) s fred *m*, ro *m*
tranquillizer ['træŋkwɪlaɪzəʳ], **tranquilizer** (*US*) s beroligende middel *nt*
transact [træn'zækt] VT utføre (*v2*)
transaction [træn'zækʃən] s transaksjon *m*
transatlantic ['trænzət'læntɪk] ADJ transatlantisk; (*= American*) på den andre siden av dammen
transcend [træn'sɛnd] VT (*+boundaries, loyalties etc*) gå* utover, heve (*v1*) seg over ❑ *...that transcended party loyalties...* som gikk utover *or* hevet seg over partihensyn...
transcendental [trænsɛn'dɛntl] ADJ
▸ **transcendental meditation** transcendental meditasjon *m*
transcribe [træn'skraɪb] VT (*MUS*) skrive* ut; (*+conversation etc*) transkribere (*v2*)
transcript ['trænskrɪpt] s (*of tape, notes*) transkripsjon *m*
transcription [træn'skrɪpʃən] s transkripsjon *m*
transept ['trænsɛpt] s tverrskip *nt*
transfer [*N* 'trænsfəʳ, *VB* træns'fəːʳ] 1 s (**a**) (*of money etc*) overføring *c*
(**b**) (*employees*) overflytting *c* ❑ *He got a transfer to the paratroops.* Han fikk overflytting til fallskjermtroppene.
(**c**) (*of power*) overføring *c*, overdragelse *m* ❑ *...the peaceful transfer of power from military to civil government.* ...den fredelige overføringen *or* overdragelsen av makt fra militært til sivilt styre.
(**d**) (*SPORT*) overgang *m* ❑ *Millar's transfer to Barcelona has been announced.* Millars overgang til Barcelona har blitt kunngjort.
(**e**) (*picture, design*) overføringsbilde *nt* ❑ *His satchel was covered in transfers.* Ranselen hans var dekket av overføringsbilder.
2 VT (**a**) (*+employees*) overføre (*v2*), overflytte (*v1*) ❑ *She's been transferred to another department.* Hun har blitt overført til en annen avdeling.
(**b**) (*+money*) overføre (*v2*) ❑ *£10,000 has been transferred into your account.* Det har blitt overført 10 000 pund til kontoen din.
(**c**) (*+power, ownership*) overføre (*v2*), overdra* ❑ *...transferring Aboriginal land to White ownership.* ...å overføre *or* overdra urinnvåneqrnes land over på hvite hender.
▸ **to transfer the charges** (*BRIT: TEL*) ringe (*v2*) på noteringsoverføring
▸ **by bank transfer** ved bankoverføring
transferable [træns'fəːrəbl] ADJ som kan overdras
▸ **"not transferable"** "må ikke overdras"
transfix [træns'fɪks] VT (*+person, animal*) gjennombore (*v1*)
▸ **transfixed with fear** (*fig*) som naglet fast av frykt
transform [træns'fɔːm] VT (*+person, situation, lives etc*) omforme (*v1*), forvandle (*v1*)
transformation [trænsfə'meɪʃən] s omforming *c*, forvandling *c*
transformer [træns'fɔːməʳ] (*ELEK*) s transformator *m*
transfusion [træns'fjuːʒən] s (*also* ***blood transfusion***) blodoverføring *c*
transgress [træns'grɛs] VT (**a**) (*+norms*) overtre*, overskride*
(**b**) (*+rules, law*) overtre* ❑ *Transgressing club rules is a serious offence.* Å overtre klubbreglene er en alvorlig forseelse.
transient ['trænzɪənt] ADJ flyktig
transistor [træn'zɪstəʳ] s transistor *m*; (*also* ***transistor radio***) transistorradio *m*, reiseradio *m*
transit ['trænzɪt] s ▸ **in transit** (**a**) (*people*) på (gjennom)reise, underveis
(**b**) (*things*) under transport, underveis ❑ *...lost in transit.* ...kommet bort under transporten *or* underveis.
transit camp s transittleir *m*
transition [træn'zɪʃən] s overgang *m* ❑ *How do you think this made the transition from book to stage?* Hvordan synes du dette klarte overgangen fra boka til scenen?
transitional [træn'zɪʃənl] ADJ (*period, stage*) overgangs-
transitive ['trænzɪtɪv] ADJ transitiv
transit lounge s transitthall *m*
transitory ['trænzɪtərɪ] ADJ (*emotion, arrangement etc*) flyktig, forbigående
transit visa s transittvisum *nt irreg*

translate [trænz'leɪt] VT ▸ **to translate (from/into)** oversette* (fra/til)

translation [trænz'leɪʃən] S oversettelse *m* ❑ *...a new translation of the Bible.* ...en ny oversettelse av Bibelen. *Translation is an extremely specialized skill.* Oversettelse er en høyt spesialisert ferdighet.
▸ **in translation** i oversettelse ❑ *I read Goethe in translation.* Jeg leser Goethe i oversettelse.

translator [trænz'leɪtəʳ] S oversetter *m*

translucent [trænz'lu:snt] ADJ (*object, quality*) gjennomskinnelig

transmission [trænz'mɪʃən] S (**a**) (*of information, disease, TV, RADIO*) overføring *c* ❑ *Millions would have heard that transmission.* Millioner ville* ha* hørt den overføringen.
(**b**) (*BIL*) transmisjon *m*

transmit [trænz'mɪt] VT (*+message, signal, disease*) overføre (*v2*); (*RADIO, TV*) overføre (*v2*), sende (*v2*)

transmitter [trænz'mɪtəʳ] (*TV, RADIO*) S sender *m*

transparency [træns'pεərnsɪ] S (*of glass etc*) gjennomsiktighet *c*; (*BRIT: FOTO: 35 mm*) lysbilde *nt*; (*for overhead projectors*) transparent *m*

transparent [træns'pærnt] ADJ (*material, garment, lie, pretence*) gjennomsiktig

transpire [træns'paɪəʳ] VI (**a**) (*= turn out*) vise (*v2*) seg ❑ *These, it transpired, were forbidden.* Det viste seg at disse var forbudt.
(**b**) (*= happen*) foregå* ❑ *Nobody knows what transpired at the meeting.* Ingen vet hva som foregikk på møtet.

transplant [*VB* træns'plɑ:nt, *N* 'trænsplɑ:nt] 1 VT (**a**) (*MED: organ*) transplantere (*v2*)
(**b**) (*+seedlings*) omplante (*v1*)
2 S (**a**) (*MED: operation*) transplantasjon *m*
(**b**) (*kidney/heart etc*) transplantert nyre *c*/hjerte *nt etc* ❑ *Several had received kidney transplants.* Flere hadde fått transplanterte nyrer.
▸ **to have a heart transplant** få* utført en hjertetransplantasjon

transport [*N* 'trænspɔ:t, *VB* træns'pɔ:t] 1 S (**a**) (*= moving people, goods*) transport *m* ❑ *The goods were now ready for transport.* Varene var nå klare for transport. *Transport is provided.* Det blir sørget for transport.
(**b**) (*= car*) framkomstmiddel *m* ❑ *Do you have your own transport?* Har du ditt eget framkomstmiddel?
2 VT transportere (*v2*), frakte (*v1*)
▸ **public transport** offentlig transport *m*
▸ **Department of Transport** (*BRIT*) ≈ Samferdselsdepartementet

transportation ['trænspɔ:'teɪʃən] S (**a**) (*moving*) transport *m* ❑ *The boxes were ready for transportation.* Boksene var klare til transport.
(**b**) (*means of transport*) transportmiddel *nt*, framkomstmiddel *nt* ❑ *...the fastest transportation available to man.* ...det raskeste transportmiddelet *or* framkomstmiddelet som mennesket har tilgang til.
▸ **Department of Transportation** (*US*) ≈ Samferdselsdepartementet

transport café (*BRIT*) S veikro *c*

transpose [træns'pəuz] VT (**a**) (*MUS*) transponere (*v2*)
(**b**) (*+play, sketch, etc*) omskrive*, overføre (*v2*) ❑ *...a renaissance drama transposed into modern dress.* ...et renessansedrama som var omskrevet *or* overført til moderne kostymer.

transsexual [trænz'sεksuəl] 1 ADJ som skifter kjønn
2 S *person som skifter kjønn*

transship [træns'ʃɪp] VT laste (*v1*) om (*fra et skip til et annet*)

transverse ['trænzvə:s] ADJ (*beam etc*) tverrgående

transvestite [trænz'vεstaɪt] S transvestitt *m*

trap [træp] 1 S (**a**) felle *c* ❑ *...he had set the traps.* ...han hadde satt opp fellene. *I knew perfectly well it was a trap.* Jeg visste godt at det var en felle.
(**b**) (*carriage*) gigg *m*
2 VT (**a**) (*+animal*) fange (*v1*) i felle
(**b**) (*= trick*) lure (*v2*), narre (*v1*) ❑ *You're not going to trap me.* Du skal ikke få* lurt *or* narret meg.
(**c**) (*in bad marriage, fire etc*) fange (*v1*) (*som i en felle*) ❑ *Many women are trapped in loveless marriages.* Mange kvinner er fanget i kjærlighetsløse ekteskap.
(**d**) (*inside, under sth*) stenge (*v2*) inne, sperre (*v1*) inne ❑ *...some survivors were trapped under the rubble.* ...noen overlevende var stengt *or* sperret inne under ruinene.
(**e**) (*+energy*) fange (*v1*) opp ❑ *A building can be designed to trap radiation from the sun.* En bygning kan være* bygd for å fange opp stråling fra sola.
▸ **to set** *or* **lay a trap (for sb)** sette* (ut) *or* legge* ut en felle (for noen)
▸ **to trap one's finger in the door** klemme (*v2x*) fingeren (sin) i døren
▸ **to shut one's trap** (*sl: be quiet*) holde* kjeft (*sl*), holde* smella (*sl*) ❑ *Shut your trap, will you?* Kan du holde kjeft *or* holde smella?

trap door, trapdoor S lem *m*, fallem *m*

trapeze [trə'pi:z] S trapes *m*

trapper ['træpəʳ] S pelsjeger *m*, fangstmann *m irreg* (*som fanger dyr i feller*)

trappings ['træpɪŋz] SPL ▸ **trappings (of)** ytre kjennetegn *pl* (på) ❑ *...the trappings of power...* de ytre kjennetegnene på makt...

trash [træʃ] S (**a**) (*rubbish*) søppel *nt*, avfall *nt* ❑ *Trash is disposed of in incinerators.* Søppel *or* avfall blir kastet i forbrenningsovner.
(**b**) (*neds: nonsense*) rask *nt* ❑ *I've told you not to read that trash.* Jeg har sagt at du ikke skal lese det rasket der.

trash can (*US*) S søppelkasse *c*

trashy ['træʃɪ] ADJ (*goods*) skrap-; (*= novel etc*) smuss-

trauma ['trɔ:mə] S (*gen*) traume *nt* (*PSYCH, MED*)

traumatic [trɔ:'mætɪk] ADJ traumatisk

travel ['trævl] 1 S (*= travelling*) reising *c* ❑ *They arrived after 4 days of hard travel.* De kom fram etter 4 dager med slitsom reising.
2 VI (**a**) (*person+*) reise (*v2*)
(**b**) (*car, aeroplane, sound etc+*) bevege (*v1*) seg, gå
(**c**) (*news+*) spre (*v4*) seg
3 VT (*+distance*) reise (*v2*) ❑ *She travelled a long way in two weeks.* Hun reiste langt på to uker.
▸ **travels** SPL reiser ❑ *Marsha told us all about her travels.* Marsha fortalte oss alt om reisene sine.

▸ **news travels fast** nyheter sprer seg fort
▸ **this wine doesn't travel well** denne vinen tåler dårlig å bli* transportert
travel agency s reisebyrå *nt*
travel agent s *en som driver eller arbeider i et reisebyrå,* reisekonsulent *m*
travel brochure s reisebrosjyre *m*
traveller ['trævləʳ], **traveler** (*US*) s reisende *m decl as adj*; (*MERK*) handelsreisende *m*
traveller's cheque, traveler's check (*US*) s reisesjekk *m*
travelling ['trævlɪŋ], **traveling** (*US*) [1] s reising *c*, *(det) å reise* ❑ *He does a lot of travelling in his job.* Han reiser mye *or* han har mye reising i jobben sin.
[2] SAMMENS (**a**) (*circus*) omreisende
(**b**) (*exhibition*) vandre-
(**c**) (*bag, clock*) reise-
▸ **travelling expenses** reiseutgifter
▸ **to get one's travelling expenses** få* dekket reiseutgifter
travel(l)ing salesman s handelsreisende *m*
travelogue ['trævəlɔg] s (*book, talk*) reiseskildring *c*, reisebeskrivelse *m*; (*film*) reiseskildring *c*
travel sickness s reisesyke *m*
traverse ['trævəs] VT krysse (*v1*)
travesty ['trævəstɪ] s vrengebilde *nt* ❑ *His account of my essay was a travesty.* Gjengivelsen hans av stilen min var et vrengebilde.
trawler ['trɔːləʳ] s tråler *m*
tray [treɪ] s (*for carrying*) brett *nt*; (*for papers on desk*) kurv *m*
treacherous ['trɛtʃərəs] ADJ (*person, look*) forrædersk, svikefull; (*ground, tide, conditions*) lumsk
treachery ['trɛtʃərɪ] s forræderi *nt*, svik *nt*
treacle ['triːkl] s mørk sirup *m*; (= *golden syrup*) (lys) sirup *m*
tread [trɛd] (*pt* **trod**, *pp* **trodden**) [1] s (**a**) (*of tyre*) slitebane *m*, mønsterdybde *m* ❑ *...1 millimetre of tread.* ...1 milimeter slitebane *or* mønsterdybde.
(**b**) (*footstep*) gange *m* ❑ *They could hear his heavy tread.* De kunne* høre den tunge gangen hans.
(**c**) (*of stair*) trinn *nt* ❑ *Madeleine, ascending, paused on each tread.* Madeleine, som var på vei opp, tok pause på hvert trinn.
[2] VI trå* ❑ *Rose trod with care.* Rose trådde *or* tro med varsomhet.
▸ **tread on** VT FUS trå* på
treadle ['trɛdl] s (*on sewing machine etc*) fotpedal *m*
treas. FK = **treasurer**
treason ['triːzn] s landsforræderi *nt*, landssvik *nt*
treasure ['trɛʒəʳ] [1] s (**a**) (*gold, jewels etc*) skatt *m* ❑ *...buried treasure.* ...nedgravd skatt.
(**b**) (*person*) perle *m* ❑ *"Gwyneth, you're a treasure."* "Gwyneth, du er en perle."
[2] VT (**a**) (*+object*) sette* stor pris på ❑ *She treasures the bracelet you gave her.* Hun setter stor pris på armbåndet du gav henne.
(**b**) (*+memory, thought, friendship*) skatte (*v1*) (høyt) ❑ *...one of the memories which they would treasure.* ...et av minnene som de ville* skatte (høyt).
▸ **treasures** SPL (*art etc*) skatter
treasure hunt s skattejakt *c*
treasurer ['trɛʒərəʳ] s kasserer *m*
treasury ['trɛʒərɪ] s ▸ **the Treasury,** (*US*) **the Treasury Department** ≈ Finansdepartementet
treasury bill s statskasseveksel *m*
treat [triːt] [1] s (**a**) (*surprise: trip, outing*) overraskelse *m*
(**b**) (= *gift, object*) godbit *m* ❑ *Granny took us for tea as a special treat.* Bestemor bad oss på te som en spesiell overraskelse.
(**c**) (*luxury*) luksus *m* ❑ *Champagne! what a treat!* Champagne! for en luksus!
[2] VT (*+person, object, patient, illness, wood, material*) behandle (*v1*) ❑ *We were treated with respect.* Vi ble behandlet med respekt. *...a way to treat cancer.* ...en måte å behandle kreft på. *New timber should be treated with a preservative.* Nytt tømmer bør behandles med et konserveringsmiddel.
▸ **it came as a treat** det kom som en nytelse
▸ **to treat sth as a joke** behandle (*v1*) noe som en vits
▸ **to treat sb to sth** spandere (*v2*) noe på noen ❑ *She offered to treat them to dinner.* Hun tilbød seg å spandere middag på dem.
treatment ['triːtmənt] s behandling *c* ❑ *There should be special treatment for the developing nations.* Det burde være* spesialbehandling for ulandene. *...free dental treatment.* ...gratis tannbehandling.
▸ **to have treatment for sth** få* behandling for noe ❑ *...to have treatment for arthritis.* ...for å få* behandling for gikt.
treaty ['triːtɪ] s traktat *m*
treble ['trɛbl] [1] ADJ (**a**) (= *triple*) tredobbel ❑ *He ordered three treble brandies.* Han bestilte tre tredoble konjakk.
(**b**) (*MUS: instrument*) diskant-
(**c**) (*voice, part*) (gutte)sopran- ❑ *Tony still had a fine treble voice.* Tony hadde fremdeles en fin (gutte)sopran.
[2] s (**a**) (*MUS: singer*) (gutte)sopran *m*
(**b**) (*on hi-fi, radio etc*) diskant *m* ❑ *She turned the treble up a bit.* Hun skrudde opp diskanten litt.
[3] VT tredoble (*v1*) ❑ *We have trebled last year's sales.* Vi har tredoblet fjorårets salg.
[4] VI tredoble (*v1*) seg ❑ *The population has nearly trebled in thirty years.* Befolkningen har nesten blitt tredoblet på tretti år.
▸ **to be treble the amount/size of sth** være* det tredobbelte av mengden av/størrelsen på noe ❑ *...rents that were treble their normal levels.* ...husleier som var det tredobbelte av det vanlige nivået.
treble clef s diskantnøkkel *m*
tree [triː] s tre *nt irreg*
tree-lined ['triːlaɪnd] ADJ (*road etc*) med trær på begge sider
treetop ['triːtɔp] s tretopp *m* ❑ *Birds were singing in the treetops.* Fugler sang i tretoppene.
tree trunk s trestamme *m*
trek [trɛk] [1] s (**a**) (*difficult journey*) anstrengende reise *m* ❑ *...the great trek south.* ...den store, anstrengende reisen sørover.
(**b**) (= *tiring walk*) (lang og hard) vandring *c or*

marsj *m* ❑ *We set off on a four hour trek through the swamps.* Vi la ut på en firetimers vandring *or* marsj gjennom sumpene.
2 VI (*as holiday*) gå* på fottur ❑ *They trekked for three days along the banks...* De gikk på fottur i tre dager langs breddene...

trellis ['trɛlɪs] s sprinkelverk *nt*, gitter(verk) *nt*

tremble ['trɛmbl] VI (*voice, body, trees, ground+*) skjelve*

trembling ['trɛmblɪŋ] 1 s (*of ground, trees*) skjelving *c*, dirring *c*
2 ADJ (*hand, voice etc*) skjelvende

tremendous [trɪ'mɛndəs] ADJ (= *enormous: amount, success etc*) enorm, kolossal, kjempe-; (= *excellent: holiday, view etc*) glimrende, ypperlig

tremendously [trɪ'mɛndəslɪ] ADV (*difficult, good, exciting*) enormt, kolossalt, kjempe-
▸ **he enjoyed it tremendously** han likte det enormt *or* kolossalt godt *or* kjempegodt

tremor ['trɛmə^r] s (**a**) (*in voice*) skjelving *c*, dirring *c*
(**b**) (= *trembling: of fear*) gys *nt*
(**c**) (*of excitement*) sitring *c* ❑ *...the tremor of pleasure that went through me.* ...sitringen av nytelse som gikk gjennom meg.
(**d**) (*also* ***earth tremor***) rystelse *m*

trench [trɛntʃ] s grøft *c*; (*in battlefield*) skyttergrav *c*

trench coat s trenchcoat *m*

trench warfare s skyttergravskrig *m* ❑ *...the hideous conditions of trench warfare.* ...de avskyelige forholdene under en skyttergravskrig.

trend [trɛnd] s (**a**) (*tendency*) trend *m*, tendens *m* ❑ *The trend has been to stress the artistic side...* Trenden *or* tendensen har vært å vektlegge den kunstneriske siden...
(**b**) (= *development*) tendens *m* ❑ *...the trend of inflation...* tendensen i inflasjonen...
(**c**) (= *fashion*) mote *m*, trend *m* ❑ *Bright orange is the latest trend.* Knall oransje er den siste moten *or* trenden.
▸ **trend towards/away from doing** trend *m* mot/vekk fra å gjøre, tendens *m* til å gjøre/til å slutte med å gjøre
▸ **to set a/the trend** skape (*v2*) (en) mote, sette* en trend ❑ *They have set a new trend among young people for wearing plastic jewellery.* De har skapt en ny mote *or* trend blant ungdom med å bruke plastsmykker.

trendy ['trɛndɪ] ADJ (*idea, person, clothes*) moteriktig

trepidation [trɛpɪ'deɪʃən] s engstelse *m* ❑ *...mixed with a certain amount of trepidation.* ...blandet med en viss engstelse.
▸ **in trepidation** engstelig ❑ *...they huddled together in trepidation.* ...de krøp engstelig tett sammen.

trespass ['trɛspəs] VI ▸ **to trespass on** (*+private property*) trenge (*v2*) seg inn på
▸ **"no trespassing"** "adgang forbudt"

trespasser ['trɛspəsə^r] s inntrenger *m* (*på annen manns eiendom*)
▸ **"Trespassers will be prosecuted"** "Adgang forbudt for uvedkommende. Overtredelse vil bli* politianmeldt"

tress [trɛs] s (*of hair*) lokk *m*

trestle ['trɛsl] s bukk *m*

trestle table s *langbord som står på bukker*

trial ['traɪəl] s (**a**) (*JUR*) rettssak *m*, rettslig behandling *c* ❑ *...not mentioned at the trial* ...ikke nevnt under rettssaken. NB *He was awaiting trial for murder.* Han ventet på å bli* stilt for retten for mord.
(**b**) (*test: of machine, drug etc*) forsøk *nt* ❑ *We've completed a number of successful trials...* Vi har avsluttet en rekke vellykkede forsøk...
(**c**) (*worry*) prøvelse *m* ❑ *I was a trial to him.* Jeg var en prøvelse for ham.
▸ **trials** SPL (*unpleasant experiences*) prøvelser ❑ *...the trials of pregnancy and childbirth.* ...prøvelsene med graviditet og fødsel.
▸ **horse trials** hesteveddeløp *nt sg*
▸ **trial by jury** juryprosess *m*
▸ **to be sent for trial** bli* stilt for retten
▸ **on trial** (**a**) (*JUR*) for retten ❑ *The group went on trial in January.* Gruppen ble stilt for retten i januar.
(**b**) (*on approval*) på prøve ❑ *I've got it on trial for 3 weeks.* Jeg har den på prøve i 3 uker.
▸ **by trial and error** ved prøving og feiling ❑ *...by a process of trial and error.* ...ved å prøve og feile.

trial balance (*MERK*) s råbalanse *m*

trial basis s ▸ **on a trial basis** på forsøksbasis

trial period s prøveperiode *m*

trial run s prøvekjøring *c*; (*TEAT*) prøveoppsetning *m*

triangle ['traɪæŋgl] s (*MAT*) triangel *nt*; (*MUS*) triangel *m or nt*

triangular [traɪ'æŋgjulə^r] ADJ triangulær, trekantet

triathlon [traɪ'æθlən] s triathlon *m*

tribal ['traɪbl] ADJ (*warrior, warfare, dance*) stamme-

tribe [traɪb] s stamme *m* ❑ *...a tribe of herdsmen.* ...en stamme med gjetere.

tribesman ['traɪbzmən] s *irreg* stammemedlem *nt*

tribulations [trɪbju'leɪʃənz] SPL gjenvordigheter ❑ *...trials and tribulations.* ...prøvelser og gjenvordigheter.

tribunal [traɪ'bju:nl] s domstol *m* ❑ *...an industrial tribunal.* ...en industridomstol.

tributary ['trɪbjutərɪ] s bielv *c*

tribute ['trɪbju:t] s tributt *m*, hyllest *m* ❑ *The car's top speed is a tribute to its aerodynamic qualities.* Toppfarten til denne bilen er en tributt *or* hyllest til dens aerodynamiske egenskaper.
▸ **to pay tribute to** yte (*v1 or v2*) sin tributt til, hylle (*v1*)

trice [traɪs] s ▸ **in a trice** på et øyeblikk

trick [trɪk] 1 s (**a**) (*also* ***magic trick***) triks *nt*, kunst *m*
(**b**) (*deception*) knep *nt*, triks *nt* ❑ *He was willing to use any dirty trick to get what he wanted.* Han var villig til å bruke all slags skitne knep *or* triks for å få* det han ville* ha.
(**c**) (*skill, knack*) knep *nt*, triks *nt* ❑ *The trick is to use...* Knepet *or* trikset er å bruke...
(**d**) (*KORT*) stikk *nt* ❑ *She won four tricks in a row.* Hun vant fire stikk på rad.
2 VT (= *deceive*) lure (*v2*), narre (*v1*)
▸ **to play a trick on sb** spille (*v2x*) noen et puss
▸ **to trick sb into doing sth** lure (*v2*) *or* narre (*v1*) noen til å gjøre* noe

▸ **to trick sb out of sth** lure (*v2*) *or* narre (*v1*) noe fra noen
▸ **it's a trick of the light** det er lyset som gjør det
▸ **that should do the trick** det skulle* gjøre* nytten

trickery ['trɪkərɪ] s lureri *nt*, snyteri *nt*

trickle ['trɪkl] [1] s (*of water etc*) (tynn) strime *m* ❑ *...a thin trickle of blood.* ...en tynn strime av blod.
[2] VI (**a**) (*water+*) sive (*v1*), piple (*v1*)
(**b**) (*tears+*) piple (*v1*)
(**c**) (*people+*) sive (*v1*), komme* en etter en ❑ *The coach parties began trickling back to the buses.* Bussturistene begynte å sive *or* komme en etter en tilbake til bussene.

trick photography s trikkfotografering *c*

trick question s lurespørsmål *nt*

trickster ['trɪkstə^r] s svindler *m*

tricky ['trɪkɪ] ADJ (*job, problem, business*) innviklet, vrien

tricycle ['traɪsɪkl] s trehjulssykkel *m*

trifle ['traɪfl] [1] s (**a**) (*small detail*) bagatell *m*, småting *m irreg* ❑ *They worry over trifles.* De bekymrer seg om bagateller *or* småting.
(**b**) (*KULIN*) *en slags gelekake med krem og pynt* ❑ *...sherry trifle.* ...gelekake med sherry.
[2] ADV ▸ **a trifle long** en tanke lenge
[3] VI ▸ **to trifle with sb/sth** tøyse (*v1*) med noen/ noe ❑ *Mitchell was not someone to be trifled with.* Mitchell var ikke noen man kunne* tøyse med.; (*with sb's affections*) leke (*v2*) med

trifling ['traɪflɪŋ] ADJ (*detail, matter*) bagatellmessig

trigger ['trɪgə^r] [1] s (*of gun*) avtrekker *m*
[2] VT (*+bomb, alarm*) utløse (*v2*)

▸ **trigger off** VT FUS (*+reaction, riot*) utløse (*v2*)

trigonometry [trɪgə'nɔmətrɪ] s trigonometri *m*

trilby ['trɪlbɪ] (*BRIT*) s (*also* ***trilby hat***) bløt filthatt *m*

trill [trɪl] s (*MUS*) trille *c*; (*of birds*) triller *pl*

trilogy ['trɪlədʒɪ] s trilogi *m*

trim [trɪm] [1] ADJ (**a**) (*house, garden*) velholdt, velstelt ❑ *...the trim lawns of suburbia.* ...de velholdte *or* velstelte plenene i forstedene.
(**b**) (*figure, person*) veltrimmet ❑ *...a trim man in his early sixties...* en veltrimmet mann i begynnelsen av sekstiårene...
[2] s (**a**) (*haircut etc*) stuss *m*
(**b**) (*decoration : on clothes*) besetning *m*
(**c**) (*on car*) pynt *m*
(**d**) (*in car*) interiør *nt* ❑ *...a velour suit with scarlet trim.* ...en fløyelsdress med høyrød besetning.
[3] VT (**a**) (*= cut : hair, beard*) stusse (*v1*) ❑ *His beard was freshly trimmed.* Skjegget hans var nylig stusset.
(**b**) (*= decorate*) ▸ **to trim (with)** besette* (med), pynte (*v1*) (med) ❑ *The dress was trimmed with lace and ribbon.* Kjolen var besatt *or* pyntet med blonder og bånd.
(**c**) (*NAUT : a sail*) trimme (*v1*)
▸ **to keep in (good) trim** holde* seg i (god) form

trimmings ['trɪmɪŋz] SPL (**a**) (*KULIN*) tilbehør *nt* ❑ *Tonight it was turkey with all the trimmings.* I kveld var det kalkun med alt tilbehør *or* alt som hørte til.
(**b**) (*cuttings : of pastry etc*) avskjær *nt*

Trinidad and Tobago ['trɪnɪdæd-] s Trinidad og Tobago

trinity ['trɪnɪtɪ] s treenighet *m*

trinket ['trɪŋkɪt] s (*ornament*) (billig) pyntegjenstand *m*; (*piece of jewellery*) (lite) smykke *nt* (*oftest uekte*)

trio ['tri:əu] s (**a**) (*MUS : group, piece of music*) trio *m*
(**b**) (*group of three*) trekløver *nt* ❑ *...a trio of ladies in the corner.* ...et trekløver av damer i hjørnet.

trip [trɪp] [1] s tur *m* ❑ *...his recent trip to Africa.* ...turen han nylig hadde tatt til Afrika. *They took a coach trip round the island.* De tok en busstur rundt øya.
[2] VI (**a**) (*= stumble*) snuble (*v1*)
(**b**) (*= go lightly*) trippe (*v1*) ❑ *I could see Amelia tripping along beside him.* Jeg kunne* se Amelia trippe av gårde ved siden av ham.
▸ **on a trip** på tur

▸ **trip over** [1] VT FUS (*+stone etc*) snuble (*v1*) i
[2] VI (*= stumble*) snuble (*v1*)

▸ **trip up** [1] VI (*= stumble*) snuble (*v1*) ❑ *He put each foot down carefully to avoid tripping up.* Han satte føttene forsiktig ned for hvert skritt for å unngå å snuble.
[2] VT (*+person*) spenne (*v2x*) bein på ❑ *She tripped up the steward as he passed.* Hun spente bein på flyverten da han gikk forbi.

tripartite [traɪ'pɑ:taɪt] ADJ (*agreement*) tresidig, trekant-; (*talks*) mellom tre parter, trekant-

tripe [traɪp] s (**a**) (*food*) kalun *m* ❑ *...tripe and onions.* ...kalun og løk.
(**b**) (*neds : rubbish*) tøv *nt*, sludder *nt* ❑ *You expect me to read tripe like that?* Venter du at jeg skal lese sånt tøv *or* sludder?

triple ['trɪpl] [1] ADJ (*ice cream, somersault etc*) trippel(-)
[2] ADV ▸ **triple the distance/the speed** tre ganger så langt/fort, det tredobbelte av avstanden/ farten

triple jump s tresteg

triplets ['trɪplɪts] SPL trillinger

triplicate ['trɪplɪkət] s ▸ **in triplicate** i tre eksemplarer

tripod ['traɪpɔd] s stativ *m* (*med tre bein, særlig fotostativ*)

Tripoli ['trɪpəlɪ] s Tripolis

tripper ['trɪpə^r] (*BRIT*) s *person på tur*

tripwire ['trɪpwaɪə^r] s snubletråd *m*

trite [traɪt] (*neds*) ADJ (*comment, idea etc*) platt

triumph ['traɪʌmf] [1] s triumf *m* ❑ *The election result was a personal triumph for the party leader.* Valgresultatet var en personlig triumf for partilederen. *With an expression of triumph on her face...* Med et triumferende uttrykk i ansiktet...
[2] VI ▸ **to triumph (over)** (**a**) (*+problem, disadvantage*) seire (*v1*) (over) ❑ *She learned to triumph over her disabilities.* Hun lærte å seire over *or* overvinne handikapene sine.
(**b**) (*+person*) triumfere (*v2*) (over)

triumphal [traɪ'ʌmfl] ADJ (*return*) triumf-, i triumf; (*arch*) triumf-

triumphant [traɪ'ʌmfənt] ADJ (*team, wave, return*) triumferende ❑ *...his triumphant entry into the city.* ...det triumferende inntoget hans i byen.

triumphantly [traɪ'ʌmfəntlɪ] ADV (*shout, look etc*) triumferende
trivia ['trɪvɪə] (*neds*) SPL trivialiteter, uvesentlige ting *pl*
trivial ['trɪvɪəl] ADJ triviell
triviality [trɪvɪ'ælɪtɪ] S trivialitet *m*
trivialize ['trɪvɪəlaɪz] VT trivialisere (*v2*), forflate (*v1*)
trod [trɔd] PRET *of* **tread**
trodden [trɔdn] PP *of* **tread**
trolley ['trɔlɪ] S (**a**) (*for luggage*) (bagasje)tralle *c* (**b**) (*for shopping*) (handle)vogn *c*, trillevogn *c* (**c**) (= *table on wheels*) tralle *c*, trillevogn *c* ❑ *You can get coffee from the trolley...* Du kan få* kaffe fra trallen *or* trillevognen...
trolley bus S trolleybuss *m*
trollop ['trɔləp] (*neds*) S sjuske *c* (*pej*)
trombone [trɔm'bəun] S trombone *m*
troop [tru:p] [1] S (*of people, monkeys etc*) flokk *m* ❑ *...a troop of monkeys...* en apeflokk.... en flokk aper...
[2] VI ▸ **to troop in/out** marsjere (*v2*) inn/ut (i flokk og følge)
▸ **troops** SPL (*MIL*) tropper
troop carrier S (*plane*) troppetransportfly *nt*; (*NAUT:* ***troopship***) troppe(transport)skip *nt*
trooper ['tru:pəʳ] S (*MIL*) soldat *m*; (*US: policeman*) betjent *m* (*i delstatspolitiet*); (*on horseback*) ridende politibetjent *m*
trooping (of) the colour (*BRIT*) S troppeparade *m* (*i forbindelse med monarkens fødselsdag*)
troopship ['tru:pʃɪp] S troppeskip *nt*
trophy ['trəufɪ] S (*cup, shield etc*) trofé *nt*
tropic ['trɔpɪk] S (*line*) vendekrets *m*
▸ **the tropics** SPL tropene
▸ **Tropic of Cancer/Capricorn** Krepsens/Steinbukkens vendekrets, den nordlige/sørlige vendekrets
tropical ['trɔpɪkl] ADJ (*rain forest, climate etc*) tropisk
trot [trɔt] [1] S (**a**) (*fast pace*) småløping *c* ❑ *David had broken into a trot.* David hadde begynt å småløpe.
(**b**) (*of horse*) trav *nt* ❑ *She urged her pony into a trot.* Hun fikk ponnien sin over i trav.
[2] VI (**a**) (*horse+*) trave (*v1*)
(**b**) (*person+*) småløpe* ❑ *The two men began to trot along the sand.* De to mennene begynte å småløpe langs sanden.
▸ **on the trot** (*BRIT: fig*) på rad ❑ *He won three games on the trot.* Han vant tre kamper på rad.
▸ **trot out** VT (*+excuse, reason, names, facts*) lire (*v2*) av seg ❑ *She trotted out the same excuse for being late.* Hun lirte av seg de samme unnskyldningene for at hun kom for seint. [NB] *This idea has been trotted out several times.* Denne ideen har blitt satt fram mange ganger.
trouble ['trʌbl] [1] S (**a**) (= *difficulties*) trøbbel *nt*, vanskeligheter *pl* ❑ *This would save everyone a lot of trouble.* Dette ville* spare alle for en masse trøbbel *or* vanskeligheter.
(**b**) (= *single problem*) problem *nt* ❑ *I had the same trouble when I bought my house.* Jeg hadde det samme problemet da jeg kjøpte huset mitt.
(**c**) (= *bother, effort*) bry *nt* ❑ *Baking their own bread was too much trouble.* Det var for mye bry å bake deres eget brød.
(**d**) (= *unrest*) trøbbel *nt*, bråk *nt* ❑ *The police had orders to intervene at the first sign of trouble.* Politiet hadde ordre om å gripe inn ved første tegn til trøbbel *or* bråk.
[2] VT (**a**) (= *worry*) bekymre (*v1*) ❑ *Don't let it trouble you.* Ikke la det bekymre deg.
(**b**) (= *disturb*) bry (*v4 or irreg*), uleilige (*v1*) ❑ *I do apologise for troubling you...* Jeg ber om unnskyldning for at jeg bryr *or* uleiliger deg...
[3] VI ▸ **to trouble to do sth** ta* bryet med å gjøre* noe ❑ *...without even troubling to examine them.* ...uten en gang å ta* bryet med å undersøke dem.
▸ **troubles** SPL problemer; (*personal*) bekymringer, problemer ❑ *...was telling me all her troubles.* ...fortalte meg om alle bekymringene sine.
▸ **to be in trouble** være* i vanskeligheter ❑ *He has often been in trouble with the police.* Han hadde ofte vært i vanskeligheter med politiet.
▸ **to have trouble doing sth** ha* problemer *or* vanskeligheter med å gjøre* noe ❑ *Did you have any trouble finding your way here?* Hadde du noen problemer *or* vanskeligheter med å finne veien hit?
▸ **to go to the trouble of doing sth** ta* bryet med å gjøre* noe ❑ *He went to the trouble of buying them a present.* Han tok bryet med å kjøpe en presang til dem.
▸ **it's no trouble!** det er ikke noe bry!
▸ **please don't trouble yourself** ikke gjør deg noe bry
▸ **the trouble is...** problemet er...
▸ **what's the trouble?** hva er problemet?, hva er det som er galt?; (*doctor to patient*) hva er problemet?, hva er det som feiler deg?
▸ **stomach** *etc* **trouble** magetrøbbel *nt*
troubled [trʌbld] ADJ (**a**) (*person*) bekymret ❑ *He was deeply troubled.* Han var dypt bekymret.
(**b**) (*country, life, era*) problemfylt, som er i vanskeligheter ❑ *...Britain's troubled car industry.* ...Storbritannias problemfylte bilindustri.. ...den britiske bilindustrien som er i vanskeligheter.
trouble-free ['trʌblfri:] ADJ problemfri
troublemaker ['trʌblmeɪkəʳ] S bråkmaker *m*
troubleshooter ['trʌblʃu:təʳ] S problemløser *m*
troublesome ['trʌblsəm] ADJ (*child, cough etc*) brysom, plagsom
trouble spot (*MIL*) S urosenter *nt*
troubling ['trʌblɪŋ] ADJ (*question etc*) plagsom
trough [trɔf] S (**a**) (*for animals*) tro *c*, trau *nt* (**b**) (*channel*) renne *c* ❑ *...troughs on either side of the road.* ...renner på begge sider av veien.
(**c**) (= *low point*) lavpunkt *nt* ❑ *The trough in consumption of electricity...* Lavpunktet i strømforbruk...
▸ **a trough of low pressure** en lavtrykksrenne
trounce [trauns] VT utklasse (*v1*)
troupe [tru:p] S trupp *m*
trouser press S buksepresse *c*
trousers ['trauzəz] SPL bukse *c sg*, bukser *pl*
▸ **a pair of trousers** et par bukser, en bukse
trouser suit (*BRIT*) S buksedress *m*
trousseau ['tru:səu] (*pl* **trousseaux** *or* **trousseaus**) S brudeutstyr *nt uncount*
trout [traut] S UBØY ørret *m*

trowel ['trauəl] s (*garden tool*) planteskje *c*; (*builder's tool*) murskje *c*
truant ['truənt] (*BRIT*) s ▸ **to play truant** skulke (*v1*), skofte (*v1*)
truce [tru:s] s våpenhvile *m*, våpenstillstand *m*
truck [trʌk] s (**a**) (= *lorry*) lastebil *m*
(**b**) (*JERNB*) åpen godsvogn *c*
(**c**) (*cart*) kjerre *f*
▸ **to have no truck with sb** nekte (*v1*) å ha* noe med noen å gjøre
truck driver s lastebilsjåfør *m*
trucker ['trʌkəʳ] (*US*) s lastebilsjåfør *m*
truck farm (*US*) s handelsgartneri *nt*
trucking ['trʌkɪŋ] (*US*) s lastebiltransport *m*, veitransport *m*
trucking company (*US*) s lastebilfirma *nt*, (vei)transportfirma *nt*
truculent ['trʌkjulənt] ADJ arrig
trudge [trʌdʒ] VI (*also* ***trudge along***) traske (*v1*) (av gårde)
true [tru:] ADJ (**a**) (*story, account*) sann ❑ *The story about the murder is true...* Historien om mordet er sann...
(**b**) (= *real: motive, feelings*) sann, egentlig ❑ *We sometimes wish to hide our true feelings.* Noen ganger ønsker vi å skjule våre sanne *or* egentlige følelser.
(**c**) (= *faithful: likeness, friend*) ▸ **true (to)** tro (mot) ❑ *It's not a true likeness.* Det er ikke en tro kopi. *...my lover was true to me.* ...kjæresten min var tro mot meg.
(**d**) (= *genuine*) ekte ❑ *He was a true American.* Han var en ekte amerikaner.
(**e**) (*wall, beam*) rett ❑ *The window frame isn't quite true.* Vinduskarmen er ikke helt rett.
▸ **to come true** (*dreams, predictions+*) gå* i oppfyllelse
▸ **true to life** virkelighetstro
truffle ['trʌfl] s (*fungus, sweet*) trøffel *m*
truly ['tru:lɪ] ADV (**a**) (= *genuinely*) virkelig, oppriktig ❑ *He truly appreciates its finer points.* Han setter virkelig *or* oppriktig pris på de finere sidene ved den.
(**b**) (= *really*) virkelig ❑ *...a truly awful book.* ...en virkelig forferdelig bok.
(**c**) (= *truthfully*) ▸ **and truly, this was the nicest part of the evening** og oppriktig talt, det var den beste delen av kvelden
▸ **yours truly** (*in letter*) med (vennlig) hilsen
trump [trʌmp] s (**a**) (*also* ***trump card***) trumf *m*, trumfkort *nt* ❑ *She played a trump.* Hun spilte ut en trumf *or* et trumfkort.
(**b**) (*fig*) trumfkort *nt* ❑ *Spain has at last produced her trump card...* Spania har endelig tatt fram trumfkortet sitt...
▸ **to turn up trumps** (*fig*) trå* til
trumped up ADJ ▸ **a trumped-up charge** en fabrikert siktelse
trumpet ['trʌmpɪt] s trompet *m*
truncated [trʌŋ'keɪtɪd] ADJ (*message, object*) avkortet, avkuttet
truncheon ['trʌntʃən] (*BRIT*) s (politi)kølle *c*
trundle ['trʌndl] 1 VT (*+trolley etc*) trille (*v1*)
2 VI ▸ **to trundle along** (*vehicle+*) trille (*v1*) av gårde; (*person+*) rusle (*v1*) av gårde
trunk [trʌŋk] s (**a**) (*of tree*) stamme *m*
(**b**) (*of person*) kropp *m* (*minus hode, armer og bein*)
(**c**) (*of elephant*) snabel *m*
(**d**) (*case*) (stor) koffert *m*
(**e**) (*US: BIL*) koffert *m*, bagasjerom *m*
▸ **trunks** SPL (*for swimming*) badebukse *c sg*, badebukser *pl*
trunk call (*BRIT: gam*) s rikstelefon *m*
trunk road (*BRIT*) s hovedvei *m*
truss [trʌs] s (*MED*) brokkbind *nt*
▸ **truss (up)** VT (*+meat*) binde* opp; (*+person*) binde* på hender og føtter
trust [trʌst] 1 s (**a**) (= *faith*) tillit *m* ❑ *...his father's trust in him.* ...det at faren hans hadde tillit til ham.
(**b**) (*MERK*) stiftelse *m* ❑ *...a charitable trust.* ...en veldedig stiftelse.
2 VT (= *rely on, have faith in*) stole (*v2*) på ❑ *You can never trust a man.* Du kan aldri stole på en mann.
▸ **to trust (that)** (= *hope*) gå* ut fra ❑ *I trust you all like coffee.* Jeg går ut fra at dere liker kaffe alle sammen.
▸ **a position of trust** en betrodd stilling
▸ **to take sth on trust** (*+advice, information*) stole (*v2*) på at noe stemmer
▸ **to hold in trust** (*JUR*) forvalte (*v1*) ❑ *His mother's money was left in trust for him...* Pengene fra moren hans ble forvaltet for ham...
trust company s (aksje)forvaltningsselskap *nt*
trusted ['trʌstɪd] ADJ (*friend, servant*) betrodd
trustee [trʌs'ti:] s (*JUR*) bobestyrer *m*; (*for a minor*) formynder *m*; (*of school etc*) styremedlem *nt*
trustful ['trʌstful] ADJ (*person, nature, smile*) tillitsfull
trust fund s båndlagt kapital *m*, båndlagte midler *pl*
trusting ['trʌstɪŋ] ADJ (*person, nature*) troskyldig
trustworthy ['trʌstwə:ðɪ] ADJ pålitelig
trusty ['trʌstɪ] ADJ (*car, horse, pen etc*) trofast
truth [tru:θ] (*pl* **truths**) s (**a**) (= *real facts*) ▸ **the truth** sannheten *m* ❑ *He learned the truth about Sam.* Han fikk vite sannheten om Sam.
(**b**) (= *truthfulness, universal principle*) sannhet *m* ❑ *There is no truth in the story.* Det er ingen sannhet i historien. *It's a book that contains important truths.* Det er en bok som inneholder viktige sannheter.
truthful ['tru:θful] ADJ (*person, answer, account*) sannferdig
truthfully ['tru:θfəlɪ] ADV sannferdig
truthfulness ['tru:θfəlnɪs] s sannferdighet *c*
try [traɪ] 1 s (*gen, RUGBY*) forsøk *nt* ❑ *It's certainly worth a try.* Det er sannelig verdt et forsøk.
2 VT (**a**) (= *attempt*) prøve (*v3*), forsøke (*v2*) ❑ *I tried a different approach to the problem.* Jeg prøvde *or* forsøkte å angripe problemet på en annen måte.
(**b**) (= *test*) prøve (*v3*) ❑ *He tried his wine again.* Han prøvde *or* prøvesmakte vinen sin igjen.
(**c**) (*JUR: case*) prøve (*v3*) rettslig
(**d**) (*+person*) bli* stilt for retten
(**e**) (= *strain: patience*) sette* på prøve ❑ *His constant questioning was trying my patience.* Den konstante spørringen hans satte tålmodigheten min på prøve.

3 VI (= *make effort, attempt*) prøve (*v3*), forsøke (*v2*) ❑ *You can do it if you try.* Du greier det hvis du prøver *or* forsøker.
▸ **to have a try** gjøre* et forsøk, prøve (*v3*) seg
▸ **to try to do sth** prøve (*v3*) *or* forsøke (*v2*) å gjøre* noe ❑ *I tried again to explain.* Jeg prøvde *or* forsøkte igjen å forklare.
▸ **to try one's (very) best** *or* **one's (very) hardest** prøve (*v3*) *or* forsøke (*v2*) alt man kan
▸ **to be tried in court** bli* stilt for retten ❑ *A youth was tried in the criminal courts for stealing.* En ungdom ble stilt for retten i en straffesak for å ha* stjålet.
▸ **try on** VT (*+dress, hat, shoes*) prøve (*v3*) (på)
▸ **to try it on** (*fig*) prøve (*v3*) seg ❑ *She is probably trying it on to see how far she can go with you.* Hun prøver seg antakelig for å se hvor langt hun kan gå* med deg.
▸ **try out** VT prøve (*v3*) ut ❑ *It's best to try this out first on a bit of spare fabric.* Det er best å prøve ut dette først på en ekstra stoffbit.
trying ['traɪɪŋ] ADJ (*person*) plagsom, besværlig
▸ **a trying experience** en prøvelse
tsar [zɑːʳ] s tsar *m*
T-shirt ['tiːʃəːt] s T-skjorte *c*
T-square ['tiːskwɛəʳ] (*TEKN*) s hovedlinjal *m*, T-linjal *m*
TT (*sl*) 1 ADJ FK (*BRIT: sl*) (= **teetotal**)
2 FK (*US: POST*) = **Trust Territory**
tub [tʌb] s (*container*) bøtte *f*; (*for margarine etc*) beger *nt*; (*bath*) badekar *nt*
tuba ['tjuːbə] s tuba *m*
tubby ['tʌbɪ] ADJ lubben
tube [tjuːb] s (**a**) (*pipe*) rør *nt*
(**b**) (*container*) tube *m* ❑ *...a tube of toothpaste.* ...en tannkremtube.
(**c**) (*BRIT: underground*) undergrunn *m*, t-bane *m* ❑ *When I come by tube...* Når jeg kommer med undergrunnen *or* t-banen...
(**d**) (*sl: television*) ▸ **the tube** tv *m*
tubeless ['tjuːblɪs] ADJ (*tyre*) slangeløs
tuber ['tjuːbəʳ] s (rot)knoll *m*
tuberculosis [tjubəːkju'ləusɪs] s tuberkulose *m*
tube station (*BRIT*) s undergrunnsstasjon *m*, t-banestasjon *m*
tubing ['tjuːbɪŋ] s slange *m*
▸ **a piece of tubing** en slangebit
tubular ['tjuːbjuləʳ] ADJ (*furniture, metal*) rørformet
TUC (*BRIT*) s FK (= **Trades Union Congress**) ▸ **the TUC** ≈ LO (= *Landsorganisasjonen*)
tuck [tʌk] 1 VT (= *put*) dytte (*v1*) ❑ *He tucked the book under his arm.* Han dyttet boka inn under armen.
2 s (*in clothes*) legg *nt* ❑ *...tucks round the waist.* ...legger rundt livet.
▸ **tuck away** VT (*+money*) gjemme (*v2x*) unna, legge* til side
▸ **to be tucked away** (*+building*) ligge* bortgjemt ❑ *The church is tucked away behind the cathedral.* Kirken ligger bortgjemt bak katedralen.
▸ **tuck in** 1 VT (**a**) (*+clothing*) dytte (*v1*) oppi (buksen/skjørtet) ❑ *I'm just tucking my shirt in.* Jeg bare dytter skjorten min oppi (buksen).
(**b**) (*+child*) *legge sengeklærne på plass rundt* NB *He was asleep before I tucked him in.* Han sov før jeg dyttet dynen rundt ham.
2 VI (= *eat*) legge* i seg ❑ *Well, there we are, tuck in.* Ja, vær så god, legg i dere.
▸ **tuck up** VT (*+invalid, child*) *legge sengeklærne på plass rundt*
tuck shop s godte(ri)butikk *m* (*på skole*)
Tue(s). FK = **Tuesday**
Tuesday ['tjuːzdɪ] s tirsdag *m*
▸ **it is Tuesday 23rd March** det er tirsdag (den) 23. mars
▸ **on Tuesday** på tirsdag
▸ **on Tuesdays** på tirsdager
▸ **every Tuesday** hver tirsdag
▸ **every other Tuesday** annenhver tirsdag
▸ **last/next Tuesday** forrige/neste tirsdag
▸ **the following Tuesday** neste tirsdag, den følgende tirsdagen
▸ **Tuesday's newspaper** tirsdagens avis
▸ **a week/fortnight on Tuesday** om en uke/to uker på tirsdag
▸ **the Tuesday before last** forrige tirsdag (*før tirsdagen som var*), tirsdag i forrige uke
▸ **the Tuesday after next** neste tirsdag (*etter førstkommende*), tirsdag i neste uke/om to uker
▸ **Tuesday morning/afternoon/evening** tirsdag morgen/ettermiddag/kveld
▸ **Tuesday night** (*overnight*) natt til onsdag
tuft [tʌft] s (*of hair, grass etc*) tust *m*
tug [tʌg] 1 s (*ship*) slepebåt *m*
2 VTI ▸ **to tug (at)** rykke (*v1*) (i) ❑ *He tugged at the handle...* Han rykket i håndtaket...
tug of love s *strid om omsorgsrett*
tug of war s (**a**) (*SPORT*) dragkamp *m*, tautrekking *c*
(**b**) (*fig*) tautrekking *c* ❑ *He is caught in a tug of war between two companies.* Han er fanget i en tautrekking mellom to selskaper.
tuition [tjuː'ɪʃən] s (**a**) (*BRIT: instruction*) undervisning *m* ❑ *...to have private tuition.* ...ha privatundervisning.
(**b**) (*US: school fees*) skolepenger *pl* ❑ *These kids pay only $1,200 tuition.* Disse ungdommene betaler bare 1 200 dollar i skolepenger.
tulip ['tjuːlɪp] s tulipan *m*
tumble ['tʌmbl] 1 s ▸ **to have a tumble** ha* et fall, ramle (*v1*)
2 VI (= *fall: water*) fosse (*v1*); (*person+*) ramle (*v1*), tumle (*v1*)
▸ **tumble to** (*sl*) VT FUS ▸ **he tumbled to the fact that** det gikk opp for ham at
tumbledown ['tʌmbldaun] ADJ (*building*) falleferdig
tumble dryer (*BRIT*) s tørketrommel *m*
tumbler ['tʌmbləʳ] s (*glass*) glass *nt* (*med rette sider*)
tummy ['tʌmɪ] (*sl*) s mage *m*
tumour ['tjuːməʳ], **tumor** (*US*) s svulst *m* ❑ *...a brain tumour.* ...en hjernesvulst.
tumult ['tjuːmʌlt] s tumult *m*, larm *m* ❑ *A tumult of shots and yells...* En tumult *or* En larm av skudd og rop...
tumultuous [tjuː'mʌltjuəs] ADJ (*welcome, applause etc*) larmende
tuna ['tjuːnə] s UBØY (*also* ***tuna fish***) tunfisk *m*
tune [tjuːn] 1 s melodi *m* ❑ *...a selection of tunes.* ...et utvalg av melodier.
2 VT (**a**) (*MUS*) stemme (*v2x*) ❑ *Always tune your*

violin before you start playing. Du må alltid stemme fiolinen din før du begynner å spille.
(**b**) (RADIO, TV) stille (*v2x*) inn
(**c**) (BIL) justere (*v2*) ❑ *...the car needed tuning.* ...bilen trengte justering.
▸ **to be in/out of tune** (**a**) (*instrument+*) være* stemt/ustemt
(**b**) (*singer+*) synge* rent/falskt *or* surt
▸ **to be in/out of tune with** (*fig*) være/ikke være* i pakt *or* samsvar med ❑ *His ideas are in tune with the spirit of his age.* Ideene hans er i pakt *or* samsvar med samtidsånden.
▸ **to the tune of £10,000** med 10 000 pund til sammen
▸ **tune in** VI (RADIO, TV) ▸ **to tune in to a station** stille (*v2x*) inn på en stasjon
▸ **tune in next week to hear...** still inn på denne stasjonen neste uke for å høre...
▸ **tune up** VI (*musician, orchestra+*) stemme (*v2x*) (instrumentene)
tuneful ['tju:nful] ADJ melodiøs, melodisk
tuner ['tju:nəʳ] s (MUS) ▸ **piano tuner** pianostemmer *m*; (= *radio set*) radio *m*
tuner amplifier s radioforsterker *m*
tungsten ['tʌŋstən] s wolfram *nt*, tungstein *m*
tunic ['tju:nɪk] s tunika *m*
tuning fork s stemmegaffel *m*
Tunis ['tju:nɪs] s Tunis
Tunisia [tju:'nɪzɪə] s Tunisia
Tunisian [tju:'nɪzɪən] 1 ADJ tunisisk
2 s (*person*) tunisier *m*
tunnel ['tʌnl] 1 s tunnel *m*
2 VI grave (*v3*) tunnel ❑ *He suggested tunnelling under the walls.* Han foreslo at de skulle* grave tunnel under murene.
tunnel vision s (MED, *fig*) kikkertsyn *nt*
tunny ['tʌnɪ] s tunfisk *m*
Tupperware ['tʌpəwɛəʳ]® s tupperware®
turban ['tə:bən] s turban *m*
turbine ['tə:baɪn] s turbin *m*
turbo ['tə:bəu] s turbo *m*
▸ **turbo engine** turbomotor *m*
turbojet [tə:bəu'dʒɛt] s turbojet *m*
turboprop [tə:bəu'prɔp] s turbopropmotor *m*
turbot ['tə:bət] s UBØY piggvar *m*
turbulence ['tə:bjuləns] s turbulens *m*
turbulent ['tə:bjulənt] ADJ (*water, seas, career, period*) turbulent ❑ *...in the turbulent days that followed.* ...i de turbulente dagene som fulgte.
tureen [tə'ri:n] s (*for soup, vegetables*) terrin *m*
turf [tə:f] 1 s (**a**) (*grass*) gressbakke *m* ❑ *They strode over the springy turf.* De skrittet over den vårlige gressbakken.
(**b**) (*section*) gresstorv *c* ❑ *...top quality meadow turves.* ...gresstorv til eng av ypperste kvalitet.
2 VT (*+area*) legge* torv over ❑ *...the newly-turfed grave.* ...graven som det nylig var lagt torv over.
▸ **the Turf** (= *horse-racing*) hesteveddeløp *pl*
▸ **turf out** (*sl*) VT (*+person*) hive* ut (*sl*)
turf accountant (BRIT) s bookmaker *m*
turgid ['tə:dʒɪd] ADJ (*speech, verse*) svulstig
Turin [tjuə'rɪn] s Torino
Turk [tə:k] s tyrker *m*
Turkey ['tə:kɪ] s Tyrkia
turkey ['tə:kɪ] s kalkun *m*
Turkish ['tə:kɪʃ] ADJ, s tyrkisk
Turkish bath s tyrkisk bad *nt*, dampbad *nt*
Turkish delight s Turkish delight *m*
turmeric ['tə:mərɪk] s gurkemeie *c*
turmoil ['tə:mɔɪl] s opprør *nt*
▸ **in turmoil** i opprør
turn [tə:n] 1 s (**a**) (= *change*) skifte *nt*, dreining *m* ❑ *...every twist and turn in government policy.* ...alle krumspring og skifter *or* dreininger i regjeringens politiske kurs.
(**b**) (*in road*) sving *m* ❑ *...a turn in the road.* ...en sving i veien.
(**c**) (*performance*) (lite) nummer *nt*, (lite) innslag *nt* ❑ *...a comedy turn.* ...et komisk nummer *or* innslag.
(**d**) (*in game, queue, series*) tur *m* ❑ *He stood in the queue waiting his turn.* Han stod i køen og ventet på sin tur.
(**e**) (*sl* : MED) illebefinnende *nt* ❑ *Mrs Reilly is having one of her turns.* Fru Reilly har et av sine illebefinnende igjen.
2 VT (**a**) (*+handle, key*) vri (*v4 or irreg*) på, dreie (*v3*) på
(**b**) (*+collar, steak, page*) snu (*v4*) (på), vende (*v2*) (på)
(**c**) (= *shape : wood, metal*) dreie (*v3*)
3 VI (**a**) (= *rotate : object, wheel*) dreie (*v3*), snurre (*v1*)
(**b**) (= *change direction*) svinge (*v2*)
(**c**) (*right round*) snu (*v4*) (seg) ❑ *...turn sharply to the right.* ...sving skarpt til høyre. *She turned and walked away.* Hun snudde (seg) og gikk.
(**d**) (*milk+*) bli* sur
▸ **to turn nasty** bli* ufyselig
▸ **to turn forty** bli* førti år
▸ **to turn grey** (**a**) (*person+*) bli* gråhåret *or* grå i håret
(**b**) (*hair+*) gråne (*v1*)
▸ **good turn** tjeneste *m* ❑ *I did him a good turn.* Jeg gjorde ham en tjeneste.
▸ **a turn of events** en vending i situasjonen ❑ *Employers are not too happy about this turn of events.* Arbeidsgivere er ikke så glade for denne vendingen i situasjonen.
▸ **it gave me quite a turn** (*sl*) det gav meg litt av en støkk
▸ **"no left turn"** "forbudt å svinge til venstre"
▸ **it's your turn** det er din tur
▸ **in turn** (**a**) (= *one after the other*) etter tur ❑ *...talking to each woman in turn.* ...og snakket med alle kvinnene etter tur.
(**b**) (= *then, afterwards*) igjen ❑ *...they in turn got it from someone in Leeds.* ...de fikk det igjen fra noen i Leeds. *...which in turn means that...* som igjen betyr at...
▸ **to take turns** bytte (*v1*)
▸ **to take turns at** bytte (*v1*) på, ha* på omgang ❑ *They took turns at the same typewriter.* De byttet på å bruke den samme skrivemaskinen.. De hadde den samme skrivemaskinen på omgang.
▸ **at the turn of the century/year** ved århundreskiftet/årsskiftet
▸ **to take a turn for the worse** (*situations, events+*) vende (*v2*) seg til det verre ❑ *In that year*

things took a sharp turn for the worse. Det året vendte situasjonen seg brått til det verre.
▸ **his health** *or* **he has taken a turn for the worse** helsen hans *or* han har blitt verre
▸ **turn around** VI snu (*v4*) seg
▸ **turn against** VT FUS vende (*v2*) seg mot ❑ *Public opinion turned against Hearst.* Folkeopinionen vendte seg mot Hearst.
▸ **turn away** 1 VI snu (*v4*) seg bort *or* vekk
2 VT (*+applicants, business*) avvise (*v2*) ❑ *The college has been forced to turn away 300 candidates.* Høyskolen har vært nødt til å avvise 300 søkere.
▸ **turn back** 1 VI snu (*v4*) ❑ *The snow started to fall, so we turned back.* Det begynte å snø, så vi snudde.
2 VT (*+person, vehicle*) stoppe (*v1*) (*og be om å snu*) ❑ *A lot of the convoys had been turned back at the border.* Mange av konvoiene hadde blitt stoppet på grensen.
▸ **turn down** VT (**a**) (*+request, offer*) avslå* ❑ *I was invited to be foreman but I turned it down.* Jeg ble bedt om å være* formann, men jeg avslo.
(**b**) (*+heating, lighting*) skru (*v4*) ned ❑ *Turn the sound down.* Skru ned lyden.
(**c**) (*+bedclothes*) brette (*v1*) ned
▸ **turn in** 1 VI (*sl: go to bed*) køye (*v1*) (*sl*)
2 VT (*to police*) melde (*v2*) ❑ *You'll have to turn yourself in some time.* Du må melde deg en eller annen gang.
▸ **turn into** 1 VT FUS bli* til ❑ *...the water turns into steam.* ...vannet blir til damp.
2 VT gjøre* til ❑ *Don't turn a drama into a crisis.* Ikke gjør et drama til en krise.
▸ **turn off** 1 VI (*from road*) svinge (*v2*) av
2 VT (**a**) (*+light, radio, tap etc*) skru (*v4*) av
(**b**) (*+engine*) slå* av
▸ **turn on** VT (**a**) (*+light, radio, tap etc*) skru (*v4*) på
(**b**) (*+engine*) slå* på
▸ **turn out** 1 VT (*+light, gas*) skru (*v4*) av
2 VI (**a**) (*= go out: from home*) gå* ut *or* hjemmefra
(**b**) (*voters+*) møte (*v2*) opp ❑ *Voters turned out in extraordinary numbers.* Velgere møtte opp i usedvanlige mengder.
▸ **to turn out to be** vise (*v2*) seg å være ❑ *The Marvins' house turned out to be an old barn.* Huset til familien Marvin viste seg å være* en gammel låve.
▸ **to turn out well/badly** bli* *or* ende (*v2*) bra/dårlig
▸ **turn over** 1 VI (*person+*) snu (*v4*) seg ❑ *I turned over and went to sleep.* Jeg snudde meg og la meg til å sove.
2 VT (**a**) (*+object, page*) snu (*v4*) ❑ *I turned the saucer over...* Jeg snudde skålen...
(**b**) (*= give*) gi* fra seg, overlevere (*v2*) ❑ *He refused to turn over funds that had belonged to Potter.* Han nektet å gi* fra seg *or* overlevere midler som tilhørte Potter.
▸ **to turn sth over to** (*= change function of*) legge* noe om til ❑ *I'm planning to turn over the hives to pollen production.* Jeg har tenkt å legge om bikubene til pollenproduksjon.
▸ **turn round** VI (*person, vehicle+*) snu (*v4*) seg
▸ **turn up** 1 VI (**a**) (*person+*) dukke (*v1*) opp, møte (*v2*) opp
(**b**) (*lost object+*) dukke (*v1*) opp
2 VT (**a**) (*+collar*) slå* opp, brette (*v1*) opp
(**b**) (*+radio, heater etc*) skru (*v4*) opp
(**c**) (*+hem*) legge* opp

turnabout ['tə:nəbaut] s helomvending *c*
turnaround ['tə:nəraund] s helomvending *c*
turncoat ['tə:nkəut] s overløper *m*
turned-up ['tə:ndʌp] ADJ (*nose*) oppstopper-
turning ['tə:nɪŋ] s (*in road*) avkjøring *c*
turning circle (*BRIT: BIL*) s svingradius *m* ❑ *Taxis have got a tight turning circle.* Taxier har liten svingradius.
turning point s (*fig*) vendepunkt *nt* ❑ *It proved to be a turning point in his life.* Det viste seg å være* et vendepunkt i livet hans.
turning radius (*US*) s = **turning circle**
turnip ['tə:nɪp] s turnips *m*
turnout ['tə:naut] s (*of voters etc*) frammøte *nt*, oppmøte *nt* ❑ *It was a good turnout.* Det var godt frammøte *or* oppmøte.
turnover ['tə:nəuvəʳ] s (**a**) (*amount of money*) omsetning *m* ❑ *Annual turnover is about £9,000,000.* Den årlige omsetningen er på cirka 9 millioner pund.
(**b**) (*of staff*) gjennomtrekk *m* NB *There is a rapid turnover in staff.* Det er mye gjennomtrekk blant personalet.
(**c**) (*KULIN*) ▸ **apple turnover** ≈ epleterte *m*
turnpike ['tə:npaɪk] (*US*) s motorvei *m* (*med bomavgift*)
turnstile ['tə:nstaɪl] s telleapparat *m* (*en bom man går igjennom*)
turntable ['tə:nteɪbl] s (*on record player*) (plate)tallerken *m*
turn-up ['tə:nʌp] (*BRIT*) s (*on trousers*) oppbrett *m*
▸ **that's a turn-up for the books!** (*sl*) nå står ikke verden til påske!, det skulle* en sannelig ikke trodd *or* ventet!
turpentine ['tə:pəntaɪn] s (*also* ***turps***) terpentin *m*
turquoise ['tə:kwɔɪz] 1 s (*stone*) turkis *m*
2 ADJ (*colour*) turkis
turret ['tʌrɪt] s (lite) tårn *nt*; (*for guns*) kanontårn *nt*
turtle ['tə:tl] s skilpadde *c*
turtleneck (sweater) ['tə:tlnɛk-] s høyhalset genser *m*
Tuscan ['tʌskən] 1 ADJ toskansk
2 s (*person*) toskaner *m*
Tuscany ['tʌskənɪ] s Toscana
tusk [tʌsk] s (*of elephant, boar etc*) støttann *c irreg*
tussle ['tʌsl] s basketak *nt*
tutor ['tju:təʳ] s (*SKOL*) gruppelærer *m* (*som også gir veiledning*); (*also* ***private tutor***) privatlærer *m*
tutorial [tju:'tɔ:rɪəl] s gruppetime *m* (*med en liten gruppe studenter*)
tuxedo [tʌk'si:dəu] (*US*) s smoking *m*
TV [ti:'vi:] s FK = **television**
TV dinner s ferdigmiddag *m*
twaddle ['twɔdl] (*sl*) s tullprat *nt*, vrøvl *nt* ❑ *She was talking a load of twaddle.* Hun snakket en masse tullprat *or* vrøvl.
twang [twæŋ] 1 s (**a**) (*of instrument*) *tone/lyd (som) av en spent streng*
(**b**) (*of voice*) nasal klang *m*
2 VI synge* ❑ *The springs on the bed twanged.*

Fjærene i sengen sang.
3 VT (*+guitar*) klimpre (*v1*) på
tweak [twi:k] VT (*+nose, ear*) klype* (i); (*sl: improve*) gi* ny vri
tweed [twi:d] 1 S tweed *m*
2 ADJ (*jacket, skirt*) tweed-
tweezers ['twi:zəz] SPL pinsett *m sg*
▸ **a pair of tweezers** en pinsett
twelfth [twɛlfθ] TALLORD tolvte
Twelfth Night (*REL*) S helligtrekongersaften *m*
twelve [twɛlv] TALLORD tolv
▸ **at twelve (o'clock)** (**a**) (*midday*) klokka tolv (**b**) (*midnight*) klokka tolv *or* tjuefire
twentieth ['twɛntɪɪθ] TALLORD tjuende (*var:* tyvende)
twenty ['twɛntɪ] TALLORD tjue (*var:* tyve)
▸ **twenty one** tjueen, enogtyve
twerp [twə:p] (*sl*) S suppehue *nt* (*sl*)
twice [twaɪs] ADV to ganger
▸ **twice as much** dobbelt så mye
▸ **twice a week** to ganger i uken
▸ **she is twice your age** hun er dobbelt så gammel som deg
twiddle ['twɪdl] 1 VT tvinne (*v1*)
2 VI ▸ **to twiddle with** fingre (*v1*) med
▸ **to twiddle one's thumbs** (*fig*) tvinne (*v1*) *or* trille (*v1*) tommeltotter
twig [twɪg] 1 S kvist *m*
2 VI (*BRIT: sl*) ta* poenget, forstå* ❑ *She kept dropping hints but I still didn't twig.* Hun gav stadige hint, men jeg tok fremdeles ikke poenget *or* forstod fremdeles ikke.
3 VT (*BRIT: sl*) fatte (*v1*), oppfatte (*v1*) ❑ *He didn't twig what was going on.* Han (opp)fattet ikke hva som foregikk.
twilight ['twaɪlaɪt] S (**a**) (*evening*) skumring *m* (**b**) (*morning*) tusmørke *nt*
▸ **in the twilight, at twilight** i skumringen
twill [twɪl] S tvill *m*
twin [twɪn] 1 ADJ (*sister, brother, towers*) tvilling-
2 S tvilling *m* ❑ *Dorothea was the elder twin of the two.* Dorothea var den eldste av de to tvillingene.; (= *room in hotel etc*) tomannsrom *nt*, rom *nt* med to enkeltsenger
3 VT (*+towns etc*) ▸ **to be twinned with** ha* som vennskapsby ❑ *Manchester is twinned with Leningrad.* Manchester har Leningrad som vennskapsby.
▸ **twin beds** to enkeltsenger
▸ **twin room** rom *nt* med to enkeltsenger, tomannsrom *nt*
twin-bedded ['twɪn'bɛdɪd] ADJ tomanns-, med to enkeltsenger
twin-carburettor ['twɪnkɑ:bju'rɛtəʳ] ADJ med dobbelt forgasser
twine [twaɪn] 1 S hyssing *m*, snor *c* ❑ *...a ball of twine.* ...et nøste med hyssing *or* snor.
2 VI (*plant+*) slynge (*v1*) seg
twin-engined [twɪn'ɛndʒɪnd] ADJ tomotors-
twinge [twɪndʒ] S (*of pain, conscience, regret*) stikk *nt* ❑ *I feel a twinge in my back now and again.* Jeg føler et stikk (av smerte) i ryggen nå og da.
twinkle ['twɪŋkl] 1 VI (*star, light, eyes+*) funkle (*v1*)
2 S glimt *nt* ❑ *...a definite twinkle in his eye.* ...et bestemt glimt i øyenen hans.
twin town S vennskapsby *m*
twirl [twə:l] 1 VT snurre (*v1*) (rundt)
2 VI snurre (*v1*) rundt, virvle (*v1*) (rundt) ❑ *His glass twirled in his hand.* Glasset snurret rundt *or* virvlet (rundt) i hånden hans.
3 S virvling *c* ❑ *I did a twirl to show off my new dress.* Jeg virvlet rundt for å vise fram den nye kjolen min.
twist [twɪst] 1 S (**a**) (*action*) *det å vri noe rundt* ❑ *He gave one short vicious twist to the chicken's neck.* Han vred halsen på kyllingen brutalt rundt.
(**b**) (*in road, coil, flex*) bukt *m*, krøll *m* ❑ *There's a twist in the hose.* Det er en bukt *or* krøll på slangen.
(**c**) (*in story*) vri *m* ❑ *There was an odd twist to the plot.* Det var en pussig vri på handlingen.
2 VT (**a**) (= *turn*) vri (*v4 or irreg*) ❑ *She twisted her head round so that she could see him.* Hun vridde *or* vred hodet rundt så hun kunne* se ham.
(**b**) (*+ankle etc*) vrikke (*v1*) ❑ *I twisted my ankle...* Jeg vrikket ankelen...
(**c**) (*+bandage, rope, scarf*) vikle (*v1*) ❑ *She twisted the scarf round her head.* Hun viklet skjerfet rundt hodet.
(**d**) (*fig: meaning, words*) vri (*v4 or irreg*) på, vrenge (*v2*) på ❑ *You're twisting my words...* Du vrir *or* vrenger på det jeg sier...
3 VI (*road, river+*) svinge (*v2*) på seg
▸ **to twist sb's arm** (*fig*) legge* press på noen
twisted ['twɪstɪd] ADJ (*wire, rope*) tvunnet; (*ankle*) vrikket; (*logic, mind*) fordreid, forskrudd
twit [twɪt] (*sl*) S tosk *m*
twitch [twɪtʃ] 1 S (= *jerky movement*) rykning *m*
2 VI (*muscle, body+*) rykke (*v1*) ❑ *Ralph felt his lips twitch.* Ralph kjente at det rykket i leppene hans.
two [tu:] TALLORD to
▸ **two by two, in twos** to og to
▸ **to put two and two together** (*fig*) legge* to og to sammen
two-bit [tu:'bɪt] (*sl*) ADJ (= *worthless*) null verdt
two-door [tu:'dɔ:ʳ] ADJ todørs-
two-faced [tu:'feɪst] ADJ (*neds: person*) falsk, forrædersk
twofold ['tu:fəuld] 1 ADV ▸ **to increase twofold** øke (*v2*) til det dobbelte
2 ADJ (**a**) (*increase*) til det dobbelte ❑ *...a twofold increase in production.* ...en økning til det dobbelte i produksjonen.
(**b**) (*value etc*) dobbelt
(**c**) (*aim, intention*) todelt ❑ *Their targets were twofold: inflation and unemployment.* Siktemålet deres var todelt *or* dobbelt: inflasjon og arbeidsløshet.
two-piece ['tu:pi:s] S (= *suit*) todelt drakt *c*; (= *swimsuit*) todelt badedrakt *c*
two-ply ['tu:plaɪ] ADJ (*wool*) totrådet; (*tissues*) dobbeltvevd
two-seater ['tu:'si:təʳ] S toseter *m*
twosome ['tu:səm] S par *nt*, duo *m*
two-stroke ['tu:strəuk] 1 S (*also* ***two-stroke engine***) totakter *m*
2 ADJ totakts-
two-tone ['tu:'təun] ADJ tofarget
two-way ['tu:weɪ] ADJ ▸ **two-way traffic** toveis

trafikk *m*
▸ **two-way radio** toveissamband *nt*
TX (*US: POST*) FK = **Texas**
tycoon [taɪ'kuːn] s magnat *m* ❑ *...a newspaper tycoon.* ...en avismagnat.
type [taɪp] 1 s (**a**) (= *category, model, example*) type *m* ❑ *There are several different types of accounts.* Det er flere forskjellige typer regnskaper.
(**b**) (*TYP*) skrifttype *m*, typer *pl*
2 VT (+*letter etc*) skrive* på maskin, maskinskrive*
▸ **in bold/italic type** med uthevet skrift/i kursiv
typecast ['taɪpkɑːst] (*irreg* **cast**) VT (*actor*) *stadig gi* samme type roller* NB *He's been typecast as a villain...* Han har alltid spilt skurk...
typeface ['taɪpfeɪs] s skriftbilde *nt*
typescript ['taɪpskrɪpt] s maskinskrevet manuskript *nt*
typeset ['taɪpsɛt] VT sette*
typesetter ['taɪpsɛtəʳ] s setter *m*
typewriter ['taɪpraɪtəʳ] s skrivemaskin *m*
typewritten ['taɪprɪtn] ADJ maskinskrevet
typhoid ['taɪfɔɪd] s tyfoidfeber *m*, tyfus *m*
typhoon [taɪ'fuːn] s tyfon *m*, taifun *m*
typhus ['taɪfəs] s tyfus *m*
typical ['tɪpɪkl] ADJ (*behaviour, weather etc*) typisk
▸ **typical of** typisk for ❑ *Louisa is typical of many young women who...* Louisa er typisk for mange unge kvinner som...
typify ['tɪpɪfaɪ] VT være* typisk for, være* et typisk eksempel på
typing ['taɪpɪŋ] s maskinskriving *c* ❑ *I had to do some typing for him.* Jeg måtte* ta* noe maskinskriving for ham.
typing error s maskinskrivefeil *m*
typing pool s skrive(maskin)stue *c*
typist ['taɪpɪst] s maskinskriver *m*, maskinskriverske *c* (*woman*)
typo ['taɪpəu] (*sl*) s skrivefeil *m*
typography [tɪ'pɔgrəfɪ] s typografi *m*
tyranny ['tɪrənɪ] s tyranni *nt*
tyrant ['taɪərnt] s tyrann *m*
tyre ['taɪəʳ], **tire** (*US*) s dekk *nt*
tyre pressure s dekktrykk *nt*, lufttrykk *nt* i dekkene
Tyrol [tɪ'rəul] s Tyrol
Tyrolean [tɪrə'liːən] 1 ADJ tyrolsk
2 s (*person*) tyroler *m*
Tyrolese [tɪrə'liːz] = **Tyrolean**
Tyrrhenian Sea [tɪ'riːnɪən-] s ▸ **the Tyrrhenian Sea** Tyrrenhavet, Det tyrrenske havet
tzar [zɑːʳ] s = **tsar**

U

U, u [juː] S (*letter*) U, u *m*
▸ **U for Uncle** U for Ulrik

U [juː] (*BRIT: FILM*) S FK (= **universal**) tillatt for alle aldre

UAW (*US*) S FK (= **United Automobile Workers**) *fagforening*

UB40 (*BRIT*) S FK (= **unemployment benefit form 40**) *kort som viser at vedkommende mottar arbeidsledighetstrygd*

U-bend [ˈjuːbɛnd] S vannlås *m*

ubiquitous [juːˈbɪkwɪtəs] ADJ allestedsnærværende

UCAS (*BRIT*) S FK (= **Universities and Colleges Admissions Service**) *organ som behandler adgangssøknader*

UDA (*BRIT*) S FK (= **Ulster Defence Association**) *ulovlig protestantisk paramilitær organisasjon*

UDC (*BRIT*) S FK = **Urban District Council**

udder [ˈʌdəʳ] S jur *nt*

UDI (*BRIT: POL*) S FK (= **unilateral declaration of independence**) *det at en stat erklærer seg uavhengig eller trer ut av et statsforbund*

UDR (*BRIT*) S FK (= **Ulster Defence Regiment**) *paramilitær styrke som arbeider tett sammen med Royal Ulster Constabulary*

UEFA [juːˈeɪfə] S FK (= **Union of European Football Associations**) Den europeiske fotballorganisasjonen

UFO S FK (= **unidentified flying object**) UFO *m* (*var.* ufo)

Uganda [juːˈgændə] S Uganda

Ugandan [juːˈgændən] 1 ADJ ugandisk
2 S (*person*) ugander *m*

UGC (*BRIT*) S FK (= **University Grants Committee**) *organ som tildeler legatmidler til universiteter*

ugh [əːh] INTERJ æsj

ugliness [ˈʌglɪnɪs] S heslighet *c*

ugly [ˈʌglɪ] ADJ (*person, dress, situation*) stygg ❑ *A couple of ugly incidents occurred.* Det skjedde et par stygge episoder.

UHF FK (= **ultra-high frequency**) UHF

UHT FK (= **ultra-heat treated**) ultravarmebehandlet

UK S FK = **United Kingdom**

Ukraine [juːˈkreɪn] S Ukraina

Ukrainian [juːˈkreɪnɪən] 1 ADJ ukrainsk
2 S ukrainer *m*; (*LING*) ukrainsk

ulcer [ˈʌlsəʳ] S (*also* ***stomach ulcer***) magesår *nt*; (*also* ***mouth ulcer***) munnsår *nt*

Ulster [ˈʌlstəʳ] S Ulster, Nord-Irland

ulterior [ʌlˈtɪərɪəʳ] ADJ ▸ **ulterior motive** baktanke *m*

ultimata [ʌltɪˈmeɪtə] SPL *of* **ultimatum**

ultimate [ˈʌltɪmət] 1 ADJ endelig ❑ *...for the ultimate success of the revolution.* ...for en endelig vellykket utgang på revolusjonen. *Parliament retains the ultimate authority to dismiss the government.* Parlamentet har den endelige makten til å avskjedige regjeringen.
2 S ▸ **the ultimate in luxury** *etc* det ypperste av luksus *etc*

ultimately [ˈʌltɪmətlɪ] ADV (**a**) (= *in the end*) i siste instans ❑ *Elections might ultimately produce a Communist victory.* Valg kan i siste instans føre til seier for kommunistene.
(**b**) (= *basically*) egentlig ❑ *It is ultimately the fault of the universities.* Det er egentlig universitetenes skyld.

ultimatum [ʌltɪˈmeɪtəm] (*pl* **ultimatums** *or* **ultimata**) S ultimatum *nt* ❑ *He gave me an ultimatum: either Mary had to leave, or me.* Han gav meg et ultimatum: enten måtte* Mary dra, eller jeg.

ultrasonic [ʌltrəˈsɔnɪk] ADJ ultrasonisk

ultrasound [ˈʌltrəsaund] S ultralyd *m*

ultraviolet [ˈʌltrəˈvaɪəlɪt] ADJ ultrafiolett

umbilical cord [ʌmˈbɪlɪkl-] S navlestreng *m*

umbrage [ˈʌmbrɪdʒ] S ▸ **to take umbrage** ta* anstøt

umbrella [ʌmˈbrɛlə] 1 S (**a**) (*for rain*) paraply *m*
(**b**) (*for sun*) parasoll *m*
(**c**) (*fig*) ▸ **under the umbrella of**
2 ADJ paraply- ❑ *Corn is an umbrella word for wheat, barley and oats...* Korn er en paraplybenevnelse for hvete, rug og havre...
▸ **umbrella organisation** paraplyorganisasjon *m*

umlaut [ˈumlaut] S omlyd *m*; (*mark*) tøddler *pl*

umpire [ˈʌmpaɪəʳ] 1 S dommer *m*
2 VT dømme (*v2x*)

umpteen [ʌmpˈtiːn] ADJ ørten

umpteenth [ʌmpˈtiːnθ] ADJ ▸ **for the umpteenth time** for ørtende *or* n'te gang

UMW S FK (= **United Mineworkers of America**) *fagforening*

UN S FK = **United Nations**

unabashed [ʌnəˈbæʃt] ADJ ▸ **to be/seem unabashed** være/virke (*v1*) freidig, ikke skamme (*v1*) seg

unabated [ʌnəˈbeɪtɪd] 1 ADV ▸ **to continue unabated** fortsette* med uforminsket styrke
2 ADJ (*enthusiasm, excitement*) uforminsket, usvekket

unable [ʌnˈeɪbl] ADJ ▸ **to be unable to do sth** ikke være* i stand til å gjøre* noe, være* ute av stand til å gjøre* noe

unabridged [ʌnəˈbrɪdʒd] ADJ (*novel, article etc*) uforkortet

unacceptable [ʌnəkˈsɛptəbl] ADJ (*behaviour, price, proposal*) uakseptabel ❑ *...an unacceptable violation of personal freedom.* ...et uakseptabelt angrep på personlig frihet.

unaccompanied [ʌnəˈkʌmpənɪd] ADJ (*child*) som er/reiser *etc* alene, uten følge; (*song*) uten akkompagnement

unaccountably [ʌnəˈkauntəblɪ] ADV uforklarlig ❑ *Elaine felt unaccountably shy for once.* Elaine følte seg uforklarlig sjenert for en gangs skyld.

unaccounted [ʌnəˈkauntɪd] ADJ ▸ **to be unaccounted for** (*passengers, sum of money etc+*) mangle (*v1*) ❑ *The remaining 30 per cent* *were unaccounted for.* De gjenstående 30 prosentene manglet.

unaccustomed [ʌnə'kʌstəmd] ADJ ▸ **to be unaccustomed to** (*+public speaking, Western clothes*) være* uvant med, ikke være* vant til ❑ *They were obviously unaccustomed to wearing ties.* De var tydeligvis uvant med *or* ikke vant til å ha* på seg slips.

unacquainted [ʌnə'kweɪntɪd] ADJ ▸ **to be unacquainted with** være* ukjent med ❑ *...people who are unacquainted with feminist ideas.* ...folk som er ukjente med feministiske tanker.

unadulterated [ʌnə'dʌltəreɪtɪd] ADJ (**a**) (= *complete*) ren og skjær ❑ *It was going to be unadulterated misery from now on.* Det kom til å bli* ren og skjær elendighet fra nå av. (**b**) (*wine, water*) ubesudlet ❑ *...fresh, clean, unadulterated spring water.* ...friskt, rent, ubesudlet kildevann.

unaffected [ʌnə'fɛktɪd] ADJ (*person, behaviour*) uaffektert ▸ **to be unaffected by sth** være* upåvirket *or* uaffisert av noe

unafraid [ʌnə'freɪd] ADJ uredd

unaided [ʌn'eɪdɪd] ADV ved egen hjelp, uten hjelp

unanimity [ju:nə'nɪmɪtɪ] s enstemmighet *c* ❑ *About this there is unanimity among the sociologists.* Om dette er det enstemmighet blant sosiologene.

unanimous [ju:'nænɪməs] ADJ enstemmig

unanimously [ju:'nænɪməslɪ] ADV enstemmig

unanswered [ʌn'ɑ:nsəd] ADJ (*question, letter*) ubesvart

unappetizing [ʌn'æpɪtaɪzɪŋ] ADJ uappetittlig

unappreciative [ʌnə'pri:ʃɪətɪv] ADJ utakknemlig

unarmed [ʌn'ɑ:md] ADJ ubevæpnet ▸ **unarmed combat** slåsskamp *m* (*uten våpen*) ❑ *He challenged me to unarmed combat.* Han utfordret meg til slåsskamp.

unashamed [ʌnə'ʃeɪmd] ADJ skamløs ❑ *He looked at her with unashamed curiosity.* Han så på henne med skamløs nysgjerrighet.

unassisted [ʌnə'sɪstɪd] ADV ved egen hjelp, uten hjelp ❑ *He had to drag the cart there unassisted.* Han måtte* dra kjerra dit ved egen hjelp *or* uten hjelp.

unassuming [ʌnə'sju:mɪŋ] ADJ (*person, manner*) beskjeden, upretensiøs

unattached [ʌnə'tætʃt] ADJ (= *single: person*) enslig ▸ **unattached to** ikke knyttet til, uavhengig av ❑ *The centre is unattached to any hospital.* Senteret er ikke knyttet til *or* er uavhengig av noe sykehus.

unattended [ʌnə'tɛndɪd] ADJ (**a**) (*child*) som ingen passer på (**b**) (*car, luggage*) ubevoktet ❑ *Unattended luggage will be removed.* Ubevoktet bagasje vil bli* fjernet.

unattractive [ʌnə'træktɪv] ADJ (**a**) (*person, character*) lite tiltrekkende (**b**) (*building, appearance*) lite tiltalende, utiltalende (**c**) (*idea*) lite attraktiv *or* tiltalende, utiltalende ❑ *Unemployment is a most unattractive prospect.* Arbeidsløshet er en svært utiltalende *or* lite attraktiv *or* tiltalende utsikt.

unauthorized [ʌn'ɔ:θəraɪzd] ADJ (*visit, use*) urettsmessig, uberettiget; (*version*) uautorisert

unavailable [ʌnə'veɪləbl] ADJ ▸ **to be unavailable** (**a**) (*room*) være* udisponibel (**b**) (*article, book*) ikke være* å få* tak i ❑ *Margarine and butter were unavailable.* Margarin og smør var ikke å få* tak i. (**c**) (*person*) være* utilgjengelig ❑ *Her father had made himself unavailable for comment.* Faren henne hadde gjort seg utilgjengelig for kommentar.

unavoidable [ʌnə'vɔɪdəbl] ADJ uunngåelig

unavoidably [ʌnə'vɔɪdəblɪ] ADV uunngåelig

unaware [ʌnə'wɛə^r] ADJ ▸ **to be unaware of** ikke være* oppmerksom på ❑ *She seemed quite unaware of the others...* Hun virket overhodet ikke oppmerksom på de andre...

unawares [ʌnə'wɛəz] ADV ▸ **to catch** *or* **take sb unawares** komme* uforvarende for noen ❑ *Changes like this can catch you unawares.* Forandringer som denne kan komme uforvarende på deg.

unbalanced [ʌn'bælənst] ADJ (**a**) (= *one-sided: report*) ubalansert (**b**) (*mentally*) ute av balanse ❑ *...the product of an unbalanced mind.* ...produktet av et sinn som var ute av balanse.

unbearable [ʌn'bɛərəbl] ADJ (*heat, pain*) uutholdelig, ulidelig; (*person*) uutholdelig, utålelig

unbeatable [ʌn'bi:təbl] ADJ (*team, price, quality*) uslåelig ❑ *The Australians have been unbeatable this season.* Australierne har vært uslåelige denne sesongen. *Book now! Unbeatable value for money!* Bestill nå! Uslåelig mye valuta for pengene!

unbeaten [ʌn'bi:tn] ADJ ▸ **to be unbeaten** (**a**) (*person+*) være* ubeseiret ❑ *She is unbeaten at 400 metres.* Hun er ubeseiret på 400 meter. (**b**) (*record+*) ikke være* slått [NB] *Their unbeaten record finally came to an end this evening.* Den gamle rekorden deres ble endelig slått i kveld.

unbecoming [ʌnbɪ'kʌmɪŋ] ADJ (= *unseemly: language, behaviour*) upassende, uhøvelig; (= *unflattering: garment*) ukledelig

unbeknown(st) [ʌnbɪ'nəun(st)] ADV ▸ **unbeknown(st) to me/Peter** uten min/Peters viten

unbelief [ʌnbɪ'li:f] s vantro *c*

unbelievable [ʌnbɪ'li:vəbl] ADJ utrolig ❑ *There are so many unbelievable aspects to this theory.* Det er så mange utrolige sider ved denne teorien. *They work with unbelievable speed.* De jobber med en utrolig fart.

unbelievably [ʌnbɪ'li:vəblɪ] ADV (*rude, kind, high, beautiful*) utrolig

unbend [ʌn'bɛnd] *irreg* **1** VI (= *relax*) slappe (*v1*) av, løse (*v2*) opp **2** VT (*+wire*) rette (*v1*) ut ❑ *You'll have to unbend the pipe and start again.* Du må rette ut røret og starte på nytt.

unbending [ʌn'bɛndɪŋ] ADJ (*person, belief, attitude*) ubøyelig, steil

unbiased [ʌn'baɪəst] ADJ (*person, report*) upartisk, uhildet

unblemished [ʌn'blɛmɪʃt] ADJ (*face, skin*) lytefri; (*fig: reputation*) plettfri, uplettet
unblock [ʌn'blɔk] VT (*+pipe*) stake (*v1*) opp
unborn [ʌn'bɔːn] ADJ ufødt
unbounded [ʌn'baundɪd] ADJ grenseløs
unbreakable [ʌn'breɪkəbl] ADJ uknuselig
unbridled [ʌn'braɪdld] ADJ (*emotion, behaviour*) tøylesløs
unbroken [ʌn'brəukən] ADJ (**a**) (*seal*) ubrutt ❑ *Check that the seal is unbroken before opening it.* Sjekk at seglet er ubrutt før du åpner det.
(**b**) (*series, silence*) ubrutt
(**c**) (*record*) som ikke er slått ❑ *My record was unbroken for ten years.* Rekorden min ble ikke slått på ti år.. Rekorden min ble stående i ti år.
unbuckle [ʌn'bʌkl] VT (*+belt, shoe*) spenne (*v2x*) opp
unburden [ʌn'bəːdn] VT ▸ **to unburden o.s. (to sb)** lette (*v1*) sitt hjerte (for noen)
unbusinesslike [ʌn'bɪznɪslaɪk] ADJ lite forretningsmessig
unbutton [ʌn'bʌtn] VT kneppe (*v1 or v2x*) opp
uncalled-for [ʌn'kɔːldfɔːʳ] ADJ (*remark, rudeness etc*) unødvendig
uncanny [ʌn'kænɪ] ADJ (**a**) (*resemblance, knack*) besynderlig, mystisk ❑ *He has an uncanny knack of being in the right place at the right time.* Han har en besynderlig *or* mystisk evne til å være* på rett sted til rett tid.
(**b**) (*= eerie: silence*) uhyggelig, nifs
unceasing [ʌn'siːsɪŋ] ADJ (*loyalty, search, flow etc*) uendelig
unceremonious [ʌnsɛrɪ'məunɪəs] ADJ brysk, uten noe om og men ❑ *The answer was an unceremonious "No".* Svaret var et bryskt "Nei" *or* et "Nei" uten noe om og men.
uncertain [ʌn'səːtn] ADJ (*person, future, outcome*) usikker, uviss ❑ *She hesitated, uncertain whether to continue.* Hun nølte, usikker *or* uviss på om hun skulle* fortsette.
▸ **uncertain about** usikker *or* uviss på ❑ *I'm still uncertain about how much we've got left.* Jeg er fremdeles usikker *or* uviss på hvor mye vi har igjen.
▸ **in no uncertain terms** i klartekst, i klare ordelag
uncertainty [ʌn'səːtntɪ] S usikkerhet *c*, uvisshet *c* ❑ *...the continued uncertainty about...* den fortsatte usikkerheten *or* uvissheten omkring...
▸ **uncertainties** SPL usikkerhet *c sg* ❑ *...economic uncertainties.* ...økonomisk usikkerhet.
unchallenged [ʌn'tʃælɪndʒd] 1 ADJ (*authority, information*) ubestridt
2 ADV (*walk, enter*) uten å bli* stanset ❑ *Charles got up and walked, unchallenged, past a stewardess.* Charles reiste seg og gikk, uten å bli* stanset, forbi en flyvertinne.
▸ **to go unchallenged** passere (*v2*) uimotsagt
unchanged [ʌn'tʃeɪndʒd] ADJ uforandret, uendret
uncharitable [ʌn'tʃærɪtəbl] ADJ ubarmhjertig
uncharted [ʌn'tʃɑːtɪd] ADJ (*land, sea*) ikke kartlagt
▸ **uncharted territory** upløyd mark
unchecked [ʌn'tʃɛkt] ADV (*grow, continue*) ukontrollert, uhindret
uncivil [ʌn'sɪvɪl] ADJ uhøflig ❑ *He was uncivil to other members...* Han var uhøflig mot andre medlemmer...
uncivilized [ʌn'sɪvɪlaɪzd] ADJ (*country, people, behaviour, hour*) usivilisert ❑ *Sorry to wake you at this uncivilized hour.* Unnskyld at jeg vekker deg på dette usiviliserte tidspunktet.
uncle ['ʌŋkl] S onkel *m*
unclear [ʌn'klɪəʳ] ADJ uklar ❑ *The reasons for this remained unclear.* Grunnene til dette var og ble uklare.
▸ **I'm unclear about what I'm supposed to do** jeg er ikke klar over hva jeg skal gjøre
uncoil [ʌn'kɔɪl] 1 VT (*+rope, wire*) rulle (*v1*) ut, vikle (*v1*) opp
2 VI (*snake+*) rulle (*v1*) seg ut
uncomfortable [ʌn'kʌmfətəbl] ADJ (**a**) (*person: physically*) som sitter/står *etc* ukomfortabelt *or* ubekvemt ❑ *I was cramped and uncomfortable in the back seat.* Jeg satt sammentrengt og ukomfortabelt *or* ubekvemt i baksetet.
(**b**) (*= nervous*) ille til mote, utilpass ❑ *Her presence made him uncomfortable.* Det at hun var der fikk ham til å føle seg ille til mote *or* utilpass.
(**c**) (*chair, room*) ukomfortabel, ubekvem
(**d**) (*= unpleasant: situation, fact*) ubehagelig
uncomfortably [ʌn'kʌmfətəblɪ] ADV (*sit*) ukomfortabelt, ubekvemt; (*= nervously: smile etc*) anspent
uncommitted [ʌnkə'mɪtɪd] ADJ (*person, attitude*) uengasjert
uncommon [ʌn'kɔmən] ADJ uvanlig, ualminnelig ❑ *Frost and snow are not uncommon during these months.* Frost og snø er ikke uvanlig *or* ualminnelig i disse månedene.
uncommunicative [ʌnkə'mjuːnɪkətɪv] ADJ lite meddelsom
uncomplicated [ʌn'kɔmplɪkeɪtɪd] ADJ ukomplisert
uncompromising [ʌn'kɔmprəmaɪzɪŋ] ADJ (*person, belief*) kompromissløs
unconcerned [ʌnkən'səːnd] ADJ (**a**) (*= not worried*) ubekymret
(**b**) (*= not interested*) likegyldig
▸ **to be unconcerned about** være* ubekymret/ likegyldig overfor
unconditional [ʌnkən'dɪʃənl] ADJ (*acceptance, obedience, surrender*) betingelsesløs
uncongenial [ʌnkən'dʒiːnɪəl] ADJ lite hyggelig
unconnected [ʌnkə'nɛktɪd] ADJ uten forbindelse (med hverandre)
▸ **to be unconnected with sth** ikke ha* noen forbindelse med noe
unconscious [ʌn'kɔnʃəs] 1 ADJ (**a**) (*in faint*) bevisstløs
(**b**) (*= not deliberate: grace, smile, attitude etc*) ubevisst
(**c**) (*= unaware*) ▸ **unconscious of** ikke klar over ❑ *They were quite unconscious of the fact that they were breaking the law.* De var overhodet ikke klar over (det faktum) at de brøt loven.
2 S ▸ **the unconscious** det ubevisste
▸ **to knock sb unconscious** slå* noen bevisstløs
unconsciously [ʌn'kɔnʃəslɪ] ADV ubevisst,

uvilkårlig ❑ *She unconsciously moved back a pace or two.* Hun tok ubevisst *or* uvilkårlig et skritt eller to tilbake.

unconsciousness [ʌn'kɔnʃəsnɪs] s bevisstløshet *c*

unconstitutional ['ʌnkɔnstɪ'tju:ʃənl] ADJ (*action, proposal*) grunnlovsstridig

uncontested [ʌnkən'tɛstɪd] ADJ (*POL: seat, election*) uten motkandidat ❑ *...a quarter of the seats will be uncontested.* ...en fjerdedel av plassene vil stå uten motkandidat.

uncontrollable [ʌnkən'trəuləbl] ADJ (**a**) (*person, animal*) ustyrlig
(**b**) (*temper, laughter*) ustyrlig, ukontrollerbar ❑ *They broke into fits of uncontrollable laughter.* De fikk ustyrlige *or* ukontrollerbare latteranfall.

uncontrolled [ʌnkən'trəuld] ADJ (*behaviour, use, price rise etc*) ukontrollert

unconventional [ʌnkən'vɛnʃənl] ADJ (*person, attitude*) ukonvensjonell

unconvinced [ʌnkən'vɪnst] ADJ ▸ **to be** *or* **remain unconvinced** (fremdeles) ikke være* overbevist ❑ *I remained unconvinced by what she had said.* Jeg var fremdeles ikke overbevist av det hun hadde sagt.

unconvincing [ʌnkən'vɪnsɪŋ] ADJ ikke/lite overbevisende

uncork [ʌn'kɔ:k] VT trekke* opp

uncorroborated [ʌnkə'rɔbəreɪtɪd] ADJ ubekreftet

uncouth [ʌn'ku:θ] ADJ (*person, behaviour*) ubehøvlet

uncover [ʌn'kʌvəʳ] VT (= *take lid, veil etc off*) avdekke (*v1*); (*+plot, secret*) avdekke (*v1*), avsløre (*v2*)

unctuous ['ʌŋktjuəs] (*fml*) ADJ (*person, behaviour*) innsmigrende

undamaged [ʌn'dæmɪdʒd] ADJ uskadd

undaunted [ʌn'dɔ:ntɪd] ADJ ufortrøden, uforferdet ▸ **undaunted, she struggled on** hun kjempet ufortrødent videre

undecided [ʌndɪ'saɪdɪd] ADJ (**a**) (*person*) i tvil ❑ *She was still undecided about whether or not to go.* Hun var fremdeles i tvil om hun skulle* gå* eller ikke.
(**b**) (*question*) ikke avgjort *or* bestemt ❑ *Some basic questions remain undecided.* Noen grunnleggende spørsmål er ennå ikke avgjort *or* bestemt.

undelivered [ʌndɪ'lɪvəd] ADJ (*goods, letters*) som ikke har blitt levert

undeniable [ʌndɪ'naɪəbl] ADJ ubestridelig ❑ *The evidence is undeniable.* Beviset er ubestridelig.

undeniably [ʌndɪ'naɪəblɪ] ADV (*true, good-looking*) unektelig

under ['ʌndəʳ] ADV, PREP under ❑ *...the cupboard under the sink.* ...skapet under oppvaskkummen. *...just under 15 million pounds.* ...rett under 15 millioner pund. NB *...everyone 17 and under.* ...alle under 18 år. *...under English law.* ...etter engelsk lov. *...China under Chairman Mao.* ...Kina under formann Mao. *We lifted the wire and crawled under.* Vi løftet opp vaieren og krabbet under.
▸ **(out) from under sth** fram fra noe ❑ *As the rain eased, they came out from under the tree.* Ettersom regnet gav seg, kom de fram fra treet de hadde sittet under.
▸ **under there** under der
▸ **in under 2 hours** på under 2 timer
▸ **under anaesthetic** under bedøvelse
▸ **under discussion** under *or* til diskusjon
▸ **under repair** under reparasjon ❑ *The lift is under repair.* Heisen er under reparasjon.. Heisen blir reparert.
▸ **under the circumstances** etter forholdene ❑ *Under the circumstances, I think you did very well.* Etter forholdene synes jeg du gjorde det svært bra.

under... ['ʌndəʳ] PREF under...

underage [ʌndər'eɪdʒ] ADJ (**a**) (*person*) mindreårig (**b**) (*drinking*) blant mindreårige ❑ *Underage drinking is tolerated by the local police.* Drikking blant mindreårige blir tolerert av det lokale politiet.

underarm ['ʌndərɑ:m] 1 ADV (*bowl, throw*) under armen
2 ADJ (*throw, shot*) underarms-; (*deodorant*) underarms-, til å ha* under armene

undercapitalized ['ʌndə'kæpɪtəlaɪzd] ADJ (*project, industry*) underkapitalisert

undercarriage ['ʌndəkærɪdʒ] s understell *nt*

undercharge [ʌndə'tʃɑ:dʒ] VT ▸ **to undercharge sb** ta* (seg) for lite betalt av noen ❑ *He undercharged us for the drinks.* Han tok (seg) for lite betalt av oss for drinkene.

underclass ['ʌndəklɑ:s] s underklasse *m*

underclothes ['ʌndəkləuðz] SPL undertøy *nt uncount*

undercoat ['ʌndəkəut] s (*paint*) grunningsstrøk *nt*

undercover [ʌndə'kʌvəʳ] 1 ADJ (*duty, agent*) hemmelig
2 ADV (*work*) inkognito

undercurrent ['ʌndəkʌrnt] s (*fig: of feeling*) understrøm *m* ❑ *...a certain undercurrent of disharmony between them.* ...en viss understrøm av misstemning mellom dem.

undercut [ʌndə'kʌt] *irreg* VT (*+person, prices*) selge* til lavere pris enn ❑ *The large-scale producer can usually undercut smaller competitors.* En storprodusent kan vanligvis selge til lavere priser enn mindre konkurrenter.

underdeveloped ['ʌndədɪ'vɛləpt] ADJ (*country, region*) underutviklet

underdog ['ʌndədɔg] s ▸ **the underdog** den svakere part

underdone [ʌndə'dʌn] ADJ (= *undercooked*) for lite stekt/kokt; (= *rare: steak*) lite stekt

underemployment ['ʌndərɪm'plɔɪmənt] s *ikke full sysselsetting* NB *Underemployment is much more widespread than you might think.* Det er mye vanligere enn man skulle* tro at det ikke er full sysselsetting.

underestimate ['ʌndər'estɪmeɪt] VT (*+person, power etc*) undervurdere (*v2*) ❑ *The Americans underestimated the power of the explosion.* Amerikanerne undervurderte hvor kraftig eksplosjonen var.

underexposed ['ʌndərɪks'pəuzd] (*FOTO*) ADJ undereksponert

underfed [ʌndə'fɛd] ADJ (*person*) underernært; (*animal*) sulteforet

underfoot [ʌndə'fut] ADV (*crush, trample*) ned ❑ *The banner was accidentally trampled underfoot.* Banneret ble trampet ned ved et uhell.
▸ **the grass underfoot** gresset under oss/dem *etc*

underfunded ['ʌndə'fʌndɪd] ADJ ▸ **to be underfunded** mangle (*v1*) ressurser

undergo [ʌndə'gəu] *irreg* VT (*+change, test, operation, treatment*) gjennomgå*
▸ **the car is undergoing repairs** bilen er til reparasjon

undergraduate [ʌndə'grædjuɪt] 1 S student *m* (*som studerer til en "bachelor's degree"*)
2 SAMMENS ▸ **undergraduate courses** *kurs for studenter på lavere nivåer*

underground ['ʌndəgraund] 1 S ▸ **the underground** (**a**) (*BRIT: railway*) undergrunnen, undergrunnsbanen
(**b**) (*POL*) undergrunnsbevegelsen ❑ *We were fighting with the underground against the military regime.* Vi sloss sammen med undergrunnsbevegelsen mot militærregimet.
2 ADJ (**a**) (*car park*) underjordisk
(**b**) (*POL: newspaper, activities*) undergrunns-
3 ADV (**a**) (= *under the earth*) under jorda ❑ *...miners who toil deep underground.* ...gruvearbeidere som sliter dypt under jorda.
(**b**) (*POL*) ▸ **to go underground** gå* under jorda

undergrowth ['ʌndəgrəuθ] S underskog *m*, kratt *nt* ❑ *...dense undergrowth.* ...tett underskog *or* kratt.

underhand(ed) [ʌndə'hænd(ɪd)] ADJ (*behaviour, method etc*) fordektig, uhederlig

underinsured [ʌndərɪn'ʃuəd] ADJ underforsikret

underlay [ʌndə'leɪ] S (*for carpet*) underlag *nt* (*til å legge under et gulvteppe*)

underlie [ʌndə'laɪ] *irreg* VT (*fig: be basis of*) ligge* til grunn for ❑ *The social problems underlying these crises...* De sosiale problemene som ligger til grunn for disse krisene...
▸ **the underlying cause** den underliggende *or* bakenforliggende årsaken

underline [ʌndə'laɪn] VT (**a**) (*+word, title*) streke (*v1*) under, understreke (*v1*)
(**b**) (*fig: emphasize*) understreke (*v1*) ❑ *My own experience heavily underlines the dangers of this.* Min egen erfaring understreker sterkt farene ved dette.

underling ['ʌndəlɪŋ] (*neds*) S underordnet *m decl as adj*

undermanning [ʌndə'mænɪŋ] S underbemanning *c*

undermentioned [ʌndə'mɛnʃənd] ADJ som er nevnt nedenfor ❑ *The undermentioned people have all...* De som er nevnt nedenfor har alle...

undermine [ʌndə'maɪn] VT (*+confidence, authority, position*) undergrave (*v3*), underminere (*v2*)

underneath [ʌndə'ni:θ] ADV, PREP under ❑ *She unfastened her cloak, revealing her nightdress underneath.* Hun knyttet opp morgenkjolen sin og avdekket nattkjolen under. *He was standing just underneath the notice.* Han stod rett under notisen.

undernourished [ʌndə'nʌrɪʃt] ADJ (*child etc*) underernært

underpaid [ʌndə'peɪd] ADJ underbetalt

underpants ['ʌndəpænts] SPL underbukse *c*, underbukser *pl*

underpass ['ʌndəpɑ:s] (*BRIT*) S (**a**) (fotgjenger)undergang *m*, gangtunnel *m* ❑ *...cross the road by the underpass.* ...kryss gaten ved undergangen *or* gangtunnelen.
(**b**) (*on motorway*) veiundergang *m*

underpin [ʌndə'pɪn] VT (*+argument, case, society*) støtte (*v1*) opp under ❑ *...the relationships that underpin any community.* ...de forbindelsene som støtter opp under ethvert samfunn.

underplay [ʌndə'pleɪ] VT underspille (*v2x*) ❑ *She underplays the fact that...* Hun underspiller *or* bagatelliserer det faktum at...

underpopulated [ʌndə'pɔpjuleɪtɪd] ADJ underbefolket

underprice [ʌndə'praɪs] VT tilby*/selge* til underpris

underprivileged [ʌndə'prɪvɪlɪdʒd] ADJ underprivilegert

underrate [ʌndə'reɪt] VT (*+person, power, size etc*) undervurdere (*v2*)

underscore [ʌndə'skɔ:ʳ] VT (*+word*) streke (*v1*) under, understreke (*v1*)

underseal [ʌndə'si:l] (*BRIT*) 1 VT (*+car*) understellsbehandle (*v1*)
2 S understellsbehandling *c*

undersecretary ['ʌndə'sɛkrətərɪ] (*POL*) S ≈ ekspedisjonssjef *m*

undersell [ʌndə'sɛl] (*irreg* **sell**) VT (*+competitors*) selge* til lavere pris enn, underby*

undershirt ['ʌndəʃə:t] (*US*) S (under)trøye *c*

undershorts ['ʌndəʃɔ:ts] (*US*) SPL underbukse *c*, underbukser *pl*

underside ['ʌndəsaɪd] S (*of object, animal*) underside *c*

undersigned ['ʌndə'saɪnd] 1 ADJ (*person*) undertegnet ❑ *...the mother of the undersigned party.* ...moren til undertegnede.
2 S ▸ **the undersigned** undertegnede
▸ **we the undersigned** alle vi som har undertegnet, alle undertegnede

underskirt ['ʌndəskə:t] (*BRIT*) S underskjørt *nt*

understaffed [ʌndə'stɑ:ft] ADJ underbemannet

understand [ʌndə'stænd] (*irreg* **stand**) VT (**a**) (*+words, meaning, book, subject, fact, language*) forstå*, skjønne (*v2x*) ❑ *I don't understand what you mean.* Jeg forstår *or* skjønner ikke hva du mener. *He didn't understand genetics.* Han forstod *or* skjønte ikke genetikk.
(**b**) (*+sb's behaviour*) forstå* ❑ *His wife doesn't understand him.* Kona hans forstår ham ikke.
▸ **to understand (that)** (= *believe*) forstå* (at) ❑ *I understand she has several aunts.* Jeg forstår at hun har mange tanter.
▸ **to make o.s. understood** gjøre* seg forstått

understandable [ʌndə'stændəbl] ADJ (*behaviour, reaction, error*) forståelig

understanding [ʌndə'stændɪŋ] 1 ADJ (= *kind*) forståelsesfull
2 S (*knowledge, sympathy, co-operation*) forståelse *m* ❑ *The job requires an understanding of Spanish.* Jobben krever at man forstår spansk *or* krever forståelse av spansk. *...love and understanding.*

...kjærlighet og forståelse. *...greater understanding between management and workers.* ...en større forståelse mellom ledelsen og arbeiderne.
▸ **to come to an understanding with sb** komme* til enighet *or* en forståelse med noen
▸ **on the understanding that...** under den forutsetning at...

understate [ʌndə'steɪt] VT (*+seriousness, difficulties, magnitude*) underdrive*; (*+amount, figures*) ▸ **to understate production figures** oppgi* for lave produksjonstall

understatement ['ʌndəsteɪtmənt] S underdrivelse *m*, understatement *nt* ❑ *That sounds like typical British understatement.* Det høres ut som en typisk britisk underdrivelse *or* et typisk britisk understatement.

understood [ʌndə'stud] 1 PRET, PP *of* **understand**
2 ADJ (*= agreed, implied*) underforstått ❑ *I thought it was understood that you wouldn't come.* Jeg trodde det var underforstått at du ikke ville* komme.

understudy ['ʌndəstʌdɪ] S reserve *m*, stand-in *m* (*for skuespiller, danser etc*)

undertake [ʌndə'teɪk] (*irreg* **take**) 1 VT påta* seg ❑ *...whatever job they undertake.* ...hvilken jobb de enn påtar seg.
2 VI ▸ **to undertake to do sth** påta* seg å gjøre* noe

undertaker ['ʌndəteɪkə^r] S *en som eier eller arbeider i et begravelsesbyrå*

undertaking ['ʌndəteɪkɪŋ] S (**a**) (*job*) oppgave *m* ❑ *Every new undertaking involves effort.* Hver ny oppgave innebærer anstrengelse.
(**b**) (*promise*) tilsagn *nt*
▸ **to give an undertaking to do/that** gi* (et) tilsagn om at ❑ *He gave an undertaking not to stand again for election.* Han gav (et) tilsagn om at han ikke skulle* stille til valg igjen.

underthings ['ʌndəθɪŋz] SPL undertøy *n*

undertone ['ʌndətəun] S undertone *m* ❑ *The word has taken on slightly comic undertones.* Ordet har fått lettere komiske undertoner.
▸ **in an undertone** lavt, dempet ❑ *Marcus said in an undertone, "It doesn't matter."* Marcus sa lavt *or* dempet, "Det gjør ikke noe."

undervalue [ʌndə'vælju:] VT (*+person, work, art etc*) undervurdere (*v2*)

underwater ['ʌndə'wɔ:tə^r] 1 ADV (*swim etc*) under vann
2 ADJ (*exploration, camera etc*) undervanns-

underwear ['ʌndəwɛə^r] S undertøy *nt*

underweight [ʌndə'weɪt] ADJ (*goods, person*) undervektig ❑ *These bags of flour are underweight.* Disse melposene er undervektige. *I'm a bit underweight for my age.* Jeg er litt undervektig for alderen.

underwhelmed [ʌndə'wɛlmd] (*hum*) ADJ ubegeistret

underworld ['ʌndəwə:ld] S (*criminal*) ▸ **the underworld** underverden *m*

underwrite [ʌndə'raɪt] VT (*FIN*) (påta seg å) dekke (*v1*), (påta seg å) finansiere (*v2*); (*FORS*) forsikre (*v1*)

underwriter ['ʌndəraɪtə^r] S assurandør *m*

undeserved [ʌndɪ'zə:vd] ADJ ufortjent

undesirable [ʌndɪ'zaɪərəbl] ADJ (*effects, behaviour, elements, reading matter*) lite ønskelig; (*alien, immigrant*) uønsket

undeveloped [ʌndɪ'vɛləpt] ADJ (*person*) uutviklet
▸ **undeveloped country** u-land *nt*, utviklingsland *nt*

undies ['ʌndɪz] (*sl*) SPL undertøy *nt* ❑ *She opened the door dressed in her undies.* Hun åpnet døra iført (bare) undertøy.

undiluted ['ʌndaɪ'lu:tɪd] ADJ (*substance, liquid*) ufortynnet; (*emotion*) udelt, uforfalsket

undiplomatic ['ʌndɪplə'mætɪk] ADJ (*person, remark*) udiplomatisk

undisciplined [ʌn'dɪsɪplɪnd] ADJ (*person, army*) udisiplinert

undiscovered ['ʌndɪs'kʌvəd] ADJ (*island, situation, fact*) uoppdaget ❑ *...lie undiscovered in their homes for days.* ...ligger uten å bli* oppdaget i hjemmene sine i dagevis.

undisguised ['ʌndɪs'gaɪzd] ADJ (*dislike, amusement, admiration etc*) utilslørt, åpenlys

undisputed ['ʌndɪs'pju:tɪd] ADJ (*fact, champion*) ubestridt

undistinguished ['ʌndɪs'tɪŋgwɪʃt] ADJ (*career, design, person*) middelmådig, måtelig

undisturbed [ʌndɪs'tə:bd] ADJ uforstyrret
▸ **to leave sth undisturbed** la noe bli* stående/liggende *etc* urørt ❑ *The old man's room had been left undisturbed.* Den gamle mannens rom hadde blitt stående urørt.

undivided [ʌndɪ'vaɪdɪd] ADJ ▸ **you have my undivided attention** du har min udelte oppmerksomhet, du har all min oppmerksomhet

undo [ʌn'du:] (*irreg* **do**) VT (**a**) (*= unfasten : shoelaces etc*) knytte (*v1*) opp
(**b**) (*= spoil : work*) spolere (*v2*) ❑ *He appeared to be undoing all their patient work.* Han så ut til å spolere alt det tålmodige arbeidet deres.

undoing [ʌn'du:ɪŋ] S undergang *m* ❑ *This uncompromising attitude may have led to his undoing.* Denne kompromissløse holdningen kan ha* ført til hans undergang.

undone [ʌn'dʌn] PP *of* **undo**
▸ **to come undone** (*shoelaces etc+*) gå* opp

undoubted [ʌn'dautɪd] ADJ (*success, ability etc*) utvilsom ❑ *...her undoubted acting ability.* ...hennes utvilsomme skuespillerevne.

undoubtedly [ʌn'dautɪdlɪ] ADV utvilsomt ❑ *A personal chauffeur is undoubtedly a status symbol.* En privatsjåfør er utvilsomt et statussymbol.

undress [ʌn'drɛs] 1 VI kle (*v4*) av seg
2 VT kle (*v4*) av

undrinkable [ʌn'drɪŋkəbl] ADJ (**a**) (*= unpalatable*) udrikkelig ❑ *This beer's undrinkable!* Dette ølet er udrikkelig!
(**b**) (*= poisonous*) som ikke kan drikkes

undue [ʌn'dju:] ADJ (*care, attention*) utilbørlig, unødig

undulating ['ʌndjuleɪtɪŋ] ADJ (*countryside, hills*) bølgende

unduly [ʌn'dju:lɪ] ADV overdrevent ❑ *None of the women seemed unduly worried.* Ingen av kvinnene virket overdrevent bekymret.

undying [ʌn'daɪɪŋ] ADJ (*love, loyalty etc*) udødelig
unearned [ʌn'ɜ:nd] ADJ (*praise, respect*) ufortjent
▸ **unearned income** arbeidsfri inntekt *c*
unearth [ʌn'ɜ:θ] VT (*+skeleton etc*) grave (*v3*) opp; (*fig : secrets etc*) bringe* for en dag
unearthly [ʌn'ɜ:θlɪ] ADJ (= *eerie*) overjordisk
▸ **at some unearthly hour** på et ukristelig tidspunkt
unease [ʌn'i:z] S uro *m*
uneasy [ʌn'i:zɪ] ADJ (**a**) (*person*) urolig, engstelig
(**b**) (*feeling*) lei, utrygg ❑ *She had an uneasy feeling that they were following her.* Hun hadde en lei *or* utrygg følelse av at de fulgte etter henne.
(**c**) (*peace, truce*) anstrengt ❑ *...an uneasy alliance between the two parties.* ...en anstrengt allianse mellom de to partiene.
▸ **to feel** *or* **be uneasy about doing sth** føle (*v2*) seg utrygg *or* usikker på å gjøre* noe
uneconomic ['ʌni:kə'nɔmɪk] ADJ ulønnsom
uneconomical ['ʌni:kə'nɔmɪkl] ADJ uøkonomisk
uneducated [ʌn'ɛdjukeɪtɪd] ADJ uten utdannelse
unemployed [ʌnɪm'plɔɪd] 1 ADJ arbeidsledig, arbeidsløs
2 SPL ▸ **the unemployed** de arbeidsledige *or* arbeidsløse
unemployment [ʌnɪm'plɔɪmənt] S arbeidsledighet *c*, arbeidsløshet *c*
unemployment benefit (*BRIT*) S ≈ arbeidsledighetstrygd *c*
unemployment compensation (*US*) S = **unemployment benefit**
unending [ʌn'ɛndɪŋ] ADJ endeløs
unenviable [ʌn'ɛnvɪəbl] ADJ (*position, task, conditions*) lite misunnelsesverdig
unequal [ʌn'i:kwəl] ADJ (**a**) (*length, objects, amounts*) ulik, forskjellig ❑ *Her feet are of unequal sizes.* Føttene hennes har ulik *or* forskjellig størrelse.
(**b**) (*pay, division of labour etc*) ulik
▸ **to feel unequal to** ikke føle (*v2*) seg voksen for ❑ *I felt quite unequal to the challenge.* Jeg følte meg overhodet ikke voksen for utfordringen.
▸ **unequal to the task** ikke oppgaven voksen
unequalled [ʌn'i:kwəld], **unequaled** (*US*) ADJ uten sidestykke
unequivocal [ʌnɪ'kwɪvəkl] ADJ (**a**) (*answer*) utvetydig, entydig
(**b**) (*person*) helt klar ❑ *He's always been unequivocal about the evils of capitalism.* Han har alltid vært helt klar på ondene ved kapitalismen.
unerring [ʌn'ɜ:rɪŋ] ADJ (*instinct, ability etc*) ufeilbarlig
UNESCO [ju:'nɛskəu] S FK (= **United Nations Educational, Scientific and Cultural Organization**) UNESCO (*var:* Unesco)
unethical [ʌn'ɛθɪkl] ADJ (*methods*) uetisk
▸ **gross unethical conduct** grovt brudd på yrkesetikken
uneven [ʌn'i:vn] ADJ (*teeth, road, performance etc*) ujevn
uneventful [ʌnɪ'vɛntful] ADJ (*day, journey*) begivenhetsløs
unexceptional [ʌnɪk'sɛpʃənl] ADJ som ikke utmerker seg
unexciting [ʌnɪk'saɪtɪŋ] ADJ uspennende
unexpected [ʌnɪks'pɛktɪd] ADJ uventet
unexpectedly [ʌnɪks'pɛktɪdlɪ] ADV uventet
unexplained [ʌnɪks'pleɪnd] ADJ som ikke er blitt forklart
unexploded [ʌnɪks'pləudɪd] ADJ ueksplodert
unfailing [ʌn'feɪlɪŋ] ADJ (*support, energy*) usvikelig, aldri sviktende ❑ *...without her unfailing support.* ...uten hennes usvikelige *or* aldri sviktende støtte.
unfair [ʌn'fɛəʳ] ADJ urettferdig ❑ *The whole academic system is unfair.* Hele det akademiske systemet er urettferdig. *...an unfair advantage.* ...en urettferdig fordel.
▸ **unfair to** urettferdig mot
unfair dismissal S usaklig oppsigelse *m*
unfairly [ʌn'fɛəlɪ] ADV (*treat*) urettferdig; (*dismiss*) usaklig
unfaithful [ʌn'feɪθful] ADJ utro
unfamiliar [ʌnfə'mɪlɪəʳ] ADJ (*place, person, subject*) ukjent, fremmed
▸ **to be unfamiliar with** være* ukjent med
unfashionable [ʌn'fæʃnəbl] ADJ (*clothes, ideas*) umoderne; (*place*) lite/ikke fasjonabel
unfasten [ʌn'fɑ:sn] VT spenne (*v2x*) av, løsne (*v1*)
unfathomable [ʌn'fæðəməbl] ADJ uutgrunnelig
unfavourable [ʌn'feɪvrəbl], **unfavorable** (*US*) ADJ (*circumstances, impression, weather*) ufordelaktig, ugunstig; (*opinion, report*) ufordelaktig
unfavo(u)rably [ʌn'feɪvrəblɪ] ADV ▸ **to compare unfavourably with** komme* dårlig ut i sammenlikning med ❑ *The management was compared unfavourably with the landowners.* Ledelsen kom dårlig ut i sammenlikning med landeierne.
▸ **to review a book unfavourably** gi* en bok dårlig anmeldelse
▸ **to look unfavourably on** (*+suggestion etc*) se* med ublide øyne på
unfeeling [ʌn'fi:lɪŋ] ADJ ufølsom
unfinished [ʌn'fɪnɪʃt] ADJ (*job, book*) uavsluttet
▸ **unfinished business** saker *pl* man ikke er ferdig med ❑ *There's a lot of unfinished business to get through.* Vi har en masse saker som vi ikke er ferdige med, og som vi må komme oss igjennom.
unfit [ʌn'fɪt] ADJ (*physically*) i dårlig form
▸ **unfit for/to do** (= *incompetent*) uegnet til/til å gjøre ❑ *Adams is clearly unfit to hold the post.* Adams er klart uegnet til å inneha stillingen.
▸ **unfit for work** arbeidsudyktig
▸ **unfit for human consumption** uegnet til menneskeføde
unflagging [ʌn'flægɪŋ] ADJ (*attention, energy*) utrettelig
unflappable [ʌn'flæpəbl] ADJ kald og rolig
unflattering [ʌn'flætərɪŋ] ADJ (*dress, hairstyle*) ukledelig; (*remark*) lite smigrende
unflinching [ʌn'flɪntʃɪŋ] ADJ som ikke viker en tomme
unfold [ʌn'fəuld] 1 VT (*+sheets, map*) brette (*v1*) ut
2 VI (*situation+*) skride* fram

unforeseeable [ʌnfɔːˈsiːəbl] ADJ som ikke kan forutses

unforeseen [ˈʌnfɔːˈsiːn] ADJ uforutsett

unforgettable [ʌnfəˈgɛtəbl] ADJ uforglemmelig

unforgivable [ʌnfəˈgɪvəbl] ADJ utilgivelig

unformatted [ʌnˈfɔːmætɪd] (*DATA*) ADJ (*disk, text*) uformatert

unfortunate [ʌnˈfɔːtʃənət] ADJ (**a**) (= *unlucky: person, accident*) uheldig
(**b**) (= *regrettable: event, remark*) uheldig, beklagelig
▸ **it is unfortunate that...** det er uheldig *or* beklagelig at...

unfortunately [ʌnˈfɔːtʃənətlɪ] ADV dessverre

unfounded [ʌnˈfaundɪd] ADJ ubegrunnet

unfriendly [ʌnˈfrɛndlɪ] ADJ uvennlig

unfulfilled [ʌnfulˈfɪld] ADJ (**a**) (*ambition, prophecy*) uoppfylt ❑ *I have this unfulfilled ambition to appear on television.* Jeg har en uoppfylt drøm om å opptre på tv.
(**b**) (*person*) som ikke får realisert seg selv ❑ *I feel unfulfilled in my new job.* Jeg føler at jeg ikke får realisert meg selv i den nye jobben min.

unfurl [ʌnˈfəːl] VT (*+flag, umbrella*) folde (*v1*) ut

unfurnished [ʌnˈfəːnɪʃt] ADJ umøblert

ungainly [ʌnˈgeɪnlɪ] ADJ keitet, uelegant

ungodly [ʌnˈgɔdlɪ] ADJ (*noise*) redselsfull ❑ *That thing made an ungodly racket.* Den greia lagde et redselsfullt bråk.
▸ **at some ungodly hour** på et ugudelig *or* ukristelig tidspunkt

ungrateful [ʌnˈgreɪtful] ADJ utakknemlig

unguarded [ʌnˈgɑːdɪd] ADJ ▸ **in an unguarded moment** i et ubevoktet øyeblikk

unhappily [ʌnˈhæpɪlɪ] ADV (**a**) (= *in a sad way*) ulykkelig ❑ *He trudged unhappily along the path.* Han trasket ulykkelig langs stien.
(**b**) (= *unfortunately*) uheldigvis, ulykkeligvis ❑ *Unhappily, George had died by the time Ralph got to America.* Uheldigvis *or* ulykkeligvis var George død innen Ralph kom seg til Amerika.

unhappiness [ʌnˈhæpɪnɪs] S sørgmodighet *c*, tristhet *c*

unhappy [ʌnˈhæpɪ] ADJ (**a**) (= *sad: person*) ulykkelig, trist
(**b**) (= *unfortunate: accident, event*) uheldig
(**c**) (*childhood*) ulykkelig
▸ **unhappy about/with** (= *dissatisfied with*) misfornøyd med ❑ *The residents are unhappy about the crowds...* Beboerne er misfornøyde med folkemengdene...

unharmed [ʌnˈhɑːmd] ADJ uskadd ❑ *The four men managed to escape unharmed.* De fire mennene klarte å komme seg unna uskadd.

UNHCR S FK (= **United Nations High Commission for Refugees**) UNHCR

unhealthy [ʌnˈhɛlθɪ] ADJ (*person, place, interest*) usunn ❑ *...an unhealthy interest in sex.* ...en usunn interesse for sex.

unheard-of [ʌnˈhəːdɔv] ADJ (**a**) (= *shocking*) uhørt
(**b**) (= *unknown*) som ingen har hørt om ❑ *Written agreements are quite unheard of.* Skriftlige avtaler er det ingen som har hørt om.

unhelpful [ʌnˈhɛlpful] ADJ (*person*) uhjelpsom, lite hjelpsom; (*advice*) som det ikke er noen hjelp i, ubrukelig

unhesitating [ʌnˈhɛzɪteɪtɪŋ] ADJ (*loyalty*) urokkelig; (*reply, offer*) umiddelbar, sporenstreks, umiddelbar

unholy [ʌnˈhəulɪ] (*sl*) ADJ (*alliance*) ond; (*mess*) forferdelig; (*row*) grusom

unhook [ʌnˈhuk] VT (*+belt, bra, etc*) ta* av hektene på

unhurt [ʌnˈhəːt] ADJ uskadd

unhygienic [ˈʌnhaɪˈdʒiːnɪk] ADJ uhygienisk

UNICEF [ˈjuːnɪsɛf] S FK (= **United Nations International Children's Emergency Fund**) UNICEF (*var.* Unicef)

unicorn [ˈjuːnɪkɔːn] S enhjørning *m*

unidentified [ʌnaɪˈdɛntɪfaɪd] ADJ uidentifisert ❑ *The newspaper quoted unidentified sources.* Avisen siterte uidentifiserte kilder.
see also **UFO**

unification [juːnɪfɪˈkeɪʃən] S samling *c* ❑ *...the unification of Italy.* ...samlingen av Italia.

uniform [ˈjuːnɪfɔːm] 1 S uniform *m*
2 ADJ (*length, width etc*) jevn, enhetlig

uniformity [juːnɪˈfɔːmɪtɪ] S ensartethet *c*, ensrettethet *c*

unify [ˈjuːnɪfaɪ] VT forene (*v2*), samle (*v1*) ❑ *Smaller tribes are unified into larger societies.* Mindre stammer er forent *or* samlet i større samfunn.

unilateral [juːnɪˈlætərəl] ADJ (*action, disarmament etc*) ensidig, unilateral

unimaginable [ʌnɪˈmædʒɪnəbl] ADJ (*poverty, size etc*) som man ikke kan drømme om *or* forestille seg

unimaginative [ʌnɪˈmædʒɪnətɪv] ADJ fantasiløs

unimpaired [ʌnɪmˈpɛəd] ADJ (*ability, eyesight*) usvekket ❑ *Her vision remains unimpaired at 83.* Synet hennes er fremdeles usvekket selv om hun er 83 år.

unimportant [ʌnɪmˈpɔːtənt] ADJ (*details, fact, feature*) uviktig, uvesentlig

unimpressed [ʌnɪmˈprɛst] ADJ ikke imponert

uninhabited [ʌnɪnˈhæbɪtɪd] ADJ (*house, island etc*) ubebodd

uninhibited [ʌnɪnˈhɪbɪtɪd] ADJ (*person, behaviour*) uhemmet

uninjured [ʌnˈɪndʒəd] ADJ uskadd

uninspiring [ʌnɪnˈspaɪərɪŋ] ADJ uinspirerende

unintelligent [ʌnɪnˈtɛlɪdʒənt] ADJ uintelligent

unintentional [ʌnɪnˈtɛnʃənəl] ADJ utilsiktet

unintentionally [ʌnɪnˈtɛnʃnəlɪ] ADV utilsiktet, uforvarende

uninvited [ʌnɪnˈvaɪtɪd] ADJ ubuden

uninviting [ʌnɪnˈvaɪtɪŋ] ADJ (*food*) lite innbydende; (*place*) ugjestmild, lite innbydende

union [ˈjuːnjən] 1 S (**a**) (= *unification*) sammenslutning *m*, forening *m* ❑ *We are working for the union of the two countries.* Vi arbeider for en sammenslutning *or* forening mellom de to landene.
(**b**) (*also* ***trade union***) fagforening *c*
2 SAMMENS (*activities, leader etc*) fagforenings- ❑ *She was union president from 1990 to 1992.* Hun var fagforeningsleder fra 1990 til 1992.
▸ **the Union** (*US*) Unionen

unionize [ˈjuːnjənaɪz] VT (*+employees, industry*) (fag)organisere (*v2*), få* til å organisere seg

Union Jack S *det britiske nasjonalflagget*

Union of Soviet Socialist Republics (*HIST*) S Sovjetunionen
union shop S *bedrift med organiseringsplikt*
unique [ju:'ni:k] ADJ (**a**) (*object etc*) unik, spesiell ❑ *Each file is given a unique file number.* Hver fil får sitt unike *or* spesielle filnummer.
(**b**) (= *distinctive: ability, skill, performance*) enestående ❑ *...that unique human ability, speech.* ...den enestående menneskelige evnen, talen.
▸ **to be unique to** være* spesiell for
unisex ['ju:nɪsɛks] ADJ (*clothes, hairdresser etc*) unisex(-)
unison ['ju:nɪsn] S ▸ **in unison** (*say*) i kor, unisont; (*sing*) unisont; (*act*) samtidig
unit ['ju:nɪt] S (**a**) (*single whole*) enhet *c* ❑ *...the family as a self-sufficient unit.* ...familien som en selvstendig enhet.
(**b**) (*measurement*) (måle)enhet *c* ❑ *...a unit of electricity.* ...en (måle)enhet for elektrisitet.
(**c**) (*section: in course book*) leksjon *m*
(**d**) (*of furniture etc*) komponent *m*, enhet *c* ❑ *...hi-fi units.* ...komponenter *or* enheter til et stereoanlegg.
(**e**) (= *team, squad*) avdeling *c* ❑ *...a loyalist army unit.* ...en avdeling fra den protestantiske regjeringshæren.
▸ **production unit** produksjonsenhet *c*
▸ **kitchen unit** kjøkkeninnredningsenhet *c*
unit cost S enhetskostnad *m*
unite [ju:'naɪt] [1] VT (**a**) (*gen*) forene (*v2*) ❑ *I think some unseen bond unites us.* Jeg tror et eller annet usynlig bånd forener oss.
(**b**) (+*country, party*) forene (*v2*), samle (*v1*) ❑ *This measure would unite all the provinces.* Dette tiltaket ville* forene *or* samle alle provinsene.
[2] VI samle (*v1*) seg ❑ *When hunting, the animals unite to form a large team.* Når de er på jakt, samler dyrene seg for å danne en stor gruppe.
united [ju:'naɪtɪd] ADJ (**a**) (= *agreed*) forent ❑ *They were united in their dislike of authority.* De var forent i sin misbilligelse av autoritet.
(**b**) (*country, party*) forent, samlet ❑ *Some people want a united Ireland.* Noen ønsker et forent *or* samlet Irland.
United Arab Emirates SPL ▸ **the United Arab Emirates** De forente arabiske emirater
United Kingdom S ▸ **the United Kingdom** Storbritannia og Nord-Irland
United Nations S ▸ **the United Nations** De forente nasjoner
United States (of America) S ▸ **the United States** De forente stater
unit price S enhetspris *m*
unit trust (*BRIT*) S ≈ akjsefond *nt*
unity ['ju:nɪtɪ] S enhet *c*, samhold *nt* ❑ *There is a need for greater unity in the party.* Det er behov for større enhet *or* samhold i partiet.
Univ. FK = **university**
universal [ju:nɪ'vɜ:sl] ADJ universell; (*interest*) universell, allmenn
universe ['ju:nɪvɜ:s] S univers *nt*
▸ **the centre of the universe** sentrum i universet
university [ju:nɪ'vɜ:sɪtɪ] [1] S universitet *m*
[2] SAMMENS (*student, professor, education, year*) universitets-
university degree S universitetseksamen *m*, universitetsgrad *m*
unjust [ʌn'dʒʌst] ADJ (*action, decision, treatment, society*) urettferdig
unjustifiable ['ʌndʒʌstɪ'faɪəbl] ADJ (*increase, expense etc*) uforsvarbar, utilbørlig
unjustified [ʌn'dʒʌstɪfaɪd] ADJ (*belief, action*) grunnløs; (*text*) uten rett høyremarg
unkempt [ʌn'kɛmpt] ADJ (*appearance*) uflidd, lurvet(e); (*hair, beard*) uflidd, ustelt
unkind [ʌn'kaɪnd] ADJ (*person, behaviour, comment etc*) uvennlig
unkindly [ʌn'kaɪndlɪ] ADV (*treat, speak*) uvennlig
unknown [ʌn'nəun] ADJ ukjent ❑ *The identity of the bombers remained unknown.* Identiteten til bombemennene forble ukjent. *...an unknown male visitor.* ...en ukjent mannlig gjest.
▸ **he was unknown to me** han var ukjent for meg
▸ **unknown to me, he had...** uten at jeg visste det, hadde han...
▸ **unknown quantity** (*MAT, fig*) ukjent størrelse *m* ❑ *To Margaret the outside world was a totally unknown quantity...* For Margaret var verden utenfor en helt ukjent størrelse...
unladen [ʌn'leɪdn] ADJ (*ship, weight*) uten last
unlawful [ʌn'lɔ:ful] ADJ ulovlig
unleaded [ʌn'lɛdɪd] ADJ (*petrol*) blyfri
unleash [ʌn'li:ʃ] VT (*fig: feeling, forces etc*) slippe* løs
unleavened [ʌn'lɛvnd] ADJ (*bread*) usyret
unless [ʌn'lɛs] KONJ med mindre ❑ *I couldn't get a grant unless I had five years' teaching experience.* Jeg kunne* ikke få* stipend med mindre jeg hadde fem års undervisningserfaring.
▸ **unless he comes** med mindre han kommer, hvis *or* dersom han ikke kommer
▸ **unless otherwise stated** dersom ikke annen beskjed blir gitt
▸ **unless I am mistaken** hvis *or* dersom jeg ikke tar feil
unlicensed [ʌn'laɪsnst] (*BRIT*) ADJ (*restaurant*) uten skjenkerett *or* skjenkebevilling
unlike [ʌn'laɪk] [1] ADJ ulik ❑ *The sisters were completely unlike in every way.* Søstrene var helt ulike på alle måter.
[2] PREP (**a**) (= *not like*) i motsetning til, til forskjell fra ❑ *Mrs Hochstadt, unlike Etta, was a careful shopper.* Fru Hochstadt, i motsetning til *or* til forskjell fra Etta, var forsiktig med innkjøp.
(**b**) (= *different from*) ulik ❑ *Rodin was unlike his predecessor in every way.* Rodin var ulik forgjengeren sin på alle måter.
unlikelihood [ʌn'laɪklɪhud] S usannsynlighet *c* ❑ *...the unlikelihood of achieving lasting peace.* ...usannsynligheten av at man oppnår varig fred.
unlikely [ʌn'laɪklɪ] ADJ usannsynlig ❑ *The dispute is unlikely to be settled...* Det er usannsynlig at tvisten avgjøres... *the unlikely sight of Hendricks in a bathing suit.* ...det usannsynlige synet av Hendricks i badedrakt.
▸ **in the unlikely event that they give you any trouble** hvis de mot formodning skulle*

lage vanskeligheter for deg
unlimited [ʌn'lɪmɪtɪd] ADJ (**a**) (*supply, resources*) ubegrenset
(**b**) (*wine, money*) ubegrenset med
▸ **an unlimited supply of wine/money/ books** ubegrenset med vin/penger/bøker
▸ **a ticket that allows unlimited travel** en billett som lar deg reise ubegrenset
unlisted ['ʌn'lɪstɪd] ADJ (*US: TEL*) *som ikke står i telefonkatalogen*; (*FIN*) unotert
unlit [ʌn'lɪt] ADJ (*room*) uopplyst
unload [ʌn'ləud] VT (**a**) (*+box*) tømme (*v2x*)
(**b**) (*+car, lorry, load etc*) lesse (*v1*) av ❑ *We began to unload the bricks from Philip's car.* Vi begynte å lesse av mursteinene fra Philips bil.
unlock [ʌn'lɔk] VT (*+door etc*) låse (*v2*) opp
unlucky [ʌn'lʌkɪ] ADJ uheldig ❑ *I was unlucky enough to miss the final episode.* Jeg var uheldig nok til å gå* glipp av den siste episoden. *13 is a very unlucky number.* 13 er et svært uheldig tall.
unmanageable [ʌn'mænɪdʒəbl] ADJ (**a**) (*child, animal*) ustyrlig
(**b**) (*object, tool, vehicle, situation, problem*) uhåndterlig ❑ *A 13-volume encyclopaedia is quite unmanageable.* Et 13-binds leksikon er helt uhåndterlig.
unmanned [ʌn'mænd] ADJ (*station, spacecraft etc*) ubemannet
unmarked [ʌn'mɑ:kt] ADJ uten merker
▸ **unmarked police car** sivil politibil *m*
unmarried [ʌn'mærɪd] ADJ ugift
unmarried mother S ugift mor *c irreg*
unmask [ʌn'mɑ:sk] VT avsløre (*v2*)
unmatched [ʌn'mætʃt] ADJ som det ikke finnes maken til ❑ *...a reputation unmatched by any other brand.* ...et rykte som ingen andre merker kan oppvise maken til.
unmentionable [ʌn'mɛnʃnəbl] ADJ unevnelig ❑ *Sex need no longer be regarded as unmentionable.* Sex behøver ikke lenger bli* ansett som unevnelig.
unmerciful [ʌn'mə:sɪful] ADJ nådeløs
unmistak(e)able [ʌnmɪs'teɪkəbl] ADJ (*voice, sound, person*) umiskjennelig
unmistak(e)ably [ʌnmɪs'teɪkəblɪ] ADV umiskjennelig
unmitigated [ʌn'mɪtɪgeɪtɪd] ADJ (*disaster etc*) fullstendig, absolutt
unnamed [ʌn'neɪmd] ADJ (**a**) (= *nameless*) navnløs ❑ *...unnamed fears.* ...navnløs frykt.
(**b**) (= *anonymous*) ikke navngitt ❑ *...an unnamed ministry spokesman.* ...en ikke navngitt talsmann for departementet.
unnatural [ʌn'nætʃrəl] ADJ (**a**) (= *abnormal, insincere*) unaturlig ❑ *It is not unnatural that you should feel anxious.* Det er ikke unaturlig at du skulle* føle deg engstelig. *Her smile seems unnatural and forced.* Smilet hennes virker unaturlig og tvungent.
(**b**) (= *against nature*) unaturlig, naturstridig ❑ *...an unnatural interest in death.* ...en unaturlig *or* naturstridig interesse for døden.
unnecessarily [ʌn'nɛsəsərɪlɪ] ADV unødvendig, unødig
unnecessary [ʌn'nɛsəsərɪ] ADJ unødvendig, unødig
unnerve [ʌn'nə:v] VT bringe* ut av fatning
unnoticed [ʌn'nəutɪst] ADJ ▸ **to go** *or* **pass unnoticed** gå* ubemerket *or* upåaktet hen
UNO ['ju:nəu] S FK (= **United Nations Organization**) UNO
unobservant [ʌnəb'zə:vənt] ADJ uobservant, uoppmerksom
unobtainable [ʌnəb'teɪnəbl] ADJ (*item*) som ikke kan skaffes; (*TEL*) som ikke kan nås
unobtrusive [ʌnəb'tru:sɪv] ADJ lite iøynefallende
unoccupied [ʌn'ɔkjupaɪd] ADJ (**a**) (*seat*) ledig
(**b**) (*house*) ubebodd ❑ *The house was left unoccupied for fifteen years.* Huset stod ubebodd i femten år.
unofficial [ʌnə'fɪʃl] ADJ uoffisiell
unopened [ʌn'əupənd] ADJ (*letter, tin, bottle etc*) uåpnet
unopposed [ʌnə'pəuzd] ADJ ▸ **the motion was unopposed** resolusjonen møtte ingen motstand
unorthodox [ʌn'ɔ:θədɔks] ADJ (*treatment*) alternativ; (*REL*) uortodoks
unpack [ʌn'pæk] 1 VI pakke (*v1*) ut
2 VT (*+suitcase etc*) pakke (*v1*) ut
unpaid [ʌn'peɪd] ADJ (**a**) (*bill, work, worker*) ubetalt ❑ *...unpaid overtime.* ...ubetalt overtid. *Carol was Pat's unpaid teacher.* Carol var Pat sin ubetalte lærer.
(**b**) (*holiday*) utbetalt, uten lønn ❑ *...unpaid leave.* ...ubetalt permisjon *or* permisjon uten lønn.
unpalatable [ʌn'pælətəbl] ADJ (*meal*) udelikat, usmakelig; (*truth*) ubehagelig
unparalleled [ʌn'pærəlɛld] ADJ enestående (i sitt slag), uten sidestykke
unpatriotic ['ʌnpætrɪ'ɔtɪk] ADJ upatriotisk
unplanned [ʌn'plænd] ADJ (*visit, baby*) ikke planlagt
unpleasant [ʌn'plɛznt] ADJ ubehagelig
unplug [ʌn'plʌg] VT (*+iron, record player etc*) trekke* ut kontakten *or* støpselet på
unpolluted [ʌnpə'lu:tɪd] ADJ ikke forurenset, ren
unpopular [ʌn'pɔpjulə^r] ADJ (*person, decision etc*) upopulær
▸ **to make o.s. unpopular (with)** gjøre* seg upopulær (hos)
unprecedented [ʌn'prɛsɪdɛntɪd] ADJ (*decision, event, wealth*) uten presedens, som ingen har sett maken til ❑ *...period of unprecedented prosperity.* ...periode med overflod som ingen hadde sett maken til.
unpredictable [ʌnprɪ'dɪktəbl] ADJ (*person, reaction*) uforutsigbar, uberegnelig; (*weather*) uberegnelig
unprejudiced [ʌn'prɛdʒudɪst] ADJ (*view, judgement*) fordomsfri, uhildet; (*person*) fordomsfri
unprepared [ʌnprɪ'pɛəd] ADJ ▸ **unprepared (for)** uforberedt (på)
unprepossessing ['ʌnpri:pə'zɛsɪŋ] ADJ lite tiltalende
unpretentious [ʌnprɪ'tɛnʃəs] ADJ upretensiøs
unprincipled [ʌn'prɪnsɪpld] ADJ prinsippløs
unproductive [ʌnprə'dʌktɪv] ADJ (*land*) ufruktbar; (*discussion*) uproduktiv, ufruktbar
unprofessional [ʌnprə'fɛʃənl] ADJ uprofesjonell
unprofitable [ʌn'prɔfɪtəbl] ADJ (*job, deal, company*)

ulønnsom

UNPROFOR [ʌn'prəufɔ:ʳ] S FK (= **United Nations Protection Force**) *FNs fredsbevarende styrker*

unprotected ['ʌnprə'tɛktɪd] ADJ ubeskyttet

unprovoked [ʌnprə'vəukt] ADJ uprovosert

unpunished [ʌn'pʌnɪʃt] ADJ ▸ **to go unpunished** ikke bli* straffet

unqualified [ʌn'kwɔlɪfaɪd] ADJ (*teacher, nurse etc*) ukvalifisert; (*disaster, success*) ubetinget

unquestionably [ʌn'kwɛstʃənəblɪ] ADV utvilsomt

unquestioning [ʌn'kwɛstʃənɪŋ] ADJ (*obedience, acceptance*) blind (*som man ikke stiller spørsmål til*)

unravel [ʌn'rævl] VT (*+ball of string*) greie (*v3*) ut; (*fig: mystery*) nøste (*v1*) opp

unreal [ʌn'rɪəl] ADJ (**a**) (= *artificial*) uekte ❑ *There were flowers that looked unreal.* Det var blomster som så uekte ut.
(**b**) (= *peculiar*) ▸ **an unreal feeling** en følelse av uvirkelighet

unrealistic ['ʌnrɪə'lɪstɪk] ADJ urealistisk

unreasonable [ʌn'ri:znəbl] ADJ urimelig ❑ *We think he is being unreasonable.* Vi syns han er urimelig. *The request didn't seem unreasonable.* Forespørselen virket ikke urimelig.

unrecognizable [ʌn'rɛkəgnaɪzəbl] ADJ ugjenkjennelig

unrecognized [ʌn'rɛkəgnaɪzd] ADJ ikke anerkjent ▸ **to go unrecognized** ikke bli* anerkjent

unreconstructed [ʌnri:kən'strʌktɪd] ADJ (*communist etc*) gammel-

unrecorded [ʌnrə'kɔ:dɪd] ADJ (*tape*) uinnspilt; (*incident, statement*) ikke nedtegnet *or* nedskrevet

unrefined [ʌnrə'faɪnd] ADJ (*sugar, petroleum*) uraffinert

unrehearsed [ʌnrɪ'hə:st] ADJ (*TEAT etc*) ikke innstudert, ikke innøvd; (= *spontaneous*) umiddelbar

unrelated [ʌnrɪ'leɪtɪd] ADJ (**a**) (*incident*) urelatert NB *...a series of unrelated incidents.* ...en rekke urelaterte hendelser., ...en rekke hendelser som ikke har noen forbindelse med hverandre.
(**b**) (*family*) ikke i slekt ❑ *They look similar, but they're quite unrelated.* De likner på hverandre, men de er overhodet ikke i slekt.

unrelenting [ʌnrɪ'lɛntɪŋ] ADJ ufortrøden

unreliable [ʌnrɪ'laɪəbl] ADJ (*person, firm, machine, watch, method*) upålitelig

unrelieved [ʌnrɪ'li:vd] ADJ (*monotony*) evinnelig

unremitting [ʌnrɪ'mɪtɪŋ] ADJ uopphørlig

unrepeatable [ʌnrɪ'pi:təbl] ADJ (*offer*) engangs-; (*comment*) som ikke kan gjentas

unrepentant [ʌnrɪ'pɛntənt] ADJ ubotferdig

unrepresentative ['ʌnrɛprɪ'zɛntətɪv] ADJ ▸ **unrepresentative (of)** ikke representativ (for)

unreserved [ʌnrɪ'zə:vd] ADJ (*seat*) ikke reservert; (*approval, admiration*) uforbeholden

unreservedly [ʌnrɪ'zə:vɪdlɪ] ADV uforbeholdent, uten reservasjoner ❑ *I accept your word unreservedly.* Jeg stoler uforbeholdent på deg.. Jeg stoler på deg uten reservasjoner.

unresponsive [ʌnrɪs'pɔnsɪv] ADJ ▸ **unresponsive (to)** lite lydhør (for) ❑ *...a government unresponsive to their needs.* ...en regjering som var lite lydhør for behovene deres.

unrest [ʌn'rɛst] S (*social, political, industrial etc*) uro *c*

unrestricted [ʌnrɪ'strɪktɪd] ADJ ubegrenset ▸ **to have unrestricted access to** ha* ubegrenset tilgang til/på

unrewarded [ʌnrɪ'wɔ:dɪd] ADJ (*efforts*) som ikke blir belønnet ▸ **to go unrewarded** ikke bli* belønnet ❑ *His efforts went unrewarded.* Anstrengelsene hans ble ikke belønnet.. Han fikk ingen belønning for anstrengelsene sine.

unripe [ʌn'raɪp] ADJ umoden

unrivalled [ʌn'raɪvəld], **unrivaled** (*US*) ADJ enestående, uovertruffen

unroll [ʌn'rəul] VT rulle (*v1*) ut

unruffled [ʌn'rʌfld] ADJ (**a**) (*person*) uanfektet ❑ *She was quite unruffled by my discovery.* Hun var helt uanfektet av oppdagelsen min.
(**b**) (*hair*) like fin, ikke bustet

unruly [ʌn'ru:lɪ] ADJ (*child, hair, behaviour*) uregjerlig

unsafe [ʌn'seɪf] ADJ (**a**) (*person, journey*) utrygg ❑ *I feel very unsafe.* Jeg føler meg veldig utrygg. *It's unsafe to travel there.* Det er utrygt å reise dit.
(**b**) (*machine, bridge, car etc*) usikker, utrygg ❑ *The building was declared unsafe.* Bygningen ble erklært usikker *or* utrygg.
▸ **unsafe to eat/drink** farlig *or* utrygg å spise/drikke

unsaid [ʌn'sɛd] ADJ ▸ **to leave sth unsaid** la noe forbli usagt

unsaleable [ʌn'seɪləbl], **unsalable** (*US*) ADJ uselgelig

unsatisfactory ['ʌnsætɪs'fæktərɪ] ADJ (*progress, work, results*) utilfredsstillende

unsatisfied [ʌn'sætɪsfaɪd] ADJ utilfreds ❑ *He was unsatisfied with the answers.* Han var utilfreds med svarene.

unsavoury [ʌn'seɪvərɪ], **unsavory** (*US*) ADJ (*fig: person, place*) uhumsk, ubehagelig

unscathed [ʌn'skeɪðd] ADJ uskadd

unscientific ['ʌnsaɪən'tɪfɪk] ADJ uvitenskapelig

unscrew [ʌn'skru:] VT skru (*v4*) opp

unscrupulous [ʌn'skru:pjuləs] ADJ skruppelløs

unseat [ʌn'si:t] VT (*+rider*) kaste (*v1*) av; (*from office*) sparke (*v1*)

unsecured ['ʌnsɪ'kjuəd] ADJ ▸ **unsecured creditor** uprioritert kreditor *m*
▸ **an unsecured loan** et lån uten sikring

unseeded [ʌn'si:dɪd] ADJ (*player*) useedet

unseemly [ʌn'si:mlɪ] ADJ usømmelig, uhøvelig

unseen [ʌn'si:n] ADJ (**a**) (*person*) skjult ❑ *A large unseen orchestra was playing.* Et stort, skjult orkester spilte.
(**b**) (*danger*) usett, skjult

unselfish [ʌn'sɛlfɪʃ] ADJ uegennyttig, uselvisk

unsettled [ʌn'sɛtld] ADJ (**a**) (*person*) urolig ❑ *I felt pretty unsettled all that week.* Jeg følte meg ganske urolig hele den uka.
(**b**) (*future, question*) ikke avgjort ❑ *...in the days of 1968, when everything was unsettled.* ...i 1968, da ingenting var avgjort. *This argument remained unsettled.* Denne diskusjonen ble ikke avgjort.
(**c**) (*weather*) ustabil

unsettling [ʌn'sɛtlɪŋ] ADJ (*situation, change etc*) urovekkende, som gjør/gjorde meg/ham *etc* urolig

unshak(e)able [ʌn'ʃeɪkəbl] ADJ (*faith, conviction*

etc) urokkelig
unshaven [ʌn'ʃeɪvn] ADJ *(man, face, chin)* ubarbert
unsightly [ʌn'saɪtlɪ] ADJ *(mark, building etc)* uskjønn, stygg
unskilled [ʌn'skɪld] ADJ *(work, worker, job)* ufaglært
unsociable [ʌn'səuʃəbl] ADJ *(person)* usosial, uomgjengelig, uselskapelig; *(behaviour)* usosial, uomgjengelig
unsocial [ʌn'səuʃl] ADJ *(hours)* usosial
unsold [ʌn'səuld] ADJ usolgt
unsolicited [ʌnsə'lɪsɪtɪd] ADJ *(advice, goods)* som man ikke har bedt om, som man får uoppfordret ❑ *He received several unsolicited manuscripts.* Han fikk mange manuskripter uoppfordret *or* som han ikke hadde bedt om.
unsophisticated [ʌnsə'fɪstɪkeɪtɪd] ADJ *(person)* usofistikert; *(method, device)* ukomplisert, elementær
unsound [ʌn'saund] ADJ **(a)** *(floor, foundations)* i dårlig forfatning
(b) *(policy, advice)* dårlig, ufornuftig
▸ **of unsound mind** ikke tilregnelig
unspeakable [ʌn'spiːkəbl] ADJ ubeskrivelig ❑ *All I really remember is the unspeakable pain.* Alt jeg egentlig husker er den ubeskrivelige smerten. *Their treatment of women is unspeakable.* Måten de behandler kvinner på, er ubeskrivelig.
unspoken [ʌn'spəukn] ADJ *(word)* usagt, uuttalt; *(agreement, approval)* uuttalt
unstable [ʌn'steɪbl] ADJ *(piece of furniture)* ustø; *(government)* ustabil; *(person: mentally)* labil, ustabil
unsteady [ʌn'stɛdɪ] ADJ **(a)** *(step, voice, ladder)* ustø, ustødig
(b) *(hands, legs, person)* ustø ❑ *She seemed unsteady on her feet.* Hun så ut til å være* ustø på beina.
unstinting [ʌn'stɪntɪŋ] ADJ *(support)* uforbeholden; *(generosity)* rundhåndet, raus
unstuck [ʌn'stʌk] ADJ ▸ **to come unstuck (a)** *(label etc+)* løsne *(v1)* ❑ *Some of the posters regularly came unstuck.* Noen av plakatene løsnet alltid.
(b) *(fig: plan, idea etc)* falle* i fisk ❑ *The system is not so likely to come unstuck in a small organization.* Det er ikke så sannsynlig at systemet faller i fisk i en liten organisasjon.
unsubstantiated ['ʌnsəb'stænʃɪeɪtɪd] ADJ *(rumour)* ubekreftet; *(accusation)* ubegrunnet
unsuccessful [ʌnsək'sɛsful] ADJ *(attempt, writer, marriage)* mislykket
▸ **to be unsuccessful (a)** *(in attempting sth)* ikke lykkes *(v25x)*, mislykkes *(v25x)* ❑ *He tried to hypnotize me but was unsuccessful.* Han prøvde å hypnotisere meg, men lyktes ikke *or* mislyktes.
(b) *(application+)* ikke nå *(v4)* opp ❑ *...your application has been unsuccessful on this occasion...* søknaden din har ikke nådd opp i denne omgangen...
unsuccessfully [ʌnsək'sɛsfəlɪ] ADV uten hell
unsuitable [ʌn'suːtəbl] ADJ *(time, moment, clothes)* upassende; *(person)* uegnet
unsuited [ʌn'suːtɪd] ADJ *(people)* ▸ **to be unsuited (to each other)** ikke passe sammen ❑ *Bill and Jean were actually totally unsuited...* Bill og Jean passet egentlig overhodet ikke sammen...
▸ **to be unsuited to do sth** være* uegnet til å gjøre* noe
▸ **to be unsuited to be sth** være* uegnet som noe, være* uegnet til å være* noe ❑ *I think he is unsuited to be leader.* Jeg syns han er uegnet som leder *or* til å være* leder.
unsung ['ʌnsʌŋ] ADJ ▸ **an unsung hero** en ubesunget helt
unsure [ʌn'ʃuəʳ] ADJ ▸ **unsure (about)** usikker (på) ❑ *Many people feel unsure about this.* Mange folk føler seg usikre på dette.
▸ **to be unsure of o.s.** være* usikker på seg selv
unsuspecting [ʌnsəs'pɛktɪŋ] ADJ intetanende ❑ *...the news breaks on an unsuspecting world.* ...nyheten slår ned på en intetanende verden.
unsweetened [ʌn'swiːtnd] ADJ *(tea, yoghurt, fruit)* usukret, usøtet
unswerving [ʌn'swəːvɪŋ] ADJ *(belief, loyalty etc)* urokkelig, klippefast
unsympathetic ['ʌnsɪmpə'θɛtɪk] ADJ **(a)** *(= showing little understanding)* lite/ikke forståelsesfull, uforstående ❑ *Posy had been utterly unsympathetic.* Posy hadde vært ytterst uforstående.
(b) *(= unlikeable)* usympatisk ❑ *...this highly unsympathetic character.* ...denne høyst usympatiske personen.
▸ **unsympathetic to(wards)** *som ikke støtter* ❑ *...people unsympathetic to the revolution.* ...folk som ikke støttet revolusjonen.
untangle [ʌn'tæŋgl] VT greie *(v3)* ut, løse *(v2)* opp
untapped [ʌn'tæpt] ADJ *(resources)* uutnyttet
untaxed [ʌn'tækst] ADJ *(goods)* ikke avgiftsbelagt; *(income)* ubeskattet
unthinkable [ʌn'θɪŋkəbl] ADJ utenkelig
unthinkingly [ʌn'θɪŋkɪŋlɪ] ADV tankeløst
untidy [ʌn'taɪdɪ] ADJ *(room)* uryddig, rotet(e); *(person, appearance)* uordentlig, rotet(e)
untie [ʌn'taɪ] VT *(+knot, parcel, ribbon)* knytte *(v1)* opp; *(+prisoner, dog)* slippe* løs *(ved å fjerne tau, bånd etc)*
until [ən'tɪl] **1** PREP **(a)** til ❑ *We worked until 2 a.m.* Vi arbeidet til to om natten.
(b) *(after negative)* før ❑ *They didn't find her until the next day.* De fant henne ikke før neste dag.
2 KONJ til ❑ *She waited until he had gone.* Hun ventet til han hadde gått.; *(after negative)* før *I have nothing to say until I see my lawyer.* Jeg har ingen ting å si før jeg treffer advokaten min.
▸ **up until** inntil
▸ **until he comes** (inn)til han kommer
▸ **until now** (inn)til nå
▸ **not until now** ikke før nå
▸ **until then** (inn)til da
▸ **not until then** ikke før da
▸ **from morning until night** fra morgen til kveld
untimely [ʌn'taɪmlɪ] ADJ *(= inopportune: moment, arrival)* ubeleilig; *(death)* (alt)for tidlig
untold [ʌn'təuld] ADJ *(joy, suffering, wealth)* usigelig, umåtelig ❑ *The war brought untold suffering.* Krigen førte med seg usigelig *or* umåtelig lidelse.
▸ **the untold story** historien som aldri er blitt fortalt
untouched [ʌn'tʌtʃt] ADJ **(a)** *(= not used, changed,*

moved) urørt ❑ *The discovery lay untouched for another century.* Oppdagelsen lå urørt i et århundre til.
(**b**) (= *undamaged*) uten en skramme ❑ *It's undamaged. In fact, it's completely untouched.* Den er uskadd. Faktisk er den helt uten en skramme.
▸ **untouched by** (= *unaffected*) uberørt av ❑ *...areas of the world so far untouched by the women's movement.* ...deler av verden som så langt er uberørt av kvinnebevegelsen.

untoward [ʌntə'wɔːd] ADJ (*events, effects etc*) utilbørlig ❑ *Nothing untoward had happened.* Det hadde ikke skjedd noe uforutsett.

untrained ['ʌn'treɪnd] ADJ uøvet

untrammelled [ʌn'træmld] ADJ uhemmet

untranslatable [ʌntrænz'leɪtəbl] ADJ uoversettelig

untried [ʌn'traɪd] ADJ (*policy, remedy*) uprøvd; (*prisoner*) *som ikke er blitt stilt for retten (enda)*

untrue [ʌn'truː] ADJ usann

untrustworthy [ʌn'trʌstwəːðɪ] ADJ upålitelig

unusable [ʌn'juːzəbl] ADJ ubrukbar, ubrukelig

unused[1] [ʌn'juːzd] ADJ (*clothes, portion etc*) ubrukt

unused[2] [ʌn'juːst] ADJ ▸ **to be unused to sth/to doing sth** være* uvant med noe/med å gjøre* noe, ikke være* vant til noe/til å gjøre* noe

unusual [ʌn'juːʒuəl] ADJ (**a**) (= *strange*) uvanlig ❑ *He had an unusual name.* Han hadde et uvanlig navn.
(**b**) (= *uncommon*) uvanlig, ualminnelig ❑ *It was not unusual for me to come home at 3 a.m.* Det var ikke uvanlig *or* ualminnelig for meg å komme hjem klokka 3.
(**c**) (= *exceptional, distinctive*) uvanlig, usedvanlig ❑ *...the unusual and most elegant windows.* ...de u(sed)vanlige og høyst elegante vinduene.

unusually [ʌn'juːʒuəlɪ] ADV usedvanlig, ualminnelig

unveil [ʌn'veɪl] VT (+*statue*) avduke (*v1*)

unwanted [ʌn'wɔntɪd] ADJ (*clothing etc*) *som man ikke trenger lenger*; (*child, pregnancy*) uønsket

unwarranted [ʌn'wɔrəntɪd] ADJ uforsvarlig ❑ *...a totally unwarranted waste of public money.* ...en helt uforsvarlig sløsing med offentlige midler.

unwary [ʌn'wɛərɪ] ADJ som ikke er på vakt

unwavering [ʌn'weɪvərɪŋ] ADJ (*faith, support*) fast, urokkelig; (*gaze*) ufravendt

unwelcome [ʌn'wɛlkəm] ADJ (**a**) (*guest, news*) uvelkommen
(**b**) (*news*) uvelkommen
▸ **to feel unwelcome** føle (*v2*) seg uvelkommen

unwell [ʌn'wɛl] ADJ ▸ **to feel unwell** føle (*v2*) seg uvel *or* utilpass, ikke føle (*v2*) seg bra *or* frisk
▸ **to be unwell** ikke være* (riktig) bra *or* frisk

unwieldy [ʌn'wiːldɪ] ADJ (*object, system*) uhåndterlig

unwilling [ʌn'wɪlɪŋ] ADJ ▸ **to be unwilling to do sth** være* uvillig til å gjøre* noe, ikke være* villig til å gjøre* noe

unwillingly [ʌn'wɪlɪŋlɪ] ADV motvillig

unwind [ʌn'waɪnd] *irreg* [1] VT (= *undo*) vikle (*v1*) opp ❑ *Francis was unwinding his bandage.* Francis viklet opp bandasjen sin.
[2] VI (= *relax*) slappe (*v1*) av ❑ *Reading is a good way to unwind.* Lesing er en god måte å slappe av på.

unwise [ʌn'waɪz] ADJ (*person, decision*) uklok

unwitting [ʌn'wɪtɪŋ] ADJ intetanende

unworkable [ʌn'wəːkəbl] ADJ ugjennomførbar

unworthy [ʌn'wəːðɪ] ADJ (*person, behaviour, remark*) uverdig ❑ *How unworthy I felt!* Jeg følte meg så uverdig!
▸ **to be unworthy of sth/to do sth** ikke være* verdig til noe/til å gjøre* noe ❑ *I am unworthy of the honour you propose.* Jeg er ikke verdig til en slik ære som du foreslår.
▸ **that remark is unworthy of you** den bemerkningen er deg ikke verdig

unwrap [ʌn'ræp] VT pakke (*v1*) ut, pakke (*v1*) opp

unwritten [ʌn'rɪtn] ADJ (*law, agreement*) uskreven

unzip [ʌn'zɪp] VT trekke* ned glidelåsen på *or* i, åpne (*v1*) glidelåsen på *or* i

KEYWORD

up [ʌp] [1] PREP, ADV (**a**) (*with motion*) opp
▸ **he went up the stairs/the hill** han gikk opp trappen/bakken
▸ **up the mountains** opp i fjellene
(**b**) (*expressing position*) oppe
▸ **the cat was up a tree** katten var oppe i et tre
▸ **they live further up the street** de bor lenger oppe i gaten
▸ **up there** der oppe
▸ **up above** høyt/høyest oppe
(**c**) ▸ **to be up** (*gen, out of bed*) være* oppe; (*prices, level*) være* høy
(**d**) ▸ **up to** (*vertical level*) opp til; (*numbers, price*) inntil; (*in progress*) fram til ❑ *The water came up to his knees.* Vannet nådde opp til knærne hans. *I can spend up to 100 pounds.* Jeg kan bruke inntil 100 pund. *I've read up to p.60.* Jeg har lest fram til s. 60.
▸ **up to now** hittil, til nå
(**e**) ▸ **to be up to sb (to do sth)** være* opp til noen (å gjøre* noe) ❑ *It's up to you.* Det er opp til deg. *It's not up to me to decide.* Det er ikke opp til meg å bestemme.
(**f**) ▸ **to be up to sth/to doing sth** (= *equal to: task etc*) være* god nok til *or* for noe/til å gjøre* noe; (= *fit for*) orke (*v1*) noe/å gjøre* noe
▸ **to be up to the required standard** holde* mål
(**g**) ▸ **to be up to sth** (*sl: be doing*) drive* med noe ❑ *What is he up to?* Hva er det han driver med
[2] S ▸ **we all have our ups and downs** det går opp og ned for oss alle ❑ *His life had its ups and downs, but he died happy.* Livet hans gikk både opp og ned, men han døde lykkelig.

up-and-coming [ʌpənd'kʌmɪŋ] ADJ (*actor, musician, company*) framgangsrik

upbeat ['ʌpbiːt] [1] S (**a**) (*MUS: last in a bar*) opptakt *m*
(**b**) (*of conductor*) oppslag *nt*
(**c**) (*in economy, prosperity*) oppsving *m*
[2] ADJ (= *optimistic*) oppstemt ❑ *He was very upbeat after his success in the play.* Han var svært oppstemt etter suksessen i stykket.

upbraid [ʌp'breɪd] VT bebreide (*v1*)

upbringing ['ʌpbrɪŋɪŋ] S oppdragelse *m* ❑ *...a*

strict upbringing. ...en streng oppdragelse.
upcoming ['ʌpkʌmɪŋ] (*især US*) ADJ kommende
update [ʌp'deɪt] VT (*+records, information*) oppdatere (*v2*), ajourføre (*v2*)
upend [ʌp'ɛnd] VT stille (*v2x*) opp ned ❑ *The car stood upended in the grass.* Bilen stod opp ned i gresset.
upfront [ʌp'frʌnt] 1 ADJ (*person*) åpen
2 ADV ▸ **20% upfront** 20 % i depositum
upgrade [ʌp'greɪd] VT (**a**) (= *improve: house*) utbedre (*v1*)
(**b**) (*+job*) oppgradere (*v2*) ❑ *We need to upgrade the pay and status of doctors.* Vi må oppgradere legenes lønn og status.
(**c**) (*+employee*) forfremme (*v1*) ❑ *It's time she was upgraded.* Det er på tide at hun blir forfremmet.
(**d**) (*DATA*) oppgradere (*v2*)
upheaval [ʌp'hi:vl] S omveltning *m*
uphill ['ʌp'hɪl] 1 ADJ (**a**) (*climb*) oppover *after noun* ❑ *I resumed my uphill climb.* Jeg fortsatte klatringen min oppover.
(**b**) (*fig: task*) møysommelig, strevsom ❑ *...the magazine's uphill battle.* ...bladets møysommelige *or* strevsomme kamp.
2 ADV (*push, move*) oppover bakke ❑ *...the effort of pushing the cart uphill.* ...anstrengelsen ved å dytte kjerra oppover bakke.
uphold [ʌp'həuld] (*irreg* **hold**) VT (*+law, principle, decision*) opprettholde*
upholstery [ʌp'həulstərɪ] S (**a**) (= *padding*) stopping *c*
(**b**) (= *material*) trekk *nt* ❑ *The sofa was black with real leather upholstery.* Sofaen var svart med trekk i ekte skinn.
upkeep ['ʌpki:p] S vedlikehold *nt* ❑ *We have to pay for the upkeep of the chapel.* Vi må betale for vedlikeholdet av kapellet.
up-market [ʌp'mɑ:kɪt] ADJ (*product*) eksklusiv; (*area*) eksklusiv, fasjonabel
upon [ə'pɒn] PREP på ❑ *...with a cat upon her knee.* ...med en katt på fanget.
upper ['ʌpəʳ] 1 ADJ (**a**) (*of two*) ▸ **the upper shelf** øverste hylle
(**b**) (*of several*) ▸ **an upper shelf** en av de øverste hyllene ❑ *I pulled down a book from an upper shelf.* Jeg tok ned en bok fra en av de øverste hyllene.
2 S (*of shoe*) overlær *nt* ❑ *A lot of shoes now have nylon uppers.* En masse sko har nå overlær i nylon.
▸ **upper lip** overleppe *c*
upper class S ▸ **the upper class** overklassen
upper-class ['ʌpə'klɑ:s] ADJ (*families, accent, district*) overklasse-
upper hand S ▸ **to have the upper hand** ha* overtaket
Upper House S (*POL*) øvre kammer *nt*
uppermost ['ʌpəməust] ADJ øverst
▸ **what was uppermost in my mind** det som jeg først og fremst tenkte på
Upper Volta [-'vɒltə] S Øvre Volta
upright ['ʌpraɪt] 1 ADJ (**a**) (= *vertical: freezer, vacuum cleaner*) *som står på høykant*
(**b**) (*fig: honest*) rettskaffen ❑ *...the upright and respectable Charles Smithson.* ...den rettskafne og respektable Charles Smithson.
2 ADV (*sit, stand*) rett opp og ned ❑ *I cannot stand upright any more.* Jeg kan ikke stå rett opp og ned lenger.
3 S (*CONSTR*) vange *m* ❑ *Attach the uprights to the wall.* Sett vangene fast til veggen.
uprising ['ʌpraɪzɪŋ] S oppstand *m*
uproar ['ʌprɔ:ʳ] S (**a**) (*shouts*) roping *c* og skriking *c* ❑ *She could hear the uproar in the cells.* Hun kunne* høre ropingen og skrikingen i cellene.
(**b**) (*protest*) bråk *nt* ❑ *There is an uproar over who the Council chooses to support.* Det er bråk om hvem Rådet velger å støtte.
uproarious [ʌp'rɔ:rɪəs] ADJ (*laughter*) hysterisk; (*joke*) hysterisk morsom; (*mirth*) støyende
uproot [ʌp'ru:t] VT (**a**) (*+tree*) rykke (*v1*) opp med roten, ta* opp med roten
(**b**) (*fig: family*) rykke (*v1*) opp med roten ❑ *People were uprooted and rehoused.* Folk ble rykket opp med roten og flyttet til andre boliger.
upset [*VB, ADJ* ʌp'sɛt, *N* 'ʌpsɛt] (*irreg* **set**) 1 VT (**a**) (= *knock over: glass etc*) velte (*v1*) ❑ *I've upset a tin of paint on the carpet.* Jeg har veltet en boks maling på teppet.
(**b**) (*+person: offend*) fornærme (*v1*)
(**c**) (= *make unhappy*) gjøre* lei seg ❑ *I didn't mean to upset you.* Jeg mente ikke å fornærme deg/gjøre deg lei deg.
(**d**) (*+routine, plan*) forpurre (*v1*), kullkaste (*v1*)
2 ADJ (**a**) (= *unhappy*) lei seg ❑ *I'm dreadfully upset about it all.* Jeg er forferdelig lei meg for alt sammen.
(**b**) (*stomach*) i ulage ❑ *I wasn't very well: I had an upset stomach.* Jeg var ikke så bra: magen min var i ulage.
3 S ▸ **to have/get a stomach upset** (*BRIT*) ha/få magetrøbbel *nt*
▸ **to get upset** (**a**) (*sad*) bli* lei seg ❑ *I always get upset when someone leaves.* Jeg blir alltid lei meg når noen slutter.
(**b**) (*offended*) bli* fornærmet ❑ *Did you get upset when he forgot your name?* Ble du fornærmet da han glemte navnet ditt?
upset price ['ʌpsɛt-] (*US, SCOTTISH*) S minstepris *m*, minimumspris *m*
upsetting [ʌp'sɛtɪŋ] ADJ vond, lei ❑ *It was a very upsetting experience.* Det var en svært vond *or* lei opplevelse.
upshot ['ʌpʃɒt] S ende *m*, resultat *nt*
▸ **the upshot of it all was that...** enden på det hele var at..., resultatet av det hele var at...
upside down [ʌpsaɪd-] ADV (*hang, hold, turn*) opp ned ❑ *He turned his wallet upside down.* Han snudde lommeboka sin opp ned.
▸ **to turn a place upside down** (*fig*) endevende (*v2*) et sted ❑ *I turned the place upside down looking for his watch.* Jeg endevendte stedet da jeg så etter klokka hans.
upstage ['ʌp'steɪdʒ] 1 ADV (*TEAT*) bakerst (på scenen)
2 VT ▸ **to upstage sb** stjele* oppmerksomheten fra noen
upstairs [ʌp'stɛəz] 1 ADV (**a**) (*be*) oppe, ovenpå ❑ *I was upstairs, brushing my hair.* Jeg var oppe *or* ovenpå og børstet håret.

(**b**) (*go*) opp, ovenpå ❑ *He went upstairs and lay down.* Han gikk opp *or* ovenpå og la seg.
2 ADJ (*window, room*) i annen etasje, ovenpå ❑ *Neighbours watched from their upstairs windows.* Naboene så på fra viduene sine ovenpå *or* i annen etasje.
3 S overetasje *m* ❑ *They had to rent out the upstairs.* De måtte* leie ut overetasjen.
▸ **there's no upstairs** det er bare en etasje

upstart ['ʌpstɑːt] (*neds*) S oppkomling *m*

upstream [ʌp'striːm] ADV oppover elven ❑ *He was making his way upstream.* Han tok seg fram oppover elven. *The chemical plant is upstream.* Det kjemiske anlegget ligger lenger opp langs elven.

upsurge ['ʌpsəːdʒ] S (*of enthusiasm etc*) sterk økning *c*

uptake ['ʌpteɪk] S ▸ **to be quick/slow on the uptake** være* rask/treg i oppfattelsen

uptight [ʌp'taɪt] (*sl*) ADJ stressa (*sl*)

up-to-date ['ʌptə'deɪt] ADJ (**a**) (= *modern*) moderne ❑ *...a housewife with every up-to-date convenience.* ...en husmor med alle moderene hjelpemidler.
(**b**) (*with news etc*) oppdatert, à jour ❑ *Tony was more up-to-date than I.* Tony var mer oppdatert *or* à jour enn jeg.

uptown [ʌp'taun] (*US*) 1 ADJ sentrums-
2 ADV til/i sentrum

upturn ['ʌptəːn] S (*in economy*) oppsving *m* ❑ *...an upturn in demand.* ...en oppsving i etterspørselen.

upturned ['ʌptəːnd] ADJ (*nose*) oppstopper-

upward ['ʌpwəd] ADJ oppadgående

upwardly mobile ['ʌpwədlɪ-] ADJ ▸ **to be upwardly mobile** være* sosial klatrer

upwards ['ʌpwədz] ADV oppover ❑ *He happened to look upwards.* Han så tilfeldigvis oppover.
▸ **upward(s) of** (= *more than*) over ❑ *The cyclone killed upwards of 200,000 people.* Syklonen drepte over 200 000 mennesker.

URA (*US*) S FK (= **Urban Renewal Administration**) *føderalt byfornyelsesorgan*

Ural Mountains ['juərəl-] S ▸ **the Ural Mountains, the Urals** Uralfjellene

uranium [juə'reɪnɪəm] S uran *nt*

Uranus [juə'reɪnəs] S Uranus

urban ['əːbən] ADJ (*area, development*) urban, by-; (*unemployment*) i byene

urbane [əː'beɪn] ADJ urban, beleven

urbanization ['əːbənaɪ'zeɪʃən] S urbanisering *c*

urchin ['əːtʃɪn] (*neds*) S rakkerunge *m*

Urdu ['uəduː] S urdu

urge [əːdʒ] 1 S trang *m* ❑ *They have a strong urge to communicate.* De har en sterk trang til å kommunisere.
2 VT ▸ **to urge sb to do sth** nøde (*v1*) noen til å gjøre* noe, be* noen innstendig om å gjøre* noe
▸ **to urge caution** mane (*v2*) til forsiktighet
▸ **urge on** VT anspore (*v1*)

urgency ['əːdʒənsɪ] S hastverk *nt, det at noe er presserende* ❑ *He moved slowly, without any sense of urgency.* Han beveget seg langsomt, uten noen følelse av hastverk.
▸ **a note of urgency** (*in voice*) en inntrengende tone

urgent ['əːdʒənt] ADJ (**a**) (*letter, message etc*) som haster
(**b**) (*need*) presserende ❑ *It's in urgent need of repair.* Det har et presserende behov for utbedring.
(**c**) (*voice*) inntrengende ❑ *The shouts became louder and more urgent.* Ropene ble høyere og mer inntrengende.

urgently ['əːdʒəntlɪ] ADV umiddelbart, omgående ❑ *Improved education is urgently needed.* Det trengs forbedringer i utdanning umiddelbart *or* omgående.. Det er et presserende behov for å forbedre utdanning.

urinal ['juərɪnl] S urinal *nt*

urinate ['juərɪneɪt] VI urinere (*v2*)

urine ['juərɪn] S urin *m*

urn [əːn] S (*container*) urne *m*; (*also* ***tea urn***) tekoker *m* (*stor, med kran*)

Uruguay ['juərəgwaɪ] S Uruguay

Uruguayan [juərə'gwaɪən] 1 ADJ uruguayansk
2 S (*person*) uruguayaner *m*

US S FK = **United States**

us [ʌs] PRON oss ❑ *Why didn't you tell us?* Hvorfor sa du det ikke til oss? *There wasn't room for us all.* Det var ikke plass til oss alle (sammen).
see also **me**

USA S FK = **United States of America**; (*MIL* = **United States Army**) *den amerikanske hæren*

usable ['juːzəbl] ADJ brukbar

USAF S FK (= **United States Air Force**) *det amerikanske flyvåpenet*

usage ['juːzɪdʒ] S språkbruk *m* ❑ *...a guide to English usage.* ...en håndbok i engelsk språkbruk.

USCG S FK (= **United States Coast Guard**) *den amerikanske kystvakten*

USDA S FK (= **United States Department of Agriculture**) ▸ **the USDA** ≈ LD (= *Landbruksdepartementet*)

USDAW ['ʌzdɔː] (*BRIT*) S FK (= **Union of Shop, Distributive and Allied Workers**) *fagforening*

USDI S FK (= **United States Department of the Interior**) *departement med ansvar for bl.a. naturressurser, parker og andre landområder*

use [*N* juːs, *VB* juːz] 1 S (**a**) (= *using*) bruk *m* ❑ *...the large-scale use of pesticides.* ...en utstrakt bruk av sprøytemidler.
(**b**) (= *usefulness, purpose*) bruk *m*, nytte *c* ❑ *He might later have a use for it.* Han kan få* bruk for *or* nytte av den seinere.
2 VT (*+object, tool, phrase*) bruke (*v2*) ❑ *Using a knife, peel off the plastic cover.* Bruk en kniv til å skrelle av plastbelegget. *Both Dick and Roger use the word "open" about themselves.* Både Dick og Roger bruker ordet "åpen" om seg selv.
▸ **in use** i bruk ❑ *...robots will be in widespread use.* ...roboter være* i utbredt bruk.
▸ **out of use** ut av bruk
▸ **to be of use** være* til nytte
▸ **to make use of sth** gjøre* seg bruk *or* nytte av noe, benytte (*v1*) seg av noe ❑ *Industry is making increasing use of robots.* Industrien gjør seg stadig mer bruk *or* nytte av *or* benytter seg stadig mer av roboter.

▸ **it's no use** (**a**) (*unsuccessful*) det nytter ikke, det er ingen vits ❑ *It's no use, I can't get the door open.* Det nytter ikke *or* det er ingen vits, jeg får ikke opp døra.
(**b**) (*pointless*) det nytter ikke, det er ingen vits ❑ *It is no use arguing with you.* Det er ingen vits i *or* det nytter ikke å diskutere med deg.
▸ **to have a use for sth** ha* bruk for noe
▸ **to have the use of sth** disponere (*v2*) noe ❑ *I've got the use of the car this evening.* Jeg disponerer bilen i kveld.
▸ **she used to do it** hun pleide å gjøre* det
▸ **to be used to** være* vant til ❑ *We are used to working together.* Vi er vant til å jobbe sammen.
▸ **to get used to** bli* vant til ❑ *You get used to the kind of mistakes that people make.* Du blir vant til de feilene folk gjør.

▸ **use up** VT (*+food, money*) bruke (*v2*) opp ❑ *He used up the last of the bacon.* Han brukte opp resten av baconet.

used [ju:zd] ADJ (*object, car*) brukt ❑ *...a used napkin.* ...en brukt serviett. *...a used car auction.* ...en bruktbilauksjon.

useful ['ju:sful] ADJ nyttig
▸ **to come in useful** komme* til nytte

usefulness ['ju:sfəlnɪs] S nytte *m*

useless ['ju:slɪs] ADJ (**a**) (= *unusable*) ubrukelig ❑ *Land is useless without labour.* Jord er ubrukelig uten arbeidskraft.
(**b**) (= *pointless*) nytteløs ❑ *It was useless to pursue the subject.* Det var nytteløst å forfølge temaet.
(**c**) (*person: hopeless*) ubrukelig, håpløs ❑ *I was always useless at maths.* Jeg var alltid ubrukelig *or* håpløs i matte.

user ['ju:zəʳ] S (**a**) (*of facility*) bruker *m* ❑ *I'm a great user of motorway cafés...* Jeg er en flittig bruker av veikroer...
(**b**) (*of petrol, gas etc*) (for)bruker *m* ❑ *...electricity users.* ...strøm(for)brukere.

user-friendly ['ju:zə'frɛndlɪ] ADJ (*computer, instructions, system*) brukervennlig

USES S FK (= **United States Employment Service**) ≈ Arbeidsformidlingen

usher ['ʌʃəʳ] 1 S (*at wedding*) *venn av brudeparet som fungerer som vert i kirken*
2 VT ▸ **to usher sb in** vise (*v2*) noen inn, føre (*v2*) noen inn

usherette [ʌʃə'rɛt] S (*in cinema*) plassanviser *m* (*kvinne*)

USIA S FK (= **United States Information Agency**) *organ som informerer om USA i utlandet og som gir råd til NSC om hvordan verden ser på USA*

USM S FK (= **United States Mint**) ≈ Den kongelige mynt; (= **United States Mail**) ≈ Postverket

USN S FK (= **United States Navy**) *den amerikanske marine*

USPHS S FK (= **United States Public Health Service**) ≈ Statens helsetilsyn

USPO S FK (= **United States Post Office**) ≈ Postverket

USS FK (= **United States Ship**) *bokstaver foran skipsnavn som viser at skipet tilhører den amerikanske stat*

USSR S FK (*formerly*) (= **Union of Soviet Socialist Republics**) Sovjet, Sovjetunionen

usu. FK = **usually**

usual ['ju:ʒuəl] ADJ vanlig, sedvanlig (*fml*) ❑ *He sat in his usual chair.* Han satt i den (sed)vanlige stolen sin.
▸ **as usual** som vanlig ❑ *The telephone box on the corner is broken, as usual.* Telefonkiosken på hjørnet er i ustand som vanlig.

usually ['ju:ʒuəlɪ] ADV vanligvis ❑ *She usually found it easy.* Hun syntes vanligvis det var lett.

usurer ['ju:ʒərəʳ] S ågerkar *m*

usurp [ju:'zə:p] VT (*+title, position*) tilrane (*v1*) seg, bemektige (*v1*) seg ❑ *Parents are anxious about usurping the role of the teacher.* Foreldre er engstelige for å tilrane *or* bemektige seg lærerens rolle.

usury ['ju:ʒurɪ] S åger *m*

UT (*US: POST*) FK = **Utah**

utensil [ju:'tɛnsl] S redskap *nt*
▸ **kitchen utensils** kjøkkenredskaper

uterus ['ju:tərəs] S livmor *c*, uterus *m*

utilitarian [ju:tɪlɪ'tɛərɪən] ADJ (**a**) (*building, object*) funkis- ❑ *...clean, utilitarian flats.* ...rene funkisleiligheter.
(**b**) (*PHILOS*) utilitaristisk

utility [ju:'tɪlɪtɪ] S (**a**) (*usefulness*) nytte *m* ❑ *...the utility and potential of computers.* ...nytten og potensialet til datamaskiner.
(**b**) (*also* ***public utility***) offentlig tjeneste *m* ❑ *...the development of roads and utilities.* ...utviklingen av veier og offentlige tjenester.

utility room S vaskerom *nt*

utilization [ju:tɪlaɪ'zeɪʃən] S utnytting *c* ❑ *...the utilization of things like wind energy.* ...utnytting av slike ting som vindenergi.

utilize ['ju:tɪlaɪz] VT nyttiggjøre* seg, utnytte (*v1*)

utmost ['ʌtməust] 1 ADJ aller størst ❑ *...with the utmost respect.* ...med den aller største respekt.
2 S ▸ **to do one's utmost (to do)** gjøre* sitt ytterste (for å gjøre)
▸ **of the utmost importance** av aller største viktighet *or* betydning

utter ['ʌtəʳ] 1 ADJ (*amazement, rubbish, fool*) fullkommen ❑ *To my utter amazement...* Til min fullkomne forbauselse...
2 VT (*+sounds, words*) ytre (*v1*), si* ❑ *...without uttering a word.* ...uten å ytre *or* si et ord.

utterance ['ʌtərəns] S ytring *m*

utterly ['ʌtəlɪ] ADV fullstendig

U-turn ['ju:'tə:n] S (**a**) (*BIL*) U-sving *m*
(**b**) (*fig*) kuvending *c* ❑ *...the government's U-turn on education.* ...regjeringens kuvending når det gjelder utdanning.
▸ **to do a U-turn** (*BIL*) ta* en U-sving

UV FK = **ultraviolet**

V

V, v [viː] s (*letter*) V, v
▸ **V for Victor** ≈ enkelt-v
v. FK (= **verse, versus, volt, vide**) se
VA (*US: POST*) FK = **Virginia**
vac [væk] (*BRIT: sl*) s FK = **vacation**
vacancy [ˈveɪkənsɪ] s (**a**) (*BRIT: job*) ledig stilling *c*
(**b**) (*room in hotel etc*) ledig rom *nt*
▸ **"no vacancies"** "fullt"
▸ **have you any vacancies?** (**a**) (*hotel*) har dere noen ledige rom?
(**b**) (*office*) har dere noen ledige kontorer?
vacant [ˈveɪkənt] ADJ (*room, seat, toilet*) ledig; (*look, expression*) tom; (*job*) ledig, ubesatt
vacate [vəˈkeɪt] VT (*+house, one's seat*) forlate* NB *I was told to vacate the house by the end of the month.* Jeg ble bedt om å være* ute av huset innen slutten av måneden.; (*+job*) slutte (*v1*) i
vacation [vəˈkeɪʃən] s ferie *m* ❑ *...over the vacation.* ...i løpet av ferien.
▸ **to take a vacation** ta* ferie
▸ **on vacation** på ferie
vacation course s feriekurs *nt*
vaccinate [ˈvæksɪneɪt] VT ▸ **to vaccinate sb (against sth)** vaksinere (*v2*) noen (mot noe)
vaccination [væksɪˈneɪʃən] s (**a**) (*no pl: act of vaccinating*) vaksinasjon *m* ❑ *Vaccination has saved millions of lives.* Vaksinasjon har reddet millioner av liv.
(**b**) (*instance*) vaksine *c* ❑ *I've had a vaccination against smallpox.* Jeg er vaksinert mot kopper.
vaccine [ˈvæksiːn] s vaksine *c*
vacuum [ˈvækjum] s vakuum *nt*, lufttomt rom *nt*
vacuum cleaner s støvsuger *m*
vacuum flask (*BRIT*) s termosflaske *c*
vacuum-packed [ˈvækjumˈpækt] ADJ vakuumpakket
vagabond [ˈvægəbɔnd] s landstryker *m*, vagabond *m*
vagary [ˈveɪgərɪ] s ▸ **the vagaries of the weather** værgudens luner
vagina [vəˈdʒaɪnə] s vagina *m*, skjede *m*
vagrancy [ˈveɪgrənsɪ] s løsgjengeri *nt*
vagrant [ˈveɪgrənt] s omstreifer *m*, loffer *m*; (*JUR*) løsgjenger *m*
vague [veɪg] ADJ (**a**) (= *unclear*) vag, uklar ❑ *The final letter is very vague; possibly a K.* Den siste bokstaven er veldig vag *or* uklar; muligens en K. *The terms of the agreement were left deliberately vague.* Betingelsene i avtalen var med vilje gjort vage *or* uklare.
(**b**) (= *distracted: person, look*) fjern ❑ *...gave him a vague look...* så på ham med fjernhet i blikket...
(**c**) (= *evasive*) ▸ **he was vague and evaded the issue** han svarte svevende og unngikk spørsmålet
▸ **I haven't the vaguest idea** jeg har ikke den fjerneste *or* vageste anelse
vaguely [ˈveɪglɪ] ADV (**a**) (= *unclearly*) vagt, uklart
(**b**) (= *evasively*) svevende ❑ *"What happened?" "Oh, a lot of things," she said vaguely.* "Hva skjedde?" "Å, mange ting," sa hun svevende.
(**c**) (= *slightly*) vagt ❑ *...a sweetish smell, vaguely reminiscent of coffee.* ...en søtlig lukt som minnet vagt om kaffe.
vagueness [ˈveɪgnɪs] s vaghet *m*
vain [veɪn] ADJ (**a**) (= *conceited: person*) forfengelig
(**b**) (= *useless: attempt, action*) nytteløs ❑ *...in a vain attempt to...* i et nytteløst forsøk på å...
▸ **in vain** til ingen nytte, forgjeves
▸ **to die in vain** dø* forgjeves
vainly [ˈveɪnlɪ] ADV forgjeves
valance [ˈvæləns] s underlaken *nt* med volanger
valedictory [vælɪˈdɪktərɪ] ADJ (*speech, remarks*) avskjeds-
valentine [ˈvæləntaɪn] s (*also* **valentine card**) *kort som sendes til hjertevenn den 14. februar (Valentine's Day)*; (*person*) hjertevenn *m* (som man sender kort til 14. februar)
Valentine's Day s St. Valentins dag (*14. februar*)
valet [ˈvælɪt] s kammertjener *m*
valet parking s parkeringstjeneste *m* (*der betjeningen tar seg av bilen*)
valet service s (*for clothes*) garderobeservice *m*; (*for car*) rengjøringstjeneste *m*
valiant [ˈvælɪənt] ADJ (*attempt, effort*) tapper
valid [ˈvælɪd] ADJ (*ticket, document, argument, reason*) gyldig ❑ *It's valid for six months from the date of issue.* Den er gyldig i seks måneder fra stemplingsdatoen.
validate [ˈvælɪdeɪt] VT (*+contract, document*) gjøre* gyldig; (*+argument, claim*) underbygge (*v3x*)
validity [vəˈlɪdɪtɪ] s gyldighet *m*
valise [vəˈliːz] s liten koffert *m*
valley [ˈvælɪ] s dal *m*
valour [ˈvælə^r], **valor** (*US*) s tapperhet *m*
valuable [ˈvæljuəbl] ADJ (*painting, jewel, time, advice, lesson*) verdifull
valuables [ˈvæljuəblz] SPL (*jewellery etc*) verdisaker
valuation [væljuˈeɪʃən] s (**a**) (*of house etc*) taksering *c*
(**b**) (= *judgement of quality*) vurdering *c* ❑ *...his rather low valuation of the novel.* ...det at han ikke vurderte romanen særlig høyt.
value [ˈvæljuː] 1 s verdi *m* ❑ *...the value of my property.* ...verdien av eiendommen min. *Everyone realizes the value of sincerity.* Alle forstår hvilken verdi oppriktighet har.
2 VT (**a**) (= *fix price or worth of*) taksere (*v2*) ❑ *...a display of table silver, valued at 20,000 pounds.* ...en utstilling av sølvtøy, taksert til 20 000 pund.
(**b**) (= *appreciate*) sette* pris på, verdsette* ❑ *...they value their independence.* ...de setter pris på *or* verdsetter friheten sin.
▸ **values** SPL (= *principles, beliefs*) verdier
▸ **you get good value (for money) in that shop** du får mye for pengene i den butikken
▸ **to lose (in) value** synke* i verdi

▸ **to gain (in) value** stige* i verdi
▸ **to be of great value (to sb)** (*fig*) være* svært verdifull (for noen)
value added tax (*BRIT*) S ≈ moms *m*, merverdiomsetningsavgift *m*
valued ['vælju:d] ADJ (= *appreciated: customer, advice*) (høyt) verdsatt
valuer ['væljuəʳ] S takstmann *m irreg*
valve [vælv] S (*TEKN*) ventil *m*; (*MED*) klaff *m*
vampire ['væmpaɪəʳ] S vampyr *m*
van [væn] S (**a**) (*BIL*) varebil *m*
(**b**) (*BRIT: JERNB*) (gods)vogn *c*
▸ **guard's van** (*BRIT: JERNB*) konduktørvogn *c*
V and A (*BRIT*) S FK (= **Victoria and Albert Museum**) *museum med gjenstander som viser forskjellige stiler og perioder*
vandal ['vændl] S vandal *m*, *en som gjør hærverk* NB *The bridge had been destroyed by vandals.* Broa hadde blitt ødelagt av hærverk.
vandalism ['vændəlɪzəm] S hærverk *nt*, vandalisme *m*
vandalize ['vændəlaɪz] VT ▸ **to be vandalized** bli* utsatt for hærverk
vanguard ['vængɑ:d] S (*fig*) ▸ **to be in the vanguard of** føre (*v2*) an i
vanilla [və'nɪlə] S vanilje *m*
vanilla ice cream S vaniljeis(krem) *m*
vanish ['vænɪʃ] VI (= *disappear suddenly*) forsvinne*, bli* borte ❑ *Madeleine vanished without trace.* Madeleine forsvant sporløst.. Madeleine ble sporløst borte.
vanity ['vænɪtɪ] S forfengelighet *c*
vanity case S toalettveske *c*
vantage point ['vɑ:ntɪdʒ-] S (**a**) sted *nt* hvor man har god utsikt
(**b**) (*fig*) fordelaktig ståsted *nt* ❑ *We can see the reasons from our 20th century vantage point.* Vi kan se årsakene fra vårt fordelaktige ståsted i det 20. århundre.
vaporize ['veɪpəraɪz] VI fordampe (*v1*)
vapour ['veɪpəʳ], **vapor** (*US*) S damp *m*
vapo(u)r trail S kondensstripe *c*
variable ['vɛərɪəbl] 1 ADJ (**a**) (= *likely to change: mood, quality, weather, wind*) ustadig, skiftende ❑ *In the tropics, rainfall is notoriously variable.* I tropene er nedbøren kjent for å være* ustadig *or* skiftende.
(**b**) (= *able to be changed: temperature, height, speed*) regulerbar
2 S (**a**) (*MAT*) variabel *m*
(**b**) (= *changing factor*) variabel størrelse *m* ❑ *How long your shoes will last depends on a lot of variables.* Hvor lenge skoene varer avhenger av en mengde variable størrelser.
variance ['vɛərɪəns] S ▸ **to be at variance with** (*+ideas, facts*) være* i strid med
variant ['vɛərɪənt] S variant *m*
variation [vɛərɪ'eɪʃən] S variasjon *m* ❑ *...variation in blood pressure.* ...variasjon i blodtrykket.
varicose ['værɪkəus] ADJ ▸ **varicose veins** åreknuter
varied ['vɛərɪd] ADJ (= *diverse: opinions, reasons*) forskjellige, ulike; (= *full of variety: career, work*) variert
variety [və'raɪətɪ] S (**a**) (= *diversity*) variasjon *m*, avveksling *c* ❑ *The music itself has so much variety...* Musikken i seg selv er så variert *or* vekslende...
(**b**) (= *choice*) valgfrihet *m*, utvalg *nt* ❑ *These holiday brochures give you the most variety.* Disse feriebrosjyrene gir deg mest valgfrihet *or* størst utvalg.
(**c**) (= *varied collection*) ▸ **a variety of books** en rekke forskjellige bøker
(**d**) (= *type*) type *m* ❑ *...three varieties of whisky.* ...tre typer whisky.
▸ **a wide variety of...** en lang rekke forskjellige...
▸ **for a variety of reasons** av en rekke forskjellige grunner
variety show S varieté *m*
various ['vɛərɪəs] ADJ diverse, flere forskjellige ❑ *There were various questions he wanted to ask.* Det var diverse *or* flere forskjellige spørsmål han ville* stille. *Various people called round...* Diverse *or* flere forskjellige mennesker var innom...
▸ **at various times** (**a**) (*different*) på flere forskjellige tidspunkter
(**b**) (*several*) flere ganger ❑ *At various times in my life...* Flere ganger i livet...
varnish ['vɑ:nɪʃ] 1 S lakk *m* ❑ *...tins of varnish.* ...bokser med lakk.
2 VT (*+wood, piece of furniture, one's nails*) lakke (*v1*)
vary ['vɛərɪ] VTI variere (*v2*) ❑ *The sums they receive vary from individual to individual.* Beløpene de mottar varierer fra person til person.
▸ **to vary with** variere (*v2*) med, forandre (*v1*) seg med
varying ['vɛərɪɪŋ] ADJ (*amount, degree*) varierende; (*views*) forskjellig
vase [vɑ:z] S vase *m*
vasectomy [væ'sɛktəmɪ] S sterilisering *c* (*av menn, ved at sædlederne skjæres over*)
Vaseline® ['væsɪli:n] S vaselin *m*
vast [vɑ:st] ADJ (**a**) (*knowledge*) svært omfattende
(**b**) (*expense*) enorm ❑ *...the roads that they're building at vast expense.* ...veiene som bygges med enorme kostnader.
(**c**) (*room*) enorm
(**d**) (*expanse*) vidstrakt
vastly ['vɑ:stlɪ] ADV (*superior, improved*) enormt
vastness ['vɑ:stnɪs] S (**a**) (*of room*) enorm størrelse *m*
(**b**) (*of expanse*) uendelighet *m* ❑ *...the unimaginable vastness of space.* ...verdensrommets utenkelige uendelighet.
VAT [væt] (*BRIT*) S FK (= **value added tax**) moms *m*
vat [væt] S tank *m*, tønne *c*; (*also* ***value added tax***) moms *m*
Vatican ['vætɪkən] S ▸ **the Vatican** Vatikanet
vatman ['vætmæn] (*BRIT: sl*) (*irreg* **man**) S ≈ kemneren
vaudeville ['vəudəvɪl] S vaudeville *m*
vault [vɔ:lt] 1 S (*of roof*) hvelving *m*; (*tomb*) gravkammer *nt*; (*in bank*) hvelv *nt*; (*jump*) hopp *nt*
2 VT (*also* ***vault over***) hoppe (*v1*) over
vaunted ['vɔ:ntɪd] ADJ ▸ **much-vaunted** som det blir skrytt mye av
VC S FK = **vice-chairman**; (*BRIT* = **Victoria Cross**)

tapperhetsmedalje
VCR S FK = **video cassette recorder**
VD S FK = **venereal disease**
VDU (*DATA*) S FK = **visual display unit**
veal [viːl] s kalvekjøtt *nt*
veer [vɪəʳ] VI (**a**) (*vehicle+*) svinge (*v2*) brått ❑ *The plane seemed to veer off to one side.* Flyet så ut til å svinge brått til siden.
(**b**) (*wind+*) dreie (*v3*)
veg. [vɛdʒ] (*BRIT: sl*) S FK = **vegetable(s)**
vegan [ˈviːgən] 1 s vegan *m*
2 ADJ vegan-
vegeburger [ˈvɛdʒɪbəːgəʳ] s grønnsakburger *m*
vegetable [ˈvɛdʒtəbl] 1 s grønnsak *m* ❑ *...only the best and freshest fruit and vegetables.* ...bare det beste og friskeste av frukt og grønnsaker.
2 ADJ (*of plant life*) plante- NB *Pollution affects everything on the planet, animal, vegetable, and mineral.* Forurensning påvirker alle ting på kloden, dyreliv, planteliv og mineraler. NB *Animal, vegetable, or mineral?* Dyreriket, planteriket eller mineralriket?
3 SAMMENS (*oil etc*) vegetabilsk
▸ **vegetable garden** kjøkkenhage *m*
vegetarian [vɛdʒɪˈtɛərɪən] 1 s vegetarianer *m*
2 ADJ (*diet, restaurant etc*) vegetar-, vegetariansk
vegetate [ˈvɛdʒɪteɪt] VI (*person+*) vegetere (*v2*)
vegetation [vɛdʒɪˈteɪʃən] s vegetasjon *m*
vegetative [ˈvɛdʒɪtətɪv] ADJ vegetativ
veggieburger [ˈvɛdʒɪbəːgəʳ] s = **vegeburger**
vehemence [ˈviːɪməns] s inbitthet *m*
vehement [ˈviːɪmənt] ADJ (*attack, passions, denial*) heftig, voldsom
vehicle [ˈviːɪkl] s (**a**) (*machine*) kjøretøy *nt*
(**b**) (*fig: means*) redskap *nt*, middel *nt* ❑ *They saw the English language as a vehicle of liberation.* De så på det engelske språket som et redskap *or* middel til frigjøring.
vehicular [vɪˈhɪkjuləʳ] ADJ ▸ **"no vehicular access"** "stengt for alle kjøretøyer"
veil [veɪl] 1 s slør *nt*
2 VT (*fig*) tilsløre (*v2*)
▸ **under a veil of secrecy** (*fig*) i all hemmelighet
veiled [veɪld] ADJ (*fig*) tilslørt ❑ *...a thinly veiled criticism.* ...en lite tilslørt kritikk.
vein [veɪn] s (**a**) (*ANAT*) blodåre *c*, vene *m*
(**b**) (*of leaf*) nerve *m*
(**c**) (*of ore etc*) åre *c*
(**d**) (*fig: mood, style*) stil *m* ❑ *The letter continued in this vein for several pages.* Brevet fortsatte i samme stil over flere sider.
Velcro® [ˈvɛlkrəu] s borrelås *m*
vellum [ˈvɛləm] s velin *nt*
velocity [vɪˈlɔsɪtɪ] s hastighet *m*
velours s velur *m*
velvet [ˈvɛlvɪt] 1 s fløyel *m*
2 ADJ fløyels-
velvet revolution s fløyelsrevolusjon *m*
vendetta [vɛnˈdɛtə] s (**a**) vendetta *m*
(**b**) (*between families*) vendetta *m*, blodhevn *m* ❑ *He conducted a vendetta against him behind the scenes.* Han førte en vendetta mot ham bak kulissene.
vending machine [ˈvɛndɪŋ-] s (salgs)automat *m*
vendor [ˈvɛndəʳ] s selger *m*
▸ **street vendor** gateselger *m*
veneer [vəˈnɪəʳ] s (**a**) (*on furniture*) finerplate *c*
(**b**) (*fig*) skall *nt* ❑ *...beneath a thin veneer of scientific objectivity.* ...bak et tynt skall av vitenskapelig objektivitet.
venerable [ˈvɛnərəbl] ADJ (*person, building etc*) ærverdig; (*REL*) høyærverdig
venereal [vɪˈnɪərɪəl] ADJ ▸ **venereal disease** kjønnssykdom *m*, venerisk sykdom *m*
Venetian [vɪˈniːʃən] 1 ADJ venetiansk
2 s (*person*) venetianer *m*
Venetian blind s persienne *m*
Venezuela [vɛnɛˈzweɪlə] s Venezuela
Venezuelan [vɛnɛˈzweɪlən] 1 ADJ venezuelansk
2 s (*person*) venezuelaner *m*
vengeance [ˈvɛndʒəns] s (= *revenge*) hevn *m*
▸ **with a vengeance** (*fig*) så det forslår/forslo
vengeful [ˈvɛndʒful] ADJ (*person, behaviour*) hevngjerrig
Venice [ˈvɛnɪs] s Venezia
venison [ˈvɛnɪsn] s dyrekjøtt *nt*; (*on menus*) dyrestek *m*, hjortestek/rådyrstek *etc m* (*according to species*)
venom [ˈvɛnəm] s (*of snake, insect*) gift *c*; (*bitterness, anger*) giftighet *c*
venomous [ˈvɛnəməs] ADJ (*snake, insect, look*) giftig
vent [vɛnt] 1 s (*also* ***air vent***) luftehull *nt*; (*in clothing*) splitt *m*
2 VT (*fig: feelings, anger*) la få* utslipp
ventilate [ˈvɛntɪleɪt] VT (*open windows*) lufte (*v1*) ut; (*through ventilators*) ventilere (*v2*)
ventilation [vɛntɪˈleɪʃən] s ventilasjon *m*
ventilation shaft s ventilasjonssjakt *c*
ventilator [ˈvɛntɪleɪtəʳ] s (*TEKN*) ventilatør *m*; (*MED*) respiratør *m*
ventriloquist [vɛnˈtrɪləkwɪst] s buktaler *m*
venture [ˈvɛntʃəʳ] 1 s (= *risky undertaking*) (risikofylt) foretak *nt* ❑ *...an interesting scientific venture.* ...et interessant vitenskapelig foretak.
2 VT (*+opinion*) driste (*v1*) seg til å si ❑ *If I may be allowed to venture an opinion...* Hvis jeg kan driste meg til å si min mening...
3 VI (= *dare to go*) våge (*v1*) seg ❑ *He wouldn't venture far from his mother's door.* Han våget seg aldri langt fra morens dør.
▸ **business venture** (risikofylt) forretningsforetak *nt*
▸ **to venture to do sth** våge (*v1*) å gjøre* noe
venture capital s risikokapital *m*
venue [ˈvɛnjuː] s sted *nt* (*hvor et arrangement skal foregå*) ❑ *I'm afraid there's a change of venue.* Jeg er redd det er en endring når det gjelder sted.
Venus [ˈviːnəs] s Venus
veracity [vəˈræsɪtɪ] s (*of person*) sannferdighet *m*; (*of evidence*) pålitelighet *m*
veranda(h) [vəˈrændə] s veranda *m*
verb [vəːb] s verb *nt*
verbal [ˈvəːbl] ADJ (**a**) (*skills, translation etc*) verbal, muntlig ❑ *It was a contest in verbal skills.* Det var en konkurranse i verbale *or* muntlige ferdigheter.
(**b**) (*attack*) muntlig ❑ *...a succession of verbal attacks on the chairman.* ...en rekke muntlige angrep på formannen.

(**c**) (= *of a verb*) verb-, verbal- ❑ *...the structure of verbal groups in English.* ...strukturen til verbgruppene *or* verbalgruppene på engelsk.

verbally ['vəːbəlɪ] ADV (*communicate, transmit*) verbalt, i ord

verbatim [vəː'beɪtɪm] 1 ADJ ordrett
2 ADV ord for ord, ordrett ❑ *He repeated it verbatim.* Han gjentok det ord for ord *or* ordrett.

verbose [vəː'bəus] ADJ (*person, writing*) ordrik

verdict ['vəːdɪkt] S (**a**) (*JUR*) kjennelse *m* ❑ *...the jury gave the right verdict.* ...juryens kjennelse var riktig.
(**b**) (*fig: opinion*) dom *m* ❑ *Okay, then, what's your verdict on the new uniform?* Nå, hva er dommen (din) når det gjelder den nye uniformen?
▸ **verdict of guilty/not guilty** kjennelse *m* på skyldig/ikke skyldig

verge [vəːdʒ] S (*BRIT*) kant *m* ❑ *The two of us began walking together along the grass verge.* Vi begynte å gå* sammen langs gresskanten.
▸ **"soft verges"** (*BRIT*) "løse kanter"
▸ **to be on the verge of doing sth** være* på nippet til å gjøre* noe

▸ **verge on** VT FUS grense (*v1*) til

verger ['vəːdʒəʳ] S kirketjener *m*

verification [verɪfɪ'keɪʃən] S bekreftelse *m*, verifisering *c*

verify ['verɪfaɪ] VT verifisere (*v2*)

veritable ['verɪtəbl] ADJ ren, sann ❑ *The water descended like a veritable Niagara.* Vannet fosset ned som et rent *or* sant Niagarafall.

vermin ['vəːmɪn] SPL (*animals*) skadedyr *pl*; (= *fleas, lice etc*) utøy *uncount*

vermouth ['vəːməθ] S vermut *m*

vernacular [və'nækjuləʳ] S dialekt *m* ❑ *...the local vernacular here.* ...dialekten her på stedet.

versatile ['vəːsətaɪl] ADJ (*person*) allsidig; (*substance, machine, tool etc*) anvendelig

versatility [vəːsə'tɪlɪtɪ] S allsidighet *m*

verse [vəːs] S (**a**) (= *poetry*) dikt *nt* ❑ *He has published an anthology of verse.* Han har utgitt en diktantologi.
(**b**) (= *one part of a poem or song, in bible*) vers *nt* ❑ *He sang a verse of "Lili Marlene".* Han sang et vers av "Lili Marlene". *...the Second Book of Kings, Chapter 6, verse 25.* ...annen Kongebok, kapittel 6, vers 25.
▸ **in verse** på vers

versed [vəːst] ADJ ▸ **(well-)versed in** vel bevandret i

version ['vəːʃən] S versjon *m*

versus ['vəːsəs] PREP kontra

vertebra ['vəːtɪbrə] (*pl* **vertebrae**) S (rygg)virvel *m*

vertebrae ['vəːtɪbriː] SPL *of* **vertebra**

vertebrate ['vəːtɪbrɪt] S virveldyr *nt*

vertical ['vəːtɪkl] 1 ADJ loddrett, vertikal ❑ *A vertical line...* En loddrett *or* vertikal linje...
2 S ▸ **the vertical** vertikalaksen *m*

vertically ['vəːtɪklɪ] ADV vertikalt

vertigo ['vəːtɪgəu] S svimmelhet *m* (*som følge av høydeskrekk*) ❑ *Looking out of the window gives him vertigo.* Han blir svimmel av å se ut av vinduet.
▸ **to suffer from vertigo** ha* høydeskrekk

verve [vəːv] S iver *m* og glød *m*

very ['verɪ] 1 ADV veldig, svært, meget (*written style*) ❑ *It's a very good idea.* Det er en veldig *or* svært *or* meget god idé.
2 ADJ ▸ **the very book which** akkurat den boka som ❑ *Those are the very words which he used.* Det var akkurat de ordene han brukte.
▸ **the very thought (of it) alarms me** bare tanken (på det) gjør meg skremt
▸ **at the very end** helt på slutten
▸ **the very last** den aller siste
▸ **at the very least** i det aller minste ❑ *It must be a matter of joy, or relief at the very least.* Det må da være* en glede, eller en lettelse i det aller minste.
▸ **very well** ja vel
▸ **very little** veldig lite, svært lite
▸ **there isn't very much (of it)** det er ikke så mye (av det)
▸ **I like him very much** jeg liker ham svært *or* veldig godt

vespers ['vespəz] SPL kveldsgudstjeneste *m*

vessel ['vesl] S (*container, also ANAT, BIO*) kar *nt*; (*NAUT*) fartøy *nt*, skip *nt see* **blood**

vest [vest] 1 S (*BRIT: underwear*) trøye *c*; (*US: waistcoat*) vest *m*
2 VT ▸ **"by the authority vested in me..."** "i kraft av mitt embete..."

vested interest S ▸ **to have a vested interest in doing sth** (*economic*) ha* økonomisk interesse av å gjøre* noe; (*power, prestige etc*) ha* personlig interesse av å gjøre* noe

vestibule ['vestɪbjuːl] S vestibyle *m*

vestige ['vestɪdʒ] S ▸ **vestige (of)** spor *nt* (av), antydning *m* (til)

vestment ['vestmənt] S prestekjole *m*

vestry ['vestrɪ] S sakristi *nt*

Vesuvius [vɪ'suːvɪəs] S Vesuv

vet [vet] 1 S FK = **veterinary surgeon**
2 VT (= *examine: candidate, text*) gå* etter i sømmene ❑ *He was very thoroughly vetted.* Han ble gått meget grundig etter i sømmene. *His speeches were vetted for content and tone.* Talene hans ble gått grundig etter i sømmene når det gjaldt innhold og tone.

veteran ['vetərn] 1 S (krigs)veteran *m*
2 ADJ ▸ **she's a veteran campaigner for...** hun er en erfaren forkjemper for...

veteran car S veteranbil *m*

veterinarian [vetrɪ'neərɪən] (*US*) S veterinær *m*, dyrlege *m*

veterinary ['vetrɪnərɪ] ADJ (*practice, care etc*) veterinær-

veterinary surgeon (*BRIT*) S veterinær *m*, dyrlege *m*

veto ['viːtəu] (*pl* **vetoes**) 1 S (= *refusal*) ▸ **we could not accept the veto** vi kunne* ikke godta at det ble nedlagt veto.
2 VT nedlegge* veto mot ❑ *The government vetoed this proposal.* Regjeringen nedla veto mot forslaget.
▸ **power of veto** vetorett *m* ❑ *...the King's power of veto.* ...kongens vetorett.
▸ **to put a veto on** nedlegge* veto mot

vetting ['vetɪŋ] S undersøkelse *m*

vex [veks] VT ergre (*v1*)

vexed [vɛkst] ADJ (*question*) omstridt ❑ *...the vexed question of abortion.* ...det omstridte abortspørsmålet.
VFD (*US*) S FK (= **voluntary fire department**) *frivillig brannvesen*
VG (*BRIT: SKOL etc*) S FK (= **very good**) M (= *meget godt*)
VHF (*RADIO*) FK = **very high frequency**
VHS (*TV*) FK = **video home system**
VI (*US: POST*) FK = **Virgin Islands**
via [ˈvaɪə] PREP via
viability [vaɪəˈbɪlɪtɪ] S levedyktighet *m* ❑ *...the commercial viability of the new product.* ...produktets kommersielle levedyktighet.
viable [ˈvaɪəbl] ADJ (**a**) (*project*) gjennomførbar (**b**) (*company, alternative*) levedyktig ❑ *...viable alternatives to petrol.* ...levedyktige alternativer til bensin.
viaduct [ˈvaɪədʌkt] S viadukt *m*
vial [ˈvaɪəl] S ampulle *m*, liten medisinflaske *c*
vibes [vaɪbz] SPL (*MUS*) vibrafone *m sg*; (*sl: vibrations*) ▸ **I get good/bad vibes from it/him** det/han gir meg en god/dårlig følelse
vibrant [ˈvaɪbrnt] ADJ (*talk, manner*) livfull; (*light, colour*) skarp; (*voice*) klangfull
vibraphone [ˈvaɪbrəfəun] S vibrafon *m*
vibrate [vaɪˈbreɪt] VI vibrere (*v2*)
vibration [vaɪˈbreɪʃən] S vibrasjon *m*
vibrator [vaɪˈbreɪtəʳ] S vibrator *m*
vicar [ˈvɪkəʳ] S ≈ sogneprest *m*
vicarage [ˈvɪkərɪdʒ] S prestegård *m*
vicarious [vɪˈkɛərɪəs] ADJ på en annens vegne
vice [vaɪs] S (**a**) (= *moral fault*) last *m* ❑ *...human vices such as greed and envy.* ...menneskelige laster som grådighet og misunnelse. (**b**) (*TEKN*) skruestikke *c*
vice- [vaɪs] PREF vise-
vice-chairman [vaɪsˈtʃɛəmən] S nestformann *m irreg*
vice chancellor (*BRIT: UNIV*) S universitetsrektor *m*
vice president S (*POL*) visepresident *m*; (*of club*) nestformann *m irreg*, viseformann *m irreg*
viceroy [ˈvaɪsrɔɪ] S visekonge *m*
vice squad S sedelighetspoliti *nt*
vice versa [ˈvaɪsɪˈvəːsə] ADV omvendt, vice versa ❑ *He believes that a man should have as many wives as he wants, but not vice versa.* Han mener at en man skal kunne* ha* så mange koner han vil, men ikke omvendt *or* ikke vice versa.
vicinity [vɪˈsɪnɪtɪ] S ▸ **in the vicinity (of)** i nærheten (av)
vicious [ˈvɪʃəs] ADJ (= *violent: attack, blow*) voldsom; (= *cruel: words, look, letter*) ondskapsfull; (*horse*) ustyrlig; (*dog*) arrig
vicious circle S ond sirkel *m*
viciousness [ˈvɪʃəsnɪs] S ondskapsfullhet *m*
vicissitudes [vɪˈsɪsɪtjuːdz] SPL ▸ **the vicissitudes of life** livets omskiftelighet
victim [ˈvɪktɪm] S (*person, animal, business*) offer *nt* ▸ **to be the victim of** bli* utsatt for, bli* offer for
victimization [ˈvɪktɪmaɪˈzeɪʃən] S ▸ **there must be no victimization of workers** arbeiderne må ikke gjøres til ofre
victimize [ˈvɪktɪmaɪz] VT gjøre* til offer ❑ *Management insisted that she was not being victimized.* Ledelsen holdt på at hun ikke ble gjort til offer.
victor [ˈvɪktəʳ] S seierherre *m*
Victorian [vɪkˈtɔːrɪən] ADJ (*house, furniture, values*) viktoriansk
victorious [vɪkˈtɔːrɪəs] ADJ (*team, shout*) seirende
victory [ˈvɪktərɪ] S seier *m* ❑ *...the road to victory.* ...veien til seier.
▸ **to win a victory over sb** vinne* en seier over noen
video [ˈvɪdɪəu] 1 S video *m* ❑ *I've seen this video before.* Jeg har sett denne videoen før. *Put the video in the machine.* Sett inn videoen inn i maskinen. *Turn off the video.* Skru av videoen.
2 SAMMENS video-
video camera S videokamera *nt*
video cassette S videokasett *m*
video cassette recorder S videospiller *m*
videodisc, videodisk [ˈvɪdɪəudɪsk] S laserdisk *m*
video game S videospill *nt*
video nasty S *rå voldsfilm på video*
videophone [ˈvɪdɪəufəun] S bildetelefon *m*
video recorder S videospiller *m*
video recording S video-opptak *nt*
video tape S videobånd *nt* ❑ *The information can be put on video tape.* Informasjonen kan overføres til et videobånd.
vie [vaɪ] VI ▸ **to vie (with sb) (for sth)** kappes (*v5, no past tense*) (med noen) (om noe)
Vienna [vɪˈɛnə] S Wien
Viennese [vɪəˈniːz] ADJ wiener-
Viet Nam [ˈvjɛtˈnæm] S = **Vietnam**
Vietnam [ˈvjɛtˈnæm] S Vietnam
Vietnamese [vjɛtnəˈmiːz] 1 ADJ vietnamesisk 2 S UBØY (*person*) vietnameser *m*; (*LING*) vietnamesisk
view [vjuː] 1 S (**a**) (*from window etc*) ▸ **a view (of)** en utsikt (over) ❑ *...a superb view of London.* ...en storartet utsikt over London.
(**b**) (*fig: outlook*) ▸ **a view (of)** et syn (på) ❑ *He tends to take a wider view of things than most people.* Han pleier å ha* et bredere syn på ting enn de fleste andre.
(**c**) (*ability to see sth*) ▸ **one's view (of sth)** *det at man kan se (noe)* NB *They pushed forward for a better view.* De trengte seg fram for å kunne* se bedre.
(**d**) (= *opinion*) ▸ **one's view (on sth)** ens syn *nt or* synspunkt *nt* (på noe)
2 VT (**a**) (= *look at*) betrakte (*v1*) ❑ *The soldier twisted round to view the damage.* Soldaten vred seg rundt for å betrakte skaden.
(**b**) (*fig: matter*) se* på
(**c**) (*+situation, the future*) betrakte (*v1*)
(**d**) (*+house*) se* på ❑ *We viewed four houses this morning.* Vi så på fire hus i dag morges.
▸ **to block sb's view** sperre (*v1*) utsikten for noen
▸ **on view** utstilt, til utstilling NB *The Turner exhibition is on view at the Tate Gallery.* Turner-utstillingen vises i Galleri Tate.
▸ **in full view (of)** fullt synlig (for)
▸ **to take the view that...** være* av den oppfatning at...

▸ **in view of the weather/the fact that** i betraktning av været/det faktum at
▸ **in my view** etter min oppfatning
▸ **an overall view of the situation** et overblikk over situasjonen
▸ **with a view to doing sth** med henblikk på å gjøre* noe

Viewdata® ['vju:deɪtə] (*BRIT*) s ≈ teledata *pl*

viewer ['vju:əʳ] (*person*) seer *m* ❑ *Many of these programmes are an insult to the viewer's intelligence.* Mange av disse programmene er en fornærmelse mot seerens intelligens.; (= *viewfinder*) søker *m*

viewfinder ['vju:faɪndəʳ] s søker *m*

viewpoint ['vju:pɔɪnt] s (**a**) (= *attitude*) synspunkt *nt* ❑ *...from my viewpoint as a consumer.* ...fra mitt synspunkt som forbruker.
(**b**) (*place*) utsiktspunkt *nt*

vigil ['vɪdʒɪl] s nattevåking *c* ❑ *Last weekend a nun held a vigil at the United Nations.* Forrige helg holdt en nonne nattevåking i FN-bygningen.
▸ **to keep vigil** våke (*v1 or v2*)

vigilance ['vɪdʒɪləns] s årvåkenhet *m*, vaktsomhet *m* ❑ *Constant vigilance is required from all of us.* Kontinuerlig årvåkenhet *or* vaktsomhet er påkrevd for oss alle.

vigilance committee (*US*) s ≈ borgervern *nt*

vigilant ['vɪdʒɪlənt] ADJ årvåken, vaktsom

vigilante [vɪdʒɪ'læntɪ] 1 s borgervern *nt*
2 ADJ (*group, patrol*) borgervern-

vigorous ['vɪgərəs] ADJ (*action*) kraftig, energisk; (*campaign*) intensiv; (*plant*) frodig

vigour ['vɪgəʳ], **vigor** (*US*) s intensitet *m* og styrke *m* ❑ *These problems were discussed with great vigour.* Disse problemene ble diskutert med stor intensitet og styrke *or* meget energisk.

vile [vaɪl] ADJ (*action, language, smell, weather, food, temper*) grusom, avskyelig

vilify ['vɪlɪfaɪ] VT bakvaske (*v1*)

villa ['vɪlə] s villa *m*

village ['vɪlɪdʒ] s landsby *m*

villager ['vɪlɪdʒəʳ] s landsbyboer *m*

villain ['vɪlən] s (**a**) (= *scoundrel*) kjeltring *m*, skurk *m*
(**b**) (*in novel, play etc*) skurk *m* ❑ *He was cast as the villain in the new production.* Han skulle* spille skurken i den nye produksjonen.
(**c**) (*BRIT: criminal*) kjeltring *m*

VIN (*US*) s FK (= **vehicle identification number**) *unikt identifikasjonsnummer for kjøretøyer*

vinaigrette [vɪneɪ'grɛt] s vinaigrette *m*, fransk dressing *m*

vindicate ['vɪndɪkeɪt] VT (**a**) (= *free from blame: person*) frikjenne (*v2x*)
(**b**) (= *justify: action*) rettferdiggjøre*
(**c**) (= *prove right*) gi* rett ❑ *His forecasts have been vindicated.* Det har blitt klart han hadde rett i sine spådommer.

vindication [vɪndɪ'keɪʃən] s rettferdiggjøring *c*

vindictive [vɪn'dɪktɪv] ADJ (*person, action*) hevngjerrig

vine [vaɪn] s (*producing grapes*) vinranke *m*; (*in jungle*) slyngplante *c*

vinegar ['vɪnɪgəʳ] s eddik *m*

vine grower s vindyrker *m*

vine-growing ['vaɪngrəuɪŋ] 1 ADJ vindyrkende
2 s vindyrking *c*

vineyard ['vɪnjɑ:d] s vingård *m*

vintage ['vɪntɪdʒ] 1 s (*of wine*) årgang *m* ❑ *...the last bottle of a rare vintage.* ...den siste flasken av en sjelden årgang.
2 SAMMENS (= *classic: comedy, performance etc*) av edel årgang ❑ *...vintage Chandler dialogue.* ...en Chandler-dialog av edel årgang.
▸ **the 1970 vintage** 1970-årgangen

vintage car s veteranbil *m* (*fra tiden mellom 1919 og 1930*)

vintage wine s årgangsvin *m*

vinyl ['vaɪnl] s (**a**) vinyl *m*
(**b**) (*records*) vinylplater *pl* ❑ *Some records shops no longer sell vinyl.* Noen platebutikker selger ikke lenger vinylplater.

viola [vɪ'əulə] s (*BOT*) fiol *m*; (*MUS*) bratsj *m*

violate ['vaɪəleɪt] VT (**a**) (*+agreement: person*) bryte*
(**b**) (*action+*) bryte* med ❑ *This did not violate international agreements.* Dette brøt ikke med internasjonale avtaler.
(**c**) (*+peace*) forstyrre (*v1*)
(**d**) (*+graveyard*) vanhellige (*v1*)

violation [vaɪə'leɪʃən] s (**a**) (*of agreement*) brudd *nt*
(**b**) (*of law*) brudd *nt*, overtredelse *m*
▸ **in violation of** (*+rule, law*) i strid med
▸ **violations of the Constitution** handlinger i strid med grunnloven

violence ['vaɪələns] s (**a**) (= *brutality*) vold *m* ❑ *...acts of violence.* ...voldshandlinger. *...threats of terrorist violence.* ...trusler om terroristvold.
(**b**) (*strength*) voldsomhet *m* ❑ *He flung open the door with unnecessary violence.* Han rev opp døra med unødvendig voldsomhet.

violent ['vaɪələnt] ADJ (**a**) (*behaviour, person*) voldelig ❑ *People in this society are prepared to be violent.* Folk i dette samfunnet er beredt til å være* voldelige.
(**b**) (*death, debate, criticism, explosion, emotion*) voldsom ❑ *Burt's work came under violent attack.* Burts arbeid ble voldsomt kritisert.
▸ **a violent dislike of sb/sth** en voldsom avsky for noen/noe

violently ['vaɪələntlɪ] ADV voldsomt ❑ *This drug can make some people violently ill.* Dette stoffet kan gjøre* folk voldsomt syke.

violet ['vaɪələt] 1 ADJ (*light, glow*) fiolett
2 s (*colour*) fiolett; (*plant*) fiol *m*

violin [vaɪə'lɪn] s fiolin *m*

violinist [vaɪə'lɪnɪst] s fiolinist *m*

VIP s FK (= **very important person**) VIP *m*, meget betydningsfull person *m*

viper ['vaɪpəʳ] s hoggorm *m* (*var.* huggorm)

viral ['vaɪərəl] ADJ (*disease, infection*) virus-

virgin ['və:dʒɪn] 1 s jomfru *c*
2 ADJ (**a**) (*snow*) urørt
(**b**) (*forest etc*) natur-
▸ **she is a virgin** hun er jomfru
▸ **the Blessed Virgin** Den hellige jomfru

virginity [və:'dʒɪnɪtɪ] s jomfrudom *m*, jomfruelighet *m*
▸ **to lose one's virginity** miste (*v1*) dyden

Virgo ['vɜːgəu] s Jomfruen
▸ **to be Virgo** være* født i Jomfruens tegn, være* Jomfru
virile ['vɪraɪl] ADJ viril
virility [vɪ'rɪlɪtɪ] s virilitet *m*
virtual ['vɜːtjuəl] ADJ (*DATA, FYS*) virtuell
▸ **it's a virtual impossibility** det er en praktisk umulighet
▸ **the virtual leader** den faktiske lederen
virtually ['vɜːtjuəlɪ] ADV praktisk talt ❑ *This opinion was held by virtually all the experts.* Dette synet ble delt av praktisk talt alle ekspertene. *It's virtually impossible.* Det er praktisk talt umulig.
virtual reality s virtual reality, virtuell virkelighet *m*
virtue ['vɜːtjuː] s (**a**) (*quality*) dyd *m* ❑ *...religion and traditional virtue.* ...religion og tradisjonelle dyder. *Charity is the greatest of the Christian virtues.* Nestekjærlighet er den største av de kristne dyder.
(**b**) (*advantage*) fortrinn *nt*, fordel *m* ❑ *He was praising the virtues of female independence.* Han snakket rosende om fortrinnene *or* fordelene ved kvinners uavhengighet.
▸ **by virtue of** i kraft av
virtuosi [vɜːtju'əuzɪ] SPL *of* **virtuoso**
virtuosity [vɜːtju'ɔsɪtɪ] s virtuositet *m*
virtuoso [vɜːtju'əuzəu] (*pl* **virtuosos** *or* **virtuosi**) s virtuos *m* ❑ *He was a virtuoso of the jazz guitar.* Han var en virtuos på jazzgitar.
virtuous ['vɜːtjuəs] ADJ sømmelig; (*sexually*) dydig
virulence ['vɪruləns] s (**a**) (*of disease*) ondartethet *m*, virulens *m*
(**b**) (*= hatred*) ondsinnethet *m* ❑ *The Left has approached student politics with its customary virulence.* Venstresiden har gått løs på studentpolitikken med sin vanlige ondsinnethet.
virulent ['vɪrulənt] ADJ (**a**) (*disease*) ondartet ❑ *...a peculiarly virulent form of leprosy.* ...en spesielt ondartet form for spedalskhet.
(**b**) (*actions, feelings*) ondsinnet
virus ['vaɪərəs] s (*MED, DATA*) virus *m*
visa ['viːzə] s visum *nt*
vis-à-vis [viːzə'viː] PREP overfor, vis-a-vis
viscose ['vɪskəus] s viskose *m*
viscount ['vaɪkaunt] s *adelstittel med rang mellom greve og baron*
viscous ['vɪskəs] ADJ tyktflytende
vise [vaɪs] (*US : TEKN*) s = **vice**
visibility [vɪzɪ'bɪlɪtɪ] (*ability to see*) s sikt *m*; (*ability to be seen*) synlighet *m*
visible ['vɪzəbl] ADJ synlig ❑ *...hardly visible to the naked eye.* ...knapt synlig for det blotte øye. *...a period of little visible progress.* ...en periode med liten synlig framgang.
visibly ['vɪzəblɪ] ADV (*upset, nervous, damaged*) synlig
vision ['vɪʒən] s (**a**) (*= sight*) syn *nt* ❑ *He has very little vision in the other eye.* Han har svært dårlig syn på det andre øyet.
(**b**) (*= foresight*) klarsyn *nt* ❑ *This report shows real vision.* Denne rapporten viser ekte klarsyn.
(**c**) (*in dream*) visjon *m* ❑ *...the visions God granted to me.* ...visjonene Gud gav meg.
visionary ['vɪʒənrɪ] ADJ visjonær
visit ['vɪzɪt] [1] s besøk *nt* ❑ *It would be nice if you paid me a visit.* Det ville* vært hyggelig hvis du kom på besøk til meg. *...a brief visit to the U.S.* ...et kort besøk i USA.
[2] VT besøke (*v2*) ❑ *My friends never come to visit me.* Vennene mine kommer aldri for å besøke meg. *More than a million foreigners visit the United States every year.* Mer enn en million utlendinger besøker USA hvert år.
▸ **on a private/official visit** på (et) privat/offisielt besøk
visiting ['vɪzɪtɪŋ] ADJ (*speaker, team*) besøkende
visiting card s visittkort *nt*
visiting hours SPL (*in hospital etc*) visitt-tid *c*
visiting professor s gjesteprofessor *m*
visitor ['vɪzɪtə^r] s (**a**) (*to city, country*) besøkende *m decl as adj* ❑ *...recent foreign visitors to China.* ...folk som nylig har besøkt Kina.
(**b**) (*to person, house*) gjest *m* ❑ *Marsha was a frequent visitor to our house.* Marsha var en hyppig gjest i huset vårt.
visitors' book s gjestebok *c*
visor ['vaɪzə^r] s visir *nt*
VISTA ['vɪstə] s FK (= **Volunteers in Service to America**) *føderalt organ av frivillige som hjelper lavinnkomstgrupper med bl.a. jobb- og hussøking*
vista ['vɪstə] s utsikt *m*
visual ['vɪzjuəl] ADJ (*image, arts etc*) visuell
visual aid s visuelt hjelpemiddel *nt*
visual display unit s dataskjerm *m*
visualize ['vɪzjuəlaɪz] VT se* for seg ❑ *...he could visualise her face quite clearly.* ...han kunne* se for seg ansiktet hennes helt tydelig. *I find it hard to visualize life in the next century.* Jeg synes det er vanskelig å se for meg livet i neste århundre.
visually ['vɪzjuəlɪ] ADV visuelt ❑ *Visually, it is a very exciting film.* Visuelt sett er det en svært sterk film.
▸ **visually handicapped** med synlig funksjonshemning
vital ['vaɪtl] ADJ (**a**) (*= essential*) absolutt nødvendig ❑ *It is vital to keep an accurate record of every transaction.* Det er absolutt nødvendig å holde regnskap med enhver transaksjon.
(**b**) (*= full of life : person*) vital
(**c**) (*= necessary for life : organ*) livsviktig
▸ **of vital importance (to sb/sth)** av avgjørende viktighet (for noen/noe)
vitality [vaɪ'tælɪtɪ] s livlighet *m*, vitalitet *m*
vitally ['vaɪtəlɪ] ADV ▸ **vitally important** tvingende nødvendig
vital statistics SPL (*of woman*) vitale mål *pl*; (*of population*) befolkningsstatistikk *m*
vitamin ['vɪtəmɪn] [1] s vitamin *m*
[2] SAMMENS (*pill, deficiencies*) vitamin-
vitreous ['vɪtrɪəs] ADJ glassert
vitriolic [vɪtrɪ'ɔlɪk] ADJ bitende
viva ['vaɪvə] s (*also* ***viva voce***) muntlig eksamen *m*
vivacious [vɪ'veɪʃəs] ADJ livlig
vivacity [vɪ'væsɪtɪ] s livlighet *m*
vivid ['vɪvɪd] ADJ (*description, memory*) levende; (*colour, light*) skinnende; (*imagination*) livlig
vividly ['vɪvɪdlɪ] ADV (*describe*) levende, livaktig; (*remember*) klart og tydelig
vivisection [vɪvɪ'sɛkʃən] s viviseksjon *m*
vixen ['vɪksn] s (*ZOOL*) hunnrev *m*; (*neds : woman*)

furie *c*
viz [vɪz] FK (= **videlicet**) nemlig
VLF (*RADIO*) FK (= **very low frequency**) VLF, meget lav frekvens
V-neck ['viːnɛk] s V-hals *m*
VOA S FK (= **Voice of America**) *amerikansk radiostasjon, del av USIA, som sender bl.a. nyheter med amerikansk vinkling*
vocabulary [vəu'kæbjuləri] s (**a**) (= *words known*) ordforråd *nt*, vokabular *nt* ❑ *He searched his vocabulary for the exact word.* Han lette i ordforrådet *or* vokabularet sitt etter det rette ordet.
(**b**) (= *set of words*) vokabular *nt*
(**c**) (= *words to learn*) gloser *pl*
vocabulary book s glosebok *c*
vocal ['vəukl] ADJ (**a**) (= *of the voice*) stemme-
(**b**) (= *articulate*) som har lett for å si fra ❑ *Today the young are much more vocal.* I dag har de unge mye lettere for å si fra.
vocal cords SPL stemmebånd *pl*
vocalist ['vəukəlɪst] s vokalist *m*
vocals ['vəuklz] SPL vokal *no art, no pl* NB *Lead vocals: Boy George. Backing vocals: Helen Terry.* Vokal: Boy George. Koring: Helen Terry.
vocation [vəu'keɪʃən] s kall *nt* ❑ *I believe that one must have a vocation for teaching.* Jeg tror at man trenger et kall for å bli* lærer.
vocational [vəu'keɪʃənl] ADJ (*training, guidance etc*) yrkes-
vociferous [və'sɪfərəs] ADJ (*protesters, demands*) høyrøstet
vodka ['vɔdkə] s vodka *m*
vogue [vəug] s mote *m*
▸ **in vogue** på moten
voice [vɔɪs] 1 s stemme *m*, røst *m* (*liter*) ❑ *She heard a voice calling her name.* Hun hørte en stemme *or* røst som sa navnet hennes. *...the voice of the Black community...* det sorte samfunnets stemme...
2 VT (*+opinion, anger*) gi* uttrykk for
▸ **in a loud/soft voice** med høy/lav stemme
▸ **to give voice to** gi* uttrykk for
voice mail s *anonym "telefon"-svarer på nettet*
voice-over ['vɔɪsəuvəʳ] s voiceover *m*
void [vɔɪd] 1 s tomrom *nt* ❑ *...the gaping void at his feet.* ...det gapende tomrommet ved føttene hans. *...an intellectual void.* ...et intellektuelt tomrom.
2 ADJ ugyldig ❑ *The contract was declared void.* Kontrakten ble erklært ugyldig.
▸ **void of** blottet for
voile [vɔɪl] s tynt bomullsstoff *nt*
vol. FK = **volume**
volatile ['vɔlətaɪl] ADJ (*situation*) ustabil; (*person*) ustadig; (*liquid, substance*) flyktig
volcanic [vɔl'kænɪk] ADJ (*rock, eruption*) vulkansk
volcano [vɔl'keɪnəu] (*pl* **volcanoes**) s vulkan *m*
volition [və'lɪʃən] s ▸ **of one's own volition** av egen vilje
volley ['vɔlɪ] s (**a**) (*of gunfire, questions*) salve *c* ❑ *...a volley of automatic rifle fire.* ...en salve med automatisk geværild. *...the volley of abuse that was his only answer.* ...salven med skjellsord som var hans eneste svar.
(**b**) (*of stones etc*) skuddsalve *c* ❑ *He was chased from the street by a volley of stones.* Han ble jaget vekk fra gata med en skuddsalve av steiner.
(**c**) (*TENNIS etc*) volley *m*
volleyball ['vɔlɪbɔːl] s volleyball *m*
volt [vəult] s volt *m*
voltage ['vəultɪdʒ] s spenning *c*
▸ **high/low voltage** høy/lav spenning
volte-face ['vɔlt'fɑːs] s helomvending *c*
voluble ['vɔljubl] ADJ (*person*) snakkesalig
volume ['vɔljuːm] s (**a**) (*space*) volum *nt* ❑ *...a gas that expands to nine times its original volume.* ...en gass som utvider seg ni ganger sitt opprinnelige volum.
(**b**) (*amount*) masse *m* ❑ *It carries the largest volume of traffic in the world.* Den fører verdens største trafikkmasse.
(**c**) (*book*) bok *c*
(**d**) (*one of a set*) bind *nt* ❑ *...a scholarly volume on Stonehenge.* ...en vitenskapelig bok om Stonehenge.
(**e**) (= *sound level*) volum *nt*, lydstyrke *m* ❑ *She turned up the volume on the radio.* Hun skrudde opp volumet *or* lydstyrken på radioen.
▸ **volume one/two** bind en/to
▸ **the way she looked at him spoke volumes** måten hun så på ham på talte sitt tydelige språk
volume control s volumkontroll *m*
volume discount s kvantumsrabatt *m*
voluminous [və'luːmɪnəs] ADJ (*clothes*) (svært) romslig; (*correspondence, notes*) masser av
voluntarily ['vɔləntrɪlɪ] ADV frivillig ❑ *They were said to have left their land voluntarily.* Det ble sagt at de hadde forlatt landet sitt frivillig.
voluntary ['vɔləntərɪ] ADJ (*work, worker, exile, redundancy*) frivillig ❑ *We run the service on a voluntary basis.* Vi drev tjenesten på frivillig basis.
voluntary liquidation s frivillig avvikling *c* av selskapet
voluntary redundancy (*BRIT*) s frivillig oppsigelse *m*
volunteer [vɔlən'tɪəʳ] 1 s frivillig *m decl as adj*
2 VT (*+information*) komme* uoppfordret med ❑ *He volunteered an explanation for our visit.* Han kom uoppfordret med en forklaring på besøket vårt.
3 VI (*for army etc*) melde (*v2*) seg frivillig ❑ *...he volunteered for the Marines.* ...han meldte seg frivillig til Marinen.
▸ **to volunteer to do sth** tilby* seg å gjøre* noe
voluptuous [və'lʌptjuəs] ADJ (*movement, feeling*) sensuell; (*body*) yppig, frodig
vomit ['vɔmɪt] 1 s oppkast *nt*
2 VTI kaste (*v1*) opp
voracious [və'reɪʃəs] ADJ (*appetite*) glupende
vote [vəut] 1 s (**a**) (*indication of choice, opinion*) stemme *m* ❑ *The motion was defeated by 221 votes to 152.* Forslaget ble nedstemt med 221 mot 152 stemmer.
(**b**) (= *votes cast*) ▸ **the vote** stemmene *pl* ❑ *They captured 13 per cent of the vote.* De fikk 13 prosent av stemmene.
(**c**) (= *right to vote*) stemmerett *m* ❑ *Women have*

had the vote for over fifty years. Kvinner har hatt stemmerett i over femti år.
[2] VT (**a**) (= *elect*) ▸ **to be voted chairman** *etc* bli* valgt til *or* som formann *etc*
(**b**) (= *propose*) ▸ **to vote that** stemme (*v2x*) for at ❑ *I vote that we try again later.* Jeg stemmer for at vi prøver igjen senere.
[3] VI (*in election etc*) stemme (*v2x*) ❑ *Fewer people voted in this election.* Færre mennesker stemte ved dette valget.
▸ **to vote to do sth** stemme (*v2x*) for å gjøre* noe
▸ **to put sth to the vote** ta* noe opp til avstemning
▸ **take a vote on sth** stemme (*v2x*) over noe
▸ **to vote for** *or* **in favour of/against** stemme (*v2x*) for/mot
▸ **to vote on sth** stemme (*v2x*) over noe
▸ **to vote yes/no to** stemme (*v2x*) ja/nei til
▸ **to vote Labour/Green** *etc* stemme (*v2x*) Arbeiderpartiet/stemme (*v2x*) på De grønne *etc*
▸ **to pass a vote of confidence/no confidence** avgi* tillitsvotum/mistillitsvotum
vote of thanks s takketale *m*
voter ['vəutəʳ] s velger *m*
voting ['vəutɪŋ] s (= *poll*) avstemning *m*; (*act of casting one's vote*) stemmegiving *c*
voting paper (*BRIT*) s stemmeseddel *m*
voting right s stemmerett *m*
vouch [vautʃ] ▸ **vouch for** VT FUS (*person, quality etc*) gå* god for ❑ *I can vouch for the accuracy of my information.* Jeg kan gå* god for riktigheten av den informasjonen jeg har.
voucher ['vautʃəʳ] s (**a**) (*with petrol, cigarettes etc*) gavekupong *m*
(**b**) (*for travel, hotel*) voucher *m*, kupong *m*
▸ **gift voucher** gavesjekk *m*
▸ **luncheon voucher** lunsjkupong *m*
vow [vau] [1] s (høytidelig) løfte *nt*
[2] VT ▸ **to vow to do** love (*v1 or v2*) dyrt og hellig å gjøre ❑ *He had vowed never to let it happen again.* Han hadde lovet dyrt og hellig at det ikke skulle* skje igjen.
▸ **to take** *or* **make a vow to do sth** avgi* et (høytidelig) løfte om å gjøre* noe
▸ **to vow that** sverge (*v1*) på at
vowel ['vauəl] s vokal *m*
voyage ['vɔɪɪdʒ] s reise *c*
voyeur [vwɑː'jəːʳ] s kikker *m*
VP s FK = **vice-president**
vs FK = **versus**
V-sign ['viːsaɪn] (*BRIT*) s ▸ **to give sb the** *or* **a V-sign** ≈ vise (*v2*) noen fingeren
VSO (*BRIT*) s FK (= **Voluntary Service Overseas**) fredskorps *nt*
VSOP s FK = **very special old pale**
VT (*US: POST*) FK = **Vermont**
VTR s FK = **video tape recorder**
vulgar ['vʌlgəʳ] ADJ vulgær
vulgarity [vʌl'gærɪtɪ] s vulgaritet *m* ❑ *...the vulgarity of his language.* ...det vulgære ved språket hans. *The vulgarity of the decor made me wince.* Innredningens vulgaritet fikk meg til å krympe meg.
vulnerability [vʌlnərə'bɪlɪtɪ] s sårbarhet *m*
vulnerable ['vʌlnərəbl] ADJ (*person, position*) sårbar
▸ **vulnerable to sth** utsatt for noe ❑ *Elderly people, living alone, are especially vulnerable.* Eldre mennesker som bor alene er spesielt utsatt *or* sårbare.
vulture ['vʌltʃəʳ] s (*bird, person*) gribb *m*
vulva ['vʌlvə] s vulva *inv*

W

W, w ['dʌblju:] s (*letter*) W, w *m*
▸ **W for William** ≈ dobbelt-v
W ['dʌblju:] FK = **west**; (*ELEK*) = **watt**
WA (*US: POST*) FK = **Washington**
wacky ['wækɪ] (*sl*) ADJ sær
wad [wɔd] s (*of paper, banknotes*) (sammenrullet) bunke *m*, (sammenrullet) bunt *m*; (*of cotton wool*) dott *m*
wadding ['wɔdɪŋ] s vatt *m* (*til innpakning*)
waddle ['wɔdl] VI (*duck, fat person+*) vralte (*v1*) ❑ *A family of ducks waddled past.* En andefamilie vraltet forbi.
wade [weɪd] VI ▸ **to wade across** (*+river, stream*) vasse (*v1*) over
▸ **to wade through** (*fig: book*) slite* *or* arbeide (*v1*) seg gjennom
wafer ['weɪfəʳ] s (is)kjeks *m*
wafer-thin ['weɪfə'θɪn] ADJ løvtynn, papirtynn
waffle ['wɔfl] 1 s (**a**) (*KULIN*) vaffel *m*
(**b**) (*empty talk*) tørrprat *m* ❑ *I don't want waffle, I want the real figures.* Jeg vil ikke ha* tørrprat, jeg vil ha* de virkelige tallene.
2 VI (*in speech, writing*) tørrprate (*v1*) ❑ *He's still waffling on about economic recovery.* Han driver fremdeles og tørrprater om økonomisk bedring.
waffle iron s vaffeljern *nt*
waft [wɔft] 1 VT (*+sound, scent*) bære* (gjennom lufta), føre (*v2*) (gjennom lufta) ❑ *Delicious odours were wafted towards us.* Deilige dufter ble båret *or* ført (gjennom lufta) mot oss.
2 VI (*sound, scent+*) drive* ❑ *A scent of eucalyptus wafted up from the hotel gardens.* En duft av eukalyptus drev opp fra hotellhagene.
wag [wæg] 1 VT (*+finger*) vifte (*v1*) med; (*+tail*) logre (*v1*) med
2 VI (*tail+*) fare* fra side til side
wage [weɪdʒ] 1 s (*also* ***wages***) lønn *c*, lønning *c* ❑ *...on a low wage.* ...på en lav lønn *or* lønning
2 VT ▸ **to wage war** føre (*v2*) krig
▸ **a day's wages** en dagslønn
wage claim s lønnskrav *nt*
wage differential s lønnsforskjell *m*
wage earner s lønnsmottaker *m*
wage freeze s lønnsstopp *m*
wage packet s lønningspose *m*
wager ['weɪdʒəʳ] 1 s veddemål *nt*
2 VT satse (*v1*) ❑ *I'll wager my reputation on the outcome.* Jeg satser mitt gode navn og rykte på utfallet.
waggle ['wægl] 1 VT vifte (*v1*) med
2 VI bevege (*v1*) seg opp og ned, bevege (*v1*) seg fram og tilbake
wag(g)on ['wægən] s (*horse-drawn*) vogn *c* (*med fire hjul*); (*BRIT: JERNB*) godsvogn *c*
wail [weɪl] 1 s (**a**) (*of person*) hyling *c* ❑ *...the wail of a baby.* ...hylingen fra en baby.
(**b**) (*of siren*) ul *nt* ❑ *...the wail of the factory hooter.* ...ulet fra fabrikksirenen.
2 VI (**a**) (*person+*) hyle (*v2*) ❑ *...children began to wail with terror.* ...barn begynte å hyle av skrekk.
(**b**) (*siren+*) ule (*v2*)
waist [weɪst] s (**a**) (*ANAT*) liv *nt*, midje *c*
(**b**) (*of clothing*) liv *nt* ❑ *She tucked the bills into the waist of her skirt.* Hun stappet sedlene innenfor skjørtelivet.
waistcoat ['weɪskəut] (*BRIT*) s vest *m*
waistline ['weɪstlaɪn] s livvidde *m*, livlinje *c*
wait [weɪt] 1 s (*interval*) ventetid *c* NB *There was a long wait.* Vi ventet lenge.
2 VI vente (*v1*) ❑ *You'll have to wait till tomorrow.* Du må vente til i morgen.
▸ **to wait for sb/sth** vente (*v1*) på noen/noe
▸ **to keep sb waiting** la noen sitte/stå og vente
▸ **I can't wait to tell her** jeg er sprekkeferdig etter å fortelle det til henne
▸ **I can't wait to see you** jeg gleder meg til å treffe deg
▸ **wait a minute!** vent (nå) litt!
▸ **"repairs while you wait"** "vi reparerer mens du venter"
▸ **to lie in wait for sb** ligge* på lur etter noen
▶ **wait behind** VI bli* igjen (*etter at de andre har gått*) ❑ *He waited behind to have a word with her.* Han ble igjen for å få* et ord med henne.
▶ **wait on** VT FUS servere (*v2*), varte (*v1*) opp
▶ **wait up** VI sitte* oppe og vente (*v1*)
▸ **don't wait up for me** ikke sitt oppe og vent på meg
waiter ['weɪtəʳ] s servitør *m*, kelner *m* (*slightly o.f.*)
waiting ['weɪtɪŋ] s ▸ **"no waiting"** (*BRIT*) "stans forbudt"
waiting list s venteliste *c* ❑ *...long hospital waiting lists.* ...lange ventelister til sykehusene.
waiting room s venteværelse *nt*
waitress ['weɪtrɪs] s servitør *m*, serveringsdame *c* (*slightly o.f.*)
waive [weɪv] VT (velge* å) se* bort fra
waiver ['weɪvəʳ] s frafallelse *m*
wake [weɪk] (*pt* **woke, waked**, *pp* **woken, waked**)
1 VT (*also* ***wake up***) vekke (*v1 or v2x*) ❑ *He woke me early.* Han vekket meg tidlig.
2 VI (*also* ***wake up***) våkne (*v1*) (opp) ❑ *I sometimes wake at four.* Noen ganger våkner jeg (opp) klokka fire.
3 s (**a**) (*for the dead*) likvake *c*
(**b**) (*NAUT*) kjølvann *nt* ❑ *...the wake of the boat.* ...kjølvannet etter båten.
▸ **to wake up to sth** (*fig*) få* øynene opp for noe
▸ **in the wake of** (*fig*) i kjølvannet av
▸ **to follow in sb's wake** (*fig*) følge* i kjølvannet av noen *or* i hælene på noen
waken ['weɪkn] VT, VI = **wake**
Wales [weɪlz] s Wales
▸ **the Prince of Wales** prinsen av Wales
walk [wɔ:k] 1 s (**a**) (*hike*) tur *m* (til fots)
(**b**) (*shorter*) (spaser)tur *m* ❑ *We were all tired after our walk.* Vi var alle trøtte etter turen.
(**c**) (= *gait*) gange *m*, ganglag *nt* ❑ *I can always*

recognise her by her walk. Jeg kan alltid gjenkjenne henne på gangen *or* ganglaget.
(**d**) (*path*) spasersti *m*, gangvei *m*
(**e**) (*along coast etc*) turvei *m* ❑ *There are some beautiful walks along the coast.* Det er noen nydelige turveier langs kysten.
2 VI (**a**) (= *go on foot*) gå ❑ *Most children learn to walk when they are a year old.* De fleste barn lærer å gå* når de er ett år gamle.
(**b**) (*for pleasure, exercise*) spasere (*v2*), gå* (til fots) ❑ *I won't take the bus, I'm going to walk.* Jeg skal ikke ta* bussen, jeg har tenkt å spasere *or* gå* (til fots).
3 VT (**a**) (*+distance*) gå ❑ *We've walked twenty kilometres today.* Vi har gått to mil i dag.
(**b**) (*+dog*) gå* tur med ❑ *Have you walked the dog yet?* Har du gått tur med hunden ennå?
▸ **it's 10 minutes' walk from here** det er 10 minutters gange herfra
▸ **to go for a walk** ta* en (spaser)tur, gå* en tur
▸ **to walk in one's sleep** gå* i søvne
▸ **to walk sb home** følge* noen hjem
▸ **to slow to a walk** sakne (*v1*) farten til gangfart
▸ **people from all walks of life** folk fra alle sosiale lag

► **walk out** VI (**a**) (*audience+*) forlate* salen
(**b**) (*workers+*) gå* ut i streik

► **walk out on** (*sl*) VT FUS (*+family etc*) gå* fra ❑ *She walked out on her boyfriend.* Hun gikk fra kjæresten.

walkabout ['wɔːkəbaut] S ▸ **to go on a walkabout** blande (*v1*) seg med mengden

walker ['wɔːkəʳ] S (*person*) turgåer *m*; (*hiker*) fotturist *m*

walkie-talkie ['wɔːkɪ'tɔːkɪ] S walkie-talkie *m*

walking ['wɔːkɪŋ] S fotturer *pl* ❑ *Walking is now very popular.* Fotturer er svært populært nå.
▸ **it's within walking distance** det ligger i gangavstand

walking holiday S fotturferie *m*

walking shoes SPL spasersko *pl*

walking stick S spaserstokk *m*

Walkman ['wɔːkmən]® S lommedisko *m*

walk-on ['wɔːkɔn] (*TEAT*) ADJ ▸ **walk-on part** statistrolle *m*

walkout ['wɔːkaut] S (*of workers*) arbeidsnedleggelse *m*

walkover ['wɔːkəuvəʳ] (*sl*) S (= *easy victory or success*) lett seier *m* ❑ *It was a walkover for the Tories.* Det ble en lett seier for Toriene.

walkway ['wɔːkweɪ] S gangbro *c*

wall [wɔːl] S (**a**) (*interior: of house, tunnel, cave*) vegg *m* ❑ *There was a picture on the wall.* Det hang et bilde på veggen. *Water was dripping from the walls.* Det dryppet vann fra veggene.
(**b**) (*exterior*) mur *m* ❑ *...a house within the city walls.* ...et hus innenfor bymurene.
▸ **to go to the wall** (*fig: firm etc*) bukke (*v1*) under

► **wall in** VT (*enclose*) gjerde (*v1*) inn

wall cupboard S veggskap *nt*

walled [wɔːld] ADJ (*city*) omgitt av murer, befestet; (*garden*) inngjerdet

wallet ['wɔlɪt] S lommebok *c*

wallflower ['wɔːlflauəʳ] S gyllenlakk *m*
▸ **to be a wallflower** (*fig*) sitte* som veggpryd

wall hanging S veggteppe *nt*

wallop ['wɔləp] (*BRIT: sl*) VT smelle (*v2x*) til

wallow ['wɔləu] VI (**a**) (*animal+ : in mud, water*) velte (*v1*) seg, rulle (*v1*) seg ❑ *...creatures who wallow in mud.* ...vesner som velter *or* ruller seg i søla.
(**b**) (*person+ : in guilt, grief*) sylte (*v1*) seg ned i ❑ *I only wanted to wallow in my misery.* Jeg hadde bare lyst til sylte meg ned i min elendighet.

wallpaper ['wɔːlpeɪpəʳ] 1 S tapet *m or nt*
2 VT (*+room*) tapetsere (*v2*)

wall-to-wall ['wɔːltə'wɔːl] ADJ ▸ **wall-to-wall carpeting** vegg-til-vegg-teppe *nt*, heldekkende teppe *nt* ▸ **wall-to-wall coverage** heldekning *c* ❑ *Television's wall-to-wall soccer coverage...* Den heldekkende fotballoverføringen på TV...

wally [wɔlɪ] (*sl*) S suppegjøk *m* (*sl*)

walnut ['wɔːlnʌt] S (*nut*) valnøtt *c*; (*tree*) valnøttre *nt*, valnøtt *c*; (*wood*) valnøttre *nt*

walrus ['wɔːlrəs] (*pl* **walrus** *or* **walruses**) S hvalross *m*

waltz [wɔːlts] 1 S vals *m*
2 VI danse (*v1*) vals, valse (*v1*)

wan [wɔn] ADJ (*person*) blek (og sykelig); (*complexion*) gråblek, gusten; (*smile*) blek, matt

wand [wɔnd] S (*also* ***magic wand***) tryllestav *m*

wander ['wɔndəʳ] 1 VI (**a**) (*person+*) streife (*v1*) rundt, flakke (*v1*) rundt
(**b**) (*thoughts+*) vandre (*v1*) ❑ *My thoughts kept wandering back to that night.* Tankene mine vandret stadig tilbake til den natten.
2 VT (*+the streets, the hills etc*) streife (*v1*) rundt i

wanderer ['wɔndərəʳ] S vandringsmann *m*, vandrer *m*, veifarende *m decl as adj*

wandering ['wɔndrɪŋ] ADJ (*tribe*) omstreifende; (*minstrel, actor*) omreisende

wane [weɪn] VI (*moon+*) avta*, nee (*v1*); (*enthusiasm, influence etc+*) avta*, bli* stadig mindre

wangle ['wæŋgl] (*BRIT: sl*) VT fikse (*v1*) ❑ *He wangled his way onto the expedition.* Han fikset det slik at han fikk bli* med på ekspedisjonen.

wanker ['wæŋkəʳ] (*sl!*) S runker *m* (*sl!*)

want [wɔnt] 1 VT (**a**) (= *wish for*) ville* ha ❑ *Do you want a cup of coffee?* Vil du ha* en kopp kaffe?
(**b**) (= *need, require*) trenge (*v2*) ❑ *...a couple of jobs that want doing in the garden.* ...en jobb eller to som trenger å gjøres i hagen.
2 S ▸ **want of** mangel *m* på ❑ *This shows a dreadful want of foresight on his part.* Dette viser en forferdelig mangel på framsyn fra hans side.
▸ **wants** SPL behov *nt* ❑ *They developed new wants: for shirts and whisky.* De utviklet nye behov: for skjorter og whisky.
▸ **to want to do sth** ville* gjøre* noe, ønske (*v1*) å gjøre* noe
▸ **to want sb to do sth** ville* at noen skal gjøre* noe, ønske (*v1*) at noen skal gjøre* noe
▸ **to want out** (*of deal etc*) ville* trekke seg
▸ **to want in** (*in deal etc*) ville* være* med
▸ **you're wanted on the phone** det er telefon til deg
▸ **he is wanted by the police** han er ettersøkt *or* etterlyst av politiet

▸ **for want of** i mangel av, av mangel på ❑ *We'll call them rocks, for want of a better name.* Vi får kalle dem steiner, i mangel av *or* av mangel på et bedre navn.

want ads (*US*) SPL ≈ rubrikkannonser

wanted ['wɔntɪd] ADJ (*criminal etc*) ettersøkt, etterlyst ❑ *He is wanted for murder.* Han er ettersøkt *or* etterlyst for mord. *...a "wanted" poster of the suspected rapist.* ...en "ettersøktplakat" av den voldtektsmistenkte.

▸ **"cook wanted"** "kokk ønskes", "kokk søkes"

wanting ['wɔntɪŋ] ADJ ▸ **to be found wanting** komme* til kort ❑ *He is put to the test and is quickly found wanting.* Han blir satt på prøve men kommer fort til kort.

wanton ['wɔntn] ADJ (*= promiscuous: woman*) utfordrende; (*= gratuitous*) ▸ **wanton violence** blind vold

war [wɔːʳ] s krig *m*

▸ **to go to war** gå* til krig

▸ **to be at war (with)** være* i krig (med) ❑ *England and Germany used to be at war.* England og Tyskland var tidligere i krig.

▸ **to make war (on)** gå* til krig (mot) ❑ *People have made war on their neighbours throughout history.* Fok har gått til krig mot naboene sine gjennom hele historien.

▸ **a war on drugs/crime** en kamp mot narkotika/kriminalitet

warble ['wɔːbl] [1] s triller *pl* (*fuglesang*)
[2] VI (*bird+*) trille (*v1*)

war cry s krigsrop *nt*; (*fig: slogan*) kamprop *nt*

ward [wɔːd] s (*in hospital*) avdeling *c*; (*POL*) bydel *m*; (*also* ***ward of court***) *barn som en eldre person eller domstol har fått ansvaret for*

▸ **ward off** VT (*+danger, attack, enemy, illness*) beskytte (*v1*) seg mot

warden ['wɔːdn] s (*of park, game reserve*) vokter *m*; (*of jail*) direktør *m*; (*BRIT: of youth hostel, in university*) bestyrer *m*; (*BRIT: directing traffic*) trafikkpoliti *nt*; (*controlling parking*) parkeringsvakt *c*

warder ['wɔːdəʳ] (*BRIT*) s fengselsbetjent *m*, (fange)vokter *m*

wardrobe ['wɔːdrəub] s (**a**) (*for clothes*) garderobeskap *nt*
(**b**) (*collection of clothes, also THEAT*) garderobe *m* ❑ *We buy a whole new wardrobe.* Vi kjøper en helt ny garderobe. *She had to go to wardrobe for a fitting.* Hun måtte* gå* til garderoben til en kostymeprøve.

warehouse ['wɛəhaus] s lager *nt*, pakkhus *nt*

wares [wɛəz] (*MERK*) SPL varer

warfare ['wɔːfɛəʳ] s krig *m*, krigføring *c* ❑ *...open warfare.* ...full krig.

war game s krigsspill *nt*

warhead ['wɔːhɛd] s stridshode *nt*

warily ['wɛərɪlɪ] ADV (*ask, look*) vaktsomt

Warks (*BRIT: POST*) FK = **Warwickshire**

warlike ['wɔːlaɪk] ADJ (*nation, appearance*) krigersk

warm [wɔːm] ADJ (**a**) (*gen*) varm ❑ *...a warm, generous heart.* ...et varmt, gavmildt hjerte. *...a pair of nice warm socks.* ...et par gode varme sokker.
(**b**) (*thanks, applause, welcome*) varm, hjertelig ❑ *He was given a warm welcome.* Han fikk en varm *or* hjertelig velkomst.

▸ **it's warm** det er varmt

▸ **I'm warm** jeg er varm

▸ **to keep sth warm** (**a**) (*+food etc*) holde* noe varm
(**b**) (*+house*) holde* det varmt i noe ❑ *There was no way of keeping the shop warm.* Det fantes ingen måte å holde det varmt i butikken *or* å holde butikken varm på.

▸ **with my warmest thanks/congratulations** med min varmeste *or* hjerteligste takk/ gratulasjoner

▸ **warm up** [1] VI (**a**) (*room, weather, water, engine+*) bli* varm
(**b**) (*athlete+*) varme (*v1*) opp
[2] VT (**a**) (*+food*) varme (*v1*) opp ❑ *Start warming up the soup now.* Begynn å varme opp suppen nå.
(**b**) (*+person*) varme (*v1*) ❑ *Gradually the sun warmed us up.* Gradvis varmet sola oss.

warm-blooded ['wɔːm'blʌdɪd] ADJ varmblodig

war memorial s krigsminnesmerke *nt*

warm-hearted [wɔːm'hɑːtɪd] ADJ varmhjertet, hjertevarm

warmly ['wɔːmlɪ] ADV (**a**) (*applaud, welcome*) varmt, hjertelig
(**b**) (*dress*) varmt ❑ *Make sure that Chris dresses warmly.* Pass på at Chris kler seg varmt.

warmonger ['wɔːmʌŋgəʳ] s krigshisser *m*

warmongering ['wɔːmʌŋgrɪŋ] s krigshissing *c*

warmth [wɔːmθ] s varme *m* ❑ *...my uncle's warmth and affection.* ...min onkels varme og kjærlighet.

warm-up ['wɔːmʌp] s oppvarmingsøvelse *m*

warn [wɔːn] VT ▸ **to warn sb that** varsle (*v1*) noen om at

▸ **to warn sb of/aginst sth** advare (*v2*) noen om/mot noe

▸ **to warn sb not to do sth** *or* **against doing sth** advare (*v2*) noen mot å gjøre* noe ❑ *I warned him not to lose his temper.* Jeg advarte ham mot å miste beherskelsen.

warning ['wɔːnɪŋ] s (**a**) (*act*) advarsel *m* ❑ *A warning of the danger of smoking is printed on every pack of cigarettes.* En advarsel om faren ved røyking er trykt på hver eneste sigarettpakke.
(**b**) (*signal*) varsel *nt* ❑ *No advance warning of the President's departure was given.* Det ble ikke gitt noe forhåndsvarsel om presidentens avreise.

▸ **without (any) warning** uten varsel

▸ **gale warning** stormvarsel *nt*, kulingvarsel *nt*

warning light s varsellampe *c*, kontrollampe *c*

warning triangle (*BIL*) s varseltrekant *m*

warp [wɔːp] [1] VI (*wood etc+*) slå* seg, bli* vindskjev
[2] VT (*fig: character*) forkvakle (*v1*)

warpath ['wɔːpɑːθ] s ▸ **to be on the warpath** (*fig*) være* på krigsstien

warped [wɔːpt] ADJ (*wood*) vindskjev; (*fig: character, sense of humour etc*) forkvaklet

warplane ['wɔːpleɪn] s krigsfly *n*

warrant ['wɔrnt] [1] s (**a**) (*for arrest*) arrestordre *m* ❑ *A warrant was issued for his arrest.* Det ble

utstedt en arrestordre på ham.
(**b**) (*also* ***search warrant***) ransakingsordre *m*
2 VT (= *justify, merit*) gjøre* berettiget ❑ *The situation warrants further investigation.* Situasjonen gjør en videre etterforsking berettiget.

warrant officer S (*MIL*) ≈ fenrik *m*; (*NAUT*) ≈ underoffiser *m*

warranty ['wɔrəntɪ] S garanti *m*
▸ **the car was still under warranty** garantien gjaldt fremdeles

warren ['wɔrən] S (*of rabbits*) område *nt* med kaninhull; (*fig: of passages, streets*) labyrint *m*, virvar *nt*

warring ['wɔːrɪŋ] ADJ (*nations*) krigførende; (*factions*) stridende; (*interests*) motstridende

warrior ['wɔrɪəʳ] S kriger *m*

Warsaw ['wɔːsɔː] S Warszawa

warship ['wɔːʃɪp] S krigsskip *nt*

wart [wɔːt] S vorte *c*

wartime ['wɔːtaɪm] S ▸ **in wartime** i krigstid

wary ['wɛərɪ] ADJ vaktsom
▸ **to be wary of sth** være* skeptisk til noe
▸ **to be wary about** *or* **of doing sth** være* forsiktig med å gjøre* noe ❑ *I'm very wary about believing these stories.* Jeg er svært forsiktig med å tro på disse historiene.

was [wɔz] PRET *of* **be**

wash [wɔʃ] 1 VT (**a**) (*+clothes, dishes, face, hands, hair*) vaske (*v1*)
(**b**) (= *remove grease, paint etc*) rense (*v1*) ❑ *Wash brushes in warm water.* Rens pensler i varmt vann.
2 VI (*person+*) vaske (*v1*) seg ❑ *The children were encouraged to wash themselves.* Barna ble oppmuntret til å vaske seg selv.
3 S (**a**) (*batch of clothes*) (kles)vask *m* ❑ *She took in the wash.* Hun tok inn (kles)vasken.
(**b**) (= *washing programme*) vask *m* ❑ *The dye comes out with the first wash.* Fargen går av i den første vasken.
(**c**) (*of ship*) kjølvann *nt* ❑ *...the wash of a passing boat.* ...kjølvannet etter en båt som passerte.
▸ **to have a wash** vaske (*v1*) seg
▸ **to give sth a wash** vaske (*v1*) noe
▸ **to wash one's face/hands** vaske (*v1*) ansiktet/hendene
▸ **to wash over/against sth** (*sea etc+*) vaske (*v1*) over/mot, skvulpe (*v1*) *or* skvalpe (*v1*) over/mot
▸ **he was washed overboard** han ble skylt overbord

▸ **wash away** VT (*flood, river etc+*) skylle (*v2x*) bort ❑ *The dam collapsed, washing away the village.* Demningen brøt sammen og skylte bort landsbyen.

▸ **wash down** VT (**a**) (*+wall*) vaske (*v1*) ned
(**b**) (*+path*) spyle (*v2*)
(**c**) (*+car*) vaske (*v1*), spyle (*v2*)
(**d**) (*+food: with wine etc*) skylle (*v2x*) ned ❑ *We had smoked salmon, washed down with claret.* Vi spiste røykelaks skylt ned med rødvin.

▸ **wash off** 1 VI gå* av ❑ *It'll probably wash off in the rain.* Det vil sannsynligvis gå* av i regnet.
2 VT vaske (*v1*) av *or* bort

▸ **wash out** VT (*+stain*) vaske (*v1*) av *or* bort

▸ **wash up** VI (**a**) (*BRIT: wash dishes*) vaske (*v1*) opp
(**b**) (*US: have a wash*) vaske (*v1*) seg

washable ['wɔʃəbl] ADJ (*fabric, wallpaper etc*) vaskbar

washbasin ['wɔʃbeɪsn] S (hånd)vask *m*, (vaske)servant *m*

washbowl ['wɔʃbəul] (*US*) S (hånd)vask *m*, (vaske)servant *m*

washcloth ['wɔʃklɔθ] (*US*) S vaskeklut *m*

washer ['wɔʃəʳ] S pakning *m*, skive *c*

washing ['wɔʃɪŋ] S (**a**) (*dirty*) skittentøy *nt*, vasketøy *nt* ❑ *Her husband comes home bringing his washing with him.* Mannen hennes kommer hjem og har skittentøyet *or* vasketøyet sitt med seg.
(**b**) (*clean*) (kles)vask *m*, vasketøy *nt* ❑ *There was nowhere to hang washing.* Det var ikke noen steder å henge (kles)vask *or* vasketøy.
▸ **to do the washing** vaske (*v1*) klærne

washing line (*BRIT*) S klessnor *c*

washing machine S vaskemaskin *m*

washing powder (*BRIT*) S vaskepulver *nt*

Washington ['wɔʃɪŋtən] S Washington

washing-up [wɔʃɪŋ'ʌp] S oppvask *m*
▸ **to do the washing-up** ta* oppvasken

washing-up liquid (*BRIT*) S oppvaskmiddel *nt*

wash-out ['wɔʃaut] (*sl*) S flopp *m*

washroom ['wɔʃrum] (*US*) S toalett *nt*

wasn't ['wɔznt] = **was not**

WASP [wɔsp] (*US: sl*) S FK (= **White Anglo-Saxon Protestant**) *protestant av engelsk eller nord-europeisk herkomst*

Wasp [wɔsp] S FK = **WASP**

wasp [wɔsp] S veps *m*

waspish ['wɔspɪʃ] ADJ (*person, mood*) hissig, irritabel

wastage ['weɪstɪdʒ] S (**a**) (= *amount wasted*) det som går til spille ❑ *...the tremendous wastage from inefficient energy use.* ...all den energien som går til spille på grunn av ineffektiv energibruk.
(**b**) (= *act of wasting*) sløseri *nt*, ødsling *c*
▸ **natural wastage** naturlig avgang ❑ *The job cuts will be made through natural wastage.* Nedskjæringene vil bli* gjort gjennom naturlig avgang.

waste [weɪst] 1 S (**a**) (= *act of wasting*) sløseri *nt*, ødsling *c* ❑ *The local paper declared such waste inexcusable.* Lokalavisen erklærte slikt sløseri *or* slik ødsling utilgivelig.
(**b**) (= *rubbish*) avfall *nt* ❑ *The river was thick with industrial waste.* Elven var full av industriavfall.
(**c**) (*of money, energy*) ▸ **waste (of)** sløsing *c* (med)
2 ADJ (*material*) avfalls- ❑ *...waste material from the oil industry.* ...avfallsstoffer fra oljeindustrien.
3 VT (**a**) (*+time, life, money*) kaste (*v1*) bort
(**b**) (*+energy*) sløse (*v2*) med
(**c**) (*+opportunity*) la gå* (i)fra seg
▸ **wastes** SPL ødemark *c sg* ❑ *...the polar wastes.* ...ødemarken på polene.
▸ **it's a waste of money** det er å kaste bort pengene, det er bortkastede penger
▸ **it's a waste of time** det er bortkastet tid
▸ **to go to waste** gå* til spille
▸ **to lay waste** (*+area, town*) legge* øde

▸ **waste away** VI tæres (*v25*) bort
wastebasket ['weɪstbɑːskɪt] s papirkurv *m*
waste bin s søppelbøtte *c*
waste disposal unit (*BRIT*) s søppelkvern *c*
wasteful ['weɪstful] ADJ (*person*) ødsel; (*process*) uøkonomisk, som sløser
waste ground (*BRIT*) s øde område *nt*
wasteland ['weɪstlənd] s (**a**) (*gen*) ødemark *c* ❑ *...vast tracts of wasteland.* ...vidstrakte områder med ødemark.
(**b**) (*in town*) øde område *nt* ❑ *...the wastelands of old industry.* ...de øde, gamle industriområdene.
(**c**) (*fig*) brakkmark *c* ❑ *...a spiritual wasteland...* en åndelig brakkmark...
wastepaper ['weɪstpeɪpəʳ] s papiravfall *nt*
wastepaper basket (*BRIT*) s papirkurv *m*
waste pipe s avløpsrør *nt*
waste products SPL avfallsprodukter
waster ['weɪstəʳ] s sløser *m*; (= *good-for-nothing*) døgenikt *m*
watch [wɔtʃ] 1 s (**a**) (*also* ***wristwatch***) (armbånds)ur *nt*
(**b**) (= *surveillance*) overvåking *c* ❑ *He was under close watch.* Han var under nøye overvåking.
(**c**) (*group of guards, spell of duty*) vakt *c* ❑ *They change watches at eleven.* De skifter vakt klokka elleve. *...the night watch.* ...nattevakten.
2 VT (**a**) (= *look at: people, objects*) se* på, betrakte (*v1*), iaktta*
(**b**) (+*match, programme, TV*) se* på
(**c**) (= *spy on, guard*) holde* øye med
(**d**) (= *be careful of*) se* opp for ❑ *You ought to watch Barbara, she's unpredictable.* Du burde se opp for Barbara, hun er uberegnelig.
3 VI se* på ❑ *A policeman stood watching.* En politimann stod og så på.
▸ **on watch** på vakt
▸ **to keep a close watch on sb/sth** holde* noen/noe under oppsyn
▸ **watch what you're doing/how you drive** se hva du gjør/hvordan du kjører
▸ **watch out** VI passe (*v1*) seg
▸ **watch out!** pass på!, se opp!
watchband ['wɔtʃbænd] (*US*) s klokkereim *c*
watchdog ['wɔtʃdɔg] s (**a**) (*dog*) vakthund *m*
(**b**) (*fig*) kontrollorgan *nt* ❑ *They established the Atomic Energy Commission to act as a watchdog.* De grunnla Atomenergikommisjonen for at den skulle* opptre som kontrollorgan.
watchful ['wɔtʃful] ADJ vaktsom, årvåken ❑ *...under the watchful eyes of...* under de vaktsomme *or* årvåkne blikkene til...
watchmaker ['wɔtʃmeɪkəʳ] s urmaker *m*
watchman ['wɔtʃmən] *irreg see* **night watchman**
watchstrap ['wɔtʃstræp] s klokkereim *c*
watchword ['wɔtʃwəːd] s slagord *nt*, motto *nt*
water ['wɔːtəʳ] 1 s vann *nt*
2 VT (+*plant, garden*) vanne (*v1*)
3 VI (*eyes, mouth*+) ▸ **his eyes are watering** han har tårer i øynene
▸ **my mouth's watering** tennene mine løper i vann
▸ **to make sb's mouth water** få* noens tenner til å løpe i vann
▸ **a drink of water** et slurk vann; (*glass*) et glass vann
▸ **in British waters** i britisk farvann
▸ **to pass water** (= *urinate*) late* vannet
▸ **water down** VT (**a**) (+*milk etc*) spe (*v4*) ut (med vann)
(**b**) (*fig: story*) vanne (*v1*) ut ❑ *The whole article had been watered down to avoid offence.* Hele artikkelen har blitt utvannet for å unngå at noen blir fornærmet.
water biscuit s ≈ smørbrødkjeks *m*
water cannon s vannkanon *m*
watercolour ['wɔːtəkʌləʳ], **watercolor** (*US*) s akvarell *m*
▸ **watercolours** SPL (*paints*) vannfarger, akvarellfarger
water-cooled ['wɔːtəkuːld] ADJ (*engine*) vannavkjølt, vannkjølt
watercress ['wɔːtəkrɛs] s brønnkarse *m*
waterfall ['wɔːtəfɔːl] s foss *m*, vannfall *nt*
waterfront ['wɔːtəfrʌnt] s ▸ **along the waterfront** langs vannet
▸ **on the waterfront** ved sjøen/vannet
water heater s varmtvannsbereder *m*
water hole s vannhull *nt*
water ice s vannis *m*
watering can s vannkanne *c*, hagekanne *c*
water level s vannstand *m*
water lily s vannlilje *c*, nøkkerose *c*
waterline ['wɔːtəlaɪn] s (*of ship*) vannlinje *c*
waterlogged ['wɔːtəlɔgd] ADJ (*ground*) vannmettet
water main s hovedvannledning *m*
watermark ['wɔːtəmɑːk] s vannmerke *nt*
watermelon ['wɔːtəmɛlən] s vannmelon *m*
water meter s vannmåler *m*
waterproof ['wɔːtəpruːf] ADJ vanntett
water-repellent ['wɔːtərɪ'pɛlnt] ADJ vannavstøtende
watershed ['wɔːtəʃɛd] s (**a**) (*GEOG*) vannskille *nt*
(**b**) (*fig*) vendepunkt *nt* ❑ *...one of the great watersheds of modern history.* ...et av de store vendepunktene i moderne historie.
water-skiing ['wɔːtəskiːɪŋ] s ▸ **to go water-skiing** stå* på vannski
water softener s bløtgjøringsmiddel *nt*
water tank s vanntank *m*
watertight ['wɔːtətaɪt] ADJ (*also fig*) vanntett
water vapour s vanndamp *m*
waterway ['wɔːtəweɪ] s vannvei *m*
waterworks ['wɔːtəwəːks] s (*building*) vannverk *nt*; (*sl*) urinveier *pl*
watery ['wɔːtərɪ] ADJ (*coffee, soup etc*) tynn; (*eyes*) tårevåte
watt [wɔt] s watt *m*
wattage ['wɔtɪdʒ] s wattytelse *m*, wattforbruk *nt or m*
wattle ['wɔtl] s kvistverk *nt*
wave [weɪv] 1 s (**a**) (*gen, on water, PHYS*) bølge *c* ❑ *Radar employs radio waves...* Radar gjør bruk av radiobølger... *a crime wave.* ...en bølge av forbrytelser.
(**b**) (*of hand*) vink *nt* ❑ *With a wave of the hand...* Med et vink med hånden...
2 VI (**a**) (*with hand*) vinke (*v1*) ❑ *His mother waved to him.* Moren hans vinket til ham.
(**b**) (*branches, grass*+) bølge (*v1*) ❑ *The grass was*

waving in the wind. Gresset bølget i vinden.
(**c**) (*flag+*) vaie (*v1*)
3 VT (**a**) (*+hand*) vinke (*v1*) med ❑ *Peter waved his hand towards the house.* Peter vinket med hånden mot huset.
(**b**) (*+flag, handkerchief*) vifte (*v1*) med ❑ *People waved flags at them.* Folk viftet med flagg til dem.
(**c**) (*+gun, stick*) veive (*v1 or v3*) med ❑ *The man dashed towards them waving his spear.* Mannen pilte mot dem mens han veivet med spydet.
(**d**) (*+hair*) krølle (*v1*) ❑ *Have you had your hair waved?* Har du krøllet håret?
▸ **short/medium/long wave** kort-/mellom-/langbølge
▸ **the new wave** (MUS) nyveiv
▸ **he waved us over to his table** han vinket oss over til bordet sitt
▸ **to wave goodbye to sb, to wave sb goodbye** vinke (*v1*) farvel til noen
▸ **wave aside** VT (*fig: suggestion, objection*) vifte (*v1*) til side ❑ *The Chief waved his objection aside.* Sjefen viftet innvendingene hans til side.

waveband ['weɪvbænd] s bølgebånd *nt*

wavelength ['weɪvlɛŋθ] s bølgelengde *m*
▸ **on the same wavelength** (*fig*) på bølgelengde

waver ['weɪvəʳ] VI (**a**) (*voice+*) skjelve*
(**b**) (*eyes+*) ▸ **his eyes didn't waver** blikket hans vek ikke
(**c**) (*person, love+*) vakle (*v1*) ❑ *Smith has never wavered in his assertions of innocence.* Smith har aldri vaklet i sine påstander om at han er uskyldig.

wavy ['weɪvɪ] ADJ (*line*) bølge-; (*hair*) med fall

wax [wæks] 1 s voks *m*; (*for skis*) skismøring *c*
2 VT (*+floor*) bone (*v1 or v2*); (*+car*) vokse (*v1*); (*+skis*) smøre*
3 VI (*moon+*) tilta*

waxed [wækst] ADJ (*jacket*) vokset

waxen [wæksn] ADJ (*face, complexion*) voksaktig, voksblek

waxworks ['wækswə:ks] 1 SPL (*models*) voksdukker
2 s (*place*) vokskabinett *nt* ❑ *The best place we visited was the waxworks.* Det beste stedet vi besøkte var vokskabinettet.

way [weɪ] s (**a**) (*= route, path, direction*) vei *m* (*var.* veg) ❑ *A man asked me the way to St Paul's.* En mann spurte meg om veien til St Paul's. *We couldn't find a way across the stream.* Vi kunne* ikke finne en vei over elven. *Which way did she go?* Hvilken vei gikk hun?
(**b**) (*= distance*) stykke *nt* NB *I can swim quite a way now.* Jeg kan svømme et godt stykke nå.
(**c**) (*= manner*) måte *m* ❑ *I don't like the way doctors speak to you.* Jeg liker ikke måten leger snakker til deg på. *...different ways of cooking fish.* ...forskjellige måter å koke fisk på.
(**d**) (*= habit*) måte *m* å være* på ❑ *...the difficulty of changing one's ways.* ...vanskeligheten med å forandre den måten en er på.
▸ **which way? this way** hvilken vei? denne veien
▸ **do it this way** gjør det på denne måten
▸ **on the way** (*= en route*) på veien, underveis
▸ **to be on one's way** være* på vei NB *Lynn was on her way home.* Lynn var på vei hjem.
▸ **to fight one's way through a crowd** bane (*v1 or v2*) seg vei gjennom folkemengden
▸ **to lie one's way out of sth** lyve* seg ut av noe
▸ **to keep out of sb's way** holde* seg unna noen
▸ **it's a long way away** det er langt borte
▸ **the village is rather out of the way** landsbyen ligger temmelig avsides
▸ **to go out of one's way to do sth** anstrenge (*v2*) seg for å gjøre* noe
▸ **to be in the way** være/stå/ligge *etc* i veien ❑ *A large tree was in the way.* Et stort tre stod i veien.
▸ **to lose one's way** gå* seg bort, ta* feil av veien
▸ **under way** (*project etc*) i gang ❑ *The project was abandoned almost before it had got under way.* Prosjektet ble oppgitt nesten før det var i gang.
▸ **the way back** veien tilbake
▸ **to make way (for sb/sth)** gjøre* *or* lage (*v1*) plass for noe
▸ **to get one's own way** få* viljen sin, få* det som en vil
▸ **the right/wrong way up** (BRIT) med den riktige/gale siden opp
▸ **the wrong way round** feil vei
▸ **he's in a bad way** det står dårlig til med ham
▸ **in a way** på en måte
▸ **in some ways** på enkelte måter
▸ **no way!** (*sl*) ikke tale om!
▸ **by the way...** apropos..., forresten...
▸ **"way in"** (BRIT) "inngang"
▸ **"way out"** (BRIT) "utgang"
▸ **"give way"** (BRIT: BIL) *tekst på vikepliktskilt*
▸ **way of life** livsstil *m*

waybill ['weɪbɪl] s fraktbrev *nt*

waylay [weɪ'leɪ] (*irreg* **lay**) VT passe (*v1*) opp
▸ **to get waylaid** (*fig: delayed*) bli* oppholdt

wayside ['weɪsaɪd] s ▸ **wayside inn** veikro *c*
▸ **to fall by the wayside** (*fig*) falle* utenfor

way station (US) s lokalstasjon *m*

wayward ['weɪwəd] ADJ (*behaviour, child*) selvrådig, egensindig

WC (BRIT) s FK (= **water closet**) WC *nt*

WCC s FK (= **World Council of Churches**) Kirkenes Verdensråd

we [wi:] PL PRON vi
▸ **here we are** (**a**) (*arriving*) her er vi
(**b**) (*finding*) (se) her har vi det

weak [wi:k] ADJ (*gen*) svak; (*material*) dårlig; (*tea, coffee*) svak, tynn

weaken ['wi:kn] 1 VI (**a**) (*= give way: resolve, person*) bli* svekket
(**b**) (*= diminish: influence, power*) bli* svakere
2 VT svekke (*v1*) ❑ *Economic pressures tend to weaken the family.* Økonomisk press har en tendens til å svekke familien.

weak-kneed ['wi:k'ni:d] ADJ (*fig*) veik, ettergivende

weakling ['wi:klɪŋ] s svekling *m*

weakly ['wi:klɪ] ADV (**a**) (*stand, sit*) kraftløst ❑ *He struggled weakly to his knees.* Kraftløst kjempet

han seg opp i knestående.
(**b**) (*say, protest*) svakt

weakness ['wi:knɪs] s (**a**) (*of person, system*) svakhet *m* ❏ *...his physical weakness.* ...den fysiske svakheten hans. *...the strengths and weaknesses of international co-operation.* ...styrken og svakhetene ved internasjonalt samarbeid.
(**b**) (*of sound, signal*) ▸ **the weakness of the signal made it impossible to decode** signalet var så svakt at det var umulig å dekode
▸ **to have a weakness for** ha* en svakhet for

wealth [wɛlθ] s (*money, resources*) rikdom *m* ❏ *It was a period of wealth and prosperity.* Det var en periode med rikdom og velstand.
▸ **wealth of details** detaljrikdom
▸ **wealth of knowledge** kunnskapsrikdom

wealth tax s formueskatt *m*

wealthy ['wɛlθɪ] ADJ (*person, family, country*) rik, velstående

wean [wi:n] VT (**a**) (*+baby*) avvenne (*v2x*)
(**b**) (*fig*) ▸ **to wean sb from** *or* **off sth** venne (*v2x*) noen av med å gjøre* noe ❏ *They are trying to wean people from cigarettes...* De prøver å venne folk av med å røyke...

weapon ['wɛpən] s våpen *nt* ❏ *...nuclear and conventional weapons.* ...atomvåpen og konvensjonelle våpen.

wear [wɛəʳ] (*pt* **wore**, *pp* **worn**) [1] s (**a**) (*use*) bruke (*v2*) ❏ *You've had a lot of wear out of those shoes.* Du har brukt disse skoene så mye.
(**b**) (*= damage through use*) slitasje *m* ❏ *These sheets are showing signs of wear.* Disse laknene viser tegn på slitasje.
[2] VT (**a**) (*+clothes, shoes, spectacles*) ha* på seg, gå* med ❏ *She was wearing a T-shirt.* Hun hadde på seg *or* gikk med en T-skjorte.
(**b**) (*= put on*) ha* på seg ❏ *I can't decide what to wear.* Jeg kan ikke bestemme meg for hva jeg skal ha* på meg.
(**c**) (*+hair, beard*) ha ❏ *...his curly hair which he wore too long.* ...det krøllete håret som var for langt.
[3] VI (**a**) (*carpet, shoes, jeans+*) bli* slitt
(**b**) (*= last*) ▸ **to wear well** være* slitesterke ❏ *Rayon blankets don't wear as well as woollen ones.* Rayontepper er mindre slitesterke enn ulltepper.
▸ **sports/babywear** sportsklær/babyklær *pl*
▸ **town/evening wear** byklær *pl*/aftenantrekk *nt*
▸ **to wear a hole in sth** slite* hull i noe

▸ **wear away** [1] VT slite* bort
[2] VI (*inscription etc+*) bli* slitt bort

▸ **wear down** VT (**a**) (*+heels*) slite* ned
(**b**) (*+person*) slite* ut ❏ *They tried to wear down the management by holding a series of strikes.* De prøvde å slite ut ledelsen ved å avholde en serie streiker.

▸ **wear off** VI (*pain etc+*) gå* over, gi* seg, forta* seg

▸ **wear on** VI slepe (*v2*) seg av sted ❏ *As the day wore on...* Ettersom dagen slepte seg av sted...

▸ **wear out** VT (*+shoes, clothing, person, strength*) slite* ut

wearable ['wɛərəbl] ADJ (*clothes, shoes*) som kan brukes ❏ *It's hardly wearable now.* Den kan neppe brukes nå.

wear and tear [-tɛəʳ] s slitasje *m*, tidens tann *indecl*

wearer ['wɛərəʳ] s bruker *m* ❏ *The charm protects the wearer from evil spirits.* Amuletten beskytter brukeren mot onde ånder.

wearily ['wɪərɪlɪ] ADV trett (*var.* trøtt)

weariness ['wɪərɪnɪs] s tretthet *m* (*var.* trøtthet)

wearisome ['wɪərɪsəm] ADJ kjedsommelig, trettende (*var.* trøttende)

weary ['wɪərɪ] [1] ADJ (*= tired*) trett (*var.* trøtt) sliten; (*= dispirited : person*) ▸ **to be weary of** være* lei av
[2] VI ▸ **to weary of sb/sth** gå* trett av noen/noe, bli* lei av noen/noe

weasel ['wi:zl] s snømus *m*

weather ['wɛðəʳ] [1] s vær *nt* ❏ *The weather was good for the time of year.* Været var fint til å være* på denne tiden av året.
[2] VT (**a**) (*+storm*) ri* av
(**b**) (*+crisis*) komme* seg (i)gjennom, klare (*v2*) seg (i)gjennom ❏ *There are plenty of marriages that can weather bad patches.* Det er flust av ekteskap som kan komme seg (i)gjennom *or* klare seg (i)gjennom vanskeligheter.
(**c**) (*+wood*) utsette* for vind og vær ❏ *...its red paint weathered and fading.* ...med en rødmaling som hadde blitt utsatt for vær og vind og var falmet.
▸ **what's the weather like?** hvordan er været?
▸ **under the weather** (*fig*) utilpass, uopplagt

weather-beaten ['wɛðəbi:tn] ADJ (*face, skin*) værbitt; (*building, stone*) værbitt, medtatt av vær og vind

weathercock ['wɛðəkɔk] s værhane *m*

weather forecast s værmelding *c*, værvarsel *nt*, værutsikter *pl*

weatherman ['wɛðəmæn] *irreg* s meteorolog *m*, værmann *m* (*hum*)

weatherproof ['wɛðəpru:f] ADJ (*garment*) værbestandig; (*building*) værsikker

weather report s værvarsel *nt*, værmelding *c*

weather vane [-veɪn] s = **weathercock**

weave [wi:v] (*pt* **wove**, *pp* **woven**) [1] VT (**a**) (*+cloth*) veve (*v3*)
(**b**) (*+basket*) flette (*v1*)
[2] VI (*fig : pt, pp weaved : move in and out*) sno (*v4*) seg ❏ *They weaved expertly among the traffic.* På ekspertvis snodde de seg gjennom trafikken.

weaver ['wi:vəʳ] s vever *m*

weaving ['wi:vɪŋ] s veving *c*

Web, web [wɛb] (*DATA*) s ▸ **the Web** weben
▸ **web site** webside *c*

web [wɛb] s (**a**) (*of spider*) spindelvev *nt*, nett *nt*
(**b**) (*on duck's foot*) svømmehud *m uncount*
(**c**) (*= network*) nett *nt* ❏ *...a web of interconnecting paths.* ...et nett av innbyrdes sammenknyttede stier.

webbed ['wɛbd] ADJ (*foot*) med svømmehud

webbing ['wɛbɪŋ] s (*on chair*) webbstoff *nt*

wed [wɛd] (*pt* **wedded**)*pp* [1] VT ekte (*v1*)
[2] VI gifte (*v1*) seg ❏ *We were both nineteen when we wed.* Vi var begge nitten år da vi giftet oss.
[3] s ▸ **the newly-weds** de nygifte

we'd [wi:d] = **we had**, **we would**

wedded ['wɛdɪd] [1] PRET, PP *of* **wed**

[2] ADJ ▸ **to be wedded to** (*idea, policy etc*) være* sterkt knyttet til [NB] *...a party genuinely wedded to free enterprise.* ...et parti virkelig sterkt knyttet til ideen om det frie initiativ.

wedding [wɛdɪŋ] s bryllup *nt*
▸ **silver/golden wedding** sølv-/gullbryllup

wedding day s bryllupsdag *m*

wedding dress s brudekjole *m*

wedding present s bryllupsgave *m*, bryllupspresang *m*

wedding ring s giftering *m*

wedge [wɛdʒ] [1] s (**a**) (*of wood etc*) kile *m*
(**b**) (*of cake, cheese*) (trekantet) stykke *nt* ❑ *...a huge wedge of cherry pie.* ...et digert stykke kirsebærpai.
[2] VT (**a**) (*fasten*) kile (*v2*) fast ❑ *Open the door and wedge it with a newspaper.* Åpne døren og kil den fast med en avis.
(**b**) (= *pack tightly*) klemme (*v2x*) fast ❑ *...a chair wedged between table and bunk.* ...en stol klemt fast mellom bord og køye.
▸ **wedge heels** kilehæler

wedlock ['wɛdlɔk] s ektestand *m*

Wednesday ['wɛdnzdɪ] s onsdag *m see also* **Tuesday**

Wed(s). FK = **Wednesday**

wee [wiː] (*SCOT*) ADJ (= *little*) liten*

weed [wiːd] [1] s ugress *nt*, ugressplante *c*; (*neds: person*) spjæling *m*
[2] VT (*+garden*) luke (*v1 or v2*) i

▸ **weed out** VT (*fig*) luke (*v1 or v2*) ut

weedkiller ['wiːdkɪləʳ] s ugressdreper *m*

weedy ['wiːdɪ] ADJ (*person*) spjælete

week [wiːk] s uke *c*
▸ **once/twice a week** en gang/to ganger i uken
▸ **in two weeks' time** om to uker
▸ **a week today/on Friday** en uke i dag/på fredag

weekday ['wiːkdeɪ] s virkedag *m*, hverdag *m*
▸ **on weekdays** på hverdager

weekend [wiːk'ɛnd] s helg *c*, weekend *m*
▸ **this/next/last weekend** denne/neste/sist helg *or* weekend
▸ **at the weekend** i helgen *or* weekenden
▸ **at weekends** i helgene *or* weekendene

weekly ['wiːklɪ] [1] ADV ukentlig, en gang i uken
[2] ADJ (*newspaper*) uke-; (*payment*) ukentlig
[3] s (*newspaper*) ukeavis *c*; (*magazine*) ukeblad *nt*

weep [wiːp] (*pt* **wept**)*pp* VI (*person+*) gråte*; (*wound+*) væske (*v1*)

weeping willow s sørgepil *c*

weepy ['wiːpɪ] [1] ADJ (*person*) sentimental; (*film*) grine-
[2] s (*film etc*) tåreperse *c*

weft [wɛft] s islett *nt*, innslag *nt*

weigh [weɪ] [1] VT (*+parcel, baby, evidence, risks*) veie (*v3*)
[2] VI veie (*v3*) ❑ *She weighed about 50 kg.* Hun veide omtrent 50 kg.
▸ **to weigh anchor** lette (*v1*) anker

▸ **weigh down** VT tynge (*v1*) ned ❑ *...the bags weighed him down too much.* ...veskene tynget ham for mye ned. *So you're weighed down with problems.* Så du er tynget ned i problemer.

▸ **weigh out** VT (*+goods*) veie (*v3*) opp

▸ **weigh up** VT (*+person, offer, risk*) veie (*v3*)

weighbridge ['weɪbrɪdʒ] s bruvekt *c*

weighing machine s personvekt *c*

weight [weɪt] [1] s (**a**) (= *heaviness*) vekt *c* ❑ *The weight of the load...* Vekten av børen...
(**b**) (*metal object*) (vekt)lodd *nt*
[2] VT (*fig*) ▸ **to be weighted in favour of** slå* ut til fordel for
▸ **sold by weight** solgt i løs vekt
▸ **lose weight** ta* av
▸ **to put on weight** legge* på seg
▸ **weights and measures** mål og vekt

weighting ['weɪtɪŋ] s (*allowance*) stedstillegg *nt* ❑ *£1,419 London weighting.* £1 419 i stedstillegg for London.

weightlessness ['weɪtlɪsnɪs] s vektløshet *m*

weightlifter ['weɪtlɪftəʳ] s vektløfter *m*

weight limit s vektgrense *c*

weight training s styrketrening *c*

weighty ['weɪtɪ] ADJ (**a**) (= *heavy*) tung
(**b**) (*fig: important*) betydningsfull ❑ *Let us turn to less weighty matters.* La oss gå* over til mindre betydningsfulle saker.

weir [wɪəʳ] s (lav) dam *m*, (lav) demning *m*

weird [wɪəd] ADJ (*object, situation, effect*) snål, selsom; (*person*) rar, snål

weirdo ['wɪədəu] (*sl*) s skrulling *m*

welcome ['wɛlkəm] [1] ADJ (**a**) (*visitor*) velkommen ❑ *Members of the public are welcome.* Publikum er velkommen.
(**b**) (*news, suggestion, change*) kjærkommen ❑ *It makes a welcome change from work.* Det utgjør en kjærkommen forandring fra arbeidet.
[2] s velkomst *m*, mottakelse *m* ❑ *I was given a warm welcome by the President.* Jeg fikk en varm velkomst *or* mottakelse av presidenten.
[3] VT (*+person, news, suggestion, change*) ønske (*v1*) velkommen ❑ *This legislation is particularly welcomed.* Denne lovgivningen blir ønsket spesielt velkommen.
▸ **Welcome to London!** Velkommen til London!
▸ **to make sb welcome** ta* godt imot noen
▸ **you're welcome to try** du må gjerne prøve
▸ **thank you you're welcome!** takk ingen årsak!

welcoming ['wɛlkəmɪŋ] ADJ (**a**) (*person, smile etc*) imøtekommende
(**b**) (*room*) som ønsker en velkommen ❑ *The place had a relaxed, welcoming feel to it.* Stedet hadde en avslappet atmosfære som ønsket en velkommen.

weld [wɛld] [1] s sveis *m*
[2] VT sveise (*v2*)

welder ['wɛldəʳ] s sveiser *m*

welding ['wɛldɪŋ] s sveising *c*

welfare ['wɛlfɛəʳ] s (**a**) (*well-being*) velferd *m*, ve og vel *no art* ❑ *...the child's welfare.* ...barnets velferd *or* ve og vel.
(**b**) (*US: social aid*) trygd *c* ❑ *They were living off welfare.* De levde på trygd.

welfare state s velferdsstat *m*

welfare work s sosialarbeid *nt*

well [wɛl] [1] s (*for water, oil*) brønn *m*
[2] ADV (**a**) (= *to a high standard, thoroughly*) godt

❑ *She speaks French well.* Hun snakker fransk godt.
(**b**) (*for emphasis with adv, adj or phrase*) godt, vel ❑ *I woke well before dawn.* Jeg våknet godt før daggry. *The film is well worth seeing.* Filmen er vel verdt å se.
3 ADJ (= *healthy*) frisk
4 INTERJ nå ja, vel ❑ *Well! I don't know what to say to that.* Nå ja! *or* Vel! Jeg vet ikke hva jeg skal si til det.
▸ **I don't feel well** jeg føler meg ikke bra *or* frisk
▸ **as well** (= *in addition*) også ❑ *...his reading and his writing as well.* ...leseferdighetene sine, og skriveferdighetene også.
▸ **you might as well tell me** du kan like godt *or* like gjerne fortelle meg det
▸ **he did as well as he could** han gjorde så godt han kunne
▸ **X as well as Y** (= *in addition to*) både X og Y, så vel X som Y
▸ **well, as I was saying...** vel, som jeg sa...
▸ **well done!** godt gjort!
▸ **get well soon!** god bedring!
▸ **to do well** (**a**) (*person+*) gjøre* det godt
(**b**) (*business+*) gå* godt
▸ **well up** VI (*tears, emotions+*) velle (*v1*) fram ❑ *Happiness welled up inside me.* Gleden vellet fram inne i meg.

we'll [wi:l] = **we will, we shall**
well-behaved ['wɛlbɪ'heɪvd] ADJ (*child, dog*) veloppdragen
well-being ['wɛl'bi:ɪŋ] S ve og vel *no art*, velvære *m*
well-bred ['wɛl'brɛd] ADJ (*person*) veloppdragen, dannet
well-built ['wɛl'bɪlt] ADJ (*person*) velbygd
well-chosen ['wɛl'tʃəuzn] ADJ (*remarks, words*) velvalgt
well-deserved ['wɛldɪ'zə:vd] ADJ (*success, prize*) velfortjent
well-developed ['wɛldɪ'vɛləpt] ADJ (*girl*) velutviklet
well-disposed ['wɛl'dɪspəuzd] ADJ
▸ **well-disposed to(wards)** velvillig innstilt til
well-dressed ['wɛl'drɛst] ADJ velkledd
well-earned ['wɛl'ə:nd] ADJ (*rest*) velfortjent
well-groomed ['wɛl'gru:md] ADJ (*person*) velpleid, soignert
well-heeled ['wɛl'hi:ld] (*sl*) ADJ velbeslått
well-informed ['wɛlɪn'fɔ:md] ADJ (**a**) (= *having knowledge of sth*) velinformert, velorientert ❑ *...well-informed on the issues involved.* ...velorientert *or* velinformert når det gjelder de aktuelle sakene.
(**b**) (= *having general knowledge*) kunnskapsrik ❑ *...any reasonably well-informed person...* en hvilken som helst noenlunde kunnskapsrik person...
Wellington ['wɛlɪŋtən] S Wellington
wellingtons ['wɛlɪŋtənz] SPL (*also* ***wellington boots***) gummistøvler *m*
well-kept ['wɛl'kɛpt] ADJ (*house, grounds*) velholdt; (*secret*) godt bevart
well-known ['wɛl'nəun] ADJ (*person, place*) velkjent
well-mannered ['wɛl'mænəd] ADJ dannet, veloppdragen
well-meaning ['wɛl'mi:nɪŋ] ADJ (*person*) velmenende; (*offer*) velment
well-nigh ['wɛl'naɪ] ADV ▸ **well-nigh impossible** så godt som umulig, nærmest umulig
well-off ['wɛl'ɔf] ADJ velstående
well-read ['wɛl'rɛd] ADJ belest
well-spoken ['wɛl'spəukn] ADJ som snakker pent
well-stocked ['wɛl'stɔkt] ADJ (*shop*) velassortert; (*larder*) velfylt
well-timed ['wɛl'taɪmd] ADJ (*action, remark*) velberegnet, i rett tid
well-to-do ['wɛltə'du:] ADJ (*person, family*) velstående, velhavende
well-wisher ['wɛlwɪʃə^r] S ▸ **letters from well-wishers** brev fra mennesker som vil *or* ønsker henne/ham vel
well-woman clinic ['wɛlwumən-] S ≈ helsestasjon *m* (for kvinner)
Welsh [wɛlʃ] 1 ADJ walisisk
2 S walisisk *m*
▸ **the Welsh** SPL waliserne
Welshman ['wɛlʃmən] *irreg* S waliser *m*
Welsh rarebit S *rett bestående av ristet brød med smeltet og krydret ostemasse på*
Welshwoman ['wɛlʃwumən] *irreg* S waliser *m*
welter ['wɛltə^r] S ▸ **a welter of** et virvar *nt* av
went [wɛnt] PRET *of* **go**
wept [wɛpt] PRET, PP *of* **weep**
were [wə:^r] PRET *of* **be**
we're [wɪə^r] = **we are**
weren't [wə:nt] = **were not**
werewolf ['wɪəwulf] (*pl* **werewolves**) S varulv *m*
werewolves ['wɪəwulvz] SPL *of* **werewolf**
West S ▸ **the West** Vesten ❑ *...China's strengthening links with the West.* ...Kinas forsterkede bånd med Vesten.
west [wɛst] 1 S (*direction, part of country*) vest ❑ *...the west of Ireland.* ...vest i Irland. *...to the west.* ...mot vest.
2 ADJ (**a**) (*wind*) vesta-
(**b**) (*wing, coast, side*) vest-
3 ADV (= *to or towards the west*) vest ❑ *She was interested in what lay further west.* Hun var interessert i det som lå lengre vest.
westbound ['wɛstbaund] ADJ (*traffic*) som skal vestover; (*carriageway*) som går vestover
West Country (*BRIT*) S ▸ **the West Country** *sørvestlig del av England*
westerly ['wɛstəlɪ] ADJ (*point, wind*) vestlig
western ['wɛstən] vestlig ❑ *...on the western horizon.* ...den vestlige horisonten. *...western technology.* ...vestlig teknologi. S (*FILM*) western *m*
westerner ['wɛstənə^r] S person fra vesten
westernized ['wɛstənaɪzd] ADJ (*society, system, tastes etc*) ≈ amerikanisert; vestlig inspirert
West German (*HIST*) 1 ADJ vesttysk
2 S (*person*) vesttysker *m*
West Germany (*HIST*) S Vest-Tyskland
West Indian 1 ADJ vestindisk
2 S (*person*) vestinder *m*
West Indies [-'ɪndɪz] SPL ▸ **the West Indies** Vestindia *sg*
Westminster ['wɛstmɪnstə^r] S Westminster; (= *parliament*) parlamentet
westward(s) ['wɛstwəd(z)] ADV vestover
wet [wɛt] 1 ADJ (**a**) våt

(**b**) (*= rainy: weather, day*) regnfull
2 s (*BRIT*) ▸ **the Tory Wets** de lyseblå konservative
▸ **soaking wet** gjennomvåt
▸ **to wet one's pants** *or* **o.s.** tisse (*v1*) på seg
▸ **"wet paint"** "nymalt"
▸ **wet blanket** (*neds*) gledesdreper *m*

wetness ['wɛtnɪs] s (*of climate*) ▸ **the wetness of the British climate** det våte britiske klimaet

wetsuit ['wɛtsu:t] s våtdrakt *c*

we've [wi:v] = **we have**

whack [wæk] VT dra* til, smekke (*v1*) til ❑ *He whacked me on the head.* Han dro til *or* smekket til meg i hodet.

whacked [wækt] (*BRIT: sl*) ADJ gåen, pumpa

whale [weɪl] s hval *m* (*var:* kval)

whaler ['weɪləʳ] s (*person*) hvalfanger *m*; (*ship*) hvalbåt *m*

whaling ['weɪlɪŋ] s hvalfangst *m*

wharf [wɔ:f] (*pl* **wharves**) s brygge *c*, kai *c*

wharves [wɔ:vz] SPL *of* **wharf**

KEYWORD

what [wɔt] 1 ADJ (**a**) (*in direct/indirect questions*) hvilken *c*, hvilket *nt*, hvilke *pl*
▸ **what size is it?** hvilken størrelse er det?
▸ **what number is it?** hvilket nummer er det?
▸ **what books do you need?** hvilke bøker trenger du?
(**b**) (*in exclamations*) for
▸ **what a mess!** for et rot!
▸ **what a fool I am!** for en idiot jeg er!
2 PRON (**a**) (*interrogative*) hva
▸ **what are you doing?** hva gjør du?
▸ **what is happening?** hva skjer?
▸ **what about me?** hva med meg?
▸ **what about doing ...?** hva med å gjøre* ...?
(**b**) (*relative subject*) det som, hva som; (*relative object*) det, hva
▸ **I saw what was on the table** jeg så hva som var på bordet
▸ **what you say is wrong** det du sier er feil
▸ **he asked me what she had said** han spurte meg hva hun hadde sagt
3 INTERJ hva!
▸ **what, no coffee!** hva, ingen kaffe!

whatever [wɔt'ɛvəʳ] 1 ADJ ▸ **whatever book...** den boka som tilfeldigvis..., den boka som eventuelt... ❑ *whatever books were lying around.* ...på de bøkene som tilfeldigvis *or* som eventuelt lå og slang rundt omkring.
2 PRON ▸ **do whatever is necessary/you want** gjør det som er nødvendig/som du vil
▸ **whatever happens** hva som enn skjer, uansett hva som skjer
▸ **no reason whatever** *or* **whatsoever** ingen som helst grunn, ikke noen som helst grunn
▸ **nothing whatever** *or* **whatsoever** ingenting som helst, ikke noe som helst

whatsoever [wɔtsəu'ɛvəʳ] ADJ = **whatever**

wheat [wi:t] s hvete *m*

wheatgerm ['wi:tdʒə:m] s hvetekim *m*

wheatmeal ['wi:tmi:l] s sammalt hvetemel *nt*, hvetegrøpp *m*

wheedle ['wi:dl] VT ▸ **to wheedle sb into doing sth** få* noen til å gjøre* noe ved hjelp av smisking
▸ **to wheedle sth out of sb** fralure (*v2*) noen noe

wheel [wi:l] 1 s (**a**) (*of vehicle etc*) hjul *nt*
(**b**) (*also* ***steering wheel***) ratt *nt*
(**c**) (*NAUT*) ror *nt* ❑ *The captain stood at the wheel.* Kapteinen stod til rors *or* ved roret.
2 VT (*+bicycle etc*) trille (*v1*)
3 VI (**a**) (*birds+*) kretse (*v1*)
(**b**) (*also* ***wheel round****: person*) bråsnu (*v4*)

wheelbarrow ['wi:lbærəu] s trillebår *m*

wheelbase ['wi:lbeɪs] s hjulavstand *m*

wheelchair ['wi:ltʃɛəʳ] s rullestol *m*

wheel clamp s hjullås *m* (*for feilparkerte biler*)

wheeler-dealer ['wi:lə'di:ləʳ] (*neds*) s fikser *m*

wheelie bin ['wi:lɪ-] (*sl*) s søppelkasse *c* (med hjul)

wheeling ['wi:lɪŋ] s ▸ **wheeling and dealing** (*pej*) fiksing og triksing *c*

wheeze [wi:z] 1 VI (*person+*) *puste med en hvesende lyd*
2 s (*idea, joke etc*) smart idé *m*

wheezy ['wi:zɪ] ADJ (*person, laugh*) anpusten; (*cough*) astmatisk; (*breath*) pipende

KEYWORD

when [wɛn] 1 ADV, KONJ (**a**) (*in time clauses, questions*) når; (*on one occasion in the past*) da
▸ **when did it happen?** når skjedde det?
▸ **I know when it happened** jeg vet når det skjedde
▸ **when you've read it, tell me what you think** når du har lest det, si meg hva du syns
▸ **be careful when you cross the road** vær forsiktig når du krysser gaten
▸ **that was when I needed you** det var da jeg trengte deg
▸ **she was reading when I came in** hun leste da jeg kom inn
(**b**) (*relative*) ▸ **the day when** dagen da ❑ *On the day when I met him...* Den dagen da jeg møtte ham... *One day when it was raining...* En dag da det regnet...
(**c**) (*= whereas*) når ❑ *You said I was wrong when in fact I was right.* Du sa jeg tok feil når jeg faktisk hadde rett. *Why did you buy that when you can't afford it?* Hvorfor kjøpte du den når du ikke har råd?

whenever [wɛn'ɛvəʳ] 1 KONJ (**a**) (*= any time that*) når ...enn ❑ *Come to see me whenever you feel you have to talk.* Kom og besøk meg når du enn trenger å prate.
(**b**) (*= every time that*) hver gang (når) ❑ *Whenever I recollect her face...* Hver gang (når) jeg minnes ansiktet hennes...
2 ADV når som helst ❑ *When shall I come? – Oh, whenever.* Når skal jeg komme? – Å, når som helst.

where [wɛəʳ] ADV, KONJ hvor ❑ *Where's Jane?* Hvor er Jane? *I think I know where we are.* Jeg tror jeg vet hvor vi er.
▸ **this is where...** dette er stedet hvor...
▸ **where possible** der hvor det er mulig
▸ **where are you from?** hvor er du fra?

whereabouts [*ADV* wɛərə'bauts, *N* 'wɛərəbauts] 1 ADV hvor omtrent ❑ *"I have a flat there."*

"Whereabouts?" "Jeg har en leilighet der." "Hvor omtrent?"
[2] S ▸ **nobody knows his whereabouts** ingen vet hvor han oppholder seg

whereas [wɛər'æz] KONJ mens (derimot) ❑ *Humans are capable of error whereas the computer is not.* Mennesker er i stand til å gjøre* feil, mens (derimot) datamaskinen ikke er det.

whereby [wɛə'baɪ] (*fml*) ADV ▸ **a system whereby we...** et system som gjør at vi...

whereupon [wɛərə'pɒn] KONJ hvoretter, hvorpå

wherever [wɛər'ɛvəʳ] KONJ (**a**) (= *no matter where*) hvor enn, uansett hvor ❑ *We'd drive wherever I wanted to go.* Vi pleide å kjøre hvor enn *or* uansett hvor jeg nå måtte* ønske å dra.
(**b**) (= *not knowing where*) hvor nå ❑ *Altadena Drive, wherever that is.* Altadena Drive, hvor nå det måtte* være.
(**c**) (*interrogative: surprise*) hvor i all verden ❑ *Wherever have you been?* Hvor i all verden har du vært?
▸ **sit wherever you like** sitt hvor du vil

wherewithal ['wɛəwɪðɔːl] S ▸ **the wherewithal (to do sth)** de midlene (til å gjøre* noe)

whet [wɛt] VT (**a**) (*+appetite*) skjerpe (*v1*) ❑ *The tutor at the night classes had whetted her appetite for more work.* Veilederen ved kveldskursene hadde skjerpet appetitten hennes for mer arbeid.
(**b**) (*+tool*) hvesse (*v2x*) (*var:* kvesse) slipe (*v2*)

whether ['wɛðəʳ] KONJ om ❑ *I can't tell whether she loves me or she hates me.* Jeg kan ikke si om hun elsker meg eller hater meg.
▸ **I don't know whether to accept or not** jeg vet ikke om jeg skal si ja eller nei
▸ **whether you go or not** enten du drar eller ei
▸ **it's doubtful whether...** det er tvilsomt om...

whey ['weɪ] S myse *c*, valle *m*

KEYWORD

which [wɪtʃ] [1] ADJ (**a**) (*interrogative*) hvilken *c*, hvilket *nt*, hvilke *pl*
▸ **which boy did it?** hvem av guttene gjorde det?, hvilken gutt gjorde det?
▸ **which picture do you want?** hvilket bilde vil du ha?
▸ **which books are yours?** hvilke bøker er dine?
▸ **tell me which picture/books you want** si meg hvilket bilde/hvilke bøker du vil ha
▸ **which one?** hvilken?, hvilket?
▸ **which one of them?** hvilken/hvilket av dem?
▸ **which one of you did it?** hvem av dere gjorde det?
(**b**) ▸ **in which case** i så fall
▸ **by which time** og da ❑ *We got there at 8 pm, by which time the cinema was full.* Vi kom dit klokken 8, og da var kinoen allerede full.
[2] PRON (**a**) (*interrogative*) hvilken *c*, hvilket *nt*, hvilke *pl*
▸ **tell me which you want** si meg hvilken/hvilket/hvilke du vil ha
▸ **which (of these) are yours?** hvilken/hvilket/hvilke (av disse) er din/ditt/dine?
▸ **which of you are coming?** hvem av dere kommer?
▸ **I don't mind which** det er det samme for meg hvilken/hvilket/hvilke
(**b**) (*relative*) som
▸ **the apple which you ate/which is on the table** eplet som du spiste/som er på bordet
▸ **the meeting (which) we attended** møtet (som) vi var på
▸ **the chair on which you are sitting** stolen som du sitter på
▸ **the book of which you spoke** boken som du snakket om
▸ **he said he knew, which is true** han sa han visste det, hvilket *or* som er sant
▸ **after which** og deretter

whichever [wɪtʃ'ɛvəʳ] ADJ ▸ **take whichever book you prefer** ta* den boka som du liker best
▸ **whichever book you take** hvilken bok du enn tar

whiff [wɪf] S (*of perfume, petrol, smoke*) drag *nt*, snev *nt or m*
▸ **to catch a whiff of sth** få* snusen av noe

while [waɪl] [1] S (*period of time*) stund *c* ❑ *...a little while ago.* ...for en liten stund siden.
[2] KONJ (**a**) (= *at the same moment as*) mens, idet ❑ *While he was turning the key in the lock, someone opened the door.* Mens *or* idet han vridde nøkkelen i låsen, åpnet noen døren.
(**b**) (= *during the time that*) mens ❑ *While I was overseas she was in Maritzburg studying.* Mens jeg var i utlandet, var hun i Maritzburg og studerte.
(**c**) (= *although*) selv om, skjønt ❑ *Your letter, while complete in other respects, avoided the subject of cost.* Selv om *or* skjønt brevet ditt var fullstendig på andre punkter, nevnte det ikke noe om kostnadene.
▸ **for a while** en stund
▸ **in a while** om en stund
▸ **all the while** hele tiden
▸ **we'll make it worth your while** vi skal sørge for at det svarer seg *or* lønner seg for deg
▸ **while away** VT (*+time*) fordrive*, få* til å gå

whilst [waɪlst] KONJ = **while**

whim [wɪm] S lune *nt*, innfall *nt*
▸ **as the whim took her** som det falt henne inn

whimper ['wɪmpəʳ] [1] S klynk *nt*
[2] VI (*child, animal+*) klynke (*v1*)

whimsical ['wɪmzɪkəl] ADJ (*person, look, smile, story*) snodig

whine [waɪn] [1] S (**a**) (*of pain*) klynking *c*, jammer *m*
(**b**) (*of engine, siren*) ul *nt*, uling *c*
[2] VI (**a**) (*person, animal+*) klynke (*v1*), jamre (*v1*)
(**b**) (*engine, siren+*) ule (*v2*), hvine (*v2*)
(**c**) (*fig: complain*) jamre (*v1*) ❑ *...he never whined about his illness.* ...han jamret seg aldri over sykdommen.

whinge [wɪndʒ] (*sl*) VI sutre (*v1*)

whip [wɪp] [1] S (**a**) (= *lash*) pisk *m* ❑ *...lashed with whips.* ...pisket.
(**b**) (*POL*) innpisker *m* ❑ *...the party whips.* ...innpiskerne.
[2] VT (**a**) (*+person, animal*) piske (*v1*)
(**b**) (*+cream, eggs*) piske (*v1*), vispe (*v1*)

(**c**) (= *move quickly*) ▸ **to whip sth out/off/away** *etc* rive* noe fram/av/vekk *etc* ❑ *I whipped out a hundred-dollar bill.* Jeg rev fram en hundredollarseddel.

▸ **whip up** VT (**a**) (*+cream*) piske (*v1*)
(**b**) (*sl: meal*) klaske (*v1*) sammen
(**c**) (*+support*) stable (*v1*) på beina ❑ *They were out whipping up support for the factory workers.* De var ute og stablet på beina støtte til fabrikkarbeiderne.
(**d**) (*+people*) piske (*v1*) opp ❑ *The interview whipped them up into a frenzy of rage.* Intervjuet pisket opp stemningen slik at de ble fra seg av raseri.

En **whip** *(innpisker) er et parlamentsmedlem som har til oppgave blant annet å sørge for at alle medlemmene av hans eller hennes parti er til stede i* **the House of Commons**, *særlig ved avstemninger. Innkallingen som innpiskerne sender ut skiller seg ut ved at de er understreket en, to eller tre ganger (*1, 2 *eller* 3-line whips*).*

---

whiplash ['wɪplæʃ] s (*also* **whiplash injury**) nakkesleng *m*
whipped cream s pisket kremfløte *m*, krem *m*
whip-round ['wɪpraund] (*BRIT: sl*) s (spontan) innsamling *c* ❑ *We had a whip-round for Jackie's leaving present.* Vi hadde en spontan innsamling til Jackies avskjedspresang.
whirl [wəːl] 1 VT snurre (*v1*) rundt, virvle (*v1*) rundt
2 VI (**a**) (*dancers+*) snurre (*v1*), virvle (*v1*)
(**b**) (*leaves, water etc+*) virvle (*v1*)
3 S (*of activity, pleasure*) virvel *m*
▸ **her mind** *or* **head is in a whirl, she's in a whirl** det går rundt i hodet hennes
whirlpool['wəːlpuːl] s virvel(strøm) *m*, malstrøm *m*
whirlpool bath s boblebad *nt*
whirlwind ['wəːlwɪnd] s virvelvind *m*
whirr [wəːʳ] VI (*motor etc+*) summe (*v1*), brumme (*v1*)
whisk [wɪsk] 1 s (*KULIN*) visp *m*
2 VT (*+cream, eggs*) vispe (*v1*), piske (*v1*)
▸ **to whisk sb away** *or* **off** bringe* noen avgårde *or* bort i all hast
whiskers ['wɪskəz] SPL (*of animal*) værhår *nt*; (*of man*) kinnskjegg *nt*
whisky ['wɪskɪ], **whiskey** (*US, IRELAND*) s whisky *m*
whisper ['wɪspəʳ] 1 s (**a**) (*low voice*) hvisking *c* ❑ *He lowered his voice to a whisper.* Han dempet stemmen til en hvisking.
(**b**) (*fig: of leaves*) hvisken *m* ❑ *...the whisper of wind through the branches of the trees.* ...vindens hvisken gjennom greinene på treet.
2 VTI hviske (*v1*)
whispering ['wɪspərɪŋ] s hvisking *c*
whist [wɪst] (*BRIT*) s whist *m*
whistle ['wɪsl] 1 s (**a**) (*sound*) plystrelyd *m* ❑ *...a low whistle of surprise.* ...en svak plystrelyd av forbauselse.
(**b**) (*object*) fløyte *c* ❑ *The guard blew his whistle...* Vakten blåste i fløyta...
2 VI (**a**) (*person, bird, kettle+*) plystre (*v1*)
(**b**) (*bullet+*) hvine (*v2*)
3 VT ▸ **to whistle a tune** plystre (*v1*) en melodi
whistle-stop ['wɪslstɔp] ADJ ▸ **to make a whistle-stop tour** (*POL*) *dra på valgturne til mange steder med korte gjesteopptredener*
Whit [wɪt] s = **Whitsun**
white [waɪt] 1 ADJ hvit (*var.* kvit)
2 s (**a**) (*colour*) hvitt *indecl* (*var.* kvitt) ❑ *A woman dressed in white...* En kvinne kledd i hvitt...
(**b**) (*person*) hvit *n decl as adj* (*var.* kvit) ❑ *...whites attacking blacks.* ...hvite som gikk til angrep på svarte.
(**c**) (*of egg*) hvite *m* (*var.* kvite) ❑ *Separate the white from the yolk.* Skille hviten fra plommen.
▸ **to turn** *or* **go white** (**a**) (*person+ : with fear*) bli* hvit (i ansiktet)
(**b**) (*person+*) bli* hvithåret, bli* hvit i håret
(**c**) (*hair+*) bli* hvit
▸ **the whites** (*washing*) hvitvasken
▸ **tennis/cricket whites** tennis-/cricketdrakt *c*
whitebait ['waɪtbeɪt] s småsild *c*
whiteboard ['waɪtbɔːd] s whiteboard *n*
white coffee (*BRIT*) s kaffe *m* med melk
white-collar worker ['waɪtkɔlə-] s hvitsnipp *m*
white elephant s (*fig*) *noe som er unyttig eller bortkastet* ❑ *The new factory has proved to be a white elephant.* Den nye fabrikken har vist seg å være* bortkastet.
white goods SPL hvitevarer *c*
white-hot [waɪt'hɔt] ADJ (*metal*) hvitglødende
white lie s hvit løgn *m*
whiteness ['waɪtnɪs] s hvithet *m*
white noise s (jevn) støy *m* fra maskinene
whiteout ['waɪtaut] s ▸ **it's a whiteout** det er helt hvitt ute, det er hvitt overalt ute
white paper (*POL*) s ≈ stortingsmelding *c*
whitewash ['waɪtwɔʃ] 1 s (**a**) (*paint*) hvittekalk *m*, kalkmaling *c*
(**b**) (*sl: SPORT*) poengløst nederlag *nt* ❑ *A British player suffered a whitewash at the hands of the Australian champion.* En britisk spiller gikk på et poengløst nederlag (i kampen) mot den australske mesteren.
2 VT (**a**) (*+building*) kalke (*v1*), hvitte (*v1*)
(**b**) (*fig: incident, reputation*) hvitmale (*v2*)
white water s ▸ **white-water rafting** rafting *c*
whiting ['waɪtɪŋ] s UBØY hvitting *m*
Whit Monday s annen pinsedag *m*
Whitsun ['wɪtsn] s pinse *m*
whittle ['wɪtl] VT ▸ **to whittle away** *or* **down** redusere (*v2*) gradvis
whizz [wɪz] VI ▸ **to whizz past** *or* **by** suse (*v2*) forbi
whizz kid (*sl*) s vidunderbarn *nt*
WHO S FK (= **World Health Organization**) WHO, Verdens helseorganisasjon

---

KEYWORD

who [huː] 1 PRON (**a**) (*interrogative*) hvem
▸ **who is it?, who's there?** hvem er det?, hvem er der?
▸ **who are you looking for?** hvem ser du etter?
▸ **I told her who I was** jeg fortalte henne hvem jeg var
(**b**) (*relative*) som
▸ **my cousin who lives in New York** søskenbarnet mitt som bor i New York

---

whodun(n)it [huːˈdʌnɪt] (*sl*) s krimbok *c*
whoever [huːˈɛvəʳ] PRON ▸ **whoever finds it** hvem som enn finner det
▸ **ask whoever you like** spør hvem du vil
▸ **whoever he marries** hvem han enn gifter seg med, uansett hvem han gifter seg med
▸ **whoever told you that?** hvem i all verden fortalte deg det?
whole [həul] 1 ADJ hel (*var:* heil) ❑ *...in my whole life.* ...i hele mitt liv. *Fortunately, the plates were still whole.* Heldigvis var tallerknene fremdeles hele.
2 s helhet *m* ❑ *...an integrated whole.* ...et integrert hele *or* en integrert helhet. *...a fragment of a greater whole.* ...en bit av en større helhet.
▸ **the whole of** hele (*var:* heile) ❑ *...the whole of July.* ...hele juli. *...the whole of Europe.* ...hele Europa.
▸ **the whole lot (of it)** alt sammen ❑ *Bruno drank the whole lot.* Bruno drakk alt sammen.
▸ **the whole lot (of them)** alle sammen
▸ **the whole (of the) time** hele tiden
▸ **whole villages were destroyed** hele landsbyer ble ødelagt
▸ **the whole of my life** hele mitt liv
▸ **on the whole** stort sett, i det store og hele
wholefood(s) [ˈhəulfuːd(z)] S(PL) *uraffinert mat uten tilsetninger*, helsekost *m*
wholefood shop s ≈ helsekostbutikk *m*
wholehearted [həulˈhɑːtɪd] ADJ (*agreement etc*) helhjertet
wholeheartedly [həulˈhɑːtɪdlɪ] ADV (*agree, support etc*) helhjertet
wholemeal [ˈhəulmiːl] (*BRIT*) ADJ sammalt hvete-
whole note (*US*) s helnote *m*
wholesale [ˈhəulseɪl] 1 s (*business*) engrossalg *nt* ❑ *I work in wholesale.* Jeg arbeider med engrossalg.
2 ADJ (**a**) (*price*) engros-
(**b**) (*widespread: destruction etc*) i stor målestokk, i stor stil ❑ *Wholesale slaughter...* Nedslakting i stor stil *or* målestokk...
3 ADV (*buy, sell*) en gros
wholesaler [ˈhəulseɪləʳ] s grossist *m*
wholesome [ˈhəulsəm] ADJ (*food*) sunn, helsebringende; (*attitude, effect*) sunn
wholewheat [ˈhəulwiːt] = **wholemeal**
wholly [ˈhəulɪ] ADV helt

KEYWORD

whom [huːm] 1 PRON (**a**) (*interrogative*) hvem
▸ **whom did you see?** hvem så du?
▸ **to whom did you give it?** hvem gav du det til?
▸ **tell me from whom you received it** si meg hvem du fikk det av
(**b**) (*relative*) som
▸ **the man whom I saw/to whom I spoke** mannen som jeg så/som jeg snakket til

whooping cough [ˈhuːpɪŋ-] s kikhoste *m*
whoops [wuːps] INTERJ ojsann
whoosh [wuʃ] 1 VI ▸ **to whoosh along/past/down** *etc* suse (*v2*) langs/forbi/ned *etc*
2 s sus *nt*
whopper [ˈwɔpəʳ] (*sl*) s (**a**) (*lie*) kjempeløgn *m* (**b**) (*large thing*) sværing *m* ❑ *What a whopper!* For en sværing!
whopping [ˈwɔpɪŋ] (*sl*) ADJ (= *big*) kjempe- ❑ *...a whopping great chocolate cake.* ...en kjempesjokoladekake.
whore [hɔːʳ] (*neds*) s hore *f*

KEYWORD

whose [huːz] 1 ADJ (**a**) (*possessive: interrogative*) hvem sin, hvis (*fml*)
▸ **whose book is this?, whose is this book?** hvem sin bok er dette?, hvem eier denne boken?
▸ **whose pencil have you taken?** hvem sin blyant har du tatt, hvis blyant har du tatt? (*fml*)
▸ **whose daughter are you?** hvem er du datteren til?
▸ **I don't know whose it is** jeg vet ikke hvem som eier den
(**b**) (*possessive: relative*) hvis (*fml*)
▸ **the man whose son you rescued** mannen som du reddet sønnen til, mannen hvis sønn du reddet (*fml*)
▸ **the girl whose sister you were speaking to** jenta som er søsteren til henne du snakket med
▸ **the woman whose car was stolen** kvinnen som fikk bilen sin stjålet
2 PRON ▸ **whose is this?** hvem eier denne?
▸ **I know whose it is** jeg vet hvem som eier den
▸ **whose are these?** hvem eier disse?

Who's Who [ˈhuːzˈhuː] s (*book*) *liste med navn og kort biografi om berømte personer*

KEYWORD

why [waɪ] 1 ADV hvorfor ❑ *Why is he always late?* Hvorfor kommer han alltid for sent?
▸ **why not?** hvorfor ikke?
▸ **why not do it now?** hvorfor gjør vi det ikke like gjerne nå?
2 KONJ hvorfor, derfor ❑ *I wonder why he said that.* Jeg lurer på hvorfor han sa det.
▸ **the reason why he did it** grunnen til at han gjorde det
▸ **that's not (the reason) why I'm here** det er ikke derfor jeg er her, det er ikke grunnen til at jeg er her
▸ **can you tell me the reason why?** kan du si meg grunnen (til det)?
3 INTERJ (*expressing surprise, shock, annoyance*) neimen, jøss; (*explaining*) neimen, ja men ❑ *Why, it's you!* Neimen *or* jøss, er det deg! *Why, that's impossible/quite unacceptable!* Ja men det er jo umulig/helt uakseptabelt! *I don't understand – why, it's obvious!* Jeg forstår ikke – ja men, det er jo opplagt!

WI (*BRIT*) 1 S FK (= **Women's Institute**) *kvinneorganisasjon*, Norges Husmorforbund
2 FK (*US: POST*) (= **West Indies**),**Wisconsin**
wick [wɪk] s (*of candle, lamp*) veke *m*
▸ **he gets on my wick** (*BRIT: sl*) han irriterer fletta av meg (*sl*)
wicked [ˈwɪkɪd] ADJ (**a**) (*man, witch*) ond, ondskapsfull (**b**) (*act, smile, wit*) ondskapsfull ❑ *...he had done something wicked.* ...han hadde gjort noe ondskapsfullt. (**c**) (*sl: prices, weather*)

stygg

wicker ['wɪkəʳ] ADJ (*basket*) flette-; (*chair*) kurv-

wickerwork ['wɪkəʳwə:k] [1] ADJ (**a**) (*basket*) flette- (**b**) (*chair*) kurv-
[2] S kurvarbeid *nt* ❑ *...a sale of wickerwork.* ...salg på kurvarbeid.

wicket ['wɪkɪt] (*in cricket*) S (= *stumps*) gjerde *nt*, grindpinner *pl*; (*grass area*) *området mellom de to gjerdene i cricket*

wicketkeeper ['wɪkɪtki:pəʳ] S gjerdevokter *m*

wide [waɪd] [1] ADJ (**a**) (*bed, field, grin*) bred (*var:* brei) (**b**) (*area, publicity, knowledge, choice*) stor ❑ *The library had a wide variety of books.* Biblioteket hadde et stort utvalg bøker.
[2] ADV ▸ **to open sth wide** (*window etc*) åpne (*v1*) noe på vidt gap, sette* noe på vidt gap
▸ **to go wide** (*shot etc+*) være* et villskudd
▸ **3 metres wide** 3 meter bred

wide-angle lens ['waɪdæŋgl-] S vidvinkellinse *c*

wide-awake [waɪdə'weɪk] ADJ lysvåken

wide-eyed [waɪd'aɪd] ADJ (*also fig*) storøyd

widely ['waɪdlɪ] ADV (**a**) (*differ, vary*) svært ❑ *Policies vary widely...* Politikken varierer svært...
(**b**) (*travel*) vidt omkring
(**c**) (*spaced*) langt fra hverandre ❑ *...widely separated fence posts.* ...gjerdestolper som sto langt fra hverandre.
(**d**) (*believed, known*) i vide kretser ❑ *Your views are already widely known.* Dine synspunkter er allerede kjent i vide kretser.
▸ **to be widely read** være* belest

widen ['waɪdn] [1] VT (**a**) (*+road, river*) gjøre* bredere, utvide (*v1*)
(**b**) (*+one's experience*) utvide (*v1*), få* bredere
[2] VI (**a**) (*road, river+*) vide (*v1*) seg ut
(**b**) (*gap+*) bli* større ❑ *The gap between the rich and poor regions widened.* Gapet mellom de rike og fattige regionene ble større.

wideness ['waɪdnɪs] S (*of road, river, gap*) bredde *m*

wide open ADJ (*eyes, mouth*) vidåpen; (*window, door*) vidåpen, på vidt gap

wide-ranging [waɪd'reɪndʒɪŋ] (*effects, implications*) vidtrekkende; (*interview, survey*) vidtomfavnende (*var:* vidtomfamnende)

wide-screen [waɪd'skri:n] ADJ (*television set*) widescreen-

widespread ['waɪdsprɛd] ADJ (*belief etc*) utbredt

widow ['wɪdəu] S enke *c*

widowed ['wɪdəud] ADJ som har blitt enke/enkemann

widower ['wɪdəuəʳ] S enkemann *m*

width [wɪdθ] S bredde *m* ❑ *...the width of a man's hand.* ...bredden på en mannshånd. *I can nearly swim a width.* Jeg kan nesten svømme en bredde.
▸ **it's 7 metres in width** den/det er 7 meter bredt

widthways ['wɪdθweɪz] ADV i *or* på bredden

wield [wi:ld] VT (*+sword*) veive (*v1 or v3*); (*+power*) gjøre* bruk av

wife [waɪf] (*pl* **wives**) S kone *f*, hustru *c* (*dated*)

wig [wɪg] S parykk *m*

wigging ['wɪgɪŋ] (*BRIT: sl*) S overhaling *c* ❑ *She gave me a real wigging.* Hun ga meg en real overhaling.

wiggle ['wɪgl] VT (*+hips*) vrikke (*v1*) med; (*+ears*) lee (*v1*) på

wiggly ['wɪglɪ] ADJ (*line*) bølget(e)

wigwam ['wɪgwæm] S wigwam *m*

wild [waɪld] [1] ADJ (**a**) (*animal, plant, person, guess, idea, cheers*) vill ❑ *...wild animals...* ville* dyr... *The audience went wild.* Publikum ble (helt) ville. NB *He took a wild guess.* Han gjettet vilt. *...wild cheers.* ...ville bifallsrop.
(**b**) (*land, weather, sea*) barsk
[2] S ▸ **in the wild** (*natural surroundings*) i vill tilstand
▸ **the wilds** SPL villmarken ❑ *We live out in the wilds.* Vi lever ute i villmarken.
▸ **I'm not wild about it** jeg er ikke akkurat vill etter det

wild card S (*DATA*) jokertegn *nt*; (*KORT*) joker *m* (*kort med en hvilken som helst verdi*)

wildcat ['waɪldkæt] S villkatt *m*

wildcat strike S vill streik *m*

wilderness ['wɪldənɪs] S villmark *c*, ødemark *c*

wildfire ['waɪldfaɪəʳ] S ▸ **to spread like wildfire** (*news etc+*) spre (*v4*) seg som ild i tørt gress

wild-goose chase [waɪld'gu:s-] S håpløst foretagende *nt* ❑ *He sent us on a wild-goose chase.* Han sendte oss ut i et håpløst foretagende.

wildlife ['waɪldlaɪf] S dyreliv *nt*

wildly ['waɪldlɪ] ADV (*behave, applaud*) vilt; (*move, shake*) voldsomt; (= *very: romantic, inefficient*) voldsomt

wiles [waɪlz] SPL knep *nt sg*

wilful ['wɪlful], **willful** (*US*) ADJ (*child, character*) envis, umedgjørlig; (*action, disregard etc*) bevisst

KEYWORD

will [wɪl] (*vt: pt, pp* **willed**) [1] H-VERB (**a**) (*forming future tense*) vil, skal
▸ **I will finish it tomorrow** jeg vil *or* skal gjøre* det ferdig i morgen
▸ **I will have finished it by tomorrow** jeg vil *or* skal ha* gjort det ferdig i morgen
▸ **will you do it? yes I will/no I won't** vil du gjøre* det? ja, det vil jeg/nei, det vil jeg ikke
▸ **when will you finish it?** når blir du ferdig med den?
(**b**) (*in conjectures, predictions*) nok (*used with present tense*)
▸ **he will be there by now** han er nok der nå
▸ **that will be the postman** det er nok postbudet
(**c**) (*in commands, requests, offers*) vil
▸ **will you be quiet!** vil *or* kan du være* stille!
▸ **will you help me?** vil *or* kan du hjelpe meg?
▸ **will you have a cup of tea?** vil du ha* en kopp te?
▸ **I won't put up with it!** jeg vil ikke finne meg i det!
[2] VT ▸ **to will sb to do sth** mane (*v2*) noen til å gjøre* noe
▸ **he willed himself to go on** han fortsatte av ren viljestyrke
[3] S (*testament*) testamente *nt*; (= *volition*) ▸ **will (to do sth)** vilje *m* (til å gjøre* noe) ❑ *She lost her will to live.* Hun mistet viljen til å leve.
▸ **against his will** mot sin vilje

willful ['wɪlful] (*US*) ADJ = **wilful**
willing ['wɪlɪŋ] ADJ (**a**) (= *having no objection*) villig (**b**) (= *enthusiastic*) velvillig ❑ *...a class of willing students.* ...en klasse med velvillige studenter.
▸ **he's willing to do it** han er villig til å gjøre* det
▸ **to show willing** vise (*v2*) seg villig
willingly ['wɪlɪŋlɪ] ADV frivillig
willingness ['wɪlɪŋnɪs] s (**a**) (= *readiness*) villighet *m* ❑ *Your willingness to experiment...* Din villighet til å eksprimentere...
(**b**) (= *enthusiasm*) velvilje *m* ❑ *...with the greatest willingness.* ...med største velvilje.
will-o'-the wisp ['wɪləðə'wɪsp] s (= *light*) irrlys *nt*, lyktemann *m*; (*fig*) irrlys *nt*, blendverk *nt*
willow ['wɪləu] s (*tree*) pil *c*; (*wood*) piletre *nt*
willpower ['wɪl'pauəʳ] s viljestyrke *m*
willy-nilly ['wɪlɪ'nɪlɪ] ADV enten man vil det eller ikke; (= *hapharzardly*) på lykke og fromme
wilt [wɪlt] VI (*flower+*) henge* med hodet; (*plant+*) henge* med bladene
Wilts (*BRIT: POST*) FK = **Wiltshire**
wily ['waɪlɪ] ADJ (*fox, move, person*) slu, listig
wimp [wɪmp] (*sl, neds*) s veiking *m*
win [wɪn] (*pt* **won**)*pp* 1 s (*in sports etc*) seier *m* ❑ *They've had seven wins in a row.* De har hatt sju seire på rad.
2 VT vinne*
3 VI seire (*v1*), vinne*
▸ **win over, win round** VT (= *persuade: person*) vinne* over på sin side
▸ **win round** (*BRIT*) VT = **win over**
wince [wɪns] VI fortrekke*
winch [wɪntʃ] s vinsj *m*
wind[1] [wɪnd] 1 s (**a**) (*air*) vind *m* ❑ *The wind had dropped.* Vinden hadde løyet.
(**b**) (*MED*) luft *c* ❑ *...she suffered from wind.* ...hun var plaget av luft i magen.
(**c**) (= *breath*) pust *m* ❑ *I had to stop and regain my wind...* Jeg måtte* stoppe og få* igjen pusten...
2 VT (= *take breath away from*) ta* pusten fra ❑ *I was winded by the force of his punch.* Styrken i slaget hans tok pusten fra meg.
▸ **the wind** (*MUS*) blåserne *pl*
▸ **into** *or* **against the wind** mot vinden
▸ **to get wind of sth** (*fig*) få* nyss om noe, komme* under vær med noe
▸ **to break wind** slippe* en fjert
wind[2] [waɪnd] (*pt* **wound**)*pp* 1 VT (= *roll: thread, rope*) vinde (*v1*), vikle (*v1*), tvinne (*v1*); (= *wrap: bandage*) vikle (*v1*); (*+clock, toy*) trekke* opp
2 VI (*road, river+*) bukte (*v1*) seg, snu (*v4*) seg
▸ **wind down** VT (*+car window*) sveive (*v1*) ned, rulle (*v1*) ned; (*fig: production, business*) trappe (*v1*) ned
▸ **wind up** VT (*+clock, toy*) trekke* opp; (*+debate, discussion*) avslutte (*v1*)
windbreak ['wɪndbreɪk] s vindskjerm *m*
windbreaker ['wɪndbreɪkəʳ] (*US*) s = **windcheater**
windcheater ['wɪndtʃi:təʳ] s vindjakke *c*
winder ['waɪndəʳ] (*BRIT*) s (*on watch*) opptrekkerskrue *m*
windfall ['wɪndfɔ:l] s (**a**) (*money*) uventet gevinst *m* ❑ *He had a windfall from the football pools.* Han mottok en uventet gevinst i fotballtippingen.
(**b**) (*apple*) nedfallsfrukt *m* ❑ *The grass was littered with windfalls.* Gresset var fullt av nedfallsfrukt.
winding ['waɪndɪŋ] ADJ (*road*) svinget(e)
▸ **a winding staircase** en vindeltrapp
wind instrument ['wɪnd-] s blåseinstrument *nt*
windmill ['wɪndmɪl] s vindmølle *c*
window ['wɪndəu] s (*gen, COMPUT*) vindu *nt*
window box s blomsterkasse *c*
window cleaner s (*person*) vinduspusser *m*
window dresser s vindusdekoratør *m*
window envelope s vinduskonvolutt *m*
window frame s vindusramme *c*
window ledge s vinduskarm *m*
window pane s vindusrute *c*
window-shopping ['wɪndəuʃɔpɪŋ] s ▸ **to go window-shopping** gå* og se i vinduer
windowsill ['wɪndəusɪl] s (*inside*) vinduskarm *m*; (*outside*) vinduskarm *m*, vinduspost *m*
windpipe ['wɪndpaɪp] s luftrør *nt*, luftveier *pl*
wind power ['wɪnd-] s vindkraft *m*
windscreen ['wɪndskri:n] s frontrute *c*
windscreen washer s (vindus)spyler *m*
windscreen wiper s vindusvisker *m*
windshield ['wɪndʃi:ld] (*US*) s = **windscreen**
windsurfing ['wɪndsə:fɪŋ] s brettseiling *c*, vindsurfing *c*
windswept ['wɪndswεpt] ADJ (*place, person*) forblåst
wind tunnel ['wɪnd-] s vindtunnel *m*
windy ['wɪndɪ] ADJ (*weather, day*) vindfull
▸ **it's windy** det blåser
wine [waɪn] 1 s vin *m*
2 VT ▸ **to wine and dine sb** beverte (*v1*) noen godt
wine bar s vinbar *m*
wine cellar s vinkjeller *m*
wine glass s vinglass *nt*
wine list s vinkart *nt*
wine merchant s vinhandler *m*
wine tasting s vinsmaking *c*
wine waiter s vinkelner *m*
wing [wɪŋ] s (**a**) (*of bird, insect, plane*) vinge *m* (*var.* ving, veng)
(**b**) (*of building*) fløy *m*, ving *m*
(**c**) (*of car*) skjerm *m*
▸ **the wings** SPL (*TEAT*) kulissene *m*
winger ['wɪŋəʳ] (*SPORT*) s ving *m*
wing mirror (*BRIT*) s sidespeil *nt*
wing nut s vingemutter *m*
wingspan ['wɪŋspæn] s vingespenn *nt* ❑ *...a wingspan of 70 cm.* ...et vingespenn på 70 cm.
wingspread ['wɪŋsprεd] s = **wingspan**
wink [wɪŋk] 1 s (*of eye*) blunk *nt or m*, blunking *c no pl* NB *"What a hostess!" said Clarissa with a big wink at George.* "Hvilken vertinne!" sa Clarissa og blunket lurt til George.
2 VI (*person+*) blunke (*v1*); (*light etc+*) blinke (*v1*)
winkle [wɪŋkl] s strandsnegl *m*
winner ['wɪnəʳ] s vinner *m*
winning ['wɪnɪŋ] ADJ (*team, competitor, entry*) seirende; (*shot, goal*) vinner-; (*smile*) vinnende *see also* **winnings**
winning post s dommerpinne *m*

winnings ['wɪnɪŋz] SPL gevinst *m sg*
winsome ['wɪnsəm] ADJ (*expression, person*) vinnende
winter ['wɪntəʳ] 1 s vinter *m*
2 VI overvintre (*v1*) ❑ *Ospreys winter in Africa.* Fiskeørner overvintrer i Afrika.
▸ **in winter** om vinteren
winter sports SPL vinteridrett *m*
wintry ['wɪntrɪ] ADJ (*weather, day*) vinterlig, vinter-
wipe [waɪp] VT (**a**) (= *dry, clean*) tørke (*v1*) (av) ❑ *Ida wiped her hands on her apron.* Ida tørket (av) hendene på forkle.
(**b**) (= *erase*) slette (*v1*) ❑ *Have you wiped that tape?* Har du slettet (alt på) det båndet?
▸ **to wipe one's nose** tørke (*v1*) nesa
S ▸ **to give sth a wipe** tørke (*v1*) (av *or* over) noe
▸ **wipe off** VT (= *remove*) tørke (*v1*) av *or* bort *or* vekk
▸ **wipe out** VT (= *destroy*) utslette (*v1*)
▸ **wipe up** VT (+*mess*) tørke (*v1*) opp
wire ['waɪəʳ] 1 s (**a**) (*metal*) metalltråd *m*
(**b**) (*thick*) vaier *m* ❑ *...a length of wire.* ...en lengde metalltråd/vaier.
(**c**) (*ELEK*) ledning *m*
(**d**) (= *telegram*) telegram *nt*
2 VT (**a**) (*US: person: sending telegram*) sende (*v2*) (et) telegram til
(**b**) (*also* ***wire up***) kople (*v1*) til ❑ *...electrical fittings wired up to the mains.* ...elektriske installasjoner koplet til hovedtilførselen.
wire brush s stålbørste *m*
wire cutters SPL avbitertang *c sg*
wireless ['waɪəlɪs] (*BRIT: gam*) s radio *m* ❑ *...by wireless.* ...på radio.
wire netting s (stål)trådnetting *m*
wire service (*US*) s telegrambyrå *nt*
wiretapping ['waɪə'tæpɪŋ] s avlytting *c*
wiring ['waɪərɪŋ] (*ELEK*) s elektrisk opplegg *nt*
wiry ['waɪərɪ] ADJ (*person*) senet(e), senesterk; (*hair*) stri
wisdom ['wɪzdəm] s (*of person*) visdom *m*; (*of action, remark*) ▸ **doubts were expressed about the wisdom of the visit** det ble uttrykt tvil om besøket var fornuftig
wisdom tooth s visdomstann *c*
wise [waɪz] ADJ (**a**) (*person*) klok, vis
(**b**) (*action, remark*) klok ❑ *It would be wise to give up now...* Det ville* være* klokt å gi* opp nå...
▸ **I'm none the wiser** jeg er like klok
▸ **wise up** (*sl*) VI ▸ **to wise up to** bli* klar over ❑ *Christopher wised up to the fact that...* Christopher ble klar over det faktum at...
...wise [waɪz] SUFF ▸ **timewise/moneywise** tidsmessig/pengemessig
wisecrack ['waɪzkræk] s vittighet *m*
wisely ['waɪzlɪ] ADV (**a**) (*gen*) klokelig ❑ *You have chosen wisely.* Du har valgt klokelig.
(**b**) (*say*) klokt
wish [wɪʃ] 1 s ønske *nt* ❑ *We have no wish to repeat their mistakes.* Vi har ikke noe ønske om å gjenta feilene deres. *The genie then granted Sinbad three wishes.* Ånden ga så Sinbad tre ønsker.
2 VT ønske (*v1*) ❑ *I often wish that...* Jeg ønsker ofte at...
▸ **best wishes** beste ønsker, beste hilsen ❑ *My parents send their best wishes.* Foreldrene mine hilser så mye.
▸ **with best wishes** (*in letter*) (med beste) hilsen
▸ **give her my best wishes** hils henne så mye fra meg
▸ **to wish sb goodbye** ta* farvel med noen
▸ **to wish sb well** ønske (*v1*) noen alt hell *or* alt godt
▸ **to wish to do sth** ønske (*v1*) å gjøre* noe
▸ **to wish for** ønske (*v1*) seg
▸ **to wish sth on sb** ønske (*v1*) noen noe ❑ *...an illness I would not wish on my worst enemy.* ...en sykdom jeg ikke ville* ønske min verste fiende.
▸ **to make a wish** ønske (*v1*) seg noe; (*out loud*) komme* med et ønske
wishbone ['wɪʃbəun] s ønskeben *nt*
wishful ['wɪʃful] ADJ ▸ **it's wishful thinking** det er (bare) ønsketenkning
wishy-washy ['wɪʃɪ'wɔʃɪ] (*sl*) ADJ (**a**) (*colour*) blass
(**b**) (*ideas*) uspennende
(**c**) (*person*) fargeløs ❑ *He's just a wishy-washy liberal.* Han er bare en fargeløs liberaler.
wisp [wɪsp] s (*of grass, hair*) dott *m*; (*of smoke*) strime *c*
wistful ['wɪstful] ADJ lengselsfull
wit [wɪt] s (**a**) (= *wittiness*) vidd *nt* ❑ *The girl laughed at his wit.* Jenta lo av hans vidd.
(**b**) (*also* ***wits***: *intelligence*) vett *nt* ❑ *Her only chance was to use her wits...* Hennes eneste sjanse var å bruke vettet...
(**c**) (*person*) ordekvilibrist *m*
(**d**) (= *presence of mind*) forstand *m* ❑ *No one had had the wit to bring a bottle-opener.* Ingen hadde hatt forstand til å ta* med en flaskeåpner.
▸ **to be at one's wits' end** ikke vite* sine arme råd
▸ **to have one's wits about one** holde* hodet klart *or* kaldt
▸ **to wit** nemlig ❑ *We speak in a language they don't know: to wit, Finnish.* Vi snakker på et språk de ikke kjenner: nemlig finsk.
witch [wɪtʃ] s heks *c*
witchcraft ['wɪtʃkrɑːft] s heksekunst *m*
witch doctor s heksedoktor *m*
witch-hunt ['wɪtʃhʌnt] s (*fig*) heksejakt *c*

KEYWORD

with [wɪð, wɪθ] 1 PREP (**a**) (= *accompanying, in the company of*) (sammen) med ❑ *Mix the sugar with the eggs.* Bland sukkeret (sammen) med eggene.
▸ **I was with him** jeg var sammen med ham
▸ **we'll take the children with us** vi vil ta* med oss barna
▸ **I'll be with you in a minute** jeg kommer tilbake om et minutt
(**b**) (= *at the house of*) hos ❑ *We stayed with friends.* Vi bodde hos noen venner.
(**c**) (*understanding*) ▸ **I'm with you** jeg forstår
(**d**) ▸ **to be with it** (*sl: up-to-date*) følge* (godt) med; (= *alert*) være* med ❑ *Sorry, I'm not quite with it this morning.* Unnskyld, jeg er ikke helt med i dag.
(**e**) (*descriptive*) med
▸ **a room with a view** et rom med utsikt
▸ **the man with the grey hat/blue eyes**

mannen med grå hatt/blå øyne
(**f**) (*indicating manner, means, contents*) med
▸ **with tears in her eyes** med tårer i øynene
▸ **to open the door with a key** åpne (*v1*) døren med en nøkkel
▸ **to walk with a stick** gå* med stokk
▸ **to fill sth with water** fylle (*v2x*) noe med vann
(**g**) (*cause*) av
▸ **red with anger** rød av sinne
▸ **to shake with fear** skjelve* av skrekk

withdraw [wɪθ'drɔː] (*irreg* **draw**) [1] VT (**a**) (*+object*) trekke* ut
(**b**) (*+offer, remark, statement*) trekke* tilbake
[2] VI (*troops, person+*) trekke* seg ut, trekke* seg tilbake
▸ **to withdraw into o.s.** trekke* seg inn i seg selv
▸ **to withdraw money** ta* ut penger
withdrawal [wɪθ'drɔːəl] S (**a**) (*of troops*) tilbaketrekning *c*
(**b**) (*of participation*) utmelding *c* ▫ *...withdrawal from the Common Market.* ...utmelding av Fellesmarkedet.
(**c**) (*of services*) nedlegging *c* ▫ *...the withdrawal of certain bus services.* ...nedleggingen av visse bussruter.
(**d**) (*of money*) uttak *nt*
(**e**) (*of offer, remark*) ▸ **the withdrawal of his offer** det at han trakk tilbake tilbudet sitt
withdrawal symptoms SPL abstinenssymptomer *nt*
withdrawn [wɪθ'drɔːn] [1] PP *of* **withdraw**
[2] ADJ (*person*) tilbaketrukket
wither ['wɪðəʳ] VI visne (*v1*)
withered ['wɪðəd] ADJ (*plant*) visnet; (*limb*) vissen
withhold [wɪθ'həuld] (*irreg* **hold**) VT (*+money, information, permission*) holde* tilbake ▫ *I decided to withhold the information till later.* Jeg bestemte meg for å holde tilbake informasjonen til senere.
within [wɪð'ɪn] [1] PREP (**a**) (*= inside: place*) inne i ▫ *...within the prison.* ...inne i fengselet.
(**b**) (*+time*) innen ▫ *...within a fortnight...* innen fjorten dager...
(**c**) (*+distance*) i ▫ *...within a short distance of the shops.* ...i kort avstand fra butikkene.
[2] ADV (*= inside*) innenfor ▫ *...the soft flesh within.* ...det bløte kjøttet innenfor.
▸ **within reach** innen rekkevidde ▫ *Matches should not be left within reach of small children.* Fyrstikker burde ikke legges innen små barns rekkevidde.
▸ **within sight (of)** innen synsvidde (av)
▸ **within the week** innen utgangen av uken
▸ **within a mile of** mindre enn en mile fra
▸ **within an hour of his arrival** mindre enn en time etter at han var kommet
▸ **within the law** på den rette siden av loven
without [wɪð'aut] PREP uten
▸ **without a coat** uten frakk
▸ **without speaking** uten å si noe
▸ **it goes without saying** det sier seg selv
▸ **without anyone knowing** uten at noen vet/visste det
with-profits ['wɪθprɔfɪts] ADJ (*policy*) med sparedel
withstand [wɪθ'stænd] (*irreg* **stand**) VT (*+winds, attack, pressure*) stå* imot
witness ['wɪtnɪs] [1] S vitne *nt* ▫ *...in front of witnesses.* ...foran vitner. *You need two witnesses in order to get married.* Du trenger to vitner for å bli* gift.
[2] VT være* vitne til
▸ **witness for the prosecution** vitne *nt* for aktoratet
▸ **witness for the defence** forsvarsvitne *nt*, vitne *nt* for forsvaret
▸ **to bear witness to** vitne (*v1*) om
▸ **to witness to sth** vitne (*v1*) om noe
witness box S vitneboks *m*
witness stand (*US*) = **witness box**
witticism ['wɪtɪsɪzəm] S vittighet *m*
witty ['wɪtɪ] ADJ (*person, remark etc*) vittig
wives [waɪvz] SPL *of* **wife**
wizard ['wɪzəd] S trollmann *m*
wizened ['wɪznd] ADJ (*person, fruit, vegetable*) inntørket
wk FK = **week**
Wm. FK = **William**
WO (*MIL*) S FK (= **warrant officer**) *militær grad mellom sersjant og fenrik*
wobble ['wɔbl] VI (*legs, chair+*) vakle (*v1*); (*jelly+*) skjelve*
wobbly ['wɔblɪ] ADJ (**a**) (*hand, voice*) skjelvende
(**b**) (*table, chair*) vaklevoren
▸ **to feel wobbly** (**a**) (*person+*) føle (*v2*) seg skjelven
(**b**) (*legs+*) føles (*v25*) skjelven
woe [wəu] S vemod *nt no pl* ▫ *...an exclamation of woe.* ...et utbrudd av vemod.
▸ **woes** PL (*misfortunes*) ulykke *c sg* ▫ *We don't want to add to your woes.* We ønsker ikke å gjøre* din ulykke større.
woeful ['wəuful] ADJ bedrøvet
wok [wɔk] S wok *m*
woke [wəuk] PRET *of* **wake**
woken ['wəukn] PP *of* **wake**
wolf [wulf] (*pl* **wolves**) S ulv *m*
wolves [wulvz] SPL *of* **wolf**
woman ['wumən] (*pl* **women**) S kvinne *c*
▸ **woman friend** kvinnelig venn *m*, venninne *c*
▸ **woman teacher** kvinnelig lærer *m*
▸ **young woman** ung kvinne *c*
▸ **women's page** kvinneside *c*
woman doctor S kvinnelig lege *m*
womanizer ['wumənaɪzəʳ] (*neds*) S jentefut *m*, skjørtejeger *m*
womanly ['wumənlɪ] ADJ kvinnelig
womb [wuːm] S livmor *c*
women ['wɪmɪn] SPL *of* **woman**
women's lib (*sl*) S kvinnefrigjøring *c*
Women's (Liberation) Movement S kvinnebevegelsen *m def*
won [wʌn] PRET, PP *of* **win**
wonder ['wʌndəʳ] [1] S (**a**) (*miracle*) under *nt* ▫ *...the wonders of modern technology.* ...den moderne teknologiens undere.
(**b**) (*= awe*) undring *c* ▫ *...the look of wonder on her face.* ...uttrykket av undring i ansiktet hennes.
[2] VI ▸ **to wonder whether/why** *etc* lure (*v2*) på om/hvorfor *etc* ▫ *I am beginning to wonder why*

we ever invited them. Jeg begynner å lure på hvorfor vi aldri inviterte dem.
▸ **to wonder at** undre (*v1*) seg over
▸ **to wonder about** lure (*v2*) på
▸ **it's no wonder (that)** det er ikke så rart (at)
▸ **I wonder if you could help me** jeg lurer på om du kunne* hjelpe meg
wonderful ['wʌndəful] ADJ (**a**) (= *excellent*) storartet, makeløs ❑ *...a wonderful memory.* ...en storartet *or* makeløs hukommelse.
(**b**) (= *miraculous*) forunderlig ❑ *The human body is a wonderful thing.* Menneskekroppen er en forunderlig ting.
wonderfully ['wʌndəfəlı] ADV fabelaktig
wonky ['wɔŋkı] (*BRIT: sl*) ADJ ustø
wont [wəunt] S ▸ **as is his wont** som han pleier
won't [wəunt] = **will not**
woo [wu:] VT (+*woman*) gjøre* kur til; (+*audience etc*) fri (*v4*) til
wood [wud] 1 S (**a**) (= *timber*) tre *nt* ❑ *...a piece of wood.* ...et trestykke
(**b**) (*forest*) skog *m*
2 SAMMENS skog(s)-, tre-
woodcarving ['wudkɑ:vıŋ] S (**a**) (*act*) treskjæring *c* ❑ *...a class in woodcarving.* ...et kveldskurs i treskjæring.
(**b**) (*object*) treskjærerarbeid *nt* ❑ *...the woodcarving in the chapel.* ...treskjærerarbeidet i kirken.
wooded ['wudıd] ADJ (*slopes, area*) skogkledd (*var:* skogkledt)
wooden ['wudn] (*object*) av tre, tre-; (*fig: performance, actor*) livløs
woodland ['wudlənd] S skog *m*
woodpecker ['wudpɛkə^r] S hakkespett *m*
wood pigeon S skogsdue *c*
woodwind ['wudwınd] ADJ (*instrument*) treblåser-
▸ **the woodwind** treblåserne *pl*
woodwork ['wudwə:k] S (*skill*) trearbeid *nt*
woodworm ['wudwə:m] S tremark *m*
woof [wuf] 1 S (*of dog*) voff *nt* ❑ *The dog gave a loud woof.* Hunden gav fra seg et høylydt voff.
2 VI voffe (*v1*), vove (*v1*)
▸ **woof, woof!** vov, vov!
wool [wul] S (*material, yarn*) ull *c*
▸ **to pull the wool over sb's eyes** (*fig*) føre (*v2*) noen bak lyset
woollen ['wulən], **woolen** (*US*) ADJ ull-, av ull
woollens ['wulənz] SPL ullklær *nt*
woolly ['wulı], **wooly** (*US*) 1 ADJ (*also fig: vague*) ullen
2 S (*pullover*) ullgenser *m*
woozy ['wu:zı] (*sl*) ADJ ør
Worcs (*BRIT: POST*) FK = **Worcestershire**
word [wə:d] 1 S (**a**) (*gen*) ord *nt* ❑ *He only said one word* Han sa bare ett ord. *I give you my word (that...)* Jeg gir deg mitt ord (på at...)
(**b**) (= *news*) ▸ **to bring (sb) word (about sth)** komme* med nytt (om noe)
2 VT (+*letter, message*) formulere (*v2*) ❑ *The letter was worded in such a way as to...* Brevet var formulert på en sånn måte at...
▸ **word for word** ord for ord ❑ *That's word for word what the man said.* Det er ord for ord hva mannen sa. *You can't translate those expressions word for word.* Du kan ikke oversette de uttrykkene ord for ord.
▸ **to put sth into words** sette* ord på noe
▸ **in other words** med andre ord
▸ **to break one's word** bryte* løfte
▸ **to keep one's word** holde* ord *or* løfte
▸ **to have a word with sb** få* noen ord med noen
▸ **to have words with sb** snakke (*v1*) noen alvorsord med noen
▸ **I'll take your word for it** jeg tror deg på ditt ord
▸ **to send word of** gi* beskjed om
▸ **to leave word (with sb/for sb) that...** gi* noen beskjed om at...
▸ **by word of mouth** muntlig
wording ['wə:dıŋ] S (*of message, contract etc*) ordlyd *m* ❑ *...the wording of the editorial.* ...ordlyden i lederartikkelen.
word-perfect ['wə:d'pə:fıkt] ADJ (*person*) ordrett
word processing S tekstbehandling *c*
word processor S (*software*) tekstbehandler *m*; (*machine*) tekstbehandlingsmaskin *m*
wordwrap ['wə:dræp] (*DATA*) S ordflytting *c*
wordy ['wə:dı] ADJ (*book, person*) ordrik
wore [wɔ:^r] PRET *of* **wear**
work [wə:k] 1 S (**a**) (= *task, duty, job*) arbeid *nt* ❑ *I've got loads of work to do.* Jeg har haugevis av arbeid å gjøre. *The work of a doctor is very interesting.* En doktors arbeid er svært interessant.
(**b**) (*KUNST, LITT*) verk *nt* ❑ *...Chopin's works.* ...Chopins verker.
2 VI (**a**) (*person+*) arbeide (*v1*)
(**b**) (*mechanism+*) virke (*v1*) ❑ *The traffic lights weren't working.* Trafikklysene virket ikke.
(**c**) (*medicine etc+*) virke (*v1*) ❑ *How long does a sleeping pill take to work?* Hvor lang tid tar en sovepille før den virker?
3 VT (**a**) (+*clay, wood, stone*) bearbeide (*v1*)
(**b**) (+*mine*) jobbe (*v1*) i
(**c**) (+*land*) arbeide (*v1*)
(**d**) (+*machine*) betjene (*v2*)
(**e**) (= *create: miracle*) utrette (*v1*)
(**f**) (+*effect, magic*) ha ❑ *The lighting was working its magic on the audience.* Scenelyset hadde sin magiske virkning på publikum.
▸ **to go to work** gå* på arbeid
▸ **to set to work, to start work** begynne (*v2x*) å arbeide
▸ **to be at work (on sth)** drive* og arbeide (*v1*) (med noe)
▸ **to be out of work** (= *unemployed*) være* arbeidsløs
▸ **to be in work** (= *employed*) ha* arbeid, være* i arbeid
▸ **to work loose** (*part, knot+*) løsne (*v1*) ❑ *A screw's worked loose.* En skrue har løsnet.
▸ **to work on the principle that...** arbeide etter det prinsipp at...
► **work on** VT FUS (**a**) (+*task*) arbeide (*v1*) med
(**b**) (+*machine, car*) arbeide (*v1*) på
(**c**) (+*person: influence*) bearbeide (*v1*)
► **work out** 1 VI (**a**) (*SPORT*) trene (*v2*)
(**b**) (*job, plans etc+*) ▸ **how's his job working**

out? hvordan går det med jobben hans?
2 VT (**a**) (*+problem*) finne* ut av ❑ *He couldn't work out why the room seemed so familiar.* Han klarte ikke finne ut av hvorfor rommet virket så kjent.
(**b**) (*+plan, system*) utarbeide (*v1*)
▸ **it works out at 100 francs** det beløper seg til 100 franc
► **work up** VT (*+idea, plan*) arbeide (*v1*) fram
▸ **to get worked up** bli* opphisset
workable ['wə:kəbl] ADJ (*solution, system*) brukbar
workaholic [wə:kə'hɔlɪk] S arbeidsnarkoman *m*
workbench ['wə:kbɛntʃ] S arbeidsbenk *m*, arbeidsbord *nt*
worker ['wə:kə^r] S arbeider *m* ❑ *...relations between management and workers.* ...forholdet mellom ledelsen og arbeiderne.
▸ **office worker** (**a**) (*male*) kontorist *m*
(**b**) (*female*) kontordame *m*
workforce ['wə:kfɔ:s] S arbeidsstyrke *m*
work-in ['wə:kɪn] (*BRIT*) S *det at arbeidere tar over produksjon som ellers skulle* legges ned*
working ['wə:kɪŋ] ADJ (**a**) (*day, conditions, population*) arbeids- ❑ *...better working conditions.* ...bedre arbeidsforhold. *...the working population of this country.* ...arbeidsstyrken i dette landet.
(**b**) (*mother*) utearbeidende ❑ *...children with working mothers.* ...barn med utarbeidende mødre.
▸ **to have a working knowledge of English** være* brukbar i engelsk
working capital S driftskapital *m*
working class S arbeiderklasse *c*
working-class ['wə:kɪŋ'klɑ:s] ADJ arbeiderklasse-
working man S arbeider *m*
working model S prototype *m*
working order S ▸ **in working order** i stand
working party (*BRIT*) S arbeidsutvalg *nt*
working week S arbeidsuke *c*
work-in-progress ['wə:kɪn'prəugrɛs] S *verdien av påbegynt arbeid slik det vises i taps- og vinningskontoen*
workload ['wə:kləud] S arbeidsmengde *m*
workman ['wə:kmən] *irreg* S arbeider *m*
▸ **(the) workmen** arbeidsfolk(ene)
workmanship ['wə:kmənʃɪp] S (*of object*) håndverksarbeide *nt*
workmate ['wə:kmeɪt] S arbeidskamerat *m*
workout ['wə:kaut] S treningsøkt *c*
▸ **to go for a workout** gå* for å trene
work permit S arbeidstillatelse *m*
workplace ['wə:kpleɪs] S arbeidsplass *m*
works [wə:ks] (*BRIT*) 1 S (= *factory*) verk *nt*
2 SPL (*of clock*) verk *nt*; (*of machine*) mekanisme *m*
workshop ['wə:kʃɔp] S (*building, session*) verksted *nt* ❑ *She runs a theatre workshop.* Hun leder et teaterverksted.
work station S (*area*) arbeidsplass *m*; (*DATA*) arbeidsstasjon *m*
work study S arbeidsstudie *m*
worktop ['wə:ktɔp] S plate *c* (*på arbeidsbenk*)
work-to-rule ['wə:ktə'ru:l] (*BRIT*) S *protestform hvor en holder seg strengt til arbeidsreglementet, og bl.a. nekter overtid*
world [wə:ld] 1 S verden *m*, *no def* NB *...in many parts of the world.* ...i mange deler av verden.
2 SAMMENS (*champion, tour, war, power*) verdens-
▸ **all over the world** over hele verden
▸ **to think the world of sb** sette* noen meget *or* veldig høyt
▸ **what in the world is he doing?** hva i all verden driver han på med?
▸ **it'll do you a** *or* **the world of good** du vil ha* meget *or* veldig godt av det
▸ **World War One/Two** første/andre verdenskrig
▸ **out of this world** ikke av denne verden
World Cup S ▸ **the World Cup** verdensmesterskapet
world-famous [wə:ld'feɪməs] ADJ verdensberømt
worldly ['wə:ldlɪ] ADJ (**a**) (= *not spiritual*) verdslig ❑ *Coleridge had put aside worldly things.* Coleridge hadde satt verdslige ting til side.
(**b**) (= *knowledgeable*) verdensvant ❑ *...their educated, worldly manner.* ...de dannede, verdensvante manerene deres.
world music S verdensmusikk *m*, *musikk som blander elementer fra folkemusikk fra hele verden*
World Series (*US*) S *baseballcup*
world view S verdensbilde *n*
worldwide ['wə:ld'waɪd] 1 ADJ verdensomspennende ❑ *...during the world-wide economic depression.* ...under den verdensomspennende økonomiske nedgangstiden.
2 ADV over hele verden ❑ *This incident made headlines worldwide.* Denne hendelsen kom på førstesidene over hele verden.
World Wide Web® S World Wide Web
worm [wə:m] S (*also* **earthworm**) mark *m*
► **worm out** VT ▸ **to worm sth out of sb** lure (*v2*) noe ut av noen
worn [wɔ:n] 1 PP *of* **wear**
2 ADJ (*carpet, shoe, material*) slitt
worn-out ['wɔ:naut] (*object*) utslitt; (*person*) utslitt
worried ['wʌrɪd] ADJ bekymret
▸ **to be worried about sth** være* bekymret for *or* over noe, være* urolig for noe
worrier ['wʌrɪə^r] S ▸ **he's a real worrier** han bekymrer seg over alt mulig, han bekymrer seg alltid over noe
worrisome ['wʌrɪsəm] ADJ (*health, problem etc*) foruroligende
worry ['wʌrɪ] 1 S bekymring *c* ❑ *My only worry was that...* Min eneste bekymring var at...
2 VT bekymre (*v1*) ❑ *...a speech which worried many people.* ...en tale som bekymret mange folk.
3 VI bekymre (*v1*) seg ❑ *Don't worry, Andrew.* Du må ikke bekymre deg, Andrew.
▸ **to worry about** *or* **over sth/sb** bekymre (*v1*) seg for *or* over noe/noen
worrying ['wʌrɪɪŋ] ADJ bekymringsfull
worse [wə:s] 1 ADJ verre ❑ *I have even worse news for you.* Jeg har enda verre nyheter til deg.
2 ADV dårligere ❑ *Some people ski worse than others.* Noen går dårligere på ski enn andre.
3 S verre ting *pl* ❑ *Worse was to come.* Verre ting var i vente.
▸ **a change for the worse** en forandring til det verre

▸ **he is none the worse for it** han har ikke tatt skade av det
▸ **so much the worse for you!** desto verre for deg!

worsen ['wə:sn] 1 VT gjøre* verre
2 VI bli* dårligere

worse off ADJ (**a**) (*financially*) verre stilt, fattigere ❑ *He'd be two pounds a week worse off.* Han ville* bli* to pund fattigere i uka.
(**b**) (*fig*) verre *or* dårligere stilt ❑ *Do you believe the world to be worse off because of his death?* Tror du verden er verre *or* dårligere stilt på grunn av hans død?

worship ['wə:ʃɪp] 1 S (*act*) tilbedelse *m*
2 VT tilbe*
▸ **Your Worship** (**a**) (*BRIT: to mayor*) herr borgermester
(**b**) (*to judge*) herr dommer

worshipper ['wə:ʃɪpəʳ] S tilbeder *m*
❑ *...worshippers of the dollar.* ...dollarens tilbedere.

worst [wə:st] 1 ADJ, ADV verst ❑ *...the worst thing which ever happened to me.* ...det verste som noensinne skjedde meg. *...the worst affected areas.* ...de verst rammede områdene.
2 S verst *nt decl as adj* ❑ *The worst is over.* Det verste er over.
▸ **at worst** i verste fall
▸ **if the worst comes to the worst** om det verste skulle* skje, i verste fall

worst-case scenario ['wə:stkeɪs-] S worst-case-scenario *nt*

worsted ['wustɪd] S kamgarn *nt*

worth [wə:θ] 1 S verdi *m*
2 ADJ ▸ **to be worth** være* verd ❑ *It was worth eight times as much now.* Det var verd åtte ganger så mye som nå.
▸ **how much is it worth?** hvor mye er den *or* det verd?
▸ **400 dollars' worth of damage** skade til en verdi av 400 dollar
▸ **50p worth of apples** epler verd 50 pence, epler for 50 pence
▸ **it's worth it** det er verd det, det er umaken verd
▸ **to be worth one's while (to do sth)** være* verd det for noen (å gjøre* noe) ❑ *It will be well worth your while to track down these treasures.* Det vil være* mer enn verdt det for deg å spore opp disse skattene.

worthless ['wə:θlɪs] ADJ (*thing , person*) verdiløs

worthwhile ['wə:θ'waɪl] (*activity, cause*) som er bryet verdt ❑ *A visit to London will always be worthwhile.* Et besøk til London vil alltid være* bryet verdt.

worthy [wə:ðɪ] ADJ (**a**) (*person*) verdig ❑ *He was a worthy winner of the Nobel Prize.* Han er en verdig Nobelprisvinner.
(**b**) (*motive*) aktverdig ❑ *His motives may have been worthy but...* Hans motiver kan ha* vært aktverdige, men...
▸ **to be worthy of** (**a**) (*+support, notice*) fortjene (*v2*)
(**b**) (*+person*) være* verdig
NB *He is not worthy of you.* Han er deg ikke verdig.

KEYWORD

would [wud] 1 H-VERB (**a**) (*conditional tense, indirect speech*) ville
▸ **if you asked him he would do it** hvis du spurte ham, ville* han gjøre* det
▸ **he would have done it** han ville* ha* gjort det
(**b**) (*in offers, invitations, requests*) vil
▸ **would you like a biscuit?** vil du ha* en kjeks?
▸ **would you ask him to come in?** vil du be ham komme inn?
(**c**) (*emphatic annoyance*) måtte
▸ **it WOULD have to snow today!** det MÅTTE snø i dag
▸ **you WOULD say that, wouldn't you!** du MÅTTE vel si det!
(**d**) (*insistence*) ville
▸ **I didn't want her to, but she WOULD do it** jeg ville* ikke at hun skulle* gjøre* det, men hun VILLE (absolutt)
▸ **she wouldn't behave** hun ville* ikke oppføre seg ordentlig
(**e**) (*conjecture*) ▸ **it would have been midnight** det kan ha* vært midnatt
▸ **it would seem so** det kunne* se slik ut
(**f**) (*indicating habit*) pleie (*v1 or v3*) å, *or use imperfect tense*
▸ **he would spend every day on the beach** han pleide å tilbringe hver dag på stranden
▸ **he would go there on Mondays** han gikk gjerne dit på mandager

would-be ['wudbi:] ADJ in spe *after noun*, aspirerende ❑ *...a young would-be writer.* ...en ung forfatter in spe.. ...en ung, aspirerende forfatter.

wouldn't ['wudnt] = **would not**

wound[1] [wu:nd] PRET, PP *of* **wind**[2]

wound[2] [waund] 1 S sår *nt*
2 VT såre (*v1*)
▸ **wounded in the leg** såret i beinet

wove [wəuv] PRET *of* **weave**

woven ['wəuvn] PP *of* **weave**

WP 1 S FK (= **word processing, word processor**)
2 FK (*BRIT: sl*) (= **weather permitting**) dersom været tillater det, med værforbehold

WPC (*BRIT*) S FK (= **woman police constable**) kvinnelig politikonstabel *m*

wpm FK (= **words per minute**) ord per minutt

WRAC (*BRIT*) S FK (= **Women's Royal Army Corps**) *avdeling av den britiske hæren*

WRAF (*BRIT*) S FK (= **Women's Royal Air Force**) *avdeling av det britiske flyvåpenet*

wrangle ['ræŋgl] 1 S trette *c*
2 VI ▸ **to wrangle with sb over sth** trette (*v1*) med noen om noe

wrap [ræp] 1 S (**a**) (*shawl*) sjal *nt*
(**b**) (*cape*) kappe *c*
2 VT (**a**) (= *cover*) dekke (*v1 or v2x*) til ❑ *The food must be wrapped.* Maten må dekkes til.
(**b**) (*also* **wrap up**) pakke (*v1*) inn ❑ *The book was wrapped in brown paper.* Boka ble pakket inn i brunt papir.

(**c**) (= *wind round*) surre (*v1*) ❑ *A handkerchief was wrapped around his hand.* Et lommetørkle ble surret rundt hånden hans.
▸ **under wraps** (*fig: plan, scheme*) hemmelig

wrapper [ˈræpəʳ] s papir *nt*; (*BRIT: of book*) omslag *nt*

wrapping paper s (*brown*) innpakningspapir *nt*; (*fancy*) gavepapir *nt*

wrath [rɔθ] s vrede *m*

wreak [riːk] VT ▸ **to wreak havoc (on)** gjøre* ubotelig skade (på)
▸ **to wreak vengeance** *or* **revenge on sb** hevne (*v1*) seg på noen

wreath [riːθ] (*pl* **wreaths**) s krans *m* ❑ *...a funeral wreath.* ...en begravelseskrans.

wreck [rɛk] 1 s (*vehicle, person*) vrak *nt* ❑ *You look a wreck.* Du ser ut som et vrak.
2 VT (*+car, room, chances*) ødelegge* ❑ *Injury has wrecked her chances...* Skade har ødelagt hennes sjanser...

wreckage [ˈrɛkɪdʒ] s (*of car, plane, ship*) vrakrest *m*; (*of building*) ruin *m*, rest *m*

wrecker [ˈrɛkəʳ] (*US*) s (= *breakdown van*) ≈ kranbil *m*

WREN [rɛn] (*BRIT*) S FK *medlem av WRNS*

wren [rɛn] s gjerdesmett *m*

wrench [rɛntʃ] 1 s (**a**) (*TEKN*) skrunøkkel *m*, skiftenøkkel *m*
(**b**) (*tug*) voldsomt rykk *nt*
(**c**) (*fig*) *vanskelig avskjed fra noen eller med noe* NB *It was a great wrench to leave him.* Det var forferdelig tøft å skulle* måtte* forlate ham.
2 VT (**a**) (*pull*) rykke (*v1*), rive* ❑ *I wrenched the door open.* Jeg rykket *or* rev døren opp.
(**b**) (*injure: arm, back*) strekke*
▸ **to wrench sth from sb** rive* noe fra noen, nappe (*v1*) noe fra noen

wrest [rɛst] VT ▸ **to wrest sth from sb** fravriste (*v1*) noen noe

wrestle [ˈrɛsl] VI ▸ **to wrestle (with sb)** bryte* (med noen)
▸ **to wrestle with a problem** slåss* med et problem

wrestler [ˈrɛsləʳ] s bryter *m*

wrestling [ˈrɛslɪŋ] s bryting *c*; (*also* ***all-in wrestling***) fribryting *c*

wrestling match s brytekamp *m*

wretch [rɛtʃ] s ▸ **(poor) wretch** stakkar *m* ❑ *And the poor wretch put his head on the table and groaned.* Og stakkaren la hodet på bordet og stønnet.
▸ **little wretch!** (*hum*) din skurk!

wretched [ˈrɛtʃɪd] ADJ (**a**) (= *poor*) elendig ❑ *...the child had a wretched diet.* ...barnet fikk en elendig diett.
(**b**) (*sl: showing impatience*) forbanna ❑ *He insisted on telling his wretched story.* Han insisterte på å fortelle den forbanna historien sin.
(**c**) (= *unhappy*) ▸ **to be wretched** føle (*v2*) seg forferdelig

wriggle [ˈrɪgl] 1 VI vri (*v4 or irreg*) seg
2 S ▸ **...she said with an impatient wriggle.** ...sa hun og vred seg utålmodig.

wring [rɪŋ] (*pt* **wrung**)*pp* VT (**a**) (*+wet clothes*) vri (*v4 or irreg*) (opp)
(**b**) (*+hands*) vri (*v4 or irreg*)
(**c**) (*+bird's neck*) vri (*v4 or irreg*) om
▸ **to wring sth out of sb** (*fig*) presse (*v1*) noe ut av noen

wringer [ˈrɪŋəʳ] s vrimaskin *m*

wringing [ˈrɪŋɪŋ] ADJ (*also* ***wringing wet***) dyvåt

wrinkle [ˈrɪŋkl] 1 s (**a**) (*on skin*) rynke *c*
(**b**) (*on paper etc*) skrukk *m*, skrukke *c*
2 VT (*+forehead etc*) rynke (*v1*)
3 VI (**a**) (*skin+*) bli* rynket(e)
(**b**) (*paint etc+*) bli* krøllet(e), krølle (*v1*) seg
▸ **to wrinkle one's nose** rynke (*v1*) på nesa

wrinkled [ˈrɪŋkld] ADJ (*fabric, paper*) krøllet(e); (*surface*) skrukket(e), skjoldet(e); (*skin*) rynket(e)

wrinkly [ˈrɪŋklɪ] ADJ = **wrinkled**

wrist [rɪst] s håndledd *nt*

wristband [ˈrɪstbænd] s (*of watch*) klokkereim *c*

wristwatch [ˈrɪstwɔtʃ] s armbåndsur *nt*

writ [rɪt] s stevning *c*
▸ **to issue a writ against sb, serve a writ on sb** ta* ut stevning mot noen, forkynne (*v2x*) stevning for noen

write [raɪt] (*pt* **wrote**, *pp* **written**) 1 VT (**a**) (*+letter, novel etc*) skrive*
(**b**) (*+cheque, receipt, prescription*) skrive* ut
2 VI skrive* ❑ *I'm learning to read and write.* Jeg lærer å lese og skrive.
▸ **to write to sb** skrive* til noen

▸ **write away** VI ▸ **to write away for** (**a**) (*+information*) skrive* og be* om
(**b**) (*+goods*) skrive* og be* om å få* tilsendt

▸ **write down** VT skrive* ned

▸ **write off** 1 VT (*+debt, plan, project, car*) avskrive*
2 VI = **write away**

▸ **write out** VT skrive*; (*+cheque, receipt etc*) skrive* ut

▸ **write up** VT renskrive*

write-off [ˈraɪtɔf] s totalvrak *nt* ❑ *The car was a write-off.* Bilen var totalvrak.

write-protect [ˈraɪtprəˈtɛkt] (*DATA*) VT skrivebeskytte (*v1*)

writer [ˈraɪtəʳ] s forfatter *m*

write-up [ˈraɪtʌp] s (*review*) anmeldelse *m*, omtale *m*

writhe [raɪð] VI vri (*v4 or irreg*) seg (*av smerte eller ubehag*)

writing [ˈraɪtɪŋ] s (**a**) (= *words written, handwriting*) skrift *m* ❑ *...there was writing on the other side.* ...det var skrift på den andre siden. *I can't read your writing.* Jeg kan ikke lese skriften din.
(**b**) (*of author: style*) ▸ **Thomas Hardy's writing** måten Thomas Hardy skriver på
(**c**) (*passage(s) written*) ▸ **some brilliant writing** enkelte strålende passasjer
(**d**) (*activity*) skriving *c*, skrivning *m* ❑ *Writing has made me a millionaire.* Skriving har gjort meg til millionær.
▸ **in writing** skriftlig ❑ *You must get the offer in writing.* Du må få* tilbudet skriftlig.

writing case s mappe *c*

writing desk s skrivebord *nt*

writing paper s skrivepapir *nt*

written [ˈrɪtn] PP *of* **write**

WRNS (*BRIT*) S FK (= **Women's Royal Naval Service**) *avdeling av den britiske marine*

wrong [rɒŋ] 1 ADJ (**a**) (*gen*) feil, gal ❑ *I'll make the wrong decision.* Jeg vil ta* feil *or* gal avgjørelse. *The report in the papers was wrong.* Det som stod om det i avisene var feil *or* galt.
(**b**) (= *morally bad*) gal ❑ *It's wrong for one group of people to take land from another.* Det er galt av en gruppe mennesker å ta* land fra en annen.
2 ADV feil, gal ❑ *Her name was spelt wrong.* Navnet hennes var feil *or* galt stavet.
3 S (**a**) (*injustice*) feil *m* ❑ *...wrongs should be righted.* ...feil bør rettes opp.
(**b**) (*evil*) galt *no art* ❑ *He feels strongly about right and wrong.* Han har sterke meninger om riktig og galt.
4 VT (= *treat unfairly*) behandle (*v1*) feil *or* galt ❑ *...they feel they've been wronged.* ...de føler at de har blitt behandlet feil *or* galt.
▸ **to be wrong** (**a**) (*answer+*) være* feil *or* galt
(**b**) (*person+*) ta* feil
(**c**) (*in doing, saying sth*) gjøre* feil *or* galt ❑ *They were wrong in assuming I would agree.* De gjorde feil *or* galt i å anta at jeg ville* være* enig.
▸ **to be wrong to do sth** gjøre* galt i å gjøre* noe
▸ **it's wrong to steal, stealing is wrong** det er galt å stjele, å stjele er galt
▸ **you are wrong about that** du tar feil i det
▸ **you've got it wrong** du har misforstått
▸ **to be in the wrong** ta* feil
▸ **what's wrong?** hva er det som er galt?
▸ **what's wrong with you?** hva er det som feiler deg?
▸ **there's nothing wrong** det er ikke noe galt
▸ **to go wrong** (**a**) (*person+*) gjøre* feil
(**b**) (*plan+*) gå* galt ❑ *Things have started to go seriously wrong.* Ting har begynt å gå* alvorlig galt.
(**c**) (*machine+*) gå* feil *or* galt ❑ *My clock keeps going wrong.* Klokken min fortsetter å gå* feil *or* galt.

wrongdoer [ˈrɒŋduːəʳ] S *person som forser seg*

wrong-foot [rɒŋˈfʊt] VT ▸ **to wrong-foot sb** (*SPORT*) bringe* noen ut av balanse; (*fig*) overraske (*v1*) noen

wrongful [ˈrɒŋfʊl] ADJ (*imprisonment, arrest*) gal, feilaktig

wrongly [ˈrɒŋlɪ] ADV (**a**) (*answer, translate, spell*) feil, galt
(**b**) (*accuse, imprison*) feilaktig, på feil *or* galt grunnlag ❑ *...wrongly imprisoned.* ...feilaktig fengslet.. ...fengslet på feil *or* galt grunnlag.
(**c**) (*dressed, arranged*) feil
▸ **she supposed, wrongly, that...** hun antok, feilaktig, at...

wrong number (*TEL*) S ▸ **you've got the wrong number** du har ringt feil (nummer)

wrong side S ▸ **the wrong side** (*of material*) vrangsiden *m*, vrangen *c*
▸ **on the wrong side of 50** (*hum*) på den gale siden av 50

wrote [rəʊt] PRET *of* **write**

wrought [rɔːt] ADJ ▸ **wrought iron** smijern *nt*

wrung [rʌŋ] PRET, PP *of* **wring**

WRVS (*BRIT*) S FK (= **Women's Royal Voluntary Service**) *frivillig kvinneorganisasjon som bl.a. tar seg av eldre og syke som ikke klarer seg selv,* Norske Kvinners Sanitetsforening

wry [raɪ] ADJ (*smile*) skjev; (*humour, expression*) ironisk

wt. FK = **weight**

WV (*US: POST*) FK = **West Virginia**

WWW S FK (*DATA*) = **World Wide Web**

WY (*US: POST*) FK = **Wyoming**

WYSIWYG [ˈwɪzɪwɪg] (*DATA*) FK (= **what you see is what you get**) WYSIWYG, det du ser er det du får

X

X, x [ɛks] s (**a**) (*letter*) X, x *m*
(**b**) (*BRIT: FILM: formerly*) film *m* med 18-års-grense
▸ **X for Xmas** X for Xerxes

Xerox® ['zɪərɔks] 1 s (**a**) (*also* ***Xerox machine***) kopimaskin *m*
(**b**) (*photocopy*) (foto)kopi *m* ❑ *I enclose a Xerox of the letter.* Jeg legger ved en (foto)kopi av brevet.
2 VT (foto)kopiere (*v2*), lage (*v1 or v3*) (foto)kopier av ❑ *Bernstein Xeroxed copies of notes...* Bernstein kopierte *or* laget (foto)kopier av notater...

XL FK (= **extra large**) XL, ekstra stor

Xmas ['ɛksməs] (*sl*) s = **Christmas**

X-rated ['ɛks'reɪtɪd] (*US*) ADJ (*film*) med 18-års-grense

X-ray ['ɛksreɪ] 1 s (**a**) (*ray*) røntgenstråle *m*
(**b**) (*photo*) røntgenbilde *nt*
2 VT røntgenfotografere (*v2*) ❑ *He had been X-rayed, weighed, and measured.* Han hadde blitt røntgenfotografert, veid og målt.
▸ **to have/take an X-ray** ta* (et) røntgenbilde

xylophone ['zaɪləfəun] s xylofon *m*

Y

Y, y [waɪ] s (*letter*) Y, y *m*
▸ **Y for Yellow,** *(US)* **Y for Yoke** Y for Yngling
yacht [jɔt] s lystbåt *m*, (lyst)yacht *m*
yachting ['jɔtɪŋ] s seiling *c*
yachtsman ['jɔtsmən] *irreg* s lystseiler *m*
yam [jæm] s yamsrot *c*
Yank [jæŋk] (*neds*) s yankee *m*
yank [jæŋk] 1 VT rykke (*v1*)
2 s rykk *nt*
▸ **to give sth a yank** rykke (*v1*) i noe
▸ **yank out** VT røske (*v1*) ut ❑ *He yanked out the sore tooth.* Han røsket ut den vonde tanna.
Yankee ['jæŋkɪ] (*neds*) s = **Yank**
yap [jæp] VI (*dog+*) gneldre (*v1*)
yard [jɑːd] s (**a**) (*paved area*) gårdsplass *m* ❑ *...a tiny house without even a back yard.* ...et bitte lite hus uten så mye som en gårdsplass på baksiden.
(**b**) (*US: garden*) hage *m*
(**c**) (*measure*) *0,914 m*
▸ **builder's yard** ≈ trelastlager *nt*
yardstick ['jɑːdstɪk] s (*fig*) målestokk *m* ❑ *She was a yardstick against which I could measure what I had achieved.* Hun var en målestokk som jeg kunne* måle meg mot og se hva jeg hadde oppnådd.
yarn [jɑːn] s (*thread*) garn *nt*; (*tale*) skrøne *c*
yawn [jɔːn] 1 s gjesp *m or nt* ❑ *She stifled a yawn.* Hun kvalte en *or* et gjesp.
2 VI gjespe (*v1*)
yawning ['jɔːnɪŋ] ADJ (*gap*) gapende
yd FK = **yard**
yeah [jɛə] (*sl*) ADV ja
year [jɪəʳ] s (**a**) (*gen*) år *nt* ❑ *...a year or two after I had left.* ...et år eller to etter at jeg hadde reist. *He took Greek in his first year at University.* Han tok gresk det første året på universitetet. *...at the end of each trading year.* ...ved slutten av hvert handelsår.
(**b**) (*of wine*) årgang *m*
▸ **every year** hvert år
▸ **this year** i år
▸ **a** *or* **per year** i året *or* per år
▸ **year in, year out** år ut og år inn
▸ **in the year 2000** i år 2000
▸ **to be 8 years old** være* 8 år gammel
▸ **an eight-year-old child** et åtte-årig barn, en åtte-åring, et åtte år gammelt barn
yearbook ['jɪəbuk] s årbok *c*
yearling ['jɪəlɪŋ] s (*horse*) ettåring *m*
yearly ['jɪəlɪ] 1 ADJ årlig ❑ *...a yearly meeting.* ...et årlig møte.
2 ADV hvert år, årlig, i året ❑ *...infections that afflicted tens of thousands of babies yearly.* ...infeksjoner som hadde rammet titusener av spebarn hvert år *or* årlig *or* i året.
▸ **twice yearly** to ganger i året
yearn [jəːn] VI ▸ **to yearn for sth** hige (*v1*) mot *or* etter noe, lengte (*v1*) etter noe
▸ **to yearn to do sth** hige (*v1*) etter å gjøre* noe, lengte (*v1*) etter å gjøre* noe
yearning ['jəːnɪŋ] s ▸ **to have a yearning for sth/to do** føle (*v2*) en dragende lengsel etter noe/å gjøre* noe
yeast [jiːst] s gjær *m*
yell [jɛl] 1 s hyl *nt*, skrik *nt*
2 VI hyle (*v2*) ❑ *I yelled at Richard to wait.* Jeg hylte til Richard at han skulle* vente.
yellow ['jɛləu] 1 ADJ gul
2 s (*colour*) gult, gulfarge *m* ❑ *...the vivid yellow of the sun.* ...solens sterke gulfarge.
yellow fever s gulfeber *m*
yellowish ['jɛləuɪʃ] ADJ gulaktig
Yellow Pages® SPL ▸ **the Yellow Pages** gule sider
Yellow Sea s ▸ **the Yellow Sea** Gulehavet
yelp [jɛlp] 1 s (kort) hyl *nt or* skrik *nt* ❑ *I gave a little yelp and fled upstairs.* Jeg ga fra meg et lite hyl *or* skrik og flyktet ovenpå.
2 VI (*person, animal+*) skrike* til
Yemen ['jɛmən] s Yemen
Yemeni ['jɛmənɪ] 1 ADJ yemenittisk
2 s (*person*) yemenitt *m*
yen [jɛn] s (*currency*) yen *m*; (*craving*) ▸ **to have a yen for/to do sth** ha* veldig lyst på/til å gjøre* noe
yeoman ['jəumən] *irreg* s ▸ **yeoman of the guard** fribonde *m*
yes [jɛs] 1 ADV (**a**) (*gen*) ja
(**b**) (*in reply to negative*) jo
2 s ja *nt* ❑ *There were seventeen yeses and only two don't knows.* Det var nitten "ja" og bare to "vet ikke".
▸ **to say/answer yes** si*/svare (*v2*) ja
yes-man ['jɛsmæn] *irreg* (*neds*) s nikkedukke *m*, jasier *m*
yesterday ['jɛstədɪ] 1 ADV i går
2 s gårsdagen ❑ *...yesterday's paper.* ...gårsdagens avis.
▸ **yesterday morning/evening** i går morges/kveld
▸ **the day before yesterday** i forgårs
▸ **all day yesterday** hele dagen i går
yet [jɛt] 1 ADV ennå, enda ❑ *I haven't met him yet.* Jeg har ikke truffet ham ennå *or* enda.
2 KONJ (og) likevel, (men) enda ❑ *They attack the state, yet draw money from it.* De angriper staten, (og) likevel *or* (men) enda suger de penger fra den.
▸ **it is not finished yet** det/den er ikke ferdig ennå
▸ **must you go just yet?** må du gå* riktig ennå?
▸ **the best yet** den/det beste hittil
▸ **as yet** hittil ❑ *No one, as yet, is suspicious.* Ingen har fattet mistanke hittil.
▸ **a few days yet** enda noen dager ❑ *He won't arrive for a few days yet.* Han kommer ikke på enda noen dager.
▸ **yet again** enda en gang

yew [juː] s barlind *m*
Y-fronts® ['waɪfrʌnts] SPL herretruse *c* (*med y-formet søm i fronten*)
YHA (*BRIT*) S FK (= **Youth Hostels Association**) ≈ Norske Vandrerhjem
Yiddish ['jɪdɪʃ] s (*language*) jiddisch *m or nt* (*undeclinable*) (*var:* jiddisk)
yield [jiːld] 1 s (*AGR, MERK*) avkastning *m* ❑ *Wheat yields doubled between 1964 and 1972.* Hveteavkastningene ble fordoblet mellom 1964 og 1972. *The yield after only 12 months is 9%.* Avkastningen etter bare 12 måneder er 9 %.
2 VT (**a**) (= *surrender: control, responsibility*) gi* fra seg ❑ *He will not yield editorial control.* Han vil ikke gi* fra seg redaksjonell kontroll.
(**b**) (= *produce: results, profit*) gi ❑ *Talks between the two sides yielded no results.* Samtaler mellom de to partene gav ingen resultater.
3 VI ▸ **to yield (to)** (**a**) (*person, material+*) gi* etter (for) ❑ *He was yielding to public pressure.* Han gav etter for press fra publikum. *Any lock will yield to brute force.* Enhver lås vil gi* etter for rå kraft.
(**b**) (*US: BIL: give way*) vike* (for)
▸ **a yield of 5%** en avkastning på 5 %
YMCA S FK (*organization*) (= **Young Men's Christian Association**) KFUM *c* (= *Kristelig forening av unge menn*) (*hostel*) KFUM-hjem *nt*
yob(bo) ['jɔb(əu)] (*BRIT: sl, neds*) s pøbel *m*
yodel ['jəudl] VI jodle (*v1*)
yoga ['jəugə] s yoga *m*
yog(h)ourt ['jəugət] s yoghurt *m*
yog(h)urt ['jəugət] s = **yog(h)ourt**
yoke [jəuk] 1 s (**a**) (*of oxen*) oksespann *nt*
(**b**) (*fig*) åk *nt* ❑ *...the yoke of tyranny.* ...tyranniets åk.
2 VT (*also* ***yoke together****: oxen*) spenne (*v2x*) sammen (*i oksespann*)
yolk [jəuk] s (*of egg*) plomme *m*
yonder ['jɔndəʳ] 1 ADV ▸ **(over) yonder** der borte
2 ADJ ▸ **from yonder house** fra det huset der borte
yonks [jɔŋks] (*sl*) s ▸ **for yonks** på evigheter
Yorks. (*BRIT: POST*) FK = **Yorkshire**

KEYWORD

you [juː] 1 PRON (**a**) (*subject*) du *sg*, dere *pl*, De *sg* (*very fml*)
▸ **you Norwegians enjoy your food** dere nordmenn nyter maten deres
(**b**) (*object, after prep*) deg *sg*, dere *pl*, Dem *sg* (*very fml*)
▸ **I know you** jeg kjenner deg/dere
▸ **it's for you** den er til deg/dere
▸ **she's younger than you** hun er yngre enn deg
(**c**) (*impersonal: one*) man, en, du
▸ **you never know** du *or* man *or* en vet aldri
▸ **you can't do that!** du kan ikke gjøre* det!

you'd [juːd] = **you had, you would**
you'll [juːl] = **you will, you shall**
young [jʌŋ] ADJ ung ❑ *...in my younger days.* ...i mine yngre dager.
▸ **the young** SPL (**a**) (*of animal*) ungene ❑ *When the young first hatch, they are naked.* Når ungene klekkes ut er de nakne.
(**b**) (*people*) de unge ❑ *This area teems with the young, especially students.* Det kryr av unge i dette området, særlig studenter.
▸ **a young man/lady** en ung mann/dame
younger [jʌŋgəʳ] ADJ yngre
▸ **the younger generation** den yngre garde, den yngre generasjonen
youngish ['jʌŋɪʃ] ADJ nokså ung
youngster ['jʌŋstəʳ] s ungdom *m*

KEYWORD

your [jɔːʳ] 1 ADJ (**a**) (*singular possessor*) din *c*, di *f*, ditt *nt*, dine *pl*
▸ **your car/house/books** bilen din/huset ditt/bøkene dine, din bil/ditt hus/dine bøker
▸ **your mother** moren din, mora di, din mor
(**b**) (*plural possessor*) deres
▸ **your car/mother/house/books** bilen/moren/huset/bøkene deres, deres bil/mor/hus/bøker
(**c**) (= *one's: when "du" is used as subject*) din/di/ditt/dine; (*when "man" is used as subject*) sin/si/sitt/sine ❑ *You can't use your own name in a novel.* Du kan ikke bruke ditt eget navn i en roman.. Man kan ikke bruke sitt eget navn i en roman.
see also **my**

you're [juəʳ] = **you are**
yours [jɔːz] PRON (**a**) (*singular possessor*) di(n)/ditt/dine
(**b**) (*plural possessor*) deres
▸ **a friend of yours** en venn av deg/dere
▸ **are they yours?** er de dine/deres?
▸ **yours sincerely/faithfully** vennlig hilsen
see also **mine**[1]
see also **your**
yourself [jɔː'sɛlf] PRON (**a**) (*reflexive, after prep*) deg ❑ *Don't strain yourself.* Ikke overanstreng deg. *There is always someone worse off than yourself.* Det er alltid noen som har det verre enn deg.
(**b**) (*emphatic*) selv (*var:* sjøl) ❑ *Did you make them yourself?* Har du laget dem selv?
▸ **you yourself told me** du sa det jo selv
yourselves [jɔː'sɛlvz] PL PRON (*reflexive, after prep*) dere; (*emphatic*) selv (*var:* sjøl) *see also* **oneself**
youth [juːθ] s (**a**) (= *young days*) ungdom *m* ❑ *The dream of his youth had come true.* Hans ungdomsdrøm hadde blitt virkelighet.
(**b**) (= *young man: pl youths*) yngling *m*
▸ **in my youth** i min ungdom
youth club s ungdomsklubb *m*
youthful ['juːθful] ADJ ungdommelig
youthfulness ['juːθfəlnɪs] s ungdommelighet *m*
youth hostel s ungdomsherberge *nt*, vandrerhjem *nt*
youth movement s ungdomsbevegelse *m*
you've [juːv] = **you have**
yowl [jaul] s (*of person, animal*) (klagende) hyl *nt*
YT (*CANADA*) FK = **Yukon Territory**
YTS (*BRIT*) S FK = **youth training scheme**
Yugoslav ['juːgəuslaːv] (*OLD*) 1 ADJ jugoslavisk
2 s (*person*) jugoslav *m*
Yugoslavia ['juːgəu'slaːvɪə] (*OLD*) s Jugoslavia
Yugoslavian ['juːgəu'slaːvɪən] (*OLD*) ADJ jugoslavisk

Yule log [juːl-] S (*decoration*) vedkubbe *m* (*som brukes som juledekorasjon*); (= *cake*) ≈ julekake *c* (*kubbeformet, brunglasert*)

yuppie [ˈjʌpɪ] (*sl*) **1** S japp *m* **2** ADJ jappete (*sl*) ❑ *...a yuppie lifestyle.* ...en jappete livsstil.

YWCA S FK (*organization*) (= **Young Women's Christian Association**) KFUK *c* (= *Kristelig forening av unge kvinner*) (*hostel*) KFUK-hjem *nt*

Z

Z, z [zɛd, (*US*)zi:] s (*letter*) Z, z *m*
▸ **Z for Zebra** Z for Zakarias
Zaire [zɑ:'i:əʳ] s Zaire
Zambia ['zæmbɪə] s Zambia
Zambian ['zæmbɪən] 1 ADJ zambisk
2 s (*person*) zambier *m*
zany ['zeɪnɪ] ADJ (*ideas, sense of humour*) sprø
zap [zæp] (*sl*) VT (**a**) (= *delete*) slette (*v1*) ❑ *I zapped an entire file by mistake.* Jeg slettet en hel fil ved en feiltakelse.
(**b**) (+*TV channel*) zappe (*v1*)
(**c**) (= *kill*) eliminere (*v2*)
zeal [zi:l] s (**a**) (*enthusiasm*) iver *m* ❑ *They worked with great zeal...* De arbeidet med stor iver...
(**b**) (*religious*) nidkjærhet *m*
zealot ['zɛlət] s fanatiker *m* ❑ *...religious zealots...* religiøse fanatikere...
zealous ['zɛləs] ADJ ivrig, nidkjær ❑ *He was a zealous anti-smoker.* Han var en ivrig *or* nidkjær anti-røyker.
zebra ['zi:brə] s sebra *m*
zebra crossing (*BRIT*) s fotgjengerovergang *m* (*markert med hvite striper*)
zenith ['zɛnɪθ] s (**a**) (*ASTRON*) senit *nt*, høyeste punkt *nt* ❑ *The sun reached its zenith.* Solen nådde senit *or* sitt høyeste punkt.
(**b**) (*fig*) høydepunkt *nt* ❑ *...Greek civilization at its zenith.* ...gresk kultur på sitt høydepunkt.
zero ['zɪərəu] 1 s (*number*) null *m or nt*
2 VI ▸ **to zero in on** (*target*) sikte (*v1*) seg inn på
▸ **5 degrees below zero** 5 minusgrader
zero hour s *klokkeslettet for angrep*
zero option s (*esp POL*) nulløsning *m*
zero-rated ['zi:rəureɪtɪd] (*BRIT*) ADJ momsfri
❑ *These goods are zero-rated.* Disse varene er momsfrie.
zero tolerance s ▸ **it's zero tolerance for rapists** voldtekt kan overhodet ikke tolereres
zest [zɛst] s (*of orange*) skall *nt*
▸ **zest for life** *or* **living** stor livsappetitt *c* ❑ *I think there's a kind of zest for life in those plays.* Jeg synes det på en måte er stor livsappetitt i de stykkene.
zigzag ['zɪgzæg] 1 s sikksakkstripe *c* ❑ *...a zigzag of forked lightning.* ...et forgreinet sikksakklyn.
2 VI gå/løpe* i sikksakk
▸ **we zigzagged up the hill** vi gikk *or* løp i sikksakk oppover bakken
Zimbabwe [zɪm'bɑ:bwɪ] s Zimbabwe
Zimbabwean [zɪm'bɑ:bwɪən] ADJ fra Zimbabwe
Zimmer® ['zɪməʳ] s (*also* ***Zimmer frame***) gåstol *m*
zinc [zɪŋk] s sink *m*
Zionism ['zaɪənɪzəm] s sionisme *m*
Zionist ['zaɪənɪst] 1 ADJ sionistisk
2 s sionist *m*
zip [zɪp] 1 s (*also* ***zip fastener***) glidelås *m*
2 VT (*also* ***zip up***) dra* opp/igjen glidelåsen i, lukke (*v1*) glidelåsen i ❑ *She zipped up the dress with difficulty.* Hun lukket *or* drog opp glidelåsen i kjolen med mye strev.
zip code (*US*) s ≈ postnummer *nt*
zipper ['zɪpəʳ] (*US*) = **zip**
zither ['zɪðəʳ] s sitar *m*
zodiac ['zəudɪæk] s ▸ **the zodiac** Dyrekretsen, zodiaken
zombie ['zɔmbɪ] s (*fig*) viljeløs robot *m* ❑ *...to act as if they were zombies.* ...å oppføre seg som viljeløse roboter.
zone [zəun] s (*gen, MIL*) sone *m* ❑ *...a nuclear-free zone.* ...en atomvåpenfri sone. *...50,000 refugees from the war zone.* ...50 000 flyktninger fra krigssonen.
zonked [zɔŋkt] (*sl*) ADJ (= *tired*) utslått; (= *on drugs*) høy; (= *drunk*) dritings (*sl*)
zoo [zu:] s zoologisk hage *m*, dyrehage *m*
zoological [zuə'lɔdʒɪkl] ADJ (*society, specimen, study*) zoologisk
zoologist [zu'ɔlədʒɪst] s zoolog *m*
zoology [zu:'ɔlədʒɪ] s zoologi *m*
zoom [zu:m] VI ▸ **to zoom past** fyke* forbi, feie (*v3*) forbi
▸ **to zoom in (on sth/sb)** zoome (*v1*) inn (på noe/noen)
zoom lens s zoomlinse *c*
zucchini [zu:'ki:nɪ] (*US*) s(PL) squash *m* (*grønnsak*)
Zulu ['zu:lu:] 1 ADJ Zulusk
2 s (*person*) Zulu *m*; (*LING*) Zulusk
Zürich ['zjuərɪk] s Zürich

ENGELSK KORRESPONDANSE

INVITATIONS

Sarah and Ian Mercer
request the pleasure of your company
at a dinner to celebrate their Silver Wedding,
on
Saturday 7th February, 1998 at 7.30pm
at
The Peel House Hotel, Harrogate.

Jim and Sally
invite you to their
St Valentine's Party
next Saturday at 8pm
at 37 Crow Lane, Truro.

Come along and bring a friend!

Mr and Mrs James Cleland
request the pleasure of the company of
Miss Claire Stewart and partner
at the marriage of their daughter, Helen
to Mr Philip Bishop
at St Andrew's Parish Church, Thornton
on Saturday, 14th March 1998 at 2pm
and afterwards at Heatherfield Hotel, Thornton

RSVP 29 Milton Street
Thornton EH65 4EA

REPLIES

Andrew Baines
would like to thank
Mr & Mrs A. Creevy
for their kind invitation to attend
the marriage of their daughter,
Jane
at St Mathew's Church
on 16 May 1998,
and is pleased to accept.

66 Buckingham Terrace,
London N10 3AG

9th March 1998

Dear Alastair and Margaret,

Thank you very much for the invitation to your Golden Wedding Anniversary party. Frank and I will be delighted to join you and we're very much looking forward to seeing you then.

With best wishes,

Alison

Anne Tierney would like to thank
Mr and Mrs N. Wade
for their kind invitation
to the wedding of their daughter,
Helena
at Hetherington Church
on 25th February,
but regrets that she is unable to attend
because of a prior engagement.

346 London Road,
Birmingham
B21 6TY

Dear Jackie and Phil,

Thank you once again for the wonderful New Year party. James and I both really enjoyed seeing so many old friends again and catching up on what everyone has been up to over the past few years. I only hope that you were not left with too much mess to clean up the next day.

We are sorry you missed the Christening, but David took his camcorder along so you will be able to watch the recording. How would you like to come round for drinks and do just that? We'll phone you next week to arrange a date.

Many thanks again for such an enjoyable evening.

Love to all,

Carla

THANK YOU NOTES

16 East Park Road
Bangor

16th February 1998

Dear Stephen,

Thank you for your kind hospitality last week. It was a pleasure to see you again and we really appreciated the time you took to show us round Edinburgh. It was a lovely long break for us and I only hope it wasn't too much of an inconvenience for you.

Martin and I both look forward to your visit in June, by which time we hope to have settled into the new house.

Thanks again for everything.

All our love,

Paula and Martin

The Rushes
Bidewell Park Estate
Newton Milnes
Darlington DD7 2SY

Dear Uncle Andrew and Aunt Jayne,

Thank you so very much for your beautiful wedding gift. I have always admired your own Irish linen tablecloth so you can imagine how delighted I was to have one of my own. It will be the finishing touch to our dinner parties.

We will be sure to have you round as soon as you are on your feet again. Hope you enjoyed your piece of wedding cake!

All our love to you both,

Lynn.

---

18 Slateford Avenue
Leeds LS24 3PR
24th February, 1998

Dear Gran and Grandpa,

Thank you both very much for the CDs which you sent me for my birthday. They are two of my favourite groups and I'll really enjoy listening to them.

There's not really much news here. I seem to be spending most of my time studying for my exams which start in 2 weeks. I'm hoping to pass most of them but I'm not looking forward to the Maths exam as that's my worst subject.

Mum says that you're off to Crete on holiday next week, so I hope that you have a great time and come back with a good tan.

Tony sends his love.

Lots of love from Jerry

BOOKINGS AND LETTERS OF COMPLAINT

109 Bellview Road
Cumbernauld
CA7 4TX

14th June, 1998

Mrs Elaine Crawford
Manager
Poppywell Cottage
Devon DV3 8SP

Dear Mrs Crawford,

My sister stayed with you last year and has highly recommended your guest house.

I would like to reserve a room for one week from 18th-24th August of this year. I would be obliged if you would let me know how much this would be for two adults and two children, and whether you have a room free on those dates.

I hope to hear from you soon,

Yours sincerely

Andrew Naismith

85, Rush Lane
Triptown
Lancs LC4 2DT

WOODPECKER RESTAURANT
145 Main Street
Fallingwood FT1 6LB

20th February 1998

Dear Sir/Madam,

I was to dine in your restaurant last Thursday (12th) by way of celebrating my wedding anniversary with my wife and young son and am writing to let you know of our great dissatisfaction.

I had reserved a corner table for two with a view on the lake. However, when we arrived we had to wait for more than 20 minutes for a table and even then, not in the area which I had chosen. There was no high-chair for my son as was promised and your staff made no effort whatsoever to accommodate our needs. In fact, they were downright discourteous. Naturally we went elsewhere, and not only have you lost any future custom from me, but I will be sure to advise my friends and colleagues against your establishment.

Yours faithfully,

T. Greengage

JOB APPLICATIONS

11 North Street,
Barnton,
BN7 2BT

18th April 1998

The Personnel Director,
Messrs. J. M. Kenyon Ltd.,
Firebrick House,
Clifton,
MC45 6RB

Dear Sir or Madam,

With reference to your advertisement in today's Guardian, I wish to apply for the post of Personnel Manager.

I enclose my curriculum vitae. Please do not hesitate to contact me if you require any further details.

Yours faithfully,

Rosalind Williamson

CURRICULUM VITAE

Name: Rosalind Anna WILLIAMSON

Address: 11 North Street, Barnton, BN7 2BT, England

Telephone: Barnton (01294) 476230

Date of Birth: 6.5.1972

Marital Status: Single

Nationality: British

Qualifications: A-levels (1990):
Italian (A), French (B), English (D)
O-levels (1988): 9 subjects

B.A. 2nd class Honours degree in Italian with French, University of Newby, England (June 1994)

Present Post: Assistant Personnel Officer, Metal Company plc. Barnton (since February 1995)

Previous Employment:
Nov. 1994 - Jan. 1995: Personnel trainee, Metal Company plc.
Oct. 1990 - June 1994: Student, University of Newby

Skills, Interests and Experience: fluent Italian & French; good working knowledge of German; some Russian; car owner and driver (clean licence); riding & sailing.

The following have agreed to provide references:

Ms Alice Bluegown, Personnel Manager, Metal Company plc, Barnton, NB4 3KL
Dr I.O. Sono, Department of Italian, University of Newby, Newby, SR13 2RR

JOB ADVERTISEMENTS

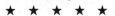

★ ★ ★ ★ ★

TEMPS! TEMPS! TEMPS!

RAPIDO RECRUITMENT

We urgently require the following skilled personnel to fill long and short term temporary vacancies.

VDU OPERATORS,
ACCOUNTS CLERKS
TELEPHONIST/RECEPTIONISTS
WORD PROCESSOR OPERATORS
CREDIT CONTROLLERS
Glasgow based £6 per hour
TELESALES CLERKS

Telephone (01598) 892142
Now at 14 Cadzow Place, Newbridge

CLERK/ESS

For stores cost office. Preferably with computer word processing experience.

Telephone:
Mr H. Albern
(0141) 332 2648
for interview
Ross and Wynham
Glasgow

COZIGLOW

Coziglow Ltd, a leading manufacturer of domestic central heating appliances, requires a

BUYER

Reporting to the purchasing Manager, you will be responsible for the purchase and expedition of a range of components, including mouldings, pressed parts etc, for our mechanical and electrical products.

A minimun of three year's purchasing experience and the ability to interpret drawings are essential. An HNC in Business Studies or Engineering with a working knowledge of MRPII would be a distinct advantage.

For recruitment pack and application form please write to:

Personnel Manager
Coziglow Limited
Craigievar House
Clermont Brae
Edinburgh
EH4 6YL

SALES PERSON
(Tele Sales)

Clearview Double Glazing Ltd are currently looking for a bright, articulate, persuasive person to join our telesales team in Bridgetown.

The successful applicant will play an important role in the growth of a long established and fast moving, industrious department. A sound command of the English language and a good telephone manner are essential. Keyboard skills and a sales background are preferable, but not essential.

In return we offer an exciting and challenging job, a first class salary plus bonus scheme. Full training in all aspects of selling. If you feel you have the attributes to fill this rewarding position, please write enclosing details of your current salary and C.V. to:

Mrs Doreen Taylor
Assistant Manager
Clearview Windows
Coldstream CS4 2DG

CLEARVIEW DOUBLE GLAZING

People Placement

WANTED

Nannies, mother's helps, au pairs for short/long term temporary contracts in UK, USA, Europe

Call: Maggie on
0141 327 1890 ***(agency)***

Mrs Aileen Fielding
"People Placement"
14, Bracken Lane
Windermere

Harald Hansen
46 Kalfarveien
4005 Staromger

9th May 1998

Dear Mrs Fielding,

I am anxious to find a job in Britain during my summer holiday from University, and wish to gain experience in the insurance industry. I would be obliged if you could offer me work in any capacity. I can supply references from former employers, if you would like them.

Yours sincerely,

Harald Hansen

enc:

Weekend News, Monday, January 5, 1998

Family Announcements

BIRTHS

RATTRAY

Tom and Karen (Melville) are delighted to announce the birth of their baby son (Aiden Thomas), born on 28th December, 1997 at Monkwell Maternity. Thanks to all staff.

JOHNSTONE

Iain and Alison (Lee) are pleased to announce the safe arrival of their daughter, (Cheryl) on 29th December, 1997 at Dumfries Maternity Hospital. A sister for Claire.

MARRIAGES

GREY – WALKER

Heather and Angus Grey are delighted to announce the marriage of their only daughter Helena to Johnny, youngest son of William and Sarah Walker, Barnsley, Yorkshire.

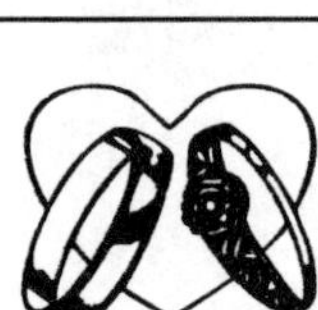

ROBERTS – FERRIER

Both families are pleased to announce the marriage of Josie, younger daughter of Janet and Ian Roberts, to Hugh Dean, younger son of Faith and Hugh Ferrier.

GREENHOLME – WILSON

At Portland Free Church on 30th December, 1997. Steven, younger son of Christine and the late John Greenholme (14, Elder Rd, Newtown) to Hannah, older daughter of Helen and Bob Wilson (189, Ralston Drive, Shieldhill). Congratulations from both families.

DEATHS

ADAM - Suddenly, at home, on 2nd January, 1998, GRAHAM HOPE, aged 55 years, husband of Rita, father of John, Susan and Elsie. Grandfather of Graham and Scott. Funeral service at Holmsfield Crematorium on Saturday 3rd January at 12.15 pm. No flowers please.

CHRISTIE - Peacefully at Harestone Nursing Home, on 29th December, 1997, CATHERINE, (Cathy McNee), aged 83 years, beloved mother and grandmother. Funeral service at St. Cuthbert's Church Tidewell at 12 noon on 4th January.

DAVIDSON - Quietly at Stonecross Hospital on Friday 2nd January, 1998, SANDY (Alexander), beloved husband of the late Sarah Murray. Fortified by the rites of the Holy Church. The family would like to thank relatives, friends and neighbours for their support.

DOUGLAS - Suddenly, at Grangetown Infirmary on 29th December, 1997, Jim, aged 31 years, beloved son of Betty and Joe. Family only.

KORT ENGELSK GRAMMATIKK

KORT ENGELSK GRAMMATIKK

1 Verb

1.1 Verbformer
Verb forms

	regelmessig	uregelmessig *
infinitiv (infinitive)	*to work*	*to go*
presens (present tense)	*work/works*	*go/goes*
preteritum (past tense)	*worked*	*went*
perfektum partisipp (past participle)	*worked*	*gone*
presens partisipp (present participle,-ing-form)	*working*	*going*
imperativ (imperative)	*work*	*go*

* Se tabellen over uregelmessige verb.

1.2 Tempus: presens og preteritum
Tense: present and past

Engelsk har to tempusformer, presens og preteritum.
Presens brukes særlig om vaner og evige sannheter. Presensformen får endelsen *-s* når subjektet er i 3. person entall (se 1.11).

*I **go** on holiday every summer.*
Jeg reiser på ferie hver sommer.

*The sun **sets** in the west.*
Solen går ned i vest.

Preteritum brukes om noe som skjedde på et bestemt tidspunkt i fortida.

*Last year I **went** to Athens.*
I fjor reiste jeg til Aten.

1.3 Perfektum
The perfect

Perfektum dannes av presensformen av hjelpeverbet HAVE + perfektum partisipp: *have worked/have gone,* og brukes til å uttrykke at noe har skjedd i en periode som leder opp til nå.

*I **have written** the letter.*
Jeg har skrevet brevet.

Forskjellen på preteritum og perfektum som uttrykk for fortid, er at mens preteritum brukes om noe som skjedde på et bestemt tidspunkt – kanskje for lenge siden – brukes perfektum om noe som skjedde på et eller annet tispunkt i løpet av en periode og som har gyldighet eller er relevant i taleøyeblikket.

*They **have travelled** extensively.*
De har reist mye. (Og reiser fortsatt.)

Sammenlign:
They travelled extensively.
De reiste mye. (Men nå reiser de ikke lenger.)

Pluskvamperfektum dannes av preteritum av HAVE + perfektum partisipp, og brukes for å uttrykke at noe skjedde før et tidspunkt i fortida, dvs fortid i fortida.

*They **had left** when I got there.*
De hadde dratt da jeg kom fram.
Sammenlign:
They left when I came.
De dro da jeg kom.

1.4 Samtidsform
The progressive

Samtidsformene dannes av hjelpeverbet BE + presens partisipp (- *ing*- form). Presens samtidsform brukes til å uttrykke at noe er i ferd med å skje i taleøyeblikket:

*Somebody **is stealing** your bike*
Det er noen som stjeler sykkelen din.

Eller at handlingen, prosessen, osv. er midlertidig:

*I usually use my bike but **I'm going** by bus at the moment because it is so cold.*
Vanligvis sykler jeg, men nå om dagen tar jeg bussen, fordi det er så kaldt.
***Are**n't you **feeling** well?*
Føler du deg dårlig?

Og til å uttrykke avtalte og planlagte fremtidige handlinger:

***I'm going** to London next week.*
Jeg reiser til London neste uke.
***Are** you **sitting** the exam this term?*
Skal du ta eksamen dette semestret?

Preteritum samtidsform brukes til å uttrykke at noe var i ferd med å skje på et tidspunkt i fortida da noe annet inntraff:

*I **was writing** when they came.*
Jeg satt og skrev da de kom.

Eller til å uttrykke at handlingen ikke ble avsluttet:

*The boy **was drowning**.*
Gutten var i ferd med å drukne. (Men han ble reddet i siste øyeblikk.)
Sammenlign:
The boy drowned.
Gutten druknet. (Vi klarte ikke å redde ham.)

Verb som uttrykker tilstander og mentale prosesser brukes sjelden eller aldri i samtidsform, eksempler er: *be, believe, belong, contain, cost, have, know, mean, possess, prefer, remember, seem, suppose, think, understand, weigh.*

Enkelte av disse verbene brukes likevel av og til i samtidsform, og da forandres betydningen slik at de betegner en handling snarere enn en tilstand:

They ***have*** *two cars.*
De ***har*** *to biler.*
They ***are having*** *breakfast.*
De ***spiser*** *frokost.*

Do *you* ***think*** *he should leave?*
Synes *du han bør gå?*
Are *you* ***thinking*** *of leaving?*
Vurderer *du å gå?*

1.5 Perfektum samtidsform
Perfective progressive

Kombinasjonen av perfektum og samtidsform (HAVE + *been* + *ing*-form) forener betydningene av de to formene.
Perfektum samtidsform uttrykker at noe har foregått over en viss periode opp til taleøyeblikket, eller for så kort tid siden at det er tydlige tegn å se:

*I'****ve been cleaning*** *the floor* (that's why the chairs are on top of the table).
Jeg har vasket gulvet (det er derfor stolene står på bordet).

Formen kan også uttrykke at noe ikke er fullført, sammenlign:
*You'****ve been painting*** *the front door.*
Du har malt inngangsdøra. (Men ble ikke ferdig.)
og:
*You'****ve painted*** *the front door.*
Du har malt inngangsdøra. (Hele døra er malt.)

Pluskvamperfektum samtidsform brukes for å understreke varigheten av noe som skjedde før et punkt i fortida.

He was late because he ***had been waiting*** *for Jenny.*
Han var sent ute fordi han hadde ventet på Jenny.

1.6 Passiv
The pasive voice

På engelsk dannes passiv av hjelpeverbet BE + perfektum partisipp (*was stolen, is spoken*).
Passivsetninger kan bare lages med verb som tar objekt som blir påvirket av handlingen. Det som er objekt i aktivsetningen blir til subjektet i passivsetningen:

The students sold ***the tickets.***
The tickets *were sold by the students.*

Passiv brukes for å fokusere på handlingen og den handlingen går ut over, og når den som utfører handlingen er ukjent eller uvesentlig:

English ***is spoken*** *all over the world*
Det snakkes engelsk over hele verden.
My bike ***was stolen*** *last week.*
Sykkelen min ble stjålet i forrige uke.

Når den som utfører handlingen blir nevnt, er det gjerne ny og viktig informasjon:

English is spoken ***by millions of people.***
Engelsk snakkes av millioner av mennesker.
My bike was stolen ***by one of my neighbours.***
Sykkelen min ble stjålet av en av naboene.
Sammenlign:
One of my neighbours stole my bike.
En av naboene stjal sykkelen min.

Temaet i passivsetningen er hva som skjedde med sykkelen, mens temaet i aktivsetningen er hva naboen gjorde.

Legg merke til at engelsk ikke har noen konstruksjon som tilsvarer den norske passivkonstruksjonen med intransitivt verb og *det* som subjekt:

Det ble pratet *mye om dette.*
There was much talk about this.

Dessuten tilsvarer ofte norsk tilstandspassiv i presens engelsk preteritum eller perfektum passiv:

De ***er født*** *på samme sted.*
They ***were born*** *in the same place.*
Boken ***er oversatt*** *til flere språk.*
The book ***has been translated*** *into several languages.*

1.7 Uttrykk for framtid
Expressions referring to the future

På engelsk er det flere verbformer som kan brukes til å uttrykke framtid:

- **'ll/will** + infinitiv (*'ll/will go*)

  Denne formen er den vanligste og brukes om det som sannsynligvis kommer til å skje (hvis det ikke kommer noe i veien)

  *We**'ll be** on holiday next week*
  Neste uke er vi på ferie.
  *Do you think I**'ll pass** the exam?*
  Tror du jeg står til eksamen?
  *It**'ll** probably **rain** tomorrow.*
  Det blir sannsynligvis regn i morgen.

  I spørresetninger med subjekt i 1. person entall brukes *shall* i stedet for *will*:

  Shall *I come tomorrow?*
  Skal jeg komme i morgen?
  Sammenlign:
  ****Will*** *I come tomorrow?*

- **be going to** + infinitiv (*am/is/are ... going to do*)

  Denne formen brukes mest i uformelt språk og uttrykker at noe ganske sikkert kommer til å skje (fordi det er er tegn som tyder på det):

  *I**'m going to be** sick.*
  Jeg må kaste opp.
  *That rock **is going to fall.***
  Det er like før den steinen faller ned.

Eller når det dreier seg om noe taleren har planlagt eller har til hensikt å gjøre:

*When I grow up **I'm going to be** a doctor.*
Jeg skal bli lege når jeg blir stor.
***I'm** not **going to let** you do it.*
Jeg kommer ikke til å la deg gjøre det.

- Presens samtidsform (*am/is/are doing*)

  Denne formen brukes om noe som er avtalt eller planlagt av den/de subjektet referer til og som skal skje i forholdsvis nær framtid.

  ***I'm having** dinner with Tom on Thursday.*
  Jeg skal spise middag med Tom på torsdag.
  *Where **are** you **going** on holiday next year?*
  Hvor har dere tenkt å reise på ferie neste år?

- presens

  Denne formen brukes til å uttrykke framtid bare når det dreier seg om noe som er helt sikkert, særlig om rutetabeller og programmer.

  *The train **leaves** at 2 o'clock.*
  Toget går klokken 2.
  *Exams **start** on the 15th.*
  Første eksamensdag er den 15.

Legg merke til at presens er mindre vanlig som uttrykk for framtid på engelsk enn på norsk.

1.8 Modale hjelpeverb
Modal auxiliaries

De engelske modale hjelpeverbene er *can, could, may, might, will, would, shall, should, must* og *ought to.* De har følgende særtrekk:

- de tar ikke 3. person entalls *-s.* (*I can, you can, she can*)
- de har bare en form. De følger med andre ord ikke bøyningsmønstret i 1.1.
- de uttrykker betydninger som 'mulighet', 'nødvendighet', 'tillatelse', 'evne', 'plikt', osv.

Legg merke til følgende forskjeller mellom engelske og norske modalverb:

- Det kan ikke være mer enn ett modalverb i hver verbfrase.
- De uttrykker vanligvis ikke fortid. *Could, might, should* og *would* kan derfor ikke uten videre betraktes som fortidsformer av henholdsvis *can, may, shall* og *will.*
- De har ikke infinitivs- eller perfektum partisippformer.

  Som erstatning for infinitiv, perfektum partisipp og preteritum brukes uttrykk som *be able to (can, could, may* og *might), be allowed to (may* og *might)* og *have to (must).*

  *Vi må **kunne** rekke det.*
  *We should **be able to** find time for that.*

Modalverbene kan ha forskjellige betydninger avhengig av om de brukes i spørsmål eller utsagnssetninger, om utsagnssetningen er positiv eller negativ, og om taler snakker om seg selv eller andre.

Will uttrykker for eksempel sterkere grad av vilje i negative enn i positive utsagnsetninger:

***I'll** go by plane*
*Jeg **tar** fly.*
*I **won't** (= will not) **go** by plane*
*Jeg **vil ikke ta** fly*

Legg også merke til at i samtalesituasjonen kan for eksempel setninger som uttrykker evne og vilje få tilleggsbetydninger som tilbud, oppfordring og lignende.

***Can** somebody close the door?* er som regel ikke et spørsmål om det finnes noen i rommet som er i stand til å lukke døren, men heller en anmodning om at en eller annen skal gjøre det.
På tilsvarende måte kan et spørsmål om vilje brukes som invitasjon:

***Will** you come to my party tomorrow?*
Vil du komme i selskapet i morgen?

Og et utrykk for at noe er mulig kan brukes som et forslag:

*We **could** go and see that film today.*
Vi kunne gå og se den filmen i dag.

Når *could, might, would, should* og *ought to* brukes sammen med perfektum uttrykker verbalet vanligvis at noe ikke skjedde (til tross for at det kunne vært mulig).

*I **would have finished** on time.*
*Jeg **ville (ha) blitt** ferdig i tide.*
*You **might have caught** the bus, if you'd run.*
*Du **kunne (ha) rukket** bussen hvis du hadde løpt.*

Legg merke til at mens det er mulig å utelate hjelpverbet *ha* på norsk er det ikke mulig å utelate *have* på engelsk.

CAN brukes til å uttrykke

- at noen er i stand til eller har evne til å gjøre noe, eller at noen har mulighet til å gjøre noe

  *I **can** swim.*
  *Jeg **kan** svømme.*
  *I **can't** come on Friday.*
  *Jeg **kan ikke** komme på fredag.*

- tillatelse eller forbud

  *You **can** smoke here.*
  *Du **kan** røyke her. (Det er tillatt.)*
  *You **can't** park there.*
  *Du **kan ikke** parkere der. (Det er forbudt.)*

- anmodning eller tilbud

  *I **can** go shopping for you.*
  *Jeg **kan** gå og handle for deg.*
  ***Can** you pass the salt?*
  ***Kan** du sende meg saltet?*

- *can't* uttrykker at det er umulig at noe er sant eller har skjedd

  *They **can't** have heard about it.*
  *De **kan umulig** ha hørt om det.*

COULD brukes til å uttrykke

- evne eller mulighet i fortida, som fortidsform av *can*

  *When Tom was young, he **could** dance all night.*
  *Da Tom var ung, **kunne** han danse hele natten.*

- mulighet i nåtida

  *They **could** be planning to go abroad.*
  *Det **er mulig** de planlegger å reise til utlandet.*
  *This **could** be the best story he has written.*
  *Dette er **kanskje** den beste fortellingen han har skrevet.*

- høflig anmodning eller forslag

  ***Could** you tell me the way to the station, please?*
  ***Kan** du være så snill og forklare veien til stasjonen?*
  *I **could** do it on Friday, if you still want me to.*
  *Jeg **kan** gjøre det på fredag, hvis du fortsatt vil at jeg skal gjøre det.*

MAY brukes til å uttrykke

- tillatelse

  *You **may** leave.*
  *Du **kan** gå nå.*
  ***May** I come in?*
  ***Kan** jeg **få** komme inn?*

- mulighet

  *I **may** be back next year.*
  *Jeg kommer **kanskje** igjen neste år.*
  *A fuel explosion **may** have caused the crash.*
  *En drivstoffeksplosjon **kan** ha vært årsaken til krasjet.*

MIGHT brukes til å uttrykke

- mulighet, svakere enn *may*

  *I **might** be back next year.*
  *Det **kan tenkes** jeg kommer tilbake neste år.*
  *A fuel explosion **might** have caused the crash.*
  *En drivstoffeksplosjon **kan kanskje** ha forårsaket krasjet.*

- høflig forslag

  *I thought we **might** go for a drive on Sunday.*
  *Jeg tenkte vi **kunne** ta en kjøretur på søndag.*
  *You **might** try the petrol station down the street.*
  *Du **kunne** prøve bensinstasjonen litt lenger nede i gaten.*

WILL (eller **'ll**) brukes til å uttrykke

- framtid (se 1.7)

- vilje/hensikt

  *I **won't** (= will not) do it again.*
  *Jeg **vil ikke** gjøre det en gang til.*
  *We'**ll** bring something to eat, if you'**ll** bring something to drink.*
  *Vi **kan** ta med mat hvis dere **vil** ta med drikke.*

- oppfordring

  ***Will** you post this letter for me?*
  ***Kan** du poste dette brevet for meg?*
  ***Will** you come to my party tomorrow?*
  ***Vil** du komme i selskapet i morgen?*

- spontan avgjørelse

  ***I'll** have the chicken, please.*
  Jeg tar kylling, takk.
  ***I'll** do it for you.*
  *Jeg **kan** gjøre det for deg.*

Legg merke til at *will* ikke brukes til å uttrykke 'vilje' like ofte som *vil* på norsk. Det er først og fremst i spørsmål og negative utsagnssetninger *will* har denne betydningen.

***I'll** go by plane.*
Jeg tar fly.
*I **won't** (= will not) go by plane.*
Jeg vil ikke ta fly.
***Will** you go by plane?*
Har du tenkt å ta fly?

WOULD (eller **'d**) brukes til å uttrykke

- tilbud

  ***Would** you like a cup of coffee?*
  ***Vil** du ha en kopp kaffe?*

- ønske

  *I'**d** like a cup of coffee, please.*
  *Jeg **vil** gjerne ha en kopp kaffe.*
  *I'**d** rather be prince than a frog.*
  *Jeg **vil** heller være prins enn frosk.*

- høflig oppfordring

  ***Would** you hold this for a moment, please?*
  ***Kan** du være så snill og holde denne et øyeblikk?*
  ***Would** you mind closing the window, please?*
  ***Kunne** du være snill og lukke vinduet?*

- hypotetiske utsagn og tenkte situasjoner

  *That **would** be a great help.*
  *Det **ville** være til stor hjelp.*
  *If I were given the opportunity, I **would** like to ...*
  *Hvis jeg fikk sjansen, **ville** jeg gjerne ...*

SHALL (eller **'ll**) brukes til å uttrykke

- framtid, bare sammen med subjekt i 1. person og særlig i spørsmål

  Shall I *send the letter today?*
  Skal *jeg sende brevet i dag?*
  I shall *do it tomorrow.*
  Jeg ***skal*** *gjøre det i morgen.*

- forslag

  Shall *we go for a walk?*
  Skal *vi gå en tur?*

Legg merke til at *shall* og *skal* sjelden betyr det samme. Når *skal* uttrykker framtid (med subjekt i 2. eller 3. person, rykte, og forbud) brukes ikke *shall* på engelsk.

Skal de *reise i morgen?*
Are they leaving *tomorrow?*
Han skal *være god til å danse.*
He is said *to be a good dancer.*
Du skal ikke *gjøre sånt.*
You mustn't *do that sort of thing.*

SHOULD brukes til å uttrykke

- råd og anbefalinger

  You ***should*** *leave in half an hour.*
  Dere ***bør*** *dra om en halvtime.*
  Shouldn't *you have left by now?*
  Burde ikke *du ha dratt?*

- at noe sannsynligvis er sant eller kommer til å skje

  That ***should*** *do it.*
  Det ***bør*** *holde.*

- forslag, mer forsiktig enn *shall*

  Should *we perhaps go for a walk?*
  Kanskje vi ***skulle*** *gå en tur?*

OUGHT TO uttrykker

- at noe er moralsk riktig

  Men ***ought to*** *help in the house.*
  Menn ***bør*** *hjelpe til i huset.*

- råd

  You ***ought to*** *ask a lawyer's advice.*
  Du ***bør*** *rådspørre en advokat.*

- at noe sannsynligvis har skjedd eller kommer til å skje

  They ***ought to*** *be home by now.*
  De ***skulle*** *være hjemme nå.*

Både *should* og *ought to* tilsvarer norsk *bør/burde*, men *ought to* uttrykker litt større grad av sikkerhet enn *should*. Dessuten er *ought to* mindre vanlig i spørsmål og negative utsagnssetninger.

MUST brukes til å uttrykke

- at noe er nesten helt sikkert (logisk slutning) når hovedverbet er i perfektum

  *He **must** have left by now.*
  *Han **må** ha reist nå.*
  *We **must** have taken the wrong turning.*
  *Vi **må** ha kjørt feil.*

- nødvendighet

  *We **must** try the other direction this time.*
  *Vi **må** prøve den andre veien denne gangen.*
  *You **must** read this book by tomorrow.*
  *Dere **må** lese denne boken til i morgen.*

- *Mustn't (must not)* uttrykker forbud

  *You **mustn't** tell anybody.*
  *Du **må ikke** (får ikke lov til å) si det til noen.*

1.9 Hjelpeverbet *do*

Når verbalet består av en usammensatt verbform (dvs presens eller preteritum) dannes spørresetninger, negative utsagnssetninger og halespørsmål ved hjelp av en form av *do*.

***Did** you **see** the film?*
***Så** du filmen?*
(Have you seen the film?)
(Har du sett filmen?)
*I **didn't see** the film.*
*Jeg **så ikke** filmen.*
(I haven't seen the film.)
(Jeg har ikke sett filmen.)
*You saw the film, **didn't you?***
*Du så **vel** filmen?*
(You have seen the film, haven't you?)
(Du har vel sett filmen?)

Do brukes også når taler vil understreke at det som sies virkelig er tilfelle.

*(I can see that you don't believe me,) but I **did** see the film.*
(Jeg ser at du ikke tror meg,) men jeg har faktisk sett filmen.

1.10 Samsvarsbøyning Concord

Verb i persens og verbet *be* samsvarsbøyes med subjektet i tall og person. For alle andre verb enn *be* og modalverbene betyr dette av de får endelsen *-s* når subjektet er i 3. person entall, dvs at det viktigste ordet i subjektfrasen refererer til en enkelt person eller ting, eller at subjektet består av en leddsetning.

*The big **house** at the bottom of the lane **is** beautiful. (The big **houses are**...)*
Det store huset nederst i veien er flott.
***Running 5 miles is** too much for me.*
Å løpe 5 miles er for mye for meg.

Legg merke til at subjekter hvor hovedordet er *each, either, every, neither, anybody/anyone/anything, everybody/everyone/everything, nobody/no-one/nothing, somebody/someone/something* tar verbal i entall.

*Everybody **has** arrived.*
Alle har kommet.

I setninger med *there* som foreløpig subjekt er det samsvar mellom verbalet og det egentlige subjektet.

*There **is** a **spider** on John's back. There **are** two **spiders** on Peter's back.*
Det kryper en edderkopp på ryggen John. Det kryper to edderkopper på ryggen til Peter.

For subjekter som inneholder sideordnende konjunksjoner gjelder følgende regler:

Når konjunksjonen er *and*, får verbalet flertallsform.

*The boy **and** the girl **have** left. (**They** have left.)*

Gutten og jenta har dratt.

Det samme skjer i setninger med *neither ... nor*:

***Neither** the boy **nor** the girl **have** left. (**They** have not left.)*
Verken gutten eller jenta har dratt.

Når konjunksjonen er *or*, får verbalet entallsform hvis begge uttrykkene som sideordnes av *or* er i entall. Eller samsvarer verbalet med tallet til det uttrykket som står nærmest.

*The boy **or** the girl **has** got it. (**One** of them...)*
Gutten eller jenta har den.
*The boys or the **girl has** got it.*
Guttene eller jenta har den.
*The girl or the **boys have** got it.*
Jenta eller guttene har den.

Det samme gjelder setninger med *either ...or.*

***Either** the boy **or** the girl **has** got it. (**One** og them ...)*
Enten gutten eller jenta har den.
*Either the boys or the **girl has** got it.*
Enten guttene eller jenta har den.
*Either the girl or the **boys have** got it.*
Entan jenta eller guttene har den.

1.11 Reduserte former Contracted forms

I talespråk og uformelt skriftspråk er det vanlig å bruke kortformer av verbene *be, have, will, would, shall* og *should.*

*I'**m** going home. (I am...)*
*You'**re** leaving early. (You are ...)*
*She'**s** on her way. (She is ...)*
*It'**s** important for you to be there. (It is ...)*
*I'**ve** seen them leave. (I have ...)*
*They'**d** never seen anything like it. (They had ...)*
*He'**s** written a letter. (He has ...)*

Se 1.10 for eksempler på kortformer av *will, would, shall* og *should.*

Det er også vanlig å bruke kortform av *not.*

*I did**n't** do it.*
*It is**n't** all that easy.*
*He has**n't** done it either.*
*They certainly wo**n't** do it.*

Når de ikke-reduserte formene brukes i talespråk, er de som regel trykksterke og brukes for å understreke noe.

You seem to be sure about it. Yes, I <u>am</u> sure.
Det virker som du er sikker på det. Ja, jeg <u>er</u> sikker.

2 Substantiver Nouns

2.1 Flertallsformer Plural forms

Regelmessige flertallsformer av engelske substantiver dannes ved å legge til endelsen *-s,*eller *-es* med endringer av stammen der det er nødvendig:

+ *-s*: *arm – arms, sister – sisters*
+ *-es*: *bus – buses, dress – dresses, church – churces, box – boxes*
-y → *-ies*: *lady – ladies, secretary – secretaries*

Noen av substantivene som ender på *-o* får flertallsendelsen *-es**:
-o → *-oes*: *potato - potatoes, tomato - tomatoes, veto - vetoes*

Noen substantiver som ender på *-f* får flertallsendelsen *-es* med konsonantskifte fra *-f* til *-v**:
-f → *-ves*: *half – halves, life – lives, leaf – leaves, shelf – shelves*

Eksempler på flertallsformer med vokalendring*:
child – children, foot – feet, man – men, mouse – mice

Det finnes også en del substantiver som har samme form i entall og flertall*:
sheep, fish, series, species, aircraft, deer

Det finnes også en del substantiver hvor entallsformen og flertallsformen har forskjellige betydninger:

arm = arm, *arms* = våpen
custom = sedvane, *customs* = toll
damage = skade, *damages* = erstatning
look = blikk, *looks* = utseende
water = vann, *waters* = havområde

2.2 Tellelige og utellelige substanitver Countable and uncountable nouns

Tellelige substantiver er de som brukes i flertall.

One child, two/many/several children

* Dette er bare noen eksempler. Oppslagene i ordboken inneholder informasjon om flertallsformer av de enkelte substantivene.

Utellelige substantiver har ikke flertallsform og tar ikke den ubestemte artikkel. De betegner vanligvis stoffer/substanser (*water, bread, butter, steel...*) eller abstrakte begreper (*humour, intelligence, fun, politics, weather...*)

En del ord kan være både tellelige og utellelige, med forskjellig betydning:

rubber = gummi/*a rubber* = et viskelær
iron = jern/*an iron* = et strykejern
coffee = kaffe/*a coffee* = en kopp kaffe

Legg merke til at en del substantiver som er tellelige på norsk er utellelige på engelsk:

advice (råd), damage (ødeleggelse), evidence (bevis), furniture (møbel), knowledge (kunnskap), news (nyhet), weather (vær).

2.3 Genitiv
The genitive

Engelsk har to genitivformer, -*s*-genitiv og *of*-genitiv.

-*s*-genitiven brukes særlig sammen med substantiver som refererer til personer, høyerestående dyr og subsantiver som referer til grupper. Legg merke til at genitivsendelsen er skilt fra substantivet med en apostrof. For flertallsformer som ender på -*s*, består genitivsendelsen av bare apostrofen.
Caroline's bike, my uncle's new car, the cat's tail, the cats' tails, the commitee's decision, the country's new government, the children's books

***of*-genitiv** brukes når substantivet ikke refererer til mennesker eller dyr, og når det ikke dreier seg om eiendom eller annen nær tilhørighet:
the roof of the house, the emperor of Rome

Legg merke til forskjellen mellom:

Mary's picture
Marys bilde
og
the picture of Mary
bildet av Mary

3 Artikler
Articles

3.1 Ubestemt artikkel
The indefinite article

Engelsk har foranstilt ubestemt artikkel *a/an* – *a* foran ord hvor den første lyden er en konsonant, *an* foran ord der den første lyden er en vokal (**a** teacher, **an** engineer).

Det er små forskjeller på engelsk og norsk når det gjelder bruk av den ubestemte artikkel, men generelt brukes den mer på engelsk enn på norsk – som i følgende eksempler:

*He is **a** teacher. She is **an** engineer*
Han er lærer. Hun er ingeniør.

*Have you bought **a** ticket?*
Har du kjøpt billett?
*We're going to **a** party .*
Vi skal i selskap.

3.2 Bestemt artikkel The definite article

Engelsk har foranstilt ubestemt artikkel *the* – uttales /ðə/ foran ord der første lyd er en konsonant og /ði:/ foran ord der første lyd er en vokal.

Den bestemte artikkel brukes stort sett på samme måte på engelsk og norsk, men legg merke til at på norsk brukes den bestemte artikkelen også når substantivet har generell betydning. I slike tilfeller brukes den ikke på engelsk:

The peace and tranquility of nature ...
*Roen og stillheten i natur**en** ...*
They had left for church.
*De hadde gått i kirk**en**.* (Ikke til kirkebygningen, men til gudstjeneste.)
They expected house prices to rise.
*De ventet at boligpris**ene** skulle stige.*

4 Pronomen Pronouns

4.1 Personlige pronomen, eiendomspronomen og refleksive pronomen Personal pronouns, possessive pronouns and reflexive pronouns

personlige pronomen		eiendomspronomen		refleksive pronomen
subj. form	obj. form	foran subst.*	uten subst.	
I you he she it we you they	me you him her it us you them	my your his her its our your their	mine yours his hers its ours yours theirs	myself yourself himself herself itself ourselves yourselves themselves

* På engelsk er disse klassifisert som adjektiver.

***She** saw **me** coming.*
Hun så meg komme.
***He** thought **it** was **mine** but actually **it** belongs to a friend of **ours**, so **I**'m afraid **you** can't have **it**.*
Han trodde den var min, men det tilhører egentlig en venn av oss, så jeg er redd du ikke kan få den.
***Their** son had an accident and cut **himself** badly.*
Sønnen deres var utsatt for en ulykke og skar seg stygt.

4.2 Påpekende pronomen Demonstrative pronouns

Når det pronomenet refererer til er, eller betraktes som nært i tid og rom, brukes *this* (entall) og *these* (flertall), når det er fjernere brukes *that* (entall) og *those* (flertall).

***These** apples are very good.*
***Disse** eplene er veldig gode.*
***Those** apples over there look even better.*
***De** eplene **der borte** ser enda bedre ut.*
***This is** Bruce Pye speaking.*
***Dette er** Bruce Pye.*
*Who **was that**? (on the phone)*
*Hvem **var det**?*

4.3 Relativpronomen Relative pronouns

Engelsk har følgende relativpronomen:

- **who**, som brukes når korrelatet refererer til personer

  *The hijacker gave himself up to **the police, who** are now questioning him.*
  Flykapreren overga seg til politiet, som nå har ham til forhør.

- **whom**, som er objektsformen av *who*, og særlig brukes i formell tale og i skriftspråk

  ***The residents whom** I knew had little money never travelled abroad.*
  Beboerne, som jeg visste hadde lite penger, reiste aldri til utlandet.

- **which**, som brukes nå korrelatet refererer til ting eller situasjoner

  *There are **many things which** could be done to improve the product.*
  Det er mye som kan gjøres for å forbedre produktet.
  ***They have improved the product, which** is quite a surprise.*
  De har forbedret produktet, noe som er ganske overraskende.

- **that**, som særlig brukes i restriktive (nødvendige) relativsetninger, og kan brukes når korrelatet referer til både personer og ting

  *You shouldn't meddle in **affairs that** don't concern you.*
  Du bør ikke blande deg oppi saker som ikke angår deg.
  ***The kids that** were noisy didn't get any icecream.*
  Ungene som bråkte, fikk ikke is.

- **whose**, som brukes når subjektet i relativsetningen tilhører, eller er en del av, korrelatet

  *He was shouting at **the driver whose car** was blocking the street.*
  Han skjelte ut mannen som eide bilen som sperret gaten.

I restriktive relativsetninger hvor pronomenet ikke fungerer som subjekt, kan pronomenet utelates – akkurat som på norsk.

*This is the book **(which)** I told you about.*
*Dette er boken **(som)** jeg nevnte for deg.*

4.4 Ubestemte pronomen: *some* og *any* Indefinite pronouns

Some og *any* betyr omtrent det samme, men de brukes forskjellig:

- **Some** brukes oftest i positive utsagnssetninger. *Some* brukt i spørsmål indikerer at taler venter seg et positivt svar.

  Det samme gjelder *somebody, someone, something, somewhere.*

  *We need **some** sugar.*
  Vi trenger sukker.
  *Would you like **some** tea?*
  Vil du ha te?

- **Any** brukes oftest i negative utsagnssetninger og i spørsmål.
  Det samme gjelder *anybody, anyone, anything, anywhere.*

  *We have**n't** got **any** tea.*
  Vi har ikke mere te.
  ***Have you** seen **any** of them lately?*
  Har du sett noen av dem i det siste?

  Trykksterkt *any* betegner 'ethvert' eller 'hvem/hva/hvilken som helst':

  I didn't mean any book.
  Jeg mente ikke en hvilken som helst bok.
  Any suggestion for improvement will be gratefully received.
  Ethvert forslag til forbedring mottas med takk.

5 Adjektiver Adjectives

5.1 Gradbøyning Grading

Engelske adjektiver gradbøyes etter følgende regler:

Enstavelselsesord og tostavelsesord hvor siste stavelse er *-y, -er, -le* og *-ow,* får endelsen *-er* i komparartiv og *-est* i superlativ:

tall – taller – tallest
sad – sadder – saddest
happy – happier – happiest
narrow – narrower – narrowest

Adjektiver bestående av to eller flere stavelser gradbøyes ved hjelp av *more* i komparativ og *most* i superlativ.

charming – more charming – most charming
considerate – more considerate – most considerate

Eksempler på uregelmessig gradbøyning:

good – better – best
bad – worse – worst

Adjektiver kan også graderes ved hjelp av gradsadverb som *very, highly, completely, totally* etc.

highly controversial, completely innocent, widely known, perfectly safe, barely noticeable, fairly competent

Se oppslagene i ordboken for vanlige kombinasjoner.

5.2 Substantivisk bruk av adjektivet

På engelsk brukes adjektivet som substantiv bare når det viser til flere personer eller noe generelt eller abstrakt. I de fleste tilfeller hvor norsk har bare adjektivet, må engelsk ha et substantiv også.

The injured were *taken to hospital.*
De skadede *havnet på sykehus.*
Den skadede *havnet på sykehus.*
The injured person *was taken to hospital.*

"Tales of **the unexpected**.*"*

6 Adverb
Adverbs

6.1 Dannelse av adverb
Adverb formation

Adverbene som ender på *-ly* er avledet av adjektiv:

careful – carefully
greedy – greedily
polite – politely
possible – possibly

I mange tilfeller er adjektiv og adverb identiske. Dette gjelder for eksempel *early, fast, hard, late.* (se ordboka)
George bought a fast car. (adjektiv)
In his new car George can drive fast. (adverb)

6.2 Gradbøyning av adverb

En del adverb gradbøyes på samme måte som adjektiv, dvs med *-er, -est* ved enstavelsesord og *more* og *most* ellers.

soon – sooner – soonest
late – later – latest
clearly – more clearly – most clearly
carefully – more carefully – most carefully

7 Foreløpig subjekt: *it* og *there*
Anticipatory subject

Begge de to engelske ordene *it* og *there* tilsvarer det norske *det* brukt som foreløpig subjekt.

There brukes i presenteringskonstruksjoner, dvs. når taler introduserer noe som ikke har vært nevnt før. I engelske *there*-setninger er BE det vanligste

verbet, og *there is/are/was/were* kan vanligvis oversettes med *det finnes*. Dessuten er det egentlige subjektet som regel et ubestemt substantivisk uttrykk.
There is *a spider on your back. (A spider is on your back.)*
Det kryper en edderkopp på ryggen din.

It brukes som foreløpig subjekt når det egentlige subjektet er en leddsetning.
It's *a pity that you couldn't come. (= That you couldn't come is a pity.)*
Det er trist at dere ikke kunne komme.

It's *irritating to have to wait for the train every day. (= To have to wait for the train every day is irritating.)*
Det er irriterende å måtte vente på toget hver dag.

8 Orddannelse
Word formation

8.1 Substantiv brukt som verb:

Det er ganske vanlig at substantiver brukes som verb, f. eks:
to e-mail – sende e-mail
to lunch – spise lunsj
to microwave – koke i mikribølgeovn (microwave)
to shortlist – innstille, sette på kort liste

8.2 Suffikser
Suffixes

Fra substantiv eller adjektiv til verb:
-ify: ample – amplify, solid – solidify
-ize: computer – computerize, mechanic – mechanize, national – nationalize
-en: glad – gladden, sad – sadden, sharp – sharpen

Fra verb til substantiv:
-ment: advertise – advertisement, agree – agreement, employ – employment
-ion: connect – connection, abolish – abolition, recognize – recognition, invite – invitation, decide – decision
-ence/-ance: differ – difference, diappear – disappearance, tolerate – tolerance
-ing: camp – camping, sing – singing, dvs. presens partisipp
-ant: disinfect – disinfectant, inhabit – inhabitant
-er: drive – driver, employ – employer, manage – manager, wait – waiter
-or: act – actor, connect – connector, survive – survivor
-ee: employ – employee, pay – payee

Fra substantiv til substantiv:
-ian: music – musician, politics – politician
-ist: guitar – guitarist, solo – soloist

Fra adjektiv til substantiv:
-ness: clever – cleverness, dark – darkness, ill – illness, salty – saltiness
-ence/-ance: confident – confidence, important – importance, independence – independence, significant – significance
-y/-ity: difficult – difficulty, equal – equality, simple – simplicity

Fra substantiv til adjektiv:
-y: art – arty, dirt – dirty, rain – rainy, sun – sunny
-ous: danger – dangerous, fury – furious, glory – glorious
-ish: boor – boorish, fool – foolish, og nasjonalitetsadjektiv som *English, Irish, Danish*
-ese: nasjonalitetsadjektiver som *Chinese, Portugese, Siamese*
-less: care – careless, joy – joyless, speech – speechless
-ful: care – careful, joy – joyful, skill – skilful
-ly: saint – saintly, wife – wifely, world – worldly
-like: child – childlike, snake – snake-like

Suffikset *-ish* brukes også til å "gradbøye" adjektiver: *latish, shortish, youngish*

Fra verb til adjektiv:
-ive: attract – attractive, create – creative, suggest – suggestive
-able/-ible: drink – drinkable, eat – edible, market – maketable, wash – washable

Partisippformene kan også brukes som adjektiver:
perfektum partisipp: *broken, employed, hidden, loved, wanted*
presens partisipp: *boring, developing, loving, wanting*

Fra substantiv til adverb:
-wise: career – career-wise, length – lengthwise, time – time-wise

Fra adjektiv til adverb:
-ly: se 6.1

8.3 Prefikser Prefixes

"Negative" prefikser:
de- *depopulate, derail*
dis- *disabled, disengage, dissatisfied*
il-/im-/in-/ir- *illogical, irresponsible, impossible, invariable*
mis- *mistake, misunderstand*
un- *unclear, unknown, untie*

Andre prefikser:
pre- (før) *prefabricated, prefix, premature*
re- (igjen) *reclaim, regain, remix*
semi- (halv) *semicircle, semifinal, semiprecious*
ex- (ut av/tidligere) *expatriate, ex-wife*

ENGELSKE UREGELMESSIGE VERB

Presens	Preteritum	Perfektum partisipp
arise	arose	arisen
awake	awoke	awoken
be (am, is, are; being)	was, were	been
bear	bore	born(e)
beat	beat	beaten
become	became	become
befall	befell	befallen
begin	began	begun
behold	beheld	beheld
bend	bent	bent
beset	beset	beset
bet	bet, betted	bet, betted
bid *(at auction, cards)*	bid	bid
bid *(say)*	bade	bidden
bind	bound	bound
bite	bit	bitten
bleed	bled	bled
blow	blew	blown
break	broke	broken
breed	bred	bred
bring	brought	brought
build	built	built
burn	burnt, burned	burnt, burned
burst	burst	burst
buy	bought	bought
can	could	(been able)
cast	cast	cast
catch	caught	caught
choose	chose	chosen
cling	clung	clung
come	came	come
cost	cost	cost
cost *(work out price of)*	costed	costed
creep	crept	crept
cut	cut	cut
deal	dealt	dealt
dig	dug	dug
do (*3rd person:* **he/she/it does**)	did	done
draw	drew	drawn
dream	dreamed, dreamt	dreamed, dreamt

Presens	Preteritum	Perfektum partisipp
drink	drank	drunk
drive	drove	driven
dwell	dwelt	dwelt
eat	ate	eaten
fall	fell	fallen
feed	fed	fed
feel	felt	felt
fight	fought	fought
find	found	found
flee	fled	fled
fling	flung	flung
fly	flew	flown
forbid	forbad(e)	forbidden
forecast	forecast	forecast
forget	forgot	forgotten
forgive	forgave	forgiven
forsake	forsook	forsaken
freeze	froze	frozen
get	got	got, *(US)* gotten
give	gave	given
go (goes)	went	gone
grind	ground	ground
grow	grew	grown
hang	hung	hung
hang *(execute)*	hanged	hanged
have	had	had
hear	heard	heard
hide	hid	hidden
hit	hit	hit
hold	held	held
hurt	hurt	hurt
keep	kept	kept
kneel	knelt, kneeled	knelt, kneeled
know	knew	known
lay	laid	laid
lead	led	led
lean	leant, leaned	leant, leaned
leap	leapt, leaped	leapt, leaped
learn	learnt, learned	learnt, learned
leave	left	left
lend	lent	lent
let	let	let
lie (lying)	lay	lain
light	lit, lighted	lit, lighted
lose	lost	lost

ENGELSKE UREGELMESSIGE VERB

Presens	Preteritum	Perfektum partisipp
make	made	made
may	might	—
mean	meant	meant
meet	met	met
mistake	mistook	mistaken
mow	mowed	mown, mowed
must	(had to)	(had to)
pay	paid	paid
put	put	put
quit	quit, quitted	quit, quitted
read	read	read
rid	rid	rid
ride	rode	ridden
ring	rang	rung
rise	rose	risen
run	ran	run
saw	sawed	sawed, sawn
say	said	said
see	saw	seen
seek	sought	sought
sell	sold	sold
send	sent	sent
set	set	set
sew	sewed	sewn
shake	shook	shaken
shear	sheared	shorn, sheared
shed	shed	shed
shine	shone	shone
shoot	shot	shot
show	showed	shown
shrink	shrank	shrunk
shut	shut	shut
sing	sang	sung
sink	sank	sunk
sit	sat	sat
slay	slew	slain
sleep	slept	slept
slide	slid	slid
sling	slung	slung
slit	slit	slit
smell	smelt, smelled	smelt, smelled

Presens	Preteritum	Perfektum partisipp
sow	sowed	sown, sowed
speak	spoke	spoken
speed	sped, speeded	sped, speeded
spell	spelt, spelled	spelt, spelled
spend	spent	spent
spill	spilt, spilled	spilt, spilled
spin	spun	spun
spit	spat	spat
spoil	spoiled, spoilt	spoiled, spoilt
spread	spread	spread
spring	sprang	sprung
stand	stood	stood
steal	stole	stolen
stick	stuck	stuck
sting	stung	stung
stink	stank	stunk
stride	strode	stridden
strike	struck	struck
strive	strove	striven
swear	swore	sworn
sweep	swept	swept
swell	swelled	swollen, swelled
swim	swam	swum
swing	swung	swung
take	took	taken
teach	taught	taught
tear	tore	torn
tell	told	told
think	thought	thought
throw	threw	thrown
thrust	thrust	thrust
tread	trod	trodden
wake	woke, waked	woken, waked
wear	wore	worn
weave	wove	woven
weave *(wind)*	weaved	weaved
wed	wedded, wed	wedded, wed
weep	wept	wept
win	won	won
wind	wound	wound
wring	wrung	wrung
write	wrote	written

TALLENE		NUMBERS
en (ett)	1	one
to	2	two
tre	3	three
fire	4	four
fem	5	five
seks	6	six
syv, sju	7	seven
åtte	8	eight
ni	9	nine
ti	10	ten
elleve	11	eleven
tolv	12	twelve
tretten	13	thirteen
fjorten	14	fourteen
femten	15	fifteen
seksten	16	sixteen
sytten	17	seventeen
atten	18	eighteen
nitten	19	nineteen
tjue, tyve	20	twenty
tjueen	21	twenty-one
tjueto	22	twenty-two
tredve, tretti	30	thirty
førti	40	forty
femti	50	fifty
seksti	60	sixty
sytti	70	seventy
syttien	71	seventy-one
syttito	72	seventy-two
åtti	80	eighty
åttien	81	eighty-one
nitti	90	ninety
nittien	91	ninety-one
hundre	100	one hundred
hundre og en (ett)	101	one hundred and one
tre hundre	300	three hundred
tre hundre og en (ett)	301	three hundred and one
tusen	1000	one thousand
en million	1,000,000	one million

TALLENE | NUMBERS

første, 1.	1st	first
andre, annen	2nd	second
tredje	3rd	third
fjerde	4th	fourth
femte	5th	fifth
sjette	6th	sixth
sjuende, syvende	7th	seventh
å ttende	8th	eighth
niende	9th	ninth
tiende	10th	tenth
ellevte	11th	eleventh
tolvte	12th	twelth
trettende	13th	thirteenth
fjortende	14th	fourteenth
femtende	15th	fifteenth
sekstende	16th	sixteenth
syttende	17th	seventeenth
attende	18th	eighteenth
nittende	19th	nineteenth
tjuende, tyvende	20th	twentieth
tjueførste	21st	twenty-first
tjueandre	22nd	twenty-second
trettiende	30th	thirtieth
hundrede	100th	(one) hundredth
hundre og første	101st	(one) hundred and first
tusende	1000th	(one) thousandth

KLOKKEN/TIME

What time is it? Hvor mye er klokken?
It's... Den er...

At what time?
Hvilket klokkeslett?

one o'clock
ett

ten past one
ti over ett

quarter past one
kvart over ett

half past one
halv to

twenty to two
ti over halv to

quarter to two
kvart på to

at midnight
klokken tolv, midnatt

at midday
klokken tolv, middag

at one pm
klokken ett (om ettermiddagen)

at eight o'clock
klokken åtte (om kvelden)

at 11.15 pm or quarter past eleven
elleve femten

at 8.45 pm or quarter to nine
tyve førtifem

DAGENE I UKEN

mandag
tirsdag
onsdag
torsdag
fredag
lørdag
søndag

DAYS OF THE WEEK

Monday
Tuesday
Wednesday
Thursday
Friday
Saturday
Sunday

Når?

på mandag
på mandager
hver mandag
sist tirsdag
neste fredag
lørdag om en uke
lørdag om to uker

When?

on Monday
on Mondays
every Monday
last Tuesday
next Friday
a week on Saturday
two weeks on Saturday

KLOKKEN/TIME

MÅNEDENE

januar
februar
mars
april
mai
juni
juli
august
september
oktober
november
desember

MONTHS OF THE YEAR

January
February
March
April
May
June
July
August
September
October
November
December

Når?

i februar
1. desember
første desember
i 1997
i nitten nittisyv/sju

When?

in February
on December 1st
on December first
in 1997
in nineteen ninety-seven

Hvilken dato er det? Det er...

mandag 26. februar
mandag tjuesjette februar

søndag 1. oktober
søndag første oktober

What's the date? It's...

Monday, the 26th February
Monday, the twenty-sixth of February

Sunday, the 1st October
Sunday, the first of October

NYTTIGE ORD OG UTTRYKK

Når?

i dag
i dag tidlig, i morges
i ettermiddag
i kveld

Hvor ofte?

hver dag
annenhver dag
en gang i uken
to ganger i uken
en gang i måneden

USEFUL VOCABULARY

When?

today
this morning
this afternoon
this evening

How often?

every day
every other day
once a week
twice a week
once a month

KLOKKEN/TIME

Når skjedde det?	When did it happen?
på formiddagen	in the morning
om kvelden	in the evening
i går	yesterday
i går kveld	yesterday evening
i forgårs	the day before yesterday
for en uke siden	a week ago
for to uker siden	two weeks ago
i fjor	last year

Når kommer det til å skje?	When is it going to happen?
i morgen	tomorrow
i morgen tidlig, i morgen formiddag	tomorrow morning
i overmorgen	the day after tomorrow
om to dager	in two days
om en uke	in a week
om to uker	in two weeks
neste måned	next month
neste år	next year

NORWEGIAN VERBS, NOUNS AND ADJECTIVES

IRREGULAR NORWEGIAN VERBS

Infinitive (present tense)	Past tense	Past participle	Infinitive (present tense)	Past tense	Past participle
be	bad	bedt	**klinge**	klang	kling(e)t
binde	bandt	bundet	**klype**	kløp	kløpet
bite	be(i)t	bitt	**klyve**	kløv	kløvet
bli	ble(i)	blitt	**knekke***	knakk	knekket, knekt
brenne*	brant	brent	**knipe**	knep	knepet
bringe	brakte	brakt	**knyte**	knytte, knøt	knytt
briste	brast	bristet, brustet	**komme**	kom	kommet
bryte	brøt	brutt	**krype**	krøp	krøpet
burde (bør)	burde	burdet	**kunne (kan)**	kunne	kunnet
by	bydde,bød	bydd, budt	**kvele**	kvalte	kvalt
bære	bar	båret	**la**	lot	latt
dra	drog	dratt, dradd	**late**	lot	latt
drikke	drakk	drukket	**le**	lo	ledd
drite	dre(i)t	dritet, dritt	**legge**	la	lagt
drive	dre(i)v	drevet	**lide**	led	lidd, lidt
dø	døde	dødd	**ligge**	lå	ligget
ete	åt	ett	**lyde**	lød	lydt
falle	falt	falt	**lyve**	løy	løyet
fare	for	fart	**løpe**	løp	løpt
finne	fant	funnet	**møte**	møtte	møtt
finnes	fantes	funnes	**måtte (må)**	måtte	måttet
fise	fe(i)s	feset	**nyse**	nøs	nyst
fly	fløy	fløyet	**nyte**	nøt	nytt
flyte	fløt	flytt	**pipe**	pe(i)p	pepet
fortelle	fortalte	fortalt	**rekke**	rakk	rukket
fryse	frøs	frosset	**renne***	rant	rent
fyke	føk	føket	**ri**	red	ridd
følge	fulgte	fulgt	**rive**	re(i)v	revet
få	fikk	fått	**ryke**	røk	røket
gale	gol	galt	**se**	så	sett
gi	gav	gitt	**selge**	solgte	solgt
gjelde	gjaldt	gjeldt	**sette**	satte	satt
gjøre	gjorde	gjort	**si**	sa	sagt
gli	gled	glidd	**sige**	seg	seget
gni	gned	gnidd	**sitte**	satt	sittet
grave	grov	gravd	**skjelve**	skalv	skjelvet
grine	gre(i)n	grint	**skjære**	skar	skåret
gripe	grep	grepet	**skli**	skle(i)d	sklidd
gråte	gråt	grått	**skride**	skred	skredet
gå	gikk	gått	**skrike**	skrek	skreket
ha	hadde	hatt	**skrive**	skrev	skrevet
henge*	hang	hengt	**skryte**	skrytte, skrøt	skrytt
hete	het(te)	hett	**skvette***	skvatt	skvettet
hive	he(i)v	hivd, hevet	**skyte**	skjøt	skutt
hjelpe	hjalp	hjulpet	**skyve**	skjøv	skjøvet
holde	holdt	holdt	**slenge***	slang	slengt

IRREGULAR NORWEGIAN VERBS

Infinitive (present tense)	Past tense	Past participle	Infinitive (present tense)	Past tense	Past participle
slippe	slapp	sluppet	**stryke**	strøk	strøket
slite	sle(i)t	slitt	**svike**	svek	sveket
slå	slo	slått	**svinne**	svant	svunnet
slåss	sloss	slåss	**synge**	sang	sunget
smelle*	smalt	smelt	**synke**	sank	sunket
smette	smatt	smettet	**ta**	tok	tatt
smyge	smøg	smøget	**telle**	talte	talt
smøre	smurte	smurt	**tore (tør)**	torde	tort
snike	sne(i)k	sneket	**tre**	trådte	trådt
snyte	snytte, snøt	snyttet	**treffe**	traff	truffet
spinne	spant	spunnet	**trekke**	trakk	trukket
sprekke	sprakk	sprukket	**trå**	tro	trådd
sprette	spratt	sprettet	**tvinge**	tvang	tvunget
springe	sprang	sprunget	**tyte**	tytte, tøt	tytt
spørre	spurte	spurt	**være (er)**	var	vært
stå	stod	stått	**velge**	valgte	valgt
stige	steg	steget	**vike**	vek	veket
stikke	stakk	stukket	**vinne**	vant	vunnet
stjele	stjal	stjålet	**vite**	visste	visst
strekke	strakk	strukket	**vri**	vre(i)d	vridd
stri(de)	stred	stridd			

* irregular forms apply to certain (intransitive) uses only. These verbs are regular when transitive.

REGULAR NORWEGIAN VERB PATTERNS

Infinitive	Past tense	Past participle

verb number		
v1		
endings		
-e	-et/-a	-et/-a
examples		
rette	rettet/retta	rettet/retta
skaffe	skaffet/skaffa	skaffet/skaffa
handle	handlet/handla	handlet/handla
hente	hentet/henta	hentet/henta

verb number		
v2		
endings		
-e	-te	-t
examples		
klage	klagte	klagt
vende	vendte	vendt
kjøpe	kjøpte	kjøpt
interessere	interesserte	interessert

verb number		
v2x		
endings		
double consonant -e	single cons. -te	single cons. -t
examples		
kjenne	kjente	kjent
skille	skilte	skilt
stemme	temte	stemt

REGULAR NORWEGIAN VERB PATTERNS

Infinitive	Past tense	Past participle
verb number		
v3		
endings		
-e	-de	-d
examples		
leve	levde	levd
lage	lagde	lagd
råde	rådde	rådd
føye	føyde	føyd
greie	greide	greid
verb number		
v3x		
endings		
double consonant -e	single cons. -de	single cons. -d
examples		
bygge	bygde	bygd
hogge	hogde	hogd
verb number		
v4		
endings		
stressed vowel	-dde	-dd
examples		
spy	sydde	spydd
kle	kledde	kledd
tro	trodde	trodd
verb number		
v5		
endings		
passive -s		

IRREGULAR NORWEGIAN NOUNS AND NOUN ENDINGS

Singular	Plural	Singular	Plural
bok	bøker	radius	radier
bror	brødre	rand	render
datter	døtre	referendum	referenda,
far	fedre	referendumer	
fot	føtter	rektum	rekta
gentleman	gentlemen	rekviem	rekvier
-ium	-ier	rot	røtter
jubileum	jubileer	-senter	-sentere, -sentre
-kle	-klær	sentrum	sentra, sentre
klo	klør	sko	sko
kollega	kolleger	spektrum	spektra
kraft	krefter	stad	steder
ku	kyr, kuer	stang	stenger
kvantum	kvanta	stimulus	stimuli
mann	menn	strand	strender
monstrum	monstre	stratum	strata
mor	mødre	tann	tenner
museum	museer	ting	ting
narkotikum	narkotika	tre	trær
natt	netter	tå	tær
ovum	ova		

IRREGULAR NORWEGIAN ADJECTIVES

1. liten

common sing	neuter sing	plural
indefinite forms		
liten	lite	små
definite forms		
lille	lille	små
comparative/superlative		
mindre/minst		

2. Adjectives with irregular comparatives and superlatives

adjective	comparative/superlative
dårlig	verre/verst
få	færre/færrest
gammel	eldre/eldst
god	bedre/best
ille	verre/verst
lang	lengre/lengst
mange	flere/flest
mye	mer/mest
nær	nærmere/nærmest
stor	større/størst
tung	tyngre/tyngst
ung	yngre/yngst
vond	verre/verst

FORTEGNELSE OVER NORSKE OVERSETTELSER

Index to Norwegian Translations

Denne fortegnelsen er en alfabetisk liste over norske oversettelser av de engelske oppslagsordene. For å lette oversikten, er de engelske ordene satt opp i alfabetisk rekkefølge etter det norske ordet. Ordene står derfor ikke i noen rangorden, og de er heller ikke gruppert etter betydning.

Hensikten med denne fortegnelsen er å gjøre det mulig å finne fram til engelske oppslag via den norske oversettelsen. FORTEGNELSEN ER INGEN ORDBOK, selv om det engelske ordet det henvises til i mange tilfeller kan fungere som oversettelse av det norske ordet. Er du i tvil? SLÅ OPP PÅ DET ENGELSKE OPPSLAGSORDET!

The list below is an alphabetical index to the translations found in your English–Norwegian dictionary. For convenience, English references in this index are given in alphabetical order following the Norwegian word. The order of the English words does not therefore imply any order of importance, and words with similar senses are not grouped together.

The purpose of this index is to give you access to the relevant English entry in the dictionary through the medium of Norwegian. THE INDEX IS NOT A DICTIONARY as such, although the English words to which you are referred can function as translations of the Norwegian in many cases. When in doubt, LOOK UP THE ENGLISH ENTRY!

A

A, a → *A, a*
abbed → *abbot*
abbedissen → *superior*
abbor → *perch*
abdikasjon → *abdication*
abdisere → *abdicate*
abonnent → *subscriber*
abonnere → *subscribe*
abort → *abortion, miscarriage*
abortere → *abort, miscarry*
ABS → *ABS*
abscess → *abscess*
absolusjon → *absolution*
absolutt → *absolute, absolutely*
absorbere → *absorb, drink in*
absorberende → *absorbent*
absorbering → *absorption*
absorpsjon → *absorption*
abstinenssymptomer → *withdrawal symptoms*
abstrakt → *abstract*
abstrus → *abstruse*
absurd → *absurd, farcical*
absurditet → *absurdity*
Abu Dhabi → *Abu Dhabi*
acetat → *acetate*
acre → *acre*
ad → *re*
ad hoc → *ad hoc*
adamseple → *Adam's apple*
adapter → *adapter*
adb → *ADP*
Addis Abeba → *Addis Ababa*
addisjon → *addition*
addisjonsmaskin → *adding machine*
adekvat → *adequate*
adel → *nobility*
adelig → *noble*
adelskap → *nobility*
adelsmann → *nobleman, peer*
adelstittel → *peerage*
adferd → *demeanour*
adgang → *access, admission, admittance, entry*
adgangskort → *pass, permit*
adjektiv → *adjective*
adjutant → *adjutant, aide*
adjø → *goodbye*
adle → *ennoble*
adlyde → *obey*
administrasjon → *administration*
administrasjonsomkostninger → *overheads*
administrativ → *administrative*
administrator → *administrator*
administrere → *administer*
administrerende direktør → *chief executive, managing director*
admiral → *admiral*
adopsjon → *adoption*
adoptere → *adopt*
adoptert → *adopted*
adoptiv- → *adoptive*
adrenalin → *adrenalin*
adressat → *addressee*
adresse → *address*
adressebok → *address book, directory*
adressere → *address, direct*
advare → *caution, forewarn*
advarsel → *caution, warning*
adventskalender → *Advent calendar*
adverb → *adverb*
advisbrev → *advice note*
advokat → *advocate, attorney, barrister, counsellor*
advokatyrket → *law*
aero- → *aero...*
aerobics → *aerobics*
aerodynamisk → *aerodynamic*
aerogram → *air letter*
aerosolflaske → *aerosol*
affektert → *affected, precious*
affekterthet → *affectation*
affære → *affair*
afghaner → *Afghan*
Afghanistan → *Afghanistan*
afghansk → *Afghan*
aforisme → *aphorism*
Afrika → *Africa*
afrikaans → *Afrikaans*
afrikander → *Afrikaner*
afrikaner → *African*
afrikansk → *African*
afro-amerikansk → *Afro-American*
afrodisiakisk → *aphrodisiac*
afrodisiakum → *aphrodisiac*
aften → *evening*
aftenantrekk → *evening dress*
aftenkjole → *evening dress*

aftensang → *evensong*
aftershave → *after-shave*
agent → *agent*
aggresjon → *aggression*
aggressiv → *aggressive*
aggressivitet → *aggressiveness*
agn → *bait*
agne → *bait*
agnostiker → *agnostic*
agurk → *cucumber*
AI → *AI*
aids → *AIDS*
air-condition(ing) → *air conditioning*
à jour → *up-to-date*
ajourføre → *update*
akademi → *academy*
akademiker → *academic*
akademisk → *academic, scholarly*
akilleshæl → *Achilles heel*
akk (o ve) → *alas*
akkar → *squid*
akkompagnatør → *accompanist*
akkompagnement → *accompaniment*
akkompagnere → *accompany*
akkord → *chord*
akkordarbeid → *piecework*
akkreditert → *accredited*
akkreditiver → *credentials*
akkurat → *exactly, just, precisely*
akkusativ → *accusative*
akne → *acne*
akrobat → *acrobat*
akrobatikk → *acrobatics*
akrobatisk → *acrobatic*
akronym → *acronym*
akryl → *acrylic*
akrylfarger → *acrylic*
aks → *ear, spike*
akse → *axis, pivot*
aksel → *shaft*
akselerasjon → *acceleration*
akselerere → *accelerate*
aksent → *accent, brogue*
aksenttegn → *accent*
akseptabel → *acceptable*
akseptere → *accept*
aksiom → *axiom*
aksiomatisk → *axiomatic*
aksje → *share*
aksjebrev → *share certificate*
aksjeeier → *stockholder*
aksjeindeks → *share index*
aksjekapital → *share capital*
aksjemajoritet → *controlling interest*
aksjemarked → *stock market*
aksjemekler → *stockbroker*
aksjer → *holding, shares, stock*
aksjeselskap → *joint-stock company, limited (liability) company*
aksjon → *action*
aksjonær → *shareholder, stockholder*
akt → *act, nude*
akte → *revere*
aktelse → *deference, regard*
akterdekk → *quarterdeck*
akterende → *stern*
akterover → *aft*
akterstavn → *stern*
akterut → *astern*
aktiv → *active, positive*
aktiva → *asset*
aktivisere → *activate*
aktivist → *activist*
aktivitet → *activity*
aktivt → *actively*
aktivum → *asset*
aktor → *prosecutor*
aktualiteter → *current affairs*
aktuar → *actuary*
aktuell → *relevant, topical*
aktverdig → *creditable, worthy*
aktør → *player*
akupunktur → *acupuncture*
akustikk → *acoustics*
akustisk → *acoustic*
akutt → *acute*
akuttavdeling → *casualty, casualty ward*
akvadukt → *aqueduct*
akvarell → *watercolour*
akvarellfarger → *watercolour*
akvarium → *aquarium, tank*
alabast → *alabaster*
alarm → *alarm, alert*
Alaska → *Alaska*
albaner → *Albanian*
Albania → *Albania*
albansk → *Albanian*
albatross → *albatross*
albue → *elbow*
albuerom → *elbow room*
albuknoke → *funny bone*
album → *album*
albu(e)skjell → *limpet*
aldeles → *completely*
alder → *age*
alderdom → *old age*
aldersgrense → *age limit*
aldersgruppe → *age group*
aldershjem → *old people's home*
alderspensjon → *old age pension*
alderstrygd → *old age pension*
alderstrygdet → *old age pensioner*
aldrende → *ageing*
aldri → *never*
ale opp → *breed, raise, rear*
alene → *alone, single-handed, solo*
Aleutene → *Aleutian Islands*
Alexandria → *Alexandria*
alfabet → *alphabet*
alfabetisk → *alphabetical*
alfanumerisk → *alphanumeric*
algebra → *algebra*
Alger → *Algiers*
algerer → *Algerian*
Algerie → *Algeria*
algerisk → *Algerian*
algoritme → *algorithm*
alias → *alias*
alibi → *alibi*
alkali → *alkali*
alkalisk → *alkaline*
alkohol → *alcohol*
alkoholfri → *alcohol-free, non-alcoholic*
alkoholholdig → *alcoholic*
alkoholiker → *alcoholic*
alkoholisme → *alcoholism*
alkoteste → *breathalyze*
alkove → *alcove, recess*
alkymi → *alchemy*
all → *all, every*
alle → *every, everybody*
allegori → *allegory*
allehelgensaften → *Hallowe'en*
allehånde → *allspice*
allerede → *already*
allergi → *allergy*
allergisk → *allergic*
allestedsnærværende → *ubiquitous*

allianse → *alliance*
alliansefri → *non-aligned*
alliert → *allied, ally*
alligator → *alligator*
alliterasjon → *alliteration*
allmektig → *almighty*
allmenn → *general, universal*
allmennpraktiker → *general practitioner*
allsidig → *versatile*
allsidighet → *versatility*
alltid → *always, ever, forever, invariably*
allusjon → *allusion*
alluvium → *alluvium*
allé → *avenue*
alm → *elm*
almetre → *elm*
alminnelig → *general, mainstream, middle-of-the-road, ordinary, run-of-the-mill*
almisse → *handout*
almisser → *alms*
alpefiol → *cyclamen*
alpelue → *beret*
alpin → *alpine*
Alsace → *Alsace*
alt → *alto, contralto, everything*
alt i alt → *overall*
alter → *altar*
alternativ → *alternate, alternative, choice, option*
alternativ energi → *alternative energy*
alternativ medisin → *alternative medicine*
alternativt → *alternatively*
altetende → *omnivorous*
altfor → *over, too*
altmuligmann → *handyman, jack-of-all-trades, odd-job man*
altomfattende → *all-embracing*
altoverskyggende → *all-important, overriding*
altoverveiende → *overriding*
altruisme → *altruism*
altruistisk → *altruistic*
aluminium → *aluminium*
alv → *elf, sprite*
alvor → *gravity, seriousness, severity*
alvorlig → *bad, dire, grave, gravely, serious, seriously, severe, severely, straight-faced*
Alzheimers sykdom → *Alzheimer's disease*
amasone → *Amazon*
amasoneaktig → *Amazonian*
amatør → *amateur*
amatørmessig → *amateurish*
Amazonas → *Amazon*
ambassade → *embassy*
ambassadør → *ambassador*
ambisiøs → *ambitious*
ambisjon → *ambition*
ambivalent → *ambivalent*
ambolt → *anvil*
ambulanse → *ambulance*
ambulansemann → *ambulanceman*
amen → *amen*
Amerika → *America*
amerikaner → *American*
amerikanisere → *americanize*
amerikansk → *American*
amerikansk indianer → *Native American*
ametyst → *amethyst*
amfetamin → *amphetamine*
amfi → *bowl*
amfibisk → *amphibious*
amfibium → *amphibian*
amfiteater → *amphitheatre*
amme → *breast-feed, nurse, suckle*
ammoniakk → *ammonia*
ammunisjon → *ammunition*
ammunisjonslager → *ammunition dump*
amnesi → *amnesia*
amnesti → *amnesty*
Amor → *Cupid*
amoralsk → *amoral*
amorf → *amorphous*
amorin → *Cupid*
amortisasjon → *amortization*
amortisering → *amortization*
amorøs → *amorous*
ampere → *amp(ere)*
amperemeter → *ammeter*
amplitudemodulasjon → *AM*
ampulle → *ampoule, vial*
amputasjon → *amputation*
amputere → *amputate*
amputert → *amputee*
Amsterdam → *Amsterdam*
amøbe → *amoeba*
anagram → *anagram*
anakronisme → *anachronism*
anal → *anal*
analgetikum → *analgesic*
analog → *analog(ue)*
analogi → *analogy*
analyse → *analysis*
analysere → *analyse, dissect*
analytiker → *analyst*
analytisk → *analytic(al)*
anamnese → *case history*
ananas → *pineapple*
anarki → *anarchy*
anarkist → *anarchist*
anarkistisk → *anarchic, anarchist*
anatomi → *anatomy*
anatomisk → *anatomical*
anbefale → *recommend*
anbefaling → *recommendation, reference*
anbud → *estimate, quotation, quote, tender*
and → *duck*
andakt → *devotion*
andel → *holding, rake-off, proportion, share*
andestegg → *drake*
Andorra → *Andorra*
andpusten → *breathless, puffed*
andre → *farther, latter, other, second*
andre steder → *elsewhere*
andunge → *duckling*
ane → *divine, forebear*
anekdote → *anecdote*
anelse → *idea*
anemi → *anaemia*
anemisk → *anaemic*
anemone → *anemone*
anerkjenne → *recognize*
anerkjennelse → *appreciation, recognition*
anerkjennende → *appreciative*
anerkjent → *reputable*
anestesi → *anaesthetic*
anestesilege → *anaesthetist*
anfall → *attack, bout, fit, paroxysm, seizure, spasm*
anføre → *cite, quote*
anfører → *ringleader*
anførselstegn → *inverted commas, quotation marks, quote*
angelsakser → *Anglo-Saxon*
anger → *penitence, regret, repentance*
angerfull → *contrite*
angi → *quote, specify*
angina → *angina*
angivelig → *allegedly, ostensible, ostensibly*
angiver → *informer*
anglifisere → *anglicize*
anglikaner → *Anglican*
anglikansk → *Anglican*
anglisere → *anglicize*

anglosaksisk → *Anglo-Saxon*
Angola → *Angola*
angolaner → *Angolan*
angolansk → *Angolan*
angre → *regret, rue*
angrende → *penitent*
angrep → *assault, attack, raid, strike*
angrepille → *morning-after pill*
angrepsspiller → *striker*
angripe → *affect, assault, attack, charge, raid*
angriper → *aggressor, assailant, attacker, forward*
angst → *anxiety*
angå → *concern*
angående → *concerning, regarding, relating to*
anheng → *charm, pendant*
anholde → *apprehend*
animasjon → *animation*
anis → *aniseed*
Ankara → *Ankara*
anke(sak) → *appeal*
ankel → *ankle*
ankelsokk → *ankle sock*
ankepunkt → *complaint, grievance*
anker → *anchor*
ankerplass → *anchorage*
anklage → *accusation*
anklagebenk → *dock*
anklager → *accuser*
ankomme → *arrive*
ankommende → *incoming*
ankomst → *appearance, arrival*
ankomsthavn → *POE*
anledning → *occasion, opportunity*
anlegg → *aptitude, installation, layout, plant*
anlegge → *grow, landscape*
anlegge sak → *sue*
anleggsarbeider → *navvy*
anleggsgartner → *landscape gardener*
anleggsmidler → *capital assets*
anliggende → *affair*
anløpe → *call at*
anmelde → *register, review*
anmeldelse → *review, write-up*
anmelder → *reviewer*
anmerkning → *rider*
anmode om → *request, solicit*
anmodning → *request*
anneks → *annex*
anneksjon → *annexation*
annektere → *annex*
annen → *other, second*
annen juledag → *Boxing Day*
annen pinsedag → *Whit Monday*
annen påskedag → *Easter Monday*
annenflyver → *co-pilot*
annenfører → *co-driver*
annenklasses → *second-class, second-rate*
annenrangs → *second-class, second-rate*
annerledes → *different, differently, otherwise*
annerledes tenkende → *dissenter*
annet → *other, second*
annonse → *advertisement*
annonsere → *advertise*
annonsør → *advertiser, radio announcer*
annullere → *annul, disallow, rescind*
annullering → *annulment*
anode → *anode*
anonym → *anonymous*
anonymitet → *anonymity*
anoreksi → *anorexia*
anorektisk → *anorexic*
anpusten → *wheezy*
anretning → *buffet*
ansamling → *accumulation, conglomeration*
ansatt → *employee*
ansatte → *staff*
anse → *consider, regard*
anse for → *deem*
anseelse → *renown, standing*
anselig → *sizeable, substantial*
ansett → *respected*
ansette → *appoint, employ, hire, sign on, take on*
ansettelse → *appointment*
ansiennitet → *seniority*
ansikt → *face*
ansikt til ansikt → *face-to-face*
ansiktsbehandling → *facial*
ansiktskrem → *face cream*
ansiktsløftning → *face lift*
ansiktsløs → *faceless*
ansiktspudder → *face powder*
ansjos → *anchovy*
anskueliggjøre → *epitomize*
anslag → *estimation, impact, touch*
anslå → *estimate, gauge*
anspent → *edgy, keyed up, tense, uncomfortably*
anspenthet → *tenseness, tension*
anspore → *excite, goad on, prod, spur, urge on*
anstand → *chaperone*
anstandsdame → *chaperone*
anstendig → *civilized, decently, respectable*
anstendighet → *decency*
anstrenge → *strain*
anstrengelse → *effort, exertion*
anstrengende → *strenuous*
anstrengt → *labo(u)red, strained, uneasy*
anstrøk → *note, streak, tinge*
ansvar → *charge, liability, responsibility*
ansvarlig → *responsible, responsibly*
ansvarlighet → *accountability*
ansvarsbevisst → *responsible, responsibly*
ansvarsfull → *responsible*
ansvarsfullt → *responsibly*
ansvarsområde → *remit*
anta → *assume, espouse, expect, imagine, presume, put on, reckon, suppose*
antagelse → *assumption*
antakelig → *probably*
antakelse → *supposition*
antall → *number*
Antarktis → *Antarctica*
antaste → *molest*
antatt → *putative*
antedatere → *backdate*
antenne → *aerial, antenna, ignite*
antennelig → *combustible*
anti- → *anti...*
antibiotika → *antibiotics*
antihistamin → *antihistamine*
antikk → *antique*
antikken → *antiquity*
antiklimaks → *anticlimax*
antikvar → *antiquarian*
antikvert → *antiquated*
antikvitet → *antique*
antikvitetshandel → *antique shop*
antikvitetshandler → *antiquarian, antique dealer*
antilope → *antelope*
antipati → *antipathy, dislike*
antiperspirant → *antiperspirant*
antirakett-rakett → *ABM*
antisemittisk → *anti-Semitic*
antisemittisme → *anti-Semitism*
antiseptisk → *antiseptic*
antistoff → *antibody*
antisyklon → *anticyclone*
antologi → *anthology*
antrekk → *attire, ensemble, garb, outfit*

antropolog → *anthropologist*
antropologi → *anthropology*
Antwerpen → *Antwerp*
antyde → *imply, indicate, infer, intimate, suggest*
antydning → *flicker, hint, intimation, suggestion*
anus → *anus*
anvende → *apply*
anvendelig → *versatile*
anvendelse → *application*
anvendt → *applied*
anvise → *indicate*
anvisning → *direction*
aparte → *outlandish*
apartheid → *apartheid*
apati → *apathy, torpor*
apatisk → *apathetic*
ape → *ape, monkey*
apekatt → *copycat, monkey*
aperitiff → *aperitif*
APEX → *APEX*
aplomb → *aplomb*
apokalypse → *apocalypse*
apolitisk → *apolitical*
apopleksi → *apoplexy*
apoplektisk → *apoplectic*
apostel → *apostle*
apostrof → *apostrophe*
apotek → *chemist's, dispensary, pharmacy*
apoteker → *chemist, dispensing chemist, druggist*
apparat → *apparatus, appliance, machine, machinery*
apparater → *apparatus*
appell → *appeal*
appelldomstol → *court of appeal*
appellinstans → *court of appeal*
appelsin → *orange*
appendiks → *appendix*
appetitt → *appetite*
appetittvekkende → *appetizing*
appetittvekker → *appetizer*
applaudere → *applaud*
applaus → *applause, clapping*
applikasjonsprogram → *application program*
apportere → *retrieve*
approbasjon → *approbation*
aprikos → *apricot*
april → *April*
apsis → *apse*
araber → *Arab*
Arabia → *Arabia*
arabisk → *Arab, Arabian, Arabic*
arbeid → *employment, handiwork, labour, work*
arbeide → *work*
arbeider → *labo(u)rer, operative, worker, working man, workman*
arbeiderklasse → *working class*
arbeidsbenk → *workbench*
arbeidsbeskrivelse → *job description*
arbeidsbesparende → *labo(u)r-saving*
arbeidsbord → *workbench*
arbeidsformann → *chargehand*
arbeidsformidling → *employment agency, job centre*
arbeidsgiver → *employer*
arbeidsintensiv → *labo(u)r intensive*
arbeidskamerat → *associate, workmate*
arbeidskontor → *employment exchange*
arbeidskraft → *labour, manpower*
arbeidsledig → *out-of-work, unemployed*
arbeidsledighet → *redundancy, unemployment*
arbeidsledighetstrygd → *dole*
arbeidsleir → *labo(u)r camp*
arbeidsløs → *out-of-work, unemployed*
arbeidsløshet → *unemployment*
arbeidsmarked → *labo(u)r market*
arbeidsmengde → *workload*
arbeidsmetode → *modus operandi*
arbeidsnarkoman → *workaholic*
arbeidsnedleggelse → *walkout*
arbeidsom → *diligent, hard-working, industrious*
arbeidsomhet → *diligence*
arbeidsplass → *work station*
arbeidsrapport → *progress report*
arbeidsrett → *industrial tribunal*
arbeidsrom → *study*
arbeidsslave → *drudge*
arbeidsstasjon → *work station*
arbeidsstudie → *work study*
arbeidsstyrke → *labo(u)r force, workforce*
arbeidstaker → *employee*
arbeidsterapi → *occupational therapy*
arbeidstillatelse → *work permit*
arbeidstime → *man-hour*
arbeidsuke → *working week*
arbeidsutvalg → *working party*
arbeidsværelse → *study*
areal → *acreage, area*
arena → *arena*
arg → *fierce*
Argentina → *Argentina*
argentiner → *Argentinian*
argentinsk → *Argentinian*
argument → *argument*
argumentasjon → *reasoning*
arie → *aria*
aristokrat → *aristocrat*
aristokrati → *aristocracy*
aristokratisk → *aristocratic*
ark → *sheet*
arkade → *arcade*
arkaisk → *archaic*
arkeolog → *archaeologist*
arkeologi → *archaeology*
arkeologisk → *archaeological*
arkipelag → *archipelago*
arkitekt → *architect*
arkitektonisk → *architectural*
arkitektur → *architecture*
arkiv → *archives, file, record*
arkivar → *archivist, filing clerk*
arkivere → *file, save, store*
arkivering → *filing*
arkivfil → *archive file*
arkivskap → *filing cabinet*
arkmating → *sheet feed*
arm → *arm, jib*
armatur → *fitting*
armbind → *armband*
armbrøst → *crossbow*
armbånd → *bracelet*
armbåndsur → *wristwatch*
Armenia → *Armenia*
armenier → *Armenian*
armensk → *Armenian*
armert betong → *reinforced concrete*
armheving → *press-up*
armhule → *armpit*
armlene → *arm, armrest*
armring → *bangle*
armé → *army*
arnested → *breeding ground*
aroma → *aroma*
aromaterapi → *aromatherapy*
aromatisk → *aromatic*
arpeggio → *arpeggio*
arr → *scar, stigma*
arrangere → *arrange, mount, run*
arrangør → *organizer, promoter*
arrestasjon → *arrest*
arrestere → *arrest*

arrestordre → *warrant*
arret → *scarred*
arrig → *truculent, vicious*
arroganse → *arrogance*
arrogant → *arrogant*
arsenal → *arsenal*
arsenikk → *arsenic*
art → *character, species, strain*
arte seg → *shape up*
arterie- → *arterial*
arterie → *artery*
arteriell → *arterial*
artikkel → *article, entry, item, paper*
artikkelsamling → *digest*
artikulere → *enunciate*
artilleri → *artillery, ordnance*
artillerist → *gunner*
artisjokk → *artichoke*
artist → *artist*
artritt → *arthritis*
arv → *heritage, inheritance*
arve → *come into, inherit*
arvelig → *hereditary*
arvelighet → *heredity*
arverekke → *succession*
arvestykke → *heirloom*
arving → *heir, heiress*
asalea → *azalea*
asbest → *asbestos*
Ascension → *Ascension Island*
ASCII → *ASCII*
asen → *clot*
asfalt → *asphalt, bitumen, tarmac*
asfaltere → *surface, tarmac*
Asia → *Asia*
asiat → *Asian*
asiatisk → *Asian, Asiatic*
asjett → *side plate*
aske → *ash, cinders*
askebeger → *ashtray*
askegrå → *ashen*
askeonsdag → *Ash Wednesday*
Askepott → *Cinderella*
askese → *asceticism*
asketisk → *ascetic*
asosial → *antisocial*
asparges → *asparagus*
aspargesskudd → *asparagus tips*
aspirasjoner → *aspirations*
aspirat → *aspirate*
aspirere → *aspirate*
aspirerende → *would-be*
aspirin → *aspirin*
assemblerspråk → *assembly language*
assimilasjon → *assimilation*
assimilere → *assimilate*
assistanse → *assistance*
assistent → *aide, assistant, deputy*
assisterende direktør → *assistant manager*
assortert → *assorted*
assosiasjon → *association*
assosiere → *associate, implicate*
assurandør → *insurer, underwriter*
asterisk → *asterisk*
asteroide → *asteroid*
astigmatisme → *astigmatism*
astma → *asthma*
astmatiker → *asthmatic*
astmatisk → *asthmatic, wheezy*
astringerende → *astringent*
astrofysikk → *astrophysics*
astrolog → *astrologer*
astrologi → *astrology*
astronaut → *astronaut*
astronom → *astronomer*
astronomi → *astronomy*
astronomisk → *astronomical*
asur(blå) → *azure*
asyl → *asylum*
asymmetrisk → *asymmetrical*
at → *that*
ateisme → *atheism*
ateist → *atheist*
atelier → *studio*
Aten → *Athens*
atener → *Athenian*
Atensk → *Athenian*
atferd → *behaviour, conduct*
atkomstvei → *access road, approach*
atlantisk → *Atlantic*
atlas → *atlas*
atletisk → *athletic*
atmosfære → *atmosphere*
atmosfærisk → *atmospheric*
atoll → *atoll*
atom- → *atomic, nuclear*
atom → *atom*
atombombe → *atom bomb, atomic bomb*
atomvåpenfri → *nuclear-free*
atrofi → *atrophy*
atskille → *dissociate, separate*
atskillelse → *estrangement, separation*
atspredelse → *distraction*
atstadig → *staid*
attaché → *attaché*
atten → *eighteen*
attende → *eighteenth*
attentat → *assassination*
attest → *certificate, testimonial*
attester → *credentials*
attestere → *certify*
attføring → *rehabilitation*
attraksjon → *attraction*
attraktiv → *desirable*
atypisk → *atypical*
au → *ouch*
au pair → *au pair*
aubergine → *aubergine, eggplant*
audiens → *audience*
audio-visuell → *audio-visual*
audiovisuelt hjelpemiddel → *audio-visual aid*
auditorium → *auditorium, lecture hall, theatre*
august → *August*
auksjon → *auction, sale*
auksjonarius → *auctioneer*
auksjonere → *auction*
auksjonslokale → *auction room, saleroom*
aura → *aura*
Australasia → *Australasia*
australasiatisk → *Australasian*
Australia → *Australia*
australier → *Australian*
australsk → *Australian*
autentisk → *authentic*
autistisk → *autistic*
autogen → *oxyacetylene*
autograf → *autograph*
autoimmun → *autoimmune*
autokratisk → *autocratic*
automat → *automat, dispenser, slot machine, vending machine*
automatgevær → *automatic*
automatisere → *automate*
automatisering → *automation*
automatisert → *automated*
automatisk → *automatic, automatically*
automatisk databehandling → *automatic data processing*
automatpistol → *automatic*

automobil → *motorcar*
autonom → *autonomous*
autonomi → *autonomy*
autopsi → *autopsy*
autorisasjon → *authorization*
autorisere → *authorize, certify*
autorisert → *registered*
autoritativ → *authoritative*
autoritet → *authority*
autoritær → *authoritarian*
autovern → *barrier, crash barrier*
av → *by, of, off, with*
avanse → *mark-up*
avansert → *advanced, sophisticated*
avantgardistisk → *avant-garde*
avbestille → *cancel*
avbestilling → *cancellation*
avbetaling → *hire purchase*
avbetalingssystem → *installment plan*
avbilde → *depict, portray*
avbitertang → *wire cutters*
avbrekk → *break*
avbrudd → *break*
avbryte → *abort, break off, disrupt, interrupt, terminate*
avbrytelse → *disruption, interjection, interruption*
avbryter → *cutoff switch, cutout*
avdekke → *expose, uncover*
avdekket → *exposed*
avdeling → *branch, department, detachment, division, section, unit, ward*
avdelings- → *departmental*
avdempet → *restrained, soft*
avdrag → *instalment, payment*
avdramatisere → *defuse*
avduke → *unveil*
aveny → *avenue*
avertere → *advertise*
avertissement → *advertisement*
avfall → *refuse, rubbish, trash, waste*
avfallsbøtte → *rubbish bin*
avfallskvern → *garbage disposal (unit)*
avfallsplass → *dump*
avfallsprodukter → *waste products*
avfeldig → *decrepit*
avferdige → *dismiss*
avfolke → *depopulate*
avfolking → *depopulation*
avfyre → *discharge, fire, set off*
avføde → *engender, spawn*
avføring → *excrement, motion*
avføringsmiddel → *laxative*
avgang → *departure*
avgangselev → *graduate*
avgangshall → *departure lounge*
avgi → *bring in, emit, give off, impart, return*
avgift → *due, duty, fee, levy, rate, tax*
avgiftsbelagt → *excisable*
avgiftsfri → *foc, tax-free*
avgjort → *decided, eminently, emphatically*
avgjøre → *clinch, decide, settle*
avgjørelse → *adjudication, decision*
avgjørende → *cardinal, commanding, conclusive, crucial, deciding, decisive*
avgrense → *bound, delimit*
avgrensing → *demarcation*
avgrunn → *abyss, chasm, gulf, precipice*
avgud → *idol*
av gårde → *off*
avhandling → *dissertation, thesis*
avhending → *realization*
avhenge av → *hang on, rely on*
avhengighet → *addiction, dependence, habit*
avhente → *reclaim*
avhjelpe → *alleviate, remedy*
avholdende → *abstemious*
avholdenhet → *abstinence*
avholdensmann → *teetotaller*
avhopper → *defector*
avhør → *questioning*
avhøre → *debrief*
avhøring → *debriefing*
aviarium → *aviary*
avis → *gazette, newspaper, paper*
avise → *de-ice*
aviser → *de-icer*
avisgutt → *paperboy*
aviskiosk → *kiosk, news stand, paper shop*
avispapir → *newsprint*
avisselger → *newsagent*
avisspråk → *journalese*
avisutklipp → *press clipping*
avkall → *renunciation*
avkastning → *dividend, return, yield*
avkjøle → *chill, cool*
avkjøle seg → *cool, cool down*
avkjølende → *cooling*
avkjølt → *cool*
avkjøring → *exit, exit ramp, turning*
avkjøringsfil → *filter lane*
avklaring → *clarification*
avkobling → *relaxation*
avkom → *offspring, progeny*
avkortet → *truncated*
avkuttet → *truncated*
avlang → *oblong*
avlastningsvei → *relief road*
avle → *breed*
avlede → *deflect, distract, divert, sidetrack*
avledning → *derivative, diversion*
avledningsmanøver → *red herring*
avlegge → *take*
avleggs → *outdated, outmoded*
avleire → *deposit*
avlesing → *reading*
avling → *crop, harvest, procreation*
avlive → *destroy, explode, kill off, put down*
avlshingst → *stud*
avlsreaktor → *breeder*
avlukke → *cubicle*
avluse → *debug, delouse*
avlyse → *call off, cancel*
avlysning → *cancellation*
avlyst → *off*
avlytte → *bug, tap*
avlytting → *wire-tapping*
avløp → *outlet, plughole*
avløpsrør → *drainpipe, waste pipe*
avløse → *relieve, supersede*
avmektig → *impotent*
avmålt → *distant, measured, restrained*
avmålthet → *distance*
av og til → *sometimes*
avokado → *avocado*
avregning → *statement*
avreise → *departure*
avrundet → *rounded*
avsalting → *desalination*
avsats → *landing, ledge*
avse → *spare*
avsender → *sender*
avsette → *depose*
avsi → *bring in, deliver, return*
avsides(liggende) → *outlying, out-of-the-way*
avsides beliggenhet → *remoteness*
avsindig → *cock-eyed, crazed, demented*
avskaffe → *abolish*
avskaffelse → *abolition*
avskjed → *parting*

avskjedige → *dismiss, lay off, shed*
avskjedigelse → *dismissal, lay-off*
avskjær → *trimmings*
avskjære → *cut off, intercept, pre-empt*
avskjæring → *interception*
avskrekke → *deter*
avskrekkende → *forbidding*
avskrive → *discount, write off*
avskrivningsfond → *sinking fund*
avskum → *scum*
avsky → *abhor, detest, disgust, horror, loathe, loathing*
avskyelig → *abhorrent, abominable, abominably, despicable, detestable, disgusting, revolting*
avslag → *discount, reduction, refusal*
avslapning → *relaxation*
avslappende → *relaxing, restful*
avslappet → *casually, laid-back, relaxed*
avslutning → *completion, conclusion, ending, termination*
avslutningsseremoni → *graduation*
avslutte → *adjourn, close, end, finish, finish off, terminate, wind up*
avsluttende → *closing, concluding*
avsløre → *debunk, disclose, expose, find out, reveal, show up, uncover, unmask*
avslørende → *revealing, telltale*
avsløring → *disclosure, exposé, exposure, revelation*
avslå → *decline, refuse, reject, turn down*
avsnitt → *paragraph, squad*
avsondret → *secluded*
avspark → *kick-off*
avspeile → *reflect*
avspenning → *détente*
avsporing → *derailment, deviation*
avstamning → *descent, extraction, stock*
avstand → *distance, mismatch, spacing, split*
avstedkomme → *bring about, spawn*
avstemme → *balance*
avstemning → *ballot, voting*
avstiver → *prop*
avstraffelse → *punishment*
avstøpning → *cast*
avstå → *cede*
avstå fra → *abstain, forego*
avsverge → *recant*
avsøke → *scan*
avta → *decrease, diminish, dwindle, ease, ease off, let up, slacken, subside, tail off, wane*
avtagbar → *detachable*
avtagende → *decreasing, dwindling*
avtale → *agreement, appointment, arrangement, bargain, date, deal, engagement*
avtalebok → *diary*
avtalt → *agreed, given*
avtjene → *serve*
avtrekker → *trigger*
avtrekksvifte → *extractor fan*
avtroppende → *outgoing, retiring*
avtrykk → *impression, imprint, print*
avveining → *trade-off*
avveksling → *change, variety*
avvenne → *wean*
avverge → *avert, fend off, head off, parry*
avvik → *aberration, anomaly, deviation*
avvikende → *anomalous, deviant*
avviker → *freak*
avvise → *disallow, dismiss, rebuff, refute, reject, spurn, turn away*
avvisende → *cool*
avvisning → *rebuff, rejection*
avvæpne → *disarm*
avvæpnende → *disarming*
azteker → *Aztec*
aztekisk → *Aztec*

B

B, b → *B, b*
bable → *babble, gibber*
babord → *port*
babyaktig → *babyish*
back → *back, fullback*
bad → *bath, baths, bathroom*
bade → *bath, bathe*
badebukser → *swimming trunks*
badedrakt → *bathing costume, swimming costume, swimsuit*
badehette → *bathing cap, swimming cap*
badehåndkle → *bath towel*
badekar → *bath, bathtub*
badekåpe → *bathrobe*
badematte → *bath mat*
badende → *bather*
badering → *rubber ring*
badested → *seaside resort*
badevakt → *lifeguard*
bading → *bathing*
badminton → *badminton*
badmintonball → *shuttlecock*
badstue → *sauna*
bag → *bag, bagful, grip, holdall*
bagasje → *baggage, luggage*
bagasjehylle → *luggage rack*
bagasjerom → *boot, trunk*
bagasjeutlevering → *baggage claim*
bagasjevogn → *luggage car, luggage van*
bagatell → *trifle*
bagatellisere → *belittle, minimize, play down*
bagatellmessig → *trifling*
Bagdad → *Baghdad*
Bahrain → *Bahrain*
baissist → *bear*
bajonett → *bayonet*
bak → *backside, behind, bottom, rump*
bakdel → *haunch, posterior*
bake → *bake*
bakenfor → *behind*
bakepulver → *baking powder*
baker → *baker*
bakeri → *bakery, cake shop*
bakerst → *rear*
bakevje → *backwater*
bakgate → *alleyway, back-street*
bakgrunn → *backcloth, background*
bakgrunnsmusikk → *piped music*
bakgård → *backyard*
bakholdsangrep → *ambush*
baking → *baking*
bakke → *ground, hill, rise*
bakke opp → *back up*
bakke ut → *back out, chicken out*
bakkekontroll → *ground control*
bakkelandskap → *down*
bakkestart → *hill start*
bakkestasjon → *tracking station*
bakket(e) → *hilly*
bakke-til-bakke → *surface-to-surface*
bakketopp → *hilltop*
baklengs → *backwards*
baklomme → *hip pocket*
bakluke → *hatchback, tailgate*
baklys → *tail light*
bakover → *backward, backwards*
bakpart → *haunch, hindquarters*
bakrus → *hangover*
bakse → *flounder*
baksete → *back (seat)*

baksetesjåfør → *back-seat driver*
bakside → *back, backing, rear, reverse*
baksidetekst → *blurb*
baksnakking → *backbiting*
bakspeil → *driving mirror, rear-view mirror*
bakst → *baking, batch*
baktaling → *backbiting*
bakteppe → *backcloth*
bakterie → *germ*
bakterier → *bacteria*
bakteriologi → *bacteriology*
bakteriologisk krigføring → *germ warfare*
baktropp → *rearguard*
bakvaske → *vilify*
bakvaskelse → *smear*
bakvaskelseskampanje → *smear campaign*
bakvendt → *topsy-turvy*
balaklava → *balaclava*
balanse → *balance*
balansehjul → *balance wheel*
balansere → *balance*
balansert → *balanced*
baldakin → *canopy*
balje → *basin, bowl*
Balkan- → *Balkan*
balkong → *balcony, circle, dress circle*
ball → *ball, dance*
ballade → *ballad*
ballast → *ballast*
balle → *bale*
balle på seg → *snowball*
baller → *balls*
ballerina → *ballerina*
ballett → *ballet*
ballettdanser → *ballet dancer*
ballistikk → *ballistics*
ballistisk → *ballistic*
ballong → *balloon*
ballongfarer → *balloonist*
ballsal → *ballroom*
balltre → *bat*
balsa → *balsa (wood)*
balsam → *balm, balsam, conditioner*
balsamere → *embalm*
balsatre → *balsa (wood)*
balustrade → *balustrade*
bambus → *bamboo*
bamse → *teddy (bear)*
banal → *banal*
banan → *banana*
bananflue → *fruit fly*
band → *band*
bandasje → *bandage*
bandasjere → *bandage*
banditt → *bandit, thug*
bane → *circuit, course, court, field, ground, lane, line, orbit, path, pitch, racetrack, track, trajectory*
banebryter → *pioneer*
banelagt dekk → *remould*
banelegge → *retread*
banemannskap → *ground staff*
bange anelser → *misgiving*
Bangkok → *Bangkok*
Bangladesh → *Bangladesh*
banjo → *banjo*
bank → *bank, knock, rap*
bankbok → *passbook*
bankboks → *safe-deposit*
banke → *rap, throb*
banke opp → *beat up, duff up*
banke på → *knock*
banke ut → *hammer out*
bankerott → *bankrupt*
bankett → *banquet*
bankgebyr → *bank charges*
bankgiro → *bank giro, giro*
bankier → *banker*
banking → *knocking, throb*
bankkasserer → *teller*
bankkonto → *bank account*
bankkort → *bank card, cheque card*
banklån → *bank loan*
bankremisse → *B/D, bank draft*
banksjef → *bank manager*
bankvesen → *banking*
bankvirksomhet → *banking*
banne → *curse, swear*
banneord → *swearword*
banner → *banner, standard*
bannlyse → *excommunicate, proscribe*
bannord → *oath*
bantamvekt → *bantamweight*
baptist → *Baptist*
bar → *bar, bare, naked, neat, saloon, straight*
Barbados → *Barbados*
barbak → *bareback*
barbarisk → *barbaric, barbarous*
barbe(i)nt → *barefoot*
barberblad → *razor blade*
barbere seg → *shave*
barberer → *barber*
barberhøvel → *razor*
barbering → *shaving*
barberkost → *shaving brush*
barberkrem → *shaving cream*
barbermaskin → *razor, shaver*
barberskum → *shaving foam*
barbersåpe → *shaving soap*
barbert → *shaven*
barbiturat → *barbiturate*
Barcelona → *Barcelona*
bardisk → *bar*
bardun
guy
bare → *but, just, merely, only*
barhodet → *bareheaded*
bariumgrøt → *barium meal*
bark → *bark*
barkrakk → *bar stool*
barlind → *yew*
barmann → *barman*
barmfager → *busty*
barmhjertig → *charitable, merciful*
barmhjertighet → *charity, clemency, mercy*
barmhjertighetsdrap → *euthanasia, mercy killing*
barn → *baby, child, children, infant*
barnaktig → *childlike, puerile*
barndom → *childhood*
barnebarn → *grandchild, granddaughter, grandson*
barnebegrensning → *birth control*
barnedåp → *christening*
barnehage → *crèche, nursery school*
barnehjem → *children's home, orphanage*
barnelege → *paediatrician*
barnepleier → *nurse*
barnerim → *nursery rhyme*
barnerom → *nursery*
barneseng → *cot*
barneskole → *primary school*
barnestol → *high chair*
barnesykdommer → *teething troubles*
barnevakt → *baby-sitter, minder*
barnevogn → *baby carriage, pram*
barneværelse → *nursery*
barnlig → *childlike*
barnløs → *childless*
barnslig → *childish, infantile, juvenile, puerile*
barometer → *barometer*

baron → *baron*
baronesse → *baroness*
baronett → *baronet*
barpike → *barmaid*
barre → *ingot*
barrer → *bullion*
barrikade → *barricade*
barrikadere → *barricade*
barselpermisjon → *maternity leave*
barsk → *harsh, inhospitable, rough, rugged, wild*
barskap → *cocktail cabinet*
barskhet → *roughness*
bart → *moustache*
bartender → *barman, bartender*
bartre → *conifer*
baryton → *baritone*
basar → *bazaar, raffle*
base → *base*
Basel → *Basle*
BASIC → *BASIC*
basilikum → *basil*
basill → *bug, germ*
basis → *basis, foundation*
basisrente → *base rate*
basker → *Basque*
basketak → *bust-up, rough-and-tumble, tussle*
baskisk → *Basque*
basmatiris → *basmati rice*
bass → *bass*
basseng → *basin, pool*
bassnøkkel → *bass clef*
bastant → *hefty*
bastard → *mongrel*
bastion → *bastion*
bataljon → *battalion*
batteri → *battery*
batteridrift → *battery farming*
batterilader → *battery charger, charger*
baud → *baud*
baufil → *hacksaw*
baug → *bow, prow*
bauksitt → *bauxite*
bavian → *baboon*
Bayern → *Bavaria*
bayersk → *Bavarian*
bayrer → *Bavarian*
bazooka → *bazooka*
be → *ask, pray*
be om → *ask for, beg*
be ut → *invite out*
beagle → *beagle*
bearbeide → *adapt, process, work on*
bearbeiding → *processing*
bebo → *inhabit, occupy*
beboelig → *habitable*
beboer → *dweller, inhabitant, occupant, occupier, resident*
bebreide → *reprove, upbraid*
bebreidelse → *reproach, reproof*
bebreidende → *reproachful, reproving*
bebrillet → *bespectacled*
bebude → *foreshadow*
bebygd → *built-up*
bebyrde → *beset*
bebyrdet → *harried*
bed → *bed, border*
bedagelig → *dilatory, leisurely*
bedende → *appealing*
bederve → *taint*
bedervelig → *perishable*
bedervelige matvarer → *perishables*
bedra → *cheat on*
bedrag → *deception*
bedrager → *cheat, impostor*
bedrageri → *deceit, fraud*
bedragersk → *deceitful, fraudulent, tantalizing*
bedre → *better*
bedre seg → *improve, pick up*
bedreviter → *know-all*
bedrift → *business, deed, exploit*
bedring → *cure, recovery*
bedrøvelig → *miserable, miserably, rubbishy, sorry*
bedrøvelse → *sadness*
bedrøvet → *rueful, woeful*
bedugget → *sozzled, tipsy*
bedømme → *gauge, judge*
bedøve → *dope*
bedøvelse → *gas*
bedøvelsesmiddel → *anaesthetic*
befalende → *commanding, imperious*
befaling → *command*
befalshavende → *commanding officer*
befatning → *dealings*
befeste → *cement, fortify, reassert*
befestet → *walled*
befestet område → *fortress*
befestning → *fortification*
befolkning → *population*
befolkningseksplosjon → *population explosion*
befordringsmiddel → *conveyance*
befrakter → *shipping agent*
befri → *deliver, liberate, release*
befrielse → *deliverance, release, reprieve*
befrukte → *fertilize*
befruktning → *fertilization*
begavelse → *gift, talent*
begavet → *gifted, talented*
begeistre → *enthuse, thrill*
begeistret → *enthusiastic, excited, rapturous*
begeistring → *enthusiasm, excitement*
beger → *beaker, tub*
begge → *both, either*
begge deler → *both*
begge to → *both*
begi seg av sted → *strike out*
begivenhet → *event, occasion, occurrence, proceedings*
begivenhetsløs → *uneventful*
begivenhetsrik → *eventful*
begjær → *desire, greed, lust*
begjære → *covet, desire, lust after*
begjæring → *petition*
begjærlig → *greedily*
begravd → *embedded*
begrave → *bury*
begravelse → *burial, funeral, funeral service*
begravelsesbil → *hearse*
begravelsesbyrå → *funeral parlour*
begravelsesfølge → *cortège*
begredelig → *funereal, glum, miserable, pitiful*
begrense → *circumscribe, contain, curtail, limit, restrict*
begrenset → *limited, scarce*
begrens(n)ing → *constraint, limitation, restriction*
begrep → *concept*
begripe → *apprehend, comprehend*
begrunnelse → *rationale, reasoning*
begunstiget → *beneficiary*
begynne → *begin, commence, open, start*
begynne i {or} med → *enter (up)on, take up*
begynnelse → *beginning, dawn, inception, onset, opening, outset, start*
begynnende → *incipient*
begynnerbakke → *nursery slope*
begå → *commit, perpetrate*
behage → *humour*
behagelig → *agreeable, comfortable, comfortably, palatable, pleasant, pleasantly*
behandle → *deal with, discuss, handle, hear, process, treat*
behandling → *handling, processing, treatment*
behendig → *adroit, adroitly*

beherske → *check, contain, master, restrain*
beherskelse → *command, control, mastery, restraint*
behersket → *restrained, self-possessed*
beholde → *detain, hold down, keep, maintain, retain*
beholder → *container, cylinder, receptacle*
behov → *need, requirement, want*
behovsprøvd → *means-tested*
behovsprøving → *means test*
behørig → *due*
behøve → *need*
beige → *beige*
Beijing → *Beijing*
beile til → *court*
be(i)n → *bone, hock, leg*
be(i)ne ut → *bone*
be(i)net(e) → *bony*
be(i)nplass → *leg-room*
be(i)nporselen → *bone china*
-be(i)nt → *-legged*
Beirut → *Beirut*
beis → *stain*
beise → *stain*
beite → *browse, graze*
beitemark → *grazing, pasture*
beiteområde → *grazing*
bekjempe → *combat, fight, fight off*
bekjent → *acquaintance*
bekjentgjøre → *announce, promulgate*
bekjentskap → *acquaintance*
bekk → *brook, creek, stream*
bekken → *bedpan, cymbals, pelvis*
beklage → *deprecate, regret*
beklage seg over → *bemoan, bewail, lament*
beklagelig → *lamentable, regrettable, regrettably, unfortunate*
beklagende → *regretfully*
bekle → *line*
bekrefte → *acknowledge, affirm, bear out, certify, confirm, corroborate, reaffirm, testify*
bekreftelse → *affirmation, confirmation, reassurance, verification*
bekreftende → *affirmative*
beksel → *bridle*
beksle → *bridle*
beksvart → *pitch-black*
bekvem → *comfortable*
bekvemmelighet → *comfort, ease*
bekvemmeligheter → *comfort, creature comforts*
bekvemt → *conveniently*
bekymre → *bother, concern, trouble, worry*
bekymre seg → *bother, fret, worry*
bekymret → *anxiously, troubled, worried*
bekymring → *care, concern, fear, trouble, worry*
bekymringsfull → *anxious, worrying*
belastet → *rough*
belastning → *drain, liability, strain*
belastningsskade → *strain*
belegg → *coating, facing, fur, lining, plaque*
beleilig → *convenient, conveniently, opportune, timely*
beleire → *besiege*
beleiret → *beleaguered*
beleiring → *siege*
belest → *well-read*
beleven → *debonair, suave, urbane*
belevenhet → *savoir-faire*
belg → *pod, bellows*
belgfrukt → *pulse*
Belgia → *Belgium*
belgier → *Belgian*
belgisk → *Belgian*
beliggenhet → *situation*
Belize → *Belize*
belte → *belt*
belteveske → *bumbag*
belyse → *illuminate, light*
belysning → *illumination, lighting*
belærende → *patronizing*
belønne → *reward*
belønning → *reward*
beløp → *amount*
belåne → *mortgage*
bemanne → *man, staff*
bemektige seg → *commandeer, usurp*
bemerke → *note, observe, remark*
bemerkelsesverdig → *notable, noteworthy, remarkable*
bemerkning → *observation, remark*
bemidlet → *moneyed*
bemyndigelse → *authority*
bendelorm → *tapeworm*
benekte → *deny, gainsay, repudiate*
benektelse → *denial*
Benelux(landene) → *Benelux*
benevne som → *term*
benk → *bench*
benmarg → *bone marrow*
bensin → *gas, gasoline, juice, petrol*
bensinbombe → *petrol bomb*
bensingodtgjørelse → *mileage allowance*
bensinkanne → *petrol can*
bensinmotor → *petrol engine*
bensinpumpe → *fuel pump, petrol pump*
bensinstasjon → *filling station, garage, gas station, petrol station, service station*
bensintank → *fuel tank, petrol tank*
bent fram → *positively*
benytte seg av → *advantage*
benåde → *pardon, reprieve*
benådning → *pardon, reprieve*
Beograd → *Belgrade*
beordre → *order*
beplante → *plant*
beplantning → *plantation*
beramme → *schedule*
berammet → *scheduled*
beredt → *ready*
beregne → *allow, assess, calculate, estimate, plot, project, reckon*
beregne(t) → *est.*
beregnende → *calculating*
beregnet → *intended*
beregning → *assessment, calculation, estimate, extrapolation, projection, reckoning*
beret → *beret*
beretning → *account, narrative, report*
berette → *narrate, recount, relate*
berette om → *recount*
berettigelse → *justice, justification, legitimacy*
berettiget → *just, justifiable, legitimate*
berge → *salvage, save*
berging → *salvage*
bergingsfartøy → *salvage vessel*
bergingstjeneste → *breakdown service*
berg-og-dal-bane → *big dipper, roller coaster*
bergta → *captivate, rivet*
berike → *enrich*
beriktige → *rectify*
Berlin → *Berlin*
berlinerbolle → *doughnut*
berme → *rabble*
Bermuda → *Bermuda*
bermudashorts → *Bermuda shorts*
Bern → *Bern*
berolige → *appease, calm down, pacify, reassure, soothe*
beroligelse → *reassurance*
beroligende → *reassuring, restful, soothing*
beroligende (middel) → *downer*
beroligende middel → *sedative, tranquillizer*
berusende → *heady*

beruset → *high, inebriated, intoxicated*
beryktet → *disreputable, infamous, notorious*
beryktethet → *notoriety*
berømmelse → *fame*
berømt → *famous, noted, renowned*
berømthet → *celebrity, fame*
berøre → *affect, concern, touch, touch on*
berøring → *touch*
berøvelse → *deprivation*
besatt → *obsessive*
besegle → *seal*
beseire → *conquer, defeat*
besetning → *cast, complement, crew, stock, trim*
besette → *fill, possess*
besettelse → *disease, obsession*
besiktige → *survey*
besiktigelse → *survey*
besittelse → *keeping, possession, tenure*
besk → *acrid, acrimonious*
beskadige → *mutilate*
beskadigelse → *breakage*
beskaffenhet → *complexion*
beskatning → *taxation*
beskatte → *tax*
beskjed → *message*
beskjeden → *demure, frugal, humble, lowly, moderate, modest, unassuming*
beskjedenhet → *modesty*
beskjedent → *modestly*
beskjeftigelse → *occupation*
beskjemmet → *sheepish*
beskjære → *cut back, prune*
beskrive → *delineate, describe*
beskrivelse → *description*
beskrivende → *descriptive*
beskyldning → *accusation, allegation, recrimination*
beskyte → *shell, strafe*
beskytte → *safeguard*
beskytte seg mot → *ward off*
beskyttelse → *safeguard, shield*
beskyttelseskrem → *barrier cream*
beskyttelsesplate → *guard*
beskyttelsesutstyr → *riot gear*
beskyttende → *protective*
beskytter → *patron, protector*
beskyttet → *sheltered*
beskyttet atmosfære {or} verden → *cocoon*
beslaglegge → *confiscate, impound, seize, sequestrate*
beslagleggelse → *confiscation, seizure*
beslektet → *allied*
beslutning → *decision, resolve*
besluttsom → *decisive*
besluttsomhet → *decision, determination, resolution*
beslå → *furl*
besmittet → *tainted*
besnærende → *alluring, beguiling*
bespottelig → *profane*
best → *best*
bestand → *population*
bestanddel → *constituent, ingredient*
bestandig → *invariably, permanently*
bestefar → *granddad, grandfather*
besteforeldre → *grandparents*
bestemme → *decide, determine, dictate, finalize, ordain*
bestemme seg → *decide*
bestemme seg for → *plump for, settle on*
bestemmelse → *determination, regulation*
bestemmelsessted → *destination*
bestemor → *grandma, grandmother, granny*
bestemt → *decided, decidedly, decisive, definite, definitely, determined, emphatic, firm, firmly, particular, resolute, specifically*
bestemthet → *decision*
bestialsk → *bestial, brutish*
bestige → *ascend, mount*
bestigning → *ascent*
bestikk → *cutlery*
bestikke → *bribe*
bestikkelse → *bribe, bribery, graft*
bestikkelsesfond → *slush fund*
bestille → *book, book up, commission, order, reserve*
bestille time → *appointment*
bestilling → *booking, order, reservation*
bestillingsnummer → *order number*
bestillingsskjema → *order form*
bestrebelse → *endeavour*
bestride → *challenge, contest, dispute, impugn*
bestselger → *bestseller*
bestyrer → *warden*
bestyrke → *strengthen*
bestyrte → *dismay*
bestyrtelse → *consternation, dismay*
bestøve → *pollinate*
bestå → *pass*
bestå av → *comprise*
besudle → *besmirch*
besvare → *answer*
besvarelse → *test paper*
besvime → *black out, faint*
besvimelse → *faint*
besvær → *bother, harshness, inconvenience*
besværlig → *arduous, laborious, painful, thorny, trying*
besynderlig → *baffling, extraordinary, singular, uncanny*
besøk → *call, visit*
besøke → *visit*
besøkende → *visiting, visitor*
beta → *captivate*
betagende → *ravishing*
betale → *discharge, pay, pay off, pay up, settle*
betale for → *pay for*
betale inn → *pay in*
betale ned → *pay back*
betale seg → *pay off*
betale tilbake → *pay back, reimburse, repay*
betalende → *paid-up*
betalende gjest → *paying guest*
betaling → *charge, pay, payment*
betalingsdyktig → *solvent*
betalingsevne → *solvency*
betalingsfjernsyn → *PTV*
betalings-TV → *PTV*
betalingsudyktig → *insolvent*
betalingsudyktighet → *insolvency*
betalt → *pd, rec'd*
betalt på forskudd → *prepaid*
bete → *beet*
betegne → *denote, label, signify*
betegnelse → *designation, epithet*
betenkelighet → *qualm*
betennelse → *inflammation*
betent → *inflamed*
betimelig → *timely*
betingelse → *condition, parameter, proviso, requirement, specification, stipulation, term*
betingelsesløs → *unconditional*
betinget → *conditional, qualified*
betinget benådning → *parole*
betjene → *operate, serve, work*
betjening → *control, operation, staff*
betjent → *attendant, officer, trooper*
Betlehem → *Bethlehem*
betong → *concrete*
betongblander → *concrete mixer*
betrakte → *consider, contemplate, regard, survey, view, watch*
betraktelig → *considerable, considerably, substantially*
betro seg → *open up*
betrodd → *trusted*

betroelse → *confidence*
betryggende → *reassuring*
betvile → *question*
bety → *matter, mean, signify, spell*
betydelig → *appreciable, considerable, considerably, grossly, importantly, significantly, substantial, substantially*
betydning → *eminence, greatness, importance, magnitude, meaning, sense, significance*
betydningløs → *inconsequential*
betydningsfull → *important, momentous, significant, weighty*
beundre → *admire*
beundrende → *admiring*
beundrer → *admirer*
beundring → *admiration*
beundringsverdig → *admirable*
bevare → *conserve, perpetuate, preserve, retain*
bevaring → *preservation, retention*
bevege → *affect, move*
bevege seg → *move, travel*
bevegelig → *moving*
bevegelse → *action, gesture, motion, move, movement*
bevegelses- → *kinetic*
bever → *beaver*
bevilge → *accord, grant*
bevilgning → *appropriation*
bevilling → *licence*
bevis → *evidence, proof*
bevise → *prove*
bevisgjenstand → *exhibit*
bevisst → *aware, calculated, conscious, deliberate, deliberately, intentional, knowingly, wilful*
bevissthet → *awareness, consciousness*
bevisstløs → *insensible, senseless, unconscious*
bevisstløshet → *blackout, oblivion, unconsciousness*
bevokte → *guard*
bevoktning → *guard*
bevæpne → *arm*
bevæpnet → *armed*
beære → *grace*
bh → *bra*
bi- → *bi..., supporting*
biavl → *beekeeping*
bibeholdelse → *retention*
Bibel → *Bible*
bibelsk → *biblical*
bibetydning → *connotation*
bibliografi → *bibliography*
bibliotek → *library*
bibliotekar → *librarian*
biblioteksbok → *library book*
biceps → *biceps*
bidra → *subscribe*
bidrag → *contribution, entry, subscription*
bidragsyter → *contributor*
bidé → *bidet*
bie → *bee*
bieffekt → *spin-off*
bielv → *tributary*
bifall → *acclamation, applause, plaudits*
bifalle → *applaud*
bifallende → *approvingly*
biff → *steak*
biffburger → *beefburger*
bifil → *AC/DC*
bifokale briller → *bifocals*
bigami → *bigamy*
bigamist → *bigamist*
bigamistisk → *bigamous*
bigott → *bigot, bigoted*
bigotteri → *bigotry*
bihule → *sinus*
bijobb → *sideline*
bijouteri → *costume jewellery*
bikake → *honeycomb*
bikini → *bikini*
bikke → *topple*
bikube → *beehive, hive*
bil → *auto, automobile, car*
bilag → *insert, supplement*
bilateral → *bilateral*
bilbombe → *car bomb*
bilbrukstyv → *joyrider*
bilbølle → *roadhog*
bilbås → *car port*
bilde → *image, picture, print, scene, snap*
bildebånd → *film-strip*
bildetekst → *caption*
bildetelefon → *videophone*
bilferge → *car-ferry*
bilisme → *motoring*
bilist → *driver, motorist*
biljard → *billiards*
bilkirkegård → *scrap yard*
bilkortesje → *motorcade*
bille → *beetle*
billedbok → *picture book*
billedbruk → *imagery*
billedelement → *pixel*
billedhugger → *sculptor*
billedhugging → *sculpture*
billedlig → *figurative*
billett → *ticket*
billett merket → *box number*
billettfunksjonær → *ticket collector*
billetthai → *(ticket) tout*
billettkontor → *booking office, box office, ticket agency, ticket office*
billettkontrollør → *ticket inspector*
billettluke → *box office*
billig → *cheap, cheaply*
billigere → *cheaper*
billion → *billion*
billøp → *motor racing, rally*
bilnummer → *registration number*
bilutleie → *car hire, car rental*
bilvask → *car wash*
bind → *blindfold, sanitary towel, tome, volume*
binde → *bind, knot, rope, tie down, tie up*
binde inn → *bind*
binde opp → *train, truss (up)*
binde på → *tie on*
bindehinnebetennelse → *conjunctivitis*
bindende → *binding*
binders → *clip, paper clip*
bindestrek → *hyphen*
binding → *bondage, fixation*
bindingsverks- → *half-timbered*
bingo → *bingo*
binnsåle → *insole*
binær → *binary*
bio → *bio...*
biofysikk → *biophysics*
biograf → *biographer*
biografi → *biography, memoir*
biografisk → *biographic(al)*
biokjemi → *biochemistry*
biolog → *biologist*
biologi → *biology*
biologisk → *biological*
biologisk klokke → *biological clock*
biologisk mangfold → *biodiversity*
biologisk nedbrytbar → *biodegradable*
biopsi → *biopsy*
biosfære → *biosphere*
bioteknologi → *biotechnology*
biprodukt → *by-product*
birolle → *bit part*

bisam → *musquash*
bisamrotte → *muskrat, musquash*
bisarr → *bizarre*
biseksuell → *AC/DC, bisexual*
bisettelse → *funeral service*
biskop → *bishop*
biskoppelig → *episcopal*
bislag → *porch*
bisle → *bridle*
bison(okse) → *buffalo*
bispedømme → *diocese*
bispelue → *mitre*
bispesete → *see*
bissel → *bit, bridle*
bistand → *aid*
bistro → *bistro*
bistå → *aid*
bit → *bit, bite, chunk, morsel, scrap*
bit for bit → *piecemeal*
bite → *bite, chew*
bitende → *acrid, astringent, biting, caustic, cutting, scathing, vitriolic*
bitering → *teething ring*
bitt → *bit, bite*
bitteliten → *minuscule*
bitter → *acerbic, acrid, acrimonious, bitter*
bitterhet → *acrimony, bitterness, rancour*
bittersøt → *bittersweet*
bittert → *bitterly*
bivirkning → *side effect*
bivuakk → *bivouac*
bjeffe → *bark*
bjeffing → *bark*
bjelke → *beam, joist*
bjelle → *bell*
bjørk → *birch*
bjørn → *bear*
bjørnebær → *blackberry*
bla → *browse*
bla gjennom → *thumb through*
bla i → *leaf through*
black belt → *black belt*
blackout → *blackout*
blad → *blade, leaf, magazine*
bladgull → *gold leaf*
blading → *flick*
bladlus → *aphid, greenfly*
bladrik → *leafy*
bladverk → *foliage*
blaff → *blip, flicker*
blafre → *flap, flicker*
B-lag → *reserve team*
blakk → *broke, hard up*
blakke → *cloud*
blande → *mix, mix up, toss*
blande i → *mix in*
blande med → *compound*
blande opp → *adulterate*
blande sammen → *blend, jumble, mix, mix up, muddle*
blande seg → *merge*
blande seg inn → *intervene*
blande seg med → *blend*
blande ut → *dilute, reconstitute*
blandebatteri → *mixer tap*
blandet → *mixed*
blandevann → *mixer*
blanding → *amalgam, blend, concoction, mix, mixture*
blandingshund → *mongrel*
blandingsøkonomi → *mixed economy*
blank → *blank, flat, glossy, resolute, shiny, sleek*
blank i øynene → *misty-eyed*
blankosjekk → *blank cheque*
blankpusse → *burnish*
blankslitt → *bald*
blankt → *flatly, point-blank*
blant → *among(st)*
blasert → *blasé*
blasfemi → *blasphemy*
blasfemisk → *blasphemous*
blass → *insipid, wishy-washy*
blautfisk → *pansy*
blazer → *blazer, sports jacket*
bleie → *diaper, nappy*
bleieinnlegg → *nappy liner*
bleieutslett → *nappy rash*
blek → *pale, wan*
blek om nebbet → *peaky*
bleke → *bleach*
blekemiddel → *bleach*
bleket → *bleached*
blekhet → *paleness, pallor*
blekk → *ink*
blekke → *rag*
blekkskriver → *ink-jet printer*
blekksprut → *cuttlefish, octopus*
blekksvart → *inky*
blekne → *blanch, pale*
blemme → *blister*
blende → *blind, dazzle*
blende ned → *dip*
blendende → *dazzling*
blenderknapp → *dip switch*
blenderåpning → *aperture*
blending → *blackout*
blendverk → *will-o'-the wisp*
blest → *hype*
bli → *be, become, come, get, stay*
bli borte → *disappear, vanish*
bli ferdig → *finish*
bli igjen → *remain, stay behind, wait behind*
bli med → *accompany, come in, join in*
bli til → *turn into*
blid → *gentle*
blidgjøre → *placate, sweeten*
blikk → *gaze, glance, look, tin*
blind → *blind, unquestioning*
blind date → *blind date*
blind flekk → *blind spot*
blind forelskelse → *infatuation*
blinde → *blind*
blindemann → *dummy*
blindeskrift → *Braille*
blindgate → *cul-de-sac, dead end*
blindhet → *blindness*
blindpassasjer → *stowaway*
blindspor → *blind alley*
blindt → *blindly*
blindtarm → *appendix*
blindtarmsbetennelse → *appendicitis*
blindvei → *cul-de-sac, dead end*
blings → *hunk*
blingset(e) → *cross-eyed*
blink → *bull's-eye, flicker*
blinke → *blink, flash, wink*
blinke med → *flash*
blinklys → *flasher, indicator*
blits → *flash*
blitskube → *flashcube*
blitspære → *flashbulb*
blitsterning → *flashcube*
blivende → *abiding*
blod → *blood*
blod (og gørr) → *gore*
blodbad → *bloodbath, carnage*
blodbank → *blood bank*
bloddryppende → *gory*
blodfattig → *anaemic*
blodflekket(e) → *bloodstained*

blodforgiftning → *blood poisoning, septicaemia*
blodgiver → *blood donor, donor*
blodgruppe → *blood group*
blodhevn → *vendetta*
blodhund → *bloodhound*
blodig → *bloody, gory*
blodkar → *blood vessel*
blodkreft → *leukaemia*
blodlegeme → *corpuscle*
blodløs → *bloodless*
blodmangel → *anaemia*
blodmidd → *tick*
blodomløp → *bloodstream*
blodoverføring → *blood transfusion, transfusion*
blodpropp → *thrombosis*
blodprøve → *blood test*
blodskutt → *bloodshot*
blodsuger → *leech*
blodsukker → *blood sugar*
blodsutgytelse → *bloodletting, bloodshed*
blodtelling → *blood count*
blodtrykk → *blood pressure*
blodtype → *blood group, blood type*
blodtørstig → *bloodthirsty*
blodåre → *vein*
blokade → *blockade*
blokk → *bloc, block, brick, pad*
blokkavstemning → *block vote*
blokkbokstaver → *block capitals*
blokkere → *block, blockade, jam, obstruct, stonewall*
blokkering → *log jam, obstruction*
blokkfløyte → *recorder*
blokkpost → *signal box*
blomkål → *cauliflower*
blomst → *bloom, blossom, flower*
blomsterbed → *flower bed*
blomsterbutikk → *florist's (shop)*
blomsterert → *sweet pea*
blomsterforretning → *florist's (shop)*
blomsterhandler → *florist*
blomsterkasse → *window box*
blomsteroppsats → *arrangement*
blomsterpotte → *flowerpot, plant pot*
blomstre → *bloom, blossom, flourish, flower, prosper*
blomstre opp → *burgeon, revive*
blomstrende → *flourishing, thriving*
blomstret(e) → *floral, flowery*
blond → *blond(e)*
blonde → *frill*
blonde- → *lacy*
blonder → *lace*
blondeveving → *lacemaking*
blotte → *bare*
blotter → *flasher*
blotting → *indecent exposure*
blund → *nap, snooze*
blunde → *snooze*
blunk → *wink*
blunke → *blink, wink*
blunking → *wink*
bluse → *blouse*
blusse opp → *flare up*
bly → *lead*
blyant → *pencil*
blyantspisser → *pencil sharpener, sharpener*
blyforgiftning → *lead poisoning*
blyfri → *lead-free, unleaded*
blyg → *bashful, coy*
blygrå → *leaden, livid*
blyholdig → *leaded*
blykølle → *blackjack*
blytilsatt → *leaded*
blytung → *leaden*
blære → *bladder, show-off*
blære seg → *swank*
blærebetennelse → *cystitis*
blærehalskjertel → *prostate*
blæremanet → *Portuguese man-of-war*
blø → *bleed*
blødende magesår → *perforated ulcer*
blødning → *haemorrhage*
bløff → *bluff, humbug*
bløffe → *bluff*
bløffmaker → *fake, phoney*
bløt → *mushy, soft, soggy*
bløtdyr → *mollusc*
bløte opp → *reconstitute*
bløtemiddel → *softener*
bløtgjøringsmiddel → *water softener*
bløthjertet → *soft-hearted*
bløtkake → *cream cake*
bløtkokt → *soft-boiled*
bløtlegge → *steep*
bløtt vann → *soft water*
blå → *blue*
blåklokke → *bluebell*
blåkopi → *carbon copy*
blåmerke → *bruise*
blåmuggost → *blue cheese*
blåpapir → *carbon paper*
blåplomme → *damson*
blårød → *purple*
blåse → *blow*
blåse av → *blow off, pooh-pooh*
blåse i → *blow, sound*
blåse ned → *blow down*
blåse opp → *blow up, inflate, puff out*
blåse over → *blow over*
blåse ut → *blow out*
blåse vekk {or} bort → *blow away*
blåseinstrument → *wind instrument*
blåselampe → *blowlamp*
blåsende → *breezy, gusty*
blåse opp → *hype*
blåøyd → *starry-eyed*
BMX-sykkel → *BMX*
bo → *dwell, estate, live, stay*
bo i → *inhabit*
bo sammen → *live together*
boardingkort → *boarding pass*
bobestyrer → *official receiver, trustee*
bobil → *camper, recreational vehicle*
boble → *balloon, bubble*
boble over → *bubble*
boblebad → *jacuzzi*
boblende → *bubbly*
bobletyggegummi → *bubble gum*
bobsleigh → *bobsleigh*
bod → *booth, stall, stand, storeroom*
body → *body stocking*
body-building → *body-building*
boggi → *bogie*
Bogota → *Bogotá*
boikott → *boycott*
boikotte → *black, boycott*
bok → *book, quire, volume*
bokfink → *chaffinch*
bokføring → *book-keeping*
bokført verdi → *book value*
bokhandel → *bookshop*
bokhandler → *bookseller*
bokholder → *accountant*
bokholderi → *accountancy*
bokhylle → *bookcase, bookshelf*
bokmerke → *marker*
bokreol → *bookcase*
boks → *booth, can, canister, pot, tin*
bokse- → *tinned*

bokse → *box, spar*
bokse mot → *box*
boksehansker → *boxing gloves*
bokser → *boxer*
boksering → *boxing ring*
boksing → *boxing*
boksjekk → *book token*
bokstav → *character, letter*
bokstavelig → *literal*
bokstavelig talt → *literally*
bokstavgåte → *anagram*
bokstavord → *acronym*
bokstøtter → *book ends*
boksåpner → *can opener, tin opener*
boktrykk → *letterpress*
boktrykkerkunst → *printing*
bol → *nest*
bolig → *dwelling, habitation, housing, residence*
boligfelt → *estate*
boligforhold → *housing, housing conditions*
boligkompleks → *housing development, housing estate*
boliglån → *home loan, mortgage*
boligområde → *estate, housing development, housing estate*
Bolivia → *Bolivia*
bolivianer → *Bolivian*
boliviansk → *Bolivian*
bolle → *basin, bowl, bun*
bolt → *bolt, pin*
bolte → *bolt*
boltre seg → *romp*
bom → *gate, miss, spar*
bomavgift → *toll*
bombardement → *bombardment*
bombardere → *bombard*
bombastisk → *bombastic*
bombe → *bomb, bombshell*
bombefly → *bomber*
bombemann → *bomber*
bombet → *shambolic*
bombing → *bombing*
bomme → *miss, scrounge*
bomme på → *miss*
bommert → *blunder*
bompenger → *toll*
boms → *bum*
bomull → *cotton, cotton wool*
bomullsdott → *swab*
bomullsflanell → *flannelette*
bomullslerret → *calico*
bomvei → *toll road*
bona fide → *bona fide*
bonde → *farmer, pawn, peasant*
bondefangeri → *confidence trick*
bondegård → *farm*
bondeknøl → *hick*
bonderomantisk → *rustic*
bone → *polish, wax*
bonevoks → *polish*
Bonn → *Bonn*
bonus → *bonus, no-claims bonus, premium*
boom → *boom*
boomerang → *boomerang*
booster → *booster*
bopel → *domicile*
bor → *bit, drill*
bord → *board, border, edging, table*
borddekorasjon → *centrepiece*
bordell → *brothel*
bordlampe → *table lamp*
bordsalt → *table salt*
bordsetning → *sitting*
bordskåner → *tablemat*
bordtennis → *table tennis*
bordvin → *table wine*
bore → *bore, drill*
borerigg → *drilling rig*
boretårn → *derrick, drilling rig*
borg → *castle, stronghold*
borger → *citizen*
borger- → *civic*
borgerkrig → *civil war*
borgerlig → *bourgeois*
borgermester → *mayor*
borgermesterfrue → *mayoress*
borgerrettigheter → *civil liberties, civil rights*
borgervern → *vigilante*
borggård → *courtyard*
boring → *drilling*
Borneo → *Borneo*
borrelås → *Velcro*
borstål → *bit*
bort → *away*
borte → *away, missing*
bortekamp → *away game*
bortenfor → *beyond*
borterst (i) → *far*
bortfalle → *lapse*
bortforklare → *explain away*
bortføre → *abduct, snatch*
bortførelse → *abduction*
bortgang → *demise*
bortgjemt → *secluded*
bortkommen → *lost*
bortsett fra → *aside from, save*
bortskjemt → *spoilt*
bortvisning → *expulsion*
borvinde → *brace*
bosatt → *resident*
bosetting → *settlement*
Bosnia → *Bosnia*
bosnier → *Bosnian*
bosnisk → *Bosnian*
boss → *gaffer, supremo*
bosted → *dwelling*
bot → *atonement, fine, forfeit*
botaniker → *botanist*
botanikk → *botany*
botanisk → *botanical*
botemiddel → *antidote*
botid → *residence*
Botswana → *Botswana*
botulisme → *botulism*
bouquet → *bouquet*
Bourgogne → *Burgundy*
boutique → *boutique*
bowler → *bowler*
bowlerhatt → *bowler*
bowling → *bowling, tenpin bowling*
bowlinghall → *bowling alley*
B-post → *second-class*
bra → *all right, fine, good, high*
bragd → *feat*
braisere → *braise*
brak → *crash, smash*
brakk- → *brackish*
brakk → *fallow*
brakke → *barracks*
brakkmark → *wasteland*
brann → *blaze, fire*
brannalarm → *fire alarm*
brannbil → *fire engine*
branndør → *fire door*
brannete katt → *tabby*
brannfare → *fire hazard*
brannfarlig → *inflammable*
brannforsikring → *fire insurance*
brannforskrifter → *fire regulations*
brannhydrant → *fire hydrant, hydrant*

brannmann → *fireman*
brannsikker → *fireproof*
brannsikkert teppe → *safety curtain*
brannsjef → *fire chief, marshal*
brannslukkingsapparat → *fire extinguisher*
brannslukningsapparat → *extinguisher*
brannstasjon → *fire station*
brannstiftelse → *arson*
brannstige → *fire escape*
branntrapp → *fire escape*
brannvesen → *FD, fire brigade*
brannøvelse → *fire drill*
bransje → *business, line, trade*
bransjehemmelighet → *trade secret*
brase → *smash*
brase inn i → *plough into*
Brasil → *Brazil*
Brasilia → *Brasilia*
brasilianer → *Brazilian*
brasiliansk → *Brazilian*
brassband → *brass band*
bratsj → *viola*
bratt → *precipitous, steep, steeply*
bratteng → *escarpment*
braute → *bluster*
brautende → *blustering, boastful, bumptious, loud-mouthed, ostentatious*
brauting → *bluster*
bravo → *bravo*
bravur → *panache*
brd → *Bros.*
bre → *glacier, spread*
bre seg → *spread*
bre seg utover → *sprawl, spread out, straggle*
breakdans → *break-dancing*
bred → *broad, wide*
bred skildring → *tapestry*
bredd → *bank, edge*
bredde → *breadth, wideness, width*
breddegrad → *latitude, parallel*
breederreaktor → *breeder reactor*
bregne → *bracken, fern*
bregneblad → *frond*
breke → *bleat*
breking → *bleat*
brekkbønne → *string bean*
brekke → *break, fracture, snap*
brekke av → *break off, shear off, snap off*
brekke opp → *break up*
brekke seg → *gag, heave, retch*
brekkjern → *crowbar*
brekkmiddel → *emetic*
brekkstang → *lever*
brem → *brim*
brems → *brake*
bremse → *brake*
bremsehestekraft → *bhp*
bremsekloss → *chock*
bremselys → *brake light, stoplights*
bremsepedal → *brake pedal*
bremsespor → *skid marks*
bremsevæske → *brake fluid*
brennbar → *combustible, flammable*
brenne → *bake, burn, roast, scald*
brenne ned → *burn down*
brenne opp → *incinerate*
brennemerke → *brand*
brennende → *burning, fervent, fiery, torrid*
brenneovn → *kiln*
brenner → *burner*
brenneri → *distillery*
brennevin → *liquor*
brennhe(i)t → *baking*
brennhet → *burning*
brenninger → *surf*
brennpunkt → *focal point*
brennvarm → *scalding*
brensel → *fuel*
brenselolje → *fuel oil*
bresprekk → *crevasse*
Bretagne → *Brittany*
bretagner → *Breton*
bretagnsk → *Breton*
brett → *board, crease, fold, tray*
brette → *double, fold*
brette ned → *turn down*
brette opp → *roll, turn up*
brette ut → *unfold*
brettseiling → *windsurfing*
brettspill → *board game*
brev → *letter*
brevbombe → *letter bomb, parcel bomb*
brevbunke → *postbag*
brevdue → *carrier pigeon*
brevhode → *letterhead*
brevkurs → *correspondence course*
brevordner → *file*
brevpapir → *notepaper*
brevpresse → *paperweight*
brevspalte → *correspondence column*
brevvenn → *penfriend*
brevvenninne → *penfriend*
brevåpner → *letter-opener*
bridge → *bridge*
briefing → *briefing*
brigade → *brigade*
brigader → *brigadier*
brikke → *chip, man, mat, pawn, piece*
briljans → *brilliance*
briljant → *brilliant*
briljere → *shine*
brillehus → *spectacle case*
briller → *glasses, specs, spectacles*
bringe → *bring, earn*
bringe inn → *bring in, introduce*
bringebær → *raspberry*
bris → *breeze*
brisk → *couch*
brissel → *sweetbread*
brist → *rupture*
bristepunkt → *breaking point*
brite → *Brit, Briton*
britisk → *British*
bro → *bridge, gantry, overpass*
bro med bomavgift → *tollbridge*
brodd → *crampon, sting*
broder → *brother, friar*
brodere → *embroider*
broderi → *embroidery*
broderlig → *brotherly, fraternal*
broderskap → *fraternity*
broket(e) → *chequered, motley*
brokk → *hernia, rupture*
brokkbind → *truss*
brokker → *snippet*
brokkoli → *broccoli*
brolegge → *pave*
brolegning → *pavement*
bronkitt → *bronchitis*
bronse → *bronze*
bronsebrun → *bronzed*
bronseskulptur → *bronze*
bror → *brother*
brorskap → *fraternity*
bro(de)rskap → *brotherhood*
brosje → *brooch*
brosjyre → *booklet, brochure, leaflet, prospectus*
brostein → *cobbles, paving, paving stone*

brottsjø → *breaker*
bru → *overpass*
brud → *bride*
brudd → *break, disruption, fracture, rupture, violation*
bruddheller → *crazy paving*
bruddsted → *coal face*
bruddstykke → *fragment, snatch, snippet*
brudekjole → *wedding dress*
brudepike → *bridesmaid*
brudesvenn → *page*
brudeutstyr → *trousseau*
brudgom → *bridegroom, groom*
bruk → *operation, use*
brukbar → *drinkable, passable, reasonable, tolerable, usable, workable*
bruke → *consume, occupy, operate, spend, use, wear*
bruke opp → *exhaust, expend, use up*
bruke seg → *rant*
bruker → *user, wearer*
brukerprogram → *application program*
brukerprogrampakke → *applications package*
brukervennlig → *user-friendly*
bruk-og-kast- → *throwaway*
brukskonto → *checking account, current account*
brukt → *secondhand, spent, used*
brukt- → *secondhand*
brumme → *whirr*
brun → *brown, sunburnt, suntanned, tan, tanned*
brunch → *brunch*
brune seg → *brown*
brunette → *brunette*
brunfarge → *brown*
brungul → *buff, sepia*
brunst → *rut*
brunt → *brown*
brus → *crescendo, mineral, pop, soda*
bruse → *cascade, fizz, foam*
bruse med → *ruffle*
brusende → *fizzy*
brusk → *cartilage, gristle*
bruspulver → *sherbet*
Brussel → *Brussels*
brutal → *brutal, brutish, rude, swingeing*
brutalisere → *brutalize*
brutalitet → *brutality*
brutt → *broken*
brutto → *gross*
brutto nasjonalprodukt → *gross domestic product, gross national product*
bruvekt → *weighbridge*
bry → *bother, inconvenience, trouble*
bry seg om → *care for*
bryderi → *bother*
brygg → *concoction*
brygge → *brew, jetty, landing stage, pier, quay, wharf*
brygge sammen → *concoct*
brygger → *brewer*
bryggeri → *brewery*
bryggesjauer → *longshoreman, stevedore*
bryllup → *marriage, wedding*
bryllupsdag → *anniversary, wedding day*
bryllupsgave → *wedding present*
bryllupspresang → *wedding present*
bryllupsreise → *honeymoon*
bryn → *brow*
bryne → *sharpen, sharpener*
brysk → *abrupt, brusque, crisp, gruff, unceremonious*
bryske seg → *bluster*
bryskt → *abruptly, roughly*
brysom → *tiresome, troublesome*
bryst → *bosom, breast, chest*
brystbein → *sternum*
brysthinnebetennelse → *pleurisy*
brystkasse → *chest*
brystlomme → *breast pocket*
brystmål → *chest measurement*
brystsvømming → *breast-stroke*
brystvern → *battlements, parapet*
brystvorte → *nipple*
bryte → *break, cut off, disconnect, flout, mine, quarry, violate, sever*
bryte av → *break off*
bryte fram → *break*
bryte igjennom → *breach, break through*
bryte inn → *break in, butt in, chip in*
bryte løs → *break*
bryte med → *violate*
bryte ned → *destroy, erode*
bryte opp → *break open, break up, force*
bryte sammen → *break down, collapse, snap*
bryte seg igjennom → *break through*
bryte seg inn → *break in*
bryte seg inn i → *break into, hack into*
bryte seg ut → *break out*
bryte ut → *break out, erupt*
brytekamp → *wrestling match*
bryter → *switch, wrestler*
bryting → *wrestling*
brød → *bread*
brødboks → *breadbin, breadbox*
brødfjøl → *breadboard*
brødrister → *toaster*
brødsmuler → *breadcrumbs*
brøk → *fraction*
brøkdel → *fraction*
brøl → *holler, roar*
brøle → *bawl, bellow, holler, roar*
brøler → *boner, howler*
brønn → *well*
brønnkarse → *watercress*
brøyte seg igjennom → *break through*
brå → *abrupt, sharp, steep, sudden, tight*
bråk → *aggro, din, disturbance, fracas, fuss, hullaballoo, noise, racket, rigmarole, row, rumpus, trouble, uproar*
bråket(e) → *disorderly, noisy*
bråkmaker → *rioter, troublemaker*
bråsnu → *wheel*
brått → *abruptly, sharply, steeply*
BSE → *BSE*
B-side → *flip side*
btu → *btu*
bu → *hut, stand*
Bucuresti → *Bucharest*
bud → *bid, commandment, messenger*
Budapest → *Budapest*
Buddha → *Buddha*
buddhisme → *Buddhism*
buddhist → *Buddhist*
buddhistisk → *Buddhist*
budgiver → *bidder*
budgiving → *bidding*
budsjett → *budget*
budsjettår → *financial year, FY*
budskap → *message*
bue → *arc, boo, bow, curve*
bue seg → *curve*
buegang → *arch, archway*
Buenos Aires → *Buenos Aires*
bueskyting → *archery*
buet → *curved, rounded*
buffer → *buffer*
buffersone → *buffer zone*
bufferstat → *buffer state*
buffet → *buffet, sideboard*
bufring → *buffering*
buk → *belly*
bukett → *bouquet, bunch*
bukgjord → *girth*

bukhinnebetennelse → *peritonitis*
bukk → *bow, ramp, trestle*
bukkeert → *chick pea*
bukse(r) → *trousers, pants*
buksedress → *trouser suit*
bukseresse → *trouser press*
bukseseler → *brace, suspenders*
bukseskjørt → *culottes*
buksesmekk → *fly*
bukspyttkjertel → *pancreas*
bukt → *bay, twist*
buktaler → *ventriloquist*
bukte seg → *meander, wind*
bulder → *rumble*
buldre → *rumble*
bule → *bulge, dive, joint*
bule (ut) → *bulge*
bulende → *bulbous*
bulevard → *boulevard*
bulgarer → *Bulgarian*
Bulgaria → *Bulgaria*
bulgarsk → *Bulgarian*
bulimi → *bulimia*
buljong → *stock*
buljongterning → *stock cube*
bulk → *dent*
bulke → *dent*
bulldogg → *bulldog*
bulldoser → *bulldozer*
bulle → *bull*
bulletin → *bulletin*
bundet → *frozen*
bungalow → *bungalow*
bunke → *lot, pile, sheaf, wad*
bunker(s) → *bunker*
bunn → *bed, bottom, floor*
bunnfall → *dregs, sediment*
bunnivå → *nadir*
bunnløs → *bottomless*
bunnpanne → *sump*
bunt → *bundle, hank, wad*
bunte sammen → *bundle*
bunthandler → *furrier*
buorm → *grass snake*
bur → *cage, coop, hutch, slammer*
burde → *ought*
burger → *burger*
Burgund → *Burgundy*
burlesk → *burlesque*
Burma → *Burma*
burmeser → *Burmese*
burmesisk → *Burmese*
bursdag → *birthday*
buse inn → *barge in*
buse inn i → *barge into*
busemann → *bogey*
bush → *bush*
busk → *bush, shrub*
buskap → *livestock*
busket(e) → *bushy*
buss → *bus, coach*
bussfil → *bus lane*
bussholdeplass → *bus stop*
busstasjon → *bus station*
busstopp → *bus stop*
busstur → *coach trip*
bust → *bristle*
buste til → *mess up*
bustet(e) → *tousled*
butan → *butane*
butikk → *shop, store*
butikkassistent → *shop assistant*
butikkeier → *shopkeeper*
butikkinspektør → *floorwalker*
butikkselger → *assistant, salesman, saleswoman*
butikksenter → *mall*
butikktyv → *shoplifter*
butikktyveri → *shoplifting*
butikkvindu → *shop window*
butt → *blunt, stubby*
butterdeig → *puff pastry*
butterfly → *butterfly*
button → *button*
by → *bid, city, town*
bydame → *townie*
bydel → *borough, district, ward*
bydende → *commanding, imperious, peremptory*
byfolk → *townspeople*
byge → *shower*
bygg → *barley*
bygge → *build, construct*
bygge inn → *box off*
bygge opp → *build up, construct*
bygge på → *extend*
byggebransje → *construction industry*
byggeløyve → *planning permission*
byggeplass → *building site, site*
byggesett → *kit*
byggetillatelse → *planning permission*
byggevirksomhet → *building*
bygging → *building, construction*
byggmester → *builder*
byggteknikk → *civil engineering*
byggverk → *edifice, structure*
bygning → *build, building*
bygningsarbeider → *builder*
bygningsentreprenør → *building contractor*
bygningsindustri → *construction industry*
bygningsingeniør → *civil engineer*
bykart → *street map, street plan, town plan*
bykjerne → *inner city*
bykse → *bound*
byll → *boil*
bylt → *bundle*
bymann → *townie*
bypassoperasjon → *bypass*
byplanlegger → *town planner*
byplanlegging → *planning, town planning*
byrde → *burden*
byrdefull → *onerous*
byrå → *agency, bureau*
byråkrat → *bureaucrat*
byråkrati → *bureaucracy, officialdom, red tape*
byråkratisk → *bureaucratic*
bysse → *galley*
byste → *bosom, bust*
bysteholder → *brassiere*
bystyre → *corporation, town council*
bystyremedlem → *councillor*
byte → *byte*
bytte → *booty, change, kill, loot, plunder, prey, spoils, swap, switch*
bytte bort → *barter*
bytte inn → *trade in*
bytte om → *reverse*
bytte på → *change*
byttehandel → *barter, swap*
bær → *berry*
bærbar → *laptop, portable*
bære → *bear, carry, support*
bære over med → *bear with*
bære seg → *carry on*
bærebag → *carrycot*
bærebjelke → *support*
bærebrett → *hod*
bærekraftig → *sustainable*
bærepose → *carrier bag*
bærer → *bearer, carrier, porter*

bæresele → *sling*
bæsj → *crap*
bæsje → *crap*
bø → *boo*
bøddel → *executioner, hangman, hatchet man*
bøffel → *buffalo*
Bøhmen → *Bohemia*
bøhmer → *Bohemian*
bøhmisk → *Bohemian*
bøk → *beech*
bøker → *book*
bølge → *billow, flow, groundswell, rush, surge, wave*
bølgeblikk- → *corrugated*
bølgebånd → *waveband*
bølgelengde → *wavelength*
bølgende → *rolling, undulating*
bølget(e) → *wiggly*
bølle → *bully, hoodlum, punk, thug*
bønn → *appeal, plea, prayer*
bønne → *bean*
bønnebok → *prayer book*
bønneskriv → *petition*
bønneskudd → *beanshoots*
bønnespirer → *beansprouts*
bønnestengel → *beanpole*
bønnfalle → *beg, beseech*
bønnfallelse → *entreaty*
bønnfallende → *appealing*
bør → *burden, load*
børs → *stock exchange, stock market*
børsemaker → *gunsmith*
børsnotere → *float*
børsnotering → *flotation*
børsnotert selskap → *listed company*
børste → *brush*
børste av → *dust off*
børstet → *brushed*
bøte på → *cure, make, retrieve*
bøtlegge → *fine*
bøtte → *bucket, tub*
bøy → *bend*
bøyd → *bent*
bøye → *bend, buckle, buoy, conjugate, incline*
bøye seg → *bend, bend down, bend over, buckle, stoop*
bøye seg over → *bend over*
bøyelig → *flexible, pliable*
bøyelighet → *flexibility*
bøyg → *stumbling block*
bøying → *conjugation*
bøyle → *hoop*
bål → *bonfire, fire, log fire*
bånd → *band, bond, braid, lead, leash, ribbon, shackles, tape, tie*
båndopptak → *tape recording*
båndopptaker → *tape recorder*
båndspiller → *tape deck*
båre → *stretcher*
bårebærer → *stretcher-bearer*
bårehus → *mortuary*
bås → *pigeonhole, stall*
båt → *boat, segment*
båtfolk → *boat people*
båtsmann → *boatswain, bosun*

C

C, c → *C, c*
ca → *approximately, c, ca.*
calle på → *bleep*
calling → *bleep, bleeper*
campe → *camp*
camping → *camping*
campingbil → *camper*
campingplass → *camping site, campsite, caravan site*
campingturist → *camper*
campingvogn → *caravan, mobile home, trailer*
campus → *campus*
Canada → *Canada*
canadier → *Canadian*
canadisk → *Canadian*
Canberra → *Canberra*
cannabis → *cannabis*
canyon → *canyon*
cape → *cape*
Caracas → *Caracas*
carport → *car port*
Casablanca → *Casablanca*
cashewnøtt → *cashew*
CD → *CD*
CDI → *CDI*
CD-plate → *CD, compact disc*
CD-ROM → *CD-ROM*
CD-spiller → *CD, compact disc player*
celle → *cell*
cellegiftbehandling → *chemotherapy*
cellist → *cellist*
cello → *cello*
cellofan → *cellophane*
celluloid → *Celluloid*
cellulose → *cellulose*
celsius → *Celsius, centigrade*
cembalo → *harpsichord*
cent → *cent, penny*
centiliter → *centilitre*
centimeter → *centimetre*
cerebral → *cerebral*
Ceylon → *Ceylon*
cg → *cg*
champagne → *champagne*
charter → *charter*
charterfly → *charter flight*
chartre → *charter*
chassis → *chassis*
chic → *chic, swish*
chiffon → *chiffon*
Chile → *Chile*
chilener → *Chilean*
chilensk → *Chilean*
chili → *chilli*
chilipepper → *chilli*
chintz → *chintz*
choke → *choke*
Christmas-øya → *Christmas Island*
circa → *circa, about*
cirka → *circa, about*
cirkatall → *ballpark figure*
cirkumfleks → *circumflex*
cisterne → *cistern*
CJS → *CJD*
clutch → *clutch*
COBOL → *COBOL*
cockpit → *cockpit, flight deck*
cocktail → *cocktail*
cocktailryster → *cocktail shaker*
cocktailselskap → *cocktail party*
cocktailshaker → *cocktail shaker*
coil → *coil*
Cola → *Coke*
collage → *collage*
college-genser → *sweatshirt*
collie → *collie*
Colombia → *Colombia*
colombianer → *Colombian*
colombiansk → *Colombian*
coloradobille → *Colorado beetle*
consommé → *consommé*

container → *bottle bank, container, skip*
containerskip → *container ship*
containertrailer → *container lorry*
corned beef → *corned beef*
corner → *corner, corner kick*
Costa Rica → *Costa Rica*
couchette → *couchette*
countrymusikk → *country and western (music)*
cox → *coxswain*
coyot → *coyote*
crescendo → *crescendo*
croupier → *croupier*
cruise → *cruise*
cruiser → *cruiser*
Cuba → *Cuba*
cubaner → *Cuban*
cubansk → *Cuban*
cupfinale → *cup final*
Cupido → *Cupid*
cupkamp → *cup tie, tie*
curriculum vitae → *curriculum vitae*
cyanid → *cyanide*
cyberkafé → *cybercafé*
cymbaler → *cymbals*
cyste → *cyst*
cystitt → *cystitis*
cédille → *cedilla*

D

D, d → *D, d*
da → *as, that, then, when*
dabbe av → *flag*
dachs → *dachshund*
daddel → *date*
daffe → *dawdle*
dag → *day, daytime*
dagbok → *daybook, diary*
dagdriver → *idler*
dagdrøm → *daydream*
dagdrømme → *daydream*
dagens meny → *table d'hôte*
daggry → *dawn, daybreak*
daghjelp → *help*
daghjem → *crèche, day-care centre, nursery*
daglig → *daily, day-to-day, everyday*
dagligstue → *sitting room*
dagligvareforretning → *grocer's (shop)*
dagligvarer → *groceries*
daglivarehandel → *grocer's (shop)*
dagmamma → *baby-minder, child minder, minder, nanny*
dagpasient → *outpatient*
dagsavis → *daily*
dagsenter → *day-care centre*
dagskift → *day shift*
dagslys → *daylight*
dagsorden → *agenda*
dagstur → *day trip, one-day excursion*
dagtid → *daytime*
DAK → *CAD*
dakapo → *encore*
Dakar → *Dakar*
dal → *dale, valley*
DAL → *CAI*
dale → *dwindle, flag, sag*
dalende → *dwindling*
dalmatiner → *dalmatian*
dam → *checkers, dam, draughts, pond, pool, puddle, weir*
damanlegg → *dam*
Damaskus → *Damascus*
dambrett → *draughtboard*
dame → *dame, lady, partner, queen*
damehatter → *millinery*
dameselskap → *hen party*
dametoalett → *powder room*
dameundertøy → *lingerie*
damp → *steam, vapour*
dampbad → *Turkish bath*
dampe → *steam*
damper → *steamer*
damp(stryke)jern → *steam iron*
dampkjele → *steamer*
dampkoker → *steamer*
damplokomotiv → *steam engine*
dampmaskin → *steam engine*
dampskip → *steamer, steamship*
dampveivals → *steamroller*
Danmark → *Denmark*
danne → *create, form, set up*
danne seg → *form, frame*
dannelse → *breeding, formation, refinement*
dannende → *formative*
dannet → *cultured, genteel, gentlemanly, mannerly, polite, well-bred, well-mannered*
dans → *dance, dancing*
danse → *dance, prance*
danselokale → *dance hall*
danser → *dancer*
dansested → *dance hall*
dansetilstelning → *dance*
dansing → *dancing*
dansk → *Danish*
danske → *Dane*
DAP → *CAM*
Dar-es-Salam → *Dar-es-Salaam*
dask → *cuff*
daske → *cuff*
data- → *computer*
data → *data*
database → *database*
databehandling → *computing, data processing, information processing*
datakyndig → *computer literate*
datamaskin → *computer*
datamaskinarbeid → *computing*
dataoverføring → *data transmission, DT*
dataprogrammerer → *computer programmer*
dataprogrammering → *computer programming*
datarisere → *computerize*
datarisering → *computerization*
datasex → *computer sex, cybersex*
dataskjerm → *visual display unit*
datasnok → *hacker*
dataspill → *computer game*
datatakt → *baud rate*
datere → *date*
dativ → *dative*
dato → *date*
datostempel → *date stamp*
datter → *daughter*
datterdatter → *granddaughter*
datterselskap → *subsidiary*
dattersønn → *grandson*
dau → *sluggish*
D-dagen → *D-day*
DDT → *DDT*
de → *the, they, those*
De → *you*
deadline → *deadline*
debatt → *debate*
debattere → *debate*
debet → *debit*
debetbalanse → *debit balance*
debetnota → *debit note*
debitor → *debtor*
debut → *debut*

dechiffrere → *decipher*
dedikasjon → *dedication, inscription*
dedisert → *dedicated*
deduksjon → *deduction*
defaitisme → *defeatism*
defaitist → *defeatist*
defaitistisk → *defeatist*
defekt → *defective, faulty*
defensiv → *defensive*
defilering → *march past*
definere → *define*
definisjon → *definition*
definitiv → *definite, definitive*
definitivt → *definitely*
deflasjon → *deflation*
deflatere → *deflate*
deflatorisk → *deflationary*
deformere → *deform*
deformert → *deformed*
defroster → *defogger, demister*
deg → *you, yourself*
degenerere → *degenerate*
degenerert → *degenerate*
degradere → *demote*
degradering → *demotion*
dehydrering → *dehydration*
dehydrert → *dehydrated*
deig → *dough, paste, pastry*
deilig → *delectable, delicious, lovely*
dekadanse → *decadence*
dekadent → *decadent*
dekantere → *decant*
dekanus → *dean*
dekk → *deck, tyre*
dekke → *cover, covering, lay, mantle, meet, set, sheathe, supply, underwrite*
dekke over → *blur, cover up, gloss over*
dekke seg til → *cover up*
dekke til → *wrap*
dekkhistorie → *cover-up*
dekknavn → *alias*
dekksgutt → *deckhand*
dekksmannskap → *deckhand*
dekktrykk → *tyre pressure*
deklamasjon → *recitation*
deklamere → *recite*
deklarere → *declare*
dekning → *cover, coverage*
dekningsnota → *cover note*
dekningspunkt → *break-even point*
dekode → *decode*
dekoder → *decoder*
dekomponere → *decompose*
dekomposisjon → *decomposition*
dekompresjon → *decompression*
dekompresjonskammer → *decompression chamber*
dekontaminere → *decontaminate*
dekorasjon → *decoration*
dekorativ → *decorative*
dekorere → *dress, embellish*
dekret → *decree*
del → *attachment, instalment, part, portion, proportion, section, segment, share*
delaktighet → *complicity*
dele → *cut, divide, fork, share, share out, split*
dele inn → *divide, group, subdivide*
dele opp → *break down, carve up, partition, section*
dele seg → *branch, divide, part, split*
dele ut → *deal, dish out, dispense, distribute, dole out, give out, hand out*
delegasjon → *delegation, mission*
delegere → *delegate*
delegering → *delegation*
delegert → *delegate*
delfin → *dolphin*
Delhi → *Delhi*
delikat → *dainty, delicate*
delikatesse → *delicacy*
delikatesseforretning → *deli, delicatessen*
deling → *division, parting, partition*
delirisk → *delirious*
delirium → *delirium*
delje → *bash*
delje til → *swipe*
delrutine → *subroutine*
dels → *partly*
delsum → *subtotal*
delt → *divided*
delta → *delta, participate*
delta i → *attend*
deltagelse → *attendance*
deltager → *competitor, contestant, entrant, participant*
deltakelse → *participation*
deltaker → *competitor, contestant, entrant, participant*
deltid → *part-time*
deltidsarbeider → *part-timer*
delvis → *partial, partially, partly*
delvis betaling → *part payment*
Dem → *you*
dem → *them, those*
demagog → *demagogue*
dementi → *disclaimer*
demilitarisert område {or} sone → *demilitarized zone*
demme opp → *dam*
demme opp for → *stem*
demning → *barrage, dam, weir*
demobilisere → *demob, demobilize*
demografi → *demography*
demokrat → *democrat*
demokrati → *democracy*
demokratisk → *democratic*
demon → *demon*
demonstrant → *demonstrator, marcher, protester*
demonstrasjon → *demonstration, display, exhibition*
demonstrasjonsbil → *demonstration model, demonstrator*
demonstrasjonstog → *protest march*
demonstrativ → *demonstrative*
demonstrere → *demonstrate*
demontere → *dismantle*
demoralisere → *demoralize*
dempe → *allay, attenuate, calm, cushion, damp, dampen, deaden, dim, dull, mitigate, muffle, relieve, soften*
demper → *curb*
dempet → *dull, hushed, muffled, muted, quiet, soft, softly*
demre → *dawn*
den → *it, that, the*
den og den → *so-and-so*
denaturalisert alkohol → *denatured alcohol*
denaturert sprit → *meths, methylated spirit*
dengang → *then*
denier → *denier*
denim → *denim*
denne → *this*
dental- → *dental*
deodorant → *deodorant*
departement → *department*
deponere → *deposit*
deportasjon → *deportation*
deportere → *deport*
deportert → *deportee*
depositum → *deposit*
depot → *depot, dump, pit*
deppa → *blue*
depresjon → *depression*
deprimerende → *depressing*
deprimerende middel → *depressant*
deprimert → *depressed*
deputasjon → *deputation*

der → *there*
der omkring → *around*
dere → *you, yourselves*
deregulere → *deregulate*
deregulering → *deregulation*
deres → *their, theirs, your, yours*
deretter → *accordingly, next, subsequently, then, thereafter*
derfor → *hence, therefore, thus, why*
deriblant → *including*
derivat → *derivative*
dermatitt → *dermatitis*
dermatologi → *dermatology*
dermed → *thereby, thereupon, thus*
dernest → *furthermore, next*
deromkring → *thereabouts*
dersom → *if*
derved → *thereby*
desarmere → *defuse*
desember → *December*
desentralisere → *decentralize*
desentralisering → *decentralization*
desertere → *desert*
desertering → *desertion*
desertør → *deserter*
desibel → *decibel*
design → *design*
designer → *designer*
desillusjonering → *disillusion, disillusionment*
desimal → *decimal*
desimaltegn → *decimal point*
desimere → *decimate*
desinfeksjonsmiddel → *disinfectant*
desinfisere → *disinfect, fumigate*
desinformasjon → *disinformation*
deskriptiv → *descriptive*
desorientert → *disorientated*
desperasjon → *desperation*
desperat → *desperate, desperately, frantic, frantically*
despot → *despot*
dessert → *afters, dessert, pudding, sweet*
dessertskje → *dessert spoon*
dessertskål → *dish*
dessuten → *besides, furthermore, moreover*
dessverre → *sadly, unfortunately*
destillere → *distil*
destinasjon → *destination*
destruktiv → *destructive*
det → *it, that, the, what*
det som → *what*
detalj → *detail*
detaljer → *detail, minutiae, particular*
detaljert → *detailed*
detaljforhandler → *retail outlet*
detaljist → *retailer*
detaljpris → *retail price*
detaljprisindeks → *retail price index*
detektiv → *sleuth*
detektor → *detector*
detonere → *detonate*
detronisere → *debunk*
dette → *slump, this*
dette (ned) → *drop*
dette sammen → *flake out*
devaluere → *devalue*
devaluering → *devaluation*
dg → *dg*
Dhaka → *Dhaka*
di → *your, yours*
diabetiker → *diabetic*
diabolsk → *diabolical*
diagnose → *diagnosis*
diagnostisere → *diagnose*
diagonal → *diagonal*
diagonallinje → *diagonal*
diagram → *diagram, graph*
diakon → *deacon*
dialekt → *dialect, vernacular*
dialog → *dialogue*
dialyse → *dialysis*
dialyseapparat → *kidney machine*
diamant → *diamond*
diamantring → *diamond ring*
diameter → *diameter*
diaré → *diarrhoea*
dias → *slide*
didaktisk → *didactic*
die → *suckle*
diesel → *diesel*
dieselkjøretøy → *diesel*
dieselmotor → *diesel engine*
dieselolje → *derv, diesel*
diett → *diet*
diettgodtgjørelse → *subsistence allowance*
differensial → *differential*
differensiere → *stream*
diffus → *diffuse, equivocal*
difteri → *diphtheria*
diftong → *diphthong*
diger → *enormous, great, monstrous, outsize*
digital → *digital*
digresjon → *deviation, digression*
dike → *dyke, embankment*
dikotomi → *dichotomy*
diksjon → *diction*
dikt → *poem, poetry, verse*
diktafon → *Dictaphone*
diktat → *dictate, dictation*
diktator → *dictator*
diktatorisk → *peremptory*
diktatur → *dictatorship*
dikter → *poet*
diktere → *dictate*
dilemma → *dilemma*
dill → *dill*
dille → *dilly-dally, fad*
dimensjon → *dimension*
diminutiv → *diminutive*
dimittere → *discharge*
dimittering → *discharge*
dimmer → *dimmer*
din → *your, yours*
dine → *your, yours*
dingle → *dangle*
dingle med → *dangle*
dinosaurus → *dinosaur*
dioksid → *dioxide*
diplomat → *diplomat*
diplomati → *diplomacy*
diplomatisk → *diplomatic*
diplomatisk immunitet → *diplomatic immunity*
diplomatkorps → *diplomatic corps*
direksjon → *directory*
direksjonssekretær → *company secretary*
direkte → *blunt, direct, directly, forthright, head-on, immediately, on-line, outright, point-blank, squarely*
direktekoblet → *on-line*
direktelager → *random access memory*
direkte-overført → *live*
direkte tilgang → *direct access, random access*
direktevalg → *direct dialling*
direktiv → *directive*
direktør → *director, warden*
direktørstilling → *presidency*
dirigent → *conductor*
dirigere → *conduct*
dirke opp → *pick*
dirre → *quiver*
dirrende → *shimmering*

dirring → *trembling, tremor*
dis → *haze, mist*
disharmoni → *discord*
disig → *hazy, misty*
disiplin → *discipline*
disiplinerende → *chastening*
disiplinær → *disciplinary*
disippel → *disciple*
disk → *counter, disk*
diskant → *treble*
diskantnøkkel → *treble clef*
diskett → *disk, diskette, floppy disk*
diskettstasjon → *disk drive*
disko → *disco*
diskonto → *discount rate*
diskontobank → *discount house*
diskos → *discus*
diskotek → *discothèque*
diskresjon → *discretion*
diskret → *discreet, discreetly, sober*
diskriminering → *discrimination*
diskré → *delicately, subtle, subtly*
diskusjon → *discussion*
diskusjonsdeltager → *panellist*
diskutabel → *debatable*
diskutere → *argue, discuss*
diskvalifisere → *disqualify*
dispensasjon → *dispensation*
displinere → *discipline*
disse → *these*
dissekere → *dissect*
dissens → *dissent*
dissenter → *dissenter, nonconformist*
dissosiere → *dissociate*
distanse → *distance*
distansert → *dispassionate*
distingvert → *distinguished*
distinkt → *distinct, distinctly*
distinktiv → *distinctive*
distrahere → *distract, sidetrack*
distraksjon → *distraction*
distribuere → *distribute*
distribusjon → *distribution*
distribusjonskostnad → *distribution cost*
distribusjonsliste → *mailing list*
distributør → *distributor*
distrikt → *beat, catchment area, country, district, region*
distriktene → *province*
distrikts- → *provincial, regional*
distriktsutbygging → *regional development*
distré → *absent-minded*
dit → *there*
ditt → *your, yours*
ditto → *ditto*
divan → *divan*
divergere → *diverge*
divergerende → *divergent*
diverse → *miscellaneous, sundries, sundry, various*
dividende → *dividend*
dividere → *divide*
divisjon → *division*
djerv → *intrepid, plucky, swashbuckling*
djervhet → *pluck*
djevel → *devil, fiend*
djevelens advokat → *devil's advocate*
djevelsk → *devilish, diabolical, fiendish*
djevelsk god → *demon*
djunke → *junk*
DNA → *DNA*
DNA-test → *genetic fingerprinting*
do → *john, loo*
dobbel → *dual*
dobbelt → *double, doubly, twofold*
dobbelteksponering → *double exposure*
dobbeltgjenger → *double*
dobbeltkløtsje → *double-clutch, double-declutch*
dobbeltparkering → *double parking*
dobbeltrom → *double room*
dobbeltseng → *double bed*
dobbeltsideoppslag → *double-page spread*
dobbeltsjekke → *double-check*
dobbeltspent → *double-breasted*
dobbeltvevd → *two-ply*
dobbeltvinduer → *double glazing*
doble → *double*
dogg → *moisture, steam*
dogge til → *mist, steam up*
dogget(e) → *steamy*
doggybag → *doggy bag*
dogmatisk → *dogmatic*
dogme → *dogma*
dokk → *dock*
dokkavgift → *dock dues*
doktor → *doctor*
doktorgrad → *doctorate*
doktrine → *doctrine*
dokudrama → *docudrama*
dokumenarfilm → *documentary*
dokument → *document*
dokumentar- → *documentary*
dokumentar → *documentary*
dokumentarisk → *documentary*
dokumentasjon → *documentation*
dokumentbehandling → *documentation*
dokumentere → *document*
dokumentmappe → *attaché case, portfolio*
dolk → *dagger*
dolke → *knife*
dollar → *dollar*
dollarområde → *dollar area*
dollet opp → *dolled up*
dom → *conviction, judg(e)ment, minster, sentence, verdict*
domene → *domain, province*
dominere → *dominate, predominate*
dominerende → *dominant, domineering, possessive, predominant*
domino → *dominoes*
dominobrikke → *domino*
dominoeffekt → *domino effect*
domkirke → *cathedral*
dommedag → *doomsday*
dommer → *adjudicator, arbiter, judge, justice, referee, umpire*
dommerkontor → *chambers*
dommerpinne → *winning post*
domprost → *dean*
domstol → *tribunal*
donasjon → *donation*
donator → *donor*
donor → *donor*
donorkort → *donor card*
dope → *dope, nobble*
dope (ned) → *drug*
dorsk → *lethargic*
dorskhet → *lethargy*
DOS → *DOS*
dose → *dosage, dose*
dosere → *pontificate*
dosering → *dosage*
dossering → *camber*
dott → *wad, wisp*
double → *doubles*
doven → *flat, idle, languid, lazy, stale*
dovendyr → *sloth*
dovenpels → *layabout*
dovenskap → *idleness, laziness, sloth*
dovne seg → *laze*
Downs syndrom → *Down's syndrome*

dra → *depart, drive, go, leave, pull, trail*
dra av gårde {or} av sted → *go off, set off, set out, start off, take off*
dra i → *pull*
dra inn → *rope in*
dra rundt → *move about*
dra sin vei → *leave*
dra til → *clobber, clout, sock, whack*
dra tilbake → *go back, return*
dra ut → *drag, drag on*
dra videre → *move on*
drabelig → *hefty, terrific*
dradd → *pinched*
draft → *chart*
drag → *puff, whiff*
dragartist → *female impersonator*
drage → *dragon, kite*
dragehode → *gargoyle*
dragkamp → *tug-of-war*
dragkjerre → *barrow*
dragning → *call, pull*
dragon → *dragoon*
drakt → *apparel, costume, habit, strip, suit*
dram → *dram, nip*
drama → *drama*
dramatiker → *dramatist, playwright*
dramatisere → *dramatize*
dramatisk → *dramatic, dramatically, spectacular*
dranker → *drinker*
drap → *homicide, killing*
drapere → *drape*
drapsinstinkt → *killer instinct*
drapsmann → *killer*
drastisk → *drastic, drastically, strong, swingeing*
dratt → *drawn*
dravle → *curd cheese*
dreibar → *revolving*
dreie → *revolve, throw, turn, veer*
dreie på → *turn*
dreie rundt → *rotate*
dreie seg om {or} rundt → *revolve*
dreiebenk → *lathe*
dreiebok → *scenario*
dreieskive → *potter's wheel*
dreining → *turn*
drektig → *pregnant*
drektighet → *pregnancy*
drenere → *drain*
drenering → *drainage*
drepe → *electrocute, kill, kill off*
drepende → *deadly, punishing*
dress → *lounge suit, suit*
dressere → *train*
dressert → *trained*
dressing → *dressing*
dressør → *trainer*
dreven → *practised, seasoned*
drible → *dribble*
drift → *running, traction*
driftig → *brisk, go-ahead*
driftsbokførsel → *management accounting*
driftsbokholder → *cost accountant*
driftsikker → *dependable*
driftskapital → *working capital*
driftssikker → *reliable*
driftssikkerhet → *reliability*
drikk → *beverage, potion*
drikke → *drink*
drikke opp → *finish off {or} up*
drikkefontene → *drinking fountain*
drikkelig → *drinkable*
drikkevann → *drinking water*
drikking → *drinking*
driks → *gratuity, tip*
drill → *drill*
drille → *drill*
driste seg → *venture*
dristig → *audacious, bold, boldly, daring*
dristighet → *audacity, boldness, bravado, daring, presumption*
drita full → *pissed*
drite → *crap*
dritings → *blotto, zonked*
dritt → *bugger, crap, stinker*
drittsekk → *stinker*
drittunge → *brat*
drive → *drift, drive, keep, operate, ply, propel, run, waft*
drive bort → *dissipate, oust*
drive med → *carry on*
drive ned → *bring down*
drive opp → *inflate*
drive på → *hold forth, press ahead, press on*
drive rundt → *bum around*
drive sammen → *herd, round up*
drive tilbake → *repel, repulse*
drive ut → *drive out, expel*
drive videre → *goad on*
drive-in → *drive-in*
drivende → *adrift, driving*
drivgods → *jetsam*
drivhus → *glasshouse, greenhouse, hothouse*
drivhusgass → *greenhouse gas*
drivkraft → *driving force, thrust*
drivreim → *driving belt*
drivved → *driftwood*
dromedar → *dromedary*
drone → *drone*
dronning → *queen*
dronningmor → *queen mother*
droppe → *drop, scrap, scrub*
droppe ut → *drop out*
drosje → *cab, hackney cab, minicab, taxi*
drosjeholdeplass → *taxi rank*
drosjesjåfør → *cabbie, cab driver, taxi driver*
drue → *grape*
drukkenbolt → *drunk, drunkard*
drukkenskap → *drunkenness*
drukne → *drown*
drypp → *drip*
dryppe → *baste, drip*
dryppende → *dripping*
dryppende våt → *dripping*
drypping → *drip*
dryppvåt → *dripping*
dryss → *sprinkling*
drysse → *sprinkle*
drøfte → *debate, discuss*
drøftelser → *talk*
drøftinger → *deliberation*
drøm → *dream, fantasy*
drømme → *dream*
drømmende → *dreamy*
drømmeprins → *Prince Charming*
drømmer → *dreamer*
drømmeri → *reverie*
drømmeverden → *dream world*
drønn → *boom, reverberation*
drønne → *boom*
drøy → *steep*
drøye ut → *spin out*
dråpe → *drop, globule*
dråpeteller → *dropper*
du → *you*
dubbet → *dubbed*
dublett → *duplex*
dublé → *plate*
due → *dove, pigeon*
duell → *duel*

duett → *duet*
duft → *fragrance, perfume, scent*
duftende → *fragrant*
dugg → *dew*
dugget(e) → *misty*
duk → *cloth, tablecloth*
dukke → *doll, dolly, duck, effigy*
dukke (under) → *submerge*
dukke for → *duck*
dukke opp → *appear, bob up, come up, crop up, pop up, roll up, show up, surface, turn up*
dukke opp igjen → *reappear*
dukkert → *plunge*
dulgt → *illicit*
dult → *tap*
dulte borti → *jog*
dulte til → *nudge, tap*
dum → *clueless, daft, dense, dumb, silly, stupid*
dumdristig → *foolhardy*
dumhet → *folly, stupidity*
dumming → *blockhead, chump, dupe, mug, nit*
dumpe → *dump, flop*
dumpe borti → *bump into*
dumpe ned → *land*
dumt → *stupidly*
dun → *down, fluff, fuzz*
dundre på → *pound*
dundrende → *resounding, thumping*
dunk → *bump, thud, thump*
dunke → *bump, chug, pound, pulsate, pulse, throb, thump*
dunke i → *thump*
dunke til → *thump*
dunkel → *dim, dusky*
dunkel og uforståelig → *abstruse*
dunking → *throb*
dunste bort → *evaporate*
dununge → *nestling*
duo → *duo, twosome*
duodenal → *duodenal*
dupleks → *duplex*
duplikat → *counterpart, duplicate*
duplikator → *duplicator*
dupp → *float*
duppe av → *drop off, nod off*
duppe opp og ned → *bob*
dur → *drone, hum, major*
dure → *drone, hum*
dusin → *dozen*
dusj → *shower*
dusje → *shower, sprinkle*
dusjhette → *showercap*
dusk → *tassel*
duskregn → *drizzle*
duskregne → *drizzle*
dust → *berk, jackass, mug, prat*
dustet(e) → *dim-witted*
dusør → *reward*
dvale → *hibernation, suspended animation*
dvele ved → *dwell on*
dvelende → *lingering*
dverg → *dwarf, midget*
dvs → *i.e.*
dybde → *depth*
dyd → *virtue*
dydig → *prim, virtuous*
dydsmønster → *goody-goody*
dyffelcoat → *duffel coat*
dykk → *dive*
dykke → *dive*
dykke (ned) → *submerge*
dykker → *diver*
dykkerdrakt → *diving suit*
dykkersyke → *bend*
dykking → *diving*
dyktig → *able, ably, accomplished, capable, clever, competent, proficient, skil(l)ful, skil(l)fully*
dyktighet → *competence, craft, dexterity, excellence, prowess, skill*
dynamikk → *dynamics*
dynamisk → *dynamic, high-powered*
dynamitt → *dynamite*
dynamo → *dynamo*
dynasti → *dynasty*
dyne → *continental quilt, dune, duvet, quilt*
dynge → *mound*
dynke → *sprinkle*
dyp → *deep, low, profound*
dyp tallerken → *dish*
dypfryser → *deep freeze, freezer*
dypgang → *draught*
dyppe → *dip, dunk*
dypsindig → *profound*
dypt → *deeply, soundly*
dyptfølt → *heartfelt*
dyptliggende → *deep-set*
dypvanns- → *deep-sea*
dypvannsbombe → *depth charge*
dyr → *animal, beast, dear, expensive, pricey*
dyrebar → *precious*
dyrehage → *zoo*
dyrekjøtt → *venison*
dyreliv → *wildlife*
dyrepasser → *keeper*
dyrestek → *venison*
dyrisk → *animal*
dyrkbar → *arable*
dyrke → *cultivate, farm, grow, raise, till*
dyrke fram → *breed*
dyrker → *grower*
dyrket mark → *farmland*
dyrking → *cultivation*
dyrlege → *veterinarian, veterinary surgeon*
dyrt → *dearly*
dysenteri → *dysentery*
dysleksi → *dyslexia*
dyslektiker → *dyslexic*
dyslektisk → *dyslexic*
dyspepsi → *dyspepsia*
dysse ned → *hush up, suppress*
dyster → *bleak, dark, dismal, funereal, gloomy, grim, seamy, sombre*
dysterhet → *gloom*
dystert → *darkly, gloomily*
dystrofi → *dystrophy*
dytt → *dig, jab, push*
dytte → *push, shove, thrust, tuck*
dytte oppi → *tuck in*
dytte over ende → *push over*
dytte til → *jab*
dytte til side {or} unna → *push aside*
dyvåt → *wringing*
dø → *die*
dø bort → *fade (away)*
dø hen → *die away, trail away*
dø ut → *die away, die out, fizzle out*
død → *dead, death, demise, inanimate, stale*
dødbringende → *deadly*
døddrukken → *paralytic, stoned*
dødelig → *deadly, fatal, fatally, lethal, mortal, terminal*
dødelighet → *death rate, mortality, mortality rate*
dødelighetsprosent → *death rate*
dødfødt → *abortive, stillborn*
dødpunkt → *impasse*
døds- → *cardinal, deathly, fatal, mortal*
dødsattest → *death certificate*
dødsdom → *death sentence*
dødsfall → *death*
dødsfelle → *death trap*

dødsklokke → *death toll*
dødsliste → *hit list*
dødsoffer → *death*
dødsrate → *mortality rate*
dødsskvadron → *death squad*
dødssliten → *dead beat*
dødsstivhet → *rigor mortis*
dødsstraff → *capital punishment, death penalty*
dødsårsak → *killer*
dødtid → *downtime, idle time*
dødvinkel → *blind spot*
døende → *dying, moribund, terminal*
døgenikt → *waster*
dømme → *adjudicate, arbitrate, condemn, referee, umpire*
dømme i → *judge*
dømmekraft → *judg(e)ment*
dønning → *swell*
døpe → *baptize, christen*
døpefont → *font*
dør → *door*
dørhammer → *knocker*
dørhåndtak → *door handle*
dørklokke → *doorbell*
dørknott → *knob*
dørmatte → *doormat*
dørselger → *hawker*
dørslag → *colander, sieve, strainer*
dørstokk → *sill*
dørstolpe → *doorpost, jamb*
dørtelefon → *entry phone*
dør-til-dør- → *house-to-house*
dørvakt → *commissionaire, doorman*
døråpning → *doorway*
døse → *doze, drowse*
døse av → *doze off*
døsig → *drowsy*
døv → *deaf*
døvespråk → *sign language*
døvhet → *deafness*
døvstum → *deaf-and-dumb, deaf-mute*
døyve → *allay, deaden, kill, soothe*
dåd → *deed, exploit*
dåne → *swoon*
dåp → *baptism*
dårlig → *bad, badly, ill, low, off, poor, poorly, unsound, weak*
dårskap → *folly*
dåse → *fanny*

E

E, e → *E, e*
eau de cologne → *cologne, eau de Cologne*
eau de toilette → *toilet water*
ebbe → *ebb, ebb tide*
ebbe ut → *away, ebb away*
ecstasy → *ecstasy*
ECU → *ECU*
Ecuador → *Ecuador*
ed → *curse, oath*
EDB → *computing*
edderkopp → *spider*
eddik → *vinegar*
edel → *noble*
edelhet → *nobility*
edelste(i)n → *gem, precious stone*
edelt → *nobly*
edikt → *edict*
edru → *sober*
edruelighet → *sobriety*
edsvoren → *sworn*
ef → *pp*
effekt → *effect*
effekter → *effect*
effektiv → *effective, efficient*
effektivitet → *effectiveness, efficacy, efficiency*
effektivt → *effectively, efficiently*
EFTA → *EFTA*
eføy → *ivy*
egalitær → *egalitarian*
egen → *own, separate, special, stubborn*
egenandel → *deposit*
egenart → *character*
egenartet → *quaint*
egenhendig → *single-handed*
egeninteresse → *self-interest*
egenkapital → *deposit, equity capital*
egenkontroll → *self-test*
egennavn → *proper noun*
egenrådig → *headstrong*
egensindig → *strong-minded, wayward*
egenskap → *attribute, capacity, property, qualification, quality*
egentlig → *actual, actually, basically, effectively, strict, true, ultimately*
egenvurdering → *self-assesment*
eget → *own*
eget merke → *own brand*
egg → *edge, egg, ovum*
egge (opp) → *egg on*
eggeglass → *eggcup*
eggehvite → *albumen, egg white*
eggende → *raunchy*
eggeplomme → *egg yolk*
eggerøre → *scrambled eggs*
eggeskall → *eggshell*
eggfrukt → *aubergine, eggplant*
eggleder → *fallopian tube*
eggløsning → *ovulation*
eggstokk- → *ovarian*
egne → *own*
egnet → *fit*
egnethet → *suitability*
ego → *ego*
egoisme → *egotism, selfishness*
egoist → *egotist*
egoistisk → *selfish, selfishly*
egosentrisk → *self-centred*
egotripp → *ego trip*
Egypt → *Egypt*
egypter → *Egyptian*
egyptisk → *Egyptian*
ei → *a*
eid → *isthmus*
eie → *own, ownership, possess*
eiendeler → *asset, belongings, effect, possession*
eiendom → *estate, premise, property*
eiendommelig → *quaint, singular*
eiendommelighet → *peculiarity*
eiendoms- → *possessive, property, real estate*
eiendomsmegler → *estate agent, realtor*
eiendomsmeglerfirma → *estate agency*
eiendomsmekler → *estate agent, realtor*
eiendomsrett → *ownership*
eiendomsskatt → *rate*
eier- → *proprietary*
eier → *owner, possessor, proprietor*
eietrang → *possessiveness*
eik → *oak*
eike → *spoke*
eikenøtt → *acorn*
einebær → *juniper berry*
einer → *juniper*
einstøing → *loner, maverick*
ejakulasjon → *ejaculation*
ekkel → *foul, nasty, rotten*

ekko → *echo*
ekorn → *squirrel*
eKr → *AD*
eksakt → *exact, exactly*
eksaltert → *overexcited*
eksamen → *exam, examination*
eksamensbevis → *diploma*
eksamensfest → *graduation*
eksamensinspektør → *invigilator*
eksaminator → *examiner*
eksaminere → *examine*
eksekusjonspelotong → *firing squad*
eksekutor → *executor*
eksem → *eczema*
eksempel → *example, instance*
eksemplar → *copy*
eksemplar (av arten) → *specimen*
eksemplarisk → *exemplary*
eksemplifisere → *exemplify*
eksentriker → *eccentric*
eksentrisk → *eccentric*
eksepsjonell → *exceptional*
eksersis → *drill*
eksesser → *excess*
ekshibisjonist → *exhibitionist*
eksil → *exile*
eksistens → *existence*
eksistensialisme → *existentialism*
eksistere → *exist*
eksisterende → *existing*
ekskludere → *expel*
eksklusiv → *exclusive, executive, high-class, posh, select, up-market*
eksklusjonsparagraf → *exclusion clause*
ekskrement → *excrement*
ekskursjon → *excursion*
eksos → *exhaust*
eksospotte → *silencer*
eksosrør → *exhaust*
eksotisk → *exotic*
ekspandere → *expand*
ekspansjon → *expansion*
ekspansjonisme → *expansionism*
ekspansjonistisk → *expansionist*
ekspedere → *dispatch, knock off, serve*
ekspedisjon → *expedition*
ekspedisjonsgebyrer → *handling charges*
ekspedisjonskontor → *dispatch department*
ekspedisjonsstyrke → *expeditionary force*
ekspedisjonstid → *lead time*
ekspeditrise → *assistant, clerk, saleswoman, shop assistant*
ekspeditt → *expeditious*
ekspeditør → *assistant, clerk, sales assistant, salesman, shop assistant*
eksperiment → *experiment*
eksperimentell → *experimental*
eksperimentteater → *fringe theatre*
ekspert → *assessor, buff, expert, pundit*
ekspertise → *expertise, know-how*
eksplodere → *explode*
eksplosiv → *explosive*
eksplosjon → *blast, blow-out, explosion*
eksponent → *exponent*
eksponentiell → *exponential*
eksponering → *exposure*
eksponeringstid → *exposure*
eksport → *export, exportation*
eksportartikkel → *export*
eksportere → *export*
eksportvare → *export*
eksportør → *exporter*
ekspresjonisme → *expressionism*
ekspress → *express*
ekspropriasjon → *compulsory purchase*
ekspropriere → *expropriate*
ekstase → *ecstasy*
ekstatisk → *delirious, ecstatic*
ekstemporere → *extemporize*
eksteriør → *exterior*
ekstern → *external*
eksternt → *externally*
ekstra → *duplicate, especially, extra, spare*
ekstrahjul → *spare tyre, spare wheel*
ekstrajobb → *sideline*
ekstrakt → *extract*
ekstranummer → *encore*
ekstraomgang → *extra time, run-off*
ekstraordinær → *extraordinary*
ekstraordinær generalforsamling → *extraordinary general meeting*
ekstrapolering → *extrapolation*
ekstraskillinger → *pin money*
ekstratog → *special*
ekstrautstyr → *accessory*
ekstravaganse → *extravagance*
ekstravagant → *extravagant*
ekstrem → *extreme, extremist, immoderate*
ekstremist → *extremist*
ekstremiteter → *extremity*
ekstremt → *desperately, extremely*
ekte → *authentic, bona fide, genuine, real, true, wed*
ektefelle → *spouse*
ektemann → *husband*
ekteskap → *marriage, matrimony*
ekteskapelig → *conjugal, connubial, marital, married, nuptial*
ekteskapsbrudd → *adultery*
ekteskapsbryter → *adulterer, adulteress*
ekteskapsbyrå → *marriage bureau*
ekteskapsrådgivning → *marriage guidance*
ektestand → *matrimony, wedlock*
ekthet → *authenticity*
ekvatorial → *equatorial*
Ekvatorial-Guinea → *Equatorial Guinea*
elastikk → *elastic*
elastisitet → *elasticity, flexibility*
elastisk → *elastic, flexible, resilient*
elder statesman → *elder statesman*
eldes → *age*
eldgammel → *ancient*
eldre → *elder, elderly*
eldst → *eldest*
eldste → *elder, eldest*
elefant → *elephant*
eleganse → *elegance*
elegant → *dressy, elegant, graceful, sleek, stylish*
elektrifisere → *electrify*
elektriker → *electrician*
elektrisitet → *electricity*
elektrisk → *electric, electrical*
elektro → *electro...*
elektrode → *electrode*
elektroencefalogram → *electroencephalogram*
elektroingeniør → *electrical engineer*
elektrokardiogram → *electrocardiogram*
elektrolyse → *electrolysis*
elektromagnetisk → *electromagnetic*
elektron → *electron*
elektronikk → *electronics*
elektronisk → *electronic*
elektronisk databehandling → *electronic data processing*
elektronisk post → *electronic mail*
elektronmikroskop → *electron microscope*
elektrosjokkbehandling → *ECT, electroconvulsive therapy*
elektroterapi → *electrotherapy*
element → *cell, element, strand*
elementhus → *prefab*
elementkjøkken → *fitted kitchen*

elementær → *elementary, rudimentary, unsophisticated*
elendig → *abysmal, crap, crappy, dismal, lousy, rotten, rubbishy, shocking, wretched*
elendighet → *desolation, misery*
elev → *pupil, scholar, student*
elevvurdering → *school report*
elfenbein → *ivory*
elfenbeinshvit → *ivory*
elfenbeinstårn → *ivory tower*
elg → *moose*
eliksir → *elixir*
eliminasjon → *elimination*
eliminere → *eliminate*
elite → *élite*
elitestyre → *meritocracy*
eller → *or*
ellers → *or, otherwise*
elleve → *eleven*
ellevte → *eleventh*
ellipse → *ellipse*
elliptisk → *elliptical*
elnettet → *main*
elske → *adore, love*
elskede → *beloved, darling*
elskelig → *amiable, darling, lovable*
elskende → *lover*
elsker → *lover*
elskerinne → *mistress*
elsket → *beloved*
elskovsdrikk → *aphrodisiac*
elskovssyk → *lovesick*
elskverdig → *amiable, gracious*
elte → *knead*
elv → *river*
elvebredd → *river bank, riverside*
elveleie → *river bed*
elvemunning → *estuary*
emalje → *enamel*
emaljemaling → *enamel*
emballasje → *packaging, packing*
embargo → *embargo*
embetsmann → *official*
embetsstav → *mace*
embetstid → *tenure*
emblem → *badge, emblem*
emboli → *embolism*
embryo → *embryo*
emeritus → *emeritus*
emfysem → *emphysema*
emigrant → *emigrant*
emigrasjon → *emigration*
emigrere → *emigrate*
eminent → *eminent*
emir → *emir*
emirat → *emirate*
emisjon → *share issue*
emmen → *cloying*
emne → *subject, subject matter, topic*
empati → *empathy*
empirisk → *empirical*
emu → *emu*
emulsjon → *emulsion*
emulsjonsmaling → *emulsion*
en → *a, one, you*
en annen → *another*
enarmet banditt → *fruit machine*
enda → *although, still, though, yet*
ende → *bottom, end, posterior, upshot*
ende (opp) → *finish up*
endelig → *definitive, eventual, final, finally, finite, ultimate*
endelse → *ending*
endeløs → *endless, interminable, never-ending, unending*
endemisk → *endemic*
endestasjon → *terminus*
endetarmsåpning → *anus*
endiv → *endive*
endossat → *endorsee*
endre → *alter, amend, change*
endre seg → *alter, change*
endring → *alteration, change, shift*
-ene → *the*
ene- → *sole, solitary*
ene og alene → *solely*
eneboer → *hermit, recluse*
eneforsørger → *lone parent, single parent*
enehersker → *despot*
enemerker → *precinct*
enerett → *exclusive rights*
energi → *energy*
energibesparende → *energy-saving*
energidepartement → *DOE*
energikrise → *energy crisis*
energisk → *energetic, gutsy, vigorous*
energisparing → *conservation, energy-saving*
enerverende → *enervating, exasperating*
enest → *one*
eneste → *only, sole*
enestående → *exceptional, incomparable, singular, unique, unrivalled*
enetale → *soliloquy*
eneveldig → *absolute, autocratic*
enfoldig → *simple, simple-minded*
eng → *meadow*
en gang → *once, sometime*
engangs- → *disposable, throwaway, unrepeatable*
engangsforeteelse → *one-off*
engasjement → *engagement, involvement*
engasjere → *engage, sign, sign on, sign up*
engasjert → *committed, devoted*
engel → *angel*
engelsk → *English*
engelsk-fransk → *Anglo-French*
engelsk-italiensk → *Anglo-Italian*
engelsk fagspråk → *ESP*
engelskmann → *Englishman*
engelsk mynde → *greyhound*
engelsk som andrespråk → *ESL*
engelsk som fremmedspråk → *EFL*
engelsk syke → *rickets*
engelsktalende → *English-speaking*
engelskundervisning → *ELT*
England → *England*
engleaktig → *angelic*
englestøv → *angel dust*
engros- → *wholesale*
engrossalg → *wholesale*
engste seg → *bother*
engstelig → *alarmed, anxious, anxiously, apprehensive, fearful, fearfully, timid, uneasy*
engstelse → *apprehension, disquiet, distress, trepidation*
enhet → *entity, unit, unity*
enhetlig → *cohesive, uniform*
enhetskostnad → *unit cost*
enhetspris → *unit price*
enhjørning → *unicorn*
enighet → *agreement, consensus*
enke → *widow*
enkel → *basic, crude, homely, monastic, plain, rude, simple, straightforward*
enkelhet → *convenience, simplicity*
enkelt → *individual, roughly, simply, single*
enkeltrom → *single room*
enkeltseng → *single bed*
enkeltspent → *single-breasted*
enkeltstående → *isolated*
enkelttilfelle → *one-off*
enkeltvis → *individually*
enkemann → *widower*

enklave → *enclave*
enmanns- → *one-man*
enmannsorkester → *one-man band*
enn → *than*
ennå → *still, yet*
enorm → *enormous, huge, immense, prodigious, tremendous, vast*
enormt → *enormously, hugely, tremendously, vastly*
ensartet → *homogeneous*
ensartethet → *uniformity*
ensemble → *ensemble*
ensfarget → *plain, self-coloured*
ensformig → *monotonous, repetitive*
ensformighet → *monotony*
ensidig → *one-sided, partisan, unilateral*
enskinnet → *monorail*
enslig → *lone, single, solitary, unattached*
ensom → *lonely, solitary*
ensomhet → *loneliness, solitude*
ensrettethet → *uniformity*
enstavelses- → *monosyllabic*
enstavelsesord → *monosyllable*
enstemmig → *unanimous, unanimously*
enstemmighet → *unanimity*
entall → *singular*
enten → *either*
enteritt → *enteritis*
entertainer → *entertainer*
entregjeng → *boarding party*
entreprenør- → *entrepreneurial*
entreprenør → *entrepreneur*
entré → *entrance, hall, hallway*
entrédør → *front door*
entrénøkkel → *latchkey*
entusiasme → *enthusiasm*
entusiast → *enthusiast*
entusiastisk → *enthusiastic*
entydig → *unequivocal*
E-nummer → *E-number*
enveis- → *one-way*
enveisbillett → *single*
enveiskjørt → *one-way*
envis → *wilful*
enzym → *enzyme*
epidemi → *epidemic*
epigram → *epigram*
epilepsi → *epilepsy*
epileptiker → *epileptic*
epileptisk → *epileptic*
epilog → *epilogue*
episenter → *epicentre*
episode → *episode, happening, instalment, part*
epistel → *epistle, missive*
eple → *apple*
eplenikkers → *plus fours*
epletre → *apple tree*
epoke → *epoch*
epokegjørende → *epoch-making*
epos → *epic*
e-post → *E-mail, e-mail*
er → *be*
ereksjon → *erection*
eremitt → *hermit, recluse*
erfare → *experience*
erfaren → *experienced*
erfaring → *experience*
ergerlig → *aggravating, annoying*
ergometersykkel → *exercise bike*
ergonomi → *ergonomics*
ergre → *aggravate, annoy, bug, gall, rile, vex*
ergrelse → *aggravation, annoyance, chagrin, exasperation, irritation*
erigert → *erect*
erindre → *recollect*
erindringer → *reminiscences*
erkebiskop → *archbishop*
erkeengel → *archangel*
erkefiende → *arch-enemy*
erkjenne → *acknowledge, recognize*
erkjennelse → *realization, recognition*
erklære → *affirm, declare, pronounce, state*
erklæring → *declaration, pronouncement, statement*
erklært → *avowed, professed, self-confessed*
erme → *arm, sleeve*
ermeløs → *sleeveless*
ernære → *nourish*
ernæring → *nutrition*
ernæringsekspert → *nutritionist*
ernæringsfysiolog → *dietician, nutritionist*
erobre → *capture, conquer, corner*
erobrer → *conqueror*
erobring → *capture, conquest, seizure*
erogen → *erogenous*
erosjon → *erosion*
erotikk → *eroticism*
erotisk → *erotic*
erstatning → *compensation, damages, indemnity, replacement, substitute*
erstatte → *indemnify, replace, restore, supersede*
ert → *pea*
erte → *needle, tease*
ertekrok → *tease*
ertelyst → *mischief*
ertelysten → *mischievous*
ertete → *impish*
erts → *ore*
erupsjon → *eruption*
erverve seg → *acquire*
ervervelse → *acquisition*
ervervet immunsviktsyndrom → *AIDS*
esel → *ass, donkey*
eskadron → *squadron*
eskapade → *escapade*
eskapisme → *escapism*
eskapistisk → *escapist*
eske → *box, canteen*
eskimo → *Eskimo*
eskorte → *escort*
eskortebyrå → *escort agency*
eskortere → *escort*
esoterisk → *esoteric*
esplanade → *esplanade*
ess → *ace*
essay → *essay*
essens → *essence*
estetisk → *aesthetic, aesthetically*
Estland → *Estonia*
estragon → *tarragon*
et → *a, one*
-et → *the*
etablere → *establish, found*
etablering → *establishment, foundation*
etablert → *established*
etablissement → *establishment*
etasje → *deck, floor, storey, tier*
etbl → *est.*
ete → *scoff*
etegilde → *blow-out*
eter → *ether*
eterisk → *ethereal*
etikett → *label*
etikette → *etiquette*
etikk → *ethics*
etioper → *Ethiopian*
Etiopia → *Ethiopia*
etiopisk → *Ethiopian*
etisk → *ethical*
etnisk → *ethnic*

etnologi → *ethnology*
etos → *ethos*
etse → *etch*
etse på → *corrode*
etsende → *caustic, corrosive*
ett → *one*
etter → *after, behind, from*
etter(på) → *after*
etter at → *after*
etter Kristi fødsel → *Anno Domini*
etterape → *mimic, take off*
etterbarberingsvann → *after-shave (lotion)*
etterbehandling → *aftercare*
etterbetaling → *back pay*
etterbyrd → *afterbirth*
etterdatere → *postdate*
etterdønning → *aftershock, reverberation*
etterdønninger → *aftershock*
etterforske → *inquire into, investigate*
etterforsker → *investigator*
etterforskning → *investigation*
etterfølge → *succeed*
etterfølger → *replacement, successor*
ettergivelse → *remission*
ettergivende → *compliant, soft, weak-kneed*
ettergivenhet → *indulgence*
etterkomme → *satisfy*
etterkommer → *descendant*
etterkommere → *issue, offspring*
etterkrigs- → *postwar*
etterlate → *abandon, leave*
etterligne → *fake, imitate, impersonate, mimic*
etterligning → *fake, imitation, impersonation, mimicry*
etterlikne → *fake, imitate, impersonate, mimic*
etterlikning → *fake, imitation, impersonation, mimicry*
etterlyst → *wanted*
ettermiddag → *afternoon, p.m.*
etternavn → *surname*
etternøler → *straggler*
etterpå → *afterwards, next, subsequently*
etterretning → *intelligence*
etterretningstjeneste → *intelligence, intelligence service, secret service*
ettersittende → *slinky, snug*
etterskrift → *postscript*
etterskudds- → *back*
ettersmak → *aftertaste, residue*
etterspill → *sequel*
etterspurt → *sought-after*
etterspørsel → *demand*
etterstrebe → *pursue*
ettersøkt → *wanted*
ettertanke → *contemplation*
ettertelle → *re-count*
ettertiden → *posterity*
ettertraktet → *sought-after*
ettertrykkelig → *soundly*
ettervirkninger → *after-effects, aftermath*
ettromsleilighet → *studio flat*
ettårig plante → *annual*
ettåring → *yearling*
etui → *case*
etymologi → *etymology*
EU → *EU*
Eubyråkrat → *Eurocrat*
eufemisme → *euphemism*
eufemistisk → *euphemistic*
eufori → *euphoria*
eukalyptus → *eucalyptus*
Eurasia → *Eurasia*
eurasier → *Eurasian*
eurasisk → *Eurasian*
euro- → *Euro-*
eurodollar → *Eurodollar*
eurokrat → *Eurocrat*
Europa → *Europe*
europeer → *European*
europeisk → *European*
Eurosjekk → *Eurocheque*
euroskeptiker → *Euro-sceptic*
evakuere → *evacuate*
evakuering → *evacuation*
evakuert → *evacuee*
evaluere → *assess, evaluate*
evangelisere → *evangelize*
evangelisk → *evangelical*
evangelist → *evangelist*
evangelium → *gospel*
eventualitet → *contingency, eventuality*
eventuell → *potential*
eventyr → *adventure, fairy story, tale*
eventyrbok → *storybook*
eventyrlig → *fabulous*
eventyrlysten → *adventurous*
evig → *eternal, everlasting, perennial, perpetual*
eviggrønn → *evergreen*
evighet → *aeon, eternity*
evigvarende → *everlasting*
evinnelig → *never-ending, perpetual, relentless, unrelieved*
evne → *ability, capability, capacity, faculty, genius, gift, power*
evneveik → *feeble-minded, subnormal*
evolusjon → *evolution*
eyeliner → *eyeliner*

F

F, f → *F, f*
fabel → *fable*
fabelaktig → *amazing, fabulous, wonderfully*
fabrikant → *maker, manufacturer*
fabrikasjon → *fabrication, manufacturing*
fabrikere → *fabricate*
fabrikk → *factory, plant*
fabrikkprodusert → *manufactured*
fabrikkskip → *factory ship*
fabrikkvarer → *manufactured goods*
fadder → *godfather, godmother, godparent*
fadderbarn → *godchild, goddaughter, godson*
fade ut → *fade out*
fader → *father*
faderlig → *avuncular, fatherly, paternal*
fadese → *cock-up, gaffe*
faeces → *faeces*
faen → *devil, shit*
fag → *skill, subject*
fagfolk → *profession*
fagforening → *labor union, trade union*
fagforeningsmedlem → *trade unionist*
faglig → *professional, professionally*
faglært → *skilled, trained*
fagmann → *professional*
fagott → *bassoon*
fair → *fair*
fairway → *fairway*
fakke → *catch*
fakkel → *torch*
faks → *fax*
fakse → *fax*
faksimile → *facsimile*
faktisk → *actual, actually, bona fide, effective, effectively*
faktor → *factor, quotient*
faktum → *fact*
faktura → *invoice*
fakturere → *invoice*
fakultet → *faculty*

fald → *hem*
falde (opp) → *hem*
falk → *falcon*
fall → *downfall, drop, fall*
falle → *fall*
falle for → *fall for*
falle ned → *come down, drop, fall down*
falle om → *collapse*
falle overende → *fall over, keel over*
falle på → *close in, fall*
falle sammen → *collapse, fall apart*
falle til jorda → *fall*
falle til ro → *quieten*
falle tilbake på → *fall back on*
falle ut → *fall out*
falleferdig → *decrepit, dilapidated, ramshackle, tumbledown*
fallem → *trap door*
fallende → *falling*
fallert → *bankrupt*
fallgitter → *portcullis*
fallgruve → *pitfall*
fallisk → *phallic*
fallitt → *bankrupt, bankruptcy*
fallos- → *phallic*
fallskjerm → *parachute*
fallskjermhopp → *parachute jump*
fallskjermhopper → *parachutist*
fallskjermjeger → *paratrooper*
falme → *fade*
falsk → *bogus, counterfeit, dummy, fake, false, fraudulent, off-key, phoney, spurious, two-faced*
falsk alarm → *false alarm*
falskhet → *duplicity*
falskner → *forger*
falskneri → *forgery*
falskspiller → *cardsharp*
familie → *family*
familiebakgrunn → *pedigree*
familiebedrift → *family business*
familiedoktor → *family doctor*
familiefar → *family man*
familielege → *family doctor*
familieliv → *domesticity, family life*
familieplanlegging → *family planning*
familiær → *familiar*
famle rundt → *poke about*
fan → *fan*
fanatiker → *fanatic, zealot*
fanatisk → *fanatical*
fancy → *fanciful, fancy*
fandenivoldsk → *devilish, gutsy*
fane → *banner*
fanfare → *fanfare*
fang → *lap*
fangarm → *tentacle*
fange → *captive, capture, catch, corner, engage, net, prisoner, trap*
fange inn → *capture*
fange opp → *intercept, pick up, trap*
fangehull → *dungeon*
fangeleir → *prison camp*
fangenskap → *captivity*
fangst → *catch, haul*
fangstmann → *trapper*
fanken → *damnation*
fanklubb → *fan club*
fantasere → *fantasize*
fantasi → *fancy, fantasy, fiction, imagination, make-believe*
fantasifull → *fanciful, imaginative*
fantasiløs → *unimaginative*
fantasiverden → *dream world*
fantastisk → *amazing, extravagant, fantastic*
fanteri → *mischief*
fantom → *phantom*
fanzin → *fanzine*
FAO → *FAO*
far → *father, parent*
far vel → *farewell*
farao → *Pharaoh*
farbar → *navigable, negotiable*
fare → *danger, hazard, hurtle, peril, risk, sweep*
fare ut → *flounce out {or} off, shoot out*
farefull → *perilous*
faren-over-signal → *all clear*
faresone → *danger zone*
farfar → *grandfather*
farge(tilsetning) → *colouring*
farge → *colour, colour in, colouring, complexion, dye, suit*
farge av → *bleed, run*
fargeblind → *colour-blind*
fargeblyant → *crayon*
fargebånd → *ribbon*
fargeekte → *fast*
fargefilm → *colour film*
fargefjernsyn → *colour television*
fargeklatt → *splash*
fargelegge → *colour in*
fargeløs → *wishy-washy*
farger → *colour*
fargerik → *colourful*
fargerikdom → *colour*
fargesammensetning → *colour scheme*
fargesprakende → *colourful*
fargestoff → *pigment*
fargestoffer → *dyestuffs*
farget → *coloured*
fargetilsetning → *colouring*
farge-tv → *colour television*
farin → *caster sugar*
farlig → *dangerous, dangerously, hazardous, mean, perilously*
farmasi → *pharmacy*
farmasøyt → *chemist, pharmacist*
farmasøytisk → *pharmaceutical*
farmor → *grandmother*
farse → *farce, stuffing*
farsott → *fever*
farsrolle → *fatherhood*
farsskap → *paternity*
farsskapssak → *paternity suit*
fart → *pace, speed, swiftness*
fartsdump → *hump*
fartsgrense → *speed limit*
fartsmåler → *speedometer*
fartsoverskridelse → *speeding*
fartsskriver → *tachograph*
fartøy → *craft, vessel*
farvel → *farewell*
fasade → *elevation, façade, frontage*
fasan → *pheasant*
fascinasjon → *fascination*
fascinere → *fascinate, intrigue*
fascinerende → *fascinating, intriguing*
fascisme → *fascism*
fascist → *fascist*
fascistisk → *fascist*
fase → *phase, stage*
fasett → *facet*
fasilitet → *amenity*
fasiliteter → *amenities, facilities*
fasit → *cure*
fasjonabel → *chic, fashionable, select, smart, up-market*
fasjonalbel → *modish*
fasong → *shape*
fast → *fast, firm, fixed, flat, hard, hard-and-fast, permanent, permanently, regular, set, solid, steady, steely, tight, tightly, unwavering*
fast meny → *set menu*

fastboende → *resident*
faste → *fast, Lent*
faste aktiva → *capital assets*
fastetid → *Lent*
fastfryse → *freeze*
fastfrysing → *freezing*
fastgjøre → *furl*
fasthet → *firmness*
fastholde → *insist, maintain*
fastklebing → *adhesion*
fastklistring → *adhesion*
fastlagt → *scheduled*
fastlåst situasjon → *deadlock, gridlock, stalemate, standoff*
fastsatt → *given, prescribed, scheduled, set*
fastsette → *appoint, determine, fix, lay down, prescribe, set*
fastsettelse → *determination*
fastslå → *determine, establish*
fat → *barrel, bowl, dish, drum, keg, plate, plateful, platter*
fatal → *calamitous, fatal*
fatalistisk → *fatalistic*
fatle → *sling*
fatning → *composure, fortitude*
fatte → *catch, comprehend, fathom, twig*
fatteevne → *comprehension*
fattet → *composed*
fattig → *poor*
fattigdom → *deprivation, poverty*
fattigere → *worse off*
fattiglem → *pauper*
fatøl → *draught beer, real ale*
fauna → *fauna*
favn → *fathom*
favorisere → *favour*
favorisering → *favouritism*
favoritt → *favourite*
fe → *ass, fairy*
feber → *fever*
febril → *feverish*
febrilsk → *feverish*
februar → *February*
fedme → *fatness*
fedreland → *fatherland*
feedback → *feedback*
feide → *feud*
feie → *sweep*
feie forbi → *brush past, sweep past*
feie opp → *sweep up*
feiebil → *roadsweeper*
feiebrett → *dustpan*
feiende → *sweeping*
feier → *sweep*
feig → *cowardly, dastardly*
feighet → *cowardice*
feiging → *chicken, coward*
feil → *bug, defect, error, failing, false, fault, flaw, imperfection, mistake, shortcoming, wrong, wrongly*
feilaktig → *erroneous, inaccurate, mistaken, mistakenly, wrongful, wrongly*
feilbarlig → *fallible*
feilbedømme → *misjudge*
feilberegne → *miscalculate*
feilberegning → *miscalculation*
feildirigere → *misdirect*
feile → *err*
feilernæring → *malnutrition*
feilfri → *faultless, flawless, impeccable*
feilinformere → *misinform*
feilmelding → *error message*
feiloppfatning → *misconception*
feilparkering → *parking offence*
feilplassert → *misplaced*
feilsikker → *failsafe*
feilsitere → *misquote*
feiltolke → *misconstrue, misinterpret*
feiltolkning → *misinterpretation*
feiltrinn → *faux pas, lapse, slip, slip-up*
feire → *celebrate*
feiret → *celebrated*
feiring → *celebration*
f.eks. → *e.g.*
fekte → *fence*
fekting → *fencing*
fele → *fiddle*
felespiller → *fiddler*
felg → *rim*
fell → *fleece*
felle → *cut down, fell, shed, trap*
felle av → *cast off*
felle dom → *adjudicate*
fellende → *damning, incriminating*
felles → *collective, common, communal, concerted, corporate, joint, mutual*
felles grunnlag → *common ground*
felles konto → *joint account*
felleskasse → *pool*
fellesnevner → *common denominator*
fellesskap → *fellowship, togetherness*
felt → *field, lane, panel*
feltarbeid → *fieldwork*
feltmarskalk → *field marshal*
feltposttjeneste → *APO*
feltprest → *padre*
feltseng → *camp bed, cot*
feltsykehus → *field hospital, MASH*
felttog → *campaign, crusade*
feltuniform → *battledress, fatigue*
fem → *five*
femdagersuke → *five-day week*
femi → *camp*
feminin → *effeminate, feminine*
femininitet → *femininity*
feminisme → *feminism*
feminist → *feminist*
femlinger → *quintuplets*
femte → *fifth*
femten → *fifteen*
femtende → *fifteenth*
femti → *fifty*
femtiende → *fiftieth*
fender → *fender*
fenge → *catch on*
fengende → *catchy*
fengsel → *jail, penitentiary, prison*
fengselsbetjent → *warder*
fengselsdirektør → *governor*
fengselsflukt → *jailbreak*
fengselsfugl → *jailbird*
fengselsstraff → *imprisonment*
fengsle → *enchant, imprison, jail, rivet*
fengslende → *absorbing, arresting, enthralling, gripping, riveting*
fengslet → *enthralled*
fengsling → *detention, imprisonment*
fennikel → *fennel*
fenomen → *phenomenon*
fenomenal → *phenomenal*
ferdig → *complete, finished, ready, shattered*
ferdigbetong → *ready-mix*
ferdigbygd → *prefabricated*
ferdigfrankert → *prepaid*
ferdighet → *accomplishment, proficiency, skill*
ferdiglagd → *instant, ready-cooked*
ferdiglaget → *instant, ready-cooked*
ferdiglastet → *loaded*
ferdigmiddag → *TV dinner*
ferdigsydd → *ready-made*
ferdigutdannet → *fully-fledged*
ferdselsrett → *right of way*

ferdskriver → *black box, flight recorder*
ferge → *ferry*
fergemann → *ferryman*
ferie → *holiday, leave, recess, vacation*
feriegjest → *holidaymaker*
feriekurs → *vacation course*
ferieleir → *holiday camp*
ferielønn → *holiday pay*
feriepenger → *holiday pay*
feriesesong → *holiday season*
feriested → *holiday resort*
ferieturist → *holidaymaker*
fersk → *fresh, raw*
fersken → *peach*
ferskvanns- → *freshwater*
fest → *feast, gala, party*
festdag → *feast*
festdeltaker → *reveller*
feste → *affix, attach, fasten, feast, pin, secure*
festeanordning → *fastener*
festing → *revelry*
festival → *festival*
festligheter → *festivities*
festning → *fort, fortress*
festningsvoll → *rampart*
feststemt → *festive*
fet → *fat, fatty, greasy, oily*
fete opp → *fatten*
fete typer → *bold*
fetende → *fattening*
fetert → *celebrated*
fetetirsdag → *Pancake Day, Shrove Tuesday*
fetisj → *fetish*
fett → *fat, grease*
fetter → *cousin*
fettet(e) → *greasy*
fettflekket(e) → *greasy*
fettfri → *fat-free*
fettpresse → *grease gun*
fettsuging → *liposuction*
fettsyke → *obesity*
fiasko → *debacle, fiasco, flop*
fiber → *fibre, roughage, strand*
fiberglass → *fibre-glass*
fiberpapp → *fibreboard*
fiberplate → *fibreboard*
fibrositt → *fibrositis*
fiende → *enemy, foe*
fiendskap → *animosity*
fiendtlig → *belligerent, enemy, hostile*
fiendtlighet → *animosity, belligerence, hostility*
fiendtligheter → *hostility*
fiendtligsinnet → *hostile*
fiffe opp → *smarten up, spruce up, tart up, titivate*
fiffe seg opp → *smarten up*
figur → *figure*
figurere → *figure*
figurlig → *figurative*
figurnær → *slinky*
Fiji(øyene) → *Fiji (Islands)*
fiken → *fig*
fikenkaktus → *prickly pear*
fikentre → *fig*
fikle med → *tinker with*
fiks → *fixed, neat, pert*
fiks (og) ferdig → *cut-and-dried, pat*
fikse → *fix, wangle*
fikse på → *doctor, touch up*
fikser → *wheeler-dealer*
fiksere → *peg*
fiksering → *fixation*
fiksfakseri → *hocus-pocus*
fiksfakserier → *hocus-pocus*
fiksjon → *fiction*
fiksjonalisere → *fictionalize*
fiksérmiddel → *fixative*
fiktiv → *fictitious*
fil → *file, lane*
filantrop → *philanthropist*
filantropisk → *philanthropic*
filateli → *philately*
filatelist → *philatelist*
file → *file*
filet → *fillet*
filetere → *fillet*
filial → *branch*
filialbestyrer → *branch manager*
filibustertaktikk → *filibuster*
filippiner → *Filipino*
filippinsk → *Filipino*
filister → *philistine*
fille → *rag, shred*
fille- → *piddling, piffling*
filledukke → *rag doll*
fillepeller → *rag-and-bone man*
filler → *rag*
fillern → *blast*
fillet(e) → *ragged, tattered*
film → *cinema, film, movie, picture, release*
filmapparat → *cine-projector*
filmavis → *newsreel*
filmbiografi → *biopic*
filmbit → *footage*
filme → *film*
filmkamera → *cine-camera, movie camera*
filmmanus(kript) → *screenplay*
filmredaktør → *editor*
filmstjerne → *film star*
filmstudio → *film studio*
filmvisning → *projection*
filnavn → *file name*
filosof → *philosopher*
filosofere → *philosophize*
filosofi → *philosophy*
filosofisk → *philosophical*
filt → *felt*
filter- → *filter-tipped, tipped*
filter → *filter, filter tip*
filterkaffe → *filter coffee*
filthatt → *trilby*
filtrere → *filter, sift*
fin → *delicate, fair, fancy, fine, good, nice, noble, pleasant, posh, smart*
fin og avrundet → *smooth*
finale → *final, finale*
finalist → *finalist*
finans- → *fiscal*
finanser → *finance*
finansiell → *financial*
finansielt → *financially*
finansier → *financier*
finansiere → *finance, fund, underwrite*
finansiering → *finance, funding*
finansselskap → *credit agency, credit bureau, mortgage company*
finerplate → *veneer*
finesse → *subtlety*
finger → *digit, finger*
fingeravtrykk → *fingerprint*
fingerbøl → *thimble*
fingerdukke → *puppet*
fingernegl → *fingernail*
fingert → *sham*
fingertupp → *fingertip*
fingre med → *fiddle with, finger, toy with*
finhakket → *mince*
finitt → *finite*
finkjemme → *comb, scour*

Finland → *Finland*
finne → *attain, discover, fin, find, Finn*
finne fram → *chase up, produce*
finne igjen → *find, recover*
finne opp → *invent*
finne på → *coin, invent, make up, think up*
finne seg i → *put up with, stand for*
finne ut → *figure out, find out, suss out, work out*
finnes → *exist, remain*
finsk → *Finnish*
finstas → *finery*
fint → *delicately, fine, finely, nicely*
fintfølelse → *finesse, sensitivity*
fintfølende → *sensitive*
fiol → *viola, violet*
fiolett → *violet*
fiolin → *violin*
fiolinist → *violinist*
firbe(i)nt → *quadruped*
fire → *four*
fire ut → *pay out*
firedoble → *quadruple*
firehjulsdrift → *four-wheel drive*
firehjulstrekk → *four-wheel drive*
Firenze → *Florence*
firkant → *quadrilateral, square*
firkantet → *square*
firlinger → *quadruplets*
firma → *company, firm, outfit*
firmabil → *company car*
firmafullmektig → *company secretary*
firskåren → *chunky*
fis → *fart*
fise → *fart*
fisk → *fish*
fiske → *fish*
fiske fram {or} opp → *fish out*
fiske i → *fish*
fiske opp → *fish out*
fiskebein → *fishbone*
fiskebutikk → *fishmonger's (shop)*
fiskebåt → *fishing boat*
fiskeforretning → *fishmonger's (shop)*
fiskegarn → *fishing net*
fiskehandler → *fishmonger*
fiskekake → *fishcake*
fiskekrok → *fish hook*
Fiskene(s tegn) → *Pisces*
fiskepinner → *fish fingers*
fiskeplass → *fishery*
fisker → *fisherman*
fiskeredskap → *fishing tackle*
fiskesnøre → *fishing line*
fiskespade → *fish slice*
fiskestang → *fishing rod*
fisketorg → *fish market*
fiskeutstyr → *fishing tackle*
fjas → *glitz*
fjell → *fell, mountain*
fjellendt → *mountainous*
fjellfører → *guide*
fjellkjede → *mountain range*
fjellklatrer → *mountaineer, rock climber*
fjellklatring → *mountaineering, rock climbing*
fjellredningslag → *mountain rescue team*
fjellside → *mountainside*
fjellvandring → *fell-walking*
fjellvann → *tarn*
fjellvegg → *rock face*
fjerde → *fourth*
fjerdedel → *quarter*
fjerdedelsnote → *crotchet*
fjern → *distant, distracted, faraway, remote, slim, vague*
fjerne → *clear, dispel, excise, obliterate, remove, shift, strip*
fjernest → *furthermost*
fjernhet → *aloofness, remoteness*
fjerning → *removal*
fjernkontroll → *remote control*
fjernsamtale → *toll call*
fjernskriver → *teleprinter*
fjernstyrt → *remote-controlled*
fjernsyn → *television*
fjernsynsapparat → *television set*
fjernsynslisens → *television licence*
fjernsynsoverføre → *televise*
fjernsynsprogram → *television programme*
fjernt → *remotely*
fjerntliggende → *faraway*
fjes → *face*
fjollet(e) → *dizzy, fatuous, frivolous, simpering*
fjollethet → *frivolity*
fjols → *ass, fool, jackass, oaf*
fjord → *fjord*
fjorten → *fourteen*
fjortende → *fourteenth*
fjær → *feather, plume, spring*
fjærball → *shuttlecock*
fjærbusk → *crest*
fjærdrakt → *plumage*
fjære → *ebb*
fjærende → *resilient, springy*
fjærfe → *poultry*
fjærfekjøtt → *poultry*
fjæring → *resilience*
fjærpenn → *quill*
fjærvekt → *featherweight*
fjøs → *byre, cowshed, stable*
f.Kr → *BC*
flagg → *flag*
flaggermus → *bat*
flaggrekke → *bunting*
flaggskip → *centrepiece, flagship*
flaggstang → *flagpole*
flagre → *flutter*
flagring → *flutter*
flak → *flake, floe, sheet, tail*
flakke → *flit*
flakke rundt → *wander*
flaks → *luck*
flakse → *flap, flutter*
flamingo → *flamingo*
flamme → *blaze, flame*
flamme opp → *flare up*
flammende → *fiery, rousing*
flamsk → *Flemish*
Flandern → *Flanders*
flanell → *flannel*
flanellsbukse → *flannel*
flanke → *flank*
flaske → *bottle, cylinder*
flaskebrikke → *coaster*
flaskehals → *bottleneck*
flaskeåpner → *bottle-opener*
flass → *dandruff*
flasse → *peel*
flasse av → *flake, peel*
flat → *dead, flat, level*
flatbunnet båt → *punt*
flate → *expanse, surface, surface area*
flate ut → *flatten*
flatelyn → *sheet lightning*
flathet → *flatness*
flatt → *flat*
flatterende → *flattering*
flau → *embarrassed, feeble, sheepish*
flause → *gaffe*
flegmatisk → *phlegmatic*
fleipe med → *rag, rib*

fleipet(e) → *flippant*
flekk → *area, blemish, blob, bruise, mark, patch, smear, smudge, spot, stain*
flekke til → *stain*
flekket(e) → *blotchy, patchy, piebald*
flekkfjerner → *stain remover*
fleksibel → *flexible*
fleksibilitet → *flexibility*
fleksitid → *flexitime*
flenge → *gash, rip, tear*
flenge opp → *slash*
fler- → *poly...*
flerdobling → *multiplication*
flere → *more, several*
flere forskjellige → *various*
flere ganger → *various*
fleretasjers → *multi-storey*
flerfarget → *multicoloured*
flerkoneri → *bigamy*
flerkulturell → *multiracial*
flerre → *rip*
flerre av → *rip off*
flerstemt → *harmony*
flertall → *majority, plural*
flertallsform → *plural*
flertydig → *ambiguous*
flertydighet → *ambiguity*
flervalgs- → *multiple-choice*
flerårig → *perennial*
flesket(e) → *flabby*
flest(e) → *most*
flette → *braid, plait, weave, wicker*
flette inn i → *entwine*
flette seg sammen → *intertwine*
flid → *application, industry*
flink → *bright, clever, smart*
flint(stein) → *flint*
flint → *flint*
flipp → *lobe*
flipperspill → *pinball*
flire → *simper, snigger*
flis → *chip, reed, sliver, splinter, tile*
flis(be)lagt → *tiled*
flislegge → *tile*
flittig → *assiduous, busily, diligent, hard-working, industrious, studious, studiously*
flittighet → *diligence*
flo → *flood tide, flow, high tide*
flodhest → *hippo, hippopotamus*
floke → *kink*
floket(e) → *tangled*
flokk → *band, flock, herd, pack, school, troop*
flokke seg → *cluster, gather, band together*
flom → *deluge, flood*
flombelyse → *floodlight*
flombelyst → *floodlit*
flomlys → *floodlight*
flomme → *flow, rush*
flomvann → *floodwater*
flopp → *flop, wash-out*
florentinsk → *Florentine*
florerende → *rampant*
florett → *foil*
flormelis → *icing sugar*
flortynn → *sheer*
floskler → *cant*
flosshatt → *top hat*
flott → *classy, dashing, grand, great, handsome, posh*
flottørkran → *ballcock*
flue → *fly*
fluefiske → *fly-fishing*
fluesmekker → *swat, swatter*
fluesopp → *toadstool*
fluevekt → *flyweight*
fluksens → *sharpish*
flukt → *escape, flight, rout, stampede*
fluktbil → *getaway car*
fluktrute → *escape route*
fluor → *fluorine*
fluorescerende → *fluorescent*
fluorid → *fluoride*
flush → *flush*
fly → *aeroplane, aircraft, airplane, bolt, flight, fly, plane*
fly bort {or} vekk → *fly away*
flybase → *AFB, air base*
flybesetning → *flight crew*
flybåren → *airborne*
flydekk → *flight deck*
flyfrakt → *air cargo*
flyfraktbrev → *air waybill*
flyfri sone → *no-fly zone*
flygebane → *flight path*
flygeblad → *leaflet*
flygel → *grand piano*
flygende tallerken → *flying saucer*
flyger → *flier, pilot*
flyging → *aeronautics, aviation, flight, flying*
flyhastighet → *airspeed*
flykonstruksjon → *aeronautics*
flykontrolltjeneste → *air-traffic control*
flykte → *escape, flee*
flyktig → *cursory, elusive, ephemeral, fleeting, passing, transient, transitory, volatile*
flyktning → *displaced person, fugitive, refugee*
flyktningeleir → *refugee camp*
flylast → *air cargo*
flyledelse → *air-traffic control*
fly(ge)leder → *air-traffic controller*
flyndre → *flounder, sole*
flyplass → *aerodrome, airfield, airport*
flyrute → *airway*
flyselskap → *airline*
flysending → *air freight*
flystasjon → *air base*
flystripe → *airstrip*
flyt → *flow*
flytdiagram → *flow chart*
flyte → *float, flow*
flyte over → *overflow*
flytebrett → *float*
flyteevne → *buoyancy*
flytekrystalldisplay → *liquid crystal display*
flytende → *afloat, fluent, fluently, fluid, liquid*
flytende kapital → *circulating capital*
flytende salve → *liniment*
flyterminal → *air terminal*
flytransport → *air cargo, air freight*
flytskjema → *flow chart*
flyttbar → *movable*
flyttbarhet → *mobility*
flytte → *migrate, move, move away, shift*
flytte bakover → *move back*
flytte fram → *bring forward*
flytte inn → *move in*
flytte opp → *move up*
flytte på → *displace, rearrange, reorder*
flytte på seg → *move about, move over*
flytte seg → *shift*
flytte tilbake → *move back*
flytte ut → *move out*
flyttebil → *pantechnicon, removal van*
flyttemann → *removal man*
flytting → *migration, move, removal*
flytur → *flight*
flyveblad → *handout*
flyvert → *flight attendant, steward*
flyvertinne → *air hostess, flight attendant, stewardess*
flyvåpen → *Air Force*

flørt → *flirt, flirtation*
flørte → *flirt*
flørte med → *chat up*
fløte → *cream*
fløteaktig → *creamy*
fløteost → *cream cheese*
fløy → *wing*
fløyel → *velvet*
fløyte → *flute, pipe, whistle*
flå → *fleece, skin*
flåkjeftet → *brash*
flåset(e) → *flippant*
flåte → *fleet, raft*
fnis → *giggle*
fnise → *giggle, snigger*
fnugg → *flake, scrap, shred, speck*
foajé → *foyer*
fobi → *phobia*
fohåpningsfull → *hopeful*
fokus → *focal point, focus*
fokusere → *focus*
fokusering → *focus*
fold → *fold, pleat*
folde ut → *unfurl*
fole → *colt*
folie → *film, foil*
folk → *folk, people*
folkeavstemning → *plebiscite, referendum*
folkelig → *popular*
folkeminne → *folklore*
folkemord → *genocide*
folkemusikk → *folk music*
folkeopinion → *public opinion*
folkerik → *populous*
folketelling → *census*
folkevise → *folk song*
folksom → *crowded*
follekniv → *jack-knife*
fomle etter → *fumble for*
fomle med → *fumble with*
fond → *fund*
fonetikk → *phonetics*
fonne → *drift*
fontene → *fountain*
for → *for, front, pro, too, what*
fôr → *fodder, forage, lining*
for øvrig → *otherwise*
for å → *to*
forakt → *contempt, disdain, opprobrium, scorn*
forakte → *despise, disdain, scorn*
foraktelig → *contemptible, contemptuous, despicable, scornful*
foran → *ahead, before*
forandre → *alter, change*
forandre på → *modify, revise*
forandre seg → *alter, change*
forandring → *alteration, change, modification*
forankret → *entrenched*
forannevnt → *foregoing*
foranstaltninger → *arrangement*
forarbeid → *groundwork*
forarge → *exasperate, irk*
forargelse → *exasperation*
forargerlig → *irksome, galling*
forarget → *resentful*
forbanna → *wretched*
forbanne → *curse, damn*
forbannelse → *curse, jinx, scourge*
forbannet → *damnable*
forbasket → *confounded, ruddy, stinking*
forbause → *astonish, surprise*
forbauselse → *astonishment, surprise*
forbausende → *amazing, amazingly, astonishing, astonishingly, surprisingly*
forbedre → *ameliorate, better, enhance, improve, improve (up)on sth*
forbedre seg → *improve*
forbedringsanstalt → *reformatory*
forbehold → *qualification*
forbeholde → *reserve*
forbeholden → *non-committal, qualified*
forbeholdsklausul → *escape clause*
forbein → *foreleg*
forberede → *prepare*
forberedelser → *arrangement, preliminaries, preparation*
forberedende → *preliminary, preparatory*
forbi → *by, gone, past*
forbigå → *pass over*
forbigående → *momentary, transitory*
forbikjøring → *overtaking*
forbikjøringsfelt → *fast lane*
forbilde → *model, role model*
forbilledlig → *model*
forbinde → *associate, bind up, connect, dress, join, link, relate*
forbinde med → *implicate*
forbindelse → *compound, connection, contact, link, link-up, relation*
forbinding → *dressing*
forbipasserende → *passer-by*
forbitre → *embitter*
forbitrelse → *resentment*
forbitret → *embittered, resentful*
forbli → *remain*
forbløffe → *amaze, astonish, astound, baffle, stagger*
forbløffelse → *astonishment, stupefaction*
forbløffende → *astonishing, astonishingly, astounding, staggering, stunning*
forbløffet → *flabbergasted*
forblåst → *windswept*
forbokstav → *initial*
forbrenning → *burn, combustion, scald*
forbrenningsovn → *incinerator*
forbruk → *consumption, expenditure, spending*
forbruke → *consume, expend*
forbruker → *consumer, user*
forbrukeravgift → *excise, excise duties*
forbrukerkreditt → *consumer credit*
forbrukerrettigheter → *consumerism*
forbrukersamfunn → *consumer society*
forbrukervarer → *consumer goods*
forbryte seg → *assault*
forbrytelse → *crime, felony, offence*
forbryter → *criminal, felon*
forbrytersk → *criminal*
forbud → *ban, prohibition*
forbudt → *forbidden*
forbund → *confederation, federation, league*
Forbundsrepublikken Tyskland → *FRG*
forby → *ban, forbid, outlaw*
forbytting → *confusion*
fordampe → *evaporate, vaporize*
fordamping → *evaporation*
fordekt → *covert, furtive, furtively*
fordektig → *underhand(ed)*
fordel → *advantage, benefit, virtue*
fordelaktig → *advantageous, beneficial, favourable, favourably*
fordele → *allocate, distribute, divide, share, share out, space, spread*
fordele utover → *stagger*
fordeler → *distributor*
fordelerstifter → *point*
fordeling → *allocation, distribution, division*
forderve → *pervert*
fordi → *because*
fordoble → *double*
fordommer → *bias, prejudice*

fordomsfri → *open-minded, unprejudiced*
fordomsfull → *prejudiced*
fordragelighet → *concord*
fordreid → *twisted*
fordreie → *contort, distort*
fordreining → *distortion*
fordringshaver → *creditor*
fordrive → *while away*
fordrukken → *drunken*
fordypelse → *absorption*
fordypning → *depression, hollow*
fordømme → *condemn, damn, decry, denounce*
fordømmelse → *censure, condemnation, denunciation*
fordømt → *damn, damnable, goddamn(ed)*
fordøye → *absorb, digest*
fordøyelig → *digestible*
fordøyelse → *digestion*
fordøyelses- → *digestive*
fordøyelsesbesvær → *indigestion*
fôre → *feed, line*
forebygge → *prevent*
forebyggende → *preventive*
forebygging → *prevention*
foredrag → *lecture, paper, talk*
foredragsholder → *lecturer*
foregripe → *anticipate, forestall*
foregå → *transpire*
foregående → *foregoing, preceding, previous*
forekomme → *go on, occur*
forekommende → *accommodating, forthcoming, gracious, obliging*
forekomst → *deposit, incidence, occurrence*
foreldelse → *obsolescence*
forelder → *parents*
foreldet → *obsolete, outdated, out-of-date*
foreldre → *parents*
foreldreløs → *orphan*
foreldrerett → *custody*
foreldrestand → *parenthood*
foreleser → *lecturer*
forelesning → *lecture*
forelesningssal → *lecture hall*
foreløpig → *exploratory, provisional, provisionally*
forene → *combine, pool, reconcile, square, unify, unite*
forening → *association, fellowship, reconciliation, society, union*
forenkle → *simplify*
forenkling → *simplification*
forenlig → *compatible, reconcilable*
forenlighet → *compatibility*
forent → *united*
foreskreven → *prescribed*
foreskrive → *prescribe*
foreslå → *propose, suggest*
forespørsel → *inquiry, request*
forestille → *represent*
forestille seg → *imagine*
forestilling → *concept, conception, entertainment, fancy, idea, notion, performance, proposition, show, showing, spectacle*
forestående → *forthcoming, impending*
foretak → *enterprise, venture*
foretakende → *enterprise*
foretaksom → *enterprising, officious*
foretrekke → *favour, prefer*
forfall → *decay*
forfalle → *decay, mature*
forfallen → *broken-down, derelict, dilapidated*
forfallsdato → *due date*
forfalske → *counterfeit, fake, falsify, forge*
forfalsker → *forger*
forfalskning → *counterfeit, fake, forgery*
forfalt → *overdue*
forfatning → *condition, state*
forfatte → *compose*
forfatter → *author, writer*
forfatterinne → *author, writer*
forfatternavn → *pen name*
forfedre → *forefathers*
forfeilet → *misguided*
forfengelig → *fond, vain*
forfengelighet → *vanity*
forferde → *appal, dismay, horrify, outrage*
forferdelig → *abysmal, abysmally, appalling, awful, awfully, foul, frightful, horrendous, horrible, immensely, nasty, terrible, terribly*
forferdelse → *dismay*
forfilm → *trailer*
forfinelse → *refinement*
forfinet → *refined*
forfjamset → *bemused, perplexed*
forflate → *trivialize*
forflytning → *displacement, move*
forflytte → *displace, relocate*
forfra → *afresh*
forfremme → *promote, upgrade*
forfremmelse → *advancement, promotion*
forfriske → *refresh*
forfriskende → *bracing, refreshing*
forfriskning → *refreshment*
forfriskninger → *refreshments*
forfrysning → *frostbite*
forfølge → *dog, follow up, haunt, persecute, pursue*
forfølgelse → *persecution*
forfølgelsesvanvidd → *paranoia*
forfølger → *pursuer*
forføre → *seduce*
forførelse → *seduction*
forførende → *seductive*
forførerisk → *raunchy, seductive*
forgangen → *bygone*
forgasser → *carburettor*
forgifte → *poison*
forgiftning → *poisoning*
forgjenger → *forerunner, predecessor*
forgjeves → *futile, vainly*
forglemmegei → *forget-me-not*
forglemmelse → *oversight*
forgre(i)ne seg → *branch*
forgre(i)ninger → *ramifications*
forgrunn → *foreground*
forgude → *adore, dote, idolize*
forgudelse → *adoration*
forgylle → *gild*
forgylling → *gilt*
forgylt → *gilt, gold-plated*
forhale → *filibuster*
forhalings- → *holding*
forhandle → *deal in, negotiate*
forhandle fram → *negotiate*
forhandle med → *deal with*
forhandle seg fram til → *negotiate*
forhandler → *agent, dealer, merchant, negotiator, stockist, trader*
forhandlerrabatt → *trade discount*
forhandling → *negotiation*
forhandlingsbord → *negotiating table*
forhandlingsposisjon → *bargaining position*
forhaste seg → *hurry*
forhastet → *hastily, hasty, premature, rash, rashly*
forhekse → *hex, mesmerize*
forheksende → *beguiling*
forhekset → *enchanted*
forhenværende → *erstwhile, former, one-time*
forherdet → *hardened*
forherlige → *glorify*
forherligelse → *glorification*
forhindre → *bar, inhibit, obstruct, preclude, prevent*

forhistorisk → *prehistoric*
forhjulsdrift → *front-wheel drive*
forhjulstrekk → *front-wheel drive*
forhold → *affair, circumstances, condition, liaison, link, ratio, relationship*
forholde seg til → *deal with*
forholdsvis → *comparative, comparatively, relative, relatively*
forhud → *foreskin*
forhør → *interrogation*
forhøre → *examine, interrogate*
forhøre seg → *inquire*
forhørsleder → *interrogator*
forhøye → *increase*
forhøyelse → *raise*
forhøyning → *bank*
forhånds- → *advance, prior*
forhåndsinnspilt → *prerecorded*
forhåndslagre → *stockpile*
forhåndsomtale → *blurb*
forhåpentligvis → *hopefully*
forhåpningsfullt → *hopefully*
fôring → *feed*
forkaste → *banish, cast aside, discard, jettison, reject, throw out*
forkastelig → *reprehensible*
forkastelse → *rejection*
forkastning → *fault*
forkjemper → *champion, crusader, promoter, protagonist*
forkjæle → *cosset*
forkjærlighet → *fancy, preference*
forkjølelse → *chill, cold*
forkjølelsessår → *cold sore*
forkjørsrett → *right of way*
forklare → *account for, clarify, explain*
forklare seg → *plead*
forklarende → *explanatory*
forklarlig → *explicable*
forkle → *apron, pinafore*
forkledning → *disguise*
forkleine → *belittle*
forklekjole → *jumper, pinafore*
forkludre → *bedevil, bungle, louse up, mess up*
forknytt → *diffident*
forknytthet → *diffidence*
forkorte → *abbreviate, abridge, condense, foreshorten, shorten*
forkortelse → *abbreviation, acronym*
forkortet → *potted*
forkromming → *chromium*
forkrøple → *cripple*
forkrøplet → *stunted*
forkulle → *char*
forkvakle → *warp*
forkvaklet → *warped*
forkvinne → *chairwoman*
forkynne → *preach*
forlag → *publisher, publishing company*
forlagsangivelse → *imprint*
forlagsbransjen → *publishing*
forlagsmerke → *imprint*
forlange → *charge*
forlate → *abandon, desert, forsake, leave, quit, vacate*
forlatelse → *remission*
forlatt → *abandoned, forlorn*
forlatthet → *desolation*
forlede → *bamboozle, beguile, seduce*
forleden → *recently*
forlegen → *embarrassed, self-conscious*
forlegenhet → *awkwardness, embarrassment*
forlegent → *shyly*
forlegge → *mislay*
forlegger → *publisher*
forlenge → *extend, lengthen, prolong*
forlengelse → *extension*
forlise → *shed*
forlokkende → *alluring, enticing, seductive, tantalizing*
forlovede → *fiancé, fiancée*
forlovelse → *engagement*
forlovelsesring → *engagement ring*
forlover → *best man*
forlovet → *engaged*
forløp → *lapse*
forløpe → *elapse*
forløper → *antecedent, forerunner, herald, precursor*
forløse → *deliver*
forløsning → *redemption*
form → *aspect, fitness, form, mould, shape, style, tin*
formalisere → *formalize*
formalitet → *formality, technicality*
formaliteter → *formality*
formann → *CEO, chairman, foreman, president*
formasjon → *formation*
format → *format, stature*
formatere → *format*
forme → *condition, fashion, forge, form, mould, shape*
formel → *formula*
formell → *formal, institutional*
formellhet → *formality*
formelt → *formally, officially*
formende → *formative*
formere seg → *breed, reproduce*
formering → *propagation*
formgiver → *designer*
formgiving → *design*
formidabel → *formidable*
formiddag → *morning*
formiddagskaffe → *elevenses*
formiddagspause → *elevenses*
formidle → *convey, get across*
formilde → *placate*
formildende → *redeeming*
forming → *handicraft*
forminske → *diminish, scale down*
formløs → *amorphous, shapeless*
formode → *presume, surmise*
formodentlig → *presumably*
formodning → *presumption, supposition*
formue → *fortune*
formuesgevinstskatt → *capital gains tax*
formueskatt → *wealth tax*
formulere → *couch, enunciate, formulate, phrase, word*
formynder → *fiduciary, guardian, trustee*
formørke → *darken*
formørkelse → *eclipse*
formål → *intent, object*
formålsløs → *aimless*
formålsløshet → *futility*
formålsløst → *idly*
fornavn → *Christian name, first name, forename*
fornedre → *debase, degrade*
fornedrelse → *degradation*
fornekte → *deny, repudiate*
fornem → *chic, gracious, hallowed*
fornemme → *sense*
fornemmelse → *sense*
fornuften → *reason*
fornuftig → *discerning, rational, reasonable, reasonably, sane, sensible, sound*
fornye → *regenerate, rejuvenate, renew, revive*
fornyelse → *renewal, revival*
fornærme → *insult, offend, snub, upset*
fornærmede → *plaintiff*
fornærmelse → *gibe, insult, slight, snub*
fornærmende → *insulting*
fornærmet → *affronted, huffy*
fornøyd → *blithely, content, contented, contentedly, satisfied*
fornøyelse → *amusement, enjoyment, pleasure*

fornøyelsespark → *amusement park, fairground, funfair, theme park*
forord → *acknowledgement, foreword, preamble, preface*
forordning → *decree*
forpakte → *lease*
forpaktet → *leasehold*
forpaktningskontrakt → *lease*
forpint → *anguished, pained*
forplantning → *reproduction*
forplantnings- → *reproductive*
forpliktelse → *commitment, obligation, responsibility*
forpost → *outpost*
forpostfektning → *skirmish*
forpremiere → *preview*
forpurre → *foil, thwart, upset*
forrest → *leading*
forresten → *anyway, incidentally*
forretning → *business, shop*
forretningsadresse → *business address*
forretningsbank → *commercial bank*
forretningsforetak → *business*
forretningshemmelighet → *trade secret*
forretningskvinne → *businesswoman*
forretningsmann → *businessman*
forretningsmessig → *businesslike*
forretningsministerium → *caretaker government*
forretningsreise → *business trip*
forretningsvirksomhet → *commerce*
forrett → *hors d'oeuvre, starter*
forrette → *officiate*
forreven → *craggy, rugged*
forrige → *previous*
forringe → *debase, degrade*
forræder → *traitor*
forræderi → *betrayal, sell-out, treachery*
forrædersk → *telltale, treacherous, two-faced*
forråd → *fund, hoard, store, supply*
forråde → *betray*
forråtnelse → *decomposition, rot*
forsagt → *faint-hearted*
forsakelse → *renunciation*
forsamling → *assembly, body*
forsatsblad → *flyleaf*
forseelse → *misdemeanour*
forsegle → *seal*
forsegling → *seal*
forsendelse → *consignment, shipment, shipping*
forsendelsesliste → *mailing list*
forsenkning → *countersink*
forside → *front, front page*
forsikre → *assure, insure, underwrite*
forsikrede → *assured*
forsikring → *assurance, indemnity, insurance*
forsikringsagent → *insurance agent*
forsikringsberegner → *actuary*
forsikringsbevis → *insurance certificate*
forsikringsgiver → *insurer*
forsikringsmegler → *broker, insurance broker*
forsikringspolise → *insurance policy*
forsikringspremie → *insurance premium*
forsikringstaker → *policy holder*
forsiktig → *careful, carefully, cautious, cautiously, conservative, delicately, gentle, gently, tentative*
forsiktighet → *caution, cautiousness, prudence*
forsiktighetshensyn → *precaution*
forsinke → *delay, put back, stave off*
forsinkelse → *hold-up*
forsinket → *belated, overdue, retarded, tardy*
forsker → *researcher, research worker*
forskjell → *difference, differential, disparity, distinction*
forskjellig → *assorted, different, differently, dissimilar, distinct, separate, unequal, varying*
forskjellige → *sundry, varied*
forskjellsbehanding → *inequality*
forskjærkniv → *carving knife*
forskjønne → *beautify*
forskjønnende → *euphemistic*
forskning → *research, research work*
forskrekke → *horrify*
forskrekkelig → *horrifying, shocking*
forskrekkelse → *fright, scare*
forskrift → *by(e)-law*
forskrudd → *cranky, fanciful, twisted*
forskudd → *advance, retainer*
forskuddsbetale → *advance*
forskuddshonorar → *retainer*
forslag → *proposal, proposition, submission, suggestion*
forslagsstiller → *mover, proposer*
forslitt → *hackneyed*
forsluken → *gluttonous*
forslukenhet → *gluttony*
forsmå → *jilt*
forsone → *reconcile, redeem*
forsonende → *placatory, redeeming*
forsoning → *conciliation, reconciliation*
forsoningsgave → *peace offering*
forsonlig → *conciliatory*
forsove seg → *oversleep, sleep in*
forspill → *foreplay*
forspille → *forfeit*
forsprang → *lead, start*
forstad → *suburb*
forstand → *comprehension, sense, wit*
forstandig → *discerning*
forstavelse → *prefix*
forstavn → *prow*
forstedene → *suburb, suburbia*
forsteining → *fossil*
forsterke → *amplify, fortify, heighten, intensify, magnify, reinforce, strengthen*
forsterker → *amplifier, booster*
forsterkning → *fortification, reinforcement*
forsterkninger → *reinforcement*
forstillelse → *sham*
forstokket → *bigoted, stuffy*
forstokkethet → *bigotry*
forstoppelse → *constipation*
forstoppet → *constipated*
forstrekke med → *advance*
forstrukket → *strained*
forstuing → *sprain*
forstyrre → *disrupt, disturb, intrude, violate*
forstyrrelse → *disruption, disturbance*
forstyrrende → *disruptive, intrusive*
forstørre → *blow up, enlarge, magnify*
forstørrelse → *blow-up, enlargement, magnification*
forstørrelsesglass → *magnifying glass*
forstørret → *enlarged*
forstøver → *atomizer*
forstå → *discern, gather, see, twig, understand*
forståelig → *intelligible, understandable*
forståelse → *concord, rapport, understanding*
forståelsesfull → *sympathetic, understanding*
forsvar → *defence*
forsvare → *champion, defend*
forsvarer → *champion, defender, defending counsel*
forsvarlig → *justifiable, safely, securely*
forsvarsløs → *defenceless*
forsvinne → *disappear, fade, vanish*
forsvinning → *disappearance*
forsvunnet → *missing*
forsyne → *furnish*
forsynet → *Providence*
forsyning → *supply*
forsyninger → *provision, store, supply*
forsyningstjeneste → *supply*
forsøk → *attempt, bid, experiment, test, trial, try*
forsøke → *attempt, try*

forsøksheat → *preliminary*
forsøksvis → *tentative, tentatively*
forsølvet → *electroplated, silver-plated*
forsømme → *neglect*
forsømmelig → *neglectful, negligent, remiss*
forsømmelse → *neglect, negligence, oversight*
forsømt → *neglected*
forsørge → *provide for, raise, rear, support*
forsørger → *breadwinner*
forsåvidt som → *inasmuch as*
fort → *fast, fort, quick, quickly*
forta seg → *tail off, wear off*
fortann → *incisor*
fortape seg → *swoon*
fortapelse → *damnation*
fortau → *pavement, sidewalk*
fortauskant → *curb, kerb*
forte seg → *buck up, rush*
fortegnelse → *record, schedule, tally*
fortelle → *narrate, relate, tell*
forteller → *narrator, storyteller*
fortelling → *narrative*
fortettet → *exquisite*
fortid → *past*
fortidshistorie → *prehistory*
fortidsminne → *ancient monument*
fortjene → *deserve, merit, repay*
fortjeneste → *gain, profit*
fortjenestemargin → *margin, profit margin*
fortjenstfull → *deserving*
fortne seg → *gain*
fortolle → *declare*
FORTRAN → *FORTRAN*
fortreffelighet → *excellence*
fortrekke → *pucker, wince*
fortrenge → *blot out, shut out, supplant*
fortrengning → *displacement*
fortrinn → *merit, virtue*
fortrinnsrett → *prerogative*
fortrinnsvis → *preferably*
fortrolig → *confidential, familiar, heart-to-heart, intimate, intimately, private*
fortrolighet → *familiarity, intimacy*
fortryllelse → *fascination*
fortryllende → *bewitching, enchanting, entrancing*
fortrøstning → *solace*
forts → *cont., cont'd*
fortsette → *carry on, continue, go on, perpetuate, persist, proceed, push on, stay on*
fortsettelse → *continuation, sequel*
fortumlet → *dazed*
fortvilelse → *despair, desperation*
fortvil(e)t → *desperate, desperately*
fortynne → *adulterate*
fortynnet → *dilute*
fortære → *consume*
fortøye → *moor, tie up*
fortøyning → *mooring*
fortøyningspæl → *bollard*
forulempe → *molest*
forum → *forum*
forunderlig → *baffling, puzzling, wonderful*
forundre → *amaze, baffle, mystify, puzzle*
forundring → *amazement*
forurense → *contaminate, pollute*
forurensning → *contamination, pollution*
forurettelse → *grievance*
forurolige → *disturb, perturb*
foruroligende → *alarming, alarmingly, disquieting, worrisome*
forutanelse → *foreboding, hunch*
forutbestemme → *predetermine*
forutbestemmelse → *predestination*
foruten → *beside, besides*
forutinntatt → *bias(s)ed, preconceived*
forutinntatthet → *bias*
forutsatt at → *provided (that), providing*
forutse → *anticipate, foresee*
forutseenhet → *foresight*
forutsetning → *precondition, prerequisite, presupposition, proviso*
forutsette → *presuppose*
forutsi → *forecast, foretell, predict*
forutsigbar → *foreseeable, predictable*
forutsigelse → *prediction*
forvaltning → *stewardship*
forvaltningsselskap → *trust company*
forvandle → *transform*
forvandling → *transformation*
forvaring → *safekeeping*
forvarsel → *herald, portent*
forveksle → *confuse, mix up*
forveksling → *confusion, mistaken identity*
forvelle → *blanch*
forvente → *expect*
forventning → *anticipation, expectancy, expectation*
forventningsfull → *expectant*
forventningsfullt → *expectantly*
forverre → *aggravate, exacerbate*
forverre seg → *deepen*
forverring → *deterioration*
forvikling → *hiccough*
forvirre → *confound, confuse, flummox, muddle, perplex*
forvirrende → *bewildering, confusing, perplexing*
forvirret → *addled, bewildered, confused, fuddled, garbled, mixed-up*
forvirring → *confusion, muddle*
forvise → *banish, expel*
forvrenge → *distort, pervert*
forvrengning → *distortion, perversion*
forvrengt → *skewed*
forvri → *contort*
forvridd → *mangled*
forvridning → *contorsion*
forværelse → *antechamber, anteroom*
forværelsedame → *receptionist*
forynge → *rejuvenate*
forøke → *augment*
forøvrig → *incidentally*
forårsake → *cause, instigate, occasion*
fosfat → *phosphate*
fosfor → *phosphorus*
foss → *cascade, falls, torrent, waterfall*
fosse → *cascade, surge, tumble*
fosse ut → *gush*
fossil → *fossil*
fossilt brensel {or} brennstoff → *fossil fuel*
foster → *foetus*
fosterbarn → *foster child*
fostermor → *foster mother*
fostre (opp) → *foster, nourish, nurture*
fostyrrelse → *intrusion*
fot → *base, bottom, foot*
fotball → *football, soccer*
fotballbane → *football ground, soccer pitch*
fotballkamp → *football match*
fotballspiller → *footballer, football player, soccer player*
fotbrems → *footbrake*
fotbue → *arch*
fotende → *foot*
fotfeste → *foothold*
fotgjenger → *pedestrian*
fotgjengerfelt → *pedestrian crossing*
fotgjengerovergang → *crossing, crosswalk, pedestrian crossing*
fothviler → *footrest*
fotlenker → *fetters*
fotlist → *baseboard, skirting board*

fotnote → *footnote*
foto → *photo*
foto(grafi)apparat → *camera*
fotoelektrisk → *photoelectric*
fotogen → *photogenic*
fotograf → *photographer*
fotografere → *photograph*
fotografering → *photography*
fotografi → *photograph*
fotografisk → *photographic*
fotokopi → *photocopy*
fotokopiere → *photocopy*
fotostat → *photostat*
fotosyntese → *photosynthesis*
fotpedal → *treadle*
fotpleie → *chiropody, podiatry*
fotpleier → *chiropodist, podiatrist*
fotsoldat → *squaddie*
fotspor → *footprint*
fotsteg → *footstep*
fottrinn → *footstep*
fottur → *hike, ramble*
fotturist → *hiker, rambler, walker*
fottøy → *footwear*
FoU → *R & D*
fra → *from*
fradrag → *deduction*
frafalle → *relinquish, renounce*
frafallelse → *waiver*
fraflyttet → *abandoned*
fragment → *fragment*
fragmentarisk → *fragmentary*
frakk → *coat, smock*
frakkeskjøt → *tail*
frakoplet → *off-line*
frakople → *disconnect*
fraksjon → *faction*
frakt → *carriage, conveyance, freight*
fraktbrev → *consignment note, waybill*
frakte → *carry, convey, ferry, transport*
fraktur → *fracture*
fram → *forth, forward*
frambringe → *produce*
frambrudd → *outcrop*
framdrift → *advance, impetus, propulsion*
framdriftsrapport → *progress report*
framelske → *cultivate*
framfusende → *impetuous*
framføre → *perform, tender*
framføring → *delivery, presentation*
framgang → *progress, rise, success*
framgangsmåte → *procedure*
framgangsrik → *up-and-coming*
framheve → *accentuate, emphasize, highlight, set off, stress*
framkalle → *develop, evoke, induce*
framkalling → *recall*
framkommelig → *navigable, negotiable, passable*
framkomstmiddel → *transport, transportation*
framlegg → *motion, submission*
framlegge → *propound*
framleie → *sublet*
frammarsj → *rise*
frammøte → *attendance, turnout*
framover → *ahead, forward, forward(s)*
framsette → *advance, table*
framside → *front*
framskaffe → *procure*
framskap → *dresser*
framskreden → *advanced*
framskritt → *advance, progress*
framskrittsvennlig → *progressive*
framskynde → *bring forward, expedite, hasten, precipitate, put forward*
framspring → *overhang, projection*
framstille → *depict, fabricate, manufacture, portray, produce, put*
framstilling → *exposition, fabrication, manufacture, manufacturing, portrayal, production, representation*
framstøt → *advance*
framstående → *prominent*
framsyn → *forethought*
framsynt → *far-sighted*
framtid → *future, tomorrow*
framtidig → *future*
framtreden → *presence*
framtredende → *distinguished, prominent, salient*
framvekst → *emergence*
framviser → *projector*
framvisning → *showing*
frankere → *frank, stamp*
frankeringsmaskin → *franking machine*
frankert returkonvolutt → *sae, SASE*
Frankfurt → *Frankfurt*
Frankrike → *France*
fransk → *French*
fransk vindu → *French window*
franskkanadier → *French Canadian*
franskkanadisk → *French Canadian*
franskmann → *Frenchman*
franskmennene → *French*
frarøve → *rob*
frase → *phrase*
fraskilt → *estranged*
fraskrive seg → *abdicate, disclaim, sign away*
frastøte → *repel, repulse*
frastøtende → *objectionable, off-putting, repulsive, revolting*
frata → *take away*
fravær → *absence*
fraværende → *absent*
fraværsprotokoll → *register*
fred → *calm, peace, quietness, tranquillity*
fredag → *Friday*
fredelig → *pacific, peaceful, placid, quiet, tranquil*
fredfylt → *tranquil*
fredløs → *outlaw*
fredsbevarend → *peacekeeping*
fredsbevarer → *peacekeeper*
fredskorps → *VSO*
fredsommelig → *peaceable, placid*
fregatt → *frigate*
fregne → *freckle*
fregnete → *freckled*
freidig → *boldly, saucy*
freidighet → *audacity, temerity*
frekk → *brash, cheeky, fresh, naughty, nervy, saucy*
frekkhet → *audacity, cheek, effrontery, gall, nerve*
frekvens → *frequency*
frekvensmodulasjon → *frequency modulation*
frekvensmodulering → *FM, frequency modulation*
frekvent → *frequent*
frekventere → *frequent*
frelse → *redeem, redemption, salvation*
frelser → *saviour*
fremadskridende → *forward*
fremadstormende → *go-ahead, high-flying*
fremdeles → *still*
fremme → *forward, foster, further, promote*
fremmed → *alien, foreign, strange, stranger, unfamiliar*
fremmedgjøring → *alienation*
fremmedkontrollen → *immigration*
fremmedlegeme → *foreign body*
fremmedpoliti- → *immigration*
fremmelig → *advanced, precocious*
fremragende → *distinguished, eminent, outstanding, superb, superlative*
fremst → *foremost*
frenetisk → *frenetic*
frese → *fizz, hiss, sizzle, spit*

fresia → *freesia*
fresing → *hiss*
freske → *fresco*
fresko → *fresco*
freudiansk → *Freudian*
fri → *free, propose, woo*
fri markedsøkonomi → *laissez-faire*
fri vilje → *free will*
friarealer → *green belt*
fribryting → *all-in wrestling, wrestling*
fridag → *holiday*
fridykker → *skin diver*
fridykking → *skin diving*
frier → *suitor*
frieri → *proposal*
frifinnelse → *acquittal*
frigi → *declassify, free, release*
frigid → *frigid*
frigiditet → *frigidity*
frigivelse → *release*
frigjort → *permissive*
frigjøre → *emancipate, free, liberate*
frigjøre seg → *disentangle*
frigjøring → *emancipation, liberation*
frigjøringsteologi → *liberation theology*
frihandel → *free trade*
frihet → *freedom, latitude, liberty*
frihetskjemper → *freedom fighter*
friidrett → *athletics*
friidrettsstevne → *track meet*
frik → *freak*
frikassé → *stew*
frike ut → *freak out*
frikete → *freakish*
frikjenne → *clear, vindicate*
frikjennelse → *acquittal*
friksjon → *friction*
frikvarter → *break, playtime, recess*
frilager → *bonded warehouse*
frilans- → *freelance*
frilufts- → *outdoor, recreational*
frilynt → *liberal-minded*
frimerke → *postage stamp, stamp*
frimerkealbum → *stamp album*
frimerkeautomat → *stamp machine*
frimerkesamler → *philatelist*
frimerkesamling → *stamp collecting*
friminutt → *break, playtime, recess*
frimodig → *boldly*
frimodighet → *boldness*
frimurer → *Freemason, mason*
frimureri → *freemasonry*
friområde → *common land*
frisbee → *Frisbee*
frise → *frieze*
friserdame → *hairdresser*
frisersalong → *hairdresser's*
frisinnet → *broad-minded, liberal, liberal-minded*
frisk → *breezy, crisp, fresh, jaunty, nippy, well*
friske (seg) opp → *brush up (on), freshen up*
friskhet → *freshness*
friskne til → *freshen, hot up*
frispark → *free kick*
frist → *deadline, time limit*
friste → *tempt*
fristelse → *temptation*
fristende → *desirable, tempting*
fristil → *freestyle*
frisyre → *haircut, hairdo, hairstyle*
frisør → *hairdresser, stylist*
frita → *free*
fritak → *exemption*
fritid → *leisure, spare time*
fritidsaktivitet → *recreation*
fritidsdress → *leisure suit*
fritidsssenter → *leisure centre*
fritt → *freely*
fritt initiativ → *free enterprise*
fritt leide → *safe-conduct, safe passage*
fritt levert ved kai → *f.a.q.*
fritt levert ved skipssiden → *f.a.s.*
fritt om bord → *f.o.b.*
fritt på jernbane → *f.o.r.*
frittalende → *outspoken*
frittgående → *free-range*
frittstående → *stand-alone*
frityrsteke → *deep-fry*
frivillig → *extracurricular, optional, voluntarily, voluntary, volunteer, willingly*
frivol → *frivolous*
frivolitet → *frivolity*
frodig → *bushy, fertile, lush, luxuriant, rich, vigorous, voluptuous*
frokost → *breakfast*
from → *devout, pious*
fromasj → *mousse*
fromhet → *piety*
front → *front, frontage, nose*
frontispis(e) → *frontispiece*
frontlys → *headlight*
frontrute → *screen, windscreen*
frosk → *frog*
froskemann → *frogman*
frossen → *cold, frozen*
frosset → *frozen*
frost → *freeze, frost*
frostblemme → *chilblain*
frosthindrer → *de-icer*
frostknute → *chilblain*
frostskade → *frostbite*
frostvæske → *antifreeze*
frottere → *rub down*
frotté → *towelling*
frue → *madam, mistress*
frukbarhetsfremmende middel → *fertility drug*
frukt → *fruit*
fruktbar → *fertile, fruitful*
fruktbarhet → *fertility, richness*
fruktesløs → *sterile*
frukthage → *orchard*
frukthandler → *fruiterer*
fruktig → *fruity*
fruktis → *ice lolly*
fruktjuice → *fruit juice*
fruktkaramell → *gum*
fruktkjøtt → *pulp*
fruktsaft → *fruit juice*
fruktsalat → *fruit salad*
frustrasjon → *frustration*
frustrere → *frustrate*
frustrerende → *frustrating*
frustrert → *frustrated*
fryd → *delight, exhilaration, glee, joy, thrill*
frydefull → *gleeful, halcyon*
frykt → *fright, scare*
frykte → *fear*
fryktelig → *awful, awfully, dreadful, fearful, fearfully, frightfully, horrible, painfully, terrible, terribly*
fryktinngytende → *fearful, fearsome, formidable*
fryktløs → *fearless, intrepid*
fryktsom → *fearful*
frynse → *fringe*
frynse seg → *fray*
frynsegode → *perk, fringe benefits*
frynset(e) → *tattered*
frynset(e) (i kanten) → *bent*
fryse → *freeze*
fryse ned → *freeze*

fryse på → *freeze*
fryse til → *freeze, freeze over*
fryse til is → *freeze*
fryse ut → *ostracize*
fryseboks → *deep freeze*
frysepunkt → *freezing point*
fryser → *freezer*
frysetørket → *freeze-dried*
frø → *seed*
frøken → *Miss, spinster*
frøplante → *seedling*
fråtsing → *gluttony*
FU → *R & D*
fuging → *pointing*
fugl → *bird*
fugleforsker → *bird-watcher*
fugleperspektiv → *bird's-eye view*
fugleskremsel → *scarecrow*
fugleunge → *chick, fledgling, nestling*
fuglevilt → *gamebird*
fuks → *bay*
fuksia → *fuchsia*
fukt → *moisture*
fukte → *damp, dampen, moisten, moisturize*
fuktig → *damp, dank, humid, moist*
fuktighet → *damp, dampness, humidity, moisture*
fuktighetskrem → *moisturizer*
fuktighetssperre → *damp course*
full → *drunk, drunken, full*
fullblodshest → *thoroughbred*
fullbyrde → *consummate*
fullendt → *accomplished*
fullføre → *accomplish, complete, finish, finish off*
fullført → *complete*
fullkommen → *utter*
fullkommenhet → *perfection*
fullkomment → *perfectly*
fullmakt → *authority*
fullmåne → *full moon*
fullstendig → *absolute, absolutely, altogether, complete, completely, fully, outright, perfect, perfectly, purely, totally, unmitigated, utterly*
fullt og fast → *firmly, strongly*
fullt ut → *fully*
fulltreffer → *direct hit, smash*
fullverdig → *fully-fledged*
fullvoksen → *full grown*
fundament → *foundation*
fundamental → *fundamental*
fundamentalisme → *fundamentalism*
fundamentalist → *fundamentalist*
fundamentalt → *fundamentally*
fundere → *muse*
fungere → *function, operate, perform*
fungerende → *acting*
funkle → *twinkle*
funklende → *glittering*
funksjon → *function*
funksjonell → *functional*
funksjonshemmet → *disabled*
funksjonshemming → *handicap*
funksjonstast → *function key*
funksjonær → *office-holder, officer*
funn → *find*
furasjere → *forage*
fure → *furrow*
furie → *tartar, vixen*
furore → *furore*
furte → *sulk*
furten → *moody, peevish, sulky*
furtent → *moodily*
furu → *pine*
furukongle → *pine cone*
furunål → *pine needle*
fusjon → *fusion*
fusjonere → *merge*
fusjonering → *merger*
fuske → *misfire*
futon → *futon*
futt → *pep*
futuristisk → *futuristic*
futurum → *future*
fyke → *drift*
fylde → *body*
fyldig → *ample, meaty, rich, rounded*
fyll → *filling, stuffing*
fylle → *fill, fulfil, pervade, stuff, throng*
fylle i → *fill in*
fylle opp → *fill up, restock, top up*
fylle på → *prime, refill, replenish, top up*
fylle ut → *complete, fill in, fill out*
fyllekjøring → *drink-driving*
fyllepenn → *fountain pen*
fylles opp → *fill, fill up*
fylletrakt → *hopper*
fyllik → *drunk, drunkard*
fylling → *dump, filling, tip*
fyllmasse → *padding*
fyllstoff → *padding*
fyndig → *pithy*
fyr → *bloke, chap, fellow, guy*
fyrbøter → *stoker*
fyre av → *fire, let off*
fyre løs → *blaze*
fyre opp (i) → *stoke*
fyrfat → *brazier*
fyring → *heating*
fyringsolje → *fuel oil*
fyrkjele → *boiler*
fyrlykt → *beacon*
fyrskip → *lightship*
fyrstedømme → *principality*
fyrstikk(e) → *match*
fyrstikkeske → *matchbox*
fyrtårn → *lighthouse*
fyrverkeri → *fireworks*
fysiker → *physicist*
fysikk → *physics, physique*
fysiologi → *physiology*
fysiologisk → *physiological*
fysioterapeut → *physiotherapist*
fysioterapi → *physiotherapy*
fysisk → *physical, physically*
fæl → *beastly, ghastly, grisly, gruesome, hideous, horrid, noxious*
fælt → *hideously*
færre → *fewer*
færrest → *fewest*
fø → *nourish*
føde → *bear, calve*
fødeklinikk → *maternity hospital*
føderal → *federal*
føderasjon → *federation*
fødested → *birthplace, place of birth*
fødsel → *birth, childbirth, confinement, delivery*
fødselsattest → *birth certificate*
fødselsdag → *birthday*
fødselshjelp → *midwifery*
fødselsklinikk → *maternity hospital*
fødselskontroll → *birth control*
fødselslege → *obstetrician*
fødselsmerke → *birthmark*
fødselstall → *birth rate*
føflekk → *birthmark, mole*
føle → *feel*
føle seg fram → *nose*
føle seg som → *feel*
føle smerte → *smart*

følehorn → *antenna, feeler*
følelse → *emotion, feeling, pathos, sensation, sense*
følelseskald → *callous*
følelseskulde → *callousness*
følelsesladet → *emotional, emotive*
følelsesløs → *dead, insensitive, numb*
følelsesløshet → *insensitivity, numbness*
følelsesmessig → *emotional, emotionally*
følge → *attend, consequence, corollary, ensue, entourage, follow, obey, observe, result, retinue*
følge etter → *follow, follow on, go after, trail*
følge med i → *monitor*
følge opp → *follow up, pursue*
følgelig → *accordingly, consequently*
følgende → *following, succeeding*
følgeseddel → *delivery note*
følgeskriv → *covering letter*
føll → *colt, foal*
følsom → *sensitive, ticklish*
følsomhet → *sensibility, sensitivity*
føne → *blow-dry*
føning → *blow-dry*
før → *before, pre..., previously, sooner, until*
før fødselen → *antenatal*
før skatt → *pre-tax*
føre → *conduct, fight, guide, keep, lead, pilot, plead, skipper*
føre an i → *spearhead*
føre inn → *enter*
føre med seg → *lead away*
føre opp → *list, log*
føre over → *divert*
føre til → *draw, lead to*
førekteskapelig → *premarital*
fører → *driver*
førerhund → *guide dog*
førerhus → *cab*
førerkort → *driver's license, driving licence*
førerprøve → *driving test, test*
førersiden → *offside*
førkrigs- → *pre-war*
førnevnt → *aforementioned, aforesaid*
førskole → *kindergarten*
førskolegruppe → *playgroup, playschool*
først → *first*
først og fremst → *primarily*
første → *early, first, initial*
første etasje → *ground floor*
første juledag → *Christmas Day*
første nyttårsdag → *New Year's Day*
første påskedag → *Easter Sunday*
førstedame → *first lady*
førstegangskjøper → *first-time buyer*
førstehjelp → *first aid*
førstehjelpsskrin → *first-aid kit*
førstehånds- → *first-hand*
førsteklasses → *first-class, first-rate, prime, prize, top-class*
førti → *forty*
førtiende → *fortieth*
føydal → *feudal*
føydalisme → *feudalism*
føye → *humour, indulge*
føye sammen → *fuse*
føye seg etter → *abide by*
føye seg sammen → *dovetail*
føyelig → *amenable, compliant, docile, pliable*
føyelighet → *compliance*
føyse → *hustle, shoo*
få → *catch, come in for, develop, few, find, form, gain, get, have, obtain, receive*
få av → *get off*
få bort → *get out*
få fram → *get over, press, put across*
få ned → *bring down*
få ned på papir → *get down*
få til → *bring off*
få tilbake → *bring back, get back*
få ut → *elicit, get out, recover*
få vekk → *get out, shift*
fårehund → *collie, sheepdog*
fårekjøtt → *mutton*
fåtallig → *thin*

G

G, g → *G, g*
gabardin → *gaberdine*
gaffel → *fork*
gaffeltruck → *fork-lift truck*
gagat → *jet*
gagne → *benefit*
gagnlig → *salutary*
gal → *crazy, false, mad, wrong, wrongful*
galakse → *galaxy*
galant → *gallant, gentlemanly*
galanteri → *gallantry*
galanterivarer → *fancy goods*
gale → *crow*
galehus → *madhouse*
galei → *galley*
galge → *gallows*
galla → *gala*
galle → *bile, gall*
galleblære → *gall bladder*
galler → *Gaul*
galleri → *gallery*
gallestein → *gallstone*
gallion → *galleon*
gallionsfigur → *figurehead*
gallisk → *Gallic*
gallupundersøkelse → *Gallup poll*
galmeiesalve → *calamine lotion*
galning → *loony, lunatic, madman, maniac, nut, nutcase*
galopp → *gallop*
galoppere → *gallop*
galopperende → *soaring*
galskap → *insanity, lunacy, madness*
galt → *hog, wrong, wrongly*
gamble → *gamble*
gambler → *gambler*
gambling → *gaming*
game → *game*
gamlehjem → *old people's home*
gammel → *old, stale*
gammeldags → *dated, old-fashioned, old-style, out-of-date*
gammelmodig → *quaint*
gamp → *nag*
gane → *palate*
gang → *aisle, course, hall, hallway, passage, passageway, time*
gangbar → *current*
gangbro → *catwalk, footbridge, walkway*
gange → *gait, tread, walk*
ganger → *mount, steed*
gangfelt → *crossing, crosswalk*
ganglag → *gait, walk*
gangspill → *capstan*
gangsti → *footpath*
gangtunnel → *underpass*
gangvei → *walk*
ganske → *fairly, moderately, quite, rather*
gape → *gape*
gapende → *gaping, yawning*
gapestokk → *pillory*
gapskratt → *guffaw*
gapskratte → *guffaw*
garantere → *guarantee*

garantert → *assured, sure-fire*
garanti → *guarantee, warranty*
garantist → *guarantor*
garasje → *garage*
gard → *farm*
garderobe → *changing room, cloakroom, dressing room, locker room, wardrobe*
garderobehylle → *rack*
garderobeservice → *valet service*
garderobeskap → *wardrobe*
gardin → *curtain, drape*
gardinbrett → *pelmet*
gardinkappe → *pelmet*
gardintrapp → *stepladder*
garn → *mesh, yarn*
garnere → *garnish*
garnison → *garrison*
gartner → *gardener*
gartnerarbeid → *gardening*
garve → *tan*
garvesyre → *tannin*
garvet → *seasoned*
garving → *tanning*
gas → *gauze*
Gascogne → *Gascony*
gaselle → *gazelle*
gass → *gas, throttle*
gassaktig → *gaseous*
gassbeholder → *gas tank*
gassbind → *gauze*
gassbrenner → *gas ring*
gasse → *gander, gas*
gassflaske → *gas cylinder*
gassforgifte → *asphyxiate*
gassforgiftning → *asphyxiation*
gassholdig → *gassy*
gasskamin → *gas fire*
gasskomfyr → *gas cooker, gas stove*
gassmaske → *gas mask*
gassmåler → *gas meter*
gassovn → *gas fire*
gasspedal → *accelerator*
gasstank → *gas tank*
gassverk → *gasworks*
gastroenteritt → *gastro-enteritis*
gastronomi → *gastronomy*
gate → *avenue, gate, place, street*
gatebelysning → *street lighting*
gatefeier → *roadsweeper*
gatekjøkkenmat → *fast food, junk food*
gatelykt → *street lamp*
gatemarked → *street market*
gatemusikant → *busker*
gatesanger → *busker*
gateuorden → *disorderly conduct*
gaupe → *lynx*
gave → *donation, endowment, gift, present*
gavekort → *gift token*
gavekupong → *voucher*
gavepapir → *wrapping paper*
gavl → *gable, headboard*
gavmild → *benevolent, bountiful, generous*
gavmildhet → *bounty, generosity*
gebiss → *dentures, false teeth*
geburtsdag → *birthday*
gebyr → *charge*
geigerteller → *Geiger counter*
geistlig → *clerical, ecclesiastic(al)*
geistlighet → *clergy*
geit → *goat, nanny-goat*
geitebukk → *billy goat*
geitehams → *hornet*
geitekilling → *kid*
gelatin → *gelatin(e)*
gelatindynamitt → *gelignite*
geleide → *steer*
gelender → *rail*
gelé → *gel, jelly*
gemal → *consort*
gemse → *chamois*
gemytt(e)lig → *convivial, genial*
gen → *gene*
general → *general*
generaladvokat → *JAG*
generaldirektør → *president*
generalforsamling → *AGM, (annual) general meeting*
generalisere → *generalize*
generalisering → *generalization*
generalmajor → *major general*
generalomkostninger → *overhead*
generalprøve → *dress rehearsal*
generalsekretær → *secretary-general*
generalstreik → *general strike*
generasjon → *generation*
generator → *generator*
generell → *blanket, general, overall*
generelt (sett) → *generally*
generere → *generate*
generering → *generation*
generisk → *generic*
generøs → *lavish, liberal*
genetikk → *genetics*
genetisk → *genetic*
geni → *genius*
genial → *ingenious*
genistrek → *masterstroke*
genitalier → *genitals*
genitiv → *genitive*
Genova → *Genoa*
genoveser → *Genoese*
genovesisk → *Genoese*
genser → *jersey, jumper, sweater*
genteknologi → *genetic engineering*
genus → *gender*
Genève → *Geneva*
geograf → *geographer*
geografi → *geography*
geografisk → *geographic(al)*
geolog → *geologist*
geologi → *geology*
geologisk → *geological*
geometri → *geometry*
geometrisk → *geometric(al)*
Georgia → *Georgia*
georgier → *Georgian*
georgine → *dahlia*
georgisk → *Georgian*
gepard → *cheetah*
geranium → *geranium*
geriatrisk → *geriatric*
gerilja → *guerrilla*
geriljakrig → *guerrilla warfare*
gesims → *cornice*
geskjeftig → *meddlesome, officious*
gest → *gesture*
gestikulere → *gesticulate*
gestus → *gesture*
gevinst → *gain, winnings*
gevir → *antlers*
gevær → *gun*
geværild → *fusillade, gunfire*
geysir → *geyser*
Ghana → *Ghana*
ghaneser → *Ghanaian*
ghanesisk → *Ghanaian*
ghetto → *ghetto*
gi → *administer, afford, deal, deliver, give, provide, set, yield*
gi bort → *give away*

gi etter → *cave in, give, give in, knuckle under, relent*
gi fra seg → *emit, part with, surrender, turn over, yield*
gi opp → *abandon, give up*
gi seg → *concede, give up, let up, quit, slacken, wear off*
gi tilbake → *restore, return*
gi ut → *bring out*
gi videre → *pass on*
Gibraltar → *Gibraltar*
giddeløs → *bone idle, shiftless*
gift → *married, poison, venom*
gifte seg → *marry, wed*
gifteferdig → *nubile*
giftering → *wedding ring*
giftig → *noxious, poisonous, toxic, venomous*
gigabyte → *gigabyte*
gigant → *giant*
gigantisk → *gigantic*
gigg → *jig, trap*
gikt → *gout, rheumatism*
giktisk → *rheumatic*
gilde → *guild*
gildehus → *guildhall*
giljotin → *guillotine*
gimmick → *gimmick*
gin → *gin*
gingham → *gingham*
ginseng → *ginseng*
gips → *cast, plaster*
gipsavstøpning → *plaster cast*
gipsbandasje → *plaster cast*
gipse → *plaster*
gipsplate → *plasterboard*
gir → *gear*
girkasse → *gearbox*
girspak → *gear lever, stick shift*
gisp → *gasp*
gispe → *gasp, gulp*
gissel → *hostage*
gitar → *guitar*
gitarist → *guitarist*
gitt → *given*
gitter(verk) → *grating, grille, trellis*
givende → *rewarding*
giver → *contributor, dealer, donor, sponsor*
gjalle → *reverberate*
gjallende → *resounding*
gjedde → *pike*
gjel → *glen*
gjeld → *debt*
gjelde → *affect, apply, hold, involve, obtain*
gjelde for → *go for*
gjeldokse → *bullock*
gjeldsbrev → *IOU, promissory note*
gjeller → *gills*
gjemme → *recess, store up*
gjemme på → *hang onto*
gjemme unna → *stash, tuck away*
gjemmested → *hide, hideout, hiding place*
gjemsel → *hide-and-seek*
gjenerobre → *recapture*
gjenervervelse → *retrieval*
gjenferd → *apparition, ghost, spectre*
gjenfinne → *retrieve*
gjenfinning → *retrieval*
gjenforene → *reconcile, reunite*
gjenforening → *reunion*
gjenfødelse → *rebirth, reincarnation*
gjenfødt → *born-again*
gjeng → *bunch, crew, gang, mob, pack, set*
gjenger → *thread*
gjengi → *quote, reproduce*
gjengivelse → *reflection, reproduction*
gjengjelde → *reciprocate*
gjengjeldelse → *retaliation*
gjengs → *current*
gjeninnføre → *bring back, reinstate*
gjeninnsette → *reappoint, reinstate*
gjeninnsettelse → *reinstatement*
gjenkjenne → *know*
gjenkjennelig → *recognizable*
gjenkjøpsverdi → *surrender value*
gjenlyd → *reverberation*
gjenlydende → *resonant*
gjennom → *across, through*
gjennombore → *pierce, transfix*
gjennomborende → *penetrating, piercing*
gjennombrudd → *breakthrough*
gjennomfartsvei → *thoroughfare*
gjennomfartsåre → *expressway*
gjennomførbar → *feasible, practicable, viable*
gjennomførbarhet → *feasibility, practicability*
gjennomførbarhetsstudie → *feasibility study*
gjennomføre → *accomplish, follow out, go through with*
gjennomføring → *accomplishment*
gjennomført → *scrupulously*
gjennomgang → *review, run-through*
gjennomgangsmelodi → *theme tune*
gjennomgripende → *thoroughgoing*
gjennomgå → *explore, go through, suffer, undergo*
gjennomgåelse → *review, run-through*
gjennomgående → *through*
gjennomhulle → *hole*
gjennomlesning → *perusal*
gjennomløp → *throughput*
gjennomsiktig → *see-through, transparent*
gjennomsiktighet → *transparency*
gjennomskinnelig → *translucent*
gjennomskue → *see through*
gjennomslag → *carbon copy*
gjennomslagskraft → *clout*
gjennomslagspapir → *carbon paper*
gjennomsnitt → *average, par*
gjennomsnittlig → *average, mean, middling*
gjennomstrømming → *throughput*
gjennomsyre → *permeate, pervade*
gjennomsyrende → *pervasive*
gjennomsøke → *scour, search*
gjennomtrekk → *turnover*
gjennomtrengelig → *permeable*
gjennomtrengende → *penetrating, pervasive, piercing*
gjennomtrukken → *sodden*
gjennomvåt → *soaking, sodden*
gjenoppbygge → *rebuild, reconstruct*
gjenoppbygging → *reconstruction*
gjenoppdage → *rediscover*
gjenoppleve → *relive*
gjenopplive → *resuscitate, revitalize, revive*
gjenopplivning → *resuscitation*
gjenoppreise → *restore*
gjenopprette → *redress, restore*
gjenopprettelse → *restoration*
gjenoppruste → *rearm*
gjenopprustning → *rearmament*
gjenoppta → *reconvene, resume, revive*
gjenopptakelse → *resumption, resurrection, revival*
gjenoppvåkning → *reawakening, resurrection*
gjenreise → *reconstruct, restore*
gjenreising → *reconstruction*
gjensidig → *mutual, mutually, reciprocal*
gjensidighet → *give-and-take*
gjenskape → *recreate, regenerate*
gjenspeile → *mirror, reflect*
gjenstand → *object*
gjenstridig → *obstinate, recalcitrant, stubborn, tenacious*
gjenstridighet → *tenacity*
gjenstående → *outstanding*
gjenta → *echo, reiterate, repeat, reword*
gjenta med andre ord → *reword*

gjenta seg → *recur*
gjentakelse → *recurrence, repetition*
gjentatt → *repeatedly*
gjenutføre → *re-export*
gjenutførsel → *re-export*
gjenutført → *re-export*
gjenvalg → *re-election*
gjenvinne → *reclaim, regain*
gjenvinning → *reclamation*
gjenvordigheter → *tribulations*
gjenåpne → *reopen*
gjenåpning → *reopening*
gjerde → *fence, railing(s), wicket*
gjerde inn → *fence, wall in*
gjerdesmett → *wren*
gjerne → *gladly, readily*
gjerrig → *mean, mingy, miserly, niggardly, tightfisted*
gjerrighet → *meanness*
gjerrigknark → *miser, skinflint*
gjesp → *yawn*
gjespe → *yawn*
gjest → *caller, guest, patron, resident, visitor*
gjestebok → *visitors' book*
gjesteprofessor → *visiting professor*
gjesterom → *guest room, spare room*
gjesteværelse → *guest room, spare room*
gjestfri → *friendly, hospitable*
gjestfrihet → *hospitality*
gjestgiveri → *guest-house*
gjestmild → *hospitable*
gjete → *herd*
gjeter → *shepherd*
gjeterhund → *sheepdog*
gjeterjente → *shepherdess*
gjetning → *conjecture, guess, guesswork*
gjette → *conjecture, guess, guess at*
gjettekonkurranse → *quiz*
gjær → *yeast*
gjære → *ferment*
gjæring → *fermentation, mitre*
gjødsel → *fertilizer, manure*
gjødsle → *fertilize*
gjøgler → *buffoon*
gjøk → *cuckoo*
gjøkur → *cuckoo clock*
gjøre → *do, go about, make, render*
gjøre om (igjen) → *redo*
gjøre om på → *rearrange*
gjøre opp → *square up*
gjøre opp for → *settle*
gjøre opp med → *pay off*
gjøre seg til → *act*
gjøre til → *turn into*
gjøre unna → *dispatch*
gjøren og laden → *doings*
glac → *kid*
glad → *glad, joyful, happily*
gladelig → *blithely, gladly*
gladioler → *gladioli*
glamorøs → *glamorous*
glamour → *glamour*
glane → *gawk*
glans → *brilliance, gloss, lustre, polish, shine*
glansløs → *lacklustre*
Glasgow- → *Glaswegian*
glasnost → *glasnost*
glass → *glass, glassware, jar, lens, tumbler*
glassaktig → *glassy, glazed*
glassblåsing → *glass-blowing*
glassbrikke → *coaster*
glassere → *glaze, ice*
glassert → *frosted, glazed, iced, vitreous*
glassfiber → *glass fibre*
glasshåndkle → *cloth, dishtowel, tea towel*
glassmaleri → *stained glass window*
glassmester → *glazier*
glassmonter → *showcase*
glasur → *frosting, glaze, icing*
glatt → *clear, glib, glibly, greasy, slick, slippery, smooth, smoothly, suave*
glattbarbert → *clean-shaven*
glatte over → *gloss over, patch up*
glatte på → *smooth out, straighten*
glatthet → *smoothness*
glede → *delight, gladden, gratify, joy, pleasure*
glede seg til → *look forward to*
gledelig → *gratifying, joyful*
gledesdreper → *killjoy, spoilsport*
gledestrålende → *blithely, joyful*
glefse mot → *snap at*
glemme → *forget*
glemme igjen → *leave*
glemsk → *forgetful*
glemsom → *forgetful*
glemsomhet → *forgetfulness*
glenne → *glade*
glente → *kite*
gli → *glide, slide, slip*
gli over → *skim*
glideflukt → *glide*
glidefly → *glider*
glideflyging → *gliding*
glidelås → *zip*
glideskala → *sliding scale*
glimrende → *excellent, great, splendid, tremendous*
glimt → *blip, flash, glimmer, glimpse, glint, twinkle*
glimte → *glimmer, glint*
glinse → *glisten*
glinsende → *gleaming*
glis → *grin*
glissen → *sparse, thin*
glitre → *glint, glitter, shine, sparkle*
glitrende → *brill, coruscating, glittering, scintillating*
glitring → *glitter*
glitter → *glitz, tinsel*
glo → *gawk*
global → *global*
globus → *globe*
glohet → *sweltering*
gloret(e) → *flashy, garish, gaudy*
glorie → *halo*
glorifisering → *glorification*
glosebok → *vocabulary book*
gloser → *vocabulary*
glossar → *glossary*
glukose → *glucose*
glup → *brainy*
glupende → *voracious*
glupsk → *ravenous*
glyserin → *glycerin(e)*
glød → *ardour, fervour, glow, radiance, spirit*
gløde → *glow*
glødende → *ardent, fervent, glowing, spirited, torrid*
glødetråd → *filament*
gløgg → *brainy*
glør → *embers*
gløtt → *glimmer*
gnage (på) → *gnaw, nibble*
gnagende → *niggling*
gnager → *rodent*
gneldre → *yap*
gni → *rub*
gni av → *rub off*
gni inn → *rub in*
gni utover → *smudge*
gnien → *stingy*
gnier → *miser, skinflint*
gnieraktig → *niggardly*

gnisning → *brush, friction*
gnisse mot → *chafe*
gnist → *spark*
gnistfanger → *fender, guard*
gnistre → *sparkle*
gnistrende → *coruscating, scintillating, sparkling*
gnom → *gnome*
gnåle på → *carp at*
gobelin → *tapestry*
go-cart → *go-cart*
god → *good, nice*
godartet → *benign*
godbit → *nugget, titbit, treat*
gode → *asset, boon, good*
godhet → *goodness*
godhjertet → *big-hearted, kind-hearted*
godkjenne → *allow, approve, recognize, sanction*
godkjennelse → *sanction*
godkjenning → *approbation, approval*
godlynt → *good-natured*
godmodig → *benign, good-humoured*
godnattdrink → *nightcap*
gods → *freight*
godseier → *squire*
godsforvalter → *bailiff*
godsnakke med → *cajole*
godstog → *freight train, goods train*
godsvogn → *baggage car, freight car, wag(g)on*
godt → *candy, soundly, well*
godta → *accept, admit, approve of, condone, countenance*
godtagbar → *acceptable*
godte(ri)butikk → *candy store, confectioner's (shop), tuck shop*
godteri → *candy, sweet*
godtgjørelse → *allowance, award, consideration*
godtroende → *credulous, gullible*
godtroenhet → *gullibility*
gold → *barren, stark*
golf → *golf, gulf*
golfball → *golf ball*
golfbane → *golf course, link*
golfjakke → *cardigan*
golfklubb → *golf club*
golfkølle → *club, golf club*
golfspiller → *golfer*
golfspilling → *golfing*
golv → *floor*
golvbelegg → *flooring*
golvbord → *floorboard*
golvlampe → *floor lamp*
gom(me) → *gum*
gondol → *gondola*
gondolfører → *gondolier*
gondolier → *gondolier*
gong → *gong*
gongong → *gong*
goodwill → *goodwill*
gorilla → *gorilla*
gotisk → *Gothic*
gourmet → *gourmet*
grad → *degree, extent*
gradert → *classified*
gradvis → *gradual, gradually, progressive*
gradvis overgang → *gradation*
gradvis tilvekst → *accretion*
graffiti → *graffiti*
graffitikunstner → *graffiti artist*
grafikk → *graphics*
grafisk → *graphic*
grafitt → *graphite*
gram → *gram*
grammatikk → *grammar*
grammatisk → *grammatical*
grammofon → *gramophone, phonograph*
gran → *fir, spruce*
granat → *grenade, shell*
granateple → *pomegranate*
Grand Prix → *Grand Prix*
granitt → *granite*
granske → *examine, inquire into, investigate, probe, scrutinize*
gransking → *inquiry, probe, scrutiny*
grantre → *fir tree*
grapefrukt → *grapefruit*
grasiøs → *graceful*
grasrot- → *grass-roots*
gratiale → *bonus*
gratie → *grace*
gratis → *free*
gratulasjoner → *congratulations*
gratulasjonskort → *greetings card*
grav → *grave, tomb*
grave → *burrow, dig, sink*
grave fram → *chase up, dig up, dredge up*
grave i → *dig*
grave ned → *bury, dig in, sink*
grave opp → *dig up, unearth*
grave seg ned → *burrow, dig in*
grave ut → *dig out, excavate*
gravemaskin → *excavator*
graver → *gravedigger*
gravere → *engrave*
gravering → *engraving*
gravid → *pregnant*
graviditet → *pregnancy*
graviditetstest → *pregnancy test*
gravkammer → *vault*
gravlegge → *inter*
gravleggelse → *interment*
gravlund → *burial ground, cemetery, graveyard*
gravplass → *burial ground*
gravskrift → *epitaph*
gravste(i)n → *gravestone, headstone*
gravstøtte → *gravestone, headstone, tombstone*
gre → *comb*
gre ut → *smooth out*
grei → *straight*
grei nok → *all right*
greie seg → *get by, manage*
greie ut → *unravel, untangle*
greier → *gear, stuff, tackle*
gre(i)n → *bough, branch, limb*
gre(i)nsaks → *secateurs*
greip → *fork*
greit → *all right, O.K.*
greker → *Greek*
grell → *glaring, loud, lurid*
grend → *hamlet*
grense → *border, borderline, bound, boundary, fringe, frontier, limit*
grense mot {or} til → *border on, verge on*
grenselinje → *demarcation*
grenseløs → *boundless, limitless, unbounded*
grenseområde → *border, interface*
grenseovergang → *checkpoint*
grensesnitt → *interface*
grensetilfelle → *borderline case*
grep → *clasp, clutch, grasp, grip, hold*
gresk → *Grecian, Greek*
gress → *grass*
gressbakke → *turf*
gressbevokst → *grassy*
gresse → *browse, graze*
gresshoppe → *grasshopper, locust*
gresskar → *gourd, pumpkin*
gressklipper → *lawnmower, mower*
gresslette → *common*
gressløk → *chives*

gressplen → *green*
gresstorv → *turf*
gretten → *fretful, grumpy, petulant, surly*
greve → *count*
grevinne → *countess*
grevling → *badger*
grevlinghund → *dachshund*
gribb → *predator, vulture*
griljermel → *breadcrumbs*
grill → *barbecue, grill, grille*
grille → *broil, fad, grill*
grillfest → *barbecue*
grilling → *roasting*
grillrestaurant → *grill(room), steakhouse*
grillrist → *gridiron*
grimase → *grimace*
grime → *halter*
grine → *cry*
grinebiter → *grouch*
grinet(e) → *bad-tempered, fretful, grumpy, ratty, surly, testy*
gripe → *clutch at, grab, grasp, grip, leap at, seize, snatch*
gripe an → *approach*
gripe etter → *grasp at*
gripe fatt i → *latch on to, snatch up*
gripe inn → *intervene*
gripe tak i → *grip*
gripeklør → *pincers*
gripende → *poignant*
gris → *grease, pig*
grise til → *deface, smear*
grisebinge → *pigsty*
griseflaks → *fluke*
grisehus → *sty*
griseri → *gunk*
griset(e) → *smutty*
grisk → *avaricious, grasping, greedily, greedy*
griskhet → *avarice, cupidity, greed*
grisunge → *piglet*
grizzlybjørn → *grizzly bear*
gro → *grow, heal*
gro sammen → *knit, set*
groggy → *dopey, groggy*
grop → *pit*
gross → *gross*
grossist → *distributor, merchant, wholesaler*
grotesk → *grotesque*
grotte → *grotto*
groupie → *groupie*
grov → *broad, coarse, crude, dirty, foul, gross, rough, rude*
grovarbeid → *spadework*
grovbrød → *brown bread*
grovbygd → *chunky, heavyset*
grovhogd → *craggy*
grovkjøkken → *scullery*
grovkornet → *ribald*
grovpuss → *roughcast*
grovskisse → *thumbnail sketch*
grovt → *grossly*
grovt urettferdig → *iniquitous*
gru → *horror*
gruble → *brood, ponder*
gruble over → *brood on, brood over, mull over, ponder*
grue → *hearth*
grue seg → *dread*
grufull → *chilling, ghastly*
grums → *silt*
grumset(e) → *murky*
grundig → *amply, careful, diligent, greatly, scrupulous, sound, soundly, thorough, thoroughgoing, thoroughly*
grundighet → *thoroughness*
grunn → *cause, ground, reason, shallow*
grunnarbeid → *groundwork*
grunnbok → *primer*
grunne → *muse, prime*
grunneier → *landowner*
grunnen {or} grunna → *shallow*
grunnfarge → *primary colour*
grunnfjell → *bedrock*
grunning → *primer*
grunningsstrøk → *undercoat*
grunnlag → *basis, foundation, fundamentals, grounding*
grunnlegge → *establish, found*
grunnleggelse → *establishment*
grunnleggende → *basic, essential, fundamental, fundamentally*
grunnlegger → *founder*
grunnlegging → *foundation*
grunnleie → *ground rent*
grunnlinje → *baseline*
grunnlov → *constitution*
grunnlovsmessig → *constitutional*
grunnlovsstridig → *unconstitutional*
grunnløs → *groundless, unjustified*
grunnprinsipp → *keynote*
grunnregel → *ground rule*
grunnsetning → *tenet*
grunnskole- → *primary*
grunnstamme → *mainstay, nucleus*
grunnstein → *foundation stone*
grunnstoff → *element*
grunnstøte → *ground*
grunntakst → *basic rate*
grunntone → *keynote, tonic*
grunntrekk → *fundamentals*
grunnvoll → *bedrock*
gruoppvekkende → *horrific, terrifying*
gruppe → *band, bracket, group, party, team*
gruppebestilling → *block booking*
gruppelærer → *tutor*
gruppere → *group*
gruppering → *stream*
gruppeterapi → *group therapy*
gruppetime → *tutorial*
grus → *gravel, grit, rubble, ruin, shingle*
grusbane → *hard court*
gruse → *grit*
grusom → *atrocious, awful, cruel, ferocious, grisly, gruesome, horrendous, vile*
grusomhet → *atrocity, cruelty, ferocity*
grustak → *pit*
grusvei → *dirt road*
grut → *ground*
gruve → *mine, pit*
gruveanlegg → *pithead*
gruvearbeider → *miner*
gruvedrift → *mining*
gry → *break, dawn*
gryn → *bread, dough, lolly*
grynt → *grunt*
grynte → *grunt*
gryte → *pot, saucepan, stew*
grytekjøtt → *stewing steak*
gryteskrubb → *scourer*
gryteste(i)k → *pot roast*
gryteste(i)ke → *braise*
grøft → *ditch, trench*
Grønland → *Greenland*
grønlender → *Greenlander*
grønn → *callow, green*
grønnaktig → *greenish*
grønnfarge → *green*
grønnkål → *kale*
grønnlig → *greenish*
grønnmynte → *spearmint*
grønnsak → *vegetable*
grønnsakburger → *vegeburger*
grønnsaker → *green*
grønnsakshandler → *greengrocer*

grønsj → *grunge*
grønt → *green, greenery*
grønt lys → *go-ahead*
grøntareale → *green*
grøss → *shudder*
grøsse → *shudder*
grøsser → *shocker, thriller*
grøt → *porridge*
grøtomslag → *poultice*
grå → *dull, grey, humdrum*
grå stær → *cataract*
gråblek → *wan*
grådig → *gluttonous, grasping, greedily, greedy, hungrily, ravenous*
grådighet → *greed*
grågul → *oatmeal*
gråhåret → *grey-haired*
gråne → *turn*
gråpapir → *brown paper*
gråte → *cry, weep*
g-streng → *G-string*
GT → *OT*
Guatemala → *Guatemala*
guatemalansk → *Guatemalan*
gubbe → *gaffer, stick*
gud → *god*
Gud → *God*
guddatter → *goddaughter*
guddom → *deity, divinity*
guddommelig → *divine*
guddommelighet → *divinity*
gudeskikkelse → *divinity*
gudfar → *godfather*
gudfryktig → *God-fearing*
gudinne → *goddess*
gudmor → *godmother*
gudsbespottelse → *blasphemy*
gudsforlatt → *god-forsaken*
gudskjelov → *mercifully*
gudstjeneste → *service*
guffe → *mush*
guffen → *hairy, rotten*
gufs → *blast, gust*
guidebok → *guidebook*
guinea → *guinea*
gul → *yellow*
gulaktig → *yellowish*
gulbrun → *fawn, tawny*
gule erter → *split peas*
gulfarge → *yellow*
gulfeber → *yellow fever*
gulhvit → *off-white*
gull → *gold*
gullalder → *golden age*
gullbelagt → *gold-plated*
gulldublé → *rolled gold*
gullfisk → *goldfish*
gullgruve → *goldmine*
gullkantede verdipapirer → *gilt*
gullkantet → *gilt-edged*
gullmedalje → *gold medal*
gullregn → *laburnum*
gullsmed → *goldsmith, jeweller*
gullsmedbutikk → *jeweller's (shop)*
gullsmedforretning → *jeweller's (shop)*
gulltorn → *gorse*
gullunge → *favourite*
gulnet → *sepia*
gulrot → *carrot*
gulsott → *jaundice*
gult → *yellow*
gulv → *floor, ground*
gulvflate → *floorspace*
gulvlist → *baseboard*
gulvmatte → *matting*
gumle → *munch*
gummi → *rubber*
gummiaktig → *rubbery*
gummikule → *rubber bullet*
gummiplante → *rubber plant*
gummisko → *sneakers*
gummistrikk → *rubber band*
gummistøvler → *gumboots, wellingtons*
gunstig → *favourable, ready*
gurgle → *gargle, gurgle*
gurglevann → *gargle*
gurgling → *gargle*
gurkemeie → *turmeric*
guru → *guru*
gusten → *pasty, sallow, wan*
gutt → *boy, lad*
gutteaktig → *boyish*
guttespeider → *boy scout*
guttural → *guttural*
guvernante → *governess*
guvernør → *governor*
Guyana → *Guyana*
gyldig → *legitimate, valid*
gyldighet → *validity*
gylf → *fly*
gyllen → *golden*
gym → *gym, PT*
gymdrakt → *leotard*
gymnastikk → *gymnastics*
gymnastikksal → *gymnasium*
gymsal → *gym*
gynekolog → *gynaecologist*
gynekologi → *gynaecology*
gynge → *pitch, rock*
gyngehest → *rocking horse*
gyngestol → *rocking chair*
gynging → *pitch*
gyroskop → *gyroscope*
gys → *chill, shudder, tremor*
gyse → *shudder*
gyselig → *execrable*
gysninger → *chill*
gyte → *spawn*
gyvel → *broom*
gælisk → *Gaelic*
gæren → *barmy, crazy*
gærning → *loony*
gøyal → *funny*
gå → *go, go about, go ahead, go by, go round, leave, move, proceed, run, travel, walk*
gå av → *dismount, get off, go off, retire, rub off, shear off, step off, wash off*
gå bort → *go over, pass away, pass on, pass over*
gå etter → *go by, go for, go on*
gå foran → *go ahead, procede*
gå forbi → *pass by*
gå forut for → *precede, predate*
gå fra → *abandon, leave behind, walk out on*
gå fra hverandre → *come apart, split up*
gå fram → *proceed*
gå framover → *come along, come on, progress*
gå gjennom → *go through, review*
gå i → *attend, engage*
gå igang → *knuckle down*
gå igjen → *recur*
gå igjenomm → *run through*
gå imot → *cross*
gå inn → *go in, register*
gå inn for → *advocate, go in for*
gå inn i → *enter, form, get into, go into, join*
gå innpå → *affect*
gå med → *wear*
gå med på → *accept, fall in with, play along with*

gå ned → *decrease, descend, go down, set*
gå nedover → *decline, descend, dip*
gå om bord → *embark*
gå om bord i → *board*
gå om igjen → *repeat*
gå opp(over) → *ascend, climb, go up*
gå over → *burst, clear up, cross, go over, run over, wear off*
gå på → *attend, engage, fall for, get on*
gå rundt → *go round, overturn*
gå sammen → *combine*
gå sammen med → *go along with*
gå sin vei → *clear off*
gå tilbake → *backtrack, go back on, restart*
gå tvers over → *cross*
gå under → *go under*
gå ut → *come out, exit, get out, go out, lead off*
gå ut av → *leave*
gå ut fra → *assume, presuppose*
gå ut med → *go with*
gå uten → *go without*
gå utenom → *bypass, sidestep, skirt*
gå utfor → *dip*
gå utover → *exceed, transcend*
gå vekk → *come out*
gå videre → *get on with, go on, proceed, push on*
gå {or} flyte over breddene → *overflow*
gåen → *bust, knackered, whacked*
gågate → *pedestrian precinct*
gård → *farm, homestead*
gårdbruker → *farmer*
gårdsarbeider → *farmhand*
gårdsbruk → *farm, homestead*
gårdsdrift → *farming*
gårdsplass → *courtyard, yard*
gårdstun → *farmyard*
gårsdagen → *yesterday*
gås → *goose*
gå-sakte-aksjon → *go-slow*
gåsehud → *goose pimples*
gåseøyne → *inverted commas*
gåstol → *zimmer*
gåte → *enigma, riddle*
gåtefull → *cryptic, enigmatic, mysterious*
gåtefullt → *mysteriously*

H

H, h → *H, h*
ha → *have, hold, keep, occupy, possess, score, take, wear, work*
ha det → *bye(-bye), cheerio, goodbye*
habitt → *get-up*
hacke → *hack*
hage → *garden, orchard, yard*
hageanlegg → *garden*
hagearbeid → *gardening*
hagearkitekt → *landscape architect*
hagebruk → *horticulture*
hageby → *garden city*
hagebønne → *French bean, kidney bean*
hagekanne → *watering can*
hagenellik → *pink*
hagesaks → *clippers*
hagesenter → *garden centre*
hageslange → *hose*
hagl → *hail, hailstone, pellet, shot*
haglbyge → *hailstorm*
hagle → *hail, shotgun*
haglegevær → *shotgun*
hagtorn → *hawthorn*
hai → *shark*
haike → *hitch-hike*
haiker → *hitch-hiker*
Haiti → *Haiti*
hake → *catch, chin, snag, tick*
hake av → *mark off, tick off*
hakekors → *swastika*
hakeparentes → *bracket, square bracket*
hakk → *nick, notch, peck*
hakke → *hack, peck, pick, pickaxe*
hakke i → *hoe*
hakke opp → *chop, chop up*
hakke på → *nag, peck, pick on*
hakkeorden → *pecking order*
hakkespett → *woodpecker*
hale → *haul, heave, pull, tail*
halefinne → *stabilizer*
hall → *concourse, lounge, shed*
hallik → *pimp*
hallo → *hello*
hallodame → *announcer, radio announcer*
hallomann → *announcer, radio announcer*
hallusinasjon → *hallucination*
hallusinogen → *hallucinogenic*
hals → *neck, throat*
halsbetennelse → *laryngitis*
halsbrann → *heartburn*
halsbånd → *collar*
halshugge → *behead*
halskatarr → *laryngitis*
halskjede → *necklace*
halssmykke → *necklace*
halstablett → *cough drop*
halstørkle → *cravat*
halsvene → *jugular*
halt → *lame*
halte → *hobble, limp*
halv → *half*
halv (arbeids)dag → *half day*
halvbror → *half-brother*
halvdel → *half*
halvere → *halve*
halveringstid → *half-life*
halvhjertet → *half-hearted, lukewarm*
halvkule → *hemisphere*
halvleder → *semiconductor*
halvmåne → *crescent*
halvnote → *minim*
halvpart → *half*
halvpensjon → *half board*
halvsirkel → *semicircle*
halvsirkelformet → *semicircular*
halvsøster → *half-sister*
halvtid → *half-time*
halvtime → *half-hour*
halvtone → *semitone*
halvtørr → *medium-dry*
halvveis → *halfway*
halvøy → *peninsula*
halvårlig → *half-yearly*
ham → *him, himself*
Hamburg → *Hamburg*
hamburger → *hamburger*
hammer → *hammer*
hamnehage → *paddock*
hamp → *hemp*
hamre → *hammer, pound*
hamre på → *pound, pummel*
hamre ut → *hammer out*
hams → *hull*
hamster → *hamster*
hamstre (opp) → *hoard*
han → *he, him*
han- → *male*
handel → *commerce, trade, trading*
handelsbank → *commercial bank, merchant bank*

handelsbarriere → *trade barrier*
handelsdelegasjon → *trade mission*
handelsflåte → *merchant navy*
handelsgartneri → *market garden, truck farm*
handelsmann → *tradesman*
handelsreisende → *commercial traveller, traveller, travel(l)ing salesman*
handelsskip → *merchantman*
handelsskole → *commercial college*
handelsstasjon → *post*
handelsunderskudd → *trade deficit*
handelsvarer → *merchandise*
handikap → *disability, handicap*
handikappet → *disabled*
handle → *act, shop, trade*
handle etter → *act on*
handle hos → *patronize*
handle om → *deal with*
handleveske → *shopping bag*
handling → *act, action, activity, dealings, plot, shopping*
hane → *cock, rooster*
hanekylling → *cockerel*
hanemarsj → *goose step*
hangar → *hangar*
hangarskip → *aircraft carrier*
hangle igjennom → *scrape through*
hank → *handle*
hann → *bull, male*
hannfugl → *cock*
hannkatt → *tomcat*
hans → *his*
hanske → *gauntlet, glove*
hanskerom → *glove compartment*
hard → *hard, hard-core, harsh, rough, stiff, tough*
hardbarket → *confirmed, hard-headed*
harddisk → *hard disk*
hardfør → *hardy, robust, tough*
hardførhet → *toughness*
hardhendt → *heavy-handed, rough, roughly*
hardhet → *severity*
hardhjertet → *callous, hard-hearted*
hardhudet → *case-hardened*
hardkokt → *hard-boiled*
hardnakket → *intransigent, obdurate, obstinate, rugged, strenuously, stubborn*
hardnakkethet → *intransigence*
hardne → *harden*
hardt → *hard, harshly, severely, tight, tightly*
hardtslående → *hard-hitting*
hare → *hare*
harem → *harem*
harepus → *bunny*
hareskår → *harelip*
harke → *splutter*
harmløs → *harmless, innocuous*
harmoni → *harmony*
harmonika → *harmonica*
harmonikk → *harmonics*
harmonisk → *harmonic, harmonious*
harmonium → *harmonium*
harpe → *harp*
harpist → *harpist*
harpun → *harpoon*
harselas → *ridicule*
harselere over {or} med → *ridicule*
harsk → *rancid*
harv → *harrow*
hasardiøs → *hazardous*
hase → *hamstring, hock*
hasj → *hash, hashish*
haspe → *catch*
hassel → *hazel*
hasselmus → *dormouse*
hasselnøtt → *hazelnut*
hasseltre → *hazel*
hastesak → *rush job*
hastig → *hastily, hasty, hurried*
hastighet → *speed, velocity*
hastverk → *haste, hurry, urgency*
hat → *hate, hatred*
hate → *hate*
hatt → *hat*
hatteeske → *hatbox*
haug → *heap, hillock, mound, pile, tip*
hauk → *hawk*
haussist → *bull*
hav → *blaze, ocean, sea*
Havanna → *Havana*
havarert → *stranded*
havbunn → *ocean bed, sea bed*
havesyke → *cupidity*
havfrue → *mermaid*
havgående → *ocean-going, seagoing*
havn → *dock, harbour, port*
havne → *fetch up*
havnearbeider → *docker, longshoreman*
havneavgift → *harbo(u)r dues*
havneby → *seaport*
havnefogd → *harbo(u)r master*
havre → *oats*
havrekjeks → *flapjack*
havremel → *oatmeal*
havål → *conger eel*
hawaier → *Hawaiian*
Hawaii → *Hawaii*
hawaiisk → *Hawaiian*
hebraisk → *Hebrew*
hede → *heath*
hedensk → *pagan*
heder → *glory*
hederlig → *creditable, honest, hono(u)rable, scrupulous, scrupulously*
hedersbevisning → *distinction, honour*
hederskront → *illustrious*
hedning → *heathen, pagan*
hedonisme → *hedonism*
hedre → *honour*
heft → *bind, hold-up*
hefte → *attach, book, booklet, detain, pamphlet*
hefte sammen → *clip*
heftig → *fervent, hotly, vehement*
heftplaster → *adhesive tape, sticking plaster*
hegne om → *enshrine*
hegre → *heron*
hei → *hello, hey, hi, moor*
heiagjengleder → *cheerleader*
heiarop → *cheer*
heidundrende → *riotous*
heie → *cheer*
heie på → *cheer, cheer on, root for*
heimkunnskap → *home economics*
heis → *elevator, lift*
heisann → *hello*
heise → *heave, hoist*
heise opp → *hike up, hitch*
heiseapparat → *hoist*
hekk → *hedge, hedgerow*
hekkeplass → *breeding ground*
hekksaks → *shears*
hekkspoiler → *stabilizer*
hekle → *crochet*
hekletøy → *crochet*
heks → *hag, hex, witch*
heksedoktor → *witch doctor*
heksejakt → *witch-hunt*
heksekunst → *witchcraft*
hektar → *hectare*
hekte → *hitch, hook, nick, pick up*

hekte og malje → *hook and eye*
hektisk → *frantic, hectic*
hel → *entire, fully, sound, whole*
helassuranse → *blanket cover*
helautomatisk vaskemaskin → *automatic*
helbrede → *cure, heal*
helbredelig → *curable*
helbredelse → *restoration*
heldig → *beneficial, fortunate, happy, lucky*
heldigvis → *fortunately, happily, luckily, mercifully*
hele → *full, fully, throughout*
heler → *receiver*
helg → *Sabbath, weekend*
helgen → *saint*
helgenaktig → *saintly*
helhet → *integrity, totality, whole*
helhjertet → *wholehearted, wholeheartedly*
helikopter → *chopper, helicopter*
helikopterflyplass → *heliport*
heliport → *heliport*
helium → *helium*
hell → *fortune, luck*
Hellas → *Greece*
helle → *flag, flagstone, incline, lean, pour, slab, tilt, tip*
helle i seg → *gulp, guzzle, knock back, put away, swig*
helle over → *decant*
helle på → *tilt*
helle ut → *pour away*
hellefisk → *halibut*
heller → *either, sooner*
hellig → *hallowed, holy, sacred*
hellig ku → *sacred cow*
helligbrøde → *sacrilege*
helligdag → *Sabbath*
helligdom → *shrine*
hellige → *sanctify*
helliggjøre → *sanctify*
hellighet → *holiness, sanctity*
helligtrekongersaften → *Twelfth Night*
helligtrekongersdag → *Epiphany*
helling → *dip, incline, slant, tilt*
hellingsgrad → *gradient*
helnote → *semibreve, whole note*
helomvending → *about-face, turnabout, turnaround, volte-face*
helpensjon → *full board*
helse → *constitution, health*
helsebringende → *restorative, wholesome*
helsefare → *health hazard*
helsefarlig → *insanitary*
helsekost → *health food*
helsekostbutikk → *health food shop*
helserisiko → *health hazard*
helsetjeneste → *health care*
helsides- → *full-page*
Helsingfors → *Helsinki*
Helsinki → *Helsinki*
helstøpt → *sterling*
helt → *completely, fully, hero, perfectly, quite, strictly, totally, wholly*
helt om → *about-turn*
heltedyrkelse → *hero worship*
heltemodig → *heroic, manfully*
heltemot → *heroism*
heltid → *full-time*
heltinne → *heroine*
helvete → *hell*
helvetes drittsekk → *s.o.b.*
helvetesild → *shingles*
hematologi → *haematology*
hemisfære → *hemisphere*
hemme → *constrict, cramp, fetter, hamper, handicap, inhibit*
hemmelig → *clandestine, covert, ex-directory, secret, surreptitiously, undercover*
hemmelighet → *secret*
hemmelighetsfull → *furtive, secretive*
hemmeligholdelse → *secrecy, suppression*
hemmende → *inhibiting*
hemmet → *inhibited*
hemning → *inhibition*
hemningsløs → *abandoned*
hemofili → *haemophilia*
hemoglobin → *haemoglobin*
hemoroider → *haemorrhoids, piles*
hemsko → *disincentive*
hende → *happen, occur*
hendel → *handle*
hendelse → *event, happening, incident, occurrence*
hendig → *dext(e)rous, handy, neatly, nifty*
hendighet → *dexterity*
henført → *rapt*
henge → *hang, loll, sag, suspend*
henge etter → *trail behind*
henge igjen → *linger*
henge med → *hang, keep up*
henge ned → *droop*
henge opp → *hang, hang up, peg, pin*
henge rundt → *hang about, loiter*
henge sammen → *hang together*
henge seg på → *latch on to*
henge ut → *hang out, pillory*
henge ute → *hang out*
henge utover → *overhang*
hengebro → *suspension bridge*
hengehode → *killjoy*
hengelås → *padlock*
hengemyr → *mire, morass, quagmire*
henger → *coat hanger, hanger*
hengi seg til → *indulge in*
hengiven → *devoted*
hengivenhet → *devotion, fondness*
hengning → *hanging*
hengsel → *hinge*
hengslete → *gangly, lanky*
henholdsvis → *respectively*
henna → *henna*
henne → *her, herself*
hennes → *her, hers*
henrette → *execute*
henrettelse → *execution*
henrivende → *adorable, entrancing, fetching, ravishing*
henrykke → *electrify, entrance*
henrykkelse → *rapture*
henrykt → *overjoyed, rapturous*
hensikt → *end, idea, intention, object, point*
hensiktsløs → *aimless*
hensiktsløst → *aimlessly*
hensiktsmessig → *appropriate, expedient, serviceable*
hensyn → *consideration*
hensynsfull → *considerate*
hensynsløshet → *ruthlessness*
hensysnsløs → *ruthless*
hente → *bring, call for, collect, cull, fetch, pick up*
hente fram → *access, retrieve*
hente opp → *fish out*
henting → *collection*
hentydning → *allusion, innuendo*
henvende seg til → *accost, address, apply, approach*
henvendelse → *approach, inquiry*
henvise → *relegate*
henvise til → *refer to*
henvisning → *reference, referral*
hepatitt → *hepatitis*
her omkring → *around, hereabouts*
heraldikk → *heraldry*
heraldisk → *heraldic*
herberge → *hostel, lodging house*
herde → *harden, toughen*

herdet → *tempered*
heretter → *henceforth, hereafter*
herje → *ravage*
herjet → *dissipated, dissolute, haggard*
herjinger → *havoc, ravages*
herkomst → *extraction*
herlig → *blessed, delicious, lovely, swell*
herlighet → *magnificence*
hermed → *hereby, herewith*
hermegås → *copycat*
hermelin → *ermine*
hermetisere → *bottle, can*
hermetisert → *canned, tinned*
hermetisk → *canned*
heroin → *heroin*
heroinmisbruker → *heroin addict*
heroisk → *heroic*
herre → *gentleman, master*
herredømme → *command, domination*
herreekvipering → *outfitter's*
herregud → *God*
herregård → *country house, hall, manor*
herreklær → *menswear*
herreløs → *disembodied, stray*
herretoalett → *men's room*
herretruse → *Y-fronts*
herse med → *boss, push around*
herse rundt med → *muck about*
hersens → *flaming, precious, stinking*
herskapelig → *gracious*
herskapshus → *mansion*
herske → *reign*
herskende → *prevailing, prevalent, ruling*
hersker → *ruler*
herskerinne → *mistress*
hertug → *duke*
hertuginne → *duchess*
herved → *hereby, herewith*
hes → *hoarse, husky*
heslig → *grim*
heslighet → *ugliness*
hest → *horse*
hesteaktig → *horsey*
hestebønne → *broad bean*
hestehale → *ponytail*
hestehandel → *bargaining, horse-trading*
hestekastanje → *horse chestnut*
hestekraft → *horsepower*
hestepasser → *groom*
hestesko → *horseshoe*
hestesport → *racing*
hesteveddeløp → *horse-racing, race meeting, racing*
het → *steamy*
hete → *call, heat*
hetebølge → *heatwave*
heterofil → *heterosexual*
heterogen → *heterogenous*
heteroseksuell → *heterosexual*
heteslag → *heat-stroke*
hetetokter → *hot flush*
heteutslett → *prickly heat*
hette → *cap, hood*
hetvin → *fortified wine*
hevde → *allege, argue, assert, maintain*
hevdvunnen → *time-honoured*
heve → *adjourn, cancel, cash, draw, draw out, elevate, raise*
heve seg over → *transcend*
hevelse → *swelling*
hevert → *siphon*
hevn → *reprisal, retaliation, revenge, vengeance*
hevnaksjoner → *reprisal*
hevne → *avenge, revenge*
hevne seg → *retaliate*
hevngjerrig → *vengeful, vindictive*
hevnlysten → *revengeful*
hi → *burrow, den, earth, lair*
hierarki → *hierarchy*
hieroglyfer → *hieroglyphics*
hieroglyfisk → *hieroglyphic*
hi-fi → *hi-fi*
hige etter → *crave*
hikke → *hiccough*
hilse på → *acknowledge, greet*
hilsen → *greeting, salute*
himmel → *canopy, sky*
himmelblå → *sky-blue*
himmelen → *heaven*
himmelriket → *heaven*
himmelseng → *four-poster*
himmelsk → *celestial, heavenly, sublime*
hind → *hind*
hinder → *hindrance, hurdle, impediment*
hinderløp → *steeplechase*
hinderløype → *obstacle race*
hindre → *bar, frustrate, hinder, impede, obstruct, prevent*
hindring → *bar, hindrance, obstacle, obstruction*
hindu- → *Hindu*
hinduistisk → *Hindu*
hingst → *stallion*
hink → *hop*
hinke → *hop*
hinne → *scum*
hinsides → *beyond*
hint → *hint*
hirse → *millet*
hisse opp → *arouse, incite, inflame, rouse*
hisse seg ned → *cool down, simmer down*
hissig → *hot, hot-tempered, irascible, quick-tempered, short-tempered*
histogram → *histogram*
historie → *history, story, tale*
historiker → *historian*
historisk → *historic, historical*
hitliste → *hit parade*
hittegods → *lost property*
hittegodskontor → *lost property*
hittil → *hitherto*
hiv → *HIV*
hive → *chuck, chuck out, fling, throw, throw away*
hive i seg → *guzzle*
hive innpå → *down, gobble*
hive på seg → *heave*
hive seg inn i → *dive*
hive ut → *throw out, turf out*
hjelm → *helmet*
hjelp → *aid, assistance, help*
hjelpe → *aid, assist, help*
hjelpe gjennom → *see through*
hjelpeaksjon → *relief*
hjelpeløs → *helpless*
hjelpeløst → *helplessly*
hjelpemann → *mate*
hjelpemiddel → *aid*
hjelpeprest → *deacon*
hjelper → *helper*
hjelpsom → *helpful*
hjem → *home*
hjemby → *home town*
hjemkomst → *homecoming*
hjemland → *home, homeland*
hjemlig → *domestic*
hjemløs → *homeless*
hjemme → *home*
hjemmeadresse → *home address*
hjemmeavlet → *home-grown*
hjemmebakt → *home-made*
hjemmebrent → *bootleg*
hjemmebrygg → *home-brew*

hjemmedyrket → *home-grown*
hjemmehjelp → *daily*
hjemmeindustri → *cottage industry*
hjemmelaget → *home-made*
hjemmelsbrev → *title deed*
hjemover → *homeward(s)*
hjemsted → *home*
hjemsøke → *haunt, plague*
hjerne → *brain, cerebral, mastermind, mind*
hjerneblødning → *apoplexy*
hjernedød → *braindead*
hjernehinnebetennelse → *meningitis*
hjernerystelse → *concussion*
hjernevaske → *brainwash*
hjerte → *cardiac, heart*
hjerteanfall → *heart attack*
hjertebank → *palpitations*
hjerteinfarkt → *coronary*
hjertelig → *cordial, heartily, hearty, warm, warmly*
hjerteløs → *heartless*
hjertemusling → *cockle*
hjertens → *heartily*
hjerteskjærende → *heartbreaking*
hjerteslag → *heartbeat*
hjertesorg → *heartache, heartbreak*
hjertestyrker → *restorative*
hjertesvikt → *heart failure*
-hjertet → *-hearted*
hjertetransplantasjon → *heart transplant*
hjertevarm → *warm-hearted*
hjertevenn → *bosom friend, valentine*
hjort → *deer*
hjortekalv → *fawn*
hjorteskinn → *deerskin*
hjortestek → *venison*
hjortehann → *stag*
hjul → *wheel*
hjulaksel → *axle*
hjulavstand → *wheelbase*
hjulbe(i)nt → *bandy-legged, bow-legged*
hjuldamper → *paddle steamer*
hjulkapsel → *hubcap*
hjullås → *clamp, wheel clamp*
hjuloppheng → *suspension*
hjulspor → *rut*
hjørne → *angle, corner*
hjørnespark → *corner, corner kick*
hjørnetann → *eyetooth*
HKH → *HRH*
hl → *hl*
HM → *HM*
hobby → *hobby*
hode → *brain, cartridge, head, mental, mind*
hodebry → *puzzle*
hodebunn → *scalp*
hodekulls → *headlong, pell-mell*
hodepine → *headache*
hodeplagg → *headgear*
hodepryd → *headdress*
hodepute → *pillow*
hodeskalle → *cranium*
hodestøtte → *headrest*
hodetelefoner → *earphones, headphones*
hodetørkle → *headscarf*
hoff → *court*
hoffdame → *lady-in-waiting*
hoffdikter → *poet laureate*
hoffmann → *courtier*
hofte → *hip*
hofteholder → *garter belt, girdle, suspender belt*
hofteskål → *socket*
hogg → *blow*
hogge → *chop, hew*
hogge ned → *chop down, cut down*
hogge ut → *carve*
hoggorm → *viper*
hoggtann → *fang*
hokuspokus → *hocus-pocus*
hold → *stitch*
holdbar → *durable, tenable*
holdbarhet → *durability, shelf life*
holde → *deliver, endure, hold, keep, last, maintain, make, nurse, suffice*
holde atskilt → *segregate*
holde av → *cherish, save*
holde fram → *hold out*
holde følge med → *pace*
holde igjen → *keep back, restrain, stall*
holde kjeft → *belt up, shut up*
holde munn → *pipe down*
holde nede → *hold down, keep down*
holde opp → *hold up, leave off, stop*
holde opp med → *cut out, discontinue*
holde oppe → *hold up, keep up, sustain*
holde på → *back, hold down, keep down*
holde seg → *hold, keep, last, stay, stay up*
holde seg borte → *stay out*
holde seg fast → *hold on*
holde seg nede → *keep down*
holde seg til → *be faithful, stick to*
holde seg tilbake → *keep back*
holde seg unna → *hold off, keep off*
holde til → *hang out, locate*
holde tilbake → *embargo, hold back, keep back, suppress, withhold*
holde unna → *hold off, keep off, keep out, stave off*
holde ut → *bear, persevere, stand, stick*
holde vekk → *keep off, keep out*
holde øye med → *watch*
holdepunkt → *clue*
holder → *holder, socket*
holdingselskap → *holding company*
holdning → *attitude, bearing, deportment, outlook, posture*
holistisk → *holistic*
holk → *hulk*
Holland → *Holland*
hollandsk → *Dutch*
hollender → *Dutchman, Dutchwoman*
hollenderne → *Dutch*
holocaust → *holocaust*
hologram → *hologram*
homo(fil) → *gay, homosexual*
homogen → *homogeneous*
homogenisert → *homogenized*
homoseksuell → *homosexual*
homse → *fag*
homøopat → *homoeopath*
homøopati → *homoeopathy*
Honduras → *Honduras*
Hong Kong → *Hong Kong*
honning → *honey*
honnør → *credit, salute*
Honolulu → *Honolulu*
honorar → *emolument, fee*
honorær → *honorary*
hope seg opp → *accumulate, pile up*
hopp → *bound, hop, jump, leap, skip, vault*
hoppbakke → *ski jump*
hoppe → *filly, hop, jump, leap, mare, skip*
hoppe av → *stop off*
hoppe ned → *jump down*
hoppe opp → *leap up*
hoppe over → *jump, miss out, skip, vault*
hoppe på → *jump at*
hoppe tau → *skip*
hoppe ut (i fallskjerm) → *bale out*
hopper → *jumper*
hoppeslott → *bouncy castle*

hoppetau → *skipping rope*
hopprenn → *ski jump*
horde → *horde*
hore → *whore*
horekunde → *kerb crawler*
horestrøk → *red-light district*
horisont → *horizon, skyline*
horisontal → *horizontal*
hormon → *hormone*
hormonbehandling → *hormone replacement therapy*
horn → *bugle, hooter, horn*
hornhinne → *cornea*
hornorkester → *brass band*
horoskop → *horoscope, star*
horribel → *execrable*
hos → *in, with*
hospits → *doss house, hostel*
host → *cough*
hoste → *cough, splutter*
hostesaft → *cough mixture, cough syrup*
hostie → *host*
hosting → *cough*
hot-dog → *hot dog*
hotell → *hotel*
hotellbransje → *hotel industry*
hotelldirektør → *hotelier*
hotelleier → *hotelier*
hotellrom → *hotel room*
hov → *hoof*
hovedattraksjon → *star attraction*
hovedbok → *ledger*
hoveddel → *body*
hoveddør → *front door*
hovedfarge → *primary colour*
hovedgassledningen → *main*
hovedgate → *high street*
hovedinnhold → *tenor*
hovedkontor → *head office*
hovedkort → *mother board*
hovedkvarter → *headquarters*
hovedledning → *main*
hovedlinjal → *T-square*
hovedlinje → *main line*
hovedlys → *headlight*
hovedmann → *ringleader*
hovednøkkel → *master key, passkey, skeleton key*
hovedperson → *principal, protagonist*
hovedpoeng → *thrust*
hovedrett → *entrée, main course*
hovedrolle → *lead*
hovedrolleinnehaver → *co-star, leading lady, leading man*
hovedsak(e)lig → *chiefly, fundamentally, mainly, mostly, predominantly, primarily, principally, substantially*
hovedstad → *capital*
hovedstrøm → *mainstream*
hovedtema → *keynote*
hovedtrafikkåre → *artery*
hovedvannledning → *main, water main*
hovedvei → *main road, trunk road*
hoven → *puffy, snooty, swollen*
hovmester → *butler, head waiter*
hovmodig → *arrogant, cavalier, haughty, lofty, lordly*
hovne opp → *swell*
hud → *flesh, hide, skin*
hudflette → *crucify*
hudkreft → *skin cancer*
hudorm → *blackhead*
hudprøve → *skin test*
hudtransplantasjon → *skin graft*
hugge → *chop*
huggorm → *adder*
huke seg ned → *crouch*
huke tak i → *buttonhole, nobble*
hukommelse → *memory, retention*
hukommelsestap → *amnesia*
hul → *hollow*
hule → *burrow, cave, cavern, cavity, den, lair, pad*
hule ut → *scoop out*
huleboer → *caveman*
huleforsker → *speleologist*
huleforsking → *potholing*
hulk → *sob*
hulke → *sob*
hull → *breach, cavity, eyelet, gap, hole, pit, pothole*
hulltang → *punch*
hulrom → *cavity*
hulter til bulter → *higgledy-piggledy*
hulveggisolasjon → *cavity wall insulation*
human → *humane*
humaniora → *humanity*
humanisme → *humanism*
humanistiske fag → *arts, humanities*
humanitær → *humanitarian*
humbug → *humbug, mumbo jumbo, sham*
humle → *hops*
humlebie → *bumblebee*
hummer → *lobster*
hummerteine → *creel, lobster pot*
humor → *humour*
humorist → *humorist*
humoristisk → *humorous*
humoristisk sans → *sense of humour*
humpe → *bump*
humpet(e) → *bumpy, rough*
humre → *titter*
humring → *titter*
humus → *humus*
humør → *frame of mind, humour, mood*
humørløs → *humo(u)rless*
humørsyk → *bad-tempered, moody*
hun → *she*
hund → *dog*
hundegalskap → *hydrophobia, rabies*
hundehalsbånd → *dog collar*
hundehus → *kennel*
hundekjeks → *dog biscuit*
hundemat → *dog food*
hundre → *hundred*
hundrede → *hundredth*
hundreårsjubileum → *centenary, centennial*
hundse → *hector*
hungersnød → *famine*
hunn → *cow, female, hen*
hunnkanin → *doe*
hunnrev → *vixen*
hunntiger → *tigress*
hurlumhei → *razzmatazz*
hurpe → *bag, frump, hag*
hurra → *hurrah*
hurrarop → *cheer*
hurtig → *fast, quickly, rapid, rapidly, swift, swiftly*
hurtighet → *quickness, rapidity, swiftness*
hurtigmat → *convenience foods*
hurtigmikser → *blender, liquidizer*
hurtigmixer → *blender, liquidizer*
hus → *house, place*
husagitasjon → *canvassing*
husarbeid → *chore, housekeeping, housework*
husarrest → *house arrest*
husbåt → *houseboat*
huse → *house, shelter*
huseier → *house owner, landlady, landlord*
husflid → *cottage industry, craft*
hushjelp → *domestic servant, maid*
husholdere → *husband*
husholderske → *housekeeper*
husholdning → *household*
husholdnings- → *domestic*

husholdningspenger → *housekeeping*
hushovmester → *steward*
husj → *shoo*
husjakt → *househunting*
huske → *recall, remember, swing, think*
huskeliste → *checklist*
husky → *husky*
husleie → *rent*
huslig → *domestic, domesticated*
husmor → *housewife*
husokkupant → *squatter*
husorgel → *harmonium*
husrekke → *terrace*
husstand → *household*
husstell → *home economics*
hustru → *wife*
hva → *what*
hva som helst → *anything*
hval → *whale*
hvalbåt → *whaler*
hvalfanger → *whaler*
hvalfangst → *whaling*
hvalross → *walrus*
hvelv → *safe-deposit, strongroom, vault*
hvelving → *canopy, expanse, vault*
hvem → *who, whom*
hvem sin → *whose*
hvem som helst → *anyone*
hver → *apiece, each, either, every*
hver eneste → *every*
hver for seg → *individually, singly*
hver sin → *separate*
hverdag → *weekday*
hverdags- → *everyday*
hverdagslig → *commonplace, humdrum, mundane, run-of-the-mill, staple*
hvese → *hiss*
hvesing → *hiss*
hvesse → *whet*
hvete → *wheat*
hvetegrøpp → *wheatmeal*
hvetekim → *wheatgerm*
hvil → *rest*
hvile → *rest*
hvile i → *reside in*
hvile på → *rest*
hvilehjem → *rest home*
hvilekur → *rest cure*
hvileløst → *restlessly*
hvilke → *what, which*
hvilken → *what, which*
hvilke(n)/hvilket som helst → *any*
hvilket → *what, which*
hvin → *screech*
hvine → *screech, squeal, whine, whistle*
hvis → *if, whose*
hviske → *whisper*
hvisken → *whisper*
hvisking → *whisper, whispering*
hvit → *white*
Hviterussland → *Byelorussia*
hvitevarer → *appliance, white goods*
hvitglødende → *white-hot*
hvithet → *whiteness*
hvitløk → *garlic*
hvitmale → *whitewash*
hvitsnipp → *white-collar worker*
hvitt → *white*
hvitte → *whitewash*
hvittekalk → *whitewash*
hvitting → *whiting*
hvitvaske → *launder*
hvitvasking → *cover-up*
hvor → *how, where*
hvor enn → *however, wherever*
hvor omtrent → *whereabouts*
hvor som helst → *anywhere*
hvordan → *how*
hvoretter → *whereupon*
hvorfor → *why*
hvorpå → *whereupon*
hyasint → *hyacinth*
hybel → *digs*
hybelhus → *rooming house*
hybelleilighet → *studio flat*
hybelvert → *landlord*
hybelvertinne → *landlady*
hybrid → *hybrid*
hydraulikk → *hydraulics*
hydraulisk → *hydraulic*
hydrofoil → *hydrofoil*
hydrogen → *hydrogen*
hydrogenbombe → *H-bomb, hydrogen bomb*
hydroplan → *hydroplane*
hyene → *hyena*
hygge → *cosiness*
hyggelig → *cosy, enjoyable, jolly, nice, pleasant, pleasing*
hygiene → *hygiene, sanitation*
hygienisk → *hygienic, sanitary*
hykle → *feign*
hykler → *hypocrite*
hykleri → *hypocrisy*
hyklersk → *hypocritical*
hyl → *cry, hoot, howl, shriek, yell, yelp, yowl*
hyle → *hoot, howl, shriek, squeal, wail, yell*
hyling → *wail*
hyll → *elder*
hylle → *ledge, shelf*
hyller → *shelving*
hyllest → *acclaim, accolade, homage, tribute*
hylster → *casing, holster*
hyperaktiv → *hyperactive*
hypertekst → *hypertext*
hypertensjon → *hypertension*
hypnose → *hypnosis*
hypnotisere → *hypnotize*
hypnotisk → *hypnotic*
hypnotisør → *hypnotist*
hypokonder → *hypochondriac*
hypotenus → *hypotenuse*
hypotermi → *hypothermia*
hypotese → *hypothesis*
hypotetisk → *hypothetical*
hyppig → *frequent, frequently*
hyppighet → *frequency*
hyse → *haddock*
hysj → *shush*
hysj-hysj → *hush-hush*
hyssing → *string, twine*
hysterektomi → *hysterectomy*
hysteri → *hysteria*
hysterisk → *hysterical, hysterically, uproarious*
hytte → *cabin, cottage, hut, lodge*
Hz → *Hz*
hæl → *heel*
hær → *army*
hærverk → *vandalism*
høflig → *graceful, polite, politely*
høflighet → *courtesy, politeness*
høgskole → *academy*
høgskolelektor → *lecturer*
hølje ned → *beat down*
høne → *chicken, fowl, hen*
hønsebatteri → *battery farming*
hønsefarm → *poultry farm*
hønseoppdretter → *poultry farmer*
hørbar → *audible*
høre → *gather, hear*

høre etter → *listen*
høre feil → *mishear*
høre hjemme → *dwell*
høreapparat → *deaf-aid, hearing aid*
høres ut → *sound*
hørespill → *play*
høretelefoner → *earphones*
hørsel → *hearing*
hørselshemmet → *deaf*
høselssvekket → *deaf*
høst → *autumn, fall, harvest*
høste → *reap, harvest*
høsttakkefest → *Thanksgiving (Day)*
høvding → *chief*
høvel → *plane*
høvelig → *becoming, felicitous*
høvle → *plane*
høy → *hay, high, high-pitched, loud, tall, zonked*
høybane → *el, elevated railroad*
høyblokk → *high-rise, tower block*
høyborg → *bastion, stronghold*
høyde → *elevation, height, hill, tallness, tier*
høyde (over havet) → *altitude*
høydedrag → *hill*
høydehopp → *high jump*
høydepunkt → *acme, apex, climax, high, highlight, high point, pitch, zenith*
høyere → *higher*
høyerestående → *higher*
høyest → *supreme*
høyfinans → *high finance*
høyfjellsplatå → *tableland*
høyfjellssol → *sunlamp*
høyfrekvens → *HF*
høygaffel → *pitchfork*
høyhalset → *polo-necked*
høyhælt → *high-heeled*
høykonjunktur → *boom*
høylytt → *strident*
høymesse → *High Mass*
høyne → *enhance, increase, inflate*
høyoktanbensin → *premium gasoline*
høyre → *right*
høyrefløy → *right wing*
høyrehendt → *right-handed*
høyreorientert → *right-wing*
høyreratt → *right-hand drive*
høyreving → *right-winger*
høyrød → *crimson*
høyrøstet → *vociferous*
høysesong → *peak period*
høyskole → *college*
høysnue → *hay fever*
høyspentmast → *pylon*
høyst → *greatly, most*
høystakk → *haystack*
høystb → *o.b.o.*
høyt → *aloud, high, highly, loud, loudly*
høyt(t)aler → *speaker*
høyteknologisk → *hi-tech*
høytid → *festival*
høytidelig → *formal, formally, solemn*
høytrykk → *letterpress*
høytstående → *exalted, high*
høyttaler → *loudspeaker*
høyttaleranlegg → *public address system, tannoy*
høyvann → *flood tide, high tide*
høyverdig → *high, lofty*
høyærverdig → *venerable*
hån → *derision, mockery*
hånd → *hand, hand-held*
håndarbeid → *handicraft, needlework*
håndbagasje → *hand baggage, hand luggage*
håndbak → *back*
håndball → *handball*
håndbok → *guide, handbook, manual*
håndbrekk → *handbrake*
håndbrems → *handbrake*
håndflate → *palm*
håndfull → *handful*
håndgemeng → *scuffle*
håndgripelig → *tangible*
håndheve → *enforce*
håndjern → *cuff, handcuffs*
håndkle → *towel*
håndklestang → *towel rail*
håndkrem → *hand cream*
håndlaget → *handmade*
håndlanger → *henchman, sidekick*
håndledd → *wrist*
håndplukket → *hand-picked*
håndskrevet → *handwritten*
håndskrift → *hand, handwriting*
håndsydd → *handmade*
håndtak → *grip, handle, hilt, knob*
håndtere → *handle*
håndtering → *handling*
håndtrykk → *handshake*
håndvask → *handbasin*
håndverk → *craft, craftsmanship, draughtsmanship*
håndverker → *artisan, craftsman, tradesman*
håndverksarbeide → *workmanship*
håndveske → *handbag, purse*
håndvåpen → *small arms*
håne → *deride, revile, taunt*
hånflir → *sneer*
hånlig → *contemptuous, derisive, derisory, jeering, mocking, sardonic, scornful*
håp → *hope*
håpe → *hope*
håpefullt → *hopefully*
håpløs → *forlorn, hopeless, useless*
håpløshet → *despair*
hår → *hair*
hårbørste → *hairbrush*
håret(e) → *hairy*
hårfasong → *hairdo, hairstyle*
hårfeste → *hairline*
hårfin → *subtle*
hårfjerner → *hair remover*
hårfjerningskrem → *depilatory*
hårnett → *hairnet*
hårnål → *hairpin*
hårnålssving → *hairpin bend*
hårolje → *hair oil*
hårreisende → *hair-raising*
hårrull → *roller*
hårspenne → *hair-grip*
hårspray → *hair spray*
hårstrå → *hair, strand*
hårsår → *touchy*
hårtoner → *rinse*
hårtørrer → *hair dryer*
håve inn → *pull in*

I

I, i → *I, i*
i → *for, in, of, within*
i dag → *today*
i går → *yesterday*
i kveld → *tonight*
i morgen → *tomorrow*
i natt → *last night, tonight*
i stykker → *broken*
i/r → *n/a*

I/U → *I/O*
iaktta → *observe, watch*
iakttakelse → *observation*
iakttaker → *observer*
ib → *ib(id)*
ibenholt → *ebony*
ibid → *ib(id)*
iblant → *occasionally*
iboende → *inbuilt, intrinsic*
ideal → *ideal*
idealist → *idealist*
ideell → *ideal*
ideelt sett → *ideally*
identfikasjon → *identification*
identifikasjonspapirer → *identity papers*
identifisere → *identify*
identifisering → *identification*
identikit → *Photofit*
identisk → *identical*
identitet → *identity*
ideologi → *ideology*
ideologisk → *ideological*
idet → *inasmuch as, while*
idiomatisk → *idiomatic*
idiosynkratisk → *idiosyncratic*
idiot → *idiot, imbecile, lunatic, moron*
idioti → *idiocy, stupidity*
idiotisk → *idiotic, loony, moronic, stupid, stupidly*
idiotsikker → *foolproof*
idol → *god, idol*
idrett → *athletics, sport*
idrettshall → *sports centre*
idrettskvinne → *sportswoman*
idrettsmann → *sportsman*
idrettsplass → *playing field, sports ground*
idrettsutøver → *athlete*
idyllisk → *idyllic*
idé → *idea*
ifølge → *according*
igjen → *again, behind, closed, left, over, turn*
igjenkjenne → *know*
igjennom → *through*
igle → *leech*
igloo → *igloo*
ignorant → *ignoramus*
ignorere → *disregard, ignore*
iherdig → *assiduous, busily, insistent, persistent, strenuous, strenuously*
iherdighet → *persistence*
ihuga → *committed*
IK → *IQ*
ikke → *not*
ikke noe → *no, nothing*
ikke noe sted → *nowhere*
ikke-brennbar → *non-flammable*
ikke-eksisterende → *non-existent*
ikke-hvit → *non-white*
ikke-innblanding → *non-intervention*
ikke-intervensjon → *non-intervention*
ikke-konformistisk → *nonconformist*
ikke-røyker → *non-smoker*
ikon → *icon*
ild → *fire*
ilder → *polecat*
ildfast → *ovenproof, Pyrex*
ildfull → *fiery, tempestuous*
ildne opp → *galvanize, rouse*
ildrake → *poker*
ildsted → *fireplace*
iling → *thrill*
ilke → *bunion*
ille til mote → *uncomfortable*
illebefinnende → *turn*
illegal → *illegal*
illeluktende → *fetid, smelly*
illevarslende → *ominous, sinister*
illojal → *disloyal*
illuminasjon → *illumination*
illusjon → *delusion, illusion*
illusorisk → *illusory*
illustrasjon → *illustration*
illustrasjoner → *artwork*
illustrasjonsoriginal → *artwork*
illustratør → *illustrator*
illustrere → *illustrate*
ilter → *ratty*
image → *image, street cred*
imidlertid → *however*
imitasjon → *mimicry*
imitator → *imitator, impressionist, mimic*
imitere → *imitate, impersonate*
imitert → *mock, simulated*
immatrikulering → *matriculation*
immigrant → *immigrant*
immigrasjons- → *immigration*
immunisering → *immunization*
immunitet → *immunity*
immunsystem → *immune system*
imot → *against*
imperativ → *imperative*
imperfektum → *imperfect*
imperialisme → *imperialism*
imperium → *empire*
implantere → *implant*
implikasjon → *implication*
implisitt → *implicit*
imponere → *impress*
imponerende → *imposing, impressive, spectacular*
import → *import, importation*
importere → *import*
importert → *imported*
importør → *importer*
impotens → *impotence*
impotent → *impotent*
impregnere → *impregnate*
impresario → *impresario*
impresjonist → *impressionist*
improvisasjon → *improvisation*
improvisere → *ad-lib*
improvisert → *impromptu, off-the-cuff, rough-and-ready*
impuls → *impulse, pulse*
impulsiv → *hot-headed, impulsive*
impulskjøp → *impulse buy*
imøtegå → *counter, refute*
imøtekomme → *cater for*
imøtekommende → *accommodating, forthcoming, obliging, welcoming*
innbitthet → *vehemence*
incest → *incest*
indekskort → *index card*
indeksregulert → *index-linked*
inder → *Indian*
inderlig → *bitterly, dearly, exquisite, strong*
India → *India*
indianer → *Indian*
indianerkriger → *brave*
indiansk → *Native American*
indignasjon → *indignation*
indigo → *indigo*
indikasjon → *indication*
indikativ → *indicative*
indikere → *denote, indicate*
indirekte → *indirect, indirectly, oblique, roundabout*
indisk → *Indian*
indiskresjon → *indiscretion*
indiskret → *indiscreet*
indisponert → *indisposed*
individ → *individual*

individualist → *individualist*
individualitet → *individuality*
individuell → *individual*
individuelt → *individually*
Indokina → *Indo-China*
indoktrinere → *indoctrinate*
indoktrinering → *indoctrination*
indolens → *indolence*
indolent → *indolent, languid*
indoneser → *Indonesian*
Indonesia → *Indonesia*
indonesisk → *Indonesian*
indre → *bowels, inner, internal, intrinsic*
industri → *industry*
industrialisere → *industrialize*
industrieier → *industrialist*
industriell → *industrial*
industrien → *industry*
industriområde → *industrial estate, trading estate*
ineffektiv → *ineffective, inefficient*
ineffektivitet → *inefficiency*
inert → *inert*
infam → *catty, spiteful*
infanteri → *infantry*
infanterist → *GI, infantryman*
infeksjon → *infection*
infernalsk → *infernal*
inferno → *inferno*
infiltrere → *infiltrate*
infinitiv → *infinitive*
infisere → *infect*
infisert → *septic, tainted*
inflasjon → *inflation*
inflasjonsbegrensning → *disinflation*
inflasjonsskapende → *inflationary*
influensa → *flu, influenza*
informant → *informant*
informasjon → *information*
informasjonsbehandling → *information processing*
informasjonskontor → *inquiry office*
informasjonsskranke → *inquiry desk*
informasjonsteknologi → *information technology*
informasjonstjeneste → *helpline*
informatiker → *computer scientist*
informatikk → *computer science, information science*
informativ → *enlightening, informative*
informert → *educated, informed*
infrarød → *infra-red*
infrastruktur → *infrastructure*
ingefær → *ginger*
ingefærøl → *ginger ale, ginger beer*
ingen → *neither, no, nobody, none*
ingen av delene → *neither*
ingen steder → *nowhere*
ingeniør → *engineer*
ingeniørfag → *engineering*
ingeniørkunst → *engineering*
ingenmannsland → *no-man's-land*
ingenting → *nothing*
ingrediens → *ingredient*
inhalator → *inhaler*
inhalere → *inhale*
inhuman → *inhumane*
initial → *initial*
initiativ → *enterprise, initiative*
injurie → *defamation, libel, slander*
injuriere → *libel, malign*
injurierende → *defamatory, libellous, slanderous*
inka(indianer) → *Inca*
inkassator → *debt collector*
inkludere → *include*
inkludert → *including*
inkludert frakt → *c/p*
inkognito → *incognito, undercover*
inkompetanse → *incompetence*
inkompetent → *incompetent*
inkonsekvens → *inconsistency*
inkonsekvent → *inconsistent*
inkontinens → *incontinence*
inkontinent → *incontinent*
inkubasjon → *incubation*
inkubasjonsperiode → *incubation period*
inkubasjonstid → *incubation period*
inn → *inside*
inn i → *into*
innadvendt → *introvert*
innarbeide → *incorporate*
innavl → *inbreeding*
innavlet → *inbred*
innbefatte → *embody, embrace, encompass, take in*
innbetaling → *remittance*
innbetalt → *paid-up*
innbille seg → *fancy, imagine*
innbilning → *imagination*
innbilsk → *bigheaded, conceited*
innbilskhet → *conceit*
innbilt → *imaginary*
innbinding → *binding*
innbitt → *all-out, dogged, fierce, rugged*
innblanding → *interference, intervention*
innbringe → *bear, bring in, command, earn, fetch, realize*
innbringende → *lucrative, profitable*
innbrudd → *break-in, breaking and entering, housebreaking*
innbruddsalarm → *burglar alarm*
innbruddstyv → *burglar*
innbundet → *hardback*
innbydelse → *invitation*
innbydende → *inviting*
innbygger → *citizen, inhabitant*
innbyggertall → *population*
innbytteverdi → *trade-in value*
inndata → *input*
inndeling → *division, split, subdivision*
inndragelse → *suspension*
inne → *indoors, inside*
inne i → *within*
innebære → *imply, involve*
innehaver → *bearer, holder, incumbent, possessor, proprietor*
inneholde → *contain*
innen → *by, inside, within*
innendørs → *indoor, indoors, inside*
innenfor → *within*
innenlands → *domestic*
innenriks → *domestic, interior, internal*
innerst → *inmost*
innerst i → *far*
innerst inne → *inwardly, privately*
innerste → *inward*
innesluttet → *taciturn*
innesnødd → *snowbound*
innesperring → *confinement*
innestengt → *musty, pent-up, stale, stuffy*
innfall → *fancy, whim*
innfallsport → *gateway*
innfartsvei → *approach*
innfatning → *frame, rim, setting*
innflytelse → *influence*
innflytelsesrik → *influential*
innfløkt → *elaborate*
innfri → *discharge, fulfil, pay off*
innfrielse → *fulfilment*
innfødt → *aborigine, indigenous, native*
innfølingsevne → *empathy*
innføre → *adopt, bring in, institute, introduce*
innføring → *guide, institution, introduction*
innføringsbok → *exercise book*
innføringskurs → *induction course*

innførsel → *importation*
inngang → *entrance, entry, gate*
inngangspenger → *admission, entrance fee*
inngangsport → *gateway*
inngi → *command, file, inspire*
inngjerdet → *walled*
inngjerding → *perimeter fence*
inngrep → *infringement*
inngrodd → *confirmed, deep-rooted, deep-seated, embedded, ingrained, ingrowing, inveterate*
inngå → *conclude, enter into*
inngående → *incoming, intimate, intimately, inward, rigorously, searching*
innhegning → *corral, enclosure, pen*
innhente → *catch up with, enlist, garner*
innhold → *content*
innholdsfortegnelse → *table of contents*
innholdsløs → *idle*
innhylle → *envelop*
innhøsting → *harvest*
inni → *inside*
innimellom → *intermittently*
innkalle → *call, call in, call up, induct, summon*
innkalling → *summons*
innkast → *throw-in*
innkjøpsassistent → *buyer*
innkjøpsordre → *purchase order*
innkjøpspris → *purchase price*
innkjøpssjef → *buyer*
innkjøring → *entry*
innkjøringsvei → *entrance ramp, slip road*
innkjørsel → *drive, driveway, forecourt*
innkommende → *incoming*
innkrever → *collector*
innkvartere → *billet, quarter*
innkvartering → *quarter*
innlagt → *inlaid*
innlede → *initiate, instigate*
innledende → *opening, preliminary*
innledning → *initiation, introduction, opening, preamble*
innlegg → *contribution, insert*
innlemmelse → *annexation*
innlevere → *file*
innlevering → *submission*
innlysende → *self-evident*
innlæring → *acquisition*
innløpsrør → *inlet pipe*
innløse → *cash in, encash*
innløselig → *redeemable*
innmari → *bitchy, jolly*
innmat → *giblets, offal*
innordne seg → *conform*
innover → *inward(s)*
innpakket → *muffled*
innpakking → *packing*
innpakningspapir → *wrapping paper*
innpisker → *whip*
innpode → *implant*
innramme → *frame*
innrede → *kit out*
innredning → *fixture*
innregistrert → *registered*
innretning → *appliance, contraption, contrivance, device, gadget*
innringerprogram → *phone-in*
innringing → *roundup*
innringingsprogram → *call-in*
innrykk → *indentation*
innrømme → *acknowledge, admit, concede, confess, grant, own up to*
innrømmelse → *admission, concession*
innsamling → *collection, whip-round*
innsats → *endeavour, performance, stake*
innsatt → *inmate*
innse → *discern, realize*
innsette → *inaugurate, induct, install*
innsettelse → *inauguration, investiture*
innside → *back, inside, interior*
innsidehandel → *insider dealing*
innsigelse → *objection, quibble*
innsigelser → *representation*
innsikt → *insight*
innsjekkingsskranke → *check-in (desk)*
innsjø → *lake, loch*
innskipingshavn → *POE*
innskipning → *embarkation*
innskrenke → *curtail*
innskrenkning → *limitation, restriction, rundown*
innskrumpet → *shrunken*
innskudd → *deposit*
innskytelse → *impulse*
innskyter → *depositor*
innslag → *spot, turn, weft*
innsmigrende → *ingratiating, smarmy, sycophantic, unctuous*
innsnevring → *defile*
innsnitt → *dart, notch*
innsparing → *saving*
innspilling → *recording*
innspillingsplass → *set*
innsprøyting → *injection*
innstallere → *install*
innstevne → *cite, subpoena, summons*
innstevnet → *respondent*
innstevning → *citation, subpoena*
innstikklås → *mortise lock*
innstille → *cancel, cease, nominate, suspend, time*
innstilling → *adjustment, cancellation, nomination, setting, spirit*
innstillingshjul → *dial*
innstillingsknapp → *dial*
innstillingskomité → *selection committee*
innstillingsliste → *short list*
innstramming → *squeeze*
innsunken → *sunken*
innta → *adopt, capture, overwhelm*
inntagende → *pleasing*
inntak → *consumption, feed, intake*
inntasting → *capture, data capture*
inntauingstomt → *pound*
inntekt → *income, proceeds, revenue*
inntekter → *earnings, receipts*
inntektsskatt → *income tax*
inntil videre → *provisionally*
inntilbens → *pigeon-toed*
inntreden → *entry*
inntrengende → *urgent*
inntrenger → *interloper, intruder, invader, trespasser*
inntrykk → *effect, feeling, impression*
inntørket → *wizened*
innvandrer → *immigrant*
innvandring → *immigration*
innvarsle → *herald*
innvende → *demur, object*
innvendig → *interior, internal*
innvending → *objection, quibble*
innvie → *inaugurate, initiate*
innvielse → *initiation*
innvielsesfest → *house-warming (party)*
innviklet → *convoluted, intricate, tricky*
innvilge → *extend, grant*
innvirkning → *impact*
innvoller → *entrails, gut, innards, inside*
innøvd → *practised*
innånde → *inhale*
inokulasjon → *inoculation*
insekt → *bug, insect*
insektgift → *insecticide*

insektmiddel → *insect repellent, pesticide*
insektstikk → *insect bite*
insignier → *insignia*
insinuasjon → *innuendo, insinuation*
insinuere → *insinuate*
insistere → *insist*
inskripsjon → *inscription*
insolvens → *insolvency*
insolvent → *insolvent*
inspeksjon → *inspection, review*
inspektør → *inspector*
inspirasjon → *inspiration*
inspirasjonskilde → *inspiration*
inspirere → *inspire*
inspirerende → *inspiring*
inspirert → *inspired*
inspisere → *inspect, review*
inspisient → *stage manager*
installasjon → *installation*
installere → *plumb in, put in*
instinkt → *instinct*
instinktiv → *instinctive*
instinktivt → *instinctively*
institusjon → *institution*
institusjonsprest → *chaplain*
institutt → *institute*
instruere → *direct, prime*
instruks → *brief, direction, instruction, say-so*
instruksjon → *direction, instruction*
instruksjonskode → *machine code*
instruktør → *director, instructor*
instrument → *device, instrument*
instrumental → *instrumental*
instrumentalist → *instrumentalist*
instrumentbord → *instrument panel*
insulin → *insulin*
intakt → *intact*
integrere → *integrate*
integrering → *integration*
integrert → *mixed-ability*
integritet → *integrity*
intellekt → *intellect*
intellektuell → *cerebral, highbrow, intellectual*
intelligens → *intelligence*
intelligenskvotient → *intelligence quotient*
intelligenstest → *intelligence test*
intelligent → *intelligent*
intens → *acute, intense, poignant*
intensitet → *intensity, vigour*
intensiv → *intensive, vigorous*
intensivavdeling → *ICU, intensive care unit*
intensivere → *exacerbate, intensify*
intensivkurs → *crash course*
intensjon → *intent, intention*
intenst → *intensely, keenly*
interaktiv → *interactive*
intercom → *intercom*
interessant → *interesting*
interesse → *interest, stake*
interessere → *interest*
interferens → *interference*
interiør → *decor, decoration, trim*
interiørarkitekt → *interior designer*
interjeksjon → *interjection*
interkontinental → *intercontinental*
intern → *in-house, internal*
internasjonal → *international*
internasjonalt → *internationally*
internere → *intern*
internering → *internment*
internert → *internee*
internminne → *random access memory*
Interpol → *Interpol*
interrogativ → *interrogative*
intervall → *hiatus, interval*
intervensjon → *intervention*
intervju → *interview*
intervjue → *interview*
intervjuer → *interviewer*
intervjuobjekt → *interviewee*
intetanende → *unsuspecting, unwitting*
intim → *intimate*
intimitet → *intimacy*
intimt → *intimately*
intoleranse → *intolerance*
intonasjon → *intonation*
intransitiv → *intransitive*
intravenøs → *intravenous*
intrigant → *scheming*
intrige → *intrigue*
intriger → *scheming*
intrigere → *scheme*
intrikat → *convoluted*
introduksjon → *introduction*
introdusere → *introduce*
introspeksjon → *introspection*
introspektiv → *introspective*
intuisjon → *intuition*
intuitiv → *intuitive*
invadere → *invade*
invalid → *invalid*
invasjon → *incursion, invasion*
inventar → *fitment*
inventarfortegnelse → *inventory*
inventarliste → *inventory*
investere → *invest*
investering → *investment*
investeringsselskap → *investment trust*
investor → *investor*
invitasjon → *invitation*
invitere → *entertain, invite*
involvert → *interested*
ion → *ion*
Irak → *Iraq*
iraker → *Iraqi*
irakisk → *Iraqi*
Iran → *Iran*
iraner → *Iranian*
iransk → *Iranian*
irettesette → *admonish, rebuke*
irettesettelse → *rebuke*
iris → *iris*
Irland → *Ireland*
irlender → *Irishman, Irishwoman*
ironi → *irony*
ironisk → *facetious, ironic(al), ironically, wry*
irrasjonell → *irrational*
irrelevans → *irrelevance*
irrelevant → *irrelevant*
irreligiøs → *irreligious*
irrigasjon → *irrigation*
irrigere → *irrigate*
irritabel → *crotchety, fractious, irritable, waspish*
irritament → *irritant*
irritasjon → *aggravation, annoyance, irritation*
irritere → *aggravate, annoy, bug, chafe, irritate, put out, rile*
irriterende → *aggravating, annoying, galling, irksome, irritating, tiresome*
irritert → *narked*
irrlys → *will-o'-the wisp*
irsk → *Irish*
is → *ice*
is(krem) → *ice cream*
isavkjølt → *iced*
isbit → *ice cube*
isbjørn → *polar bear*
ISBN → *ISBN*
isboks → *icebox*

isbre → *glacier*
isbryter → *icebreaker*
isbøtte → *ice bucket*
iscenesette → *direct, stage, stage-manage*
iscenesetting → *direction*
ise → *ice*
ise ned → *freeze over*
isenkramhandel → *ironmonger's (shop)*
isenkramhandler → *ironmonger*
iset(e) → *icy*
isfilm → *black ice*
isfjell → *iceberg*
isfugl → *kingfisher*
ishakke → *ice pick*
ishockey → *ice hockey*
ising → *icing*
isjias → *sciatica*
iskald → *freezing, frosty, glacial, ice-cold, icy, stone-cold, stony*
iskalott → *icecap*
iskremsoda → *ice-cream soda*
islam → *Islam*
islamittisk → *Islamic*
islamsk → *Islamic*
Island → *Iceland*
islandsk → *Icelandic*
islending → *Icelander*
islett → *weft*
isobar → *isobar*
isolasjon → *insulation, isolation, seclusion*
isolasjonisme → *isolationism*
isolasjonsbånd → *insulating tape*
isolasjonsmateriale → *lagging*
isolasjonstape → *insulating tape*
isolat → *solitary confinement*
isolator → *insulator*
isolere → *insulate, isolate*
isolering → *insulation*
isolert → *isolated*
isopor → *polystyrene*
isotop → *isotope*
Israel → *Israel*
israeler → *Israeli*
israelsk → *Israeli*
Istanbul → *Istanbul*
istandsetting → *refit*
istapp → *icicle*
isteden → *instead*
istid → *Ice Age*
især → *notably, principally*
isøks → *ice axe*
Italia → *Italy*
italiener → *Italian*
italiensk → *Italian*
ivareta → *care, conserve*
iver → *alacrity, keenness, zeal*
iverksette → *effect, implement, institute, mount, realize, stage*
ivrig → *avid, avidly, eager, eagerly, keen, keenly, zealous*
iøynefallende → *conspicuous, eye-catching, prominently, striking*

J

J, j → *J, j*
ja → *aye, yeah, yes*
ja men → *why*
ja visst → *certainly*
jade → *jade*
jafs → *swallow*
jafse i seg → *gulp*
jage → *chase, hound*
jage opp → *flush out*
jage vekk → *drive off, move on*
jager → *destroyer, fighter*
jagerfly → *fighter*
jagerflyger → *fighter pilot*
jaget → *haunted*
jaguar → *jaguar*
Jakarta → *Djakarta*
jakke → *jacket, jerkin, sports jacket*
jakkeslag → *lapel*
jakt → *chase, hunt, hunting, pursuit, shoot, shooting*
jaktbytte → *quarry*
jakte → *chase, hunt*
jakthund → *gun dog, hound*
jaktlag → *hunt*
jaktlue → *deerstalker*
jaktsport → *blood sport*
Jamaica → *Jamaica*
jamaicaner → *Jamaican*
jamaicansk → *Jamaican*
jamme → *jam*
jammer → *whine*
jamre → *grumble, whine*
januar → *January*
Japan → *Japan*
japaner → *Japanese*
japansk → *Japanese*
japp → *yuppie*
jappete → *yuppie*
jarl → *earl*
jatte med → *play along with*
Java → *Java*
javel → *all right, O.K.*
javisst → *indeed*
jazz → *jazz*
jeans → *denim, jeans*
jeansjakke → *denim jacket*
jeep → *jeep*
jeg → *I*
jeger → *hunter, huntsman*
jekk → *jack*
jekke ned → *deflate*
jekke opp → *jack up*
jekkpott → *jackpot*
jeksel → *molar*
jente → *girl*
jentefest → *hen party*
jentefut → *womanizer*
jentespeider → *Girl Guide, Girl Scout*
jentete → *girlish*
jentunge → *lass*
jern → *iron*
jernbane → *railway*
jernbanelinje → *railway line*
jernbanemann → *railwayman*
jernbaneovergang → *grade crossing*
jernbanerestaurant → *buffet*
jernbanestasjon → *railway station*
jernbarneovergang → *level crossing*
jernlunge → *iron lung*
jernmalm → *iron ore*
jernpanne → *skillet*
jernstakitt → *railing(s)*
jernstøperi → *iron foundry*
jernvarehandel → *hardware shop, ironmonger's (shop)*
jernvarehandler → *ironmonger*
jernvarer → *hardware*
jernverk → *ironworks*
jerrykanne → *jerry can*
jersey → *jersey*
Jerusalem → *Jerusalem*
Jesus → *Jesus*
jet → *jet*
jetdrevet → *jet-propelled*

jetfly → *jet*
jetlag → *jet lag*
jetmotor → *jet engine*
jett → *jet*
jettegryte → *pothole*
jevn → *even, level, regular, smooth, steady, uniform*
jevnaldrende → *peer*
jevnbyrdig → *equal*
jevndøgn → *equinox*
jevne → *flatten, level, raze*
jevne seg ut → *even out, level off*
jevne ut → *even out, flatten*
jevnhet → *smoothness*
jevnlig → *regular, regularly*
jevnt → *evenly, regularly, steadily*
jibb → *jib*
jiddisch → *Yiddish*
jiu-jitsu → *jiujitsu*
jo → *yes*
jobb → *job*
jobbdeling → *job share, job sharing*
jobbe → *work*
jobber → *jobber*
jockey → *jockey*
jod → *iodine*
jodle → *yodel*
jogge → *jog*
jogger → *jogger*
joggesko → *trainer, training shoe*
jogging → *jogging*
joker → *joker, wild card*
jokertegn → *wild card*
jolle → *dinghy*
jomfru → *maiden, virgin*
jomfrudom → *virginity*
jomfruelighet → *virginity*
Jomfruen → *Virgo*
jord → *dirt, earth, ground, land, soil*
jordaktig → *earthy*
Jordan → *Jordan*
jordaner → *Jordanian*
jordansk → *Jordanian*
jordbruk → *agriculture, farming*
jordbruksprodukt → *farm produce*
jordbær → *strawberry*
jorde → *earth, field, ground*
jordeiendom → *land*
jordekorn → *chipmunk, gopher*
jordisk → *earthly*
jordledning → *ground*
jordmor → *midwife*
jordnær → *down-to-earth*
jordnøtt → *groundnut, monkey nut*
jordoppvarming → *global warming*
jordsenking → *subsidence*
jordskjelv → *earthquake*
jordskokk → *artichoke*
jordskred → *landslide*
jordsmonn → *soil*
jordstykke → *plot*
jordvoller → *earthworks*
journal → *daybook, journal*
journalist → *journalist*
journalistikk → *journalism*
jovial → *jovial*
jubel → *exultation, jubilation*
jubileum → *anniversary, jubilee*
juble → *exult*
jublende → *exultant, jubilant*
judo → *judo*
juggel → *baubles*
juglet(e) → *tawdry*
jugoslav → *Yugoslav*
Jugoslavia → *Yugoslavia*
jugoslavisk → *Yugoslav, Yugoslavian*
juice → *crush*
jukeboks → *jukebox*
juks → *cheating, foul*
jukse → *cheat*
juksemaker → *cheat*
jul → *Christmas*
julaften → *Christmas Eve*
juledagen → *Christmas Day*
julekort → *Christmas card*
julekvelden → *Christmas Eve*
julespill → *nativity play*
juletre → *Christmas tree*
juletrebelysning → *fairy lights*
juli → *July*
juling → *beating*
jumbojet → *jumbo*
jumbopremie → *booby prize*
jumpe → *cavort*
jumper → *jumper*
jungel → *jungle*
jungmann → *ordinary seaman*
juni → *June*
juniorpute → *booster seat*
juniorsjef → *junior executive*
junta → *junta*
Jupiter → *Jupiter*
jur → *udder*
juridisk → *forensic, judicial, legal*
juridisk sett → *legally*
jurisdiksjon → *jurisdiction*
jurisdisk rådgiver → *legal adviser*
jurisprudens → *jurisprudence*
jury → *jury*
jurymedlem → *juror*
jus → *juice, law*
jusstudent → *law student*
justere → *adjust, calibrate, modify, readjust, tune*
justering → *alignment, modification*
jute → *jute*
juv → *canyon, glen*
juvel → *jewel*
juveler → *jeweller*
jævel → *bastard, bugger, sod*
jævlig → *god-awful, hellish*
jøde → *Jew*
jødinne → *Jewess*
jødisk → *Jewish*
jøkel → *glacier*
jøss → *blimey, why*
jåle(bukk) → *poser, poseur*

K

K, k → *K, k*
kabal → *patience, solitaire*
kabaret → *cabaret, floor show*
kabel → *cable*
kabelbane → *funicular*
kabelfjernsyn → *cable television*
kabeltau → *cable*
kabeltelegram → *cablegram*
kabeltv → *cable television*
kabinett → *cabinet*
kabinettflygel → *baby grand*
kabriolet → *convertible*
kadaver → *carcass*
kader → *cadre*
kadett → *cadet*
kafeteria → *cafeteria*
kafeteriavogn → *buffet car*
kaffe → *coffee*

kaffebønne → *coffee bean*
kaffekanne → *coffee pot*
kaffekjele → *coffee pot*
kaffekopp → *coffee cup*
kaffemat → *elevenses*
kaffepause → *coffee break*
kaffetrakter → *percolator*
kaftan → *kaftan*
kafé → *café, coffee bar*
kai → *quay, quayside, wharf*
kaie → *jackdaw*
kaiplass → *berth*
Kairo → *Cairo*
kajakk → *kayak*
kajennepepper → *cayenne*
kakao → *cocoa*
kake → *cake, pastry, rissole*
kakeform → *baking tin*
kakemix → *ready-mix*
kakerlakk → *cockroach*
kakeserviett → *doily*
kaki → *khaki*
kakle → *cackle, cluck*
kaktus → *cactus*
kalas → *shindig*
kald → *cold, cool*
kaldblodig → *cold-blooded*
kaldsvette → *sweat*
kaldt → *coldly, coolly*
kaleidoskop → *kaleidoscope*
kalender → *calendar*
kalesje → *hood*
kaliber → *bore, calibre*
kalibrere → *calibrate*
kalium → *potassium*
kalk → *chalice, chalk, lime*
kalke → *whitewash*
kalkere → *trace*
kalkerpapir → *tracing paper*
kalkmaling → *whitewash*
kalkstein → *lime, limestone*
kalkulator → *calculator*
kalkulere → *calculate*
kalkun → *turkey*
kall → *calling, vocation*
kalle → *call, name, term*
kalle for → *call, nickname*
kalle fram → *invoke*
kalle på → *buzz*
kalle tilbake → *recall*
kalle ut → *call out*
kalori → *calorie*
kalott → *skullcap*
kalsium → *calcium*
kalt → *dubbed*
kalun → *tripe*
kalv → *calf*
kalvbeint → *knock-kneed*
kalve → *calve*
kalvekjøtt → *veal*
kalveskinn → *calf*
kam → *brow, comb, crest, ridge*
kamaksel → *camshaft*
Kambodsja → *Cambodia, Kampuchea*
kambodsjaner → *Cambodian*
kambodsjansk → *Cambodian, Kampuchean*
kamel → *camel*
kameleon → *chameleon*
kamera → *camera*
kameramann → *cameraman*
kamerat → *chum, comrade, crony, fellow, mate, pal*
kameratskap → *comradeship*
kameratslig → *matey, pally*
Kamerun → *Cameroon*
kamgarn → *worsted*
kamille → *camomile*
kaminhylle → *mantelpiece*
kammer → *chamber*
kammermusikk → *chamber music*
kammertjener → *valet*
kammusling → *scallop*
kamp → *battle, bout, campaign, combat, contest, fight, fixture, game, match, struggle*
Kampala → *Kampala*
kampanje → *campaign, crusade, drive*
kampestein → *boulder*
kamphandlinger → *hostility*
kamplysten → *pugnacious*
kamprop → *war cry*
kampsport → *martial arts*
kamuflasje → *camouflage*
kamuflere → *camouflage*
kamé → *cameo*
kanal → *canal, channel, duct, passage*
kanarifugl → *canary*
kandidat → *candidate, contestant, entrant, nominee*
kandidatur → *candidacy*
kandisert → *candied*
kanel → *cinnamon*
kanin → *rabbit*
kaninbur → *rabbit hutch*
kaninhann → *buck*
kaninhull → *rabbit hole*
kanne → *can, pot*
kannibal → *cannibal*
kannibalisme → *cannibalism*
kano → *canoe*
kanon → *cannon, gun*
kanonbåt → *gunboat*
kanonér → *gunner*
kanonføde → *cannon fodder*
kanonild → *gunfire*
kanonisere → *canonize*
kanonkule → *cannonball*
kanontårn → *turret*
kanopadling → *canoeing*
kansellere → *cancel*
kansellering → *cancellation*
kanskje → *maybe, perhaps, possibly*
kansler → *chancellor*
kant → *angle, border, circumference, edge, end, fringe, rim, verge*
kante → *border, edge*
kantete → *angular*
kantine → *cafeteria, canteen, refectory*
kantre → *capsize, keel over, overturn*
kanyle → *needle*
kaos → *chaos, mayhem, snarl-up*
kaosteori → *chaos theory*
kaotisk → *chaotic, shambolic*
kapasitet → *capacity*
kapell → *chapel*
kapers → *caper*
kapital → *capital, principal*
kapitalforsikring → *endowment assurance*
kapitalfradrag → *capital allowance*
kapitalintensiv → *capital-intensive*
kapitalisere → *capitalize*
kapitalisme → *capitalism*
kapitalist → *capitalist*
kapitalistisk → *capitalist*
kapitalregnskap → *capital account*
kapitalutgifter → *capital expenditure*
kapitalvarer → *capital goods*
kapittel → *chapter*
kapitulasjon → *capitulation*
kapitulere → *capitulate*
kapp → *cape*

kappe → *cloak, gown, robe, wrap*
kappe av → *lop off*
kappkonvall → *freesia*
kappløp → *race, scramble*
kapre → *hijack*
kaprer → *hijacker*
kaprifol(ium) → *honeysuckle*
kapring → *hijack*
kapsel → *capsule, tab*
kaptein → *captain, skipper*
kaputt → *bust*
kar → *crock, guy, vessel*
karaffel → *carafe, decanter*
karakter → *character, grade, mark*
karakterbrist → *flaw*
karakterfasthet → *character*
karakterisere → *characterize*
karakteristisk → *classic*
karakterstyrke → *character*
karaktertrekk → *characteristic*
karamell → *caramel, taffy, toffee*
karantene → *quarantine*
karaoke → *karaoke*
karat → *carat*
karate → *karate*
karavane → *caravan*
karbohydrat → *carbohydrate*
karbolsyre → *carbolic acid*
karbon → *carbon*
karbonade → *cutlet, rissole*
karbonadedeig → *mince*
karbondbånd → *carbon ribbon*
karbondioksid → *carbon dioxide*
karbonmonoksid → *carbon monoxide*
karbonpapir → *carbon paper*
kardemomme → *cardamom*
kardinal → *cardinal*
karibisk → *Caribbean*
karikatur → *caricature*
karisma → *charisma*
karm → *frame*
karnappvindu → *bay window*
karneval → *carnival*
karosseri → *body, bodywork*
karosserireparasjoner → *body repairs*
karpe → *carp*
karri → *curry, curry powder*
karriere → *career*
karrierekvinne → *career woman*
karse → *cress*
kart → *chart, map*
kartell → *cartel*
kartlegge → *chart, map*
kartleser → *navigator*
kartograf → *cartographer*
kartografi → *cartography*
kartong → *box, card, cardboard, carton, mount*
kartotek → *card index, index*
kartotekkort → *index card, record card*
karttegner → *cartographer*
karusell → *carousel, merry-go-round, roundabout*
karve → *caraway seed*
kaserne → *barracks*
Kashmir → *Kashmir*
kasino → *casino*
kasjmir → *cashmere*
kasjott → *lockup, pen*
kaskade → *cascade*
kasko- → *comprehensive*
kassaapparat → *cash register*
kassabetjent → *cashier*
kassabok → *cash-book*
kassadame → *cashier*
kassalapp → *ticket*
kasse → *bin, box, case, cash box, cash desk, checkout, crate, desk, kitty, till*
kassere → *junk*
kasseregnskap → *cash account*
kasserer → *cashier, treasurer*
kasserolle → *pot*
kassett → *cartridge, cassette*
kassettopptaker → *cassette recorder*
kassettspiller → *cassette deck, cassette player, tape deck*
kast → *throw*
kastanje → *chestnut, conker*
kastanjebrun → *auburn, chestnut*
kastanjetre → *chestnut*
kastanjetter → *castanets*
kaste → *bandy, bowl, cast, caste, chuck out, discard, lob, pitch, throw, throw away, toss*
kaste av → *throw, unseat*
kaste av seg → *throw off*
kaste bort → *lose, squander, throw away, waste*
kaste fram → *bandy about*
kaste med → *toss*
kaste opp → *bring up, throw up, vomit*
kaste på seg → *thrash about*
kaste seg → *plunge*
kaste seg inn → *cut in*
kaste seg inn i → *launch into*
kaste seg over → *descend on, seize (up)on*
kaste tilbake → *bounce, reflect*
kaste ut → *chuck out, eject, evict, jettison, throw out*
kastesystem → *caste*
kastevåpen → *missile*
kastrere → *castrate, neuter*
kasus → *case*
kasusstudie → *case study*
katakomber → *catacombs*
katalog → *catalogue, directory*
katalogisere → *catalogue*
katalysator → *catalyst, catalytic converter*
katapult → *catapult*
katapultsete → *ejector seat*
katarakt → *cataract*
katarr → *catarrh*
katastrofal → *calamitous, catastrophic, disastrous*
katastrofe → *calamity, catastrophe, disaster*
katastrofeområde → *disaster area*
katedral → *cathedral, minster*
kategori → *category, classification, grade*
kategorisere → *categorize*
kategorisk → *categoric(al), flat, flatly*
katekisme → *catechism*
katode → *cathode*
katodestrålerør → *cathode ray tube*
katolikk → *Catholic, Roman Catholic*
katolsk → *Catholic*
katt → *cat*
katteaktig → *feline*
kattedyr → *cat*
kattedør → *cat flap*
kattugle → *tawny owl*
kattunge → *kitten*
kattøye → *cat's-eye*
kaukasisk → *Caucasian*
kausjon → *bail*
kausjonere for → *bail out*
kaustisk → *caustic*
kavaleri → *cavalry*
kavalér → *partner*
kave → *flounder*
kaviar → *caviar(e)*
kavring → *rusk*
kebab → *kebab*
keeper → *goalie, goalkeeper*
keiser → *emperor, imperial*
keiserinne → *empress*

keiserrike → *empire*
keitet(e) → *gauche, gawky, ungainly*
keivhendt → *left-handed*
kelner → *waiter*
kelter → *Celt*
keltisk → *Celtic*
kenguru → *kangaroo*
kennel → *kennels*
Kenya → *Kenya*
kenyaner → *Kenyan*
kenyansk → *Kenyan*
keramikerverksted → *pottery*
keramikk → *ceramics, earthenware, pottery*
keramisk → *ceramic*
ketchup → *catsup, ketchup*
keyboard(s) → *keyboard*
KFK → *CFC*
KFUK → *YWCA*
KFUM → *YMCA*
kHz → *kHz*
kibbutz → *kibbutz*
kidnappe → *kidnap*
kidnapper → *kidnapper*
kidnapping → *kidnapping*
kikhoste → *whooping cough*
kikk → *glance, peep*
kikke → *browse, peep*
kikke fram → *peep out*
kikke på → *look at*
kikker → *voyeur*
kikkert → *binoculars, field glasses*
kikkertsyn → *tunnel vision*
kikkhull → *peephole*
kikkhullskirurgi → *keyhole surgery*
kilde → *fountain, informant, source, spring*
kile → *gusset, tickle, wedge*
kilen → *ticklish*
kilo → *kilo*
kilobyte → *kilobyte*
kilogram → *kilogram(me)*
kilohertz → *kilohertz*
kilokalori → *kilocalorie*
kilometer → *kilometre*
kilowatt → *kilowatt*
kilt → *kilt*
kime → *chime, embryo, seed*
kiming → *chime, peal, ring, ringing*
kimono → *kimono*
kimplante → *seedling*
Kina → *China*
kinaputt → *banger, cracker, squib*
kineser → *Chinese*
kinesisk → *Chinese*
kinetisk → *kinetic*
kingbolt → *kingpin*
kinin → *quinine*
kink → *crick*
kinkig → *nasty*
kinn → *cheek*
kinnbein → *cheekbone*
kinnskjegg → *sideboard, sideburns, whiskers*
kino → *cinema, flick*
kinogjenger → *moviegoer*
kinomaskinist → *projectionist*
kinomaskinrom → *projection room*
kiosk → *kiosk*
kirke → *chapel, church*
kirkebenk → *pew*
kirkegård → *churchyard, graveyard*
kirkelig → *ecclesiastic(al)*
kirkesamfunn → *church*
kirkestol → *pew*
kirketjener → *verger*
kiromantikk → *palmistry*
kirsebær → *cherry*
kirsebærtre → *cherry*
kirurg → *surgeon*
kirurgi → *surgery*
kirurgisk → *surgical*
kiste → *casket, chest, coffin*
kitt → *putty*
kittel → *smock*
kiwi → *kiwi (fruit)*
kjaker → *jowls*
kjapt → *pronto*
kje → *kid*
kjede → *bore, chain, range, ring, string*
kjedebutikk → *chain store*
kjedelig → *boring, dreary, dull*
kjedereaksjon → *chain reaction*
kjederøyke → *chain-smoke*
kjedetannhjul → *sprocket*
kjedsommelig → *tedious, wearisome*
kjedsommelighet → *boredom, tedium*
kjeft → *chop, scolding*
kjefte på → *scold*
kjeftesmelle → *nag*
kjefting → *ranting*
kjegle → *cone, skittle*
kjegleformet → *conical*
kjeglespill → *skittles*
kjekk → *handsome*
kjekle → *bicker*
kjekling → *bickering*
kjeks → *biscuit, cookie, cracker, wafer*
kjele → *kettle, pan, pot, saucepan*
kjeledress → *boiler suit, coveralls, jump suit, overall*
kjelke → *toboggan*
kjeller → *basement, cellar*
kjeltring → *crook, rogue, scoundrel, spiv, thug, villain*
kjeltringaktig → *roguish*
kjemi → *chemistry*
kjemiingeniør → *ChE*
kjemikalie → *chemical*
kjemiker → *chemist*
kjemisk → *chemical*
kjemiteknikk → *chemical engineering*
kjemoterapi → *chemotherapy*
kjempe- → *jumbo, tremendous, tremendously, whopping*
kjempe → *battle, fight, giant, struggle*
kjempe for → *champion*
kjempe med → *fight, grapple*
kjempe mot → *fight*
kjempebillig → *dirt-cheap, knockdown*
kjempebra → *brilliant, smashing*
kjempefin → *smashing*
kjempefint → *dandy, grand*
kjempeflott → *terrific*
kjempegod → *great*
kjempehit → *smash hit*
kjempemessig → *gigantic*
kjempestor → *giant, hefty, huge*
kjempesvær → *giant*
kjendis → *celebrity*
kjenne → *feel, know*
kjenne igjen → *know, recognize*
kjenne på → *feel*
kjenne til → *acquaint, know*
kjennelse → *ruling, verdict*
kjennemerke → *badge, hallmark, signature*
kjenner → *connoisseur, judge*
kjennetegn → *badge, hallmark*
kjennetegne → *mark*
kjenningsmelodi → *signature tune, theme song, theme tune*
kjennskap → *acquaintance, knowledge*
kjent → *familiar, known, noted*
kjepp → *rod, stick*

kjepphest → *hobby-horse*
kjerne → *churn, core, kernel, nucleus, pith*
kjerne- → *nuclear*
kjernefamilie → *nuclear family*
kjernefysisk → *nuclear*
kjernehus → *core*
kjerr → *thicket*
kjerre → *cart, jalopy, motor, truck*
kjerrehjul → *cartwheel*
kjerring → *hag*
kjerringråd → *old wives' tale*
kjertel → *gland*
kjetter → *heretic*
kjetteri → *heresy*
kjettersk → *heretical*
kjetting → *chain*
kjeve → *jaw*
kjevebein → *jawbone*
kjevle → *rolling pin*
kjevle (ut) → *roll*
kjole → *dress, frock, gown*
kjole og hvitt → *tails*
kjæle for → *pamper*
kjæle med → *fondle, pet*
kjæledyr → *pet*
kjælenavn → *pet name*
kjær → *beloved*
kjære → *darling*
kjæreste → *baby, boyfriend, girlfriend, sweetheart*
kjærkommen → *welcome*
kjærlig → *affectionate, affectionately, fond, fondly, loving*
kjærlighet → *affection, love*
kjærlighet på pinne → *lollipop, lolly*
kjærlighetsbarn → *love child*
kjærlighetsbrev → *love letter*
kjærlighetsforhold → *love affair*
kjærlighetsliv → *love life*
kjærlighetsroman → *romance*
kjærlighetssang → *love song*
kjærtegn → *caress, cuddle*
kjærtegne → *caress, fondle*
kjødelig → *carnal*
kjøkken → *cuisine, kitchen*
kjøkkenhage → *kitchen garden*
kjøkkensjef → *chef*
kjøkkentøy → *kitchenware*
kjøl → *keel*
kjøle ned → *cool down*
kjøleboks → *icebox*
kjølelagring → *refrigeration*
kjøleskap → *fridge, icebox, refrigerator*
kjøletårn → *cooling tower*
kjølevæske → *coolant*
kjølig → *chill, chilly, cool, coolly*
kjølne → *cool, cool down*
kjølvann → *wake, wash*
kjønn → *gender, sex*
kjønnet → *sexual*
kjønnsakt → *sex act*
kjønnsbarriere → *glass ceiling*
kjønnsdiskriminerende → *sexist*
kjønnsdiskriminering → *sexism*
kjønnslig → *sexual*
kjønnsorganer → *genitals*
kjøp → *buy, purchase*
kjøpe → *buy, buy off, nobble, purchase*
kjøpe inn → *buy in*
kjøpe opp → *buy up*
kjøpe seg inn i → *buy into*
kjøpe tilbake → *buy back*
kjøpe ut → *buy out*
kjøpekraft → *purchasing power, spending power*
kjøper → *buyer, purchaser*
kjøpesenter → *arcade, mall, shopping centre*
kjøpmann → *storekeeper, tradesman*
kjøpslå → *bargain, haggle*
kjøpslåing → *bargaining, haggling*
kjørbar → *roadworthy*
kjøre → *drive, go, proceed, race, ride, run, thrust*
kjøre av sted {or} av gårde → *move off*
kjøre forbi → *overshoot, overtake, pass*
kjøre inn → *draw in, pull in, run in*
kjøre ned → *knock down*
kjøre opp → *ascend, draw up*
kjøre over → *knock over, run over*
kjøre på → *run down, run into*
kjøre ut → *output, pull out*
kjøre utenom → *bypass*
kjørebane → *carriageway, roadway*
kjørebriller → *goggles*
kjørefelt → *lane*
kjørefil → *lane*
kjørelengde → *mileage*
kjørelys → *sidelight*
kjørelærer → *driving instructor*
kjøreskole → *driving school*
kjøretime → *driving lesson*
kjøretur → *drive, ride*
kjøretøy → *vehicle*
kjøring → *driving*
kjørvel → *chervil*
kjøtt → *flesh, meat*
kjøttbolle → *meatball*
kjøttdeig → *mincemeat*
kjøttetende → *carnivorous*
kjøtthue → *ham*
kjøttkvern → *mincer*
kjøttpai → *meat pie*
kjøttrik → *meaty*
kjøttsår → *flesh wound*
kjøttøks → *cleaver*
kladd → *draft, rough copy, rough draft*
kladde → *draft, rough out*
kladdepapir → *scrap paper*
klaff → *flap, leaf, valve*
klage → *complaint*
klagemål → *complaint*
klagende → *plaintive*
klagesang → *lament*
klam → *clammy, muggy*
klamme → *brace, bracket*
klamre seg til → *to clutch at*
klan → *clan*
klandre (sterkt) → *censure*
klandrende → *deprecating*
klang → *clang*
klangbunn → *sounding board*
klangfull → *vibrant*
klapp → *clapping*
klappe → *applaud, blot, clap, dab, dab at, pat, tap*
klappe igjen → *pipe down*
klapperslange → *rattlesnake*
klapre → *chatter, clatter*
klapring → *clatter*
klar → *bright, clear, clear-cut, decided, definite, distinct, lucid, outright, plain, ready, set*
klare → *pull off, take*
klare seg → *come through, fare, get by, manage, perform, pull through*
klare seg uten → *do without*
klarere → *clear*
klarering → *clearance*
klargjøre → *clarify*
klarhet → *clarity, lucidity*
klarinett → *clarinet*
klaring → *clearance*
klarmelding → *prompt*
klarne → *brighten, clear*

klarsignal → *all clear, clearance, go-ahead*
klarsyn → *perception, vision*
klarsynt → *perceptive*
klart → *brightly, clearly, easily*
klase → *bunch*
klask → *slap*
klaske → *smack*
klasse → *band, class, classification, form, grade*
klassebevisst → *class-conscious*
klassebevissthet → *class-consciousness*
klassekamerat → *classmate*
klasseløs → *classless*
klasserom → *classroom, schoolroom*
klassifikasjon → *classification*
klassifisere → *classify*
klassifisering → *classification*
klassiker → *classic*
klassisk → *classic, classical*
klatre → *climb*
klatreplante → *climber*
klatrer → *climber*
klatrerose → *rambler*
klatretur → *climb, scramble*
klatring → *climbing*
klatt → *blob, blot, dash, dollop*
klatte → *dab*
klaustrofobi → *claustrophobia*
klaustrofobisk → *claustrophobic*
klausul → *clause*
klaviatur → *keyboard*
kle → *sheathe, suit*
kle av → *strip, undress*
kle av seg → *strip, undress*
kle på → *don, dress*
kle på seg → *dress*
kle seg ut → *dress up*
klebe → *adhesive, stick*
klebefri → *non-stick*
klebemasse → *adhesive*
klebemerke → *sticker*
kledelig → *becoming*
klegg → *horsefly*
klekke ut → *conceive, hatch*
klem → *hug*
klemme → *clamp, clip, hug, jam, pinch, squeeze*
klemme fast → *wedge*
klemme flat → *squash*
klemme på → *squeeze*
klemme ut → *squeeze out*
klengenavn → *nickname*
kleptoman → *kleptomaniac*
klerikal → *clerical*
klesbørste → *clothes brush*
klesdesigner → *dress designer*
klesdrakt → *garb*
kleshenger → *coat hanger*
klesklype → *clothes peg*
klesplag → *garment*
klessnor → *clothes line, washing line*
klesstativ → *rack*
klesvask → *laundry*
kli → *bran*
klient → *client*
klientell → *clientele*
klikk → *click, clique*
klikke → *click*
klima → *climate*
klimaanlegg → *air conditioning*
klimaks → *climax*
klimatisert → *air-conditioned*
klimpre på → *pluck, strum, twang*
klin sprø → *nuts*
kline → *neck, pet, snog*
kline til → *daub, smear*
kline til med → *daub*
kline utover → *smear, smudge*
klinge → *clang, ring*
klinikk → *clinic*
klining → *snog*
klinisk → *clinical*
klinke → *latch*
klinkekule → *marble*
klipp → *clip, snip*
klippe → *cliff, clip, crag, cut, mow, pare, punch, shear*
klippe ut → *cut out*
klippefast → *steely, unswerving*
klippeskrent → *bluff*
klirr → *chink*
klirre → *clink, jangle, rattle*
klirring → *chink, clash, rattle*
klisjé → *cliché*
kliss → *gunk, mush*
klissen → *sticky*
klisset(e) → *glutinous, gooey, sloppy, slushy, soppy, syrupy*
klister → *glue*
klistre → *paste, stick*
klistremerke → *sticker*
klitoris → *clitoris*
klo → *claw, talon, tentacle*
kloakk → *sewage*
kloakkledning → *sewer*
kloakkrør → *sewer*
klode → *globe, orb*
klok → *wise*
klokelig → *wisely*
klokke → *bell, clock, o'clock, timer*
klokkekjede → *fob*
klokkeklar → *crystal clear, silvery*
klokkereim → *watchband, watchstrap, wristband*
klokkeslett → *hour*
klokketårn → *belfry*
klokt → *wisely*
klon → *clone*
klor → *chlorine*
klore → *chlorinate, scratch*
klore på → *claw at*
klorid → *chloride*
kloss → *block*
klosset(e) → *awkward, clumsy, maladroit*
klossmajor → *butterfingers, duffer*
kloster → *convent, monastery, priory*
klosterkirke → *abbey*
klosterskole → *convent school*
klovn → *buffoon, clown*
klovnerier → *antics*
klubb → *chapel, club, society*
klubbe → *bludgeon, club, gavel, mallet*
klubbe ned → *poleaxe*
klubbformann → *shop steward, steward*
klubbhus → *clubhouse, pavilion*
klubbleder → *steward*
kludre til → *botch, bungle, spoil*
kludret(e) → *messy*
klukke → *babble, cackle, chortle, chuckle, cluck, gurgle*
klukkle → *chortle, chuckle*
klump → *lump, nugget*
klumpet(e) → *clumsy, lumpy, squat*
klusse til → *botch*
klut → *cloth, rag*
klutehandler → *rag-and-bone man*
klynge → *clump, cluster, scrum(mage)*
klynk → *whimper*
klynke → *whimper, whine*
klynking → *whine*
klype → *clip, peg, pinch, tongs, tweak*
klyster → *enema*
klyve → *clamber*
klyver → *jib*

klær → *apparel, clothes, clothing, dress, togs*
klø → *itch*
klø seg → *scratch*
kløe → *itch*
kløft → *breach, chasm, cleavage, cleft, gap, gorge, gulf, ravine, rift*
kløkt → *acumen*
kløne t(e) → *clumsy, ham-fisted*
kløv → *pannier*
kløver → *clover, club*
kløverblad → *cloverleaf*
klå på → *paw*
kna → *knead*
knabbe → *filch, pinch*
knagg → *hook, peg*
knake → *groan*
knallbonbon → *cracker*
knapp → *button, knob, narrow, scarce, skimpy, terse, tight*
knappenål → *pin*
knapphet → *brevity, paucity, scarcity*
knapphull → *buttonhole*
knapt → *barely, hardly, scarcely*
knase → *crunch*
knasende → *crunchy*
knaske på → *crunch*
kne → *knee*
knebel → *gag*
knebeskytter → *kneepad*
kneble → *gag*
knegge → *neigh*
kneipe → *boozer*
knekk → *barley sugar, burnt sugar, snap*
knekke → *crack, emasculate, snap*
knekke av → *break off*
knekke sammen → *double up*
knekt → *bracket, jack*
knele → *kneel*
knep → *artifice, device, dodge, gimmick, ploy, ruse, trick, wiles*
knepen → *narrow*
kneppe (igjen) → *button, do up, fasten*
kneppe opp → *unbutton*
knert → *nip, tot*
kneskål → *kneecap*
knipe sammen → *narrow*
knipetang → *pincers*
kniplinger → *lace*
knippe → *bunch, bundle*
knips → *flick*
knipse → *flick*
knirk → *squeak*
knirke → *creak, squeak*
knis → *giggle*
knise → *giggle*
knitre → *crackle*
knitring → *crackling*
kniv → *knife*
knivsliper → *sharpener*
knivstikke → *knife*
knocke → *KO*
knoke → *knuckle*
knoklet(e) → *bony*
knoll → *corm, tuber*
knop → *knot*
knopp → *bud*
knortekjepp → *cudgel*
knott → *midge, stud*
knudret(e) → *gnarled, knobbly*
knuffing → *horseplay, scrap*
knulle → *fuck, screw*
knupp → *darling*
knurre → *growl*
knuse → *annihilate, break, crush, dash, grind, pound, shatter, smash*
knuselig → *breakable*
knusende → *crushing, devastating, punishing, swingeing*
knusktørr → *bone-dry*
knuslet(e) → *mingy, niggardly, tight*
knust → *broken, shattered*
knute → *bun, knot*
knutepunkt → *junction*
knutet(e) → *tangled*
knyte → *do up, knot*
knytebelte → *sash*
knytte → *clench, tie*
knytte opp → *undo, untie*
knytte på → *tie on*
knytte sammen → *relate*
knyttneve → *fist*
knøttliten → *poky*
koagulere → *coagulate*
koala → *koala*
koalisjon → *coalition*
koble sammen → *link up*
koble til → *hook up, plug in*
kobra → *cobra*
kode → *cipher, code, combination*
kodein → *codeine*
kodelås → *combination lock*
kodifisere → *codify*
kodisill → *codicil*
koffein → *caffein(e)*
koffeinfri → *decaffeinated*
koffert → *bag, case, suitcase, trunk*
kokain → *cocaine*
koke → *boil, stew*
koke ned til → *boil down to*
koke over → *boil over*
koke sammen → *concoct, cook up*
kokebok → *cookbook, cookery book*
kokekunst → *cuisine*
kokepunkt → *boiling point*
kokett → *coy*
kokk → *cook*
kokong → *cocoon*
kokos → *coconut*
kokosnøtt → *coconut*
koks → *coke*
kokvarm → *sweltering*
kolbe → *butt, flask*
kolbøtte → *somersault*
koldbrann → *gangrene*
koldkrem → *cold cream*
koldtbordlunsj → *buffet lunch*
kolera → *cholera*
kolestrol → *cholesterol*
kolikk → *colic*
kolje → *haddock*
kollaboratør → *collaborator*
kollaborere → *collaborate*
kollagen → *collagen*
kollaps → *collapse*
kollapse → *collapse, flake out*
kolle → *doe*
kollega → *associate, colleague, counterpart*
kollektiv → *collective, commune*
kollidere → *clash, collide, crash*
kollisjon → *clash, collision, crash, pile-up*
kollisjonspute → *airbag*
kolon → *colon*
koloni → *colony*
kolonial → *grocer's (shop)*
kolonialhandler → *grocer*
kolonihage → *allotment*
kolonisere → *colonize*
kolonisering → *settlement*
kolonne → *column*
koloss → *hulk*

kolossal → *colossal, massive, monumental, stupendous, tremendous*
kolossalt → *tremendously*
kom igjen → *go ahead*
koma → *coma*
kombibil → *hatchback*
kombinasjon → *combination*
kombinasjonslås → *combination lock*
kombinere → *combine, couple*
kombiskap → *fridge-freezer*
komedie → *comedy*
komet → *comet*
kometaktig → *meteoric*
komfort → *comfort, ease*
komfortabel → *comfortable*
komfyr → *cooker, stove*
komiker → *comedian, comic, comedienne*
komikk → *comedy, humour*
komisk → *comic, comical*
komité → *committee, steering committee*
komitémøte → *committee meeting*
komma → *comma, point*
kommandant → *commandant*
kommandere → *command, order, order around*
kommanderende offiser → *commanding officer*
kommandersersjant → *sergeant-major*
kommando → *command, commando*
kommandoseksjon → *command module*
kommandosoldat → *commando*
kommandotårn → *conning tower*
kommandør → *commander*
komme → *arrive, come, come along, fly in*
komme av → *stem from*
komme borti → *touch*
komme foran → *precede*
komme forbi → *get by*
komme fra → *come from*
komme fram → *come out, reach*
komme fram til → *dream up, settle on, strike*
komme før → *precede*
komme (i)gjennom → *get through*
komme igjen → *recur*
komme imellom → *intervene*
komme inn → *come in, enter, get in*
komme inn i → *get into*
komme inn i det → *catch on*
komme inn på → *get on to, join, touch on*
komme med → *advance, come up with, extend, make, raise*
komme ned → *get down*
komme over → *come across, come upon, descend on, run across*
komme overens → *get along*
komme på → *hit (up)on*
komme sammen → *get together*
komme sammen igjen → *reconvene*
komme seg → *convalesce, rally, recover, recuperate*
komme seg etter → *get over*
komme seg (i)gjennom → *weather*
komme seg løs → *disentangle*
komme seg opp → *get up*
komme seg over → *clear*
komme seg rundt {or} omkring → *get about*
komme seg unna → *get away, get back*
komme seg ut {or} bort → *get away*
komme seg vekk {or} bort → *come away, get away, get out*
komme seg videre → *move on*
komme til → *arrive at, reach, return to*
komme til seg selv → *come round, come to, revive*
komme tilbake → *come back, get back, reappear, return*
komme ut → *appear, come out, get about, get out*
kommende → *coming, forthcoming, upcoming*
kommentar → *comment, commentary, narration*
kommentator → *commentator, narrator*
kommentere → *annotate*
kommersialisere → *commercialize*
kommersialisert → *commercialized*
kommersialisme → *commercialism*
kommersiell → *commercial*
kommisjon → *commission*
kommisær → *commissioner*
kommode → *bureau, chest of drawers*
kommunal → *civic*
kommune → *civic, local*
kommunehus → *civic centre*
kommuneskatt → *council tax*
kommunestyre → *corporation, parish council*
kommunestyremedlem → *councillor*
kommunikasjon → *communication*
kommunikasjonsnettverk → *communications network*
kommunikasjonssatellitt → *communications satellite, comsat*
kommuniké → *communiqué*
kommunisme → *communism*
kommunist → *communist*
kommunistisk → *communist*
kommunistparti → *CP*
kompakt → *compact*
kompani → *company*
kompaniskap → *partnership*
kompanjong → *partner*
komparativ → *comparative*
kompass → *compass*
kompatibel → *compatible*
kompatibilitet → *compatibility*
kompendium → *compendium*
kompensasjon → *compensation, redundancy payment*
kompetanse → *capability, competence, qualification*
kompetent → *competent*
kompis → *buddy, chum*
kompleks → *complex*
kompleksitet → *complexity*
komplett → *arrant, complete, perfect*
komplikasjon → *complication*
kompliment → *compliment*
komplimentere → *compliment*
komplisere → *complicate*
komplisert → *complicated, elaborate, involved*
komplott → *plot*
komponent → *component, unit*
komponere → *compose*
komponist → *composer*
komposisjon → *composition*
kompost → *compost*
kompresjon → *compression*
kompress → *compress, pad*
komprimere → *compress*
komprimert → *compressed*
kompromiss → *compromise*
kompromissløs → *uncompromising*
kompromittere → *incriminate*
kondemnere → *condemn*
kondens → *condensation*
kondensere → *condense, liquefy*
kondensstripe → *vapo(u)r trail*
kondisjon → *fitness*
konditor → *confectioner*
konditori → *cake shop*
konditorvarer → *confectionery*
kondolanser → *condolences*
kondom → *condom, sheath*
konduktør → *conductor, conductress, guard*
kondutørvogn → *guard's van*
kone → *wife*
konfeksjons- → *ready-to-wear*
konfekt → *chocolate*
konferanse → *conference, convention*
konferanserom → *conference room*

konferansier → *compère*
konfetti → *confetti*
konfidensiell → *confidential, privileged*
konfigurasjon → *configuration*
konfirmasjon → *confirmation*
konfiskere → *confiscate, sequestrate*
konfiskering → *confiscation*
konflikt → *clash, conflict, dispute*
konformist → *conformist*
konfrontasjon → *confrontation, identity parade*
konfrontere → *confront*
konføderasjon → *confederation*
konge → *king, sovereign*
kongeblå → *royal blue*
kongedømme → *kingdom*
kongelig → *regal, royal*
kongerike → *realm*
kongle → *cone*
konglomerat → *conglomerate*
Kongo → *Congo*
kongress → *congress*
kongressmedlem → *congressman, congresswoman*
konisk → *conical*
konjakk → *brandy, cognac*
konjugasjon → *conjugation*
konjugere → *conjugate*
konjunksjon → *conjunction*
konjunktiv → *subjunctive*
konjunktivitt → *conjunctivitis*
konkav → *concave*
konklave → *conclave*
konkludere → *conclude*
konklusjon → *conclusion*
konkret → *concrete, tangible*
konkurranse → *competition, competitive examination, contest, rivalry*
konkurransebegrensning → *restrictive practices*
konkurransedyktig → *competitive*
konkurransepreget → *competitive*
konkurrent → *competitor, rival*
konkurrere → *race*
konkurrere med → *match*
konkurrerende → *competing, rival*
konkurs → *bankrupt, bankruptcy*
konnossement → *bl*
konnotasjon → *connotation*
konsekvens → *consequence, consistency, corollary*
konsekvenser → *ramifications*
konsekvent → *consistent*
konsentrasjon → *concentration*
konsentrasjonsleir → *concentration camp*
konsentrere → *concentrate*
konsentrere seg → *concentrate*
konsentrisk → *concentric*
konsern → *concern*
konsert → *concert, concerto, recital*
konserthus → *concert hall*
konsertina → *concertina*
konsertsal → *auditorium, concert hall*
konservativ → *conservative, right-winger, Tory*
konservator → *curator, restorer*
konservatorium → *conservatory*
konservere → *preserve*
konservering → *conservation*
konserveringsmiddel → *preservative*
konsesjon → *charter, concession*
konsesjonshaver → *concessionaire*
konsignere → *consign*
konsis → *concise, succinct*
konsistens → *consistency*
konsolidere → *consolidate*
konsoll → *console*
konsonant → *consonant*
konsortium → *consortium*
konspiratorisk → *conspiratorial*
konspirere → *plot*
konstabel → *constable*
konstant → *constant, constantly, invariable*
konstellasjon → *constellation*
konstituering → *constitution*
konstitusjon → *constitution*
konstitusjonell → *constitutional*
konstruere → *construct, contrive*
konstruksjon → *construction, design, engineering, structure*
konstruksjonsmessig → *structurally*
konstruktiv → *constructive*
konstruktør → *designer*
konsul → *consul*
konsulat → *consulate*
konsulent → *consultant, management consultant*
konsulentfirma → *consultancy*
konsultasjon → *consultation*
konsultasjonsrom → *consulting room*
konsultasjonstid → *clinic, office hours, surgery*
konsultere → *consult, refer to*
konsumere → *consume*
konsumprisindeks → *CPI*
kontakt → *contact, liaison, rapport*
kontakte → *contact*
kontaktfølsom → *touch-sensitive*
kontaktlinser → *contact lenses*
kontant → *brisk*
kontanter → *cash*
kontantpris → *cash price, spot price*
kontantrabatt → *cash discount*
kontantsalg → *cash sale*
kontantstrøm → *cash flow*
kontantsum → *deposit, down payment*
kontekst → *context*
kontinent → *continent*
kontinental → *continental*
kontingent → *contingent, due, subscription*
kontinuerlig → *continual, continually, continuous*
kontinuitet → *continuity*
konto → *account*
kontonummer → *account number*
kontor → *office, surgery*
kontor for ubesørgede brev → *DLO*
kontorarbeid → *office work*
kontorbud → *office boy*
kontorbygning → *office block*
kontorist → *clerk*
kontorjobb → *desk job*
kontorrotte → *penpusher*
kontorsjef → *office manager*
kontortid → *clinic, office hours, surgery*
kontorvikar → *temp*
kontoutskrift → *bank statement*
kontra → *versus*
kontrabass → *double bass*
kontrakt → *contract*
kontraktfestet → *contractual*
kontraktør → *contractor*
kontrasignere → *countersign*
kontraspionasje → *counter-espionage, counter-intelligence*
kontrast → *contrast*
kontrasterende → *contrasting*
kontratenor → *alto*
kontreadmiral → *rear admiral*
kontroll → *check, checkup, command, control*
kontrollampe → *warning light*
kontrollenhet → *control unit*
kontrollere → *check, control, restrain*
kontrollgruppe → *control*
kontrollorgan → *watchdog*
kontrollpanel → *console, control panel*
kontrollpost → *checkpoint*
kontrollrom → *control room*

kontrolltast → *control key*
kontrolltårn → *control tower*
kontrollør → *inspector*
kontrovers → *controversy*
kontroversiell → *controversial*
kontur → *contour, outline*
konurbasjon → *conurbation*
konveks → *convex*
konvensjon → *convention*
konvensjonell → *conventional*
konvergere → *converge*
konversasjon → *conversation*
konverserende → *conversational*
konvertibel → *convertible*
konvoi → *convoy*
konvolutt → *envelope*
kooperativ → *cooperative*
koordinasjon → *coordination*
koordinat → *coordinate*
koordinere → *coordinate*
kopi → *copy, counterpart, duplicate, replica, reproduction*
kopiere → *copy, duplicate*
kopiere ulovlig → *pirate*
kopieringsmaskin → *photocopier*
kopimaskin → *duplicating machine, photocopier*
kople fra → *disconnect*
kople inn → *engage*
kople sammen → *dock*
kople til → *connect, wire*
kople ut → *disconnect, disengage*
kopling → *connection, coupling*
koplingsboks → *junction box*
kopp → *cup, cupful*
kopparret → *pockmarked*
kopper → *copper, smallpox*
koppermynter → *copper*
koppskatt → *community charge, poll tax*
kopulere → *copulate*
kor → *chancel, choir, chorus*
korall → *coral*
korallrev → *atoll, coral reef*
korde → *chord*
kordfløyel → *cord, corduroy*
kordfløyelsbukse → *cord*
Korea → *Korea*
koreaner → *Korean*
koreansk → *Korean*
koreograf → *choreographer*
koreografi → *choreography*
Korfu → *Corfu*
korg → *basket*
korgutt → *choirboy*
koriander → *coriander*
korint → *currant, sultana*
kork → *cap, congestion, cork, stopper, top*
korket → *congested*
korketrekker → *corkscrew, ringlet*
korn → *cereal, corn, grain, granule*
kornblanding → *cereal*
kornett → *cornet*
kornkammer → *granary*
kornkråke → *rook*
kornlager → *granary*
korporal → *corporal*
korporasjon → *corporation, incorporated company*
korps → *band, corps*
korpulent → *portly*
korpus → *bulk*
korrekke → *chorus line*
korreksjon → *correction*
korrekt → *accurate, correct, correctly*
korrekthet → *accuracy*
korrektur → *proof*
korrekturleser → *proofreader*
korrelasjon → *correlation*
korrlere → *correlate*
korrespondanse → *correspondence*
korrespondansekurs → *correspondence course*
korrespondent → *correspondent*
korridor → *corridor, passage, passageway*
korridorpolitiker → *lobbyist*
korrigere → *correct, rectify*
korrodere → *corrode*
korrosjon → *corrosion*
korrumpere → *corrupt*
korrupsjon → *corruption*
korrupt → *corrupt*
kors → *cross*
korsanger → *chorister*
korsett → *corset*
korsfarer → *crusader*
korsfeste → *crucify*
korsfestelse → *crucifixion*
Korsika → *Corsica*
korsikaner → *Corsican*
korsikansk → *Corsican*
korstog → *crusade*
kort → *brief, briefly, card, curt, quick, short*
kortbølge- → *short-wave*
korte inn på {or} ned → *curtail*
kortesje → *cortège*
kortevarer → *notion*
kortfattet → *concise, terse*
kortfattethet → *brevity*
kortfilm → *short*
kortison → *cortisone*
kortsiktig → *short-term*
kortslutning → *short circuit*
kortspill → *card game*
kortstokk → *deck, pack*
kortsynt → *short-sighted*
kortsynthet → *short-sightedness*
kortvarig → *brief, fleeting, short, short-lived*
kortvokst → *short*
koscher → *kosher*
kose med → *cuddle, pet*
kosedyr → *comforter, soft toy, stuffed toy*
koselig → *cosy, enjoyable, snug*
koset(e) → *cuddly*
kosing → *cuddle*
kosmetikk → *cosmetic*
kosmetisk → *cosmetic*
kosmetolog → *beautician*
kosmisk → *cosmic*
kosmonaut → *cosmonaut*
kosmopolitisk → *cosmopolitan*
kost → *broom, brush, diet, fare*
kostbar → *costly, expensive, precious*
koste → *be, cost*
kostelig → *hilarious, priceless, rich*
kostelighet → *richness*
kosteskaft → *broomstick*
kostfrakt → *CAF*
kosthold → *diet*
kostnad → *cost, expense*
kostnadsavdeling → *cost centre*
kostnadsberegne → *cost*
kostnadsberegner → *cost accountant*
kostnadsberegning → *costing*
kostnadseffektiv → *cost-effective*
kostnadseffektivitet → *cost-effectiveness*
kostnadskontroll → *cost control*
kostpris → *cost price*
kostskole → *boarding school*
kostyme → *costume, fancy dress*
kostymeball → *fancy-dress ball*
kote → *contour*
kotelett → *chop, cutlet*

kott → *boxroom, cubbyhole*
krabbe → *crab, crawl, grovel*
krafse → *scrabble*
kraft → *force, juice, might, stock*
kraftfull → *full-blooded*
kraftig → *burly, forceful, forcible, hearty, heavy, high-powered, powerful, rich, robust, stark, stout, strong, sturdily, sturdy, vigorous*
kraftledning → *power line*
kraftløs → *impotent, powerless*
kraftløshet → *impotence*
kraftstasjon → *power station*
kraftuttrykk → *expletive*
kraftverk → *plant, power station*
krakelert → *crazed*
krakilsk → *blustering*
krakk → *crash, stool*
krakke → *crash*
krampe → *cramp, spasm*
krampetrekning → *convulsion*
krampong → *crampon*
kran → *crane, faucet, tap*
kranbil → *breakdown van, tow truck*
krangel → *argument, quarrel, row, squabble*
krangle → *argue, quarrel, row, squabble*
kranglet(e) → *argumentative, quarrelsome*
kranglevoren → *cantankerous, quarrelsome*
kranium → *cranium*
krans → *fringe, garland, wreath*
krapp → *choppy*
krasj → *clash*
krasje → *clash, crash*
krasjlanding → *crash landing*
krater → *crater*
kratt → *coppice, scrub, thicket, undergrowth*
krattskog → *coppice, scrub*
krav → *call, claim, demand, pressure, requirement*
krave → *collar*
kravebe(i)n → *collarbone*
kravle (seg) → *clamber, climb, crawl*
kravstor → *choosy*
kreasjon → *creation*
kreativ → *creative*
kreativitet → *creativity*
kreditere → *credit*
kreditnota → *credit note*
kreditor → *creditor*
kreditt → *credit*
kredittbrev → *L/C*
kredittgrense → *credit limit*
kredittkonto → *charge account, credit account*
kredittkontroll → *credit control*
kredittkort → *credit card*
kredittmuligheter → *credit facilities*
kredittoverføring → *credit transfer*
kredittverdig → *creditworthy*
kreft → *cancer*
krefter → *strength*
kreftforskning → *cancer research*
kreftfremkallende → *carcinogenic*
kreftpasient → *cancer patient*
krem → *cream, lotion, whipped cream*
kremaktig → *creamy*
kremasjon → *cremation*
krematorium → *crematorium*
kremere → *cremate*
kremfarget → *cream*
kremfløte → *heavy cream*
kremgul → *cream*
kremmer → *hawker*
krenge → *bank, lurch*
krenging → *lurch*
krenke → *impinge, insult*
krenkelse → *infringement, offence, slander*
krenkende → *slanderous*
krenket → *affronted*
kreosot → *creosote*
krepp → *crêpe*
kreppapir → *crêpe paper*
kreppbandasje → *crêpe bandage*
kreppe → *crimp*
kreps → *crayfish*
kresen → *choosy, discriminating, finicky, fussy*
Kreta → *Crete*
krets → *circle, circuit*
kretse → *circle, wheel*
kretse rundt → *circle, orbit*
kretskort → *circuit board, PCB*
kretsløp → *cycle*
kreve → *call for, charge, claim, demand, require, take*
kreve inn → *collect*
krevende → *demanding, exacting, testing*
krible → *tingle*
krig → *war, warfare*
kriger → *warrior*
krigersk → *belligerent, hawkish, warlike*
krigførende → *warring*
krigføring → *warfare*
krigsfange → *prisoner of war*
krigshisser → *warmonger*
krigshissing → *warmongering*
krigsmateriell → *hardware*
krigsminnesmerke → *war memorial*
krigsrett → *court-martial*
krigsrop → *war cry*
krigsskip → *warship*
krigsskole → *MA*
krigsspill → *war game*
krigstjeneste → *active duty, active service*
krimbok → *whodun(n)it*
kriminalitet → *crime, delinquency*
kriminalitetsbølge → *crime wave*
kriminalroman → *detective story*
kriminell → *criminal, indictable*
krimskrams → *bric-a-brac, knick-knacks*
kringkaste → *broadcast*
kringkasting → *broadcasting*
kringkastingsstasjon → *broadcasting station*
krise → *crisis*
kriseplan → *contingency plan*
kriserammet → *depressed*
kristen → *Christian*
kristendom → *Christianity*
kristtorn → *holly*
Kristus → *Christ*
kriterium → *criterion*
kritiker → *critic, detractor*
kritikk → *criticism*
kritisere → *criticize*
kritisk → *critical, critically*
kritt → *chalk*
kro → *inn, tavern*
Kroatia → *Croatia*
krok → *hook*
kroket(e) → *crooked*
krokett → *croquette*
krokket → *croquet*
krokodille → *crocodile*
krokus → *crocus*
krom → *chromium*
kromosom → *chromosome*
kronblad → *petal*
krone → *coronet, crown, head*
kronglet(e) → *fiddly*
kroning → *coronation*
kronisk → *chronic, permanent*
kronjuveler → *crown jewels*
kronologisk → *chronological*

kronprins → *crown prince*
kropp → *body, fuselage, trunk*
kroppsbygging → *body-building*
kroppsbygning → *physique*
kroppslig → *bodily*
kroppsspråk → *body language*
kroppsvisitere → *frisk, search*
kroppsvisitering → *body search, strip-search*
kroppsøving → *physical education*
krovert → *landlord*
krovertinne → *landlady*
krukke → *jar, pot*
krum → *curved*
krumme → *arch*
krumning → *curvature*
krumspring → *antics*
krumtapp → *backbone, kingpin, linchpin*
krupp → *croup*
krus → *mug*
kruse → *curl, ripple, ruffle*
kruse seg → *ripple*
krusedull → *curl, flourish, squiggle*
krusedulle → *doodle*
kruset(e) → *curly, frizzy, fuzzy*
krusifiks → *crucifix*
krusning → *ripple*
krutong → *crouton*
krutt → *gunpowder*
kruttlapp → *cap*
kruttønne → *flashpoint, powder keg*
krybbe → *crib*
krybbedød → *cot death, SIDS*
krydder → *seasoning, spice*
krydre → *season, spice*
krydret → *spicy*
krykke → *crutch*
krympe → *shrink*
krympe seg → *cringe, flinch, squirm*
krympefri → *non-shrink*
krympet → *preshrunk*
krymping → *shrinkage*
kryp → *creep*
krypdyr → *reptile*
krype → *crawl, creep, grovel, shrink*
krype framover → *inch forward*
krype sammen → *cower*
krypende → *obsequious*
krypplante → *creeper*
krypskytter → *poacher*
krypt → *crypt*
kryptisk → *cryptic*
krysantemum → *chrysanthemum*
krysning → *cross, crossbreed, hybrid*
kryss → *cross, crossroads, intersection, junction, sharp*
krysse → *cross, intersect, thwart, traverse*
krysse av → *check off*
krysse hverandre → *intersect*
krysse over → *cross over*
krysseksaminasjon → *cross-examination*
krysseksaminere → *cross-examine, cross-question*
krysser → *cruiser*
krysserrakett → *cruise missile*
kryssfinér → *ply, plywood*
kryssforhør → *cross-examination*
kryssforhøre → *cross-examine*
krysshenvisning → *cross-reference*
kryssild → *crossfire, fusillade*
kryssjekk → *crosscheck*
kryssjekke → *crosscheck*
kryssord → *crossword*
kryssreferanse → *cross-reference*
krystall → *crystal, cut glass*
krystallisere seg → *crystallize*
krystallklar → *crystal clear, limpid*
kræsj → *smash*
krøke seg sammen → *crouch*
krøll → *curl, twist*
krølle → *crush, curl, rumple, wave*
krølle sammen → *crumple, screw up*
krølle seg → *crinkle, curl, wrinkle*
krøllet(e) → *curly, frizzy, wrinkled*
krøllspenne → *curler, roller*
krølltang → *curling tongs, tongs*
krønike → *chronicle*
krøpling → *cripple*
kråke → *crow*
kråkebolle → *sea urchin*
kråketær → *scrawl*
krås → *crop*
ku → *cow*
Kuala Lumpur → *Kuala Lumpur*
kubbe → *log*
kubein → *crowbar*
kubikk- → *cubic*
kubikkcentimeter → *cc*
kubikkrot → *cube root*
kue → *cow, subdue*
kuet → *chastened, subdued*
kugalskap → *BSE, mad cow disease*
kul → *bulge, bump, hump, lump, protuberance*
kulde → *chill, cold, coolness*
kule → *bowl, bullet, globe, orb, pellet, scoop, slug, sphere*
kule ned → *chill out*
kulehode → *golf ball*
kulelager → *ball bearings, bearing*
kulepenn → *ballpoint (pen), Biro*
kuler → *marbles*
kuleramme → *abacus*
kulinarisk → *culinary*
kuling → *gale*
kulissene → *wing*
kull → *charcoal, coal, litter*
kullbit → *coal*
kullboks → *scuttle*
kullfelt → *coalfield*
kullgruve → *coalmine, colliery*
kullgruvearbeider → *coal miner*
kullgruvedrift → *coal mining*
kullkaste → *upset*
kullseile → *keel over*
kullsvart → *jet-black*
kullsyreholdig → *effervescent*
kulminasjon → *culmination*
kult → *cult*
kulten → *churlish*
kultfigur → *cult figure*
kultivert → *cultured, polished*
kultur → *culture*
kulturell → *cultural*
kulørt bilag → *colour supplement*
kum → *drain*
kumlokk → *manhole*
kummerlig → *crummy*
kumulativ → *cumulative*
kun → *merely*
kunde → *client, customer, patron*
kundekonto → *charge account*
kundekort → *charge card, railcard*
kundeprofil → *customer profile*
kundeservice → *after-sales service*
kunne → *can, know, may*
kunngjøre → *announce, declare, proclaim, promulgate*
kunngjøring → *announcement, declaration, proclamation*
kunnskap → *know-how, knowledge*
kunnskapsrik → *knowledgeable, well-informed*
kunst → *art, fine arts, trick*
kunstakademi → *art school*
kunstflyvning → *aerobatics*

kunstgalleri → *art gallery*
kunsthåndverk → *handicraft*
kunstig → *artificial, man-made, ornamental, simulated*
kunstløp → *figure skating, ice-skating*
kunstner → *artist*
kunstnerisk → *artistic*
kunststopping → *invisible mending*
kupert → *hilly*
kuplett → *couplet*
kupong → *coupon, voucher*
kupp → *coup, scoop*
kuppel → *cupola, dome*
kupé → *compartment, coupé, saloon*
kupélys → *courtesy light*
kur → *course, cure*
kurbad → *spa*
kurder → *Kurd*
kurere → *cure*
kuriositet → *curio, curiosity*
kurre → *coo*
kurs → *course*
kursiv → *italics*
kursorisk → *cursory*
kursted → *spa*
kurtisane → *courtesan*
kurv → *basket, punnet, tray*
kurvarbeid → *wickerwork*
kurvball → *basketball*
kurve → *curve, gradient, graph*
kurér → *courier*
kusine → *cousin*
kusma → *mumps*
kusymre → *primrose*
kutt → *cut, nick, slit*
kutte → *cut off, nick*
kutte av → *cut off*
kutte ned på → *cut down, cut down on*
kutte opp → *cut up*
kutte ut → *axe, chuck, cut, cut out, ditch, drop, jack in, leave off*
kuvending → *U-turn*
kuvertbrikke → *place mat, tablemat*
kuvertpris → *cover charge*
kuvøse → *incubator*
Kuwait → *Kuwait*
kuwaiter → *Kuwaiti*
kuwaitisk → *Kuwaiti*
kuwaitsk → *Kuwaiti*
kuøye → *porthole*
kvadrat → *square*
kvadratisk → *square*
kvadratrot → *square root*
kvadrere → *square*
kvae → *resin*
kvakksalver → *quack*
kvaler → *agony, anguish, compunction*
kvalifikasjon → *qualification*
kvalifisere → *qualify*
kvalitativ → *qualitative*
kvalitet → *grade, quality*
kvalitets- → *quality*
kvalitetskontroll → *quality control*
kvalm → *bilious, queasy, sickening*
kvalme → *nausea, queasiness, sickness*
kvalmende → *nauseating, nauseous, sickly*
kvantesprang → *quantum leap*
kvantifiserbar → *quantifiable*
kvantifisere → *quantify*
kvantitativ → *quantitative*
kvantum → *quantity*
kvantumsrabatt → *volume discount*
kvapset(e) → *flabby*
kvarg → *quark*
kvark → *quark*
kvartal → *block, quarter, square*
kvartalsvis → *quarterly*
kvarte → *nick*
kvarter → *billet, quarter*
kvartett → *quartet*
kvartfinale → *quarterfinal*
kvartformat → *quarto*
kvarts → *quartz*
kvasi- → *quasi-*
kve → *corral, fold*
kvede → *quince*
kveg → *cattle*
kveil → *coil*
kveile → *coil*
kveite → *halibut*
kveker → *Quaker*
kvekk → *quack*
kvekke → *croak, quack*
kveld → *evening, night*
kveldsdrink → *nightcap*
kveldsgudstjeneste → *vespers*
kveldskurs → *evening class*
kveldsskole → *night school*
kvele → *choke, extinguish, kill, quell, smother, stall, stifle, strangle, throttle*
kvelende → *stifling*
kvelertak → *stranglehold*
kveles → *suffocate*
kvelning → *strangulation, suffocation*
kverke → *knock off*
kvern → *grinder, mill*
kverne → *grind, mill*
kvesse → *grind, sharpen*
kvige → *heifer*
kvikk → *breezy, nimble, nippy, quick, snappy*
kvikke opp → *enliven*
kvikksand → *quicksand*
kvikksølv → *mercury*
kvikne til → *perk up*
kvinne → *female, woman*
kvinnebedårer → *ladykiller, philanderer*
kvinnebevegelsen → *Women's (Liberation) Movement*
kvinnediskriminerende → *sexist*
kvinnediskriminering → *sexism*
kvinnefrigjøring → *women's lib*
kvinnehater → *misogynist*
kvinnelig → *female, womanly*
kvinnelighet → *femininity*
kvinnfolk → *dame*
kvintett → *quintet*
kvise → *pimple, spot*
kviset(e) → *pimply, spotty*
kvist → *garret, knot, sprig, twig*
kvistverk → *wattle*
kvistvindu → *dormer*
kvistværelse → *garret*
kvitre → *chirp*
kvitte seg med → *dispense with, dispose, ditch*
kvittering → *receipt*
kvitteringsdel → *counterfoil, stub*
kvote → *quota*
kvotient → *quotient*
kybernetikk → *cybernetics*
kyle → *ram*
kylling → *broiler, chick, chicken*
kyniker → *cynic*
kynisk → *cynical, jaundiced*
kynisme → *cynicism*
kypriot → *Cypriot*
kypriotisk → *Cypriot*
Kypros → *Cyprus*
kyse → *bonnet*
kysk → *chaste*
kyskhet → *chastity*

kyss → *kiss*
kysse → *kiss*
kyssogram → *kissagram*
kyst → *coast, seaboard*
kystfartøy → *coaster*
kystlinje → *coastline*
kystskip → *coaster*
kystvakt → *coastguard*
kø → *cue, line, line-up, queue, tailback*
København → *Copenhagen*
kølle → *baton, club, cosh, truncheon*
Køln → *Cologne*
køye → *berth, bunk, couchette, hammock, turn in*
køyesenger → *bunk beds*
kål → *cabbage*
kålorm → *caterpillar*
kålrabi → *rutabaga, swede*
kålrot → *rutabaga, swede*
kåpe → *coat*
kår → *circumstances, condition, lot*
kårde → *foil*
kåt → *horny, randy*

L

L, l → *L, l*
la → *let, load*
La Paz → *La Paz*
la være → *leave off*
la være igjen → *leave*
labank → *batten*
labb → *paw*
labil → *unstable*
laboratorium → *laboratory*
labyrint → *labyrinth, maze, warren*
ladd → *loaded*
lade → *charge, load*
lade opp → *charge*
lade opp (på nytt) → *recharge, reload*
ladet → *fraught*
ladning → *batch, charge, load*
lag → *bed, coating, grade, layer, rank, side, squad, stratum, team, thickness*
lagarbeid → *teamwork*
lage → *brew, fix, make, prepare*
lage mat → *cook*
lage rot i → *muddle*
lager → *bearing, depository, depot, stock, stockroom, store, storehouse, warehouse*
lagerbeholdning → *stock*
lagerbygning → *storehouse*
lagerføre → *stock*
lagerkapasitet → *storage capacity*
lagerkontroll → *inventory control, stock control*
lagerrom → *stockroom, storeroom*
lagidretter → *team games*
lagre → *store*
lagret → *seasoned*
lagrette → *jury*
lagrettemedlem → *juror*
lagring → *storage*
lagspill → *team games*
lagune → *lagoon*
lagånd → *team spirit*
lakei → *footman, lackey, minion*
laken → *sheet*
lakk → *lacquer, varnish*
lakke → *varnish*
lakklær → *patent leather*
lakonisk → *laconic*
lakris → *liquorice*
laks → *salmon*
lakserolje → *castor oil*
lam → *lamb, paralytic*
lama → *llama*
lambada → *lambada*
laminert → *laminated*
lamme → *cripple, hamstring, paralyse*
lammekotelett → *lamb chop*
lammelse → *numbness, paralysis*
lammende → *crippling*
lammeskinn → *lambskin*
lammet → *numb*
lammeull → *lambswool*
lampe → *lamp*
lampefeber → *stage fright*
lampeskjerm → *lampshade*
lamslå → *paralyse, stun*
lamslått → *stricken, thunderstruck*
land → *country, land*
landadel → *landed gentry*
landbruk → *agriculture*
landbruksprodukter → *produce*
lande → *alight, land*
landeiendom → *land, estate*
landemerke → *landmark*
landeplage → *plague*
landeveisrøver → *highwayman*
landeveisrøveri → *daylight robbery*
landgang → *disembarkation, gangplank, gangway*
landgangsfartøy → *landing craft*
landing → *landing, touchdown*
landingskort → *landing card*
landlig → *rural*
landlov → *shore leave*
landmåler → *surveyor*
landområde → *land*
landsby → *village*
landsbyboer → *villager*
landsbygd → *countryside*
landsdekkende → *national*
landsdel → *province*
landsens → *countrified*
landsette → *land*
landsforræderi → *treason*
landsforvise → *exile*
landskamp → *international, test match*
landskap → *country, landscape, scenery*
landskapsarkitekt → *landscape architect*
landskapsmaleri → *landscape painting*
landskilpadde → *tortoise*
landsmann → *countryman, fellow countryman*
landsmøte → *convention*
landsomfattende → *country-wide, nationwide*
landssvik → *treason*
landstryker → *hobo, tramp, vagabond*
lang → *full-length, long, long-distance*
langbe(i)nt → *leggy*
langbølge → *long wave*
langdistanse- → *long-distance*
lange → *peddle, push*
lange ut → *stride*
langer → *dealer, peddler, pusher*
langfingret → *light-fingered*
Langfredag → *Good Friday*
langhåret → *long-haired*
langrenn → *cross-country (race)*
langs → *along*
langsiktig → *long-term*
langsom → *slow*
langsomhet → *slowness*
langsomt → *slow, slowly*
langsomtvirkende → *slow-acting*
langstrakt → *elongated*
langsynt → *far-sighted, long-sighted*
langt → *far*

langtekkelig → *long-winded*
langtids- → *long-range*
langtrekkende → *long-range*
langtrukken → *lengthy, protracted*
langvarig → *protracted, sustained*
lanolin → *lanolin(e)*
lanse → *lance, pike*
lansere → *float, launch*
lansering → *launch, launching*
lansett → *lancet*
lapp → *chit, note, patch, slip, ticket*
lappe → *patch*
lappe sammen → *patch up, piece together*
lappesaker → *repair kit*
lappeteknikk → *patchwork*
Lappland → *Lapland*
larm → *clamour, din, noise, tumult*
larmende → *noisy, tumultuous*
larve → *grub, larva*
lasagne → *lasagne*
laser → *laser*
laserdisk → *videodisc*
laserprinter → *laser printer*
laserstråle → *laser beam*
lasso → *lasso*
last → *cargo, load, vice*
laste ned → *download*
laste om → *transship*
laste på {or} opp → *load*
lastebil → *HGV, lorry, truck*
lastebileier → *haulage contractor*
lastebilfirma → *haulage contractor, trucking company*
lastebilsjåfør → *lorry driver, truck driver, trucker*
lastebiltransport → *road haulage, trucking*
lastebom → *derrick*
lastebåt → *cargo boat, freighter*
lastefly → *cargo plane*
lastefull → *depraved*
lastefullhet → *depravity*
lasteplass → *bay, loading bay*
lasterom → *hold*
lat → *indolent, lazy*
late som → *make out, play-act, pretend*
lateks → *latex*
latent → *latent*
lateral → *lateral*
lathans → *layabout*
latin → *Latin*
Latin-Amerika → *Latin America*
latin-amerikaner → *Latin American*
latinamerikansk → *Latin American, Latino*
latrine → *latrine*
latskap → *indolence, laziness*
latter → *laugh, laughter*
lattergass → *laughing gas*
latterlig → *derisory, laughable, ludicrous, ridiculous*
latterliggjøre → *ridicule*
latterliggjøring → *ridicule*
lattermildhet → *amusement*
Latvia → *Latvia*
laug → *guild*
laugshus → *guildhall*
laurbærblad → *bay leaf*
laurbærtre → *bay tree, laurel*
Lausanne → *Lausanne*
lavmælt → *hushed*
lav → *lichen, low, low-rise, quiet, soft*
lava → *lava*
lavendel → *lavender*
lavere → *inferior, lower*
lavhælt → *flat*
lavkalori- → *low-calorie*
lavkonjunktur → *recession*
lavmælt → *low-key, quiet*
lavprisbutikk → *discount house*
lavpunkt → *nadir, trough*
lavsesong → *dead season*
lavspenning → *LT*
lavt → *low, quietly, softly*
lavteknologisk → *low-tech*
lavtliggende → *low-lying*
lavtlønnet → *low-paid*
lavtrykk → *depression, low*
lavvann → *ebb tide*
lb → *lb.*
le → *laugh, lee, shelter*
le av → *laugh at*
le bort → *laugh off*
Lecablokk → *breezeblock*
ledd → *joint, link*
leddbetennelse → *arthritis*
leddbånd → *ligament*
leddgikt → *arthritis*
lede → *administer, chair, conduct, direct, guide, head, lead, manage*
lede opp til → *lead up to*
ledelse → *hierarchy, lead, leadership, management, running*
ledende → *commanding, executive, leading, premier*
ledende spørsmål → *leading question*
leder → *captain, chair, chairman, chairperson, conductor, controller, director, editorial, executive, head, leader, manager, manageress*
lederegenskaper → *leadership*
lederskap → *leadership*
lederskikkelse → *leading light*
ledig → *available, free, spare, unoccupied, vacant*
lediggang → *idleness*
ledning → *cord, duct, flex, lead, line, wire*
ledningsrør → *conduit*
ledsage → *accompany, escort*
ledsagelse → *accompaniment*
ledsager → *companion, escort*
lee på → *wiggle*
lee på seg → *stir*
legalisere → *legalize*
legasjon → *legation*
legat → *endowment*
legato → *slur*
lege → *doctor, heal, MO, physician*
legeattest → *medical certificate*
legeme → *body, frame*
legemiddel → *drug*
legemidler → *pharmaceutical*
legemliggjørelse → *incarnation*
legendarisk → *legendary*
legende → *legend*
legering → *alloy*
legesenter → *health centre*
legestokkrose → *marshmallow*
legeundersøkelse → *medical*
legg → *calf, drumstick, pleat, set, tuck*
legge → *draw up, lay, put*
legge an på → *chat up*
legge av → *keep back*
legge av sted → *sally forth, set out*
legge beslag på → *hog, monopolize*
legge bi → *heave to*
legge bånd på → *constrain, constrict, restrain*
legge fra seg → *lay down*
legge fram → *bring forward, display, produce, put forward*
legge i seg → *tuck in*
legge igjen → *leave*
legge inn → *admit, insert, lay on, load, put in*
legge merke til → *note, notice*
legge ned → *close down, fold, fold up, let down, put down, put in, shut down*
legge om → *alter*
legge opp → *cast on, hem, take up, turn up*

legge opp til → *lead up to*
legge over kors → *cross*
legge på → *add, insert*
legge på (røret) → *hang up, ring off*
legge sammen → *add, add up, aggregate, chip in, fold up, tot up, total*
legge seg → *bed down, blow over, die down, settle*
legge seg ned → *get down, lie back*
legge seg til → *adopt, put on*
legge til → *add, add on, append*
legge til i/på → *call at*
legge til side → *lay aside, lay by, put aside, put away, put by, tuck away*
legge ut på → *embark on*
legge utover → *lay out*
legge ved → *attach, enclose*
legge vekk → *lay aside, put aside*
leggevann → *setting lotion*
legion → *legion*
legionær → *legionnaire*
legionærsyke → *legionnaire's disease*
legitimasjonskort → *identity card*
legitimere → *legitimize*
legning → *bent*
lei → *uneasy, upsetting*
lei seg → *sorry, upset*
leid → *leasehold*
leie → *hire, rent, rental*
leie inn → *hire*
leie ut → *hire out, lease, lease back, let, let out, rent*
leieavtale → *lease*
leiebil → *hire(d) car*
leieboer → *sitting tenant*
leieforhold → *tenancy*
leiegård → *apartment building, rooming house, tenement*
leiehest → *hack*
leiekontrakt → *lease*
leiemorder → *hitman, hit man*
leiesoldat → *mercenary*
leietaker → *lessee, tenant*
leilighet → *apartment, flat, maisonette, opportunity, place*
leilighetsarbeide → *casual labour*
leir → *base camp, camp, encampment*
leire → *clay*
leirgryte → *casserole*
leirlue → *forage cap*
leirras → *landslide*
leirskifer → *shale*
lek → *game, play*
lekdommer → *Justice of the Peace*
leke → *frolic, play, play at, toy*
leke med → *to dally with, lead on, play about with, play around with, toy with*
lekegrind → *playpen*
lekekamerat → *playmate*
leken → *playful*
lekeplass → *playground*
lekestue → *playroom*
leketøy → *plaything, toy*
leketøysbutikk → *toyshop*
leketøysforretning → *toyshop*
lekfolk → *laity*
lekk → *leaky*
lekkasje → *escape, leak, leakage*
lekke → *leak*
lekke ut → *leak out*
lekker → *dainty, dishy, luscious, sleek, snazzy*
lekkerbisken → *titbit*
lekmann → *layman*
lekse → *lesson, spiel*
lekse opp for → *harangue*
lekselesing → *prep*
lekser → *homework*
leksikograf → *lexicographer*
leksikografi → *lexicography*
leksikon → *encyclop(a)edia*
lekter → *barge*
lektor → *professor*
lektyre → *reading matter*
lem → *member, shutter, trap door*
lemleste → *maim, mutilate*
lemlestelse → *mutilation*
lempe på → *relax*
lendeklede → *loincloth*
lender → *loin*
lene seg over → *lean over, recline*
lene seg tilbake → *sit back*
lene seg ut → *lean out*
lenestol → *armchair, easy chair*
lengde → *duration, length*
lengdegrad → *longitude*
lengdesprang → *long jump*
lenge → *length, long*
lenger → *farther*
lengre → *further, lengthy*
lengselsfull → *wistful*
lengselsfullt → *longingly*
lengst → *farthest, furthest*
lengte etter → *crave*
lenke → *chain*
lenker → *fetters, irons, shackles*
lensherre → *overlord*
lensvesen → *feudalism*
leopard → *leopard*
lepje i seg → *lap, lap up*
leppe → *lip*
leppepomade → *lip salve*
leppestift → *lipstick*
lepra → *leprosy*
lerke → *lark, skylark*
lerketre → *larch*
lerret → *canvas, screen*
lesbe → *dyke*
lesbisk → *lesbian*
lese → *read*
lese gjennom → *peruse, read through*
lese opp → *read out, recite*
lese seg opp på → *read up on*
lesebok → *reader*
lesehest → *bookworm*
leselager → *ROM*
leselampe → *reading lamp*
leselig → *legible, legibly, readable*
leselighet → *legibility*
leselysten → *studious*
leser → *reader*
leserkrets → *readership*
lesesal → *reading room*
lesestoff → *reading matter*
lesing → *study*
lesjon → *lesion*
leskur → *bus shelter*
lesning → *reading*
Lesotho → *Lesotho*
lespe → *lisp*
lesping → *lisp*
lesse av → *unload*
lesse opp → *load*
lesverdig → *readable*
lete etter → *look for*
lete (i)gjennom → *search through*
lete i → *search*
letemannskap → *search party*
leting → *hunt, prospecting, search*
letne → *ease, lift*
lett → *cool, easily, easy, light, lightly, lightweight, low-alcohol, simple, thinly*
lette → *clear, facilitate, lighten, relieve, take off, thin*

lette på → *ease, raise*
lettelse → *relief*
lettere → *faintly, light, mildly*
lettet → *relieved*
lettferdighet → *laxity*
letthet → *ease, levity, lightness*
lettmatros → *ordinary seaman*
lettpåvirkelig → *excitable*
lettsindig → *frivolous*
lettstekt → *rare*
lettvekter → *lightweight*
lettvint → *facile, glib, glibly*
lettvinthet → *convenience*
leukemi → *leukaemia*
leve → *live*
leve av → *feed on, live off, live on, prey on*
leve for → *live for*
leve opp til → *live up to*
leve på → *live off*
leve ut → *act out*
levebrød → *bread and butter, livelihood*
levedyktig → *resilient, viable*
levedyktighet → *viability*
levekostnader → *living expenses*
levelig → *bearable*
leven → *row*
levende → *alive, animate, animated, keenly, live, lively, living, vivid, vividly*
lever → *liver*
leverandør → *purveyor, supplier*
leveranse → *delivery, supply*
levere → *deliver, lodge, supply*
levere inn → *give in, hand in, submit*
levere tilbake → *bring back, give back, return, take back*
leveregel → *maxim*
levering → *delivery*
levestandard → *living standards, standard of living*
levetid → *life-span, lifetime*
levevilkår → *living conditions*
levning → *hangover, relic, remains*
levre seg → *clot*
li → *hillside*
libaneser → *Lebanese*
libanesisk → *Lebanese*
Libanon → *Lebanon*
liberal → *liberal*
liberaler → *liberal*
liberalisere → *liberalize*
Liberia → *Liberia*
liberier → *Liberian*
liberisk → *Liberian*
libertiner → *rake*
libido → *libido*
libretto → *libretto*
Libya → *Libya*
libyer → *Libyan*
libysk → *Libyan*
lide → *suffer*
lidelse → *affliction, ailment, complaint, condition, disorder, suffering*
lidelseshistorie → *hard-luck story*
lidenskap → *passion*
lidenskapelig → *ardent, hot-blooded, passionate*
liderlig → *bawdy*
Liechtenstein → *Liechtenstein*
liflig → *sweet*
liga → *league*
ligament → *ligament*
ligge → *lie, lie about*
liggestol → *deckchair*
liggetid → *demurrage*
liggeunderlag → *ground cloth, groundsheet*
lighter → *lighter*
lignelse → *parable*
liguster → *privet*
lijekonvall → *lily of the valley*
lik → *body, corpse, equal, even, like*
likbil → *hearse*
likblek → *pallid*
likbåre → *bier*
like → *alike, equally, like, right*
like ved → *nearby*
likedan → *likewise*
likeens → *similarly*
likefram → *bald, blunt, forthright, plain, straight, straightforward*
likeframhet → *directness*
likeglad → *indifferent*
likegladhet → *indifference*
likegyldig → *indifferent, neglectful, unconcerned*
likegyldighet → *indifference*
likemann → *equal, peer*
likesinnet → *like-minded*
likestilling → *equality, parity*
likestrøm → *direct current*
likeså → *likewise*
liketil → *straightforward*
liketrykkslinje → *isobar*
likevekt → *balance, equilibrium*
likevektig → *easy-going, equable*
likevel → *anyway, nevertheless, nonetheless, notwithstanding, still, yet*
likhet → *likeness, resemblance, similarity*
likhetstegn → *equals sign*
likhetstrekk → *similarity*
likhus → *morgue, mortuary*
likkiste → *casket, coffin*
likne → *resemble*
likne på → *take after*
likning → *equation*
liksom- → *pseudo-, sham*
liksvøp → *shroud*
likt → *alike, equally, evenly, fifty-fifty*
liktorn → *corn*
likvake → *wake*
likvid → *liquid*
likvidasjon → *liquidation*
likvidator → *liquidator*
likvidere → *liquidate*
likviditet → *liquidity*
likør → *liqueur*
lilje → *lily*
lilla → *lilac*
Lilleasia → *Asia Minor*
lillefinger → *little finger*
lilletromme → *side drum*
lim → *adhesive, cement, glue, gum, paste*
Lima → *Lima*
limbånd → *adhesive tape, Scotch tape, sellotape*
lime → *stick*
limettsitron → *lime*
limfarge → *distemper*
limonade → *lemonade*
limousin → *limousine*
limsniffing → *glue-sniffing*
lin → *flax, linen*
lind → *lime*
lindre → *alleviate, assuage, ease, soothe*
lindrende → *soothing*
lindring → *relief*
line → *tightrope*
linedanser → *tightrope walker*
lineær → *linear*
linfrøolje → *linseed oil*
lingul → *flaxen*
lingvist → *linguist*
lingvistikk → *linguistics*
lingvistisk → *linguistic*

linjal → *rule, ruler*
linje → *line*
linjedommer → *linesman*
linjemann → *lineman, linesman*
linjenummer → *extension*
linjert → *lined, ruled*
linjeskift → *carriage return, return key*
linjeskip → *liner*
linjeskriver → *line printer*
linoleum → *lino, linoleum*
linolje → *linseed oil*
linse → *lens, lentil*
lintøy → *linen*
lire av seg → *trot out*
lirekasse → *barrel organ*
Lisboa → *Lisbon*
lisens → *franchise*
lisse → *lace*
list → *guile, strategem*
liste → *list, roll*
liste opp → *list*
listende → *stealthy*
listepris → *list price*
listeria → *listeria*
listig → *crafty, cunning, sly, wily*
listighet → *cunning*
litani → *litany*
Litauen → *Lithuania*
lite → *little, slim, small, wee*
liten → *little, slim, small, wee*
liter → *litre*
litografi → *lithograph, lithography*
litt → *awhile, slightly, some*
litteratur → *fiction, literature*
litteraturliste → *bibliography, reference*
litterær → *literary*
liturgi → *liturgy*
liv → *bodice, life, waist*
livaktig → *graphic, lifelike, vividly*
livat → *rollicking*
livbøye → *lifebelt, lifebuoy*
livbåt → *lifeboat*
live opp → *animate, enliven, liven up*
livfull → *vibrant*
livkjole → *tail*
livlig → *animated, brisk, bustling, lively, vivacious, vivid*
livlighet → *animation, liveliness, vitality, vivacity*
livline → *lifeline*
livlinje → *waistline*
livløs → *inanimate, lifeless, wooden*
livmor → *uterus, womb*
livmorhals → *cervix*
livne til → *hot up, liven up, revive*
livredder → *lifeguard, life-saver*
livrente → *life annuity*
livré → *livery*
livsforsikring → *endowment policy, life insurance*
livslang → *lifelong*
livsnerve → *lifeblood*
livsstil → *life style*
livssyn → *outlook*
livstidsdom → *life sentence*
livstidsfange → *lifer*
livsviktig → *vital*
livsvilkår → *living conditions*
livvakt → *bodyguard, minder*
livvidde → *waistline*
ljå → *scythe*
lo → *fluff, nap, pile*
lodd → *raffle ticket, ticket, weight*
lodde → *canvass, solder, sound out*
lodde ut → *raffle*
lodden → *fleecy, furry, hairy*
loddesnor → *plumb line*
loddetinn → *solder*
lodding → *sounding*
loddrett → *perpendicular, sheer, vertical*
loffer → *vagrant*
loft → *attic, loft*
loftsleilighet → *penthouse*
log → *log*
logaritme → *logarithm*
logg → *log*
loggbok → *logbook*
logge (seg) inn → *log in*
logge (seg) ut → *log out*
logikk → *logic*
logisk → *logical, logically*
logistikk → *logistics*
logo → *logo*
logoped → *speech therapist*
logopedi → *speech therapy*
logre → *wag*
lojal → *loyal*
lojalitet → *loyalty*
lokal → *regional*
lokalbedøvelse → *local anaesthetic*
lokaler → *premises*
lokalisere → *localize, locate*
lokalitet → *locality*
lokalsamtale → *local call*
lokalstasjon → *way station*
lokalt → *locally*
lokk → *lid, lock, tendril, top, tress*
lokke → *beckon, beguile, coax, entice, lure*
lokkedue → *decoy*
lokkemat → *bait*
lokkende → *enticing*
lokketilbud → *loss leader*
lokomotiv → *engine, locomotive*
lokomotivfører → *engine driver, engineer*
lomme → *pocket*
lommebok → *billfold, notecase, pocketbook, wallet*
lommedisko → *personal stereo, Walkman*
lommekalkulator → *pocket calculator*
lommekniv → *penknife, pocket knife*
lommelerke → *flask, hip flask*
lommelykt → *flashlight, torch*
lommepenger → *allowance, pocket money, spending money*
lommetyv → *pickpocket*
lommetørkle → *handkerchief, hankie*
London → *London*
londoner → *Londoner*
loppe → *flea*
loppemarked → *flea market, jumble sale, rummage sale*
lopper → *jumble*
lort → *droppings, filth*
los → *pilot*
losbåt → *pilot boat*
lose → *shepherd, steer*
losje → *box, lodge*
losjerende → *lodger*
losji → *lodging*
loslitt → *shabby, tatty*
losse → *land*
lossebom → *derrick*
lotteri → *draw, lottery*
lov → *act, law, statute*
lovbestemt → *statutory*
lovbryter → *law-breaker, offender*
love → *pledge, promise*
lovende → *auspicious, budding, hopeful, promising*
lovendring → *amendment*
lovfestet → *statutory*
lovforslag → *bill*
lovgivende → *legislative*
lovgiver → *legislator*
lovgivning → *legislation*

lovlig → *lawful, lawfully, legal, legitimate*
lovlighet → *legality, legitimacy*
lovlydig → *law-abiding*
lovløs → *lawless*
lovord → *commendation*
lovprise → *exalt, extol, glorify*
lovprisning → *praise*
lovtale → *eulogy*
lubben → *chubby, plump, tubby*
ludder → *slut, tart, tramp*
ludo → *ludo*
lue → *cap*
luffe → *flipper*
luft → *aerial, air, atmosphere, wind, overhead, pneumatic*
luftakrobatikk → *aerobatics*
luftangrep → *air raid, blitz*
luftblære → *airlock*
luftbro → *airlift*
lufte → *air*
lufte ut → *ventilate*
luftehull → *vent*
luftfartøy → *aircraft*
luftfrisker → *air freshener*
luftfukter → *humidifier*
luftgevær → *airgun, air rifle*
lufthavn → *airport*
luftig → *airy, breezy, cool*
luftkjølt → *air-cooled*
luftlomme → *air pocket*
luftmadrass → *airbed, air mattress, Lilo*
luftmotstand → *drag*
luftpistol → *airgun*
luftpostbrev → *air letter*
luftpute → *air cushion*
luftrom → *airspace*
luftrør → *trachea, windpipe*
luftsluse → *airlock*
luftspeiling → *mirage*
lufttett → *airtight*
lufttomt rom → *vacuum*
lufttrykk → *tyre pressure*
luftveier → *windpipe*
luftvern- → *anti-aircraft*
luftvern → *anti-aircraft defence*
luftvernild → *flak*
luftvåpen → *Air Force*
lugar → *cabin*
lugartrapp → *companionway*
lugg → *bangs, fringe*
lugn → *easy-going*
luguber → *lugubrious*
luke → *hatch, slot*
luke i → *weed*
luke ut → *purge, weed out*
lukke → *close, shut*
lukke opp → *open, open up*
lukke seg → *close, shut*
lukker → *shutter*
lukkertid → *exposure*
lukket → *closed, confined, private, sheltered*
lukning → *shutdown*
lukrativ → *lucrative*
luksuriøs → *lush, luxurious, plush*
luksus → *luxury, treat*
luksusting → *luxury*
lukt → *odour, smell, tang*
lukte → *smell*
luktesans → *smell*
luktfri → *odo(u)rless*
lumbago → *lumbago*
lummer → *sticky, sultry*
lumpen → *mean*
lumpenhet → *meanness*
lumsk → *shifty, treacherous*
lun → *snug*
lund → *grove*
lundefugl → *puffin*
lune → *frame of mind, whim*
lunefull → *capricious, moody*
lunge → *lung*
lungebetennelse → *pneumonia*
lunken → *lukewarm, tepid*
lunsj → *dinner, lunch, luncheon*
lunsjkupong → *luncheon voucher*
lunsjpause → *lunch break, lunch hour*
lunsjtid → *dinner time, lunchtime*
lunte → *amble, fuse*
lupin → *lupin*
lur → *nap, shrewd, snooze*
lure → *deceive, delude, double-cross, dupe, fool, hoodwink, lurk, outsmart, snare, trap, trick*
lure på → *stalk*
lure seg unna → *shirk*
lureri → *con, deception, hoax, trickery*
lurespørsmål → *trick question*
lurveleven → *ructions*
lurvet(e) → *ragged, scruffy, shabby, tatty, unkempt*
lus → *louse*
luseegg → *nit*
lusen → *mingy, shabby, stingy*
luske → *prowl, skulk, steal*
lut → *hunched, round-shouldered*
lutdoven → *bone idle*
lutfattig → *destitute, poverty-stricken*
lutt → *lute*
Luxembourg → *Luxembourg*
ly → *cover, lee, shelter*
lycra → *Lycra*
lyd → *noise, sound*
lydbølge → *sound wave*
lydbånd → *tape*
lyddempende skjerm → *acoustic screen*
lyddemper → *muffler, silencer*
lyde → *obey, sound*
lydeffekter → *sound effects*
lydhør → *responsive*
lydig → *obedient*
lydighet → *obedience*
lydisolere → *soundproof*
lydisolert → *soundproof*
lydløs → *noiseless, quiet, silent*
lydløst → *silently*
lydmur → *sound barrier*
lydpotte → *silencer*
lydspor → *soundtrack*
lydstyrke → *volume*
lydtekniker → *sound engineer*
lydtett → *soundproof*
lykke → *fortune, happiness, lucky*
lykkebringende → *lucky*
lykkelig → *blissful, fortunate, happily, happy*
lykkeligvis → *fortunately*
lykkeridder → *bounty hunter*
lykkerus → *euphoria*
lykkes → *make, succeed*
lykkeønskninger → *congratulations*
lykksalig → *blissful, blissfully, exalted*
lykksalighet → *bliss*
lykt → *flash, flashlight, lantern*
lyktestolpe → *lamppost*
lyn → *lightning, thunderbolt*
lynavleder → *lightning conductor, lightning rod*
lyne → *flash*
lyng → *heather*
lynrask → *exponential, quick-fire*
lynsje → *lynch*
lyriker → *poet*
lyrikk → *poetry*

lyrisk → *lyric, lyrical*
lys → *blond(e), bright, candle, fair, illumination, light, sunny*
lysbilde → *slide, transparency*
lysbildeapparat → *slide projector*
lysbildeframviser → *slide projector*
lysdekorasjoner → *illumination*
lyse(med) → *shine*
lyse opp → *brighten, light up*
lysekrone → *chandelier*
lysende → *alight, brilliant, illustrious, luminous, shining*
lyserød → *pink*
lysestake → *candlestick*
lyshåret → *fair-haired*
lysing → *hake*
lyskaster → *searchlight*
lyskryss → *traffic lights*
lysmast → *pylon*
lysmåler → *exposure meter, light meter*
lysne (til) → *brighten, lighten*
lysnettet → *main*
lysning → *banns, clearing, glade*
lysningsblad → *gazette*
lyspenn → *light pen*
lyspære → *light bulb*
lyssky → *shady*
lysstroffrør → *strip lighting*
lyst → *desire*
lystbetont → *pleasurable*
lystbåt → *pleasure boat, yacht*
lysten → *lustful*
lystfartøy → *pleasure steamer*
lystgass → *laughing gas*
lysthus → *summerhouse*
lystig → *bright, brightly, gaily, gay, jaunty, jolly, merrily, merry*
lystighet → *gaiety, jollity, merriment*
lystre → *obey*
lystseiler → *yachtsman*
lysvåken → *wide-awake*
lysår → *light year*
lyte → *blemish*
lytefri → *unblemished*
lytte → *listen*
lytter → *listener*
lytteroppslutning → *rating*
lyve → *lie*
lær → *leather*
lærd → *erudite, learned, scholar, scholarly*
lærdom → *learning*
lære (seg) → *acquire, learn*
lære opp → *train*
lærebok → *schoolbook, textbook*
lærer → *instructor, master, schoolteacher, teacher*
lærerhøyskole → *teacher training college, training college*
lærerik → *instructive*
lærerinne → *mistress, schoolmistress*
lærerpersonale → *teaching staff*
lærerrom → *staffroom*
lærervikar → *supply teacher*
lærerværelse → *staffroom*
læresetning → *theorem*
læretid → *apprenticeship*
lærling → *apprentice, trainee*
lærvarer → *leather goods*
løfte → *lift, pledge, promise, vow*
løfte(opp) → *lift up*
løfte på → *raise*
løgn → *lie, lying*
løgnaktig → *lying*
løgndetektor → *lie detector, polygraph*
løgner → *liar*
løk → *bulb, onion*
løkke → *coil, loop, noose*
lømmel → *lout*
lønn → *maple, remuneration, salary, stipend, wage*
lønne → *remunerate*
lønne seg → *pay, pay off*
lønnet → *gainful, paid, salaried*
lønning → *wage*
lønningsdag → *pay day*
lønningsliste → *payroll*
lønningspose → *pay envelope, pay packet, wage packet*
lønnsforhøyelse → *rise*
lønnsforskjell → *wage differential*
lønnskrav → *wage claim*
lønnsmottaker → *wage earner*
lønnsom → *lucrative, profitable*
lønnsomhet → *profitability*
lønnsslipp → *pay slip*
lønnsstopp → *wage freeze*
lønnsøkning → *pay award, rise*
løp → *barrel, course, race, reach, run*
løpe → *run*
løpe fra → *outrun*
løpe løpsk → *bolt, riot*
løpe sammen → *converge, merge*
løpebane → *career*
løpegutt → *henchman, stooge*
løper → *bishop, runner*
løpeseddel → *handout, leaflet*
løpsk → *runaway*
løpsøvelser → *track events*
lørdag → *Saturday*
løs → *dummy, floppy, lax, loose*
løsaktig → *loose*
løsblad- → *loose-leaf*
løse → *answer, release, resolve, solve*
løse inn → *redeem*
løse opp → *break up, dissipate, dissolve, unbend, untangle*
løse seg opp → *disband, dissolve*
løselig → *rough, roundabout*
løsepenger → *ransom*
løsgjenger → *drifter, vagrant*
løsgjengere → *flotsam*
løsgjengeri → *vagrancy*
løslate → *discharge, free, release*
løslatelse → *discharge, release*
løsne → *come away, detach, ease, free, loosen, release, slacken, unfasten*
løsne på → *dislodge, loosen, relax*
løsning → *answer, cure, formula, resolution, settlement, solution*
løsningsmiddel → *solvent*
løspatron → *blank*
løsrivelse → *severance*
løssluppen → *abandoned, rollicking*
løssluppenhet → *laxity*
løssnakk → *banter*
løst → *loosely*
løstsittende → *loose, loose-fitting*
løv(verk) → *foliage*
løve → *lion*
Løven → *Leo*
løvetann → *dandelion*
løveunge → *lion cub*
løvinne → *lioness*
løvrik → *leafy*
løvsag → *jigsaw*
løvtynn → *wafer-thin*
løye av → *die down, drop*
løype → *run*
løytnant → *lieutenant*
lån → *loan*
låne → *advance, borrow*
låne bort → *loan*
lånehai → *loan shark*
lånekapital → *loan capital*
lånekonto → *loan account*

lånekort → *ticket*
låner → *borrower*
långiver → *mortgagee*
låntaker → *borrower, mortgagor*
lår → *leg, thigh*
lårbe(i)n → *thighbone*
lås → *clasp, lock*
låse → *lock, lock up*
låse inne → *lock in, lock up*
låse ned → *lock away*
låse opp → *open up, unlock*
låse seg → *jam, lock*
låse ute → *lock out*
låsesmed → *locksmith*
låt → *call*
låtskriver → *songwriter*
låve → *barn*

M

M, m → *M, m*
macho → *macho*
Madeira → *Madeira*
madeira → *Madeira*
madrass → *mattress*
Madrid → *Madrid*
magasin → *journal, magazine, review*
magasinovn → *storage heater*
mage → *abdomen, belly, stomach, tummy*
mageknip → *bellyache, stomach ache*
magepine → *bellyache*
magepumpe → *stomach pump*
mager → *lean, meagre, skinny*
magesår → *gastric ulcer, stomach ulcer, ulcer*
mage-tarmkatarr → *gastro-enteritis*
magi → *magic*
magisk → *magic, magical*
magnat → *magnate, mogul, tycoon*
magnesium → *magnesium*
magnet → *magnet*
magnetbånd → *magnetic tape*
magnetisk → *magnetic*
magnetisme → *magnetism*
magnetplate → *magnetic disk*
magnolia → *magnolia*
mahogni → *mahogany*
mai → *May*
mais → *corn, maize*
maisenna → *cornflour, cornstarch*
maisgryn → *grit*
maismel → *cornflour, cornstarch*
maisolje → *corn oil*
maistang → *maypole*
maje seg ut → *tart up*
majestetisk → *majestic*
majones → *mayonnaise*
major → *major*
majoritet → *majority*
makaber → *ghoulish, macabre*
makaroni → *macaroni*
make → *mate*
makelig → *comfortable, dilatory, leisurely*
makeløs → *exceptional, matchless, peerless, sensational, wonderful*
maken til → *like*
makker → *partner*
makrell → *mackerel*
makro → *macro...*
makron → *macaroon*
makroøkonomi → *macro-economics*
maksimal → *maximum*
maksime → *maxim*
maksimere → *maximize*
maksimum → *maximum, peak*
makt → *coercion, deterrence, force, might, power*
maktesløs → *impotent, powerless*
maktesløshet → *impotence*
makuleringsmaskin → *shredder*
mal → *template*
malaria → *malaria*
Malawi → *Malawi*
malay → *Malay*
Malaya → *Malaya*
malayisk → *Malay*
Malaysia → *Malaysia*
malaysier → *Malaysian*
malaysisk → *Malaysian*
male → *grind, mill, mince, paint, purr*
malende → *graphic*
maler → *decorator, painter*
maleri → *canvas, painting*
malerisk → *picturesque, scenic*
malerkost → *paintbrush*
malerkunst → *painting*
malerskrin → *paint box*
maling → *paint, painting, paintwork*
malingfjerner → *paint-stripper*
Mallorca → *Majorca*
malm → *ore*
malplassert → *inapt, misplaced*
malstrøm → *whirlpool*
malt → *ground, malt*
Malta → *Malta*
malteser → *Maltese*
maltesisk → *Maltese*
mamma → *mom, mum, mummy*
mammadalt → *sissy*
mammut → *mammoth*
mammut- → *mammoth*
man → *mane, one, you*
mandag → *Monday*
mandarin → *mandarin, tangerine*
mandat → *mandate, remit*
mandel → *almond, tonsil*
mandelbetennelse → *tonsillitis*
mandeltre → *almond*
mandig → *manly*
mandighet → *manliness, masculinity*
mandolin → *mandolin(e)*
mane fram → *conjure up*
manerer → *manner*
manesje → *ring*
manet → *jellyfish*
mangan → *manganese*
mange → *many, plenty*
mangeartet → *multifarious*
mangefarget → *multicoloured*
mangel → *absence, defect, deficiency, privation, scarcity*
mangelfull → *defective, deficient*
mangelsykdom → *deficiency disease*
mangfold → *diversity*
mangfoldig → *diverse, manifold, multiple*
mangfoldighet → *diversity*
mangle → *lack, missing*
mango → *mango*
mangrove → *mangrove*
mani → *mania*
manifest → *manifest, manifesto*
manifestasjon → *manifestation*
manifestere → *manifest*
manikyr → *manicure*
manikyrsett → *manicure set*
Manila → *Manila*
manipulasjon → *manipulation*
manipulere → *manipulate*
manipulering → *manipulation*

manisk → *manic*
manisk-depressiv → *manic-depressive*
manke → *mane, mop*
mann → *husband, man*
manna → *manna*
manndom → *manhood*
mannejakt → *manhunt*
mannekeng → *mannequin*
mannfolk → *male*
manns- → *male*
mannsdiskriminerende → *sexist*
mannsdiskriminering → *sexism*
mannskap → *crew*
mannssjåvinist → *male chauvinist*
manntall → *register*
manometer → *pressure gauge*
mansjett → *cuff*
mansjettknapper → *cuff links*
manual → *manual*
manuell → *manual*
manufakturvarer → *dry goods*
manus → *copy, script*
manuskript → *copy, manuscript*
manøver → *manoeuvre*
manøvrerbar → *manoeuvrable*
manøvrere → *manoeuvre*
manér → *mannerism*
maori → *Maori*
mappe → *folder, writing case*
maraton → *marathon*
maratonløp → *marathon*
maratonløper → *marathon runner*
marengs → *meringue*
mareritt → *nightmare*
marg → *margin, marrow, pith*
margarin → *margarine*
margarinkasse → *soapbox*
marggresskar → *marrow*
margin → *margin*
marginal → *marginal*
marginalt → *marginally*
Maria budskapsdag → *Annunciation*
marianøklebånd → *cowslip*
marihuana → *marijuana, pot*
marihøne → *ladybird*
marina → *marina*
marinade → *marinade*
marine → *naval, navy*
marineblå → *navy(-blue)*
marineoffiser → *naval officer*
marinere → *marinade, marinate, steep*
marinesoldat → *marine*
marionett → *puppet*
marionettdukke → *puppet*
marionettregjering → *puppet government*
maritim → *maritime*
mark → *maggot, mark, sod, worm*
markant → *distinctive*
marked → *bazaar, market, marketplace*
markedsanalyse → *market analysis*
markedsbehov → *market demand*
markedsdag → *market day*
markedsføre → *market*
markedsføring → *marketing*
markedskrefter → *market forces*
markedspris → *market price*
markedssjef → *marketing manager*
markedsundersøkelser → *market research*
markedsverdi → *market value*
markedsøkonomi → *free-market economy, market economy*
markere → *mark*
markert → *marked, markedly*
marki → *marquess, marquis*
markise → *awning*
markør → *cursor, marker*
markørpenn → *highlighter*
marmelade → *marmalade*
marmor → *marble*
marokkaner → *Moroccan*
marokkansk → *Moroccan*
Marokko → *Morocco*
Marrakech → *Marrakech, Marrakesh*
mars → *March*
Mars → *Mars*
marsboer → *Martian*
marshmallow → *marshmallow*
marsipan → *marzipan*
marsj → *march*
marsjere → *march, parade*
marsjfart → *cruising speed*
marskalk → *marshal*
marsvin → *guinea pig*
martyr → *martyr*
martyrdød → *martyrdom*
marxisme → *Marxism*
marxist → *Marxist*
marxistisk → *Marxist*
mas → *hassle*
mascara → *mascara*
mase (på) → *badger, go on at, hassle, nag*
maske → *mask, stitch*
maskerade → *masquerade*
maskere → *mask*
maskeringstape → *masking tape*
maskespill → *charade*
maskin → *engine, machine*
maskinarbeider → *machinist*
maskinbearbeide → *machine*
maskiner → *machinery*
maskineri → *machinery*
maskinfeil → *malfunction*
maskinfører → *operator*
maskingevær → *machine gun*
maskiningeniør → *mechanical engineer*
maskinist → *engineer*
maskinlesbar → *machine-readable*
maskinoversettelse → *MT*
maskinpistol → *submachine gun*
maskinskrevet → *typewritten*
maskinskrive → *type*
maskinskriver → *audio-typist, copy typist, typist*
maskinskriverske → *copy typist, typist*
maskinskriving → *typing*
maskinspråk → *machine language*
maskinteknikk → *mechanical engineering*
maskinvare → *hardware*
maskinverksted → *machine shop*
maskinverktøy → *machine tool*
maskot → *mascot*
maskulin → *butch, masculine*
maskulinitet → *masculinity*
masochisme → *masochism*
masochist → *masochist*
masovn → *blast furnace*
massakre → *massacre*
massakrere → *massacre*
massasje → *massage*
masse → *bulk, mass, mob, throng, volume*
masseforsendelse → *mailshot*
masse(inn)kjøp → *bulk buying*
massemøte → *mass meeting*
massene → *mass*
masseproduksjon → *mass-production*
masseprodusere → *mass-produce*
massere → *massage*
massescene → *crowd scene*
massevis → *plenty*
massevis av → *plenty*

masseødeleggelse → *holocaust*
massiv → *massive, solid, substantial*
massør → *masseur*
massøse → *masseuse*
mast → *mast*
mastektomi → *mastectomy*
master → *master*
mastiff → *mastiff*
masturbere → *masturbate*
masturbering → *masturbation*
mat → *food, grub*
matbit → *snack*
matche med → *match*
matchende → *matching*
mate → *feed*
matematiker → *mathematician*
matematikk → *mathematics*
matematisk → *mathematical*
materiale → *material*
materialisere seg → *materialize*
materialistisk → *acquisitive, materialistic*
materie → *matter, pus*
materiell → *material*
matfett → *shortening*
matforgiftning → *food poisoning*
matiné → *matinée*
matjord → *loam*
matkupong → *food stamp*
matlaging → *cookery, cooking*
matlyst → *appetite*
matolje → *salad oil*
matpakke → *packed lunch*
matpapir → *greaseproof paper*
matriarkalsk → *matriarchal*
matrise → *matrix*
matriseskriver → *dot-matrix printer*
matroneaktig → *matronly*
matskap → *pantry*
matt → *feeble, frosted, matt, wan*
matte → *mat, math, maths*
matvarer → *foodstuffs*
maur → *ant*
Mauretania → *Mauritania*
maurisk → *Moorish*
Mauritius → *Mauritius*
maursluker → *anteater*
maurtue → *ant-hill, hive*
mausoleum → *mausoleum*
med → *by, in, with*
med en gang → *directly, quick*
med mindre → *unless*
medalje → *medal*
medaljevinner → *medallist*
medaljong → *locket, medallion*
medarbeider → *collaborator*
meddele → *communicate, impart*
meddelelse → *announcement, communication*
meddelsom → *communicative*
medeier → *partner*
medeierskap → *co-ownership*
medforfatter → *co-author*
medfødt → *congenital, inborn, inbred, inherent, inherently, innate, native*
medfølelse → *compassion, sympathy*
medfølende → *compassionate, sympathetic, sympathetically*
medfølgende → *attendant*
medføre → *carry, entail, imply, involve*
medgang → *prosperity*
medgift → *dowry*
medgjørlig → *amenable, docile*
medhjelper → *auxiliary, helper*
mediarettssak → *show trial*
medisin → *medication, medicine, prescription*
medisinmann → *medicine man*
medisinsk → *medical, medicated, medicinal*
medisinskap → *medicine chest*
medisin(er)student → *medical student*
meditasjon → *meditation*
meditere → *meditate*
medium → *medium*
medlem → *fellow, member*
medlemskap → *membership*
medlemskort → *membership card*
medlemsmasse → *membership*
medlemstall → *membership*
medlidende → *compassionate, pitying*
medlidenhet → *compassion, pity*
medmenneskelighet → *humanity*
medmennesker → *fellow men*
medsammensvoren → *accomplice, confederate*
medsjåfør → *co-driver*
medskyldig → *accomplice*
medskyldighet → *complicity*
medspiller → *partner*
medtatt → *battered, beat-up*
medunderskriver → *cosignatory*
medvind → *tailwind*
medvirkende → *contributory*
medynk → *pity*
meg → *me, myself*
megabyte → *megabyte*
megafon → *megaphone*
megawatt → *megawatt*
meget → *deeply, most, very*
megetsigende → *knowing, knowingly, meaningful, significant, significantly*
megge → *bag*
megling → *conciliation*
mei → *runner*
meie → *runner*
meie ned → *mow down*
meieri → *creamery, dairy*
meieriprodukter → *dairy products*
meieriutsalg → *creamery, dairy, dairy store*
meis → *Brownie, tit*
meisel → *chisel*
meitemark → *earthworm*
mekaniker → *mechanic*
mekanikk → *mechanics*
mekanisere → *mechanize*
mekanisering → *mechanization*
mekanisk → *mechanical, perfunctory*
mekanisme → *mechanism, works*
Mekka → *Mecca*
mekle → *mediate*
mekler → *broker, mediator*
meklerprovisjon → *brokerage*
meklervirksomhet → *brokerage*
mekling → *mediation*
meksikaner → *Mexican*
meksikansk → *Mexican*
mektig → *mighty, potent, powerful, rich, stodgy*
mel → *flour*
melankoli → *melancholy*
melankolsk → *maudlin, melancholy*
melasse → *molasses*
melbolle → *dumpling*
melde → *bid, enrol, report, turn in*
melde om → *report*
melde på → *enter*
melde seg → *register, sign on, sign up, volunteer*
melde seg inn i → *join*
melde seg opp til → *enter for*
melde seg på → *enter*
melding → *advice, announcement, notification, report*
meldingsblad → *newsletter*
meldugg → *mildew*
melk → *milk*

melke → *milk*
melkebil → *milk float*
melkebu → *dairy*
melkehvit → *milky*
melkeku → *money-spinner*
melkemann → *milkman, roundsman*
melkeprodukter → *dairy products*
melkesjokolade → *milk chocolate*
melkespann → *churn*
melketann → *milk tooth*
melking → *milking*
mellom → *between, in-between, intermediate, middle*
Mellom-Amerika → *Central America*
mellombølge → *medium wave*
mellomgulv → *diaphragm*
mellomliggende → *intervening*
mellommann → *go-between, intermediary, middleman*
mellomnavn → *middle name*
mellomrom → *gap, interval, space, spacing*
mellomromstast → *space bar*
mellomspill → *interlude*
mellomstor → *medium-sized*
mellomting → *cross, halfway house, hybrid*
mellomvekter → *middleweight*
melodi → *air, melody, tune*
melodisk → *tuneful*
melodiøs → *melodious, musical, tuneful*
melodrama → *melodrama*
melodramatisk → *melodramatic*
melon → *melon*
membran → *membrane*
memoarer → *memoirs, reminiscences*
memorere → *memorize*
men → *but, though*
menasjeri → *menagerie*
mene → *figure, mean, think*
mened → *perjury*
mengde → *amount, crowd, mass, multitude, quantity, set*
menig → *ordinary seaman, private, squaddie*
menig soldat → *GI*
menighet → *congregation, parish*
mening → *idea, meaning, opinion*
meningitt → *meningitis*
meningsfylt → *fulfilled, full, meaningful*
meningsløs → *gratuitous, meaningless, mindless, nonsensical, pointless, senseless*
meningsmåler → *pollster*
meningsmåling → *opinion poll, poll*
menneske → *human, individual, person*
menneskeape → *ape*
menneskeheten → *humanity, man, mankind*
menneskelig → *human, humanly*
menneskeliknende → *humanoid*
mennesker → *people*
menneskerettigheter → *human rights*
menneskeslekten → *mankind*
mennesket → *man*
menneskevenn → *philanthropist*
menneskevennlig → *philanthropic*
menneskeverd → *humanity*
mens → *whereas, while*
menstruasjon → *menstruation, period*
menstruasjons- → *menstrual*
menstruasjonssmerter → *period pains*
menstruell → *menstrual*
menstruere → *menstruate*
mental → *mental*
mentalitet → *mentality*
mentalsykehus → *mental hospital*
mentol → *menthol*
mentor → *mentor*
menuett → *minuet*
meny → *menu*
menystyrt → *menu-driven*
mer → *further, more*
merian → *marjoram* EF> *meridian*
meritokrati → *meritocracy*
merk vel → *NB*
merkantil → *mercantile*
merkbar → *appreciable, measurable, noticeable, observable, perceptible*
merkbart → *appreciably, notably*
merke → *badge, brand, detect, label, make, mark, marker, observe, scar*
merke av → *mark off*
merke opp → *mark out*
merke seg → *note*
merkedag → *red-letter day*
merkelapp → *docket, label, tab, tag*
merkelig → *curious, curiously, funnily, funny, odd, oddly, peculiar, peculiarly, strange, strangely*
merkenavn → *brand name, trade name*
merkepenn → *marker*
merket → *scarred*
merking → *marking*
merkverdig → *extraordinary*
merr → *cow, mare*
meslinger → *measles*
messaninetasje → *mezzanine*
messe → *bazaar, chant, fair, mess*
messebok → *missal*
messing → *brass, chant*
mest(e) → *most*
mester → *champion, master*
mesterlig → *crack, masterly*
mesterskap → *championship*
mesterverk → *masterpiece*
mestre → *master*
mestring → *mastery*
metabolisme → *metabolism*
metafor → *metaphor*
metaforisk → *metaphorical*
metafysikk → *metaphysics*
metall- → *metallic*
metall → *metal*
metallaktig → *metallic*
metallarbeid → *metalwork*
metallic → *metallic*
metallisk → *metallic, tinny*
metalltråd → *wire*
metallurgi → *metallurgy*
metamorfose → *metamorphosis*
metan → *methane*
meteor → *meteor*
meteoritt → *meteorite*
meteorolog → *weatherman*
meteorologi → *meteorology*
meteorologisk → *meteorological*
meter → *meter, metre*
metersystem → *metric system*
metning → *saturation*
metningspunkt → *saturation*
metode → *method, procedure*
metodisk → *methodical*
metodist → *Methodist*
metodologi → *methodology*
metrisk → *metric, metrical*
metronom → *metronome*
metropol → *metropolis*
mette → *satiate*
mettende → *satisfying*
mettet → *mellow*
Mexico → *Mexico*
Mexico by → *Mexico City*
mfl → *et al.*
MHz → *MHz*
mi → *my*
middag → *dinner*

middagsgjest → *diner*
middagsselskap → *dinner party*
middagsservise → *dinner service*
middagstid → *dinner time*
middel → *agent, cure, vehicle*
middelalder → *middle age*
middelaldersk → *medieval*
middelaldrende → *middle-aged*
middelmådig → *indifferent, mediocre, undistinguished*
middelmådighet → *mediocrity*
middels → *mean, medium, middling*
middeltall → *mean*
midi-system → *midi system*
midje → *middle, waist*
midler → *fund, means, resource*
midlertidig → *interim, temporarily, temporary*
midnatt → *midnight*
midt i → *amid(st)*
midt imot → *opposite*
midte → *centre, middle*
midterst → *middle*
midtgang → *aisle, gangway*
midtpunkt → *focal point, hub, pivot*
midtrabatt → *central reservation, median*
midtside → *centrefold, centre spread*
midtsommer → *midsummer*
midtveis → *halfway*
migrene → *migraine*
mikro → *micro...*
mikrobe → *microbe*
mikrobiologi → *microbiology*
mikrobølgeovn → *microwave*
mikrochip → *chip*
mikrodatamaskin → *micro(computer)*
mikroelektronikk → *microelectronics*
mikrofiche → *microfiche*
mikrofilm → *microfilm*
mikrofly → *microlight*
mikrofon → *microphone, mike*
mikrokosmos → *microcosm*
mikrometer → *micrometer*
mikroprosessor → *microprocessor*
mikroskop → *microscope*
mikroskopisk → *microscopic*
mikroøkonomi → *microeconomics*
mikse → *mix*
mikser → *food mixer, mixer*
miksmaster → *food mixer, mixer*
mikstur → *mixture*
Milano → *Milan*
mild → *clement, gentle, lenient, mild*
mildhet → *clemency, gentleness, leniency, mildness, softness*
mildne → *alleviate, mellow, mitigate, moderate, placate, redeem, relieve, temper*
mildnet → *mellow*
mildt → *gently, leniently, mildly*
milepæl → *landmark, milestone*
milestein → *milestone*
militant → *militant*
militant person → *militant*
militarisme → *militarism*
militaristisk → *militaristic*
milits → *militia*
militær → *martial, military, regimented*
militæret → *force*
militærnekter → *conscientious objector*
militærparade → *tattoo*
militærpoliti → *military police*
militærtjeneste → *military service, national service*
miljø → *environment, environmental, fraternity, green, milieu*
miljøbevaring → *conservation*
miljømessig → *environmental*
miljøvennlig → *ecofriendly*
miljøverner → *environmentalist*
millenium → *millennium*
milli → *milli...*
milliard → *billion*
milligram → *milligram(me)*
milliliter → *millilitre*
millimeter → *millimetre*
millimeterpapir → *graph paper*
million → *million*
millionær → *millionaire*
milt → *spleen*
mime → *mime*
mimiker → *mime*
miming → *mime*
min → *mine, my*
minaret → *minaret*
mindre → *less, lesser, minor*
mindreverdig → *inferior, menial*
mindreverdighetskompleks → *inferiority complex*
mindreårig → *minor, under-age*
mine → *mine, my*
minedetektor → *mine detector*
minefelle → *booby trap*
minefelt → *minefield*
minelegge → *mine*
mineral → *mineral*
mineralogi → *mineralogy*
mineralvann → *mineral, mineral water*
minesveiper → *minesweeper*
mini → *mini...*
miniatyr → *miniature*
minibank → *ATM, cash dispenser, cashpoint*
minibankkort → *cash card*
minibuss → *minibus*
minidatamaskin → *minicomputer*
minigolfbane → *putting green*
minimal → *minimal, scanty*
minimalisere → *minimize*
minimalistisk → *minimalist*
minimum → *minimum*
minimumspris → *upset price*
miniserie → *miniseries*
miniskjørt → *miniskirt*
minister → *minister*
mink → *mink*
minke → *dwindle, shrink*
minkende → *dwindling*
minkkåpe → *mink coat*
minne → *memento, memory, remembrance*
minnehøytidelighet → *commemoration*
minnes → *commemorate, recall, recollect*
minnesmerke → *cenotaph, memorial, monument, shrine*
minnetavle → *plaque*
minneutstilling → *retrospective*
minneverdig → *memorable*
Minorca → *Minorca*
minoritet → *minority*
minske → *ease, lessen, narrow, reduce*
minst → *least*
minstepris → *reserve price, upset price*
minus → *disadvantage, minus*
minutt → *minute*
minuttviser → *minute hand*
mirakel → *miracle*
mirakuløs → *miraculous*
misantrop → *misanthropist*
misbilligelse → *disapproval*
misbilligende → *deprecating, disapproving*
misbruk → *abuse, misuse*
misbruke → *abuse, misuse*
misdannelse → *deformity*
misdannet → *misshapen*
miserabel → *miserable*
misfarge → *discolour*
misfarget → *discolo(u)red*

misfarging → *discolo(u)ration*
misforhold → *disproportion*
misfornøyd → *disaffected, discontented, disgruntled, dissatisfied*
misforstå → *misunderstand*
misforståelse → *misconception, misunderstanding*
misforstått → *misunderstood*
mishag → *disfavour*
mishandle → *abuse, batter, ill-treat, maltreat, manhandle, mistreat*
mishandling → *abuse, ill-treatment*
misjon → *mission*
misjonsstasjon → *mission*
misjonær → *missionary*
mislike → *deprecate, dislike, resent*
mislykkes → *fail, flop*
mislykket → *abortive, unsuccessful*
misnøye → *disaffection, discontent, displeasure, dissatisfaction*
mistanke → *suspicion*
miste → *forfeit, lose, shed*
misteltein → *mistletoe*
mistenke → *suspect*
mistenkelig → *suspect, suspicious*
mistenksom → *suspicious*
mistenkt → *suspect*
mistillit → *distrust*
mistilpasset → *maladjusted*
mistro → *disbelieve, distrust, mistrust*
misunne → *envy*
misunnelig → *envious, jealously*
misunnelse → *envy*
misunnelsesverdig → *enviable*
misère → *misery*
mitt → *mine, my*
mjaue → *mew, miaow*
mo → *heath, moor*
mobbe → *bully, harass*
mobbing → *bullying*
mobil → *mobile*
mobilisere → *mobilize*
mobilitet → *mobility*
mobiltelefon → *car phone, cellphone, mobile phone*
modell → *mock-up, model, sitter*
modellere → *model*
modellerleire → *Plasticine*
modelljernbane → *model railway*
modellør → *modeller*
modem → *modem*
moden → *mature, ripe*
modenhet → *maturity, ripeness*
moder- → *native*
moderasjon → *moderation*
moderat → *mild, moderate*
moderere → *moderate, modulate*
moderlig → *maternal, motherly*
moderne → *contemporary, latter-day, modern, present-day, up-to-date*
modernisere → *modernize*
modernisering → *modernization*
moderselskap → *parent company*
modifikasjon → *modification, modulation*
modifisere → *modify*
modifisering → *modification*
modig → *courageous*
modne → *mature, ripen*
modul → *module*
modulasjon → *modulation*
modulere → *modulate*
modus → *mode*
Mogadishu → *Mogadishu*
mohair → *mohair*
mokkasin → *moccasin*
moldvarp → *mole*
molekyl → *molecule*
moll → *minor*
molo → *breakwater*
moment → *momentum*
momentan → *instantaneous*
momentant → *instantly*
moms → *VAT, vat*
momsfri → *zero-rated*
Monaco → *Monaco*
monark → *monarch*
monarki → *monarchy*
monarkist → *monarchist*
monegasser → *Monegasque*
monegassisk → *Monegasque*
monetarist → *monetarist*
monetaristisk → *monetarist*
monetær → *monetary*
mongol → *Mongol, Mongolian*
Mongolia → *Mongolia*
mongoloid → *mongol*
mongolsk → *Mongol, Mongolian*
monitor → *monitor*
mono- → *mono*
monogam → *monogamous*
monogram → *monogram*
monokkel → *eyeglass*
monolitt → *monolith*
monolittisk → *monolithic*
monolog → *monologue*
monoplan → *monoplane*
monopol → *monopoly*
monopolisere → *monopolize*
monoton → *monotonous*
monotoni → *monotony*
monpolisere → *monopolize*
monster → *monster*
monstrum → *monstrosity*
monsun → *monsoon*
Mont Blanc → *Mont Blanc*
montasje → *montage*
montere → *assemble, mount*
montering → *assembly*
Montreal → *Montreal*
montør → *fitter*
monument → *monument*
monumental → *monumental*
moped → *moped*
mopp → *mop*
mor → *mother, parent*
moral → *ethics, moral, morale, morality*
moralisere → *preach*
moralsk → *moral, morally*
moratorium → *moratorium*
morbid → *morbid*
morbær → *mulberry*
morbærtre → *mulberry*
mord → *homicide, murder*
morder → *cut-throat, killer, murderer, murderess*
morderisk → *homicidal, murderous*
more → *amuse, tickle*
morfar → *grandfather*
morfin → *morphine*
morgen → *morning*
morgendag → *tomorrow*
morgenkjole → *housecoat*
morgenkvalme → *morning sickness*
morgenkåpe → *dressing gown, robe*
morkake → *placenta*
morkne → *mo(u)lder*
mormoner → *Mormon*
mormor → *grandmother*
morna → *bye(-bye), cheerio, goodbye*
morn igjen → *cheerio*
moro → *fun*

moromann → *showman*
morse → *Morse*
morsk → *grim, gruff*
morskap → *maternity*
morskt → *roughly*
morsmål → *mother tongue*
morsom → *amusing, funny*
morsrolle → *motherhood*
morter → *mortar*
mos → *pulp*
mosaikk → *medley, mosaic*
Mosambik → *Mozambique*
mosatt → *contrary*
mose → *liquidize, mash, moss*
mosegrodd → *mossy*
mosjon → *exercise, keep fit*
mosjonere → *exercise*
moskus → *musk*
moskusrotte → *muskrat, musquash*
Moskva → *Moscow*
moské → *mosque*
mot → *against, bottle, bravery, courage, nerve, toward(s)*
motangrep → *counterattack*
motarbeide → *thwart*
motbevis → *rebuttal*
motbevise → *disprove, rebut*
motbydelig → *abominable, abominably, disgusting, foul, offensive, repugnant, revolting*
mote → *fashion, trend, vogue*
motell → *motel*
motemolo → *catwalk*
moteord → *buzz word*
moteriktig → *fancy, fashionable, trendy*
moteshow → *fashion show*
moteskaper → *fashion designer*
motetegner → *designer*
motfallen → *crestfallen*
motforslag → *counter-proposal*
motgang → *adversity*
motgift → *antidote*
motiv → *motif, motive*
motivasjon → *motivation*
motivere → *motivate*
motivert → *motivated*
motløs → *despondent, dispirited*
motløshet → *discouragement*
motoffensiv → *counter-offensive*
motor → *engine, motor*
motorblokk → *cylinder block*
motorbåt → *motorboat, powerboat*
motordrevet → *power-driven*
motorisert → *motorized*
motorkjøretøy → *motor vehicle*
motorolje → *motor oil*
motorstopp → *breakdown, engine failure*
motorsykkel → *motorbike, motorcycle*
motorsykkelløp → *motorcycle racing, rally*
motorsyklist → *motorcyclist, rider*
motorvansker → *engine trouble*
motorvei → *freeway, motorway, turnpike*
motsatt → *contrary, converse, conversely, opposing, opposite, reverse*
motsetning → *contrast*
motsi → *contradict, gainsay*
motsigelse → *contradiction*
motstand → *discouragement, opposition, resistance*
motstander → *adversary, antagonist, opponent*
motstandere → *opposition*
motstandskraft → *resistance*
motstrebende → *grudging, grudgingly*
motstridende → *conflicting, contradictory, opposing, warring*
motstykke → *counterpart, equivalent*
motstå → *resist*
motta → *greet, receive*
mottak → *reception centre*
mottakelig → *responsive*
mottakelse → *receipt, reception, welcome*
mottaker → *payee, receiver, recipient*
mottakerforhold → *reception*
mottatt → *rec'd*
mottiltak → *counter-measure*
motto → *motto, watchword*
motvilje → *antagonism, antipathy, aversion, disfavour, reluctance*
motvillig → *grudging, grudgingly, reluctantly, unwillingly*
motvind → *headwind*
motvirke → *counter, counteract*
mousse → *mousse*
MS → *MV*
mudder → *sludge*
mudderbanke → *mud flats*
mudpack → *mudpack*
mudre → *dredge*
mudringsbåt → *dredger*
mudringsmaskin → *dredger*
mugg → *mildew, mould*
mugge → *jug, pitcher*
muggen → *fusty, mo(u)ldy*
muhammedansk → *Islamic*
mulatt → *mulatto*
muldyr → *mule*
mulig → *possible*
muligens → *arguably, possibly*
mulighet → *avenue, chance, facility, possibility, potential*
muligheter → *facilities, opportunity, potential*
mulitimedia- → *multimedia*
mulkt → *forfeit*
multi → *multi...*
multilateral → *multilateral*
multimillionær → *multi-millionaire*
multinasjonal → *multinational*
multiplikasjon → *multiplication*
multiplikasjonstabell → *multiplication table*
multiplum → *multiple*
multippel sklerose → *multiple sclerosis*
mumie → *mummy*
mumifisere → *mummify*
mumle → *mumble, murmur, mutter*
mumling → *murmur*
munk → *friar, monk*
munn → *mouth*
munnbitt → *bit*
munnfull → *mouthful*
munnhuggeri → *spat, squabble*
munning → *mouth, muzzle*
munnkurv → *muzzle*
munn-og-klovsyke → *foot and mouth (disease)*
munnspill → *harmonica, mouth organ*
munnstykke → *mouthpiece, nozzle*
munnsår → *ulcer*
munnvann → *mouthwash*
munter → *cheerful, gay, jolly, merry*
munterhet → *cheerfulness, gaiety, levity, merriment, mirth*
muntert → *gaily, merrily*
muntlig → *oral, verbal*
mur → *wall*
murer → *bricklayer, plasterer*
murrende → *nagging*
murskje → *trowel*
murste(i)n → *brick*
mus → *mouse*
musak → *Muzak*
muse → *muse*
musefelle → *mousetrap*
museflетter → *bunch*
musegrå → *mousy*
museum → *museum*

musikal → *musical*
musikalsk → *musical*
musiker → *musician*
musikk → *music*
musikkanlegg → *sound system*
musikkinstrument → *musical instrument*
musikkpaviljong → *bandstand*
musk → *musk*
muskat → *nutmeg*
muskatblomme → *mace*
muskatnøtt → *nutmeg*
muskel → *muscle*
muskelmann → *strongman*
muskelsterk → *brawny*
muskelstrekk → *crick*
muskeltrekning → *tic*
muskett → *musket*
muskuløs → *muscular*
muslim → *Muslim*
muslimsk → *Islamic, Muslim*
musling → *clam, mussel*
musselin → *muslin*
musserende → *sparkling*
musvåk → *buzzard*
mutant → *mutant*
mutasjon → *mutation*
mutere → *mutate*
mutt → *dour, morose, sullen*
mutter → *nut*
mye → *lot, much, plenty*
mygg → *gnat, mosquito*
myggnetting → *mosquito net*
myk → *smooth, soft, supple*
myke opp → *loosen up, soften*
mykhet → *softness*
mykne → *soften*
mykne opp → *loosen up*
mylder → *swarm*
myldre → *swarm*
myldre omkring → *mill*
myndig → *authoritative, masterful*
myndighet → *authority, power*
myndighetene → *authority*
myndighetsinstans → *authority*
myndighetsområde → *jurisdiction*
mynt → *coin*
myntapparat → *coin box, slot meter*
mynte → *mint*
myntinnkast → *slot*
myr → *bog, marsh, quagmire*
myrde → *assassinate, murder*
myriade → *myriad*
myrlendt → *marshy*
myrra → *myrrh*
myse → *squint, whey*
mysterium → *enigma, mystery, puzzle*
mystiker → *mystic*
mystikk → *mystery, mystique*
mystisk → *mysterious, mystic(al), phantom, uncanny*
myte → *myth*
mytisk → *mythical*
mytologi → *mythology*
mytologisk → *mythological*
mytteri → *mutiny*
mø → *maiden*
møbelpolish → *furniture polish, polish*
møbelsnekker → *cabinet-maker*
møbler → *furnishings, furniture*
møkk → *dung, muck*
møkkete → *mucky*
møll → *moth*
mølle → *mill*
møllehjul → *millwheel*
møller → *miller*
møllestein → *millstone*
møllkule → *mothball*
møllsikker → *moth-proof*
møllspist → *moth-eaten*
mønster → *design, epitome, model, pattern*
mønsterbruk → *showpiece*
mønsterdybde → *tread*
mønstergyldig → *model*
mønstre → *eye, muster*
mønstret → *patterned*
mør → *tender*
mørdeig → *shortcrust pastry*
mørhet → *tenderness*
mørk → *dark, dim, dusky, sombre*
mørke → *dark, darkness, gloom*
mørkerom → *darkroom*
mørklegging → *blackout*
mørkne → *cloud over, darken*
mørne → *tenderize*
mørtel → *mortar*
møte → *come up against, confront, convention, encounter, join, meet, meet with, meeting, session, sitting*
møte fram → *appear*
møte opp → *roll up, turn out, turn up*
møteleder → *chair*
møtelokale → *conference room*
møtende → *oncoming*
møteplager → *heckler*
møteplass → *passing place*
møtes → *converge, join, meet, meet up, rendezvous*
møtested → *meeting-place, rendezvous*
møysommelig → *laborious, uphill*
måke → *gull, seagull*
måke i → *muck out*
mål → *aim, dimension, goal, index, measure, measurement, objective, purpose, target*
målbar → *measurable*
målbevisst → *deliberately, determined, purposeful*
målbevissthet → *purpose*
måle → *gauge, measure, size up*
målebånd → *tape measure*
måleinstrument → *gauge*
målepinne → *dip rod, dipstick*
måler → *gauge, indicator, meter*
målestokk → *benchmark, scale, standard, yardstick*
målforskjell → *goal difference*
målfoto → *photo finish*
mållinje → *finishing line*
målløs → *speechless*
målrettet → *single-minded*
målskårer → *scorer*
målstang → *post*
målstolpe → *goal post*
målstrek → *finishing line*
målsøkende → *homing*
måltid → *feed, meal, mealtime, repast*
målvakt → *goalkeeper*
måndes- → *monthly*
måne → *moon*
måned → *month*
månedlig → *monthly*
månelys → *moonlight*
måneskinn → *moonlight*
måpe → *gape*
måte → *fashion, manner, mean, way*
måtehold → *moderation*
måtelig → *so-so, undistinguished*
måtte → *must, would*
München → *Munich*
müsli → *muesli*

N

N, n → *N, n*
nabo → *neighbour*
nabohjelp → *neighbourhood watch*
nabolag → *neighbourhood*
nag → *grudge, rancour*
nagende → *nagging*
nagle → *rivet, stud*
Nairobi → *Nairobi*
naiv → *naïve*
naivitet → *naivety*
naken → *bare, gaunt, naked, nude, stark*
nakenkoloni → *nudist colony*
nakent {or} bart fjell → *rock face*
nakkesleng → *whiplash*
nakkestøtte → *headrest*
napalm → *napalm*
Napoli → *Naples*
napolitaner → *Neapolitan*
napolitansk → *Neapolitan*
nappe → *pluck*
narkoman → *addict, drug addict, junkie*
narkoselege → *anaesthetist*
narkotika → *drug, narcotic*
narkotikalanger → *drug peddler*
narkotikum → *narcotic*
narkotisk → *narcotic*
narr → *jester*
narre → *deceive, delude, double-cross, trick*
narresmokk → *pacifier*
narsiss → *narcissus*
narsistisk → *narcissistic*
NASA → *NASA*
nasal → *nasal*
Nasaret → *Nazareth*
nasjon → *nation*
nasjonal → *national*
nasjonaldrakt → *national dress*
nasjonalhymne → *national anthem*
nasjonalisere → *nationalize*
nasjonalisering → *nationalization*
nasjonalisme → *nationalism*
nasjonalist → *nationalist*
nasjonalistisk → *nationalist*
nasjonalitet → *nationality*
nasjonalpark → *national park*
nasjonalsang → *national anthem*
nasjonalt → *nationally*
naske → *pilfer*
naskeri → *pilfering*
nasking → *shoplifting*
Nassau → *Nassau*
NATO → *NATO*
natrium → *sodium*
natriumbikarbonat → *bicarbonate of soda*
natriumglutamat → *monosodium glutamate*
natriumklorid → *sodium chloride*
natron → *bicarbonate of soda*
natt- → *midnight, nightly, nocturnal*
natt → *night, night-time*
natteliv → *nightlife*
nattergal → *nightingale*
nattetid → *night-time*
nattevakt → *night watchman*
nattevåking → *vigil*
nattkjole → *nightdress*
nattklubb → *nightclub*
nattklubbvertinne → *hostess*
nattlig → *nocturnal*
nattog → *sleeper*
nattportier → *night porter*
nattpotte → *chamberpot*
nattsafe → *night safe*
nattskift → *night shift*
nattverd → *communion*
nattverdbrød → *host*
nattåpen → *all-night*
natur → *countryside, disposition, nature, scenery*
naturen → *nature*
naturfag → *science*
naturgass → *natural gas*
naturist → *naturist, nudist*
naturlig → *natural, naturally*
naturlighet → *naturalness*
naturligvis → *naturally*
naturperle → *beauty spot*
naturreservat → *nature reserve*
naturressurser → *natural resources*
naturris → *brown rice*
naturskjønn → *scenic*
natursti → *nature trail*
naturstridig → *unnatural*
natursvin → *litterbug*
naturvern → *conservation*
naturverner → *conservationist, environmentalist*
naturvitenskap → *science*
nav → *hub*
navigasjon → *navigation*
navigatør → *navigator*
navigere → *navigate*
navle → *belly button, navel*
navlestreng → *umbilical cord*
navn → *handle, name*
navn adresse osv → *particular*
navnebror → *namesake*
navneskilt → *nameplate*
navnesøster → *namesake*
navnetrekk → *signature*
navngi → *name*
navnløs → *nameless, unnamed*
nazist → *Nazi*
NB → *NB*
nebb → *beak, bill*
nebbtang → *pliers*
ned → *down, downstairs, underfoot*
nedadgående → *decreasing*
nedbetale → *pay back*
nedblenderknapp → *dip switch*
nedbrutt → *broken-down*
nedbrytende → *disruptive*
nedbør → *precipitation, rainfall*
neddempet → *subdued*
neddykking → *submersion*
nede → *down, downstairs*
nedenfor → *below, beneath*
nedenunder → *downstairs*
nederlag → *debacle, defeat, failure, reverse*
nederlandsk → *Dutch*
nederlender → *Dutchman, Dutchwoman*
nederst → *bottom*
nedfallsfrukt → *windfall*
nedfor → *blue, miserable*
nedgang → *drop, slide*
nedgangstider → *recession*
nedgradere → *downgrade*
nedlagt → *defunct, potted*
nedlatende → *condescending, overbearing, patronizing, supercilious*
nedlegge → *bag, shut down*
nedleggelse → *closure, shutdown*
nedlegging → *withdrawal*
nedover → *down, downhill, downstream, downward*
nedre → *lower*
nedrig → *base, squalid*

nedrivning → *demolition*
nedruste → *disarm*
nedrustning → *disarmament*
nedsatt → *reduced*
nedsenket → *sunken*
nedsettende → *derogatory, disparaging, pejorative*
nedskjæring → *cut, cutback, reduction, rundown*
nedslag → *downbeat*
nedslagsområde → *catchment area*
nedslakting → *slaughter*
nedslitt → *down-at-heel*
nedslående → *depressing, discouraging*
nedslått → *crestfallen, dejected, downcast, downhearted, miserably, rueful*
nedsmelting → *meltdown*
nedstemme → *outvote*
nedstigning → *descent*
nedtegne → *record*
nedtelling → *countdown*
nedtrykt → *blue, depressed, downbeat*
nedtur → *come-down*
nedverdige → *cheapen, degrade*
nedverdigelse → *indignity*
nedverdigende → *degrading, humiliating*
nedvurdere → *decry, denigrate*
nee → *wane*
negativ → *adverse, negative*
neger → *Negro*
negl → *nail*
neglebørste → *nailbrush*
neglebånd → *cuticle*
neglefil → *nailfile*
neglelakk → *nail polish*
neglelakkfjerner → *nail polish remover*
neglesaks → *nail scissors*
neglisjere → *neglect*
neglisjé → *negligee*
neglsaks → *clippers*
negresse → *Negress*
negroid → *Negro*
nei → *no*
neie → *curts(e)y*
neiing → *curts(e)y*
neimen → *why*
nek → *sheaf*
nekrolog → *obituary*
nektar → *nectar*
nektarin → *nectarine*
nekte → *deny, disclaim, refuse*
nektelse → *denial, negative*
nellik → *carnation*
nellikspiker → *clove*
nemlig → *namely, viz*
nennsom → *tentative*
nennsomt → *gently*
neo- → *neo...*
neolittisk → *neolithic*
neologisme → *neologism*
neon → *neon*
neonlys → *neon light*
neonskilt → *neon sign*
Nepal → *Nepal*
nepotisme → *nepotism*
neppe → *hardly, scarcely*
nerve → *nerve, vein*
nervegass → *nerve gas*
nervepirrende → *hair-raising*
nerver → *nerve*
nervesammenbrudd → *nervous breakdown*
nervesenter → *nerve-centre*
nerveslitende → *nerve-racking*
nervesystem → *nervous system*
nervevrak → *nervous wreck*
nervøs → *fraught, nervous, nervy*
nervøsitet → *nervousness*
nervøst → *nervously*
nes → *bluff, headland*
nese → *nasal, nose*
neseblod → *nosebleed*
neseblødning → *nosebleed*
nesebor → *nostril*
nesedråper → *nose drops*
nesevis → *cheeky, impertinent, pert*
neshorn → *rhinoceros*
nesle → *nettle*
neste → *coming, next*
nest best → *second-best*
nest sist → *penultimate*
nesten → *almost, near, nearly*
nesten(-) → *near*
nesten umerkelig → *subtly*
nestentreff → *near miss*
nestenulykke → *near miss*
nestformann → *vice-chairman, vice president*
nestkommanderende → *second-in-command*
nestsjef → *junior executive*
nett → *grid, mesh, net, network, web*
nettball → *netball*
netthet → *neatness*
netthinne → *retina*
netting → *netting*
nettinggardiner → *net curtains*
nettingstoff → *net*
netto- → *net*
nettopp → *just*
nettoutbetaling → *take-home pay*
nettverk → *grid, network*
nevekamp → *fistfight*
nevne → *cite, mention, quote*
nevner → *denominator*
nevralgi → *neuralgia*
nevrologisk → *neurological*
nevrose → *hang-up*
nevrotiker → *neurotic*
nevrotisk → *neurotic*
nevø → *nephew*
ni → *nine*
Niagarafossen → *Niagara Falls*
Nicaragua → *Nicaragua*
nicaraguaner → *Nicaraguan*
nicaraguansk → *Nicaraguan*
Nice → *Nice*
nidkjær → *zealous*
nidkjærhet → *zeal*
nidvise → *lampoon*
niende → *ninth*
niese → *niece*
nifs → *creepy, eerie, scary, spooky, uncanny*
Niger → *Niger*
Nigeria → *Nigeria*
nigerianer → *Nigerian*
nigeriansk → *Nigerian*
nihilisme → *nihilism*
nikk → *nod*
nikke → *nod*
nikkedukke → *yes-man*
nikkel → *nickel*
Nikosia → *Nicosia*
nikotin → *nicotine*
nippe til → *sip*
nippflo → *neap*
nise → *porpoise*
nisje → *alcove, niche, recess*
nisse → *goblin*
nitrist → *drab, dreary*
nitrogen → *nitrogen*
nitroglyserin → *nitroglycerin(e)*
nitten → *nineteen*

nittende → *nineteenth*
nitti → *ninety*
nivå → *count, level, standard*
Nobelpris → *Nobel Prize*
noe → *any, anything, some, something, somewhat*
noe sted → *anywhere*
noen → *any, anyone, either, few, some, someone*
noen gang → *ever*
noen ganger → *sometimes*
noen steder → *anywhere*
noensinne → *ever*
nok → *enough, will*
noksagt → *nitwit*
nokså → *rather*
nomade → *nomad*
nomadisk → *nomadic*
nominell → *nominal*
nominere → *nominate*
nonchalant → *airily, airy, negligent, negligently, off-hand*
nonkonformist → *nonconformist*
nonne → *nun*
nonnekloster → *nunnery*
nonsens → *nonsense*
nonsjalant → *nonchalant*
nord → *north, northern*
Nord-Afrika → *North Africa*
nordafrikaner → *North African*
nordafrikansk → *North African*
Nord-Amerika → *North America*
nordamerikaner → *North American*
nordamerikansk → *North American*
nordgående → *northbound*
Nord-Irland → *Northern Ireland, Ulster*
Nord-Korea → *North Korea*
nordlig → *northerly, northern*
nordmann → *Norwegian*
nordover → *north, northward(s)*
nordre → *northern*
nordsjøolje → *North Sea oil*
nordvest → *north-west*
nordvestlig → *north-west*
nordvestover → *north-west*
nordøst → *north-east*
nordøstlig → *north-east*
nordøstover → *north-east*
Norge → *Norway*
norlig → *north*
norm → *norm, standard*
normal → *normal, sane*
normalitet → *normality*
normalt → *normally*
Normandie → *Normandy*
normgivende → *prescriptive*
norsk → *Norwegian*
nostalgi → *nostalgia*
nostalgisk → *nostalgic*
notat → *memo, memorandum, note*
notatblokk → *memo pad, notepad*
note → *note*
notelinje → *stave*
noter → *music, notation, sheet music*
notere → *note*
notere ned → *take down*
notere seg → *note*
notere seg for → *chalk up, notch up*
notering → *quotation*
noteringsoverføring → *reverse-charge call*
notestativ → *music stand*
notesystem → *notation*
notis → *notice*
notisblokk → *jotter, memo pad, notepad, scratch pad*
notisbok → *jotter, notebook, pocketbook*
notorisk → *notorious, notoriously*
Nova Scotia → *Nova Scotia*
novelle → *short story*
november → *November*
novise → *novice*
nudist → *nudist*
nudler → *noodles*
nugat → *nougat*
null → *nil, nought, 0, zero*
nulløsning → *zero option*
numerisk → *numerical*
nummen → *dead, numb*
nummenhet → *numbness*
nummer → *act, code, lot, number, routine, turn*
nummerere → *number*
nummerskilt → *license plate, number plate*
nummerskive → *dial*
ny → *fresh, new, newness*
nyansatt → *recruit*
nyanse → *nuance, shade, subtlety*
nybegynner → *beginner, novice*
nybygger → *settler*
nydannelse → *coinage*
nydelig → *beautiful, beautifully, delicious, gorgeous, lovely*
nyfødt → *newborn*
nygifte → *newly-weds*
Ny-Guinea → *New Guinea*
nyhet → *current affairs, newness, news*
nyhetsartikkel → *novelty*
nyhetsbulletin → *news bulletin, newsflash*
nyhetsbyrå → *news agency*
nyhetsmelding → *news bulletin*
nyhetsoppleser → *newscaster, presenter*
nyhetsredaksjon → *newsroom*
nykomling → *newcomer*
nykommer → *newcomer*
nylig → *freshly, newly, recent, recently*
nylon → *nylon*
nylonstrømper → *nylon*
nymfe → *nymph*
nymfoman → *nymphomaniac*
nymotens → *new-fangled*
nymåne → *new moon*
nynne → *hum*
nyoppdaget → *new-found*
nyoppføre → *revive*
nyoppførelse → *revival*
nype → *hip*
nyperose → *briar*
nypetornbusk → *briar*
nyre → *kidney*
nyresvikt → *renal failure*
nyretalg → *suet*
nys → *sneeze*
nyse → *sneeze*
nysgjerrig → *curiously, nosy*
nysgjerrighet → *curiosity*
nyskapende → *creative*
nyte → *enjoy, relish, savour*
nytelse → *enjoyment*
nytte → *use, usefulness, utility*
nyttelast → *payload*
nytteløs → *useless, vain*
nyttig → *helpful, salutary, useful*
nyttiggjøre seg → *utilize*
nyttår → *New Year*
nyttårsaften → *Hogmanay, New Year's Eve*
Ny-Zealand → *New Zealand*
nyzealandsk → *New Zealand*
nyzealending → *New Zealander*
nyår → *New Year*
nær → *close, near*
nærbilde → *close-up*
nære → *cherish, harbour, nourish, nurse*
nærende → *nourishing, nutritious*
nærhet → *intimacy, nearness, proximity*

næring → *nourishment, nutrition, sustenance*
næringsdrivende → *trader*
næringskjede → *food chain*
næringsmiddel → *nutrient*
næringsmidler → *foodstuffs*
næringsrik → *nourishing, nutritious*
nærlys → *dimmers*
nærme → *near*
nærme seg → *approach, near*
nærmest → *next door*
nærmeste → *immediate, local*
nærsynt → *myopic, near-sighted, short-sighted*
nærsynthet → *short-sightedness*
nært → *closely*
nærtagende → *touchy*
nærvær → *presence*
nød → *emergency, need*
nødbluss → *flare*
nødbrems → *communication cord, emergency cord*
nøde → *press*
nødlanding → *emergency landing*
nødlidende → *needy*
nødlys → *hazard (warning) lights*
nødløsning → *stopgap*
nødnummer → *helpline*
nødsignal → *distress signal*
nødsituasjon → *emergency*
nødstedt → *deprived*
nødstilfelle → *emergency*
nødstilt → *deprived*
nødstopp → *emergency stop*
nødutgang → *emergency exit*
nødvendig → *necessary, required, requisite*
nødvendighet → *essential, necessity*
nødvendigvis → *necessarily*
nøkkel → *clef, clue, key*
nøkkelbarn → *latchkey child*
nøkkelhull → *keyhole*
nøkkelord → *clue*
nøkkelring → *key ring*
nøkkerose → *water lily*
nøktern → *conservative, severe, sober, thrifty*
nøkternhet → *severity, sobriety, thrift*
nøkternt → *modestly*
nøle → *delay, hang back, hesitate*
nølende → *hesitant, reluctant, reluctantly*
nøling → *hesitation*
nøste → *ball*
nøste opp → *roll, unravel*
nøtt → *nut*
nøtteaktig → *nutty*
nøttebrun → *hazel*
nøtteknekker → *nutcrackers*
nøtteskall → *nutshell*
nøtteskrike → *jay*
nøyaktig → *accurate, accurately, exact, exactly, faithful, faithfully, precise, precisely*
nøyaktighet → *accuracy, precision*
nøye → *closely, fastidious*
nøye seg med → *settle for*
nøysom → *thrifty*
nøysomhet → *thrift*
nøytral → *inert, neutral*
nøytralisere → *defuse, neutralize*
nøytralitet → *neutrality*
nøytron → *neutron*
nøytronbombe → *neutron bomb*
nå → *achieve, attain, catch, now, reach*
nå til → *get at, reach*
nåde → *grace, mercy*
nådeløs → *merciless, relentless, unmerciful*
nådig → *merciful*
nål → *needle, pin*
nålepute → *pincushion*
nåletre → *conifer*
nålevende → *contemporary, living*
når → *when*
nåtids- → *present-day*
nåværende → *current, existing, present*

O

O, o → *O, o*
oa → *et al.*
OAS → *OAS*
oase → *oasis*
OAU → *OAU*
obduksjon → *autopsy, postmortem*
obelisk → *obelisk*
oberst → *colonel*
oberstløytnant → *lieutenant-colonel*
objekt → *object*
objektglass → *slide*
objektiv → *detached, dispassionate, objective*
objektivitet → *objectivity*
objektivt → *objectively*
obligasjon → *bond*
obligatorisk → *compulsory, mandatory, obligatory*
obo → *oboe*
observant → *perceptive*
observasjon → *observation, perception*
observatorium → *observatory*
observatør → *observer*
observere → *monitor, observe*
obskur → *obscure, recondite*
obskøn → *obscene*
obskønitet → *obscenity*
obsternasig → *bolshy*
obstetrikk → *obstetrics*
odde → *headland, promontory*
ode → *ode*
odør → *odour*
OECD → *OECD*
offensiv → *offensive*
offentlig → *public, publicly*
offentliggjøre → *publicize, publish, reveal*
offer → *casualty, sacrifice, victim*
offergave → *offering*
offiser → *officer*
offisersutnevnelse → *commission*
offisiell → *card-carrying, official*
offisielt → *officially*
offroadsykkel → *mountain bike*
offshore → *offshore*
offside → *offside*
off-white → *off-white*
ofl → *et al.*
ofre → *sacrifice, toll*
ofring → *sacrifice*
oftalmolog → *ophthalmologist*
ofte → *frequently, often*
og → *and*
også → *also, too*
ogtagonal → *octagonal*
ohm → *ohm*
ojsann → *whoops*
OK → *all right, O.K., right*
oker → *ochre*
okkult → *occult*
okkupasjon → *occupation*
okkupere → *occupy*
okse → *bull, ox*
oksehalesuppe → *oxtail soup*
oksekjøtt → *beef*
oksespann → *yoke*
oksid → *oxide*

oksidere → *oxidize*
oksygen → *oxygen*
oksygen-acetylen- → *oxyacetylene*
oksygenmaske → *oxygen mask*
oksygentelt → *oxygen tent*
oktan → *octane*
oktav → *octave*
oktober → *October*
olabukse → *blue jeans*
olajakke → *denim jacket*
oldebarn → *great-grandchild*
oldefar → *great-grandfather*
oldemor → *great-grandmother*
olding → *geriatric*
oldtiden → *antiquity*
oldtidsgransker → *antiquarian*
oleander → *oleander*
oliven → *olive*
olivenfarget → *olive*
olivengrønn → *olive*
olivenolje → *olive oil*
oliventre → *olive*
olje → *oil*
oljebrønn → *oil well*
oljefelt → *oilfield*
oljefilter → *oil filter*
oljeflak → *oil slick, slick*
oljefyrt → *oil-fired*
oljehyre → *oilskins*
oljekanne → *oilcan*
oljekilde → *oil well*
oljelerret → *oilcloth*
oljemaleri → *oil painting*
oljepenger → *petrodollars*
oljepinne → *dip rod, dipstick*
oljeraffineri → *oil refinery*
oljerigg → *oil rig*
oljeskift → *oil change*
oljestandsviser → *oil gauge*
oljetanker → *oil tanker*
olympisk → *Olympic*
om → *about, if, in, on, whether*
om bord → *aboard*
omadressere → *redirect*
Oman → *Oman*
omarbeide → *revamp*
ombordstigning → *embarkation*
ombordstigningskort → *boarding pass*
ombud → *ombudsman*
ombudsmann → *ombudsman*
ombygging → *alteration, conversion*
omdanne → *reshape*
omdannelse → *conversion*
omdirigere → *divert, redirect, reroute*
omdreining → *rev, spin*
omdøpe → *rename*
omelett → *omelette*
omen → *omen*
omfang → *extent, girth*
omfangsrik → *bulky*
omfatte → *encompass, incorporate*
omfattende → *comprehensive, elaborate, extensive, full-scale, large-scale, sweeping*
omfavne → *embrace*
omfordele → *redistribute*
omformatere → *reformat*
omforme → *transform*
omforming → *transformation*
omgang → *dose, rotation, round, row*
omgang juling → *hiding*
omgi → *enclose, girdle, hedge in, surround*
omgivelser → *habitat, surroundings*
omgjengelig → *approachable*
omgjøre → *commute*
omgruppering → *redeployment*
omgå → *bypass, circumvent, get round, skate around*
omgående → *forthwith, promptly, urgently*
omgås → *fraternize, socialize*
omhyggelig → *carefully, diligent, meticulous, painstaking, scrupulous, scrupulously, studiously*
omjustere → *readjust*
omkalfatre → *revamp, shake up*
omkamp → *play-off, replay, run-off*
omkjøring → *detour, deviation, diversion*
omkledningsrom → *dressing room*
omkoder → *encoder*
omkomme → *perish*
omkostninger → *cost*
omkranse → *circle*
omkrets → *circumference, girth, perimeter, radius*
omkring → *about, around, roughly*
omkringliggende → *surrounding*
omkved → *chorus, refrain*
omlegging → *alteration*
omlyd → *umlaut*
omløp → *circulation*
omløpsmidler → *current assets*
omme → *gone*
ommøblere → *refurnish*
omorganisere → *reorganize, restructure*
omorganisering → *reorganization*
omplante → *transplant*
omplassere → *redeploy*
omplassering → *redeployment*
omregning → *conversion*
omregningstabell → *conversion table*
omreisende → *itinerant, peripatetic, travelling, wandering*
omringe → *encircle, hem in, surround*
omriss → *contour, outline*
område → *area, country, district, domain, field, province, realm, region, sphere, territory, tract*
omsetning → *business, sale, takings, turnover*
omsetningsavgift → *purchase tax, sales tax*
omsider → *eventually*
omskiftelig → *changeable*
omskjære → *circumcise*
omskolere → *re-educate, retrain*
omskolering → *retraining*
omskrive → *circumscribe, rewrite, transpose*
omslag → *compress, cover, file, jacket, sleeve, wrapper*
omslutte → *enclose, hedge in*
omsorgsfull → *caring*
omsorgsperson → *carer*
omstendelig → *circumstantial, labo(u)red*
omstendigheter → *circumstances*
omstendighetskjole → *maternity dress*
omstilling → *permutation, readjustment*
omstreifende → *wandering*
omstreifer → *vagrant*
omstridt → *contentious, vexed*
omstrukturere → *restructure*
omstøte → *quash, reverse*
omsying → *alteration*
omtakst → *revaluation*
omtale → *mention, notice, refer to, write-up*
omtenksom → *thoughtful*
omtenksomt → *thoughtfully*
omtrent → *about, much, roughly*
omtrentlig → *approximate, rough*
omtåket → *addled, befuddled, fuddled, muddle-headed*
omvalg → *run-off*
omvandrende → *peripatetic*
omvei → *detour*
omveltning → *upheaval*
omvendelse → *conversion*
omvendt → *convert, inverse, reverse, vice versa*
omvfavnelse → *embrace*
omviser → *guide*

omvisning → *conducted tour, tour*
omvurdering → *revaluation*
onanere → *masturbate*
onani → *masturbation*
ond → *evil, unholy, wicked*
ondartet → *malignant, virulent*
ondartethet → *virulence*
ondsinnet → *malevolent, malign, malignant, virulent*
ondsinnethet → *malevolence, virulence*
ondskap → *spite*
ondskapsfull → *baleful, malevolent, malicious, spiteful, vicious, wicked*
ondskapsfullhet → *malice, spite, viciousness*
onkel → *uncle*
onsdag → *Wednesday*
onyks → *onyx*
opal → *opal*
OPEC → *OPEC*
opera → *opera, opera house*
operahus → *opera house*
operasanger → *opera singer*
operasangerinne → *opera singer*
operasjon → *operation*
operasjonsbord → *operating table*
operasjonssal → *operating room, theatre*
operasjonssentral → *incident room*
operasjonsstue → *operating theatre*
operativ → *functional, operational, operative*
operativsystem → *operating system*
operatør → *operator*
operere → *operate*
operette → *operetta*
opinionsundersøkelse → *opinion poll*
opium → *opium*
opp → *up, upstairs*
opp ned → *upside down*
oppadgående → *upward*
opparbeide (seg) → *run up*
oppasser → *batman*
oppbakking → *backup*
oppbevare → *hold on to, keep, store*
oppbevaring → *checkroom, left-luggage (office)*
oppbevaringssted → *depository, repository*
oppblomstring → *resurgence*
oppblussing → *resurgence*
oppblåsbar → *inflatable*
oppblåst → *bloated, inflated, pompous*
oppbrett → *cuff, turn-up*
oppbyggelig → *edifying*
oppbygging → *build-up*
oppdage → *detect, discover, spy*
oppdagelse → *discovery*
oppdagelsesreisende → *explorer*
oppdatere → *update*
oppdatert → *up-to-date*
oppdekning → *spread*
oppdiktet → *fictional*
oppdra → *bring up, raise*
oppdrag → *commission, mandate, mission*
oppdragelse → *breeding, upbringing*
oppdrette → *rear*
oppdretter → *breeder*
oppdrettsanlegg → *fish farm*
oppdrive → *drum up, muster, summon up*
oppe → *up, upstairs*
oppfanging → *interception*
oppfarende → *irascible, short-tempered, tetchy*
oppfatning → *belief, estimation, idea, notion*
oppfatningsevne → *perception*
oppfatte → *construe, get, grasp, make out, perceive, sense, take in, twig*
oppfattelsesevne → *perception*
oppfinne → *devise*
oppfinnelse → *brainchild, invention*
oppfinner → *inventor*
oppfinnsom → *imaginative, inventive*
oppfinnsomhet → *ingenuity, inventiveness*
oppfordre (til) → *incite, invite*
oppfostre → *nurture, rear*
oppfriskende → *invigorating*
oppfriskningskurs → *refresher course*
oppfylle → *fulfil*
oppfyllelse → *fulfilment*
oppfølgende → *follow-up*
oppfølger → *sequel*
oppfølging → *follow-up*
oppføre → *construct, erect, list, stage*
oppføre seg → *act, behave*
oppførelse → *construction, erection*
oppføring → *listing, production*
oppførsel → *behaviour, conduct, demeanour*
oppgang → *hike, recovery*
oppgave → *assignment, dissertation, exercise, job, question, task, test paper, undertaking*
oppgaver → *duty*
oppgi → *give up, name, relinquish, scrap, surrender*
oppgitt → *dispirited*
oppgjør → *settlement, showdown*
oppgradere → *upgrade*
opphav → *origin, parentage*
opphavskvinne → *creator, originator*
opphavsmann → *author, creator, originator*
opphavsrett → *copyright*
oppheng → *hanging*
opphetet → *heated*
oppheve → *annul, cancel out, lift, nullify, override, overrule, quash, repeal, rescind*
opphevelse → *annulment, repeal*
opphisse → *excite*
opphisselse → *arousal*
opphissende → *inflammatory*
opphisset → *excited*
opphold → *break, gap, hiatus, lull, sojourn, stay, stopover*
oppholde → *detain, hold up, keep, stay*
oppholdstillatelse → *residence permit*
opphovnet → *swollen*
opphovning → *swelling*
opphør → *break-up, cessation*
opphøre → *cease*
opphørssalg → *clearance sale, liquidation sale*
opphøyd → *embossed*
opphøye → *elevate, ennoble*
oppildne → *excite*
oppildnende → *stirring*
oppjaget → *frantically*
oppkast → *vomit*
oppkastpose → *sickbag*
oppkavet → *flustered, harassed*
oppkjøper → *stag*
oppkjørsel → *drive, driveway, forecourt*
oppklare → *clear up, solve*
oppklarende → *enlightening*
oppkomling → *upstart*
oppkomme → *powerhouse, repository*
oppkrever → *collector*
oppkvikke → *cheer, refresh*
oppkvikkende → *bracing, exhilarating, refreshing*
oppkvikker → *pick-me-up*
oppladbar → *rechargeable*
opplag → *circulation*
opplagt → *easily, fit, obvious, palpable, patently, perky*
opplegg → *contrivance, scheme, setup*
opplesning → *reading, recitation*
oppleve → *experience*
opplevelse → *adventure, experience*
opplyse → *educate, enlighten*
opplysende → *illuminating, informative, instructive*
opplysningen → *directory enquiries*

opplysninger → *information*
opplysningsbyrå → *information bureau*
opplysningskontor → *information office*
opplyst → *enlightened*
opplæring → *training*
opplæringsprogram → *courseware*
oppløftende → *exhilarating*
oppløse → *disband, dissolve*
oppløselig → *soluble*
oppløsning → *breakdown, break-up, dissolution, solution*
oppmerksom → *attentive, ball, observant*
oppmerksomhet → *attention*
oppmerksomt → *attentively*
oppmuntre → *cheer, cheer up, encourage, prompt*
oppmuntrende → *encouraging, heartening*
oppmuntring → *boost, encouragement*
oppmøte → *attendance, turnout*
oppmåling → *surveying*
oppnavn → *nickname*
opp-ned → *topsy-turvy*
oppnå → *achieve, attain, qualify*
oppnåelse → *achievement*
opportunisme → *opportunism*
opportunist → *opportunist*
oppover → *above, uphill, upwards*
oppreisning → *redress*
oppreist → *erect*
opprensking → *clean-up*
opprette → *establish, institute*
opprettelse → *creation, establishment, institution*
opprettholde → *maintain, sustain, uphold*
opprettholdelse → *maintenance*
oppriktig → *frank, frankly, genuine, honest, sincere, sincerely, truly*
oppriktighet → *honesty, openness, sincerity*
opprinnelig → *indigenous, initially, original, originally*
opprinnelse → *derivation, genesis, origin*
opprivende → *agonizing, harrowing*
opprop → *call, roll call*
opprømt → *buoyant, elated*
opprømthet → *elation, exhilaration*
opprør → *insurrection, rebellion, revolt, riot, turmoil*
opprøre → *outrage*
opprørende → *outrageous*
opprører → *insurgent, rebel, rioter*
opprørsk → *mutinous, rebellious, riotous*
opprørspoliti → *riot police*
opprørt → *agitated, emotional, rough*
oppsann → *oops*
oppsetning → *release*
oppsetsig → *rebellious*
oppsetsighet → *insubordination*
oppsett → *layout*
oppsetting → *erection*
oppsigelse → *dismissal, notice, redundancy, resignation, sacking, termination*
oppsiktsvekkende → *spectacular, startling, striking*
oppskakende → *shattering*
oppskjørtet → *flustered*
oppskrift → *recipe*
oppskriving → *revaluation*
oppslag → *entry, notice, spread, upbeat*
oppslagsbok → *reference book*
oppslagstavle → *board, bulletin board, noticeboard*
oppslitende → *gruelling*
oppslukende → *absorbing*
oppslukt → *enthralled*
oppslutning → *rating*
oppspinn → *fabrication*
oppspore → *detect, hunt, hunt down*
oppstand → *uprising*
oppstemt → *elated, exalted, upbeat*
oppstemthet → *elation*
oppstigning → *ascent, climb*
oppstilling → *arrangement, line-up*
oppstillingsplass → *parade ground*
oppstuss → *stir, to-do*
oppstykket → *bitty*
oppstyltet → *stilted*
oppstyr → *commotion, fuss, palaver, rumpus*
oppstå → *originate*
oppsummere → *recap, sum up, summarize*
oppsummering → *recap*
oppsving → *surge, upbeat, upturn*
oppsvulmet → *bloated*
oppsyn → *countenance*
oppsynsmann → *custodian, groundsman, overseer, supervisor*
oppsøke → *seek out*
oppta → *occupy, take up*
opptak → *absorption, assimilation, shooting, take*
opptaksprøve → *entrance examination*
opptaksstudio → *recording studio*
opptakt → *upbeat*
opptatt → *busy, engaged*
opptattsignal → *busy signal, engaged tone*
opptegne → *itemize*
opptegnelse → *record*
opptelling → *count*
opptenningsved → *kindling*
opptog → *parade, procession*
opptrapping → *escalation, extension*
opptreden → *appearance*
opptredende → *performing*
opptrekker → *bottle-opener*
opptrekkerskrue → *winder*
opptrekks- → *clockwork*
opptrykk → *reprint*
opptørkhåndkle → *tea towel*
opptøyer → *disorder, disturbance, riot*
oppussing → *redecoration*
oppvakt → *brainy, canny, sharp-witted*
oppvarmet → *heated*
oppvarming → *heating*
oppvarmingsøvelse → *warm-up*
oppvarte → *cultivate*
oppvask → *showdown, washing-up*
oppvaskbenk → *draining board, sink unit*
oppvaskhåndkle → *cloth*
oppvaskklut → *dishcloth*
oppvaskkost → *mop*
oppvaskkum → *sink*
oppvaskmaskin → *dishwasher*
oppvaskmiddel → *dish soap, washing-up liquid*
oppvasksåpe → *dish soap*
oppveie → *balance, outweigh*
oppvigleri → *sedition*
oppvisning → *display, showcase*
oppvåkning → *awakening*
oppretteholde → *perpetuate*
oprør → *outrage*
opsjon → *option*
optiker → *ophthalmic optician, optician*
optikk → *optics*
optimal → *optimum*
optimisme → *optimism*
optimist → *optimist*
optimistisk → *optimistic*
optisk → *optical*
optisk (tegn)leser → *optical character reader*
optisk (tegn)lesing → *optical character recognition*
orakel → *oracle*
oransje → *orange*
orasjon → *oration*
orator → *orator*
oratorium → *oratorio*
ord → *word*
ord for ord → *verbatim*

ordblind → *dyslexic*
ordblindhet → *dyslexia*
ordbok → *dictionary*
ordekvilibrist → *wit*
orden → *decoration, neatness, order, tidiness*
ordentlig → *decent, decently, neat, neatly, orderly, proper, properly, tidy*
ordflytting → *wordwrap*
ordforråd → *vocabulary*
ordinasjon → *ordination*
ordinere → *ordain, prescribe*
ordknapp → *monosyllabic, reticent*
ordliste → *glossary*
ordlyd → *wording*
ordne → *arrange, fix up, order, square*
ordne med → *line up, see about, settle*
ordne opp i → *sort, straighten out*
ordning → *arrangement, scheme, settlement*
ordonnans → *dispatch rider, orderly*
ordre → *command, order*
ordreblankett → *order form*
ordrebok → *order book*
ordrenummer → *order number*
ordrett → *literal, verbatim, word-perfect*
ordrik → *verbose, wordy*
ordskiller(tast) → *space bar*
ordspill → *pun*
ordstyrer → *chair*
ordtak → *adage, proverb, saying*
ordveksling → *exchange*
organ → *body, organ*
organisasjon → *organization*
organisere → *organize, unionize*
organisering → *organization*
organisk → *organic*
organisme → *organism, system*
organist → *organist*
orgasme → *orgasm*
orgel → *organ*
orgie → *orgy*
orientalsk → *oriental*
original → *character, oddball, original*
originalitet → *originality*
orkan → *hurricane*
orke → *bear, stand, stomach, take*
orkester → *orchestra*
orkestergrav → *pit*
orkestrere → *orchestrate*
orkidé → *orchid*
Orknøyene → *Orkneys*
ornamenter → *ornament*
ornamentikk → *ornamentation*
ornitolog → *ornithologist*
ornitologi → *ornithology*
ortodoks → *orthodox*
ortodoksi → *orthodoxy*
ortopedisk → *orthopaedic*
oscillere → *oscillate*
Oslo → *Oslo*
oson → *ozone*
oss → *us*
oss selv → *ourselves*
ost → *cheese*
osteanretning → *cheeseboard*
ostebrett → *cheeseboard*
ostefjøl → *cheeseboard*
ostekake → *cheesecake*
ostemasse → *curds*
osteopat → *osteopath*
osv → *etc.*
oter → *otter*
oute → *out*
outrert → *flamboyant*
ouverture → *overture*
oval → *oval*
ovarium → *ovary*
ovasjon → *ovation*
ovenfra → *overbearing*
ovennevnt → *aforementioned, aforesaid*
ovenpå → *overhead, upstairs*
over → *above, across, finished, over, overhead, past*
overall → *dungarees, overall*
overalt → *everywhere*
overanstrenge seg → *overwork*
overanstrengelse → *overexertion, overwork*
overanstrengt → *overwrought*
overbefolket → *congested, overcrowded*
overbefolkning → *overcrowding*
overbegeistret → *overjoyed*
overbelaste → *overload, strain*
overbemannet → *overstaffed*
overbemanning → *overmanning*
overbeskatte → *overtax*
overbetone → *overplay*
overbevise → *convince*
overbevisende → *cogent, convincing, convincingly, forceful, persuasive*
overbevisning → *assurance, conviction, creed, persuasion*
overblikk → *bird's-eye view*
overbooke → *overbook*
overbringe → *convey, relay*
overby → *outbid*
overbærende → *forbearing, indulgent, lenient, leniently*
overbærenhet → *leniency*
overdel → *top*
overdose → *overdose*
overdra → *transfer*
overdragelse → *conveyancing, transfer*
overdreven → *exaggerated, excessive, fulsome, immoderate*
overdrevent → *unduly*
overdrive → *exaggerate, overdo, overstate*
overdrivelse → *exaggeration, overstatement*
overdøve → *shout down*
overdådig → *grandiose, lavish, lavishly, sumptuous*
overeksponere → *overexpose*
overenskomst → *accord, agreement, concord*
overensstemmelse → *correspondence*
overfall → *assault, mugging*
overfalle → *assault, descend on, raid*
overfallsmann → *assailant*
overfart → *crossing, passage*
overfladisk → *cursory, shallow, superficial*
overflate → *surface*
overflatepost → *surface mail*
overflod → *cornucopia, glut, opulence*
overflytning → *redeployment*
overflytte → *redeploy, transfer*
overflytting → *transfer*
overflyvning → *fly-past*
overflødig → *excess, redundant, superfluous*
overflødighetshorn → *cornucopia*
overflømme → *flood*
overfor → *opposite, toward(s), vis-à-vis*
overforenkle → *oversimplify*
overfylle → *overstock*
overføre → *bring forward, carry forward, relay, transfer, transmit, transpose*
overføring → *transfer, transmission*
overføringsbilde → *transfer*
overført → *b/f, brought forward*
overgang → *changeover, crossing point, transfer, transition*
overgangskontakt → *adapter*
overgangslån → *bridging loan*
overgi seg → *surrender*
overgir → *overdrive*
overgivelse → *surrender*
overgrodd → *overgrown*
overgå → *outdo, outshine, outstrip, surpass*

overhale → *overhaul, recondition*
overhaling → *overhaul, wigging*
overhalt → *reconditioned*
overhengende → *impending, pending*
overherre → *overlord*
overherredømme → *supremacy*
overholde → *honour, observe*
overholdelse → *observance*
overhøre → *overhear*
overilt → *impetuous, precipitate, precipitous, rash, rashly*
overivrig → *overexcited*
overjordisk → *ethereal, unearthly*
overkapitalisere → *overcapitalize*
overklasse- → *upper-class*
overkommando → *GHQ*
overkomme → *overcome*
overkommelig → *manageable, reasonable*
overkropp → *torso*
overlagt → *premeditated*
overlappe → *overlap*
overlate → *commit, delegate*
overlegen → *high-handed, nonchalant, patronizing, snooty, stand-offish, superior*
overlegenhet → *advantage, superiority*
overlegg → *premeditation*
overlesset(e) → *florid*
overleve → *outlive, survive*
overlevelse → *survival*
overlevelsesevne → *resilience*
overlevende → *survivor*
overlevere → *deliver, hand down, hand over, turn over*
overlevning → *survival*
overligger → *lintel*
overliste → *outsmart, outwit*
overlykkelig → *overjoyed*
overlysvindu → *skylight*
overlær → *upper*
overlærer → *headmaster*
overløper → *renegade, turncoat*
overløpsrør → *overflow*
overmakt → *predominance*
overmanne → *engulf, overpower, overwhelm*
overmenneske → *superman*
overmenneskelig → *superhuman*
overmettet → *sated*
overmodig → *presumptuous*
overnatte → *sleep*
overnaturlig → *paranormal, supernatural*
overnervøs → *overanxious*
overopphete → *overheat*
overordnet → *executive, senior, superior*
overproduksjon → *overproduction*
overraske → *catch, surprise*
overraskelse → *surprise, treat*
overraskende → *surprising, surprisingly*
overreagere → *overreact*
overrekke → *present*
overrumple → *ruffle*
oversanselig persepsjon → *extra-sensory perception*
overse → *ignore, neglect, overlook*
oversende → *remit*
oversett → *neglected*
oversettelse → *prose, translation*
oversetter → *translator*
oversikt → *chart, outline, overview, tally*
overskrevs (på) → *astride*
overskride → *exceed, transgress*
overskrift → *heading, headline*
overskrive → *overwrite*
overskuddsbefolkning → *overspill*
overskyet → *cloudy, overcast*
overskygge → *overshadow*
overslag → *estimate*
overspent → *highly strung*
overspille → *overact*
overstige → *exceed, outstrip, top*
overstredelse → *contravention*
overstrykning → *overstrike*
overstrømmende → *ebullient, effusive, exuberant, gushing, profusely*
oversvømme → *flood, overrun, swamp*
oversvømmelse → *deluge, flood, flooding*
overta → *seize, take over*
overtakelse → *assumption, seizure, takeover*
overtakelsesforsøk → *takeover bid*
overtale → *convince*
overtalelse → *persuasion*
overtalende → *persuasive*
overtallig → *redundant*
overtegnet → *oversubscribed*
overtid → *extra time, overtime*
overtidsnekt → *overtime ban*
overtre → *contravene, infringe, transgress*
overtredelse → *contravention, infringement, violation*
overtrekk → *coating, cover, overdraft*
overtrekke → *coat*
overtrekksbukse → *leggings*
overtrekksdress → *coveralls*
overtro → *superstition*
overtroisk → *superstitious*
overtrukket → *overdrawn*
overveie → *consider, contemplate, debate, ponder, think over*
overveielse → *consideration, deliberation, reappraisal, reflection*
overveiende → *predominantly*
overvekt → *predominance, preponderance*
overvektig → *excess, overweight*
overvelde → *overpower, overtake, overwhelm*
overveldende → *overpowering, overwhelming, overwhelmingly, stupendous*
overveldet → *overcome*
overvinne → *conquer, defeat, fight down, master, overcome, surmount*
overvintre → *winter*
overvurdere → *overestimate, overrate, overstate*
overvåke → *monitor, oversee, superintend, supervise*
overvåking → *stakeout, surveillance, watch*
ovn → *furnace, heater, oven, stove*
ovnsklar → *oven-ready*
ovnsrett → *casserole, hotpot*
ovnssteike → *roast*
ovulasjon → *ovulation*
ovulere → *ovulate*
ovum → *ovum*

P

P, p → *P, p*
pa → *p.a.*
padde → *toad*
padle → *paddle*
padleåre → *paddle*
Padua → *Padua*
paff → *flabbergasted*
paginere → *paginate*
paginering → *pagination*
pagode → *pagoda*
pai → *pie*
Pakistan → *Pakistan*
pakistaner → *Pakistani*
pakistansk → *Pakistani*
pakk → *riffraff*
pakke → *pack, package, packet, parcel*
pakke inn → *enclose, muffle, parcel, wrap*
pakke opp → *unwrap*

pakke sammen → *pack up*
pakke ut → *unpack, unwrap*
pakkeløsning → *package*
pakkepost → *parcel post*
pakker → *packer*
pakkeske → *packing case*
pakketur → *package holiday, package tour*
pakkhus → *warehouse*
pakking → *packing*
pakkis → *pack ice*
pakksekk → *kitbag*
pakning → *gasket, washer*
pakt → *covenant, pact*
palass → *palace*
palasslignende → *palatial*
Palestina → *Palestine*
palestiner → *Palestinian*
palestinsk → *Palestinian*
palett → *palette*
palisade → *palisade, stockade*
paljett → *sequin*
pall → *pallet*
palme → *palm*
palmesøndag → *Palm Sunday*
palpitasjon → *palpitations*
Panama → *Panama*
panamahatt → *panama*
panamaner → *Panamanian*
panamansk → *Panamanian*
panda → *panda*
panel → *panel, panelling*
pang → *bang*
panikk → *panic*
panikkartet → *panicky*
panikkjøp → *panic buying*
panikkslagen → *panic-stricken*
panne → *brow, forehead, pan*
pannebånd → *headband*
pannekake → *flapjack, pancake*
panorama → *panorama*
panoramavindu → *picture window*
panorere → *pan*
panser → *armour, bonnet, hood*
panserbil → *armoured car*
panservogner → *armour*
pant → *deposit*
pantelåner → *pawnbroker*
pantelånerforretning → *pawnshop*
panter → *panther*
panthaver → *mortgagee*
pantomime → *mime*
pantsette → *pawn*
papegøye → *parrot*
papir → *bumf, paper, wrapper*
papirarbeid → *paperwork*
papiravfall → *wastepaper*
papirbleie → *disposable nappy*
papirer → *paper*
papirhandel → *stationer's (shop)*
papirhandler → *stationer*
papirkurv → *wastebasket, wastepaper basket*
papirlommetørkle → *Kleenex, paper hankie, tissue*
papirmasjé → *papier-mache*
papirmølle → *paper mill, red tape*
papirpenger → *paper money*
papirpose → *paper bag*
papirtynn → *wafer-thin*
papp → *board, cardboard*
pappa → *dad, pa, pop*
pappapermisjon → *paternity leave*
pappeske → *cardboard box*
pappmasjé → *papier-mache*
paprika → *paprika, pepper*
par → *couple, pair, twosome*
parabel → *parabola*
parabolantenne → *dish, satellite dish*
parade → *parade*
paradeplass → *parade ground*
paradere → *parade*
paradis → *paradise*
paradoks → *paradox*
paradoksal → *paradoxical*
paradoksalt → *paradoxically*
parafin → *kerosene, paraffin*
parafinlampe → *paraffin lamp*
parafinovn → *paraffin heater*
paragraf → *article, section*
Paraguay → *Paraguay*
paraguyaner → *Paraguayan*
paraguyansk → *Paraguayan*
parallell → *parallel*
paralyse → *paralysis*
paralysere → *paralyse*
parameter → *parameter*
paramilitær → *paramilitary*
paranoia → *paranoia*
paranoid → *paranoid*
paranøtt → *Brazil nut*
paraply → *brolly, umbrella*
parapsykologi → *parapsychology*
parasitt → *parasite*
parasoll → *parasol, sunshade, umbrella*
parat → *ready*
parentes → *bracket, parenthesis*
parere → *parry*
parfyme → *perfume, scent*
parfymere → *perfume*
parfymeri → *chemist's (shop)*
pargas → *clobber*
paring → *mating*
paringsrop → *mating call*
paringstid → *mating season*
Paris → *Paris*
pariser → *Parisian*
pariserhjul → *big wheel*
pariserloff → *French stick*
parisisk → *Parisian*
park → *fleet, garden, park*
parkallé → *parkway*
parkas → *anorak, parka*
parkere → *conk out, park*
parkering → *parking*
parkeringsbillett → *ticket*
parkeringsbot → *parking ticket, ticket*
parkeringsfelt → *lay-by*
parkeringslomme → *bay*
parkeringslys → *sidelight*
parkeringsplass → *car park, parking lot, parking place*
parkeringstjeneste → *valet parking*
parkeringsvakt → *warden*
parkett → *stall*
Parkinson(s sykdom) → *Parkinson's (disease)*
parklys → *dimmers, parking lights*
parkometer → *meter, parking meter*
parlament → *parliament*
parlamentarisk → *parliamentary*
parlamentet → *Westminster*
parlamentsmedlem → *MP*
parlamentsvalg → *general election*
parlør → *phrase book*
parmesanost → *Parmesan*
parodi → *impersonation, impression, parody*
parodiere → *parody, send up*
paroksysme → *paroxysm*
parre seg → *mate*
parsell → *allotment*
part → *party*
parti → *party*

partikkel → *particle*
partipolitisk → *party political*
partisipp → *participle*
partisk → *bias(s)ed, partial, prejudiced*
partitur → *score*
partner → *partner*
parykk → *wig*
pasient → *inmate, patient, sufferer*
pasifist → *pacifist*
pasjonsfrukt → *passion fruit*
pasjonsspill → *Passion play*
pasning → *kick, pass*
pass → *pass, passport*
passasjer → *passenger*
passasjerfly → *airliner*
passasjerskip → *ocean liner*
passat(vind) → *trade wind*
passbåt → *speedboat*
passe → *care for, fit, mind, tend*
passe for → *befit, suit*
passe i → *fit into*
passe inn → *fit in, tone in*
passe med → *fit*
passe opp → *waylay*
passe på → *care, look out, supervise*
passe seg → *watch out*
passe til → *fit, go with, match, suit*
passelig → *suitably*
passende → *appropriate, appropriately, apt, aptly, becoming, convenient, decent, fitting, opportune, proper, suitable, suitably*
passer → *callipers, compass*
passere → *negotiate, pass*
passiv → *passive*
passiva → *liability*
passkontroll → *passport control*
passord → *password*
pasta → *pasta*
pastell → *pastel*
pasteurisert → *pasteurized*
pastill → *pastille*
pastinakk → *parsnip*
pastor → *pastor, Rev(d)., Reverend*
pastoral → *pastoral*
patent → *patent*
patentbeskyttet → *proprietary*
patentbrev → *letters patent*
patentbyrå → *patent office*
patentere → *patent*
patentkontor → *patent office*
patentløsning → *cure-all, panacea*
patentmedisin → *patent medicine*
pater → *father*
paternalistisk → *paternalistic*
patetisk → *pathetic*
patolog → *pathologist*
patologi → *pathology*
patologisk → *pathological*
patos → *pathos*
patriot → *patriot*
patriotisk → *patriotic*
patriotisme → *patriotism*
patron → *cartridge*
patrulje → *patrol*
patruljebil → *patrol car*
patruljebåt → *patrol boat*
patruljere → *patrol*
patruljetjeneste → *patrol*
patte på → *puff*
pattedyr → *mammal*
paté → *pâté*
pauke → *kettledrum*
pauker → *timpani*
pause → *break, interlude, intermission, pause, rest*
pauserom → *common room*
pave → *pontiff, pope*
pavedømme → *papacy*
pavelig → *papal*
peanøtt → *monkey nut, peanut*
peanøttsmør → *peanut butter*
pedagogisk → *educational*
pedal → *pedal*
pedant → *pedant*
pedantisk → *pedantic*
pediatri → *paediatrics*
pedofil → *paedophile*
peis → *fireplace, grate, hearth*
pek → *joke, spoof*
peke → *point*
peke på → *pinpoint*
peke ut → *pick out, point out*
pekefinger → *forefinger, index finger*
pekepinn → *signpost*
pekestokk → *pointer*
Peking → *Peking*
pekingeser → *Pekin(g)ese*
pelikan → *pelican*
pelle seg vekk → *clear off, shove off*
pels → *coat, fur, fur coat*
pelsaktig → *furry*
pelshandler → *furrier*
pelsjeger → *trapper*
pelskåpe → *fur coat*
pen → *bonny, clean, comfortable, fair, good-looking, handsome, nice, pleasant, pretty, tidy*
penal → *pencil case*
pendel → *pendulum*
pendle → *commute*
pendler → *commuter*
pengebud → *security guard*
pengegrisk → *mercenary*
pengeinnsamling → *fund-raising*
pengeløs → *penniless*
pengemarked → *money market*
penger → *money*
pengeseddel → *banknote*
pengeskrin → *cash box, strongbox*
pengespill → *betting, gambling*
pengeutlåner → *moneylender*
pengeutpresser → *blackmailer*
pengeutpressing → *blackmail*
penicillin → *penicillin*
penis → *penis*
penn → *pen*
penneknekt → *hack*
pennespiss → *nib*
pennesplitt → *nib*
pennevenn → *penfriend*
pennevenninne → *penfriend*
pense → *shunt*
pensel → *brush, paintbrush*
pensjon → *pension*
pensjonat → *bed and breakfast, boarding house, lodging house*
pensjonatskole → *boarding school*
pensjonere → *pension off*
pensjonering → *retirement*
pensjonert → *retired*
pensjonist → *pensioner, senior citizen*
pensjonisttilværelse → *retirement*
pensjonsalder → *retirement age*
pensjonsordning → *pension scheme*
pensjonsplan → *occupational pension scheme*
pensjonspremie → *contribution*
pensum → *syllabus*
pent → *neatly, nicely*
pentium → *Pentium*
pepp → *pep*

pepper → *pepper*
pepperbøsse → *pepper pot*
pepperkorn → *peppercorn*
pepperkvern → *pepper mill*
peppermynte → *peppermint*
peppermyntedrops → *peppermint*
peppermyntesukkertøy → *mint*
peppermø(y) → *old maid, spinster*
pepperoni → *pepperoni*
pepperrot → *horseradish*
per → *per*
perfeksjonere → *perfect*
perfeksjonist → *perfectionist*
perfekt → *ideally, perfect, perfectly*
perforere → *perforate*
perforering → *perforation*
pergament → *parchment*
perifer → *peripheral*
periferi → *periphery*
periode → *cycle, period, spell, stage, stint, term*
periodevis → *periodically*
periodisk → *intermittently, periodic, periodical, recurring*
periskop → *periscope*
perle → *bead, gem, pearl, treasure*
perlemor → *mother-of-pearl*
perm → *binder, file*
permanent → *perm, permanent*
permisjon → *furlough, leave, leave of absence*
permittere → *lay off*
permittering → *lay-off*
permutasjon → *permutation*
perpleks → *bemused*
perrong → *platform*
persesylte → *brawn*
Persia → *Persia*
persienne → *blind, Venetian blind*
persille → *parsley*
persisk → *Persian*
person → *character, person*
personalavdeling → *personnel department*
personale → *personnel, staff*
personalia → *personal details*
personaliaspalte → *personal column*
personalsjef → *personnel manager*
personell → *personnel*
personifisere → *personify*
personifisert → *incarnate*
personkode → *personal identification number*
personlig → *individual, intimate, personal, personally*
personlighet → *character, personality*
personlighetsprofil → *psychological profile*
personlån → *personal loan*
personopplysninger → *personal details*
personsøker → *pager*
personvekt → *weighing machine*
perspektiv → *perspective*
pertentelig → *dapper*
Peru → *Peru*
peruaner → *Peruvian*
peruansk → *Peruvian*
pervers → *perverse*
perversitet → *perversion*
pese → *pant*
pessar → *cap, diaphragm*
pessimisme → *pessimism*
pessimistisk → *pessimistic*
pessismist → *pessimist*
pest → *pestilence, plague*
petimeter → *fusspot*
petrokjemisk → *petrochemical*
pH → *pH*
pianist → *pianist*
piano → *piano*
pianotrekkspill → *piano accordion*
Picardie → *Picardy*
pickup → *pick-up*
Piemonte → *Piedmont*
piffe opp → *pep up*
pigg → *prickle, quill, spine*
pigge av → *scram*
pigge opp → *pep up*
pigger → *spike*
pigget(e) → *spiky*
piggsko → *spike*
piggtråd → *barbed wire*
piggvar → *turbot*
pigment → *pigment*
pigmentering → *pigmentation*
pikant → *juicy, piquant, racy, spicy, suggestive*
pike → *girl*
pikeaktig → *girlish*
pikenavn → *maiden name*
pikespeider → *Girl Guide, Girl Scout*
pikk → *cock, prick*
pikkolo(fløyte) → *piccolo*
pikkolo → *bellboy, page*
piknik → *picnic*
pil → *arrow, dart, willow*
pile → *scurry*
pilegrim → *pilgrim*
pilegrimsreise → *pilgrimage*
pilespill → *darts*
piletre → *willow*
pilkastskive → *dartboard*
pille → *pill*
pilot → *pilot*
pimpstein → *pumice*
pine → *anguish, torment, torture*
pinefull → *agonizing*
pingvin → *penguin*
pinjekjerne → *pine kernel, pine nut*
pinlig → *awkward, embarrassing, meticulous, painfully, scrupulously*
pinne → *baton, chopstick, perch, row, stick*
pinne-is → *Popsicle*
pinnsvin → *hedgehog, porcupine*
pinse → *Pentecost, Whitsun*
pinsett → *tweezers*
pinsler → *torment*
pionér → *pioneer*
pip → *beep, bleep, cheep, peep, squeak*
pipe → *beep, bleep, cheep, chirp, hiss, pipe, squeak*
pipehode → *bowl*
pipekrave → *ruff*
pipende → *wheezy*
piper → *bleep*
piperenser → *pipe cleaner*
pipestilk → *stem*
pipetobakk → *pipe tobacco*
piple → *dribble, trickle*
pirat → *cowboy, pirate*
piratradio → *pirate radio*
piratvirksomhet → *piracy*
pirke → *niggle*
pirke borti → *prod*
pirke i → *pick at*
pirket(e) → *fastidious, pernickety*
pirre → *titillate*
piruett → *pirouette*
pisk → *whip*
piske → *beat, flog, lash, swish, whip, whip up, whisk*
piske opp → *whip up*
piskeslag → *lash*
pisking → *swish*
piss → *piss*
pisse → *piss*
pisspreik → *bullshit*
pistol → *gun, pistol*

pistolskudd → *gunshot*
pistret(e) → *straggly*
pittoresk → *picturesque*
pizza → *pizza*
pjolter → *highball*
pjusket(e) → *dishevelled*
placebo → *placebo*
plaffe ned → *pick off*
plage → *afflict, bother, fuss, nuisance, pest, pester, torment*
plageånd → *nuisance*
plagg → *garment*
plagiat → *plagiarism*
plagiator → *plagiarist*
plagiere → *crib, plagiarize*
plagsom → *persistent, troublesome, troubling, trying*
plakat → *placard, poster*
plakatbærer → *sandwich man*
plakatfarge → *poster paint*
plakattavle → *billboard*
plakk → *plaque*
plan → *plan, plane, scheme*
plane → *hydroplane, plane*
planere → *bulldoze*
planet → *planet*
planetarium → *planetarium*
planke → *board, plank, rehash*
plankton → *plankton*
planlagt → *intended*
planlegge → *map out, plan, project*
planlegger → *planner*
planlegging → *planning*
planløs → *desultory, haphazard, scrappy*
planløsning → *layout*
planovergang → *level crossing*
plansje → *chart*
plantasje → *plantation*
plante → *plant*
plante til → *plant*
plantejord → *compost*
planteskje → *trowel*
planteskole → *nursery*
planøkonomi → *command economy, planned economy*
plapre → *gabble*
plask → *splash*
plaske → *paddle, splash*
plaskebasseng → *paddling pool*
plasma → *plasma*
plass → *accommodation, circus, ground, place, position, room, seat, space, square*
plassanviser → *usherette*
plassere → *deploy, place, plant, put, seat, site, situate, stand*
plassering → *siting*
plast → *plastic*
plastbakke → *dry ski slope*
plaster → *Band-Aid, plaster*
plastfolie → *clingfilm*
plastglass → *Perspex*
plastilin → *Plasticine*
plastisk → *plastic*
plastkule → *plastic bullet*
plastpose → *plastic bag, poly bag, polythene bag*
platan → *plane*
platanlønn → *sycamore*
plate → *bar, disc, hob, hotplate, plate, record, sheet, slab, worktop*
platebibliotek → *record library*
platemetall → *sheet metal*
plateprater → *disc jockey*
plateselskap → *label*
platespiller → *record player*
platina → *platinum*
platonisk → *platonic*
platt → *corny, trite*
plattform → *platform*
plattfot → *flat-footed*
platthet → *platitude*
platå → *plateau*
plebeier → *pleb*
pledd → *rug*
pleie → *care, condition, cultivate, nurse, nursing, tend*
pleie å → *would*
pleiebarn → *foster child*
pleiemor → *foster mother*
pleksiglass → *Plexiglas*
plekter → *plectrum*
plen → *lawn*
plentrimmer → *strimmer*
plett → *blemish*
plette → *tarnish*
plettfri → *clean, immaculate, spotless, unblemished*
pleuritt → *pleurisy*
plikt → *duty, obligation, onus*
pliktoppfyllende → *dutiful*
pling → *ping*
plint → *plinth*
plog → *plough*
plogmann → *ploughman*
plombe → *filling*
plombere → *fill*
plomme → *plum, yolk*
plommefarget → *puce*
plotte inn → *plot*
plotter → *plotter*
plugg → *peg, pin, plug*
plugges inn → *plug in*
plukke → *pick, pluck*
plukke opp → *fish out, pick up*
plump → *crass*
plumpe ut (med) → *blurt out*
plundret(e) → *fiddly*
pluss → *plus*
plusstegn → *plus*
plutonium → *plutonium*
plutselig → *sudden, suddenly*
plyndre → *loot, pillage, plunder, raid, ransack*
plyndrer → *looter*
plyndring → *looting, pillage, plunder*
plyndringstokt → *foray*
plysj → *plush*
plystre → *whistle*
plystrelyd → *whistle*
pløye → *plough*
podium → *dais, platform, podium, rostrum*
poeng → *point, punchline, run*
poengkort → *scorecard*
poengtabell → *scorecard*
poesi → *poetry*
poetisk → *poetic*
pokal → *cup, goblet*
poker → *poker*
pokker → *damnation*
pokkers → *devilish*
pol → *pole*
polakk → *Pole*
polarhund → *husky*
polarisere → *polarize*
polemikk → *polemic*
Polen → *Poland*
polere → *burnish, polish*
polering → *polish*
polio → *polio*
polise → *policy*
politi → *police, police force*
politibetjent → *constable*
politibil → *panda car, police car, squad car*
politifolk → *police*
politijakt → *dragnet*

politiker → *politician*
politikk → *policy, politics*
politikonstabel → *police constable*
politikorps → *constabulary*
politikvinne → *policewoman*
politimann → *bobby, policeman*
politimester → *chief constable*
politisk → *political, politically*
politistasjon → *police station*
politistat → *police state*
polka → *polka*
polklemme → *terminal*
pollen → *pollen*
pollentelling → *pollen count*
pollinere → *pollinate*
polo → *polo, polo-necked*
polsk → *Polish*
polstre → *pad*
poltergeist → *poltergeist*
polyester → *polyester*
polyetylen → *polythene*
polygami → *polygamy*
Polynesia → *Polynesia*
polynesier → *Polynesian*
polynesisk → *Polynesian*
polypp → *polyp*
polypper → *adenoids*
polystyren → *polystyrene*
polyuretan → *polyurethane*
pommes frites → *chip, French fries*
pomp → *pomp*
pompong → *pompom*
pompøs → *pompous*
pongtong → *pontoon*
ponni → *pony*
pop → *pop*
popcorn → *popcorn*
poplin → *poplin*
poppel → *poplar*
popstjerne → *pop star*
popularisere → *popularize*
popularitet → *popularity*
populasjon → *population*
populær → *fashionable, popular*
populært → *popularly*
populærvitenskapelig → *popular*
pore → *pore*
porno → *porn*
pornografi → *pornography*
pornografisk → *pornographic*
porselen → *china, porcelain*
porsjon → *batch, helping, portion*
port → *gate, port*
portal → *portal*
portefølje → *portfolio*
portemoné → *purse*
portforbud → *curfew*
portier → *porter*
portikus → *portico*
portner → *doorman, porter*
portnerbolig → *lodge*
porto → *postage*
portofri → *post-free*
portrett → *portrait, profile*
porttelefon → *entry phone*
Portugal → *Portugal*
portugiser → *Portuguese*
portugisisk → *Portuguese*
portvin → *port*
portør → *orderly*
porøs → *porous*
pose → *bag, packet*
posere → *posture*
poset(e) → *baggy*
positiv → *favourable, positive*
positivt → *positively*
posjere → *poach*
post → *entry, item, mail, post, record*
postanvisning → *money order, postal order*
postbil → *mail truck, mail van*
postboks → *Post Office Box*
postbud → *postman*
postdatere → *postdate*
poste → *mail, post, send off*
poste restante → *general delivery, poste restante*
postei → *paste, pâté*
postere → *post*
postering → *entry*
postgiro → *giro*
posthum → *posthumous*
posthumt → *posthumously*
posthylle → *pigeonhole*
postkasse → *letterbox, mailbox, pillar box, postbox*
postkontor → *post office*
postkort → *postcard*
postmann → *mailman, postman*
postmester → *postmaster, postmistress*
postnatal → *postnatal*
postordre → *mail order*
postsekk → *postbag*
poststempel → *postmark*
posttog → *mail train*
postulere → *postulate*
postutlevering → *post*
postvogn → *mail van*
pote → *paw*
potens → *potency*
potensial → *potential*
potensiell → *potential, prospective*
potent → *potent*
potentat → *potentate*
potet → *potato, spud*
potetchips → *chips, crisps, potato crisps*
potetgull → *chips, crisps, potato crisps*
potetmel → *potato flour*
potetmos → *mashed potatoes*
potetskreller → *potato peeler*
potetstappe → *mashed potatoes*
potpurri → *medley, potpourri*
pott → *pool*
pottaske → *potash*
potte → *pot, potty*
pottejord → *compost*
pottemaker → *potter*
pottemakerhjul → *potter's wheel*
pottemakerverksted → *pottery*
pottetrening → *potty-training*
pr mnd → *pcm*
pr måned → *monthly*
pragmatisk → *pragmatic*
pragmatisme → *pragmatism*
Praha → *Prague*
praie → *hail*
praksis → *practice*
praksisplass → *placement*
prakt → *glory, grandeur, magnificence, splendour*
praktfull → *glorious, grand, lavish, magnificent, plush, resplendent, splendid*
praktikanttjeneste → *article*
praktisere → *practise*
praktisk → *conveniently, hands-on, handy, practical*
praktisk talt → *practically, virtually*
praktstykke → *showpiece*
prale med → *flaunt*
pram → *barge*
prangende → *ostentatious, showy*
prat → *chat, talk, tittle-tattle*
prate → *chat, talk*

prateprogram → *talk show*
pratesyk → *garrulous*
pratsom → *garrulous, talkative*
predikant → *evangelist, preacher*
predikat → *predicate*
prefabrikert → *prefabricated*
preferanseaksjer → *preference shares*
prefiks → *prefix*
preg → *air, imprint, stamp*
prege → *mark, mint, strike*
prege inn → *impress*
pregløs → *featureless*
preke → *preach*
preken → *homily, sermon*
prekestol → *pulpit*
prekær → *grievous*
prelat → *prelate*
prelle av → *glance off*
preludium → *prelude*
premenstruell spenning → *premenstrual tension*
premie → *premium, prize, prize money*
premieobligasjon → *premium bond*
premiere → *first night, première*
premierekveld → *opening night*
premieutdeling → *prize-giving*
premievinner → *prizewinner*
premiss → *premise*
preparat → *preparation*
preposisjon → *preposition*
prerogativ → *prerogative*
presang → *gift, present*
presbyterianer → *Presbyterian*
presbyteriansk → *Presbyterian*
presbyterium → *presbytery*
presedens → *precedent*
presenning → *tarpaulin*
presens → *present*
presens partisipp → *present participle*
presentabel → *personable, presentable*
presentasjon → *introduction, presentation*
presentere → *pose, present, render*
president → *president, presidential*
presidentembete → *presidency*
presidentens → *presidential*
president-termin → *presidency*
president-tid → *presidency*
presis → *accurate, precise, precisely, prompt, promptly, specific*
presisere → *qualify*
presisjon → *precision*
presist → *accurately*
preskriptiv → *prescriptive*
press → *crease, deterrence, pressure, strain*
presse → *coerce, crush, lean, press*
presse fram → *extort*
presse sammen → *compress*
presse seg fram → *forge ahead*
presse ut → *expel, extort, squeeze out*
pressebyrå → *press agency*
pressekonferanse → *press conference*
pressemelding → *press release*
presserende → *pressing, urgent*
pressetalskvinne → *press officer*
pressetalsmann → *press officer*
pressgruppe → *ginger group, pressure group*
pressluftbor → *pneumatic drill*
prest → *canon, minister, priest, Rev(d).*
prestasjon → *achievement*
prestasjoner → *attainments*
prestegjeld → *parish*
prestegård → *rectory, vicarage*
prestekjole → *vestment*
prestekrage → *dog collar*
presteseminar → *seminary*
presteskap → *clergy, priesthood*
prestinne → *priestess*
prestisje → *kudos, prestige*
pretensiøs → *highfalutin, pretentious*
preteritum → *preterite*
prevensjon → *birth control, contraception*
prevensjonsmiddel → *contraceptive*
preventiv → *contraceptive*
prikk → *dot, spot*
prikke → *tingle*
prikket(e) → *spotted*
prikket linje → *dotted line*
prikkfri → *spick-and-span, spotless*
prima → *prime*
primadonna → *leading lady*
primas → *primate*
primat → *primate*
primitiv → *crude, primitive, rude*
primitivt → *roughly*
primula → *primula*
primus → *primus (stove)*
primærfarge → *primary colour*
primærvalg → *primary*
prins → *prince*
prinsesse → *princess*
prinsipielt → *principle*
prinsipp → *principle*
prinsippløs → *unprincipled*
printer → *printer*
prior → *prior*
prioritetsorden → *priority*
pris → *award, cost, fare, pinch, price, prize*
prisbelønnet → *prizewinning*
prise → *praise, salute*
priser → *rate*
prisklasse → *price range*
priskontroll → *price control*
priskrig → *price war*
priskutting → *price-cutting*
prislapp → *price tag*
prisliste → *price list, tariff*
prisme → *prism*
prisutdeling → *prize-giving*
prisverdig → *commendable, laudable, praiseworthy*
prisvinner → *prizewinner*
privat → *independent, personal, private, privately, socially*
privatdetektiv → *private eye*
privatisere → *denationalize, privatize*
privatisering → *denationalization*
privatliv → *privacy*
privatlærer → *coach, tutor*
privatsekretær → *personal assistant*
privatskole → *private school*
privilegium → *privilege*
priviligert → *privileged*
pro rata → *pro rata*
proaktiv → *proactive*
problem → *difficulty, problem, trouble*
problematisk → *offending, problematic(al)*
problemfri → *trouble-free*
problemfylt → *disturbed, troubled*
problemløser → *troubleshooter*
problemløsning → *problem-solving*
produksjon → *crop, manufacture, manufacturing, output, production, throughput*
produksjonsavtale → *production agreement*
produksjonsleder → *production manager*
produksjonssjef → *production manager*
produkt → *product*
produktiv → *productive*
produktivitet → *productivity*
produktivitetsavtale → *productivity agreement*
produktivitetsbonus → *productivity bonus*
produsent → *maker, manufacturer, producer*

produsere → manufacture, produce
profesjonalisme → professionalism
profesjonell → professional
professor → professor
professorat → chair, professorship
profet → prophet
profetere → prophesy
profeti → prophecy
profetisk → prophetic
proff(spiller) → pro
profil → profile
profillist → mo(u)lding
profitt → profit
profittsenter → profit centre
profitørvirksomhet → profiteering
proformarettssak → show trial
prognose → forecast, prognosis
program → program, programme, regime, schedule, scheme
programfeil → bug
programleder → host, hostess, presenter
programmere → program, programme
programmerer → programmer
programmering → programming
programmeringsspråk → programming language
programpakke → software package
programredaktør → editor
programvare → software
progressiv → progressive
projisere → project
proklamasjon → proclamation
proklamere → proclaim
proletar- → proletarian
prolog → prologue
promenade → promenade
promenadedekk → promenade deck
promenadekonsert → promenade concert
promilletest → breath test
promilleteste → breathalyze
promiskuitet → promiscuity
promotor → promoter
promp → fart
prompe → fart
pronomen → pronoun
propaganda → propaganda
propell → propeller
propp → bung, plug
proppfull → chock-a-block
prosa → prose
prosaisk → prosaic
prosedyre → procedure
prosent → per cent
prosentdel → percentage
prosentpoeng → percentage point
prosesjon → procession
prosess → proceedings, process, suit
prosessfullmektig → counsel
prosessorenhet → central processing unit, mainframe
prosjekt → project
prosjektil → projectile
prospekt → prospectus
prostata → prostate
prostituert → prostitute
prostitusjon → prostitution
protein → protein
proteksjonisme → protectionism
protesjere → patronize
protesjé → protégé(e)
protest → protest
protestaksjon → industrial action
protestant → objector, Protestant
protestantisk → Protestant
protokoll → minute book, protocol, record
prototyp → archetype, prototype, working model
Provence → Provence
provençalsk → Provençal
provins → province, provincial
provinsen → province
provinsiell → provincial
provisjon → commission
provisorisk → makeshift, provisional
provokasjon → provocation
provosere → provoke
provoserende → inflammatory, provocative
prust → puff
pruste → snort
prute → bargain, haggle
prute ned → beat down
pruting → haggling
pryd- → ornamental
prydbønne → runner bean
pryde → adorn, grace
prydgjenstand → ornament
prærie → prairie
prærieulv → coyote
prøve → audition, paper, pattern, rehearsal, sample, specimen, test, test paper, try
prøve (på) → try on
prøve ut → test, try out
prøveeksemplar → specimen copy
prøvefilming → screen test
prøveflyvning → test flight
prøvekanin → guinea pig
prøvekjøring → dry run, trial run
prøveklut → guinea pig
prøvelse → ordeal, trial
prøvende → tentative
prøveoppsetning → trial run
prøveperiode → trial period
prøverom → changing room, fitting room
prøverør → test tube
prøverørsbarn → test-tube baby
prøvesmake → sample
prøvesten → testing ground
prøving → fitting
pseudo- → pseudo-
pseudonym → pseudonym
psyke → psyche
psykedelisk → psychedelic
psykiater → psychiatrist, shrink
psykiatri → psychiatry
psykiatrisk → psychiatric
psykisk → mental, psychic, psychological
psyko → psycho
psykoanalyse → analysis, psychoanalysis
psykoanalysere → analyse, psychoanalyse
psykoanalytiker → analyst, psychoanalyst
psykolog → psychologist
psykologi → psychology
psykologisk → psychological
psykopat → psychopath
psykose → psychosis
psykosomatisk → psychosomatic
psykoterapi → psychotherapy
psykotisk → psychotic
psyskisk → psychological
pubertet → adolescence, puberty
publikum → audience
publisitet → publicity
puddel → poodle
pudder → powder
pudderdåse → powder compact
pudderkvast → powder puff
pudding → blancmange, custard, pudding
Puerto Rico → Puerto Rico
puff → jab, poke, pouf(fe), prod
puffe til → jostle
pugge → mug up, swot
pugghest → swot

pugging → *cramming*
puh → *phew*
pukkel → *hump*
pulje → *batch*
pull → *crown*
pullover → *pullover*
puls → *pulse*
pulsere → *pulsate, pulse*
pult → *desk*
pulver → *powder*
pulverisere → *pound, pulverize*
pulverisering → *demolition*
puma → *puma*
pumpa → *whacked*
pumpe → *mainline, pump*
pumpe opp → *blow up, inflate, pump up*
pumps → *court shoes*
puncher → *keyboarder*
pund → *pound*
pung → *pouch, purse, scrotum*
pungdyr → *marsupial*
punge ut → *fork out, pay up*
punge ut med → *fork out*
punkt → *item, plank, point*
punktelig → *prompt*
punktere → *puncture*
punktering → *puncture*
punktlig → *punctual, punctually*
punktlighet → *punctuality*
punktskrift → *Braille*
punktum → *full stop, period, stop*
punsj → *punch*
pupill → *pupil*
pupp → *boob, tit*
purist → *purist*
puritaner → *puritan*
puritansk → *austere, puritanical*
purk → *cop, copper*
purke → *sow*
purpurfarget → *purple*
purpurrød → *scarlet*
purre → *leek, scallion*
purre på → *chase up*
purrebrev → *reminder*
purring → *reminder*
purser → *purser*
puré → *puree*
pus → *puss, pussy(cat)*
pusekatt → *kitten, pussy(cat)*
pusher → *dealer*
puslespill → *jigsaw, puzzle*
pusling → *runt*
puss → *caper, joke, prank, pus*
pussa → *tight*
pusse → *clean, polish, rub, shine*
pusse ned → *sand*
pusse opp → *decorate, do up, redecorate, refurbish*
pusseskinn → *chamois*
pussig → *curious, droll, funnily, funny, odd, oddly, peculiar*
pust → *breath, breathing, wind*
puste → *blow, breathe*
puste inn → *breathe, breathe in, inhale*
puste og pese → *puff*
puste på → *fan*
puste ut → *breathe out, exhale*
pusteapparat → *Breathalyzer*
pusterom → *breathing space*
pute → *cushion, pillow*
putevar → *pillowcase*
putre → *chug*
putt → *putt*
putte → *slip, slip in, stick*
PVC → *PVC*
pygmé → *pygmy*
pyjamas → *pajamas, pyjamas*
pynt → *decoration, trim*
pynte → *embellish, garnish*
pynte på → *doctor*
pynte seg → *dress up, titivate*
pyntegjenstand → *ornament, trinket*
pyramide → *pyramid*
pyrenéisk → *Pyrenean*
pyset(e) → *squeamish*
pytonslange → *python*
pæl → *pile, stake, stilt*
pære → *bulb, pear*
pøbel → *hooligan, riffraff, yob(bo)*
pøbelaktig → *rowdy*
pøbelopptøyer → *hooliganism*
pøbelstreker → *rowdyism*
pølse → *banger, hot dog, sausage*
pølsevev → *poppycock*
pønk (rock) → *punk*
pønker → *punk*
pønske ut → *devise*
pøse ned → *pelt*
på → *for, in, on, to, upon*
påberope seg → *claim*
påbudt → *mandatory*
påbygg → *extension*
pådra seg → *contract, earn, incur, sustain*
påfallende → *conspicuous*
påfugl → *peacock*
påfunn → *brainchild, contrivance*
påfyll → *refill, top-up*
påfølgende → *ensuing, subsequent*
påføre → *apply*
påføring → *application*
pågangsmot → *drive, grit*
pågripe → *apprehend*
pågripelse → *apprehension*
pågående → *aggressive, ongoing, pushy*
påhengsmotor → *outboard*
påkalle → *court, invoke*
påkleder → *dresser*
påkrevd → *required*
påle → *beanpole, stake, stilt*
pålegg → *rise, spread*
pålegge → *impose*
pålitelig → *dependable, faithful, reliable, stalwart, trustworthy*
pålitelighet → *fidelity, reliability, veracity*
påløpe → *accrue*
påmelding → *enrolment*
påmeldingsskjema → *entry form*
påminnelse → *prod, reminder*
påpeke → *point out*
påpekende → *demonstrative*
påseilet → *sloshed*
påske → *Easter, Passover*
påskeegg → *Easter egg*
påskelilje → *daffodil*
påskemåltid → *Passover*
Påskeøya → *Easter Island*
påskjønne → *remunerate*
påskjønnelse → *award, remuneration*
påskrive → *inscribe*
påskudd → *plea, pretext*
påskynde → *speed up*
påstand → *allegation, assertion, claim, contention*
påstå → *allege*
påståelig → *opinionated*
påstått → *alleged, ostensible, reputed*
påta seg → *assume, shoulder, take on, undertake*
påtakelig → *marked, notably*
påtatt → *assumed, feigned*
påtegne → *endorse*
påtrengende → *obtrusive*

påtvungen → *enforced*
påvirke → *influence, sway*
påvirkelig → *impressionable*
påvirkning → *influence*
påvirkningskraft → *leverage*

Q

Q, q → *Q, q*
Qatar → *Qatar*
qed → *QED*
Quebec → *Quebec*
quiche → *quiche*
quickstep → *quickstep*
Quito → *Quito*

R

R, r → *R, r*
rabalder → *hullaballoo, ructions*
rabarbra → *rhubarb*
rabatt → *border, discount*
rabattmerke → *trading stamp*
rabbel → *scribble*
rabbi → *rabbi*
rabiat → *rabid*
rabies → *hydrophobia, rabies*
rable → *scrawl, scribble*
rable ned → *dash off, jot down, scribble*
rabling → *scrawl*
racerbil → *racing car*
racerkjører → *racing driver*
racket → *bat, paddle, racket, racquet*
rad → *bank, line, row, string, tier*
radar → *radar*
radbrekke → *murder*
radering → *etching*
radial → *radial*
radialdekk → *radial*
radiator → *radiator*
radiatorgrill → *radiator grill*
radiatorlokk → *radiator cap*
radikal → *radical*
radikaler → *radical*
radio → *radio, set, tuner, wireless*
radioaktiv → *radioactive*
radioaktivitet → *radioactivity*
radioamatør → *ham*
radiobil → *dodgems, radio taxi*
radiobiler → *bumper cars*
radioforsterker → *tuner amplifier*
radiofyr → *beacon*
radiograf → *radiographer*
radiografi → *radiography*
radiolog → *radiologist*
radiologi → *radiology*
radiomann → *broadcaster*
radiostasjon → *radio station*
radiostyrt → *radio-controlled*
radiotelefon → *radio-telephone*
radioteleskop → *radio telescope*
radium → *radium*
radius → *radius*
radmager → *bony, scraggy, scrawny*
raffia → *raffia*
raffinement → *sophistication*
raffinere → *refine*
raffineri → *refinery*
raffinert → *polished, refined*
rage → *soar*
rage fram → *project*
rage opp → *tower*
ragget(e) → *shaggy*
raid → *raid*
raja → *rajah*
rake → *rake*
raket → *shaven*
rakett → *missile, rocket*
rakettbase → *missile base*
rakettutskytningsrampe → *rocket launcher*
rakitt → *rickets*
rakke ned på → *knock, rubbish, slander*
rakkerunge → *rascal, scamp, urchin*
rakne → *ladder*
rally → *rally*
ramaskrik → *hue and cry, outcry*
rambukk → *battering ram*
ramle → *rumble, tumble*
ramme → *affect, frame, framework, hit, ram, strike, strike down*
ramme inn → *frame*
rammel → *rumble*
rammet → *stricken*
rammeverk → *frame, framework*
ramp → *hooligan*
rampe → *ramp*
rampelys → *footlights*
rampestreker → *rowdyism*
rampete → *rowdy*
ramponert → *beat-up*
ramse opp → *recite, reel off*
ran → *heist, hold-up, robbery, stick-up*
ranch → *ranch*
rancheier → *rancher*
rand → *brim, brink, lip, ridge*
rane → *hold up, rob*
raner → *robber*
rang → *eminence, rank*
rangere → *rate*
rangle → *rattle*
Rangoon → *Rangoon*
rangordning → *hierarchy*
rangstige → *ladder*
rankeføtting → *barnacle*
ransake → *frisk, ransack, search*
ransaking → *search*
ransakingsordre → *search warrant, warrant*
ransel → *knapsack*
ransmann → *mugger*
rap → *burp, rap*
rape → *belch, burp*
rapp → *smack*
rappe → *filch, knock off, lift, nick, pinch, snatch, swipe*
rappellere → *abseil*
rapphøne → *partridge*
rapping → *rap*
rapport → *dispatch, report*
rapportere → *report*
raps → *rape*
rapsodi → *rhapsody*
rapsolje → *rape(seed) oil*
raptus → *bout*
rar → *queer, strange, weird*
raring → *oddball*
raritet → *curio, curiosity, oddity*
rart → *strangely*
ras → *plunge*
rase → *breed, fume, pedigree, race, rage, storm*
rase av gårde {or} av sted → *career*
rase ned → *plunge, slump*
rase sammen → *collapse, fall down, fall in*
rasehat → *racialism, racism*
rasehater → *racialist, racist*
rasende → *frenzied, furious, furiously, livid, raging*

rasere → *flatten, raze*
raseren → *pure-bred*
raseri → *fury, outrage, rage*
raserianfall → *frenzy, fury, tantrum*
rasering → *demolition*
raseskille → *colour bar*
rasisme → *racialism, racism*
rasist → *racialist, racist*
rasistisk → *racialist, racist*
rasjon → *ration*
rasjonalisere → *rationalize*
rasjonalisering → *rationalization*
rasjonell → *rational*
rasjonelt → *rationally*
rasjoner → *ration*
rasjonere → *ration*
rasjonering → *rationing*
rask → *brisk, fast, quick, rapid, speedy, swift*
raskhet → *promptness, quickness*
raskt → *fast, quickly, rapidly, speedily, swiftly*
rasle → *rattle, rustle*
rasle med → *rustle*
rasling → *rattle*
rasp → *rasp*
rasping → *rasp*
rasshøl → *dickhead*
rassia → *raid*
rastafari → *Rastafarian*
rastløs → *fidgety, restive, restless*
rastløst → *restlessly*
ratifikasjon → *ratification*
ratifisere → *ratify*
ratt → *steering wheel, wheel*
rattstamme → *steering column*
raus → *unstinting*
raust → *lavishly*
rauv → *arse, ass*
rav → *amber*
rave → *rave*
ravine → *gully, ravine*
ravioli → *ravioli*
ravn → *raven*
rayon → *rayon*
reagensmiddel → *reagent*
reagensrør → *test tube*
reagent → *reagent*
reagere → *react*
reaksjon → *reaction*
reaksjonsdrevet → *jet-propelled*
reaksjonsevne → *reaction*
reaksjonær → *reactionary*
reaktor → *reactor*
real → *no-nonsense, sporting, straight*
realisasjon → *realization*
realisere → *implement, realize*
realisme → *realism*
realist → *realist*
realistisk → *realistic*
realiteter → *reality*
realt → *squarely*
rebell → *rebel*
redaksjonell → *editorial*
redaksjonssekretær → *sub-editor*
redaktør → *editor*
redd → *afraid, frightened*
redde → *bail out, deliver, rescue, salvage, save*
reddhare → *chicken*
reddik → *radish*
rede → *den, nest, ready*
rede penger → *ready cash*
redefinere → *redefine*
redegjøre for → *expound*
redelig → *guileless*
redelighet → *probity*
rederi → *shipping company*
redigere → *edit*
redning → *catch, lifeline, rescue, salvation, save*
redningsaksjon → *rescue, rescue attempt*
redningsbøye → *lifebelt*
redningsflåte → *life raft*
redningsmann → *rescuer, saviour*
redningsmannskap → *rescue party*
redningstjeneste → *breakdown service*
redningsvest → *life jacket*
redsel → *fright*
redselsfull → *atrocious, dreadful, execrable, ghastly, ungodly*
redselsslagen → *horror-struck*
redskap → *implement, instrument, tool, utensil, vehicle*
reduksjon → *reduction*
redundant → *redundant*
redusere → *decrease, reduce, run down*
redusert → *cheap, scaled-down*
reeksportere → *re-export*
reel → *reel*
refektorium → *refectory*
referanse → *reference, referee*
referansebibliotek → *reference library*
referansenummer → *reference number*
referat → *minute, proceedings, record*
referendum → *referendum*
referere → *quote, recount, report*
referere til → *refer to*
reflasjon → *reflation*
refleks → *reflector, reflex*
refleksbevegelse → *kneejerk reaction*
refleksiv → *reflexive*
refleksjon → *reflection*
reflektere → *reflect*
reflektor → *reflector*
reform → *reform*
reformere → *reform*
reformering → *reform*
refreng → *chorus, refrain*
refs → *reprimand*
refse → *admonish, chastise, reprimand*
refundere → *refund*
refusere → *refuse*
refusjon → *refund*
regalier → *regalia*
regatta → *regatta*
regel → *regulation, rule*
regelmessig → *regular, regularly*
regelmessighet → *regularity*
regelrett → *downright, regular*
regenerere → *regenerate*
regent → *regent*
regentskap → *regency*
reggae → *reggae*
regime → *regime, reign*
regiment → *regiment*
region → *region*
regional → *regional*
regissere → *orchestrate*
register → *gamut, gazetteer, index, range, register*
registrere → *enrol, record, register*
registrere seg → *enrol*
registrering → *enrolment, registration*
registreringsnummer → *registration number*
registrert → *licensed, registered*
registrert varemerke → *registered trademark*
regjere → *reign*
regjerende → *reigning, ruling*
regjering → *cabinet, government*
regjeringstid → *regency, reign*
regle → *patter, rhyme*
regn → *rain, rainfall, shower*
regnbue → *rainbow*

regnbuehinne → *iris*
regndråpe → *raindrop*
regne → *class, rain, reckon*
regne med → *allow for, count, count on, expect, reckon on*
regne opp → *enumerate*
regneark → *spreadsheet*
regnestav → *slide rule*
regnestykke → *calculation, sum*
regnetabell → *ready reckoner*
regnfrakk → *mac, mackintosh, raincoat*
regnfull → *rainy, wet*
regning → *account, arithmetic, bill, check*
regnjakke → *cagoule*
regnkappe → *raincoat*
regnskap → *account, book*
regnskapsbok → *ledger*
regnskapsfører → *accountant, scorer*
regnskapsføring → *accountancy, accounting*
regnskapsførsel → *book-keeping*
regnskapsår → *financial year*
regnskog → *rainforest*
regnskyll → *rainstorm*
regntett → *rainproof*
regnvann → *rainwater*
regskapsperiode → *accounting period*
regulerbar → *adjustable, variable*
regulere → *regulate, revise*
regulering → *adjustment, brace, regulation*
rehabilitere → *rehabilitate*
rehabilitering → *rehabilitation*
re(i)m → *belt, strap, thong*
re(i)n → *reindeer*
reineclaude → *greengage*
reinkarnasjon → *reincarnation*
re(i)nsdyr → *reindeer*
reinvestere → *plough back*
reise → *depart, erect, go, journey, leave, raise, set up, tour, travel, voyage*
reise bort {or} vekk → *go away*
reise fra → *leave behind*
reise rundt i → *tour*
reise seg → *get up, rise, stand, stand up*
reise sin vei → *leave*
reisebeskrivelse → *travelogue*
reisebrosjyre → *travel brochure*
reisebyrå → *travel agency*
reisehåndbok → *guidebook*
reiseleder → *courier, guide*
reisemål → *destination*
reisende → *traveller*
reiseradio → *transistor*
reiserute → *itinerary*
reisesjekk → *traveller's cheque*
reiseskildring → *travelogue*
reisesyke → *travel sickness*
reising → *movement, travel, travelling*
reke → *prawn, shrimp*
rekke → *hand, pass, rail, range, reach, row, string, succession*
rekke ut → *extend, reach out, stretch out*
rekkefølge → *order, sequence*
rekkevidde → *compass, magnitude, range, reach, scope*
rekkverk → *banister(s), guard-rail, handrail*
reklame → *advertisement, advertising, commercial*
reklamebransjen → *advertising*
reklamebyrå → *advertising agency*
reklamefjernsyn → *commercial television*
reklameinnslag → *commercial*
reklamekampanje → *advertising campaign, promotion*
reklamelåt → *jingle*
reklamemann → *adman*
reklamepause → *commercial break*
reklameradio → *commercial radio*
reklamere → *advertise*
reklametavle → *billboard, hoarding*
reklametid → *spot*
reklametrykksak → *circular*
reklame-tv → *commercial television*
rekognosere → *reconnoitre*
rekognosering → *reconnaissance*
rekommandere → *register*
rekommandert → *registered*
rekonstituere → *reconstitute*
rekonstruere → *reconstruct*
rekonstruksjon → *reconstruction*
rekonvalesens → *convalescence*
rekonvalesens- → *convalescent*
rekonvalesent → *convalescent*
rekord → *record*
rekordinnehaver → *record holder*
rekrutt → *recruit, rookie*
rekruttere → *recruit*
rekruttering → *recruitment*
rektangel → *rectangle*
rektangulær → *rectangular*
rektor → *head, headmaster, headmistress, principal*
rektum → *rectum*
rekviem → *requiem*
rekvirere → *commandeer, requisition*
rekyl → *kick, recoil*
relativ → *comparative*
relativpronomen → *relative pronoun*
relativt → *comparatively, moderately, relatively*
relegere → *relegate*
relevant → *pertinent, relevant*
relieff → *relief*
relieffkart → *relief map*
religion → *religion*
religionsopplæring → *religious education*
religiøs → *religious, sacred*
relikvie → *relic*
reling → *rail*
remburs → *letter of credit*
remse → *strip*
ren → *clean, clear, neat, perfect, pure, sheer, unpolluted*
renegat → *renegade*
rengjøring → *cleaning, clean-up*
rengjøringshjelp → *charlady, cleaner, cleaning lady*
rengjøringstjeneste → *valet service*
renhet → *purity*
renholder → *cleaner*
renholdsarbeider → *refuse collector*
renhårig → *clean*
renkespill → *machinations*
renne → *channel, chute, flow, pour, roll, run, trough*
renne ned → *mob*
renne over → *overflow, run over, spill, spill over*
renne ut → *drain*
rennende → *running, runny*
rennestein → *gutter*
renonsere på → *renounce*
renovasjon → *refuse collection*
renovere → *renovate*
renovering → *renovation*
renraset → *pure-bred*
rense → *cleanse, decontaminate, dry clean, hull, purify, wash*
renseanlegg → *sewage works*
rensekrem → *cleanser*
rensemiddel → *cleaner*
renseri → *cleaner's, dry-cleaner's*
rensevann → *cleanser*
rensing → *dry-cleaning, purification*
renske opp i → *clean up*
renskrive → *write up*
renslig → *clean*
renslighet → *cleanliness*
rente → *interest, interest rate*

rentefot → *interest rate*
rentefri → *interest-free*
rentefritt → *interest-free*
rentesrente → *compound interest*
reparasjon → *mending, repair*
reparasjonsarbeid → *mending*
reparasjonssett → *repair kit*
reparatør → *engineer, repair man*
reparere → *fix, mend, repair*
repatriere → *repatriate*
repertoar → *gamut, repertoire*
repetere → *revise*
repetisjon → *repetition, revision*
replikk → *rejoinder, speech*
replikkveksling → *repartee*
reponere → *reset*
reportasje → *commentary*
reporter → *reporter*
represalier → *reprisal*
representant → *delegate, deputy, rep, representative*
representasjon → *representation*
representativ → *representative*
representere → *present, represent*
reprimande → *reprimand*
reprise → *action replay, instant replay, repeat*
reproduksjon → *print, reproduction*
reprodusere → *reproduce*
reptil → *reptile*
republikaner → *republican*
republikansk → *republican*
republikk → *republic*
resepsjon → *desk, reception, reservation desk*
resepsjonist → *receptionist*
resept → *prescription*
reseptgebyr → *prescription charges*
reservasjon → *reservation, reserve*
reservat → *preserve, reservation, reserve, sanctuary*
reserve → *reserve, spare, understudy*
reservedel → *replacement part, spare, spare part*
reservehjul → *spare tyre, spare wheel*
reserver → *reserve, store*
reservere → *reserve*
reservert → *reserved, retiring*
reservetropper → *reserve*
reservist → *reservist*
reservoar → *reservoir*
residens → *residence*
resignasjon → *resignation*
resignert → *resigned*
resirkulere → *recycle*
resitasjon → *recitation*
resitere → *recite*
resolusjon → *resolution*
resolutt → *resolute*
resonans → *resonance*
respekt → *deference, regard, respect*
respektabel → *respectable*
respektabilitet → *respectability*
respektere → *respect*
respektert → *respected*
respektfull → *respectful*
respektfullt → *respectfully*
respektinngytende → *awe-inspiring*
respektiv → *respective*
respektløs → *disrespectful*
respirasjon → *respiration*
respirasjons- → *respiratory*
respirator → *respirator*
respiratør → *ventilator*
ressurs → *resource*
ressurssterk → *resourceful*
ressurssvak → *deprived*
rest → *remainder, remnant, residue, rest*
restanse → *arrears*
restaurant → *restaurant*
restaurantvogn → *club car*
restaurere → *restore*
restaurering → *restoration*
restbeløp → *balance*
rester → *debris, leftovers, oddments, remains, scrap*
resterende → *remaining*
restituere seg → *recover*
restituering → *restoration*
restriksjon → *restriction*
restriktiv → *restrictive*
resultat → *accomplishment, outcome, result, upshot*
resultater → *findings*
resultatløs → *inconclusive*
resultattavle → *scoreboard*
resymé → *docket, précis, résumé*
retensjon → *retention*
retina → *retina*
retning → *direction, drift*
retningsbestemt → *directional*
retningslinjer → *guidelines*
retningsnummer → *area code, dialling code*
retorikk → *rhetoric*
retorisk → *rhetorical*
retrett → *climb-down, retreat*
retrospektiv → *retrospective*
rett → *clean, course, directly, dish, law, proper, right, straight*
rett og slett → *downright, plain, positively*
rett ut → *bluntly, outright, plainly, point-blank*
rett vinkel → *right angle*
rett ved → *close*
rette → *correct, deliver, direct, mark*
rette opp → *emend, retrieve, right*
rette på → *adjust, correct, remedy*
rette seg etter → *abide by*
rette seg inn mot → *home in on*
rette ut → *unbend*
rettelse → *amendment, correction*
rettesnor → *precept*
rettferdig → *equitable, fair, fairly, just, justly, righteous*
rettferdiggjøre → *justify, vindicate*
rettferdiggjøring → *vindication*
rettferdighet → *equity, fairness, justice, righteousness*
rettighet → *right*
rettledning → *guidance*
rettmessig → *rightful, rightfully*
rettrettstilling → *fallback position*
retts- → *forensic, legal*
rettsbelæring → *summing-up*
rettsbetjent → *bailiff*
rettsbygning → *court-house*
rettskaffen → *guileless, righteous, upright*
rettskaffenhet → *integrity, probity*
rettslig → *forensic, judicial, legal*
rettslig behandling → *trial*
rettslig påbud → *injunction*
rettslokale → *courtroom*
rettssak → *hearing, lawsuit, trial*
rettssal → *courtroom*
rettsskriver → *Clerk of Court*
rettssystem → *justice*
rettstvist → *litigation*
rettsvitenskap → *jurisprudence*
retur → *return*
returnere → *return*
returtast → *carriage return*
reumatisk → *rheumatic*
reumatisme → *rheumatism*
rev → *fox, reef*
revebjelle → *foxglove*
revejakt → *fox-hunting*
revelje → *reveille*
revers → *reverse*
reversere → *reverse*

reversjon → *reversion*
revidere → *audit, revise*
revisjon → *audit, revision*
revisor → *auditor*
revne → *fissure, rift, split*
revolusjon → *revolution*
revolusjonere → *revolutionize*
revolusjonær → *revolutionary*
revolver → *gun, revolver*
revolvermann → *gunman*
revurdere → *reconsider, re-examine, rethink*
revurdering → *revaluation*
revy → *review, revue*
Reykjavik → *Reykjavik*
Rh → *Rh*
rhesus minus → *rhesus negative*
rhesus pluss → *rhesus positive*
rhesusfaktor → *rhesus factor*
rhesusnegativ → *rhesus negative*
rhesusposistiv → *rhesus positive*
rhinskvin → *hock*
rhinstein → *rhinestone*
Rhodesia → *Rhodesia*
rhodesier → *Rhodesian*
rhodesisk → *Rhodesian*
Rhodos → *Rhodes*
ri → *ride*
ri av → *weather*
ribbe → *pluck, rifle*
ribbein → *rib*
ribbestrikket → *ribbed*
rickshaw → *rickshaw*
ridder → *knight*
ridderlig → *chivalrous*
ridderlighet → *chivalry*
rideferdighet → *horsemanship*
ridende → *mounted*
ridepisk → *crop, horsewhip*
rideskole → *riding school*
ridestevne → *gymkhana*
ridesti → *bridle path, ride*
ridetur → *ride*
ridevei → *ride*
ridning → *riding*
rifle → *rifle*
riflet(e) → *fluted*
rift → *rip, split, tear*
rigg → *rig, rigging*
rigge opp {or} til → *rig up*
rigid → *rigid*
rigorøs → *rigorous*
rik
opulent → *rich, wealthy*
rikdom → *affluence, opulence, riches, richness, wealth*
rikelig → *abundant, abundantly, ample, copious, freely, liberal, plentiful, richly*
rikholdig → *ample*
rikke → *budge*
rikke (på) seg → *budge*
rikmannshus → *stately*
rikosjett → *ricochet*
riksaviser → *national press*
riksdekkende aviser → *national press*
riksrettssak → *impeachment*
rikstelefon → *trunk call*
rikt → *richly*
riktig → *appropriate, correct, correctly, quite, real, right*
riktignok → *admittedly*
rille → *groove*
rillet(e) → *fluted*
rim → *frost, hoarfrost, rhyme*
rimdekket → *frosty*
rimelig → *fair, inexpensive, reasonable, reasonably, sound, tolerably*
rimelighet → *equity, fairness, legitimacy*
rimet(e) → *frosty*
rimfrost → *hoarfrost*
rimord → *rhyme*
ring → *circle, coil, halo, ring*
ringblomst → *marigold*
ringe → *buzz, call, chime, phone, phone up, ring*
ringe inn → *round up*
ringe med → *ring, sound*
ringe opp → *ring up*
ringe opp igjen → *phone back, ring back*
ringe på → *buzz, ring*
ringe til → *call up, phone up*
ringe tilbake → *call back, phone back*
ringeklokke → *doorbell*
ringeknapp → *bell push*
ringetone → *ringing tone*
ringfinger → *ring finger*
ringing → *chime, ring, ringing*
ringle → *jingle, tinkle*
ringperm → *ring binder*
ringvei → *beltway, bypass, orbital motorway, ring road*
Rio (de Janeiro) → *Rio (de Janeiro)*
ripe → *scratch*
ripost → *riposte*
rips → *currant, redcurrant*
ripsbusk → *redcurrant*
ris → *ream, rice*
rise → *spank*
risikabel → *chancy, dicey, risky*
risikere → *risk*
risiko → *risk*
risikofylt → *risky*
risikokapital → *risk capital, venture capital*
risikotillegg → *hazard pay*
rismark → *ricefield*
risse i → *score*
riste → *agitate, fluff, jar, jolt, shake, toast*
riste av seg → *lose, shake off*
riste opp → *plump up*
riste sammen → *shake up*
ristet brød → *toast*
risting → *shake*
risåker → *paddy field, ricefield*
rite → *rite*
ritual → *rite, ritual*
rituell → *ritual*
rival → *rival*
rivaliserende → *rival*
rivalisering → *rivalry*
rive → *grate, pull down, rake, rip, shred, wrench*
rive av → *rip off, sever*
rive fra hverandre → *pull apart, tear apart*
rive ned → *demolish, knock down*
rive opp → *lacerate, tear*
rive overende → *knock over*
rive til seg → *snap up*
rive ut → *tear out*
rivjern → *grater, shredder, shrew*
Riyad → *Riyadh*
RNA → *RNA*
ro → *calm, quiet, quietness, row, tranquillity*
robbe → *loot, rob*
robot → *automaton, humanoid, robot*
robotikk → *robotics*
robust → *robust, sturdy*
robåt → *rowboat, rowing boat*
rodeo → *rodeo*
rododendron → *rhododendron*
roe → *calm, steady*
roe ned → *calm down, pacify*
roe seg (ned) → *calm down, quieten*
roer → *oar, oarsman*
roing → *rowing*

rojalist → *royalist*
rojalistisk → *royalist*
rokk → *spinning wheel*
rokke → *budge, skate*
rolig → *calm, calmly, composed, coolly, placid, quiet, quietly*
rolle → *character, part, role*
rollespill → *role play*
rom → *compartment, room, rum, space*
Roma → *Rome*
roman → *novel*
romanforfatter → *novelist*
romani → *Romany*
Romania → *Romania*
romanse → *romance*
romansk → *Romanesque*
romantikk → *romance, romanticism*
romantisk → *romantic*
rombe → *diamond, lozenge*
romdrakt → *spacesuit*
romer → *Roman*
romersalat → *cos lettuce*
romersk → *Roman*
romersk-katolsk → *Roman Catholic*
romertall → *Roman numeral*
romfarer → *spaceman, spacewoman*
romfartsindustri → *aerospace industry*
romfartøy → *spacecraft*
romferge → *shuttle, space shuttle*
romkamerat → *roommate*
romklang → *acoustics*
romlig → *spatial*
romme → *embrace, hold*
rommelig → *ample, spacious*
romservice → *room service*
romskip → *spaceship*
romslig → *capacious, comfortable, roomy, spacious*
romstere → *rummage*
romtemperatur → *room temperature*
romvesen → *alien*
rop → *call, cry, shout, shouting*
rope → *call, chant, cheer, shout*
rope opp → *call*
rope på → *hail*
rope ut → *call out, shout*
ropert → *loudhailer, megaphone*
roping → *shouting, uproar*
ror → *helm, rudder, wheel*
rorkult → *tiller*
rormann → *helmsman*
ros → *distinction, praise*
rosa → *pink*
rosarød → *rose*
rose → *commend, extol, praise, rose*
rosebed → *rosebed*
rosebusk → *rosebush*
rosende → *laudatory*
rosenknopp → *rosebud*
rosenkrans → *rosary*
rosenkål → *Brussels sprout, sprouts*
rosenrød → *rosy*
rosett → *rosette*
rosin → *raisin*
rosmarin → *rosemary*
rosverdig → *laudable, praiseworthy*
rosévin → *rosé*
rot → *clutter, debris, disorder, mess, mix-up, muddle, root*
rotasjon → *revolution, rotation*
rote → *ramble*
rote etter → *fumble for*
rote igjennom → *rifle through*
rote rundt → *ferret about, fool about, poke about, root about*
rote sammen → *jumble*
rote til → *clutter, mess up, muddle*
rotere → *gyrate, rotate*
roterende → *rotary, rotating*
roterom → *glory hole*
rotet(e) → *disorderly, garbled, messy, untidy*
rotfestet → *deep-rooted, deep-seated, ingrained*
rotor → *rotor*
rotskudd → *sucker*
rotte → *rat*
rottegift → *rat poison*
rotting → *rattan*
rouge → *blusher, rouge*
rovdyr → *marauder, predator*
rovfugl → *bird of prey*
rovgrisk → *predatory*
royalties → *royalty*
ru → *rough*
Ruanda → *Rwanda*
rubel → *rouble*
rubin → *ruby*
rubinrød → *ruby*
rubrikkannonse → *classified advertisement*
rubrikkannonser → *small ads*
rudimentær → *rudimentary*
rufset(e) → *scruffy, shaggy*
rug → *rye*
rugbrød → *rye bread*
ruge → *brood*
ruge over → *brood over*
ruge på → *brood over, incubate*
ruge ut → *hatch, incubate*
rugge → *rock*
ruging → *incubation*
ruhet → *roughness*
ruin → *ruin, wreckage*
ruiner → *remains, rubble, ruin*
ruinere → *ruin*
ruinerende → *ruinous*
ruinering → *ruination*
rulade → *Swiss roll*
rulett → *roulette*
rull → *reel, roll, scroll*
rulle → *coast, mangle, roll, scroll*
rulle ned → *wind down*
rulle rundt → *roll about, roll around*
rulle sammen → *roll up*
rulle seg → *wallow*
rulle seg rundt → *roll over*
rulle seg sammen → *curl up*
rulle seg ut → *uncoil*
rulle ut → *uncoil, unroll*
rullebane → *landing strip, runway*
rulleblad → *record*
rullebrett → *skateboard*
rullegardin → *blind, roller blind, shade*
rullekake → *Swiss roll*
rullesele → *inertia-reel seat belt*
rulleskøyte → *skate, roller skate*
rullestol → *wheelchair*
rulletekst → *credit*
rulletrapp → *escalator*
rumener → *Romanian*
rumensk → *Romanian*
rumle → *rumble*
rumpe → *bum, butt, buttocks, fanny, rump*
rumpetaske → *bumbag*
rumpetroll → *tadpole*
rund → *circular, mellow, rotund, round, rounded, spherical*
rundbrenner → *philanderer*
runde → *circuit, lap, round*
runde av → *round off*
rundholt → *spar*
rundhåndet → *generous, unstinting*
rundhåndethet → *largesse*
runding → *circle*

rundkjøring → *roundabout, traffic circle*
rundreise → *tour*
rundskriv → *circular*
rundskue → *panorama*
rundskuldret → *round-shouldered*
rundstykke → *roll*
rundt → *around*
rundt i → *about*
rundtur → *circuit, round trip, tour*
runge → *ring*
rungende → *resounding*
runker → *wanker*
rupi → *rupee*
rural → *rural*
rus → *intoxication*
ruse → *race, rev*
rush → *stampede*
rusjtid → *rush hour, peak hours*
ruske i → *ruffle*
rusle → *ramble, saunter, stroll*
rusmiddel → *recreational drug*
rusmiddelmisbruk → *substance abuse*
russer → *Russian*
russisk → *Russian*
Russland → *Russia*
rust → *rust*
rustbeskyttelse → *rustproofing*
rustbeskyttet → *rustproof*
ruste → *rust*
ruste ned → *disarm*
rusten → *rusty*
rustfritt stål → *stainless steel*
rustikk → *rustic*
rustning → *armour*
rustningskontroll → *arms control*
rute → *box, line, pane, route, run, schedule*
rutefly → *airliner, scheduled flight*
rutekart → *route map*
rutemønster → *check*
ruter → *diamond*
rutet(e) → *check*
rutetabell → *schedule, timetable*
rutine → *routine*
rutinearbeid → *drudgery*
rutinemessig → *perfunctory, routine*
rutsje → *slither*
rutsjebane → *chute, helter-skelter, slide*
ruvende → *chunky*
ry → *name, record, renown, reputation*
rydde → *clear*
rydde bort {or} vekk → *put away*
rydde opp → *clean up, clear up, straighten out*
rydde på → *clean up, clear up*
rydde ut av → *clean out*
ryddesalg → *clearance sale*
ryddig → *neat, tidy*
rydding → *clearance*
rygg → *back, bridge, spinal*
rygge → *back, reverse*
rygge tilbake → *shrink*
rygge unna → *recoil*
ryggelys → *reversing lights*
ryggesløs → *illicit*
ryggkrål → *backstroke*
ryggmarg → *spinal cord*
ryggrad → *backbone, spinal column, spine*
ryggsekk → *backpack, knapsack, rucksack*
ryggsekkturist → *backpacker*
ryggsøyle → *spinal column, spine*
ryggvirvel → *vertebra*
ryke → *give way, smoke, snap*
rykk → *heave, jerk, jolt, lurch, start, yank*
rykke → *jerk, lurch, twitch, wrench, yank*
rykke inn → *move in*
rykke opp → *pull up, root out, uproot*
rykk(e)vis → *jerky*
rykning → *twitch*
rykte → *reputation, rumour*
ryktemaker → *scaremonger*
rykter → *hearsay*
rynke → *furrow, gather, line, wrinkle*
rynket(e) → *lined, wrinkled*
rype → *grouse*
rysj → *frill*
rysjekrave → *ruff*
ryste → *jar, jolt, rock, scandalize, shake, shock*
rystelse → *tremor*
rystende → *earthshattering, shattering*
rytme → *pulse, rhythm*
rytmisk → *rhythmic(al), rhythmically*
rytter → *equestrian, horseman, rider*
rytterske → *horsewoman*
rytterstevne → *gymkhana, horse show*
ræv → *butt*
rød → *flushed, red*
rødbete → *beet, beetroot*
rødblond → *ginger, sandy*
rødbrun → *ginger*
røde hunder → *German measles*
rødfarge → *blusher, redness*
rødglødende → *red-hot*
rødhåret → *red-haired*
rødlig → *reddish, ruddy*
rødme → *blush, colour, flush, redden*
rødmusset(e) → *florid, ruddy*
rødoransje → *tangerine*
rødspette → *plaice*
rødstrupe → *robin*
rødt → *red*
rødtopp → *redhead*
rødvin → *claret*
røff → *rough*
røkelse → *incense*
røkelsespinne → *joss stick*
røkt → *smoked*
rømling → *escapee, fugitive*
rømme → *elope, escape, flee, fly*
rømning → *elopement, escape*
rømningsartist → *escape artist*
rømningsluke → *escape hatch*
rømningsvei → *escape route*
rønne → *shack*
røntgenbilde → *X-ray*
røntgenfotografere → *X-ray*
røntgenfotografering → *radiography*
røntgenlege → *radiologist*
røntgenstråle → *X-ray*
røpe → *betray, disclose, divulge, give away, reveal*
rør → *cane, handset, pipe, ravings, receiver, tube*
rørblad → *reed*
røre → *batter, move, stir, touch*
røre i → *agitate, stir*
røre på seg → *move, stir*
røre sammen → *mix*
røre ved → *touch*
rørende → *moving, touching*
rørformet → *tubular*
rørledning → *pipeline*
rørlegger → *plumber*
rørleggerarbeid → *plumbing*
rørt → *touched*
røske ut → *yank out*
røst → *voice*
røver → *marauder, rascal*
røverhule → *den*
røverkjøp → *bargain, snip*
røverunge → *scamp*
røyforgifte → *asphyxiate*

røyk → *fag, fumes, smoke, smoked*
røykaktig → *smoky*
røyke → *smoke*
røyke ut → *flush out*
røykekupé → *smoker, smoking compartment*
røyker → *smoker*
røykerom → *smoking room*
røykesild → *kipper*
røykforgiftning → *asphyxiation*
røykfri → *smokeless*
røykfylt → *smoky*
røyking → *smoking*
røykkanal → *flue*
røykteppe → *smokescreen*
røyskatt → *stoat*
røyte → *moult*
rå → *crude, dank, earthy, raucous, raw, savage*
råbalanse → *trial balance*
råbarket → *rugged*
råbukk → *buck*
råd → *advice, council, counsel*
råde → *advise, counsel*
rådende → *prevailing*
rådføre seg med → *consult*
rådgivende → *advisory, consultative*
rådgiver → *adviser, consultant, counsellor*
rådhus → *City Hall, town hall*
rådslagning → *powwow*
rådslutning → *decree*
rådslå → *deliberate*
rådvill → *nonplussed*
rådyr → *roe deer*
rådyrhunn → *roe deer*
råflott → *extravagant*
råflotthet → *extravagance*
rågjenger → *jaywalker*
rågummi → *crêpe*
rågummisåle → *crêpe sole*
råkostjern → *shredder*
råmateriale → *raw material*
råne → *boar*
råolje → *crude (oil), petroleum*
råskap → *savagery*
råtamp → *ruffian, thug*
råtass → *ruffian*
råte → *decay, rot*
råtne → *decay, decompose, rot*
rått → *raucously*
råtten → *addled, lousy, putrid, rotten*

S

S, s → *S, s*
sabbat → *Sabbath*
sabbatsår → *sabbatical*
sabel → *sabre*
sable ned → *hammer, run down, slam*
sabotasje → *sabotage*
sabotere → *sabotage, scupper*
sadisme → *sadism*
sadist → *sadist*
sadistisk → *sadistic*
sadomasochisme → *sadomasochism, S & M*
safari → *safari*
safaripark → *safari park*
safe → *safe*
safir → *sapphire*
safran → *saffron*
saft → *juice, sap, syrup*
saftig → *fruity, juicy, racy, succulent*
saftis → *ice lolly*
sag → *saw, sawmill*
saga → *saga*
sagbruk → *sawmill*
sage → *saw*
sagflis → *sawdust*
sagmugg → *sawdust*
sagn → *myth*
sago → *sago*
sagogryn → *sago*
sagtakket(e) → *serrated*
Sahel → *Sahel*
Saigon → *Saigon*
sak → *action, affair, business, case, cause, concern, issue, matter, suit, thing*
saker → *gear, stuff*
sakkarin → *saccharin(e)*
sakkyndig → *expert*
saklig → *factual, matter-of-fact*
sakne → *slacken, slow*
sakrament → *sacrament*
sakristi → *vestry*
saks → *scissors*
saksedyr → *earwig*
saksmappe → *dossier*
saksofon → *saxophone*
saksresymé → *brief*
saksøke → *sue*
saksøker → *plaintiff*
sakte → *slow, slowly*
saktegående → *slow-moving*
sal → *house, saddle*
salamander → *newt*
salami → *salami*
salat → *lettuce, salad*
salatbolle → *salad bowl*
saldo → *balance*
sale → *saddle*
salg → *sale*
salgbar → *marketable*
salgjord → *girth*
salgsavling → *cash crop*
salgshall → *showroom*
salgskraft → *sales force*
salgslokale → *saleroom, showroom*
salgsmesse → *trade fair*
salgspris → *selling price*
salgsrepresentant → *salesman, saleswoman*
salgssjef → *sales manager*
salgsteknikk → *salesmanship*
salig → *blessed*
salinsk → *saline*
salknapp → *pommel*
salme → *hymn, psalm*
salong → *drawing room, lounge, salon, saloon*
salongbar → *lounge*
salongbord → *coffee table*
salplass → *paddock*
salt → *salt, savoury, salty*
saltbøsse → *salt cellar*
salte → *salt*
saltfri → *salt-free*
saltgruve → *salt mine*
saltlake → *brine*
salto → *somersault*
saltomortale → *somersault*
saltvanns- → *saltwater*
salutt → *salute*
salve → *anoint, burst, ointment, salvo, volley*
salvie → *sage*
samarbeid → *collaboration, cooperation, partnership*
samarbeide → *collaborate*
samarbeidsforetak → *joint venture*
samarbeidspartner → *collaborator*
samarbeidsvillig → *cooperative*
same → *Lapp*

sameie → *joint ownership*
sameksistens → *coexistence*
samfunn → *community, society*
samfunns- → *civil, social*
samfunnsengasjert → *public-spirited*
samfunnsfag → *social science*
samfunnsfiendtlig → *antisocial, subversive*
samfunnshus → *community centre*
samfunnsklasse → *social class*
samfunnstjeneste → *community service*
samfunnsvitenskap → *social science*
samfunnsånd → *community spirit*
samhold → *cohesion, unity*
samhørighet → *togetherness*
samisk → *Lapp*
samkvem → *intercourse*
samle → *assemble, collect, marshal, rally, unify, unite*
samle inn → *collect, gather*
samle opp → *accumulate, amass*
samle på → *collect, save*
samle sammen → *gather, get together, reassemble*
samle seg → *assemble, collect, congregate, gather, unite*
samle seg opp → *accumulate, mount up*
samlebånd → *assembly line, conveyor belt, production line*
samleie → *intercourse, sexual intercourse*
samler → *collector*
samles → *assemble*
samlet → *concert, concerted, total, united*
samlet sum → *aggregate, grand total*
samling → *accumulation, body, collection, gathering*
samlingsmerke → *rallying point*
sammalt hvetemel → *wheatmeal, wholemeal*
sammalt mel → *meal*
samme → *equal, same*
sammen → *jointly, together*
sammenblanding → *conglomeration*
sammenbrudd → *breakdown, collapse*
sammenbrutt → *broken-down*
sammendrag → *abstract, docket, précis, roundup, summary*
sammendriving → *roundup*
sammenfalle → *coincide*
sammenfatning → *compendium, recap, résumé*
sammenfatte → *recap, sum up, summarize*
sammenfiltret → *matted, tangled*
sammenheng → *cohesion, connection, context, continuity*
sammenhengende → *coherent, continuous, seamless, solid*
sammenkalle til → *convene, summon*
sammenklebing → *adhesion*
sammenklistring → *adhesion*
sammenkobling → *link-up*
sammenkomst → *gathering, get-together, social*
sammenkople → *couple*
sammenleggbar → *collapsible, folding*
sammenlignbar → *comparable*
sammenligne → *contrast*
sammenlignende → *comparative*
sammenligning → *comparison*
sammenrasket → *scratch*
sammensatt → *complex, composite, compound, heterogenous*
sammensatt ord → *compound*
sammensetning → *composite, composition, compound, constitution*
sammensetting → *assembly*
sammenslutning → *combine, union*
sammenslåing → *amalgamation, merger*
sammensmelting → *amalgam, fusion*
sammenstille → *collate, juxtapose*
sammenstilling → *collation, juxtaposition*
sammenstimling → *concourse, throng*
sammenstøt → *altercation, clash, run-in, scuffle*
sammensurium → *hotchpotch, mishmash, ragbag*
sammensveiset → *close-knit*
sammensvergelse → *collusion, conspiracy, plot*
sammentrede → *sitting*
sammentreff → *coincidence*
sammentrekning → *contraction*
sammesteds → *ib(id)*
samordne → *coordinate*
samordning → *coordination*
samsortere → *merge*
samspill → *coordination, interaction, interplay*
samstemme → *blend*
samsvar → *concord, correlation, correspondence*
samsvare → *square*
samtale → *conversation, dialogue, talk*
samtaleemne → *talking point*
samtaler → *talk*
samtidig → *concurrently, contemporary, same, simultaneous, simultaneously, together*
samtykke → *approbation, approval, assent, consent*
samvirke → *cooperative*
samvirkelag → *co-op*
samvittighet → *conscience*
samvittighetsfull → *conscientious, dutiful, scrupulous*
samvittighetsfullt → *religiously, scrupulously*
samvittighetsnag → *compunction, remorse*
samvær → *intercourse*
San Marino → *San Marino*
sanatorium → *sanatorium*
sand → *sand, sandy*
sandal → *sandal*
sandblåse → *sandblast*
sanddyne → *sand dune*
sandkasse → *sandbox, sandpit*
sandpapir → *sandpaper*
sandsekk → *sandbag*
sandslott → *sandcastle*
sandste(i)n → *sandstone*
sandstorm → *sandstorm*
sandtak → *pit*
sandwich → *sandwich*
sandwichplakat → *sandwich board*
sanere → *clear, redevelop*
sanering → *clearance, redevelopment*
sang → *singing, song*
sangbok → *songbook*
sanger → *singer*
sanitær → *sanitary*
sanitæranlegg → *plumbing*
sanke → *canvass, collect, gather*
sanksjon → *sanction*
sanksjonere → *sanction*
sankthansorm → *glow-worm*
sanktuarium → *sanctuary*
sann → *true, veritable*
sannelig → *indeed*
sannferdig → *truthful, truthfully*
sannferdighet → *truthfulness, veracity*
sannhet → *truth*
sannhetsord → *home truth*
sannsynlig → *likely, plausible, probable*
sannsynlighet → *likelihood*
sannynligvis → *probably*
sans → *faculty, sense*
sans for humor → *sense of humour*
sanselig → *sensual, sensuous*
sanseløshet → *oblivion*
Santiago → *Santiago*
sardin → *pilchard, sardine*
Sardinia → *Sardinia*
sardinier → *Sardinian*
sardinsk → *Sardinian*
sardonisk → *sardonic*
sari → *sari*
sarkasme → *sarcasm*
sarkastisk → *sarcastic*
sarkofag → *sarcophagus*

Satan → *Satan*
satanisk → *satanic*
satans → *flaming*
satellitt → *satellite*
satellittfjernsyn → *satellite television*
satellittstat → *satellite*
satellitt-tv → *satellite television*
sateng → *satin*
satire → *satire*
satiriker → *satirist*
satirisere → *lampoon, satirize*
satirisk → *satirical*
sats → *movement, rate*
satse → *gamble, stake, wager*
satse på → *back*
satsing → *gamble*
satsvis behandling → *batch processing*
satt → *staid*
sau → *sheep*
saubukk → *ram*
Saudiarabia → *Saudi Arabia*
saudiarabisk → *Saudi*
sauebonde → *sheep farmer*
saueskinn → *sheepskin*
saueskinns- → *sheepskin*
sauna → *sauna*
saus → *gravy, relish, sauce*
sausenebb → *gravy boat*
sautere → *sauté*
sautert → *sauté*
savne → *miss*
savnet → *missing*
scampi → *scampi*
scenario → *scenario*
scene → *scene, stage*
scenearbeider → *stagehand*
sceneinngang → *stage door*
scenemusikk → *incidental music*
sceneri → *scenery*
sceneskrekk → *stage fright*
scenografi → *set*
schizofren → *schizophrenic*
schizofreni → *schizophrenia*
schæfer(hund) → *Alsatian*
scoop → *scoop*
scooter → *motor scooter, scooter*
script → *continuity*
se → *look, see, sight, v.*
se bort fra → *waive*
se dette → *qv*
se etter → *look for, look out for, look round*
se for seg → *envisage, picture, visualize*
se fram til → *anticipate, look forward to*
se ned på → *disdain, look down on*
se opp for → *look out for, watch*
se opp til → *look up to*
se over → *look over*
se på → *look at, look on, regard, see, view, watch*
se seg om {or} rundt → *shop around*
se til → *attend, tend*
se tilbake → *look back*
se ut → *appear, look, seem*
seanse → *séance*
sebra → *zebra*
sedan → *sedan*
sedat → *sedate*
seddel → *bill, note*
sedelighetspoliti → *vice squad*
seder → *cedar*
sedertre → *cedar*
sediment → *sediment*
sedimentær → *sedimentary*
sedvanlig → *customary, habitual, usual*
seende → *sighted*
seer → *viewer*
seere → *audience*
seeroppslutning → *rating*
seertall → *rating*
seg (selv) → *herself, himself, itself, oneself, themselves*
segl → *seal*
segllakk → *sealing wax*
segment → *segment*
segregasjon → *segregation*
segregere → *segregate*
seidel → *mug, schooner, tankard*
seier → *victory, win*
seierherre → *conqueror, victor*
seig → *sticky, tacky, tough*
seil → *sail*
seilas → *sailing*
seilbåt → *sailboat, sailing boat*
seilduk → *canvas*
seildukstak → *awning*
seile → *cruise, glide, sail*
seilfly → *glider*
seilflyging → *gliding*
seiling → *sailing, yachting*
seilskip → *sailing ship*
sein → *late, slow-moving, tardy*
seinere → *later, subsequent, subsequently*
seint → *late*
seire → *prevail, win*
seire over → *conquer*
seirende → *victorious, winning*
seismisk → *seismic*
sekk → *pack, sack*
sekkepipe → *bagpipes, pipe*
sekkepiper → *piper*
sekkestrie → *sacking*
sekret → *secretion*
sekretariat → *secretariat*
sekretær → *secretary*
seks → *six*
seksjon → *department*
sekskant → *hexagon*
sekskantet → *hexagonal*
seksten → *sixteen*
sekstendelsnote → *semiquaver*
sekstett → *sextet*
seksti → *sixty*
seksualakt → *sex act*
seksualdrift → *libido*
seksualundervisning → *sex education*
seksuell → *sexual*
seksuell omgang → *sexual intercourse*
seksuelt → *sexually*
seksuelt overførbar sykdom → *STD*
seksuelt overgrep → *indecent assault, sexual assault*
sekt → *sect*
sekterisk → *sectarian*
sektor → *sector*
sektordiagram → *pie chart*
sekular → *secular*
sekund → *second*
sekundant → *seconder*
sekundviser → *second hand*
sekundær → *secondary*
sekvens → *sequence*
sekvensiell → *sequential*
sel → *seal*
sele → *harness*
selektiv → *selective*
seletøy → *harness*
selge → *market, sell*
selge unna → *sell off*
selge ut → *clear, remainder*
selge videre → *resell*
selger → *salesman, saleswoman, seller, vendor*

selleri → *celery*
sellerirot → *celeriac*
selskap → *companionship, company, party, social*
selskapelig → *social*
selskapskjole → *party dress*
selskapsskatt → *corporation tax*
selskinn → *sealskin*
selsom → *weird*
selv → *even, herself, himself, myself, ourselves, self, themselves, yourself, yourselves*
selv om → *although, while*
selvbeherskelse → *restraint*
selvberget → *self-sufficient*
selvbestaltet → *self-appointed, self-styled*
selvbetjenings- → *self-service*
selvbetjeningsvaskeri → *laundrette, Laundromat*
selvbetraktende → *introspective*
selvbetraktning → *introspection*
selvbiografi → *autobiography*
selvbiografisk → *autobiographical*
selvdisiplin → *self-discipline*
selve → *actual, itself*
selveie → *freehold*
selveier → *owner-occupier*
selveierleilighet → *condominium*
selvfinansierende → *self-financing*
selvforklarende → *self-explanatory*
selvforskyldt → *self-inflicted*
selvforsvar → *self-defence*
selvforsynt → *self-contained, self-sufficient*
selvfølgelig → *certainly*
selvfølgelighet → *certainty*
selvgodhet → *self-importance*
selvhevdende → *self-assertive*
selvhjelp → *self-help*
selvhjulpen → *self-reliant*
selvhøytidelig → *pompous*
selviskhet → *selfishness*
selvklebende → *self-adhesive, self-sealing, sticky*
selvkontroll → *self-control*
selvlysende → *luminous*
selvlært → *self-taught*
selvmedlidenhet → *self-pity*
selvmord → *suicide*
selvmorder → *suicide*
selvmordsforsøk → *suicide attempt, suicide bid*
selvmotsigelse → *paradox*
selvmotsigende → *inconsistent*
selvmål → *own goal*
selvoppgivende → *defeatist*
selvoppholdelsesdrift → *self-preservation*
selvoppofrelse → *self-sacrifice*
selvopptatt → *self-centred*
selvportrett → *self-portrait*
selvpåført → *self-inflicted*
selvrensende → *self-cleaning*
selvrespekt → *self-esteem, self-respect*
selvrettferdig → *self-righteous*
selvrådig → *wayward*
selvsagt → *self-evident*
selvsamme → *self-same*
selvsentrert → *self-centred*
selvsikker → *assertive, confident, self-assured, self-confident*
selvsikkerhet → *aplomb, confidence, self-assurance*
selvstarter → *starter*
selvstendig → *autonomous, independent, self-contained, self-governing, self-reliant*
selvstendighet → *autonomy, independence*
selvstyre → *autonomy, home rule*
selvstyrt → *autonomous*
selvtilfreds → *complacent, self-satisfied, smug*
selvtilfredshet → *complacency*
selvtillit → *confidence, self-confidence*
selvutnevnt → *self-appointed*
selvødeleggende → *self-defeating*
semafor → *semaphore*
semantikk → *semantics*
semantisk → *semantic*
sement → *cement*
sementblander → *cement mixer*
sementere → *cement*
semester → *semester*
semifinale → *semi-final*
semikolon → *semi-colon*
seminar → *seminar, seminary*
semitrailer → *trailer truck*
semsket → *suede*
semule → *semolina*
sen → *late, slow-moving, tardy*
senat → *senate*
senator → *senator*
sende → *broadcast, consign, put in, relay, remit, send, ship, transmit*
sende av gårde → *dismiss, dispatch, send off*
sende av sted → *dispatch, send away*
sende etter → *send away for, send for*
sende hjem → *repatriate*
sende i eksil → *exile*
sende i forveien → *send on*
sende i reprise → *repeat*
sende inn → *render, send in, submit*
sende opp → *launch, send up*
sende over radio(en) → *radio*
sende over teleks → *telex*
sende på tv {or} fjernsyn → *televise*
sende rundt → *circulate, hand round, send round*
sende tilbake → *send back*
sende ut → *issue, put out, send out*
sende videre → *pass on*
sendeforbud → *blackout*
sender → *transmitter*
sendetid → *airtime, slot*
sending → *batch, broadcast, consignment, dispatch*
sene → *ligament, sinew, tendon*
Senegal → *Senegal*
senegaleser → *Senegalese*
senegalesisk → *Senegalese*
senere → *future, later, since, subsequent, subsequently*
senest → *outside*
senesterk → *wiry*
senet(e) → *wiry*
seng → *bed*
sengeliggende → *bedridden*
sengestolpe → *bedpost*
sengetege → *bedbug*
sengeteppe → *bedspread, counterpane*
sengetid → *bedtime*
sengetøy → *bedclothes, bedding*
sengklær → *bedclothes, bedding*
senil → *senile*
senilitet → *senility*
senit → *zenith*
senke → *decrease, drop, lower, sink*
senke ned → *immerse*
senke seg → *close in, fall*
sennep → *mustard*
sennepsgass → *mustard gas*
sensasjon → *sensation*
sensasjonell → *sensational*
sensasjonspreget → *sensational*
sensor → *censor, examiner*
sensuell → *sensual, voluptuous*
sensur → *censorship*
sensurere → *censor*
sent → *late*
senter → *centre*
senterhalf → *centre-half*
senterløper → *centre-forward*

sentimental → *sentimental, weepy*
sentimentalitet → *sentiment, sentimentality*
sentral → *central, exchange*
sentralbord → *switchboard*
sentralbordbetjent → *operator, switchboard operator, telephone operator, telephonist*
sentralfyring → *central heating*
sentralisere → *centralize*
sentre → *centre*
sentrere → *centre*
sentrifugal → *centrifugal*
sentrifuge → *centrifuge, dryer, spin-dryer*
sentrifugere → *spin, spin-dry*
sentrum → *centre, hub, town centre*
sentrumspartier → *centre*
Seoul → *Seoul*
separasjon → *separation*
separat → *separately*
september → *September*
septer → *sceptre*
septiktank → *cesspit, septic tank*
serber → *Serbian*
Serbia → *Serbia*
serbisk → *Serbian*
serbokroatisk → *Serbo-Croat*
seremoni → *ceremony*
seremoniell → *ceremonial*
seremonimester → *emcee, Master of Ceremonies*
serenade → *serenade*
serie → *line, range, run, sequence, serial, series, string*
seriell → *serial*
seriemorder → *serial killer*
serienummer → *serial number*
seriøs → *earnest, serious, straight*
seriøst → *seriously*
serpentin → *streamer*
sersjant → *sergeant*
sertifikat → *certificate*
serum → *serum*
servant → *basin, washbasin, washbowl*
serve → *serve, service*
serveess → *ace*
servere → *dish out, dish up, serve, serve out, wait on*
serveringsdame → *waitress*
serveringsskje → *tablespoon*
service → *service, service charge*
serviceavtale → *maintenance contract*
servicebil → *breakdown van*
servicenæring → *service industry*
servicestasjon → *service station*
serviett → *napkin, serviette*
servil → *servile, subservient*
servise → *crockery, service*
servitør → *waiter, waitress*
servostyring → *power steering*
sesjon → *session*
sesong → *season*
sesongbillett → *season ticket*
sesongkort → *commutation ticket, season ticket*
sete → *bottom, saddle, seat*
setebelte → *seat belt*
setning → *clause, sentence*
sett → *kit, layette, set*
sett at → *supposing*
sette → *leave, place, put, put down, set, stake, typeset*
sette av → *allow, drop, set aside*
sette bort → *farm out*
sette fast → *catch out, jam*
sette fram → *draw up, put forward, set out*
sette høyt → *cherish*
sette i gang → *actuate, institute, set off, start off*
sette igjen → *leave*
sette inn → *commit, deposit, fit, initiate, insert, pay in, put away, set in, stake*
sette ned → *bring down, depress, drop, lower, mark down, put down*
sette opp → *arrange, erect, get together, mark up, pitch, put on, put up, set up*
sette over → *put on, put through*
sette pris på → *appreciate, cherish, relish, value*
sette på → *affix, fit, put on*
sette på seg → *put on*
sette sammen → *assemble, compile, match, put together*
sette seg fast → *jam, stick*
sette seg imot → *oppose*
sette seg inn i → *read up on*
sette seg ned → *sit down*
sette seg opp → *sit up*
sette seg opp mot → *defy*
sette seg utover → *exceed*
sette tilbake → *put back, replace*
sette ut → *put about, put out*
setter → *compositor, typesetter*
severdighet → *sight*
sevje → *sap*
sex → *sex*
sexliv → *sex life*
sexlysten → *lascivious*
sexobjekt → *sex object*
sexy → *sexy*
sfinks → *sphinx*
sfære → *sphere*
sfærisk → *spherical*
shabby → *shabby*
shaky → *jittery*
Shetland → *Shetland*
Shetlandsponny → *Shetland pony*
Shetlandsøyene → *Shetland*
shia-muslim → *Shiite*
shoppingsenter → *shopping centre*
shorts → *shorts*
si → *her, hers, his, its, put, say, speak, tell, their, theirs, utter*
si fra seg → *abdicate*
si opp → *discharge, dismiss, remove, resign*
si videre → *pass on*
Siam → *Siam*
Sibir → *Siberia*
Sicilia → *Sicily*
sicilianer → *Sicilian*
siciliansk → *Sicilian*
side → *aspect, face, facet, lateral, page, side*
sidebemerkning → *aside*
sideblikk → *cutaway*
sidegate → *side street*
sidelengs → *sidelong, sideways*
sidelinje → *branch line, sideline, touchline*
siden → *since*
sidenummerering → *pagination*
sider → *cider*
sidespeil → *wing mirror*
sidespor → *branch line, siding*
sidesteppe → *sidestep*
sidestykke → *parallel*
sidevei → *byway, side road*
sidevind → *crosswind*
sidevogn → *sidecar*
Sierra Leone → *Sierra Leone*
siesta → *siesta*
siffer → *figure*
sigar → *cigar*
sigarett → *cigarette*
sigarettenner → *lighter*
sigarettetui → *cigarette case*
sigarettholder → *cigarette holder*
sigarettstump → *cigarette end*
sigd → *sickle*
sigdcelleanemi → *sickle-cell anaemia*
sige → *sag*

sjanse → *break, chance*
sjansebillett → *stand-by ticket*
sjanser → *odds*
sjansespill → *gamble*
sjargong → *jargon, lingo, slang*
sjarlatan → *charlatan*
sjarm → *charm*
sjarmarmbånd → *charm bracelet*
sjarmere → *charm*
sjarmerende → *charming*
sjasket(e) → *bedraggled*
sjasmin → *jasmine*
sjattering → *shade*
sjauing → *graft*
sjef → *boss, chief, controller, head, manager, manageress*
sjefet(e) → *bossy*
sjefs- → *executive, managerial*
sjeik → *sheik(h)*
sjekk → *cheque*
sjekke → *check*
sjekke inn → *book in, check in, register*
sjekke opp → *check out, check up on, pick up*
sjekke ut → *check out*
sjekkhefte → *chequebook*
sjekkliste → *checklist*
sjekkonto → *checking account*
sjel → *soul*
sjelden → *infrequent, rare, rarely, seldom*
sjeldenhet → *rarity*
sjelefrende → *soul mate*
sjelegransking → *soul-searching*
sjelemesse → *requiem*
sjelfull → *soulful*
sjelløs → *soulless*
sjelne → *make out*
sjelsstyrke → *fortitude*
sjenanse → *shyness, timidity*
sjenerende → *disconcerting*
sjenert → *bashful, shy, shyly, timid*
sjenerøs → *benevolent, generous*
sjenerøsitet → *generosity*
sjenk → *sideboard*
sjetong → *chip, token*
sjette → *sixth*
sjikane → *gibe*
sjikanere → *slander*
sjikt → *rank*
sjimpanse → *chimpanzee*
sjiraff → *giraffe*
sjirokko → *sirocco*
sjofel → *mean, scurrilous*
sjofelhet → *meanness*
sjokk → *shock*
sjokkbehandling → *shock treatment*
sjokkbølge → *shock wave*
sjokke → *shuffle*
sjokkere → *scandalize, shock*
sjokkerende → *appalling, shocking*
sjokkterapi → *shock therapy*
sjokolade → *chocolate*
sjonglere → *juggle*
sjonglør → *juggler*
sju → *seven*
sjuende → *seventh*
sjuske → *slut, trollop*
sjusket(e) → *blowzy, dingy, sloppy, slovenly*
sjy → *gravy, juice*
sjø → *lake, marine, sea, seaside*
sjøanemone → *sea anemone*
sjøbunn → *sea bed*
sjødyktig → *seaworthy*
sjøfarende → *nautical, seafaring, seagoing*
sjøfarer → *seafarer*
sjøfarts- → *maritime, seafaring*
sjøfly → *seaplane*
sjøforsikring → *marine insurance*
sjøgående → *seagoing*
sjøkart → *chart*
sjøløve → *sea lion*
sjømann → *rating, sailor, seaman*
sjømannskap → *seamanship*
sjømat → *seafood*
sjømerke → *beacon*
sjømil → *nautical mile*
sjøoffiser → *naval officer*
sjøpinnsvin → *sea urchin*
sjøplante → *seaweed*
sjørøver → *pirate*
sjørøveri → *piracy*
sjøsette → *launch*
sjøsettelse → *launching*
sjøstjerne → *starfish*
sjøsyk → *seasick*
sjøsyke → *seasickness*
sjøvann → *sea water*
sjøørret → *salmon trout*
sjåfør → *chauffeur, driver*
sjåførskole → *driving school*
sjåvinisme → *chauvinism*
sjåvinist → *chauvinist*
sjåvinistisk → *chauvinistic*
skabbet(e) → *mangy*
skadd → *injured*
skade → *damage, harm, hurt, injure, injury, mischief*
skadedyr → *pest, vermin*
skadedyrkontroll → *pest control*
skadeforsikring → *collision damage waiver*
skadelig → *harmful, noxious, pernicious*
skademeldingsskjema → *claim form*
skadet → *hurt*
skaffe → *find, get, provide, raise, secure, supply*
skaffe seg → *acquire, net, take out*
skafott → *scaffold*
skaft → *handle, shaft*
skake opp → *rattle, rock*
skal → *will*
skala → *scale*
skalategning → *scale drawing*
skalk → *bowler, derby*
skalkelist → *batten*
skalkeskjul → *cover, front, screen, smokescreen*
skall → *chip, husk, peel, rind, shell, skin, veneer, zest*
skalldyr → *crustacean, shellfish*
skalle → *skull*
skalle av → *flake*
skalle til → *butt*
skallet → *bald*
skallethet → *baldness*
skalp → *scalp*
skalpell → *scalpel*
skalpere → *scalp*
skam → *dishonour, pubic, shame, stigma*
skamfere → *savage*
skamfull → *abashed, ashamed, shamefaced*
skamklore → *maul*
skamløs → *barefaced, blatant, brazen, shameless, unashamed*
skammelig → *disgraceful, dishono(u)rable, shameful*
skandale → *outrage, scandal*
skandalepresse → *gutter press*
skandaløs → *scandalous*
skandere → *scan*
skandinav → *Scandinavian*
Skandinavia → *Scandinavia*
skandinavisk → *Scandinavian*
skanne → *scan*
skanner → *scanner*
skanning → *scan*

skap → *cabinet, closet, cupboard, locker*
skape → *create, engender, forge, generate, present*
skapelse → *creation*
skapende → *creative*
skaper → *creator, maker*
skaperevne → *creativity*
skaperverk → *creation*
skapning → *animal, creature*
skapsprenger → *safe-breaker*
skar → *gorge*
skare → *crust*
skarlagensfeber → *scarlet fever*
skarntyde(gift) → *hemlock*
skarp → *acrid, acute, bright, clever, crisp, cutting, harsh, keen, live, perceptive, pointed, pungent, scathing, sharp*
skarphet → *acuity, definition, harshness*
skarpsindig → *adroit, adroitly, incisive, shrewd*
skarpsindighet → *acuity, perspicacity, shrewdness*
skarpskytter → *marksman*
skarpskåren → *rugged*
skarpsynt → *sharp-eyed*
skarpt → *pointedly, sharply*
skarptromme → *side drum*
skarv → *cormorant*
skarve → *measly*
skatoll → *bureau*
skatt → *baby, duty, sweetheart, tax, taxation, treasure*
skattbar → *taxable*
skatte- → *fiscal*
skatte (høyt) → *prize, treasure*
skattebetaler → *ratepayer, taxpayer*
skatteflyktning → *tax exile*
skattefradrag → *tax allowance, tax relief*
skattefri → *tax-free*
skattefritak → *tax exemption*
skatteinspektør → *tax inspector*
skattejakt → *treasure hunt*
skattelettelse → *tax relief*
skatteoppkrever → *tax collector*
skatteparadis → *tax haven*
skatter → *treasure*
skattesnyteri → *tax evasion*
skattetakst → *rateable value*
skatteunndragelse → *tax evasion*
skatteår → *tax year*
skattlegge → *tax*
skaut → *headscarf, scarf*
skavank → *deformity*
skeiv → *bent*
skepsis → *scepticism*
skeptiker → *sceptic*
sketsj → *act, sketch, skit*
ski → *ski*
skibakke → *ski slope, slope*
skibbrudd → *shipwreck*
skibriller → *goggles*
skidress → *ski suit*
skifer → *slate*
skift → *shift*
skiftarbeid → *shift work*
skifte → *change, oscillate, shift, switch, turn*
skifte på → *change*
skifteattest → *probate*
skiftende → *alternate, variable*
skiftenøkkel → *monkey wrench, spanner, wrench*
skiftetomt → *marshalling yard, shunting yard*
skifttast → *shift key*
skigåing → *skiing*
skiheis → *ski lift*
skihopp → *ski jump*
skiinstruktør → *ski instructor*
skikk → *custom, observance, practice*
skikke seg → *reform, shape up*
skikkelig → *decent, decently, properly, solid, solidly*
skikkelse → *figure, form*
skildre → *depict*
skildring → *portrayal*
skill → *part, parting*
skille → *divide, isolate, part, separate, split*
skille lag → *break up, separate, split up*
skille mellom → *separate*
skille seg av med → *part with*
skille seg fra → *divorce*
skille ut → *single out*
skilleark → *dividers*
skillelinje → *demarcation*
skilles → *part, separate*
skilletegn → *punctuation mark*
skillevegg → *partition*
skilpadde → *tortoiseshell, turtle*
skilsmisse → *divorce*
skilsmissebevilling → *decree absolute*
skilt → *badge, divorced, plate, sign, signpost*
skiltvakt → *sentry*
skilærer → *ski instructor*
skiløper → *skier*
skiløping → *skiing*
skiløype → *ski run*
skimre → *shimmer*
skimrende → *shimmering*
skimt → *glimpse*
skimte → *glimpse*
skingre → *blare*
skingrende → *brassy, shrill, tinny*
skinke → *ham*
skinn → *radiance, shine, show, skin*
skinne → *gleam, runner, shine, splint*
skinnebe(i)n → *tibia*
skinnelegg → *shin*
skinnende → *gleaming, shining, vivid*
skinner → *callipers, rail*
skinnhellig → *sanctimonious*
skinnmager → *scraggy, scrawny*
skip → *nave, ship, shipping, vessel*
skipbrudden → *castaway*
skipe → *ship*
skipper → *skipper*
skipsbygger → *shipbuilder*
skipsbygging → *shipbuilding*
skipshandler → *ship chandler*
skipskanal → *ship canal*
skipsreder → *shipowner*
skipsrute → *shipping lane*
skipssekk → *duffel bag*
skipsvrak → *shipwreck*
skiskyting → *biathlon*
skisma → *schism*
skismøring → *wax*
skisse → *outline, skeleton, sketch*
skisseblokk → *sketchpad*
skissebok → *sketchbook*
skissemessig → *sketchy*
skissere → *delineate, outline, sketch*
skistav → *ski pole*
skistøvel → *ski boot*
skitne til → *defile, dirty, mess up, soil*
skitrekk → *ski tow*
skitt → *dirt, droppings, filth, grime, rubbish*
skitten → *dirty, filthy, grimy, grubby, soiled, sordid, squalid*
skittentøy → *laundry, washing*
skittkasting → *muckraking, mud-slinging*
skittviktig → *bumptious, snotty*
skive → *disc, face, rasher, slice, washer*
skivebrems → *disc brake*
skiveprolaps → *slipped disc*
skje → *come about, happen, occur, spoon, spoonful*
skjebne → *destiny, doom, fate*
skjebnebestemt → *fated*

skjebnesvanger → *disastrous, fatal, fateful*
skjede → *vagina*
skjefte → *hilt*
skjegg → *beard*
skjegget(e) → *bristly*
skjeggstubb → *stubble*
skjele → *squint*
skjelett → *frame, framework, skeleton*
skjeling → *squint*
skjell → *scale, shell*
skjelle ut → *abuse*
skjellsettende → *momentous*
skjellsord → *abuse, invective*
skjelm → *pod*
skjelne → *discern, distinguish*
skjelve → *quake, quaver, shake, shiver, tremble, waver, wobble*
skjelvende → *shakily, shaky, trembling, wobbly*
skjelving → *flutter, shiver, trembling, tremor*
skjeløyd → *cross-eyed*
skjema → *form*
skjematisk → *schematic*
skjemme → *disfigure, mar, taint*
skjemme bort → *spoil*
skjemmet → *tainted*
skjende → *desecrate*
skjendig → *ignoble*
skjene → *swerve*
skjenke i → *pour, pour out*
skjenn → *scolding*
skjenne på → *scold, tick off*
skjerf → *muffler, scarf*
skjerm → *display, fender, screen, shade, wing*
skjermbrett → *screen*
skjerme → *screen, shelter*
skjermet → *sheltered*
skjermminne → *screen memory*
skjermredigering → *screen editing*
skjerpe → *sharpen, whet*
skjerping → *prospecting*
skjev → *lopsided, skew, wry*
skjevt → *askew*
skjold → *shield*
skjoldbruskkjertel → *thyroid*
skjoldet(e) → *discolo(u)red, wrinkled*
skjorte → *shirt*
skjorteknapp → *stud*
skjule → *conceal, disguise, harbour, mask, obscure, secrete*
skjulested → *hide, hideaway, hiding place*
skjult → *unseen*
skjær → *hue, rock, sheen, tinge*
skjære → *carve, cut, glare, intersect, magpie*
skjære igjennom → *rend*
skjære ned → *cut back, pare*
skjære ned på → *curtail, cut, cut back, cut down, cut down on, run down, slash*
skjære opp → *carve up, cut, cut up, gash, slash*
skjære seg → *curdle, seize up, sour*
skjære til → *cut*
skjære ut → *carve*
skjære vekk → *axe*
skjæremaskin → *guillotine*
skjærende → *grating, piercing, shrill, strident*
skjærer → *guillotine*
skjæring → *cutting*
skjæringspunkt → *intersection*
skjærsild → *purgatory*
skjød → *bosom*
skjødesløs → *careless, feckless, off-hand, remiss*
skjødesløshet → *carelessness*
skjødesløst → *carelessly, negligently*
skjønn → *beautiful, discrimination*
skjønne → *get, know, see, understand*
skjønner → *connoisseur*
skjønnhet → *beauty*
skjønnhetsdronning → *beauty queen*
skjønnhetskonkurranse → *beauty contest*
skjønnhetspleier → *beautician*
skjønnhetssalong → *beauty salon*
skjønnhetssøvn → *beauty sleep*
skjønnlitteratur → *fiction*
skjønnlitterær → *fictional*
skjønnsom → *judicious*
skjønt → *beautifully, though, while*
skjør → *brittle, delicate, fragile, frail*
skjørbuk → *scurvy*
skjørhet → *delicacy*
skjørost → *curd cheese, curds*
skjørt → *skirt*
skjørtejeger → *womanizer*
skjøt → *join, joint, seam*
skjøte → *deed, splice, title deed*
skjøte på → *top up*
skjøtekabel → *extension cable*
skjøteledning → *extension, extension lead*
sklerose → *sclerosis*
skli → *skid, slew, slide, slither*
sko → *shoe*
sko seg på → *cash in on*
skobutikk → *shoe shop*
skobørste → *shoebrush*
skodde → *mist, shutter*
skog → *forest, timber, wood, woodland*
skog(s)- → *wood*
skogbrann → *bushfire*
skogbruk → *forestry*
skoggerlatter → *guffaw*
skoggerle → *guffaw*
skogkledd → *wooded*
skogsdue → *wood pigeon*
skogvesen → *forestry*
skogvokter → *ranger*
skohorn → *shoehorn*
skokrem → *polish, shoe polish*
skole → *school*
skolealder → *school age*
skolebarn → *schoolchildren*
skolebok → *schoolbook*
skoledager → *schooldays*
skoleforkle → *gym slip*
skolegang → *schooling*
skolegutt → *schoolboy*
skolegård → *playground, schoolyard*
skolejente → *schoolgirl*
skolemester → *schoolmaster*
skolepenger → *tuition*
skolepike → *schoolgirl*
skolest → *shoetree*
skolestue → *schoolroom*
skoleveske → *satchel*
skoleår → *academic year, session*
skolisse → *shoelace*
skolm → *pod*
skolme → *shell*
skomaker → *cobbler, shoemaker*
skonnert → *schooner*
skorpe → *crust, rind, scab*
skorpion → *scorpion*
Skorpion → *Scorpio*
skorstein → *chimney, funnel*
skotsk → *Scots, Scottish*
skotskrutet(e) → *plaid, tartan*
skott → *bulkhead*
skotte → *Scot, Scotsman, Scotswoman*
Skottland → *Scotland*
skotøy → *footwear*
skovl → *shovel*
skral → *meagre, rubbishy*

skramle → *clash, clatter, jangle, rumble*
skramling → *clatter*
skramme → *scratch*
skrangle → *rattle*
skranglekasse → *banger, crate*
skrangling → *rattle*
skranke → *counter, desk, reception desk*
skranten → *rocky*
skrantende → *ailing*
skrap → *junk, lumber, rubbish*
skrape → *scrape, scraper*
skrape opp → *scrape*
skrape på → *paw*
skrape sammen → *glean, scrape together*
skraphandel → *junk shop*
skraphandler → *scrap dealer, scrap merchant*
skraphaug → *scrap yard*
skrapmetall → *scrap, scrap metal*
skrapplass → *scrap yard*
skravle → *chatter, gossip, natter*
skravlebøtte → *chatterbox*
skravlet(e) → *chatty*
skravling → *chatter*
skred → *avalanche*
skredder → *tailor*
skredderarbeid → *tailoring*
skreddersydd → *bespoke, custom-made, tailor-made*
skredderyrke → *tailoring*
skrekk → *horror, terror*
skrekkelig → *fearsome, frightful, frightfully, hideous, hideously*
skrekkfilm → *horror film*
skrekkinnjagende → *terrifying*
skrekkslagen → *horror-struck*
skrell → *peel, peelings, skin*
skrelle → *pare, peel*
skreller → *peeler*
skremme → *daunt, frighten, intimidate, scare, terrify*
skremme opp → *flush out*
skremme vekk → *frighten away, scare away*
skremmebilde → *bogey, bugbear*
skremmende → *daunting, forbidding, frightening, horrifying, terrifying*
skremt → *alarmed, frightened*
skrens → *skid*
skrense → *skid*
skrent → *cliff, crag*
skreppe → *bimbo, bird, chick*
skreve over → *straddle*
skrible → *scribble*
skribling → *scribble*
skride fram → *progress, unfold*
skrift → *lettering, script, scripture(s), writing*
skriftbilde → *typeface*
skrifte → *confession*
skriftefar → *confessor*
skriftemål → *confession*
skrifttegn → *script*
skrifttype → *font, fount, type*
skrik → *cry, scream, screech, shriek, yell*
skrike → *cry, cry out, scream, screech, shriek, squawk*
skrike til → *yelp*
skrike ut → *shout*
skrikende → *crying, glaring, jarring, stark*
skrin → *shrine*
skrinlegge → *shelve*
skritt → *crotch, groin, pace, step, stepping stone*
skritte → *stride*
skritte over → *step over*
skrive → *put, put down, write, write out*
skrive av → *copy, copy out, duplicate*
skrive inn → *enrol, enter, sign on*
skrive ned → *record, take down, write down*
skrive om → *paraphrase, reword, rewrite*
skrive opp → *chalk up, list, take down*
skrive seg inn → *enrol, register, sign in*
skrive seg ut → *sign out*
skrive under → *sign*
skrive ut → *discharge, levy, make out, transcribe, write, write out*
skrivebeskytte → *write-protect*
skrivebord → *desk, writing desk*
skrivefeil → *typo*
skrivehjul → *daisy wheel*
skrivemaskin → *typewriter*
skrivepapir → *writing paper*
skriver → *printer, scribe*
skrivesaker → *stationery*
skrivestue → *typing pool*
skriving → *writing*
skrog → *body, fuselage, hull*
skrot → *dross, junk*
skrott → *core*
skru → *spin, screw*
skru av → *switch off, turn off, turn out*
skru ned → *turn down*
skru opp → *turn up, unscrew*
skru på → *switch on, turn on*
skrubbe → *scour, scrub*
skrubbe opp → *graze*
skrubbsulten → *ravenous*
skrubbsår → *abrasion, graze, scratch*
skrublyant → *propelling pencil*
skrudd → *screwy*
skrue → *screw*
skruestikke → *vice*
skrujern → *screwdriver*
skrukk → *crease, wrinkle*
skrukke → *crease, rumple, wrinkle*
skrukket(e) → *wrinkled*
skrullet(e) → *cranky, potty*
skrulling → *crank, kook, weirdo*
skrumpe inn → *shrink*
skrumplever → *cirrhosis*
skrunøkkel → *wrench*
skrupler → *compunction*
skruppel → *qualm, scruple*
skruppelløs → *unscrupulous*
skrutrekker → *screwdriver*
skrytaktighet → *boastfulness*
skryte → *bray, boast*
skrytende → *boastful*
skrytepave → *show-off*
skryting → *bray*
skrøne → *fib, story, tall story, yarn*
skrøpelig → *decrepit, flimsy, fragile, frail, ramshackle*
skrå → *diagonal, oblique, slanted, sloping*
skrådd → *tapered*
skråen → *chapped*
skråkant → *bevel*
skråle → *blare, blare out*
skråne → *incline, slant*
skrånende → *sloping*
skråning → *dip, slant, slope*
skråsikker → *cocky*
skråskrift → *italics*
skråstrek → *oblique*
skubbe → *shove, thrust*
skudd → *round, shoot, shot*
skuddsalve → *volley*
skuddsikker → *bulletproof*
skuddvidde → *range*
skuddår → *leap year*
skue → *behold, spectacle*
skuespill → *drama, play*
skuespiller → *actor, actress, player*
skuespillerinne → *actress*
skuespillerkunst → *acting*

skuespilleryrket → *acting*
skuespillforfatter → *dramatist, playwright*
skuff → *drawer*
skuffe → *disappoint, shovel*
skuffelse → *disappointment, letdown, nonevent*
skuffende → *disappointing*
skuffet → *disappointed*
skulder → *shoulder*
skulderblad → *shoulder blade*
skulderre(i)m → *shoulder strap*
skulderskjerf → *sash*
skulderstropp → *shoulder strap*
skuldertrekning → *shrug*
skulderveske → *haversack, shoulder bag*
skule → *scowl*
skulke (unna) → *skive*
skulptur → *sculpture*
skulptør → *sculptor*
skum → *foam, froth, lather, mousse, scum*
skumbad → *bubble bath*
skumgummi → *foam*
skumlese → *scan*
skumme → *foam, skim*
skummel → *creepy, eerie, scary, sinister*
skummende → *frothy*
skummet melk → *skimmed milk*
skumpe borti → *barge into, bump into, jog, jostle*
skumring → *dusk, nightfall, twilight*
skur → *hovel, shack, shed, shelter*
skure → *scour*
skurebørste → *scrubbing brush*
skurk → *baddy, crook, rascal, rogue, spiv, villain*
skurkaktig → *roguish*
skurre → *grind, rasp*
skurrende → *discordant, grating, rasping*
skurtresker → *combine (harvester), harvester*
skvadron → *squadron*
skvalpe → *slop*
skvatre → *chatter*
skvatring → *chatter*
skvett → *dash*
skvette → *jump, start*
skvette på/i → *splash*
skvetten → *jumpy*
skvettlapp → *mud flap, mudguard*
skvise → *squash*
skvise ut → *squeeze out*
skvulpe → *lap, slop*
sky → *cloud, flurry, shun, shy, trail*
skybrudd → *cloudburst*
skye over {or} til → *cloud over*
skyet → *cloudy*
skygge → *peak, shade, shadow, tail*
skygge for → *blot out, shade*
skyggeaktig → *shadowy*
skyggefull → *shadowy, shady*
skyggeregjering → *shadow cabinet*
skyhøy → *lofty, sky-high*
skylapper → *blinkers*
skyld → *blame, guilt*
skyldbetynget → *guilty, hangdog, remorseful*
skyldbevissthet → *guilt*
skylde → *owe*
skyldes → *stem from*
skyldfølelse → *guilt*
skyldig → *culpable, culprit, guilty*
skylle → *rinse, swill*
skylle bort → *wash away*
skylle ned → *wash down*
skylle opp → *rinse*
skyllemiddel → *conditioner*
skyller → *slops, swill*
skylling → *rinse*
skynde på → *hurry, hurry up*
skynde seg → *buck up, hasten, hurry, hurry up, rush*
skyskraper → *skyscraper*
skysse av gårde → *bundle off*
skyssvogn → *stagecoach*
skyte → *fire, mainline, shoot*
skyte inn → *chip in*
skyte ut → *eject, launch*
skytebane → *rifle range, shooting range*
skyteepisode → *shooting*
skytefelt → *range*
skyteskive → *butt, target*
skytetrening → *target practice*
skytevåpen → *firearm*
skyting → *shooting*
skytshelgen → *patron saint*
skyttel → *shuttle*
skytteldiplomati → *shuttle diplomacy*
skytteltrafikk → *shuttle*
Skytten → *Sagittarius*
skytter → *gunner*
skytterferdighet → *marksmanship*
skyttergrav → *dugout, trench*
skyttergravskrig → *trench warfare*
skyve → *push, sliding*
skyve fram → *put forward*
skyve opp → *raise*
skyve sammen → *telescope*
skyvevindu → *sash window*
skøyeraktig → *jocular, mischievous*
skøyeraktighet → *mischief*
skøyerstrek → *practical joke, prank*
skøyte → *ice-skate, skate*
skøytebane → *ice rink, rink, skating rink*
skøyteløp → *ice-skating, skating*
skøyteløper → *skater*
skål → *bowl, cup, saucer, toast*
skålde → *blanch, scald*
skåldhet → *scalding*
skåle for → *toast*
skålvekt → *balance*
skånselløs → *cut-throat, remorseless*
skånsom → *gentle*
skånsomt → *gently*
skår → *chip, fragment, notch*
skåre → *score*
sladder → *gossip, scandal, tittle-tattle*
sladre → *blab, gossip*
sladre på → *tell on*
sladrebøtte → *gossip*
sladrehank → *sneak, telltale*
sladrerunde → *gossip*
sladrespalte → *gossip column*
slag → *bang, battle, beat, blow, chime, dig, hit, kind, knock, slap, smack, sort, stroke, swipe*
slagferdig → *snappy*
slagghaug → *slag heap*
slagkraft → *punch*
slagmark → *battlefield*
slagord → *catch phrase, slogan, watchword*
slagskip → *battleship*
slagsmål → *affray, brawl, punch-up*
slagverk → *percussion*
slakk → *slack*
slakke av på → *slacken*
slakte → *butcher, pan, slate, slaughter*
slakter → *butcher, butcher's (shop)*
slakteri → *abattoir, slaughterhouse*
slakterkniv → *cleaver*
slakting → *slaughter*
slalåm → *slalom*
slalåmbakke → *ski slope*
slalåmkjøring → *skiing*
slalåmløype → *ski run*
slam → *silt*

slamme → *silt up*
slang → *slang*
slange → *hose, inner tube, snake, tubing*
slangeløs → *tubeless*
slangemenneske → *contortionist*
slank → *slender, slim, tapering*
slanke seg → *diet, slim*
slanking → *slimming*
slanter → *copper*
slapp → *lax, limp, listless, slack*
slappe av → *relax, unbend, unwind*
slapphet → *laxity*
slaps → *slush*
slapset(e) → *slushy*
slapt → *limply, listlessly*
slask → *slob*
slave → *slave*
slavearbeid → *donkey-work, drudgery, slave labour*
slavedriver → *slave-driver*
slaver → *Slav*
slaveri → *slavery*
slavisk → *Slav, Slavic, slavish, Slavonic*
slede → *sledge, sleigh*
slegge → *sledgehammer*
sleip → *greasy, slippery, slippy, sneaky*
sleiv → *scoop*
sleivet(e) → *careless, slapdash, slovenly*
slekt → *ancestry*
slektning → *relation, relative*
slektsgranskning → *genealogy*
slektskap → *kinship*
slem → *bad, naughty*
slengbukse → *flare up*
slengbukser → *bell-bottoms*
slenge → *bung, chuck, dump, fling, hurl, pitch, ram, slam, sling, toss*
slentre → *saunter*
slep → *train*
slepe → *drag, haul, lug, tow, trail*
slepebåt → *tug*
slepenot → *dragnet*
slepetau → *towline, towrope*
slesk → *slimy*
slett → *straight*
slette → *delete, erase, obliterate, plain, wipe, zap*
slette ut → *efface*
slibrig → *bawdy, lewd*
slik → *such, thus*
slikk → *lick*
slikke → *lick*
slikke opp → *lap, lap up*
slim → *mucus, phlegm, slime*
slimet(e) → *slimy*
slipe → *grind, hone, whet*
slipemaskin → *sander*
slipende → *abrasive*
slipp → *drop, slipway*
slippe → *drop, release*
slippe av → *drop off*
slippe inn → *let in*
slippe løs → *let, loose, unleash, untie*
slippe opp → *release*
slippe opp for → *run out of*
slippe unna → *elude, escape, get away, get off*
slippe ut → *discharge, escape, let out, release*
slips → *necktie, tie*
slipsnål → *tie-pin, tie tack*
slipt → *cut*
slire → *sheath*
slirekniv → *sheath knife*
slit → *elbow grease, graft, grind, labour, toil*
slitasje → *wear, wear and tear*
slite → *scuff, slave, slog, toil*
slite bort → *wear away*
slite ned → *wear down*
slite opp → *tear apart*
slite på → *tell*
slite ut → *tire out, wear down, wear out*
slitebane → *tread*
sliten → *down-at-heel, weary*
slitesterk → *hard-wearing, heavy duty*
slitsom → *exasperating, exhausting, shattering, tiring*
slitt → *worn*
slott → *castle, palace*
slovak → *Slovak*
Slovakia → *Slovakia*
slovakisk → *Slovak*
slovener → *Slovene*
Slovenia → *Slovenia*
slovensk → *Slovene*
slu → *crafty, cunning, shifty, sly, wily*
sludd → *sleet*
sludder → *tripe*
sluhet → *cunning, guile*
sluke → *bolt, devour, drink in, engulf, gobble, gulp, guzzle, swallow up*
slukhals → *glutton*
slukke → *douse, extinguish, put out, slake, snuff*
slukne → *go out*
slum → *slum*
slummer → *slumber*
slumområde → *shanty town, slum*
slump → *luck*
slumre → *snooze*
slumset(e) → *slapdash, sloppy*
slurk → *swallow, swig*
slurpe → *slurp*
slurve med → *skimp*
slurvet(e) → *shoddy, slipshod, sloppy, slovenly*
sluse → *lock, sluice*
sluseport → *sluice*
slusk → *slob*
slutning → *conclusion, inference*
slutt → *close, conclusion, end, ending, finish, over*
sluttbruker → *end user*
slutte → *break up, clinch, close, conclude, end, quit, sign off, stop*
slutte i → *pack in, quit, vacate*
slutte med → *give up, quit*
slutte opp om → *rally round*
slutte seg sammen → *amalgamate*
slutte seg til → *espouse*
sluttføring → *completion*
sluttkrav → *final demand*
sluttkurs → *closing price*
sluttprodukt → *end product*
sluttresultat → *bottom line, end product, end result, score line*
sluttvederlag → *severance pay*
slynge → *catapult, hurl, sling*
slynge seg → *twine*
slyngel → *rascal*
slyngplante → *creeper, vine*
slyngrose → *rambler*
slyngtråd → *tendril*
slør → *veil*
sløre → *blur*
sløse bort → *dissipate, fritter away*
sløse med → *waste*
sløsekopp → *spendthrift*
sløser → *waster*
sløseri → *wastage, waste*
sløv → *blunt, dopey, dull, lethargic, listless, obtuse*
sløve → *blunt, dull*
sløve ned → *stupefy*
sløvhet → *lethargy, stupor*
sløvt → *listlessly*
sløyd → *carpentry*

sløye → *gut*
sløyfe → *bow, loop*
slå → *bang, batter, beat, break, chime, crack, dial, hit, knock, punch, slap, smack, strike, toll*
slå an → *catch on*
slå av → *discount, knock off, put out, switch off, turn off*
slå bort → *shrug off*
slå etter → *hit out at*
slå fast → *ascertain, state*
slå feil → *backfire, miscarry, misfire*
slå fra seg → *put aside*
slå i hjel → *slay*
slå i stykker → *smash*
slå inn → *beat down, break down*
slå inn på → *go into*
slå leir → *camp*
slå ned → *lower, put down, quell, suppress*
slå ned på → *crack down on*
slå opp → *display, look up, open, post up, put up, turn up*
slå opp med → *chuck, pack in*
slå på → *put on, sound, switch on, turn on*
slå sammen → *click, merge, pool, telescope*
slå seg → *warp*
slå seg ned → *settle, settle down*
slå seg sammen → *amalgamate*
slå til → *strike*
slå tilbake → *backfire, beat off, counterattack, fight off, strike back*
slå tilbake på → *reflect on*
slå ut → *clobber, eliminate, knock out*
slåbrok → *dressing gown, robe*
slående → *striking*
slåmaskin → *reaper*
slåss → *brawl, fight*
slåsshanske → *knuckle-duster*
slåssing → *fighting*
slåsskamp → *fight*
slått → *stricken*
SM → *S/M*
smadre → *bash up, shatter, smash, smash up*
smak → *flavour, savour, taste*
smake på → *taste*
smake til → *flavour*
smakebit → *taste*
smakfull → *tasteful*
smakfullt → *tastefully*
smakløs → *bland, tasteless*
smaksette → *season*
smaksløker → *taste buds*
smakstilsetning → *flavouring*
smal → *narrow*
smalfilm → *cine-film*
smalne → *narrow*
smalne inn → *taper*
smalsporet → *narrow gauge*
smaragd → *emerald*
smart → *clever, cleverly, cute, nifty, shrewd, smart*
smartkort → *smart card*
smed → *blacksmith*
smekk → *smack*
smekke → *bib, swat*
smekke igjen → *snap*
smekke med → *click*
smekke til → *whack*
smekker → *lissom(e)*
smell → *bang, crack, pop, snap*
smelle → *bang, slam, smack*
smelle igjen → *bang*
smelle med → *bang, crack*
smelle til → *smack, wallop*
smellkyss → *smacker*
smelte → *liquefy, melt, thaw*
smelte om → *melt down*
smelte sammen → *fuse*
smelte ut → *smelt*
smelte vekk → *melt away*
smeltedigel → *melting pot*
smelteost → *processed cheese*
smeltepunkt → *melting point*
smeltet → *molten*
smeltetråd → *fuse wire*
smergelpapir → *emery paper*
smergelskive → *emery board*
smerte → *ache, agony, pain*
smertefri → *painless*
smertefull → *distressing, painful*
smertelig → *painful, painfully*
smertestillende → *analgesic*
smertestillende middel → *analgesic, painkiller*
smette → *slide*
smi → *forge*
smidig → *agile, flexible, plastic, sinuous, supple*
smidighet → *agility*
smie → *forge, smithy*
smiger → *flattery*
smigre → *flatter*
smigrende → *complimentary, flattering*
smigrer → *flatterer*
smil → *smile*
smile → *smile*
smilehull → *dimple*
smilende → *smiling*
smilerynker → *crow's feet*
sminke → *make up, make-up*
sminkefjerner → *make-up remover*
sminkepung → *make-up bag*
sminkeveske → *make-up bag*
smisk → *goody-goody*
smiskende → *sycophantic*
smisket(e) → *ingratiating, smarmy*
smisking → *blarney*
smitte → *infect, infection*
smitte over på → *infect, rub off on*
smittefarlig → *infectious*
smittende → *contagious, infectious*
smittsom → *catching, contagious, infectious*
smog → *smog*
smoking → *dinner jacket, tuxedo*
smokk → *dummy, teat*
smug → *alley, alleyway*
smugle → *smuggle*
smugler → *bootlegger, smuggler*
smuglergods → *contraband*
smugling → *smuggling*
smuldre opp → *crumble*
smule → *crumb, morsel, particle*
smule opp → *crumble*
smulet(e) → *crumbly*
smultring → *doughnut*
smusslitteratur → *pulp*
smussomslag → *dust jacket*
smutthull → *loophole*
smyge seg av gårde → *steal away*
smyge unna → *duck*
smygende → *stealthy*
smykke → *grace, trinket*
smykker → *jewellery*
smykkeskrin → *casket*
smør → *butter*
smørasjett → *butter dish*
smørblomst → *buttercup*
smørbrød → *bread and butter, sandwich*
smøre → *butter, daub, grease, lubricate, oil, spread, wax*
smøre utover → *smear*
smørekanne → *oilcan*
smøremiddel → *lubricant*
smøreolje → *grease*
smøreost → *processed cheese*

smørepistol → *grease gun*
smøring → *backhander, inducement, sweetener*
smørpapir → *greaseproof paper*
små → *little, small, small-scale, small-time*
småbedrift → *small business*
småbite → *nibble*
småborgerlig → *suburban*
småbruk → *smallholding*
småbruker → *smallholder*
småby- → *small-town*
smådjevel → *imp*
smågris → *piglet*
småkake → *cookie*
småkoke → *simmer, stew*
småkryp → *creepy-crawly*
småle → *titter*
smålig → *parsimonious, petty, tight*
smålighet → *pettiness*
småløpe → *trot*
småpenger → *change, chicken feed, loose change, small change*
småprat → *chitchat*
småpratende → *chatty*
småprating → *small talk*
smårar → *touched*
smårolling → *toddler*
småsild → *whitebait*
småskilling → *bit*
småslåssing → *horseplay*
småspeider → *Brownie*
småspise på → *nibble*
småsteiner → *shingle*
småsulten → *peckish*
småting → *knick-knacks, odds and ends, trifle*
snabel → *trunk*
snakk → *talk*
snakke → *speak, talk*
snakkesalig → *chatty, garrulous, talkative, voluble*
snappe → *snatch*
snappe opp → *snatch up*
snar → *quick*
snare → *snare*
snarrådig → *resourceful*
snarrådighet → *resourcefulness*
snart → *presently, quickly, shortly, soon*
snartenkt → *quick-witted*
snarvei → *short cut*
snau → *skimpy*
snauklippe → *crop*
snauspise → *crop*
snedig → *astute, clever*
snedighet → *neatness*
snegl(e) → *slug, snail*
snekker → *carpenter, joiner*
snekkerarbeid → *carpentry, joinery*
snekkerbukse → *dungarees*
snelle → *bobbin, reel*
snerpe → *prude*
snerpet(e) → *prissy, prudish, strait-laced*
snerre → *growl, snarl*
snert → *crack*
snes → *score*
snev → *residue, trace, whiff*
snever → *narrow, small-minded*
sneversynt → *insular, myopic, narrow-minded, small-minded*
sniffe → *sniff, snort*
sniffing → *solvent abuse*
snik → *hanger-on*
snike (seg) → *steal*
snikende → *insidious*
snikfisker → *poacher*
snikmorder → *assassin*
snikskytter → *sniper*
snill → *gentle, good, kind, kindly*
snirklet(e) → *circuitous, convoluted, tortuous*
snitt → *cut, incision, section, slit*
snittebønne → *string bean*
sno seg → *curl, slither, weave*
sno seg sammen → *intertwine*
snobb → *snob*
snobberi → *snobbery*
snobbet(e) → *snobbish*
snodig → *funny, whimsical*
snok → *grass snake*
snoker → *snooper*
snor → *cord, line, twine*
snork → *snore*
snorke → *snore*
snorkel → *snorkel*
snorking → *snoring*
snu → *reverse, toss, turn back, turn over*
snu opp ned → *invert*
snu på → *turn*
snu seg → *turn around, turn over, turn round, wind*
snuble → *stumble, trip, trip over, trip up*
snuble i → *fluff, trip over*
snubletråd → *tripwire*
snue → *head cold*
snurpe → *pucker*
snurpe seg sammen → *pucker*
snurre → *turn, whirl*
snurre på → *spin*
snurre rundt → *pivot, twirl, whirl*
snurrebass → *spinning top, top*
snurt → *peeved*
snus → *snuff*
snuse → *sniff*
snuse omkring → *nose about*
snuse opp → *ferret out*
snushane → *snooper*
snusk → *fiddle*
snusket(e) → *dingy, grotty, seedy, sleazy*
snute → *muzzle, snout*
snyltedyr → *parasite*
snylteplante → *parasite*
snylter → *cadger, freeloader, hanger-on, parasite, scrounger, sponger*
snyte → *diddle, rip off*
snyte for → *do out of*
snyteri → *trickery*
snø → *snow, static*
snøball → *snowball*
snødekt → *snow-capped, snowy*
snødrive → *snowdrift*
snøfall → *snowfall*
snøfnugg → *snowflake*
snøfonn → *snowdrift*
snøft → *snort*
snøfte → *snort*
snøføyke → *drifting*
snøgrense → *snowline*
snøhvit → *snowy*
snøklokke → *snowdrop*
snømann → *snowman*
snømus → *weasel*
snøplog → *snowplough*
snøre → *drawstring, lace, line*
snørret(e) → *snotty*
snørrhoven → *snotty*
snøskred → *avalanche*
snøstorm → *blizzard, snowstorm*
snøvle → *drawl*
snøvlet(e) → *slurred*
snøvling → *drawl*
snål → *queer, weird*
sober → *severe*
soda → *club soda, soda*

sofa → *couch, settee, sofa*
sofabonde → *couch potato*
Sofia → *Sofia*
sofistikert → *sophisticated*
sognebarn → *parishioner*
sogneprest → *Reverend*
soignert → *well-groomed*
sokk → *sock*
sokkel → *pedestal*
sokne i → *drag*
sol → *solar, sun, sunlight, sunshine*
solar plexus → *solar plexus*
solarium → *solarium, sunbed*
solbelyst → *sunlit*
solbrent → *sunburnt, suntanned*
solbrenthet → *sunburn*
solbriller → *shade, sunglasses*
solbrun → *bronzed*
solbær → *blackcurrant, currant*
solcellepanel → *solar panel*
soldat → *serviceman, soldier, trooper*
sole seg → *sunbathe*
solenergi → *solar power*
solflekk → *sunspot*
solfylt → *sunny*
solid → *firm, robust, solid, solidly, strongly, substantial, tough*
solidaritet → *solidarity*
soliditet → *solidity*
solist → *soloist*
solitær → *solitaire*
solkrem → *sun-cream, sun screen, suntan lotion*
sollys → *sunlight*
solnedgang → *sundown, sunset*
solo → *solo*
sololje → *suntan oil*
soloppgang → *sunrise*
solrik → *sunny*
solseng → *sunbed*
solsikke → *sunflower*
solsikkeolje → *sunflower oil*
solskinn → *sunshine*
solskinns- → *sunny*
solstikk → *sunstroke*
solstråle → *sunbeam*
solsystem → *solar system*
soltak → *canopy, sun roof*
solur → *sundial*
solvens → *solvency*
solvent → *solvent*
solverv → *solstice*
som → *as, like, that, which, who, whom, moneymaking*
som oftest → *habitually*
somali(sk) → *Somali*
Somalia → *Somalia*
somalier → *Somali*
somle → *dally, dawdle, delay, dilly-dally, dither*
sommer → *summer, summertime*
sommerferie → *summer holidays*
sommerfugl → *butterfly*
sommerfugllarve → *caterpillar*
sommerleir → *summer camp*
sommerlig → *summery*
sommertid → *summer time*
sonar → *sonar*
sonate → *sonata*
sonde → *probe*
sondere → *probe*
sone → *precinct, serve, zone*
sonett → *sonnet*
soning → *atonement*
soningsfange → *convict*
sonisk → *sonic*
sonor → *resonant*
soper → *queer*
sopp → *fungus, mushroom*
sopran → *soprano, treble*
sorbet → *sherbet, sorbet*
sordin → *mute*
sorg → *bereavement, grief, mourning, sorrow*
sorger → *sorrow*
sorgfylt → *mournful*
sorgløs → *carefree, happy-go-lucky*
sorgtung → *mournful*
sort → *black, sort*
sortere → *grade, sort*
sortere under → *come under*
sorteringskontor → *sorting office*
sortiment → *assortment*
SOS → *SOS*
sosial → *gregarious, sociable, social*
sosialarbeid → *social work, welfare work*
sosialarbeider → *social worker*
sosialbolig → *council house*
sosialboliger → *council housing, government housing*
sosialdemokrat → *Social Democrat*
sosialdepartement → *DSS*
sosialisme → *socialism*
sosialist → *socialist*
sosialistisk → *socialist*
sosialomsorg → *social services*
sosialt → *socially*
sosialtrygd → *social insurance, social security*
sosialøknomisk → *socioeconomic*
sosietet → *society*
sosiolog → *sociologist*
sosiologi → *sociology*
sosiologisk → *sociological*
sosioøkonomisk → *socioeconomic*
sosøk → *Pol. Econ.*
sot → *soot*
sotflak → *smut*
soul → *soul*
sove → *sleep*
sove over → *sleep*
sovemiddel → *soporific*
sovende → *asleep, dormant*
sovepille → *sleeping pill*
soveplass → *sleeper*
sovepose → *sleeping bag*
soverom → *bedroom*
sovesal → *dormitory*
sovesofa → *bed settee*
sovesyke → *sleeping sickness*
sovetablett → *sleeping pill*
sovevogn → *sleeping car*
soveværelse → *bedroom*
sovjeter → *soviet*
sovjetisk → *soviet*
Sovjetunionen → *Union of Soviet Socialist Republics, USSR*
sovne inn → *fade away*
spade → *slice, spade*
spaghetti → *spaghetti*
spak → *lame, lever, meek, subdued*
spalte → *cleft, column, gap*
spaltekorrektur → *galley*
spaltist → *columnist*
Spania → *Spain*
spaniel → *spaniel*
spanjol → *Spaniard*
spanjolene → *Spanish*
spankulere → *strut, swagger*
spann → *pail, team*
spansk → *Spanish*
spansk pepper → *pimento*
spanskrør → *cane*
spar → *spade*
spare → *economize, keep back, save, spare*

spare for → *save, spare*
spare opp → *amass*
spare på → *conserve, save*
sparebank → *savings bank*
sparegris → *piggy bank*
sparekonto → *deposit account, savings account*
sparepenger → *nest egg, saving*
spareskilling → *nest egg*
spark → *kick*
sparke → *fire, kick, sack, unseat*
sparkebukse → *leggings*
sparkesykkel → *scooter*
sparre → *spar*
sparringpartner → *sparring partner*
sparsom → *scanty*
sparsommelig → *economical, economically, frugal*
sparsommelighet → *economy*
spartansk → *austere, spartan*
spasere → *stroll, walk*
spasersko → *brogue, walking shoe*
spaserstokk → *walking stick*
spasertur → *stroll, walk*
spasme → *spasm*
spastiker → *spastic*
spastisk → *spastic*
spatel → *spatula*
spe ut → *water down*
spe(d)barn → *infant*
spe(d)barnsalder → *infancy*
sped → *feeble, slight, tender*
spedalsk → *leper*
spedalskhet → *leprosy*
spedbarnsperiode → *babyhood*
speditør → *shipping agent*
speedometer → *speedometer*
speide mot → *scan*
speider → *guide, scout*
speil → *mirror*
speilbilde → *mirror image, reflection*
speile → *reflect*
speilglass → *plate glass*
speke → *cure*
spekeskinke → *gammon*
spekk → *blubber*
spekter → *range, spectrum, sweep*
spektrum → *spectrum*
spekulant → *jobber, speculator*
spekulasjon → *speculation*
spekulativ → *speculative*
spekulere → *speculate*
speleolog → *speleologist*
spenn → *span*
spenne → *buckle, clip, slide, tense*
spenne av → *unfasten*
spenne for → *harness, hitch up*
spenne opp → *unbuckle*
spenne over → *span*
spenne på seg → *buckle*
spenne sammen → *yoke*
spennende → *exciting, thrilling*
spenning → *adventure, excitement, stress, suspense, tension, thrill, voltage*
spenningsbølge → *surge*
spennvidde → *scope*
spenst → *resilience*
spent → *fraught, tense*
sperma → *sperm*
spermhval → *sperm whale*
spermie → *sperm*
sperre → *bar, block*
sperre av → *close off, cordon off, rope off, seal off*
sperre inne → *lock away, trap*
sperreild → *barrage*
sperreinnretning → *gear*
sperret → *frozen*
sperreverk → *ratchet*
sperring → *barrier, cordon*
spesialagent → *special agent*
spesialbygd → *custom-built, custom-made*
spesialeffekter → *special effects*
spesialenhet → *task force*
spesialist → *consultant, specialist*
spesialitet → *speciality*
spesiallaget → *purpose-built*
spesialområde → *speciality*
spesiell → *particular, special, specific, unique*
spesielt → *especially, particularly, peculiarly, specially, specifically*
spesifikasjon → *breakdown, spec, specification*
spesifikasjoner → *specification*
spesifikk → *specific*
spesifikt → *specifically*
spesifisere → *itemize, specify*
spetakkel → *barracking, racket*
spett → *lever*
spette → *fleck*
spettet(e) → *mottled, speckled*
spidd → *spit*
spidde → *impale, spear*
spiker → *nail*
spikerbor → *gimlet*
spikre for → *board up*
spile → *slat*
spile ut → *distend*
spill → *drama, game*
spille → *act, act out, gamble, play*
spille inn → *record*
spille om igjen → *replay*
spille opp → *strike up*
spille på → *play on*
spille ut → *enact*
spilleautomat → *slot machine*
spillebrikke → *counter*
spilledåse → *music(al) box*
spillefilm → *feature film*
spillehall → *amusement arcade*
spillejobb → *gig*
spiller → *deck, gambler, player*
spillerom → *scope*
spillkort → *playing card*
spina bifida → *spina bifida*
spinal- → *spinal*
spinat → *spinach*
spindelvev → *cobweb, gossamer, web*
spinkel → *flimsy, slender, slight, tenuous*
spinn → *spin*
spinne → *spin*
spinner → *spinner*
spinnerske → *spinner*
spinning → *spinning*
spion → *spy*
spionasje → *espionage, spying*
spir → *spire, steeple*
spiral → *coil, intra-uterine device, IUD, spiral*
spire → *germinate, sprout*
spirende → *budding*
spiring → *germination*
spiritisme → *spiritualism*
spise → *eat, have*
spise frokost → *breakfast*
spise lunsj → *lunch*
spise middag → *dine*
spise opp → *eat up, finish up*
spise ute → *eat out*
spisekrok → *alcove*
spiselig → *eatable, edible, palatable*
spisepinner → *chopsticks*
spiserør → *gullet, oesophagus*

spisesal → *dining room*
spisested → *diner*
spisestue → *dining room*
spisetid → *mealtime*
spisevogn → *dining car, restaurant car*
spiskammer → *larder, pantry*
spiss → *acute, point, pointed, sharp, tip*
spissborger → *bourgeois, philistine*
spisse → *sharpen*
spisskarve → *cumin*
spissmus → *shrew*
spisst → *pointedly*
spjælet(e) → *spindly, weedy*
spjæling → *runt, weed*
spjåket(e) → *tawdry*
spleise → *splice*
splid → *discord*
splint → *chip, fragment, pin, sliver, splinter*
splintsikker → *shatterproof*
splitt → *vent*
splitte → *split*
splittelse → *division, schism, split*
splittende → *divisive*
splitter naken → *starkers*
splitter ny → *brand-new*
splittet → *divided, split*
spole → *bobbin, reel, spool*
spole tilbake → *rewind*
spolere → *blight, mar, prejudice, undo*
spon → *shaving*
sponplate → *chipboard*
sponse → *sponsor*
sponsor → *sponsor*
sponsoravtale → *sponsorship*
spontan → *spontaneous*
spontanitet → *spontaneity*
spor → *clue, lead, line, remnant, scent, track, trail*
sporadisk → *spasmodic, sporadic*
spore → *incentive, inducement, spur, trace*
spore opp → *trace, track down*
sporenstreks → *forthwith, hotfoot, unhesitating*
sporhund → *sniffer dog, tracker dog*
sporlyskule → *tracer*
sporstoff → *trace element*
sporstoffisotop → *tracer*
sport → *sport*
sports- → *sporting, sporty*
sportsbil → *sports car*
sportsdykking → *scuba diving*
sportsfiske → *angling*
sportsfisker → *angler*
sportsklær → *sportswear*
sportskvinne → *sportswoman*
sportslig → *athletic, sporty*
sportsmann → *sportsman*
sportsplass → *sports ground*
sportsside → *sports page*
sportsvogn → *buggy, pushchair, stroller*
sportsånd → *sportsmanship*
sporveksel → *point*
sporvidde → *gauge*
spotlight → *spotlight*
spotlys → *spotlight*
spott → *mockery*
spotte → *deride, revile*
spottefugl → *mockingbird*
spottende → *derisive, derisory, jeering, mocking*
spove → *curlew*
spradebasse → *dandy*
spraglet(e) → *speckled*
sprake → *crackle*
spraking → *crackling*
sprang → *bound, dash, jump, leap*
sprangridning → *show jumping*
spray → *spray*
spre → *diffuse, disperse, disseminate, propagate, scatter, spread, spread out*
spre seg → *break up, disperse, proliferate, scatter, spread, spread out, travel*
spre seg utover → *spread out*
spredd → *sparse*
spreder → *rose, spray, sprinkler*
spredning → *dispersal, propagation, spread*
spredt → *erratic, scattered, stray*
sprek → *nippy*
sprekk → *chink, crack, crevice, fissure, slit, slot, split*
sprekke → *burst, pop, split*
sprenge → *blast, blow, blow up, burst, detonate, dynamite, explode*
sprengkapsel → *detonator*
sprengladning → *explosive*
sprenglesing → *cramming*
sprengstoff → *explosive*
sprett → *bounce, skip*
sprette → *bounce, bud, frisk, frolic, pop, skip*
sprette opp → *jump up, slit, spring up*
sprette tilbake → *rebound*
spretten → *frisky*
sprettert → *catapult, sling*
spring → *tap*
springbrett → *springboard*
springe → *break, burst, race, run, spring*
springe etter → *run after*
springe opp → *jump up*
springe ut → *blossom, open*
springende → *desultory, disconnected, rambling*
springer → *knight*
springkniv → *flick knife, switchblade*
sprinkel → *bar, slat*
sprinkelverk → *lattice, trellis*
sprinkler → *sprinkler*
sprint → *sprint*
sprinte → *sprint*
sprinter → *sprinter*
sprit → *booze, spirit*
sprite opp → *beef up, jazz up, lace*
spritfabrikk → *distillery*
sprosse → *bar*
sprudle → *bubble*
sprudlende → *bubbly, fizzy, sparkling*
sprut → *spurt*
sprute → *spatter, splash, spout, spurt, squirt*
sprø → *batty, cracked, crisp, crunchy, fragile, loony, nutty*
sprøyt → *rot, spray*
sprøyte → *hypodermic, injection, shot, spray, syringe*
sprøytemiddel → *pesticide*
sprøytespiss → *needle*
sprøyting → *crop spraying*
språk → *language, lingo, speech*
språkbruk → *usage*
språklaboratorium → *language laboratory*
språklig → *linguistic*
språkstudent → *linguist*
språkvitenskap → *linguistics*
spuns → *bung*
spurte → *sprint*
spurv → *sparrow*
spy → *spew*
spy ut → *belch, churn out, disgorge, spew*
spyd → *javelin, spear*
spydig → *snide*
spydighet → *taunt*
spyflue → *bluebottle*
spyle → *flush, hose down, wash down*
spyler → *windscreen washer*
spypose → *sickbag*
spytt → *saliva, spit, spittle*
spytte → *spit*

spyttslikker → *sycophant*
spøk → *joking*
spøke → *joke, quip*
spøkefull → *jocular, playful*
spøkefullt → *jokingly*
spøkelse → *bogey, ghost, phantom, spectre*
spøkelsesaktig → *spooky*
spøkelsesby → *ghost town*
spørre → *ask, inquire, poll*
spørre etter → *ask after*
spørre om → *inquire*
spørre ut → *debrief, question, quiz*
spørrekonkurranse → *game show, panel game, quiz*
spørrelek → *quiz*
spørrelysten → *inquisitive*
spørrende → *questioning*
spørreskjema → *questionnaire*
spørsmål → *issue, query, question*
spørsmålsstiller → *questioner*
spørsmålstegn → *question mark*
spå → *divine, prophesy*
spå om → *foretell*
spådom → *prediction, prophecy*
spåkvinne → *fortune-teller*
spåmann → *fortune-teller*
squash → *courgette, squash, zucchini*
Sri Lanka → *Sri Lanka*
s-sving → *double bend*
sta → *obstinate, stroppy, stubborn*
stab → *staff*
stabel → *stack*
stabil → *stable, steady*
stabilisator → *stabilizer*
stabilisere → *stabilize*
stabilisere seg → *stabilize*
stabilisering → *stabilization*
stabilitet → *stability*
stable → *pile, stack*
stabssjef → *Chief of Staff*
stadfestelse → *probate*
stadig → *constant, constantly, continually, ever, increasingly, perpetual, persistent, progressively*
stadion → *stadium*
stadium → *stage*
stafett → *relay*
stafettpinne → *baton*
staffeli → *easel*
stagge → *stall*
stagnasjon → *stagnation*
stagnere → *languish, stagnate*
stagvende → *tack*
stahet → *obstinacy*
stake opp → *unblock*
stake ut → *map out*
stakitt → *palings*
stakkato → *staccato*
stalagmitt → *stalagmite*
stalaktitt → *stalactite*
stall → *stable*
stallkar → *groom*
stamaksjer → *equities, ordinary shares*
stamfar → *ancestor*
stamgjest → *patron, regular*
stamme → *stammer, stutter, tribe, trunk*
stammemedlem → *tribesman*
stamming → *stammer, stutter*
stampe → *stamp*
stampe i → *paw*
stamtavle → *pedigree*
stamtre → *family tree*
stand → *stand*
standard → *standard*
standardbetingelse → *default option*
standardisere → *standardize*
standardisering → *standardization*
standardtid → *standard time*
standarduttrykk → *catch phrase, stock phrase*
standardverk → *canon*
standardvilkår → *default option*
standhaftig → *persistent, steadfast*
standhaftighet → *persistence*
standpunkt → *position, stance, standpoint*
standsmessig → *executive*
stang → *bar, pole, rod, staff*
stangbønne → *pole bean*
stange → *butt, gore*
stank → *pong, stench, stink*
stankelbe(i)n → *daddy-long-legs*
stans → *check, halt, stop, stoppage*
stanse → *cease, check, discontinue, halt, pull up, staunch, stem, stop*
stappe → *stuff*
stappe i seg → *scoff*
stappfull → *packed*
start → *outset, start*
starte → *start*
starte opp → *boot, start off, start up*
starte opp igjen → *restart*
starte på nytt → *reset*
startende → *starter*
starter → *starter*
startkabler → *jump leads*
startrakett → *booster*
startvansker → *growing, teething troubles*
staselig → *statuesque*
stasjon → *depot, drive, station*
stasjonere → *post, station*
stasjonsmester → *stationmaster*
stasjonsvogn → *estate car, station wagon*
stat → *state*
statelig → *stately*
Statene → *state*
statisk → *static*
statist → *extra*
statistikk → *statistic, statistics*
statistisk → *statistical*
stativ → *stand, tripod*
statlig → *government, state*
statsadvokat → *public prosecutor*
statsaksjer → *government stock*
statsborger → *citizen, national, subject*
statsborgerskap → *citizenship, nationality*
statseid → *state-owned*
statsfinansiert → *state-funded*
statsgjeld → *national debt*
statshemmelighet → *state secret*
statskasseveksel → *treasury bill*
statskunst → *statesmanship*
statsløs → *stateless*
statsmann → *statesman*
statsmannskunst → *statesmanship*
statsminister → *premier, Prime Minister*
statsoverhode → *head of state*
statsråd → *cabinet minister*
statsstøtte → *state funding, subvention*
statstjenestemann → *civil servant*
statsvitenskap → *politics*
statue → *statue*
statuett → *statuette*
status → *standing, status*
statuslinje → *status line*
statusoppgjør → *balance sheet*
statussymbol → *status symbol*
statutter → *constitution, statute*
staude → *herbaceous, perennial*
staur → *beanpole*
stav → *crook, rod*
stave → *spell*

stave feil → *misspell*
stavelse → *syllable*
stavemåte → *spelling*
stavhopp → *pole vault*
staving → *spelling*
stavsprang → *pole vault*
stearinlys → *candle*
stebarn → *stepchild*
stebror → *stepbrother*
sted → *locale, location, place, site, spot, venue*
stedatter → *stepdaughter*
stedfortreder → *deputy*
stedsnavn → *place name*
stedstillegg → *weighting*
stefar → *stepfather*
steg → *step, stride*
ste(i)k → *joint, roast*
ste(i)ke → *cook, bake, fry, roast*
ste(i)kebrett → *baking tray*
ste(i)kefett → *dripping*
ste(i)kefilm → *film*
ste(i)keform → *baking tin*
ste(i)kende het {or} varm → *scorching*
ste(i)kepanne → *frying pan, skillet*
ste(i)kespade → *spatula*
ste(i)kespidd → *skewer*
ste(i)kespyd → *spit*
ste(i)khe(i)t → *roasting*
ste(i)kt → *fried*
steil → *intransigent, unbending*
steile → *rear*
steilhet → *intransigence*
steilt → *steeply*
ste(i)n → *jewel, pebble, pip, rock, stone, stoned*
ste(i)nbed → *rockery*
ste(i)nbrudd → *quarry*
Ste(i)nbukken → *Capricorn*
ste(i)ne → *stone*
ste(i)net(e) → *rocky, stony*
ste(i)nfri → *seedless*
ste(i)nhard → *stony*
ste(i)nhogger → *stonemason*
ste(i)nmur → *masonry, stonework*
ste(i)nras → *rock fall*
ste(i)nsette → *pave*
ste(i)ntøy → *pottery, stone*
stekke → *crack*
stell → *nursing*
stelle → *nurture*
stelle i stand → *get up to, stir up*
stelle med → *mother*
stemme → *check, part, tune, voice, vote*
stemme med → *agree, fit*
stemme overens → *agree, square*
stemmeavlukke → *polling booth*
stemmeberettiget → *elector*
stemmebruk → *elocution*
stemmebånd → *vocal cords*
stemmegaffel → *tuning fork*
stemmegiving → *voting*
stemmeleie → *pitch*
stemmerett → *franchise, suffrage, vote, voting right*
stemmesanking → *canvassing*
stemmeseddel → *ballot paper, voting paper*
stemning → *ambience, atmosphere, mood, sentiment*
stemningsskapende → *evocative*
stemor → *stepmother*
stemorsblomst → *pansy*
stempel → *hallmark, piston, rubber stamp, stamp*
stempelavgift → *stamp duty*
stempelpute → *ink-pad*
stemple → *stamp*
stemple inn → *clock in {or} on, punch in*
stemple ut → *clock off {or} out, punch out*
stemplingskort → *time card*
stemplingsur → *time clock*
stenge → *close, shut, shut down*
stenge av → *close off, cut off, shut off, switch off*
stenge for → *bar, shut out*
stenge inne → *bottle up, box in, trap*
stenge ute → *lock out, shut out*
stengel → *stem*
stengetid → *closing time*
stengning → *closure, shutdown*
stengt → *closed, off*
stenk → *sprinkling*
stenograf → *stenographer*
stenografi → *shorthand, stenography*
stenografiblokk → *notebook, shorthand notebook*
steppe inn → *step in*
stepping → *tap-dancing*
stereo → *hi-fi, stereo*
stereoanlegg → *hi-fi, music centre, stereo*
stereotyp → *stereotype*
steril → *clinical, sterile*
sterilisere → *doctor, neuter, sterilize*
sterilisering → *sterilization, vasectomy*
sterilitet → *sterility*
sterk → *great, hard, high, potent, powerful, rich, sharp, strong, tough*
sterkt → *heavily, keenly, strongly*
sterlingområde → *sterling area*
steroid → *steroid*
stesønn → *stepson*
stesøster → *stepsister*
stetoskop → *stethoscope*
stett → *stem*
stetteglass → *goblet*
stevne → *fête, meet, meeting, rally*
stevnemøte → *rendezvous*
stevning → *summons, writ*
sti → *path, pathway, stye, track, trail*
stift → *needle, staple, stick, stylus, tack*
stifte → *staple, tack*
stiftelse → *foundation, trust*
stiftemaskin → *stapler*
stigbrett → *sill*
stigbøyle → *stirrup*
stige → *climb, increase, ladder, rise, soar*
stige av → *dismount*
stige fram → *rise*
stige ned → *climb down*
stige opp → *mount*
stige ut → *alight*
stigende → *buoyant, incoming, increasing, rising*
stigma → *stigma*
stigning → *ascent, rise*
stigningsforhold → *gradient*
stikk → *bite, dig, engraving, jab, prick, stab, sting, throb, trick, twinge*
stikke → *bite, fly, jab, plunge, poke, prick, slip, stick, sting, thrust, tingle*
stikke av → *bunk off, decamp, push off, run away, run off, scarper*
stikke fram → *poke out, protrude*
stikke i → *stab*
stikke inn → *insert*
stikke innom → *call, call on, come over, come round, pop in, stop by*
stikke ned → *stab*
stikke opp → *stick up*
stikke til seg → *pocket*
stikke unna → *siphon off*
stikke ut → *jut, pop out, slip out, stake, stick out*
stikkelsbær → *gooseberry*
stikkende → *prickly, searing, stabbing*
stikkontakt → *outlet, plug, point, power point, socket*
stikkord → *clue, cue*

stikkpasser → *dividers*
stikkpille → *suppository*
stikkprøve → *spot check*
stikling → *cutting*
stil → *composition, essay, idiom, style, vein*
stilbrudd → *mismatch*
stiletthæl → *spike heel, stiletto*
stilfull → *elegant*
stilfullhet → *elegance*
stilig → *dressy, elegant, handsome, spruce, stylish*
stilisert → *stylized*
stilist → *stylist*
stilk → *stalk, stem*
stillas → *scaffolding*
stillbilde → *still*
stille → *ask, calm, hushed, pose, position, put, quiet, quietly, set, silent, silently, slack, stand, still*
stille fram → *put forward*
stille inn → *adjust, tune*
stille opp → *align, construct, fall in, line up, marshal, range*
stille opp for → *stand by*
stille opp ned → *upend*
stille på nytt → *reset*
stille seg bak → *subscribe*
stille seg i → *join*
stille seg opp → *line up*
stille ut → *display, exhibit*
stilleben → *still life*
stillegående → *quiet, silent*
stillesittende → *sedentary*
stillestående → *stagnant, static*
stillferdig → *quiet*
stillhet → *hush, quiet, quietness, silence*
stilling → *appointment, attitude, job, office, place, pose, position, post, posture, score, score line, situation, stance, standing*
stilltiende → *implicitly, tacit*
stillverksbetjent → *signalman*
stilne → *abate, fade*
stim → *shoal*
stimulans → *boost, fillip, stimulus*
stimulere → *stimulate*
stimulerende → *stimulating*
stimulering → *stimulation*
stimulus → *stimulus*
sting → *stitch*
stinkdyr → *skunk*
stinke → *pong, stink*
stinn av gryn → *loaded*
stipend(ium) → *bursary, fellowship, grant, scholarship*
stipulere → *stipulate*
stirre → *stare*
stiv → *rigid, steep, stiff, stuffy*
stivbe(i)nt → *rigid*
stivbe(i)nthet → *rigidity*
stivelse → *starch*
stivelsesholdig → *starchy*
stivet → *starched*
stivhet → *rigidity, stiffness*
stivkrampe → *tetanus*
stivne → *gel, harden, set, solidify, stiffen*
stivnet → *fixed*
stivsinnet → *bigoted*
stivsinnethet → *bigotry*
stivt → *rigidly*
stjele → *crib, lift, rustle, steal*
stjerne- → *stellar*
stjerne → *asterisk, star*
stjernebilde → *constellation*
stjerneklar → *starlit, starry*
stjernekrig → *Star Wars*
stjerneskinn → *starlight*
stjerneskudd → *shooting star, sparkler*
stjernestatus → *stardom*
stjernetegn → *star sign*
stjålen → *furtive, surreptitious*
stjålent → *covert, furtively*
Stockholm → *Stockholm*
stoff → *cloth, dope, drug, fabric, material, matter, substance, territory*
stoffmisbruker → *junkie*
stoffskifte → *metabolism*
stoiker → *stoic*
stoisk → *stoic(al)*
stokk → *cane, cudgel, stick*
stokke → *shuffle*
stokke om på → *reorder*
stol → *cable-car, chair*
stola → *stole*
stole på → *bank on, rely on, trust*
stolheis → *chairlift*
stol-leken → *musical chairs*
stolpe → *pole, post*
stolpediagram → *bar chart*
stolt → *proud, proudly*
stolthet → *honour, pride*
stopp → *halt, padding, stop, stuffing*
stoppe → *darn, kill, pull up, stall, stem, stop, stuff, turn back*
stoppe seg til → *block up*
stoppe til → *stop up*
stoppe ut → *stuff*
stoppeklokke → *stopwatch*
stoppekran → *stopcock*
stoppemekanisme → *cutout*
stoppested → *flag stop, staging post, stop*
stopping → *upholstery*
stor → *big, deep, enlarged, grand, great, heavy, keen, large, wide*
stor bokstav → *capital*
storartet → *sensational, splendid, wonderful*
storbrann → *conflagration*
Storbritannia → *Britain, Great Britain*
storby → *metropolis, metropolitan*
storeter → *glutton*
storetå → *big toe*
storfe → *cattle*
storfekjøtt → *beef*
storgevinst → *jackpot*
storhet → *greatness*
stork → *stork*
storkonsern → *conglomerate*
storm → *barrage, blaze, gale, hail, storm, tempest*
stormangrep → *charge, onslaught, swoop*
stormannsgalskap → *megalomania*
stormarked → *hypermarket, superstore*
stormdør → *storm door*
storme → *charge, race, storm*
stormende → *rousing, stormy, tempestuous*
stormfull → *stormy, tempestuous*
stormkast → *squall*
stormsky → *storm cloud*
stors → *gauze*
storsinnet → *magnanimous*
storsjarmør → *heart-throb*
storslagen → *grand, grandiose, splendid*
storslagenhet → *grandeur, splendour*
storslager → *blockbuster*
storslått → *epic, sumptuous*
stort sett → *largely*
storøyd → *starry-eyed, wide-eyed*
stotre → *gibber, stutter*
stotring → *stutter*
strabaser → *rough-and-tumble*
straff → *judg(e)ment, penalty, punishment, retribution*
straffarbeid → *hard labour, penal servitude*
straffbar → *punishable*
straffe → *discipline, punish*

straffebestemmelse → *penalty clause*
straffebot → *penalty*
straffedom → *retribution*
straffefelt → *penalty area*
straffeslag → *penalty*
straffespark → *penalty, penalty kick*
straffesparkkonkurranse → *penalty shoot-out*
straffetiltak → *sanction*
straks → *immediately, momentarily, readily*
stram → *acrid, taut, tight*
stramme → *tense, tighten*
stramme seg → *tighten*
stramming → *tension*
strand → *beach, lido, sands*
strandbil → *beach buggy*
strandet → *stranded*
strandkant → *seashore*
strandklær → *beachwear*
strandlinje → *foreshore*
strandpromenade → *seafront*
strandsnegl → *winkle*
strandtøy → *beachwear*
Strasbourg → *Strasbourg*
strateg → *strategist*
strategi → *strategy*
strategisk → *strategic*
stratosfære → *stratosphere*
stratum → *stratum*
strebe etter → *pursue*
strebebue → *flying buttress*
strebende → *aspiring*
strebepilar → *buttress*
streber → *social climber*
strede → *strait*
streife → *graze*
streife om → *bum around*
streife omkring → *roam, rove*
streife rundt → *roam, wander*
streiftog → *foray*
streik → *strike*
streike → *conk out, play up, strike*
streikeaksjon → *stoppage*
streikebryter → *blackleg, scab, strikebreaker*
streikelønn → *strike pay*
streikende → *striker*
streikevakt → *picket*
streikevaktlinje → *picket line*
streit → *straight*
strek → *booby trap*
streke under → *underline, underscore*
strekkbukse → *ski pants*
strekke → *stretch, wrench*
strekke seg → *extend, give, reach, stretch*
strekke seg ut → *stretch out*
strekke seg utover → *straddle*
strekke til → *to stretch to*
strekke ut → *put out, reach out, stretch out*
strekkmerker → *stretch marks*
strekkode → *bar code*
strekning → *stretch*
streng → *harsh, rigid, rigorous, severe, stark, stern, stiff, strict, string, stringent*
strengeinstrument → *stringed instrument*
strenghet → *harshness, rigour, severity, strictness*
strengt → *harshly, rigidly, severely, strictly*
stress → *strain, stress*
stressa → *uptight*
stresse → *hassle*
stresset → *harassed, harried*
stressfylt → *stressful*
stresskoffert → *briefcase*
streve → *slog*
strevsom → *arduous, uphill*
stri → *bristly, obstinate, wiry*
strid → *conflict, contention, strife*
stride mot → *contradict*
stridende → *fighter, warring*
strides → *feud*
stridigheter → *strife*
stridshest → *charger*
stridshode → *warhead*
stridskølle → *mace*
stridsspørsmål → *sticking point*
stridsvogn → *chariot*
strie → *hessian*
strigle → *groom, rub down*
strikk → *elastic band, rubber band*
strikke → *knit*
strikkejakke → *cardigan*
strikkemaskin → *knitting machine*
strikkemønster → *knitting pattern*
strikkeoppskrift → *knitting pattern*
strikkepinne → *knitting needle, needle*
strikket → *knitted*
strikketøy → *knitting*
strikkevarer → *knitwear*
strikkhopping → *bungee jumping*
strikking → *knitting*
strime → *shaft, streak, trickle, wisp*
strimmel → *sliver, strip*
stringent → *stringent*
stripe → *band, highlight, streak, strip, stripe*
stripet(e) → *lined, streaky, striped*
strippe → *strip*
stripper → *stripper*
stripperske → *stripper*
stritte imot → *struggle*
stroboskoplys → *strobe*
strofe → *stanza*
stropp → *strap*
stroppeløs → *strapless*
struktur → *fabric, structure*
strukturell → *structural*
strupehode → *larynx*
strupetak → *stranglehold*
struts → *ostrich*
stryk → *rapids*
stryke → *fail, iron, score out, strike off, stroke*
stryke av → *strike*
stryke mot → *brush*
stryke over → *cancel, overstrike*
stryke til/på → *fail*
stryke ut → *cancel, delete*
strykebrett → *ironing board*
strykejern → *iron*
strykekvartett → *string quartet*
strykerne → *string*
stryketøy → *ironing*
stryking → *ironing*
stryknin → *strychnine*
strø → *grit, scatter, sprinkle*
strø om seg med → *dish out, throw about*
strøk → *neighbourhood, stroke*
strøm → *current, deluge, electricity, flow, gush, power, river, stream*
strømbrudd → *blackout, outage, power cut, power failure*
strømførende → *live*
strømlinjeformet → *streamlined*
strømme → *flow, pour, rush, stream, surge*
strømme fram → *gush*
strømme inn → *pour in, roll in*
strømme ut → *pour out, spill out*
strømning → *current*
strømninger → *tide*
strømpe → *stocking*
strømpebukse(r) → *panty hose, tights*
strømpebånd → *garter*
strømper → *hosiery*

stål → *bread, steel*
stålampe → *standard lamp*
stålbjelke → *girder*
stålbørste → *wire brush*
stålindustri → *steel industry*
stålsette seg → *brace*
stålverk → *steel mill, steelworks*
ståplass → *standing room*
ståtribune → *bleachers, terrace*
su på → *suck*
subbe → *shuffle, slouch*
subbet(e) → *blowzy*
subjekt → *subject*
subjektiv → *subjective*
sublim → *sublime*
subliminal → *subliminal*
subnormal → *subnormal*
subsidie → *subsidy*
subsidiere → *subsidize*
substans → *matter, substance*
substantiv → *noun*
subtrahere → *subtract*
subtraksjon → *subtraction*
subtropisk → *subtropical*
subversiv → *subversive*
Sudan → *Sudan*
sudaner → *Sudanese*
sudansk → *Sudanese*
suffiks → *suffix*
sufflere → *prompt*
sufflør → *prompter*
suffløse → *prompter*
sufflé → *soufflé*
suffragette → *suffragette*
suge (på) → *suck*
sugekopp → *plunger, sucker*
sugekraft → *suction*
sugepumpe → *suction pump*
sugerør → *straw*
sugeskål → *sucker*
sugetablett → *lozenge*
sugge → *sow*
suging → *suction*
suite → *suite*
sukk → *sigh*
sukke → *sigh*
sukke over → *bemoan*
sukker → *sugar*
sukkerbete → *sugar beet*
sukkerbit → *lump, sugar lump*
sukkerert → *mangetout*
sukkerlake → *syrup*
sukkermais → *sweetcorn*
sukkeroe → *sugar beet*
sukkerraffineri → *sugar refinery*
sukkerrør → *sugar cane*
sukkerskål → *sugar bowl*
sukkerspinn → *candy-floss, cotton candy*
sukkersyke → *diabetes*
sukkersøt → *saccharin(e), slushy, sugary*
sukkertøy → *candy, sweet*
sukkulent → *succulent*
sukre → *sugar*
sukret → *sugary*
sukrose → *sucrose*
suksesjon → *succession*
suksess → *hit, success*
suksessiv → *successive*
suksessrik → *successful*
sulfat → *sulphate*
sult → *hunger, starvation*
sultan → *sultan*
sulte → *starve*
sultedød → *starvation*
sulteforet → *underfed*
sulten → *hungry*
sultent → *hungrily*
sultestreik → *hunger strike*
sum → *sum, total*
Sumatra → *Sumatra*
summarisk → *summary*
summe → *buzz, drone, whirr*
summer → *buzzer*
summetone → *dialling tone*
summing → *buzz*
sumobryting → *sumo (wrestling)*
sump → *marsh, morass, swamp*
sumpaktig → *marshy*
sumpet(e) → *swampy*
sumpkarse → *nasturtium*
sund → *sound, strait*
sundae-is → *sundae*
sunket → *sunken*
sunn → *healthy, salubrious, sound, wholesome*
sunn fornuft → *common sense, sanity*
sunt vett → *common sense, sanity*
supe → *booze*
super → *super, terrific, top-notch*
superb → *superb*
superlativ → *superlative*
superleder → *superconductor*
superlim → *superglue*
supermakt → *superpower*
supermann → *superman*
supermarked → *supermarket, superstore*
supermodell → *supermodel*
supernova → *supernova*
superoktanbensin → *premium gasoline*
supersonisk → *supersonic*
superstjerne → *superstar*
supertanker → *supertanker*
suppe → *broth, soup, soup course*
suppegjøk → *wally*
suppehue → *twerp*
suppekjøkken → *soup kitchen*
suppeskje → *soupspoon*
suppetallerken → *soup plate*
supplement → *complement, supplement*
supplere → *supplement*
supplerende → *supplementary*
suppleringsvalg → *by-election*
sur → *acid, chilling, crotchety, shirty, sour, tart*
sur nedbør → *acid rain*
surfbrett → *surfboard*
surfer → *surfer*
surfing → *surfing*
surhet → *acidity*
surhetsgrad → *acidity*
surmule → *grouch, sulk*
surmulende → *sulky*
surpomp → *grouch*
surr → *hum, rumble*
surre → *buzz, hum, mess about, wrap*
surrealisme → *surrealism*
surrealistisk → *surrealist*
surring → *buzz*
surrogat → *surrogate*
surrogatmor → *surrogate mother*
surstoff → *oxygen*
surstoffmaske → *oxygen mask*
surstofftelt → *oxygen tent*
SUS → *CIS*
sus → *murmur, static, whoosh*
suspekt → *fishy, suspect*
suspendere → *suspend*
suspendering → *suspension*
suspensjon → *suspension*
sutre → *grizzle, grumble*

sutrekopp → *misery*
sutrende → *snivelling*
sutrete → *peevish*
sutur → *suture*
suvenir → *keepsake, memento, souvenir*
suveren → *high-handed*
suverenitet → *sovereignty*
svabre → *swab*
svaie → *sway*
svak → *dim, dull, faint, feeble, shallow, slight, weak*
svakelig → *delicate, infirm*
svakhet → *infirmity, penchant, weakness*
svakt → *dimly, faintly, gently, weakly*
svale → *swallow*
svalhet → *coolness*
svamp → *sponge*
svampaktig → *spongy*
svane → *swan*
svanesang → *swansong*
svaneunge → *cygnet*
svangerskap → *pregnancy*
svangerskapsklinikk → *antenatal clinic*
svangerskapspermisjon → *maternity leave*
svangerskapsprøve → *pregnancy test*
svar → *answer, equivalent, plea, reply*
svare → *answer, respond*
svare på → *answer*
svare til → *answer to, match up to*
svarkupong → *reply coupon*
svart → *black, Negro*
svartebørs → *black market*
svarteliste → *blacklist*
svart-hvitt → *monochrome*
svarting → *nigger*
svartsmusket → *swarthy*
svarttrost → *blackbird*
sveipe → *rake*
sveis → *haircut, weld*
sveise → *weld*
sveisen → *spruce*
sveiser → *welder*
sveising → *welding*
Sveits → *Switzerland*
sveitser → *Swiss*
sveitserfransk → *Swiss French*
sveitsertysk → *Swiss German*
sveitsisk → *Swiss*
sveiv → *crank*
sveive inn → *reel in*
sveive ned → *wind down*
svekke → *attenuate, debilitate, impair, shake, weaken*
svekkende → *debilitating*
svekling → *weakling*
svelge → *swallow*
svensk → *Swedish*
svenske → *Swede*
sverd → *sword*
sverdfisk → *swordfish*
sverdlilje → *iris*
sverge → *swear*
Sverige → *Sweden*
sverm → *swarm*
sverme → *swarm*
sverte → *besmirch, blacken*
svett → *sweaty*
svette → *perspiration, perspire, sweat*
svettebånd → *sweatband*
svettelukt → *BO*
sveve → *float, glide, hover, sail*
svevebåt → *hovercraft*
svevende → *indefinite, vaguely*
svi → *burn, char, scorch, singe, smart, sting*
svibel → *hyacinth*
sviende → *raw, searing*
svigerdatter → *daughter-in-law*
svigerfamilie → *in-laws*
svigerfar → *father-in-law*
svigerinne → *sister-in-law*
svigermor → *mother-in-law*
svigersønn → *son-in-law*
svik → *betrayal, treachery*
svike → *betray*
svikefull → *deceitful, treacherous*
svikt → *failure, lapse, shortfall*
svikte → *betray, desert, fail, falter, let down, subside*
sviktende → *shaky*
sville → *sleeper*
svime → *stupor*
svime av → *black out, pass out*
svimeslå → *stun*
svimet(e) → *muddle-headed*
svimlende → *dizzy, giddy*
svimmelhet → *dizziness, giddiness, vertigo*
svin → *pig, swine*
svindel → *fraud, gazumping, racket, scam, sting, swindle*
svindler → *con man, fraud, racketeer, swindler, trickster*
svine til → *deface*
svinefett → *lard*
svinekjøtt → *pork*
svinekotelett → *pork chop*
svinelær → *pigskin*
svinesti → *dump, pigsty*
sving → *bend, curve, revolving, turn*
svingbro → *swing bridge*
svingdør → *revolving door, swing door*
svinge → *curve, fluctuate, oscillate, swing, turn*
svinge av → *turn off*
svinge inn → *cut in, pull in*
svinge med → *swing*
svinge på seg → *twist*
svinge rundt → *swing, swivel*
svinge ut → *pull out*
svinget(e) → *tortuous, winding*
svinghjul → *flywheel*
svingning → *fluctuation, swing*
svingradius → *turning circle*
svingstang → *legless*
svinn → *atrophy*
svinne → *atrophy, fade, recede*
svinne hen → *fade away*
svirre rundt → *float around*
sviske → *prune*
svoger → *brother-in-law*
svor → *crackling, rind*
svoren → *sworn*
svovel → *sulphur*
svoveldioksid → *sulphur dioxide*
svulme → *bulge*
svulmende → *swollen*
svulst → *growth, tumour*
svulstig → *turgid*
svunnen → *bygone*
svuppe → *squelch*
svær → *big, bulky, great, hefty, huge*
sværing → *whopper*
svært → *deeply, greatly, most, very, widely*
svømme → *swim*
svømmebasseng → *lido, swimming pool*
svømmebrett → *float*
svømmefot → *flipper*
svømmehall → *swimming baths*
svømmehud → *web*
svømmer → *swimmer*
svømmetak → *stroke*
svømming → *swimming*
svøpe → *scourge*
Swaziland → *Swaziland*
sweeper → *sweeper*

sweepstake → *sweepstake*
swing → *swing*
sy → *sew, stitch*
sy sammen → *sew up*
sydame → *dressmaker*
syde → *seethe*
Sydhavsøyene → *Oceania*
Sydney → *Sydney*
syfilis → *syphilis*
sying → *dressmaking*
syk → *diseased, ill, sick*
sykdom → *ailment, disease, illness, infirmity, sickness*
sykdomsrapport → *progress report*
syke → *disease*
sykebesøk → *round*
sykebærer → *stretcher-bearer*
sykehistorie → *case history*
sykehus → *hospital, infirmary*
sykehuspasient → *in-patient*
sykehussprit → *surgical spirit*
sykeleie → *sickbed*
sykelig → *ailing, morbid, pathological, sickly*
sykelønn → *sick pay*
sykepasser → *orderly*
sykepenger → *sickness benefit*
sykepermisjon → *sick leave*
sykepleie → *nursing*
sykepleier → *nurse*
sykepleieryrket → *nursing*
sykerom → *sickroom*
sykeseng → *sickbed*
sykestue → *sickbay*
syketrygd → *sickness benefit*
sykeværelse → *sickroom*
sykkel → *bicycle, bike, cycle*
sykkelløp → *cycle race*
sykkelpumpe → *bicycle pump*
sykkelstativ → *cycle rack*
sykkelsti → *bicycle path, bicycle track*
sykkeltur → *ride*
sykkelveske → *pannier, saddlebag*
sykle → *cycle, ride*
sykling → *cycling*
syklist → *cyclist, rider*
syklon → *cyclone*
syklus → *cycle*
sykmelding → *sick note*
syl → *awl*
sylinder → *canister, cylinder*
sylinderblokk → *cylinder block*
sylindervolum → *cubic capacity*
sylte → *pickle*
sylte seg ned → *wallow*
sylteagurk → *gherkin*
syltetøy → *conserve, jam, jelly*
symaskin → *sewing machine*
symbol → *emblem, symbol*
symbolikk → *symbolism*
symbolisere → *symbolize*
symbolsk → *symbolic(al), token*
symfoni → *symphony*
symfoniorkester → *symphony orchestra*
symfonisk → *symphonic*
symmetri → *symmetry*
symmetrisk → *symmetrical*
sympati → *leaning, sympathy*
sympatier → *sympathy*
sympatisk → *likeable, sympathetic*
sympatisør → *sympathizer*
symposium → *symposium*
syn → *eyesight, sight, stance, vision*
synagoge → *synagogue*
synd → *crime, sin*
synde → *sin*
syndebukk → *scapegoat*
synder → *sinner*
syndig → *sinful*
syndikat → *syndicate*
syndrom → *syndrome*
syndsforlatelse → *absolution*
synes → *feel, find, show, think*
synes om → *approve of, relish*
synes synd på → *pity*
synge → *sing*
syngende → *lilting, singsong*
syngespill → *operetta*
synke → *depreciate, fall off, founder, sag, sink, slip, subside*
synke inn → *sink in*
synke ned → *sink*
synke sammen → *slump*
synkende → *falling*
synking → *subsidence*
synkopert → *syncopated*
synkronisere → *synchronize*
synkronsvømming → *synchronized swimming*
synlig → *noticeable, observable, visible, visibly*
synlighet → *visibility*
synonym → *synonym*
synopsis → *synopsis*
synsbedrag → *optical illusion*
synser → *know-all*
synsk → *psychic*
synspunkt → *point of view, standpoint, viewpoint*
synsvinkel → *angle, perspective, slant, standpoint*
syntaks → *syntax*
syntaktisk → *syntactic*
syntese → *synthesis*
syntetisk → *synthetic*
synthesizer → *synthesizer*
sypress → *cypress*
syre → *acid, dock, sorrel*
syreinnhold → *acidity*
syrer → *Syrian*
Syria → *Syria*
syrin → *lilac*
syrisk → *Syrian*
syrlig → *acid*
sysaker → *haberdashery*
syssel → *pursuit*
sysselsette → *employ, exercise*
sysselsettingstiltak → *job creation scheme*
system → *system*
systematisere → *codify*
systematisk → *systematic*
systemdiskett → *system disk*
systemkritiker → *dissident*
systemplanlegger → *systems analyst*
syte → *bellyache, gripe, grouse*
sytende → *querulous*
sytten → *seventeen*
sytti → *seventy*
sytøy → *needlework, sewing*
sæd → *semen, sperm*
sædavgang → *ejaculation*
sædbank → *sperm bank*
sædcelle → *sperm*
særegen → *idiosyncratic*
særegenhet → *foible, idiosyncrasy, individuality, peculiarity*
særemne → *option*
særhet → *kink, quirk*
særing → *freak*
særlig → *especially, notably, particularly, special*
særling → *maverick*
særpreget → *individual*
særskilt → *special, specially*
særsyn → *rarity*
søk → *search*
søke → *apply, page, seek*

søke om → *put in for*
søkelys → *glare*
søker → *applicant, claimant, viewer, viewfinder*
søking → *search*
søkk → *hollow, indentation*
søkkvåt → *dripping*
søknad → *application*
søknadsskjema → *application form, claim form*
søksmål → *action, lawsuit*
søkt → *far-fetched*
søl → *debris, mess, spillage*
søle → *mud, spill*
søle til → *dirty, mess up*
sølet(e) → *messy, muddy, slimy*
sølibat → *celibacy*
sølv → *silver*
sølvbryllup → *silver wedding (anniversary)*
sølvfarget → *silver, silvery*
sølvfolie → *silver foil*
sølvgrå → *silver*
sølvklar → *silvery*
sølvpapir → *silver paper*
sølvplett → *plate*
sølvsmed → *silversmith*
sølvtøy → *silver, silverware*
søm → *dressmaking, seam, sewing*
sømmelig → *proper, seemly, virtuous*
sømmelighet → *decorum, propriety*
søndag → *Sunday*
søndagsavis → *Sunday paper*
søndagsskole → *Sunday school*
sønderknust → *broken-hearted, heartbroken*
sønn → *son*
sønna- → *southerly*
sønnedatter → *granddaughter*
sønnesønn → *grandson*
søplete → *crappy*
søppel → *garbage, litter, refuse, rubbish, trash*
søppelbil → *garbage truck*
søppelbøtte → *bin, pedal bin, rubbish bin, wastebin*
søppeldunk → *dustbin*
søppelfylling → *landfill site, rubbish dump*
søppelkasse → *bin, garbage can, litter bin, trash can*
søppelkjører → *dustman, garbage collector*
søppelkvern → *waste disposal unit*
søppelmann → *dustman*
søppelplass → *scrap yard*
søppelpose → *liner*
søppelsekk → *dustbin liner*
søppeltømming → *refuse collection, refuse disposal*
sør → *south, southern*
Sør-Afrika → *South Africa*
sørafrikaner → *South African*
sørafrikansk → *South African*
Sør-Amerika → *South America*
søramerikaner → *South American*
søramerikansk → *South American*
søren → *blast, bother*
søreuropeer → *Latin*
søreuropeisk → *Latin*
sørge → *grieve*
sørge for → *lay on, provide for, provision*
sørge over → *lament*
sørgelig → *lamentable, miserably, pitifully, sad, sadly, sorrowful, sorry*
sørgende → *mourner*
sørgepil → *weeping willow*
sørgmodig → *doleful, sadly, sorrowful*
sørgmodighet → *unhappiness*
sørgående → *southbound*
Sør-Korea → *South Korea*
sørlig → *south, southerly, southern*
sørover → *south, southward(s)*
sørvest → *south-west*
Sør-Vietnam → *South Vietnam*
sørøst → *south-east*
Sørøst-Asia → *South-East Asia*
søskenbarn → *cousin*
søster → *sister*
søt → *cute, dear, pert, sweet*
søte → *sweeten*
søthet → *sweetness*
søtladen → *cloying, saccharin(e)*
søtningsmiddel → *sweetener*
søtpotet → *sweet potato*
søtsaker → *confectionery*
søtsmak → *sweetness*
søtstoff → *sweetener*
søvn → *sleep*
søvndyssende → *soporific*
søvngjenger → *sleepwalker*
søvnig → *sleepily, sleepy*
søvnløs → *insomniac, sleepless*
søvnløshet → *insomnia, sleeplessness*
søye → *ewe*
søyle → *column, pillar*
søylediagram → *bar chart*
søylegang → *cloister*
så → *so, sow, that, then, thereupon*
såkalt → *so-called*
såle → *sole*
således → *hence*
sånn → *such*
såpe → *soap*
såpekasse → *soapbox*
såpeopera → *soap, soap opera*
såpepulver → *soap powder*
såpeskum → *soapsuds, suds*
såpespon → *soapflakes*
sår → *raw, sore, wound*
sårbandasje → *lint*
sårbar → *fragile, vulnerable*
sårbarhet → *vulnerability*
sårbeint → *footsore*
såre → *hurt, injure, sting, wound*
sårende → *hurtful*
såret → *casualty, injured, sore*
sårhet → *soreness*
sårmerker → *stigma*

T

T, t → *T, t*
ta → *catch, get, take*
ta av → *detach, lift off, release, strip, take off*
ta bort → *take away*
ta etter → *emulate, take after*
ta fra hverandre → *dismantle, strip, take apart*
ta fram → *get out*
ta igjen → *catch, catch up with, make up for, recapture*
ta igjen med → *stand up to*
ta imot → *accept, catch, deliver, take up*
ta inn → *ship, take in*
ta innover seg → *absorb*
ta med → *pick up*
ta med seg → *bring, take*
ta med ut → *put out, take out*
ta ned → *take down*
ta opp → *absorb, bring up, broach, pick up, raise, record, shoot*
ta over → *absorb, inherit*
ta på → *tell*
ta på seg → *accept, put on*
ta seg av → *attend to, care, cater for, deal with, handle, look after, see to*
ta seg fram på → *navigate*

ta seg opp → *pick up, rally*
ta til seg → *take in*
ta tilbake → *recant, repossess, take back*
ta ut → *cut out, draw, draw out, release, select*
ta ut av → *get out of*
ta vare på → *store up*
ta vekk → *cut out, take away*
tabbe → *blunder, boner, boob, clanger*
tabell → *array, chart, table*
tabernakel → *tabernacle*
tablett → *tablet*
tabloidavis → *tabloid*
tabu → *taboo*
tabubelagt → *taboo*
tabulator → *tab, tabulator*
tabuord → *four-letter word*
taburett → *stool*
taggesaks → *pinking shears*
tagget(e) → *jagged*
Tahiti → *Tahiti*
taifun → *typhoon*
Taiwan → *Taiwan*
tak → *ceiling, clasp, grasp, grip, hold, roof*
takbjelke → *rafter*
takeaway → *takeaway*
takgrind → *luggage rack, rack, roof rack*
takhage → *roof garden*
takk → *cheer, ta, thanks*
takke → *griddle, thank*
takket(e) → *ragged*
takketale → *vote of thanks*
takknemlig → *appreciative, grateful, gratefully, thankfully*
takknemlighet → *appreciation, gratitude*
takle → *tackle*
takling → *tackle*
taklist → *cornice*
takrenne → *gutter*
taksameter → *clock, taximeter*
takse → *taxi*
taksere → *value*
taksering → *valuation*
takskjegg → *eaves*
takst → *charge, fare, rate*
takstein → *tile*
takstmann → *estimator, valuer*
taksvale → *martin*
takt → *bar, beat, cycle, tact, time*
taktfast → *measured*
taktfull → *graceful, tactful*
taktfullt → *tactfully*
taktiker → *tactician*
taktikk → *tactics*
taktisk → *tactical*
taktløs → *indelicate, indiscreet, tactless*
taktløshet → *indiscretion*
taktløst → *tactlessly*
taktstokk → *baton*
takvindu → *skylight*
tale → *address, oration, speak, speech*
tale til → *address*
taleevne → *speech*
talefeil → *impediment, speech impediment*
talende → *speaking, telling*
talent → *aptitude, talent*
talentfull → *gifted, talented*
talentspeider → *talent scout*
talepedagog → *speech therapist*
taler → *orator, speaker*
talerstol → *lectern*
talerør → *mouthpiece*
talespråk → *speech*
talisman → *talisman*
talje → *pulley, tackle*
talkum → *talc, talcum powder*
tall → *digit, figure, number, numeral, rate*
tallerken → *plate, plateful, turntable*
tallerkenhylle → *plate rack, rack*
tallord → *numeral*
tallrik → *numerous*
tallrikhet → *abundance*
tallskive → *dial*
tallsystem → *notation*
talløs → *countless*
talong → *counterfoil*
talskvinne → *spokeswoman*
talsmann → *protagonist, spokesman*
tam → *bland, feeble, insipid, lame, tame*
tamburin → *tambourine*
tampong → *tampon*
tandem → *tandem*
tang → *forceps, pincers, pliers, tongs*
tangent → *key, tangent*
tangenter → *keyboard*
tangentinstrumenter → *keyboard*
Tanger → *Tangier*
tango → *tango*
tank → *tank, vat*
tank(s) → *tank*
tankbil → *oil tanker, tanker*
tanke → *mind, thought*
tanke opp → *refuel*
tankefull → *pensive, preoccupied, thoughtful*
tankefullt → *thoughtfully*
tankegang → *drift*
tankeløs → *thoughtless*
tankeløshet → *thoughtlessness*
tankeløst → *thoughtlessly, unthinkingly*
tankene → *imagination*
tanker → *mind, tanker, thought*
tankestrek → *dash*
tanketom → *brainless*
tankevekkende → *thought-provoking*
tankskip → *tanker*
tankvogn → *tanker*
tann- → *dental*
tann → *cog, tooth*
tannbørste → *toothbrush*
tannhjul → *cog, cogwheel*
tannin → *tannin*
tannkrem → *toothpaste*
tannlege → *dental surgeon, dentist*
tannlegevitenskap → *dentistry*
tannpasta → *toothpaste*
tannpine → *toothache*
tannpirker → *toothpick*
tannpleiemiddel → *dentifrice*
tannprotese → *dentures*
tannpulver → *toothpowder*
tannregulering → *brace*
tannste(i)n → *tartar*
tanntråd → *dental floss*
tannverk → *toothache*
tante → *aunt*
Tanzania → *Tanzania*
tanzanier → *Tanzanian*
tanzanisk → *Tanzanian*
tap → *loss*
tape → *adhesive tape, lose*
taper → *loser*
tapet → *wallpaper*
tapetsere → *wallpaper*
tapioka → *tapioca*
tappe → *bleed, bottle, milk, pull, run, tap*
tappe ut → *run off*
tapper → *brave, gallant, valiant*
tapperhet → *bravery, gallantry, valour*
tappert → *bravely, gamely, manfully*
tarantell → *tarantula*

(lønns)tariff → *salary scale*
tarm → *gut, intestine*
tarmer → *bowels*
tarmkatarr → *enteritis*
tarot → *tarot*
tartarsaus → *tartar(e) sauce*
tarvelig → *grotty, scurrilous*
Tasmania → *Tasmania*
tass → *mite*
tast → *key*
tastatur → *keyboard*
taste inn → *capture, key*
tastegruppe → *keypad*
tastetrykk → *keystroke*
tatovering → *tattoo*
tau → *rope*
taubane → *cable railway*
taue → *tow*
taue bort {or} vekk → *tow away*
taue inn → *bust, pull in, rope in*
taus → *silent, taciturn, tight-lipped*
taushet → *hush*
taustige → *rope ladder*
tautrekking → *tug-of-war*
tavle → *blackboard, tablet*
taxi → *cab, taxi*
taxisjåfør → *taxi driver*
T-bane → *subway, tube*
Tchad → *Chad*
te → *tea*
te seg → *behave*
teak → *teak*
team → *crew, team*
teamarbeid → *teamwork*
teater → *acting, theatre*
teatergjenger → *playgoer, theatre-goer*
teaterkikkert → *opera glasses*
teaterkompani → *repertory company*
teatersal → *auditorium*
teatersminke → *greasepaint*
teaterstykke → *play*
teatralsk → *theatrical*
teblader → *tea leaves*
teddybjørn → *teddy (bear)*
teft → *scent*
tegn → *character, evidence, indication, mark, sign, symbol, token*
tegne → *design, draw*
tegne inn → *chart*
tegne opp → *delineate*
tegnebord → *drawing board*
tegneferdighet → *draughtsmanship*
tegnefilm → *cartoon*
tegner → *designer, draughtsman, illustrator*
tegneserie → *cartoon, comic strip, strip cartoon*
tegneseriehefte → *comic*
tegneserietegner → *cartoonist*
tegnestift → *drawing pin, pin, thumbtack*
tegning → *design, drawing, marking, plan*
tegnkode → *character code*
tegnsetting → *punctuation*
tegnspråk → *sign language*
Teheran → *Teheran*
teip → *tape*
teipe → *tape*
teit → *dim, dim-witted, dumb, thick*
teiting → *blockhead, clot*
tekake → *teacake*
tekanne → *teapot*
tekniker → *technician*
teknikk → *technique*
teknisk → *technical, technically*
teknokrat → *technocrat*
teknolog → *technologist*
teknologi → *technology*
teknologisk → *technically, technological*
tekoker → *tea urn, urn*
tekopp → *teacup*
tekst → *lyrics, subtitles, text, textual*
tekstbehandler → *word processor*
tekstbehandling → *word processing*
tekstbehandlingsmaskin → *word processor*
tekstforfatter → *copywriter, scriptwriter*
tekstiler → *textiles*
tekstilindustrien → *textiles*
teksting → *subtitles*
tekst-tv → *Teletext*
tekstur → *texture*
Tel Aviv → *Tel Aviv*
telefon → *call, phone, telephone*
telefonautomat → *pay phone*
telefonavlytting → *phone tapping, telephone tapping*
telefonboks → *phone booth, phone box*
telefonere → *telephone*
telefonist → *telephone operator, telephonist*
telefonkatalog → *phone book, telephone directory*
telefonkiosk → *callbox, kiosk, phone box, telephone booth, telephone kiosk*
telefonkort → *phonecard*
telefonnummer → *telephone number*
telefonrør → *receiver*
telefonsalg → *telesales*
telefonsamtale → *phone call*
telefonsentral → *telephone exchange*
telefonsvarer → *answering machine*
telefontråd → *telegraph wire*
telegraf → *telegraph*
telegrafere → *cable*
telegrafisk → *telegraphic*
telegrafstolpe → *telegraph pole*
telegrafstrimmel → *ticker tape*
telegram → *telegram, wire*
telegrambyrå → *wire service*
telekommunikasjoner → *telecommunications*
teleks → *telex*
telelinse → *telephoto lens*
teleløsning → *thaw*
telepati → *telepathy*
telepatisk → *telepathic*
teleskop → *telescope*
teleskopisk → *telescopic*
telle → *count, matter, number*
telle feil → *miscount*
telle med → *count*
telle opp → *count up*
telle opp igjen → *re-count*
telleapparat → *turnstile*
teller → *counter*
telt → *tent*
teltplass → *camping site, campsite*
teltplugg → *tent peg*
teltstang → *tent pole*
tema → *subject, subject matter, theme, topic*
temmelig → *fairly, quite, rather, reasonably*
tempel → *temple*
temperament → *temper, temperament*
temperamentsfull → *temperamental*
temperatur → *temperature*
temperaturkurve → *temperature chart*
temperert → *temperate*
tempo → *pace, tempo*
tendens → *disposition, inclination, tendency, trend*
Tenerife → *Tenerife*
tenke → *think*
tenke gjennom → *think through*
tenke over → *consider, think over*
tenke seg → *imagine*
tenke seg om → *ponder*

tenke ut → *devise, think up*
tenkeevne → *mind*
tenkelig → *conceivable, imaginable*
tenkemåte → *thinking*
tenne → *kindle, light*
tenning → *arousal, ignition*
tenningsnøkkel → *ignition key*
tennis → *tennis*
tennisalbu → *tennis elbow*
tennisball → *tennis ball*
tennisbane → *tennis court*
tenniskamp → *tennis match*
tennisklubb → *tennis club*
tennisracket → *tennis racket*
tennissko → *tennis shoes*
tennisspiller → *tennis player*
tennplugg → *spark(ing) plug*
tennrør → *fuse*
tenor → *tenor*
tentativ → *tentative*
tentativt → *tentatively*
tenåring → *adolescent, teenager*
tenåringsalder → *adolescence*
teolog → *theologian*
teologi → *divinity, theology*
teologisk → *theological*
teorem → *theorem*
teoretisere → *theorize*
teoretisk → *theoretical*
teori → *theory*
tepause → *tea break*
tepose → *tea bag*
teppe → *blanket, carpet, curtain, pall, quilt, rug, tapestry*
teppebombing → *carpet bombing*
teppefeier → *carpet sweeper, sweeper*
teppelegge → *carpet*
terapeut → *therapist*
terapeutisk → *therapeutic*
terapi → *therapy*
terge → *bait, spite*
term → *term*
termin → *session, term*
terminal → *terminal*
terminologi → *terminology*
terminvarer → *future*
termitt → *termite*
termodynamikk → *thermodynamics*
termometer → *thermometer*
termonukleær → *thermonuclear*
termos → *flask, Thermos*
termosflaske → *Thermos, vacuum flask*
termostat → *thermostat*
terning → *cube, dice, die*
terpentin → *turpentine*
terrakotta → *terracotta*
terrakottafarge → *terracotta*
terrasse → *patio, terrace*
terreng → *terrain, territory*
terrengbil → *ATV*
terrengløp → *cross-country (race)*
terrier → *terrier*
terrin → *tureen*
territoralfarvann → *territorial waters*
territorial- → *territorial*
territorium → *territory*
terrorisere → *terrorize*
terrorisme → *terrorism*
terrorist → *terrorist*
terskel → *sill, threshold*
terte → *tart*
tertiær → *tertiary*
terylene → *Terylene*
tesalong → *tearoom, teashop*
tesaurus → *thesaurus*
teselskap → *tea party*
teservise → *tea set*
tesil → *tea strainer*
teskje → *teaspoon, teaspoonful*
test → *test*
testament(e) → *testament, will*
teste → *test*
testikkel → *testicle*
testikler → *testes*
testosteron → *testosterone*
testpilot → *test pilot*
tetid → *teatime*
tett → *bushy, close, congested, dense, heavily, tight*
tettbygd → *stocky, thickset*
tette igjen → *block up, plug, stop up*
tette til → *block up, clog*
tetthet → *density*
tettpakket → *chock-a-block, heavy*
tettvokst → *thickset*
tev → *scent*
tevarmer → *tea cosy*
thai- → *Thai*
Thailand → *Thailand*
thailandsk → *Thai*
thailender → *Thai*
thalidomid → *thalidomide*
thriller → *thriller*
ti → *ten*
tiara → *tiara*
tiarmet blekksprut → *squid*
Tibet → *Tibet*
tibetaner → *Tibetan*
tibetansk → *Tibetan*
tic → *tic*
ticent → *dime*
ticentstykke → *dime*
tid → *age, period, season, tense, time*
tidevann → *tide*
tidevanns- → *tidal*
tidevannsbølge → *tidal wave*
tidkrevende → *time-consuming*
tidlig → *early, soon*
tidligere → *earlier, former, formerly, old, once, one-time, past, previous, previously, sooner*
tidløs → *ageless, timeless*
tidsalder → *age, era*
tidsavstand → *time lag*
tidsbesparende → *time-saving*
tidsbestemme → *date*
tidsbruksanalyse → *time-and-motion study*
tidsbryter → *timer, time switch*
tidsdeling → *time-sharing*
tidsfordriv → *pastime*
tidsforskjell → *time difference*
tidsfrist → *deadline*
tidsinnstilling → *timing device*
tidsinnstilt → *delayed-action*
tidsinnstilt bombe → *time bomb*
tidspunkt → *date, hour, point, time*
tidsramme → *time frame, timescale*
tidsrom → *span, stretch*
tidssignal → *time signal*
tidssignalet → *pip*
tidsskjema → *timetable*
tidsskrift → *journal, periodical*
tidssone → *time zone*
tiende → *tenth*
tier → *tenner*
tiger → *tiger*
tigge → *beg*
tigger → *beggar, panhandler*
tights → *leggings*
tikamp → *decathlon*
tikke → *tick*

tikking → *tick*
til → *besides, for, other, to, toward(s), until*
til gode → *due*
til og med → *even*
til sist → *eventually*
til slutt → *eventually, finally, last, lastly*
til stede → *present*
til tross for → *despite, for, notwithstanding*
til vanlig → *ordinarily*
til værs → *aloft*
til å → *to*
tilbake → *back, backward, backwards*
tilbakebetale → *refund*
tilbakebetaling → *payment, rebate, refund, repayment*
tilbakeblikk → *flashback*
tilbakedatere → *backdate*
tilbakefall → *recurrence, relapse, setback*
tilbakeføre → *restore*
tilbakeføring → *restoration*
tilbakegang → *falling-off, remission*
tilbakeholden → *defensive, diffident, reserved, reticent, retiring*
tilbakeholdenhet → *diffidence, reticence*
tilbakekalle → *countermand, recall, rescind*
tilbakekalling → *recall*
tilbakekobling → *feedback*
tilbakelegge → *cover*
tilbakelevering → *return*
tilbakemelding → *feedback*
tilbakereise → *return*
tilbakeskuende → *retrospective*
tilbakeslag → *backlash, backspace, setback*
tilbakestående → *backward, retarded*
tilbaketog → *retreat*
tilbaketrekning → *disengagement, retreat, withdrawal*
tilbaketrukket → *withdrawn*
tilbakevendende → *recurrent, recurring*
tilbakevirkende → *retroactive, retrospective*
tilbe → *adore, worship*
tilbedelse → *adoration, worship*
tilbedende → *adoring, adoringly*
tilbeder → *worshipper*
tilbehør → *accessory, trimmings*
tilblivelse → *birth, formation, genesis*
tilbringe → *pass, spend*
tilbud → *bid, facility, offer, supply*
tilby → *offer, proffer*
tilbygg → *annex*
tilbøyelighet → *disposition, inclination, proclivity*
tilde → *tilde*
tildele → *allocate, award, deal*
tildeling → *allocation*
tilegne seg → *assimilate*
tilegnelse → *acquisition, dedication*
tilfeldig → *casual, chance, erratic, fortuitous, haphazard, odd, random, scrappy, stray*
tilfeldighet → *accident, luck*
tilfeldigvis → *accidentally, casually*
tilfelle → *case, occasion*
tilfluktsrom → *fallout shelter, shelter*
tilfluktssted → *haven, hideaway, refuge, retreat, safe haven, sanctuary*
tilforlatelig → *cogent*
tilfreds → *content, contented, contentedly, satisfied*
tilfredshet → *contentment, satisfaction*
tilfredsstille → *appease, content, gratify, meet, satisfy*
tilfredsstillelse → *gratification, satisfaction*
tilfredsstillende → *adequate, gratifying, satisfactorily, satisfactory, satisfying*
tilfrosset → *frozen*
tilføre → *feed*
tilførsel → *input*
tilføye → *add*
tilføyelse → *addition, appendix, codicil, rider*
tilgangstid → *access time*
tilgi → *forgive, pardon*
tilgivelig → *excusable*
tilgivelse → *forgiveness*
tilgivende → *forgiving*
tilgjengelig → *available, open*
tilgjengelighet → *availability*
tilgjort → *affected, mawkish*
tilgjorthet → *affectation*
tilgodehavende → *receivable*
tilgrise → *foul*
tilhenger → *believer, devotee, fan, follower, supporter, trailer*
tilhengerskare → *following*
tilholdssted → *habitat, haunt*
tilhører → *listener*
tilintetgjøre → *annihilate, destroy, obliterate*
tilintetgjørelse → *annihilation, destruction*
tilkalle → *call in, summon*
tilkjenne → *award*
tilkjennegi → *intimate, signify*
tilkludret → *spoilt*
tilknytte → *attach*
tilknyttet → *affiliated*
tilkoblet → *on-line*
tilkopling → *connection*
tillate → *allow, permit*
tillatelig → *admissible*
tillatelse → *consent, licence, permission, permit*
tillatt → *permissible*
tillegg → *addendum, addition, appendage, extra, increment, supplement*
tillegge → *attach*
tilleggs- → *subsidiary, supplementary*
tilleggsavgift → *surcharge*
tilleggsfag → *subsidiary*
tilleggslån → *top-up loan*
tilleggsrett → *side dish*
tilleggstrygd → *supplementary benefit*
tilleggtid → *injury time*
tillit → *faith, trust*
tillitsfull → *trustful*
tillitsmann → *convener, steward*
tillitsvalgt → *shop steward, steward*
tilløp → *run-up*
tilnærmelse → *approximation*
tilnærmet → *approximate*
tilnærming → *rapprochement*
tilpasningsdyktig → *adaptable*
tilpasningsevne → *adaptability*
tilpasse seg → *adjust, conform*
tilrane seg → *purloin, rob, usurp*
tilregnelig → *sane*
tilregnelighet → *sanity*
tilrettelegge → *adapt*
tilrettelegging → *adaptation*
tilrop → *cheer*
tilrå → *advocate, recommend*
tilrådelig → *advisable*
tilsagn → *undertaking*
tilsetningsstoff → *additive*
tilsidesette → *override, overturn*
tilsiktet → *deliberate, intentional*
tilsjasket → *bedraggled*
tilskudd → *grant, supplement*
tilskuer → *bystander, onlooker, spectator*
tilskynde til → *incite*
tilskyndelse → *instigation*
tilslamme → *silt up*
tilslutning → *endorsement*
tilsluttet → *affiliated*
tilsløre → *belie, blur, obscure, veil*
tilslørt → *veiled*
tilspisse seg → *hot up*
tilstand → *condition, state*

tilstedeværelse → *presence*
tilstelning → *function*
tilstopning → *blockage*
tilstramming → *squeeze*
tilstrekkelig → *adequate, adequately, sufficient, sufficiently*
tilstrekkelighet → *adequacy*
tilstrømning → *inflow, influx*
tilstøtende → *adjoining, next*
tilstå → *admit to, confess, own up*
tilståelse → *confession*
tilsvarende → *corresponding, equivalent*
tilsyn → *attention, supervision*
tilsynelatende → *apparent, apparently, seemingly*
tilsyns- → *supervisory*
tilsynsfører → *superintendent*
tilsynsmann → *superintendent, supervisor*
tilta → *escalate, wax*
tiltak → *initiative, measure*
tiltaksløs → *shiftless*
tiltale → *charge, indictment*
tiltalende → *appealing, attractive, prepossessing*
tiltalte → *accused*
tiltredende → *incoming*
tiltrekke → *pull, pull in*
tiltrekke seg → *attract*
tiltrekkende → *appealing, attractive*
tiltrekning → *lure*
tiltrekningskraft → *appeal, attraction*
tilvende seg → *appropriate*
tilværelse → *being, existence*
time → *appointment, class, hour, lesson, period, time*
timeavtale → *appointment*
timeglass → *egg timer*
timeliste → *time sheet*
timeplan → *schedule, timetable*
timian → *thyme*
timing → *timing*
tind → *pinnacle, prong*
tindrende klar → *crystal clear*
tine → *defrost, thaw*
ting → *article, item, thing*
tinghus → *court-house, law court*
tinn → *pewter, tin*
tinnfolie → *tinfoil*
tinngruve → *tin mine*
tinning → *temple*
tipp topp → *tip-top*
tippe → *tip*
tipping → *pool*
tips → *gratuity, hint, tip, tip-off*
tipse → *tip, tip off*
tipse om → *put onto*
tipser → *tipster*
tirade → *tirade*
tirre → *bait*
tirsdag → *Tuesday*
tispe → *bitch*
tisse → *pee*
tistel → *thistle*
titan → *titanium*
titte fram → *peep out*
titte gjennom → *scan*
tittel → *designation, eponymous, title*
tittelbilde → *frontispiece*
tittelblad → *title page*
tittelrolle → *title role*
tittelside → *title page*
tivoli → *carnival, fair, funfair*
tivolibod → *sideshow*
tiår → *decade*
tjene → *earn, make, serve*
tjene til → *serve*
tjener → *attendant, manservant, servant*
tjeneste → *favour, kindness, service*
tjenestegjøre → *serve*
tjenestemann → *official*
tjern → *tarn*
tjore → *tether*
tjue → *twenty*
tjueett → *blackjack*
tjuende → *twentieth*
tjukk → *podgy*
tjukk i hue → *clueless, dense*
tjukkas → *fatty*
tjære → *pitch, tar*
T-kryss → *T-junction*
T-linjal → *T-square*
to → *two*
toalett → *bathroom, cloakroom, lavatory, rest room, toilet, washroom*
toalettbord → *dressing table*
toalettkommode → *dresser*
toalettpapir → *lavatory paper, toilet paper*
toalettrull → *toilet roll*
toalettsaker → *toiletries*
toalettskål → *toilet bowl*
toalettsåpe → *toilet soap*
toalettveske → *sponge bag, toilet bag, vanity case*
tobakk → *tobacco*
tobakk(s)handler → *tobacconist*
tobakksforretning → *smoke shop, tobacconist's (shop)*
tobe(i)nt → *biped*
todelt → *twofold, two-piece*
todørs- → *two-door*
to-etasjes → *double-decker*
tofarget → *two-tone*
tofu → *tofu*
tog → *march, train*
toga → *toga*
togforbindelse → *service*
togkonduktør → *train attendant*
toglinje → *railway, railway line*
toglokomotiv → *railway engine*
Togo → *Togo*
togvert → *steward*
tohunderårsjubileum → *bicentenary*
tohundeårsdag → *bicentenary*
toksin → *toxin*
toksisk → *toxic*
tokt → *raid*
Tokyo → *Tokyo*
toleranse → *tolerance, toleration*
tolerere → *condone, countenance, stand for, tolerate*
tolk → *interpreter*
tolke → *interpret*
tolking → *interpreting*
tolkning → *interpretation*
toll → *customs, tariff*
tollavgift → *customs duty*
tollbetjent → *customs officer*
tollekniv → *sheath knife*
toller → *customs officer*
tollfri → *duty-free, tax-free*
tollgrense → *tariff barrier*
tollpliktig → *dutiable*
tolv → *twelve*
tolvfingertarm → *duodenum*
tolvte → *twelfth*
tom → *blank, empty, vacant*
tomanns- → *twin-bedded*
tomannsrom → *twin room*
tomat → *tomato*
tomatbønner → *baked beans*
tomatpuré → *tomato purée*
tombola → *tombola*
tomflasker → *empties*
tomhendt → *empty-handed*
tomhet → *emptiness*

tomhjernet → *empty-headed*
tomme → *inch*
tommel(finger) → *thumb*
tommelfingernegl → *thumbnail*
tommelfingerregister → *thumb index*
tomotors- → *twin-engined*
tomprat → *claptrap*
tomrom → *gap, void*
tomset(e) → *gormless, hare-brained*
tomsing → *halfwit*
tomt → *plot, site*
tomteleie → *ground rent*
tonal → *tonal*
tone → *hue, note, tint, tone*
tone ned → *play down, tone down*
tone opp → *fade in*
tone ut → *fade out*
toneart → *key*
tonedøv → *tone-deaf*
tonefall → *cadence*
tonehøyde → *pitch*
toner → *strain, toner*
tonet → *tinted*
Tonga → *Tonga*
tonic → *tonic*
tonika → *tonic*
toning → *tint*
tonn → *metric ton, ton, tonne*
tonnasje → *tonnage*
tonsilitt → *tonsillitis*
topas → *topaz*
topografi → *topography*
topp → *apex, bulge, crown, head, height, peak, pinnacle, summit, top*
toppakning → *cylinder-head gasket*
toppe → *cap, head, top*
toppetasje → *top floor*
toppgir → *top*
topphemmelig → *top-secret*
topplokk → *cylinder head*
toppløs → *topless*
toppmøte → *summit*
toppnotering → *peak rate*
topptung → *top-heavy*
toppunkt → *apex*
torden → *thunder, thundery*
tordenbrak → *thunderclap*
tordenskrall → *thunderclap*
tordenvær → *thunderstorm*
tordne → *thunder*
tordnende → *thunderous*
torg → *market, marketplace*
torgdag → *market day*
Torino → *Turin*
torn → *thorn*
tornado → *tornado*
tornebusk → *bramble*
tornefull → *thorny*
tornekvist → *bramble*
torpedo → *torpedo*
torpedobåt → *torpedo boat*
torsdag → *Thursday*
torsk → *cod*
torso → *torso*
tortur → *torture*
torturere → *torture*
torturist → *torturer*
torv → *peat*
Toscana → *Tuscany*
toseter → *two-seater*
tosk → *chump, dupe, fool, simpleton, twit*
toskaner → *Tuscan*
toskansk → *Tuscan*
tosket(e) → *dim-witted, foolish, foolishly*
tospråklig → *bilingual*
totakter → *two-stroke*
totakts- → *two-stroke*
total → *all-out, grand total, overall, total*
totalavholdende → *teetotal*
totalbedøvelse → *general anaesthetic*
totalitær → *totalitarian*
totalt → *absolutely, deathly*
totalvrak → *write-off*
totempæl → *totem pole*
totrådet → *two-ply*
tourniquet → *tourniquet*
toveis → *bidirectional*
tovet → *matted*
tradisjon → *tradition*
tradisjonell → *traditional*
tradisjonelt → *traditionally*
trafikant → *road user*
trafikk → *traffic*
trafikkforseelse → *traffic offence, traffic violation*
trafikklys → *traffic lights*
trafikkmaskin → *interchange*
trafikkonstabel → *traffic warden*
trafikkork → *gridlock, jam, traffic jam*
trafikkpoliti → *warden*
trafikksikkerhet → *road safety*
trafikkskilt → *traffic sign*
trafikkstolpe → *bollard*
trafikkøy → *island, traffic island*
tragedie → *tragedy*
tragisk → *tragic, tragically*
trailer → *LGV, trailer, trailer truck*
trakassere → *harass*
trakassering → *harassment*
trakt → *funnel*
traktat → *charter, tract, treaty*
trakte → *percolate*
traktor → *tractor*
tralle → *trolley*
tram → *doorstep*
trampe → *stamp, tramp*
trampoline → *trampoline*
tran → *cod-liver oil*
trane → *crane*
tranebær → *cranberry*
trang → *compulsion, cramped, narrow, need, tight, urge*
trangbodd → *cramped*
trangsynt → *narrow-minded, provincial, small-minded*
transaksjon → *transaction*
transatlantisk → *transatlantic*
transe → *trance*
transformator → *transformer*
transistor → *solid-state, transistor*
transistorradio → *transistor*
transitiv → *transitive*
transitthall → *transit lounge*
transittleir → *transit camp*
transittopplag → *bonded warehouse*
transittvisum → *transit visa*
transkribere → *transcribe*
transkripsjon → *transcript, transcription*
transmisjon → *transmission*
transparent → *transparency*
transpirasjon → *perspiration*
transpirere → *perspire*
transplantasjon → *graft, transplant*
transplantere → *transplant*
transponere → *transpose*
transport → *conveyance, haulage, movement, transport, transportation*
transportere → *transport*
transportfirma → *carrier, haulage contractor, trucking company*
transportfly → *freighter*

transportmiddel → *transportation*
transportør → *carrier, protractor*
transvestitisme → *cross-dressing*
transvestitt → *transvestite*
trapes → *trapeze*
trapp → *flight, stair, staircase, stairway*
trappe ned → *wind down*
trappe opp → *step up*
trappehus → *stairwell*
traske → *plod, trudge*
traske etter → *tag along*
trass → *defiance*
trass i → *despite, non obst., notwithstanding*
trassat → *drawee*
trassig → *defiant, defiantly, recalcitrant*
trau → *trough*
traumatisk → *traumatic*
traume → *trauma*
traurig → *glum*
traust → *solid, stout*
trav → *trot*
trave → *tramp, trot*
travel → *bustling, busy*
travelhet → *bustle, hurry*
tre → *three, tree, wood, wooden*
tre sammen → *convene*
trearbeid → *woodwork*
treblåser- → *woodwind*
trebro → *boardwalk*
tredel → *third*
tredimensjonal → *three-dimensional*
tredje → *third*
tredjedel → *third*
tredjegradsforbrenninger → *third-degree burns*
tredjerangs → *third-rate*
tredobbel → *treble*
tredoble → *treble*
treenighet → *trinity*
treffe → *catch, get, hit, meet*
treffe på → *chance (up)on, run into*
treffende → *aptly*
treffes → *meet*
treffetid → *surgery*
trefning → *engagement, skirmish*
treg → *slack, slow, slow-moving, sluggish*
treghet → *inertia*
trehjulsbil → *three-wheeler*
trehjulssykkel → *tricycle*
trekantet → *triangular*
trekk → *cover, draught, feature, migration, move, stoppage, trait, upholstery*
trekke → *attract, brew, draw, infuse, migrate, pull, take out*
trekke av seg → *pull off*
trekke for → *draw, pull*
trekke fra → *subtract, take away*
trekke inn → *draw in, retract, soak up*
trekke ned → *penalize, unzip*
trekke om → *re-cover*
trekke opp → *pull up, retract, uncork, wind, wind up*
trekke på skuldrene → *shrug*
trekke seg → *opt out, pull out, retreat, stand down, step down*
trekke seg inn → *soak in*
trekke seg sammen → *contract*
trekke seg tilbake → *fall back, pull back, retire, retreat, withdraw*
trekke seg ut → *withdraw*
trekke til seg → *soak up*
trekke tilbake → *back down, retract, revoke, withdraw*
trekke ut → *drag, extract, pull out, spin out, withdraw*
trekking → *extraction*
trekkmaskin → *traction engine*
trekkpapir → *blotting paper*
trekkplaster → *star attraction, star turn*
trekkraft → *thrust*
trekkspill → *accordion*
trekkvei → *towpath*
treklynge → *grove*
trekløver → *shamrock, trio*
trekning → *draw*
trekull → *charcoal*
trelags(-) → *three-ply*
trelasttomt → *lumberyard*
trelldom → *bondage*
tremark → *woodworm*
tremasse → *pulp*
tremenning → *second cousin*
trenchcoat → *trench coat*
trend → *trend*
trene → *coach, practise, train, work out*
trene opp → *train*
trene på → *practise*
trener → *coach, trainer*
trenge → *need, require, want*
trenge gjennom → *penetrate*
trenge inn i → *penetrate, permeate*
trenge seg → *press*
trenge seg inn → *gatecrash, intrude, muscle in*
trengende → *deserving, needy*
trengsel → *crush*
trening → *practice, training*
treningsdrakt → *tracksuit*
treningsdress → *tracksuit*
treningskamp → *practice match*
treningsøkt → *workout*
tresidig → *tripartite*
treske → *thresh*
treskemaskin → *threshing machine*
treskeverk → *threshing machine*
treskjærerarbeid → *wood-carving*
treskjæring → *carving, wood-carving*
tresko → *clog*
treskurd → *carving*
trestamme → *tree trunk*
tresteg → *triple jump*
tretopp → *treetop*
tretråds(-) → *three-ply*
trett → *tired, wearily, weary*
trette → *quarrel, row, tire, wrangle*
trette ut → *tire out*
trettekjær → *argumentative, pugnacious*
tretten → *baker's dozen, thirteen*
trettende → *thirteenth, tiring, wearisome*
tretthet → *tiredness, weariness*
tretti → *thirty*
trettiende → *thirtieth*
trevl → *shred, strand*
trevle opp → *fray, shred*
triangel → *triangle*
triangulær → *triangular*
triathlon → *triathlon*
tribune → *grandstand, stand*
tributt → *tribute*
trigonometri → *trigonometry*
trikk → *streetcar, tram*
trikkeskinner → *tramline*
trikkespor → *tramline*
trikkfotografering → *trick photography*
trikot → *leotard*
triks → *dodge, stunt, trick*
trille → *coast, roll, trill, trundle, warble, wheel*
trillebår → *barrow, wheelbarrow*
trillehjul → *hoop*
triller → *trill, warble*
trillevogn → *trolley*
trillinger → *triplets*
trilogi → *trilogy*
trim → *exercise*

trimme → *exercise, hot up, trim*
trimsykkel → *exercise bike*
Trinidad og Tobago → *Trinidad and Tobago*
trinn → *rung, stair, step, tread*
trinnvis → *step*
trinse → *castor*
trio → *trio*
Tripolis → *Tripoli*
trippe → *mince, patter, trip*
trippel(-) → *triple*
trippende → *mincing*
tripping → *patter*
trismus → *lockjaw*
trist → *drab, dreary, sad, sadly, unhappy*
tristhet → *sadness, unhappiness*
triumf → *triumph*
triumferende → *triumphant, triumphantly*
trivelig → *congenial*
trives → *thrive*
trivialisere → *trivialize*
trivialitet → *triviality*
trivialiteter → *trivia*
triviell → *trivial*
tro → *belief, believe, creed, faith, faithful, suppose, think, trough*
tro på → *believe*
troende → *believer*
trofast → *dedicated, devoted, faithful, faithfully, loyal, stalwart, staunch, stout, trusty*
trofasthet → *dedication, fidelity*
trofé → *trophy*
trolig → *probably*
troll i eske → *jack-in-the-box*
trollbinde → *enthral*
trollbundet → *spellbound*
trolldom → *charm, magic*
trolleybuss → *trolley bus*
trollmann → *magician, sorcerer, wizard*
trollunge → *imp*
trombone → *trombone*
trombose → *thrombosis*
tromme → *drum, patter*
tromme sammen → *drum up*
trommehinne → *eardrum*
trommel → *drum, roller*
trommeslager → *drummer*
trommestikke → *drumstick*
trommevirvel → *drum roll*
tromming → *patter*
trompet → *trumpet*
tronbestigelse → *accession*
trone → *throne*
tropene → *tropic*
tropisk → *tropical*
troppeparade → *trooping (of) the colour*
tropper → *troop*
troppe(transport)skip → *troop carrier*
troppetransportfly → *troop carrier*
troskap → *allegiance*
troskyldig → *gullible, ingenuous, naïve, trusting*
troskyldighet → *naivety*
trosretning → *denomination*
trosse → *brave, defy, go against*
trost → *thrush*
troverdig → *believable, credible, plausible*
troverdighet → *credibility*
trubadur → *minstrel*
true → *menace, threaten*
truende → *fierce, menacing, ominous, threatening*
truge → *snowshoe*
trulte → *fatty*
trumf → *trump*
trumfkort → *trump*
trupp → *troupe*
truse(r) → *briefs, knickers, panties, pants*
trussel → *threat*
trygd → *benefit, giro, welfare*
trygg → *confident, safe*
trygghet → *safety, security*
trygle (om) → *beg, implore*
trygt → *safely, securely*
trykk → *emphasis, press, pressure, print, push, squeeze, stress*
trykke → *press, print, publish, push*
trykke ned → *depress*
trykke opp igjen → *reissue, reprint*
trykke på → *press, push*
trykkende → *close, oppressive*
trykker → *printer*
trykkeri → *printer*
trykkfeil → *misprint*
trykking → *printing*
trykk-knapp → *press stud*
trykk-koker → *pressure cooker*
trykkmåler → *pressure gauge*
trykknapp → *popper, push-button, snap fastener*
trykkplate → *plate*
trykkpresse → *printing press*
trykksak → *printed matter*
trykksverte → *ink*
trykt krets → *printed circuit*
trylle → *conjure, magic*
trylle fram → *conjure*
tryllebinde → *enchant*
trylleformular → *spell*
tryllekunst → *conjuring trick, illusion*
tryllekunster → *magic*
tryllekunstner → *conjurer, magician*
tryllestav → *wand*
tryne → *mug, snout*
træ → *thread*
trøbbel → *bother, trouble*
trøffel → *truffle*
trøske → *thrush*
trøst → *comfort, consolation, solace*
trøste → *comfort, console*
trøstegave → *placebo*
trøstesløs → *bleak, cheerless, desolate*
trøstesløshet → *desolation*
trøye → *undershirt, vest*
trå → *tread*
trå inn → *engage*
trå på → *step on, tread on*
tråd → *cotton, ply, thread*
trådløs → *cordless*
trådnetting → *wire netting*
tråkk → *track, trail*
tråkke → *pedal*
tråkle → *baste, tack*
tråler → *trawler*
tråsykkel → *push-bike*
tsar → *tsar*
tsjekker → *Czech, Czechoslovak(ian)*
tsjekkisk → *Czech*
tsjekkoslovak → *Czechoslovak(ian)*
Tsjekkoslovakia → *Czechoslovakia*
tsjekkoslovakisk → *Czechoslovak(ian)*
T-skjorte → *T-shirt*
tuba → *tuba*
tube → *tube*
tuberkulose → *tuberculosis*
tukle med → *fiddle*
tuktet → *chastened*
tulipan → *tulip*
tull → *drivel, frivolity, garbage, nonsense, rubbish*
tulle → *fool, fool about, fuss, kid, muck about*
tulle med → *have on*
tulle til → *muck up*

tullebukk → *fuddy-duddy*
tulling → *dope, jerk, kook*
tullprat → *ravings, twaddle*
tumle → *lurch, tumble*
tumle med → *kick around*
tumle rundt → *romp*
tumling → *lurch*
tumult → *tumult*
tun → *farmyard*
tunfisk → *tuna, tunny*
tung → *deep, hard, heavy, onerous, weighty*
tunge → *scallop, tongue*
tungemål → *tongue*
tungindustri → *heavy industry*
tungnem → *slow*
tungrodd → *cumbersome*
tungsindig → *broody, melancholy*
tungsindighet → *melancholy*
tungstein → *tungsten*
tungt → *heavily*
tungvekter → *heavyweight*
tungvint → *cumbersome*
tunika → *tunic*
Tunis → *Tunis*
Tunisia → *Tunisia*
tunisier → *Tunisian*
tunisisk → *Tunisian*
tunnel → *tunnel*
tupere → *backcomb*
tupp → *tip*
tupé → *hairpiece, toupee*
tur → *excursion, go, jaunt, outing, ride, run, trip, turn, walk*
turban → *turban*
turbin → *turbine*
turbo → *turbo*
turbojet → *turbojet*
turbopropmotor → *turboprop*
turbulens → *turbulence*
turbulent → *turbulent*
ture → *carouse*
turgåer → *rambler, walker*
turisme → *tourism*
turist → *sightseer, tourist*
turistklasse → *tourist class*
turistkontor → *tourist office*
turkis → *turquoise*
turn → *gymnastics*
turner → *gymnast*
turnere → *road*
turnering → *tournament*
turnips → *turnip*
turnsko → *gym shoes*
turnus(liste) → *rota*
turné → *tour*
turoperatør → *tour operator*
turteller → *rev counter, tachometer*
turvei → *walk*
tusen → *thousand*
tusenbein → *centipede, millipede*
tusende → *thousandth*
tusenfryd → *daisy*
tusing → *grand*
tusjpenn → *felt-tip pen*
tusmørke → *twilight*
tust → *tuft*
tut → *hoot, spout, toot*
tute → *blare, blubber, honk, hoot, toot*
tute med {or} i → *hoot*
tuting → *hoot*
tv → *television*
tvang → *coercion, compulsion, constraint*
tvangsfore → *force-feed*
tvangslignende → *obsessive*
tvangstrøye → *straitjacket*
tv-apparat → *set, television set*
tverr → *shirty, stroppy, sullen*
tverrgående → *transverse*
tverrligger → *crossbar*
tverrskip → *transept*
tverrsnitt → *cross section*
tvers i gjennom → *out-and-out*
tvers over → *across*
tvetydig → *ambiguous, backhanded, equivocal*
tvetydighet → *ambiguity*
tviholde på → *clutch, hug*
tvil → *doubt, question*
tvile på → *doubt, suspect*
tvilende → *doubtful, dubious*
tvill → *twill*
tvilling → *twin*
Tvillingenes tegn → *Gemini*
tvilrådig → *irresolute*
tvilsom → *backhanded, disreputable, dodgy, doubtful, dubious, questionable*
tvinge → *coerce, compel, force*
tvinge bort → *oust*
tvinge tilbake → *fight back, force back*
tvingende → *compelling*
tvinne → *twiddle, wind*
tvinne seg → *squirm*
tv-overføre → *televise*
tv-program → *television programme*
TV-spill → *games console*
tvungen → *compulsory, forced*
tvunget → *constrained*
tvunnet → *twisted*
tweed → *tweed*
tyde → *decipher, interpret, make out*
tyde på → *indicate, point to*
tydelig → *clear, clear-cut, clearly, distinct, distinctly, manifest, plainly, pronounced*
tydeligvis → *apparently, clearly, plainly*
tyfoidfeber → *typhoid*
tyfon → *typhoon*
tyfus → *typhoid, typhus*
tygge (på) → *chew*
tyggegummi → *chewing gum, gum*
tykk → *chunky, fat, thick*
tykkelse → *thickness*
tykkhudet → *thick-skinned*
tykktarm → *colon*
tykne → *gel, thicken*
tykt → *thickly*
tyktflytende → *viscous*
tylle i seg → *guzzle, swig*
tyngde → *gravity*
tynge → *beset*
tynge ned → *weigh down*
tyngende → *onerous*
tynn → *rarefied, sheer, sparse, thin, watery, weak*
tynne ut → *cull, dilute, thin*
tynnslitt → *threadbare*
tynt → *thinly*
type → *bloke, brand, geezer, kind, type, variety*
typehjul → *daisy wheel*
typehjulskriver → *daisy-wheel printer*
typehode → *printhead*
typer → *type*
typisk → *classic, typical*
typograf → *printer*
typografi → *typography*
tyrann → *tyrant*
tyranni → *tyranny*
tyrefekter → *bullfighter*
tyrefekterarena → *bullring*
tyrefekting → *bullfight, bullfighting*
Tyren → *Taurus*
tyrker → *Turk*

Tyrkia → *Turkey*
tyrkisk → *Turkish*
tyrkisk bad → *Turkish bath*
Tyrol → *Tyrol*
tyroler → *Tyrolean*
tyrolsk → *Tyrolean*
tysk → *German*
tysker → *German*
Tyskland → *Germany*
tyster → *grass*
tyte → *ooze*
tyv → *thief*
tyveri → *burglary, larceny, theft, thieving*
tyverialarm → *burglar alarm*
tyvfiske etter → *poach*
tyvjakte på → *poach*
tyvkoble → *hot-wire*
tære bort → *eat away*
tære på → *eat away at, eat into*
tæres bort → *pine away, waste away*
tæring → *consumption*
tø → *thaw*
tøddler → *umlaut*
tødler → *diaeresis*
tøff → *hard-nosed, heavy-handed, rough, tough*
tøffe → *chug*
tøffel → *slipper*
tømme → *drain, empty, rein, tip, unload*
tømmer → *lumber, timber*
tømmerhugger → *logger, lumberjack*
tømmermann → *carpenter*
tømmermannsarbeid → *carpentry*
tømmermenn → *hangover*
tømmerstokk → *log*
tømmes → *empty*
tømming → *collection*
tømrer → *carpenter*
tømte → *depleted*
tønne → *barrel, butt, cask, crow's nest, vat*
tønnebånd → *hoop*
tørke → *aridity, drought, dry, mop, wipe*
tørke av {or} bort → *wipe off*
tørke inn → *dry up, shrivel*
tørke opp → *clean up, mop up, wipe up*
tørke ut → *dry up, parch*
tørket → *desiccated, dried*
tørketrommel → *dryer, tumble dryer*
tørkle → *scarf*
tørr → *arid, dry, stale*
tørrdokk → *dry dock*
tørrer → *dryer*
tørrhet → *dryness*
tørris → *dry ice*
tørrlagt → *reformed*
tørrmelk → *powdered milk*
tørrprat → *waffle*
tørrprate → *waffle*
tørråte → *dry rot*
tørst → *thirst, thirsty*
tørste etter → *lust after*
tørt → *dryly*
tøv → *eyewash, gibberish, rubbish, tripe*
tøvær → *thaw*
tøy → *cloth, fabric, togs*
tøyd → *overstretched*
tøye → *eke out, spin out*
tøyelig → *elastic*
tøyle → *check, curb, rein*
tøylesløs → *licentious, profligate, riotous, unbridled*
tøylesløshet → *licence*
tøymykner → *conditioner, softener*
tøys → *frivolity, garbage*
tøyse → *clown, fool, fool about, muck about*
tøysing → *banter*
tøysko → *plimsolls*
tøyte → *broad, tramp*
tå → *toe*
tåfeste → *toehold*
tåke → *fog, mist*
tåkelys → *fog lamp*
tåket(e) → *foggy, fuzzy, nebulous*
tåle → *bear, stand up to, tolerate*
tålmodig → *patient, patiently*
tålmodighet → *patience*
tånegl → *toenail*
tåpe → *simpleton*
tåpelig → *daft, dopey, fatuous, foolish, foolishly, inane, silly, stupid, stupidly*
tåpelighet → *foolishness*
tåre → *fuchsia, tear, teardrop*
tåregass → *tear gas*
tåreperse → *weepy*
tårevåt → *tearful*
tårevåte → *watery*
tårn → *castle, keep, rook, tower, turret*
tårne seg opp → *pile up*
tårnfalk → *kestrel*
tårnhøy → *towering*
tårnseiler → *swift*
tårnugle → *barn owl*
tåteflaske → *feeding bottle*

U

U, u → *U, u*
uaffektert → *unaffected*
uakseptabel → *inadmissible, unacceptable*
uaktsomhet → *oversight*
ualminnelig → *uncommon, unusual, unusually*
uanfektet → *blithely, imperturbable, unruffled*
uangripelig → *impregnable*
uanselig → *demure*
uansett → *any, anyhow, anyway, however, irrespective, regardless, wherever*
uanstendig → *immodest, indecent, obscene*
uanstendighet → *indecency*
uanstrengt → *casual, easy, effortless*
uansvarlig → *irresponsible*
uanvendelig → *inapplicable*
uappetittlig → *unappetizing*
uartikulert → *inarticulate*
uatskillelig → *inseparable*
uautorisert → *unauthorized*
uavbrutt → *continuously, non-stop*
uavgjort kamp → *draw, tie*
uavhengig → *independent, self-contained*
uavhengighet → *independence*
uavsluttet → *unfinished*
uavvendelighet → *finality*
ubalanse → *imbalance*
ubalansert → *unbalanced*
ubarbert → *unshaven*
ubarmhjertig → *merciless, pitiless, remorseless, uncharitable*
ubearbeidet → *raw*
ubebodd → *uninhabited, unoccupied*
ubegrenset → *limitless, unlimited, unrestricted*
ubegripelig → *incomprehensible*
ubegrunnet → *unfounded, unsubstantiated*
ubehag → *discomfort, malaise*
ubehagelig → *disagreeable, uncomfortable, unpalatable, unpleasant, unsavoury*
ubehersket → *intemperate*
ubehjelpelig → *maladroit*
ubehøvlet → *boorish, uncouth*
ubekreftet → *uncorroborated, unsubstantiated*
ubekvem → *uncomfortable*

ubekvemt → *uncomfortably*
ubekymret → *unconcerned*
ubeleilig → *awkward, ill-timed, inopportune, untimely*
ubemannet → *unmanned*
ubemidlet → *impecunious*
uberegnelig → *erratic, mercurial, temperamental, unpredictable*
uberettiget → *illegitimate, unauthorized*
ubesatt → *vacant*
ubeskattet → *untaxed*
ubeskjeden → *immoderate, immodest*
ubeskjeftiget → *idle*
ubeskrivelig → *indescribable, unspeakable*
ubeskyttet → *unprotected*
ubesluttsom → *indecisive, irresolute*
ubesluttsomhet → *indecision*
ubesmittet → *immaculate*
ubestemmelig → *imponderable, indeterminate, nondescript*
ubestemt → *indefinite, indeterminate*
ubestikkelig → *incorruptible*
ubestridelig → *indisputable, undeniable*
ubestridt → *unchallenged, undisputed*
ubesudlet → *unadulterated*
ubesvart → *unanswered*
ubesværet → *casual, casually*
ubetalelig → *priceless*
ubetalt → *outstanding, unpaid*
ubetenksom → *foolish, hot-headed, imprudent, rash*
ubetenksomhet → *imprudence*
ubetenksomt → *foolishly, rashly*
ubetinget → *all-out, implicit, unqualified*
ubetydelig → *inconsequential, insignificant, negligible, slight*
ubetydelighet → *nonentity*
ubevegelig → *immobile, immovable, motionless*
ubevisst → *unconscious, unconsciously*
ubevoktet → *unattended*
ubevæpnet → *unarmed*
ublandet → *straight*
ublid → *inhospitable*
ublu → *exorbitant, extortionate*
ubotferdig → *unrepentant*
ubrukbar → *unusable*
ubrukelig → *duff, unhelpful, unusable, useless*
ubrukt → *unused*
ubrutt → *unbroken*
ubuden → *uninvited*
ubønnhørlig → *inexorable*
ubøyelig → *adamant, inflexible, obdurate, rigid, unbending*
ubøyelighet → *rigidity*
ubåt → *submarine*
udefinerbar → *indefinable*
udelelig → *indivisible*
udelikat → *unpalatable*
udelt → *undiluted*
udiplomatisk → *undiplomatic*
udisiplinert → *undisciplined*
udiskutabel → *indisputable*
udrikkelig → *undrinkable*
udugelig → *good-for-nothing, incompetent, inept*
udugelighet → *incompetence, ineptitude*
udyr → *beast, brute*
udødelig → *immortal, undying*
udødeliggjøre → *immortalize*
udødelighet → *immortality*
uegennyttig → *altruistic, selfless, selflessly, unselfish*
uegnet → *unsuitable*
ueksplodert → *unexploded*
uekte → *illegitimate, sham, unreal*
uelegant → *dowdy, inelegant, ungainly*
uendelig → *endless, infinite, infinitely, infinity, interminable, unceasing*
uendelighet → *infinity, vastness*
uendret → *unchanged*
uengasjert → *uncommitted*
uenig → *dissident*
uenighet → *difference, disagreement, discord*
uensartet → *diverse, heterogenous*
uerfaren → *inexperienced*
uerfarenhet → *inexperience*
uerstattelig → *irreplaceable*
uetisk → *unethical*
ufaglært → *lay, unskilled*
ufattelig → *mind-boggling*
ufeilbarlig → *infallible, unerring*
ufeilbarlighet → *infallibility*
uferdig → *incomplete*
ufiks → *dowdy*
ufin → *indelicate, rude*
uflidd → *dishevelled, ragged, sloppy, unkempt*
UFO → *UFO*
uforanderlig → *invariable*
uforandret → *unchanged*
uforbederlig → *incorrigible, irredeemable*
uforbeholden → *unreserved, unstinting*
uforbeholdent → *unreservedly*
ufordelaktig → *disadvantageous, unfavourable*
ufordøyelig → *indigestible*
uforenlig → *incompatible, irreconcilable*
uforfalsket → *undiluted*
uforferdet → *dauntless, undaunted*
uforgjengelig → *immortal*
uforglemmelig → *haunting, unforgettable*
uforholdsmessig → *disproportionate, inordinate, inordinately*
uforklarlig → *inexplicable, unaccountably*
uforkortet → *unabridged*
uforlignelig → *incomparable, inimitable, peerless*
uformatert → *unformatted*
uformelig → *shapeless*
uformell → *casual, colloquial, informal*
uformelt → *casually, informally*
uforminsket → *unabated*
ufornuftig → *unsound*
uforpliktende → *non-committal*
uforsiktig → *careless*
uforskammet → *cheeky, fresh, impertinent, impudent, insolent, rude, rudely*
uforskammethet → *cheek, effrontery, insolence, rudeness*
uforsonlig → *implacable, irreconcilable*
uforstyrrelig → *serene, stolid*
uforstyrrelighet → *serenity*
uforstyrret → *undisturbed*
uforståelig → *incomprehensible*
uforstående → *unsympathetic*
uforsvarbar → *unjustifiable*
uforsvarlig → *indefensible, reckless, recklessly, unwarranted*
ufortjent → *undeserved, unearned*
ufortrøden → *undaunted, unrelenting*
ufortynnet → *undiluted*
uforutsett → *unforeseen*
uforutsigbar → *mercurial, unpredictable*
uforvarende → *inadvertently, unintentionally*
ufrakommelig → *inescapable*
uframkommelig → *impassable*
ufravendt → *intently, steadily, unwavering*
ufrivillig → *involuntary*
ufruktbar → *barren, fruitless, infertile, sterile, unproductive*
ufruktbarhet → *infertility*
ufullkommen → *imperfect*
ufullkommenhet → *deficiency, imperfection, shortcoming*
ufullstendig → *incomplete, patchy*
ufyselig → *bleak, miserable*
ufødt → *unborn*
ufølsom → *insensitive, unfeeling*
ufølsomhet → *callousness, insensitivity*
uføretrygd → *disability allowance*
uførhet → *disability, incapacity*
ugagn → *mischief, misdemeanour*

Uganda → *Uganda*
ugander → *Ugandan*
ugandisk → *Ugandan*
ugift → *maiden, unmarried*
ugjendrivelig → *irrefutable*
ugjenkallelig → *irretrievable, irrevocable*
ugjenkjennelig → *unrecognizable*
ugjennomførbar → *unworkable*
ugjennomførlig → *impracticable, impractical*
ugjennomsiktig → *opaque*
ugjennomsiktighet → *opacity*
ugjennomtrengelig → *impenetrable*
ugjestfri → *inhospitable*
ugjestmild → *hostile, inhospitable, uninviting*
ugle → *owl*
ugress → *weed*
ugressdreper → *weedkiller*
ugresshakke → *hoe*
ugressmiddel → *herbicide*
ugressplante → *weed*
ugunstig → *disadvantageous, unfavourable*
ugyldig → *inadmissible, invalid, void*
uharmonisk → *discordant*
uhederlig → *crooked, underhand(ed)*
uhelbredelig → *incurable, inveterate*
uheldig → *adverse, inapt, inopportune, luckless, unfortunate, unhappy, unlucky*
uheldigvis → *unhappily*
uhell → *mischance, misfortune, mishap*
uhemmet → *uninhibited, untrammelled*
UHF → *UHF*
uhildet → *unbiased, unprejudiced*
uhindret → *unchecked*
uhjelpsom → *unhelpful*
uhorvelig → *hugely*
uhumsk → *unsavoury*
uhyggelig → *grim, gruesome, spooky, uncanny*
uhygienisk → *insanitary, unhygienic*
uhyre → *monster, ogre*
uhyrlig → *monstrous*
uhyrlighet → *enormity*
uhøflig → *discourteous, impolite, indelicate, rude, rudely, uncivil*
uhøflighet → *rudeness*
uhørlig → *inaudible*
uhørt → *unheard-of*
uhøvelig → *unbecoming, unseemly*
uhåndgripelig → *intangible*
uhåndterlig → *unmanageable, unwieldy*
uidentifisert → *unidentified*
uimotståelig → *irresistible*
uinnbundet → *paperback*
uinnskrenket → *absolute*
uinnspilt → *unrecorded*
uinntakelig → *impregnable, inviolate*
uinspirerende → *uninspiring*
uintelligent → *unintelligent*
uisolert → *exposed*
ujevn → *erratic, ragged, rough, uneven*
ujevnhet → *bump, roughness*
uke → *week*
ukeavis → *weekly*
ukeblad → *weekly*
ukentlig → *weekly*
ukepenger → *allowance*
ukeskort → *season ticket*
ukjent → *unfamiliar, unknown*
uklanderlig → *blameless, impeccable, irreproachable*
uklar → *blurred, cloudy, dim, fuzzy, hazy, indistinct, obscure, unclear, vague*
uklarhet → *obscurity*
uklart → *dimly, vaguely*
ukledelig → *unbecoming, unflattering*
uklok → *foolish, ill-advised, imprudent, injudicious, unwise*
uklokt → *foolishly*
uknuselig → *non-breakable, unbreakable*
ukomfortabel → *uncomfortable*
ukomfortabelt → *uncomfortably*
ukomplisert → *uncomplicated, unsophisticated*
ukontrollerbar → *uncontrollable*
ukontrollert → *unchecked, uncontrolled*
ukonvensjonell → *unconventional*
ukorrekt → *incorrect*
Ukraina → *Ukraine*
ukrainer → *Ukrainian*
ukrainsk → *Ukrainian*
ukrenkelig → *inviolate*
ukrenkelighet → *sanctity*
ukritisk → *indiscriminate*
ukuelig → *dauntless, irrepressible*
ukvalifisert → *unqualified*
ukvemsord → *abuse*
ul → *howl, wail, whine*
u-land → *developing country*
ulands- → *Third World*
ule → *hoot, howl, sound, wail, whine*
uleilige → *inconvenience, trouble*
ulempe → *disadvantage, drawback*
ulendt → *rough*
ulenkelig → *gangling, gawky*
uleselig → *hieroglyphic, illegible, indecipherable*
ulidelig → *excruciating, unbearable*
ulik → *different, dissimilar, separate, unequal, unlike*
ulike → *miscellaneous, odd, varied*
ulikhet → *difference, disparity*
uling → *whine*
ull → *fleece, wool, woollen*
ullen → *woolly*
ullgenser → *woolly*
ullklær → *woollens*
ulme → *smoulder*
ulmende → *glowing*
ulogisk → *illogical*
ulovlig → *illegal, illegally, illegitimate, illicit, unlawful*
ultimatum → *ultimatum*
ultrafiolett → *ultraviolet*
ultralyd → *ultrasound*
ultrasonisk → *ultrasonic*
ultravarmebehandlet → *UHT*
ulv → *wolf*
ulvunge → *cub*
ulydig → *disobedient*
ulydighet → *disobedience*
ulykke → *accident, extremity, misadventure, woe*
ulykkelig → *miserable, unhappily, unhappy*
ulykkelighet → *misery*
ulykkeligvis → *unhappily*
ulykkesforsikring → *accident insurance*
ulykkesprofet → *alarmist*
ulykkestilfelle → *misadventure*
ulykksalig → *hapless, ill-fated*
ulyst → *reluctance*
ulønnsom → *uneconomic, unprofitable*
uløselig → *inextricable, inextricably, insoluble*
umedgjørlig → *bloody-minded, intractable, wilful*
umenneske → *brute*
umenneskelig → *brutish, inhuman, inhumane*
umerkelig → *imperceptible*
umettelig → *insatiable*
umiddelbar → *immediate, instant, instantaneous, snap, unhesitating, unrehearsed*
umiddelbarhet → *immediacy*
umiddelbart → *instantly, urgently*
umiskjennelig → *indubitable, unmistak(e)able, unmistak(e)ably*
umoden → *callow, immature, unripe*
umodenhet → *immaturity*
umoderne → *dated, outmoded, unfashionable*

umoral → *immorality*
umoralsk → *immoral*
umoralskhet → *immorality*
umotivert → *gratuitous*
umulig → *impossible*
umulighet → *impossibility*
umyndig → *minor*
umøblert → *unfurnished*
umålbar → *imponderable*
umåtelig → *exceedingly, inordinate, inordinately, untold*
unaturlig → *artificial, unnatural*
under- → *sub...*
under → *amid(st), below, beneath, during, miracle, under, under..., underneath, wonder*
underarm → *forearm*
underarms- → *underarm*
underbefal → *non-commissioned officer*
underbefolket → *underpopulated*
underbemannet → *short-staffed, understaffed*
underbemanning → *undermanning*
underbetalt → *underpaid*
underbevisst → *subconscious, subliminal*
underbukse(r) → *knickers, pants, underpants, undershorts*
underby → *undersell*
underbygge → *bear out, reinforce, substantiate, support, validate*
underdanig → *obsequious, submissive, subservient*
underdrive → *understate*
underdrivelse → *understatement*
undereksponert → *underexposed*
underentreprenør → *subcontractor*
underentreprise → *subcontract*
underernært → *underfed, undernourished*
underforsikret → *underinsured*
underforstått → *implicit, implicitly, understood*
underfundig → *arch, devious, quizzical, sly*
undergang → *death, ruin, subway, underpass, undoing*
undergrave → *undermine*
undergravingsvirksomhet → *subversion*
undergrunn → *subway, tube*
undergrunns- → *underground*
undergrunnsbane → *subway*
undergrunnsstasjon → *tube station*
undergrunnsvirksomhet → *subterfuge*
underhold → *keep*
underholde → *amuse, entertain, keep, maintain*
underholdende → *amusing, entertaining*
underholdning → *amusement, entertainment*
underholdningsartist → *entertainer*
underholdningsbidrag → *alimony*
underholdningsbransjen → *show business*
underholdsbidrag → *maintenance*
Underhuset → *Commons*
underhåndsopplysninger → *inside information*
underinndele → *subdivide*
underjordisk → *subterranean, underground*
underkapitalisert → *undercapitalized*
underkastelse → *submission*
underkjenne → *overrule*
underkjole → *petticoat, slip*
underklasse → *underclass*
underkomité → *subcommittee*
underkuet → *downtrodden*
underlag → *base, underlay*
underlagskrem → *foundation*
underlegen → *inferior*
underlegenhet → *inferiority*
underlegge seg → *subjugate*
underlig → *outlandish, queer, strange, strangely*
underminere → *undermine*
underordnet → *inferior, junior, lowly, secondary, subordinate, subservient, subsidiary, underling*
underpriviligert → *underprivileged*
underside → *base, underside*
underskjørt → *petticoat, slip, underskirt*
underskog → *undergrowth*
underskrift → *signature*
underskriftsprøve → *specimen signature*
underskriver → *signatory*
underskudd → *deficiency, deficit*
underslag → *embezzlement, misappropriation*
underslå → *embezzle, misappropriate*
underspille → *underplay*
understell → *landing gear, undercarriage*
understellsbehandle → *underseal*
understellsbehandling → *underseal*
understreke → *accentuate, emphasize, stress, underline, underscore*
understrøm → *undercurrent*
undersøke → *canvass, examine, inspect, look into, probe, research, screen, test*
undersøkelse → *checkup, examination, inquiry, inspection, postmortem, probe, scan, screening, test, vetting*
undersøkende → *searching*
undertegne → *initial, sign*
undertegnet → *undersigned*
undertone → *note, undertone*
undertoner → *overtones*
undertrykke → *oppress, repress, shut out, smother, subdue, suppress*
undertrykkelse → *oppression, repression, subjection, suppression*
undertrykkende → *oppressive, repressive*
undertrykking → *suppression*
undertrykt → *oppressed*
undertvinge → *subdue*
undertøy → *underclothes, underwear, undies*
underutviklet → *underdeveloped*
undervanns- → *underwater*
undervannsbåt → *submarine*
underveis → *en route*
undervektig → *underweight*
underverk → *marvel*
undervise → *teach*
undervisning → *education, instruction, teaching, tuition*
undervisningspersonale → *teaching staff*
undervisningsplan → *curriculum*
undervisningssektor → *education*
undervisningsstab → *faculty*
undervurdere → *underestimate, underrate, undervalue*
undring → *amazement, wonder*
undulat → *budgerigar*
unektelig → *undeniably*
UNESCO → *UNESCO*
unevnelig → *unmentionable*
ung → *young*
ungarer → *Hungarian*
Ungarn → *Hungary*
ungarsk → *Hungarian*
ungdom → *adolescent, juvenile, youngster, youth*
ungdommelig → *youthful*
ungdommelighet → *youthfulness*
ungdomsbevegelse → *youth movement*
ungdomsforbryter → *delinquent, juvenile delinquent*
ungdomsherberge → *hostel, youth hostel*
ungdomsklubb → *youth club*
ungdomskriminalitet → *juvenile delinquency*
unge → *calf, cub, kid, pup*
ungeflokk → *brood*
ungjente → *lass*
ungkar → *bachelor*
ungkarsstand → *bachelorhood*
ungtre → *sapling*
UNICEF → *UNICEF*
uniform → *uniform*
uniformslue → *forage cap*
unik → *unique*
unikum → *prodigy*

unilateral → *unilateral*
unisex → *unisex*
univers → *universe*
universalmedisin → *panacea*
universalmiddel → *cure-all*
universalnøkkel → *master key, skeleton key*
universell → *universal*
universitet → *school, university*
universitets- → *university*
universitetseksamen → *university degree*
universitetsgrad → *university degree*
universitetslektor → *lecturer*
universitetslærer → *don*
universitetsområde → *campus*
universitetsrektor → *vice chancellor*
unna → *off, out, past*
unndra → *dodge*
unndragelse → *avoidance, evasion*
unnfange → *conceive*
unnfangelse → *conception*
unngå → *avoid, dodge, eschew, evade, obviate*
unngåelig → *avoidable*
unnlate → *abstain, fail*
unnselig → *demure*
unnskyld → *beg, please*
unnskylde → *excuse*
unnskyldende → *apologetic*
unnskyldning → *apology, excuse*
unnslippe → *evade, get off*
unnslå seg → *hedge*
unntak → *exception*
unntatt → *except, save*
unnvike → *dodge, evade, fudge*
unnvikelse → *evasion*
unnvikende → *evasive, mealy-mouthed*
unnvære → *dispense with, spare*
unnværlig → *expendable*
unormal → *abnormal*
unotert → *unlisted*
unse → *ounce*
unyttig → *futile*
unødig → *needlessly, undue, unnecessarily, unnecessary*
unødvendig → *needless, needlessly, non-essential, uncalled-for, unnecessarily, unnecessary*
unøyaktig → *inaccurate, inexact, loose*
unøyaktighet → *inaccuracy*
uobservant → *unobservant*
uoffisiell → *off-the-record, record, unofficial*
uoffisielt → *record*
uomgjengelig → *unsociable*
uoppdaget → *undiscovered*
uoppdragen → *bad-mannered, ill-mannered*
uoppfylt → *unfulfilled*
uopphørlig → *ceaseless, incessant, incessantly, persistent, relentless, unremitting*
uopplagt → *off-colour*
uopplyst → *unlit*
uoppmerksom → *inattentive, unobservant*
uoppmerksomhet → *inattention*
uopprettelig → *irreparable, irretrievable*
uoppriktig → *disingenuous, insincere*
uoppriktighet → *insincerity*
uordentlig → *messy, untidy*
uorganisert → *disorganized*
uorganisk → *inorganic*
uoriginal → *derivative*
uortodoks → *unorthodox*
uoverensstemmelse → *disagreement, misunderstanding*
uoverkommelig → *insuperable, insurmountable, prohibitive*
uoverlagt drap → *manslaughter*
uoversettelig → *untranslatable*
uoverskuelig → *incalculable*
uoverstigelig → *insurmountable*
uovertruffen → *unrivalled*
uoverveid → *ill-considered*
uovervinnelig → *insuperable, irresistible*
upartisk → *disinterested, even-handed, impartial, unbiased*
upartiskhet → *impartiality*
upassende → *improper, inappropriate, inapt, incongruous, objectionable, unbecoming, unsuitable*
upatriotisk → *unpatriotic*
upersonlig → *impersonal*
uplettet → *unblemished*
upolert → *abrasive*
upopulær → *unpopular*
upraktisk → *impractical, inconvenient*
upresis → *imprecise, inexact*
upretensiøs → *unassuming, unpretentious*
uproduktiv → *unproductive*
uprofesjonell → *unprofessional*
uprovosert → *unprovoked*
uprøvd → *untried*
upålitelig → *crooked, shifty, unreliable, untrustworthy*
upåvirkelig → *stolid*
ur → *scree, watch*
ur- → *primeval*
uraffinert → *unrefined*
uran → *uranium*
Uranus → *Uranus*
urban → *urban, urbane*
urbanisering → *urbanization*
urdu → *Urdu*
urealistisk → *unrealistic*
uredd → *fearless, unafraid*
uredelig → *dishonest*
uredelighet → *dishonesty*
uregelmessig → *erratic, irregular*
uregelmessighet → *irregularity*
uregjerlig → *rumbustious, unruly*
ureglementert → *irregular*
urelatert → *unrelated*
uren → *impure*
urenhet → *impurity*
urenslig → *squalid*
urettferdig → *inequitable, invidious, unfair, unfairly, unjust*
urettferdighet → *injustice*
urettsmessig → *falsely, unauthorized*
uriktig → *incorrect*
urimelig → *exorbitant, unreasonable*
urin → *urine*
urinal → *urinal*
urinere → *urinate*
urinnvåner → *aborigine*
urinveier → *waterworks*
urkomisk → *hilarious*
urmaker → *watchmaker*
urne → *urn*
uro → *alarm, disquiet, ferment, mobile, unease, unrest*
uroe seg → *fret*
urokkelig → *immovable, inflexible, invincible, unhesitating, unshak(e)able, unswerving, unwavering*
urolig → *agitated, anxious, disorderly, disturbed, edgy, fidgety, fitful, restive, uneasy, unsettled*
urolighet → *disturbance*
uroligheter → *disorder*
urosenter → *trouble spot*
urosentrum → *hot spot*
urostifter → *agitator*
urovekkende → *alarming, chill, disquieting, disturbing, unsettling*
urt → *herb*
urte- → *herbaceous, herbal*
urteaktig → *herbaceous*
urtids- → *primeval*
urtypisk → *archetypal*
Uruguay → *Uruguay*
uruguayaner → *Uruguayan*
uruguayansk → *Uruguayan*

urustning → *endowment*
urverk → *clockwork*
uryddig → *untidy*
urørlig → *immobile, inert*
urørt → *untouched, virgin*
usagt → *unspoken*
usaklig → *unfairly*
usammenhengende → *desultory, disconnected, disjointed, incoherent, rambling*
usann → *untrue*
usannhet → *falsehood*
usannsynlig → *implausible, impossibly, improbable, unlikely*
usannsynlighet → *unlikelihood*
usedvanlig → *exceptional, singularly, unusual, unusually*
useedet → *unseeded*
uselgelig → *unsaleable*
uselskapelig → *unsociable*
uselvisk → *selfless, selflessly, unselfish*
uselviskhet → *selflessness*
usett → *unseen*
usigelig → *untold*
usikker → *iffy, insecure, shaky, uncertain, unsafe*
usikkerhet → *insecurity, uncertainty*
usivilisert → *uncivilized*
usjenert → *private*
uskadd → *undamaged, unharmed, unhurt, uninjured, unscathed*
uskadelig → *harmless, innocuous*
uskadeliggjøre → *defuse*
uskarp → *blurred*
uskikkelig → *bad, mischievous, naughty*
uskikkelighet → *naughtiness*
uskjønn → *unsightly*
uskreven → *unwritten*
uskyld → *innocence*
uskyldig → *clean, innocent*
uskyldighet → *innocence*
uslåelig → *invincible, unbeatable*
usmakelig → *distasteful, unpalatable*
usofistikert → *unsophisticated*
usolgt → *unsold*
usosial → *antisocial, unsociable, unsocial*
uspennende → *unexciting, wishy-washy*
uspiselig → *inedible*
ussel → *base, crummy, forlorn, mean, measly, miserly*
usselhet → *meanness*
ustabil → *unsettled, unstable, volatile*
ustabilitet → *instability*
ustadig → *changeable, fickle, variable, volatile*
ustanselig → *ceaseless, continuously, incessant, incessantly*
ustelt → *dishevelled, unkempt*
ustoppelig → *inexorable*
ustrukturert → *disorganized*
ustyrlig → *uncontrollable, unmanageable, vicious*
ustø(dig) → *shaky, unstable, unsteady, wonky*
ustøtt → *shakily*
usukret → *unsweetened*
usunn → *unhealthy*
usvekket → *unabated, unimpaired*
usvikelig → *unfailing*
U-sving → *U-turn*
usympatisk → *unsympathetic*
usynlig → *invisible, phantom*
usyret → *unleavened*
usømmelig → *immodest, indecent, unseemly*
usømmelighet → *impropriety, indecency*
usøtet → *unsweetened*
usårlig → *invulnerable*
ut → *forth, out, outside, outward*
utadvendt → *extrovert, outgoing*
utafor → *gaga*
utakknemlig → *invidious, thankless, unappreciative, ungrateful*
utakknemlighet → *ingratitude*
utallig → *countless, innumerable, legion*
utarbeide → *compile, design, formulate, work out*
utarmet → *impoverished, poverty-stricken*
utarte seg → *degenerate*
utbedre → *refine, repair, upgrade*
utbedring → *refinement*
utbetale → *pay*
utbetaling → *payment*
utbetalt → *unpaid*
utblåsning → *blow-out*
utbredelse → *incidence*
utbredt → *rife, widespread*
utbrodere → *embellish, embroider*
utbrudd → *eruption, outbreak, outburst, spurt*
utbryte → *exclaim*
utbrytergruppe → *splinter group*
utbygge → *develop*
utbygger → *developer*
utbygging → *development*
utbyggingsområde → *development area*
utbytte → *return*
utbyttedeling → *profit-sharing*
utbytterik → *profitable*
utdanne → *educate, train*
utdanne seg → *train*
utdannelse → *education*
utdannet → *qualified*
utdanning → *education*
utdannings- → *educational*
utdata → *output*
utdebattere → *exhaust*
utdeling → *dispensation*
utdrag → *excerpt, extract, passage*
utdrikningslag → *bachelor party, stag party*
utdrive → *exorcize*
utdype → *amplify, elaborate, flesh out*
utdødd → *extinct*
ute → *out, outdoors, outside*
utearbeidende → *working*
utegrill → *barbecue*
utelate → *leave out, omit*
utelatelse → *omission*
uteligger → *dosser, down-and-out*
utelukke → *preclude, rule out*
utelukkelse → *exclusion*
utelukkende → *entirely, exclusively, solely, strictly*
uten → *without*
utendørs → *alfresco, open-air, outdoor, outdoors, out-of-doors*
utendørsopptak → *outside broadcast*
utenfor → *beyond, outside*
utenfor allfarvei → *out-of-the-way*
utenforstående → *outsider*
utenfra → *external*
utenkelig → *inconceivable, unthinkable*
utenlands → *abroad, foreign, overseas*
utenlandsk → *foreign, overseas*
utenom → *besides, outside*
utenomekteskapelig → *extramarital*
utenomsnakk → *flannel*
utenriksminister → *foreign minister, foreign secretary*
uterus → *uterus*
utestenge → *bar, lock out*
utestående → *outstanding*
utesvevelser → *debauchery*
utesvevende → *riotous*
utfall → *outcome, sortie*
utfellingsprodukt → *deposit*
utfellingsstoff → *deposit*
utflukt → *excursion, jaunt, outing, sortie*
utflytting → *migration*
utfordre → *challenge, court*
utfordrende → *challenging, provocative, wanton*
utfordrer → *challenger*

utfordring → *challenge*
utforme → *crystallize, formulate, frame, landscape*
utforming → *presentation*
utforrenn → *downhill*
utforske → *explore, research*
utforskning → *exploration*
utfylle → *complement*
utføre → *carry out, conduct, discharge, execute, export, perform, transact*
utførelse → *design, execution, rendering, rendition*
utførlig → *circumstantial, elaborate*
utførsel → *export, exportation*
utgang → *exit, gate*
utgangspris → *starting price*
utgangspunkt → *baseline, basis, starting point*
utgave → *edition, issue, style*
utgi → *publish*
utgi seg for → *impersonate*
utgifter → *cost, expenditure, expense, outgoings, spending*
utgiftskonto → *expense account*
utgivelse → *publication, release*
utgiver → *publisher*
utgjøre → *account for, comprise, constitute, form, make up, number*
utgraving → *dig, excavation*
utgyte → *shed*
utgående → *outgoing*
utgått → *down-at-heel*
uthevet skrift → *bold, bold type*
utholde → *endure*
utholdelig → *bearable, endurable, tolerable*
utholdende → *dogged, long-suffering*
utholdenhet → *endurance, perseverance, stamina, staying power*
utholdenhetsprøve → *endurance test*
uthule → *erode*
uthuling → *erosion*
uthus → *outbuilding, outhouse*
utilbørlig → *indecent, undue, unjustifiable, untoward*
utilfreds → *disaffected, discontented, disgruntled, dissatisfied, unsatisfied*
utilfredshet → *disaffection, discontent, dissatisfaction*
utilfredsstillende → *unsatisfactory*
utilgivelig → *inexcusable, unforgivable*
utilgjengelig → *inaccessible*
utilitaristisk → *utilitarian*
utilnærmelig → *stand-offish*
utilpass → *indisposed, uncomfortable*
utilrådelig → *inadvisable*
utilsiktet → *unintentional, unintentionally*
utilslørt → *overt, undisguised*
utilstrekkelig → *deficient, inadequate, insufficient, insufficiently*
utilstrekkelighet → *inadequacy*
utiltalende → *unattractive*
utjevne → *equalize*
utjevning → *levelling*
utkant → *margin, outskirts*
utkast → *draft, rough draft*
utkastelse → *eviction*
utkastelsesordre → *eviction order*
utkastelsesvarsel → *eviction notice*
utkaster → *bouncer*
utkikksmann → *lookout*
utkikkspost → *observation post*
utkikkstønne → *crow's nest*
utklasse → *outclass, trounce*
utklipp → *clipping, cutting*
utklippsbok → *scrapbook*
utklippsfigur → *cutout*
utkommandere → *call up*
utkravning → *cantilever*
utkrystallisere → *crystallize*
utledning → *deduction*
utlegg → *expense, outlay*
utleggskasse → *petty cash*
utleier → *lessor*
utlending → *foreigner*
utlevere → *extradite*
utlevering → *extradition*
utleverings- → *extradition*
utligne → *equalize*
utlodning → *raffle*
utlyse → *advertise*
utløp → *expiry, outlet*
utløpe → *expire, lapse*
utløper → *sucker*
utløpsdato → *expiry date*
utløpt → *out-of-date*
utløse → *elicit, provoke, trigger off*
utløser → *release*
utløsersnor → *ripcord*
utlån → *secondment*
utlåner → *lender*
utlånsbibliotek → *lending library*
utlånsrente → *bank rate*
utmagret → *emaciated, gaunt*
utmanøvrere → *outmanoeuvre*
utmating → *output*
utmatte → *exhaust*
utmattelse → *exhaustion, fatigue*
utmattende → *exhausting, shattering*
utmattet → *exhausted*
utmelding → *withdrawal*
utmerke → *mark out*
utmerkelse → *distinction*
utmerket → *excellent, fine, prime*
utnevne → *appoint, nominate*
utnevnelse → *nomination*
utnytte → *advantage, exploit, harness, tap, utilize*
utnyttelse → *exploitation, utilization*
utnytting → *exploitation, utilization*
utopisk → *mythical*
utover → *beyond, outward(s)*
utpeke → *designate*
utplassere → *deploy*
utplassering → *posting*
utpost → *outpost*
utpreget → *decidedly, markedly*
utpressing → *blackmail, extortion*
utradere → *eradicate, stamp out*
utregning → *calculation*
utreisevisum → *exit visa*
utrensking → *purge*
utrette → *accomplish, work*
utrettelig → *indefatigable, tireless, unflagging*
utringning → *neckline*
utrivelig → *seamy*
utro → *unfaithful*
utrolig → *amazing, amazingly, immensely, impossibly, incredible, unbelievable, unbelievably*
utrop → *exclamation*
utroper → *town crier*
utropsord → *interjection*
utropspris → *starting price*
utropstegn → *exclamation mark*
utroskap → *deceit, infidelity*
utruste → *furnish*
utrydde → *exterminate, kill off*
utryddelse → *extermination, extinction*
utrygg → *insecure, uneasy, unsafe*
utrøstelig → *disconsolate, inconsolable*
utsalg → *outlet, sale*
utsalgspris → *retail price*
utsatt → *exposed*
utseende → *appearance*
utsending → *envoy*
utsette → *adjourn, defer, delay, hold over, postpone, put*

back, put off, stave off
utsettelse → *delay, postponement*
utsettes for → *incur*
utside → *outside*
utsikt → *outlook, prospect, vista*
utsiktspost → *lookout*
utsiktspunkt → *viewpoint*
utsiktsvindu → *picture window*
utskeielser → *debauchery*
utskifting → *substitution*
utskille → *secrete*
utskiper → *shipper*
utskjæring → *carving*
utskrift → *hard copy, printout*
utskriving → *imposition*
utskrivning → *discharge*
utskudd → *outcast*
utskyting → *blast-off, launch, launching*
utskytingsrampe → *launch(ing) pad*
utskytning → *lift-off*
utskytningssete → *ejector seat*
utslag → *blip*
utslett → *rash*
utslette → *annihilate, extinguish, obliterate, wipe out*
utslipp → *discharge, effluent, emission, emissions, release, spillage*
utslitt → *exhausted, shattered, worn-out*
utslått → *bushed, zonked*
utsmykke → *adorn, embellish*
utsmykket → *ornate*
utsmykning → *adornment, decoration, ornament*
utsolgt → *sold out*
utsondre → *exude, secrete*
utsondring → *discharge*
utspekulert → *artful*
utspent → *outspread, outstretched*
utspilt → *distended*
utspring → *overhang, projection*
utspørring → *debriefing, inquisition*
utstede → *issue*
utstiller → *exhibitor*
utstilling → *display, exhibition, exposition, show*
utstillingsdukke → *dummy, mannequin*
utstillingsfigur → *mannequin*
utstillingsgjenstand → *exhibit*
utstillingsmonter → *showcase*
utstillingsobjekt → *exhibit*
utstillingsområde → *showground*
utstopper → *taxidermist*
utstrakt → *extensive, liberal, outspread, outstretched, spread-eagled*
utstrekning → *extent*
utstryk → *smear*
utstryksprøve → *smear test*
utstråle → *exude, radiate*
utstråling → *emission*
utstudert → *studied*
utstyr → *equipment, furnishings, gadgetry, gear, get-up, kit, paraphernalia, rig-out, tackle*
utstyre → *furnish, kit out*
utstøte → *let out, ostracize*
utstøting → *expulsion*
utstå → *stand, stomach*
utsultet → *famished*
utsvevende → *dissipated, dissolute, loose*
utsvingt → *flared*
utsøkt → *choice, delectable, exquisite, exquisitely, polished*
uttak → *withdrawal*
uttakingskomité → *selection committee*
uttale → *pronounce, pronunciation, speech, state*
uttalelse → *pronouncement, statement*
uttalt → *explicit, pronounced, stated*
uttrekk → *infusion*
uttrykk → *expression, idiom, look, phrase, show, term, token*
uttrykke → *articulate, express, phrase, put*
uttrykkelig → *explicit, express, expressly*
uttrykks- → *expressive*
uttrykksfull → *expressive*
uttrykksløs → *deadpan, impassive*
uttrykt → *stated*
uttynning → *cull*
uttæret → *emaciated, gaunt*
uttømmende → *exhaustive*
uttørket → *parched*
utvalg → *assortment, choice, committee, range, selection, variety*
utvalgsmøte → *committee meeting*
utvandre → *emigrate*
utvandrer → *emigrant*
utvandring → *emigration, exodus*
utveksling → *exchange, interchange*
utvekst → *protuberance*
utvelge → *adopt*
utvelgelse → *adoption*
utvendig → *exterior, external, externally, outwardly*
utvetydig → *unequivocal*
utvide → *broaden, dilate, distend, expand, widen*
utvidelse → *expansion, extension*
utvidet → *enlarged*
utvikle → *cultivate, design, develop, evolve*
utvikle seg → *evolve*
utvikling → *development, evolution, progress, progression*
utviklingsland → *developing country*
utvilsom → *indubitable, undoubted*
utvilsomt → *certainly, doubtless, indubitably, undoubtedly, unquestionably*
utvinne → *extract*
utvinning → *extraction*
utvise → *deport, exercise, exhibit, expel, send off*
utvisning → *deportation, expulsion*
utvisningsordre → *deportation order*
utvungen → *easy*
utvungent → *easily*
utydelig → *indistinct*
utøve → *exercise, exert*
utøvelse → *exercise*
utøy → *vermin*
utålelig → *insufferable, unbearable*
utålmodig → *impatient, impatiently*
utålmodighet → *impatience*
uunngåelig → *inescapable, inevitable, unavoidable, unavoidably*
uunngåelighet → *inevitability*
uunnværlig → *indispensable*
uutgrunnelig → *deadpan, inscrutable, unfathomable*
uutholdelig → *excruciating, insufferable, intolerable, unbearable*
uutnyttet → *untapped*
uutsigelig → *inexpressible*
uutslettelig → *indelible*
uuttalt → *unspoken*
uuttømmelig → *inexhaustible*
uutviklet → *undeveloped*
uvanlig → *rare, uncommon, unusual*
uvel → *off-colour, queer*
uvelkommen → *unwelcome*
uvennlig → *unfriendly, unkind, unkindly*
uventet → *unexpected, unexpectedly*
uverdig → *disgraceful, unworthy*
uvesentlig → *extraneous, immaterial, inessential, unimportant*
uvettig → *reckless, recklessly*
uviktig → *inessential, unimportant*
uviktige ting → *inessentials*
uvilje → *disapproval, ill feeling, ill will, resentment*
uvilkårlig → *unconsciously*
uvirksom → *dormant, idle, inactive*
uvirksomhet → *inaction, inactivity*

uvirksomt → *idly*
uviss → *doubtful, uncertain*
uvisshet → *uncertainty*
uvitenhet → *ignorance*
uvitenskapelig → *unscientific*
uvurderlig → *inestimable, invaluable, priceless*
uvær → *hail, storm*
uværssky → *storm cloud*
uvørent → *roughly*
uærbødig → *disrespectful, irreverent*
uærlig → *dishonest, improper*
uærlighet → *dishonesty*
uøkonomisk → *uneconomical, wasteful*
uønsket → *undesirable, unwanted*
uøvet → *untrained*
uåpnet → *unopened*

V

V, v → *V, v*
vadested → *ford*
vadestein → *stepping stone*
vaffel → *waffle*
vaffeljern → *waffle iron*
vag → *dim, hazy, vague*
vagabond → *vagabond*
vaghet → *vagueness*
vagina → *vagina*
vagle seg (opp) → *roost*
vagt → *dimly, vaguely*
vaie → *fly, wave*
vaier → *wire*
vakker → *beautiful, bonny, exquisite, fine*
vakkert → *beautifully*
vakle → *falter, flounder, reel, stagger, teeter, topple, totter, waver, wobble*
vaklende → *ambivalent, shaky*
vaklevoren → *rickety, wobbly*
vaksinasjon → *vaccination*
vaksine → *vaccination, vaccine*
vakt → *custodian, gatehouse, guard, keeper, watch*
vaktel → *quail*
vakthavende → *duty officer*
vakthold → *security*
vakthund → *guard dog, watchdog*
vaktmester → *caretaker, janitor*
vaktpost → *guard*
vaktsom → *cagey, guarded, vigilant, wary, watchful*
vaktsomhet → *vigilance*
vaktsomt → *warily*
vakuum → *vacuum*
vakuumpakke → *shrink-wrap*
vakuumpakket → *vacuum-packed*
valg → *alternative, choice, election, poll*
valgdag → *polling day*
valgfri → *optional*
valgfrihet → *variety*
valgfusk → *gerrymandering*
valgkamp → *election campaign, electioneering, hustings*
valgkrets → *constituency*
valglokale → *polling station*
valgmannsforsamling → *electoral college*
valgmulighet → *choice, option*
valgseddel → *ticket*
valgskred → *landslide*
valgspråk → *motto*
valgurne → *ballot box*
valle → *whey*
valmue → *poppy*
valnøtt → *walnut*
valnøttre → *walnut*
valp → *pup, puppy*
valpesyke → *distemper*
vals → *waltz*
valse → *roll, roller, waltz*
valseverk → *rolling mill*
valthorn → *horn*
valuta → *currency*
valutahandel → *foreign exchange*
valutakontroll → *exchange control*
valutakurs → *exchange rate, foreign exchange rate*
valutamarked → *exchange market*
valutareserve → *reserve currency*
vampyr → *vampire*
vandal → *vandal*
vandalisme → *vandalism*
vandre → *ramble, stray, wander*
vandre omkring → *meander*
vandrer → *rambler, wanderer*
vandrerhjem → *hostel, youth hostel*
vandring → *ramble*
vandringsmann → *wanderer*
vane → *custom, habit, habitual*
vanedannende → *addictive*
vange → *upright*
vanhellige → *violate*
vanilje → *vanilla*
vaniljeis(krem) → *vanilla ice cream*
vaniljekrem → *custard*
vanlig → *common, commonly, customary, ordinary, popular, regular, standard, usual*
vanligvis → *habitually, normally, ordinarily, usually*
vann → *lake, water*
vannavkjølt → *water-cooled*
vannavstøtende → *showerproof, water-repellent*
vannblemme → *blister*
vanndamp → *water vapour*
vanne → *spray, water*
vanne ut → *dilute, water down*
vannfall → *waterfall*
vannfarger → *watercolour*
vannfast → *indelible*
vannhull → *water hole*
vannis → *water-ice*
vannkanne → *watering can*
vannkanon → *water cannon*
vannkjølt → *water-cooled*
vannkopper → *chickenpox*
vannkraft- → *hydro-electric*
vannlilje → *water lily*
vannlinje → *waterline*
vannlunge → *aqualung*
vannlås → *U-bend*
Vannmannen → *Aquarius*
vannmelon → *watermelon*
vannmerke → *watermark*
vannmettet → *waterlogged*
vannmugge → *ewer*
vannmåler → *water meter*
vannrett → *horizontal*
vannskille → *watershed*
vannspyer → *gargoyle*
vannstand → *water level*
vanntank → *water tank*
vanntett → *waterproof, watertight*
vannvei → *waterway*
vannverk → *waterworks*
vansire → *disfigure*
vanskapt → *misshapen*
vanskapthet → *deformity*
vanske → *hardship*
vanskelig → *difficult, hard, tough*
vanskeliggjøre → *complicate, impede*
vanskelighet → *bother, difficulty, hardship, trouble*
vanskelighetsgrad → *difficulty*
vanskeligstilt → *depressed*

vanskjøtsel → *neglect*
vanskjøttet → *neglected*
vanslektet → *degenerate*
vansmekte → *languish*
vantro → *disbelief, incredulity, incredulous, unbelief*
vanvidd → *insanity, mania*
vanvittig → *cock-eyed, frenzied, insane, lunatic*
vanære → *disgrace, dishonour, opprobrium*
vanærende → *ignominious*
vare → *commodity, endure, last*
varebetegnelse → *trade name*
varebil → *delivery van, van*
varehus → *department store, store*
varemagasin → *department store*
varemerke → *trademark*
varemesse → *trade fair*
vareopptelling → *stocktaking*
vareparti → *job lot*
varer → *good, shopping, wares*
varetekt → *custody, keeping, pound*
varetektsfengsel → *remand home*
variabel → *variable*
variant → *variant*
variasjon → *variation, variety*
variere → *vary*
varierende → *varying*
variert → *varied*
varieté → *music hall, variety show*
varig → *abiding, durable, enduring, lasting, permanent*
varighet → *durability, duration, life-span*
varm → *hot, thermal, warm*
varmblodig → *full-blooded, hot-blooded, red-blooded, warm-blooded*
varme → *heat, heating, thermal, warm up, warmth*
varme opp → *heat up, limber up, warm up*
varmeapparat → *heater*
varmebekken → *brazier*
varmefast → *heat-resistant*
varmeflaske → *hot-water bottle*
varmeisolere → *lag*
varmekolbe → *immersion heater*
varmesøkende → *heat-seeking*
varmhjertet → *warm-hearted*
varmluftsballong → *hot-air balloon*
varmt → *warmly*
varmtvannsbereder → *geyser, water heater*
varp → *haul*
varsel → *intimation, notice, warning*
varsellampe → *warning light*
varseltrekant → *warning triangle*
varsle → *alert, call, foreshadow*
varsle om → *forecast, portend*
varslingssystem → *early warning system*
varsom → *careful, cautious, circumspect, gentle*
varsomhet → *caution, cautiousness*
varsomt → *carefully, cautiously, gingerly, softly*
varte opp → *wait on*
varulv → *werewolf*
vase → *tangle, vase*
vaselin → *petroleum jelly, Vaseline*
vask → *wash, washbasin, washbowl, washing*
vask og legg → *shampoo and set*
vaskbar → *washable*
vaske → *bathe, clean, launder, shampoo, wash, wash down*
vaske av {or} bort → *wash off, wash out*
vaske ned → *wash down*
vaske opp → *wash up*
vaske seg → *wash, wash up*
vaske vekk → *clean up*
vaskebjørn → *raccoon*
vaskeekte → *out-and-out*
vaskehjelp → *cleaning lady*
vaskeklut → *face cloth, flannel, washcloth*
vaskekone → *charlady*
vaskemaskin → *washing machine*
vaskemiddel → *cleaner, detergent*
vaskepulver → *washing powder*
vaskeri → *laundry*
vaskerom → *laundry, utility room*
vaskeseddel → *blurb*
vaskeservant → *washbasin, washbowl*
vasketøy → *washing*
vasse over → *ford*
vater → *level*
vaterpass → *spirit level*
vatt → *wadding*
vatteppe → *comforter*
vaudeville → *vaudeville*
ve → *contraction*
ve og vel → *welfare, well-being*
ved → *by, firewood, in, through*
ved siden av → *adjoining, alongside, apart, aside from, beside, next, opposite*
veddeløpsbane → *racecourse, racetrack*
veddeløpshest → *racehorse*
veddeløpsspiller → *punter*
veddemål → *bet, wager*
vederfares → *befall*
vederlag → *quid pro quo, recompense*
vederstyggelig → *heinous*
vedgå → *admit*
vedkomfyr → *range*
vedkomme → *concern*
vedkubbe → *Yule log*
vedl → *encl.*
vedlegg → *enclosure*
vedlikehold → *maintenance, upkeep*
vedlikeholde → *maintain*
vedrøre → *involve*
vedrørende → *concerning, relating to*
vedta → *approve, carry, enact, pass*
vedtekt → *by(e)-law, statute*
vedvarende → *constant, continual, persistent*
veer → *labour, labo(u)r pains*
vegan → *vegan*
vegarbeid → *road works*
vegbane → *roadway*
vegetabilsk → *vegetable*
vegetar- → *vegetarian*
vegetarianer → *vegetarian*
vegetariansk → *vegetarian*
vegetasjon → *vegetation*
vegetativ → *vegetative*
vegetere → *vegetate*
vegg → *wall*
veggmaleri → *mural*
veggskap → *wall cupboard*
veggteppe → *wall hanging*
vegg-til-vegg-teppe → *fitted carpet*
vegkant → *roadside*
vegkart → *road map, route map*
vegre seg → *pull back*
vegskilt → *road sign*
vegsperring → *roadblock*
vegtransport → *road haulage*
vei → *passage, path, pathway, road, route, street, way*
veibro → *flyover*
veie → *balance, weigh, weigh up*
veie opp → *weigh out*
veifarende → *wanderer*
veigrep → *traction*
veik → *weak-kneed*
veiking → *wimp*
veikro → *transport café*
veikryss → *crossroads*
veiledende pris → *resale price*
veileder → *coach, mentor, supervisor*
veiledning → *guidance*

veiskille → *crossroads*
veiskulder → *berm, hard shoulder*
veitransport → *road transport, trucking*
veiundergang → *underpass*
veivaksel → *crankshaft*
veive → *wield*
veive med → *wave*
veiviser → *guide*
veivstangfot → *big end*
veke → *wick*
vekk → *away*
vekke → *arouse, awake, evoke, fire, kindle, rouse, wake*
vekke opp → *galvanize*
vekkeklokke → *alarm clock*
vekkelse → *revival*
vekker → *eye-opener*
vekkes → *revive*
vekking → *alarm call, arousal*
veksel → *draft*
vekselbruk → *rotation*
vekselstrøm → *alternating current*
vekselstrøm/likestrøm → *AC/DC*
vekselstrømgenerator → *alternator*
vekselsvis → *alternately*
veksle → *change*
vekslende → *alternate*
vekslepenger → *change, float*
vekslingsautomat → *change machine*
vekst → *expansion, growth, growth rate*
veksthus → *hothouse*
vekt → *emphasis, load, scale, stress, weight*
Vekten → *Libra*
vekter → *security guard*
vektgrense → *weight limit*
vektig → *potent, powerful*
vektløfter → *weightlifter*
vektløshet → *weightlessness*
vektstang → *dumbbell*
vektstangvirkning → *leverage*
vel → *well*
velassortert → *well-stocked*
velbegrunnet → *reasoned*
velbehag → *relish*
velberegnet → *well-timed*
velbeslått → *well-heeled*
velbygd → *well-built*
veldedig → *benevolent, charitable*
veldedighet → *charity*
veldig → *very*
veldreid → *shapely*
velferd → *welfare*
velferdsfond → *community chest*
velferdspermisjon → *compassionate leave*
velferdsstat → *welfare state*
velformulert → *articulate, eloquent*
velfortjent → *well-deserved, well-earned*
velfylt → *well-stocked*
velge → *choose, elect, pick, return, select*
velge ut → *select*
velger → *constituent, elector, voter*
velgere → *electorate*
velgjørende → *soothing*
velgjører → *benefactor, benefactress*
velhavende → *well-to-do*
velholdt → *trim, well-kept*
velin → *vellum*
velinformert → *clued up, well-informed*
velkjent → *familiar, well-known*
velkledd → *well-dressed*
velkommen → *welcome*
velkomst → *welcome*
vell → *blast, profusion*
vellagret → *high, ripe*
velle fram → *well up*
velle opp → *surge*
vellukt → *fragrance*
velluktende → *fragrant*
vellykket → *effective, successful*
velmenende → *well-meaning*
velment → *well-meaning*
veloppdragen → *well-behaved, well-bred, well-mannered*
velordnet → *orderly*
velorientert → *clued up, well-informed*
veloverveid → *considered, deliberate*
velplassert → *adroit*
velpleid → *well-groomed*
velrennomert → *reputable*
velsigne → *bless*
velsignelse → *blessing*
velsignet → *blessed*
velskapt → *shapely*
velsmurt → *slick*
velstand → *affluence*
velstelt → *trim*
velstelthet → *neatness*
velstående → *affluent, comfortable, wealthy, well-off, well-to-do*
veltalende → *eloquent*
veltalenhet → *eloquence*
velte → *bring down, fall over, knock over, overturn, tip, topple, upset*
velte seg → *wallow*
veltrent → *practised*
veltrimmet → *trim*
velur → *velours*
velutdannet → *literate*
velutviklet → *well-developed*
velvalgt → *well-chosen*
velvilje → *charity, favour, goodwill, willingness*
velvillig → *approvingly, charitable, sympathetic, sympathetically, willing*
velvære → *well-being*
vemmelig → *disgusting, foul, hateful, nasty, obnoxious, repulsive, sickening*
vemmelse → *disgust, loathing, repulsion*
vemod → *woe*
vemodig → *maudlin, plaintive*
vend → *PTO*
vendbar → *reversible*
vende → *turn*
vende mot → *face*
vende seg mot → *turn against*
vende seg til → *look to*
vende ut mot → *open on to*
vendekrets → *tropic*
vendepunkt → *turning point, watershed*
vendetta → *vendetta*
vene → *vein*
venetianer → *Venetian*
venetiansk → *Venetian*
Venezia → *Venice*
Venezuela → *Venezuela*
venezuelaner → *Venezuelan*
venezuelansk → *Venezuelan*
venn → *friend*
venninne → *friend, girlfriend*
vennlig → *amiable, benign, friendly, good-natured, kind, kindly, pleasantly*
vennlighet → *decency, friendliness, kindness, sweetness*
vennligsinnet → *friendly, genial*
vennligst → *please*
vennskap → *friendship*
vennskapelig → *amicable, amicably, friendly*
vennskapsby → *twin town*
vennskapskamp → *friendly*
venstre → *left*
venstrehendt → *left-handed*
venstreorientert → *leftie, leftist, left-wing*

venstreradikaler → *leftist*
venstreside → *left, left-hand side*
vente → *await, expect, hang on, hold, hold on, wait*
vente på → *await*
venteliste → *waiting list*
ventet → *due*
ventetid → *wait*
venteværelse → *waiting room*
ventil → *valve*
ventilasjon → *ventilation*
ventilasjonssjakt → *ventilation shaft*
ventilatør → *ventilator*
ventilere → *ventilate*
ventilløfter → *tappet*
Venus → *Venus*
veps → *wasp*
vepsebol → *hotbed*
veranda → *porch, veranda(h)*
verb → *verb*
verbal → *verbal*
verbalt → *verbally*
verden → *realm, world*
verdens- → *world*
Verdens helseorganisasjon → *WHO*
verdensberømt → *world-famous*
verdensmestertittel → *championship*
verdensmusikk → *world music*
verdensomspennende → *global, worldwide*
verdensrommet → *outer space*
verdensvant → *sophisticated, suave, worldly*
verdi → *merit, value, worth*
verdifull → *precious, valuable*
verdig → *deserving, stately, worthy*
verdighet → *dignity*
verdiløs → *worthless*
verdipapirer → *security*
verdisaker → *valuables*
verdistigning → *appreciation*
verditap → *depreciation*
verdsatt → *valued*
verdsette → *appreciate, cherish, rate, value*
verdslig → *profane, secular, temporal, worldly*
verft → *dockyard, shipyard*
verge → *fiduciary, guardian*
verifisere → *verify*
verifisering → *verification*
verk → *work, works*
verke → *ache, fester*
verkebyll → *abscess*
verksted → *garage, repair shop, shop, workshop*
verktøy → *tool*
verktøykasse → *tool box*
verktøysett → *tool kit*
vermut → *vermouth*
vern → *safeguard, shield*
verne → *safeguard*
verne om → *protect*
verneplikt → *conscription, national service*
vernepliktig → *conscript*
verpesyk → *broody*
verre → *worse*
vers → *stanza, verse*
versjon → *version*
verst → *worst*
vert → *host*
vertikal → *vertical*
vertikalt → *vertically*
vertinne → *hostess*
verts- → *host*
vertshus → *inn*
vertshusholder → *landlord, publican*
verve → *enlist, recruit*
verve seg → *sign up*
vervet → *regular*
vervingskontor → *recruiting office*
vesen → *being, creature, presence*
vesentlig → *considerable, considerably, crucial, essential, integral, major*
veske → *bag, bagful, pocketbook*
veskenapper → *bag-snatcher, purse-snatcher*
veslevoksen → *precocious*
vest → *vest, waistcoat, west*
vestibyle → *lobby, vestibule*
vestinder → *West Indian*
vestindisk → *West Indian*
vestlig → *westerly, western*
vestover → *westward(s)*
vesttysk → *West German*
vesttysker → *West German*
Vest-Tyskland → *West Germany*
Vesuv → *Vesuvius*
veteran → *old-timer, veteran*
veteranbil → *veteran car, vintage car*
veterinær → *veterinarian, veterinary surgeon*
vett → *sanity, sense, wit*
vette → *goblin*
vettig → *sane*
vettug → *right-minded*
vev → *tissue*
vev(stol) → *loom*
veve → *weave*
vever → *weaver*
veving → *weaving*
V-hals → *V-neck*
vi → *we*
via → *via*
viadukt → *viaduct*
vibrafon → *vibraphone*
vibrafone → *vibes*
vibrasjon → *vibration*
vibrator → *vibrator*
vibrere → *vibrate*
vice versa → *vice versa*
vid → *broad, full, loose*
vidd → *wit*
vide seg ut → *widen*
video → *video*
videobånd → *video tape*
videokamera → *camcorder, video camera*
videokasett → *video cassette*
video-opptak → *video recording*
videospill → *video game*
videospiller → *video cassette recorder, video recorder*
videre → *further, on, onward(s)*
videreføring → *continuation*
videregående utdannelse → *further education*
videresalg → *resale*
videresende → *forward, send on*
videreutvikle → *elaborate*
vidstrakt → *extensive, vast*
vidt → *widely*
vidtfavnende → *sweeping*
vidtomfavnende → *wide-ranging*
vidtrekkende → *far-reaching, wide-ranging*
vidunder → *prodigy*
vidunderbarn → *whizz kid*
vidunderlig → *divine, marvellous, sublime*
vidvinkellinse → *wide-angle lens*
vidåpen → *wide open*
vie → *marry*
vielsesattest → *marriage certificate*
Vietnam → *Vietnam*
vietnameser → *Vietnamese*
vietnamesisk → *Vietnamese*
vifte → *defogger, fan, swish*
vifte med → *brandish, flourish, wag, waggle, wave*
vifte til side → *wave aside*
vifteovn → *convector, fan heater*

vifterem → *fan belt*
vigsle → *consecrate*
vik → *cove, creek, inlet*
vikar → *locum, stand-in, substitute teacher*
vikariere for → *stand in for*
vike → *give way*
vike for → *yield*
vike unna → *dodge, sidestep, stonewall*
vikle → *coil, twist, wind*
vikle opp → *uncoil, unwind*
viktig → *important*
viktighet → *importance, moment, self-importance*
viktigst → *chief, paramount, principal*
viktoriansk → *Victorian*
vil → *will, would*
vilje → *readiness*
viljesterk → *headstrong, strong-minded*
viljestyrke → *willpower*
vilkår → *term*
vilkårlig → *arbitrary, indiscriminate, random*
vill → *fierce, madcap, savage, wild*
villa → *villa*
villbasse → *tearaway*
ville → *want, would*
villede → *mislead*
villedende → *deceptive, misleading*
villeple → *crab apple*
villfarelse → *fallacy, misapprehension*
villig → *willing*
villighet → *willingness*
villkatt → *wildcat*
villmann → *savage*
villmark → *wilderness*
villmarken → *wild*
villskap → *savagery*
vilt → *game, savagely, wildly*
vilter → *frisky*
viltreservat → *game reserve*
viltvokter → *gamekeeper*
vimpel → *pennant*
vimpelrekke → *bunting*
vimse rundt → *gad about*
vimsete → *scatterbrained, scatty*
vin → *wine*
vinaigrette → *vinaigrette*
vinbar → *wine bar*
vind → *wind*
vinde → *wind*
vindebru → *drawbridge*
vindeltrapp → *spiral staircase*
vindfull → *windy*
vinding → *coil*
vindjakke → *windcheater*
vindkast → *blast*
vindkraft → *wind power*
vindmølle → *windmill*
vindskjerm → *windbreak*
vindskjev → *warped*
vindsurfing → *windsurfing*
vindtunnel → *wind tunnel*
vindu → *window*
vindusbrett → *sill*
vindusdekoratør → *window dresser*
vinduskarm → *window ledge, windowsill*
vinduskonvolutt → *window envelope*
vinduspost → *sill, windowsill*
vinduspusser → *window cleaner*
vindusramme → *sash, window frame*
vindusrute → *window pane*
vindusstolpe → *jamb*
vindusvisker → *windscreen wiper*
vindyrkende → *vine-growing*
vindyrker → *vine grower*
vindyrking → *vine-growing*
ving → *wing, winger*
vinge → *wing*
vingemutter → *wing nut*
vingespenn → *span, wingspan*
vinglass → *wine glass*
vingle → *shilly-shally*
vingård → *vineyard*
vinhandler → *wine merchant*
vink → *hint, pointer, wave*
vinkart → *wine list*
vinke → *wave*
vinke med → *wave*
vinke på → *beckon*
vinkel → *angle*
vinkelhake → *set square*
vinkellinjal → *square*
vinkelner → *wine waiter*
vinkjeller → *wine cellar*
vinne → *galvanize, win*
vinne over → *defeat, win round*
vinnende → *endearing, engaging, winning, winsome*
vinner → *winner*
vinning → *gain*
vinranke → *grapevine, vine*
vinsj → *winch*
vinsmaking → *wine tasting*
vinstokk → *grapevine*
vinter → *winter*
vinterhage → *conservatory*
vinteridrett → *winter sports*
vinterlig → *wintry*
vintersportssted → *ski resort*
vinterstokkrose → *hollyhock*
vinutsalg → *liquor store*
vinyl → *vinyl*
vippe → *tilt*
vippebryter → *toggle switch*
vippehuske → *seesaw*
viril → *virile*
virilitet → *virility*
virke → *act, appear, function, seem, take, work*
virke inn på → *affect, impinge*
virkedag → *weekday*
virkelig → *genuinely, real, thoroughly, truly*
virkeliggjøre → *realize*
virkeliggjøring → *realization*
virkelighet → *reality*
virkelighetsfjern → *rarefied*
virkelighetsflukt → *escapism*
virkelighetsnær → *lifelike*
virkelighetstro → *realistic*
virkning → *effect*
virkningsfull → *emotive*
virkningsløs → *ineffective*
virksomhet → *operation*
virre rundt → *float around*
virtual reality → *virtual reality*
virtuell → *virtual*
virtuos → *virtuoso*
virtuositet → *virtuosity*
virulens → *virulence*
virus → *virus*
virvar → *confusion, jumble, maze, warren*
virvel → *eddy, roll, vertebra, whirl*
virveldyr → *vertebrate*
virvelløst → *invertebrate*
virvelstrøm → *whirlpool*
virvelvind → *whirlwind*
virvle → *swirl, whirl*
virvle rundt → *twirl, whirl*
virvling → *swirl, twirl*
vis → *fashion, wise*
vis-a-vis → *vis-à-vis*
visdom → *wisdom*

visdomstann → *wisdom tooth*
vise- → *deputy, vice-*
vise → *demonstrate, mark, play back, prove, read, register, screen, show*
vise fram → *display, parade, reveal, show off*
vise inn → *show in*
vise rundt → *guide*
vise seg → *show off, show up, transpire*
vise til → *point to, refer to*
vise ut → *show out*
viseformann → *vice president*
visekonge → *viceroy*
visekorporal → *lance corporal*
visepresident → *vice president*
visepresidentkandidat → *running mate*
viser → *hand, pointer*
visergutt → *dogsbody, gofer*
vises → *show*
visesheriff → *deputy*
visir → *visor*
visittkort → *business card, calling card, visiting card*
visitt-tid → *visiting hours*
visjon → *vision*
visjonær → *visionary*
viske ut → *blot out, efface, erase, rub out*
viskelær → *eraser, India rubber, rubber*
viskose → *viscose*
visle → *hiss*
visling → *hiss*
vismann → *sage*
visne → *shrivel, wither*
visnet → *withered*
visning → *screening*
visp → *beater, whisk*
vispe → *whip, whisk*
viss → *certain*
vissen → *withered*
visshet → *certainty*
visuell → *visual*
visuelt → *visually*
visum → *visa*
vital → *sprightly, spry, vital*
vitalitet → *vitality*
vitamin → *vitamin*
vite → *know, tell*
viten → *knowledge, scholarship*
vitenskap → *science*
vitenskapelig → *scientific*
vitenskapskvinne → *scientist*
vitenskapsmann → *scientist*
vitne → *witness*
vitneboks → *witness box*
vitneforklaring → *evidence, testimony*
vitnemål → *certificate, diploma*
vitneutsagn → *testimony*
vits → *crack, gag, joke, point*
vitsetegner → *cartoonist*
vitsetegning → *cartoon*
vitsing → *joking*
vittig → *witty*
vittighet → *jest, quip, wisecrack, witticism*
viviseksjon → *vivisection*
VLF → *VLF*
vodka → *vodka*
voff → *woof*
voffe → *woof*
vogge → *cradle, crib*
vogn → *car, carriage, coach, float, van, wag(g)on*
vognpark → *rolling stock*
vogntog → *articulated lorry, juggernaut*
vokabular → *vocabulary*
vokal → *vocals, vowel*
vokalist → *vocalist*
voks → *wax*
voksaktig → *waxen*
voksblek → *waxen*
voksduk → *oilcloth*
voksdukker → *waxworks*
vokse → *expand, grow, mount, swell, wax*
vokse fra → *grow away from, grow out of, outgrow*
vokse fra hverandre → *grow apart*
vokse fram → *grow up*
vokse opp → *grow up*
voksen → *adult, grown-up*
voksen alder → *adulthood, maturity*
voksende → *growing*
voksenopplæring → *adult education, continuing education, FE*
voksent → *adult*
vokset → *waxed*
vokskabinett → *waxworks*
vokskake → *honeycomb*
vokte (på) → *guard, stalk*
vokter → *custodian, guardian, warden, warder*
volang → *flounce*
vold → *violence*
voldelig → *strong-arm, violent*
voldgift → *arbitration*
voldgiftsmann → *arbiter, arbitrator*
voldshandling → *outrage*
voldsom → *ferocious, fierce, furious, intense, rough, terrific, vehement, vicious, violent*
voldsomhet → *ferocity, violence*
voldsomt → *furiously, intensely, profusely, violently, wildly*
voldta → *rape*
voldtekt → *rape*
voldtektsmann → *rapist*
voll → *embankment, mound*
vollgrav → *moat*
volt → *volt*
volum → *volume*
volumkontroll → *volume control*
vom → *paunch*
vond → *bad, painful, upsetting*
vorte → *wart*
vott → *mitt(en)*
vove → *woof*
vovet → *ribald, risqué*
vovvov → *doggy*
vrak → *crock, wreck*
vrake → *reject, scrap*
vrakgods → *flotsam*
vraking → *rejection*
vrakrest → *wreckage*
vralte → *waddle*
vrang → *bloody-minded, inside out, perverse*
vrange → *reverse*
vrangforestilling → *delusion*
vranghet → *perversity*
vranglære → *heresy*
vrangside → *reverse*
vrangvillig → *bloody-minded, contrary*
vrede → *wrath*
vrenge på → *twist*
vrengebilde → *travesty*
vri → *twist, wring*
vri om → *wring*
vri på → *turn, twist*
vri seg → *cringe, squirm, wriggle, writhe*
vridning → *contortion*
vridningsmoment → *torque*
vrien → *awkward, difficult, intractable, knotty, tough, tricky*
vrikke → *twist*
vrikke med → *wiggle*
vrikket → *twisted*
vrikkeåre → *scull*
vrimaskin → *wringer*
vrimmel → *crush*

vrinske → *neigh*
vrist → *instep*
vræle → *bawl, belt out*
vrøvl → *gibberish, twaddle*
vugge → *birthplace, cradle, crib, rock*
vuggesang → *lullaby*
vugging → *swing*
vulgaritet → *smut, vulgarity*
vulgær → *brassy, crude, gross, vulgar*
vulkan → *volcano*
vulkansk → *volcanic*
vulva → *vulva*
vurdere → *appraise, assess, consider, evaluate, review*
vurdere om → *debate*
vurdering → *appraisal, assessment, consideration, estimate, judg(e)ment, rating, report, review, valuation*
vurderingsevne → *judg(e)ment*
væpnet ran → *armed robbery*
vær → *ram, weather*
værbestandig → *weatherproof*
værbitt → *weather-beaten*
være → *be, equal, stay*
være igjen → *remain*
være med på → *go along with*
være sammen → *go out*
være sammen med → *go with*
være ute → *stay out*
være ute etter → *go after*
værelse → *apartment, room*
væremåte → *manner*
Væren → *Aries*
væren → *being*
værhane → *weathercock*
værhår → *whiskers*
værkart → *chart*
værmann → *weatherman*
værmelding → *forecast, weather forecast, weather report*
værsikker → *weatherproof*
værutsikt → *forecast, outlook*
værutsikter → *weather forecast*
værvarsel → *weather forecast, weather report*
væske → *fluid, liquid, weep*
vågal → *daring*
våge → *hazard*
våge seg → *venture*
vågemot → *bravado*
våghals → *daredevil*
våkebluss → *pilot light*
våken → *alert, awake, aware, sharp-witted*
våkne → *awake, come to*
våningshus → *farmhouse*
våpen- → *ordnance*
våpen → *arm, weapon*
våpenhus → *porch*
våpenhvile → *ceasefire, truce*
våpenlager → *armoury*
våpenskjold → *coat of arms, crest*
våpensmugler → *gunrunner*
våpensmugling → *gunrunning*
våpenstillstand → *armistice, truce*
våpenutrustning → *armaments*
vår → *our, ours, spring, springtime*
vårløk → *spring onion*
vårrengjøring → *spring-clean(ing)*
vårrull → *spring roll*
vås → *garbage, guff, rot*
våt → *wet*
våtdrakt → *wetsuit*

W

W, w → *W, w*
Wales → *Wales*
waliser → *Welshman, Welshwoman*
waliserne → *Welsh*
walisisk → *Welsh*
walkie-talkie → *walkie-talkie*
Warszawa → *Warsaw*
watt → *watt*
wattforbruk → *wattage*
wattytelse → *wattage*
wc → *lavatory, toilet, WC*
webbstoff → *webbing*
weekend → *weekend*
western → *western*
whisky → *whisky*
whist → *whist*
WHO → *WHO*
Wien → *Vienna*
wiener- → *Viennese*
wienerbrød → *Danish pastry*
wigwam → *wigwam*
wok → *wok*
wolfram → *tungsten*

X, x → *X, x*
xylofon → *xylophone*

Y, y → *Y, y*
yamsrot → *yam*
ydmyk → *humble, meek*
ydmyke → *humble, humiliate, put down*
ydmykelse → *humiliation, indignity*
ydmykende → *humiliating*
ydmykhet → *humility*
ydmykt → *humbly*
Yemen → *Yemen*
yemenitt → *Yemeni*
yemenittisk → *Yemeni*
yen → *yen*
ymse → *miscellaneous*
ynde → *delicacy, grace*
yndig → *darling, delicate*
yndling → *darling, favourite*
yndlings- → *favourite, pet*
yngel → *spawn*
yngle → *spawn*
yngleplass → *breeding ground*
yngling → *youth*
yngre → *younger*
ynkelig → *abject, miserable, miserably, paltry, pathetic, piteous, pitiable, pitiful, pitifully*
ynkverdig → *pitiable, pitiful*
yoga → *yoga*
yoghurt → *yog(h)ourt*
ypperlig → *excellent, superb, tremendous*
ypperste → *crowning*
yppig → *buxom, voluptuous*
yrke → *occupation, profession, trade*
yrkes- → *professional, regular, vocational*
yrkesoffiser → *careers officer*
yrkesrisiko → *occupational hazard*

yrkesveiledning → *occupational guidance*
yte → *render*
yteevne → *performance*
ytre → *exterior, outward, utter*
ytring → *comment, utterance*
ytringsfrihet → *free speech*
ytterfrakk → *overcoat*
ytterkant → *periphery*
ytterligere → *additional, further*
ytterliggående → *extreme*
ytterlighet → *extreme*
ytterpunkt → *extremity*
ytterside → *outside*
ytterst → *extreme, highly*
ytterste → *outer*
yttertelt → *flysheet*
yttervegg → *outside*

Z

Z, z → *Z, z*
Zaire → *Zaire*
Zambia → *Zambia*
zambier → *Zambian*
zambisk → *Zambian*
Zimbabwe → *Zimbabwe*
zoolog → *zoologist*
zoologi → *zoology*
zoologisk → *zoological*
zoologisk hage → *zoo*
zoomlinse → *zoom lens*
Zulu → *Zulu*
Zulusk → *Zulu*
Zürich → *Zürich*

Æ

æra → *era*
ærbar → *chaste*
ærbødig → *deferential, respectful, respectfully, reverent*
ærbødighet → *reverence*
ære → *credit, glory, honour, privilege*
ærefrykt → *awe, reverence*
ærefryktinngytende → *awe-inspiring*
ærekrenkelse → *defamation, libel, slander*
ærekrenkende → *defamatory, slanderous*
ærend → *errand*
æres- → *honorary*
æresbevisning → *distinction, honour*
ærlig → *honest, honestly*
ærlighet → *honesty*
ærverdig → *august, dignified, hallowed, venerable*
æsj → *ugh*
ætt → *ancestry*

Ø

øde → *desolate, forlorn, solitary*
ødelagt → *corrupt*
ødeland → *desert*
ødelegge → *corrupt, destroy, devastate, ruin, spoil, wreck*
ødeleggelse → *destruction, devastation, ruination*
ødeleggende → *crippling, destructive, devastating*
ødemark → *waste, wasteland, wilderness*
ødsel → *extravagant, prodigal, wasteful*
ødsle bort → *squander*
ødslig → *bleak*
ødsling → *wastage, waste*
øgle → *lizard*
øk → *nag*
øke → *gain, grow, heighten, increase, mount, raise, rise, swell*
økenavn → *nickname*
økende → *growing, increasing, rising*
økning → *escalation, hike, raise, rise*
øko- → *eco-*
økolog → *ecologist*
økologi → *ecology*
økologisk → *ecological*
økonom → *economist*
økonomi → *economics, economy, finance*
økonomidirektør → *bursar*
økonomiklasse → *economy class*
økonomisere → *economize*
økonomisk → *economic, economical, economically, financial, financially*
økonomistørrelse → *economy size*
økosystem → *ecosystem*
økoturisme → *ecotourism*
øks → *axe, hatchet*
økumenisk → *ecumenical*
øl → *ale, beer*
ølboks → *beer can*
ølbølle → *lager lout*
ølvom → *beer belly*
øm → *tender*
ømfintlig → *sensitive, touchy*
ømhet → *fondness, tenderness*
ømt → *affectionately, tenderly*
ømtålig → *delicate*
ønske → *desire, wish*
ønskeben → *wishbone*
ønskedrøm → *pipe dream*
ønskelig → *desirable*
ør → *light-headed, woozy*
øre → *ear*
øre nese hals → *ENT*
øredobb(e) → *stud*
øredøvende → *deafening, thunderous*
øreflipp → *earlobe*
ørekyte → *minnow*
ørepropper → *earplugs*
ørering → *earring*
øresus → *tinnitus*
øreverk → *earache*
ørhet → *giddiness*
ørken → *desert*
ørliten → *diminutive, minute, minutely*
ørn → *eagle*
ørnereir → *eyrie*
ørret → *trout*
ørske → *stupefaction*
ørsken → *groggy*
ørten → *umpteen*
øse → *bail, bale out, ladle*
øse opp → *ladle, scoop up*
øse ut → *ladle out, pour out*
øst → *east, eastern*
østblokklandene → *east*
Østens → *eastern*
Østerrike → *Austria*
østerriker → *Austrian*
østerriksk → *Austrian*
østers → *oyster*
østlig → *east, easterly, eastern*
østover → *east, eastward(s)*
østrogen → *oestrogen*
østrogenbehandling → *HRT*
Øst-Tyskland → *East Germany*
øve → *practise*
øve opp → *train*
øve på → *practise, rehearse*

øvelse → *drill, event, exercise, practice*
øvelseskjører → *learner*
øverst → *supreme, top, topmost, uppermost*
øverstkommanderende → *commander-in-chief*
øvre kammer → *Upper House*
Øvre Volta → *Upper Volta*
øvrighetsperson → *dignitary*
øy → *island, isle*
øyboer → *islander*
øye → *eye*
øyeblikk → *instant, minute, moment, tick*
øyeblikkelig → *immediately, instant, instantaneous, outright, prompt, promptly*
øyeblikks- → *momentary, snap*
øye(n)dråper → *eyedrops*
øyeeple → *eyeball*
øyeglass → *eyebath, eye cup*
øyelokk → *eyelid, lid*
øyemed → *end*
øyenbryn → *brow, eyebrow*
øyenbrynsblyant → *eyebrow pencil*
øyenflørte → *ogle*
øyenhull → *socket*
øyenlege → *ophthalmologist*
øyenskygge → *eyeshadow*
øyenstikker → *dragonfly*
øyensverte → *mascara*
øyensynlig → *ostensibly*
øyenvann → *eyewash*
øyenvipp → *eyelash*
øyenvitne → *eye witness*
øyrike → *archipelago*

Å

å → *oh, to*
åger → *usury*
ågerkar → *usurer*
åk → *gantry, yoke*
åker → *field*
ål → *eel*
åletrang → *skintight*
ålreit → *right*
ånd → *spirit*
ånde → *breath*
åndedrag → *breath*
åndedrett → *breathing*
åndelig → *spiritual*
åndfull → *soulful*
åndløs → *mindless, soulless*
åndsforlatt → *inane, soul-destroying*
åndsfraværende → *absent-minded*
åndsfraværenhet → *absent-mindedness*
åndsnærværelse → *presence of mind*
åndssvak → *feeble-minded, halfwit*
åpen → *open, overt, upfront*
åpenbar → *apparent, manifest, obvious*
åpenbaring → *revelation*
åpenbaringen → *revelation*
åpenbart → *evidently, obviously, plainly*
åpenhet → *candour, frankness, openness*
åpenhjertig → *outspoken*
åpenlys → *blatant, explicit, flagrant, patent, undisguised*
åpenlyst → *openly, patently*
åpent → *actively, frankly, openly*
åpne → *inaugurate, lead off, open, throw*
åpne seg → *open*
åpner → *opener*
åpning → *aperture, mouth, opening, orifice*
åpnings- → *inaugural, opening*
åpningstid → *licensing hours, opening hours*
år → *year*
årbok → *yearbook*
åre → *oar, seam, vein*
åregaffel → *rowlock*
årelating → *bloodletting*
årgang → *vintage, year*
årgangsvin → *vintage wine*
århundre → *century*
årlig → *annual, annually, yearly*
års- → *annual*
årsak → *cause, reason*
årsberetning → *annual report*
årsdag → *anniversary*
årsmøte → *AGM*
årstid → *season*
årtusen → *millennium*
årvåken → *alert, vigilant, watchful*
årvåkenhet → *vigilance*
ås → *hill*
åsside → *hillside*
åsted → *scene*
åte → *bait*
åtsel → *carrion*
åtseldyr → *scavenger*
åtselfugl → *scavenger*
åtte → *eight*
åttekantet → *octagonal*
åttende → *eighth*
åttendedelsnote → *quaver*
åtti → *eighty*
åttiåring → *octogenarian*